D0286723

ENGLISCH
WÖRTERBUCH

Englisch / Deutsch
Deutsch / Englisch

Sonderausgabe

ISBN 978-3-8174-5153-1
5151536

Inhalt

Benutzerhinweise

Diese neue Ausgabe bietet mit ihren 150.000 zuverlässigen Angaben und treffenden Übersetzungen zu rund 40.000 Stichwörtern einen schnellen Zugriff auf einen umfassenden Grund- und Fachwortschatz der modernen Hoch- und Umgangssprache, mit Anwendungsbeispielen und idiomatischen Redewendungen.

Alphabetisierung

Die Stichwörter sind streng alphabetisch geordnet: Getrennt geschriebene und durch Bindestrich getrennte Stichwörter werden dabei behandelt, als würden sie zusammengeschrieben. Nur die „phrasal verbs" (häufig benutzte Zusammensetzungen von Verben mit Präpositionen oder Adverbien im Englischen, z. B. *give up*) stehen der Übersichtlichkeit halber direkt nach dem entsprechenden Verb und sind mit einem Punkt (•) gekennzeichnet.

Die Buchstaben ä, ö, ü werden wie a, o, u alphabetisiert; ß wird wie ss eingeordnet.

Einige Stichwörter werden durch zusätzliche Informationen in Klammern genauer bestimmt (z. B. Angabe der Endung der Femininform). Diese Ergänzungen in Klammern werden bei der Alphabetisierung jedoch nicht berücksichtigt.

Gliederung der Stichwörter

Abkürzungen, die einer Erläuterung oder mehrerer Übersetzungen bedürfen (z. B. CD-ROM), werden als Stichwörter aufgeführt – andere gängige Abkürzungen befinden sich im Anhang auf den Seiten 596–599.

Homonyme, d. h. Wörter, die gleich lauten, aber eine unterschiedliche Herkunft und Bedeutung haben, z. B. *Mark* (Währung/Grenzgebiet/Gewebe) werden mit hochgestellten Zahlen gekennzeichnet.

Um einen raschen Zugriff auf das gesuchte Wort zu ermöglichen, steht jedes Stichwort als eigener Eintrag. So stehen zum Beispiel *afternoon* und *afterwards* nicht zusammen mit *after* in einem Abschnitt, sondern sind selbstständige Stichwörter mit Lautschriftangabe.

Sowohl die maskuline als auch die feminine Form eines Substantives wird stets angegeben. Bei Bildung der Femininform mit Wortstammveränderung (z. B. *Bauer/Bäuerin*) und bei Bildung der Femininform durch Ersetzen der Maskulinendung (z. B. *Zeuge/Zeugin*) erhält das feminine Substantiv einen eigenen Eintrag.

Bei substantivierten Adjektiven (z. B. *Jugendliche(r)*) und erstarrten Partizipien (z. B. *Geliebte(r)*) wird im Deutschen ebenfalls sowohl die Maskulin- als auch die Femininform angegeben. Sie werden wie Adjektive dekliniert: *ein Jugendlicher, eine Jugendliche; mit einem Geliebten, mit einer Geliebten usw.*

Adjektive werden – mit Ausnahme von solchen wie *erste(r,s), jüngste(r,s)* – nur in der männlichen Form angegeben.

Adverbien im Englischen, die von einem Adjektiv abgeleitet werden, werden nicht als einzelne Einträge aufgeführt, es sei denn die adverbiale Bedeutung unterscheidet sich von der adjektivischen. Die Bildung der englischen Adverbien kann im Anhang nachgelesen werden.

Aufbau eines Eintrags

Innerhalb eines Stichworteintrages wird das fett gedruckte Stichwort nicht wiederholt, sondern durch eine Tilde (~) ersetzt, es sei denn, es steht in einer Form, die eine andere Schreibweise nach sich zieht. Im Eintrag *book* z. B. steht statt *books* einfach ~*s*, bei *Buch* ist die Pluralform *Bücher* ausgeschrieben. Diese Ausnahme bezieht sich auch auf die Großschreibung eines sonst kleingeschriebenen Wortes (z. B. am Satzanfang einer Wendung). Die Tilde bezieht sich nie auf eventuelle Klammerergänzungen im Stichwort.

Innerhalb eines Stichworteintrags sind die einzelnen Übersetzungen nach Wortart und Häufigkeit geordnet. Bedeutungsgleiche (synonyme) Übersetzungen werden durch Komma voneinander getrennt. Nicht bedeutungsgleiche Übersetzungen werden entsprechend der Häufigkeit ihrer Verwendung durchnummeriert und mit Strichpunkt abgetrennt.

Englische Verben werden in diesem Buch im Infinitiv ohne *to* aufgeführt. Eine Ausnahme bilden Wendungen mit *to be*, z. B. *to be in hiding*.

Sind Auslassungszeichen (...) direkt an ein Wort angehängt (z. B. bei Präfixen), bedeutet dies, dass das Wort als Teil einer Zusammensetzung wiedergegeben wird. Beispiel:

south [saʊθ] *adj* südlich, Süd...

Neben der Übersetzung *südlich* sind auch Wortzusammensetzungen mit *Süd...* möglich: z. B. *Süddeutschland, Südafrika* usw.

Lautschrift

Der Stichwortangabe folgt jeweils in eckigen Klammern die dazugehörige Aussprache. Die Lautschrift richtet sich nach der international gebräuchlichen Phonetik. Eine Übersicht über die Lautschriftzeichen befindet sich auf Seite VIII. Das Betonungszeichen (') steht jeweils vor der Silbe, die betont werden muss. Die Lautschrift eines englischen Stichwortes orientiert sich an der britischen Hochsprache ("Received Pronunciation").

Steht in einem Eintrag eine zusätzliche Lautschriftangabe, bedeutet dies, dass alle folgenden Bedeutungen entsprechend dieser Phonetikangabe ausgesprochen werden.

Wortart

Nach Stichwort und Lautschrift wird die Wortart des fett gedruckten Stichwortes in abgekürzter Form angegeben. Sie ist kursiv gedruckt. Die Abkürzungen werden auf Seite VII erläutert. Gibt es für ein Stichwort mehrere Bedeutungen mit unterschiedlichen Wortarten, so werden diese durch Strichpunkt voneinander getrennt aufgeführt.

Hat ein Stichwort sowohl eine maskuline als auch eine feminine Form oder werden für ein Wort zwei unterschiedliche Genera gleich häufig verwendet, so stehen die entsprechenden Angaben kursiv hinter dem betreffenden Wort.

Alle unregelmäßigen Verben sind mit der Abkürzung *v irr* gekennzeichnet. Die unregelmäßigen Formen der Verben beider Sprachen werden im Anhang (Seiten 580–583 sowie 592–595) aufgeführt. Aufgelistet werden ausschließlich die Formen des Stammverbs (die Formen zur *repay* sieht man bei *pay* nach, die Formen zu *ausschließen* stehen bei *schließen*).

Redewendungen

Die zahlreichen Wendungen und sprichwörtlichen Redensarten sind dem bedeutungstragenden Wort der Wendung – in der Regel dem Substantiv – zugeordnet.

Britisches und amerikanisches Englisch

Wichtige Unterschiede und Unregelmäßigkeiten in der Rechtschreibung werden aufgeführt (*kerb/curb*). Ob Wörter oder Wortformen nur im britischen *(UK)* oder nur im amerikanischen *(US)* Englisch gebräuchlich sind, wird hinter dem Wort gekennzeichnet.

Können Verben sowohl mit *-ise* als auch mit *-ize* geschrieben werden (*realise/ realize, criticise/criticize*), ist in diesem Buch lediglich die Schreibweise mit *-ize* angegeben.

Anhang

Die Kurzgrammatiken im Anhang ermöglichen es auch Anfängern, den vorhandenen Wortschatz stilsicher anzuwenden. So findet der Benutzer schnell eine Antwort auf jedes grundlegende grammatische Problem.

Im Text verwendete Abkürzungen

adj	Adjektiv	*LING*	Linguistik
adv	Adverb	*LIT*	Literatur
AGR	Landwirtschaft	*m*	männlich
ANAT	Anatomie	*MATH*	Mathematik
ARCH	Architektur	*MED*	Medizin
art	Artikel	*MET*	Metallurgie
ART	Kunst	*METEO*	Meteorologie
ASTR	Astronomie	*MIL*	Militär
BIO	Biologie	*MIN*	Bergbau/Mineralogie
BOT	Botanik	*MUS*	Musik
CHEM	Chemie	*n*	Neutrum
CINE	Film	*NAUT*	Schifffahrt
ECO	Wirtschaft	*num*	Zahlwort
etw	etwas	*PHIL*	Philosophie
f	weiblich	*o.s.*	oneself
fam	umgangssprachlich	*PHYS*	Physik
fig	bildlich	*pl*	Plural
FIN	Finanzwelt	*POL*	Politik
FOTO	Fotografie	*pref*	Präfix
GAST	Gastronomie	*prep*	Präposition
GEO	Geografie	*pron*	Pronomen
GEOL	Geologie	*PSYCH*	Psychologie
GRAMM	Grammatik	*REL*	Religion
HIST	Geschichte	*sb*	Substantiv
INFORM	Informatik	*s.o.*	someone
interj	Interjektion	*sth*	something
irr	unregelmäßig	*SPORT*	Sport
jdm	jemandem	*sup*	Superlativ
jdn	jemanden	*TECH*	Technik
jds	jemandes	*TEL*	Kommunikationswesen
jmd	jemand	*THEAT*	Theater
JUR	Recht	*v*	Verb
konj	Konjunktion	*ZOOL*	Zoologie

Lautschrift

Konsonanten

Baum	b	big		Post, ab	p	pass
mich	ç			Rand	r	road
denn	d	day		nass, besser	s	sun, cellar
fünf, vier	f	fish, photo		Schule, Sturm	ʃ	shot
gut	g	get		Tisch, Sand	t	tap
Hemd	h	hat			θ	think
ja, Million	j	yes			ð	that
Kind	k	keep, cat		Weg	v	vote
Lob	l	life			w	wish
mir	m	me		lachen	x	
nein	n	no, knit		sein	z	zoo, is
links, lang	ŋ	hang		Genie	ʒ	pleasure

Vokale

blass	a	
Bahn, Saal	aː	
	ɑː	jar, heart
	æ	back
egal	e	yes
weh, See	eː	
hätte, fett	ɛ	
Säge	ɛː	
gefallen	ə	above
	ɜː	turn, whirl
ist	ɪ	if
Diamant	i	
Liebe	iː	be, meet
Moral	o	
Boot, Tod	oː	
von	ɔ	
	ɔː	short, warm
	ɒ	dog
ökonomisch	ø	
Öl	øː	
völlig	œ	
Zunge	u	
Zug	uː	blue, mood
	ʊ	put, hood, would
	ʌ	run, shove
Stück	y	
Typ	yː	

Diphthonge

heiß	aɪ	by, buy, lie
Maus	au	
	aʊ	round, now
	eɪ	late, day
	ɛə	chair, stare
	əʊ	mow, go
	ɪə	near, here
neu, Häuser	ɔy	
	ɔɪ	joy, boil
	ʊə	sure, pure

Nasale (nur bei Fremdwörtern)

Orange	ɑ̃	fiancée
Cousin	ɛ̃	
Saison	ɔ̃	bouillon

Englisch – Deutsch

A

a [eɪ, ə] *art 1.* ein/eine; *prep 2. (per)* pro
abandon [ə'bændən] *v 1. (leave, leave behind)* verlassen; *2. (a plan)* aufgeben; *3. (relinquish)* preisgeben; *4. (an animal)* aussetzen; *sb 5.* with ~ mit Leib und Seele
abase [ə'beɪs] *v* demütigen, erniedrigen
abash [ə'bæʃ] *v* beschämen
abate [ə'beɪt] *v* nachlassen, abflauen
abattoir ['æbətwɑː] *sb* Schlachthaus *n*
abbey ['æbɪ] *sb* REL Abtei *f*
abbot ['æbət] *sb* REL Abt *m*
abbreviate [ə'briːvɪeɪt] *v* abkürzen
abbreviation [əbriːvɪ'eɪʃən] *sb* Abkürzung *f*
abdicate ['æbdɪkeɪt] *v (monarch)* POL abdanken
abdication [æbdɪ'keɪʃən] *sb (of a monarch)* POL Abdankung *f*
abduct [əb'dʌkt] *v* entführen
abduction [əb'dʌkʃən] *sb* Entführung *f*
aberration [æbə'reɪʃən] *sb 1.* Abweichung *f; 2. (mental)* Verirrung *f*
abhor [əb'hɔː] *v* verabscheuen
abhorrence [əb'hɔrəns] *sb* Abscheu *m*
abhorrent [əb'hɔrənt] *adj* abscheulich
abide [ə'baɪd] *v irr ~ by* sich halten an
ability [ə'bɪlɪtɪ] *sb* Fähigkeit *f,* Befähigung *f*
abject ['æbdʒekt] *adj 1. (sunk to a low condition)* elend, niedrig; *2. (grovelling)* kriecherisch
able ['eɪbl] *adj 1.* fähig; *2. to be ~ to do sth* etw können; in der Lage sein, etw zu tun; *3. (gifted)* begabt; *4. (efficient)* tüchtig
abnegate ['æbnɪgeɪt] *v* sich versagen
abnormal [æb'nɔːməl] *adj 1.* anormal; *2. (deviant)* abnorm
abolish [ə'bɒlɪʃ] *v* abschaffen, aufheben
abolition [æbə'lɪʃən] *sb* Abschaffung *f*
A-bomb ['eɪbɒm] *sb (atomic bomb)* Atombombe *f*
abominable [ə'bɒmɪnəbl] *adj* abscheulich
aboriginal [æbə'rɪdʒɪnl] *adj* primitiv, ursprünglich, indigen, eingeboren
Aborigine [æbə'rɪdʒɪniː] *sb* australischer Ureinwohner *m*
abort [ə'bɔːt] *v* MED abtreiben
abortion [ə'bɔːʃən] *sb 1. (operation)* MED Abtreibung *f; 2.* MED Fehlgeburt *f*
about [ə'baʊt] *adv 1. (approximately)* ungefähr, etwa; *2. (round, around)* herum, umher; *leave things lying ~* Sachen herumliegen lassen;

to be up and ~ wieder auf den Beinen sein; *3. to be ~ to do sth* im Begriff sein, etw zu tun; *prep 4. (all round)* um, um ... herum; *5. (concerning)* über, von; *What is it ~?* Worum handelt es sich? *6. (around a certain time)* gegen, um
above [ə'bʌv] *prep 1.* über, oberhalb; *2. (fig)* über; *~ all* vor allem; *~ average* überdurchschnittlich; *get ~ o.s.* eingebildet sein; *adv 3. (overhead)* oben; *4. (in a higher position)* darüber; *adj 5. (~mentioned)* oben genannt, oben erwähnt
abreast [ə'brest] *adv 1.* nebeneinander; *2. (fig) keep ~ of sth* auf dem Laufenden bleiben
abridge [ə'brɪdʒ] *v* kürzen, abkürzen
abroad [ə'brɔːd] *adv 1. (in another country)* im Ausland; *2. (to another country)* ins Ausland
abrupt [ə'brʌpt] *adj 1.* abrupt, plötzlich, jäh; *2. (descent)* unvermittelt; *3. (brusque)* schroff
abruption [ə'brʌpʃən] *sb* Abbruch *m*
absence ['æbsəns] *sb 1.* Abwesenheit *f,* Fehlzeiten *f/pl; 2. (lack)* Fehlen *n,* Mangel *m*
absent ['æbsənt] *adj* abwesend
absentee [æbsən'tiː] *sb* Abwesende(r) *m/f*
absent-minded ['æbsənt'maɪndɪd] *adj 1. (habitually forgetful)* zerstreut; *2. (lost in thought)* geistesabwesend, gedankenverloren
absolute ['æbsəluːt] *adj 1.* absolut, unbedingt; *2. (utter)* völlig, vollkommen
absolution [æbsə'luːʃən] *sb* REL Absolution *f*
absolutism ['æbsəluːtɪzəm] *sb* POL Absolutismus *m*
absolve [əb'zɒlv] *v* REL lossprechen
absorb [əb'zɔːb] *v 1.* absorbieren, aufsaugen; *2. (knowledge)* aufnehmen
absorbing [əb'zɔːbɪŋ] *adj (fig)* fesselnd
absorption [əb'zɔːpʃən] *sb 1.* Absorption *f,* Aufsaugung *f; 2.* intensive Beschäftigung *f*
abstain [əb'steɪn] *v ~ from sth* sich etw enthalten, etw lassen, sich etw versagen
abstemious [əb'stiːmɪəs] *adj* abstinent
abstention [əb'stenʃən] *sb 1.* Enthaltung *f; 2. (in voting)* Stimmenthaltung *f*
abstinence ['æbstɪnəns] *sb* Abstinenz *f*
abstract ['æbstrækt] *adj 1.* abstrakt; *2.* gegenstandslos; *sb 3. (summary)* Abriss *m*
abstraction [æb'strækʃən] *sb* Abstraktion *f*
absurd [əb'sɜːd] *adj* absurd, lächerlich
absurdity [əb'sɜːdɪtɪ] *sb* Unsinn *m*
abundance [ə'bʌndəns] *sb* Fülle *f*

abundant [ə'bʌndənt] *adj* reichlich, üppig
abuse [ə'bju:z] *v* 1. missbrauchen, misshandeln, falsch anwenden; 2. *(insult)* beschimpfen; [ə'bju:s] *sb* 3. Missbrauch *m*
abut [ə'bʌt] *v* angrenzen
abyss [ə'bɪs] *sb* Abgrund *m*
academic [ækə'demɪk] *adj* 1. akademisch; 2. *(intellectual)* wissenschaftlich; *sb* 3. Dozent(in) *m/f*, Akademiker(in) *m/f*
academy [ə'kædəmi] *sb* Akademie *f*
accede [æk'si:d] *v* 1. *(agree)* zustimmen, *(reluctantly)* einwilligen; 2. ~ to the throne den Thron besteigen
accelerate [æk'seləreɪt] *v* beschleunigen
acceleration [ækselə'reɪʃən] *sb* Beschleunigung *f*
accent ['æksent] *sb* 1. Akzent *m*; 2. *(~ed syllable)* Betonung *f*
accentuate [æk'sentjʊeɪt] *v* hervorheben, betonen, akzentuieren
accept [ək'sept] *v* 1. annehmen, akzeptieren; *sb* ECO 2. *(a fact)* hinnehmen; 3. *(receive, take receipt of)* entgegennehmen
acceptable [ək'septəbl] *adj* annehmbar
acceptance [ək'septəns] *sb* 1. *(receipt)* Annahme *f*; 2. *(of a person, of an idea)* Anerkennung *f*; 3. *(agreement)* Annahme *f*, Akzeptanz *f*; 4. *(of a bill of exchange)* Akzept *n*
access ['ækses] *sb* 1. Zugang *m*, Zutritt *m*; 2. INFORM Zugriff *m*
accessible [æk'sesəbl] *adj* zugänglich, erreichbar
accessory [æk'sesərɪ] *sb* 1. JUR Mitschuldige(r) *m/f*, Mitwisser(in) *m/f*
accident ['æksɪdənt] *sb* 1. Unfall *m*, Unglück *n*; *by* ~ aus Versehen; 2. *(chance)* Zufall *m*; *by* ~ durch Zufall
accidental [æksɪ'dentl] *adj* zufällig
acclaim [ə'kleɪm] *sb* 1. Beifall *m*; *v* 2. feiern
acclimate ['æklɪmeɪt] *v* 1. (US) gewöhnen; 2. (US) ~ o.s. sich eingewöhnen
accommodate [ə'kɒmədeɪt] *v* 1. sich anpassen; 2. unterbringen
accommodation [əkɒmə'deɪʃən] *sb* 1. Anpassung *f*; 2. *(lodging)* Unterkunft *f*
accompaniment [ə'kʌmpənɪmənt] *sb* 1. Beiwerk *n*; 2. MUS Begleitung *f*
accompany [ə'kʌmpənɪ] *v* begleiten
accomplice [ə'kɒmplɪs] *sb* Komplize/Komplizin *m/f*, Mittäter(in) *m/f*
accomplish [ə'kɒmplɪʃ] *v* 1. *(achieve)* schaffen; 2. *(a task)* bewältigen, vollbringen
accomplishment [ə'kɒmplɪʃmənt] *sb* 1. *(an achievement)* Leistung *f*; 2. Erfüllung *f*

accord [ə'kɔ:d] *sb* *(fig)* Einstimmigkeit *f*; *of one's own* ~ von selbst
accordance [ə'kɔ:dəns] *sb* *in* ~ *with* entsprechend, gemäß; *to be in* ~ *with* entsprechen
according [ə'kɔ:dɪŋ] *prep* 1. ~ *to* (as stated by) laut; 2. ~ *to* (in accordance with) nach, gemäß; ~ *to plan* planmäßig; 3. ~ *to* (depending on) je nach
accordion [ə'kɔ:dɪən] *sb* MUS Akkordeon *n*, Ziehharmonika *f*
account [ə'kaʊnt] *v* 1. ~ *for* (substantiate) FIN belegen; 2. ~ *for* (explain) erklären; *sb* 3. (at a bank, at a firm) ECO Konto *n*; ~ *for reimbursements of expenses* Aufwandsausgleichskonto; ~ *in foreign currency* Fremdwährungskonto; 4. *(report)* Erzählung *f*, Bericht *m*; 5. *(explanation)* Rechenschaft *f*; 6. *on* ~ *of* wegen, aufgrund, in Anbetracht; *on no* ~ keinesfalls; 7. *take sth into* ~ etw berücksichtigen
accountable [ə'kaʊntəbl] *adj* verantwortlich, *hold s.o.* ~ *for sth* jdn für etw verantwortlich machen
accountancy [ə'kaʊntənsɪ] *sb* Buchhaltung *f*, Buchführung *f*
accountant [ə'kaʊntənt] *sb* Buchhalter(in) *m/f*
account balance [ə'kaʊntbæləns] *sb* Kontostand *m*
account number [ə'kaʊnt 'nʌmbə] *sb* ECO Kontonummer *f*
accredit [ə'kredɪt] *v* 1. *(a representative)* akkreditieren; 2. *(US: a school)* anerkennen
accretion [ə'kri:ʃən] *sb* 1. *(growth)* Zunahme *f*, Wachstum *n*; 2. *(growing together)* Verschmelzung *f*
accumulate [ə'kju:mjʊleɪt] *v* 1. *(amass)* ansammeln, anhäufen, häufen; 2. *(pile up)* sich ansammeln
accumulation [əkju:mjʊ'leɪʃən] *sb* Ansammlung *f*, Anhäufung *f*, Häufung *f*
accumulator [ə'kju:mjʊleɪtə] *sb* TECH Akku *m*
accuracy ['ækjʊrəsɪ] *sb* Genauigkeit *f*, Exaktheit *f*, Richtigkeit *f*
accurate ['ækjʊrɪt] *adj* genau, exakt, akkurat
accusal [ə'kju:zl] *sb* Anklage *f*
accusation [ækju:'zeɪʃən] *sb* 1. JUR Anklage *f*, Anschuldigung *f*, Beschuldigung *f*; 2. *(reproach)* Vorwurf *m*
accusative [ə'kju:zətɪv] *sb* *(~ case)* LING Akkusativ *m*
accuse [ə'kju:z] *v* 1. JUR anklagen; 2. ~ *of* beschuldigen

accused [əˈkjuːzd] *sb the ~* JUR der/die Angeklagte *m/f*

accuser [əˈkjuːzə] *sb* JUR Ankläger(in) *m/f*

accustom [əˈkʌstəm] *v* 1. *~ o.s. to sth* sich an etw gewöhnen; 2. *~ s.o. to sth* jdm etw angewöhnen

ace [eɪs] *sb* 1. *(card)* Ass *n; hold all the ~s (fam)* alle Trümpfe in der Hand halten; 2. *(unreturned serve)* SPORT Ass *n;* 3. *(expert)* Ass *n; adj* 4. Spitzen...

acerbic [əˈsɜːbɪk] *adj* sauer, bitter

ache [eɪk] *v* 1. schmerzen, wehtun; *sb* 2. Schmerz *m*

achieve [əˈtʃiːv] *v* 1. vollbringen, leisten; 2. *(reach)* erreichen, erlangen, erzielen

achievement [əˈtʃiːvmənt] *sb (feat)* Errungenschaft *f,* Kunststück *n,* Leistung *f*

acid [ˈæsɪd] *sb* 1. Säure *f;* 2. *(fam: narcotic)* Acid *n; adj* 3. beißend

acidic [əˈsɪdɪk] *adj* sauer

acidity [əˈsɪdɪti] *sb* Säure *f,* Säuregehalt *m*

acid rain [ˈæsɪd reɪn] *sb* saurer Regen *m*

acid test [ˈæsɪd test] *sb* 1. CHEM Säuretest *m;* 2. *(fig)* Feuerprobe *f*

acknowledge [əkˈnɒlɪdʒ] *v* 1. anerkennen; 2. eingestehen; 3. bestätigen

acknowledgement [əkˈnɒlɪdʒmənt] *sb* 1. Anerkennung *f;* 2. *(confirmation)* Bestätigung *f*

acne [ˈækni] *sb* MED Akne *f*

acorn [ˈeɪkɔːn] *sb* BOT Eichel *f*

acoustic [əˈkuːstɪk] *adj* akustisch

acoustics [əˈkuːstɪks] *sb* Akustik *f*

acquaint [əˈkweɪnt] *v* 1. *(with a plan)* informieren; 2. *~ s.o. with sth* jdn mit etw bekannt machen

acquaintance [əˈkweɪntəns] *sb* 1. *(person)* Bekannte(r) *m/f;* 2. *(with s.o.)* Bekanntschaft *f*

acquainted [əˈkweɪntɪd] *adj* 1. *to be ~ with* kennen, vertraut sein mit; 2. *get ~ with* sich bekannt machen mit, kennen lernen

acquiesce [ˌækwiˈes] *v* 1. einwilligen; 2. hinnehmen, dulden

acquire [əˈkwaɪə] *v* 1. erwerben, erlangen; 2. *(skills, knowledge)* sich aneignen

acquisition [ˌækwɪˈzɪʃən] *sb* Erwerb *m*

acquisitive [əˈkwɪzɪtɪv] *adj* besitzgierig, habgierig

acquit [əˈkwɪt] *v* JUR freisprechen

acquittal [əˈkwɪtl] *sb* JUR Freispruch *m*

acreage [ˈeɪkərɪdʒ] *sb* Land *n*

acrimony [ˈækrɪməni] *sb* 1. *(of a remark)* Schärfe *f;* 2. *(of a person)* Verbitterung *f*

acrobat [ˈækrəbæt] *sb* Akrobat(in) *m/f*

acrobatic [ˌækrəʊˈbætɪk] *adj* akrobatisch

acrobatics [ˌækrəˈbætɪks] *pl* Akrobatik *f*

across [əˈkrɒs] *prep* 1. *(the street)* quer über; *adv* 2. hinüber, herüber

act [ækt] *v* 1. *(function)* handeln, tätig sein; *~ upon sth, ~ on sth* aufgrund von etw handeln; 2. *(behave)* sich verhalten; 3. *~ for (~ on behalf of)* vertreten; 4. THEAT spielen; *He's only ~ing. (fig)* Er tut nur so. *sb* 5. Tat *f,* Akt *m,* Handlung *f; to be in the ~ of doing something* gerade dabei sein, etw zu tun; 6. THEAT Akt *m;* 7. *get one's ~ together (fam)* sich am Riemen reißen; 8. Acts *pl* REL die Apostelgeschichte *f*

action [ˈækʃən] *sb* 1. Tat *f,* Handlung *f,* Aktion *f;* 2. *(measure)* Maßnahme *f;* 3. MIL Einsatz *m,* Gefecht *n; out of ~* außer Gefecht; 4. Action *f (film)*

activate [ˈæktɪveɪt] *v* aktivieren

active [ˈæktɪv] *adj* 1. aktiv, emsig; 2. lebendig, lebhaft; 3. betriebsam, geschäftig

activist [ˈæktɪvɪst] *sb* Aktivist *m*

activity [ækˈtɪvɪti] *sb* 1. Tätigkeit *f;* 2. Aktivität *f;* 4. *(goings-on, hustle and bustle)* Treiben *n,* Betrieb *m;* 3. *(mental ~)* Betätigung *f*

actor [ˈæktə] *sb* Schauspieler *m,* Darsteller *m*

actress [ˈæktrɪs] *sb* Schauspielerin *f*

actual [ˈæktjʊəl] *adj* 1. eigentlich; 2. *(real)* tatsächlich, wirklich, effektiv

actually [ˈæktjʊəli] *adv* 1. eigentlich; 2. tatsächlich, wirklich

actuate [ˈæktjʊeɪt] *v* bedienen, antreiben

acute [əˈkjuːt] *adj* 1. *(shortage, pain, appendicitis)* akut; 2. *(of mind)* scharfsinnig, messerscharf; 3. MATH spitz

adapt [əˈdæpt] *v* 1. *~ o.s.* sich anpassen; 2. *~ sth* angleichen, anpassen

adaptable [əˈdæptəbl] *adj* anpassungsfähig

adaptation [ˌædæpˈteɪʃən] *sb* Anpassung *f*

add [æd] *v* 1. hinzufügen; 2. *(contribute)* beitragen; 3. *(numbers)* addieren; 4. *~ up to* betragen, sich belaufen auf; 5. *~ up,* zusammenzählen; 6. *~ on (to a building)* ausbauen

addendum [əˈdendəm] *sb* Zusatz *m,* Nachtrag *m*

addict [ˈædɪkt] *sb* Süchtige(r) *m/f*

addicted [əˈdɪktɪd] *adj* süchtig

addiction [əˈdɪkʃən] *sb* Sucht *f*

addition [əˈdɪʃən] *sb* 1. Zusatz *m,* Beigabe *f;* 2. *in ~* außerdem; 3. MATH Addition *f*

additional [əˈdɪʃənl] *adj* zusätzlich, weiter

address [əˈdres] *v* 1. *(a letter)* adressieren; 2. *(speak to)* ansprechen; 3. *~ o.s.* sich wenden an; *sb* 4. *(where one lives)* Adresse *f;* 5. *(speech)* Ansprache *f;* 6. *(to a jury)* JUR Plädoyer *n*

addressee [ˌædreˈsiː] *sb* Empfänger *m*

adept [ə'dept] *adj* geschickt
adequacy ['ædɪkwəsɪ] *sb* Angemessenheit *f*
adequate ['ædɪkwɪt] *adj* ausreichend
adhere [əd'hɪə] *v* 1. ~ to kleben, haften; 2. ~ to (a rule) einhalten; 3. ~ to (a course of action) beibehalten
adherent [əd'hɪərənt] *sb* Anhänger *m*
adhesive [əd'hiːsɪv] *adj* klebend
adjective ['ædʒektɪv] *sb* GRAMM Adjektiv *n*
adjoin [ə'dʒɔɪn] *v* angrenzen
adjoining [ə'dʒɔɪnɪŋ] *adj* angrenzend; ~ *room* Nebenraum *m*
adjourn [ə'dʒɜːn] *v* vertagen
adjure [ə'dʒʊə] *v* beschwören
adjust [ə'dʒʌst] *v* 1. (a device) einstellen, regulieren; 2. (rearrange) umstellen; 3. ~ to sich einstellen auf; 4. (settle differences) schlichten
adjustment [ə'dʒʌstmənt] *sb* 1. (to sth) Anpassung *f*; 2. (of a device) Einstellung *f*, Regulierung *f*; 3. (coordination) Abstimmung *f*
adjutant ['ædʒʊtənt] *sb* MIL Adjutant *m*
administer [əd'mɪnɪstə] *v* 1. (run a business) verwalten; 2. (give) erteilen; 3. (medicine) MED eingeben; 4. ~ *an oath* vereidigen
administration [ədmɪnɪs'treɪʃən] *sb* 1. Verwaltung *f*; 2. (government) POL Regierung *f*
administrative [əd'mɪnɪstrətɪv] *adj* Verwaltungs...
administrator [əd'mɪnɪstreɪtə] *sb* Verwalter(in) *m/f*, Verwaltungsbeamte(r) *m/f*
admirable ['ædmərəbl] *adj* (praiseworthy) bewundernswert, (excellent) vortrefflich
admiral ['ædmərəl] *sb* MIL Admiral *m*
admiration [ædmə'reɪʃən] *sb* Bewunderung *f*
admire [əd'maɪə] *v* bewundern
admirer [əd'maɪərə] *sb* Verehrer(in) *m/f*
admissible [əd'mɪsəbl] *adj* zulässig
admission [əd'mɪʃən] *sb* 1. (entry) Zutritt *m*; 2. (as a member) Aufnahme *f*; (price of ~) Eintritt *m*; 3. (confession), Eingeständnis *n*
admit [əd'mɪt] *v* 1. (acknowledge) zugeben; 2. (as a member) aufnehmen; 3. (let in) einlassen; 4. (recognize as valid) anerkennen; 5. (to hospital) einweisen
admittance [əd'mɪtəns] *sb* 1. (to a group) Aufnahme *f*; 2. (to premises) Einlass *m*
admonish [əd'mɒnɪʃ] *v* 1. (reprove) ermahnen, tadeln; 2. (warn) mahnen
admonition [ædməʊ'nɪʃən] *sb* 1. (reproach) Ermahnung *f*; 2. (warning) Mahnung *f*
adolescent [ædəʊ'lesnt] *adj* 1. jugendlich; *sb* 2. Jugendliche(r) *m/f*

Adonis [ə'dɒnɪs] *sb* (fig: handsome man) Adonis *m*
adopt [ə'dɒpt] *v* 1. (a child) adoptieren; 2. (fig) übernehmen; 3. (a law) POL annehmen
adoption [ə'dɒpʃən] *sb* 1. Annahme *f*, Übernahme *f*; 2. (of a child) Adoption *f*
adoration [ædə'reɪʃən] *sb* Anbetung *f*
adore [ə'dɔː] *v* 1. (worship) anbeten; 2. (to be fond of) lieb haben
adornment [ə'dɔːnmənt] *sb* Verzierung *f*
adulatory ['ædjʊleɪtərɪ] *adj* schmeichlerisch
adult [ə'dʌlt] *sb* 1. Erwachsene(r) *m/f*; ['ædʌlt] *adj* 2. erwachsen
adulterate [ə'dʌltəreɪt] *v* 1. (corrupt) verderben; 2. (food) panschen
adulteration [ədʌltə'reɪʃən] *sb* Verfälschung *f*
adultery [ə'dʌltərɪ] *sb* Ehebruch *m*
adulthood [ə'dʌlthʊd] *sb* Erwachsensein *n*
advance [əd'vɑːns] *v* 1. fortschreiten, vorankommen; 2. ~ *upon* herankommen an; 3. (to be promoted) aufsteigen; 4. (further sth) fördern; 5. (promote s.o.) befördern; *sb* 6. (moving forward) Vorstoß *m*; 7. (of money) Vorschuss *m*; 8. (amorous) Annäherungsversuch *m*; *make ~s to s.o.* sich an jdn heranmachen; 9. *in ~* im Voraus
advanced [əd'vɑːnst] *adj* 1. fortgeschritten; 2. ~ *in years* bejahrt
advancement [əd'vɑːnsmənt] *sb* 1. (progress) Fortschritt *m*; 2. (promotion) Beförderung *f*; 3. (career ~) Aufstieg *m*; 4. (support) Förderung *f*
advantage [əd'vɑːntɪdʒ] *sb* 1. Vorteil *m*; *take ~ of sth* etw ausnutzen; 2. (use) Nutzen *m*; 3. (point in one's favour) Pluspunkt *m*; 4. (a lead over s.o.) Vorsprung *m*
advent ['ædvənt] *sb* Kommen *n*
Advent ['ædvənt] *sb* Advent *m*
adventure [əd'ventʃə] *sb* Abenteuer *n*
adventurer [əd'ventʃərə] *sb* Abenteurer *m*
adventurous [əd'ventʃərəs] *adj* 1. abenteuerlich; 2. (person) abenteuerlustig
adverb ['ædvɜːb] *sb* GRAMM Adverb *n*
adverbial [æd'vɜːbɪəl] *adj* adverbial
adversary ['ædvəsərɪ] *sb* Gegner(in) *m/f*
adverse ['ædvɜːs] *adj* ungünstig, widrig
adversity [əd'vɜːsɪtɪ] *sb* Widrigkeit *f*, Missgeschick *n*, Unglück *n*
advertise ['ædvətaɪz] *v* 1. Werbung machen für, anzeigen, ankündigen; 2. (place an advertisement) annoncieren, inserieren; ~ *a vacancy* eine Stelle ausschreiben

advertisement [əd'vɜːtɪzmənt] *sb 1.* Werbung *f,* Reklame *f;* 2. *(in the newspaper)* Anzeige *f,* Annonce *f,* Inserat *n;* 3. *(announcement)* Bekanntmachung *f;* 4. an ~ for sth *(fig: a fine representative)* ein Aushängeschild *n*
advertiser ['ædvətaɪzə] *sb 1. (in a paper)* Anzeigenkunde/Anzeigenkundin *m/f;* 2. *(on television)* Werbekunde/Werbekundin *m/f*
advertising ['ædvətaɪzɪŋ] *sb* Werbung *f,* Reklame *f*
advice [əd'vaɪs] *sb 1.* Rat *m; give s.o. some* ~ jdm einen Rat geben; *piece of* ~ Ratschlag *m;* 2. *(counsel)* Beratung *f*
advise [əd'vaɪz] *v 1. (give advice)* raten, beraten, empfehlen; 2. ~ *against* abraten; 3. *(inform)* verständigen, benachrichtigen
advised [əd'vaɪzd] *adj* beraten, informiert
adviser [əd'vaɪzə] *sb* Berater(in) *m/f*
advisory [əd'vaɪzərɪ] *adj* beratend
advocate ['ædvəkeɪt] *v 1.* verfechten, befürworten; ['ædvəkɪt] *sb 2.* Verfechter(in) *m/f*
aegis ['iːdʒɪs] *sb* Ägide *f,* Schutz *m,* Obhut *f*
aeon ['iːən] *sb* Ewigkeit *f*
aerate ['eəreɪt] *v* belüften, lüften
aerial ['eərɪəl] *adj 1.* Luft..., in der Luft befindlich; *sb 2. (antenna)* TECH Antenne *f*
aerodynamic [eərəudaɪ'næmɪk] *adj* aerodynamisch
aeronautics [eərə'nɔːtɪks] *sb* Luftfahrt *f*
aeroplane ['eərəupleɪn] *sb* Flugzeug *n*
aerosol can ['eərəsɒl kæn] *sb* Spraydose *f,* Sprühdose *f*
aesthetic [iːs'θetɪk] *adj* ästhetisch
aesthetics [iːs'θetɪks] *sb* Ästhetik *f*
affair [ə'feə] *sb 1. (matter)* Angelegenheit *f,* Sache *f;* 2. *(love* ~*)* Affäre *f*
affect [ə'fekt] *v 1. (concern)* betreffen, angehen; 2. *(influence)* sich auswirken; 3. *(emotionally)* bewegen; 4. *(feign)* vortäuschen
affectation [æfek'teɪʃən] *sb* Verstellung *f*
affected [ə'fektɪd] *adj (put-on: pose, accent, behaviour)* affektiert, gekünstelt, geziert
affection [ə'fekʃən] *sb* Liebe *f,* Zuneigung *f*
affectionate [ə'fekʃənɪt] *adj* zärtlich, liebevoll, anhänglich
affiliate [ə'fɪlɪət] *sb 1.* ECO Tochtergesellschaft *f;* [ə'fɪlɪeɪt] *v 2.* angliedern
affiliation [əfɪlɪ'eɪʃən] *sb 1.* Zugehörigkeit *f;* 2. POL Anschluss *m*
affinity [ə'fɪnɪtɪ] *sb (liking)* Neigung *f; an* ~ *for* eine Neigung zu
affirm [ə'fɜːm] *v 1.* versichern, beteuern; 2. *(answer in the affirmative)* bejahen
affirmation [æfə'meɪʃən] *sb* Versicherung *f,* Beteuerung *f*

affirmative [ə'fɜːmətɪv] *adj* positiv
affix [ə'fɪks] *v* befestigen, anheften, anfügen
afflict [ə'flɪkt] *v* plagen, heimsuchen
affliction [ə'flɪkʃən] *sb 1.* Bedrängnis *f,* Heimsuchung *f;* 2. MED Gebrechen *n*
affluence ['æfluəns] *sb* Wohlstand *m,* Reichtum *m*
affluent ['æfluənt] *adj* wohlhabend, reich
affluent society ['æfluənt sə'saɪətɪ] *sb* Wohlstandsgesellschaft *f*
afford [ə'fɔːd] *v 1.* sich leisten; 2. *(provide)* bieten
affordable [ə'fɔːdəbl] *adj* erschwinglich
affront [ə'frʌnt] *v* beleidigen
afloat [ə'fləut] *adj 1.* schwimmend; 2. *(rumour)* in Umlauf
afraid [ə'freɪd] *adj to be* ~ Angst haben; *to be* ~ *to do sth* sich scheuen, etw zu tun
Africa ['æfrɪkə] *sb* GEO Afrika *n*
African ['æfrɪkən] *sb 1.* Afrikaner(in) *m/f; adj 2.* afrikanisch
after ['ɑːftə] *prep 1.* nach; ~ *all* schließlich, immerhin; *adv to be* ~ *s.o. (fig)* jdm hinterherlaufen; *konj 2.* nachdem, danach; *adv 3. (afterwards)* dann, nachher, danach; 4. *(behind)* hinterher
afterglow ['æːftəgləu] *sb* Abendrot *n,* Nachglühen *n*
afternoon [ɑːftə'nuːn] *sb* Nachmittag *m; Good* ~*!* Guten Tag!
afters ['ɑːftəz] *sb (fam) (UK)* Dessert *n*
aftertaste ['ɑːftəteɪst] *sb* Nachgeschmack *m,* Beigeschmack *m*
afterwards ['ɑːftəwədz] *adv* nachher, später, danach
again [ə'gen] *adv 1.* wieder, nochmals, erneut; ~ *and* ~ immer wieder; *now and* ~ hin und wieder, ab und zu; *then* ~ *(on the other hand)* andererseits; *half* ~ *as much* eineinhalbmal so viel; *konj 2. (moreover)* ferner
against [ə'genst] *prep 1. (right next to, making contact with)* gegen, direkt an; 2. *(contrary to, versus)* gegen, wider, entgegen; ~ *one another* gegeneinander; 3. *(compared with)* gegenüber; *as* ~ im Vergleich zu
age [eɪdʒ] *v 1.* altern; *sb 2.* Alter *n; come of* ~ mündig werden, volljährig werden; 3. *(era)* Zeitalter *n,* Zeit *f; in this day and* ~ heutzutage
ageless ['eɪdʒlɪs] *adj* zeitlos, nicht alternd
agency ['eɪdʒənsɪ] *sb 1.* Agentur *f;* 2. *(government* ~*)* Amt *n,* Behörde *f*
agenda [ə'dʒendə] *sb* Tagesordnung *f; hidden* ~ geheime Pläne *pl*
agent ['eɪdʒənt] *sb* Agent(in) *m/f,* Makler(in) *m/f,* Vermittler(in) *m/f*

aggrandize [ə'grændaɪz] v vergrößern

aggravate ['ægrəveɪt] v 1. (make angry) ärgern, reizen; 2. (make worse) verschlimmern

aggravation [ægrə'veɪʃən] sb 1. (irritation) Ärger m; 2. (worsening) Verschlimmerung f

aggression [ə'greʃən] sb Aggression f

aggressive [ə'gresɪv] adj aggressiv

aggressiveness [ə'gresɪvnɪs] sb Aggressivität f

aggressor [ə'gresə] sb MIL Angreifer m

aggrieve [ə'gri:v] v verletzen, kränken

agile ['ædʒaɪl] adj flink, behende, gelenkig

agitate ['ædʒɪteɪt] v 1. (excite) erregen, aufregen, hetzen; 2. (liquid) aufwühlen

agitation [ædʒɪ'teɪʃən] sb Aufregung f

aglow [ə'gləʊ] adj glühend

ago [ə'gəʊ] adv her, vor; two years ~ vor zwei Jahren; long ~ vor langer Zeit

agonize ['ægənaɪz] v ~ over sich quälen mit

agony ['ægənɪ] sb Qual f, Pein f, Leid n

agoraphobia [ægərə'fəʊbjə] sb Platzangst f

agree [ə'gri:] v 1. übereinstimmen, zustimmen; 2. (come to an ~ment) sich einigen, vereinbaren; 3. zusammen passen, sich vertragen; It didn't ~ with me. Es ist mir nicht bekommen.

agreeable [ə'gri:əbl] adj 1. angenehm; to be ~ to sth with etw einverstanden sein; 2. nett

agreed [ə'gri:d] adj vereinbart; Agreed! Abgemacht!

agreement [ə'gri:mənt] sb 1. Vereinbarung f, Übereinkunft f; come to an ~ sich einigen; 2. POL Abkommen n

agricultural [ægrɪ'kʌltʃərəl] adj AGR landwirtschaftlich

agriculture ['ægrɪkʌltʃə] sb AGR Landwirtschaft f, Ackerbau m

ahead [ə'hed] adv voraus, vorn; get ~ Karriere machen; look ~ in die Zukunft blicken; keep one step ~ of s.o. jdm einen Schritt voraus sein

ahem [ə'hm] interj Hm!

ahold [ə'həʊld] adj grab ~ of sth etw packen

ahoy [ə'hɔɪ] interj Ahoi!

aid [eɪd] v 1. helfen; 2. ~ and abet JUR Beihilfe leisten; sb 3. Hilfe f, Mithilfe f; come to s.o.'s ~ jdm zur Hilfe kommen; 4. (item) Hilfsmittel n

AIDS [eɪdz] sb MED Aids n

ail [eɪl] v kränkeln; What ~s you? Was hast du denn?

aim [eɪm] v 1. ~ at zielen auf; 2. ~ at sth (fig) etw bezwecken, nach etw trachten; sb 3. Ziel n,

Richtung f; 4. (goal) Ziel n, Zweck m, Absicht f

air [εə] v 1. (~ out) lüften; 2. (broadcast) senden; sb 3. Luft f; clear the ~ (fig) die Luft bereinigen; to be up in the ~ in den Sternen stehen, ungewiss sein; walk on ~ auf Wolken schweben; 4. (affected manner) Allüre f; put on ~s, give o.s. ~s sich zieren, vornehm tun; ~s and graces Allüren f; 5. (demeanour) Auftreten n, Miene f

air bag ['εəbæg] sb TECH Airbag m

air bed ['εəbed] sb Luftmatratze f

airbrush ['εəbrʌʃ] sb Spritzpistole f

air-conditioning ['εəkəndɪʃənɪŋ] sb 1. Klimatisierung f; 2. (~ unit) Klimaanlage f

aircraft ['εəkrɑːft] sb Flugzeug n

airfield ['εəfiːld] sb Flugplatz m

air force ['εəfɔːs] sb MIL Luftwaffe f

airline ['εəlaɪn] sb Fluggesellschaft f

airliner ['εəlaɪnə] sb Verkehrsflugzeug n

air mail ['εəmeɪl] sb Luftpost f

airplane ['εəpleɪn] sb Flugzeug n

air pocket ['εəpɒkɪt] sb Luftloch n

air pollution ['εəpəluːʃən] sb Luftverschmutzung f

airport ['εəpɔːt] sb Flughafen m

airstrip ['εəstrɪp] sb Startbahn f, Landebahn f

airtight ['εətaɪt] adj 2. (fig) hieb- und stichfest; 1. luftdicht

airy ['εərɪ] adj 1. (room, garment) luftig; 2. (person) eingebildet, arrogant

aisle [aɪl] sb Gang m

alacrity [ə'lækrɪtɪ] sb Bereitwilligkeit f, Eifer m

alarm [ə'lɑːm] v 1. (warn) alarmieren; 2. (frighten) erschrecken, ängstigen; sb 3. Alarm m, Warnsignal n; 4. (device) Alarmanlage f; 5. (surprise) Schreck m

alarm clock [ə'lɑːm klɒk] sb Wecker m

alarming [ə'lɑːmɪŋ] adj Besorgnis erregend

albatross ['ælbətrɒs] sb ZOOL Albatros m

album ['ælbəm] sb Album n

albumen ['ælbjumɪn] sb BIO Eiweiß n

alcohol ['ælkəhɒl] sb Alkohol m

alcoholic [ælkə'hɒlɪk] adj 1. alkoholisch; sb 2. Alkoholiker(in) m/f

alcoholism ['ælkəhɒlɪzəm] sb MED Alkoholismus m

alder ['ɔːldə] sb BOT Erle f

alderman ['ɔːldəmən] sb Ratsherr m

ale [eɪl] sb GAST Ale n

alert [ə'lɜːt] v 1. warnen; ~ s.o. to sth jdn auf etw aufmerksam machen; adj 2. munter, wach-

sam, rege; *sb 3. (state of readiness)* Alarmbereitschaft *f; on the ~ in* Alarmbereitschaft; *4. (signal)* Alarm *m*
A-Levels ['eɪlevlz] *pl (UK)* Abitur *n*
algae ['ældʒi:] *pl BOT* Alge(n) *f/pl*
algebra ['ældʒɪbrə] *sb MATH* Algebra *f*
alias ['eɪlɪəs] *adv 1.* alias; *sb 2.* Deckname *m*
alibi ['ælɪbaɪ] *sb* Alibi *n*
alien ['eɪlɪən] *adj 1. (from another country)* ausländisch; *2. (fig)* andersartig; *3. (from outer space)* außerirdisch; *sb 4. (foreigner)* Ausländer(in) *m/f; 5.* außerirdisches Wesen *n*
alienate ['eɪlɪəneɪt] *v* entfremden
alight [ə'laɪt] *v* absteigen, aussteigen
alignment [ə'laɪnmənt] *sb* Ausrichtung *f,* Aufstellung *f*
alike [ə'laɪk] *adv* gleich, sehr ähnlich
aliment ['ælɪmənt] *sb* Lebensmittel *n*
alimony ['ælɪməʊnɪ] *sb* Unterhalt *m*
aliterate [eɪ'lɪtərɪt] *sb* Analphabet(in) *m/f*
alive [ə'laɪv] *adj 1.* lebend, am Leben; *2. (lively)* lebendig; *~ and kicking (fam)* gesund und munter; *adv 3. to be ~ with* wimmeln von
alkaline ['ælkəlaɪn] *adj CHEM* alkalisch
all [ɔ:l] *adj 1.* all, sämtlich, ganz; *~ of a sudden* ganz plötzlich; *~ over (everywhere)* überall; *~ over (finished)* alles aus; *~ day* den ganzen Tag; *~ right* in Ordnung; *~ alone* ganz allein; *~ along* die ganze Zeit; *today of ~ days* ausgerechnet heute; *2. ~ kinds of, ~ sorts of* allerlei, allerhand; *adv 3. ~ round, ~ the way round* überall, ringsumher, ringsherum; *4. ~ the same* trotzdem, immerhin; *5. ~ right* in Ordnung; *pron 6.* alles; *It's ~ the same to me.* Das ist mir ganz gleich. *~ in ~* alles in allem, insgesamt; *first of ~* zuerst; *7. in ~* alles, *(everybody)* alle
allegation [ælɪ'geɪʃən] *sb* Behauptung *f*
allege [ə'ledʒ] *v* behaupten
allegiance [ə'li:dʒəns] *sb* Treue *f*
allegory ['ælɪgərɪ] *sb LIT* Allegorie *f*
allergic [ə'lɜ:dʒɪk] *adj MED* allergisch
allergy ['ælədʒɪ] *sb MED* Allergie *f*
alleviate [ə'li:vɪeɪt] *v* erleichtern, mildern
alley ['ælɪ] *sb* Gasse *f*
alliance [ə'laɪəns] *sb 1.* Verbindung *f; 2. (in historical contexts)* Allianz *f; 3. POL* Bund *m*
allied ['ælaɪd] *adj* verbündet; *the Allied Forces (in World War II)* die Verbündeten (im Zweiten Weltkrieg)
alligator ['ælɪgeɪtə] *sb ZOOL* Alligator *m*
all-inclusive [ɔ:l ɪn'klu:sɪv] *adj* allumfassend; *an ~ holiday* eine Pauschalreise
alliteration [əlɪtə'reɪʃən] *sb LIT* Stabreim *m,* Alliteration *f*

allocate ['æləkeɪt] *v* verteilen, zuweisen
allocation [æləʊ'keɪʃən] *sb* Verteilung *f,* Zuteilung *f, (of tasks)* Vergabe *f*
allot [ə'lɒt] *v* verteilen, zuweisen
allotment [ə'lɒtmənt] *sb* Verteilung *f,* Zuteilung *f,* Zuweisung *f*
allow [ə'laʊ] *v 1.* erlauben, gestatten; *2. (grant)* gewähren; *3. ~ for* berücksichtigen
allowance [ə'laʊəns] *sb 1.* Taschengeld *n,* Zuschuss *m; 2.* Gehaltszulage *f; 3. (ration)* Ration *f; 4. (paid by the state)* Beihilfe *f; 5. (permission)* Bewilligung *f; 6. make ~s pl* Nachsicht üben
all-round [ɔ:l'raʊnd] *adj* Allround...
All Saints' Day [ɔ:l'seɪntsdeɪ] *sb REL* Allerheiligen *n*
allude [ə'lu:d] *v ~ to* anspielen auf etw
allure [ə'ljʊə] *sb* Anziehungskraft *f*
allusion [ə'lu:ʒən] *sb* Anspielung *f*
ally [ə'laɪ] *v 1. ~ o.s. with* sich verbünden mit; *['ælaɪ] sb 2.* Verbündete(r) *m/f.*
almanac ['ɔ:lmənæk] *sb LIT* Almanach *m*
almighty [ɔ:l'maɪtɪ] *adj 1.* allmächtig; *sb 2. the REL* der Allmächtige *m*
almond ['ɑ:mənd] *sb BOT* Mandel *f*
almost ['ɔ:lməʊst] *adv* fast, beinahe
alms [ɑ:mz] *sb* Almosen *pl*
alone [ə'ləʊn] *adj 1.* allein, einsam; *Leave me ~! Lass mich in Ruhe! 2. let ~ (much less)* geschweige denn
along [ə'lɒŋ] *prep 1.* entlang, längs; *adv 2. all ~* die ganze Zeit; *3.* entlang, längs; *4. (onwards)* vorwärts, weiter; *5. I'll be ~ in a minute.* Ich komme gleich. *6. go ~ with sth* etw zustimmen, bei etw mitmachen; *7. bring s.o. ~* jdn mitbringen; *~ with* zusammen mit
alongside [əlɒŋ'saɪd] *prep 1.* neben, längsseits; *adv 2.* daneben
aloof [ə'lu:f] *adj* distanziert, zurückhaltend
aloud [ə'laʊd] *adv* laut
alphabet ['ælfəbet] *sb* Alphabet *n*
alpine ['ælpaɪn] *adj* alpin
Alps [ælps] *pl GEO* Alpen *pl*
already [ɔ:l'redɪ] *adv* schon, bereits
Alsatian [æl'seɪʃən] *sb (UK) ZOOL* deutscher Schäferhund *m*
also ['ɔ:lsəʊ] *adv* auch, ebenfalls, außerdem
altar ['ɔ:ltə] *sb REL* Altar *m*
alter ['ɔ:ltə] *v* ändern, verändern, umändern
alteration [ɔ:ltə'reɪʃən] *sb 1.* Änderung *f,* Veränderung *f,* Abänderung *f; 2. ~s pl (to a building)* Umbau *m*
altercation [ɔ:ltə'keɪʃən] *sb* Auseinandersetzung *f*

alternate ['ɔːltəneɪt] *v 1.* ~ *with s.o.* sich abwechseln, ablösen; *2.* ~ *sth* abwechseln lassen, wechseln; [ɔːl'tɜːnɪt] *adj 3.* miteinander abwechselnd; *on* ~ *days* jeden zweiten Tag; *4. (alternative)* alternativ

alternation [ɔːltə'neɪʃən] *sb* Abwechslung *f,* Wechsel *m*

alternative [ɔːl'tɜːnətɪv] *adj 1.* alternativ; *sb 2. (choice)* Alternative *f,* Wahl *f; I have no other* ~. Ich habe keine andere Wahl.

although [ɔːl'ðəʊ] *konj* obwohl, obgleich

altitude ['æltɪtjuːd] *sb* Höhe *f*

alto ['æltəʊ] *sb (voice)* MUS Alt *m,* Altstimme *f*

altogether [ɔːltə'geðə] *adv 1. (all in all)* insgesamt, zusammen; *2. (completely)* völlig

altruism ['æltruɪzəm] *sb* Altruismus *m,* Nächstenliebe *f*

altruistic [æltru'ɪstɪk] *adj* altruistisch

aluminium [æljuˈmɪnɪəm] *sb (UK)* CHEM Aluminium *n*

aluminum [əˈluːmɪnəm] *sb (US)* CHEM Aluminium *n*

always ['ɔːlweɪz] *adv 1.* immer, stets; *2. (every time)* jedesmal; *3. (constantly)* ständig; *4. (at any time)* jederzeit

amalgam [ə'mælgəm] *sb 1.* Amalgam *n; 2.* Mischung *f*

amass [ə'mæs] *v* anhäufen

amateur ['æmətə] *sb* Amateur(in) *m/f*

amaze [ə'meɪz] *v* erstaunen, in Erstaunen versetzen; *to be* ~*d* staunen, sich wundern

amazement [ə'meɪzmənt] *sb* Erstaunen *n*

amazing [ə'meɪzɪŋ] *adj* erstaunlich

ambassador [æm'bæsədə] *sb 1.* POL Botschafter *m; 2. (envoy)* POL Abgesandte(r) *m/f*

ambience ['æmbɪəns] *sb* Atmosphäre *f*

ambiguity [æmbɪ'gjuːtɪ] *sb* Zweideutigkeit *f*

ambiguous [æm'bɪgjuəs] *adj* zweideutig

ambition [æm'bɪʃən] *sb 1. (ambitious nature)* Ehrgeiz *m; 2. (a specific desire)* Ambition *f*

ambitious [æm'bɪʃəs] *adj* ehrgeizig, ambitioniert, ambitiös

ambivalence [æm'bɪvələns] *sb* Ambivalenz *f,* Zwiespältigkeit *f*

ambivalent [æm'bɪvələnt] *adj* ambivalent

amble ['æmbl] *v* umherschlendern

ambulance ['æmbjʊlans] *sb* Krankenwagen *m,* Rettungswagen *m,* Ambulanz *f*

ambulate ['æmbjʊleɪt] *v* herumwandern

ambush ['æmbʊʃ] *v 1.* ~ *s.o.* jdn aus dem Hinterhalt überfallen; *sb 2.* Hinterhalt *m*

amen ['ɑː'men] *interj* Amen

amend [ə'mend] *v 1. (text, a law)* ändern, abändern; *2. (add)* ergänzen

amendment [ə'mendmənt] *sb (to a bill)* JUR Abänderung *f,* Änderung *f*

America [ə'merɪkə] *sb* GEO Amerika *n*

American [ə'merɪkən] *adj 1.* amerikanisch; *sb 2.* Amerikaner(in) *m/f*

amid [ə'mɪd] *prep* inmitten, mitten in

ammunition [æmjʊ'nɪʃən] *sb* Munition *f*

amnesia [æm'niːzɪə] *sb* MED Amnesie *f*

amnesty ['æmnɪstɪ] *sb* JUR Amnestie *f*

among [ə'mʌŋ] *prep* unter, zwischen; ~ *themselves* unter sich

amongst [ə'mʌŋst] *prep (see „among")*

amorous ['æmərəs] *adj 1.* zärtlich; *2. (in love)* verliebt

amortization [əmɔːtɪ'zeɪʃən] *sb* ECO Amortisierung *f,* Tilgung *f*

amount [ə'maʊnt] *v 1.* ~ *to* sich belaufen auf; *sb 2. (of money)* Betrag *m,* Summe *f,* Geldbetrag *m; 3. (quantity)* Menge *f,* Quantität *f*

amphitheatre ['æmfɪθɪətə] *sb* THEAT Amphitheater *n*

ample ['æmpl] *adj* reichlich

amplifier ['æmplɪfaɪə] *sb* TECH Verstärker *m*

amplify ['æmplɪfaɪ] *v 1.* TECH verstärken; *2. (be more specific)* näher erläutern

amplitude ['æmplɪtjuːd] *sb* Weite *f,* Fülle *f*

amputate ['æmpjʊteɪt] *v* MED amputieren

amulet ['æmjʊlɪt] *sb* Amulett *n*

amuse [ə'mjuːz] *v 1.* belustigen, unterhalten; *2.* ~ *o.s.* sich unterhalten, sich vergnügen

amusement [ə'mjuːzmənt] *sb* Unterhaltung *f,* Vergnügen *n,* Spaß *m*

amusing [ə'mjuːzɪŋ] *adj* amüsant, witzig, unterhaltsam

an [æn, ən] *art 1.* ein, eine(r,s); *prep 2. (per)* pro

anaesthesia [ænɪs'θiːzɪə] *sb* MED Anästhesie *f,* Betäubung *f,* Narkose *f*

anaesthetist [ə'niːsθətɪst] *sb* MED Anästhesist(in) *m/f*

anal ['eɪnəl] *adj* anal, Anal...

analog ['ænəlɔg] *adj* INFORM analog

analogous [ə'næləgəs] *adj* analog

analyse ['ænəlaɪz] *v* analysieren

analysis [ə'nælɪsɪs] *sb* Analyse *f*

analytical [ænə'lɪtɪkl] *adj* analytisch

anarchist ['ænəkɪst] *sb* POL Anarchist(in) *m/f*

anarchy ['ænəkɪ] *sb* POL Anarchie *f*

anatomy [ə'nætəmɪ] *sb* MED Anatomie *f*

ancestor ['ænsestə] *sb* Vorfahr *m,* Ahne *m*

ancestry ['ænsɪstrɪ] *sb* Abstammung *f*

anchor ['æŋkə] v 1. ankern; sb 2. Anker m
anchorage ['æŋkərɪdʒ] sb (place for anchoring) Ankerplatz m, Liegeplatz m
anchorman ['æŋkəmæn] sb (TV) Moderator m
anchorwoman ['æŋkəwʊmən] sb (TV) Moderatorin
anchovy ['æntʃəvɪ] sb ZOOL Sardelle f
ancient ['eɪnʃənt] adj alt, altertümlich, antik
ancillary [æn'sɪlərɪ] adj zweitrangig; ~ services Hilfsdienste pl
and [ænd] konj und; ~ so forth und so weiter
androgynous [æn'drɒdʒɪnəs] adj zweigeschlechtig
anecdote ['ænɪkdəʊt] sb Anekdote f
angel ['eɪndʒəl] sb Engel m
anger ['æŋgə] sb Ärger m, Zorn m, Wut f
angina [æn'dʒaɪnə] sb MED Angina f
angle ['æŋgl] sb 1. MATH Winkel m; 2. at an ~ schräg, schief; 3. (perspective) Standpunkt m
angler ['æŋglə] sb Angler m
Anglican ['æŋglɪkən] adj REL anglikanisch
Anglicism ['æŋglɪsɪzm] sb LING Anglizismus m
angry ['æŋgrɪ] adj böse, zornig, ärgerlich
anguish ['æŋgwɪʃ] sb Qual f, Angst f
angular ['æŋgjʊlə] adj winklig, eckig
animal ['ænɪməl] sb Tier n
animate ['ænɪmeɪt] v (enliven) beleben
animated ['ænɪmeɪtɪd] adj (lively) lebhaft
animated cartoon ['ænɪmeɪtɪd kɑː'tuːn] sb CINE Zeichentrickfilm m
animation [ænɪ'meɪʃən] sb (lively quality) Lebhaftigkeit f, Belebung f
animosity [ænɪ'mɒsɪtɪ] sb Feindseligkeit f
anise ['ænɪs] sb Anis m
ankle ['æŋkl] sb ANAT Knöchel m, Fußgelenk n
annals ['ænəlz] pl Annalen pl
annex [ə'neks] v 1. POL annektieren; ['æneks] sb 2. (building extension) Anbau m; 3. (to a document) Anhang m
annexation [ænek'seɪʃən] sb POL Annexion f
anniversary [ænɪ'vɜːsərɪ] sb 1. Jubiläum n; 2. (day) Jahrestag m
annotation [ænəʊ'teɪʃən] sb Anmerkung f
announce [ə'naʊns] v 1. ankündigen, bekannt geben; 2. (on the radio) ansagen
announcement [ə'naʊnsmənt] sb 1. Ankündigung f, Meldung f; 2. (on the radio, on TV) Ansage f; 3. (loudspeaker) Durchsage f
announcer [ə'naʊnsə] sb Ansager(in) m/f
annoy [ə'nɔɪ] v ärgern, belästigen, reizen

annoyance [ə'nɔɪəns] sb 1. (an ~) Störung f, Belästigung f; 2. (annoyed state) Ärger m
annual ['ænjʊəl] adj jährlich, alljährlich
annuity [ə'njuːɪtɪ] sb Rente f
annul [ə'nʌl] v 1. annullieren; 2. (a law) aufheben; 3. (a will) umstoßen
Annunciation [ənʌnsɪ'eɪʃən] sb REL Mariä Verkündigung f
annunciator [ə'nʌnsɪeɪtə] sb Sprecher m, Ansager m
anode ['ænəʊd] sb TECH Anode f
anomalous [ə'nɒmələs] adj anomal
anomaly [ə'nɒməlɪ] sb Anomalie f
anonymity [ænə'nɪmɪtɪ] sb Anonymität f
anonymous [ə'nɒnɪməs] adj anonym
another [ə'nʌðə] adj 1. ein anderer/eine andere/ein anderes, ein weiterer/eine weitere/ein weiteres; 2. (yet ~) noch ein, noch eine(r)
answer ['ɑːnsə] v 1. antworten, beantworten; 2. ~ for sth etw verantworten; sb 3. Antwort f; 4. (solution) Lösung f
• **answer back** v frech antworten
answerable ['ɑːnsərəbl] adj verantwortlich; to be ~ to s.o. for sth jdm für etw bürgen
answering machine ['ɑːnsərɪŋməʃiːn] sb Anrufbeantworter m
ant [ænt] sb ZOOL Ameise f; have ~s in one's pants (fam) Hummeln im Hintern haben
antagonism [æn'tægənɪzm] sb Feindschaft f
antagonist [æn'tægənɪst] sb Widersacher(in) m/f, Gegner(in) m/f
antagonistic [æntægə'nɪstɪk] adj feindlich
antagonize [æn'tægənaɪz] v ~ s.o. gegen sich aufbringen
Antarctic [ænt'ɑːktɪkə] sb the ~ GEO die Antarktis f
Antarctic Circle [ænt'ɑːktɪk 'sɜːkl] sb GEO südlicher Polarkreis m
anteater ['æntiːtə] sb ZOOL Ameisenbär m
antecedent [æntɪ'siːdənt] sb 1. GRAMM Beziehungswort n; 2. Vorläufer m (fig)
antelope ['æntɪləʊp] sb ZOOL Antilope f
ante meridiem [æntɪ'mərɪdɪəm] adj vormittags
antenna [æn'tenə] sb 1. TECH Antenne f; 2. ZOOL Fühler m
anterior [æn'tɪərɪə] adj vorhergehend, vorherig
anthem ['ænθəm] sb MUS Hymne f
anthology [æn'θɒlədʒɪ] sb LIT Anthologie f
antibiotic [æntɪbaɪ'ɒtɪk] sb MED Antibiotikum n
anticipant [æn'tɪsɪpənt] adj in Erwartung

anticipate [æn'tɪsɪpeɪt] *v* 1. voraussehen; 2. *(expect)* erwarten; 3. *(act sooner)* vorwegnehmen, zuvorkommen

anticipation [æntɪsɪ'peɪʃən] *sb* Vorfreude *f,* Erwartung *f*

anticlimax [æntɪ'klaɪmæks] *sb* Frustration *f,* Enttäuschung *f*

antics ['æntɪks] *pl* Marotten *pl*

antidote ['æntɪdəʊt] *sb* Gegenmittel *n*

antimatter ['æntɪmætə] *sb PHYS* Antimaterie *f*

antipathy [æn'tɪpəθɪ] *sb* Antipathie *f*

antiquarian [æntɪ'kweərɪən] *adj (books)* antiquarisch

antiquated ['æntɪkweɪtɪd] *adj* veraltet

antique [æn'tiːk] *adj* 1. antik; *sb* 2. ~s *pl* Antiquitäten *pl*

antiquity [æn'tɪkwɪtɪ] *sb HIST* Altertum *n*

anti-Semitism [æntɪ'semɪtɪzm] *sb* Antisemitismus *m*

antithesis [æn'tɪθɪsɪs] *sb* 1. genaues Gegenteil *n;* 2. *PHIL* Antithese *f*

antonym ['æntənɪm] *sb LING* Antonym *n*

anus ['eɪnəs] *sb ANAT* After *m,* Anus *m*

anvil ['ænvɪl] *m TECH* Amboss *m*

anxiety [æŋ'zaɪətɪ] *sb (fear)* Angst *f;* *(concern)* Besorgnis *f,* Unruhe *f*

anxious ['æŋkʃəs] *adj* 1. ängstlich, bange, unruhig; 2. *(for sth)* begierig, sehnsuchtsvoll

any ['enɪ] *adj* 1. irgendein(e), irgendwelche, etwas; *not* ~ kein/keine; 2. *(no matter which)* jede(r,s); *pron* 3. Do you have ~? Haben Sie welche? *if* ~ *of you can speak English* wenn einer von euch Englisch sprechen kann; *There are few if* ~. Es gibt nur wenige, wenn überhaupt welche. *adv* 4. Can't this car go ~ *faster?* Kann dieses Auto nicht schneller fahren? *I don't do that* ~ *more.* Das mache ich nicht mehr.

anybody ['enɪbɒdɪ] *pron* irgendjemand, jemand

anyhow ['enɪhaʊ] *adv* sowieso, ohnehin

anyone ['enɪwʌn] *adj* irgendjemand, jemand

anything ['enɪθɪŋ] *adj* irgendetwas, etwas

anyway ['enɪweɪ] *adv* sowieso, ohnehin

anywhere ['enɪweə] *adv* irgendwo, irgendwohin

apart [ə'pɑːt] *adv* 1. auseinander; 2. *(separate)* einzeln; 3. *tell sth* ~ etw auseinanderhalten, etw unterscheiden; 4. *(to one side)* abseits, beiseite; 5. ~ *from* abgesehen von, bis auf

apartheid [ə'pɑːtaɪd] *sb POL* Apartheid *f*

apartment [ə'pɑːtmənt] *sb* 1. *(US)* Wohnung *f;* 2. *(UK: suite of rooms)* Appartement *n;* 3. *(UK: single room)* Einzelzimmer *n*

apathetic [æpə'θetɪk] *adj* apathisch

apathy ['æpəθɪ] *sb* Apathie *f*

ape [eɪp] *sb* 1. *ZOOL* Affe *m;* *v* 2. nachäffen

apex ['eɪpeks] *sb* 1. Gipfel *m,* Spitze *f;* 2. *(fig)* Höhepunkt *m*

apiary ['eɪpɪərɪ] *sb ZOOL* Bienenhaus *n*

apocalypse [ə'pɒkəlɪps] *sb* Apokalypse *f*

apologize [ə'pɒlədʒaɪz] *v* sich entschuldigen

apology [ə'pɒlədʒɪ] *sb* Entschuldigung *f*

apostle [ə'pɒsl] *sb REL* Apostel *m*

apostrophe [ə'pɒstrəfɪ] *sb GRAMM* Apostroph *m*

apothecary [ə'pɒθɪkərɪ] *sb* Apotheker(in) *m/f*

appalling [ə'pɔːlɪŋ] *adj* entsetzlich

apparatus [æpə'reɪtəs] *sb* Apparat *m*

apparent [ə'pærənt] *adj* 1. scheinbar, anscheinend; 2. *(obvious)* offenbar

apparition [æpə'rɪʃən] *sb* Gespenst *n,* Geist *m,* Erscheinung *f*

appeal [ə'piːl] *v* 1. *(apply for support)* appellieren, sich wenden an, auffordern; ~ *to s.o. for sth* jdn dringend um etw bitten; 2. ~ *to* gefallen, zusagen, ansprechen; 3. *(contest)* Berufung einlegen, anfechten; *sb* 4. Aufruf *m;* 5. *(power of attraction)* Anziehungskraft *f,* Reiz *m;* 6. *JUR* Berufung *f, (actual trial)* Revision *f*

appear [ə'pɪə] *v* 1. erscheinen, auftauchen; 2. *(seem)* scheinen; 3. *(on stage)* auftreten; 4. *(be published)* erscheinen, herauskommen; 5. *(come to light)* zum Vorschein kommen

appearance [ə'pɪərəns] *sb* 1. Erscheinen *n,* Auftritt *m;* 2. *(way sth seems)* Anschein *m,* Schein *m;* 3. *(look)* Aussehen *n,* Ansehen *n*

appease [ə'piːz] *v* Zugeständnisse machen, besänftigen

appellation [æpə'leɪʃən] *sb* Bezeichnung *f*

append [ə'pend] *v* hinzufügen

appendix [ə'pendɪks] *sb* 1. *ANAT* Blinddarm *m;* 2. *(to a book)* Anhang *m*

appetite ['æpɪtaɪt] *sb* 1. Appetit *m;* 2. *(fig: desire)* Lust *f,* Verlangen *n*

applaud [ə'plɔːd] *v* applaudieren

applause [ə'plɔːz] *sb* Applaus *m,* Beifall *m*

apple ['æpl] *sb BOT* Apfel *m; to be the* ~ *of s.o.'s eye (fig)* jds ein und alles sein

apple-pie [æpl'paɪ] *sb GAST* gedeckter Apfelkuchen *m*

appliance [ə'plaɪəns] *sb* Gerät *n,* Vorrichtung *f*

applicant ['æplɪkənt] *sb* Bewerber(in) *m/f,* Antragsteller(in) *m/f*

application [æplɪ'keɪʃən] *sb* 1. Antrag *m,* Bewerbung *f,* Gesuch *n; letter of* ~ Bewerbungsschreiben *n*; 2. *(use)* Verwendung *f*, Anwendung *f*; 3. *(software ~)* INFORM Anwendungsprogramm *n*

application form [æplɪˈkeɪʃən fɔːm] *sb* Anmeldeformular *n*

apply [əˈplaɪ] *v* 1. *(be in effect)* zutreffen, gelten; 2. *(make an application)* sich bewerben, beantragen, anmelden; 3. *(spread on)* auftragen; *(lotion)* eincremen; 4. *(put to use)* anwenden

appoint [əˈpɔɪnt] *v* 1. ernennen, bestellen, einsetzen; 2. *(arrange, fix)* bestimmen

appointment [əˈpɔɪntmənt] *sb* 1. *(arranged meeting)* Termin *m*, Verabredung *f*; 2. *(to office)* Ernennung *f*, Berufung *f*, Bestellung *f*

apportion [əˈpɔːʃən] *v* aufteilen, verteilen

apposition [æpəˈzɪʃən] *sb* Apposition *f*

appraisal [əˈpreɪzəl] *sb* 1. Bewertung *f*, Schätzung *f*; 2. *(fig)* Beurteilung *f*

appraise [əˈpreɪz] *v* abschätzen, einschätzen

appreciable [əˈpriːʃɪəbl] *adj* beträchtlich

appreciate [əˈpriːʃɪeɪt] *v* 1. schätzen, würdigen; 2. *(be aware of)* erkennen

appreciation [əˌpriːʃɪˈeɪʃən] *sb* 1. *(esteem)* Wertschätzung *f*, Würdigung *f*; 2. *(understanding)* Verständnis *n*

apprehend [æprɪˈhend] *v* ergreifen, festnehmen

apprehensible [æprɪˈhensɪbl] *adj* verständlich, begreiflich

apprehension [æprɪˈhenʃən] *sb* 1. *(fear)* Befürchtung *f*; 2. *(arrest)* Festnahme *f*

apprentice [əˈprentɪs] *sb* Lehrling *m*, Auszubildende(r) *m/f*

apprenticeship [əˈprentɪsʃɪp] *sb* 1. Lehre *f*, Lehrstelle *f*; 2. *(period)* Lehrzeit *f*

approach [əˈprəʊtʃ] *v* 1. sich nähern; 2. *(~ a person)* angehen; 3. *(fig: in quality)* herankommen; 4. *(fig: the end)* entgegengehen; *sb* 5. Herannahen *n*; 6. *(road)* Zufahrt *f*; 7. *(by an airplane)* Anflug *m*; 8. *(method)* Ansatz *m*; 9. *(to a person)* Annäherungsversuch *m*; 10. *(approximation)* Annäherung *f*

approbation [æprəˈbeɪʃən] *sb* Billigung *f*

appropriate [əˈprəʊprɪeɪt] *v* 1. zuweisen; 2. *~ sth (for o.s.)* sich etw aneignen; [əˈprəʊprɪɪt] *adj* 3. *(suitable)* passend; 4. *(relevant)* entsprechend

appropriation [əˌprəʊprɪˈeɪʃən] *sb* Aneignung *f*

approval [əˈpruːvəl] *sb* 1. Beifall *m*, Anklang *m*; 2. *(consent)* Billigung *f*, Genehmigung *f*, Zustimmung *f*

approve [əˈpruːv] *v* 1. billigen, genehmigen, zustimmen; 2. *~ of* gutheißen, billigen

approximate [əˈprɒksɪmɪt] *adj* ungefähr, annähernd

approximation [əˌprɒksɪˈmeɪʃən] *sb* Annäherung *f*

apricot [ˈeɪprɪkɒt] *sb* BOT Aprikose *f*

April [ˈeɪprɪl] *sb* April *m*; ~ *Fool's Day* der 1. April

apt [æpt] *adj* 1. passend, treffend; 2. *(mentally quick)* gelehrig, begabt; 3. *(liable)* geneigt

aptitude [ˈæptɪtjuːd] *sb* Befähigung *f*, Begabung *f*, Eignung *f*

aquarium [əˈkweərɪəm] *sb* Aquarium *n*

Aquarius [əˈkweərɪəs] *sb* ASTR Wassermann *m*

aqueduct [ˈækwɪdʌkt] *sb* Aquädukt *m*

Arab [ˈærəb] *sb* Araber(in) *m/f*

Arabia [əˈreɪbɪə] *sb* GEO Arabien *n*

arbiter [ˈɑːbɪtə] *sb* Richter *m*, Gebieter *m*

arbitrary [ˈɑːbɪtrərɪ] *adj* eigenmächtig, willkürlich

arbitrate [ˈɑːbɪtreɪt] *v* schlichten

arbitration [ɑːbɪˈtreɪʃən] *sb* Schlichtung *f*

arbitrator [ˈɑːbɪtreɪtə] *sb* Vermittler(in) *m/f*, Schlichter(in) *m/f*

arbor [ˈɑːbə] *sb (US) see "arbour"*

arbour [ˈɑːbə] *sb* BOT Laube *f*

arc [ɑːk] *sb* Bogen *m*

arcade [ɑːˈkeɪd] *sb* 1. ARCH Bogengang *m*; 2. *(video ~)* Spielhalle *f*

arch [ɑːtʃ] *v* 1. *(one's back)* krümmen; *adj* Erz...; *sb* 3. Bogen *m*

archaeologist [ɑːkɪˈɒlədʒɪst] *sb* Archäologe/Archäologin *m/f*

archaeology [ɑːkɪˈɒlədʒɪ] *sb* Archäologie *f*

archaic [ɑːˈkeɪɪk] *adj* archaisch, altertümlich

archangel [ˈɑːkeɪndʒəl] *sb* REL Erzengel *m*

archbishop [ˈɑːtʃˈbɪʃəp] *sb* REL Erzbischof *m*

archery [ˈɑːtʃərɪ] *sb* SPORT Bogenschießen *n*

architect [ˈɑːkɪtekt] *sb* Architekt(in) *m/f*

architecture [ˈɑːkɪtektʃə] *sb* Architektur *f*

archive [ˈɑːkaɪv] *sb* Archiv *n*

arctic [ˈɑːktɪk] *adj* arktisch

Arctic Circle [ˈɑːktɪk ˈsɜːkl] *sb* GEO Nördlicher Polarkreis *m*

ardent [ˈɑːdənt] *adj* leidenschaftlich

ardour [ˈɑːdə] *sb* Inbrunst *f*, Glut *f*

arduous [ˈɑːdjʊəs] *adj* anstrengend, mühsam, beschwerlich

area [ˈeərɪə] *sb* 1. Gebiet *n*, Raum *m*; 2. *(vicinity)* Gegend *f*; 3. *(grounds)* Gelände *n*; 4. *(measure)* Fläche *f*; 5. *(of town)* Gegend *f*, Viertel *n*, Bezirk *m*; 6. *(fig)* Bereich *m*, Gebiet *n*

area code ['ɛərɪəkəʊd] *sb (US) TEL* Vorwahl *f*

arena [ə'riːnə] *sb* Arena *f*, Stadion *n*

Argentina [ɑːdʒən'tiːnə] *sb GEO* Argentinien *n*

argue ['ɑːgjuː] *v* 1. streiten; *(with one another)* sich streiten; *Don't ~ (with me)!* Keine Widerrede! 2. *(a case)* diskutieren, erörtern

argument ['ɑːgjʊmənt] *sb* 1. Wortstreit *m*, Streit *m*, Auseinandersetzung *f*; 2. *(reason)* Argument *n*, *(line of reasoning)* Beweisführung *f*; 3. *(discussion)* Diskussion *f*

aria ['ɑːrɪə] *sb MUS* Arie *f*

arid ['ærɪd] *adj* dürr, trocken

Aries ['ɛəriːz] *sb ASTR* Widder *m*

arise [ə'raɪz] *v irr* 1. entstehen, aufkommen; 2. *(get up)* sich erheben, aufstehen; 3. *(clouds of dust)* sich bilden; 4. *~ from* stammen von

aristocracy [ærɪs'tɔkrəsɪ] *sb* 1. *(system)* Aristokratie *f*; 2. *(class)* Adel *m*

aristocrat ['ærɪstəkræt] *sb* Aristokrat *m*

aristocratic [ærɪstə'krætɪk] *adj* adlig

arithmetic [ə'rɪθmətɪk] *sb* Arithmetik *f*

ark [ɑːk] *sb* Arche *f*

arm [ɑːm] *v* 1. bewaffnen, ausrüsten; 2. ~ o.s. *(fig: prepare o.s.)* sich wappnen; 3. *MIL* aufrüsten; *sb* 4. *ANAT* Arm *m*; *keep s.o. at ~'s length* jdn auf Distanz halten; *within ~'s reach* in Reichweite; 5. ~*s pl (weapons)* Waffen *pl*

armature ['ɑːmətjʊə] *sb TECH* Anker *m*

armchair ['ɑːmtʃeə] *sb* Sessel *m*

armed forces [ɑːmd 'fɔːsɪz] *pl the ~ MIL* das Militär *n*

armistice ['ɑːmɪstɪs] *sb MIL* Waffenstillstand *m*

armour ['ɑːmə] *sb* 1. Rüstung *f*; 2. *(tank divisions) MIL* Panzertruppen *pl*; 3. *ZOOL* Panzer *m*

arms race ['ɑːmzreɪs] *sb POL* Wettrüsten *n*

army ['ɑːmɪ] *sb* Armee *f*, Militär *n*, Heer *n*

aroma [ə'rəʊmə] *sb* Aroma *n*, Duft *m*

aromatic [ærə'mætɪk] *adj* aromatisch

around [ə'raʊnd] *adv* 1. herum; *all ~* auf allen Seiten; *prep* 2. um, um ... herum; 3. *(approximately)* ungefähr, etwa; 4. *(~ a certain time)* gegen

arouse [ə'raʊz] *v* 1. *(wake s.o. up)* wecken; 2. *(fig: excite)* erregen

arrange [ə'reɪndʒ] *v* 1. *(see to)* arrangieren, dafür sorgen; 2. *(set in order)* ordnen; 3. vereinbaren, ausmachen, absprechen

arrangement [ə'reɪndʒmənt] *sb* 1. *(agreement)* Vereinbarung *f*, Abmachung *f*; 2. *(order)* Ordnung *f*, Anordnung *f*, Gliederung *f*

arrears [ə'rɪəz] *pl* Rückstände *pl*; *in ~* im Rückstand

arrest [ə'rest] *v* 1. festnehmen, verhaften; *sb* 2. Festnahme *f*, Verhaftung *f*

arrival [ə'raɪvəl] *sb* Ankunft *f*, Anreise *f*

arrive [ə'raɪv] *v* 1. ankommen, eintreffen, anreisen; 2. ~ *at (a decision)* gelangen zu; 3. *(letter)* eingehen

arrogance ['ærəgəns] *sb* Arroganz *f*

arrogant ['ærəgənt] *adj* arrogant

arrow ['ærəʊ] *sb* 1. Pfeil *m*

arsenal ['ɑːsənəl] *sb MIL* Arsenal *n*

art [ɑːt] *sb* Kunst *f*; *the ~s* die schönen Künste *pl*; *~s and crafts* Kunstgewerbe *n*

arterial [ɑː'tɪərɪəl] *adj* arteriell

artery ['ɑːtərɪ] *sb* 1. *ANAT* Arterie *f*, Pulsader *f*, Schlagader *f*; 2. *(road)* Verkehrsader *f*

artichoke ['ɑːtɪtʃəʊk] *sb BOT* Artischocke *f*

article ['ɑːtɪkl] *sb* 1. *(item)* Gegenstand *m*; 2. *(in a newspaper)* Artikel *m*, Beitrag *m*; 3. *(in a contract)* Paragraph *m*; 5. *~s of incorporation* Satzung *f*; 6. *ECO* Ware *f*, Artikel *m*

articulate [ɑː'tɪkjʊleɪt] *v* 1. *(put into words)* ausdrücken, artikulieren; [ɑː'tɪkjʊlɪt] *adj* 2. *(person)* sich klar ausdrückend; 3. *(sentence)* klar

articulation [ɑːtɪkjʊ'leɪʃən] *sb* 1. Aussprache *f*, Artikulation *f*; 2. *TECH* Gelenk *n*

artifice ['ɑːtɪfɪs] *sb* List *f*, Ränke *pl*

artificial [ɑːtɪ'fɪʃəl] *adj* 1. künstlich, Kunst..., unecht; 2. *(faked)* gekünstelt, unecht

artificial intelligence [ɑːtɪ'fɪʃəl ɪn'telɪdʒəns] *sb INFORM* künstliche Intelligenz *f*

artillery [ɑː'tɪlərɪ] *sb MIL* Artillerie *f*

artist ['ɑːtɪst] *sb* Künstler(in) *m/f*

artistic [ɑː'tɪstɪk] *adj* künstlerisch

as [æz] *konj* 1. *(at the same time ~)* als, während, indem; 2. *(since)* da; *adv* 3. *(manner)* wie; *Do ~ you please.* Machen Sie, was Sie wollen. 4. ~ *yet* bislang, bisher; 5. ~ *it is (anyway)* ohnehin; 6. ~ *it were* sozusagen; 7. ~ *well* auch, ebenfalls; 8. ~ *well ~ (in addition to)* sowie; 9. *(comparison)* wie; ~ *usual* wie üblich; *three times ~ big* dreimal so groß; 10. ~ *... ~ so ...* wie; 11. ~ *far ~ soweit*; ~ *far ~ I am concerned (for my part)* meinerseits; *(for all I care)* meinetwegen; 12. ~ *follows* folgendermaßen; 13. ~ *for you* was dich betrifft; *prep* 14. *(in the role of)* als

ascend [ə'send] *v* hinaufsteigen, steigen

ascendancy [ə'sendənsɪ] *sb* Vormacht *f*

ascension [ə'senʃən] *sb* Aufstieg *m*

Ascension Day [ə'senʃən deɪ] *sb REL* Christi Himmelfahrt *f*

ascent [ə'sent] *sb* Aufstieg *m*

ascertain [æsə'teɪn] v ermitteln
ascetic ['æsetɪk] sb Asket(in) m/f
asceticism [ə'setɪsɪzəm] sb Askese f
ascribe [ə'skraɪb] v ~ sth to sth etw etw zuschreiben
ash [æʃ] sb Asche f
ashamed [ə'ʃeɪmd] adj beschämt
ashtray ['æʃtreɪ] sb Aschenbecher m
Ash Wednesday [æʃ 'wenzdeɪ] sb REL Aschermittwoch m
Asia ['eɪʃə] sb GEO Asien n
Asian ['eɪʃən] adj 1. asiatisch; sb 2. Asiate/Asiatin m/f
Asiatic [eɪʃɪ'ætɪk] adj asiatisch
aside [ə'saɪd] adv 1. beiseite, zur Seite; 2. ~ from (US) außer; sb 3. Nebenbemerkung f
ask [ɑːsk] v 1. fragen; ~ a question eine Frage stellen; ~ after s.o. nach jdm fragen; 2. ~ for bitten um; ~ for trouble Streit suchen; to be ~ing for it (fam) es nicht anders wollen; 3. (require, demand) verlangen, fordern
• **ask around** v herumfragen, sich umhören
• **ask in** v herein bitten
asleep [ə'sliːp] adj to be ~ schlafen; fall ~ einschlafen
asocial [eɪ'səʊʃəl] adj unsozial, ungesellig
asparagus [əs'pærəgəs] sb BOT Spargel m
aspect ['æspekt] sb (of a matter) Aspekt m, Gesichtspunkt m, Seite f
asperity [ə'sperɪtɪ] sb Rauhheit f
asphalt ['æsfælt] sb Asphalt m
aspirant [ə'spaɪrənt] sb Anwärter(in) m/f, Aspirant(in) m/f
aspiration [æspɪ'reɪʃən] sb Streben n, Ehrgeiz m
aspire [ə'spaɪə] v ~ to sth nach etw streben
ass [æs] sb 1. Esel m; 2. (fig) Dummkopf m
assail [ə'seɪl] v überfallen, angreifen
assassinate [ə'sæsɪneɪt] v ermorden
assassination [əsæsɪ'neɪʃən] sb Ermordung f; ~ attempt Mordanschlag m, Attentat n
assault [ə'sɔːlt] v 1. angreifen, überfallen; 2. (sexually) sich vergehen an; sb 3. Überfall m
assemble [ə'sembl] v 1. (come together) sich versammeln; 2. (bring people together) zusammenrufen; (~ a team) zusammenstellen; 3. (an object) zusammenbauen, montieren
assembly [ə'semblɪ] sb 1. Versammlung f; 2. (of an object) Montage f
assembly line [ə'semblɪ laɪn] sb Fließband n, Montageband n
assent [ə'sent] sb Zustimmung f, Zusage f
assert [ə'sɜːt] v 1. behaupten, beteuern; 2. ~ o.s. sich behaupten, sich durchsetzen

assertion [ə'sɜːʃən] sb Behauptung f
assess [ə'ses] v bewerten, einschätzen
assessment [ə'sesmənt] sb Beurteilung f
assessor [ə'sesə] sb Beisitzer(in) m/f
asset ['æset] sb 1. Vermögenswert m; 2. (fig) Vorzug m, Plus n, Vorteil m
assets ['æsets] pl 1. Vermögen n, Guthaben n; 2. (on a balance sheet) FIN Aktiva pl
assign [ə'saɪn] v 1. (a task) anweisen, beauftragen; 2. (sth to a purpose) bestimmen; 3. (classify) zuordnen; 4. JUR übereignen
assignment [ə'saɪnmənt] sb 1. (instruction) Anweisung f; 2. (assigned task), Auftrag m; 3. (allotment) Zuordnung f; 4. JUR Übertragung f
assimilate [ə'sɪmɪleɪt] v aufnehmen, integrieren
assimilation [əsɪmɪ'leɪʃən] sb Aufnahme f, Assimilation f
assist [ə'sɪst] v helfen, unterstützen
assistance [ə'sɪstəns] sb Hilfe f, Unterstützung f, Beistand m
assistant [ə'sɪstənt] sb Assistent(in) m/f
assize [ə'saɪz] sb JUR Geschworene(r) m/f
associate [ə'səʊʃɪeɪt] sb 1. Kollege/Kollegin m/f, Mitarbeiter(in) m/f; 2. (partner in a firm) Gesellschafter(in) m/f; [ə'səʊʃɪeɪt] v 3. ~ with s.o. mit jdm Umgang haben, mit jdm verkehren; 4. ~ sth with sth etw mit etw assoziieren
association [əsəʊsɪ'eɪʃən] sb 1. Vereinigung f; 2. articles of ~ Gesellschaftsvertrag m; 3. (club) Verein m; 4. (cooperation) Zusammenarbeit f; 5. (associating with s.o.) Umgang m
associative [ə'səʊʃɪətɪv] adj assoziativ
assort [ə'sɔːt] v sortieren
assortment [ə'sɔːtmənt] sb Sortiment n
assume [ə'sjuːm] v 1. annehmen; 2. (presuppose) voraussetzen; 3. (take over) übernehmen
assumed name [ə'sjuːmd neɪm] sb Pseudonym n
assumption [ə'sʌmpʃən] sb 1. Annahme f; 2. (presupposition) Voraussetzung f; 3. (of office) Übernahme f
Assumption [ə'sʌmpʃən] sb REL Mariä Himmelfahrt f
assurance [ə'ʃʊərəns] sb 1. (act of assuring) Zusicherung f; 2. (confidence) Zuversicht f; 3. (UK: insurance) Lebensversicherung f
assure [ə'ʃʊə] v 1. ~ s.o. of sth jdn einer Sache versichern, jdm etw zusichern; ~ s.o. that ... jdm versichern, dass ... 2. (ensure) sichern
asterisk ['æstərɪsk] sb Sternchen n
asteroid ['æstərɔɪd] sb ASTR Asteroid m

asthma ['æsmə] *sb MED* Asthma *n*

astonish [əs'tɒnɪʃ] *v* in Erstaunen versetzen

astonishment [ə'stɒnɪʃmənt] *sb* Erstaunen *n*, Staunen *n*, Verwunderung *f*

astound [ə'staʊnd] *v* jdn erstaunen

astray [ə'streɪ] *adv* go ~ vom Weg abkommen; *lead s.o.* ~ *(fig)* jdn irreführen

astrology [əs'trɒlədʒɪ] *sb* Astrologie *f*

astronaut ['æstrənɔːt] *sb* Astronaut(in) *m/f*

astronautics [æstrə'nɔːtɪks] *sb* Raumfahrt *f*

astronomer [ə'strɒnəmə] *sb* Astronom(in) *m/f*

astronomical [æstrə'nɒmɪkəl] *adj (fig)* astronomisch

astronomy [ə'strɒnəmɪ] *sb* Astronomie *f*

astute [ə'stjuːt] *adj* schlau, scharfsinnig

asylum [ə'saɪləm] *sb* Asyl *n*

at [æt] *prep* 1. *(position)* an, bei, zu; ~ *home* zu Hause; ~ *university* an der Universität; 2. *(toward)* auf, nach, gegen; 3. ~ *all* überhaupt, gar; *not* ~ *all* gar nicht, überhaupt nicht; 4. *(a certain time)* um; 5. *~-sign INFORM* Klammeraffe, at-Symbol

atheism ['eɪθɪɪzəm] *sb* Atheismus *m*

atheist ['eɪθɪɪst] *sb* Atheist(in) *m/f*

athlete [æ'θliːt] *sb* Athlet(in) *m/f*

athletic [æθ'letɪk] *adj* sportlich

athletics [æθ'letɪks] *sb* 1. SPORT Sport *m*; 2. *(UK: track and field)* Leichtathletik *f*

Atlantic [ət'læntɪk] *sb GEO* Atlantik *m*

atlas ['ætləs] *sb* Atlas *m*

atmosphere ['ætməsfɪə] *sb* 1. *(Earth's)* Atmosphäre *f*; 2. *(fig: mood)* Atmosphäre *f*

atom ['ætəm] *sb PHYS* Atom *n*

atomic [ə'tɒmɪk] *adj* atomar, atomisch

atomic energy [ə'tɒmɪk 'enədʒɪ] *sb* Atomenergie *f*

atomizer ['ætəmaɪzə] *sb* Zerstäuber *m*

atone [ə'təʊn] *v* ~ *for* büßen für

atonement [ə'təʊnmənt] *sb* Buße *f*

atrocious [ə'trəʊʃəs] *adj* scheußlich

atrocity [ə'trɒsɪtɪ] *sb* 1. Scheußlichkeit *f*; 2. *(atrocious act)* Gräueltat *f*, Untat *f*

attach [ə'tætʃ] *v* 1. befestigen, anheften; 2. *to be ~ed to s.o. (fig)* an jdm hängen; 3. *(connect up)* anschließen; 4. JUR beschlagnahmen

attaché case [ə'tæʃeɪ keɪs] *sb* Aktenkoffer *m*

attached [ə'tætʃt] *adj* verbunden; *grow* ~ *to s.o.* jdn liebgewinnen

attachment [ə'tætʃmənt] *sb* 1. Befestigung *f*, Anschluss *m*; 2. *(fondness)* Anhänglichkeit *f*; 3. *(to a tradition, to a country)* Verbundenheit *f*;

4. *(accessory)* Zubehörteil *n*; 5. JUR Beschlagnahme *f*, 6. INFORM Attachment *n*, Anlage *f*

attack [ə'tæk] *v* 1. angreifen; 2. *(ambush, mug)* überfallen; 3. *(a task)* in Angriff nehmen; *sb* 4. Angriff *m*; 5. MED Anfall *m*

attain [ə'teɪn] *v* erreichen, erzielen

attempt [ə'tempt] *v* 1. versuchen; 2. *(undertake)* unternehmen; *sb* 3. Versuch *m*

attend [ə'tend] *v* 1. *(be present)* anwesend sein; 2. *(school, church)* besuchen

• attend to *v* 1. *(see to)* sich kümmern um, erledigen, sorgen für; 2. *(serve)* bedienen, betreuen, abfertigen; 3. *(heed)* beachten

attendance [ə'tendəns] *sb* 1. Anwesenheit *f*, Beteiligung *f*, Besuch *m*; 2. *(number present)* Teilnehmerzahl *f*, *(spectators)* Besucherzahl *f*

attendant [ə'tendənt] *sb* Diener(in) *m/f*, *(in a museum)* Wärter(in) *m/f*

attention [ə'tenʃən] *sb* 1. Aufmerksamkeit *f*, Beachtung *f*; *pay* ~ *to sth* etw beachten; *Pay* ~! Pass auf! 2. *stand at* ~ MIL stillstehen

attentive [ə'tentɪv] *adj* achtsam

attenuate [ə'tenjʊeɪt] *v (reduce)* mildern

attest [ə'test] *v* 1. beglaubigen; 2. ~ *to* bezeugen

attestation [ætes'teɪʃən] *sb* Beglaubigung *f*, Bescheinigung *f*

attic ['ætɪk] *sb* Dachboden *m*, Speicher *m*

attitude ['ætɪtjuːd] *sb* 1. Einstellung *f*; 2. *(manner)* Verhalten *n*; 3. *(pose)* Pose *f*

attorney [ə'tɜːnɪ] *sb* 1. FIN prüfen; 2. *power of* ~ Vollmacht *f*; 3. *(authorized representative)* JUR Bevollmächtigte(r) *m/f*

attract [ə'trækt] *v* anziehen

attraction [ə'trækʃən] *sb* 1. Anziehungskraft *f*; 2. *(appeal)* Anziehungskraft *f*, Reiz *m*

attractive [ə'træktɪv] *adj* attraktiv

attribute [ə'trɪbjuːt] *v* 1. zuschreiben; ['ætrɪbjuːt] *sb* 2. Eigenschaft *f*, Attribut *n*

attribution [ætrɪ'bjuːʃən] *sb* Zuweisung *f*

attrition [ə'trɪʃən] *sb* Reibung *f*

auction ['ɔːkʃən] *v* 1. versteigern; *sb* 2. Auktion *f*, Versteigerung *f*

audacious [ɔː'deɪʃəs] *adj* 1. *(bold)* kühn, verwegen; 2. *(impudent)* dreist, keck

audacity [ɔː'dæsɪtɪ] *sb* 1. *(impudence)* Dreistigkeit *f*; 2. *(daring)* Kühnheit *f*

audience ['ɔːdɪəns] *sb* Publikum *n*

audit ['ɔːdɪt] *v* 1. FIN prüfen; 2. ECO Buchprüfung *f*, *(final ~)* Abschlussprüfung *f*

audition [ɔː'dɪʃən] *sb* 1. Vorsprechprobe *f*, Vorsprechen *n*; Vorsingen *n*; Vorspielen *n*; *v* 2.

vorsprechen; vorsingen; vorspielen; 3. (~ s.o.) vorsprechen/vorsingen/vorspielen lassen
auditor ['ɔːdɪtə] sb Wirtschaftsprüfer m
auditorium [ɔːdɪ'tɔːrɪəm] sb Hörsaal m
augment [ɔːg'ment] v 1. (strengthen) verstärken; 2. (increase) vergrößern
augmentation [ɔːgmen'teɪʃən] sb Zunahme f, Erhöhung f
August [ə'gʌst] adj verehrenswert, erhaben
August ['ɔːgəst] sb August m
aunt [ɑːnt] sb Tante f
aura ['ɔːrə] sb Aura f
aurora [ɔː'rɔːrə] sb ASTR Polarlicht n
auspice ['ɔːspɪs] sb Schirmherrschaft f
auspicious [ɔːs'pɪʃəs] adj viel versprechend
Australia [ɒs'treɪlɪə] sb GEO Australien n
Australian [ɒs'treɪlɪən] adj 1. australisch; sb 2. Australier(in) m/f
Austria ['ɒstrɪə] sb GEO Österreich n
Austrian ['ɒstrɪən] sb 1. Österreicher(in) m/f; adj 2. österreichisch
authentic [ɔː'θentɪk] adj authentisch, echt
authenticate [ɔː'θentɪkeɪt] v beglaubigen
authentication [ɔːθentɪ'keɪʃən] sb Beglaubigung f
authenticity [ɔːθen'tɪsɪtɪ] sb Echtheit f
author ['ɔːθə] sb 1. Autor(in) m/f, Schriftsteller(in) m/f, (of a study, of a report) Verfasser(in) m/f; 2. (fig) Urheber(in) m/f
authoritarian [ɔːθɒrɪ'teərɪən] adj autoritär
authoritative [ɔː'θɒrɪteɪtɪv] adj 1. (having authority) maßgeblich; 2. (inspiring respect) Respekt einflößend
authority [ɔː'θɒrɪtɪ] sb 1. (power) Autorität f, (of a ruler) Staatsgewalt f; 2. (entitlement) Befugnis f, (specifically dedicated) Vollmacht f; 3. (government) Amt n; 4. (an expert) Sachverständige(r) m/f; 5. (respected expertise) Glaubwürdigkeit f
authorization [ɔːθəraɪ'zeɪʃən] sb Ermächtigung f, Bevollmächtigung f
authorize [ɔːθəraɪz] v ermächtigen, genehmigen, bevollmächtigen
authorized ['ɔːθəraɪzd] adj berechtigt, befugt
authorship ['ɔːθəʃɪp] sb Urheberschaft f
auto ['ɔːtəʊ] sb Auto n
autobiography [ɔːtəbaɪ'ɒgrəfɪ] sb LIT Autobiographie f
autocracy [ɔː'tɒkrəsɪ] sb POL Alleinherrschaft f
autocratic [ɔːtə'krætɪk] adj selbstherrlich, willkürlich
autograph ['ɔːtəgrɑːf] sb Autogramm n

automate ['ɔːtəmeɪt] v automatisieren
automatic [ɔːtə'mætɪk] adj automatisch
automatic teller machine [ɔːtə'mætɪk 'teləməʃiːn] sb (ATM) (US) Geldautomat m
automaton [ɔː'tɒmətən] sb Roboter m
automobile ['ɔːtəməbiːl] sb Auto(mobil) n
autonomous [ɔː'tɒnəməs] adj autonom
autonomy [ɔː'tɒnəmɪ] sb Autonomie f
autopsy ['ɔːtɒpsɪ] sb MED Autopsie f
autumn ['ɔːtəm] sb Herbst m
available [ə'veɪləbl] adj 1. verfügbar; 2. erhältlich, lieferbar
avalanche ['ævəlɑːnʃ] sb Lawine f
avarice ['ævərɪs] sb Habgier f, Geiz m
avaricious [ævə'rɪʃəs] adj habgierig
avenge [ə'vendʒ] v rächen
avenue ['ævənjuː] sb 1. Allee f, Straße f; 2. (of approach) Zugang m
average ['ævərɪdʒ] adj 1. durchschnittlich; sb 2. Durchschnitt m; on the ~ durchschnittlich
averse [ə'vɜːs] adj abgeneigt
aversion [ə'vɜːʃən] sb Abneigung f
avert [ə'vɜːt] v 1. (fig) verhüten, abwehren, abwenden; 2. (turn away) abwenden
aviation [eɪvɪ'eɪʃən] sb Flugwesen n
avid ['ævɪd] adj 1. begeistert; 2. gierig
avoid [ə'vɔɪd] v vermeiden, meiden
avoidance [ə'vɔɪdəns] sb 1. Vermeidung f; 2. tax ~ Steuerhinterziehung f
avowal [ə'vaʊəl] sb Bekenntnis n
await [ə'weɪt] v 1. erwarten; 2. (impend) bevorstehen; 3. (wait for) abwarten, harren
awake [ə'weɪk] v irr 1. aufwachen; 2. (wake s.o. up) aufwecken; adj 3. wach; 4. (fig) munter
award [ə'wɔːd] v 1. zuerkennen; 2. (present an ~) verleihen; sb 3. Auszeichnung f, Preis m
aware [ə'weə] adj bewusst
awareness [ə'weənɪs] sb Bewusstsein n
away [ə'weɪ] adv 1. weg, fort; 2. right ~ sofort, auf der Stelle
awe [ɔː] sb 1. Ehrfurcht f; v 2. Ehrfurcht einflößen
awesome ['ɔːsəm] adj Ehrfurcht gebietend
awful ['ɔːfəl] adj furchtbar, schrecklich
awkward ['ɔːkwəd] adj 1. (clumsy) ungeschickt; 2. (situation) peinlich, unangenehm
awkwardness ['ɔːkwədnɪs] sb 1. Unbeholfenheit f; 2. Peinlichkeit f
awning ['ɔːnɪŋ] sb Markise f
awry [ə'raɪ] adj schief
axe [æks] v 1. (fig) streichen, abbauen, (s.o.) entlassen; sb 2. Axt f
axiom ['æksɪəm] sb Axiom n
axis ['æksɪs] sb Achse f

B

babble ['bæbl] v 1. plappern; 2. *(stream)* plätschern

baboon [bə'bu:n] sb Pavian m

baby ['beibi] sb Baby n

baby-minder ['beibimaində] sb Tagesmutter f, Kinderfrau f

babysit ['beibisit] v irr babysitten

babysitter ['beibisitə] sb Babysitter m

baby-tooth ['beibi tu:θ] sb Milchzahn m

bachelor ['bætʃələ] sb Junggeselle m

back [bæk] sb 1. *(person's)* Rücken m; turn one's ~ on s.o. *(fig)* jdm den Rücken kehren, sich von jdm abwenden; get off s.o.'s ~ *(fig)* jdn in Ruhe lassen; go behind s.o.'s ~ jdn hintergehen; 2. *(of sth)* Rückseite f, Kehrseite f; 3. ~ of the hand Handrücken m; like the ~ of my hand wie meine Westentasche; 4. *(~rest)* Lehne f, Rückenlehne f; adv 5. zurück, rückwärts, wieder zurück; ~ and forth hin und her; adj 6. hintere(r,s); v 7. *(support)* unterstützen; 8. *(bet on)* setzen auf; 9. *(a car: drive backwards)* zurückfahren; 10. *(~ out, ~ down)* kneifen, sich drücken

• back up v 1. *(drive backwards)* rückwärts fahren; 2. *(support s.o.)* unterstützen

backbencher ['bæk'bentʃə] sb POL Abgeordnete(r) im britischen Parlament m/f

backbiting ['bækbaitin] sb Verleumdung f

backbone ['bækbəun] sb Rückgrat n

backbreaker ['bækbreikə] sb Schinder m

backchat ['bæktʃæt] sb *(fam: backtalk)* Widerrede f

backdate ['bæk'deit] v zurückdatieren

back door [bæk dɔ:] sb 1. Hintertür f; 2. *(fig)* Hintertürchen n

backfire ['bækfaiə] v 1. fehlzünden; 2. *(fig)* ins Auge gehen

background ['bækgraund] sb 1. Hintergrund m; 2. *(of a person)* Herkunft f

backhander [bæk'hændə] sb *(fam: bribe)* Schmiergeld n

backing ['bækin] sb *(support)* Unterstützung f, Rückhalt m, Rückendeckung f

backlash ['bæklæʃ] sb Gegenreaktion f

backlog ['bæklɒg] sb Rückstand m

backpack ['bækpæk] sb Rucksack m

back pay [bæk pei] sb Nachzahlung f

back room [bæk'rum] sb Hinterzimmer n

back seat [bæk si:t] sb Rücksitz m; take a ~ *(fig)* in den Hintergrund treten

back-seat driver ['bæksi:t 'draivə] sb *(fam)* Besserwisser m

backside ['bæksaid] sb *(fam)* Hintern m

backspace ['bækspeis] sb Rücktaste f

backstage [bæk'steidʒ] adv hinter die Bühne; go ~ hinter die Kulissen gehen

backstairs ['bæksteəz] sb Hintertreppe f

backstroke ['bækstrəuk] sb Rückenschwimmen n

backtalk ['bæktɔ:k] sb *(fam)* Widerrede f

backup ['bækʌp] sb 1. INFORM Backup n, Sicherungskopie f; 2. SPORT Reservespieler m

backward ['bækwəd] adj 1. rückwärts gerichtet; 2. *(fam)* rückständig; 3. *(fam: retarded)* zurückgeblieben

backwards ['bækwədz] adv 1. rückwärts, zurück; 2. bend over ~ *(fig)* sich übergroße Mühe geben, sich einen abbrechen

back yard [bæk ja:d] sb Hinterhof m; in your own ~ *(fig)* vor deiner eigenen Tür

bacon ['beikən] sb GAST Speck m

bacteria [bæk'tɪərɪə] sb Bakterie f

bad [bæd] adj 1. schlecht; to be ~ at sth etw schlecht können; go from ~ to worse immer schlechter werden; make the best of a ~ job das Beste aus einer Situation machen; Not ~! Nicht übel! 2. *(deplorable)* schlimm; 3. *(serious)* schwer, schlimm; 4. *(spoiled food)* schlecht, verdorben; 5. *(wicked)* böse; 6. *(misbehaved)* ungezogen; 7. *(cheque)* ungedeckt; 8. *(smell)* schlecht, übel; 9. *(news)* schlecht, schlimm; 10. *(sick)* unwohl, krank; 11. want sth ~ly etw dringend brauchen

badge [bædʒ] sb 1. Abzeichen n

badger ['bædʒə] sb ZOOL Dachs m

badminton ['bædmintən] sb Federball n; Badminton n

bad-tempered [bæd'tempəd] adj übellaunig; schlecht gelaunt

baffle ['bæfl] v verblüffen

baffling ['bæflin] adj verwirrend

bag [bæg] sb Tüte f, Sack m, Tasche f, *(with drawstrings)* Beutel m; in the ~ *(fig)* so gut wie sicher; That's not my ~. Das ist nicht mein Bier. old ~ *(fam: woman)* alte Schachtel f; ~ and baggage *(fig)* Kind und Kegel

baggage ['bægidʒ] sb Gepäck n

baggage claim ['bægidʒ kleim] sb Gepäckausgabe f

bagpipes ['bægpaips] pl Dudelsack m

bah [bɑː] *interj* pah

Bahamas [bəˈhɑːməz] *pl the* ~ GEO die Bahamas *pl*

bail [beɪl] *sb* JUR Kaution *f*; out on ~ gegen Kaution auf freiem Fuß

bailiff [ˈbeɪlɪf] *sb* JUR Gerichtsvollzieher *m*

bait [beɪt] *sb* 1. Köder *m*; *v* 2. *(torment)* quälen

bake [beɪk] *v* backen

baker [ˈbeɪkə] *sb* Bäcker *m*

bakery [ˈbeɪkərɪ] *sb* Bäckerei *f*

baking powder [ˈbeɪkɪŋpaʊdə] *sb* Backpulver *n*

baking sheet [ˈbeɪkɪŋʃiːt] *sb* Backblech *n*

balance [ˈbæləns] *sb* 1. Gleichgewicht *n*, 2. Ausgeglichenheit *f*; 3. *(remainder)* Rest *m*; 4. *(account ~)* ECO Saldo *m*; 5. ~ *of payments* FIN Zahlungsbilanz *f*; 6. ~ *of trade* FIN Handelsbilanz *f*; 7. *(scales)* Waage *f*; *v* 8. *(person)* balancieren; 9. *(bring into ~)* ausbalancieren, ins Gleichgewicht bringen

balanced [ˈbælənst] *adj* ausgewogen, ausgeglichen

balance-sheet [ˈbæləns ʃiːt] *sb* FIN Bilanz *f*, Handelsbilanz *f*

balcony [ˈbælkənɪ] *sb* Balkon *m*

bald [bɔːld] *adj* kahl, glatzköpfig

bald eagle [bɔːld ˈiːgl] *sb* weißköpfiger Seeadler *m*

bale¹ [beɪl] *sb* ~ *of hay* Heubündel *n*

bale² [beɪl] *v* 1. ~ *out (water)* ausschöpfen; 2. ~ *out (of an aircraft)* abspringen

balk [bɔːk] *v* 1. *(horse)* scheuen; 2. *(fig)* at sth vor etw zurückschrecken

ball¹ [bɔːl] *sb* 1. Ball *m*, Kugel *f*; *on the* ~ auf Draht; *set the* ~ *rolling* den Stein ins Rollen bringen; *keep the* ~ *rolling* etw in Gang halten; *have a* ~ einen Mordsspaß haben; *play* ~ *(fig)* mitspielen; 2. *(of wool)* Knäuel *m*; 3. ~ *of the foot* ANAT Ballen *m*; 4. ~ *s pl (fam: testicles)* Eier *pl*

ball² [bɔːl] *sb* *(dance)* Ball *m*

ballast [ˈbæləst] *sb* Ballast *m*

ballet [ˈbæleɪ] *sb* THEAT Ballett *n*

ball-game [ˈbɔːlgeɪm] *sb* Ballspiel *n*; *That's a whole new* ~. Das ist eine ganz andere Sache.

ballistic [bəˈlɪstɪk] *adj* ballistisch

balloon [bəˈluːn] *sb* 1. Ballon *m*; 2. *(toy)* Luftballon *m*; 3. *(hot air ~)* Heißluftballon *m*

ballot [ˈbælət] *sb* Stimmzettel *m*

ballot-box [ˈbælətbɒks] *sb* POL Wahlurne *f*

ballroom [ˈbɔːlruːm] *sb* Ballsaal *m*

balsam [ˈbɔːlsəm] *sb* Balsam *m*

Baltic Sea [ˈbɔːltɪk] *sb* GEO Ostsee *f*

balustrade [bæləˈstreɪd] *sb* ARCH Balustrade *f*, Brüstung *f*

bamboo [bæmˈbuː] *sb* BOT Bambus *m*

bamboozle [bæmˈbuːzl] *v* 1. *(fam: trick)* reinlegen; 2. *(confuse)* durcheinander bringen, verwirren, verblüffen

ban [bæn] *v* 1. verbieten; *sb* 2. Verbot *n*

banal [bəˈnɑːl] *adj* banal

banality [bəˈnælɪtɪ] *sb* Banalität *f*

banana [bəˈnɑːnə] *sb* 1. Banane *f*; 2. *go* ~s *(fam)* verrückt werden

band¹ [bænd] *sb* 1. *(group)* Schar *f*, *(of robbers)* Bande *f*; 2. *(musicians)* Kapelle *f*, Band *f*

band² [bænd] *sb* *(strip)* Band *n*, Schnur *f*

bandage [ˈbændɪdʒ] *sb* 1. MED Verband *m*; *v* 2. *(apply a ~ to)* MED verbinden

bandit [ˈbændɪt] *sb* Bandit *m*, Räuber *m*

bandstand [ˈbændstænd] *sb* Podium *f*

bandwagon [ˈbændwægən] *sb* *(US)* Festwagen *m*; *to jump on the* ~ sich an etw dranhängen

bandy¹ [ˈbændɪ] *v* ~ *sth about (fig: a rumour)* etw weitererzählen

bandy² [ˈbændɪ] *adj* krumm, schief

bane [beɪn] *sb* Fluch *m*, Bann *m*

bang [bæŋ] *v* 1. *(thump)* knallen; ~ *one's head against* sich den Kopf anschlagen an; 2. *(engine)* krachen; 3. *(have sex)* bumsen; *sb* 4. *(noise)* Knall *m*; 5. ~ *s pl (hair)* Pony *m*; *adj* 6. ~ *on (fam) (UK)* goldrichtig, haargenau

banger [ˈbæŋə] *sb* 1. *(UK: firework)* Knallkörper *m*; 2. *(UK: sausage)* Wurst *f*

bangle [ˈbæŋgl] *sb* 1. *(worn on the arm)* Armreif *m*; 2. *(worn on the leg)* Fußreif *m*

banish [ˈbænɪʃ] *v* verbannen, ausweisen

banishment [ˈbænɪʃmənt] *sb* Verbannung *f*

banisters [ˈbænɪstəz] *pl* Geländer *n*

banjo [ˈbændʒəʊ] *sb* Banjo *n*

bank¹ [bæŋk] *sb* 1. FIN Bank *f*; *v* 2. ~ *on* seine Hoffnung setzen auf

bank² [bæŋk] *sb* 1. *(of a river)* Ufer *n*; 2. *(slope)* Böschung *f*

bank account [ˈbæŋk əˈkaʊnt] *sb* FIN Bankkonto *n*

bankbook [ˈbæŋkbʊk] *sb* Kontobuch *n*

banker [ˈbæŋkə] *sb* Bankier *m*

banker's order [ˈbæŋkəzɔːdə] *sb* FIN Dauerauftrag *m*

bank holiday [ˈbæŋkhɒlɪdeɪ] *sb* gesetzlicher Feiertag *m*

banknote [ˈbæŋknəʊt] *sb* FIN Banknote *f*

bank robbery [ˈbæŋkrɒbərɪ] *sb* Banküberfall *m*

bankrupt [ˈbæŋkrʌpt] *adj* bankrott

bankruptcy [ˈbæŋkrəptsɪ] *sb* FIN Bankrott *m*, Konkurs *m*

bank statement ['bæŋksteɪtmənt] sb Kontoauszug m
banner ['bænə] sb Banner n, Fahne f
banns [bænz] pl Aufgebot n
banquet ['bæŋkwɪt] sb Bankett n
banter ['bæntə] v scherzen
baptism ['bæptɪzm] sb REL Taufe f
Baptist ['bæptɪst] sb Baptist m
baptize [bæp'taɪz] v REL taufen
bar [baː] v 1. (a door) verriegeln; 2. (~ up) (a window) vergittern; 3. (prohibit) verbieten; sb 4. (rod) Stange f; 5. (on a door) Riegel m; 6. ~s pl (of a prison) Gitter n; behind ~s hinter Gittern, hinter schwedischen Gardinen; 7. (of soap) Stück n; 8. candy ~ (US) Schokoladenriegel m; 9. (place that serves drinks) Kneipe f; 10. (counter) Theke f, Ausschank m
barb [baːb] sb 1. Stachel m, Spitze f; 2. (fig: remark) spitze Bemerkung f
Barbados [baː'beɪdɒs] sb GEO Barbados n
barbarian [baː'beərɪən] sb Barbar m
barbaric [baː'bærɪk] adj barbarisch
barbecue ['baːbɪkjuː] v 1. GAST grillen; sb 2. (occasion) Barbecue n, Grillparty f
barber ['baːbə] sb Herrenfriseur m
barber shop ['baːbəʃɒp] sb (US) Herrenfriseur m, Frisörsalon m
bar code [baː kəʊd] sb INFORM Strichkode m
bare [beə] adj 1. nackt, bloß; 2. (tree, countryside) kahl; 3. (wire) blank; v 4. ~ one's heart sein Herz ausschütten; ~ one's teeth die Zähne zeigen
barefaced ['beəfeɪst] adj (lie) dreist
barefoot ['beəfut] adv barfuß
barely ['beəlɪ] adv kaum, knapp, gerade noch
bargain ['baːgɪn] v 1. feilschen, handeln; 2. ~ for (expect) rechnen mit; sb 3. (transaction) Handel m, Geschäft n, Abkommen n; drive a hard ~ hart feilschen; strike a ~ sich einigen; 4. preiswertes Angebot
barge [baːdʒ] sb 1. Lastkahn m; v 2. ~ in hineinplatzen
baritone ['bærɪtəʊn] sb MUS Bariton m
bark¹ [baːk] v 1. bellen, kläffen; ~ up the wrong tree auf den falschen Dampfer sein; sb 2. Bellen n, Gebell n; His ~ is worse than his bite. Bellende Hunde beißen nicht.
bark² [baːk] sb BOT Baumrinde f
barkeeper ['baːkiːpə] sb (US) Barmann m
barley ['baːlɪ] sb BOT Gerste f
barn [baːn] sb Scheune f
barnyard [baː njaːd] sb Bauernhof m
barometer [bə'rɒmɪtə] sb Barometer n

baron ['bærən] sb Baron m
baroness ['bærənɪs] sb Baroness f
baronet ['bærənet] sb Baronet m
baroque [bə'rɒk] adj ART barock
barracks ['bærəks] pl MIL Kaserne f
barrage ['bæraːʒ] sb 1. (fig) Hagel m; 2. MIL Sperrfeuer n
barrel ['bærəl] sb 1. Fass n, Tonne f; 2. (of a gun) Gewehrlauf m
barrel organ ['bærələːgən] sb Drehorgel f
barren ['bærən] adj 1. unfruchtbar; 2. (bare, empty) kahl, dürr
barrenness ['bærənnɪs] sb 1. Unfruchtbarkeit f; 2. (fig) Dürre f
barricade ['bærɪkeɪd] v 1. versperren, sperren; 2. ~ off absperren; sb 3. Barrikade f
barrier ['bærɪə] sb Schranke f, Barriere f, Sperre f
barring ['baːrɪŋ] prep falls ... nicht, außer
barrister ['bærɪstə] sb Rechtsanwalt m
barrow ['bærəʊ] sb Karren m
bartender ['baːtendə] sb Barkeeper m
barter ['baːtə] v 1. tauschen; sb 2. Tausch m
base¹ [beɪs] v 1. (locate) stationieren; The firm is ~d in Leeds. Die Firma hat ihren Sitz in Leeds. 2. ~ on stützen auf; (hopes) setzen auf; to be ~d on sth (fig) sich auf etw stützen; sb 3. Unterteil m, Fuß m, Basis f; 4. (of operations) Stützpunkt m; 5. CHEM Base f
base² [beɪs] adj gemein, niedrig
baseball ['beɪsbɔːl] sb Baseball m
baseless ['beɪslɪs] adj grundlos
basement ['beɪsmənt] sb Keller m
baseness ['beɪsnɪs] sb Gemeinheit f
base rate [beɪs reɪt] sb FIN Leitzins m
bash [bæʃ] v 1. heftig schlagen; I ~ed my head on the door frame. Ich habe mir den Kopf an dem Türrahmen angeschlagen. sb 2. (party) Party f
bashful ['bæʃful] adj schüchtern, scheu
bashfulness ['bæʃfulnɪs] sb Schüchternheit f, Scheu f
basic ['beɪsɪk] adj 1. grundlegend, grundsätzlich, fundamental; 2. (essential) wesentlich
basically ['beɪsɪklɪ] adv im Grunde
basilica [bə'zɪlɪkə] sb Basilika f
basin ['beɪsɪn] sb Becken n
basis ['beɪsɪs] sb Basis f, Grundlage f
bask [baːsk] v sich sonnen
basket ['baːskɪt] sb Korb m
basketball ['baːskɪtbɔːl] sb SPORT Basketball m
Basque [bæsk] sb 1. Baske/Baskin m/f; 2. (language) Baskisch n

bass¹ [beɪs] *sb MUS* Bass *m*
bass² [bæs] *(fish)* Barsch *m*
bassoon [bə'su:n] *sb MUS* Fagott *n*
bastard ['bɑ:stəd] *sb* 1. *(fam: illegitimate child)* Bastard *m*, uneheliches Kind *n*; 2. *(fam: as an insult to any person)* Mistkerl *m*
bastion ['bæstɪən] *sb* Bastion *f*
bat¹ [bæt] *sb ZOOL* Fledermaus *f; as blind as a ~* blind wie ein Maulwurf; *like a ~ out of hell (fam)* wie ein geölter Blitz
bat² [bæt] *sb SPORT* Schlagholz *n*
batch [bætʃ] *sb* Stoß *m*, Ladung *f*
bath [bɑ:θ] *sb* Bad *n; take a ~* ein Bad nehmen
bathe [beɪð] *v* baden
bathing cap ['beɪðɪŋ] *sb* Badekappe *f*
bathing costume ['beɪðɪŋkɒstju:m] *sb* Badeanzug *m*
bathing trunks ['beɪðɪŋ trʌŋks] *pl* Badehose *f*
bathrobe ['bɑ:θrəʊb] *sb* Bademantel *m*
bathroom ['bɑ:θrʊm] *sb* Badezimmer *n*
bathtub ['bɑ:θtʌb] *sb* Badewanne *f*
baton ['bætən] *sb* 1. Kommandostab *m*; 2. *SPORT* Staffelstab *m*
battalion [bə'tælɪən] *sb* Bataillon *n*
battery ['bætərɪ] *sb* Batterie *f*
battle ['bætl] *v* 1. kämpfen, fechten, streiten; *sb* 2. *MIL* Schlacht *f;* 3. *(fig)* Kampf *m*
bawdy ['bɔ:dɪ] *adj* derb
bawl [bɔ:l] *v* 1. *(cry)* heulen; 2. *(an order)* brüllen; 3. *v out (scold)* ausschimpfen
bay¹ [beɪ] *sb* Bucht *f*
bay² [beɪ] *sb keep s.o. at ~* sich jdn vom Leibe halten; *keep sth at ~* etw unter Kontrolle halten
bay³ [beɪ] *v* bellen
bay leaf [beɪ li:f] *sb BOT* Lorbeerblatt *n*
bazaar [bə'zɑ:] *sb* Basar *m*
be [bi:] *v irr* 1. sein; *She wants to ~ an engineer.* Sie möchte Ingenieurin werden. 2. *(passive voice)* werden; *I was told* mir wurde gesagt, man sagte mir; 3. *(~ situated)* sein, sich befinden, liegen; 4. *(exist)* sein, existieren, bestehen; 5. *(~ prevalent)* herrschen; 6. *to ~ to* sollen
beach [bi:tʃ] *sb* Strand *m*
beacon ['bi:kən] *sb* Leuchtfeuer *n*
bead [bi:d] *sb* 1. Perle *f;* 2. *draw a ~ on sth* auf etw zielen
beak [bi:k] *sb ZOOL* Schnabel *m*
beaker ['bi:kə] *sb* Becher *m*
beam [bi:m] *v* 1. strahlen; *~ at s.o.* jdn anstrahlen; 2. *(a TV programme)* ausstrahlen; *sb* 3. Balken *m*; 4. *(of light)* Strahl *m*

bean [bi:n] *sb* Bohne *f; spill the ~s about sth (fam)* etw ausplaudern
bear¹ [beə] *v irr* 1. *(carry)* tragen; 2. *~ in mind* berücksichtigen; 3. *(a child)* gebären; 4. *(endure)* leiden, ertragen; 5. *This ~s watching.* Das muss man im Auge behalten. 6. *(head in a direction)* sich halten; *~ left* sich links halten
• **bear with** *v irr* tolerieren; *Please ~ me!* Bitte habt Geduld mit mir!
bear² [beə] *sb* 1. *ZOOL* Bär *m*; 2. *FIN* Baissespekulant *m*
bearable ['beərəbl] *adj* erträglich
beard [bɪəd] *sb* Bart *m*
beardless ['bɪədlɪs] *adj* 1. bartlos; 2. *(fig: young)* unerfahren, noch grün hinter den Ohren
bearer ['beərə] *sb* 1. *(of a message, of a cheque)* Überbringer *m*; 2. Träger *m*
bearing ['beərɪŋ] *sb* 1. *(posture)* Haltung *f;* 2. *(behaviour)* Verhalten; 3. *(direction)* Richtung *f; (fig)* Orientierung *f; lose one's ~s* die Orientierung verlieren; 4. *(connection)* Bezug *m*; 5. *(influence)* Auswirkung *f;* 6. *TECH* Lager *n*
beast [bi:st] *sb* Tier *n*, Bestie *f*
beastly ['bi:stlɪ] *adj* gemein, brutal
beat [bi:t] *sb* 1. Schlag *m; (repeated ~ing)* Schlagen *n;* 2. *(patrol)* Runde *f; adj* 3. *(exhausted)* kaputt; *v irr* 4. *(heart)* klopfen; 5. *(sth)* schlagen; *Beats me!* Keine Ahnung! 6. *(a carpet)* klopfen; 7. *(hammer metal)* hämmern; 8. *(a drum) MUS* trommeln; 9. *(~ up eggs)* schlagen; 10. *(defeat)* schlagen, besiegen; 11. *(s.o. to sth)* zuvorkommen; 12. *(surpass)* überbieten; 13. *~ it (fam)* abhauen; *Beat it!* Hau ab!
• **beat down** *v irr* 1. *(rain)* herunterprasseln; *(sun)* herunterbrennen; 2. *(one's opposition)* kleinkriegen; 3. *(prices)* herunterdrücken
• **beat up** *v beat s.o. up* jdn verprügeln
beaten ['bi:tn] *adj* gebahnt, befestigt; *off the ~ path* abgelegen
beatify [bi:'ætɪfaɪ] *v REL* selig sprechen
beating ['bi:tɪŋ] *sb* 1. *(defeat)* Schlappe *f;* 2. *(series of blows)* Prügel *pl*
beautiful ['bju:tɪful] *adj* schön
beautify ['bju:tɪfaɪ] *v* verschönern
beauty ['bju:tɪ] *sb* Schönheit *f*
beaver ['bi:və] *sb ZOOL* Biber *m*
because [bɪ'kɒz] *konj* 1. weil, da, denn; *prep* 2. *~ of* wegen, infolge von
beck [bek] *sb* Wink *m; to be at someone's ~ and call* zu jds voller Verfügung stehen
beckon ['bekən] *v* heranwinken
become [bɪ'kʌm] *v irr* 1. werden; 2. *(befit)* sich schicken für
becoming [bɪ'kʌmɪŋ] *adj* kleidsam

bed [bed] *sb* 1. Bett *n; get up on the wrong side of the ~ (fig)* mit dem linken Fuß zuerst aufstehen; 2. *(flower ~)* Beet *n;* 3. *(of a river)* Bett *n;* 4. *(of ore)* Lager *n;* 5. *(of a lorry)* Pritsche *f*
bed and breakfast [bedənd'brekfəst] *sb* Frühstückspension *f*
bedaub [bɪ'dɔːb] *v* beschmieren, anmalen
bedclothes ['bedkləʊz] *pl* Bettwäsche *f*
bedding ['bedɪŋ] *sb* 1. *(bedclothes)* Bettzeug *n;* 2. *(litter)* Streu *f*
bedevil [bɪ'devɪl] *v* komplizieren
bed-linen ['bedlɪnɪn] *sb* Bettwäsche *f*
bedraggle [bɪ'drægl] *v* beschmutzen
bedridden ['bedrɪdən] *adj* bettlägerig
bedroom ['bedruːm] *sb* Schlafzimmer *n*
bed-sheet ['bedʃiːt] *sb* Bettuch *n*
bedside table ['bedsaɪd 'teɪbl] *sb* Nachttisch *m*
bedspread ['bedspred] *sb* Bettdecke *f*
bedstead ['bedsted] *sb* Bettgestell *n*
bee [biː] *sb ZOOL* Biene *f; as busy as a ~* fleißig wie eine Ameise
beech [biːtʃ] *sb BOT* Buche *f*
beef [biːf] *sb GAST* Rindfleisch *n*
beehive ['biːhaɪv] *sb* Bienenstock *m,* Bienenkorb *m*
beekeeper ['biːkiːpə] *sb* Bienenzüchter *m*
beeline ['biːlaɪn] *sb make a ~ for sth* auf etw schnurstracks zugehen
beeper ['biːpə] *sb* Piepser *m*
beer [bɪə] *sb* Bier *n, (glass of ~)* Glas Bier *n*
beeswax ['biːzwæks] *sb* Bienenwachs *n; None of your ~! (fam)* Das geht dich nichts an!
beetle ['biːtl] *sb ZOOL* Käfer *m*
beetroot ['biːtruːt] *sb* rote Bete *f*
befall [bɪ'fɔːl] *v irr ~ s.o.* jdm widerfahren
befit [bɪ'fɪt] *v* sich ziemen für
before [bɪ'fɔː] *konj* 1. ehe, bevor; *prep* 2. *(in front of)* vor; 3. vor, früher als; 4. *(in the presence of)* vor, in Gegenwart von; *adv* 5. schon, zuvor, vorher
beforehand [bɪ'fɔːhænd] *adv* im Voraus
befriend [bɪ'frend] *v ~ s.o.* sich mit jdm anfreunden
beg [beg] *v* betteln; *~ s.o. for sth* jdn um etw anflehen
beget [bɪ'get] *v irr* zeugen
beggar ['begə] *sb* Bettler *m*
begin [bɪ'gɪn] *v irr* anfangen, beginnen
beginner [bɪ'gɪnə] *sb* Anfänger *m*
beginning [bɪ'gɪnɪŋ] *sb* Anfang *m,* Beginn *m*
begonia [bɪ'gəʊnɪə] *sb BOT* Begonie *f*
begrudge [bɪ'grʌdʒ] *v* missgönnen
beguile [bɪ'gaɪl] *v* betören

behalf [bɪ'hɑːf] *sb on ~ of* im Namen von; *(as an authorized representative of)* im Auftrag von
behave [bɪ'heɪv] *v* sich verhalten, sich (anständig) benehmen
behaviour [bɪ'heɪvjə] *sb* Benehmen *n,* Betragen *n,* Verhalten *n*
behest [bɪ'hest] *v at s.o.'s ~* auf jds Geheiß
behind [bɪ'haɪnd] *prep* 1. hinter; *adv* 2. *(at the rear)* hinten; *(~ this, ~ it)* dahinter; *from ~* von hinten; *stay ~* zurückbleiben; 4. *(in school, ~ the times)* zurück; *sb* 5. *(fam: rear end)* Hintern *m*
behold [bɪ'həʊld] *v irr* erblicken; *Behold!* Siehe da!
being ['biːɪŋ] *sb* 1. *(creature)* Wesen *n;* 2. *(existence)* Dasein *n*
belated [bɪ'leɪtɪd] *adj* verspätet
belch [beltʃ] *v* aufstoßen, rülpsen
beleaguer [bɪ'liːgə] *v* belagern
belfry ['belfrɪ] *sb* Glockenturm *m; have bats in the ~ (fam)* einen Sprung in der Schüssel haben
Belgian ['beldʒən] *sb* 1. Belgier *m; adj* 2. belgisch
Belgium ['beldʒəm] *sb GEO* Belgien *n*
belie [bɪ'laɪ] *v* Lügen strafen, entkräften
belief [bɪ'liːf] *sb* 1. *(firm opinion)* Überzeugung *f,* Glaube *m;* 2. *REL* Glaube *m*
believable [bɪ'liːvəbl] *adj* glaubhaft
believe [bɪ'liːv] *v* glauben; *~ in* glauben an
believer [bɪ'liːvə] *sb REL* Gläubige(r) *m/f*
belittle [bɪ'lɪtl] *v* herabsetzen, verkleinern
bell [bel] *sb* Glocke *f;* 2. Klingel *f*
belligerent [bɪ'lɪdʒərənt] *adj* 1. *(person)* streitsüchtig; 2. *(nation)* kriegerisch
bellow ['beləʊ] *v* brüllen
bellows ['beləʊz] *pl* Blasebalg *m*
belly ['belɪ] *sb* Bauch *m*
belly button ['belɪbʌtən] *sb (fam)* Bauchnabel *m*
belong [bɪ'lɒŋ] *v* 1. gehören; *~ together* zusammengehören 2. *~ to (a club)* angehören
belongings [bɪ'lɒŋɪŋz] *pl* Habe *f,* Besitz *m*
beloved [bɪ'lʌvɪd] *adj* 1. geliebt; *sb* 2. Geliebte(r) *m/f*
below [bɪ'ləʊ] *prep* 1. unterhalb, unter; *adv* 2. unten; 3. *(underneath)* darunter
belt [belt] *sb* 1. Gürtel *m; hit s.o. below the ~* jdm einen Tiefschlag versetzen; *tighten one's ~* den Gürtel enger schnallen; *get sth under one's ~ (fam)* sich etw reinziehen; 2. *(strap)* Gurt *m;* 3. *TECH* Riemen *m; v* 4. *~ s.o. (fam)* jdm einen Schlag versetzen
• **belt up** *v (fam)* die Klappe halten
bemoan [bɪ'məʊn] *v* beklagen, beweinen

bemuse [bɪ'mjuːz] v verwirren
bench [bentʃ] sb Bank f
bend [bend] v irr 1. (river) eine Kurve machen; 2. ~ over, ~ down sich bücken; 3. (fig: submit) sich beugen; 4. (sth) biegen, krümmen; ~ the knee das Knie beugen; ~ out of shape verbiegen; sb 5. Biegung f, Krümmung f; 6. (in a road) Kurve f; 7. go round the ~ (fig) verrückt werden
beneath [bɪ'niːθ] prep 1. unter, unterhalb; adv 2. darunter
benediction [benɪ'dɪkʃən] sb Segen m
benefactor [benɪfæktə] sb Wohltäter m
beneficial [benɪ'fɪʃəl] adj nützlich
beneficiary [benɪ'fɪʃərɪ] sb Nutznießer m, Begünstigte(r) m/f
benefit ['benɪfɪt] v 1. (from sth) Nutzen ziehen, profitieren; 2. (~ s.o., ~ sth) gut tun; sb 3. Vorteil m, Nutzen m; give s.o. the ~ of the doubt im Zweifelsfalle zu jds Gunsten entscheiden; 4. (charity event) Benefizveranstaltung f; 5. (insurance ~) Unterstützung f
benevolence [bɪ'nevələns] sb Güte f
benevolent [bɪ'nevələnt] adj wohlwollend
benign [bɪ'naɪn] adj gütig
bent [bent] adj 1. krumm; 2. ~ on versessen auf
bequeath [bɪ'kwiːð] v vermachen
bequest [bɪ'kwest] sb 1. Vermächtnis n; 2. (to a museum) Stiftung f
berate [bɪ'reɪt] v schelten
bereave [bɪ'riːv] v berauben, entreißen
bereavement [bɪ'riːvmənt] sb schmerzlicher Verlust m
beret ['bereɪ] sb Baskenmütze f
berry ['berɪ] sb BOT Beere f
berserk [bə'zɜːk] adj wild
beseech [bɪ'siːtʃ] v anflehen, flehen
beset [bɪ'set] v irr bedrängen, überkommen
beside [bɪ'saɪd] prep neben; to be ~ o.s. außer sich sein; ~ the point nicht zur Sache gehörig
besides [bɪ'saɪdz] adv 1. außerdem, sonst, obendrein; prep 2. außer
besiege [bɪ'siːdʒ] v bestürmen, bedrängen
best [best] adj 1. beste(r,s); at ~ höchstens, bestenfalls; adv 2. am Besten; I'd ~ be going. Es wäre das Beste, ich ginge. sb 3. the ~ der/die/das Beste; have the ~ of both worlds die Vorteile beider Möglichkeiten gleichzeitig genießen; to be all for the ~ zu jds Besten sein; get the ~ of s.o. jdn besiegen; All the ~! Alles Gute! do one's ~ sein Bestes geben; v 4. (surpass) übertreffen; 5. (defeat) schlagen

bestial ['bestɪəl] adj bestialisch, tierisch
bestow [bɪ'stəʊ] v schenken, erweisen
bestseller [best'selə] sb Bestseller m
bet [bet] v irr 1. wetten; sb 2. Wette f; the best ~ das Sicherste
betray [bɪ'treɪ] v verraten
betrayal [bɪ'treɪəl] sb Verrat m
better ['betə] adj 1. besser; 2. get the ~ of s.o. jdn unterkriegen
between [bɪ'twiːn] prep 1. zwischen; ~ us, ~ you and me unter uns; adv 2. in ~ dazwischen
beverage ['bevərɪdʒ] sb Getränk n
bewail [bɪ'weɪl] v beklagen, betrauern
beware [bɪ'weə] v Beware! Geben Sie acht! ~ of ... Passen Sie auf ... auf. ~ of dog Warnung vor dem Hunde
bewilder [bɪ'wɪldə] v verwirren, verblüffen
bewilderment [bɪ'wɪldəmənt] sb Verwirrung f, Fassungslosigkeit f, Verblüffung f
bewitch [bɪ'wɪtʃ] v verzaubern
beyond [bɪ'jɒnd] prep jenseits, über ... hinaus; ~ repair nicht mehr zu reparieren; ~ belief unglaublich; live ~ one's means über seine Verhältnisse leben; That's ~ me! Das ist mir zu hoch!

biannual [baɪ'ænjʊəl] adj halbjährlich
bias ['baɪəs] sb Voreingenommenheit f
bias(s)ed ['baɪəst] adj voreingenommen, befangen, parteiisch
Bible ['baɪbl] sb Bibel f
biblical ['bɪblɪkəl] adj REL biblisch
bibliographer [bɪblɪ'ɒgrəfə] sb Bibliograph/Bibliographin m/f
bibliography [bɪblɪ'ɒgrəfɪ] sb Bibliografie f
bicker ['bɪkə] v sich zanken
bicycle ['baɪsɪkl] sb Fahrrad n, Zweirad n
bicyclist ['baɪsɪklɪst] sb Radfahrer m
bid [bɪd] v irr 1. bieten; ~ s.o. farewell jdm Lebewohl sagen; sb 2. Angebot n
bidder ['bɪdə] sb Bieter m
bidding ['bɪdɪŋ] sb Bieten n, Gebot n; do s.o.'s ~ wie gewünscht tun
bide [baɪd] v irr verweilen; to ~ one's time den richtigen Augenblick abwarten
biennial [baɪ'enɪəl] adj zweijährlich
bier [bɪə] sb Bahre f
big [bɪg] adj 1. groß; That's really ~ of you. Das ist sehr anständig von dir. adv 2. talk ~ (fam) angeben
bigamist ['bɪgəmɪst] sb Bigamist/Bigamistin m/f
bigamy ['bɪgəmɪ] sb Bigamie f
big bang theory [bɪg 'bæŋθɪərɪ] sb ASTR Urknalltheorie f

bigot ['bɪgət] *sb* engstirniger Mensch *m*

bigotry ['bɪgətrɪ] *sb* Engstirnigkeit *f*

big top ['bɪgtɒp] *sb* Hauptzelt *n*

bike [baɪk] *sb (fam)* Rad *n*

bikini [bɪ'ki:nɪ] *sb* Bikini *m*

bilateral [baɪ'lætərəl] *adj* zweiseitig, bilateral, beiderseitig

bilberry ['bɪlbərɪ] *sb* Heidelbeere *f*

bilingual [baɪ'lɪŋgwəl] *adj* zweisprachig

bilious ['bɪlɪəs] *adj (fig)* reizbar

bill[1] [bɪl] *v* 1. *(charge)* in Rechnung stellen; *sb* 2. Rechnung *f*; 3. *(US: banknote)* Banknote *f*; 4. POL Gesetzentwurf *m*, Gesetzesvorlage *f*; 5. ~ of sale Verkaufsurkunde; 6. give s.o. a clean ~ of health jdm gute Gesundheit bescheinigen

bill[2] [bɪl] *sb* ZOOL Schnabel *m*

billboard ['bɪlbɔːd] *sb* Reklametafel *f*

billfold ['bɪlfəʊld] *sb (US)* Brieftasche *f*

billiards ['bɪlɪədz] *sb* Billard *n*

billion ['bɪlɪən] *sb* 1. *(UK: a million millions)* Billion *f*; 2. *(US: a thousand millions)* Milliarde *f*

billow ['bɪləʊ] *v* sich blähen, sich bauschen

billy goat ['bɪlɪ gəʊt] *sb* Ziegenbock *m*

bimonthly ['baɪ'mʌnθlɪ] *adj* zweimonatlich

bin [bɪn] *sb* Kasten *m*, Tonne *f*

bind [baɪnd] *v irr* 1. binden; 2. *(oblige)* verpflichten; 3. *(a book)* einbinden

binder ['baɪndə] *sb (for papers)* Hefter *m*

binding ['baɪndɪŋ] *adj* 1. verbindlich; *sb* 2. *(of a book)* Bucheinband *m*; 3. *(for skis)* Skibindung *f*

binoculars [bɪ'nɒkjʊləz] *pl* Fernglas *n*

biochemistry [baɪəʊ'kemɪstrɪ] *sb* Biochemie *f*

biodegradable [baɪəʊdɪ'greɪdəbl] *adj* biologisch abbaubar

biographical [baɪə'græfɪkl] *adj* biografisch

biography [baɪ'ɒgrəfɪ] *sb* Biografie *f*

biological [baɪə'lɒdʒɪkəl] *adj* biologisch

biologist [baɪ'ɒlədʒɪst] *sb* Biologe *m*

biology [baɪ'ɒlədʒɪ] *sb* Biologie *f*

biophysics [baɪəʊ'fɪzɪks] *sb* Biophysik *f*

biosphere ['baɪəsfɪə] *sb* Biosphäre *f*

biotechnology [baɪəʊtek'nɒlədʒɪ] *sb* Biotechnologie *f*

bipartisan [baɪ'pɑːtɪzn] *adj* POL Zweiparteien...

bipolar [baɪ'pəʊlə] *adj* zweipolig

birch [bɜːtʃ] *sb* BOT Birke *f*

bird [bɜːd] *sb* Vogel *m*; A little ~ told me. Mein kleiner Finger hat es mir gesagt. That's for the ~s. Das ist für die Katz.

birdseed ['bɜːdsiːd] *sb* Vogelfutter *n*

birth [bɜːθ] *sb* 1. Geburt *f*; give ~ to zur Welt bringen; He's German by ~. Er ist gebürtiger Deutscher. 2. *(parentage)* Abstammung *f*, Herkunft *f*

birth control ['bɜːθkɒntrəʊl] *sb* Geburtenkontrolle *f*, Geburtenregelung *f*

birthday ['bɜːθdeɪ] *sb* Geburtstag *m*; Happy Birthday! Herzlichen Glückwunsch zum Geburtstag! in one's ~ suit im Adamskostüm

birthmark ['bɜːθmɑːk] *sb* Muttermal *n*

birthplace ['bɜːθpleɪs] *sb* Geburtsort *m*

birth rate [bɜːθ reɪt] *sb* Geburtenrate *f*

biscuit ['bɪskɪt] *sb* 1. *(UK)* GAST Keks *m*, Plätzchen *n*; 2. *(US)* GAST weiches Brötchen *n*

bisect [baɪ'sekt] *v* MATH halbieren

bisexual [baɪ'seksjʊəl] *adj* bisexuell

bishop ['bɪʃəp] *sb* 1. Bischof *m*; 2. *(in chess)* Läufer *m*

bishopric ['bɪʃəprɪk] *sb* REL Bistum *n*

bison ['baɪsn] *sb* ZOOL Bison *m*

bit [bɪt] *sb* 1. Stückchen *n*; ~ by ~ Stück für Stück; every ~ as good as ... genauso gut wie ... 2. *(section)* Teil; 3. a ~ ein bisschen; quite a ~ ziemlich viel

bitch [bɪtʃ] *sb* 1. *(fam: woman)* Hexe *f*; 2. ZOOL Hündin *f*; *v* 3. *(fam)* meckern

bite [baɪt] *v irr* 1. beißen; Once bitten, twice shy. Ein gebranntes Kind scheut das Feuer. 2. ~ back a remark sich eine Bemerkung verkneifen; 3. *(insect)* stechen; *sb* 4. Biss *m*; 5. *(mouthful)* Bissen *m*; 6. *(insect* ~) Stich *m*
• **bite off** *v irr* abbeißen; ~ more than one can chew den Mund zu voll nehmen (fig)

biting ['baɪtɪŋ] *adj* 1. beißend; 2. *(remark)* bissig, spitz

bitter ['bɪtə] *adj* 1. bitter; to the ~ end bis zum bitteren Ende 2. *(cold)* bitterkalt, eisig; 3. *(person)* verbittert; 4. *(taste)* bitter, herb

bitterness ['bɪtənɪs] *sb* Bitterkeit *f*

bizarre [bɪ'zɑː] *adj* bizarr

blab [blæb] *v* 1. *(give away)* ausplaudern; 2. *(chatter)* plappern

black [blæk] *adj* 1. schwarz; in ~ and white schwarz auf weiß; ~ mark Tadel *m*; *sb* 2. *(person)* Schwarze(r) *m/f*; *v* 3. ~ out ohnmächtig werden

blackberry ['blækberɪ] *sb* Brombeere *f*

blackbird ['blækbɜːd] *sb* ZOOL Amsel *f*

blackboard ['blækbɔːd] *sb* Tafel *f*, Wandtafel *f*, *(in a classroom)* Schultafel *f*

black book [blæk bʊk] *sb* schwarze Liste *f*; to be in s.o.'s ~s bei jdm schlecht angeschrieben sein

blackcurrant ['blækkʌrənt] *sb* BOT schwarze Johannisbeere *f*

blacken ['blækən] *v* 1. schwarz machen; 2. *(fig)* anschwärzen

black eye [blæk aɪ] *sb (fig)* blaues Auge *n*

blackguard ['blækgɑːd] *sb* Halunke *m*

blackleg ['blækleg] *sb* Streikbrecher *m*

blacklist ['blæklɪst] *sb* schwarze Liste *f*

blackmail ['blækmeɪl] *v* 1. ~ s.o. jdn erpressen; *sb* 2. Erpressung *f*

black market [blæk 'mɑːkɪt] *sb* Schwarzmarkt *m*

blackout ['blækaʊt] *sb* Stromausfall *m*

blacksmith ['blæksmɪθ] *sb* Schmied *m*

blade [bleɪd] *sb* 1. *(of a weapon)* Klinge *f*; 2. ~ *of grass* Halm *m*; *v* 3. inlineskaten

blame [bleɪm] *v* 1. tadeln; *She has only herself to* ~. Das hat sie sich selbst zuzuschreiben. *to be to* ~ schuld sein; *sb* 2. Schuld *f; (censure)* Tadel *m; lay the* ~ *on s.o.* jdm die Schuld in die Schuhe schieben

blameless ['bleɪmlɪs] *adj* tadellos

blameworthy ['bleɪmwɜːðɪ] *adj* schuldig

blanch [blɑːntʃ] *v* 1. *(person)* erbleichen, blass werden; 2. *(vegetables)* blanchieren

bland [blænd] *adj* 1. glatt; 2. *(taste)* fade; 3. *(lacking distinction)* nichts sagend

blank [blæŋk] *sb* 1. *(~ cartridge)* Platzpatrone *f*; 2. *(document)* Formular *n, (in a document)* leerer Raum *m*; 3. *draw a* ~ eine Niete ziehen, nicht weiterkommen; *adj* 4. leer; *My mind went* ~. Ich hatte einen Blackout. *(fam)* 5. *(expressionless)* ausdruckslos; 6. FIN Blanko...

blanket ['blæŋkɪt] *sb* 1. Bettdecke *f*; 2. *a wet* ~ *(fig)* ein Spielverderber; *adj* 3. alles einschließend, umfassend, pauschal

blare [bleə] *v (radio)* plärren, *(trumpet)* schmettern, *(horn)* laut hupen

blaspheme [blæs'fiːm] *v* REL Gott lästern

blasphemous ['blæsfɪməs] *adj* blasphemisch, gotteslästerlich

blasphemy ['blæsfəmɪ] *sb* REL Gotteslästerung *f*

blast [blɑːst] *v* 1. *(with explosive)* sprengen; 2. *(fig: sharply criticize)* vernichtend kritisieren; 3. ~ *off* in den Weltraum schießen; *sb* 4. Explosion *f*; 5. *(of wind)* Windstoß *m*; 6. *(of noise)* Schmettern *n*

blast-off ['blɑːstɒf] *sb* Abschuss *m*

blatant ['bleɪtənt] *adj* offenkundig

blaze [bleɪz] *v* 1. lodern; *sb* 2. Feuer *n*, Glut *f*

blazer ['bleɪzə] *sb* Blazer *m*, Klubjacke *f*

bleach [bliːtʃ] *v* 1. bleichen, entfärben; *sb* 2. Bleichmittel *n*

bleak [bliːk] *adj* 1. kahl, öde; 2. *(fig)* trostlos, freudlos; 3. *(weather)* rau

bleary ['blɪərɪ] *adj* trübe, verschwommen

bleat [bliːt] *v* meckern; blöken

bleed [bliːd] *v irr* bluten

bleeding ['bliːdɪŋ] *sb* MED Blutung *f*

blemish ['blemɪʃ] *sb* Makel *m*

blench [blentʃ] *v* bleich werden, erbleichen

blend [blend] *sb* 1. Mischung *f*; *v* 2. vermengen, vermischen, verschmelzen

blender ['blendə] *sb* Mixer *m*

bless [bles] *v* segnen; *Bless you! (after s.o. sneezes)* Gesundheit!

blessed [blesɪd] *adj* REL selig

blessing ['blesɪŋ] *sb* Segen *m*

blight [blaɪt] *sb* Schatten *m*, Fluch *m*

blighter ['blaɪtə] *sb (fam) (UK)* mieser Kerl *m*

blind [blaɪnd] *v* 1. blenden; *adj* 2. blind; *turn a* ~ *eye to s.o.* jdm ein Auge zudrücken; 3. *(curve)* unübersichtlich; *adj* 4. *(sun~)* Markise *f*

blind alley [blaɪnd 'ælɪ] *sb* Sackgasse *f*

blindfold ['blaɪndfəʊld] *sb* 1. Augenbinde *f; v* 2. jdm die Augen verbinden; *I could do that* ~*ed.* Das mache ich mit links.

blindness ['blaɪndnɪs] *sb* Blindheit *f*

blind spot ['blaɪndspɒt] *sb* 1. *(of the retina)* blinder Fleck *m; 2. (area where one is unable to see)* toter Winkel *m*

blink [blɪŋk] *v* zwinkern, blinzeln

blinker ['blɪŋkə] *sb (light)* TECH Blinklicht *n*, Blinker *m*

bliss [blɪs] *sb* Glückseligkeit *f*

blissful ['blɪsfʊl] *adj* glückselig, selig

blister ['blɪstə] *sb (on skin, on paint)* Blase *f*

blithering ['blɪðərɪŋ] *adj* blödsinnig

blizzard ['blɪzəd] *sb* Schneesturm *m*

bloat [bləʊt] *v* aufblasen, anschwellen lassen

blob [blɒb] *sb* Tropfen *m*, Klecks *m*

bloc [blɒk] *sb* Block *m*

block [blɒk] *v* 1. blockieren, sperren; SPORT abblocken; 3. ~ *off* absperren; *sb* 4. Block *m*, Klotz *m*; 5. *(US: of houses)* Häuserblock *m*

blockade [blɒ'keɪd] *sb* Blockade *f*

blockage ['blɒkɪdʒ] *sb* Blockierung *f*

block party ['blɒkpɑːtɪ] *sb* Straßenparty *f*

blond(e) [blɒnd] *adj* blond

blood [blʌd] *sb* Blut *n; bad* ~ böses Blut; *related by* ~ blutsverwandt; *give* ~ Blut spenden; *in cold* ~ kaltblütig

bloodcurdling ['blʌdkɜːdlɪŋ] *adj* Grauen erregend

blood donor ['blʌddəʊnə] *sb* Blutspender *m*

blood group [blʌd gruːp] *sb* Blutgruppe *f*

bloodhound ['blʌdhaʊnd] sb 1. Bluthund m; 2. (fig: detective) Schnüffler m
bloodless ['blʌdlɪs] adj blutlos, unblutig
blood pressure ['blʌdpreʃə] sb MED Blutdruck m
bloodshed ['blʌdʃed] sb Blutvergießen n
bloodshot ['blʌdʃɒt] adj blutunterlaufen
bloodstain ['blʌdsteɪn] sb Blutfleck m
bloodstream ['blʌdstri:m] sb Blutkreislauf m, Blut n
blood sugar ['blʌdʃʊgə] sb Blutzucker m
blood test ['blʌdtest] sb Blutuntersuchung f, Blutprobe f
bloody ['blʌdɪ] adj 1. blutig; 2. (fig)(UK) verdammt
bloom [blu:m] v 1. blühen; sb 2. Blüte f
bloomer ['blu:mə] sb grober Schnitzer m
blooming ['blu:mɪŋ] adj 1. blühend; 2. (fig) (UK) verflixt
blossom ['blɒsəm] v 1. blühen, aufblühen; sb 2. Blüte f
blot [blɒt] sb Fleck m; to be a ~ on s.o.'s record ein Fleck auf der weißen Weste sein
blotch [blɒtʃ] sb Klecks m, Fleck m
blouse [blaʊz] sb Bluse f
blow¹ [bləʊ] v irr 1. blasen, wehen; 2. (money) verpulvern; 3. ~ a fuse eine Sicherung durchbrennen; 4. ~ one's nose sich schnäuzen; 5. (fam: mess up) verkorksen; 6. ~ hot and cold sein Fähnchen nach dem Wind drehen
• **blow away** v irr 1. wegfliegen; 2. (fam: kill) wegpusten
• **blow in** v irr (fam: person) hereinschneien
• **blow out** v irr auspusten
• **blow over** v irr vorbeigehen
• **blow up** v irr 1. sprengen; 2. aufblasen; 3. (photo) vergrößern; 4. (fig) in die Luft gehen
blow² [bləʊ] sb Schlag m, Hieb m, Stoß m; come to ~s sich prügeln
blow-dry ['bləʊdraɪ] v föhnen
blubber ['blʌbə] v 1. heulen, flennen; sb 2. Walfischspeck m
bludgeon ['blʌdʒən] v verprügeln
blue [blu:] adj 1. blau; until you're ~ in the face bis Sie schwarz werden feel ~ trübsinnig sein; sb 2. like a bolt from the ~ wie ein Blitz aus heiterem Himmel; 3. the ~s pl Melancholie f
blueberry ['blu:beri] sb BOT Heidelbeere f
blue moon [blu: mu:n] sb once in a ~ alle heiligen Zeiten einmal
bluff¹ [blʌf] v 1. bluffen; sb 2. Bluff m
bluff² [blʌf] sb GEOL Felsvorsprung m
bluish ['blu:ɪʃ] adj bläulich

blunder ['blʌndə] sb Schnitzer m
blunt [blʌnt] v 1. abstumpfen; adj 2. stumpf; 3. (brutally frank) schonungslos
blur [blɜ:] v verschleiern, trüben
blurb [blɜ:b] sb Klappentext m
blurred [blɜ:d] adj verschwommen
blurt [blɜ:t] v ~ out herausplatzen mit
blush [blʌʃ] v rot werden, erröten
blusher ['blʌʃə] sb (make-up) Rouge n
bluster ['blʌstə] v toben
boa [bəʊə] sb ZOOL Boa f
boar [bɔ:] sb ZOOL Eber m
board [bɔ:d] v 1. (train, bus) einsteigen in; sb 2. Brett n; 3. (meals) Verpflegung f; room and ~, bed and ~ Unterkunft mit Verpflegung f; 4. (~ of directors) ECO Vorstand m, Direktorium n; He is on the ~. Er gehört dem Vorstand an. 5. on ~ an Bord; 6. across the ~ generell; 7. above ~ ehrlich
boarding ['bɔ:dɪŋ] sb (the provision of board) Kost f, Verpflegung f
boarding card ['bɔ:dɪŋka:d] sb Bordkarte f
boarding-house ['bɔ:dɪŋ haʊs] sb Pension f
boarding-school ['bɔ:dɪŋsku:l] sb Internat n, Pensionat n
boardroom ['bɔ:dru:m] sb Sitzungssaal m
boardwalk ['bɔ:dwɔ:k] sb (US) Holzsteg m
boast [bəʊst] v 1. ~ about prahlen mit, sich brüsten mit, tönen von; sb 2. Prahlerei f
boastful ['bəʊstful] adj prahlerisch
boat [bəʊt] sb Boot n; Kahn m; Schiff n
bobbin ['bɒbɪn] sb Spule f, Rolle f
bobby pin ['bɒbɪpɪn] sb Haarklemme f
bodice ['bɒdɪs] sb Mieder n
bodiless ['bɒdɪlɪs] adj körperlos
bodily harm ['bɒdɪlɪ ha:m] sb JUR Körperverletzung f
body ['bɒdɪ] sb 1. Körper m, Leib m; the ~ of Christ der Leib des Herrn; 2. (dead ~) Leiche f; 3. (main ~) Hauptteil m; 4. (group of people) Gruppe f, Gesellschaft f; (administrative) Körperschaft f; 5. (~work of a car) TECH Karosserie f; 6. (of an airplane) Rumpf m; 7. CHEM, PHYS, MATH Körper m
body-building ['bɒdɪ bɪldɪŋ] sb Bodybuilding n
bodyguard ['bɒdɪga:d] sb Leibwächter m
body language ['bɒdɪlæŋgwɪdʒ] sb Körpersprache f
bodywork ['bɒdɪwɜ:k] sb Karosserie f
bog [bɒg] sb 1. Sumpf m; 2. (UK: toilet) Klo n (fam); v 3. get ~ged down (fig) sich festfahren
bogus ['bəʊgəs] adj unecht, falsch

boil[1] [bɔɪl] v kochen, sieden
• **boil down** v – to sth (fig) auf etw hinauslaufen
boil[2] [bɔɪl] sb MED Furunkel m
boiled ['bɔɪld] adj gekocht
boiler ['bɔɪlə] sb 1. (of a steam engine) Dampfkessel m; (of central heating) Heizkessel m; 2. (in a household) Boiler m
boiling ['bɔɪlɪŋ] adj kochend, siedend
boisterous ['bɔɪstərəs] adj ausgelassen
bold [bəʊld] adj 1. kühn; 2. dreist; 3. wagemutig
boldness ['bəʊldnɪs] sb 1. Kühnheit f; 2. (impudence) Dreistigkeit f
bolster ['bəʊlstə] v stärken, verstärken
bolt [bəʊlt] v 1. (run away) durchbrennen, ausreißen, davonlaufen; 2. (a door) verriegeln; sb 3. TECH Bolzen m, Schraube f; 4. (on a door) Riegel m; 5. (of lightning) Blitzstrahl m; like a ~ out of the blue (fam) wie ein Blitz aus heiterem Himmel; ~ upright kerzengerade
• **bolt down** v bolt sth down etw hinunterschlingen
bomb [bɒm] v 1. MIL bombardieren; 2. (US: fail) ein Flop sein (fam), danebengehen; 3. Bombe f; sb 4. (US: failure) Durchfall m (fam); 5. (UK: success) Bombenerfolg m
bombard [bɒmˈbɑːd] v bombardieren
bombastic [bɒmˈbæstɪk] adj schwülstig, bombastisch
bomber ['bɒmə] sb MIL Bomber m
bombshell ['bɒmʃel] sb (fig) Bombe f, plötzliche Überraschung f
bonanza [bəˈnænzə] sb (fam) Goldgrube f
bond [bɒnd] sb 1. ~s pl (chains) Fesseln pl; 2. FIN Obligation f, festverzinsliches Wertpapier n; 3. CHEM Bindung f; 4. (fig) Band n
bondage ['bɒndɪdʒ] sb Sklaverei f
bonded warehouse ['bɒndɪd 'weəhaʊs] sb ECO Zollagerhaus n
bondholder ['bɒndhəʊldə] sb Pfandbriefinhaber m
bone [bəʊn] sb 1. Knochen m, Bein n; have a ~ to pick with s.o. mit jdm ein Hühnchen zu rupfen haben; I feel it in my ~s. Ich spüre es in den Knochen. make no ~s about sth kein Hehl aus etw machen; 2. ~ of contention Zankapfel m, Streitobjekt n, Stein des Anstoßes m
bonfire ['bɒnfaɪə] sb 1. Feuer n; 2. (for a celebration) Freudenfeuer n
bonnet ['bɒnɪt] sb 1. (woman's) Haube f; (baby's) Häubchen n; (in Scotland: man's ~) Mütze f; 2. have a bee in one's ~ eine fixe Idee haben; 3. (UK: of a car) Motorhaube f

bonny ['bɒnɪ] adj hübsch, schön
bonus ['bəʊnəs] sb 1. (something extra) Zugabe f; 2. (monetary) Prämie f, Gratifikation f
bony ['bəʊnɪ] adj (person) klapperdürr, knochig
boo [buː] v 1. (s.o.) ausbuhen, auspfeifen; sb 2. Buhruf m
boob [buːb] sb 1. (UK: mistake) Schnitzer m; 2. (fam: woman's breast) Brust f; 3. (fam: person) Trottel m
book [bʊk] v 1. (reserve) buchen, reservieren, vorbestellen; to be ~ed up ausgebucht sein; 2. (a traffic offender) aufschreiben; sb 3. Buch n; in my ~ wie ich es sehe; throw the ~ at s.o. jdn verdonnern (fam); by the ~ ganz korrekt; a closed ~ (fig) ein Buch mit sieben Siegeln; an open ~ (fig) ein offenes Buch; 4. ~s pl FIN Bücher pl; keep the ~s die Bücher führen
bookcase ['bʊkkeɪs] sb Bücherregal n
booking ['bʊkɪŋ] f Buchung f, Bestellung f
bookkeeper ['bʊkkiːpə] sb ECO Buchhalter m
bookkeeping ['bʊkkiːpɪŋ] sb Buchhaltung f, Buchführung f
booklet ['bʊklɪt] sb Broschüre f, Büchlein n
bookmaker ['bʊkmeɪkə] sb (person taking bets) Buchmacher m
bookmark ['bʊkmɑːk] sb 1. Lesezeichen n; 2. INFORM Bookmark n
book review ['bʊkrɪvjuː] sb Buchbesprechung f
bookseller ['bʊkselə] sb Buchhändler m
bookshelf ['bʊkʃelf] sb Bücherbrett n
bookshop ['bʊkʃɒp] sb Buchhandlung f
bookworm ['bʊkwɜːm] sb Bücherwurm m
boom [buːm] v 1. dröhnen, donnern, brausen; 2. (prosper) einen Aufschwung nehmen; Business is ~ing. Das Geschäft blüht. sb 3. (upswing) Aufschwung m, Boom m; 4. (sound) Dröhnen n, Donnern n, Brausen n
boomerang ['buːməræŋ] sb Bumerang m
boon [buːn] sb Wohltat f, Segen m
boor [bʊə] sb ungehobelter Kerl m
boorish ['bʊərɪʃ] adj flegelhaft
boost [buːst] v 1. fördern; 2. (production) ankurbeln; 3. Auftrieb m; give s.o. a ~ jdm Auftrieb geben
boot [buːt] sb 1. Stiefel m; get the ~ (fam) rausgeschmissen werden; too big for one's ~s (fig) größenwahnsinnig; The ~ is on the other foot. Das Blatt hat sich gewendet. 2. (UK: of a car) Kofferraum m; v 3. ~ s.o. out jdn hinauswerfen
booth [buːθ] sb Stand m, Bude f

bootlace ['bu:tleɪs] *sb* Schnürsenkel *m*
bootlegger ['bu:tlegə] *sb* Schmuggler *m*
bootless ['bu:tlɪs] *adj* sinnlos, vergebens
bootstrap ['bu:tstræp] *sb* Schuhband *n*; *pull o.s. up by one's* ~s sich an den eigenen Haaren aus dem Sumpf ziehen
booty ['bu:tɪ] *sb* Beute *f*
booze [bu:z] *v* 1. *(fam)* saufen, bechern; *sb* 2. Schnaps *m*, Alkohol *m*
boozer ['bu:zə] *sb (fam)* Säufer *m*, Trinker *m*
border ['bɔ:də] *sb* 1. *(between countries, boundary)* Grenze *f*; 2. *(edge)* Rand *m*; 3. *(edging)* Einfassung *f*, Umrandung *f*, Leiste *f*; *v* 4. grenzen, begrenzen, einfassen
borderland ['bɔ:dəlænd] *sb* Grenzgebiet *n*
borderline ['bɔ:dəlaɪn] *adj* an der Grenze
bore [bɔ:] *v* 1. langweilen; ~ *to death* zu Tode langweilen; 2. TECH bohren; *sb* 3. *to be a* ~ langweilig sein *(person)* ein Langweiler sein
boredom ['bɔ:dəm] *sb* Langeweile *f*
borer ['bɔ:rə] *sb* Bohrer *m*
boring ['bɔ:rɪŋ] *adj* langweilig
born [bɔ:n] *adj* geboren; *to be* ~ geboren werden
borrow ['bɒrəʊ] *v* borgen, sich leihen; *He's living on* ~*ed time.* Seine Zeit ist abgelaufen.
borrower ['bɒrəʊə] *sb* 1. Ausleiher *m*; 2. *(with a bank)* Kreditnehmer *m*
bosom ['bʊzəm] *sb* Busen *m*, Brust *f*
boss [bɒs] *sb* Chef *m*, Boss *m*
botany ['bɒtənɪ] *sb* Botanik *f*
both [bəʊθ] *pron* 1. beide; *adj* 2. beide; *adv* 3. ~ ... *and* ... sowohl ... als (auch) ...
bother ['bɒðə] *v* 1. ~ *about* sich kümmern um; 2. *(s.o.)* stören, belästigen, ärgern; *He can't be* ~*ed with it.* Er kann sich nicht damit abgeben. *sb* 3. Ärger *m*, Plage *f*, Schererei *f*
bothersome ['bɒðəsəm] *adj* lästig, nervig
bottle ['bɒtl] *v* 1. in Flaschen abfüllen; *sb* 2. Flasche *f*
bottle bank ['bɒtl bæŋk] *sb* Altglascontainer *m*
bottleneck ['bɒtlnek] *sb (fig)* Engpass *m*
bottom ['bɒtəm] *sb* 1. *(of a glass, of a book)* Boden *m*; *The* ~ *has fallen out of the market.* Der Markt ist zusammengebrochen. *Bottoms up! (fam)* Auf Ex! 2. *(the lowest part)* der unterste Teil *m*; *from the* ~ *of my heart* aus tiefstem Herzen; 3. Unterseite *f*; 4. *(of a canyon, of the sea)* Grund *m*; 5. *(fam: buttocks)* Hintern *m*, Po *m*; 6. *to be the* ~ *of sth* einer Sache zu Grunde liegen; *get to the* ~ *of sth* einer Sache auf den Grund gehen; *v* 7. ~ *out* auf dem Tiefpunkt sein

bough [baʊ] *sb* Ast *m*
boulder ['bəʊldə] *sb* Geröllblock *m*
bounce [baʊns] *v* 1. aufprallen; 2. *(bound)* springen; 3. *(cheque)* platzen; 4. ~ *off* abprallen; 5. *(sth)* prellen; *sb* 6. *(one* ~*)* Aufprall *m*
• **bounce back** *v (fig)* sich sofort wieder erholen
bouncer ['baʊnsə] *sb (US)* Türsteher *m*
bouncing ['baʊnsɪŋ] *adj* kräftig, vital
bound¹ [baʊnd] *v* 1. *(leap)* springen, hüpfen; *sb* 2. *(leap)* Sprung *m*
bound² [baʊnd] *adj* 1. gebunden; 2. *It was* ~ *to happen.* Es musste so kommen.
bound³ [baʊnd] *adj* ~ *for* unterwegs nach
boundary ['baʊndərɪ] *sb* Grenze *f*
boundless ['baʊndlɪs] *adj* grenzenlos
bounteous ['baʊntɪəs] *adj* großzügig
bountiful ['baʊntɪfʊl] *adj* großzügig
bouquet ['bʊkeɪ] *sb* 1. BOT Strauß *m*, Bukett *n*; 2. *(of wine)* Blume *f*
bout [baʊt] *sb* 1. Kampf *m*; 2. *(of illness)* MED Anfall *m*
bow¹ [bəʊ] *sb* 1. *(that shoots arrows)* Bogen *m*; 2. *(knot)* Schleife *f*
bow² [baʊ] *sb (of a ship)* NAUT Bug *m*
bow³ [baʊ] *v* 1. sich verneigen; 2. *(fig:* ~ *to pressure)* beugen; 3. *(one's head)* senken; *sb* 4. Verbeugung *f*, Verneigung *f*
• **bow out** *v (leave)* sich verabschieden
bowdlerize ['baʊdləraɪz] *v* zensieren
bower ['baʊə] *sb* Laube *f*
bowl [bəʊl] *v* 1. rollen, werfen; ~ *over* umwerfen; 2. *(US: go bowling)* Bowling spielen; *sb* 3. Schüssel *f*; 4. *(for punch)* Bowle *f*
bow-legged ['bəʊlegɪd] *adj* O-beinig
bowler ['bəʊlə] *sb* 1. *(hat)* Melone *f*; 2. SPORT Werfer *m*
bowling ['bəʊlɪŋ] *sb* Bowling *n*
bowling alley ['bəʊlɪŋ 'ælɪ] *sb* SPORT Bowlingbahn *f*
bow tie [bəʊ taɪ] *sb* Fliege *f*
box¹ [bɒks] *v* SPORT boxen
box² [bɒks] *v* 1. *(put in boxes)* verpacken; *sb* 2. Kasten *m*, Kiste *f*; 3. *(made of thin cardboard)* Schachtel *f*; 4. *(housing)* TECH Gehäuse *n*; 5. THEAT Loge *f*
boxer ['bɒksə] *sb* Boxer *m*
boxing ['bɒksɪŋ] *sb* Boxen *n*
Boxing Day ['bɒksɪŋ deɪ] *sb* der zweite Weihnachtsfeiertag *m*
box number ['bɒksnʌmbə] *sb* Postfach *n*
box office ['bɒksɒfɪs] *sb* Theaterkasse *f*, Kinokasse *f*; *a* ~ *success* ein Kassenschlager *m*
boxroom ['bɒksru:m] *sb* Abstellraum *m*

boy [bɔɪ] *sb* Knabe *m*, Junge *m*, Bursche *m*
boycott ['bɔɪkɒt] *sb 1.* Boykott *m*; *v 2.* boykottieren
boyfriend ['bɔɪfrend] *sb* Freund *m*
boyhood ['bɔɪhʊd] *sb* Kindheit (eines Jungen) *f*
boyish ['bɔɪɪʃ] *adj 1.* jungenhaft; *2. (woman)* knabenhaft, burschikos
boy scout [bɔɪ skaʊt] *sb* Pfadfinder *m*
bra [brɑː] *sb (fam)* BH *m*, Büstenhalter *m*
brace [breɪs] *v ~ o.s. for sth (fig)* sich auf etw gefasst machen
bracelet ['breɪslɪt] *sb* Armband *n*
braces ['breɪsɪz] *pl 1. (UK)* Hosenträger *m*; *2. (for teeth)* Zahnspange *f*
bracket ['brækɪt] *sb 1. (symbol)* Klammer *f*; *2. (hardware)* Winkelträger *m*; *3. (group)* Klasse *f*, Stufe *f*
brag [bræg] *v* prahlen, angeben
braggart ['brægət] *sb* Prahler *m*
braid [breɪd] *v 1.* flechten; *sb 2. (of hair)* Zopf *m*; *3. (trimming)* Borte *f*
Braille [breɪl] *sb* Blindenschrift *f*
brain [breɪn] *sb 1.* ANAT Gehirn *n*, Hirn *n*; *have ~s (fam: to be smart)* etw im Kopf haben
brainchild ['breɪntʃaɪld] *sb* Geistesprodukt *n*
brainless ['breɪnlɪs] *adj* hirnlos, schwachsinnig
brainstorm ['breɪnstɔːm] *sb* Geistesblitz *m*
brainstorming ['breɪnstɔːmɪŋ] *sb* Brainstorming *n*
brains trust [breɪnz trʌst] *sb* Expertenausschuss *m*
brainwashing ['breɪnwɒʃɪŋ] *sb* Gehirnwäsche *f*
brake [breɪk] *v 1.* bremsen; *sb 2.* Bremse *f*
bramble ['bræmbl] *sb* BOT Brombeere *f*
bran [bræn] *sb* Kleie *f*
branch [brɑːntʃ] *sb 1.* Zweig *m*; *2. (point where sth ~es)* Abzweigung *f*; *3. (growing straight from the trunk)* Ast *m*; *4. (area)* Zweig *m*, Sparte *f*, Branche *f*; *5. (~ office)* Filiale *f*, Zweigstelle *f*; *v 6. ~ off (road)* abzweigen; *7. ~ out* sich ausdehnen
brand [brænd] *v 1. (fig: stigmatize)* brandmarken; *sb 2. (name)* Marke *f*, Schutzmarke *f*; *3. (kind)* Sorte *f*; *4. (on cattle)* Brandzeichen *n*
brandish ['brændɪʃ] *v* schwingen
brand-new [brænd'njuː] *adj* nagelneu
brandy ['brændɪ] *sb* Weinbrand *m*
brash [bræʃ] *adj* nassforsch, forsch
brass [brɑːs] *sb 1.* MET Messing *n*; *2. (fam)* MIL hohe Offiziere *pl*

brass band [brɑːs bænd] *sb* MUS Blaskapelle *f*
brassière ['bræzɪə] *sb* Büstenhalter *m*
brassy ['brɑːsɪ] *adj* dreist
brat [bræt] *sb* Balg *n*, Gör *n*
bravado [brə'vɑːdəʊ] *sb* gespielte Tapferkeit
brave [breɪv] *adj* tapfer, mutig
bravery ['breɪvərɪ] *sb* Tapferkeit *f*, Mut *m*
bravo ['brɑːvəʊ] *interj* bravo
brawl [brɔːl] *sb 1.* Schlägerei *f*, Keilerei *f*; *v 2.* sich schlagen
brawn [brɔːn] *sb* Muskelkraft *f*
brawny ['brɔːnɪ] *adj* kräftig, muskulös
bray [breɪ] *v* schreien, wiehern
brazen ['breɪzn] *adj* unverschämt, schamlos
Brazil [brə'zɪl] *sb* GEO Brasilien *n*
Brazilian [brə'zɪlɪən] *sb 1.* Brasilianer *m*; *adj 2.* brasilianisch
breach [briːtʃ] *v 1. (a contract)* brechen, verletzen; *2. (defences)* durchbrechen; *sb 3.* Übertretung *f*, Verstoß *m*, Verletzung *f*; *~ of trust* Vertrauensbruch *m*; *~ of contract* Vertragsbruch *m*; *4. (of defences)* Bresche *f*, Lücke *f*
bread [bred] *sb* Brot *n*
bread crumbs [bred krʌmz] *sb* GAST Paniermehl *n*
breadth [bredθ] *sb* Breite *f*, Weite *f*
breadwinner ['bredwɪnə] *sb* Brötchenverdiener *m*
break [breɪk] *v irr 1.* brechen; *~ s.o.'s heart* jdm das Herz brechen; *~ the news to s.o.* jdm etw eröffnen; *~ with* brechen mit; *~ even* seine Kosten decken; *2. (glass)* zerbrechen; *3. (a window)* einschlagen; *4. (in two)* entzweigehen; *5. (stop functioning)* kaputtgehen; *(put out of working order)* kaputtmachen; *7. ~ a habit* sich etw abgewöhnen; *8. ~ new ground* Neuland betreten; *sb 9.* Bruch *m*; *~ of day* Tagesanbruch *m*; *10. (pause)* Pause *f*; *take a ~* Pause machen; *11. (US: opportunity)* Chance *f*, Gelegenheit *f*
• **break apart** *v irr* auseinander brechen
• **break down** *v irr 1. (machine)* versagen, stehen bleiben; *2. (cry, have a breakdown)* zusammenbrechen
• **break in** *v irr 1. (enter illegally)* einbrechen; *2. (a horse)* zureiten; *3. (shoes)* einlaufen
• **break off** *v irr* abbrechen
• **break open** *v irr (sth)* aufbrechen
• **break out** *v irr* ausbrechen; *I broke out in a cold sweat.* Mir brach der Angstschweiß aus.
• **break through** *v irr* durchbrechen
• **break up** *v irr 1. (fig: couple)* Schluss machen; *2. (sth)* zerbrechen, zerkleinern, zerschlagen; *3. Break it up! (fig)* Auseinander!

breakable ['breɪkəbl] *adj* zerbrechlich
breakage ['breɪkɪdʒ] *sb* Bruch *m*
breakaway ['breɪkəweɪ] *sb* Lossagung *f*
breakdown ['breɪkdaʊn] *sb 1. (analysis)*
Aufgliederung *f*; *2. (of a machine)* Versagen *n*,
Betriebsstörung *f*; *3. (of a car)* Panne *f*; *4. MED*
Zusammenbruch *m*
breakfast ['brekfəst] *sb 1.* Frühstück *n*; *v 2.*
frühstücken
break-in ['breɪkɪn] *sb* Einbruch *m*
breakneck ['breɪknek] *adj* halsbrecherisch
breakthrough ['breɪkθru:] *sb* Durchbruch *m*
breakwater ['breɪkwɔ:tə] *sb* Wellenbrecher *m*
breast [brest] *sb* Brust *f*; Busen *m*
breast-feed ['brestfi:d] *v irr* stillen
breast-stroke ['breststrəʊk] *sb SPORT*
Brustschwimmen *n*
breath [breθ] *sb 1.* Atem *m*; catch one's ~
Luft holen; out of ~ außer Atem; bad ~ Mundgeruch *m*; say sth under one's ~ etw flüstern;
He's wasting his ~. Er redet umsonst. *It took my*
~ away. Es verschlug mir den Atem. *2.* Atemzug *m*; take a deep ~ einmal tief atmen
breathe [bri:ð] *v* atmen
breather ['bri:ðə] *sb (fam)* Atempause *f*;
take a ~ sich verschnaufen
breathing ['bri:ðɪŋ] *sb* Atmung *f*
breathing space ['bri:ðɪŋ speɪs] *sb* Atempause *f*
breathless ['breθlɪs] *adj* atemlos
breathtaking ['breθteɪkɪŋ] *adj* atemberaubend
breed [bri:d] *v irr 1. (multiply)* sich vermehren; *2. (sth)* züchten; *3. (cause)* verursachen; *sb*
4. Art *f*
breeding ['bri:dɪŋ] *sb 1.* Zucht *f*, Züchtung
f; *2. (fig: manners)* Benehmen *n*
breeze [bri:z] *sb 1.* Brise *f*, Luftzug *m*, Hauch
m; *2. (fam: easy task)*, Kinderspiel *n*
breezy ['bri:zɪ] *adj 1.* windig; *2. (jovial)* frohen Mutes
brevity ['brevɪtɪ] *sb* Kürze *f*
brew [bru:] *v 1. (beer)* brauen; *2. (tea)* kochen;
3. (trouble) sich zusammenbrauen
• **brew up** *v (fam: make tea)* Tee machen
brewery ['bru:ərɪ] *sb* Brauerei *f*
bribe [braɪb] *v 1.* bestechen, bestechen; *sb 2.*
Bestechungsgeld *n*, Schmiergeld *n*
bribery ['braɪbərɪ] *sb* Bestechung *f*
bric-à-brac ['brɪkəbræk] *sb* Nippes *pl*
brick [brɪk] *sb* Ziegel *m*, Backstein *m*; drop
a ~ *(fam)* einen Schnitzer machen
bricklayer ['brɪkleɪə] *sb* Maurer *m*

brickyard ['brɪkjɑ:d] *sb* Ziegelei *f*
bride [braɪd] *sb* Braut *f*
bridegroom ['braɪdgru:m] *sb* Bräutigam *m*
bridesmaid ['braɪdzmeɪd] *sb* Brautjungfer *f*
bridge [brɪdʒ] *v 1. (fig)* überbrücken; *sb 2.*
Brücke *f*; burn one's ~s behind one alle
Brücken hinter sich abbrechen; *3. (dental) MED*
Brücke *f*
bridle ['braɪdl] *sb* Zügel *m*
brief [bri:f] *v 1.* ~ s.o. jdn einweisen; *adj 2.*
kurz; *sb 3.* JUR Instruktionen *pl*
briefcase ['bri:fkeɪs] *sb* Aktentasche *f*
brigade [brɪ'geɪd] *sb* MIL Brigade *f*
bright [braɪt] *adj 1.* hell; *2. (intelligent)* klug,
schlau; *3. (colours)* leuchtend; *4. (cheerful)* fröhlich; *5. (weather)* klar, heiter
brighten ['braɪtən] *v* aufhellen, aufheitern
brightness ['braɪtnɪs] *sb* Helligkeit *f*, Heiterkeit *f*
brilliance ['brɪljəns] *sb 1.* Glanz *m*, Helligkeit *f*; *2. (mental)* Brillanz *f*, Scharfsinn *m*
brilliant ['brɪljənt] *adj (fig)* glänzend, brillant,
genial
brim [brɪm] *sb* Rand *m*
bring [brɪŋ] *v irr 1.* bringen; *2.* ~ o.s. to do sth
sich dazu durchringen, etw zu tun; *3.* ~ a
charge against s.o. gegen jdn Anklage erheben
• **bring about** *v irr* verursachen, anstiften
• **bring along** *v irr* mitbringen
• **bring back** *v irr* zurückbringen
• **bring down** *v irr 1.* herunterbringen; *2.*
(lower, reduce) herabsetzen; *3.* bring s.o. down
jdn zur Strecke bringen
• **bring forward** *v irr* FIN übertragen
• **bring in** *v irr (call in)* einschalten
• **bring off** *v irr* zustande bringen, vollenden
• **bring on** *v irr (cause)* verursachen
• **bring out** *v irr* herausbringen
• **bring over** *v irr* überzeugen
• **bring round** *v irr* bring s.o. round (to an
opinion) jdn umstimmen, jdn bekehren
• **bring to** *v irr* bring s.o. to jdn zu Bewusstsein bringen
• **bring up** *v irr 1. (children)* aufziehen; *(educate)* erziehen; *2. (a subject)* anschneiden
brink [brɪŋk] *sb* Rand *m*
briny ['braɪnɪ] *adj* salzhaltig, salzig
briquette [brɪ'ket] *sb* Brikett *n*
brisk [brɪsk] *adj 1. (pace)* flott, zügig, rasch;
2. (business) lebhaft, rege
briskness ['brɪsknɪs] *sb* Lebhaftigkeit *f*
bristle ['brɪsl] *v 1. (with anger)* zornig werden;
sb 2. (of a brush) Borste *f*

Britain ['brɪtn] *sb* GEO Großbritannien *n*

British ['brɪtɪʃ] *adj* britisch

Briton ['brɪtən] *sb* Brite/Britin *m/f*

Brittany ['brɪtənɪ] *sb* GEO Bretagne *f*

brittle ['brɪtl] *adj* spröde, zerbrechlich

broach [brəʊtʃ] *v (a subject)* anschneiden

broad [brɔːd] *adj* 1. *(spatially)* breit; 2. *(fig)* weit; *in ~ daylight* am helllichten Tage

broadcast ['brɔːdkɑːst] *v irr* 1. senden, übertragen; *sb* 2. Übertragung *f*, Sendung *f*

broaden ['brɔːdn] *v* verbreitern; *~ one's mind* seinen Horizont erweitern

broad-minded ['brɔːd'maɪndɪd] *adj* tolerant, großzügig, aufgeschlossen

broadside ['brɔːdsaɪd] *sb* 1. NAUT Breitseite *f*; 2. *(fig: verbal attack)* Angriff *m*, Attacke *f*

brochure ['brəʊʃʊə] *sb* Broschüre *f*

broil [brɔɪl] *v (~ sth)* GAST grillen, auf dem Rost braten

broke [brəʊk] *adj (fam)* pleite, blank

broken ['brəʊkən] *adj* kaputt, zerbrochen

broker ['brəʊkə] *v* Makler *m*

brokerage ['brəʊkərɪdʒ] *sb* Maklergeschäft *n*, Maklergebühr *f*, Provision *f*

bromide ['brəʊmaɪd] *sb (fig: platitude)* Plattitüde *f*, Allgemeinplatz *m*

bronze [brɒnz] *sb* MET Bronze *f*

brooch [brəʊtʃ] *sb* Brosche *f*

brood [bruːd] *v* brüten, grübeln, sinnieren

brook [brʊk] *sb* Bach *m*

broom [bruːm] *sb* Besen *m*, Kehrbesen *m*

broth [brɒθ] *sb* Fleischbrühe *f*, Brühe *f*

brothel ['brɒθl] *sb* Bordell *n*

brother ['brʌðə] *sb* Bruder *m*

brotherhood ['brʌðəhʊd] *sb* 1. Brüderlichkeit *f*; 2. *(association)* Bruderschaft *f*

brother-in-law ['brʌðərɪnlɔː] *sb* Schwager *m*

brotherly ['brʌðəlɪ] *adj* brüderlich

brow [braʊ] *sb* 1. *(forehead)* Stirn *f*; *by the sweat of one's ~* im Schweiße seines Angesichts; 2. *(eye-~)* Augenbraue *f*

browbeat ['braʊbiːt] *v* einschüchtern, tyrannisieren

brown [braʊn] *v* 1. bräunen; 2. GAST anbraten, bräunen; *adj* 3. braun

brownie point ['braʊnɪ pɔɪnt] *sb (fam)* Pluspunkt *m*

browse [braʊz] *v (in a store)* sich umsehen

browser ['braʊzə] *sb* INFORM Browser *m*

bruise [bruːz] *v* 1. *(receive a bruise)* einen blauen Fleck bekommen; 2. *(s.o.)* einen blauen Fleck geben; *sb* 3. blauer Fleck *m*, Quetschung *f*, Bluterguss *m*

bruiser ['bruːzə] *sb* Schläger *m*, Rowdy *m*

brunt [brʌnt] *sb* volle Wucht *f*, Hauptlast *f*

brush [brʌʃ] *v* 1. bürsten; *~ one's teeth* sich die Zähne putzen; 2. *(sweep)* kehren; *sb* 3. Bürste *f*; 4. *(paint ~, shaving ~)* Pinsel *m*; 5. *(undergrowth)* Unterholz *n*; 6. *have a ~ with s.o.* mit jdm kurz in Berührung kommen

• **brush against** *v* streifen

• **brush aside** *v* beiseite schieben

• **brush off** *v* brush *s.o.* off jdn abwimmeln

• **brush up** *v (on sth)* aufpolieren (fam), auffrischen (fam)

brusque [bruːsk] *adj* brüsk, schroff

brutal ['bruːtl] *adj* brutal, unmenschlich

brutality [bruːˈtælɪtɪ] *sb* Brutalität *f*

brutalize ['bruːtəlaɪz] *v* brutalisieren

brute [bruːt] *sb* brutaler Kerl *m*, Biest *n*

brutish ['bruːtɪʃ] *adj* tierisch, brutal

bubble ['bʌbl] *sb* 1. Blase *f*; 2. *~ and squeak (UK)* GAST Resteeintopf; *v* 3. sprudeln

buccaneer [bʌkəˈnɪə] *sb* Seeräuber *m*

buck [bʌk] *v* 1. *(horse)* bocken; *sb* 2. *pass the ~* den Schwarzen Peter zuschieben, abwälzen; 3. *(US: dollar)* Dollar *m*; 4. *(male deer)* ZOOL Bock *m*

• **buck up** *v* 1. *(come to life)* aufleben; 2. *(hurry up)* sich beeilen; 3. *(fam) Buck up!* Kopf hoch!

bucket ['bʌkɪt] *sb* 1. Eimer *m*, Kübel *m*; *kick the ~ (fam)* abkratzen; *v* 2. *~ down* gießen

buckle ['bʌkl] *v* 1. *(fasten a ~)* zuschnallen, anschnallen; *sb* 2. Spange *f*, Schnalle *f*

• **buckle down** *v (fam)* sich ranhalten

bud[1] [bʌd] *v* 1. knospen; *sb* 2. BOT Knospe *f*

bud[2] [bʌd] *sb (fam: buddy) (US)* Kumpel *m*

budding ['bʌdɪŋ] *adj (fam: artist)* angehend

buddy ['bʌdɪ] *sb (US)* Kumpel *m*

budge [bʌdʒ] *v* 1. *(o.s.)* sich im Geringsten bewegen; 2. *(sth, s.o.)* vom Fleck bewegen

budgerigar ['bʌdʒərɪgɑː] *sb* ZOOL Wellensittich *m*

budget ['bʌdʒɪt] *v* 1. *~ for sth* einplanen, einkalkulieren; *sb* 2. Etat *m*, Budget *n*

buff [bʌf] *sb* 1. *(enthusiast)* Fan *m*, Fex *m*; 2. *in the ~* splitternackt; *v* 3. TECH schwabbeln

buffalo ['bʌfələʊ] *sb* ZOOL Büffel *m*

buffer ['bʌfə] *sb* Puffer *m*

buffet[1] ['bʊfeɪ] *sb* GAST Büfett *n*

buffet[2] ['bʌfɪt] *v (knock about)* stoßen

buffet car ['bʊfeɪ kɑː] *sb* Speisewagen *m*

buffoon [bəˈfuːn] *sb* Hanswurst *m*

bug [bʌg] *v* 1. TEL verwanzen, abhören; 2. *(US: bother)* nerven; *sb* 3. ZOOL Wanze *f*, Käfer *m*, Insekt *n*; 4. *(listening device)* Wanze *f*; 5. INFORM Bug *m*, Fehler *m*

bugbear ['bʌgbeə] sb Schreckgespenst n
bugger ['bʌgə] sb (person) Kerl m; (contemptibly: person) Scheißkerl m; (fam: thing) Scheißding n
bugging affair ['bʌgɪŋ əˈfeər] sb POL Lauschangriff m
buggy ['bʌgɪ] sb 1. leichter Pferdewagen m; 2. (US: baby ~) Kinderwagen m
bugle ['bjuːgl] sb MUS Horn n
build [bɪld] v irr 1. bauen, erbauen, errichten; 2. (fig: business, career, relationship) aufbauen; sb 3. Körperbau m, Statur f, Wuchs m
• **build in** v irr einbauen
• **build into** v irr 1. (build in) in etwas hineinbauen; 2. build sth into sth etw zu etw machen
• **build on** v irr anbauen
• **build up** v irr (fig: publicize) aufbauen, groß herausstellen
builder ['bɪldə] sb 1. (worker) Bauarbeiter m; 2. (contractor) Bauunternehmer m, Erbauer m
building ['bɪldɪŋ] sb 1. Gebäude n, Bau m, Haus n; 2. (act of constructing), Bauen n
building site ['bɪldɪŋ saɪt] sb Baustelle f
building society ['bɪldɪŋ səˈsaɪətɪ] sb (UK) Bausparkasse f
built-in ['bɪlt'ɪn] adj Einbau..., eingebaut
built-up [bɪlt'ʌp] adj inszeniert
bulb [bʌlb] sb 1. BOT Knolle f; 2. (light ~) Glühbirne f
bulge [bʌldʒ] v 1. (~ out) anschwellen, voll sein; sb 2. Bauchung f, Beule f
bulimia [bjuːˈlɪmɪə] sb MED Bulimie f
bulk [bʌlk] sb 1. (size) Größe f, Masse f; 2. (large shape) massige Gestalt f; 3. (majority) Großteil m
bulky ['bʌlkɪ] adj 1. sperrig; 2. (person) massig
bull [bʊl] sb 1. ZOOL Stier m; like a ~ in a china shop wie ein Elefant im Porzellanladen; take the ~ by the horns (fig) den Stier bei den Hörnern packen; 2. FIN Haussespekulant m
bulldoze ['bʊldəʊz] v 1. planieren; 2. (fig) erzwingen
bulldozer ['bʊldəʊzə] sb Bulldozer m
bullet ['bʊlɪt] sb Kugel f
bulletin ['bʊlɪtɪn] sb Bulletin n, Bericht m
bulletin board ['bʊlɪtɪn bɔːd] sb (US) Anschlagbrett n
bull-headed ['bʊlhedɪd] adj stur
bullion ['bʊljən] sb 1. (gold) Goldbarren m; 2. (silver) Silberbarren m
bullock ['bʊlək] sb ZOOL Ochse m
bully ['bʊlɪ] v 1. schikanieren, tyrannisieren; sb 2. Rabauke m, Tyrann m

bumble bee ['bʌmblbiː] sb Hummel f
bump [bʌmp] v 1. (sth) stoßen, anstoßen, anprallen; sb 2. Unebenheit f; 3. (swelling) Beule f; 4. (collision) heftiger Stoß m, Bums m
• **bump into** v – s.o. jdm zufällig begegnen
• **bump off** v (fam: kill) abmurksen
bumper ['bʌmpə] sb (of a car) Stoßstange f
bumptious ['bʌmpʃəs] adj angeberisch
bumpy ['bʌmpɪ] adj holperig, uneben
bunch [bʌntʃ] sb 1. Bündel n; (of flowers) Strauß m; 2. (fam) Haufen m
bundle ['bʌndl] sb 1. Bündel n; (fig) ~ of nerves Nervenbündel n; v 2. bündeln
• **bundle up** ['bʌndl'ʌp] v 1. bündeln; 2. (wrap up warmly) warm einpacken
bungalow ['bʌŋgələʊ] sb Bungalow m
bungle ['bʌŋgl] v verpfuschen, stümpern
bungler ['bʌŋglə] sb Pfuscher m, Stümper m
bungling ['bʌŋglɪŋ] adj (attempt) stümperhaft; (person) unfähig
bunk [bʌŋk] sb Koje f, Bett n
bunk bed [bʌŋk bed] sb Etagenbett n
bunker ['bʌŋkə] sb MIL Bunker m
bunkum ['bʌŋkəm] sb Quatsch m, Unsinn m
bunny ['bʌnɪ] sb Hase m, Häschen n
bunting ['bʌntɪŋ] sb NAUT Fahnentuch n
buoy [bɔɪ] sb 1. Boje f; v 2. Auftrieb geben, beleben
buoyancy ['bɔɪənsɪ] sb 1. (power to float) Schwimmfähigkeit f; 2. (cheerfulness) Lebhaftigkeit f, Schwung m
buoyant ['bɔɪənt] adj (fig) heiter, schwungvoll
burble ['bɜːbl] v 1. (stream) plätschern, gurgeln; 2. (person) quasseln, brabbeln
burden ['bɜːdn] v 1. belasten; ~ s.o. with sth jdm etw aufbürden; sb 2. Last f; 3. Belastung f; 4. ~ of proof JUR Beweislast f
burdensome ['bɜːdnsəm] adj schwer, mühsam
bureau ['bjʊərəʊ] sb 1. (of the government) Amt n, Behörde f; 2. (UK: desk) Sekretär m; (US: chest of drawers) Kommode f
bureaucracy [bjuːˈrɒkrəsɪ] sb Bürokratie f
burette [bjʊˈret] sb Bürette f
burgeon ['bɜːdʒən] v (fig) aufleben, aufblühen
burglar ['bɜːglə] sb Einbrecher m
burglary ['bɜːglərɪ] sb Einbruch m
burgle ['bɜːgl] v einbrechen in
burial ['berɪəl] sb Beerdigung f, Begräbnis n
burlesque [bɜːˈlesk] sb Burleske f
burly ['bɜːlɪ] adj stämmig

burn [bɜːn] v irr 1. brennen, verbrennen; 2. GAST anbrennen; 3. (sun) glühen; 4. MED Brandwunde f, Verbrennung f
• **burn down** v irr abbrennen
• **burn off** v irr abbrennen
• **burn out** v irr ausbrennen; burn o.s. out (fig) sich kaputtmachen
• **burn up** v irr (rocket) verglühen
burner ['bɜːnə] sb Brenner m
burning ['bɜːnɪŋ] adj brennend, glühend
burnish ['bɜːnɪʃ] v polieren
burnout ['bɜːnaut] sb He's suffering from ~. Er ist ausgebrannt. (fam)
burnt [bɜːnt] adj verbrannt, angebrannt
burp [bɜːp] v 1. rülpsen, aufstoßen; sb 2. Rülpser m (fam), Aufstoßen n
burrow ['bʌrəʊ] v 1. graben, wühlen; sb 2. (lair) Bau m, Höhle f
bursar ['bɜːsə] sb Schatzmeister m
burst ['bɜːst] v irr 1. bersten, platzen, zerspringen; ~ into tears in Tränen ausbrechen; ~ out laughing in Gelächter ausbrechen; ~ with pride vor Stolz platzen; 2. ~ into flames in Flammen aufgehen, auflodern; 3. ~ open sprengen, aufbrechen; 4. ~ in hineinplatzen; sb 5. (sudden surge) Ausbruch m, Anfall m; ~ of laughter Lachsalve f; ~ of speed Spurt m
bury ['berɪ] v begraben, beerdigen
bus [bʌs] sb Bus m, Omnibus m
bus driver ['bʌsdraɪvə] sb Busfahrer m
bush [bʊʃ] sb 1. Busch m, Strauch m; ~es pl Gebüsch n; beat about the ~ (fam) wie die Katze um den heißen Brei herumschleichen; 2. the ~ (in Australia, in Africa) Busch m
bushel ['bʊʃl] sb Scheffel m
business ['bɪznɪs] sb 1. Geschäft n; He means ~. Er meint es ernst. combine ~ with pleasure das Angenehme mit dem Nützlichen verbinden; 2. (trade) ECO Geschäft n, Gewerbe n; 3. (matter) Sache f, Angelegenheit f; That's none of your ~. Das geht dich nichts an. get down to ~ zur Sache kommen; mind one's own ~ sich um die eigenen Angelegenheiten kümmern
business card ['bɪznɪs kɑːd] sb Geschäftskarte f
businesslike ['bɪznɪslaɪk] adj geschäftsmäßig, sachlich, nüchtern
businessman ['bɪznɪsmæn] sb ECO Geschäftsmann m
business park ['bɪznɪs pɑːk] sb Gewerbegebiet n
businesswoman ['bɪznɪswʊmən] sb Geschäftsfrau f

bus stop ['bʌsstɒp] sb Bushaltestelle f
bust[1] [bʌst] v 1. kaputtgehen; sb 2. (fam: failure, dud) Flasche f
bust[2] [bʌst] sb 1. ART Büste f; 2. ANAT Busen m
bustle ['bʌsl] sb geschäftiges Treiben n
bust-up ['bʌstʌp] sb (fam) Streit m
busy ['bɪzɪ] adj 1. beschäftigt, tätig, emsig; 2. (telephone line) (US) TEL besetzt; v 3. ~ o.s. sich betätigen
busybody ['bɪzɪbɒdɪ] sb Gschaftlhuber m
but [bʌt] konj 1. aber, dagegen, doch; 2. (~ rather) sondern; not only ... ~ also ... nicht nur ... sondern auch ...; 3. ~ then immerhin, anderseits; prep 4. (except for) außer
butcher ['bʊtʃə] v 1. (~ an animal) schlachten; 2. (~ a person) abschlachten; sb 3. Metzger m
butler ['bʌtlə] sb Butler m
butt [bʌt] v 1. mit dem Kopf stoßen; 2. (fam) ~ in sich einmischen; sb 3. (of a rifle) Kolben m; 4. (of a cigarette) Stummel m; 5. (fam: buttocks) Hintern m; 6. (of a joke) Zielscheibe f
butter ['bʌtə] sb 1. Butter f; v 2. (fam) ~ s.o. up jdm Honig ums Maul schmieren
buttercup ['bʌtəkʌp] sb Butterblume f
butterfly ['bʌtəflaɪ] sb 1. ZOOL Schmetterling m
buttocks ['bʌtəks] pl Hinterbacken pl
button ['bʌtn] v 1. knöpfen, zuknöpfen; ~ one's lip (fam) die Klappe halten; sb 2. (on clothing) Knopf m; 3. (push-~) Taste f
buy [baɪ] v irr 1. kaufen; 2. (fam: believe) abkaufen; sb 3. (fam) Kauf m
• **buy off** v irr buy s.o. off jdn abfinden
• **buy out** v irr 1. (s.o.) auszahlen; 2. (s.o.'s stock) aufkaufen
buyer ['baɪə] sb Käufer m, Abnehmer m
buzz [bʌz] v 1. (insect) summen; Buzz off! Hau ab! sb 2. give s.o. a ~ (fam) jdn anrufen
buzzer ['bʌzə] sb Summer m
by [baɪ] prep 1. (near, next to) bei, an, neben; 2. (past) vorbei, vorüber; 3. (because of) durch, von; 4. (a certain method) per; ~ car mit dem Auto; ~ air auf dem Luftwege; What do you mean ~ that? Was wollen Sie damit sagen? 5. (done ~ this person) von; 6. ~ a certain time bis; 7. ~ the way übrigens; adv 8. ~ and ~ allmählich; 9. ~ and large im Großen und Ganzen
bye [baɪ] interj tschüss, auf Wiedersehen
bylaws ['baɪlɔːz] pl Satzung f
bypass ['baɪpɑːs] v 1. (city) umfahren; sb 2. Umgehungsstraße f, Umleitung f
bystander ['baɪstændə] sb Zuschauer m
byte [baɪt] sb INFORM Byte n

C

cab [kæb] sb Taxi n

cabaret ['kæbəreɪ] sb THEAT Kabarett n

cabbage ['kæbɪdʒ] sb Kohl m, Kraut n

cabin ['kæbɪn] sb 1. Hütte f, Häuschen n; 2. NAUT Kabine f, Kajüte f

cabinet ['kæbɪnet] sb 1. Schrank m; 2. POL Kabinett n

cable ['keɪbl] sb 1. Kabel n, Tau n, Seil n; v 2. telegraphieren

cable car ['keɪbl kɑː] sb Seilbahn f

cable television ['keɪbl 'telɪvɪʒən] sb Kabelfernsehen n

cacao [kə'kɑːəʊ] sb BOT Kakao m

cache [kæʃ] sb Versteck n

cache memory ['kæʃmeməri] sb INFORM Cache-Speicher m

cackle ['kækl] v gackern

cactus ['kæktəs] sb BOT Kaktus m

café ['kæfeɪ] sb Café n

cafeteria [kæfɪ'tɪərɪə] sb Cafeteria f

cage [keɪdʒ] sb Käfig m

cajole [kə'dʒəʊl] v ~ s.o. into doing sth jdn dazu verleiten, etw zu tun

cake [keɪk] sb GAST Kuchen m, Torte f; That takes the ~! (negatively) Das ist die Höhe! a piece of ~ (fig) ein Kinderspiel n

calamity [kə'læmɪtɪ] sb Katastrophe f

calculate ['kælkjʊleɪt] v 1. rechnen; 2. (sth) berechnen, kalkulieren

calculation [kælkjʊ'leɪʃən] sb Berechnung f, Kalkulation f, Rechnung f

calculator ['kælkjʊleɪtə] sb (pocket ~) Taschenrechner m

calendar ['kælendə] sb Kalender m

calf [kɑːf] sb 1. ZOOL Kalb n; 2. ANAT Wade f

California [kælɪ'fɔːnɪə] sb Kalifornien n

call [kɔːl] sb 1. (telephone ~) Anruf m; make a ~ telefonieren; 2. (summons) Aufruf m; to be on ~ Bereitschaftsdienst haben; 3. (by a referee) SPORT Entscheidung f; 4. close ~ knappes Entkommen n; v 5. rufen; (on the telephone) anrufen; 6. (give sth or s.o. a name) nennen, bezeichnen; to be ~ed heißen, sich nennen; Let's ~ it a day! Schluss für heute! 7. (a meeting) einberufen

• **call back** v zurückrufen

• **call for** v 1. (demand) anfordern; 2. ~ s.o. (shout) nach jdm rufen; 3. (collect s.o.) jdn abholen

• **call in** v 1. (troops, the police) einschalten, hinzuziehen, aufbieten; 2. FIN einziehen, aus dem Verkehr ziehen

• **call off** v (cancel) absagen

• **call on** v 1. (visit) besuchen, aufsuchen; 2. to be called on (in school) abgefragt werden, drankommen

• **call out** v ausrufen, herausrufen; call sth out to s.o. jdm etw zurufen

• **call up** v 1. MIL einberufen, einziehen; 2. INFORM aufrufen

• **call upon** v auffordern, aufrufen

call-box ['kɔːlbɒks] sb (UK) Telefonzelle f

caller ['kɔːlə] sb 1. (on the telephone) Anrufer m; 2. (visitor) Besucher m

calm [kɑːm] v 1. ~ s.o. jdn beruhigen, jdn besänftigen; adj 2. ruhig, still, geruhsam; sb 3. Stille f, Ruhe f; 4. (in the weather) Windstille f, Flaute f

• **calm down** v (o.s.) sich beruhigen

calmness ['kɑːmnɪs] sb Ruhe f

calorie ['kælərɪ] sb Kalorie f

camel ['kæml] sb Kamel n

camera ['kæmərə] sb Kamera f, Fotoapparat m

camomile ['kæməmaɪl] sb BOT Kamille f

camouflage ['kæməflɑːʒ] v 1. tarnen; sb 2. Tarnung f

camp [kæmp] v 1. zelten, campen, kampieren; sb 2. Lager n, Lagerplatz m, Camp n

campaign [kæm'peɪn] v 1. (candidate) POL im Wahlkampf stehen; 2. (supporters) Wahlwerbung betreiben; sb 3. MIL Feldzug m, Kampagne f; 4. Kampagne f, Aktion f

camper ['kæmpə] sb 1. (person) Camper m; 2. (US: motor home) Wohnmobil n; 3. (US: travel trailer) Wohnwagen m

camping ['kæmpɪŋ] sb Camping n

camping ground ['kæmpɪŋgraʊnd] sb Campingplatz m, Zeltplatz m

campus ['kæmpəs] sb 1. (of a university) Campus m, Universitätsgelände n; 2. (of a school) Schulgelände n

can¹ [kæn] v irr 1. (be able to) können; 2. (be allowed to) dürfen, können

can² [kæn] v 1. (preserve in cans) in Büchsen konservieren, eindosen; 2. (fam: fire) (US) rausschmeißen; sb 3. Kanister m; 4. (US: tin) Büchse f, Dose f, Konservendose f

Canada ['kænədə] sb Kanada n

Canadian [kə'neɪdɪən] sb 1. Kanadier m; adj 2. kanadisch

canal [kə'næl] sb Kanal m

canary [kə'neərɪ] sb Kanarienvogel m

cancel ['kænsəl] v 1. streichen, durchstreichen; ~ each other out (fig) sich gegenseitig aufheben; 2. (a command) widerrufen, aufheben; 3. (call off) absagen; 4. (an order for goods) abbestellen, stornieren; 5. (a contract) annullieren, kündigen; 6. (ticket, stamp) entwerten; 7. (an invitation) zurücknehmen, jdn ausladen; 8. to be ~led nicht stattfinden

cancer ['kænsə] sb MED Krebs m

Cancer ['kænsə] sb (Zodiac sign) Krebs m

candid ['kændɪd] adj offen, ehrlich

candidacy ['kændɪdəsɪ] sb Kandidatur f

candidate ['kændɪdeɪt] sb 1. Kandidat m, Anwärter m; 2. (exam ~) Prüfling m

candle ['kændl] sb Kerze f; She can't hold a ~ to him. (fig) Sie kann ihm nicht das Wasser reichen. burn the ~ at both ends (fig) sich Tag und Nacht keine Ruhe gönnen

candy ['kændɪ] sb (US) Süßigkeiten pl

cane [keɪn] sb 1. (stick) Stock m, (walking stick) Spazierstock m; 2. BOT Rohr n

cannibal ['kænɪbəl] sb Kannibale m, Menschenfresser m

cannon ['kænən] sb Kanone f

canoe [kə'nu:] sb Kanu n

canon ['kænən] sb REL, MUS Kanon m

can opener ['kænəʊpənə] sb (US) Büchsenöffner m, Dosenöffner m

canteen [kæn'ti:n] sb 1. (restaurant) Kantine f; 2. (flask) Feldflasche f

canvas ['kænvəs] sb 1. Segeltuch n; 2. (artist's ~) Leinwand f

canyon ['kænjən] sb GEO Felsschlucht f

cap [kæp] sb 1. Mütze f, Kappe f, (nurse's ~) Haube f; ~ and gown Barett und Talar; 2. (bottle ~, lid) Deckel m, Verschluss m

capability [keɪpə'bɪlɪtɪ] sb Fähigkeit f

capable ['keɪpəbl] adj fähig, tüchtig; to be ~ of sth zu etw fähig sein

capacitate [kə'pæsɪteɪt] v befähigen

capacity [kə'pæsɪtɪ] sb 1. (ability) Fähigkeit f; 2. (role) Eigenschaft f; in an advisory ~ in beratender Funktion; 3. (content) Rauminhalt m, Inhalt m, Umfang m; 4. TECH Kapazität f

cape [keɪp] sb 1. Cape n, Umhang m; 2. GEO Kap n

caper ['keɪpə] sb 1. (escapade) Eskapade f, Streich m; 2. GAST Kaper f

capital ['kæpɪtl] sb 1. (city) Hauptstadt f; 2. FIN Kapital n; adj 3. ~ letter Großbuchstabe m

capital crime ['kæpɪtl kraɪm] sb JUR Kapitalverbrechen n

capitalism ['kæpɪtəlɪzm] sb POL Kapitalismus m

capitalist ['kæpɪtəlɪst] sb Kapitalist m

capital punishment ['kæpɪtl 'pʌnɪʃmənt] sb JUR Todesstrafe f

capitol ['kæpɪtəl] sb Kapitol n

capitulate [kə'pɪtjʊleɪt] v kapitulieren

capitulation [kəpɪtjʊ'leɪʃən] sb Kapitulation f

Capricorn ['kæprɪkɔ:n] sb Steinbock m

capsize ['kæpsaɪz] v NAUT kentern

captain ['kæptɪn] sb Kapitän m

captivate ['kæptɪveɪt] v bezaubern, faszinieren, gefangen nehmen (fig)

captive ['kæptɪv] sb 1.Gefangene(r) m/f; adj 2. gefangen; to be held ~ gefangen gehalten

capture ['kæptʃə] v 1. (prisoner) gefangen nehmen; 2. (treasure) erobern; 3. (a ship) kapern; 4. (fig) (s.o.'s likeness) einfangen, (s.o.'s interest) erregen; sb 5. Eroberung f

car [ka:] sb Auto n, Wagen m

caravan ['kærəvæn] sb 1. (desert ~) Karawane f; 2. (UK: motor vehicle) Wohnwagen m

carbonation [ka:bə'neɪʃən] sb (in a drink) Kohlensäure f

carbon dioxide ['ka:bən daɪ'ɒksaɪd] sb CHEM Kohlendioxyd n

carcass ['ka:kəs] sb 1. (of an animal) Kadaver m; 2. (of a person) Leiche f

card [ka:d] sb 1. Karte f; put one's ~s on the table (fig) seine Karten auf den Tisch legen; hold all the ~s (fig) alle Trümpfe in der Hand haben; play one's ~s right geschickt taktieren

cardigan ['ka:dɪgən] sb Strickjacke f

cardinal ['ka:dɪnl] sb REL Kardinal m

card index ['ka:dɪndeks] sb Kartei f

cardphone ['ka:dfəʊn] sb Kartentelefon n

care [keə] v 1. sich sorgen; 2. (mind) sich etwas daraus machen; for all I ~ meinetwegen, von mir aus; I don't ~. Das ist mir egal. sb 3. Sorge f, Kummer m; take ~ to do sth sich bemühen, etw zu tun; 4. (for the elderly, for children) Fürsorge f, Versorgung f, Betreuung f; take ~ of s.o. sich um jdn kümmern; 5. (custody) Obhut f, Gewahrsam m; 6. (attention to cleanliness) Pflege f; 7. (carefulness) Vorsicht f, Sorgfalt f; Take ~! (fam) Mach's gut! 8. take ~ of o.s. auf sich aufpassen; 9. take ~ of sth sich um etw kümmern

• **care for** v 1. (look after) sich kümmern um, versorgen, sorgen für; 2. (keep in good condition) pflegen

career [kəˈrɪə] *sb* Karriere *f*, Laufbahn *f*
carefree [ˈkeəfriː] *adj* sorglos
careful [ˈkeəful] *adj* 1. sorgfältig, sorgsam, genau; 2. *(cautious)* vorsichtig, achtsam
careless [ˈkeəlɪs] *adj* nachlässig, unvorsichtig, leichtsinnig
caress [kəˈres] *v* 1. liebkosen, streicheln, hätscheln; *sb* 2. Liebkosung *f*
caretaker [ˈkeəteɪkə] *sb* Hausmeister *m*
cargo [ˈkɑːgəʊ] *sb* Ladung *f*, Fracht *f*
Caribbean [kærɪˈbiːən] *sb* GEO Karibik *f*
caricature [ˈkærɪkətjʊə] *v* 1. karikieren; *sb* 2. Karikatur *f*
carnival [ˈkɑːnɪvəl] *sb* Karneval *m*, Volksfest *n*
carol [ˈkærəl] *sb* Lied *n*; *Christmas* ~ Weihnachtslied
carousel [kærəˈsel] *sb* Karussell *n*
carp [kɑːp] *v* 1. nörgeln, meckern; *sb* 2. ZOOL Karpfen *m*
carpenter [ˈkɑːpɪntə] *sb* Zimmermann *m*; *(for furniture)* Tischler *m*
carpet [ˈkɑːpɪt] *sb* Teppich *m*
car phone [kɑː fəʊn] *sb* Autotelefon *n*
carping [ˈkɑːpɪŋ] *adj* nörglerisch
carriage [ˈkærɪdʒ] *sb* 1. *(vehicle)* Kutsche *f*, Wagen *m*; 2. *(person's bearing)* Haltung *f*; 3. ~ *paid* ECO frachtfrei, franko
carrier [ˈkærɪə] *sb* 1. Träger *m*; 2. *(shipping firm)* Spediteur *m*
carrot [ˈkærət] *sb* Karotte *f*, Möhre *f*
carry [ˈkærɪ] *v* 1. tragen; 2. *(the cost of sth)* FIN bestreiten; 3. *(to be approved)* to be carried* durchgehen, genehmigt werden; 4. *(have on one's person)* bei sich haben; 5. *(ship goods)* ECO befördern; 6. ~ *too far* übertreiben; 7. *get carried away* sich hinreißen lassen; 8. ~ *weight* (*fig*) wichtig sein
• **carry off** *v* wegtragen
• **carry on** *v* 1. weitermachen, weiterarbeiten; *Carry on!* Weitermachen! Nur weiter! 2. ~ *with s.o.* (*have an affair*) es mit jdm treiben; 3. *(fam: make a scene)* eine Szene machen; 4. *(continue a certain thing)* fortsetzen
• **carry out** *v* ausführen, durchführen
• **carry through** *v* zu Ende bringen
cart [kɑːt] *sb* Karren *m*; *put the* ~ *before the horse* (*fig*) das Pferd am Schwanz aufzäumen
cartel [kɑːˈtel] *sb* ECO Kartell *n*
carton [ˈkɑːtən] *sb* Karton *m*
cartoon [kɑːˈtuːn] *sb* 1. Karikatur *f*; 2. *(film, TV)* Zeichentrickfilm *m*
cartoonist [kɑːˈtuːnɪst] *sb* 1. Karikaturist *m*; 2. *(film, TV)* Trickzeichner *m*

cartridge [ˈkɑːtrɪdʒ] *sb* Patrone *f*
carve [kɑːv] *v* 1. schnitzen; 2. *(meat)* tranchieren, aufschneiden
carvery [ˈkɑːvərɪ] *sb* Schnitzerei *f*, Skulptur *f*
car wash [ˈkɑːwɒʃ] *sb* Autowaschanlage *f*
case¹ [keɪs] *sb* 1. *(matter)* Fall *m*, Sache *f*; *as the* ~ *may be* je nachdem; *a* ~ *in point* ein treffendes Beispiel; *in that* ~ in dem Falle; *in any* ~ jedenfalls; *in each* ~ jeweils; 2. *in* ~ im Falle, falls; *just in* ~ für alle Fälle
case² [keɪs] *sb* 1. *(for glasses, for cigarettes)* Etui *n*; 2. *(for a weapon)* Hülse *f*; 3. *(for a musical instrument)* Kasten *m*; 4. *(briefcase)* Mappe *f*; 5. *(casing)* Gehäuse *n*; 6. *(packing* ~*)* Kiste *f*; 7. *(display* ~*)* Vitrine *f*, Schaukasten *m*
cash [kæʃ] *v* 1. einlösen, einkassieren; *sb* 2. Bargeld *n*; ~ *on delivery* per Nachnahme; *to be out of* ~ pleite sein, blank sein (*fam*)
• **cash in** *v* 1. *(chips)* einlösen; 2. ~ *on sth* aus etw Kapital schlagen
cash-box [ˈkæʃbɒks] *sb* Geldkassette *f*
cash card [kæʃ kɑːd] *sb* Bankautomatenkarte *f*
cash desk [ˈkæʃdesk] *sb* Kasse *f*
cashier [kæˈʃɪə] *sb* Kassierer *m*; ~*'s check* (*US*) Bankscheck *m*
cash payment [kæʃ ˈpeɪmənt] *sb* FIN Barzahlung *f*
cash point [ˈkæʃpɔɪnt] *sb* Kasse *f*
casino [kəˈsiːnəʊ] *sb* Spielkasino *n*
cassette [kəˈset] *sb* Kassette *f*
cassette recorder [kəˈsetrɪkɔːdə] *sb* Kassettenrecorder *m*
cast [kɑːst] *v irr* 1. werfen; *(a fishing line)* auswerfen; ~ *one's vote* seine Stimme abgeben; 2. THEAT besetzen; *sb* 3. *(mould)* Gussform *f*; 4. *(plaster* ~*)* Gipsverband *m*
casting [ˈkɑːstɪŋ] *sb* Besetzung *f*
castle [ˈkɑːsl] *sb* 1. Burg *f*, Schloss *n*; 2. *(chess piece)* Turm *m*
castrate [kæsˈtreɪt] *v* kastrieren
castration [kæsˈtreɪʃn] *sb* Kastration *f*
casual [ˈkæʒʊəl] *adj* 1. *(attitude)* gleichgültig; 2. *(remark)* beiläufig; 3. *(acquaintance, glance)* flüchtig; 4. *(informal)* salopp
casualty [ˈkæʒjʊltɪ] *sb* 1. Verunglückte(r) *m/f*; 2. MIL Gefallene(r) *m*
cat [kæt] *sb* ZOOL Katze *f*; *let the* ~ *out of the bag* (*fig*) die Katze aus dem Sack lassen; *He thinks he's the* ~*'s pyjamas.* Er hält sich für was besonderes.
catalogue [ˈkætəlɒg] *v* 1. katalogisieren; *sb* 2. Katalog *m*, Verzeichnis *n*

catalyst ['kætəlɪst] sb Katalysator m
catapult ['kætəpʌlt] sb 1. Katapult m/n, Wurfmaschine f; v 2. katapultieren
catastrophe [kə'tæstrəfɪ] sb Katastrophe f
catastrophic [kætəs'trɒfɪk] adj katastrophal
catch [kætʃ] v irr 1. fangen, auffangen; ~ s.o.'s eye,~ s.o.'s attention jds Aufmerksamkeit auf sich lenken; 2. (~ hold of) erfassen, greifen; 3. (take by surprise) erwischen; ~ s.o. in the act jdn auf frischer Tat ertappen; (a criminal) schnappen, erwischen; 4. (a plane, a train, a bus) erreichen; 5. (fam: understand something said) mitkriegen; 6. (a disease) davontragen, zuziehen; sb 7. Fang m; 8. (latch) Verriegelung f, Riegel m; 9. (fastening device) Verschluss m
• catch on v irr 1. (fam) schalten, kapieren; 2. (fam: become popular) Mode werden
• catch up v irr 1. ~ to s.o. jdn einholen; 2. to be caught up in sth in etw verwickelt sein; 3. ~ on nachholen, aufarbeiten
catcher ['kætʃə] sb Fänger m
catchword ['kætʃwɜːd] sb Schlagwort n
catechism ['kætɪkɪzəm] sb REL Katechismus m
categorical [kætɪ'gɒrɪkl] adj kategorisch
category ['kætɪgərɪ] sb Kategorie f
catering ['keɪtərɪŋ] sb Bewirtung f
caterpillar ['kætəpɪlə] sb ZOOL Raupe f
cathedral [kə'θiːdrəl] sb Kathedrale f
cathode ['kæθəʊd] sb Kathode f
Catholic ['kæθlɪk] sb 1. REL Katholik m; adj 2. REL katholisch
Catholicism [kə'θɒlɪsɪzəm] sb REL Katholizismus m
catnap ['kætnæp] sb Nickerchen n
cattle ['kætl] sb Vieh n, Rindvieh n
cauliflower ['kɒlɪflaʊə] sb Blumenkohl m
causal ['kɔːzl] adj ursächlich, kausal
cause [kɔːz] v 1. verursachen, anstiften, bewirken; ~ s.o. to do sth jdn veranlassen, etw zu tun; sb 2. Ursache f; ~ and effect Ursache und Wirkung; 3. (reason) Grund m, Anlass m, Veranlassung f; There's no ~ for alarm. Es besteht kein Anlass zur Aufregung. 4. (ideal) Sache f; make common ~ with gemeinsame Sache machen mit; lost ~ aussichtslose Sache
causeway ['kɔːzweɪ] sb Damm m
caution ['kɔːʃən] v 1. warnen; 2. (officially) verwarnen; sb 3. Vorsicht f, Behutsamkeit f; 4. (warning) Warnung f; (official ~) Verwarnung f; interj 5. Achtung!

cautious ['kɔːʃəs] adj vorsichtig
cavalier [kævə'lɪə] sb 1. Kavalier m; adj 2. unbekümmert
cave [keɪv] sb 1. Höhle f; v 2. ~ in einstürzen; 3. ~ in (fig: yield) nachgeben
cavern ['kævən] sb Höhle f
cavernous ['kævənəs] adj tief, hohl
caviar(e) ['kævɪɑː] sb GAST Kaviar m
cavity ['kævɪtɪ] sb 1. Hohlraum m, Höhlung f; 2. (in tooth) Loch n
CD player [siː'diːpleɪə] sb CD-Spieler m
CD-ROM [siːdiː'rɒm] sb INFORM CD-ROM f
cease [siːs] v 1. aufhören, enden; 2. (fire, payments) einstellen
cease-fire ['siːsfaɪə] sb Waffenstillstand m, Waffenruhe f
cedar ['siːdə] sb BOT Zeder f
ceiling ['siːlɪŋ] sb Decke f; hit the ~ (fam) an die Decke gehen
celebrate ['selɪbreɪt] v feiern, begehen; (Catholic mass) zelebrieren
celebration [selɪ'breɪʃən] sb Fest n Feier f,
celebrity [sɪ'lebrɪtɪ] sb Berühmtheit f, berühmte Persönlichkeit f
celerity [sɪ'lerɪtɪ] sb Geschwindigkeit f
celestial [sɪ'lestɪəl] adj himmlisch, Himmels...
celibacy ['selɪbəsɪ] sb REL Zölibat n/m
cell [sel] sb Zelle f
cellar ['selə] sb Keller m
cellist ['tʃelɪst] sb MUS Cellist m
cello ['tʃeləʊ] sb MUS Cello n
cellular phone [seljʊlə'fəʊn] sb Funktelefon n
cellulose ['seljʊləʊs] sb Zellstoff m, Zellulose f
Celsius ['selsɪəs] adj Celsius
cement [sɪ'ment] v 1. zementieren; 2. (fig) festigen; sb 3. Zement m; 4. (concrete) Beton m
cemetery ['semɪtrɪ] sb Friedhof m
censor ['sensə] v 1. POL zensieren; sb 2. Zensor m
censorship ['sensəʃɪp] sb POL Zensur f
census ['sensəs] sb Zensus m, Volkszählung f
cent [sent] sb US Cent m
centenary [sen'tiːnərɪ] sb 1. (centennial) hundertster Jahrestag m, hundertster Geburtstag m; 2. (century) Jahrhundert n
center (US: see „centre")
centigrade ['sentɪgreɪd] adj degrees ~ Grad Celsius

centimetre ['sentɪmiːtə] *sb* Zentimeter *m*

central ['sentrəl] *adj* zentral, Zentral..., Haupt...

Central America ['sentrəl ə'merɪkə] *sb* GEO Mittelamerika *n*

central bank ['sentrəl bæŋk] *sb* FIN Zentralbank *f*

Central Europe ['sentrəl 'juərəp] *sb* GEO Mitteleuropa *n*

central heating ['sentrəl 'hiːtɪŋ] *sb* Zentralheizung *f*

centralism ['sentrəlɪzəm] *sb* Zentralismus *m*

centre ['sentə] *sb* 1. Zentrum *n*, Mittelpunkt *m*; *v* 2. ~ on (fig) sich drehen um

centric ['sentrɪk] *adj* zentral

centrifuge ['sentrɪfjuːʒ] *sb* Zentrifuge *f*

century ['sentjuːrɪ] *sb* Jahrhundert *n*

ceramic [sɪ'ræmɪk] *sb* Keramik *f*

cereal ['sɪərɪəl] *sb* 1. (breakfast ~) Frühstücksflocken *pl*; 2. ~s *pl* AGR Getreide *n*

ceremonial [serɪ'məʊnɪəl] *adj* zeremoniell

ceremony ['serɪmənɪ] *sb* Zeremonie *f*

certain ['sɜːtən] *adj* 1. (thing) sicher, bestimmt, gewiss; 2. (person) sicher, überzeugt, gewiss; make ~ sich vergewissern; I know for ~. Ich bin mir ganz sicher. That's for ~. Das ist sicher. 3. (not named) gewiss; a ~ Mr. Presley ein gewisser Herr Presley

certainly ['sɜːtənlɪ] *adv* bestimmt

certainty ['sɜːtəntɪ] *sb* 1. (sure fact) Sicherheit *f*, Bestimmtheit *f*, Gewissheit *f*; 2. (in one's mind) Überzeugung *f*

certificate [sɜː'tɪfɪkɪt] *sb* Bescheinigung *f*, Urkunde *f*, Attest *n*

certification [sɜːtɪfɪ'keɪʃən] *sb* Bescheinigung *f*, Beurkundung *f*, Beglaubigung *f*

certified ['sɜːtɪfaɪd] *adj* bescheinigt, bestätigt, beglaubigt

certify ['sɜːtɪfaɪ] *v* 1. bescheinigen, bestätigen; this is to ~ hiermit wird bescheinigt; 2. beglaubigen

certitude ['sɜːtɪtjuːd] *sb* Gewissheit *f*, Sicherheit *f*

chain [tʃeɪn] *v* 1. (sth) mit einer Kette befestigen; (door) durch eine Kette sichern; 2. (s.o., an animal) anketten; *sb* 3. Kette *f*

chair [tʃeə] *sb* 1. Stuhl *m*, Sessel *m*; 2. (professorship) Lehrstuhl *m*; 3. (chairmanship) Vorsitz *m*

chairman ['tʃeəmən] *sb* 1. Vorsitzende(r) *m/f*; 2. (~ of the board) ECO Vorstandsvorsitzende(r) *m/f*

chalk [tʃɔːk] *sb* 1. Kreide *f*; as different as ~ and cheese grundverschieden; 2. ~ up (fam) ankreiden

challenge ['tʃælɪndʒ] *v* 1. (s.o.) herausfordern; 2. (authority) anfechten; 3. (dispute, take issue with) anfechten, bestreiten; 4. JUR anfechten; 5. (make demands on) fordern, reizen; *sb* 6. Herausforderung *f*; 7. (to reach a goal) Aufruf *m*, Aufforderung *f*; 8. (to a duel) Forderung *f*; 9. JUR Anfechtung *f*

challenger ['tʃælɪndʒə] *sb* Herausforderer *m*

chamber ['tʃeɪmbə] *sb* 1. (room) Raum *m*, Zimmer *n*, Kammer *f*; 2. (of a revolver, of parliament) Kammer *f*; 3. (of the heart) ANAT Herzkammer *f*, Kammer *f*; 4. ~s *pl* (of a solicitor) Kanzlei *f*

chamber music ['tʃeɪmbəmjuːzɪk] *sb* Kammermusik *f*

chamber orchestra ['tʃeɪmbə 'ɔːkɪstrə] *sb* MUS Kammerorchester *n*

chamois ['ʃæmwɑː] *sb* 1. (for cleaning windows) Fensterleder *n*; 2. ZOOL Gämse *f*

champagne [ʃæm'peɪn] *sb* Sekt *m*; (French ~) Champagner *m*

champion ['tʃæmpɪən] *sb* 1. SPORT Meister *m*, Champion *m*; 2. (of a cause) Vorkämpfer *m*, Verfechter *m*

championship ['tʃæmpɪənʃɪp] *sb* SPORT Meisterschaft *f*

chance [tʃɑːns] *sb* 1. (possibility) Chance *f*, Aussicht *f*, Möglichkeit *f*; by any ~ zufällig; She doesn't stand a ~. Sie hat keine Chance. 2. (coincidence) Zufall *m*; by ~ zufällig; game of ~ Glücksspiel *n*; leave sth to ~ etw dem Zufall überlassen; 3. (risk) Risiko *n*; take no ~s nichts riskieren; 4. game of ~ Glücksspiel *n*; *v* 5. riskieren; 6. ~ upon sth etw zufällig finden; *adj* 7. zufällig

chancel ['tʃɑːnsəl] *sb* ARCH Chor *m*

chancellor ['tʃɑːnsələ] *sb* POL Kanzler *m*

chancellorship ['tʃɑːnsələʃɪp] *sb* POL Kanzleramt *n*

change [tʃeɪndʒ] *v* 1. (undergo a ~) sich ändern, sich verändern; 2. (to another bus, train, plane) umsteigen; 3. (put on different clothes) sich umziehen, sich umkleiden; 4. (sth) ändern, verändern, wandeln; 5. (transform) verwandeln, umwandeln; 6. (by substitution) wechseln; ~ hands den Besitzer wechseln; ~ the sheets die Bettwäsche wechseln; ~ the subject das Thema wechseln; ~ places with s.o. den Platz mit jdm tauschen; 7. (a tyre) auswechseln; 8. (money: into smaller de-

nominations) wechseln; 9. *(money: into another currency)* umtauschen; 10. *(a baby)* wickeln, trockenlegen; *sb* 11. Veränderung *f*, Änderung *f*; *- for the better* Besserung *f*, Verbesserung *f*; 12. *(transformation)* Verwandlung *f*; 13. *(replacement)* Wechsel *m*; 14. *(variety)* Abwechslung *f*; 15. *(money)* Wechselgeld *n*; 16. *(small -)* Kleingeld *n*
• **change over** *v* 1. *(to a new system)* sich umstellen; 2. *(television)* umschalten
changeover ['tʃeɪndʒəʊvə] *sb* Wechsel *m*, Umstellung *f*
changing-room ['tʃeɪndʒɪŋruːm] *sb* Umkleideraum *m*, Umkleidekabine *f*
channel ['tʃænl] *sb* 1. *(TV)* Kanal *m*, Programm *n*; 2. *(strait)* Rinne *f*; *the English Channel* der Ärmelkanal *m*
Channel Islands ['tʃænl 'aɪləndz] *sb* GEO Kanalinseln *pl*
channel surfing ['tʃænlsɜːfɪŋ] *sb* Zapping *n*, ständiges Umschalten *n*
chant [tʃɑːnt] *v* 1. *(sth)* rhythmisch rufen; *sb* 2. Gesang *m*; 3. *(by sports fans)* Sprechchor *m*
chaos ['keɪɒs] *sb* Chaos *n*
chaotic [keɪ'ɒtɪk] *adj* chaotisch
chap [tʃæp] *sb (fam) (UK)* Kerl *m*, Typ *m*
chapel ['tʃæpəl] *sb* REL Kapelle *f*
chapter ['tʃæptə] *sb* Kapitel *n*
character ['kærɪktə] *sb* 1. *(nature of sth)* Charakter *m*; 2. *(nature of a person)* Wesen *n*; *It is out of -.* Es paßt nicht. Es ist untypisch. 3. *(strength of -)* Charakter *m*; 4. *(fam: fellow)* Typ *m*; 5. *(fictional -)* Figur *f*, Gestalt *f*; 6. *INFORM* Zeichen *n*
characteristic [kærɪktə'rɪstɪk] *adj* 1. charakteristisch, bezeichnend, typisch; *sb* 2. charakteristisches Merkmal *n*, Eigenschaft *f*
characterization [kærɪktəraɪ'zeɪʃən] *sb* Beschreibung *f*, Charakterisierung *f*
characterize ['kærɪktəraɪz] *v* 1. *(describe)* beschreiben; 2. *(to be characteristic of)* charakterisieren, kennzeichnen, prägen
charade [ʃə'rɑːd] *sb* 1. Scharade *f*; 2. *(fig)* Farce *f*
charge [tʃɑːdʒ] *v* 1. *(attack)* stürmen, angreifen; 2. *(accuse)* anschuldigen, beschuldigen, bezichtigen; 3. *- s.o. with a task* jdn mit einer Arbeit beauftragen; 4. *(ask in payment)* berechnen, anrechnen; *(set as the price)* fordern; *- s.o. for sth* jdn mit etw belasten, jdm etw in Rechnung stellen; 5. *(arrange to be billed for)* in Rechnung stellen lassen, anschreiben lassen; *- sth to s.o.* etw auf

Rechnung eines anderen kaufen; 6. *(a battery)* laden, aufladen; *sb* 7. *(attack)* Angriff *m*; *sound the -* zum Angriff blasen; 8. *(accusation)* Anschuldigung *f*, Beschuldigung *f*, Belastung *f*; 9. *(official accusation)* JUR Anklage *f*; *(in a civil case)* Klage *f*; *press -s against s.o.* gegen jdn Anzeige erstatten; 10. *(fee)* Gebühr *f*; *free of -* kostenlos; 11. *(electric -)* Ladung *f*; *get a - out of sth (fig)* an etw mächtig Spaß haben; 12. *(explosive -)* Sprengladung *f*, Ladung *f*; 13. *in -* verantwortlich; *put s.o. in - of sth* jdm die Leitung übertragen; *Who's in - here?* Wer ist hier der Verantwortliche?
charisma [kə'rɪzmə] *sb (fig)* Ausstrahlung *f*, Charisma *n*
charismatic [kæriz'mætɪk] *adj* charismatisch
charitable ['tʃærɪtəbl] *adj* 1. *(organization)* Wohltätigkeits ..., gemeinnützig, wohltätig; 2. *(lenient, not harsh)* freundlich, nachsichtig
charity ['tʃærɪtɪ] *sb* 1. *(benevolence)* Nächstenliebe *f*; 2. *(organization)* karitative Organisation *f*; 3. *(philanthropy)* Almosen *pl*
charm [tʃɑːm] *v* 1. *(delight)* bezaubern, entzücken, reizen; *sb* 2. Charme *m*, Reiz *m*, Anziehungskraft *f*; 3. *(object)* Amulett *n*
charming ['tʃɑːmɪŋ] *adj* charmant, entzückend, bezaubernd
chart [tʃɑːt] *sb* 1. Tabelle *f*; 2. *(map)* Karte *f*; 3. *(diagram)* Schaubild *n*
charter ['tʃɑːtə] *v (plane, bus, ship)* chartern, mieten
charter flight ['tʃɑːtəflaɪt] *sb* Charterflug *m*
charter member ['tʃɑːtə'membə] *sb* Gründungsmitglied *n*
charwoman ['tʃɑːwʊmən] *sb* Putzfrau *f*
chase [tʃeɪs] *v* 1. jagen, verfolgen, *(- women)* nachlaufen; 2. *- away* fortjagen, wegjagen, verjagen; *sb* 3. Verfolgungsjagd *f*, *(hunt)* Jagd *f*
chasm ['kæzəm] *sb* Kluft *f*, Abgrund *m*
chastity ['tʃæstɪtɪ] *sb* Keuschheit *f*
chat [tʃæt] *v* 1. plaudern, schwatzen; 2. *INFORM* chatten
• **chat up** *v (fam)* anmachen, anquatschen
chat show [tʃæt ʃəʊ] *sb* Talkshow *f*
chatter ['tʃætə] *v* 1. *(teeth)* klappern; 2. *(talk)* plappern
chatterbox ['tʃætəbɒks] *sb (fam)* Quasselstrippe *f*
chauffeur ['ʃəʊfə] *sb* Chauffeur *m*, Fahrer *m*
chauvinist ['ʃəʊvɪnɪst] *sb* *male -* männlicher Chauvinist *m*

cheap [tʃi:p] *adj* billig

cheat [tʃi:t] *v* 1. betrügen, *(in a game)* mogeln; 2. *(be unfaithful)* fremdgehen; 3. *(in school)* abschreiben; 4. *(s.o.)* betrügen; *sb* 5. Betrüger *m*, Schwindler *m*

check [tʃek] *v* 1. *(make sure)* nachprüfen; *(figures)* nachrechnen; 2. *(examine)* prüfen, kontrollieren, nachsehen; 3. *(US: coat)* abgeben; 4. *(hinder)* hemmen; *sb* 5. hold in ~ in Schranken halten, dämmen; 6. keep sth in ~ etw in Schranken halten, etw zügeln; 7. *(examination)* Kontrolle *f*, Überprüfung *f*; 8. *(US: cheque)* Scheck *m*; 9. *(US: bill)* Rechnung *f*

• **check in** *v* sich anmelden, *(at an airport)* einchecken

• **check out** *v* 1. *(US: of a hotel)* abreisen; 2. *(investigate)* nachprüfen

checker ['tʃekə] *sb (cashier)* Kassierer *m*

checkers ['tʃekəz] *sb (US)* Damespiel *n*

checkmate ['tʃekmeit] *sb* Schachmatt *n*

checkpoint ['tʃekpɔint] *sb* Kontrollpunkt *m*

check-up ['tʃekʌp] *sb* MED Untersuchung *f*, Check-up *m*; Nachuntersuchung *f*

cheek [tʃi:k] *sb* Backe *f*, Wange *f*

cheeky ['tʃi:ki] *adj* frech, dreist, keck

cheer [tʃiə] *v* 1. jubeln, Beifall spenden, jauchzen; 2. ~ for s.o. jdm jubeln, jdm Beifall spenden, jdm anfeuernd zurufen; 3. *(sth)* bejubeln; *sb* 4. Beifallsruf *m*; Three ~s for him! Ein dreifaches Hoch auf ihn! *interj* 5. Cheers! *(your health)* Prost!

• **cheer up** *v* 1. *(grow cheerful)* wieder fröhlich werden; Cheer up! Kopf hoch! 2. cheer s.o. up jdn aufheitern

cheerful ['tʃiəful] *adj* fröhlich, heiter

cheerio ['tʃiəri'əʊ] *interj (UK)* tschüss

cheerless ['tʃiəlis] *adj* trostlos, trübsinnig

cheers [tʃiəz] *interj* Prost!

cheese [tʃi:z] *sb* GAST Käse *m*

cheetah ['tʃi:tə] *sb* ZOOL Gepard *m*

chef [ʃef] *sb* Küchenchef *m*

chemical ['kemikəl] *sb* 1. Chemikalie *f*; *adj* 2. chemisch

chemise [ʃə'mi:z] *sb* Unterhemd *n*

chemist ['kemist] *sb* 1. *(scientist)* Chemiker *m*; 2. *(UK: dispensing ~)* Apotheker *m*

chemistry ['kemistri] *sb* Chemie *f*

chemist's shop ['kemists ʃɒp] *sb* Apotheke *f*

cheque [tʃek] *sb (UK)* Scheck *m*; pay by ~ mit einem Scheck bezahlen

cheque card ['tʃekkɑ:d] *sb* Scheckkarte *f*

chequered ['tʃekəd] *adj* 1. kariert; 2. *(fig: past, career)* bewegt

cherish ['tʃeriʃ] *v* 1. *(hold dear)* schätzen; 2. *(take care of)* sorgen für

cherry ['tʃeri] *sb* BOT Kirsche *f*

chess [tʃes] *sb* Schach *n*

chest [tʃest] *sb* 1. *(box, case)* Truhe *f*, Kiste *f*; 2. ~ of drawers Kommode *f*; 3. ANAT Brust *f*, Brustkasten *m*

chestnut ['tʃesnət] *sb* Kastanie *f*

chesty ['tʃesti] *adj (hoarse)* rau, heiser

chew [tʃu:] *v* kauen; ~ the fat *(fig)* plaudern; ~ over sth *(fam)* etw bequatschen; ~ over sth *(in one's mind)* sich etw durch den Kopf gehen lassen

chewing gum ['tʃu:iŋ gʌm] *sb* Kaugummi *m*

chic [ʃi:k] *adj* schick

chicken ['tʃikən] *sb* 1. Huhn *n*; count one's ~s before they're hatched den Tag vor dem Abend loben; *adj* 2. *(fam: cowardly)* feig; *v* 3. ~ out kneifen, den Schwanz einziehen *(fam)*

chicken-pox ['tʃikənpɒks] *sb* MED Windpocken *pl*

chide [tʃaid] *v irr* schelten, tadeln

chief [tʃi:f] *sb* 1. Haupt... *sb* 2. Leiter *m*, Chef *m*, Anführer *m*; 3. Häuptling *m*

child [tʃaild] *sb* Kind *n*; with ~ schwanger; ~'s play *(fig)* ein Kinderspiel *n*

childcare ['tʃaildkeə] *sb* Kinderbetreuung *f*

childhood ['tʃaildhʊd] *sb* Kindheit *f*

childish ['tʃaildiʃ] *adj* kindisch

childlike ['tʃaildlaik] *adj* kindlich

child minder ['tʃaildmaində] *sb* Tagesmutter *f*, Kinderfrau *f*

chill [tʃil] *sb* 1. *(feeling)* Kaltgefühl *n*; cast a ~ upon abkühlen; 2. *(in the air)* Frische *f*

chilly ['tʃili] *adj* kalt, frostig, kühl

chimney ['tʃimni] *sb* Schornstein *m*, Schlot *m*, Kamin *m*; smoke like a ~ rauchen wie ein Schlot

chimney-sweep ['tʃimni swi:p] *sb* Schornsteinfeger *m*, Kaminkehrer *m*

chimpanzee [tʃimpæn'zi:] *sb* ZOOL Schimpanse *m*

chin [tʃin] *sb* Kinn *n*; keep one's ~ up sich nicht unterkriegen lassen; take it on the ~ *(fig)* eine böse Pleite erleben

china ['tʃainə] *sb* Porzellan *n*

China ['tʃainə] *sb* GEO China *n*

chinaware ['tʃainəweə] *sb (porcelain)* Porzellan *n*

Chinese [tʃai'ni:z] *sb* 1. *(language)* Chinesisch *n*; 2. *(person)* Chinese/Chinesin *m/f*; *adj* 3. chinesisch

chink [tʃɪŋk] *sb* Riss *m*, Spalte *f*; *the ~ in his armour* sein schwacher Punkt
chip [tʃɪp] *v 1. (become ~ped)* angeschlagen werden; *sb 2.* Splitter *m; (of wood)* Span *m; a ~ off the old block* ganz der Vater; *3. INFORM* Chip *n; 4. (poker ~)* Chip *m*, Spielmarke *f; when the ~s are down* wenn es drauf ankommt; *5. (fig) (chance to choose, act* of choosing) Wahl *f; make a ~, take one's ~s* abkratzen; *6. ~s pl (UK) GAST* Pommes frites *pl; 7. (US) GAST* Chip *m*
• **chip in** *v* beitragen
chirp [tʃɜːp] *v 1. (birds)* zwitschern; *2. (crickets)* zirpen
chisel ['tʃɪzl] *sb* Meißel *m*, Beitel *m*
chit [tʃɪt] *sb* Gutschein *m*
chit-chat ['tʃɪttʃæt] *sb* Geschwätz *n*
chives [tʃaɪvz] *pl GAST* Schnittlauch *m*
chlorine ['klɔːriːn] *sb CHEM* Chlor *n*
chocolate ['tʃɒklɪt] *sb* Schokolade *f*
choice [tʃɔɪs] *sb 1. (variety to choose from)* Auswahl *f; 2. (chance to choose, act of choosing)* Wahl *f; make a ~, take one's ~* wählen, eine Wahl treffen; *have Hobson's ~* überhaupt keine Wahl haben; *You have no ~.* Sie haben keine andere Wahl. *adj 3.* vorzüglich; *(words)* gewählt
choir ['kwaɪə] *sb* Chor *m*
choirmaster ['kwaɪəmɑːstə] *sb MUS* Chorleiter *m*
choke [tʃəʊk] *v 1.* ersticken, sich verschlucken; *~ on* ersticken an; *2. (~ s.o.)* würgen, erwürgen, erdrosseln; *3. ~ back (tears, laughter)* unterdrücken; *4. TECH* drosseln
choleric ['kɒlərɪk] *adj* cholerisch
choose [tʃuːz] *v irr 1. (make a choice)* wählen; *2. (select sth)* aussuchen, auswählen
chop [tʃɒp] *sb 1. (karate)* Karateschlag *m; 2. GAST* Kotelett *n; v 3. (wood)* hacken; *(food)* klein schneiden
• **chop down** *v (a tree)* fällen
• **chop off** *v* abhacken, abschlagen
• **chop up** *v* zerhacken, zerkleinern
chopper ['tʃɒpə] *sb (US: helicopter)* Hubschrauber *m*
chord [kɔːd] *sb MUS* Akkord *m*
chore [tʃɔː] *sb 1. ~s pl* Hausarbeit *f; 2. (fig)* lästige Pflicht *f*
chorea [kɒ'rɪə] *sb MED* Veitstanz *m*
choreograph ['kɒrɪəgrɑːf] *v* choreografieren
choreographer [kɒrɪ'ɒɡrəfə] *sb* Choreograf *m*
choreography [kɒrɪ'ɒɡrəfɪ] *sb* Choreografie *f*

chorus ['kɔːrəs] *sb 1. MUS (refrain)* Refrain *m; 2. (group)* Chor *m*
Christ [kraɪst] *sb REL* Christus *m; before ~ (B.C.)* vor Christi Geburt (v.Chr.)
christen ['krɪsn] *v REL* taufen
Christendom ['krɪsndəm] *sb REL* Christenheit *f*
christening ['krɪsnɪŋ] *sb REL* Taufe *f*
Christian ['krɪstʃən] *sb 1. REL* Christ *m; adj 2. REL* christlich
Christianity [krɪstɪ'ænɪtɪ] *sb REL* Christentum *n*
Christian name ['krɪstʃən neɪm] *sb* Vorname *m*
Christmas ['krɪsməs] *sb* Weihnachten *n*
Christmas carol ['krɪsməs 'kærəl] *sb* Weihnachtslied *n*
Christmas Eve ['krɪsməs iːv] *sb* Heiligabend *m*
Christmas pudding ['krɪsməs 'pʊdɪŋ] *sb GAST* Plumpudding *m*
Christmas tree ['krɪsməs triː] *sb* Weihnachtsbaum *m*, Christbaum *m*
chrome [krəʊm] *sb CHEM* Chrom *n*
chromosome ['krəʊməsəʊm] *sb BIO* Chromosom *n*
chronic ['krɒnɪk] *adj* chronisch
chronicle ['krɒnɪkl] *sb 1.* Chronik *f; v 2.* aufzeichnen
chronological [krɒnə'lɒdʒɪkəl] *adj* chronologisch; *sb ~ order* zeitliche Reihenfolge
chuck [tʃʌk] *v (toss)* schmeißen, werfen
• **chuck in** *v (fam)* an den Nagel hängen, das Handtuch werfen
• **chuck out** *v (fam)* rauswerfen, wegwerfen
chuckle ['tʃʌkl] *v* glucksen, lachen
chum [tʃʌm] *sb (fam)* Kumpel *m*, Kamerad *m*
chummy ['tʃʌmɪ] *adj 1. (with one another)* dick befreundet; *2. (person: overly ~)* plump vertraulich
chunk [tʃʌŋk] *sb* Klotz *m*, Brocken *m*
chunter ['tʃʌntə] *v* murren, grummeln
church [tʃɜːtʃ] *sb* Kirche *f*
church service ['tʃɜːtʃsɜːvɪs] *sb REL* Gottesdienst *m*
churlish ['tʃɜːlɪʃ] *adj* mürrisch, ungehobelt
churn [tʃɜːn] *v 1. (butter)* buttern; *2. (fam: stomach)* den Magen umdrehen
chute [ʃuːt] *sb* Rutsche *f*, Rutschbahn *f*
cigar [sɪ'gɑː] *sb* Zigarre *f*
cigarette [sɪɡə'ret] *sb* Zigarette *f*
cinders ['sɪndəz] *pl* Asche *f*
cinema ['sɪnəmə] *sb 1. CINE* Kino *n; 2. (films in general) CINE* Film *m*

cinnamon ['sɪnəmən] *sb* Zimt *m*
cipher ['saɪfə] *sb (code)* Chiffre *f*, Code *m*
circle ['sɜːkl] *sb* 1. Kreis *m; come full ~* zum Ausgangspunkt zurückkehren; *the inner ~* der innere Kreis; *v* 2. kreisen
circuit ['sɜːkɪt] *sb* 1. *(journey around)* Rundgang *m*, Rundreise *f;* 2. *(electrical)* Stromkreis *m; (device)* Schaltung *f*
circular ['sɜːkjʊlə] *adj* 1. rund, kreisförmig; *sb* 2. *(advertisement)* Wurfsendung *f*
circulate ['sɜːkjʊleɪt] *v* 1. *(blood, money)* fließen; 2. *(news: get around)* in Umlauf sein, kursieren, sich verbreiten; 3. *(at a party)* die Runde machen; 4. *(spread sth) (a rumour)* in Umlauf setzen; *(a memo)* zirkulieren lassen
circulation [sɜːkjʊ'leɪʃən] *sb* 1. Kreislauf *m*, Zirkulation *f; out of ~* außer Kurs; *She's back in ~. (fam)* Sie mischt wieder mit. 2. *(of a rumour)* Verbreitung *f*, Kursieren *n;* 3. *(number of copies sold)* Auflagenziffer *f*
circulatory system ['sɜːkjʊlətərɪ ˈsɪstəm] *sb* ANAT Kreislauf *m*, Blutkreislauf *m*
circumference [sɜː'kʌmfərəns] *sb* Umkreis *m*
circumfuse [sɜːkəm'fjuːz] *v* verbreiten, erfüllen
circumspect ['sɜːkəmspekt] *adj* umsichtig
circumstance ['sɜːkəmstəns] *sb* Umstand *m; under no ~s* auf keinen Fall; *under the ~s* unter diesen Umständen; *~ s pl (financial state)* Vermögensverhältnisse *pl*
circus ['sɜːkəs] *sb* 1. Zirkus *m;* 2. *(UK: square)* Platz *m*
citation [saɪ'teɪʃən] *sb* 1. JUR Vorladung *f;* 2. *(honor)* ehrenvolle Erwähnung *f*
cite [saɪt] *v* zitieren, anführen
citizen ['sɪtɪzn] *sb* 1. Bürger *m;* 2. *(of a country)* Staatsangehörige(r) *m/f*
citizenship ['sɪtɪznʃɪp] *sb* Staatsangehörigkeit *f*
city ['sɪtɪ] *sb* Stadt *f*
city council ['sɪtɪ 'kaʊnsl] *sb* Stadtrat *m*
city hall ['sɪtɪhɔːl] *sb* Rathaus *n*
civic ['sɪvɪk] *adj* 1. städtisch; 2. JUR bürgerlich
civic centre ['sɪvɪksentə] *sb* Stadtverwaltung *f*
civil ['sɪvl] *adj* 1. *(polite)* höflich, manierlich; 2. JUR zivil, bürgerlich
civil code ['sɪvl kəʊd] *sb* JUR bürgerliches Gesetzbuch *n*
civil engineer ['sɪvl endʒə'nɪə] *sb* Bauingenieur *m*

civilian [sɪ'vɪlɪən] *sb* Zivilist *m*
civility [sɪ'vɪlɪtɪ] *sb* Höflichkeit *f*
civilization [sɪvɪlaɪ'zeɪʃən] *sb* Zivilisation *f*, Kultur *f*
civilized ['sɪvɪlaɪzd] *adj* zivilisiert; *(cultured)* kultiviert
civil law ['sɪvl lɔː] *sb* Zivilrecht *n*
civil rights ['sɪvl 'raɪts] *pl* POL bürgerliche Ehrenrechte *pl*
civil servant ['sɪvl 'sɜːvənt] *sb* Beamte/Beamtin *m/f*, Staatsbeamte(r) *m/f*
civil service ['sɪvl 'sɜːvɪs] *sb* MIL Staatsdienst *m*
civil war [sɪvl'wɔː] *sb* Bürgerkrieg *m*
clack [klæk] *v* klappern
claim [kleɪm] *v* 1. *(assert)* behaupten; 2. *(demand)* fordern, Anspruch erheben auf, beanspruchen; *sb* 3. *(assertion)* Behauptung *f;* 4. *(demand)* Anspruch *m*, Forderung *f; lay ~ to sth* auf etw Anspruch erheben
clamber ['klæmbə] *v* klettern
clammy ['klæmɪ] *adj* klamm, feuchtkalt
clamp [klæmp] *sb* 1. Klemme *f; v* 2. *~ down* einschreiten, durchgreifen
clan [klæn] *sb* Clan *m*, Sippe *f*
clang [klæŋ] *sb* Klirren *n*
clangour ['klæŋgə] *sb* Klirren *n*
clank [klæŋk] *v* klirren
clap [klæp] *v (applaud)* Beifall klatschen
clapperboard ['klæpəbɔːd] *sb* CINE Klappe *f*
claptrap ['klæptræp] *sb* Gewäsch *n*
clarification [klærɪfɪ'keɪʃən] *sb* Klärung *f*, Klarstellung *f*
clarify ['klærɪfaɪ] *v* klären
clarinet [klærɪ'net] *sb* MUS Klarinette *f*
clarity ['klærɪtɪ] *sb* Klarheit *f*
clash [klæʃ] *v* 1. *(collide)* zusammenstoßen, zusammenprallen; 2. *(swords)* klirren; 3. *(clothes)* nicht zusammenpassen, sich beißen *(fam)*; 4. *(argue)* aneinander geraten; *sb* 5. Zusammenstoß *m*, Kollision *f*
clasp [klɑːsp] *v* 1. *~ one's hands* die Hände falten; *~ s.o.'s hand* jds Hand ergreifen; *sb* 2. *(device)* Spange *f*, Klammer *f*
class [klɑːs] *sb* 1. *(group)* Klasse *f*, Gruppe *f;* 2. *(in school)* Klasse *f;* 3. *(e.g. ~ of 1997)* Jahrgang *m;* 4. *(social ~)* Klasse *f*, Stand *m*, Rang *m; the ruling ~* die herrschende Klasse; 5. *(kind)* Klasse *f*, Sorte *f*, Qualität *f; in a ~ by itself* weitaus das Beste; 6. *He's got ~.* Er hat Format.
classic ['klæsɪk] *sb* Klassiker *m; ~s pl (study of the ~s)* Altphilologie *f*

classical ['klæsɪkəl] *adj* 1. klassisch, griechisch-römisch; 2. *(education)* humanistisch
classicism ['klæsɪsɪzəm] *sb* Klassik *f*, humanistische Bildung *f*
classification [klæsɪfɪ'keɪʃən] *sb* Klassifizierung *f*, Klassifikation *f*, Einteilung *f*
classify ['klæsɪfaɪ] *v* klassifizieren, einteilen, einstufen
classmate ['klɑːsmeɪt] *sb* Mitschüler *m*, Klassenkamerad *m*
classroom ['klɑːsruːm] *sb* Klassenzimmer *n*
clatter ['klætə] *v* klappern
clause [klɔːz] *sb* 1. LING Satz *m*, Satzteil *m*, Satzglied *n*; 2. JUR Klausel *f*
claw [klɔː] *sb* 1. ZOOL Kralle *f*, Klaue *f*; 2. *(of a crab)* Schere *f*; *v* 3. ~ sth back etw zurückerobern, etw zurückerkämpfen
clay [kleɪ] *sb* Ton *m*, Lehm *m*
clean [kliːn] *v* 1. sauber machen, reinigen, putzen; 2. *(gut)* ausnehmen; *adj* 3. sauber, rein; 4. *(not used)* sauber, frisch; *(paper)* unbeschrieben; 5. *(fair)* SPORT sauber, fair; 6. *(fam)* come ~ alles beichten
• **clean off** *v* abwaschen, abputzen
• **clean out** *v (empty)* ausräumen, ausplündern; *(leave penniless)* ausnehmen
• **clean up** *v* 1. *(tidy)* aufräumen; 2. *(clean)* sauber machen
clear [klɪə] *adj* 1. *(visually distinct, in focus)* klar, deutlich; *(photograph)* scharf; 2. *(transparent)* klar, durchsichtig; 3. *(obvious, evident, understandable)* klar, eindeutig, deutlich; *make o.s. ~* sich klar ausdrücken; *to be ~ to s.o.* jdm klar sein; *as ~ as day (fig)* sonnenklar; 4. *(day)* klar, wolkenlos; 5. *(open, free)* frei; *keep the roads ~* die Straßen offen halten; ~ *of all suspicion* frei von jedem Verdacht; 6. *(unblemished)* rein; *with a ~ conscience* mit gutem Gewissen; 7. *(sound)* klar, hell, vernehmbar; 8. *(completely over, through)* völlig, glatt; *v* 9. *(remove obstacles from)* reinigen, befreien, räumen; 10. *(letter box, dustbin)* leeren; 11. *(the table)* abräumen, abdecken; 12. *(a slum)* sanieren; 13. ~ *one's throat* sich räuspern; 14. *(approve)* abfertigen; 15. ~ *sth through customs* etw zollamtlich abfertigen; 16. *(exonerate)* freisprechen; ~ *one's name* seinen Namen reinwaschen
• **clear away** *v* wegräumen; *(dishes)* abräumen
• **clear off** *v* 1. *(debt)* zurückzahlen; 2. *(mortgage)* abzahlen; 3. *(a backlog of work)* aufarbeiten; 4. *(fam: leave)* abhauen *(fam)*

• **clear out** *v* 1. *(leave)* sich absetzen; 2. *(empty sth)* ausräumen
• **clear up** *v* 1. *(weather)* sich aufklären; 2. *(~ a mystery)* aufklären, lösen; 3. *(tidy)* aufräumen; 4. *(a point, a situation)* klären
clearance ['klɪərəns] *sb* 1. *(go-ahead)* Freigabe *f*; 2. *(by customs)* Abfertigung *f*; 3. *(of a debt)* volle Bezahlung *f*; 4. *(of a slum)* Sanierung *f*
clearance sale ['klɪərəns seɪl] *sb* Ausverkauf *m*, Räumungsverkauf *m*
cleave [kliːv] *v irr* spalten
cleft [kleft] *sb* Spalte *f*, Kluft *f*
clemency ['klemənsɪ] *sb* Nachsicht *f*
clement ['klemənt] *adj* mild, gütig
clementine ['kleməntiːn] *sb* BOT Clementine *f*
clergy ['klɜːdʒɪ] *sb* REL Geistlichkeit *f*, Klerus *m*
clergyman ['klɜːdʒɪmən] *sb* REL Geistliche *m/f*, Pfarrer *m*
cleric ['klerɪk] *sb* Geistlicher *m*
clerical ['klerɪkl] *adj* 1. Büro..., Schreib... 2. REL geistlich
clerical work ['klerɪkəl wɜːk] *sb* Büroarbeit *f*
clerk [klɑːk] *sb* 1. *(office ~)* Büroangestellte(r) *m/f*; ~ *of the court* Urkundsbeamte(r) *m*; 2. *(US: shop assistant)* Verkäufer(in) *m/f*
clever ['klevə] *adj* 1. *(bright)* schlau, gescheit, gelehrig; 2. *(ingenious)* geschickt, klug, raffiniert; 3. *(witty)* geistreich
cleverness ['klevənɪs] *sb* Geschicklichkeit *f*, Klugheit *f*, Schläue *f*
click [klɪk] *v* 1. knicken, knacken; 2. *(fam: fall into place)* funken
client ['klaɪənt] *sb* 1. Kunde/Kundin *m/f*, Auftraggeber *m*; 2. JUR *(of a solicitor)* Klient *m*; *(of a barrister)* Mandant *m*
clientele [kliːɑːn'tel] *sb* Kundschaft *f*, Kundenkreis *m*
cliff [klɪf] *sb* Klippe *f*, Felsen *m*
climate ['klaɪmɪt] *sb* Klima *n*
climb [klaɪm] *v* 1. klettern; 2. *(prices)* steigen; 3. *(in altitude)* aufsteigen, steigen; 4. *(mountain)* klettern, besteigen, erklimmen; 5. ~ *up* hinaufsteigen, heraufsteigen; 6. ~ *down* herunterklettern, heruntersteigen; *sb* 7. Besteigung *f*, Aufstieg *m*
climber ['klaɪmə] *sb* 1. *(mountaineer)* Bergsteiger *m*; 2. BOT Kletterpflanze *f*
cling [klɪŋ] *v irr* 1. ~ *to (hold on tightly to)* sich klammern an, sich festklammern an; 2. ~ *to (stick to)* anhaften, haften an, kleben

clinic ['klɪnɪk] *sb* Klinik *f*
clinical ['klɪnɪkəl] *adj* klinisch
clink [klɪŋk] *v* 1. klirren; *sb* 2. *(fam: prison)* Knast *m*, Kittchen *n*
clip [klɪp] *v* 1. *(cut out)* ausschneiden; 2. *(UK: ~ a ticket)* knipsen; 3. *(cut)* scheren; *(fingernails)* schneiden; *sb* 4. *(fastener)* Klammer *f*; 5. *(of ammunition)* Ladestreifen *m*; 6. *(speed)* Tempo *n*
cloak [kləʊk] *sb* Mantel *m*, Umhang *m*
cloakroom ['kləʊkruːm] *sb* 1. *(for coats)* Garderobe *f*; 2. *(UK: lavatory)* Waschraum *m*
clobber ['klɒbə] *v* verprügeln
clock [klɒk] *sb* 1. Uhr *f*; *ten o'clock* zehn Uhr; *round the ~* rund um die Uhr; *work against the ~* gegen die Zeit arbeiten; *v* 2. SPORT stoppen
clockwise ['klɒkwaɪz] *adv* im Uhrzeigersinn
clockwork ['klɒkwɜːk] *sb* 1. Uhrwerk *n*; *like ~* wie am Schnürchen
clog [klɒg] *v* verstopfen
cloister ['klɔɪstə] *sb* REL Kloster *n*
clone [kləʊn] *sb* Klon *m*
clonk [klɒŋk] *v* hauen, schlagen
close [kləʊs] *adj* 1. nah(e); *~ to the highway* in der Nähe der Landstraße; *~ at hand* nahe bevorstehend; 2. *(friends)* eng, fest, vertraut; *They're very ~.* Sie sind eng befreundet. 3. *(painstaking)* genau, gründlich; 4. *(almost unsuccessful or almost even)* knapp; *That was ~!* Das war knapp! 5. *(shave)* glatt; *adv* 6. nah(e), dicht, eng; *~ by* in der Nähe; *v* 7. *(come nearer)* näher kommen, sich nähern; 8. *(sth)* zumachen, schließen, verschließen; 9. *(a deal)* abschließen; 10. *(bring to an end)* schließen, beenden; *sb* 11. Ende *n*, Schluss *m*; *bring to a ~* abschließen/beenden
• **close down** schließen, einstellen, beenden
• **close in** 1. sich heranarbeiten; 2. *(night)* hereinbrechen
closet ['klɒzɪt] *sb* *(US)* Schrank *m*, Wandschrank *m*
close-up ['kləʊsʌp] *sb* 1. *(photograph)* Nahaufnahme *f*; 2. *(in a film)* Großaufnahme *f*
closing time ['kləʊzɪŋ taɪm] *sb* 1. Geschäftsschluss *m*, Büroschluss *m*, Ladenschluss *m*; 2. *(for a pub)* Sperrstunde *f*
closure ['kləʊʒə] *sb* Schließung *f*, Schließen *n*, Stilllegung *f*
clot [klɒt] *v* 1. gerinnen, Klumpen bilden; *sb* 2. *(of blood)* MED Blutgerinnsel *n*

cloth [klɒθ] *sb* 1. *(material)* Stoff *m*; *a man of the ~* REL ein geistlicher Herr; 2. *(a ~)* Tuch *n*, Lappen *m*
clothe [kləʊð] *v* bekleiden, anziehen
clothes [kləʊz] *pl* Kleider *pl*, Kleidung *f*
clothesline ['kləʊzlaɪn] *sb* Wäscheleine *f*
clothes-peg ['kləʊzpeg] *sb* *(UK)* Wäscheklammer *f*
clothing ['kləʊðɪŋ] *sb* Kleidung *f*, Bekleidung *f*
cloud [klaʊd] *v* 1. trüben; *~ the issue* die Sache vernebeln; *sb* 2. Wolke *f*; *~ of dust* Staubwolke *f*; *under a ~* mit angeschlagenem Ruf; *to be on ~ nine (fam)* im siebten Himmel sein; *have one's head in the ~s (permanently)* in höheren Regionen schweben; *(momentarily)* geistesabwesend sein
cloudburst ['klaʊdbɜːst] *sb* Wolkenbruch *m*, Platzregen *m*
cloudy ['klaʊdɪ] *adj* 1. wolkig, bewölkt; 2. *(a liquid)* trüb
clover ['kləʊvə] *sb* BOT Klee *m*; *(~leaf)* Kleeblatt *n*
clown [klaʊn] *sb* 1. Clown *m*, Kasper *m*, Hanswurst *m*; 2. *(in a circus)* Clown *m*; *v* 3. *~ around* herumkaspern, herumblödeln, herumalbern
club [klʌb] *sb* 1. *(society)* Verein *m*, Klub *m*; 2. *(weapon)* Keule *f*, Knüppel *m*
clubby ['klʌbɪ] *adj* freundschaftlich, vertraulich
club member [klʌb 'membə] *sb* Klubmitglied *n*
cluck [klʌk] *v* glucken, gackern
clue [kluː] *sb* Hinweis *m*, Anhaltspunkt *m*, Spur *f*; *I don't have a ~.* Ich habe nicht die geringste Ahnung.
clueless ['kluːlɪs] *adj* ahnungslos, unbedarft, ratlos
clump [klʌmp] *sb* *(clod)* Klumpen *m*
clumsy ['klʌmzɪ] *adj* 1. *(ungainly, uncoordinated)* ungeschickt, plump, unbeholfen; 2. *(tactless)* ungeschickt, plump, unbeholfen; 3. *(not skillfully done)* schwerfällig, unbeholfen, stümperhaft; 4. *(unwieldy)* plump, klobig
cluster ['klʌstə] *v* 1. sich sammeln, sich drängen; *sb* 2. Gruppe *f*, Haufen *m*, Traube *f*
clutch [klʌtʃ] *v* 1. *~ at* greifen nach; 2. *(hold tightly)* umklammert halten, festhalten; 3. *(grab)* packen, umklammern; *sb* 4. *(of a car)* Kupplung *f*; 5. *(grip)* Griff *m*
clutter ['klʌtə] *sb* Unordnung *f*, Durcheinander *n*

coach [kəʊtʃ] *v* 1. *(a team)* trainieren; ~ s.o. in sth jdm etw einpauken; ~ sb 2. SPORT Trainer *m;* 3. *(carriage)* Kutsche *f*

coal [kəʊl] *sb* Kohle *f;* haul s.o. over the ~s, rake s.o. over the ~s jdm eine Standpauke halten; carry ~s to Newcastle *(UK)* Eulen nach Athen tragen

coalition [kəʊəˈlɪʃən] *sb* 1. Vereinigung *f;* 2. POL Koalition *f*

coal-mine [ˈkəʊlmaɪn] *sb* Kohlenbergwerk *n*

coast [kəʊst] *v* 1. *(bicycle)* im Freilauf fahren; *(car)* im Leerlauf fahren; 2. *(fig)* mühelos vorankommen; *sb* 3. Küste *f;* the ~ is clear *(fam)* die Luft ist rein

coat [kəʊt] *v* 1. *(apply a thin layer)* anstreichen; 2. TECH beschichten; *sb* 3. *(for outdoors)* Mantel *m;* 4. *(part of a suit)* Jacke *f,* Jackett *n;* 5. *(animal's)* Fell *n,* Pelz *m;* 6. *(layer)* Schicht *f,* Belag *m,* Lage *f*

coat-hanger [ˈkəʊthæŋə] *sb* Kleiderbügel *m*

cob [kɒb] *sb (of corn)* Kolben *m,* Maiskolben *m;* corn on the ~ Mais am Kolben *m*

cobble [ˈkɒbl] *v (mend)* flicken

cobbler [ˈkɒblə] *sb* Schuster *m*

cobblestone [ˈkɒblstəʊn] *sb* Kopfstein *m*

cobweb [ˈkɒbweb] *sb* 1. Spinnwebe *f;* 2. *(network)* Spinnennetz *n*

cock [kɒk] *v* 1. *(a gun)* spannen; 2. *(ears)* spitzen; 3. *(a cap)* keck aufs Ohr setzen; *sb* 4. *(rooster)* Hahn *m;* ~ of the walk der Größte
• **cock up** *v (fam) (UK)* verhauen, versauen

cockroach [ˈkɒkrəʊtʃ] *sb* Küchenschabe *f,* Kakerlake *f*

cocktail [ˈkɒkteɪl] *sb* Cocktail *m*

cocoa [ˈkəʊkəʊ] *sb* Kakao *m*

coconut [ˈkəʊkənʌt] *sb* Kokosnuss *f*

coconut palm [ˈkəʊkənʌt pɑːm] *sb* BOT Kokospalme *f*

cocoon [kəˈkuːn] *sb* Kokon *m*

cod [kɒd] *sb (~fish)* ZOOL Kabeljau *m,* Dorsch *m*

coddle [ˈkɒdl] *v* verwöhnen, verhätscheln, umsorgen

code [kəʊd] *v* 1. chiffrieren, verschlüsseln; 2. INFORM kodieren; *sb* 3. *(secret ~)* Chiffre *f,* Kode *m;* 4. JUR Gesetzbuch *n,* Kodex *m;* 5. *(principles)* Kodex *m;* ~ of honour Ehrenkodex *m;* 6. INFORM Code *m*

code name [ˈkəʊdneɪm] *sb* Deckname *m*

codeword [ˈkəʊdwɜːd] *sb* Kodewort *n*

coerce [kəʊˈɜːs] *v* nötigen, zwingen

coercion [kəʊˈɜːʃən] *sb* Zwang *m*

coffee [ˈkɒfɪ] *sb* Kaffee *m*

coffee bar [ˈkɒfɪ bɑː] *sb* Café *n*

coffee pot [ˈkɒfɪ pɒt] *sb* Kaffeekanne *f*

coffee set [ˈkɒfɪ set] *sb* Kaffeeservice *n*

coffee shop [ˈkɒfɪ ʃɒp] *sb (US)* Café *n*

coffer [ˈkɒfə] *sb* Kasten *m,* Truhe *f*

coffin [ˈkɒfɪn] *sb* Sarg *m*

cognac [ˈkɒnɪæk] *sb* Kognak *m*

cohabit [kəʊˈhæbɪt] *v* unverheiratet zusammenleben

cohabitation [kəʊhæbɪˈteɪʃən] *sb* eheähnliche Gemeinschaft *f*

cohesion [kəʊˈhiːʒən] *sb* Zusammenhalt *m,* Geschlossenheit *f*

coil [kɔɪl] *v* 1. aufwickeln, aufrollen; ~ sth round sth etw um etw wickeln; *sb* 2. Rolle *f;* 3. TECH Spule *f*

coin [kɔɪn] *sb* 1. Münze *f,* Geldstück *n;* the other side of the ~ *(fam)* die Kehrseite der Medaille; pay s.o. back in his own ~ *(fig)* es jdm mit gleicher Münze heimzahlen; *v* 2. prägen

coincide [kəʊɪnˈsaɪd] *v* 1. zusammentreffen, zusammenfallen; 2. *(agree)* übereinstimmen

coincidence [kəʊˈɪnsɪdəns] *sb* 1. Zufall *m;* 2. *(occurrence at the same time)* Zusammentreffen *n*

coincidental [kəʊɪnsɪˈdentəl] *adj* zufällig

coin-op [ˈkɔɪnɒp] *sb (fam: coin-operated machine)* Münzautomat *m*

coke [kəʊk] *sb* MIN Koks *m*

col [kɒl] *sb* GEO Gebirgssattel *m,* Pass *m*

colander [ˈkɒləndə] *sb* Sieb *n*

cold [kəʊld] *adj* 1. kalt; ~ comfort ein schwacher Trost; as ~ as ice eiskalt; 2. *(unfriendly)* kalt, kühl, frostig; give s.o. the ~ shoulder jdm die kalte Schulter zeigen; 3. out ~ bewusstlos; *sb* 4. Kälte *f;* to be left out in the ~ *(fam)* links liegen gelassen werden; 5. MED Erkältung *f;* catch a ~ sich erkälten

cold-hearted [kəʊldˈhɑːtɪd] *adj* kaltherzig

cold start [kəʊld stɑːt] *sb* INFORM Kaltstart *m*

Cold War [kəʊld wɔː] *sb* the ~ POL der Kalte Krieg *m*

cole [kəʊl] *sb* 1. *(cabbage)* BOT Kohl *m;* 2. *(rape)* BOT Raps *m*

coleslaw [ˈkəʊlslɔː] *sb* Krautsalat *m*

coliseum [kɒlɪˈsiːəm] *sb* Sporthalle *f,* Stadion *n*

collaborate [kəˈlæbəreɪt] *v* zusammenarbeiten, mitarbeiten

collaboration [kəlæbəˈreɪʃən] sb Zusammenarbeit f, Mitarbeit f

collaborator [kəˈlæbəreɪtə] sb 1. (associate) Mitarbeiter m; 2. POL Kollaborateur/Kollaborateurin m/f

collapse [kəˈlæps] v 1. zusammenbrechen; 2. (building) einstürzen; 3. (lung) MED zusammenfallen; 4. (fail) zusammenbrechen, scheitern, versagen; sb 5. MED Zusammenbruch m, Kollaps m; 6. (failure) Zusammenbruch m, Scheitern n, Untergang m; 7. (cave-in) Zusammenbruch m, Einsturz m, Einbruch m

collar [ˈkɒlə] sb 1. Kragen m; hot under the ~ wütend; 2. (dog ~) Halsband n; 3. TECH Manschette f, Ring m

collate [kɒˈleɪt] v zusammenstellen

collation [kɒˈleɪʃən] sb 1. (comparison of manuscripts) Vergleich m, Überprüfung f; 2. (light meal) Imbiss m

colleague [ˈkɒliːg] sb Kollege/Kollegin m/f, Mitarbeiter(in) m/f

collect [kəˈlekt] v 1. (accumulate) sich ansammeln, sich sammeln; (dust) sich absetzen; 2. (get payment) kassieren, einkassieren; 3. ~ o.s. sich aufraffen, sich sammeln, sich fassen; 4. (sth) sammeln; 5. (taxes) einnehmen, einziehen; 6. (debts) einziehen; 7. ~ one's thoughts seine Gedanken zusammennehmen; 8. (fetch) abholen

collect call [kəˈlekt kɔːl] sb (US) R-Gespräch n

collection [kəˈlekʃən] sb 1. (stamp ~, coin ~) Sammlung f; 2. (line of fashions) Kollektion f; 3. (assortment) Sortiment n, Ansammlung f; 4. (in church) REL Kollekte f; 5. (of taxes) Einziehen n, (of debts) Eintreiben n

collective [kəˈlektɪv] adj kollektiv, gesamt

collectivity [kɒlekˈtɪvɪti] sb Kollektiv n

collectivize [kəˈlektɪvaɪz] v kollektivieren

collector [kəˈlektə] sb 1. (of stamps, of coins) Sammler m; 2. TECH Kollektor m

college [ˈkɒlɪdʒ] sb 1. (part of a university) College n; go to ~ studieren; 2. (fam: university) Universität f; 3. (of music, technology, agriculture) Fachhochschule f

collide [kəˈlaɪd] v zusammenstoßen, kollidieren, zusammenprallen

colliery [ˈkɒljəri] sb Bergwerk n, Zeche f

colligate [ˈkɒlɪgeɪt] v verbinden

collision [kəˈlɪʒən] sb 1. Zusammenstoß m, Kollision f; on a ~ course auf Kollisionskurs; 2. (multi-car pileup) Massenkarambolage f

colloquial [kəˈləʊkwɪəl] adj umgangssprachlich

colloquium [kəˈləʊkwɪəm] sb Kolloquium n

Cologne [kəˈləʊn] sb GEO Köln n

colon [ˈkəʊlən] sb 1. GRAMM Doppelpunkt m; 2. ANAT Dickdarm m

colonel [ˈkɜːnl] sb Oberst m

colonialism [kəˈləʊnɪəlɪzm] sb POL Kolonialismus m

colonist [ˈkɒlənɪst] sb Siedler m, Kolonist m

colonization [kɒlənaɪˈzeɪʃən] sb Kolonisation f

colonize [ˈkɒlənaɪz] v kolonisieren

colony [ˈkɒləni] sb Kolonie f

colosseum [kɒləˈsɪəm] sb Kolosseum n

colour [ˈkʌlə] v 1. färben; sb 2. Farbe f; change ~ die Farbe wechseln; show one's true ~s sein wahres Gesicht zeigen; see s.o.'s true ~ jds wahres Gesicht erkennen; come through with flying ~s etw mit Bravour meistern; 3. (skin) Hautfarbe f

coloured [ˈkʌləd] adj farbig, bunt

colourful [ˈkʌləfʊl] adj 1. farbenfreudig, bunt; 2. (fig) farbig; (personality) schillernd

colouring [ˈkʌlərɪŋ] sb 1. (complexion) Gesichtsfarbe f; 2. (substance) Farbstoff m

colourless [ˈkʌləlɪs] adj farblos

coloury [ˈkʌləri] adj farbenfroh

colt [kəʊlt] sb Fohlen n

column [ˈkɒləm] sb 1. ARCH Säule f, Pfeiler m; 2. (of a newspaper page) Spalte f; 3. MIL Kolonne f

columnist [ˈkɒləmnɪst] sb Kolumnist/Kolumnistin m/f

comb [kəʊm] v 1. kämmen; 2. (fig: search) durchkämmen; sb 3. Kamm m

• **comb out** v aussortieren, entfernen

combat [ˈkɒmbæt] v 1. (sth) bekämpfen, kämpfen gegen; sb 2. Kampf m

combination [kɒmbɪˈneɪʃən] sb Kombination f, Verknüpfung f

combine v 1. kombinieren, verbinden, vereinigen; [ˈkɒmbaɪn] 2. sb ECO Konzern m

combustible [kəmˈbʌstɪbl] adj 1. brennbar; sb 2. Brennstoff m

come [kʌm] v irr kommen; ~ what may komme, was wolle; Come again? Wie bitte? How ~? Wieso denn? First ~ first served. Wer zuerst kommt, mahlt zuerst.

• **come about** v irr passieren, zustande kommen

• **come across** v irr 1. (make an impression) wirken; 2. (meet) zufällig treffen, begegnen; (~ an object) zufällig finden

●**come after** v irr 1. (follow in sequence) nachkommen; 2. (pursue) hinterherkommen

●**come along** v irr 1. (accompany) mitkommen; Come along! Komm schon! 2. (appear on the scene) dazukommen, auftauchen, ankommen; 3. (develop) Fortschritte machen, vorankommen

●**come apart** v irr auseinander fallen

●**come at** v irr anpacken, angehen

●**come away** v irr weggehen

●**come back** v irr 1. zurückkommen, wiederkommen; 2. (fig: make a comeback) ein Comeback machen; 3. (into memory) wieder einfallen

●**come between** v irr dazwischenkommen

●**come by** v irr 1. vorbeikommen; 2. ~ sth etw auftreiben, (coincidentally) zu etw kommen

●**come down** v irr 1. (rain, snow) fallen; 2. (prices) sinken; 3. (stairs) herunterkommen; 4. (fig) herunterkommen (fam); ~ in the world sozial absteigen; 5. ~ with sth an etw erkranken; 6. ~ to (be a question of) ankommen auf

●**come forward** v irr 1. hervortreten; 2. (present o.s.) sich melden

●**come from** v irr kommen aus, stammen aus

●**come in** v irr 1. (enter) hereinkommen; Come in! Herein! 2. (arrive) eingehen, eintreffen, ankommen; 3. (tide) kommen; 4. (come into play) That's where you ~. Da bist du dran. That will ~ handy. Das kann man noch gut gebrauchen. Where does he ~? Welche Rolle spielt er dabei? 5. Come in! (please answer) Bitte melden!

●**come into** v irr (inherit) erben; to ~ money ein Vermögen erben

●**come of** v irr werden aus; What has ~ him? Was ist aus ihm geworden?

●**come off** v irr 1. (take place) stattfinden; 2. (~ successfully) erfolgreich verlaufen; 3. (come loose) abgehen, abspringen; 4. Come off it! Hör schon auf damit! 5. (~ well, ~ badly) abschneiden

●**come on** interj v irr 1. Komm schon! (You're lying!) Na, na! 2. ~ to s.o. (fam: make advances) jdn anmachen

●**come out** v irr 1. herauskommen, heraustreten; 2. (on the market) erscheinen, herauskommen; 3. MATH aufgehen

●**come over** v irr 1. (come by) vorbeikommen; Come on over! Schau doch mal vorbei! 2. What's ~ him? Was ist denn über ihn gekommen?

●**come round** v irr 1. (visitor) vorbeikommen, vorbeischauen; 2. (change one's opinion) es sich anders überlegen

●**come to** v irr 1. (regain consciousness) wieder zu sich kommen; 2. (total) betragen, sich belaufen auf, ausmachen; 3. (~ power, ~ s.o.'s ears) gelangen

●**come up** v irr 1. hochkommen, heraufkommen; 2. (fig) aufsteigen; ~ in the world es zu etw bringen; 3. (~ for discussion) angeschnitten werden; 4. ~ with sth sich etw ausdenken

comeback ['kʌmbæk] sb 1. Comeback n; 2. SPORT Aufholjagd f; 3. (witty reply) schlagfertige Antwort f

comedian [kə'miːdɪən] sb Komiker m

comedy ['kɒmɪdɪ] sb (a ~) Komödie f

comet ['kɒmɪt] sb ASTR Komet m

comfort ['kʌmfət] v 1. trösten, aufrichten; sb 2. Komfort m, Bequemlichkeit f, Behaglichkeit f; 3. (consolation) Trost m; take ~ from the fact that ... sich damit trösten, dass ...

comfortable ['kʌmfətəbl] adj 1. bequem, komfortabel, behaglich; 2. (well-off) wohlhabend; 3. feel ~ with sth bei etw wohl fühlen

comforter ['kʌmfətə] sb 1. (UK: for baby to suck) Schnuller m; 2. (US: quilt) Deckbett n; 3. (one who consoles) Tröster m

comic ['kɒmɪk] adj 1. komisch; sb 2. (comedian) Komiker m

comics ['kɒmɪks] pl (in the newspaper) Comics pl

comma ['kɒmə] sb Komma n

command [kə'mɑːnd] v 1. (order) befehlen, anordnen; 2. (have at one's disposal) verfügen über, beherrschen; 3. (have control over) kommandieren; 4. (~ respect) Achtung gebieten; sb 5. (order) Befehl m, Kommando n; 6. (authority) MIL Kommando n, Befehlsgewalt f; take ~ das Kommando übernehmen; second in ~ zweiter Befehlshaber; 7. (mastery) Beherrschung f; have a good ~ of sth etw gut können

commander [kə'mɑːndə] sb MIL Kommandant m, Befehlshaber m

commandment [kə'mɑːndmənt] sb REL Gebot n; break a ~ gegen ein Gebot verstoßen

commando [kə'mɑːndəʊ] sb 1. (unit) Kommandoeinheit f; 2. (soldier) Angehöriger einer Kommandoeinheit m

commemorate [kə'meməreɪt] v gedenken

commemoration [kəmemə'reɪʃən] *sb* Gedenken *n*, Gedächtnisfeier *f*

commence [kə'mens] *v* beginnen

commend [kə'mend] *v (praise)* loben

commendable [kə'mendəbl] *adj* lobenswert, anerkennenswert, dankenswert

commendation [kɒmen'deɪʃən] *sb* Lob *n*

comment ['kɒment] *v* 1. ~ *on* sich äußern über, Anmerkungen machen zu, kommentieren; *sb* 2. Bemerkung *f*, Anmerkung *f*, Kommentar *m*; *No* ~! Kein Kommentar!

commentary ['kɒmentəri] *sb* Kommentar *m*

commentate ['kɒmenteɪt] *v* kommentieren

commentator ['kɒmenteɪtə] *sb* Kommentator *m*

commerce ['kɒmɜːs] *sb ECO* Handel *m*

commercial [kə'mɜːʃəl] *adj* 1. kommerziell, kaufmännisch, geschäftlich; *sb* 2. *(advertisement)* Werbespot *m*

commercial break [kə'mɜːʃəl breɪk] Werbepause *f*

commercialism [kə'mɜːʃəlɪzəm] *sb* Kommerz *m*, Kommerzialisierung *f*

commiserate [kə'mɪzəreɪt] *v* ~ *with* mitfühlen mit

commiseration [kəmɪzə'reɪʃn] *sb* Anteilnahme *f*, Mitgefühl *n*

commissar ['kɒmɪsɑː] *sb* Kommissar *m*

commission [kə'mɪʃən] *v* 1. *(a person)* beauftragen; *(a thing)* in Auftrag geben; ~ *s.o. to do sth* jdn damit beauftragen, etw zu tun; *sb* 2. *(to do sth)* Auftrag *m*; 3. *(form of pay)* Provision *f*; 4. *out of* ~ außer Betrieb; 5. *(committee)* Kommission *f*, Ausschuss *m*

commissioner [kə'mɪʃənə] *sb* (Regierungs-) Kommissar *m*

commit [kə'mɪt] *v* 1. ~ *o.s. to* sich festlegen auf; 2. ~ *s.o. (to an institution)* jdn in eine Pflegeanstalt einweisen; ~ *to memory* auswendig lernen; 3. *(sth)(perpetrate)* begehen, verüben

commitment [kə'mɪtmənt] *sb* 1. *(dedication)* Engagement *n*, Einsatz *m*; 2. *(obligation)* Verpflichtung *f*, Bindung *f*

committee [kə'mɪti] *sb* Komitee *n*, Ausschuss *m*, Kommission *f*

commode [kə'məʊd] *sb* 1. *(chest of drawers)* Kommode *f*; 2. *(washstand)* Waschtisch *m*, Waschtoilette *f*

commodities [kə'mɒdɪtɪz] *pl* 1. *(manufactured ~)* Bedarfsartikel *m*; 2. *(on the stock exchange)* Rohstoffe *pl*

commodity [kə'mɒdɪti] *sb* Ware *f*, Artikel *m*

common ['kɒmən] *adj* 1. *(shared by many)* gemeinsam, allgemein; *it's* ~ *knowledge* es ist allgemein bekannt; *in* ~ gemeinsam; 2. *(ordinary)* gewöhnlich; 3. *(frequently seen)* üblich, gängig, gebräuchlich; 4. *(low-class)* gewöhnlich, grob, gemein

commonly ['kɒmənli] *adv* normalerweise, üblicherweise

Common Market ['kɒmən 'mɑːkɪt] *sb FIN* gemeinsamer Markt *m*

common sense [kɒmən'sens] *sb* gesunder Menschenverstand *m*

commonwealth ['kɒmənwelθ] *sb* Staat *m*, Gemeinwesen *n*; *Commonwealth of Independent States (CIS)* POL Gemeinschaft Unabhängiger Staaten (GUS) *f*

communal ['kɒmjʊnl] *adj* Gemeinde...

commune [kə'mjuːn] *sb* Kommune *f*

communicate [kə'mjuːnɪkeɪt] *v* 1. *(with one another)* kommunizieren, sich verständigen; 2. *(news, ideas)* vermitteln, mitteilen

communication [kəmjuːnɪ'keɪʃən] *sb* 1. *(message, letter)* Mitteilung *f*; 2. *(communicating)* Verständigung *f*, Kommunikation *f*

communicative [kə'mjuːnɪkətɪv] *adj* mitteilsam, gesprächig

communion [kə'mjuːnɪən] *sb* 1. REL *(Catholic)* Kommunion *f*; 2. *(Protestant)* Abendmahl *n*; *take* ~ die Kommunion empfangen/das Abendmahl empfangen

communism ['kɒmjʊnɪzm] *sb* POL Kommunismus *m*

communist ['kɒmjʊnɪst] *sb* 1. POL Kommunist *m*; *adj* 2. POL kommunistisch

community [kə'mjuːnɪti] *sb* 1. Gemeinde *f*, Gemeinschaft *f*; Gemeinwesen *n*; 2. *the* ~ die Allgemeinheit *f*

commute [kə'mjuːt] *v* 1. *(travel back and forth)* pendeln; 2. JUR umwandeln

commuter [kə'mjuːtə] *sb* Pendler *m*

compact [kəm'pækt] *adj* 1. kompakt, dicht; ['kɒmpækt] *sb* 2. *(agreement)* Vereinbarung *f*

compact disc ['kɒmpækt dɪsk] *sb* CD *f*

companion [kəm'pænjən] *sb* 1. *(person with one)* Begleiter *f*; 2. *(friend)* Kamerad *m*, Genosse *m*, Gefährte/Gefährtin *m/f*

companionship [kəm'pænjənʃɪp] *sb* Gesellschaft *f*

company ['kʌmpəni] *sb* 1. Gesellschaft *f*; *keep s.o.* ~ jdm Gesellschaft leisten; *to be in good* ~ *(fam)* in guter Gesellschaft sein; *part* ~

with sich trennen von; 2. *(firm)* Firma *f*, Unternehmen *n*, Gesellschaft *f*; 3. *MIL* Kompanie *f*; 4. *THEAT* Truppe *f*

compare [kəm'peə] *v* vergleichen; ~d with im Vergleich zu; it ~s badly es schneidet vergleichsweise schlecht ab

comparison [kəm'pærɪsən] *sb* Vergleich *m*; in ~ with im Vergleich zu; by way of ~ vergleichsweise

compartment [kəm'pɑ:tmənt] *sb* 1. Abteilung *f*, Fach *n*; 2. *(of a train)* Abteil *n*

compass ['kʌmpəs] *sb* 1. Kompass *m*; 2. ~ es *pl (for drawing circles)* Zirkel *m*

compassion [kəm'pæʃən] *sb* Mitleid *n*, Erbarmen *n*, Mitgefühl *n*

compatibility [kəmpætə'bɪlɪtɪ] *sb* 1. Vereinbarkeit *f*; 2. *INFORM* Kompatibilität *f*; 3. *MED* Verträglichkeit *f*

compel [kəm'pel] *v* zwingen

compendium [kəm'pendɪəm] *sb* Kompendium *n*, Zusammenstellung *f*

compensate ['kɒmpenseɪt] *v* 1. *(recompense) FIN* entschädigen; 2. *TECH* ausgleichen; 3. *PSYCH* kompensieren; 4. *(US: pay in wages)* bezahlen; 5. ~ for *(in money, in goods)* ersetzen, vergüten, wettmachen; ~ a loss jdm einen Verlust ersetzen; 6. ~ for *(counterbalance, offset)* ausgleichen

compensation [kɒmpen'seɪʃən] *sb* 1. *(damages)* Entschädigung *f*, Ersatz *m*, Schadenersatz *m*; in ~ als Entschädigung; 2. *(settlement) JUR* Abfindung *f*; 3. *(US: pay)* Vergütung *f*, Entgelt *n*; 5. *(counterbalance)* Ausgleich *m*; 4. *PSYCH* Kompensation *f*

compete [kəm'pi:t] *v* 1. konkurrieren; 2. ~ with s.o. for sth mit jdm um etw wetteifern; 3. *(contend) SPORT* kämpfen; ~ for the championship um die Meisterschaft kämpfen; 4. *(participate in the competition)* teilnehmen

competence ['kɒmpɪtəns] *sb* 1. Fähigkeit *f*; *(authority, responsibility)* Kompetenz *f*, Zuständigkeit *f*

competent ['kɒmpɪtənt] *adj* 1. fähig, tüchtig; *JUR* 2. *(responsible)* zuständig; 3. *(witness)* zulässig

competition [kɒmpɪ'tɪʃən] *sb* 1. Konkurrenz *f*; to be in ~ with s.o. mit jdm konkurrieren, mit jdm wetteifern; 2. *(a ~)* Wettbewerb *m*, Wettkampf *m*; 3. *(write-in contest)* Preisausschreiben *n*

competitive [kəm'petɪtɪv] *adj* 1. *(able to hold its own)* konkurrenzfähig, wettbewerbsfähig; 2. *(nature, person)* vom Konkurrenzdenken geprägt; *(market)* mit starker Konkurrenz

competitor [kəm'petɪtə] *sb* 1. Konkurrent *m*, Gegner *m*; 2. *SPORT (participant)* Teilnehmer *m*, Wettkämpfer *m*

compilation [kɒmpɪ'leɪʃən] *sb* Zusammenstellung *f*, Sammlung *f*

compile [kəm'paɪl] *v* zusammenstellen

compiler [kəm'paɪlə] *sb* Verfasser *m*

complacent [kəm'pleɪsnt] *adj* selbstgefällig, selbstzufrieden

complain [kəm'pleɪn] *v* sich beklagen, sich beschweren; ~ about klagen über

complainant [kəm'pleɪnənt] *sb* JUR Kläger *m*

complaint [kəm'pleɪnt] *sb* 1. Beschwerde *f*, Klage *f*; 2. *MED* Beschwerden *pl*, Leiden *n*; 3. *ECO* Reklamation *f*, Beanstandung *f*; 4. *JUR* Strafanzeige *f*

complement ['kɒmplɪmənt] *v* ergänzen

complete [kəm'pli:t] *v* 1. *(finish)* beenden, abschließen, absolvieren; 2. *(a form)* ausfüllen; 3. *(make whole)* vervollständigen, ergänzen, vollenden; *adj* 4. *(finished)* fertig; 5. *(entire)* ganz, vollständig, komplett; ~ with komplett mit; 6. *(utter, absolute)* völlig, total, vollkommen; 7. *(with nothing missing, comprehensive)* vollzählig, lückenlos, umfassend

completion [kəm'pli:ʃən] *sb* 1. *(making whole)* Vervollständigung *f*; 2. *(finishing)* Vollendung *f*, Beendigung *f*, Abschluss *m*

complex ['kɒmpleks] *adj* 1. kompliziert, verwickelt; *sb* 2. Komplex *m*

complicate ['kɒmplɪkeɪt] *v* komplizieren

complicated ['kɒmplɪkeɪtɪd] *adj* kompliziert

complication [kɒmplɪ'keɪʃən] *sb* Komplikation *f*, Erschwernis *f*

compliment ['kɒmplɪmənt] *sb* 1. Kompliment *n*; 2. ~s *pl* Grüße *pl*; with the ~s of Mr. Jones mit den besten Empfehlungen von Herrn Jones

complimentary [kɒmplɪ'mentərɪ] *adj* 1. *(free)* kostenlos; 2. *(using compliments)* schmeichelhaft

comply [kəm'plaɪ] *v* 1. ~ with *(a rule)* befolgen; 2. ~ with *(a request)* nachkommen, entsprechen

component [kəm'pəʊnənt] *sb* 1. Bestandteil *m*; 2. *TECH* Komponente *f*, Bauelement *n*, Bestandteil *n*

compose [kəm'pəʊz] *v* 1. *MUS* komponieren; 2. *(a letter)* aufsetzen; 3. *(a poem)* verfassen; 4. *(~ type)* setzen; 5. to be ~d of bestehen aus, sich zusammensetzen aus; 6. ~ o.s. sich sammeln, sich fassen

composer [kəm'pəʊzə] sb 1. MUS Komponist m; 2. (of a letter) Verfasser m
composition [kɒmpə'zɪʃən] sb 1. (of a letter) Abfassen n; (of music) Komponieren n; (of a poem) Verfassen n; 2. (makeup) Zusammensetzung f; 3. CHEM Zusammensetzung f, Verbindung f; 4. (essay) Aufsatz m; 5. MUS Komposition f
composure [kəm'pəʊʒə] sb Fassung f, Gelassenheit f, Beherrschung f
compound [kəm'paʊnd] v 1. (make worse) verschlimmern; ['kɒmpaʊnd] adj 2. zusammengesetzt, Verbund... sb 3. CHEM Verbindung f; 4. GRAMM Kompositum n
comprehend [kɒmprɪ'hend] v (understand) begreifen, verstehen
comprehension [kɒmprɪ'henʃən] sb 1. (understanding) Verständnis n; 2. (capacity to understand) Fassungsvermögen n; That's beyond my ~. Das geht über mein Fassungsvermögen.
comprehensive school [kɒmprɪ'hensɪv skuːl] sb (UK) Gesamtschule f
compress ['kɒmpres] sb 1. MED Kompresse f, feuchter Umschlag m; [kəm'pres] v 2. PHYS verdichten
compression [kəm'preʃən] sb Kompression f, Druck m
compressor [kəm'presə] sb TECH Kompressor m, Verdichter m
comprisal [kəm'praɪzl] sb Zusammenfassung f
comprise [kəm'praɪz] v umfassen
compromise ['kɒmprəmaɪz] sb 1. Kompromiss m; v 2. (agree on a compromise) einen Kompromiss schließen; 3. (put at risk) kompromittieren, gefährden; ~ o.s. sich kompromittieren
compulsion [kəm'pʌlʃən] sb Zwang m, Nötigung f
compulsory [kəm'pʌlsərɪ] adj obligatorisch, Pflicht...
compunction [kəm'pʌŋkʃən] sb Bedenken pl, Gewissensbisse pl
computation [kɒmpjʊ'teɪʃən] sb Berechnung f, Kalkulation f
compute [kəm'pjuːt] v 1. (make calculations) rechnen; 2. (sth) berechnen, errechnen
computer [kəm'pjuːtə] sb Computer m, Rechner m
computer graphics [kəm'pjuːtə 'græfɪks] sb Computergraphik f
comrade ['kɒmrɪd] sb 1. Kamerad m, Genosse m; 2. POL Genosse m

con [kɒn] v (swindle) reinlegen; ~ s.o. into doing sth jdn durch Schwindel dazu bringen, etw zu tun; ~ s.o. out of jdn betrügen um
conceal [kən'siːl] v 1. verbergen, verheimlichen, verhehlen; 2. (physically) verstecken
concede [kən'siːd] v 1. (capitulate) kapitulieren, nachgeben; 2. (admit) zugeben, einräumen, zugestehen
conceit [kən'siːt] sb Einbildung f, Eingebildetheit f
conceited [kən'siːtəd] adj eingebildet
conceive [kən'siːv] v 1. (imagine) sich vorstellen; 2. (a child) empfangen; 3. (a plan) sich ausdenken
concentrate ['kɒnsəntreɪt] v 1. konzentrieren; sb 2. Konzentrat n
concentration [kɒnsən'treɪʃən] sb 1. Konzentration f; 2. CHEM Konzentration f, Dichte f
concentration camp [kɒnsən'treɪʃən kæmp] sb POL Konzentrationslager n
concept ['kɒnsept] sb Begriff m
conception [kən'sepʃən] sb 1. (idea) Auffassung f, Vorstellung f; 2. BIO Empfängnis f
concern [kən'sɜːn] v 1. ~ o.s. with sth sich mit etw beschäftigen, sich für etw interessieren; 2. (worry) beunruhigen; 3. to be ~ed about sich kümmern um; 4. (to be about) sich handeln um, gehen um; 5. (affect) betreffen, angehen, anbelangen; as far as I'm ~ed was mich betrifft, meinetwegen; It doesn't ~ me. Es geht mich nichts an. sb 6. (anxiety) Besorgnis f; There's no cause for ~. Es besteht kein Grund zur Sorge. 7. (matter) Angelegenheit f; 8. (firm) ECO Konzern m
concerned [kən'sɜːnd] adj 1. (involved) betroffen; 2. (troubled, anxious) besorgt, beängstigt
concerning [kən'sɜːnɪŋ] prep bezüglich, über
concert ['kɒnsət] sb MUS Konzert n
concession [kən'seʃən] sb 1. Zugeständnis n, Konzession f; 2. ECO Konzession f
conciliate [kən'sɪlɪeɪt] v 1. (reconcile) aussöhnen; 2. (placate) besänftigen
conciliation [kənsɪlɪ'eɪʃən] sb Versöhnung f
concise [kən'saɪs] adj knapp, bündig
conclude [kən'kluːd] v 1. (come to an end) enden, schließen, aufhören; 2. (sth)(bring to an end) beenden, zu Ende führen, abschließen; 3. (a deal) abschließen, schließen; 4. (decide) beschließen, entscheiden; 5. (infer) schließen, folgern, entnehmen

conclusion [kən'klu:ʒən] *sb* 1. *(end)* Abschluss *m; bring to a ~* zum Abschluss bringen; 2. *(inference)* Schlussfolgerung *f*, Schluss *m; draw a ~* einen Schluss ziehen; *jump to ~s* voreilige Schlüsse ziehen

conclusive [kən'klu:sɪv] *adj* entscheidend, überzeugend, schlüssig

concoct [kən'kɒkt] *v* 1. zusammenbrauen; 2. *(fig)* aushecken, sich ausdenken

concord ['kɒnkɔ:d] *sb* Übereinstimmung *f*, Einklang *m*, Harmonie *f*

concourse ['kɒŋkɔ:s] *sb* 1. Auflauf *m*, Menge *f*; 2. *(at an airport)* Halle *f*

concrete ['kɒŋkri:t] *sb* 1. Beton *m; adj* 2. betoniert, Beton... 3. *(fig)* konkret; *v* 4. TECH betonieren

concur [kən'kɜ:] *v (agree)* übereinstimmen; *(with a statement)* beipflichten

concurrence [kən'kʌrəns] *sb* 1. *(accordance)* Übereinstimmung *f*; 2. *(of events)* Zusammentreffen

concuss [kən'kʌs] *v* erschüttern

concussion [kən'kʌʃən] *sb* MED Gehirnerschütterung *f*

condemn [kən'dem] *v* 1. verurteilen; 2. *(fig)* verdammen, verurteilen

condemnation [kɒndem'neɪʃən] *sb* 1. Verurteilung *f*; 2. *(of a building)* Kondemnation *f*

condensation [kɒnden'seɪʃən] *sb* 1. CHEM Kondensation *f*; 2. *(liquid formed)* Kondenswasser *n*

condense [kən'dens] *v* 1. *(book, article)* kürzen; 2. CHEM verdichten, kondensieren

condition [kən'dɪʃən] *sb* 1. *(state)* Zustand *m*, Verfassung *f*, Beschaffenheit *f; out of ~* in schlechter Verfassung; 2. SPORT Kondition *f*, Form *f*; 3. *(a ~)* MED Leiden *n*, Beschwerden *pl*; 4. *~ pl (circumstances)* Umstände *pl*, Verhältnisse *pl*, Lage *f*; 5. *(stipulation)* Bedingung *f*, Voraussetzung *f*, Kondition *f; on ~ that...* unter der Bedingung, dass... *v* 6. *(bring into good ~)* in Form bringen; 7. PSYCH konditionieren

condole [kən'dəul] *v ~ with s.o.* jdm kondolieren

condolence [kən'dəulens] *sb* Beileid *n; offer s.o. one's ~s* jdm sein Beileid aussprechen

condom ['kɒndəm] *sb* Kondom *n*

condonation [kɒndəu'neɪʃən] *sb* Vergebung *f*, Schulderlass *m*

condone [kən'dəun] *v* dulden

conduce [kən'dju:s] *v* fördern

conduct [kən'dʌkt] *v* 1. *~ o.s.* sich benehmen, sich verhalten; 2. *(direct)* führen, leiten, verwalten; 3. *(guide)* führen; 4. PHYS leiten; ['kɒndʌkt] *sb* 5. *(behaviour)* Verhalten *n*, Benehmen *n*, Betragen *n*; 6. *(management)* Führung *f*, Leitung *f*; 7. *safe ~* sicheres Geleit *n*, *(document)* Geleitbrief *m*

conduction [kən'dʌkʃən] *sb* Leitung *f*

conductor [kən'dʌktə] *sb* 1. MUS Dirigent *m*; 2. *(US: of a train)* Zugführer *m*; 3. TECH Leiter *m*

cone [kəun] *sb* 1. *(for ice cream)* Waffeltüte *f*; 2. MATH Kegel *m*

confect [kən'fekt] *v* herstellen

confection [kən'fekʃən] *sb* Konfekt *n*, Naschwerk *n*

confectionery [kən'fekʃənərɪ] *sb* 1. *(shop)* Konditorei *f*; 2. GAST Konditorwaren *pl*

confederacy [kən'fedərəsɪ] *sb* Staatenbund *m*, Konföderation *f*

confederate [kən'fedərɪt] *sb* Bündnispartner *m*, Verbündete(r) *m/f*

confederation [kɒnfedə'reɪʃən] *sb* POL 1. *(alliance)* Bund *m*; 2. *(system of government)* Konföderation *f*

confer [kən'fɜ:] *v* 1. *(consult together)* sich beraten, sich besprechen; 2. *(bestow)* verleihen, übertragen

conference ['kɒnfərəns] *sb* 1. Konferenz *f*, Besprechung *f*, Sitzung *f; in ~* bei einer Besprechung; 2. *(convention)* Konferenz *f*, Tagung *f*

confess [kən'fes] *v* 1. eingestehen, zugeben, gestehen; 2. REL beichten

confession [kən'feʃən] *sb* 1. Geständnis *n*, Bekenntnis *n*; 2. REL Beichte *f*

confessional [kən'feʃənəl] *sb* REL Beichtstuhl *m*

confessor [kən'fesə] *sb* Beichtvater *m*

confide [kən'faɪd] *v ~ in s.o.* sich jdm anvertrauen

confidence ['kɒnfɪdəns] *sb* 1. Vertrauen *n*, Zutrauen *n; take s.o. into one's ~* jdn ins Vertrauen ziehen; 2. *(self-~)* Zuversicht *f*, Selbstvertrauen *n*

confident ['kɒnfɪdənt] *adj* zuversichtlich, sicher, überzeugt

confidential [kɒnfɪ'denʃəl] *adj* vertraulich, geheim

confidentiality [kɒnfɪdenʃɪ'ælɪtɪ] *sb* Vertraulichkeit *f*, Schweigepflicht *f*

configuration [kənfɪgjʊ'reɪʃən] *sb* 1. Struktur *f*, Gestalt *f*, Bau *m*; 2. INFORM Konfiguration *f*

confine [kən'faɪn] v 1. ~ o.s. to sich beschränken auf; 2. *(limit)* beschränken, begrenzen; 3. *(to a place)* einsperren

confinement [kən'faɪnmənt] sb 1. JUR *(imprisonment)* Haft f, Arrest m, Gefangenschaft f; solitary ~ Einzelhaft f; 2. MED Entbindung f

confirm [kən'fɜːm] v 1. bestätigen; 2. *(one's resolve)* bestärken, bekräftigen; 3. REL konfirmieren; *(Catholic)* firmen

confirmation [kɒnfə'meɪʃən] sb 1. Bestätigung f; 2. REL Konfirmation f; *(Catholic)* REL Firmung f

confiscate ['kɒnfɪskeɪt] v beschlagnahmen, einziehen, sicherstellen

confiscation [kɒnfɪs'keɪʃən] sb Beschlagnahme f, Einziehung f

conflict ['kɒnflɪkt] sb 1. Konflikt m; ~ of interest Interessenkonflikt m; [kən'flɪkt] v 2. ~ with sth zu etw im Widerspruch stehen

conform [kən'fɔːm] v ~ to *(socially)* sich anpassen an; *(a rule)* sich richten nach

conformity [kən'fɔːmɪtɪ] sb 1. Übereinstimmung f; 2. *(social)* Anpassung f

confound [kən'faʊnd] v *(baffle)* verblüffen; ~ it! Verdammt! Verflixt noch mal!

confront [kən'frʌnt] v 1. ~ s.o. with sth jdn mit etw konfrontieren; 2. *(danger, the enemy)* gegenübertreten; 3. *(an issue)* begegnen; 4. *(find o.s. facing)* gegenüberstehen

confrontation [kɒnfrʌn'teɪʃən] sb 1. Gegenüberstellung f, Konfrontation f; 2. *(argument, clash)* Auseinandersetzung f

confuse [kən'fjuːz] v 1. *(bewilder, perplex)* verwirren, durcheinander bringen; 2. *(mix up)* verwechseln, durcheinander bringen

confused [kən'fjuːzd] adj 1. *(person)* verwirrt, durcheinander, konfus; 2. *(idea, situation)* verworren, wirr, undeutlich

confusing [kən'fjuːzɪŋ] adj verwirrend

confusion [kən'fjuːʒən] sb 1. *(perplexity)* Verwirrung f; 2. *(mixing up)* Verwechslung f; 3. *(disorder)* Durcheinander n, Gewirr n

congeal [kən'dʒiːl] v 1. erstarren, fest werden, *(get frozen)* gefrieren, *(blood)* gerinnen; 2. *(~ sth)* erstarren lassen, *(freeze)* einfrieren

congenial [kən'dʒiːnɪəl] adj *(person)* sympathisch, gemütlich, verträglich

congest [kən'dʒest] v überfüllen, anfüllen, verstopfen

congestion [kən'dʒestʃən] sb Verstopfung f

conglomeration [kənɡlɒmə'reɪʃən] sb Konglomerat n, Ansammlung f, Gemisch n

congratulate [kən'ɡrætjʊleɪt] v gratulieren, beglückwünschen

congratulations [kənɡrætjʊ'leɪʃənz] pl Glückwunsch m; *Congratulations!* Ich gratuliere!

congregate ['kɒnɡrɪɡeɪt] v sich versammeln

congregation [kɒnɡrɪ'ɡeɪʃən] sb REL Gemeinde f

congress ['kɒnɡres] sb Kongress m, Tagung f

Congress ['kɒnɡres] sb *(US)* Kongress m

Congressman ['kɒnɡresmən] sb Kongressabgeordneter m

congruent ['kɒnɡrʊənt] adj 1. MATH deckungsgleich, kongruent; 2. *(in agreement, corresponding)* übereinstimmend

conjugate ['kɒndʒʊɡeɪt] v GRAMM konjugieren, beugen

conjugation [kɒndʒʊ'ɡeɪʃən] sb GRAMM Konjugation f

conjunction [kən'dʒʌŋkʃən] sb GRAMM Konjunktion f

conjuncture [kən'dʒʌŋktʃə] sb Zusammentreffen n

connect [kə'nekt] v 1. verbinden, verknüpfen; 2. *(~ up)* TECH anschließen; 3. TEL verbinden; 4. *to be ~ed (to be related)* zusammenhängen; 5. *(with a blow)* treffen; 6. *(to another train)* Anschluss haben

connection [kə'nekʃən] sb 1. Verbindung f; 2. *(link, relationship)* Zusammenhang m, Beziehung f; 3. *(through acquaintance)* Beziehung f, Verbindung f; have ~s Beziehungen haben; 4. TECH Verbindung f, Anschluss m; 5. TEL Verbindung f

connotation [kɒnə'teɪʃən] sb Konnotation f, Bedeutung f

conquer ['kɒŋkə] v 1. erobern, besiegen; 2. *(fig: doubts, a disease)* bezwingen, überwinden

conqueror ['kɒŋkərə] sb Eroberer m

conquest ['kɒŋkwest] sb Eroberung f

conscience ['kɒnʃəns] sb Gewissen n

conscientious [kɒnʃɪ'enʃəs] adj gewissenhaft, pflichtbewusst

consciousness ['kɒnʃəsnɪs] sb Bewusstsein n, Besinnung f; lose ~ das Bewusstsein verlieren; regain ~ wieder zu sich kommen

conscript ['kɒnskrɪpt] sb MIL Rekrut m

conscription [kən'skrɪpʃən] sb MIL 1. *(universal ~)* Wehrpflicht f; 2. *(conscripting)* Einberufung f

consecrate ['kɒnsɪkreɪt] v REL weihen

consecration [kɒnsɪ'kreɪʃən] sb 1. REL Weihe f; 2. (in mass) REL Wandlung f

consecutive [kən'sekjʊtɪv] adj aufeinander folgend, fortlaufend

consensus [kən'sensəs] sb Übereinstimmung f, Einigkeit f

consent [kən'sent] v 1. zustimmen, einwilligen; sb 2. Zustimmung f, Einwilligung f, Genehmigung f; age of ~ Mündigkeit f

consequence ['kɒnsɪkwəns] sb 1. (importance) Bedeutung f, Wichtigkeit f; It's of no ~. Das spielt keine Rolle. 2. (effect) Konsequenz f, Folge f, Wirkung f; take the ~s die Folgen tragen

consequent ['kɒnsɪkwənt] adj sich daraus ergebend, daraus folgend

conservation [kɒnsə'veɪʃən] sb 1. Erhaltung f; 2. (of nature) Naturschutz m; 3. (of the environment) Umweltschutz m

conservationist [kɒnsə'veɪʃənɪst] sb Umweltschützer m

conservation technology [kɒnsə'veɪʃən tek'nɒlədʒɪ] sb Umwelttechnik f

conservatism [kən'sɜːvətɪzəm] sb Konservatismus m

conservative [kən'sɜːvətɪv] adj 1. konservativ; 2. (cautious) vorsichtig; sb 3. Konservativer m

conservatory [kən'sɜːvətrɪ] sb 1. MUS Musikhochschule f; 2. (for plants) Wintergarten m

conserve [kən'sɜːv] v konservieren

consider [kən'sɪdə] v 1. (reflect upon) überlegen, nachdenken über, erwägen; 2. (take into account) denken an, berücksichtigen, bedenken; all things ~ed alles in allem; 3. (have in mind) in Betracht ziehen, erwägen; 4. (deem) betrachten als, halten für, schätzen

considerable [kən'sɪdərəbl] adj beträchtlich, erheblich, beachtlich

considerate [kən'sɪdərɪt] adj rücksichtsvoll, aufmerksam, fürsorglich

consideration [kənsɪdə'reɪʃən] sb 1. (deliberation) Überlegung f, Erwägung f; 2. take sth into ~ etw berücksichtigen; 3. (sth taken into ~) Erwägung f, Faktor m; 4. (thoughtfulness) Rücksicht f

considering [kən'sɪdərɪŋ] prep wenn man bedenkt, im Hinblick auf, angesichts

consign [kən'saɪn] v 1. ECO versenden, verschicken; 2. ~ to (commit to) bestimmen für

consignee [kənsaɪ'niː] sb Adressat m, Empfänger m

consist [kən'sɪst] v ~ of bestehen aus

consistency [kən'sɪstənsɪ] sb 1. Konsequenz f, Folgerichtigkeit f, Übereinstimmung f; 2. (of a substance) Konsistenz f

consistent [kən'sɪstənt] adj konsequent, gleich bleibend, einheitlich

consolation [kɒnsə'leɪʃən] sb 1. Trost m, Trostpflaster n; 2. (act of consoling) Trösten n

console¹ [kən'səʊl] v trösten

console² ['kɒnsəʊl] sb (control panel) Kontrollpult n

consolidate [kən'sɒlɪdeɪt] v (combine) vereinigen, zusammenschließen

consolidation [kənsɒlɪ'deɪʃən] sb (bringing together) Zusammenlegung f, Vereinigung f, Zusammenschluss m

consonant ['kɒnsənənt] sb LING Konsonant m

consort [kən'sɔːt] sb Gatte/Gattin m/f

conspicuous [kən'spɪkjʊəs] adj auffällig, auffallend, deutlich sichtbar

conspiracy [kən'spɪrəsɪ] sb Verschwörung f, Komplott n

conspirator [kən'spɪrətə] sb Verschwörer m

conspire [kən'spaɪə] v sich verschwören

constable ['kʌnstəbl] sb (UK) Polizist m

constancy ['kɒnstənsɪ] sb Beharrlichkeit f, Beständigkeit f, Konstanz f

constant ['kɒnstənt] adj 1. (unchanging) gleich bleibend, konstant, fest; 2. (continuous) andauernd, ständig, unaufhörlich

constellate ['kɒnstɪleɪt] v sich konstellieren, sich formieren

constellation [kɒnstə'leɪʃən] sb Sternbild n, Konstellation f

consternate ['kɒnstəneɪt] v beunruhigen, entsetzen

consternation [kɒnstɜː'neɪʃən] sb Sorge f, Bestürzung f

constituency [kən'stɪtjʊensɪ] sb POL Wahlkreis m

constituent [kən'stɪtjʊent] sb (component) Bestandteil m

constitute ['kɒnstɪtjuːt] v 1. (make up) bilden; 2. (amount to) darstellen

constitution [kɒnstɪ'tjuːʃən] sb 1. POL Verfassung f, Grundgesetz n, Satzung f; 2. (of a person) Konstitution f, Körperbau m

constitutional [kɒnstɪ'tjuːʃənl] adj 1. (consistent with the constitution) verfassungsmäßig; sb 2. (walk) Spaziergang m

constraint [kən'streɪnt] sb 1. (compulsion) Zwang m, Nötigung f; 2. (restriction) Beschränkung f

constrict [kən'strɪkt] v einengen, einschränken

construct [kən'strʌkt] v 1. bauen, errichten, konstruieren; 2. (a work of fiction) aufbauen

construction [kən'strʌkʃən] sb 1. (constructing) Bau m, Konstruktion f, Errichtung f; under ~ im Bau; 2. (of a work of fiction) Aufbau m

construction site [kən'strʌkʃən saɪt] sb Baustelle f

construe [kən'struː] v (interpret) auslegen, auffassen

consul ['kɒnsl] sb POL Konsul m

consulate ['kɒnsjʊlɪt] sb POL Konsulat m

consult [kən'sʌlt] v 1. konsultieren, befragen, um Rat fragen; ~ one's watch auf die Uhr sehen; 2. (files) einsehen; ~ the dictionary im Wörterbuch nachschlagen

consultant [kən'sʌltənt] sb Berater m

consultation [kɒnsəl'teɪʃən] sb Beratung f, Rücksprache f

consume [kən'sjuːm] v 1. (use up) verbrauchen, verzehren; to be in ~d with jealousy von Eifersucht verzehrt werden; 2. (food) verzehren, konsumieren

consumer [kən'sjuːmə] sb Verbraucher m, Konsument m

consumer goods [kən'sjuːmə gʊdz] pl ECO Verbrauchsgüter pl, Konsumgüter pl

consummate ['kɒnsʌmeɪt] v 1. (a marriage) vollziehen; [kən'sʌmɪt] 2. adj vollendet

consumption [kən'sʌmpʃən] sb Verbrauch m, Konsum m, Verzehr m

contact ['kɒntækt] v 1. sich in Verbindung setzen mit, Kontakt aufnehmen zu; sb 2. (communication) Verbindung f; to be in ~ with s.o. mit jdm in Verbindung stehen; lose ~ with s.o. die Verbindung zu jdm verlieren; 3. (person to ~) Kontaktperson f, Verbindungsmann m, Ansprechpartner m; 4. (useful acquaintance) Verbindung f; make ~s Verbindungen anknüpfen; 5. (touching) Berührung f

contagion [kən'teɪdʒən] sb MED Ansteckung f

contagious [kən'teɪdʒəs] adj 1. MED ansteckend, direkt übertragbar; 2. (fig) ansteckend

contain [kən'teɪn] v 1. (have inside) enthalten, beinhalten; 2. (control) (o.s.) sich beherrschen; (opponent) in Schach halten; (inflation) in Grenzen halten; 3. (have room for) fassen, umfassen

container [kən'teɪnə] sb 1. Behälter m, Gefäß n; 2. ECO Container m

contaminate [kən'tæmɪneɪt] v verunreinigen, vergiften, verseuchen

contamination [kəntæmɪ'neɪʃən] sb Verunreinigung f, Verseuchung f, Vergiftung f, Kontaminierung f

contemplate ['kɒntəmpleɪt] v nachdenken über, erwägen, denken an

contemporary [kən'tempərərɪ] adj 1. (present-day) zeitgenössisch, heutig; 2. (of the same time) zeitgenössisch, der damaligen Zeit; sb 3. (of s.o. in the past) Zeitgenosse m; 4. (age-wise) Altersgenosse m

contempt [kən'tempt] sb 1. Verachtung f, Geringschätzung f; hold in ~ verachten; beneath ~ unter aller Kritik; 2. ~ of court JUR Missachtung des Gerichts f

contend [kən'tend] v 1. (assert) behaupten; 2. (compete) kämpfen; ~ with s.o. for sth mit jdm um etw kämpfen

content¹ [kən'tent] adj 1. zufrieden; v 2. ~ o.s. with sich zufrieden geben mit, sich begnügen mit, sich abfinden mit; 3. (s.o.) zufrieden stellen; sb 4. one's heart's ~ nach Herzenslust

content² ['kɒntent] 1. Inhalt m; ~s pl Inhalt m; 2. CHEM Gehalt n

contention [kən'tenʃən] sb 1. (dispute) Streit m; 2. (argument) Behauptung f

contentment [kən'tentmənt] sb Zufriedenheit f

contest¹ [kən'test] v 1. (dispute) bestreiten, angreifen; 2. ~ a seat POL um einen Wahlkreis kämpfen; 3. MIL kämpfen um; 4. JUR anfechten

contest² ['kɒntest] sb 1. Kampf m; 2. (a competition) Wettbewerb m; 3. SPORT Wettkampf m

context ['kɒntekst] sb Zusammenhang m, Kontext m; out of ~ aus dem Zusammenhang gerissen

continent ['kɒntɪnənt] sb 1. Kontinent m, Erdteil m; 2. (mainland) Festland n; the Continent (UK) Kontinentaleuropa n

continental [kɒntɪ'nentl] adj kontinental

contingent [kən'tɪndʒənt] adj 1. ~ upon abhängig von; sb 2. (group) Gruppe f; 3. MIL Kontingent n

continual [kən'tɪnjʊəl] adj 1. (frequently recurring) immer wiederkehrend, häufig, oft wiederholt; 2. (unceasing) ununterbrochen

continuation [kəntɪnjʊ'eɪʃən] sb 1. Fortsetzung f; 2. (prolonging) Fortdauer f

continue [kən'tɪnjuː] v 1. ~ to be ... weiterhin ... bleiben, nach wie vor ... sein; 2. (~ to exist) andauern, fortbestehen; 3. (weather) anhalten; 4. (carry on with sth) weitermachen, fortfahren, fortsetzen; ~ in office im Amt bleiben; 5. (resume) fortsetzen; "to be ~d" Fortsetzung folgt

continuity [kɒntɪ'njuːɪtɪ] sb 1. Stetigkeit f; 2. (of a story) der rote Faden m (fam)

continuous [kən'tɪnjʊəs] adj 1. andauernd, ständig, fortwährend; 2. (line) ununterbrochen, durchgezogen; 3. TECH kontinuierlich

contorted [kən'tɔːtɪd] adj verzerrt

contortion [kən'tɔːʃən] sb 1. Verrenkung f; 2. (of a face) Verzerrung f

contour ['kɒntʊə] sb Kontur f, Umriss m

contract [kən'trækt] v 1. (physically) sich zusammenziehen, sich verengen; 2. ~ an illness sich eine Krankheit zuziehen; 3. ~ to do sth sich vertraglich verpflichten, etw zu tun; 4. ~ sth out ECO etw außer Haus machen lassen; ['kɒntrækt] sb 5. Vertrag m; to be under ~ unter Vertrag stehen; 6. (order) Auftrag m

contraction [kən'trækʃən] sb 1. Zusammenziehung f; 2. (of one's pupils) Verengung f; 3. GRAMM Kurzform f

contractor [kən'træktə] sb Auftragnehmer m

contradict [kɒntrə'dɪkt] v widersprechen

contradiction [kɒntrə'dɪkʃən] sb Widerspruch m, Widerrede f; ~ in terms Widerspruch in sich

contrary ['kɒntrərɪ] prep 1. ~ to wider, gegen, entgegen; adj 2. (conflicting) gegensätzlich; 3. (opposite) entgegengesetzt; sb 4. Gegenteil n; on the ~ im Gegenteil

contrast [kən'trɑːst] v 1. (differ) im Gegensatz stehen; (colours) sich abheben; 2. ~ sth with sth einen Vergleich anstellen zwischen etw und etw; ['kɒntrɑːst] sb 3. Gegensatz m, Kontrast m; 4. FOTO Kontrast m

contribute [kən'trɪbjuːt] v 1. beitragen; 2. (to charity) spenden; 3. (food, supplies) beisteuern; 4. to be a contributing factor) mitwirken

contribution [kɒntrɪ'bjuːʃən] sb 1. Beitrag m; make a ~ to sth einen Beitrag zu etw leisten; 2. (donation) Spende f

contributor [kən'trɪbjʊtə] sb 1. Beitragender m; 2. (to charity) Spender m; 3. (to a magazine) Mitarbeiter m

contrition [kən'trɪʃən] sb Reue f

contrive [kən'traɪv] v (devise) ersinnen, sich ausdenken, entwerfen

control [kən'trəʊl] v 1. ~ o.s. sich beherrschen, sich bezähmen, sich mäßigen; 2. (sth) Kontrolle haben über, kontrollieren; 3. (regulate) kontrollieren; 4. (traffic) regeln; 5. (steer) steuern, lenken; 6. (keep within limits) in Schranken halten, in Rahmen halten, beschränken; sb 7. Kontrolle f; get under ~ unter Kontrolle bringen; get out of ~ außer Kontrolle geraten; 8. (authority) Gewalt f, Macht f, Herrschaft f; have no ~ over sth keinen Einfluss auf etw haben; 9. (check) Kontrolle f; 10. (of a situation) Beherrschung f; lose ~ of o.s. die Beherrschung verlieren; have the situation under ~ Herr der Lage sein; 11. TECH Steuerung f; 12. (knob, switch) Regler m, Schalter m; to be at the ~s die Steuerung haben

controller [kən'trəʊlə] sb 1. Kontrolleur m; 2. TECH Regler m

controlling [kən'trəʊlɪŋ] adj 1. beherrschend, dominant; 2. have a ~ interest in sth ECO eine Mehrheitsbeteiligung an etw besitzen

controversial [kɒntrə'vɜːʃəl] adj umstritten, strittig, kontrovers

controversy ['kɒntrəvɜːsɪ] sb Kontroverse f, Streit m

controvert ['kɒntrəvɜːt] v bestreiten, anfechten

convalesce [kɒnvə'les] v genesen

convalescence [kɒnvə'lesəns] sb Genesung f

convene [kən'viːn] v 1. (come together) zusammenkommen, sich versammeln; 2. (call together) einberufen, versammeln

convenience [kən'viːnɪəns] sb 1. Annehmlichkeit f; at your ~ wann es Ihnen paßt; for your ~ zum gefälligen Gebrauch; 2. public ~ öffentliche Toilette f

convenient [kən'viːnɪənt] adj 1. günstig, passend, geeignet; ~ly located (shop) verkehrsgünstig; 2. (functional) brauchbar, praktisch, zweckmäßig

convent ['kɒnvənt] sb REL Frauenkloster n

convention [kən'venʃən] sb 1. (conference) Fachkongress m, Tagung f; 2. POL Konvent m; (US) Parteiversammlung f; 3. (agreement) Abkommen n; 4. (social rule) Konvention f

converge [kən'vɜːdʒ] v 1. zusammenlaufen, sich einander nähern; 2. MATH konvergieren

convergence [kən'vɜːdʒəns] sb Konvergenz f, Annäherung f

conversation [kɒnvə'seɪʃən] *sb* Gespräch *n*, Unterhaltung *f*, Konversation *f*; *make ~ (small talk)* Konversation machen

converse ['kɒnvɜːs] *v* sich unterhalten, sprechen

conversely [kɒn'vɜːslɪ] *adv* umgekehrt

conversion [kən'vɜːʃən] *sb* 1. Umwandlung *f*, Verwandlung *f*; 2. *(of a buiding)* Umbau *m*; 3. TECH *(of a device)* Umstellung *f*; 4. *(of measures)* Umrechnung *f*; 5. REL Bekehrung *f*

convert [kən'vɜːt] *v* 1. umwandeln, verwandeln; 2. *(measures)* umrechnen; 3. TECH umrüsten, umstellen; *(building)* umbauen; 4. REL bekehren; 5. FIN konvertieren, umwandeln; ['kɒnvɜːt] *sb* 6. REL Bekehrter *m*

convertible [kən'vɜːtɪbl] *v* 1. verwandelbar; *sb* 2. Kabriolett *n*

convey [kən'veɪ] *v* 1. *(of a means of transport)* befördern; 2. *(an opinion)* vermitteln; 3. *(a message)* übermitteln; 4. JUR übertragen

conveyance [kən'veɪəns] *sb* 1. *(of a message)* Übermittlung *f*; 2. JUR Übertragung *f*

convict [kən'vɪkt] *v* 1. für schuldig erklären, überführen; ['kɒnvɪkt] *sb* 2. Sträfling *m*

conviction [kən'vɪkʃən] *sb* 1. *(belief)* Überzeugung *f*; *courage of one's* ~*s* Zivilcourage *f*; 2. JUR Verurteilung *f*, Schuldspruch *m*, Überführung *f*

convince [kən'vɪns] *v* überzeugen

convolve [kən'vɒlv] *v* zusammenrollen

convoy ['kɒnvɔɪ] *sb* 1. MIL Geleit *n*; 2. *(of lorries)* Lastwagenkolonne *f*

convulse [kən'vʌls] *v* erschüttern, schütteln

cook [kuk] *v* 1. kochen, zubereiten; 2. *~ the books (fam)* die Bücher fälschen; *sb* 3. Koch/Köchin *m/f*

cooker ['kukə] *sb* 1. Kocher *m*; 2. *(UK: stove)* Herd *m*

cookery ['kukərɪ] *sb* GAST Kochen *n*, Kochkunst *f*

cookery-book ['kukərɪbuk] *sb* Kochbuch *n*

cookie ['kukɪ] *sb (US)* GAST Keks *m*, Plätzchen *n*

cool [kuːl] *v* 1. abkühlen; 2. *(sth)* kühlen; *~ it! (fam)* Reg dich ab! *adj* 3. *(temperature)* kühl; 4. *(fig: unfriendly)* kühl; 5. *(calm)* besonnen, gelassen; 6. *(fam)* cool; *sb* 7. *Keep your ~! Bleib ganz ruhig! lose one's ~ (US)* aus der Fassung geraten

• **cool down** *v (fig)* sich beruhigen
• **cool off** *v* abkühlen

cooperate [kəʊ'ɒpəreɪt] *v* zusammenarbeiten; *(comply)* mitmachen

cooperation [kəʊɒpə'reɪʃən] *sb* Zusammenarbeit *f*, Kooperation *f*

cooperative [kəʊ'ɒpərətɪv] *adj (prepared to comply)* kooperativ, kollegial

coordinate [kəʊ'ɔːdɪneɪt] *v* 1. koordinieren, gleichschalten, aufeinander abstimmen; [kəʊ'ɔːdɪnɪt] *sb* 2. Koordinate *f*

coordination [kəʊɒːdɪ'neɪʃən] *sb* Koordination *f*

coordinator [kəʊ'ɔːdɪneɪtə] *sb* Koordinator *m*

cop [kɒp] *sb (fam)* Bulle *m*, Polyp *m*

co-partner [kəʊ'pɑːtnə] *sb* Partner *m*, Teilhaber *m*

cope [kəʊp] *v ~ with* bewältigen, fertig werden mit, zurechtkommen mit

copier ['kɒpɪə] *sb (machine)* Kopierer *m*

copilot ['kəʊpaɪlɒt] *sb* Kopilot *m*

copper ['kɒpə] *sb* 1. CHEM Kupfer *n*; 2. *(fam: policeman)* Polizist *m*, Bulle *m (fam)*

copy ['kɒpɪ] *sb* 1. *(write out again)* abschreiben; 2. *(reproduce)* kopieren, nachbilden; 3. *(imitate)* nachmachen; 4. *(a classmate's work)* abschreiben, spicken; *sb* 5. Kopie *f*; 6. *(written out separately)* Abschrift *f*; 7. *(of a photo)* Abzug *m*, Abdruck *m*; 8. *(of a book, newspaper, or magazine)* Exemplar *n*; 9. *(text of an advertisement or article)* Text *m*

copyright ['kɒpɪraɪt] *sb* Copyright *n*, Urheberrecht *n*

coral ['kɒrəl] *sb* ZOOL Koralle *f*

cord [kɔːd] *sb* 1. Schnur *f*, Strick *m*, Kordel *f*; 2. *(electrical)* Schnur *f*; 3. *~s pl* Kordstoff *m*

corded ['kɔːdɪd] *adj* gerippt

cordial ['kɔːdjəl] *adj* höflich, herzlich

core [kɔː] *sb* 1. Kern *m*, Kernhaus *n*; *to the ~ (fig)* durch und durch; *v* 2. entkernen

cork [kɔːk] *sb* 1. *(stopper)* Korken *m*, Stöpsel *m*; 2. BOT Kork *m*

corkscrew ['kɔːkskruː] *sb* Korkenzieher *m*

corn [kɔːn] *sb* 1. BOT Getreide *n*, Korn *n*; 2. *(US)* BOT Mais *m*; 3. MED Hühnerauge *n*

corned beef [kɔːnd'biːf] *sb* GAST Corned Beef *n*

corner ['kɔːnə] *v* 1. *(trap)* in die Enge treiben; *~ the market* monopolisieren; *sb* 2. Ecke *f*; *out of the ~ of one's eye* aus dem Augenwinkel; *round the ~* um die Ecke; *drive s.o. into a ~* jdn in die Ecke treiben; 3. *(in a road)* Kurve *f*; 4. *(out-of-the-way place)* Winkel *m*

cornfield ['kɔːnfiːld] *sb* Kornfeld *n*, *(US)* Maisfeld *n*

cornflakes [ˈkɔːnfleɪks] *pl GAST* Cornflakes *pl*

coronation [kɒrəˈneɪʃən] *sb* Krönung *f*

corporal¹ [ˈkɔːpərəl] *sb MIL* Unteroffizier *m*

corporal² [ˈkɔːpərəl] *adj* körperlich

corporation [kɔːpəˈreɪʃən] *sb ECO (UK)* Handelsgesellschaft *f*, *(US)* Aktiengesellschaft *f*

corpse [kɔːps] *sb* Leiche *f*, Leichnam *m*

corpulent [ˈkɔːpjulənt] *adj* beleibt, korpulent

corpus [ˈkɔːpəs] *sb 1. (important part of sth)* Großteil *m*; 2. *(dead body)* Leiche *f*

Corpus Christi [ˈkɔːpəs ˈkrɪstɪ] *sb REL* Fronleichnam *m*

corrade [kɒˈreɪd] *v GEO* abtragen

correct [kəˈrekt] *v 1.* korrigieren, verbessern, berichtigen; *Correct me if I'm wrong.* Sie können mich gern berichtigen. *adj 2. (right)* richtig; *3. (suitable)* korrekt

correction [kəˈrekʃən] *sb* Verbesserung *f*, Korrektur *f*

correctness [kəˈrektnɪs] *sb* Richtigkeit *f*, Korrektheit *f*

correlation [kɒrɪˈleɪʃən] *sb (relationship)* direkter Zusammenhang *m*, Wechselbeziehung *f*, Korrelation *f*

correlative [kɒˈrelətɪv] *adj* entsprechend

correspond [kɒrɪsˈpɒnd] *v 1. (exchange letters)* korrespondieren, in Briefwechsel stehen; *~ to* entsprechen

correspondence [kɒrɪsˈpɒndəns] *sb 1. (letter writing)* Korrespondenz *f*; *2. (a ~)* Briefwechsel *m*

correspondent [kɒrɪsˈpɒndənt] *sb 1. (reporter)* Korrespondent *m*, Berichterstatter *m*; *2. (letter-writer)* Briefschreiber *m*

corridor [ˈkɒrɪdə] *sb* Korridor *m*, Gang *m*, Flur *m*

corrosion [kəˈrəʊʒən] *sb* Korrosion *f*

corrupt [kəˈrʌpt] *v 1.* verderben; *adj 2.* verdorben, schlecht, verworfen; *3. (bribable)* korrupt

corruption [kəˈrʌpʃən] *sb 1.* Korruption *f*; *2. (corrupt nature)* Verdorbenheit *f*

cosmetic [kɒzˈmetɪk] *adj* kosmetisch

cosmetics [kɒzˈmetɪks] *pl* Kosmetik *f*

cosmic [ˈkɒzmɪk] *adj* kosmisch

cosmonaut [ˈkɒzmənɔːt] *sb* Kosmonaut(in) *m*

cosmopolitan [kɒzməˈpɒlɪtən] *adj 1.* kosmopolitisch; *sb 2.* Kosmopolit *m*

cosmos [ˈkɒzmɒs] *sb* Kosmos *m*, Weltall *n*

cosset [ˈkɒsɪt] *v* verhätscheln

cost [kɒst] *v irr 1.* kosten; *How much does it ~?* Wie viel kostet es? *It'll ~ you. (fam)* Das kostet dich was. *sb 2.* Kosten *pl*; *at no ~* kostenlos; *3. (fig)* Preis *m*; *at all ~s, at any ~* um jeden Preis

costly [ˈkɒstlɪ] *adj* teuer, kostspielig

costume [ˈkɒstjuːm] *sb* Kostüm *n*

cosy [ˈkəʊzɪ] *adj* behaglich, gemütlich

cot [kɒt] *sb 1. (for a baby: UK)* Kinderbett *n*, Gitterbett *n*; *2. (US)* Feldbett *n*

cottage [ˈkɒtɪdʒ] *sb* Cottage *n*, Häuschen *n*

cottage cheese [kɒtɪdʒˈtʃiːz] *sb* Hüttenkäse *m*

cotton [ˈkɒtn] *sb* Baumwolle *f*

cotton wool [ˈkɒtn wʊl] *sb* Baumwolle *f*

couch [kaʊtʃ] *sb* Couch *f*, Liege *f*

couchette [kuːˈʃet] *sb* Liegewagen *m*

cougar [ˈkuːɡə] *sb* Puma *m*

cough [kɒf] *v 1.* husten; *sb 2.* Husten *m*

cough up *v 1.* aushusten; *2. (fam: money)* rausrücken

could [kʊd] *v (see "can")*

council [ˈkaʊnsl] *sb REL* Konzil *n*

councilman [ˈkaʊnslmən] *sb 1.* Ratsmitglied *n*; *2. (town ~)* Stadtrat *m*

council tax [ˈkaʊnsl tæks] *sb (UK)* Gemeindesteuer *f*

counsel [ˈkaʊnsl] *sb 1.* Rat *m*; *v 1.* beraten; *2. (a course of action)* raten; *sb 3. JUR* Anwalt *m*; *~ for the defence* Verteidiger *m*; *~ for the prosecution* Anklagevertreter *m*; *4.* Ratschlag *m*, Rat *m*, Beratung *f*

counsellor [ˈkaʊnsələ] *sb* Berater *m*

count [kaʊnt] *sb 1.* Zählung *f*; *lose ~* sich verzählen; *2. (in boxing) SPORT* Auszählen *n*; *3. lose ~ of sth* den Überblick über etw verlieren; *4. (nobleman)* Graf *m*; *v 5.* zählen; *6. (to be important)* wichtig sein; *that doesn't ~* das zählt nicht; *7. (to be included)* mitgezählt werden, mitgerechnet werden; *8. (consider)* betrachten; *not ~ing* abgesehen von

● **count against** *v ~ sth* gegen etw sprechen

● **count in** *v* mitzählen, mitrechnen; *Count me in!* Ich bin dabei!

● **count out** *v 1. (money)* abzählen; *2. SPORT* auszählen; *3. (fam) I think we can count him out.* Ich glaube nicht, dass wir mit ihm rechnen können.

countdown [ˈkaʊntdaʊn] *sb* Countdown *m*

counter [ˈkaʊntə] *v 1.* kontern, *(reply)* entgegnen; *sb 2.* Ladentisch *m*, Tresen *m*, Theke *f*; *under the ~* illegal, unter dem Ladentisch; *3. TECH* Zähler *m*

counteract [kaʊntərˈækt] *v 1.* entgegenwirken; *2. (neutralisieren)* neutralisieren

counterbalance [kaʊntə'bæləns] v ausgleichen

counterfeit ['kaʊntəfɪt] v 1. fälschen; sb 2. Fälschung f; adj 3. gefälscht; ~ money Falschgeld n

counterfeiter ['kaʊntəfɪtə] sb Fälscher m

countermeasure ['kaʊntəmeʒə] sb Gegenmaßnahme f

counterpart ['kaʊntəpɑ:t] sb 1. (complement) Gegenstück n; 2. (equivalent) Gegenüber (fam)

counter-revolution [kaʊntərevə'lu:ʃən] sb Konterrevolution f, Gegenrevolution f

countersign [kaʊntə'saɪn] v gegenzeichnen

countess ['kaʊntɪs] sb Gräfin f

country ['kʌntrɪ] sb Land n

country dance [kʌntrɪ'dɑːns] sb Volkstanz m

countryside ['kʌntrɪsaɪd] sb Land n, Landschaft f

county ['kaʊntɪ] sb 1. (UK) Grafschaft f; 2. (US) Landkreis m, Kreis m, Verwaltungsbezirk m

county town ['kaʊntɪ taʊn] sb Hauptstadt einer Grafschaft f

couple ['kʌpl] v 1. paaren; ~d with verbunden mit; 2. TECH kuppeln; sb 3. Paar n; 4. a ~ (fam: some) ein paar, einige; (two) zwei; 5. (lovers) Liebespaar n; 6. (married ~) Ehepaar n

coupon ['ku:pɒn] sb 1. (voucher) Gutschein m; 2. FIN Kupon m

courage ['kʌrɪdʒ] sb Mut m

courageous [kə'reɪdʒəs] adj mutig, tapfer

courgette [kʊə'ʒet] sb BOT Zucchini m

courier ['kʊrɪə] sb 1. Eilbote m; 2. (diplomatic ~) Kurier m

course [kɔːs] sb 1. (development) Lauf m, Ablauf m, Verlauf m; take its ~ seinen Lauf nehmen; in due ~ zur gegebenen Zeit; a matter of ~ eine Selbstverständlichkeit; 2. of ~ natürlich, selbstverständlich; sb 3. (path) Kurs m; 4. (race ~) Kurs m, Piste f; 5. stay the ~ durchhalten; 6. (direction of travel) Kurs m, Richtung f; to be off ~ vom Kurs abgekommen sein; 7. ~ of a river Flusslauf m; 8. (programme) Kurs m, Lehrgang m; 9. (of a meal) Gang m; main ~ Hauptgericht n

court [kɔːt] v 1. (a woman) umwerben; sb 2. (~ of law) Gericht n; take s.o. to ~ jdn verklagen; 3. (royal) Hof m; 4. SPORT Platz m, Spielfeld n

courteous ['kɜːtɪəs] adj höflich

courtesy ['kɜːtəsɪ] sb Höflichkeit f

courtly ['kɔːtlɪ] adj höflich, galant

court order [kɔːt 'ɔːdə] sb JUR Gerichtsbeschluss m

courtroom ['kɔːtruːm] sb Gerichtssaal m

courtship ['kɔːtʃɪp] sb Werbung f

courtyard ['kɔːtjɑːd] sb Hof m

cousin ['kʌzn] sb 1. (male) Cousin m, Vetter m; 2. (female) Kusine f, Base f

covenant ['kʌvənənt] sb 1. Vertrag m; 2. (in the Bible) REL Bund m

cover ['kʌvə] v 1. bedecken, zudecken; 2. (re-cover furniture) beziehen, überziehen; 3. ~ over überdecken; 4. FIN (a loan, a check) decken; (costs) bestreiten; (insure) versichern; 5. SPORT decken; 6. MIL decken; 7. (hide) verbergen; (a mistake) verdecken; ~ one's tracks seine Spuren verwischen; 8. ~ up (a mistake, a scandal) vertuschen; 9. (include) einschließen, umfassen, enthalten; 10. (a story) berichten über; 11. (distance) zurücklegen; 12. ~ for s.o. (protect s.o.) jdn decken, (help out) für jdn einspringen; 13. ~ a lot of ground (travel) weit herumkommen, (to be comprehensive) umfassend sein; sb 14. (sheet, blanket) Decke f; 15. (tarpaulin) Plane f; 16. (of a magazine) Umschlag m, Titelseite f; 17. (of a book) Einband m; read sth from ~ to ~ etw von der ersten bis zur letzten Seite lesen; 18. (false identity) Tarnung f; blow one's ~ auffliegen (fam); 19. (lid) Deckel m; 20. MIL Deckung f; take ~ in Deckung gehen; 21. under separate ~ mit getrennter Post

coverage ['kʌvrɪdʒ] sb 1. (in the media) Berichterstattung f; 2. (insurance ~) ECO Versicherung f

covering ['kʌvərɪŋ] sb 1. Abdeckung f, Verkleidung f, Hülle f; 2. (shelter) Schutz m

cow [kaʊ] sb Kuh f

coward ['kaʊəd] sb Feigling m

cowardice ['kaʊədɪs] sb Feigheit f

cowboy ['kaʊbɔɪ] sb Cowboy m

cower ['kaʊə] v 1. sich ducken; 2. (squatting) kauern

cowl [kaʊl] sb Kapuze f

coyote [kaɪ'əʊtɪ] sb Kojote m

cozy (US)(see "cosy")

crab [kræb] sb ZOOL Krabbe f, Krebs m

crabbed ['kræbɪd] adj 1. (ill-humoured) übellaunig, mürrisch; 2. (illegible) unverständlich, unleserlich

crack [kræk] sb 1. Sprung m, Riss m, Ritze f; 2. (sound) Knacks m, Knall m; 3. (gibe) Stichelei f; 4. (fam: ~ cocaine) Crack n; 5. at the ~ of dawn bei Tagesanbruch, (fig: very ear-

ly) sehr früh; v 6. *(become ~ed)* zerspringen, springen, Risse bekommen; 8. get ~ing *(fam)* Dampf machen, loslegen; 9. *(make a ~ in)* einen Sprung machen in; 10. *(fig: a safe, a code)* knacken; 11. *(make a ~ing sound)* knacken, krachen; 12. *(a whip)* knallen mit; 13. *(nuts)* knacken; 14. ~ a bottle eine Flasche köpfen; 15. ~ a joke einen Witz reißen

• **crack down** v ~ on scharf vorgehen gegen

• **crack up** v 1. *(fam: lose one's sanity)* durchdrehen, überschnappen; 2. *(fam: with laughter)* (US) sich kaputtlachen

cracker ['krækə] sb *(biscuit)* Kräcker m

cracking ['krækɪŋ] adj *(fam)* (UK) super, toll; We had a ~ day out. Wir hatten einen phantastischen Ausflug.

crackle ['krækl] v knattern, knistern

cradle ['kreɪdl] sb Wiege f

craft [krɑːft] sb 1. *(trade)* Handwerk n, Gewerbe n; 2. *(handicraft)* Kunst f; arts and ~s Kunstgewerbe n

craftsman ['krɑːftsmən] sb Handwerker m

crafty ['krɑːftɪ] adj schlau, raffiniert, listig, clever

cram [kræm] v 1. voll stopfen; 2. *(fam: study)* pauken, büffeln

cramp [kræmp] sb 1. MED Krampf m; v 2. behindern

cranberry ['krænbərɪ] sb Preiselbeere f

crane [kreɪn] sb 1. TECH Kran m; 2. ZOOL Kranich m

crash [kræʃ] v 1. *(have an accident)* verunglücken, einen Unfall haben; *(plane)* abstürzen; 2. *(into one another)* zusammenkrachen; 3. *(wreck)* einen Unfall haben mit; ~ a party uneingeladen zu einer Party kommen; sb 4. Unglück n, Unfall m, Zusammenstoß m; 5. *(airplane ~)* Absturz m; v 6. *(noise)* Krach m

crash course ['kræʃkɔːs] sb Intensivkurs m, Schnellkurs m

crash helmet ['kræʃhelmɪt] sb Sturzhelm m

crate [kreɪt] sb Kiste f, Kasten m

crater ['kreɪtə] sb Krater m

cravat [krə'væt] sb Halstuch n

craven ['kreɪvn] adj feige

crawfish ['krɔːfɪʃ] sb Languste f

crawl [krɔːl] v 1. kriechen, krabbeln; 2. to be ~ing with wimmeln von

crawler ['krɔːlə] sb *(fam: servile person)* Schleimer m, Kriecher m

crayfish ['kreɪfɪʃ] sb ZOOL 1. *(freshwater)* Flusskrebs m; 2. *(salt-water)* Languste f

crazy ['kreɪzɪ] adj 1. verrückt, wahnsinnig; go ~ verrückt werden; 2. ~ about versessen auf, begeistert von

creak [kriːk] v knarren, quietschen

cream [kriːm] sb 1. GAST Sahne f, Rahm m; 2. *(lotion)* Creme f; 3. *(fig: best)* Auslese f, Elite f; v 4. ~ off abschöpfen; 5. *(fig)* absahnen

creamy ['kriːmɪ] adj sahnig

crease [kriːs] v 1. *(become ~d)* knittern; 2. *(make a ~ in)* *(clothes)* eine Falte machen in, *(paper)* einen Kniff machen in; 3. *(unintentionally)* zerknittern, verknittern; sb 4. Falte f, Kniff m; 5. *(ironed)* Bügelfalte f

create [kriː'eɪt] v schaffen, verursachen

creation [kriː'eɪʃən] sb 1. *(making)* Schaffung f, Verursachung f, Erschaffung f; the Creation die Schöpfung; 2. *(thing created)* Schöpfung f, Kreation f, Werk n

creative [kriː'eɪtɪv] adj kreativ

creativity [kriːeɪ'tɪvɪtɪ] sb Kreativität f, schöpferische Kraft f

creator [kriː'eɪtə] sb Schöpfer m

creature ['kriːtʃə] sb Wesen n, Lebewesen n, Geschöpf n

credence ['kriːdns] sb Glaube m

credibility [kredɪ'bɪlɪtɪ] sb Glaubwürdigkeit f, Glaubhaftigkeit f

credible ['kredɪbl] adj glaubwürdig

credit ['kredɪt] sb 1. FIN Kredit m; 2. *(balance)* FIN Guthaben n, Haben n; 3. *(recognition)* Anerkennung f; get ~ for Anerkennung finden für; take the ~ for sth das Verdienst für etw in Anspruch nehmen; 4. *(honour)* Ehre f; to be a ~ to s.o. jdm Ehre machen; 5. ~s pl *(opening)* CINE Vorspann m; *(closing ~)* Nachspann m; v 6. FIN gutschreiben; 7. *(attribute)* zuschreiben; ~ s.o. with sth jdm etw zuschreiben

credit card ['kredɪt kɑːd] sb Kreditkarte f

credo ['kriːdəʊ] sb Kredo n, Glaubensbekenntnis n

creed [kriːd] sb 1. *(set of principles)* Kredo n; 2. REL Glaubensbekenntnis n, Glaube m, Konfession f

creek [kriːk] sb 1. (UK: inlet) kleine Bucht f; 2. (US: brook) Bach m; to be up the ~ *(fam)* in der Klemme sitzen

creel [kriːl] sb Korb m

creep [kriːp] v irr 1. schleichen, kriechen; ~ up on sich heranschleichen an; 2. *(vertically)* sich ranken, klettern; ~ make s.o.'s flesh ~ jdm eine Gänsehaut einjagen; sb 4. *(fam)* Widerling m, fieser Typ m; 5. give s.o. the ~s jdm Angst und Bange machen

cremate [krɪ'meɪt] v verbrennen, einäschern

cremation [krɪ'meɪʃən] sb Feuerbestattung f, Einäscherung f

crematorium [kremə'tɔ:rɪəm] sb Krematorium n

crest [krest] sb 1. (of a wave, of a hill) Kamm m; 2. (coat of arms) Wappen n

crestfallen ['krestfɔ:lən] adj niedergeschlagen, geknickt

crevasse [krɪ'væs] sb Spalte f, Gletscherspalte f

crevice ['krevɪs] sb Felsspalte f

crew [kru:] sb Mannschaft f, Crew f, Besatzung f

crib [krɪb] sb 1. (cradle) Krippe f; 2. (US) Kinderbett n, Gitterbett n; v 3. (in school) (fam) spicken

cricket ['krɪkɪt] sb 1. ZOOL Grille f; 2. SPORT Kricket n

crime [kraɪm] sb 1. (in general) Verbrechen pl; 2. (a ~) Straftat f, Verbrechen n

criminal ['krɪmɪnl] sb 1. Kriminelle(r) m/f, Verbrecher m, Straftäter m; adj 2. kriminell, verbrecherisch, strafbar

criminal code ['krɪmɪnl kəʊd] sb JUR Strafgesetzbuch n

criminality [krɪmɪnælɪtɪ] sb Kriminalität f

criminalize ['krɪmɪnəlaɪz] v kriminalisieren

criminal law ['krɪmɪnl lɔ:] sb JUR Strafrecht n

crimp [krɪmp] sb put a ~ in sth etw hemmen, etw behindern

crimple ['krɪmpl] v zerknittern, zerknautschen

crimson ['krɪmzn] adj purpurrot

cringe [krɪndʒ] v 1. zurückschrecken; 2. (fig) schaudern; I ~ at the thought. Mich schaudert bei dem Gedanken.

crinkle ['krɪŋkl] v knittern

crisis ['kraɪsɪs] sb Krise f

crisp [krɪsp] adj 1. (bread, bacon) knusprig; 2. (air) frisch; 3. (remark, manner) knapp; sb 4. ~s pl (UK) Kartoffelchips pl

crispbread ['krɪspbred] sb Knäckebrot n

crispness ['krɪspnɪs] sb 1. (food) Knusprigkeit f, Knackigkeit f, Frische f; 2. (vivacity) Frische f, Lebendigkeit f

crisps ['krɪsps] pl (UK) GAST Kartoffelchips pl

crispy ['krɪspɪ] adj knusprig

criterion [kraɪ'tɪərɪən] sb Kriterium n

critic ['krɪtɪk] sb Kritiker m

critical ['krɪtɪkəl] adj 1. (fault-finding) kritisch; 2. (crucial) kritisch, entscheidend; 3. (dangerous) kritisch, bedenklich

criticism ['krɪtɪsɪzəm] sb Kritik f

criticize ['krɪtɪsaɪz] v kritisieren

critique [krɪ'ti:k] sb Kritik f

croak [krəʊk] v 1. (frog) quaken, (raven) krächzen; 2. (fam: die) Gauner m, Ganove m

crocodile ['krɒkədaɪl] sb Krokodil n

crook [krʊk] sb 1. (shepherd's) Hirtenstab m; 2. (thief, swindler) Gauner m, Ganove m

crop [krɒp] sb 1. AGR Ernte f, Ertrag m; v 2. ~ up (fam) auftauchen, aufkommen

cross [krɒs] sb 1. Kreuz n; make the sign of the ~ das Kreuzzeichen machen; v 2. (to be ~ed) sich kreuzen, sich schneiden, sich überschneiden; 3. (put one across the other) kreuzen, verschränken; ~ a t den T-Strich setzen; 4. BIO kreuzen; 5. (go across) überqueren, überschreiten, durchqueren; it ~ed my mind es kam mir in den Sinn; 6. ~ out ausstreichen, durchstreichen; 7. (a cheque: UK) FIN zur Verrechnung ausstellen; adj 8. böse, sauer

crossing ['krɒsɪŋ] sb 1. (trip across) Überquerung f; (on a ship) Überfahrt f; 2. (place where one can cross) Übergang m; 3. (crossroads) Kreuzung f

crossroads ['krɒsrəʊdz] sb 1. Straßenkreuzung f; 2. (fig) Scheideweg m

cross section ['krɒssekʃən] sb Querschnitt m

cross-street ['krɒsstri:t] sb Querstraße f

crosswalk ['krɒswɔ:k] sb (US) Fußgängerüberweg m

crosswise ['krɒswaɪz] adv quer

crossword puzzle ['krɒswɜ:dpʌzl] sb Kreuzworträtsel n

crouch [kraʊtʃ] v 1. hocken; 2. (in fear) kauern

crow [krəʊ] sb 1. ZOOL Krähe f; eat ~ (fam) demütig einen Fehler zugeben; v 2. krähen; 3. (fam: boast) triumphieren

crowd [kraʊd] sb 1. Menschenmenge f; 2. (spectators) Zuschauermenge f, Publikum n; 3. (crush) Gedränge n, Andrang m; 4. (clique) Haufen m; v 5. drängen

crown [kraʊn] sb 1. Krone f; v 2. krönen

crown court [kraʊn kɔ:t] sb (UK) JUR Schwurgericht n

crown prince [kraʊn prɪnts] sb (heir to the crown) Kronprinz m

crucifix ['kru:sɪfɪks] sb REL Kruzifix n

crucifixion [kru:sɪ'fɪkʃən] sb REL Kreuzigung f

crucify ['kru:sɪfaɪ] v kreuzigen
crude [kru:d] adj 1. (vulgar) grob, derb, ordinär; 2. (unsophisticated) primitiv, grob; 3. (unprocessed) roh
cruel ['kroəl] adj grausam, gemein, unbarmherzig
cruelty ['kroəltɪ] sb 1. Grausamkeit f; 2. ~ to animals Tierquälerei f
cruise [kru:z] v 1. (in a ship) kreuzen; (in a plane) fliegen; (in a car) fahren; 2. INFORM ~ the internet surfen; sb 3. Kreuzfahrt f, Vergnügungsfahrt f
cruiser ['kru:zə] sb NAUT Kreuzer m
crumb [krʌm] sb Krümel m, Brösel m
crumble ['krʌmbl] v 1. zerbröckeln, zerfallen, abbröckeln; 2. (fig) sich auflösen, schmelzen, schwinden; sb 3. (cause to ~) zerkrümeln, zerbröckeln, bröckeln
crummy ['krʌmɪ] adj (fam) mies
crumple ['krʌmpl] v (~ up) zerknittern
crunch [krʌntʃ] v 1. (make a ~ing sound) knirschen, krachen; sb 2. (sound) Krachen n, Knirschen n
crunchy ['krʌntʃɪ] adj knusprig
crusade [kru:'seɪd] sb Kreuzzug m
crush [krʌʃ] v 1. zerdrücken, zerquetschen, zermalmen; 2. (to death) erdrücken; 3. (stones) zerkleinern; 4. (garlic, ice) stoßen; 5. (fig) niederschlagen, vernichten, unterdrücken; sb 6. Gedränge n; 7. (fam: infatuation) Schwärmerei f; have a ~ on s.o. in jdn verknallt sein
crust [krʌst] sb Kruste f
crusty ['krʌstɪ] adj 1. (having a crust) knusprig; 2. (remark) hart, scharf, grob
crutch [krʌtʃ] sb Krücke f
cry [kraɪ] v 1. (weep) weinen; ~ o.s. to sleep sich in den Schlaf weinen; 2. (call) rufen; 3. (scream) schreien; 4. ~ out aufschreien; ~ sth out to s.o. jdm etw zuschreien; sb 5. (call) Ruf m; a far ~ from (fig) weit entfernt von; 6. (scream) Schrei m
crypt [krɪpt] sb Gruft f
cryptic ['krɪptɪk] adj rätselhaft, hintergründig
crystal ['krɪstl] sb Kristall n
cub [kʌb] sb ZOOL Junge(s) n
cube [kju:b] sb 1. Würfel m; 2. (power of three) dritte Potenz f
cubic meter ['kju:bɪk 'mi:tə] sb Kubikmeter m
cuckoo ['koku:] sb ZOOL Kuckuck m
cuckoo clock ['koku:klɒk] sb Kuckucksuhr f

cucumber ['kju:kʌmbə] sb Gurke f; as cool as a ~ beherrscht, ruhig
cuddle ['kʌdl] v 1. (~ up) schmusen, sich kuscheln; 2. (s.o.) hätscheln, schmusen mit
cue [kju:] sb 1. CINE Zeichen zum Aufnahmebeginn n; 2. THEAT Stichwort n; 3. MUS Einsatz m
cuff [kʌf] sb (on clothing) Manschette f, Aufschlag m; off the ~ aus dem Stegreif
cull [kʌl] v pflücken, sammeln, einsammeln
culminate ['kʌlmɪneɪt] v ~ in gipfeln in
culmination [kʌlmɪ'neɪʃən] sb Gipfel m
culpable ['kʌlpəbl] adj schuldig
culprit ['kʌlprɪt] sb 1. Schuldiger m, (fig) Übeltäter m; 2. JUR Täter m
cult [kʌlt] sb Kult m
cultivate ['kʌltɪveɪt] v 1. kultivieren, bebauen, anbauen; 2. (fig) pflegen, kultivieren
cultivated ['kʌltɪveɪtɪd] adj kultiviert
cultivation [kʌltɪ'veɪʃən] sb 1. AGR Kultivierung f, Anbau m; 2. (fig) Pflege f
cultural ['kʌltʃərəl] adj kulturell, Kultur...
culture ['kʌltʃə] sb Kultur f
cultured ['kʌltʃəd] adj 1. (person) kultiviert; 2. (produced artificially) gezüchtet
culture shock ['kʌltʃə ʃɒk] sb Kulturschock m
cumber ['kʌmbə] v belasten, erschweren, behindern
cumulate ['kju:mjoleɪt] v anhäufen
cumulative ['kju:mjolətɪv] adj gesamt
cunning ['kʌnɪŋ] adj 1. (person) listig, gerissen, schlau; 2. (idea) schlau; sb 3. Listigkeit f, Schlauheit f
cup [kʌp] sb 1. Tasse f; 2. (mug, tumbler) Becher m; 3. (trophy, goblet) Pokal m
cupboard ['kʌbəd] sb Schrank m, (containing food) Speiseschrank m, (containing dishes) Geschirrschrank m
curable ['kjoərəbl] adj heilbar
curate ['kjorɪt] sb REL Vikar m, Kurat m
curb [kɜ:b] v 1. (fig) zügeln, einschränken, bändigen; sb 2. (US: kerb) Bordstein m
curdle ['kɜ:dl] v 1. (become ~d) gerinnen; 2. (~ sth) gerinnen lassen
curds [kɜ:dz] pl GAST Quark m
cure [kjoə] v 1. heilen; sb 2. (fig) Mittel n; 3. (remedy) MED Heilmittel n; 4. (recovery) Heilung f; 5. (at a spa) Kur f
curiosity [kjoərɪ'ɒsɪtɪ] sb 1. Neugier f; 2. (item) Kuriosität f, Rarität f
curious ['kjoərɪəs] adj 1. (inquisitive) neugierig, wissbegierig; 2. (odd) merkwürdig, kurios, seltsam; ~ly enough merkwürdigerweise

curl [kɜːl] *sb* 1. Locke *f;* *v* 2. locken, kräuseln
• **curl up** *v* 1. sich zusammenkuscheln; 2. *(animal)* sich zusammenkugeln
curler ['kɜːlə] *sb* Lockenwickler *m*
curly ['kɜːlɪ] *adj* lockig, kraus, gelockt, gewellt
currency ['kʌrənsɪ] *sb* FIN Währung *f*
currency union ['kʌrənsɪ 'juːnɪən] *sb* POL Währungsunion *f*
current ['kʌrənt] *adj* 1. gegenwärtig, jetzig, laufend; *sb* 2. *(of electricity)* Strom *m;* 3. *(of water)* Strömung *f,* Strom *m;* 4. *(of air)* Luftstrom *m*
currently ['kʌrəntlɪ] *adv* momentan, zur-zeit
curriculum [kə'rɪkjʊləm] *sb* Lehrplan *m*
curriculum vitae [kə'rɪkjʊləm 'vaɪtiː] *sb* *(UK)* Lebenslauf *m*
curry ['kʌrɪ] *v* 1. *~ favour with s.o.* sich bei jdm einschmeicheln; 2. GAST Curry *m/n*
curse [kɜːs] *v* 1. *(swear)* fluchen; 2. *(put a ~ on)* verfluchen; *sb* 3. Fluch *m*
cursive ['kɜːsɪv] *sb* Kursivschrift *f*
cursor ['kɜːsə] *sb* INFORM Cursor *m*
curt [kɜːt] *adj* kurz, knapp
curtail [kɜː'teɪl] *v* kürzen, verkürzen
curtain ['kɜːtn] *sb* Vorhang *m,* Gardine *f*
curvaceous [kɜː'veɪʃəs] *adj* kurvenreich
curvature ['kɜːvətʃə] *sb* Krümmung *f*
curve [kɜːv] *sb* 1. Kurve *f; her ~s (fam)* ihre Kurven; 2. *(of a river)* Biegung *f;* 3. *(of an archway)* Bogen *m;* 4. *(curvature)* Krümmung *f; v* 5. *(road)* eine Kurve machen
cushion ['kʊʃən] *sb* 1. Kissen *n,* Polster *n; v* 2. *(a fall, an impact)* dämpfen
cuss word [kʌs wɜːd] *sb* Schimpfwort *n*
custard ['kʌstəd] *sb* GAST Pudding *m*
custodian [kʌs'təʊdɪən] *sb* 1. Aufseher *m,* Wächter *m;* 2. *(fig: of an ideal)* Hüter *m*
custody ['kʌstədɪ] *sb* 1. *(keeping)* Obhut *f;* 2. JUR Sorgerecht *n;* 3. *(police detention)* Gewahrsam *m; take into ~* in Gewahrsam nehmen; *protective ~* Schutzhaft *f*
custom ['kʌstəm] *adj* 1. maßgefertigt, spezialgefertigt; *sb* 2. *(convention)* Sitte *f,* Brauch *m;* 3. *(habit)* Gewohnheit *f,* Gepflogenheit *f; as was his ~* wie er es zu tun pflegte
customary ['kʌstəmərɪ] *adj* üblich, gebräuchlich, herkömmlich
customer ['kʌstəmə] *sb* Kunde/Kundin *m/f*
customer service ['kʌstəmə 'sɜːvɪs] *sb* Kundendienst *m*
customs ['kʌstəmz] *pl* Zoll *m*

customs inspection ['kʌstəmz ɪn'spekʃən] *sb* Zollkontrolle *f*
customs official ['kʌstəmz ə'fɪʃəl] *sb* Zollbeamte(r) *m*
cut [kʌt] *v irr* 1. schneiden; *~ one's nails* sich die Nägel schneiden; *~ to pieces* zerstückeln; *It ~s both ways.* Das ist ein zweischneidiges Schwert. Das trifft auch umgekehrt zu. 2. *(glass, gems)* TECH schleifen; 3. *(the grass)* mähen; 4. *(~ into)* anschneiden; 5. *(carve)* schnitzen; 6. *(reduce)* herabsetzen, vermindern, verkürzen; 7. *~ s.o. short* jdn unterbrechen, jdm über den Mund fahren; 8. *~ class (fig)* schwänzen; *sb* 9. Schnitt *m;* 10. *(of meat)* Stück *n;* 11. MED Schnittwunde *f;* 12. *(reduction)* Kürzung *f,* Verringerung *f,* Einschränkung *f;* 13. *(share)* Anteil *m,* Teil *m; adj* 14. *to be ~ and dried (to be boring)* nicht besonders aufregend sein, trocken sein, *(to be obvious)* eine klare Sache sein
• **cut across** *v irr ~* sth quer durch etw gehen
• **cut back** *v irr (reduce)* kürzen
• **cut down** *v irr* 1. *(reduce expenditures, ~ on cigarettes)* sich einschränken; 2. *(a tree)* fällen
• **cut in** *v irr* 1. *(interrupt)* sich einschalten; 2. *(at a dance)* abklatschen *(fam)*
• **cut off** *v irr* abschneiden, abschlagen
• **cut open** *v irr* aufschneiden
• **cut out** *v irr* 1. *(remove by cutting)* ausschneiden; *to be ~ for* sth für etw wie geschaffen sein, das Zeug zu etw haben; 2. *(stop doing)* aufhören mit; *Cut it out!* Hör auf damit!

cutback ['kʌtbæk] *sb* Verringerung *f*
cute [kjuːt] *adj (sweet)* süß, niedlich
cutlery ['kʌtlərɪ] *sb (flatware)* Essbesteck *n*
cutlet ['kʌtlɪt] *sb* GAST Schnitzel *n*
cutter ['kʌtə] *sb* 1. NAUT Kutter *m,* (US: *coastguard ~)* Küstenwachboot *n;* 2. TECH Schneidewerkzeug *n*
cuttlefish ['kʌtlfɪʃ] *sb* ZOOL Tintenfisch *m*
cybercafé ['saɪbə kæfeɪ] *sb* Internet-Café *n*
cyberspace ['saɪbə speɪs] *sb* INFORM Cyberspace *m*
cycle ['saɪkl] *sb* 1. Zyklus *m,* Kreislauf *m;* 2. *(bicycle)* Rad *n;* 3. *(fam: motorbike)* Maschine *f (fam); v* 4. *(ride a bicycle)* Rad fahren
cyclist ['saɪklɪst] *sb* Radfahrer *m*
cylinder ['sɪlɪndə] *sb* Zylinder *m*
cynical ['sɪnɪkl] *adj* zynisch
cyst [sɪst] *sb* MED Zyste *f*
czar [zɑː] *sb* HIST Zar *m*

D

dab [dæb] v 1. tupfen, betupfen; sb 2. (small amount) Klecks m; adj 3. to be a ~ hand at sth in etw besonders tüchtig sein

dabble ['dæbl] v ~ in sth (fig) sich oberflächlich mit etw befassen

dad [dæd] sb Vati m, Papa m; his ~ sein Vater

daft [dɑːft] adj bekloppt, verrückt

dagger ['dægə] sb Dolch m; look ~s at s.o. (fam) jdn mit Blicken töten

daily ['deɪlɪ] adj 1. täglich; sb 2. (newspaper) Tageszeitung f

dainty ['deɪntɪ] adj zierlich

dairy ['deərɪ] sb Molkerei f

daisy ['deɪzɪ] sb BOT Gänseblümchen n; to be pushing up the daisies (fam) sich die Radieschen von unten betrachten

dam [dæm] sb 1. Damm m; 2. ~ up v eindämmen, dämmen

damage ['dæmɪdʒ] v 1. schaden, beschädigen, schädigen; sb 2. Schaden m, Beschädigung f; 3. ~s pl (compensation for ~s) Schadenersatz m

damaged ['dæmɪdʒd] adj beschädigt, schadhaft

damaging ['dæmədʒɪŋ] adj schädlich

dame [deɪm] sb (US) (fam) Weib n

damn [dæm] v 1. REL verdammen; 2. (condemn) verurteilen; interj 3. verdammt

damnable ['dæmnəbl] adj verdammungswürdig

damned [dæmd] adj verdammt

damp [dæmp] adj feucht

dampen ['dæmpən] v 1. anfeuchten, befeuchten; 2. TECH dämpfen

damp-proof ['dæmppruːf] adj feuchtigkeitsresistent

dance [dɑːns] v 1. tanzen; sb 2. Tanz m

dance floor [dɑːns flɔː] sb Tanzfläche f

dancer ['dɑːnsə] sb Tänzer m

dandruff ['dændrəf] sb Haarschuppen pl, Schuppen pl

danger ['deɪndʒə] sb Gefahr f

danger money ['deɪndʒəmʌnɪ] sb Gefahrenzulage f

dangerous ['deɪndʒərəs] adj gefährlich

danger zone ['deɪndʒə zəʊn] sb Gefahrenzone f

Danish ['deɪnɪʃ] adj 1. dänisch; sb 2. (pastry) GAST Plundergebäck n

dare [deə] v 1. es wagen, sich trauen, sich getrauen; I ~ say ich glaube wohl; How ~ you! Was fällt dir ein! 2. ~ s.o. to do sth jdn herausfordern, etw zu tun

daredevil ['deədevl] sb Draufgänger m

daring ['deərɪŋ] adj 1. wagemutig, kühn, verwegen; 2. (deed) gewagt

dark [dɑːk] adj 1. dunkel, finster; 2. (gloomy) düster; sb 3. to be in the ~ (fig) im Dunkeln tappen

darken ['dɑːkən] v 1. verdunkeln; 2. (face) sich verfinstern

darkness ['dɑːknɪs] sb Dunkelheit f, Finsternis f

darling ['dɑːlɪŋ] sb 1. (form of address) Liebling m, Schatz m, Schätzchen n; adj 2. (cute) goldig

dart [dɑːt] v 1. flitzen, sausen; sb 2. Pfeil m, Wurfpfeil m

dash [dæʃ] v 1. (rush) sausen, stürzen; ~ off a letter schnell einen Brief schreiben; 2. (throw violently) schleudern; ~ to pieces zerschmettern; ~ s.o.'s hopes jdn enttäuschen, jds Hoffnungen zerschlagen; Dash it all! (fam) Verflucht! Verflixt! sb 3. (punctuation) Gedankenstrich m; (in Morse code) Strich m

dashboard ['dæʃbɔːd] sb (US) Armaturenbrett n

data ['deɪtə] pl Daten pl, Angaben pl

data bank ['deɪtəbæŋk] sb INFORM Datenbank f

database ['deɪtəbeɪs] sb Datenbank f

datable ['deɪtəbl] adj datierbar

data entry ['deɪtə 'entrɪ] sb INFORM Datenerfassung f

data processing ['deɪtə 'prəʊsesɪŋ] sb INFORM Datenverarbeitung f

data protection ['deɪtə prə'tekʃən] sb Datenschutz m

data transmission ['deɪtə trænz'mɪʃən] sb Datenfernübertragung f

date [deɪt] sb 1. Datum n; to ~ bis heute; to be up to ~ auf dem neuesten Stand sein; to be out of ~ veraltet sein; ~ of birth Geburtsdatum n; international ~ line Datumsgrenze f; 2. (appointment) Termin m; 3. (with girlfriend/boyfriend) Verabredung f, Rendezvous n; (person) Verabredungspartner/Verabredungspartnerin m/f; v 4. datieren; 5. (take out on a ~) ausgehen mit; (regularly) gehen mit

dated ['deɪtɪd] *adj* überholt, altmodisch
dateless ['deɪtlɪs] *adj* 1. *(undated)* undatiert; 2. *(of permanent interest)* zeitlos
dateline ['deɪtlaɪn] *sb* Datumszeile *f*
date rape ['deɪtreɪp] *sb* Vergewaltigung durch jdn, mit dem man verabredet war *f*
dating ['deɪtɪŋ] *sb* Rendezvous *pl*
dative ['deɪtɪv] *adj* GRAMM Dativ…
daughter ['dɔːtə] *sb* Tochter *f*
daughter-in-law ['dɔːtərɪnlɔː] *sb* Schwiegertochter *f*
daunt [dɔːnt] *v* einschüchtern, entmutigen
dawdle ['dɔːdl] *v* trödeln, bummeln
dawn [dɔːn] *sb* 1. Morgendämmerung *f*, Tagesanbruch *m*, Morgengrauen *n*; *v* 2. dämmern, tagen, anbrechen; *~ on s.o.* jdm dämmern, jdm klar werden
dawn raid [dɔːn reɪd] *sb* Überraschungsangriff *m*
day [deɪ] *sb* Tag *m*; *these ~s* heutzutage; *one of these ~s* irgendwann; *call it a ~* für heute Schluss machen, Feierabend machen; *save the ~* die Lage retten; *the other ~* neulich; *in those ~s* damals; *all ~ (long)* den ganzen Tag; *~ of the week* Wochentag *m*; *clear as ~* sonnenklar; *This is not my ~.* Das ist heute eben nicht mein Tag!; *after ~* Tag für Tag; *~ in and ~ out* den lieben langen Tag; *forever and a ~* für immer und ewig; *Good ~!* Guten Tag!
daybreak ['deɪbreɪk] *sb* Tagesanbruch *m*
day care center ['deɪkeəsentə] *sb* (US) Kindertagesstätte *f*
daycentre ['deɪsentə] *sb* Tagesstätte *f*
daze [deɪz] *v* betäuben, verwirren, lähmen
dazzle ['dæzl] *v* 1. blenden; 2. *(fig)* blenden, verwirren
dazzling ['dæzlɪŋ] *adj* blendend, glänzend
dead [ded] *adj* 1. tot; *~ and buried (fig)* aus und vorbei, tot und begraben; *to be ~ on one's feet* sich kaum noch auf den Beinen halten können, todmüde sein; *to be ~ to the world* tief und fest schlafen; *over my ~ body* nur über meine Leiche; 2. *(plant, limbs)* abgestorben; *adv* 3. *(absolutely)* ~ *tired* todmüde; *~ centre* genau in der Mitte; *~ drunk* total betrunken; *~ certain*, *~ sure* todsicher; *~ serious* todernst; *~ stop* plötzlich stehen bleiben; *to be ~ set on sth* total wild auf etw sein; 5. *cut s.o. ~* jdn links liegen lassen; *sb* 6. *the ~ of winter* die tiefste Winter; *in the ~ of night* mitten in der Nacht
deadbeat ['dedbiːt] *sb* (fam: loafer) Gammler *m*
dead end [ded'end] *sb* Sackgasse *f*

deadhead ['dedhed] *sb* 1. (owner of a free ticket) Freikarteninhaber *m*; 2. (person travelling without a ticket) Schwarzfahrer *m*, blinder Passagier *m*
deadline ['dedlaɪn] *sb* letzter Termin *m*, Frist *f*; *set a ~* eine Frist setzen; *meet the ~* die Frist einhalten
deadly ['dedlɪ] *adj* tödlich, mörderisch
deadpan ['dedpæn] *adj* 1. mit ausdruckslosem Gesicht; 2. *(humour)* trocken
Dead Sea [ded siː] *sb the ~* GEO das Tote Meer *n*
dead weight [ded weɪt] *sb* Totgewicht *n*, Eigengewicht *n*
deaf [def] *adj* taub; *fall on ~ ears* kein Gehör finden; *~ and dumb* taubstumm; *turn a ~ ear to sth* sich etw gegenüber taub stellen
deafening ['defnɪŋ] *adj* ohrenbetäubend
deaf-mute ['defmjuːt] *sb* MED Taubstumme(r) *m/f*
deafness ['defnɪs] *sb* MED Taubheit *f*
deal [diːl] *sb* 1. Geschäft *n*, Handel *m*, Abkommen *n*; *make a ~ with s.o.* mit jdm ein Geschäft machen; *It's a ~!* Abgemacht! *Big ~! (US)* Na und? *no big ~ (US)* keine große Sache; 2. *a good ~ (a lot)* eine Menge, ziemlich viel; *v irr* 3. *(cards)* geben; 4. *~ in sth* mit etw handeln
dealership ['diːləʃɪp] *sb* Händlerbetrieb *m*
dear [dɪə] *adj* 1. *(loved)* lieb, teuer; 2. *(lovable)* lieb, süß; 3. *~ me*, *oh ~* du liebe Zeit, meine Güte, ach je; 4. *(in a letter) Dear ~* liebe(r) …, *(formal)* sehr geehrte(r) … *sb* 5. Schatz *m*, Liebling *m*; *There's a ~!* Sei so lieb!
death [deθ] *sb* Tod *m*; *He will be the ~ of me.* (he annoys me) Er bringt mich noch ins Grab. (he's funny) Er ist einfach zum Totlachen. *put s.o. to ~* jdn hinrichten; *bore s.o. to ~* jdn zu Tode langweilen; *scare s.o. to ~* jdn zu Tode erschrecken
deathly ['deθlɪ] *adj* tödlich; *a ~ silence* Totenstille *f*; *~ ill* todkrank
death penalty ['deθpenəltɪ] *sb* JUR Todesstrafe *f*
death rate [deθ reɪt] *sb* Sterblichkeitsziffer *f*
debase [dɪ'beɪs] *v* 1. *(a person)* demütigen, erniedrigen; 2. *(reduce in value)* mindern, herabsetzen, verschlechtern
debatable [dɪ'beɪtəbl] *adj* fraglich
debate [dɪ'beɪt] *sb* 1. Debatte *f*, Diskussion *f*, Erörterung *f*; *v* 2. debattieren, diskutieren
debit ['debɪt] *v* 1. FIN debitieren, belasten; *sb* 2. FIN Soll *n*, Belastung *f*

debit card ['debɪt kɑːd] *sb* Kundenkreditkarte *f*

debit entry ['debɪt 'entrɪ] *sb* ECO Lastschrift *f*

debt [det] *sb* Schuld *f*; to be in ~ verschuldet sein; to be in s.o.'s ~ *(fig)* in jds Schuld stehen; repay a ~ eine Schuld begleichen

debtor ['detə] *sb* Schuldner *m*

debut ['deɪbjuː] *sb* Debüt *n*

decade ['dekeɪd] *sb (ten years)* Jahrzehnt *n*, Dekade *f*

decaffeinated [diː'kæfɪneɪtɪd] *adj* koffeinfrei, entkoffeiniert

decant [dɪ'kænt] *v* dekantieren, abgießen, umfüllen

decapitate [dɪ'kæpɪteɪt] *v* enthaupten

decay [dɪ'keɪ] *v 1.* verfallen, zerfallen; *(flesh)* verwesen; *2. (tooth)* schlecht werden, faulen, kariös werden

decease [dɪ'siːs] *v JUR* sterben

deceased [dɪ'siːsd] *adj 1.* verstorben; *2. the ~ (one person)* der/die Verstorbene *m/f*, *(more than one person)* die Verstorbenen *pl*

deceit [dɪ'siːt] *sb* Betrug *m*, Täuschung *f*

deceitful [dɪ'siːtful] *adj* betrügerisch, falsch, hinterlistig

deceive [dɪ'siːv] *v* täuschen, trügen

December [dɪ'sembə] *sb* Dezember *m*

decency [dɪ'sənsɪ] *sb* Anstand *m*, Schicklichkeit *f*

decent ['diːsənt] *adj* anständig

decentralization [diː,sentrəlaɪ'zeɪʃn] *sb* Dezentralisierung *f*

deception [dɪ'sepʃən] *sb* Täuschung *f*

decibel ['desɪbel] *sb* Dezibel *n*

decide [dɪ'saɪd] *v* entscheiden, beschließen

decided [dɪ'saɪdɪd] *adj (clear)* entschieden, deutlich

decidedly [dɪ'saɪdɪdlɪ] *adv* entschieden

decimal ['desɪməl] *sb* Dezimalzahl *f*

decimal place ['desɪməl pleɪs] *sb* Dezimalstelle *f*

decimal point ['desɪməl pɔɪnt] *sb* Komma (bei Dezimalzahlen) *n*

decipher [dɪ'saɪfə] *v 1.* entziffern; *2. (fig)* enträtseln, entziffern

decision [dɪ'sɪʒən] *sb* Entscheidung *f*, Entschluss *m*, Beschluss *m*; make a ~ eine Entscheidung treffen

decision-making [dɪ'sɪʒənmeɪkɪŋ] *sb* Entscheidungsfindung *f*

decisive [dɪ'saɪsɪv] *adj 1. (factor, moment)* entscheidend, ausschlaggebend; *2. (person)* entschlossen, entschieden

deck [dek] *sb 1.* Deck *n*; *v 2.* ~ out ausschmücken, schmücken

deck hand [dek hænd] *sb NAUT* Matrose *m*

declaration [deklə'reɪʃən] *sb* Erklärung *f*

declare [dɪ'kleə] *v 1.* erklären; ~ war on s.o. jdm den Krieg erklären; *2. (to customs)* verzollen

decline [dɪ'klaɪn] *v 1.* abnehmen; *2. (health)* sich verschlechtern; *3. (significance)* geringer werden; *4. (business, prices)* zurückgehen; *5. (not accept)* ablehnen; *6.* GRAMM deklinieren; *sb 7.* Niedergang *m*, Untergang *m*, Rückgang *m*

decode [dɪ'kəʊd] *v* dekodieren, entschlüsseln, dechiffrieren

decoder [dɪ'kəʊdə] *sb* Dekoder *m*

decompose [diːkəm'pəʊz] *v (to be ~d)* CHEM zerlegt werden

decongestant [diːkən'dʒestənt] *sb* abschwellendes Mittel *n*

deconstruct [diːkən'strʌkt] *v* sprachlich von Grund auf analysieren

decontamination [diːkəntæmɪ'neɪʃən] *sb* Entgiftung *f*, Entseuchung *f*

decorate ['dekəreɪt] *v 1.* schmücken, ausschmücken; *2. (a cake)* verzieren; *3. (an apartment)* einrichten, ausstatten; *4.* MIL dekorieren, auszeichnen

decoration [dekə'reɪʃən] *sb 1.* Schmuck *m*, Dekoration *f*, Verzierung *f*; *2. (act of decorating)* Ausschmückung *f*, Verzierung *f*; *3.* MIL Orden *m*, Dekoration *f*, Auszeichnung *f*

decrease [diː'kriːs] *v 1.* abnehmen, sich vermindern, nachlassen; *2. (sth)* verringern, vermindern, reduzieren; ['diːkriːs] *sb 3.* Abnahme *f*, Verminderung *f*, Verringerung *f*, Rückgang *m*

decriminalize [diː'krɪmɪnəlaɪz] *v* entkriminalisieren

dedicate ['dedɪkeɪt] *v* weihen, widmen; ~ o.s. to sth sich einer Sache widmen

deduce [dɪ'djuːs] *v* folgern, schließen; ~ from schließen aus

deduct [dɪ'dʌkt] *v* abziehen, absetzen

deduction [dɪ'dʌkʃən] *sb 1. (conclusion)* Schlussfolgerung *f*; *2. (act of deducing)* Folgern *n*; *3. (from a price)* Nachlass *m*; *4. (from one's wage)* ECO Abzug *m*; *5. (act of deducting)* Abzug *m*, Abziehen *n*

deductive [dɪ'dʌktɪv] *adj* deduktiv, schließend, folgernd

deed [diːd] *sb 1. (action)* Tat *f*, Handlung *f*; in word and ~ in Wort und Tat; *2. (document)* Urkunde *f*

deep [di:p] *adj* 1. tief; ~ *in debt* tief verschuldet; *go off the* ~ *end (fam)* auf die Palme gehen; ~ *in thought* in Gedanken vertieft; ~ *sleep* tiefer Schlaf, fester Schlaf; ~ *space* der äußere Weltraum *m*; 2. *(profound)* tiefsinnig

deepen ['di:pən] *v* 1. sich vertiefen, tiefer werden; 2. *(sth)* vertiefen

deep-freeze ['di:p'fri:z] *sb (appliance)* Tiefkühltruhe *f*

deep-fry ['di:p'fraɪ] *v* GAST frittieren, in schwimmendem Fett braten

deeply ['di:plɪ] *adv* tief; *drink* ~ unmäßig trinken; ~ *interested* höchst interessiert

deep-rooted [di:p'ru:tɪd] *adj* tiefverwurzelt

deep-sea fishing [di:p si: 'fɪʃɪŋ] *sb* Hochseefischerei *f*

deer [dɪə] *sb* ZOOL Hirsch *m*; *(roe* ~*)* Reh *n*

deface [dɪ'feɪs] *v* verunstalten

defeat [dɪ'fi:t] *v* 1. besiegen, schlagen; *(a proposal)* ablehnen; *sb* 2. *(loss)* Niederlage *f*; *(~ of a bill)* Ablehnung *f*; 3. *(of hopes and plans)* Vereitelung *f*

defect ['di:fekt] *sb* Fehler *m*, Defekt *m*, Mangel *m*; *character* ~ Charakterfehler *m*

defective [dɪ'fektɪv] *adj* 1. fehlerhaft, mangelhaft; 2. *(machine)* fehlerhaft, schadhaft, defekt

defence [dɪ'fens] *sb* Verteidigung *f*, Schutz *m*, Abwehr *f*

defenceless [dɪ'fenslɪs] *adj* wehrlos, hilflos, schutzlos

defend [dɪ'fend] *v* verteidigen, schützen; ~ *against* verteidigen gegen, schützen vor

defendant [dɪ'fendənt] *sb* JUR in a criminal case) Angeklagte(r) *m/f*, *(in a civil case)* Beklagte(r) *m/f*

defender [dɪ'fendə] *sb* Verteidiger *m*

defending champion [dɪ'fendɪŋ 'tʃæmpɪən] *sb* SPORT Titelverteidiger *m*

defense [dɪ'fens] *sb (see „defence")*

defensive [dɪ'fensɪv] *adj* 1. defensiv; *sb* 2. Defensive *f*, Abwehraktion *f*; *on the* ~ in der Defensive

deferential [defə'renʃəl] *adj* ehrerbietig, respektvoll

deferred payment [dɪ'fɜ:d 'peɪmənt] *sb* ECO Ratenzahlung *f*

defiance [dɪ'faɪəns] *sb* Trotz *m*; *in* ~ *of s.o.* jdm zum Trotz

defiant [dɪ'faɪənt] *adj* 1. *(rebellious)* trotzig; 2. *(provoking)* herausfordernd

deficiency [dɪ'fɪʃənsɪ] *sb* 1. *(shortage)* Mangel *m*, Fehlen *n*; 2. FIN Defizit *n*, Fehl-

betrag *m*, Ausfall *m*; 3. *(defect)* Mangelhaftigkeit *f*, Schwäche *f*

deficient [dɪ'fɪʃənt] *adj* unzulänglich, mangelhaft

deficit ['defɪsɪt] *sb* Defizit *n*, Fehlbetrag *m*

defile [dɪ'faɪl] *v* 1. *(desecrate)* schänden, entweihen; 2. *(sully)* beschmutzen, verunreinigen

define [dɪ'faɪn] *v* 1. *(a word)* definieren; 2. *(explain)* erklären; 3. *(show in outline)* betonen; 4. *(set)* definieren, bestimmen, festlegen

definite ['defɪnɪt] *adj* 1. bestimmt, klar, deutlich; 2. *(concrete)* definitiv, endgültig

definitely ['defɪnɪtlɪ] *adv* bestimmt, unbedingt

definition [defɪ'nɪʃən] *sb* 1. *(of a word)* Definition *f*; 2. *(of a picture)* Bildschärfe *f*; 3. *(setting, fixing)* Bestimmung *f*

deflate [di:'fleɪt] *v (sth)* Luft herauslassen aus

deflation [di:'fleɪʃən] *sb* Luftablassen *n*

deformed [dɪ'fɔ:md] *adj* deformiert, missgestaltet, verunstaltet

deformity [dɪ'fɔ:mɪtɪ] *sb* Deformität *f*, Verunstaltung *f*, Missgestalt *f*

defraud [dɪ'frɔ:d] *v* betrügen; ~ *the revenue (UK)* Steuern hinterziehen

defray [dɪ'freɪ] *v (costs)* tragen, bestreiten

defrost [dɪ'frɒst] *v* 1. *(food)* auftauen; 2. *(refrigerator)* abtauen

defroster [dɪ'frɒstə] *sb* Defroster *m*

deft [deft] *adj* gewandt, geschickt, flink

defuse [di:'fju:z] *v* entschärfen

defy [dɪ'faɪ] *v* 1. trotzen; ~ *s.o.* jdm trotzen; 2. *(make impossible)* widerstehen, Schwierigkeiten machen; ~ *description* jeder Beschreibung spotten; 3. *(challenge)* herausfordern

degenerate [dɪ'dʒenəreɪt] *v* 1. degenerieren, entarten, ausarten; [dɪ'dʒenərɪt] *sb* 2. *(show)* degenerierter Mensch *m*

degeneration [dɪdʒenə'reɪʃən] *sb* Degeneration *f*, Entartung *f*

degradable [dɪ'greɪdəbl] *adj* abbaubar

degradation [degrə'deɪʃən] *sb* Erniedrigung *f*, Degradierung *f*

degrade [dɪ'greɪd] *v* erniedrigen, degradieren

degree [dɪ'gri:] *sb* 1. *(unit of measurement)* Grad *m*; 2. *(step)* Grad *m*; *by* ~*s* allmählich; 3. *(extent)* Maß *n*; *to some* ~ einigermaßen; 4. *(academic)* akademischer Grad *m*; *get one's* ~ seinen akademischen Grad erhalten

dehydrate [di:'haɪdreɪt] *v* Wasser entziehen, trocknen

de-ice [diːˈaɪs] v enteisen

deject [dɪˈdʒekt] v deprimieren

delay [dɪˈleɪ] v 1. *(linger, move slowly)* zögern, sich aufhalten; 2. *(sth, s.o.)* *(hold up)* aufhalten, hinhalten; 3. *(postpone)* verschieben, aufschieben, hinausschieben; 4. *to be ~ed* aufgehalten werden; *sb* 5. Verspätung *f*, Verzögerung *f*, Aufschub *m*

delectable [dɪˈlektəbl] *adj* köstlich

delegate [ˈdelɪgeɪt] v 1. *(a task)* delegieren, übertragen; 2. *(a person)* abordnen, delegieren, bevollmächtigen; 3. [ˈdelɪgɪt] *sb* POL Delegierte(r) *m/f*, Bevollmächtigte(r) Vertreter *m*

delegation [delɪˈgeɪʃən] *sb* 1. *(group)* Delegation *f*, Abordnung *f*; 2. *(of a task)* Delegation *f*

deliberate [dɪˈlɪbəreɪt] v 1. *(ponder)* überlegen, erwägen; [dɪˈlɪbərɪt] *adj* 2. *(intentional)* absichtlich, bewusst; 3. *(cautious)* bedächtig, besonnen; 4. *(slow)* bedächtig, gemächlich, langsam

deliberately [dɪˈlɪbərɪtlɪ] *adv* absichtlich, bewusst, mit Vorbedacht

delicate [ˈdelɪkɪt] *adj* 1. zart, zerbrechlich, fein; ~ *adjustment* Feineinstellung *f*; 2. *(requiring skilful handling)* heikel, delikat; 3. *(food)* delikat

delicious [dɪˈlɪʃəs] *adj* köstlich, lecker; *(delightful)* herrlich

delight [dɪˈlaɪt] v 1. ~ *in* sich erfreuen an, große Freude haben an; 2. *(s.o.)* erfreuen, entzücken; *sb* 3. Vergnügen *n*, Freude *f*

delinquent [dɪˈlɪŋkwənt] *adj* 1. straffällig; *(in one's duties)* pflichtvergessen; *sb* 2. Delinquent *m*

delirious [dɪˈlɪrɪəs] *adj* 1. rasend, wahnsinnig; 2. MED im Delirium

deliver [dɪˈlɪvə] v 1. liefern, zustellen, überbringen; 2. *(by car)* ausfahren; 3. *(on foot)* austragen; 4. *(a message)* überbringen; 5. ~ *the post each day* zustellen; 6. *(~ up: hand over)* aushändigen, übergeben, überliefern; 7. MED *(child)* zur Welt bringen; *(mother)* entbinden; 8. *(rescue)* befreien, erlösen, retten; 9. *(utter)* *(a speech)* halten; 10. *(a verdict)* aussprechen; 11. *(an ultimatum)* stellen; 12. *(a blow)* versetzen

deliverance [dɪˈlɪvərəns] *sb* Befreiung *f*, Erlösung *f*, Rettung *f*

delivery [dɪˈlɪvərɪ] *sb* 1. Lieferung *f*, Auslieferung *f*, *(of the post)* Zustellung *f*; 2. *(of a speech)* Vortragsweise *f*; 3. MED Entbindung *f*; 4. *(of a blow)* Landung *f*

delivery note [dɪˈlɪvərɪ nəʊt] *sb* ECO Lieferschein *m*

delivery room [dɪˈlɪvərɪ ruːm] *sb* MED Kreißsaal *m*, Entbindungssaal *m*

delta [ˈdeltə] *sb* *(island in a river)* Delta *n*

delusion [dɪˈluːʒən] *sb* 1. Illusion *f*, Täuschung *f*, Selbsttäuschung *f*; *labour under a ~* sich täuschen; 2. ~*s of grandeur pl* Größenwahn *m*

delusive [dɪˈluːsɪv] *adj* trügerisch, irreführend

deluxe [dɪˈlʌks] *adj* Luxus …

delve [delv] v ~ *into* sich vertiefen in, erforschen, sich eingehend befassen mit

demand [dɪˈmɑːnd] v 1. verlangen, fordern; 2. *(task)* erfordern, verlangen; *sb* 3. Verlangen *n*, Forderung *f*, Anspruch *m*; 4. ECO Nachfrage *f*, Bedarf *m*; 5. *in* ~ gefragt, begehrt

demanding [dɪˈmɑːndɪŋ] *adj* anspruchsvoll, anstrengend

dematerialize [diːməˈtɪərɪəlaɪz] v 1. sich entmaterialisieren; 2. *(~ sth)* entmaterialisieren

demean [dɪˈmiːn] v ~ *o.s.* sich erniedrigen

demeanour [dɪˈmiːnə] *sb* Benehmen *n*, Haltung *f*

dementia [dɪˈmenʃə] *sb* MED Demenz *f*, Schwachsinn *m*; *senile* ~ *senile* Demenz

demilitarize [diːˈmɪlɪtəraɪz] v POL entmilitarisieren

demilitarized zone [diːˈmɪlɪtəraɪzd zəʊn] *sb* POL entmilitarisierte Zone *f*

democracy [dɪˈmɒkrəsɪ] *sb* POL Demokratie *f*

democrat [ˈdeməkræt] *sb* Demokrat *m*

democratic [deməˈkrætɪk] *adj* POL demokratisch

demographic [deməˈgræfɪk] *adj* demographisch

demolish [dɪˈmɒlɪʃ] v 1. abreißen, abbrechen; 2. *(fig)* zunichte machen, vernichten

demolition [deməˈlɪʃən] *sb* Abbruch *m*

demon [ˈdiːmən] *sb* 1. Dämon *m*; 2. *(fig)* Teufelskerl *m*

demonstrate [ˈdemənstreɪt] v 1. *(show)* zeigen, beweisen, demonstrieren; 2. *(~ the operation of sth)* vorführen, demonstrieren; 3. POL demonstrieren

demonstration [demənˈstreɪʃən] *sb* 1. Zeigen *n*, Beweis *m*, Demonstration *f*; 2. POL Demonstration *f*

demonstrative [dɪˈmɒnstrətɪv] *adj* GRAMM Demonstrativ …, hinweisend

demoralize [dɪ'mɒrəlaɪz] v demoralisieren, entmutigen

demote [dɪ'məʊt] v degradieren

demotion [dɪ'məʊʃən] sb Degradierung f

demure [dɪ'mjʊə] adj 1. (coy) spröde; 2. (sober) nüchtern; 3. (sedate) gesetzt

den [den] sb 1. (animal's ~) Höhle f, Bau m; 2. (room in a house) Bude f; (study) Arbeitszimmer n; 3. (fig) Höhle f; ~ of iniquity Lasterhöhle f; ~ of thieves Räuberhöhle f

denial [dɪ'naɪəl] sb 1. (of an accusation) Verneinung f, Leugnen n; (official ~) Dementi n; 2. (refusal) Ablehnung f, Verweigerung f, Absage f; 3. (disowning) Verleugnung f

denim ['denɪm] sb Jeansstoff m

dense [dens] adj 1. dicht; (fog) dick; 2. (fam: stupid) beschränkt, schwer von Begriff

density ['densɪtɪ] sb Dichte f

dent [dent] sb 1. Beule f, Delle f; make a ~ in (fig) ein Loch reißen in; v 2. (sth) einbeulen; (fig: ~ s.o.'s pride) anknacksen

dentist ['dentɪst] sb Zahnarzt m

dentures ['dentʃəz] pl Gebiss n; (partial ~) Zahnprothese f

denuclearize [dɪ'nju:klɪəraɪz] v entnuklearisieren

deny [dɪ'naɪ] v 1. (an accusation) bestreiten, abstreiten, leugnen; 2. (refuse) verweigern, verneinen; ~ o.s. sth sich etw versagen; 3. (disown) verleugnen

deodorant [di:'əʊdərənt] sb Deodorant n

depart [dɪ'pɑ:t] v 1. weggehen; 2. (train, bus) abfahren; 3. (airplane) abfliegen; 4. (on a trip) abreisen; (by car) wegfahren; 5. ~ from (deviate from) abweichen von

department [dɪ'pɑ:tmənt] sb 1. Abteilung f; 2. POL Ministerium n

department store [dɪ'pɑ:tmənt stɔ:] sb Kaufhaus n, Warenhaus n

departure [dɪ'pɑ:tʃə] sb 1. (person's) Weggang m, (on a trip) Abreise f; 2. (of a train, of a bus) Abfahrt f; 3. (of an airplane) Abflug m; 4. (fig: from custom) Abweichen n

depend [dɪ'pend] v 1. ~ on abhängen von, ankommen auf; it all ~s je nachdem, das kommt ganz darauf an; 2. ~ on (rely on) sich verlassen auf

dependable [dɪ'pendəbl] adj zuverlässig

dependent [dɪ'pendənt] adj 1. abhängig; sb 2. Abhängiger m

depict [dɪ'pɪkt] v darstellen, beschreiben, schildern

depilatory [dɪ'pɪlətərɪ] sb Enthaarungsmittel n

deplete [dɪ'pli:t] v 1. (reduce) vermindern, verringern; 2. (exhaust) erschöpfen; 3. MED entleeren

deplorable [dɪ'plɔ:rəbl] adj bedauernswert, beklagenswert

deploy [dɪ'plɔɪ] v 1. MIL aufmarschieren lassen, aufstellen; 2. (activate) einsetzen

deport [dɪ'pɔ:t] v (a foreigner) POL abschieben

deposit [dɪ'pɒzɪt] v 1. absetzen, ablegen; 2. (money) deponieren, einzahlen; 3. (to a bank account) Einzahlung f; have thirty marks on ~ ein Guthaben von dreißig Mark haben; 4. (returnable security) Kaution f; 5. (bottle ~) Pfand n

deposit account [dɪ'pɒzɪtəkaʊnt] sb FIN Sparkonto n

depot ['depəʊ] sb Depot n

deprave [dɪ'preɪv] v verderben

depraved [dɪ'preɪvd] adj verderbt

depravity [dɪ'prævɪtɪ] sb Verderbtheit f

depress [dɪ'pres] v 1. (a person) deprimieren; 2. (press down) niederdrücken, drücken

depressed [dɪ'prest] adj 1. deprimiert, niedergeschlagen; 2. (industry) ECO Not leidend; (market) stagnierend

depression [dɪ'preʃən] sb 1. (person's) Depression f; 2. ECO Wirtschaftskrise f; 3. (in the ground) Vertiefung f, Senkung f

deprivation [deprɪ'veɪʃən] sb 1. (depriving) Beraubung f, Entzug m; 2. (lack) Mangel m

deprive [dɪ'praɪv] v 1. to be ~d of sth etw entbehren müssen; ~d persons unterprivilegierte Personen; ~ s.o. of sth jdm etw entziehen, jdm etw vorenthalten

depth [depθ] sb 1. Tiefe f; get out of one's ~ (fig) ins Schwimmen geraten; in the ~s of despair in tiefster Verzweiflung; 2. ~ of field FOTO Tiefenschärfe f

deputy ['depjʊtɪ] adj 1. stellvertretend, Vize...; sb 2. Stellvertreter m; (US: ~ sheriff) Hilfssheriff m

derail [dɪ'reɪl] v entgleisen lassen; to be ~ed entgleisen

derange [dɪ'reɪndʒ] v stören, verwirren

derelict ['derɪlɪkt] adj 1. (in one's duties) pflichtvergessen; 2. (abandoned) verlassen; sb 3. (homeless person) Obdachlose m/f

derive [dɪ'raɪv] v 1. (satisfaction) gewinnen; 2. (a word) ableiten; 3. ~ from sich ableiten von; (power) herkommen von, herrühren von

dermatitis [dɜ:mə'taɪtɪs] sb MED Hautentzündung f, Dermatitis f

dermatologist [dɜːmə'tɒlədʒɪst] *sb MED* Dermatologe *m*, Hautarzt *m*

derogatory [dɪ'rɒgətərɪ] *adj* abfällig, abschätzig

descend [dɪ'send] *v 1. (move down, get down)* heruntergehen, hinuntergehen; *(from a horse)* absteigen; *2. (lead downward)* heruntergehen, hinuntergehen, herunterführen; *3. (sth)* hinuntergehen, heruntergehen; ~ *upon* hereinbrechen über; *(visit)* überfallen; *4. to be* ~*ed from* abstammen von

descendant [dɪ'sendənt] *sb* Nachkomme *m*

descendent [dɪ'sendənt] *adj 1. (descending from an ancestor)* abstammend; *2. (going down)* absteigend

descent [dɪ'sent] *sb 1. (slope)* Abfall *m*; *2. (going down)* Hinuntergehen *n*; *3. (from a mountain)* Abstieg *m*; *4. (of an airplane)* Landung *f*; *5. (moral ~)* Absinken *n*; *6. (ancestry)* Abstammung *f*, Herkunft *f*; *of noble ~* von adliger Abstammung

describe [dɪs'kraɪb] *v 1. (tell about)* beschreiben, schildern; *2. ~ as (call)* bezeichnen als; *3. MATH* beschreiben

description [dɪs'krɪpʃən] *sb 1.* Beschreibung *f*, Schilderung *f*; *2. (characterization)* Bezeichnung *f*

desegregate [diː'segrəgeɪt] *v* die Rassenschranken aufheben in

desert ['dezət] *sb 1.* Wüste *f*; *adj 2. (uninhabited)* verlassen, menschenleer; [dɪ'zɜːt] *v 3.* verlassen, im Stich lassen; *4. MIL* desertieren; *(to the enemy)* überlaufen; *5. (spouse)* JUR böswillig verlassen

deserter [dɪ'zɜːtə] *sb MIL* Deserteur *m*; *(to the enemy)* Überläufer *m*

deserve [dɪ'zɜːv] *v* verdienen

deserving [dɪ'zɜːvɪŋ] *adj* verdienstvoll

design [dɪ'zaɪn] *v 1.* entwerfen, zeichnen; *2. (machine, bridge)* konstruieren; *3. to be ~ed for sth* für etw vorgesehen sein; *sb 4. (planning)* Entwurf *m*; *(of a machine, of a bridge)* Konstruktion *f*; *5. (as a subject)* Design *n*; *6. (pattern)* Muster *n*; *7. (intention)* Absicht *f*; *have ~s on sth* es auf etw abgesehen haben; *by ~* absichtlich

designate ['dezɪgneɪt] *v 1.* bestimmen; *2. (name)* kennzeichnen, bezeichnen

designer [dɪ'zaɪnə] *sb 1.* Entwerfer *m*; *2. (fashion ~)* Modeschöpfer *m*, Designer *m*; *3.* Bühnenbildner *m*

designing [dɪ'zaɪnɪŋ] *adj (crafty, scheming)* intrigant, hinterhältig

desire [dɪ'zaɪə] *v 1.* wünschen, begehren, wollen; *leave much to be ~d* viel zu wünschen übrig lassen; *sb 2.* Wunsch *m*; *3. (longing)* Sehnsucht *f*; *4. (sexual)* Verlangen *n*, Begehren *n*, Begierde *f*

desk [desk] *sb 1.* Schreibtisch *m*, Pult *n*; *2. (in a store)* Kasse *f*

desk-bound ['deskbaʊnd] *adj* an den Schreibtisch gefesselt

desk clerk ['deskklɜːk] *sb (at a hotel)* Empfangschef *m*

desktop ['desktɒp] *sb* Arbeitsfläche *f*

desktop publishing ['desktɒp 'pʌblɪʃɪŋ] *sb INFORM* Desktop-Publishing *n*

desolate ['desəlɪt] *adj 1.* verlassen, einsam, öde; *2. (feeling)* trostlos

despair [dɪs'peə] *v 1.* verzweifeln, alle Hoffnung aufgeben; *sb 2.* Verzweiflung *f*, Hoffnungslosigkeit *f*; *in ~* verzweifelt

desperate ['despərɪt] *adj 1. (person)* verzweifelt; *2. (criminal)* zum Äußersten entschlossen; *3. (situation)* verzweifelt, ausweglos, hoffnungslos; *4. (urgent)* dringend

desperation [despə'reɪʃən] *sb* Verzweiflung *f*

despite [dɪs'paɪt] *prep* trotz

dessert [dɪ'zɜːt] *sb* Nachtisch *m*, Dessert *n*

dessertspoon [dɪ'zɜːtspuːn] *sb* Dessertlöffel *m*

destined ['destɪnd] *adj to be ~ for sth* für etw bestimmt sein

destiny ['destɪnɪ] *sb* Schicksal *n*

destitute ['destɪtjuːt] *adj 1.* mittellos; *2. (of sth)* ermangelnd, ohne, bar

destroy [dɪs'trɔɪ] *v 1.* zerstören, vernichten; *2. (an animal)* töten; *3. (vermin)* vertilgen; *4. (break, make unusable)* ruinieren, kaputtmachen, unbrauchbar machen; *5. (fig: s.o.'s hopes)* zunichte machen; *6. (fig: s.o.'s reputation)* ruinieren

destroyer [dɪs'trɔɪə] *sb MIL* Zerstörer *m*

destruct [dɪ'strʌkt] *v* zerstören

destruction [dɪs'trʌkʃən] *sb* Zerstörung *f*, Vernichtung *f*, Verwüstung *f*

detach [dɪ'tætʃ] *v 1. (take off)* abnehmen, ablösen; *2. (part of a document)* abtrennen; *3. (unfasten)* loslösen

detached [dɪ'tætʃt] *adj 1. (house)* Einfamilienhaus *n*; *2. (fig: aloof)* abgehoben, arrogant

detail ['diːteɪl] *v 1.* ausführlich berichten über; *(list)* einzeln aufzählen; *sb 2.* Detail *n*; *attention to ~* Aufmerksamkeit für das Detail *f*; *in ~* ausführlich, im Einzelnen; *3. (particular)* Einzelheit *f*; *go into ~s* auf Einzelheiten eingehen; 4. *(insignificant ~)* unwichtige Einzelheit f, Kleinigkeit f

detain [dɪ'teɪn] v 1. aufhalten, zurückbehalten; 2. JUR in Haft nehmen

detect [dɪ'tekt] v 1. entdecken, herausfinden; 2. *(see, notice)* wahrnehmen, feststellen; *(a crime)* aufdecken

detective [dɪ'tektɪv] sb Detektiv m, *(police ~)* Kriminalbeamte(r) m/f

detective agency [dɪ'tektɪv 'eɪdʒənsɪ] sb Detektei f, Detektivbüro n

detector [dɪ'tektə] sb TECH Detektor m

detention [dɪ'tenʃən] sb 1. Haft f; *(in school)* Nachsitzen n; 2. MIL Arrest m; 3. *(act)* Festnahme f

detention centre [dɪ'tenʃənsentə] sb Justizvollzugsanstalt f

detergent [dɪ'tɜːdʒənt] sb Reinigungsmittel n, Waschmittel n

deteriorate [dɪ'tɪərɪəreɪt] v sich verschlechtern, sich verschlimmern, verderben

determinable [dɪ'tɜːmɪnəbl] adj bestimmbar, entscheidbar

determination [dɪtɜːmɪ'neɪʃən] sb 1. *(resolve)* Entschlossenheit f, Bestimmtheit f; 2. *(determining)* Determinierung f; 3. *(specifying)* Bestimmung f, Festsetzung f; 4. *(decision)* Entschluss m, Beschluss m

determine [dɪ'tɜːmɪn] v 1. *(resolve)* sich entschließen, beschließen; 2. *(fix, set)* festsetzen, festlegen; 3. *(be a decisive factor in)* bestimmen, determinieren

determined [dɪ'tɜːmɪnd] adj entschlossen, fest, entschieden

detestable [dɪ'testəbl] adj abscheulich, hassenswert

detonate ['detəneɪt] v 1. zünden, explodieren; 2. *(sth)* explodieren lassen, zur Explosion bringen

detonation [detə'neɪʃən] sb Detonation f

detour ['diːtʊə] v 1. *(take a detour)* einen Umweg machen; 2. *(sth)* umleiten; sb 3. Umweg m; *(fig: from a subject)* Abschweifung f; 4. *(road)* Umgehungsstraße f; 5. *(detouring of traffic)* Umleitung f

detoxicate [diː'tɒksɪkeɪt] v entgiften

detoxification centre [diːtɒksɪfɪ'keɪʃənsentə] sb Entzugsklinik f

detrimental [detrɪ'mentəl] adj ~ to schädlich, nachteilig für, abträglich

deuce [djuːs] sb *(tennis)* SPORT Einstand m

devaluation [dɪvæljʊ'eɪʃən] sb FIN Abwertung f

devastate ['devəsteɪt] v verwüsten

devastating ['devəsteɪtɪŋ] adj verheerend, vernichtend

develop [dɪ'veləp] v 1. sich entwickeln; 2. *(sth)* entwickeln; *(~ something already begun)* weiterentwickeln; 3. *(a plot of land, a neighbourhood)* erschließen; 4. *(an illness)* sich zuziehen, bekommen

developing [dɪ'veləpɪŋ] adj 1. sich entwickelnd; 2. ~ country POL Entwicklungsland n

development [dɪ'veləpmənt] sb 1. Entwicklung f, Ausführung f, Entfaltung f; 2. Wachstum n, Aufbau m

development area ['dɪveləpmənt 'eərɪə] sb Entwicklungsgebiet n

deviation [diːvɪ'eɪʃən] sb Abweichen n, Abweichung f

device [dɪ'vaɪs] sb 1. Gerät n, Vorrichtung f, Apparat m; 2. *(scheme)* List f; leave s.o. to his own ~s jdn sich selbst überlassen

devil ['devl] sb Teufel m; Speak of the ~! Wenn man vom Teufel spricht! a ~ of a job eine Heidenarbeit; What the ~? Was zum Teufel? poor ~ *(fam)* armer Teufel; There'll be the ~ to pay. *(fam)* Es wird einen fürchterlichen Aufruhr geben.

devil-may-care [devlmeɪ'keə] adj leichtsinnig

devious ['diːvɪəs] adj 1. *(person)* verschlagen; 2. *(path)* gewunden

devoid [dɪ'vɔɪd] adj ~ of bar, ohne

devote [dɪ'vəʊt] v 1. widmen; 2. *(resources)* bestimmen

devotion [dɪ'vəʊʃən] sb 1. Hingabe f; *(to one's friend, to one's spouse)* Ergebenheit f; 2. REL Andacht f; 3. *(setting aside)* Bestimmung f

devour [dɪ'vaʊə] v 1. verschlingen, fressen; 2. *(fig: a book)* verschlingen

devout [dɪ'vaʊt] adj REL fromm, andächtig

dew [djuː] sb Tau m

dewy-eyed ['djuːɪaɪd] adj mit umflorten Augen

dexterity [deks'terɪtɪ] sb Geschicklichkeit f, Gewandtheit f

diabetes [daɪə'biːtiːz] sb MED Diabetes m, Zuckerkrankheit f

diabetic [daɪə'betɪk] sb MED Diabetiker m

diabolical [daɪə'bɒlɪkəl] adj diabolisch, teuflisch

diagnose ['daɪəgnəʊz] v diagnostizieren

diagnosis [daɪəg'nəʊsɪs] sb Diagnose f

diagonal [daɪ'ægənl] adj 1. diagonal, schräg, schräg laufend; sb 2. Diagonale f

diagram 71 **dimple**

diagram ['daɪəgræm] v 1. zeichnen, graphisch darstellen; sb 2. Diagramm n, Schaubild n, Schema n

dial [daɪl] v 1. wählen; sb 2. (of a clock) Zifferblatt n; 3. (of a gauge) Skala f; 4. (radio ~) Skalenscheibe f

dialect ['daɪəlekt] sb 1. Dialekt m, Mundart f

dialling code ['daɪlɪŋ kəʊd] sb (UK) Vorwahl f

dialogue ['daɪəlɒg] sb Dialog m

dial tone ['daɪltəʊn] (US) Amtszeichen n

diamond ['daɪmənd] sb 1. Diamant m; 2. (shape) Raute f; 3. (suit of cards) Karo n

diaper ['daɪpə] sb (US) Windel f

diarrhoea [daɪə'ri:ə] sb MED Durchfall m, Diarrhöe f

diary ['daɪərɪ] sb 1. (appointment book) Terminkalender m; 2. Tagebuch n

dicey ['daɪsɪ] adj (fam) riskant

dictate [dɪk'teɪt] v 1. diktieren; sb 2. Diktat n, Gebot n; the ~s of reason das Gebot der Vernunft

dictator [dɪk'teɪtə] sb POL Diktator m

dictionary ['dɪkʃənrɪ] sb Wörterbuch n, Lexikon n

die [daɪ] v 1. sterben; 2. (plant) eingehen; 3. (motor) absterben; 4. to be dying to do sth brennend gern etw tun wollen, sich danach sehnen, etw zu tun; 5. (disappear) vergehen; (memory) verschwinden; (custom) aussterben; 6. ~ away schwächer werden; 7. ~ down schwächer werden, nachlassen; 8. ~ out aussterben; sb 9. Würfel m; 10. TECH Gesenk n, Gussform f
• **die away** v sich legen, sich beruhigen
• **die out** v aussterben

die-cast ['daɪ'kɑ:st] v im Spritzgussverfahren herstellen

diehard ['daɪhɑ:d] sb 1. unnachgiebiger Mensch m; adj 2. This record would only interest ~ Elton John fans. Diese Platte würde nur die allergrößten Elton John Fans interessieren.

diesel ['di:zəl] sb (car) Diesel m, (fuel) Dieselöl n

diet ['daɪət] sb 1. Nahrung f, Ernährung f; 2. (special ~) Diät f; 3. (to lose weight) Schlankheitskur f, Diät f; go on a ~ eine Schlankheitskur machen

differ ['dɪfə] v 1. sich unterscheiden; 2. (hold a different opinion) anderer Meinung sein

difference ['dɪfrəns] sb 1. Unterschied m; that makes a ~ das macht was aus; 2. (of opinion) Meinungsverschiedenheit f, Differenz f

different ['dɪfrənt] adj andere(r,s), anders, verschieden; ~ to/~ from anders als

differentiate [dɪfə'renʃɪeɪt] v unterscheiden

difficult ['dɪfɪkəlt] adj schwierig, schwer, kompliziert; make things ~ for s.o. es jdm schwer machen

difficulty ['dɪfɪkəltɪ] sb Schwierigkeit f

dig [dɪg] v irr 1. graben; 2. (a trench, a tunnel) ausheben; 3. (poke) bohren; 4. (fam: like) stehen auf; 5. (fam: understand) kapieren; 6. (fam: look at) sich angucken; sb 7. (archeological) Ausgrabung f, (site) Ausgrabungsstätte f
• **dig in** v irr 1. (entrench o.s.) sich eingraben; 2. (fam: have some food) das Essen reinhauen (fam)
• **dig out** v irr (fam) ausgraben
• **dig up** v irr 1. (earth) aufwühlen; 2. (a lawn) umgraben; 3. (find or remove from underground) ausgraben; 4. (fam: information) auftun

digest [dɪ'dʒest] v 1. verdauen; [daɪdʒest] sb 2. Auslese f, Auswahl f

digestion [dɪ'dʒestʃən] sb Verdauung f

digit ['dɪdʒɪt] sb 1. MATH Ziffer f, Stelle f; 2. ANAT (finger) Finger m; (toe) Zehe f

digital ['dɪdʒɪtəl] adj digital

dignified ['dɪgnɪfaɪd] adj würdig, würdevoll

dignity ['dɪgnɪtɪ] sb Würde f

digs [dɪgz] pl Bude f (fam), Zimmer n

dilapidated [dɪ'læpɪdeɪtɪd] adj verfallen, baufällig

dilate ['daɪleɪt] v (pupils) sich erweitern

dilemma [dɪ'lemə] sb Dilemma n, Klemme f

diligent ['dɪlɪdʒənt] adj fleißig, eifrig

dilute [daɪ'lu:t] v verdünnen, (fig) schwächen

dim [dɪm] v 1. (a light) verdunkeln, abblenden; adj 2. (light) trüb, schwach; 3. (memory) verschwommen, schwach; 4. (outline) undeutlich, verschwommen, unscharf; 5. (fig: future, outlook) trüb; 6. (fam: stupid) schwer von Begriff

dimension [daɪ'menʃən] sb 1. Dimension f; 2. (measurement) Abmessung f, Maß n, Dimension f; 3. ~s pl Ausmaß n, Umfang m, Größe f

diminish [dɪ'mɪnɪʃ] v 1. (to be ~ed) sich vermindern, abnehmen; 2. (sth) verringern, vermindern, verkleinern

dimple ['dɪmpl] sb 1. Vertiefung f; 2. (on one's cheek or chin) Grübchen n

dine [daɪn] v speisen; ~ out außer Haus essen

diner ['daɪnə] sb 1. (person dining) Tischgast m; 2. (establishment) Esslokal n

dinghy ['dɪŋgɪ] sb 1. (small boat) Dingi n; 2. (rubber raft) Schlauchboot n

dingy ['dɪndʒɪ] adj schmuddelig

dinky ['dɪŋkɪ] adj 1. (UK) schnuckelig; 2. (US: little) klein

dinner ['dɪnə] sb 1. Abendessen n; 2. (lunch) Mittagessen n

dinner jacket ['dɪnədʒækɪt] sb (UK) Smoking m

dinner party ['dɪnəpɑːtɪ] sb Abendgesellschaft f, Tischgesellschaft f

dinner service ['dɪnəsɜːvɪs] sb Tafelgeschirr n

dinosaur ['daɪnəsɔː] sb Dinosaurier m

dioxide [daɪ'ɒksaɪd] sb CHEM Dioxyd n

dip [dɪp] v 1. (pointer on a scale) sich senken, sich neigen; 2. (bread) tunken; 3. (sth into liquid) tauchen, eintauchen; ~ one's hand into one's pocket in die Tasche greifen; sb 4. GAST Dip m; 5. (swim) kurzes Baden n
• **dip into** v 1. kurz eintauchen in; 2. (funds) Reserven angreifen

diploma [dɪp'ləʊmə] sb Diplom n

diplomacy [dɪp'ləʊməsɪ] sb POL Diplomatie f

diplomat ['dɪpləmæt] sb POL Diplomat m

diplomatic immunity [dɪplə'mætɪk ɪm-'juːnɪtɪ] sb POL Immunität f

dipstick ['dɪpstɪk] sb Messstab m

direct [dɪ'rekt] v 1. (aim, address) richten; ~ s.o.'s attention to sth jds Aufmerksamkeit auf etw lenken; 2. (order) anweisen, befehlen; 3. (supervise) leiten, lenken, führen; 4. (traffic) regeln; 5. CINE Regie führen bei; 6. THEAT inszenieren; adj 7. direkt, unmittelbar

direct access [dɪ'rekt 'ækses] sb INFORM Direktzugriff m

direct current [dɪ'rekt 'kʌrənt] sb TECH Gleichstrom m

direct debit [dɪ'rekt 'debɪt] sb (UK) FIN Einzugsermächtigung f

direct hit [daɪ'rekt hɪt] sb Volltreffer m

direction [dɪ'rekʃən] sb 1. Richtung f; sense of ~ Orientierungssinn m; 2. (management) Leitung f, Führung f; 3. ~s pl Anweisungen pl; (to get somewhere) Auskunft f; (for use) Gebrauchsanweisung f; ask s.o. for ~s (ask the way) jdn nach dem Weg fragen, (request instructions) jdn um Anweisungen bitten

directly [dɪ'rektlɪ] adv 1. direkt, unmittelbar; ~ opposed genau entgegengesetzt; 2. (frankly) direkt; 3. (in just a moment) sofort

director [dɪ'rektə] sb 1. Direktor m, Leiter m; 2. CINE Regisseur m

directory [dɪ'rektərɪ] sb (telephone ~) Telefonbuch n; (trade ~) Branchenverzeichnis n

directory enquiries [dɪ'rektərɪ ɪn'kwaɪ-əri:z] sb (UK) Telefonauskunft f

dirt [dɜːt] sb 1. Schmutz m, Dreck m; treat s.o. like ~ jdn wie den letzten Dreck behandeln; throw ~ at s.o. (fig) jdn mit Schmutz bewerfen; 2. (soil) Erde f; hit the ~ (fam) sich zum Boden werfen; 3. (scandal) Schmutz m, schmutzige Wäsche pl

dirt-cheap [dɜːt'tʃiːp] adj spottbillig

dirty ['dɜːtɪ] adj 1. schmutzig, dreckig; ~ work Drecksarbeit f; give s.o. a ~ look jdm einen bösen Blick zuwerfen; 2. (obscene) unanständig, schmutzig; ~ old man fieser alter Kerl; 3. (despicable) gemein, niederträchtig; do the ~ on s.o. (UK) jdn gemein behandeln; ~ trick fauler Trick; 4. SPORT unfair; v 5. beschmutzen, verschmutzen

disability [dɪsə'bɪlɪtɪ] sb (physical ~) MED Behinderung f

disable [dɪs'eɪbl] v unbrauchbar machen

disabled [dɪs'eɪbld] adj 1. behindert, arbeitsunfähig, erwerbsunfähig; 2. (machine) unbrauchbar; 3. the ~ die Behinderten pl

disadvantage [dɪsəd'vɑːntɪdʒ] sb 1. Nachteil m; v 2. put at a ~ benachteiligen

disagree [dɪsə'griː] v 1. nicht übereinstimmen; 2. (with a suggestion) nicht einverstanden sein; 3. ~ with s.o. (food) jdm nicht bekommen

disagreeable [dɪsə'griːəbl] adj 1. unangenehm; 2. (person) unsympathisch

disagreement [dɪsə'griːmənt] sb 1. Uneinigkeit f; 2. (discrepancy) Diskrepanz f; 3. (quarrel) Meinungsverschiedenheit f, Streit m

disappear [dɪsə'pɪə] v verschwinden

disappearance [dɪsə'pɪərəns] sb Verschwinden n

disappoint [dɪsə'pɔɪnt] v enttäuschen

disappointment [dɪsə'pɔɪntmənt] sb Enttäuschung f

disapprove [dɪsə'pruːv] v 1. dagegen sein; 2. ~ of sth etw missbilligen

disarmament [dɪs'ɑːməmənt] sb POL Abrüstung f

disarmament conference [dɪs'ɑːməmənt 'kɒnfərəns] sb POL Abrüstungskonferenz f

disassemble [dɪsə'sembl] v auseinander nehmen, zerlegen

disaster [dɪ'zɑːstə] sb Unglück n, Katastrophe f

disaster area [dɪ'zɑːstərɛərɪə] sb Katastrophengebiet n

disastrous [dɪ'zɑːstrəs] adj katastrophal, verheerend, unheilvoll

disbelief [dɪsbə'liːf] sb Unglaube m, Zweifel m

disbelieve [dɪsbɪ'liːv] v nicht glauben, bezweifeln

disc [dɪsk] sb 1. runde Scheibe f; 2. ANAT Bandscheibe f; 3. (record) Schallplatte f

discard [dɪ'skɑːd] v ablegen, aufgeben, ausrangieren

disc brake [dɪsk breɪk] sb TECH Scheibenbremse f

disciple [dɪ'saɪpl] sb Jünger m, Schüler m

disciplinary ['dɪsɪplɪnərɪ] adj Disziplinar...

discipline ['dɪsɪplɪn] v 1. disziplinieren; sb 2. Disziplin f

disc jockey ['dɪskdʒɒkɪ] sb Diskjockey m

disclaim [dɪs'kleɪm] v ausschlagen, ablehnen

disclose [dɪs'kləʊz] v 1. bekannt geben, bekannt machen, offenbaren; 2. (a secret) aufdecken, enthüllen

disco ['dɪskəʊ] sb Disko f

discography [dɪs'kɒɡrəfɪ] sb Schallplattenverzeichnis n

discomfort [dɪs'kʌmfət] sb Unbehagen n

disconcert [dɪskən'sɜːt] v beunruhigen, aus der Fassung bringen

disconnect [dɪskə'nekt] v 1. trennen; 2. (utilities) abstellen; 3. (telephone call) unterbrechen

disconsolate [dɪs'kɒnsəlɪt] adj untröstlich, niedergeschlagen

discontent [dɪskən'tent] sb Unzufriedenheit f

discontinue [dɪskən'tɪnjuː] v 1. aufgeben, abbrechen, aussetzen; 2. (a line of products) auslaufen lassen; 3. (a subscription) abbestellen

discotheque ['dɪskəʊtek] sb Diskothek f

discount [dɪs'kaʊnt] v 1. (dismiss, disregard) unberücksichtigt lassen; 2. ['dɪskaʊnt] sb ECO Preisnachlass m, Rabatt m, Abschlag m; sell sth at a ~ etw mit Rabatt verkaufen; 3. FIN Diskont m; v 4. (a bill, a note) FIN diskontieren

discount house ['dɪskaʊnt haʊs] sb Discountgeschäft n

discount rate ['dɪskaʊnt reɪt] sb FIN Diskontsatz m

discourage [dɪs'kʌrɪdʒ] v 1. entmutigen; 2. (deter) abhalten, (advances) zu verhindern suchen; 3. (dissuade) ~ s.o. from doing sth jdm abraten, etw zu tun; (successfully) jdn davon abbringen, etw zu tun

discouraged [dɪs'kʌrɪdʒd] adj entmutigt; (generally) mutlos

discourteous [dɪs'kɜːtɪəs] adj unhöflich

discover [dɪs'kʌvə] v 1. entdecken; 2. (~ a mistake, ~ that sth is missing) feststellen; 3. (a secret) herausfinden

discoverer [dɪs'kʌvərə] sb Entdecker m

discovery [dɪs'kʌvərɪ] sb Entdeckung f

discreet [dɪs'kriːt] adj diskret, taktvoll, verschwiegen

discrepancy [dɪs'krepənsɪ] sb Diskrepanz f, Unstimmigkeit f

discrete [dɪs'kriːt] adj diskret

discretion [dɪs'kreʃən] sb 1. (tact) Diskretion f; 2. (prudence) Besonnenheit f; 3. (freedom to decide) Gutdünken n, Ermessen n; use your own ~ handle nach eigenem Ermessen; at one's ~ nach Belieben

discriminate [dɪ'skrɪmɪneɪt] v 1. unterscheiden; 2. (unfairly) Unterschiede machen; ~ against s.o. jdn diskriminieren

discrimination [dɪskrɪmɪ'neɪʃən] sb (differential treatment) Diskriminierung f

discuss [dɪs'kʌs] v besprechen, diskutieren, reden über

discussion [dɪs'kʌʃən] sb Diskussion f, Erörterung f, (meeting) Besprechung f

disdain [dɪs'deɪn] v 1. (s.o.) verachten; 2. (sth) verachten, verschmähen; sb 3. Verachtung f, Geringschätzung f

disdainful [dɪs'deɪnfʊl] adj verachtungsvoll, geringschätzig

disease [dɪ'ziːz] sb Krankheit f

diseased [dɪ'ziːzd] adj MED krank, (tissue, cell) krankhaft

disembodied [dɪsɪm'bɒdɪd] adj körperlos

disengage [dɪsɪn'ɡeɪdʒ] v 1. loskommen; 2. (from fighting) sich absetzen; 3. (sth) loskuppeln, ausschalten; ~ the clutch auskuppeln

disfavour [dɪs'feɪvə] sb Ungnade f, Missfallen n; fall into ~ in Ungnade fallen; regard with ~ mit Missfallen betrachten

disfigure [dɪs'fɪɡə] v verunstalten, (a face) entstellen

disgrace [dɪs'ɡreɪs] v 1. Schande bringen über, Schande machen; 2. ~ o.s. sich blamieren; *sb 3.* Schande *f; fall into ~* in Ungnade fallen; *sb 2. (cause of ~)* Schande *f,* Blamage *f,* Schandfleck *m*

disgraceful [dɪs'greɪsful] *adj* schändlich

disguise [dɪs'gaɪz] *v 1.* unkenntlich machen, tarnen, verkleiden; *2. (handwriting, a voice)* verstellen; *3. (feelings, the truth)* verhüllen, verbergen, verhehlen; *4. ~ o.s.* sich verkleiden; *sb 5.* Verkleidung *f; in ~* verkleidet

disgust [dɪs'gʌst] *v 1.* anekeln, anwidern; *2. (anger)* empören; *sb 3.* Ekel *m; 4. (loathing)* Empörung *f*

disgusting [dɪs'gʌstɪŋ] *adj* widerlich, abscheulich; *(nauseating)* ekelhaft

dish [dɪʃ] *sb 1.* Schüssel *f,* Platte *f,* Teller *m; 2. ~es pl (crockery)* Geschirr *n; do the ~es (US)* Geschirr spülen; *3. (meal)* Gericht *n,* Speise *f*
• **dish out** *v* austeilen
• **dish up** *v 1.* anrichten, auftragen; *2. (fam: ~ lies, ~ information)* auftischen

dishonest [dɪs'ɒnɪst] *adj 1.* unehrlich; *2. (scheme)* unlauter

dishonesty [dɪs'ɒnɪstɪ] *sb* Unehrlichkeit *f,* Unredlichkeit *f*

dishonourable [dɪs'ɒnərəbl] *adj* unehrenhaft; *~ discharge* unehrenhafte Entlassung *f*

dishwasher ['dɪʃwɒʃə] *sb 1. (machine)* Geschirrspülmaschine *f; 2. (person)* Tellerwäscher *m*

dishy ['dɪʃɪ] *adj (fam)* schick, toll

disillusionment [dɪsɪ'luːʒənmənt] *sb* Ernüchterung *f,* Enttäuschung *f*

disinclined [dɪsɪn'klaɪnd] *adj ~ to do sth* abgeneigt, etw zu tun

disinfect [dɪsɪn'fekt] *v* desinfizieren

disinfectant [dɪsɪn'fektənt] *sb* Desinfektionsmittel *n*

disinfection [dɪsɪn'fekʃən] *sb* Desinfektion *f*

disinherit [dɪsɪn'herɪt] *v* enterben

disintegrate [dɪs'ɪntɪgreɪt] *v 1. (fall apart, be broken apart)* zerfallen, sich auflösen, auseinander fallen; *2. (sth)* zerfallen lassen, auflösen, zersetzen

disintegration [dɪsɪntɪ'greɪʃən] *sb* Zerfall *m,* Auflösung *f*

disinterest [dɪs'ɪntrɪst] *sb* Desinteresse *n,* Gleichgültigkeit *f*

disjointed [dɪs'dʒɔɪntɪd] *adj* zusammenhangslos

disk [dɪsk] *sb 1. (see "disc"); 2. INFORM* Platte *f*

disk crash [dɪsk kræʃ] *sb INFORM* Diskcrash *m,* Störung eines Laufwerkes *f*

disk drive ['dɪskdraɪv] *sb INFORM* Laufwerk *n*

diskette [dɪs'ket] *sb INFORM* Diskette *f*

dislike [dɪs'laɪk] *v 1.* nicht mögen; *~ doing sth* etw ungern tun; *sb 2.* Abneigung *f*

dislocate ['dɪsləʊkeɪt] *v MED* verrenken

disloyal [dɪs'lɔɪəl] *adj* untreu, treulos, verräterisch

dismal ['dɪzməl] *adj 1.* düster; *2. (failure)* kläglich; *3. (person)* trübselig, trübsinnig

dismantle [dɪs'mæntl] *v 1. (take apart)* auseinander nehmen, zerlegen; *2. (permanently)* demontieren

dismay [dɪs'meɪ] *v 1.* bestürzen; *sb 2.* Bestürzung *f,* Entsetzen *n*

dismiss [dɪs'mɪs] *v 1.* entlassen, gehen lassen; *2. (brush aside)* abtun; *(a suggestion)* zurückweisen; *(form one's mind)* verbannen

dismissive [dɪs'mɪsɪv] *adj* abweisend

disobedience [dɪsə'biːdɪəns] *sb 1.* Ungehorsam *m; 2. civil ~* ziviler Ungehorsam *m*

disobedient [dɪsə'biːdɪənt] *adj* ungehorsam

disobey [dɪsə'beɪ] *v 1. (s.o.)* nicht gehorchen; *2. (a law)* nicht befolgen

disorder [dɪs'ɔːdə] *sb 1.* Durcheinander *n; 2. MED* Störung *f,* Erkrankung *f*

disorderly [dɪs'ɔːdəlɪ] *adj 1. (untidy)* unordentlich; *2. (unruly)* aufrührerisch; *3. ~ conduct JUR* ungebührliches Benehmen *n*

disorient [dɪs'ɔːrɪənt] *v* desorientieren, verwirren

disorientate [dɪs'ɔːrɪənteɪt] *v* desorientieren

disown [dɪs'əʊn] *v 1.* verleugnen; *2. (one's child)* verstoßen

disparaging [dɪ'spærɪdʒɪŋ] *adj* abschätzig, geringschätzig

disparity [dɪ'spærɪtɪ] *sb* Ungleichheit *f,* Verschiedenheit *f*

dispatch [dɪ'spætʃ] *v 1.* senden, schicken, absenden; *2. (deal with)* erledigen; *3. (kill)* töten, ins Jenseits befördern; *sb 4. (promptness)* Eile *f; 5. (report)* Bericht *m; 6. (sending)* Versand *m,* Absendung *f*

dispensable [dɪs'pensəbl] *adj* entbehrlich, verzichtbar

dispense [dɪs'pens] *v 1.* verteilen, austeilen; *(medication)* abgeben; *2. ~ justice* Recht sprechen; *3. ~ with* verzichten auf

dispenser [dɪs'pensə] *sb (machine)* Automat *m*

displace [dɪs'pleɪs] v 1. verlagern, verdrängen; *~d person* Verschleppte(r) *m/f;* 2. *(replace)* ersetzen

displacement [dɪs'pleɪsmənt] *sb* 1. Verlagerung *f;* 2. NAUT Verdrängung *f*

display [dɪs'pleɪ] v 1. *(show)* zeigen, beweisen; 2. *(goods)* ausstellen, auslegen; *sb* 3. Zeigen *n,* Zurschaustellung *f,* Vorführung *f; to be on ~* ausgestellt sein; 4. *(of goods)* Ausstellung *f,* Auslage *f;* 5. *(ostentatious ~)* Aufwand *m;* 6. INFORM Display *n*

displeased [dɪs'pliːzd] *adj* unzufrieden

disposable [dɪs'pəʊzəbl] *adj* 1. *(to be thrown away)* wegwerfbar; 2. *(available)* verfügbar; *~ income* verfügbares Einkommen *n*

disposal [dɪs'pəʊzəl] *sb* 1. *(throwing away)* Wegwerfen *n;* 2. *(waste ~ unit)* Müllschlucker *m;* 3. *(removal)* Beseitigung *f;* 4. *(control)* Verfügungsrecht *n; place sth at s.o.'s ~* jdm etw zur Verfügung stellen; *have sth at one's ~* über etw verfügen; *to be at s.o.'s ~* jdm zur Verfügung stehen; 5. *(positioning)* Aufstellung *f*

dispose [dɪs'pəʊz] v 1. *~ of (get rid of)* loswerden; *(an opponent)* aus dem Weg schaffen; 2. *(difficulties)* erledigen; 3. *~ of (have at one's disposal)* verfügen über

disposition [dɪspə'zɪʃən] *sb* 1. *(temperament)* Veranlagung *f;* 2. *(arrangement)* Anordnung *f*

dispute [dɪ'spjuːt] v 1. *(debate)* disputieren über; 2. *(argue against)* bestreiten, anfechten; 3. *(a claim)* anfechten; *sb* 4. Disput *m,* Kontroverse *f; beyond ~* unzweifelhaft; 5. *(quarrel)* Streit *m*

disqualification [dɪskwɒlɪfɪ'keɪʃən] *sb* SPORT Disqualifikation *f*

disqualify [dɪs'kwɒlɪfaɪ] v 1. für untauglich erklären; 2. SPORT disqualifizieren

disregard [dɪsrɪ'gɑːd] v 1. nicht beachten, ignorieren; *(authority)* missachten; *sb* 2. Nichtbeachtung *f,* Ignoranz *f;* 3. *(for danger)* Geringschätzung *f*

disrepair [dɪsrɪ'peə] *sb* Verfall *m,* Baufälligkeit *f; fall into ~* verfallen

disrespect [dɪsrɪs'pekt] *sb* Respektlosigkeit *f, (rudeness)* Unhöflichkeit *f*

disrespectable [dɪsrɪ'spektəbl] *adj* nicht respektabel

disrespectful [dɪsrɪs'pektfʊl] *adj* respektlos, *(rude)* unhöflich

disrupt [dɪs'rʌpt] v stören, unterbrechen

disruption [dɪs'rʌpʃən] *sb* Störung *f,* Unterbrechung *f*

dissatisfied [dɪs'sætɪsfaɪd] *adj* unzufrieden

dissatisfy [dɪs'sætɪsfaɪ] v nicht zufrieden stellen, missfallen

dissect [dɪ'sekt] v 1. sezieren; 2. *(a plant)* präparieren

dissemble [dɪ'sembl] v 1. sich verstellen, heucheln; 2. *(~ sth)* verbergen

disservice [dɪs'sɜːvɪs] *sb do s.o. a ~* jdm einen schlechten Dienst erweisen

dissident ['dɪsɪdənt] *adj* 1. anders denkend; *sb* 2. POL Dissident *m*

dissimilar [dɪ'sɪmɪlə] *adj* verschieden, unähnlich

dissipate ['dɪsɪpeɪt] v sich zerstreuen, sich auflösen

dissociate [dɪ'səʊʃɪeɪt] v *~ o.s. from* sich distanzieren von

dissolution [dɪsə'luːʃən] *sb* Auflösung *f*

dissolve [dɪ'zɒlv] v 1. sich lösen, sich auflösen; 2. *(sth)* auflösen

dissuade [dɪ'sweɪd] v *~ s.o. from doing sth* jdn davon abbringen, etw zu tun

distance ['dɪstəns] v 1. *~ o.s. from sth* sich von etw distanzieren; *sb* 2. Entfernung *f,* Ferne *f; at a ~ of ten metres* in zehn Meter Entfernung; *in the ~* in der Ferne; 3. *(~ covered, ~ to cover)* Strecke *f,* Weg *m; within walking ~* zu Fuß erreichbar; *go the ~ (fig)* durchhalten; 4. *(of a race)* SPORT Distanz *f;* 5. *(gap)* Abstand *m,* Distanz *f,* Zwischenraum *m; keep one's ~* Abstand halten; 6. *(fig: avoidance of familiarity)* Distanz *f; keep one's ~ (fig)* auf Distanz bleiben; *keep s.o. at a ~* jdn auf Distanz halten

distant ['dɪstənt] *adj* 1. fern, entfernt, weit; 2. *(in time)* fern; 3. *(relationship)* entfernt; 4. *(aloof)* distanziert, kühl, reserviert

distaste [dɪs'teɪst] *sb* Widerwille *m; ~ for* Widerwille gegen

distasteful [dɪs'teɪstfʊl] *adj* unangenehm

distinct [dɪs'tɪŋkt] *adj* 1. deutlich, klar; 2. *(noticeable)* spürbar; 3. *(characteristic)* ausgeprägt; 4. *(different)* verschieden; 5. *(separate)* getrennt

distinction [dɪs'tɪŋkʃən] *sb* 1. *(difference)* Unterschied *m; draw a ~ between, make a ~ between* einen Unterschied machen zwischen; 2. *(act of distinguishing)* Unterscheidung *f;* 3. *(refinement)* Vornehmheit *f;* 4. *(eminence in one's field)* hoher Rang *m;* 5. *(award)* Auszeichnung *f*

distinctive [dɪs'tɪŋktɪv] *adj* unverwechselbar, unverkennbar, kennzeichnend

distinguish [dɪ'stɪŋgwɪʃ] v 1. (tell apart) auseinander halten, unterscheiden; 2. (make out) erkennen; 3. (make different) unterscheiden; to be ~ed by sth sich durch etw unterscheiden; 4. ~ o.s. sich auszeichnen

distinguishable [dɪ'stɪŋgwɪʃəbl] adj 1. (discernible) erkennbar; 2. (noticeable) deutlich; 3. (able to be told apart) unterscheidbar

distinguished [dɪ'stɪŋgwɪʃt] adj 1. bedeutend, von Rang, berühmt; 2. (refined) distinguiert, vornehm

distort [dɪs'tɔːt] v 1. verzerren; 2. (words, facts) verdrehen; 3. (judgement) trüben

distract [dɪs'trækt] v ablenken

distracted [dɪs'træktɪd] adj 1. unaufmerksam, zerstreut; 2. (in despair) verzweifelt

distress [dɪs'tres] v 1. peinigen, quälen, beunruhigen; sb 2. Verzweiflung f; 3. (grief) Kummer m, Leid n, Sorge f; 4. (poverty) Elend n, Not f; 5. (danger) Not f

distress call [dɪs'tres kɔːl] sb Notruf m

distressed [dɪs'trest] adj beunruhigt, bekümmert, betrübt

distressing [dɪs'tresɪŋ] adj Besorgnis erregend, bedrückend

distribute [dɪs'trɪbjuːt] v 1. verteilen, austeilen; 2. (goods) ECO vertreiben; 3. (dividends) FIN ausschütten; 4. (films) verleihen

distribution [dɪstrɪ'bjuːʃən] sb 1. Verteilung f, Austeilung f; 2. (way sth is distributed) Einteilung f; 3. (of dividends) FIN Ausschüttung f; 4. (of goods) ECO Vertrieb m; 5. CINE Verleih m

district ['dɪstrɪkt] sb 1. Gebiet n, Gegend f; 2. (of a town) Stadtteil m, Viertel n, Bezirk m; 3. (administrative ~) Bezirk m, Verwaltungsbezirk m

district attorney ['dɪstrɪkt ə'tɜːnɪ] sb (US) Staatsanwalt m

district court ['dɪstrɪkt kɔːt] sb (US) JUR Bezirksgericht n

distrust [dɪs'trʌst] v 1. misstrauen; sb 2. Misstrauen n

disturb [dɪs'tɜːb] v 1. (interrupt, interfere with) stören; "Please do not ~." „Bitte nicht stören."; 2. (make uneasy) beunruhigen

disturbance [dɪs'tɜːbəns] sb 1. Störung f; 2. (commotion) Ruhestörung f; (political, social) Unruhe f; 3. (uneasiness) Unruhe f

disturbed [dɪs'tɜːbd] adj 1. (worried) beunruhigt; 2. (waters) unruhig; 3. (mentally imbalanced) geistig gestört

disturbing [dɪs'tɜːbɪŋ] adj beunruhigend

disuse [dɪs'juːs] sb Nichtgebrauch m

disused [dɪs'juːzd] adj nicht mehr benutzt, nicht mehr gebraucht, (railway line) stillgelegt, (building) leerstehend

dive [daɪv] v 1. (into a pool, into a lake) springen, (under water) tauchen, (submarine) untertauchen; 2. (like a goalkeeper) einen Hechtsprung machen; 3. (airplane) einen Sturzflug machen; sb 4. (by a swimmer) Sprung m; 5. (by a plane) Sturzflug m; 6. (sideways leap) Hechtsprung m; 7. take a ~ (boxer) ein K.O. vortäuschen; 8. (fam: seedy pub) Spelunke f

dive-bomb ['daɪvbɒm] v MIL im Sturzflug angreifen

diver ['daɪvə] sb Taucher m; (from a springboard) Kunstspringer m; (from a high platform) Turmspringer m

diverse [daɪ'vɜːs] adj unterschiedlich, verschieden

diversion [daɪ'vɜːʒən] sb 1. (trick to distract attention) Ablenkung f, Ablenkungsmanöver n; 2. (pastime) Zeitvertreib m; 3. (detouring) Umleitung f

diversity [daɪ'vɜːsɪtɪ] sb Vielfalt f

divert [daɪ'vɜːt] v 1. (attention) ablenken; 2. (traffic) umleiten; 3. (a conversation) in eine andere Richtung lenken

divide [dɪ'vaɪd] v 1. (separate) trennen; 2. MATH dividieren, teilen; ~ eleven by five elf durch fünf teilen/dividieren; 3. (~ among) verteilen; 4. (~ up) teilen (distribute) aufteilen; 5. (cause disagreement among) entzweien

divine [dɪ'vaɪn] adj göttlich

diving board ['daɪvɪŋ bɔːd] sb SPORT Sprungbrett n

diving suit ['daɪvɪŋ suːt] sb Taucheranzug m

divinity [dɪ'vɪnɪtɪ] sb Gottheit f, göttliches Wesen n

divisible [dɪ'vɪzɪbl] adj teilbar; ~ by teilbar durch

division [dɪ'vɪʒən] sb 1. Teilung f, Aufteilung f, Einteilung f; 2. MATH Teilen n, Division f; 3. (part) Teil m; 4. (of a firm) Abteilung f; 5. SPORT Liga f; 6. MIL Division f; 7. (that which divides) Trennung f; 8. (discord) Uneinigkeit f

divorce [dɪ'vɔːs] v 1. (s.o.) sich scheiden lassen von; get ~d sich scheiden lassen; 2. (fig) trennen; sb 3. Scheidung f

divulge [daɪ'vʌldʒ] v 1. preisgeben; 2. (a secret) ausplaudern

dizzy ['dɪzɪ] adj schwindlig

DNA [diːen'eɪ] sb (deoxyribonucleic acid) BIO DNS f

do [duː] v irr 1. tun, machen; *What can I ~ for you?* Was kann ich für Sie tun? *How ~ you ~?* *(pleased to meet you)* Es freut mich, Sie kennen zu lernen. *Nothing ~ing. (fam)* Nichts zu machen. 2. ~ *the dishes (US)* Geschirr spülen; 3. *(be suitable)* passen; 4. *(be sufficient)* reichen, genügen; *That will* ~. Das genügt. 5. *make* ~ with sich mit etw behelfen
• **do away** v irr ~ with sth etw beseitigen
• **do in** v irr 1. *(fam: kill)* umbringen; 2. *(fam: ruin)* fertig machen, ruinieren
• **do up** v irr 1. *(fasten)* zumachen; 2. *(a room)* herrichten; 3. *(a package)* zusammenpacken; 4. ~ *one's face* sich schminken
• **do with** v irr 1. *(potentially use)* gebrauchen können; 2. *have to* ~ mit ... zu tun haben; *What has that got to* ~ *it?* Was hat das damit zu tun?
• **do without** v irr auskommen ohne, entbehren, verzichten auf

doctor ['dɒktə] sb 1. *(physician)* MED Arzt m/Ärztin f; 2. *(person with a doctorate)* Doktor m; v 3. *(fam: tamper with)* frisieren; *(document)* verfälschen

doctorate ['dɒktərɪt] sb Doktorwürde f

document ['dɒkjʊmənt] v 1. beurkunden, dokumentieren; sb 2. Dokument n, Urkunde f, Unterlage f

documentary [dɒkjʊ'mentərɪ] adj 1. dokumentarisch, urkundlich; ~ *evidence* Urkundenbeweis m; sb 2. CINE Dokumentarfilm m, Tatsachenfilm m

dodge [dɒdʒ] v 1. ausweichen, *(tax)* umgehen; 2. *(military service)* sich drücken vor

dodger ['dɒdʒə] sb *(person)* Schlawiner m

dodgy ['dɒdʒɪ] adj *(fam)* vertrackt, verzwickt

dog [dɒg] sb Hund m; *go to the ~s (fam)* vor die Hunde gehen; *lucky ~ (fam)* Glückspilz m; *as sick as a* ~ speiübel; *lead a ~s life* ein Hundeleben führen; *a hair of the ~ that bit you (fam)* einen Schluck Alkohol gegen den Kater; *set a ~ on s.o.* einen Hund auf jdn hetzen; *the top ~ (fam)* der große Boss

dog-catcher ['dɒgkætʃə] sb Hundefänger m

dog collar ['dɒgkɒlə] sb Hundehalsband n

dog-eared ['dɒgɪəd] adj *(page)* mit Eselsohren

dogfight ['dɒgfaɪt] sb *(aerial battle)* Luftkampf m

dogged ['dɒgɪd] adj verbissen

doggy bag ['dɒgɪ bæg] sb Tüte für Essensreste f

doghouse ['dɒghaʊs] sb Hundehütte f; *in the ~ (fam) (US)* in Ungnade

do-gooder ['duːgʊdə] sb Weltverbesserer m

dogsbody ['dɒgzbɒdɪ] sb *(UK)* Mädchen für alles n *(fig)*

dog-tired ['dɒg'taɪəd] adj *(fam)* hundemüde

do-it-yourself ['duːɪt jɔː'self] sb Heimwerken n, Hobbybasteln n

dole [dəʊl] sb *(fam)* Stempelgeld n; *to be on the* ~ stempeln gehen

doll [dɒl] sb Puppe f

dolled [dɒld] adj ~ *up (fam)* aufgedonnert

dolphin ['dɒlfɪn] sb ZOOL Delphin m

domain [dəʊ'meɪn] sb 1. Domäne f; 2. INFORM Domain f

domestic [də'mestɪk] adj 1. häuslich; ~ *animal* Haustier n; 2. POL Innen..., Inland...

domestic policy [dɒ'mestɪk 'pɒlɪsɪ] sb POL Innenpolitik f

domestic servant [dɒ'mestɪk 'sɜːvənt] sb Hausangestellte m/f, Dienstbote m

dominance ['dɒmɪnæns] sb POL Vorherrschaft f, Dominanz f

dominant ['dɒmɪnənt] adj 1. dominierend; 2. *(gene)* BIO dominant

dominate ['dɒmɪneɪt] v dominieren

domination [dɒmɪ'neɪʃən] sb Herrschaft f

domineer [dɒmɪ'nɪə] v tyrannisieren

domineering [dɒmɪ'nɪərɪŋ] adj herrisch

donate [dəʊ'neɪt] v schenken, stiften, spenden

donation [dəʊ'neɪʃən] sb 1. *(thing donated)* Spende f, Stiftung f, Gabe f; 2. *(the act of donating)* Spenden n, Stiften n

done [dʌn] adj getan, erledigt, fertig

donkey ['dɒŋkɪ] sb Esel m

donor ['dəʊnə] sb Spender m, Stifter m

doom [duːm] v 1. verurteilen, verdammen; sb 2. Schicksal n; 3. *(ruin)* Verhängnis n, böses Geschick n

doomed [duːmd] adj verurteilt

door [dɔː] sb Tür f; *he lives two ~s down* er wohnt zwei Häuser weiter; *show s.o. the ~ (fam)* jdm die Tür weisen; *from ~ to ~* von Haus zu Haus; *out of ~s* draußen; *behind closed ~s* hinter verschlossenen Türen; *at death's ~* den Tod vor den Augen

doorbell ['dɔːbel] sb Türglocke f, Türklingel f

door handle ['dɔːhændl] sb Türgriff m, Türklinke f

doorman ['dɔːmæn] sb Portier m

doormat ['dɔ:mæt] sb 1. Fußmatte f; 2. (fig) Fußabtreter m

doorstep ['dɔ:step] sb Eingangsstufe f; on s.o.'s ~ vor jds Tür

dope [dəʊp] v 1. dopen; sb 2. (drugs) Stoff m, Rauschgift n; 3. (idiot) Trottel m, Idiot m; 4. (fam: information) Information f

dopey ['dəʊpɪ] adj (fam) benebelt, weggetreten

dork [dɔ:k] sb (fam) komische Type f

dosage ['dəʊsɪdʒ] sb Dosierung f

dose [dəʊs] v 1. MED dosieren; sb 2. MED Dosis f; (fig) Ration f

dot [dɒt] sb 1. Punkt m, Tupfen m; on the ~ pünktlich; v 2. (an "i") mit dem i-Punkt versehen

dotty ['dɒtɪ] adj (batty) bekloppt (fam)

double ['dʌbl] v 1. verdoppeln; adj 2. doppelt, (in pairs) Doppel... sb 3. (lookalike) Doppelgänger m, Ebenbild n; 4. (stand-in) Double n
• **double back** v (person) kehrtmachen, zurückgehen
• **double up** v 1. (bend over) sich krümmen; 2. (with laughter) sich biegen; 3. (share sth) etw gemeinsam benutzen

double agent [dʌbl 'eɪdʒənt] sb Doppelagent m

double-barrelled [dʌbl 'bærəld] adj doppelläufig

double bed ['dʌbl bed] sb Doppelbett n

double-check [dʌbl'tʃek] v noch einmal prüfen

double chin [dʌbl'tʃɪn] sb Doppelkinn n

double-cross [dʌbl 'krɒs] v hintergehen

double date [dʌbl'deɪt] sb Rendezvous zweier Paare n

double-dealing [dʌbl'di:lɪŋ] adj betrügerisch

double feature [dʌbl'fi:tʃə] sb Programm mit zwei Hauptfilmen n

doubleheader [dʌbl'hedə] sb SPORT zwei Spiele, die nacheinander am selben Tag stattfinden

double-jointed [dʌbl'dʒɔɪntɪd] adj sehr gelenkig

double-park [dʌbl pa:k] v in zweiter Reihe parken

double room ['dʌblru:m] sb Zweibettzimmer n, Doppelzimmer n

double-take [dʌbl'teɪk] sb do a ~ zweimal hingucken müssen

doubt [daʊt] v 1. (have doubts) zweifeln; 2. (sth) bezweifeln; sb 3. Zweifel m; without a ~

zweifellos; no ~ ohne Zweifel; to be in ~ (person) unschlüssig sein

doubtful ['daʊtful] adj 1. (person) nicht sicher, zweifelnd; 2. (thing) zweifelhaft, ungewiss; 3. (of questionable character) zweifelhaft, fragwürdig

doubtless ['daʊtlɪs] adv ohne Zweifel, sicherlich

dough [dəʊ] sb 1. Teig m; 2. (fam: money) Kohle f

doughnut ['dəʊnʌt] sb Krapfen m, Berliner (Pfannkuchen) m

dour [daʊə] adj 1. mürrisch, grämlich; 2. (stern) streng

dove [dʌv] sb Taube f

dowdy ['daʊdɪ] adj schlampig, unelegant

down [daʊn] adv 1. (movement) nach unten, abwärts; (towards the speaker) herunter, runter (fam); (away from the speaker) hinunter, runter (fam); 2. (position) unten; (on the ground) am Boden; ~ under (fam) in/nach Australien oder Neuseeland; 3. (as a ~ payment) als Anzahlung; prep 4. (along) entlang; sb 5. (feathers) Daunen pl

downcast ['daʊnka:st] adj niedergeschlagen

downgrade ['daʊngreɪd] v 1. (s.o.) degradieren; 2. (sth) herabsetzen

downhill ['daʊn'hɪl] adv abwärts, bergab; go ~ (fig) rapide abwärts gehen

download ['daʊnləʊd] v INFORM herunterladen, downloaden

down payment [daʊn 'peɪmənt] sb Anzahlung f

downpour ['daʊnpɔ:] sb Regenguss m, Platzregen m

downstairs [daʊn'steəz] adv 1. (be ~) unten; 2. (go ~, come ~) nach unten; (from here) die Treppe hinunter; (from up there) die Treppe herunter

down-to-earth [daʊntu:'ɜ:θ] adj mit beiden Beinen auf dem Boden stehend, realistisch

downtown ['daʊn'taʊn] sb 1. Innenstadt f, Zentrum n; adv 2. (be ~) in die/in der Innenstadt, ins/im Geschäftsviertel; adj 3. (US) ~ Chicago die Innenstadt von Chicago

doze [dəʊz] v dösen; ~ off einnicken

dozen ['dʌzn] sb Dutzend n; by the ~ im Dutzend

drab [dræb] adj 1. graubraun; 2. (fig) trüb

draft [dra:ft] v 1. (draw) entwerfen, skizzieren; 2. (write) aufsetzen, abfassen; 3. (US: into *the military)* einziehen, einberufen; 4. *(fig) (US)* berufen; *sb* 5. Entwurf *m*; 6. *(group of men)* MIL Sonderkommando *n*; 7. *(US: conscription)* MIL Einberufung zum Wehrdienst *f*; 8. *(US: air) (see* "draught")

drag [dræg] *v* 1. *(lag behind)* hinterherhinken; 2. *(one's feet)* schlurfen, *(fig)* die Sache schleifen lassen; 3. *(sth)* schleppen, schleifen, ziehen; *sb* 4. *(fam: on a cigarette)* Zug *m*; 5. in ~ *(dressed like a woman)* in Frauenkleidung; 6. a ~ *(fam: sth boring)* eine stinklangweilige Sache *f*, eine fade Sache *f*
• **drag down** *v* herunterziehen
• **drag in** *v* hineinziehen
• **drag on** *v* sich in die Länge ziehen
• **drag out** *v* in die Länge ziehen
dragon ['drægən] *sb* Drache *m*
dragonfly ['drægənflaɪ] *sb* Libelle *f*
drain [dreɪn] *v* 1. *(flow out)* ablaufen; 2. *(liquid)* ableiten; 3. *(a glass)* austrinken, leeren; 4. *(land, swamps)* entwässern, dränieren; 5. *(a reservoir)* trockenlegen; 6. *(fig)* aufzehren; *sb* 7. *(under a sink)* Abfluss *m*; *(in a gutter)* Gully *m*; *down the* ~ *(fig)* im Eimer; *go down the* ~ *(fig)* vor die Hunde gehen; 8. *(~pipe)* Rohr *n*; 9. *(fig: strain)* Belastung *f*, Beanspruchung *f*
draining board ['dreɪnɪŋ bɔːd] *sb (beside a sink)* Ablauf *m*
drama ['drɑːmə] *sb* 1. Drama *n*; 2. *(dramatic quality)* Dramatik *f*
dramatic [drə'mætɪk] *adj* dramatisch
dramatization [dræmətaɪ'zeɪʃən] *sb* 1. Dramatisierung *f*; 2. *(for the stage)* Bühnenbearbeitung *f*
dramatize ['dræmətaɪz] *v* dramatisieren, übertreiben
drape [dreɪp] *v* drapieren; *(a person)* hüllen; *(a window)* mit Vorhängen versehen
drastic ['dræstɪk] *adj* drastisch
draught beer [drɑːft bɪə] *sb* Fassbier *n*
draughty ['drɑːftɪ] *adj* zugig
draw [drɔː] *v* 1. *(pictures)* zeichnen, malen; ~ *a line* eine Linie ziehen; 2. *(pull, pull out)* ziehen; 3. *(a card)* ziehen, abheben; 4. *(money from a bank)* ECO abheben; 5. *(a salary)* beziehen; 6. *(conclusions)* ziehen; 7. *(attract)* anlocken, anziehen; ~ *attention* to die Aufmerksamkeit lenken auf; 8. *(move by pulling)* ziehen; *(a bolt)* zurückschieben; *(a bow)* spannen; *(curtains)* zuziehen; *(open)* aufziehen; 10. ~ *s.o. into sth* jdn in eine Sache hineinziehen; 11. ~ *one's last breath* seinen letzten Atemzug tun; *sb* 12. SPORT Unentschieden *n*; 13. *(lottery, raffle)* Ziehung *f*

• **draw in** *v irr* 1. *(entice)* hineinziehen; 2. *(shorten)* kürzer werden; *The nights are starting to* ~. Die Nächte werden kürzer.
• **draw near** *v irr* sich nähern, heranrücken
• **draw out** *v irr* 1. *(take out)* herausziehen; 2. *(prolong)* in die Länge ziehen, hinausziehen
• **draw up** *v irr* 1. *(stop)* halten, anhalten; 2. *(write up, design)* entwerfen, aufsetzen
drawback ['drɔːbæk] *sb* Nachteil *m*
drawer [drɔː] *sb (in a desk)* Schublade *f*; *chest of* ~s Kommode *f*; *drop one's* ~s *(fam)* die Hosen herunterlassen
drawing ['drɔːɪŋ] *sb* 1. *(picture)* Zeichnung *f*; 2. *(lottery)* Ziehung *f*, Verlosung *f*
drawl [drɔːl] *v* schleppend sprechen
dread [dred] *v* 1. große Angst haben vor, sehr fürchten; *sb* 2. Furcht *f*, große Angst *f*, Grauen *n*
dreadful ['dredful] *adj* schrecklich, furchtbar
dreadlocks ['dredlɒks] *pl* Dreadlocks *pl*
dream [driːm] 1. Traum *m*; *v irr* 2. träumen
• **dream up** *v irr* sich ausdenken
dreamboat ['driːmbəʊt] *sb (fam: man)* Traummann *m*
dreamy ['driːmɪ] *adj* 1. verträumt; 2. *(fig: lovely)* traumhaft
dreary ['drɪərɪ] *adj* langweilig, fade; *(weather)* trostlos
dregs [dregz] *pl* 1. Bodensatz *m*; 2. *(fig: of society)* Abschaum *m*
drench [drentʃ] *v* durchnässen
dress [dres] *v* 1. *(o.s.)* sich anziehen, sich kleiden; 2. *(s.o.)* anziehen, ankleiden, bekleiden; 3. GAST *(a salad)* anmachen; *(a meal)* anrichten; *(poultry)* bratfertig machen; 4. MED verbinden; 5. *(decorate)* schmücken; *(a shop window)* dekorieren; 6. MIL *(~ ranks)* sich ausrichten; *sb* 7. *(woman's)* Kleid *n*; 8. *(clothing, way of dressing)* Kleidung *f*
• **dress up** *v* 1. *(put on nice clothes)* sich fein machen, sich schön anziehen; 2. *(disguise o.s.)* sich verkleiden; ~ *as sth* sich als etw verkleiden
dressing ['dresɪŋ] *sb* 1. *(salad ~)* Dressing *n*, Salatsoße *f*; 2. *(bandage)* MED Verband *m*
dressing-down [dresɪŋ'daʊn] *sb* Standpauke *f*; *give s.o. a* ~ jdm eine Standpauke halten
dressy ['dresɪ] *adj* elegant
dried [draɪd] *adj* getrocknet; *(fruit)* Dörr...
drift [drɪft] *v* 1. treiben; *(sand)* wehen; 2. *(fig: in life)* sich treiben lassen; *sb* 3. Strömung *f*; 4. *(off course)* Abtrift *f*; 5. *(mass of ~ed snow or*

sand) Verwehung *f*; 6. *(fig: meaning)* Richtung *f*, Tendenz *f*
drink [drɪŋk] *v irr* 1. trinken; *sb* 2. Getränk *n*; *food and* ~ Essen und Getränke; 3. *(single alcoholic beverage)* Drink *m*, Glas *n*; *have a* ~ *with s.o.* mit jdm ein Glas trinken
• **drink up** *v irr* austrinken; *Drink up!* Trink aus!
drink-driving ['drɪŋkdraɪvɪŋ] *sb (UK)* Alkohol am Steuer *m*
drinker ['drɪŋkə] *sb* Trinker *m*, Säufer *m*
drinking water ['drɪŋkɪŋwɔːtə] *sb* Trinkwasser *n*
drip [drɪp] *v* 1. tropfen; *to* 2. *to be* ~*ping* with *(fig)* triefen vor; *sb* 3. *(drop)* Tropfen *m*; *(sound)* Tropfen *n*; 4. MED Infusionsapparat *m*, Tropf *m*
drive [draɪv] *v irr* 1. *(a vehicle, in a vehicle)* fahren; 2. *(impel, propel)* treiben; 3. *(a nail)* einschlagen; 4. *(power sth)* antreiben, betreiben; 5. *(force to work hard)* hetzen, hart herannehmen; 6. *(cause to become)* treiben; ~ *s.o. crazy (fam)* jdn verrückt machen; ~ *s.o. to despair* jdn zur Verzweiflung bringen; 7. *What are you driving at?* Worauf willst du hinaus? *sb* 8. *(journey)* Fahrt *f*; 9. *(~way)* Einfahrt *f*, Zufahrt *f*, Auffahrt *f*; 10. *(campaign)* Aktion *f*
• **drive away** *v irr* 1. *(car, in a car)* wegfahren; 2. *(chase away)* vertreiben, verjagen; 3. *(fig: suspicions)* zerstreuen
• **drive back** *v irr* 1. *(cause to retreat)* zurückdrängen; 2. *(car)* zurückfahren
• **drive in** *v irr* 1. *(a nail)* einschlagen; 2. *(car, with a car)* hineinfahren
drive-by shooting [draɪvbaɪ'ʃuːtɪŋ] *sb* Attentat aus einem vorbeifahrenden Auto *n*
driver ['draɪvə] *sb* 1. Fahrer *m*; 2. *(UK: of a locomotive)* Führer *m*
driver's seat ['draɪvəzsiːt] *sb* 1. Fahrersitz *m*; 2. *in the* ~ *(fig)* am Ruder
driveway ['draɪvweɪ] *sb* Auffahrt *f*
driving lesson ['draɪvɪŋlesən] *sb* Fahrstunde *f*
driving licence ['draɪvɪŋlaɪsəns] *sb (UK)* Führerschein *m*
driving school ['draɪvɪŋ skuːl] *sb* Fahrschule *f*
drizzle ['drɪzl] *sb* 1. Nieselregen *m*, Sprühregen *m*; *v* 2. nieseln
drop [drɒp] *v* 1. *(fall)* fallen, herunterfallen; 2. *(fall in* ~*s)* tropfen; 3. *(decrease)* sinken; 4. *(let fall)* fallen lassen; 5. ~ *s.o. (fig)* jdn fallen lassen; 6. *(a bomb)* abwerfen; 7. *(send sprawling)* zu Fall bringen; 8. *(casually mention)* fal-

len lassen; *(a hint)* machen; ~ *s.o. a line* jdm ein paar Zeilen schreiben; 9. *(omit)* auslassen; 10. *(give up)* aufgeben; *(a subject)* fallen lassen; 11. *Drop it!* Lass das! 12. ~ *dead* tot umfallen; *Drop dead! (fam)* Scher dich zum Teufel! *sb* 13. *(fall)* Sturz *m*, Fall *m*; 14. *(decrease)* Rückgang *m*, Abfall *m*; 15. *(difference in level)* Höhenunterschied *m*
• **drop away** *v* nachlassen, weniger werden
• **drop by** *v* vorbeikommen
• **drop in** *v* unerwartet vorbeikommen
• **drop off** *v* 1. *(diminish)* zurückgehen, nachlassen; ~ *to sleep* einschlafen, *(for a nap)* einnicken; 2. *(deliver sth or s.o.)* absetzen
• **drop out** *v* 1. ~ *of school* die Schule abbrechen; 2. *(fig)* aussteigen
drop-dead ['drɒpded] *adj (fam)* umwerfend
dropout ['drɒpaut] *sb* 1. *(from school)* Schulabbrecher *m*; 2. *(from society)* Dropout *m*, Aussteiger *m*
drought [draut] *sb* Dürre *f*
drown [draun] *v* ertrinken; *(~ s.o.)* ertränken; *one's sorrows* seine Sorgen ertränken
drowsy ['drauzi] *adj* schläfrig; *(after sleep)* verschlafen
drug [drʌg] *v* 1. betäuben; *(food or drink)* ein Betäubungsmittel beimischen; MED Medikamente geben; *sb* 2. MED Medikament *n*, Arzneimittel *n*; 3. *(illegal narcotic)* Rauschgift *n*, Droge *f*; *to be on* ~*s* drogensüchtig sein; *take* ~*s* Drogen nehmen
drug-addicted ['drʌgədɪktɪd] *adj* drogensüchtig, rauschgiftsüchtig
drug dealer ['drʌgdiːlə] *sb* Rauschgifthändler *m*, Dealer *m*
drugstore ['drʌgstɔː] *sb* 1. Apotheke *f*; 2. *(selling more than just pharmaceuticals)* Drugstore *m*
drug traffic ['drʌgtræfɪk] *sb* Rauschgifthandel *m*
drum [drʌm] *v* 1. trommeln; ~ *sth into s.o.* jdm etw einhämmern; *sb* 2. MUS Trommel *f*; 3. *the* ~*s pl* MUS Schlagzeug *n*; 4. *(container)* Tonne *f*
• **drum up** *v* zusammentrommeln, auftreiben; ~ *support* Unterstützung auftreiben; ~ *business* Geschäft anbahnen
drumstick ['drʌmstɪk] *sb* 1. MUS Trommelschlägel *m*; 2. GAST Keule *f*
drunk [drʌŋk] *adj* betrunken; *get* ~ sich betrinken
drunken ['drʌŋkən] *adj* betrunken
drunkenness ['drʌŋkənnɪs] *sb* Betrunkenheit *f*

dry [draɪ] v 1. trocknen; 2. (~ dishes, ~ one's hands) abtrocknen; adj 3. trocken; run ~ austrocknen; leave s.o. high and ~ jdn sitzen lassen
• **dry out** v austrocknen
• **dry up** v 1. austrocknen; 2. (moisture) trocknen; 3. (fig) versiegen
dry-clean ['draɪkli:n] v chemisch reinigen
dry-cleaner's ['draɪkli:nəz] sb chemische Reinigung f
dryer ['draɪə] sb 1. (for clothes) Wäschetrockner m; 2. (hair ~) Föhn m; 3. (overhead hair ~ in a salon) Trockenhaube f
dryness ['draɪnɪs] sb Trockenheit f
dubbing ['dʌbɪŋ] sb CINE Synchronisation f
dubious ['dju:bɪəs] adj 1. (uncertain) zweifelhaft, ungewiss; (doubting) zweifelnd; 2. (questionable) zweifelhaft, fragwürdig
duck [dʌk] sb 1. Ente f; like water off a ~'s back ohne sichtbaren Erfolg; v 2. sich ducken; 3. (fig: avoid) ausweichen; 4. (push under water) untertauchen
dude [dju:d] sb (fam: guy) Kerl m
due [dju:] adj 1. (owed) fällig; 2. (expected) fällig, erwartet; in ~ time zur rechten Zeit; 3. (suitable) gebührend, angemessen, geziemend; 4. ~ to (on account of, because of) aufgrund, infolge von; sb 5. Give him his ~. Das muss man ihm lassen.
due date ['dju:deɪt] sb Fälligkeitstag m
duet [dju:'et] sb MUS Duett n, (instrumental) Duo n
dugout ['dʌgaʊt] sb 1. (boat) Einbaum m; 2. SPORT überdachte Sitze für gerade nicht spielende Baseballspieler pl
dull [dʌl] adj 1. (boring) langweilig, lahm; 2. (blunted) stumpf; 3. (pain, sound) dumpf; 4. (~-witted) langsam, schwerfällig, schwer von Begriff; 5. (colour) trüb; 6. (eyes) glanzlos, trübe; v 7. (blunt) stumpf machen; 8. (the senses) trüben, schwächen; (the mind) abstumpfen; 9. (pain) betäuben
dullness ['dʌlnɪs] sb 1. (of a blade) Stumpfheit f; 2. (of a colour) Trübheit f; 3. (boring quality) Langweiligkeit f
dumb [dʌm] adj 1. stumm; 2. (fam: stupid) doof, dumm, blöd
dumbfounded ['dʌmfaʊndɪd] adj sprachlos, verblüfft
dumbwaiter ['dʌmweɪtə] sb Speisenaufzug m
dummy ['dʌmɪ] sb 1. (fool) Dummkopf m; 2. (sham object) Attrappe f; 3. (mannequin for clothes) Kleiderpuppe f, Schaufensterpuppe f; 4. (UK: for a baby) Schnuller m
dump [dʌmp] v 1. abladen; 2. (fam: ~ a boyfriend/girlfriend) abschieben; sb 3. (place for trash) Müllabladeplatz m; to be down in the ~s am Boden sein; 4. (fam: hovel) Bruchbude f, Dreckloch n
dumpy ['dʌmpɪ] adj pummelig, untersetzt
dune [dju:n] sb Düne f
dung [dʌŋ] sb Mist m, Dung m, Dünger m
dunk [dʌŋk] v 1. eintunken; 2. SPORT ein Dunking machen; sb 3. SPORT Dunking n
duo ['dju:əʊ] sb Duo n
dupe [dju:p] v reinlegen, betrügen, überlisten
duplicate ['dju:plɪkeɪt] v 1. (one copy) kopieren; (multiple copies) vervielfältigen; 2. (an action) wiederholen; [ɪdju:plɪkɪt] sb 3. Duplikat n, Kopie f, Doppel n
duplication [dju:plɪ'keɪʃən] sb 1. (one copy) Kopieren n, (multiple copies) Vervielfältigung f; 2. (of an action) Wiederholung f
durable ['djʊərəbl] adj 1. (metal) widerstandsfähig; 2. (material, goods) haltbar; 3. (friendship) dauerhaft
duration [djʊ'reɪʃən] sb Länge f, Dauer f
during ['djʊrɪŋ] prep während
dusk [dʌsk] sb Abenddämmerung f, Dämmerung f
dust [dʌst] v 1. abstauben; sb 2. Staub m; bite the ~ (fam) ins Gras beißen
dustbin ['dʌstbɪn] sb (UK) Mülltonne f, Mülleimer m
dustman ['dʌstmən] sb (UK) Müllmann m
dustpan ['dʌstpæn] sb Kehrschaufel f
dust storm [dʌst stɔːm] sb Staubsturm m
dusty ['dʌstɪ] adj staubig
dutiful ['dju:tɪfʊl] adj pflichtbewusst
duty ['dju:tɪ] sb 1. Pflicht f; 2. (task) Aufgabe f, Pflicht f; 3. (working hours) Dienst m; on ~ Dienst habend; to be off ~ dienstfrei haben; 4. (tax) Zoll m
duty-free [dju:tɪ'fri:] adj zollfrei
duty-free shop [dju:tɪ'fri:ʃɒp] sb Duty-free-Shop m
dwarf [dwɔːf] v 1. klein erscheinen lassen, in den Schatten stellen; sb 2. Zwerg m
dwell [dwel] v irr (live) wohnen, leben
• **dwell on** v irr verweilen bei
dwelling ['dwelɪŋ] sb Wohnung f
dye [daɪ] v 1. färben; sb 2. Farbstoff m; (for hair) Haarfärbemittel n
dynamic [daɪ'næmɪk] adj dynamisch
dynamite ['daɪnəmaɪt] sb Dynamit n
dynasty ['dɪnəstɪ] sb Dynastie f

E

each [i:tʃ] *adj* 1. jede(r,s); ~ and every one jeder Einzelne; *pron* 2. ~ other sich, einander; *adv* 3. je; *The postcards are $1 ~.* Die Postkarten kosten je $1.

eagle ['i:gl] *sb* ZOOL Adler *m*

ear [ɪə] *sb* 1. Ohr *n*; *to be all ~s* ganz Ohr sein; *have s.o.'s ~* jds Vertrauen genießen; *up to one's ~s (fam)* bis über die Ohren; *not believe one's ~s* seinen Ohren nicht trauen; *give ~ to s.o.* jdm Gehör schenken; *turn a deaf ~ to s.o.* nicht auf jdn hören; *keep an ~ to the ground* Augen und Ohren offen halten

earache ['ɪəeɪk] *sb* Ohrenschmerzen *pl*

early ['ɜːlɪ] *adj* 1. früh, frühzeitig; 2. *(too ~)* zu früh, vorzeitig

early bird ['ɜːlɪ bɜːd] *sb (fam)* Frühaufsteher *m*

earn [ɜːn] *v* 1. verdienen; 2. *(interest)* FIN bringen

earning power ['ɜːnɪŋpaʊə] *sb* Verdienstchancen *pl*

earnings ['ɜːnɪŋz] *sb* 1. Verdienst *m*; 2. *(of a business)* Einnahmen *pl*

earphones ['ɪəfəʊnz] *pl* Kopfhörer *pl*

earplug ['ɪəplʌg] *sb* Ohrenstöpsel *m*

earring ['ɪərɪŋ] *sb* Ohrring *m*

ear-splitting ['ɪəsplɪtɪŋ] *adj* ohrenzerreißend

earth [ɜːθ] *sb (ground, soil)* Erde *f*; *bring s.o. down to ~* jdn auf den Boden der Tatsachen zurückholen

Earth [ɜːθ] *sb* ASTR Erde *f*

earthly ['ɜːθlɪ] *adj* irdisch, weltlich; *I have no ~ idea. (fam)* Ich habe keinen blassen Schimmer.

earthquake ['ɜːθkweɪk] *sb* Erdbeben *n*

earthquake insurance ['ɜːθkweɪk ɪn-'ʃʊərəns] *sb* Erdbebenversicherung *f*

earthworm ['ɜːθwɜːm] *sb* Regenwurm *m*

ease [i:z] *sb* 1. Behagen *n*; *ill at ~* unbehaglich; 2. *(easiness)* Leichtigkeit *f*; 3. *at ~* ruhig, entspannt, behaglich; *v* 4. *(loosen)* lockern, nachlassen; *(pressure)* verringern

easily ['i:zɪlɪ] *adv* 1. *(without difficulty)* leicht, mühelos, glatt; 2. *(without a doubt)* gut und gerne, bei weitem

east [i:st] *sb* 1. Osten *m*; *adj* 2. östlich, Ost... *adv* 3. nach Osten, ostwärts

Easter ['i:stə] *sb* Ostern *n*

Easter egg ['i:stə eg] *sb* Osterei *n*

eastern ['i:stən] *adj* östlich, Ost...

eastward ['i:stwəd] *adj* nach Osten, Richtung Osten

easy ['i:zɪ] *adj* 1. leicht, einfach; *Take it ~!* Immer mit der Ruhe! 2. *(comfortable)* bequem, behaglich; 3. *(manner)* ungezwungen, zwanglos; *Easy does it!* Vorsicht! *adv* 4. *go ~ on s.o.* mit jdm nicht allzu hart sein

easy-going [i:zɪ'gəʊɪŋ] *adj* unbekümmert, gelassen

easy street ['i:zɪ stri:t] *sb (fam) to be on ~* sein Schäfchen im Trockenen haben

eat [i:t] *v irr* 1. *(person)* essen; 2. *(animal)* fressen; 3. *~ one's words* seine Worte zurücknehmen

• **eat out** *v irr (at a restaurant)* Essen gehen

• **eat up** *v irr* aufessen, *(animal)* auffressen

eavesdropper ['i:vzdrɒpə] *sb* Lauscher *m*

echo ['ekəʊ] *v* 1. *(sounds)* widerhallen; 2. *(room)* hallen; 3. *(repeat s.o.'s words)* jdm etw nachbeten; *sb* 4. Echo *n*

eclipse [ɪ'klɪps] *v* 1. verfinstern; *(fig)* in den Schatten stellen; *sb* 2. ~ of the moon Mondfinsternis *f*; 3. ~ of the sun Sonnenfinsternis *f*

ecological [i:kəʊ'lɒdʒɪkəl] *adj* ökologisch

ecologist [ɪ'kɒlədʒɪst] *sb* Ökologe/Ökologin *m/f*, Umweltschützer *m*

ecology [ɪ'kɒlədʒɪ] *sb* Ökologie *f*

e-commerce [ɪ'kɒmɜːs] *sb* E-Commerce *m*, Handel über das Internet *m*

economic [i:kə'nɒmɪk] *adj* wirtschaftlich, ökonomisch, Wirtschafts...

economical [i:kə'nɒmɪkəl] *adj* wirtschaftlich, sparsam

Economic and Monetary Union [i:kə'nɒmɪk ənd 'mɒnɪtrɪ 'ju:nɪən] *sb* Wirtschafts- und Währungsunion *f*

economics [i:kə'nɒmɪks] *sb (subject)* Volkswirtschaft *f*, Wirtschaftswissenschaften *pl*

economist [i:'kɒnəmɪst] *sb* Volkswirtschaftler *m*

economize [i:'kɒnəmaɪz] *v* sparen

economy [i:'kɒnəmɪ] *sb* 1. *(system)* Wirtschaft *f*; 2. *(thrift)* Sparsamkeit *f*; 3. *(measure to save money)* Einsparung *f*, Sparmaßnahme *f*

ecosphere ['i:kəʊsfɪə] *sb* Ökosphäre *f*

ecstasy ['ekstəsɪ] *sb* Ekstase *f*, Verzückung *f*, Rausch *m*

ecu [ekuː] *sb HIST* Ecu *m*
ecumenical [iːkjʊ'menɪkl] *adj* ökumenisch
eddy ['edɪ] *sb* Wirbel *m*, Strudel *m*
edge [edʒ] *sb 1. (border, margin)* Rand *m*, Kante *f*; *the ~ of a lake* das Ufer des Sees; 2. *(cutting ~)* Schneide *f*; 3. *(advantage)* Vorteil *m*; 4. *to be on ~* nervös sein; *set one's teeth on ~* durch Mark und Bein gehen; *v 5. (sharpen)* schärfen, schleifen
edgeways ['edʒweɪz] *adv* mit der Seite voran; *I couldn't get a word in ~.* Ich bin überhaupt nicht zu Wort gekommen.
edging ['edʒɪŋ] *sb* Einfassung *f*
edict ['iːdɪkt] *sb* Erlass *m*
edify ['edɪfaɪ] *v (fig)* erbauen, aufrichten
edit ['edɪt] *v 1. (text)* redigieren; 2. *(film, tape)* schneiden, cutten, montieren; 3. *(serve as editor of)* herausgeben
editor ['edɪtə] *sb 1.* Redakteur/Redakteurin *m/f*; 2. *(film)* Cutter *m*
editor-in-chief ['edɪtərɪn'tʃiːf] *sb* Chefredakteur/Chefredakteurin *m/f*
educate ['edjʊkeɪt] *v* erziehen, unterrichten, ausbilden
educated ['edjʊketɪd] *adj 1.* gebildet; 2. *make an ~ guess* eine fundierte Vermutung anstellen
education [edjʊ'keɪʃən] *sb 1.* Erziehung *f*, Ausbildung *f*, Bildung *f*; 2. *(the science of ~)* Pädagogik *f*, Erziehungswissenschaft *f*
educator ['edjʊkeɪtə] *sb* Pädagoge/Pädagogin *m/f*, Erzieher *m*
eerie ['ɪərɪ] *adj* unheimlich, schaurig; *(atmosphere)* gespenstisch
effect [ɪ'fekt] *v 1.* bewirken, zustande bringen; *sb 2. (result)* Wirkung *f*, Effekt *m*, Folge *f*; *have an ~ on* wirken auf; 3. *(repercussion)* Auswirkung *f*; 4. *(force, validity)* Kraft *f*, Gültigkeit *f*; *come into ~* in Kraft treten; *in ~* in Kraft, gültig; 5. *personal ~s* persönliche Habe *f*
effective [ɪ'fektɪv] *adj 1. (getting results)* wirksam, erfolgreich, wirkungsvoll; 2. *(impressive)* wirkungsvoll, effektvoll; 3. *(in effect)* gültig, in Kraft, rechtskräftig
effectivity [efek'tɪvɪtɪ] *sb* Effektivität *f*, Wirksamkeit *f*
efficiency [ɪ'fɪʃənsɪ] *sb 1. (of a person)* Tüchtigkeit *f*, Fähigkeit *f*; 2. *(of a method)* Effizienz *f*
efficient [ɪ'fɪʃənt] *adj 1. (person)* tüchtig, fähig, effizient; 2. *(method)* effizient; 3. *(machine, firm)* leistungsfähig

effluence ['efluəns] *sb* Abwasser *n*
effort ['efət] *sb 1. (attempt)* Bemühung *f*, Versuch *m*; *a pretty poor ~* eine ziemlich schwache Leistung; 2. *(work, strain)* Anstrengung *f*, Mühe *f*, Einsatz *m*
e.g. [iː dʒiː] *adv (exempli gratia)* z. B. (zum Beispiel)
egad [iː'gæd] *interj* hoppla
egg [eg] *sb 1.* Ei *n*; *put all one's ~s in one basket* alles auf eine Karte setzen; *a bad ~ (fam)* ein übler Kerl; *as sure as ~s is ~s (fam)* so sicher wie das Amen in der Kirche; *v 2. ~ on* anstacheln
egghead ['eghed] *sb* Eierkopf *m (fam)*, Intellektueller *m*
eggshell ['egʃel] *sb* Eierschale *f*
egg-white ['egwaɪt] *sb* Eiweiß *n*
egg yolk ['egjəʊk] *sb* Eidotter *m*, Eigelb *n*
ego ['iːgəʊ] *sb 1. (fam)* Selbstbewusstsein *n*, Selbstgefühl *n*; 2. *PSYCH* Ich *n*, Selbst *n*, Ego *n*
egoism ['iːgəʊɪzəm] *sb* Egoismus *m*, Selbstsucht *f*
egoist ['iːgəʊɪst] *sb* Egoist/Egoistin *m/f*, selbstsüchtiger Mensch *m*
egotism ['iːgəʊtɪzm] *sb* Egoismus *m*, Ichbezogenheit *f*
egotistical [iːgəʊ'tɪstɪkəl] *adj* egotistisch, ichbezogen
ego trip ['iːgəʊtrɪp] *sb (fam)* Egotrip *m*
Egypt ['iːdʒɪpt] *sb GEO* Ägypten *n*
eh [eɪ] *interj 1. (Isn't that right?)* Nicht wahr? 2. *(What did you say?)* Was? Wie bitte?
eight [eɪt] *num* acht
eighteen ['eɪtiːn] *num* achtzehn
eightfold ['eɪtfəʊld] *adj* achtfach
either ['aɪðə] *konj 1. ~ ... or ...* entweder ... oder ...; *adj 2. (one or the other)* eine(r,s); 3. *(both)* jede(r,s), beide; *on ~ side* auf beiden Seiten
eject [ɪ'dʒekt] *v 1.* ausstoßen, auswerfen; 2. *(throw s.o. out)* hinauswerfen; *~ from* hinauswerfen aus
ejection [ɪ'dʒekʃən] *sb 1.* Ausstoßung *f*, Hinauswurf *m*; 2. *(from a match) SPORT* Platzverweis *m*
elaborate [ɪ'læbəreɪt] *v 1. (describe in detail)* ausführen; 2. *(work out)* ausarbeiten; [ɪ'læbərɪt] *adj 3. (plan)* ausgeklügelt; *(meal)* üppig; 4. *(design)* kunstvoll, kompliziert
elaboration [ɪlæbə'reɪʃən] *sb (more specific description)* nähere Ausführung *f*
elapse [ɪ'læps] *v* vergehen, verstreichen; *(deadline)* ablaufen

elastic [ɪˈlæstɪk] *adj* 1. elastisch, Gummi...; *sb* 2. Gummi *m*

elasticity [iːlæsˈtɪsɪtɪ] *sb* Elastizität *f*

elbow [ˈelbəʊ] *v* 1. *(s.o.)* mit dem Ellbogen stoßen; ~ *one's way through* sich durchdrängen; *sb* 2. Ellbogen *m*, Ellenbogen *m*; 3. *(in a road, in a pipe)* Knie *n*

elder [ˈeldə] *adj* 1. ältere(r,s); *sb* 2. *(of a tribe)* Älteste(r) *m/f*; 3. *(person to be respected)* Respektsperson *f*

eldest [ˈeldɪst] *adj* älteste(r,s)

elect [ɪˈlekt] *v* 1. POL wählen; 2. ~ *to do sth* sich dazu entschließen, etw zu tun

electable [ɪˈlektəbl] *adj (fam)* He's considered the most ~ candidate. Er gilt als der Kandidat mit den besten Aussichten, gewählt zu werden.

election [ɪˈlekʃən] *sb* POL Wahl *f*

elective [ɪˈlektɪv] *adj* 1. *hold ~ office* ein gewähltes Amt bekleiden; *sb* 2. *(US: subject)* Wahlfach *n*

electoral [ɪˈlektərəl] *adj* POL Wahl...

electorate [ɪˈlektərət] *sb* POL Wählerschaft *f*, Wähler *pl*

electric [ɪˈlektrɪk] *adj* 1. elektrisch; 2. *(fig)* spannungsgeladen

electric chair [ɪˈlektrɪktʃeə] *sb* the ~ der elektrische Stuhl *m*

electrician [ɪlekˈtrɪʃən] *sb* Elektriker *m*, Elektrotechniker *m*

electricity [ɪlekˈtrɪsɪtɪ] *sb* Elektrizität *f*

electrocute [ɪˈlektrəkjuːt] *v* durch einen Stromschlag töten

electrode [ɪˈlektrəʊd] *sb* Elektrode *f*

electrolyse [ɪˈlektrəʊlaɪz] *v* durch Elektrolyse zerlegen

electromechanical [ɪlektrəʊmɪˈkænɪkl] *adj* elektromechanisch

electronic [ɪlekˈtrɒnɪk] *adj* elektronisch

electronic mail [ɪlekˈtrɒnɪk meɪl] *sb* E-Mail *n*, elektronische Post *f*

electronics [ɪlekˈtrɒnɪks] *sb* Elektronik *f*

elegant [ˈeləgənt] *adj* elegant

element [ˈelɪmənt] *sb* 1. Element *n*; ~ *of uncertainty* Unsicherheitsfaktor *m*; ~ *of surprise* Überraschungsmoment *n*

elementary [elɪˈmentərɪ] *adj* elementar

elementary school [elɪˈmentərɪ skuːl] *sb* Grundschule *f*

elephant [ˈelɪfənt] *sb* Elefant *m*

elevate [ˈelɪveɪt] *v* heben

elevation [elɪˈveɪʃən] *sb* 1. *(above sea level)* Höhe *f*; 2. *(elevating)* Hochheben *n*; 3. *(to a higher rank)* Erhebung *f*, Beförderung *f*

elevator [ˈelɪveɪtə] *sb* 1. *(US)* Fahrstuhl *m*, Lift *m*, Aufzug *m*

eleven [ɪˈlevn] *num* elf

eleventh-hour [ɪˈlevnθ ˈaʊə] *adj (fam)* an ~ bid to save the company ein Versuch um fünf Minuten vor zwölf, die Firma zu retten

eligible [ˈelɪdʒəbl] *adj* in Frage kommend, berechtigt; *(for membership)* aufnahmeberechtigt

eliminate [ɪˈlɪmɪneɪt] *v* ausschließen, ausschalten, eliminieren

elimination [ɪlɪmɪˈneɪʃən] *sb* Ausschluss *m*, Ausschaltung *f*, Eliminierung *f*; *by a process of* ~ durch negative Auslese

elite [eɪˈliːt] *sb* Elite *f*

Elizabethan [ɪlɪzɪˈbiːθən] *adj* elisabethanisch

ellipse [ɪˈlɪps] *sb* Ellipse *f*

elongated [ˈiːlɒŋgeɪtɪd] *adj* 1. *(shape)* länglich; 2. *(made longer)* verlängert

eloquence [ˈeləkwəns] *sb* Redegewandtheit *f*

else [els] *adv* 1. andere(r,s); *everybody* ~ alle anderen; *put sth above all* ~ etw vor alles andere stellen; 2. *(further)* sonst, außerdem; *Anything* ~? Sonst noch etwas? 3. *or* ~ sonst, oder, wenn nicht; ... *or* ~! *(threateningly)* ... sonst passiert was!

elsewhere [ˈelswɛə] *adv* woanders, anderswo; *(to somewhere else)* anderswohin

elucidation [ɪluːsɪˈdeɪʃən] *sb* Erklärung *f*, Aufhellung *f*, Aufklärung *f*

elude [ɪˈluːd] *v* entkommen, entwischen, sich entziehen

emaciated [ɪˈmeɪsɪeɪtɪd] *adj* abgemagert, ausgezehrt

e-mail [ˈiːmeɪl] *sb* INFORM E-Mail *n*, elektronische Post *f*

emanate [ˈeməneɪt] *v* 1. ~ *from* ausgehen von; 2. ~ *from (gas, smell)* ausströmen von; 3. ~ *from (light)* ausstrahlen von

emancipate [ɪˈmænsɪpeɪt] *v* ~ *o.s.* sich emanzipieren

embank [ɪmˈbæŋk] *v* eindämmen, eindeichen

embargo [ɪmˈbɑːgəʊ] *sb* 1. POL Embargo *n*; 2. *(fig)* Sperre *f*

embark [ɪmˈbɑːk] *v* 1. einschiffen; *(goods)* verladen; 2. ~ *on sth* etw unternehmen, etw anfangen, etw beginnen

embarrass [ɪmˈbærəs] *v* in Verlegenheit bringen, in eine peinliche Lage versetzen

embarrassed [ɪmˈbærəst] *adj* verlegen

embarrassing [ɪmˈbærəsɪŋ] *adj* peinlich

embassy ['embəsɪ] *sb POL* Botschaft *f*

embellishment [ɪm'belɪʃmənt] *sb 1.* Verschönerung *f*, Schmuck *m; 2. (fig)* Ausschmückung *f*, Beschönigung *f*

embezzle [ɪm'bezl] *v* veruntreuen, unterschlagen

emblem ['embləm] *sb* Emblem *n*, Symbol *n*, Abzeichen *n*

embody [ɪm'bɒdɪ] *v 1.* verkörpern; *2. (one's thoughts)* ausdrücken

embrace [ɪm'breɪs] *v 1.* umarmen, in die Arme schließen; *2. (fig: a philosophy)* annehmen; *3. (include)* umfassen, erfassen; *sb 4.* Umarmung *f*

emerge [ɪ'mɜːdʒ] *v 1.* auftauchen; *2. (truth)* herauskommen, sich herausstellen; *3. ~ from* hervorkommen aus, herauskommen aus

emergency [ɪ'mɜːdʒənsɪ] *sb* Notfall *m*, Not *f*, Notlage *f*

emergency exit [ɪ'mɜːdʒənsɪ 'egzɪt] *sb* Notausgang *m*

emergency number [ɪ'mɜːdʒənsɪ 'nʌmbə] *sb* Notrufnummer *f*

emigrant ['emɪgrənt] *sb* Auswanderer *m*, Emigrant/Emigrantin *m/f*

emigrate ['emɪgreɪt] *v* emigrieren, auswandern

emigration [emɪ'greɪʃən] *sb* Auswanderung *f*, Emigration *f*

eminence ['emɪnəns] *sb (distinction)* hohes Ansehen *n*

eminent ['emɪnənt] *adj (person)* berühmt

emirate [eɪ'mɪərət] *sb* Emirat *n*

emissary ['emɪsərɪ] *sb* Abgesandte(r) *m/f*

emission [ɪ'mɪʃən] *sb 1.* Ausstrahlung *f*; *2. (of rays, of fumes)* Emission *f*; *3. MED* Ausfluss *m*

emissive [ɪ'mɪsɪv] *adj* ausstrahlend

emit [ɪ'mɪt] *v* ausstrahlen, emittieren, ausstoßen

emote [iː'məut] *v* Gefühle ausdrücken

emotion [ɪ'məuʃən] *sb 1. (feeling)* Gefühl *n*, Emotion *f*, Gefühlsregung *f*; *2. (state of intense ~)* Gemütsbewegung *f*

emotional [ɪ'məuʃənl] *adj 1.* emotional, emotionell; *(character)* leicht erregbar; *2. (experience)* erregend

emotionally [ɪ'məuʃnəlɪ] *adv ~ disturbed* seelisch gestört

empathize ['empəθaɪz] *v* sich einfühlen; *~ with* sich einfühlen in

emphasis ['emfəsɪs] *sb 1.* Betonung *f*, Gewicht *n*, Nachdruck *m; 2. (on a syllable)* Betonung *f*

emphasize ['emfəsaɪz] *v* betonen, hervorheben, unterstreichen

emphatic [ɪm'fætɪk] *adj* nachdrücklich, entschieden

empire ['empaɪə] *sb* Reich *n*, Imperium *m; the British Empire* das Britische Weltreich *n*

empire-building ['empaɪəbɪldɪŋ] *sb* Aufbau eines Imperiums *m*

employ [ɪm'plɔɪ] *v 1.* beschäftigen; *(take on)* anstellen; *2. (use)* anwenden, einsetzen, verwenden

employed [ɪm'plɔɪd] *adj* berufstätig, beschäftigt

employee [emplɔɪ'iː] *sb* Arbeitnehmer *m*, Angestellte(r) *m/f*

employer [ɪm'plɔɪə] *sb* Arbeitgeber *m*

employment [ɪm'plɔɪmənt] *sb 1.* Arbeit *f*, Stellung *f*, Beschäftigung *f*; *2. (employing)* Beschäftigung *f*; *(taking on)* Anstellung *f*; *3. (use)* Anwendung *f*, Verwendung *f*, Einsatz *m*

employment agency [ɪm'plɔɪmənt 'eɪdʒənsɪ] *sb* Stellenvermittlung *f*

employment exchange [ɪm'plɔɪmənt ɪks'tʃeɪndʒ] *sb (UK)* Arbeitsamt *n*

emptiness ['emptɪnɪs] *sb 1.* Leere *f*; *2. (state of ~)* Leerheit *f*

empty ['emptɪ] *adj 1.* leer; *v 2. (water: flow out)* auslaufen, *(street)* sich leeren; *~ into (river)* sich ergießen in; *3. (sth)* leeren; *4. (a box)* ausräumen

empty-handed ['emptɪ 'hændɪd] *adv* mit leeren Händen

emulate ['emjuleɪt] *v* nacheifern

enable [ɪ'neɪbl] *v 1. (sth)* ermöglichen, möglich machen; *2. ~ s.o. to do sth* jdn befähigen, etw zu tun, es jdm ermöglichen, etw zu tun, es jdm möglich machen, etw zu tun

enact [ɪ'nækt] *v 1. (a law)* erlassen; *2. (a play)* aufführen

enamel [ɪ'næməl] *sb 1.* Email *n; 2. (of the tooth)* Zahnschmelz *m; 3. (paint)* Emaillack *m*

enchant [ɪn'tʃɑːnt] *v 1.* verzaubern; *2. (fig)* bezaubern, entzücken

enchanting [ɪn'tʃɑːntɪŋ] *adj* bezaubernd, entzückend

encircle [ɪn'sɜːkl] *v 1.* umgeben, umfassen; *2. MIL* einkreisen

enclose [ɪn'kləuz] *v 1. (shut in)* einschließen; *2. (surround)* umgeben; *3. (in a package)* beilegen, beifügen

enclosed [ɪn'kləuzd] *adv (in a package)* anbei, beiliegend, in der Anlage; *please find ~ ...* in der Anlage erhalten Sie ...

enclosure [ɪn'kləʊʒə] *sb 1. (in a package)* Anlage *f*; 2. *(enclosed area)* eingezäuntes Grundstück *n*; 3. *(fence)* Zaun *m*; 4. *(wall)* Mauer *f*; 5. *(enclosing)* Einfriedigung *f*, Umzäunung *f*

encode [ɪn'kəʊd] *v* verschlüsseln, chiffrieren, kodieren

encore [ɒŋ'kɔː] *sb 1.* Zugabe *f*; *interj 2.* Noch einmal! Da capo!

encounter [ɪn'kaʊntə] *v 1.* treffen; 2. *(a person)* begegnen; 3. *(problems, the enemy)* stoßen auf; *sb 4.* Begegnung *f*, Treffen *n*; MIL Zusammenstoß *m*

encourage [ɪn'kʌrɪdʒ] *v 1.* ermutigen, ermuntern; 2. *(bad habits)* unterstützen; 3. *(a project)* fördern

encyclopaedia [ɪnsaɪkləʊ'piːdɪə] *sb* Enzyklopädie *f*, Lexikon *n*

end [end] *v 1.* enden; 2. *(sth)* beenden; *sb 3.* Ende *n*; *put an* ~ *to sth* einer Sache ein Ende bereiten; *come to a bad* ~ ein böses Ende nehmen; *meet one's* ~ den Tod finden; *make* ~*s meet (fam)* durchkommen; *in the* ~ schließlich, am Ende; 4. *on* ~ *(consecutive)* ununterbrochen; 5. *(purpose)* Zweck *m*, Ziel *n*; *the* ~ *justifies the means* der Zweck heiligt die Mittel

• **end up** v ~ *in* enden mit, enden in

endanger [ɪn'deɪnʒə] *v* gefährden

endeavour [ɪn'devə] *v 1.* sich bemühen; *(try)* versuchen; *sb 2.* Bemühung *f*, Bestreben *n*, Anstrengung *f*

endless ['endlɪs] *adj 1.* endlos, unendlich; 2. *(countless)* zahllos

endorsement [ɪn'dɔːsmənt] *sb 1. (approval)* Billigung *f*; 2. *(on a cheque)* Indossament *n*; 3. *(UK: on a driving licence)* Strafvermerk auf dem Führerschein *m*

endurable [ɪn'djʊərəbl] *adj* erträglich

endurance [ɪn'djʊərəns] *sb* Durchhaltevermögen *n*, Ausdauer *f*

endurance run [ɪn'djʊərəns rʌn] *sb* SPORT Dauerlauf *m*

endure [ɪn'djʊə] *v 1. (continue to exist)* andauern, fortdauern, fortbestehen; 2. ~ *(put up with)* ertragen, aushalten; 3. *(suffer)* leiden, erleiden

end user ['endjuːzə] *sb* ECO Endverbraucher *m*

enemy ['enɪmɪ] *sb 1.* Feind *m*, Gegner *m*; *adj 2.* feindlich

energetic [enə'dʒetɪk] *adj* energisch, tatkräftig; *(active)* aktiv

energy ['enədʒɪ] *sb* Energie *f*

enervate ['enəveɪt] *v* entkräften, schwächen; *(mentally)* entnerven

enface [ɪn'feɪs] *v* stempeln, schreiben, drucken (auf die Vorderseite von etw)

enfold [ɪn'fəʊld] *v* einhüllen, umhüllen

enforce [ɪn'fɔːs] *v* durchführen, Geltung verschaffen

enforcement [ɪn'fɔːsmənt] *sb* Durchführung *f*

engage [ɪn'geɪdʒ] *v 1.* ~ *in sth* sich an etw beteiligen, sich mit etw beschäftigen; 2. *(an enemy)* angreifen; 3. ~ *s.o. in conversation* jdn in ein Gespräch verwickeln; 4. *(employ)* anstellen, einstellen

engaged [ɪn'geɪdʒd] *adj 1. get* ~ sich verloben; 2. *(UK: in use, not available)* besetzt

engagement [ɪn'geɪdʒmənt] *sb 1. (betrothal)* Verlobung *f*; 2. *(job)* Anstellung *f*, Stellung *f*

engaging [ɪn'geɪdʒɪŋ] *adj* einnehmend, gewinnend

engine ['endʒɪn] *sb 1.* Maschine *f*; 2. *(of a car, of a plane)* Motor *m*; 3. *(locomotive)* Lokomotive *f*

engineer [endʒɪ'nɪə] *sb 1.* Ingenieur *m*, Techniker *m*; *v 2.* konstruieren; 3. *(fig)* einfädeln, organisieren, in die Wege leiten

engineering [endʒɪ'nɪərɪŋ] *sb* Technik *f*, Ingenieurwesen *n*

English ['ɪŋglɪʃ] *adj 1.* englisch; *sb 2.* Englisch *n*

English breakfast ['ɪŋlɪʃ 'brekfəst] *sb* GAST Englisches Frühstück *n* (im Gegensatz zum kontinentalen Frühstück)

engrave [ɪn'greɪv] *v* eingravieren, einmeißeln; *(in wood)* einschnitzen

enhance [ɪn'hɑːns] *v* erhöhen, steigern

enhancement [ɪn'hɑːnsmənt] *sb* Erhöhung *f*, Steigerung *f*

enigma [ɪ'nɪgmə] *sb* Rätsel *n*

enigmatic [enɪg'mætɪk] *adj* rätselhaft

enjoin [ɪn'dʒɔɪn] *v* JUR durch gerichtliche Verfügung untersagen

enjoy [ɪn'dʒɔɪ] *v 1.* genießen, Freude haben an; *He* ~*s playing basketball.* Er spielt gern Basketball. 2. ~ *o.s.* sich amüsieren; 3. *(have)* sich erfreuen, genießen, haben

enjoyable [ɪn'dʒɔɪəbl] *adj* unterhaltsam, amüsant, angenehm

enkindle [ɪn'kɪndl] *v* entzünden, entflammen, entfachen

enlarge [ɪn'lɑːdʒ] *v 1. (grow)* sich vergrößern, sich ausdehnen, sich erweitern; 2. ~ *upon sth* sich über etw genauer äußern

enlightenment [ɪn'laɪtnmənt] sb Aufklärung f, Erleuchtung f

Enlightenment [ɪn'laɪtnmənt] sb (Age of ~) HIST Aufklärung f

enlist [ɪn'lɪst] v 1. sich melden, sich anwerben lassen; 2. (s.o.) einziehen, einstellen; (fig) gewinnen

enlistment [ɪn'lɪstmənt] sb Anwerbung f, Einstellung f

enmity ['enmɪtɪ] sb Feindschaft f, Feindseligkeit f

enormous [ɪ'nɔːməs] adj enorm, ungeheuer, riesig

enough [ɪ'nʌf] adj 1. genug, genügend, ausreichend; adv 2. genug, genügend; (quite) recht; oddly ~ sonderbarerweise; sure ~ tatsächlich; that's not good ~ das reicht nicht; Enough is ~! Schluss damit! Jetzt reicht's!

enrich [ɪn'rɪtʃ] v bereichern; (with nutrients) anreichern

enrol [ɪn'rəʊl] v 1. sich einschreiben, sich anmelden; (at university) sich immatrikulieren; 2. (s.o.) einschreiben, aufnehmen

enrolment [ɪn'rəʊlmənt] sb 1. Einschreibung f, Anmeldung f, Immatrikulation f; 2. (number of students) Studentenzahl f, Schülerzahl f

enshroud [ɪn'ʃraʊd] v einhüllen, verhüllen

enslave [ɪn'sleɪv] v zum Sklaven machen

enslavement [ɪn'sleɪvmənt] sb Versklavung f

ensue [ɪn'sjuː] v folgen

en suite [ũː swiːt] adv 1. hintereinander, aufeinander folgend; adj 2. an ~ room eine Suite f, miteinander verbundene Zimmer pl

ensure [ɪn'ʃʊə] v 1. sicherstellen, sichern; 2. ~ that (make sure that) dafür sorgen, dass

entail [ɪn'teɪl] v mit sich bringen, nach sich ziehen; (necessitate) erforderlich machen

entangle [ɪn'tæŋgl] v 1. (snare) verfangen; (get tangled) verwirren; 2. (fig) verwickeln, verstricken

enter ['entə] v 1. (seen from outside) hineingehen; (seen from inside) hereinkommen; eintreten; 2. (sth) (seen from outside) hineingehen in, (seen from inside) hereinkommen in, (walk into) eintreten in; 3. (a contest, a race) (sign up) melden; (participate in) sich beteiligen an; 4. (penetrate sth) eindringen in; 5. (a country) einreisen; 6. (join) eintreten in; 7. THEAT auftreten; 8. INFORM eingeben

enterprise ['entəpraɪz] sb 1. (an undertaking, a firm) Unternehmen n; 2. (in general) Unternehmertum n

enterprising ['entəpraɪzɪŋ] adj unternehmungslustig

entertain [entə'teɪn] v 1. unterhalten, amüsieren; 2. (as a host) Gäste haben; 3. (host s.o.) einladen; (to a meal) bewirten

entertainment [entə'teɪnmənt] sb Unterhaltung f; (of guests) Bewirtung f

enthusiasm [ɪn'θjuːzɪæzəm] sb Begeisterung f, Enthusiasmus m

enthusiast [ɪn'θjuːzɪæst] sb Enthusiast(in) m/f, Liebhaber(in) m/f

enthusiastic [ɪnθjuːzɪ'æstɪk] adj enthusiastisch, begeistert

entire [ɪn'taɪə] adj 1. ganz, gesamt, voll; 2. (undamaged) ganz, unbeschädigt

entirety [ɪn'taɪətɪ] sb Gesamtheit f, Ganze n; in its ~ in seiner Gesamtheit

entitle [ɪn'taɪtl] v 1. betiteln; 2. ~ to (authorize) berechtigen zu, ein Anrecht geben auf

entitlement [ɪn'taɪtlmənt] sb Berechtigung f, Anspruch m

entity ['entɪtɪ] sb Wesen n

entomb [ɪn'tuːm] v begraben, beerdigen

entourage [ɒntʊ'rɑːʒ] sb Gefolge n

entrain [ɪn'treɪn] v einsteigen

entrance[1] ['entrəns] sb 1. Eingang m; 2. (for vehicles) Einfahrt f; 3. (entering) Eintritt m; 4. (admission) Eintritt m; 5. THEAT Auftritt m

entrance[2] [ɪn'trɑːns] v in Verzückung versetzen

entrance examination ['entrəns ɪgzæmɪ'neɪʃən] sb Aufnahmeprüfung f

entrap [ɪn'træp] v verführen, verleiten

entrapment [ɪn'træpmənt] sb Verleitung f

entreat [ɪn'triːt] v dringend bitten, anflehen

entreaty [ɪn'triːtɪ] sb flehentliche Bitte f

entrench [ɪn'trentʃ] v 1. sich verschanzen; 2. sich festsetzen

entrust [ɪn'trʌst] v 1. anvertrauen; 2. ~ s.o. with a task jdn mit einer Aufgabe betrauen

entry ['entrɪ] sb 1. Eintritt m, (by car) Einfahrt f; 2. (into a country) Einreise f; 3. (way in) Eingang m; (for vehicles) Einfahrt f; 4. (notation) Eintrag m; (act of entering) Eintragung f; 5. (in a dictionary) Stichwort n; 6. ECO Buchung f

entry form ['entrɪ fɔːm] sb Anmeldeformular m

enumerate [ɪ'njuːməreɪt] v aufzählen

enumerator [ɪ'njuːməreɪtə] sb Zähler m

envelop [ɪn'veləp] v einwickeln, einhüllen

envelope ['envələʊp] sb Umschlag m

enviable ['enviəbl] *adj* beneidenswert, zu beneiden

environment [in'vaiərənmənt] *sb 1.* Umgebung *f,* Milieu *n; 2. (nature)* Umwelt *f*

environmentalist [invairən'mentəlist] *sb* Umweltschützer *m*

envisage [in'vizidʒ] *v* ins Auge fassen

envision [in'viʒən] *v ~ sth* sich etw vorstellen

envy ['envi] *v 1.* beneiden; *sb 2.* Neid *m*

ephemeral [i'femərəl] *adj* ephemer, flüchtig, kurzlebig

epic ['epik] *adj 1.* episch; *(book, film)* monumental; *(fig)* heldenhaft; *sb 2.* Epos *n*

epidemic [epi'demik] *sb 1.* Epidemie *f,* Seuche *f; adj 2.* epidemisch, seuchenartig

epilator ['epileitə] *sb* Haarentfernungsmittel *n*

epilogue ['epilɒg] *sb* Epilog *m,* Nachwort *n,* Schlusswort *n*

Epiphany [i'pifəni] *sb REL* Dreikönigsfest *n,* Epiphanias *n*

episode ['episəud] *sb 1. (incident)* Episode *f,* Vorfall *m; 2. (of a fictional story)* Folge *f,* Fortsetzung *f*

episodic [epi'sɒdik] *adj* episodisch, episodenhaft

epistemology [ipistə'mɒlədʒi] *sb* Erkenntnistheorie *f*

epitome [i'pitəmi] *sb* Inbegriff *m*

epitomize [i'pitəmaiz] *v* verkörpern; *Her outfit ~s bad taste.* Ihre Kleidung ist der Inbegriff schlechten Geschmacks.

equable ['ekwəbl] *adj* gleichmäßig, ausgeglichen

equal ['i:kwəl] *v 1.* gleichen, *(match)* gleichkommen; *adj 2.* gleich; *all other things being ~* unter sonst gleichen Umständen; *sb 3.* Gleichgestellte(r) *m/f; He is without ~.* Er sucht seinesgleichen.

equality [i:'kwɒliti] *sb* Gleichheit *f*

equalize ['i:kwəlaiz] *v* ausgleichen

equalizer ['i:kwəlaizə] *sb SPORT* Ausgleichspunkt *m; (goal)* Ausgleichstreffer *m*

equally ['i:kwəli] *adv* ebenso, genauso, gleich

equal opportunity ['i:kwəl ɒpə'tju:niti] *sb* Chancengleichheit *f*

equation [i'kweiʒən] *sb* Gleichung *f*

equator [i'kweitə] *sb GEO* Äquator *m*

equidistant [i:kwi'distənt] *adj* in gleichem Abstand, gleich weit entfernt

equilibrate [i:kwi'laibreit] *v* ausgleichen, ins Gleichgewicht bringen

equilibrium [i:kwi'libriəm] *sb* Gleichgewicht *n*

equine ['ekwain] *adj* Pferde...

equip [i'kwip] *v 1.* ausrüsten, austatten, einrichten; *2. to be ~ped with* verfügen über, ausgestattet sein mit

equipment [i'kwipmənt] *sb 1.* Ausrüstung *f; 2. (appliances)* Geräte *pl,* Anlagen *pl,* Apparatur *f; 3. (equipping)* Ausrüstung *f,* Ausstattung *f*

equivalent [i'kwivələnt] *adj 1.* gleichwertig, äquivalent; *(corresponding)* entsprechend; *sb 2.* Äquivalent *n,* Entsprechung *f; (counterpart)* Gegenstück *n; 3. (monetary ~)* Gegenwert *m*

equivocate [i'kwivəkeit] *v* ausweichen

era ['iərə] *sb* Ära *f,* Epoche *f,* Zeitalter *n*

eradication [irædi'keiʃən] *sb* Ausrottung *f,* Vernichtung *f*

erase [i'reiz] *v 1.* ausradieren; *2. (fig: from memory)* auslöschen, streichen; *3. INFORM* löschen

eraser [i'reizə] *sb* Radiergummi *m; (for a blackboard)* Schwamm *m*

erect [i'rekt] *v 1.* bauen, erbauen, errichten; *adj 2.* aufrecht, gerade; *3. (penis)* erigiert

erection [i'rekʃən] *sb 1. (erecting)* Errichtung *f,* Aufrichtung *f,* Bau *m; 2. (physiological)* Erektion *f*

erosion [i'rəuʒən] *sb 1. (by acid)* Ätzung *f; 2. GEOL* Erosion *f; 3. (fig)* Aushöhlung *f*

errand ['erənd] *sb 1.* Besorgung *f; 2. (to deliver a message)* Botengang *m; 3. (task)* Auftrag *m*

erratic [i'rætik] *adj 1.* unberechenbar, unregelmäßig, ungleichmäßig; *2. (person)* sprunghaft, unberechenbar; *(moods)* schwankend

error ['erə] *sb* Irrtum *m,* Fehler *m,* Versehen *n; ~ of omission* Unterlassungssünde *f*

erudition [erə'diʃən] *sb* Gelehrsamkeit *f*

erupt [i'rʌpt] *v 1.* ausbrechen; *2. (person)* einen Wutausbruch haben; *3. (rash)* zum Vorschein kommmen

eruption [i'rʌpʃən] *sb* Ausbruch *m; (of rage)* Wutausbruch *m; (of a rash)* Hautausschlag *m*

escalate ['eskəleit] *v (fighting)* eskalieren

escalation [eskə'leiʃən] *sb (of fighting)* Eskalation *f*

escalator ['eskəleitə] *sb* Rolltreppe *f*

escape [is'keip] *v 1.* flüchten, entfliehen; *2. (break out)* ausbrechen; *3. (from pursuers)* entkommen; *4. (get off)* davonkommen; *5.*

(gas, liquid) ausströmen; *6. (sth) (a fate)* entgehen; *7. Her name ~s me.* Ihr Name ist mir entfallen. *sb 8.* Flucht *f; 9. (breakout)* Ausbruch *m; 10. (gas, liquid)* Ausströmen *n*

escape route [ɪsˈkeɪp ruːt] *sb* Fluchtweg *m*

escort [ɪˈskɔːt] *v 1.* begleiten, MIL eskortieren; [ˈeskɔːt] *sb 2. (one person)* Begleiter *m; 3. (several people)* Geleit *n; 4.* MIL Eskorte *f*

escort service [ˈeskɔːtsɜːvɪs] *sb* Begleitservice *m*

Eskimo [ˈeskɪməʊ] *sb* Eskimo/Eskimofrau *m/f*

especially [ɪsˈpeʃəlɪ] *adv* besonders

espionage [ˈespɪənɑːʒ] *sb* Spionage *f*

espouse [ɪˈspaʊz] *v* eintreten für

espresso [esˈpresəʊ] *sb* Espresso *m*

essay [ˈeseɪ] *sb* Essay *n*, Abhandlung *f*, Aufsatz *m*

essence [ˈesəns] *sb 1.* Wesen *n*, das Wesentliche *n*, Kern *m*

essential [ɪˈsenʃəl] *adj 1. (necessary, important)* notwendig, absolut erforderlich, unentbehrlich; *2. (basic)* wesentlich; *sb 3. the ~s* das Wesentliche *n*, das Wichtigste *n*

establish [ɪˈstæblɪʃ] *v 1. (found)* gründen; *2. (a government)* bilden; *3. (a religion)* stiften; *4. (order)* schaffen, wiederherstellen; *5. (relations)* herstellen, aufnehmen; *6. (power, a reputation)* sich verschaffen; *7. (determine)* ermitteln, feststellen; *8. ~ o.s.* sich etablieren

establishment [ɪˈstæblɪʃmənt] *sb 1. (institution)* Institution *f*, Anstalt *f; 2. the Establishment (fam)* das Establishment *n; 3. (founding)* Gründung *f; 4. (of relations)* Herstellung *f; 5. (of power, of a religion)* Stiftung *f; 6. (determining)* Ermittlung *f*

estate [ɪˈsteɪt] *sb 1. (possessions)* Besitz *m*, Eigentum *n; 2. (land)* Gut *n; 3. (dead person's)* Nachlass *m*, Erbmasse *f; 4. (rank)* Stand *m; the fourth ~ (fam)* die Presse *f*

estate agent [ɪˈsteɪt ˈeɪdʒənt] *sb (UK)* Immobilienmakler *m*

esteem [ɪsˈtiːm] *sb 1.* Wertschätzung *f*, Achtung *f; hold s.o. in high ~* jdn hoch schätzen; *v 2. (think highly of)* hoch schätzen, schätzen; *my ~ed colleague* mein verehrter Herr Kollege

esteemed [ɪsˈtiːmd] *adj* angesehen, hoch geschätzt

estimate [ˈestɪmeɪt] *v 1.* schätzen; [ˈestɪmət] *sb 2.* Schätzung *f; rough ~* grober Überschlag; *3. (of cost)* Kostenvoranschlag *m*

estimated [ˈestɪmeɪtɪd] *adj* geschätzt

etc. [ɪtˈsetərə] *adv (et cetera)* usw. (und so weiter)

etch [etʃ] *v* ätzen; *(in metal)* radieren; *(in copper)* kupferstechen; *It was ~ed in his memory.* Es hatte sich in sein Gedächtnis eingeprägt.

eternal [ɪˈtɜːnl] *adj* ewig

eternity [ɪˈtɜːnɪtɪ] *sb* Ewigkeit *f*

ether [ˈiːθə] *sb* Äther *m*

ethical [ˈeθɪkəl] *adj (values)* ethisch; *(conduct)* sittlich

ethics [ˈeθɪks] *pl 1. (morality)* Moral *f; 2.* PHIL Ethik *f*

ethnic [ˈeθnɪk] *adj* ethnisch

ethnic cleansing [ˈeθnɪk ˈklenzɪŋ] *sb* ethnische Säuberung *f*

ethnic group [ˈeθnɪk gruːp] *sb* Volksgruppe *f*

ethnicity [eθˈnɪsɪtɪ] *sb* Ethnizität *f*

ethnology [eθˈnɒlədʒɪ] *sb* Ethnologie *f*, vergleichende Völkerkunde *f*

ethos [ˈiːθɒs] *sb* Ethos *n*, Gesinnung *f*

etiquette [ˈetɪket] *sb* Etikette *f*

euphemism [ˈjuːfəmɪzm] *sb* Euphemismus *m*, beschönigender Ausdruck *m*

euphoric [juːˈfɒrɪk] *adj* euphorisch

euro [ˈjʊərəʊ] *sb* FIN Euro *m*

eurocurrency [ˈjʊərəʊkʌrənsɪ] *sb* FIN Eurowährung *f*

euromarket [ˈjʊərəʊmɑːkɪt] *sb* Euromarkt *m*

Europe [ˈjʊərəp] *sb* GEO Europa *n*

European [jʊərəˈpɪən] *sb 1.* Europäer *m; adj 2.* europäisch

European Community [jʊərəˈpɪən kəˈmjuːnɪtɪ] *sb* POL Europäische Gemeinschaft *f*

European Parliament [jʊərəˈpɪən ˈpɑːləmənt] *sb* POL Europaparlament *n*

European Union [jʊərəpɪən ˈjuːnɪən] *sb* POL Europäische Union *f*

Eurotunnel [ˈjʊərəʊtʌnl] *sb* Eurotunnel *m*

evacuate [ɪˈvækjʊeɪt] *v 1. (leave)* räumen; *2. (people)* evakuieren; *(place)* räumen; *3.* MED entleeren

evacuation [ɪvækjʊˈeɪʃən] *sb 1. (clearing) (of people)* Evakuierung *f; (of a place)* Räumung *f; 2. (leaving)* Räumung *f; 3.* MED Entleerung *f*

evade [ɪˈveɪd] *v 1. (a blow, a question, a glance)* ausweichen; *2. (pursuers)* entkommen

evaluate [ɪˈvæljʊeɪt] *v 1.* bewerten, beurteilen, einschätzen; *2. (monetary value)* schätzen

evaluation [ɪˌvælju'eɪʃn] *sb* 1. Bewertung *f*; Beurteilung *f*; Einschätzung *f*; 2. *(of monetary value)* Schätzung *f*

evaporate [ɪ'væpəreɪt] *v* 1. verdampfen, verdunsten; 2. *(fig)* verfliegen, sich in nichts auflösen; 3. *(hopes)* schwinden

evaporation [ɪvæpə'reɪʃən] *sb* Verdampfung *f*

eve [iːv] *sb* Vorabend *m*

even ['iːvən] *adv* 1. sogar, selbst, auch; 2. ~ now selbst jetzt, noch jetzt; *(at this moment)* gerade jetzt; 3. ~ if, ~ though selbst wenn, wenn auch; 4. not ~ nicht einmal; 5. *(at that moment)* gerade, eben; 6. ~ so dennoch, trotzdem, immerhin; *adj* 7. *(surface)* eben, flach; 8. *(regular)* gleichmäßig; *(temper)* ausgeglichen; *(pulse)* regelmäßig; 9. *(number)* gerade; 10. *(quantities)* gleich; 11. ~ with *(at the same height as)* in gleicher Höhe mit; 12. *(all debts paid)* ausgeglichen; to be ~ with s.o. *(owe s.o. nothing)* mit jdm quitt sein; *v* 13. *(the score of a game)* SPORT ausgleichen; 14. *(a surface)* glatt machen

• **even out** *v* ausgleichen, ebnen

evening ['iːvnɪŋ] *sb* Abend *m*; Good ~! Guten Abend!

evening class ['iːvnɪŋ klɑːs] *sb* Abendschule *f*

event [ɪ'vent] *sb* 1. Ereignis *n*, Vorfall *m*, Begebenheit *f*; 2. *(case)* Fall *m*; in any ~ auf jeden Fall; 3. *(planned function)* Veranstaltung *f*; 4. SPORT Wettkampf *m*

eventuality [ɪventʃʊ'ælɪtɪ] *sb* Möglichkeit *f*, Eventualität *f*

eventually [ɪ'ventʃʊəlɪ] *adv* schließlich

ever ['evə] *adv* 1. je, jemals; 2. *(of all time)* aller Zeiten; 3. *(more each time)* immer; ~ larger immer größer; 4. ~ since seitdem; 5. ~ so sehr

everlasting [evə'lɑːstɪŋ] *adj* 1. immer während; 2. REL ewig

evermore [evə'mɔː] *adv* immer, stets

every ['evrɪ] *adj* 1. jede(r,s), alle; ~ third day jeden dritten Tag; ~ three days alle drei Tage; ~ time jedes Mal; 2. ~ now and then, ~ so often gelegentlich, hin und wieder; 3. ~ other *(~ second one)* jeder Zweite, *(all other)* jeder andere

everybody ['evrɪbɒdɪ] *pron* jeder, alle

everyday ['evrɪdeɪ] *adj* alltäglich

everyone ['evrɪwʌn] *pron* jeder, alle

everything ['evrɪθɪŋ] *pron* alles

everywhere ['evrɪweə] *adv* 1. überall; 2. *(toward every direction)* überallhin

evidence ['evɪdəns] *sb* 1. Beweis *m*, Beweise *pl*; 2. in ~ sichtbar, offensichtlich; 3. JUR Beweismaterial *n*; *(physical piece of ~)* Beweisstück *n*; 4. *(testimony)* Aussage *f*; give ~ for JUR aussagen für

evil ['iːvl] *adj* 1. böse, übel; 2. *(reputation, influence)* schlecht; *sb* 3. Böse *n*, Übel *n*; the lesser of two ~s das geringere Übel

evilness ['iːvlnɪs] *sb* Bosheit *f*

evolution [evə'luːʃən] *sb* 1. Entwicklung *f*; 2. BIO Evolution *f*

evolutionist [evə'luːʃənɪst] *sb* Anhänger der Evolutionstheorie *m*

evolve [ɪ'vɒlv] *v* sich entwickeln

ex [eks] *adj* 1. *(as a prefix)* ehemalig, Ex-...; *sb* 2. *(fam: ~-husband or ~-wife)* Verflossene(r) *m/f*

exact [ɪg'zækt] *adj* 1. genau, exakt; to be ~ um genau zu sein; *v* 2. fordern, verlangen; 3. *(payment)* eintreiben

exactly [ɪg'zæktlɪ] *adv* 1. genau, exakt; *interj* 2. genau, ganz recht

exactness [ɪg'zæktnɪs] *sb* Genauigkeit *f*

exaggerate [ɪg'zædʒəreɪt] *v* übertreiben

exam [ɪg'zæm] *sb* Prüfung *f*

examination [ɪgzæmɪ'neɪʃən] *sb* 1. *(close consideration)* Untersuchung *f*; 2. *(inspection)* Prüfung *f*, Untersuchung *f*, Kontrolle *f*; 3. MED Untersuchung *f*; 4. *(in school)* Prüfung *f*, Examen *n*; 5. JUR Verhör *n*, *(in a civil case)* Vernehmung *f*

examine [ɪg'zæmɪn] *v* 1. untersuchen, prüfen; 2. *(inspect)* kontrollieren; 3. MED untersuchen; 4. JUR verhören, vernehmen

example [ɪg'zɑːmpl] *sb* Beispiel *n*; for ~ zum Beispiel; set a good ~ ein gutes Beispiel geben; make an ~ of s.o. an jdm ein Exempel statuieren

excavate ['ekskəveɪt] *v* 1. ausschachten, *(with a machine)* ausbaggern; 2. *(an archaeological site)* ausgraben

exceed [ɪk'siːd] *v* 1. überschreiten, übersteigen; 2. *(expectations)* übertreffen

excellence ['eksələns] *sb* *(high quality)* Vortrefflichkeit *f*

excellent ['eksələnt] *adj* ausgezeichnet, vorzüglich, hervorragend

except [ɪk'sept] *v* 1. ausnehmen; *prep* 2. außer, ausgenommen; ~ for abgesehen von, bis auf

exception [ɪk'sepʃən] *sb* 1. Ausnahme *f*; make an ~ for s.o. eine Ausnahme für jdn machen; without ~ ohne Ausnahme; 2. take ~ to Anstoß nehmen an

excess [ɪk'ses] sb 1. Übermaß n; 2. ~es pl Exzesse pl, Ausschweifungen pl, Ausschreitungen pl; 3. (remainder) Überschuss m; in ~ of mehr als

exchange [ɪks'tʃeɪndʒ] v 1. tauschen; 2. (letters, glances, words) wechseln; 3. (currency) wechseln, umtauschen; 4. (ideas, stories) austauschen; ~ for austauschen gegen, umtauschen gegen, vertauschen mit; sb 5. Tausch m, Austausch m; in ~ for gegen; 6. (trade-in) Umtausch m; 7. (act of exchanging) FIN Wechseln n; bill of ~ Wechsel m; 8. (place) Wechselstube f; 9. (Stock Exchange) Börse f

exchange rate [ɪks'tʃeɪndʒ reɪt] sb FIN Umrechnungskurs m, Wechselkurs m

exchange student [ɪks'tʃeɪndʒ 'stjuːdənt] sb Austauschschüler m

excise tax ['eksaɪz tæks] sb Verbrauchssteuer f

excite [ɪk'saɪt] v 1. aufregen; 2. (passion, appetite, imagination) erregen; 3. (interest, curiosity) wecken; 4. (make enthusiastic) begeistern

excited [ɪk'saɪtɪd] adj aufgeregt

exciting [ɪk'saɪtɪŋ] adj 1. aufregend; 2. (story) spannend; 3. (sexually) erregend

exclaim [ɪks'kleɪm] v ausrufen

exclamation [eksklə'meɪʃən] sb Ausruf m, Schrei m

exclamation mark [eksklə'meɪʃən mɑːk] sb Ausrufezeichen n

exclusion [ɪks'kluːʒən] sb Ausschluss m; to the ~ of unter Ausschluss von

exclusive [ɪks'kluːsɪv] adj 1. (sole) ausschließlich, einzig, alleinig; 2. (fashionable) vornehm; 3. (group) exklusiv

exculpate ['ekskʌlpeɪt] v rechtfertigen, freisprechen

excursion [ɪks'kɜːʃən] sb 1. Ausflug m; 2. (detour) Abstecher m

excusable [ɪks'kjuːzəbl] adj entschuldbar, verzeihlich

excuse [ɪk'skjuːz] v 1. entschuldigen; 2. (pardon) verzeihen; 3. ~ o.s. sich entschuldigen; 4. Excuse me ... (to get attention) Entschuldigen Sie ..., (sorry) Verzeihung! (I must go) Entschuldigen Sie mich bitte. [ɪk'skjuːs] sb 5. (pretext) Ausrede f, Entschuldigung f, Vorwand m; 6. make (up) ~s (for o.s.) sich herausreden; (for s.o.) jdn herausreden

execute ['eksɪkjuːt] v 1. (a criminal) hinrichten; 2. (a task) durchführen, ausführen, erfüllen

execution [eksɪ'kjuːʃən] sb 1. (of a criminal) Hinrichtung f; 2. (of a task) Durchführung f, Ausführung f, Erfüllung f

executive [ɪg'zekjutɪv] adj 1. exekutiv, geschäftsführend; sb 2. (of a firm) leitende(r) Angestellte(r) m/f; 3. POL Exekutive f

exemplary [ɪg'zemplərɪ] adj vorbildlich, beispielhaft

exempt [ɪg'zempt] v befreien

exercise ['eksəsaɪz] v 1. (use) ausüben, geltend machen, anwenden; 2. (one's body, one's mind) üben, trainieren; sb 3. (use) Ausübung f, Gebrauch m, Anwendung f; 4. (physical ~) Übung f; get some ~ sich etw Bewegung verschaffen; 5. (drill) Übung f

exertion [ɪg'zɜːʃən] sb 1. Anwendung f, Einsatz m, Aufgebot n; 2. (effort) Anstrengung f

exhale [eks'heɪl] v (breathe out) ausatmen

exhaust [ɪg'zɔːst] v 1. erschöpfen; 2. (supplies) aufbrauchen; 3. (a subject) erschöpfend behandeln; sb 4. TECH Auspuff m; 5. (gases) Auspuffgase pl

exhaust pipe [ɪg'zɔːst paɪp] sb Auspuffrohr n

exhibit [ɪg'zɪbɪt] v 1. (merchandise) ausstellen, auslegen; 2. (a quality) zeigen, beweisen; sb 3. JUR Beweisstück n

exhibition [eksɪ'bɪʃən] sb 1. Ausstellung f, Schau f; 2. (fig) Zurschaustellung f; 3. (act of showing) Vorführung f

exhibitor [ɪg'zɪbɪtə] sb 1. Aussteller m; 2. (of a film) Kinobesitzer m

exhilarate [ɪg'zɪləreɪt] v erheitern

exile ['eksaɪl] v 1. verbannen; sb 2. (state of ~) Exil n, Verbannung f; 3. (person) Verbannte(r) m/f

exist [ɪg'zɪst] v 1. existieren, bestehen, vorhanden sein; 2. (live) existieren, leben

existence [ɪg'zɪstəns] sb 1. Existenz f, Bestehen n, Vorhandensein n; call into ~ ins Leben rufen; 2. (life) Existenz f, Leben n, Dasein n; a miserable ~ ein trostloses Dasein

existing [ɪg'zɪstɪŋ] adj 1. bestehend; 2. (present) gegenwärtig

exit ['egzɪt] v 1. THEAT abgehen, abtreten; 2. (US: sth) verlassen; sb 3. (leaving) Abgang m; make one's ~ abgehen, abtreten; 4. (from a country) Ausreise f; 5. (way out) Ausgang m; 6. (for vehicles) Ausfahrt f

exit permit ['egzɪtpɜːmɪt] sb Ausreisegenehmigung f

exorbitant [ɪg'zɔːbɪtənt] adj maßlos, übertrieben, unverschämt

exotic [ɪg'zɒtɪk] *adj* exotisch
expand [ɪk'spænd] *v 1. PHYS* sich ausdehnen, expandieren; *2. ECO* expandieren, sich ausweiten; *(production)* zunehmen; *3. (cause to ~)* ausdehnen, expandieren, ausweiten
expanded [ɪk'spændɪd] *adj* ausgedehnt, weit
expansion [ɪks'pænʃən] *sb* Ausdehnung *f*, Expansion *f*, Ausweitung *f*
expect [ɪk'spekt] *v 1.* erwarten; *2. ~ sth of s.o.* etw von jdm erwarten; *3. (suppose)* denken, glauben
expectancy [ɪk'spektənsɪ] *sb* Erwartung *f*, Aussicht *f; life ~* Lebenserwartung *f*
expectant [ɪk'spektənt] *adj 1.* erwartungsvoll; *2. (mother)* werdend
expectation [ekspek'teɪʃən] *sb* Erwartung *f*
expecting [ɪks'pektɪŋ] *adj (~ a baby)* in anderen Umständen (fam)
expedite ['ekspɪdaɪt] *v* beschleunigen
expedition [ekspɪ'dɪʃən] *sb* Expedition *f*
expend [ɪk'spend] *v 1.* verwenden; *2. (energy, time)* aufwenden; *3. (money)* ausgeben
expense [ɪk'spens] *sb 1.* Kosten *pl; at my ~* auf meine Kosten; *spare no ~* keine Kosten scheuen; *at great ~* mit großen Kosten; *2. ~s pl (business ~, travel ~)* Spesen *pl; incur ~* Unkosten haben
expensive [ɪk'spensɪv] *adj* teuer, kostspielig
experience [ɪk'spɪərɪəns] *v 1.* erleben, erfahren; *2. (feel)* empfinden; *sb 3.* Erfahrung *f; from ~* aus eigener Erfahrung; *4. (event experienced)* Erlebnis *n*
experienced [ɪk'spɪərɪənst] *adj* erfahren, routiniert
experiment [ɪk'sperɪmənt] *v 1.* experimentieren; *sb 2.* Versuch *m*, Experiment *n*
expert ['ekspɜːt] *adj 1.* erfahren, geschickt, fachmännisch; *sb 2.* Sachverständige(r) *m/f*, Experte/Expertin *m/f*, Fachmann/Fachfrau *m/f*
expert witness ['ekspɜːt 'wɪtnɪs] *sb JUR* Sachverständige(r) *m/f*
expiration [ekspɪ'reɪʃən] *sb* Ablauf *m*
expiration date [ekspɪ'reɪʃən deɪt] *sb (US)* Verfallsdatum *n*
expire [ɪk'spaɪə] *v 1.* ablaufen, ungültig werden; *2. (die)* sein Leben aushauchen, verscheiden
explain [ɪk'spleɪn] *v 1.* erklären; *2. (a mystery)* aufklären; *3. ~ o.s.* sich rechtfertigen

explanation [eksplə'neɪʃən] *sb 1.* Erklärung *f*, Erläuterung *f*, Aufklärung *f; 2. (justification)* Erklärung *f*, Rechtfertigung *f*
explode [ɪks'pləʊd] *v 1.* explodieren; *2. (sth) sprengen*, zur Explosion bringen, explodieren lassen; *3. (fig: a theory)* widerlegen; *~ a myth* eine Illusion zerstören
exploit [eks'plɔɪt] *v 1.* ausbeuten, ausnutzen; *2. (commercially)* verwerten
exploration [eksplɔː'reɪʃən] *sb 1.* Erforschung *f*, Erkundung *f; 2. (of a topic)* Erforschung *f*, Untersuchung *f*
explore [ɪk'splɔː] *v 1.* erforschen, erkunden; *2. (a question)* erforschen, untersuchen
explosion [ɪk'spləʊʒən] *sb* Explosion *f*
explosive [ɪk'spləʊsɪv] *adj 1.* explosiv; *sb 2.* Sprengstoff *m*
export [ɪk'spɔːt] *v 1.* exportieren, ausführen; ['ekspɔːt] *sb 2.* Export *m*, Ausfuhr *f*
export licence ['ekspɔːt 'laɪsəns] *sb ECO* Ausfuhrgenehmigung *f*
expose [ɪk'spəʊz] *v 1. (leave vulnerable)* aussetzen; *2. (uncover)* freilegen, bloßlegen; *3. (wrongdoing)* aufdecken, enthüllen; *4. (a criminal, an impostor)* entlarven; *5. FOTO* belichten
exposition [ekspə'zɪʃən] *sb 1. (explanation)* Darlegung *f*, Erklärung *f; 2. (of text)* Erläuterung *f; 3. (exhibition)* Ausstellung *f*, Schau *f*
express [ɪk'spres] *v 1.* ausdrücken; *adj 2.* ausdrücklich, bestimmt; *for the ~ purpose* eigens zu dem Zweck; *sb 3.* Schnellzug *m*
express delivery [ɪk'spres dɪ'lɪvərɪ] *sb* Eilzustellung *f*
expression [ɪk'spreʃən] *sb 1. (of an opinion, of a feeling)* Äußerung *f*, Ausdruck *m; 2. (phrase)* Ausdruck *m; 3. (facial ~)* Gesichtsausdruck *m; 4. (expressive quality) ART* Ausdruck *m*
expressionless [ɪks'preʃənlɪs] *adj* ausdruckslos
expressway [ɪk'spresweɪ] *sb* Schnellstraße *f*
expulsion [ɪks'pʌlʃən] *sb 1.* Vertreibung *f; 2. (from a school)* Verweisung *f; 3. (from a country)* Ausweisung *f*
exquisite [ɪk'skwɪzɪt] *adj* köstlich, vorzüglich, exquisit
extend [ɪks'tend] *v 1. (reach, stretch)* sich ausdehnen, sich erstrecken, reichen; *2. (one's arms, one's hand)* ausstrecken; *3. (verbally)* erweisen, aussprechen; *4. (prolong)* verlängern; *5. (enlarge, expand)* ausdehnen, erweitern,

vergrößern; 6. (a house) ausbauen; 7. (a wire) spannen, ziehen

extension [ɪks'tenʃən] *sb 1.* (broadening) Vergrößerung *f*, Erweiterung *f*, Ausdehnung *f*; 2. (lengthening) Verlängerung *f*; 3. (to a house) Anbau *m*; 4. TEL Nebenanschluss *m*, Apparat *m*

extension cord [ɪks'tenʃən kɔ:d] *sb* Verlängerungskabel *n*

extensive [ɪks'tensɪv] *adj 1.* (damage) beträchtlich; 2. (operations, alterations, research) umfangreich; 3. (knowledge) umfassend, umfangreich

extent [ɪk'stent] *sb 1.* (degree) Grad *m*, Maß *n*; to some ~ einigermaßen; to a certain ~ in gewissem Maße; to what ~ inwieweit; 2. (scope) Umfang *m*, Ausmaß *n*; 3. (size) Ausdehnung *f*

exterminate [eks'tɜ:mɪneɪt] *v 1.* ausrotten; 2. (pests) vertilgen

extermination [ekstɜ:mɪ'neɪʃən] *sb* Ausrottung *f*, Vertilgung *f*

external [ek'stɜ:nl] *adj* äußere(r,s), äußerlich, Außen... for ~ use only nur äußerlich anzuwenden

extinct [ɪks'tɪŋkt] *adj 1.* (volcano) erloschen; become ~ erlöschen; 2. (species) BIO ausgestorben; become ~ aussterben; 3. (race, empire) untergegangen

extinguish [ɪk'stɪŋgwɪʃ] *v 1.* löschen, auslöschen; 2. (hopes) zerstören

extinguisher [ɪk'stɪŋgwɪʃə] *sb* Feuerlöscher *m*

extort [ɪks'stɔ:t] *v* erpressen

extortion [ɪks'tɔ:ʃən] *sb* Erpressung *f*

extra ['ekstrə] *adj 1.* zusätzlich, Extra..., Sonder...; make an ~ effort sich besonders anstrengen; *adv 2.* (especially) extra, besonders; 3. (costing ~) gesondert berechnet, extra berechnet; *sb 4.* CINE Statist *m*; 5. (perquisite) Zusatzleistung *f*; 6. (feature of a car) Extra *n*

extract [ɪk'strækt] *v 1.* herausziehen, herausholen; 2. (from the body) entfernen; 3. (a tooth) ziehen; 4. (permission, a promise) abringen, abnehmen, entlocken; 5. MIN gewinnen; ['ekstrækt] *sb* 6. Extrakt *m*; 7. (from a book) Auszug *m*

extracurricular [ekstrəkə'rɪkjolə] *adj* außerhalb des Stundenplans

extraordinary [ɪk'strɔ:dnrɪ] *adj 1.* außerordentlich; 2. (odd) ungewöhnlich, merkwürdig, seltsam

extraterrestrial [ekstrətɪ'restrɪəl] *adj* außerirdisch

extra time [ekstrə'taɪm] *sb (UK)* SPORT Verlängerung *f*

extravagant [ɪk'strævəgənt] *adj 1.* (wasteful) verschwenderisch; 2. (tastes) teuer, kostspielig; 3. (wedding) aufwendig; 4. (demand) übertrieben; 5. (behaviour, claims) extravagant

extreme [ɪk'stri:m] *adj 1.* äußerste(r,s); with ~ pleasure mit größtem Vergnügen; 2. (demands, rudeness) maßlos; 3. (drastic) extrem; *sb 4.* Extrem *n*; (far end) äußerstes Ende *n*; carry sth to an ~ etw zu weit treiben; 5. (too far) Übertriebenheit *f*

extremely [ɪk'stri:mlɪ] *adv* äußerst, höchst, extrem

extroversion [ekstrə'vɜ:ʃən] *sb* Extrovertiertheit *f*

extrovert ['ekstrəuvɜ:t] *sb* Extrovertierte(r) *m/f*

exult [ɪg'zʌlt] *v* frohlocken, jubeln, triumphieren

exultation [egzʌl'teɪʃən] *sb* Jubel *m*, Frohlocken *n*

eye [aɪ] *sb 1.* Auge *n*; an ~ for an ~ Auge um Auge; see ~ to ~ with s.o. mit jdm einer Meinung sein; give s.o. the ~ jdm einen einladenden Blick werfen; have an ~ for einen Sinn haben für; keep an ~ on ein Auge haben auf; keep one's ~s peeled die Augen offen halten; keep an ~ out for sth nach etw Ausschau halten; set ~s on sth etw sehen; catch s.o.'s ~ jds Aufmerksamkeit auf sich lenken; close one's ~s to sth die Augen vor etw verschließen; with an ~ to mit Rücksicht auf; cry one's ~s out sich die Augen ausweinen; easy on the ~s gefällig, schön anzusehen; never take one's ~s off sth die Augen von etw nicht abwenden; in the twinkling of an ~ im Handumdrehen; look s.o. in the ~ jdm ins Gesicht sehen; make ~s at s.o. jdm schöne Augen machen; 2. ~ of a needle Nadelöhr *n*; *v 3.* ansehen, betrachten

eyebrow ['aɪbrau] *sb* Augenbraue *f*; raise one's ~s die Stirn runzeln

eye-catching ['aɪkætʃɪŋ] *adj* auffallend, ins Auge springend

eyelash ['aɪlæʃ] *sb* Augenwimper *f*

eye-opener ['aɪəupənə] *sb* It was a real ~. Das hat mir die Augen geöffnet.

eyesight ['aɪsaɪt] *sb* Sehkraft *f*; bad ~ schlechte Augen

eyesore ['aɪsɔ:] *sb* Schandfleck *m*

eyewitness ['aɪwɪtnɪs] *sb* Augenzeuge/Augenzeugin *m/f*

F

fable ['feɪbl] *sb* Fabel *f*

fabric ['fæbrɪk] *sb* 1. *(textile)* Stoff *m*, Gewebe *n*; 2. *(structure)* Struktur *f*

fabulous ['fæbjʊləs] *adj* sagenhaft, fabelhaft, toll

face [feɪs] *v* 1. *(to be opposite)* gegenüber sein, gegenüberstehen, gegenüberliegen; 2. *(window: to be situated)* gehen nach; 3. *(have to deal with)* rechnen müssen mit; *let's ~ it* seien wir ehrlich; *to be ~d with sth* mit etw konfrontiert werden; 4. *(bravely confront)* gegenübertreten, *(a situation)* sich stellen; *sb* 5. Gesicht *n; lose ~* das Gesicht verlieren; *save ~* das Gesicht wahren; *show one's ~* sich blicken lassen; *~ to ~* von Angesicht zu Angesicht, Auge in Auge; *say sth to s.o.'s ~* jdm etw ins Gesicht sagen; *in the ~ of death* im Angesicht des Todes; *fall flat on one's ~ (fam)* auf die Nase fallen; 6. *on the ~ of it* allem Anschein nach, so, wie es aussieht; 7. *(expression)* Gesichtsausdruck *m*, Gesicht *n*, Miene *f; make a ~* das Gesicht verziehen; *pull a ~* Grimassen schneiden; *keep a straight ~* ernst bleiben
• **face off** *v (fig)(US)* The two faced off. Die zwei traten zu einer Machtprobe an.

face-lift ['feɪslɪft] *sb* 1. Gesichtsstraffung *f*, Facelifting *n; 2. (fig)* Verschönerung

face-off ['feɪsɒf] *sb* SPORT Bully *n*

face-saving ['feɪsseɪvɪŋ] *adj* a *~ tactic* eine Taktik, um das Gesicht zu wahren

facilitate [fæ'sɪlɪteɪt] *v* erleichtern, fördern

facility [fæ'sɪlɪtɪ] *sb* 1. *(building)* Anlage *f*; 2. *(ease)* Leichtigkeit *f*

facsimile [fæk'sɪmɪlɪ] *sb* Faksimile *n*

fact [fækt] *sb* 1. Tatsache *f; as a matter of ~* eigentlich, sogar; *know for a ~ that ...* ganz genau wissen, dass ...; *the ~ of the matter is* Tatsache ist; *in ~* tatsächlich, in der Tat; *in point of ~* eigentlich, *(in reality)* in Wirklichkeit; 2. *(reality)* Wirklichkeit *f*, Wahrheit *f*, Realität *f; ~ and fiction* Dichtung und Wahrheit; 3. *the ~s of life* sexuelle Aufklärung *f; (tough reality)* harte Wirklichkeit *f*; 4. *(historical)* Faktum *n*

fact-finding ['fæktfaɪndɪŋ] *adj* Untersuchungs...

factor ['fæktə] *sb* 1. Faktor *m; v* 2. *~ in* mit berücksichtigen

factory ['fæktərɪ] *sb* Fabrik *f*, Werk *n*

faculty ['fækəltɪ] *sb* 1. *(ability)* Fähigkeit *f*, Vermögen *n*, Kraft *f; mental faculties* Geisteskräfte *pl;* 2. *(of a university)* Fakultät *f*

fade [feɪd] *v* 1. verblassen, *(completely)* verbleichen; 2. *(fig) (beauty)* schwinden; *(hope, strength)* schwinden; *(memory)* verblassen

fag [fæg] *sb* 1. *(UK: cigarette) (fam)* Kippe *f*; 2. *(UK: drudgery) (fam)* Plackerei *f*; 3. *(US: homosexual) (fam)* Schwuler *m*

fail [feɪl] *v* 1. versagen, scheitern, misslingen; *if all else ~s* wenn alle Stricke reißen; *I ~ to see why* ich sehe nicht ein, warum; 2. *(be cut off)* ausfallen; 4. *~ to do sth* etw nicht tun; *(neglect)* es versäumen, etw zu tun; 5. *(an exam)* durchfallen; 6. *(s.o.) (let down)* im Stich lassen; *(disappoint)* enttäuschen; 7. *(give a ~ing grade)* durchfallen lassen; *sb* 8. *without ~* garantiert, ganz bestimmt

failing ['feɪlɪŋ] *sb* Schwäche *f*

failure ['feɪljə] *sb* 1. Misserfolg *m*, Fehlschlag *m*, Scheitern *n;* 2. *(breakdown)* Ausfall *m*, Versagen *n*, Störung *f;* 3. *(unsuccessful thing)* Misserfolg *m*, Reinfall *m*, Pleite *f;* 4. *(person)* Versager *m;* 5. *(to do sth)* Versäumnis *n*, Unterlassung *f*

fair [feə] *adj* 1. *(just)* gerecht, fair; *~ and square* anständig; 2. *(reasonable amount, reasonable degree)* ziemlich; 3. *(OK, so-so)* mittelmäßig; 4. *(hair)* blond; *the ~ sex* das schöne Geschlecht; 5. *(skin)* hell; 6. *(sky)* heiter; 7. *(day)* schön; 8. *Fair enough! (fam)* Einverstanden! *sb* 9. Volksfest *n;* *(market)* Jahrmarkt *m;* 10. *(trade show)* Messe *f*

fairy ['feərɪ] *sb* 1. Fee *f*, Elfe *f;* 2. *(fam: homosexual)* Schwuler *m*

faith [feɪθ] *sb* 1. Vertrauen *n*, Glaube *m; have ~ in s.o.* jdm vertrauen; *have ~ in sth* Vertrauen in etw haben; 2. REL Glaube *m;* 3. *(sincerity)* Treue *f*

fake [feɪk] *v* 1. vortäuschen, fingieren; 2. *(forge)* fälschen; 3. *(a move)* SPORT antäuschen; *sb* 4. Fälschung *f;* 5. *(jewel)* Imitation *f; adj* 6. falsch, vorgetäuscht, gefälscht

fall [fɔːl] *v irr* 1. fallen, stürzen; 2. *(decrease)* fallen, sinken, abnehmen; 3. *(hang down)* fallen; 4. *~ under (a category)* gehören in, fallen in; 5. *(become) ~ asleep* einschlafen; *~ ill* krank werden; *sb* 6. Fall *m*, Sturz *m;* 7. *(decline)* Untergang *m*, Niedergang *m;* 8.

(decrease) Fallen *n*, Sinken *n*, Abnahme *f*; 9. *(US: autumn)* Herbst *m*
• **fall apart** *v irr* auseinander fallen
• **fall down** *v irr* 1. *(person)* hinfallen; *(from a height)* hinunterfallen; 2. *(thing)* herunterfallen, hinunterfallen; 3. *(collapse)* einstürzen; 4. ~ **on the job** etw nicht richtig machen, mit etw nicht zurechtkommen
• **fall in** *v irr* 1. hineinfallen; 2. MIL antreten; 3. *(one soldier)* MIL ins Glied zurücktreten
• **fall out** *v irr* 1. *(hair)* ausfallen; 2. MIL wegtreten; 3. *(of a window)* herausfallen; 4. ~ **with s.o.** sich mit jdm zerstreiten
fallout ['fɔ:laut] *sb* 1. radioaktiver Niederschlag *m*; 2. *(fig)* Auswirkung *f*
false [fɔ:ls] *adj* 1. falsch; 2. *(artificial)* falsch, künstlich
false alarm [fɔ:ls ə'lɑ:m] *sb (needless warning)* blinder Alarm *m*
false teeth [fɔ:ls ti:θ] *pl (set)* künstliches Gebiss *n*
falsify ['fɔ:lsɪfaɪ] *v* fälschen, verfälschen
fame [feɪm] *sb* Ruhm *m*, Berühmtheit *f*
familiar [fə'mɪlɪə] *adj* 1. bekannt, gewohnt, vertraut; **to be ~ with** etw etw gut kennen); 2. *(friendly)* familiär
family ['fæmɪlɪ] *sb* Familie *f*; **in the ~ way** *(fam)* in anderen Umständen
family doctor ['fæmɪlɪ 'dɒktə] *sb* Hausarzt *m*
family tree [fæmɪlɪ'triː] *sb* Stammbaum *m*
famished ['fæmɪʃt] *adj (fig: very hungry)* ausgehungert
famous ['feɪməs] *adj* berühmt
fan [fæn] *v* 1. *(s.o.)* Luft zufächeln; 2. *(fig: sth)* anfachen *sb* 3. *(hand-held)* Fächer *m*; 4. *(mechanical)* Ventilator *m*, Lüfter *m*; 5. *(enthusiast, supporter)* Fan *m*
fanatic [fə'nætɪk] *sb* Fanatiker *m*
fancy ['fænsɪ] *v* 1. *(imagine)* meinen, sich einbilden, glauben; *Fancy that!* So was! Denk mal an! 2. ~ **o.s.** sich für etw halten; 3. *(like)* gern haben, mögen; *adj* 4. verziert, fein, kunstvoll, *sb* 5. *(liking)* Vorliebe *f*, Gefallen *n*; **take a ~ to sth** sich an etw Gefallen finden; 6. *(imagination)* Phantasie *f*
fang [fæŋ] *sb* 1. *(of a beast of prey)* Fang *m*; 2. *(of a snake)* Giftzahn *m*
fantastic [fæn'tæstɪk] *adj* 1. *(wonderful)* toll, phantastisch; 2. *(improbable)* phantastisch, unwahrscheinlich, absurd
fantasy ['fæntəsɪ] *sb* Phantasie *f*
far [fɑ:] *adj* 1. fern, weit entfernt; 2. *(farther away of two)* weiter entfernt; **the ~**

side die andere Seite; **at the ~ end** am anderen Ende; *adv* 3. weit; ~ **be it from me to ...** es liegt mir fern, zu ...; **by ~** weitaus, bei weitem; *Far from it!* Weit gefehlt! 4. **as ~ as** so weit, insofern als; *(spatially) bis;* I'll come with you as ~ as the door. Ich komme bis zur Tür mit. **as ~ as I'm concerned** was mich betrifft; 5. ~ **away,** ~ **off** weit entfernt, weit weg; 6. ~ **and away** bei weitem, mit Abstand, weitaus
fare [feə] *v* 1. ergehen; *How did he ~?* Wie ist es ihm ergangen? *sb* 2. **bus ~, train ~** *(charge)* Fahrpreis *m*; *(money)* Fahrgeld *n*; 3. **air ~** Flugpreis *m*; 4. *(food)* Kost *f*
far-flung [fɑ:'flʌŋ] *adj* weit ausgedehnt
farm [fɑ:m] *sb* 1. Bauernhof *m*, Gutshof *m*, Gut *n*; *v* 2. *(land)* bebauen
farmer [fɑ:mə] *sb* Bauer *m*, Landwirt *m*
farmhouse ['fɑ:mhaus] *sb* Bauernhaus *n*
farmyard ['fɑ:mjɑ:d] *sb* Hof eines bäuerlichen Betriebes *m*
far-reaching [fɑ:'ri:tʃɪŋ] *adj* weitreichend
far-sighted [fɑ:'saɪtɪd] *adj* 1. MED weitsichtig; 2. *(fig)* weit blickend
farther [fɑ:ðə] *adv* weiter, ferner, entfernter
fascinate ['fæsɪneɪt] *v* faszinieren, begeistern, bezaubern
fascination [fæsɪ'neɪʃən] *sb* Faszination *f*, Bezauberung *f*
fascism ['fæʃɪzəm] *sb* Faschismus *m*
fascist ['fæʃɪst] *adj* faschistisch
fashion ['fæʃən] *v* 1. bilden, formen, gestalten; *sb* 2. *(manner)* Art *f*, Weise *f*; 3. *(custom)* Sitte *f*, Brauch *m*; 4. *(in clothing, style)* Mode *f*; 5. **after a ~** gewissermaßen
fashion victim ['fæʃənvɪktɪm] *sb (fam)* Modeverrückte(r) *m/f*
fast [fɑ:st] *v* 1. fasten; *adj* 2. *(quick, speedy)* schnell; **pull a ~ one on s.o.** *(fam)* jdn reinlegen; 3. **to be ~** *(clock)* vorgehen; 4. *(woman)* flott, leichtlebig; 5. *(secure)* fest, befestigt; **to be ~ friends** gute Freunde sein; **to be ~ asleep** fest schlafen
fasten ['fɑ:sn] *v* 1. *(to be closed, close)* sich schließen lassen; 2. *(sth)* festmachen, befestigen; 3. *(buttons)* zumachen; 4. *(seat belt)* anschnallen; 5. *(fig)* ~ **on** *(eyes)* heften auf; *(attention)* richten auf; 6. ~ **together** miteinander verbinden
fastener ['fɑ:snə] *sb* Verschluss *m*
fast-food restaurant [fɑ:st fu:d 'restərənt] *sb* Schnellimbiss *m*
fast-forward [fɑ:st'fɔ:wəd] *v* vorspulen
fast lane ['fɑ:stleɪn] *sb* Überholspur *f*

fast track ['fɑ:sttræk] *sb (fig)* to be on the ~ auf der Überholspur sein

fat [fæt] *adj 1.* dick, fett; *a ~ chance (fam)* herzlich wenig Aussicht; *2. GAST* fett; *sb 3.* Fett *n*

fatal ['feɪtl] *adj* tödlich

fate [feɪt] *sb* Schicksal *n; seal s.o.'s ~* jds Schicksal besiegeln

fateful ['feɪtful] *adj 1.* schicksalhaft, schicksalsschwer; *2. (disastrous)* verhängnisvoll

father ['fɑ:ðə] *v 1. (a child)* zeugen; *sb 2.* Vater *m; 3. (priest) REL* Pater *m*

Father Christmas ['fɑ:ðə 'krɪsməs] *sb* der Weihnachtsmann *m*

father-in-law ['fɑ:ðərɪnlɔ:] *sb* Schwiegervater *m*

fatty ['fætɪ] *adj* fett

fault [fɔ:lt] *v 1.* bemängeln; *sb 2.* Schuld *f; to be at ~* schuldig sein, die Schuld tragen; *Whose ~ is it?* Wer ist schuld? *3. (mistake, defect)* Fehler *m*, Defekt *m*, Mangel *m; 4. find ~ with* etw auszusetzen haben an; *5. generous to a ~* übermäßig großzügig

favour ['feɪvə] *v 1. (show partiality to s.o.)* begünstigen; *2. (prefer)* bevorzugen; *~ sth over sth* etw einer Sache vorziehen; *3. to be in ~ of)* für gut halten; *4. (to be ~able for)* begünstigen; *sb 5. (act of kindness)* Gefallen *m*, Gefälligkeit *f; do s.o. a ~* jdm einen Gefallen tun; *ask a ~ of s.o.* jdn um einen Gefallen bitten; *6. (goodwill)* Gunst *f; stand high in s.o.'s ~s* bei jdm hoch im Kurs stehen; *7. in ~ of* zugunsten von; *to be in ~ of sth* für etw sein; *decide in ~ of sth* sich für jdn entscheiden; *8. out of ~* in Ungnade, *(no longer widely popular)* nicht mehr beliebt; *9. (partiality)* Begünstigung *f*, Bevorzugung *f*

favourite ['feɪvərɪt] *adj 1.* Lieblings... *sb 2.* Liebling *m; 3. (pejorative)* Günstling *m*

fax [fæks] *sb 1. (facsimile transmission)* Fax *n*, Telefax *n; v 2.* faxen

fear [fɪə] *v 1.* fürchten, befürchten; *Never ~!* Keine Angst! *sb 2.* Angst *f*, Furcht *f; 3. (of God)* Scheu *f*, Ehrfurcht *f*

fearsome ['fɪəsəm] *adj* Furcht erregend

feast [fi:st] *v 1.* ein Festgelage halten; *2. ~ on sth* sich an etw gütlich tun, in etw schwelgen; *(fig)* sich an etw weiden; *~ one's eyes on sth* seine Augen an etw weiden; *sb 3. REL* Fest *n; 4.* Festmahl *n*, Festessen *n*

feather ['feðə] *sb 1.* Feder *f; as light as a ~* federleicht; *v 2. ~ one's nest* seine Schäfchen ins Trockene bringen

featherweight ['feðəweɪt] *sb SPORT* Federgewicht *n*, Federgewichtler *m*

feature ['fi:tʃə] *v 1.* bringen, zeigen; *sb 2. (characteristic)* Merkmal *n*, Kennzeichen *n*, Eigenschaft *f; 3. (facial)* Gesichtszug *m; 4. (story)* Feature *n*, *(radio, TV)* Dokumentarbericht *m; 5. CINE* Spielfilm *m; 6. (main attraction)* Hauptattraktion *f*

feature-length ['fi:tʃələŋθ] *adj CINE* mit Spielfilmlänge

fed [fed] *sb the ~s (fam) (US)* das FBI *n*

federation [fedə'reɪʃən] *sb* Föderation *f*, Bund *m*

fee [fi:] *sb 1.* Gebühr *f; 2. (lawyer's ~, consultant's ~)* Honorar *n; 3. (membership ~)* Beitrag *m*

feed [fi:d] *v irr 1.* füttern; *2. (provide food for)* verpflegen; *3. (a family)* ernähren; *4. (a machine)* speisen, versorgen; *5. (insert)* eingeben; *6. to be fed up* die Nase voll haben; *7. (eat) (animal)* fressen; *(fam: person)* futtern; *sb 8. (food for animals)* Futter *n*

feel [fi:l] *v irr 1. (perceive o.s. to be)* sich fühlen; *2. ~ like doing sth* Lust haben, etw zu tun; *3. (think)* meinen; *4. (by touching)* fühlen; *5. (to the touch)* sich anfühlen; *6. (physically sense)* fühlen, spüren; *7. (to be affected by)* leiden unter, empfinden; *sb 8. (the way sth ~s when touched)* Gefühl *n; 9. (intuitive ~)* Gefühl *n*, feiner Instinkt *m*

• **feel for** *v irr 1. ~ sth* (grope for sth) nach etw tasten; *2. (sympathize with)* mitfühlen mit, Mitgefühl haben mit

feeling ['fi:lɪŋ] *sb 1.* Gefühl *n; 2. (opinion)* Meinung *f*, Ansicht *f; 3. (impression)* Gefühl *n*, Eindruck *m*

feline ['fi:laɪn] *adj 1.* Katzen...; *sb 2. ZOOL* Katze *f*

fell [fel] *v 1. (a tree)* fällen; *2. (an opponent)* niederstrecken; *adj 3.* at one ~ swoop plötzlich, auf einmal

fellow ['feləʊ] *sb 1.* Kerl *m*, Bursche *m*, Typ *m; 2. (comrade)* Kamerad *m; 3. (at university)* Fellow *m; adj 4.* Mit...; *~ man* Mitmensch *m*

felt [felt] *sb* Filz *m*

female ['fi:meɪl] *adj 1.* weiblich; *sb 2. (fam: woman)* Weib *n*, Weibsbild *n; 3. (animal)* Weibchen *n*

feminine ['femɪnɪn] *adj* feminin, weiblich

feminist ['femɪnɪst] *sb* Feministin *f*

fence [fens] *sb 1.* Zaun *m; sit on the ~ (fig)* zwischen zwei Stühlen sitzen; *2. (reseller of stolen goods)* Hehler *m; v 3. (stolen goods)* hehlen; *4. SPORT* fechten

• **fence in** v umzäunen, einzäunen; *fence s.o. in* (fig) jds Freiheit einengen

fender-bender ['fendəbendə] sb (US) (fam) Autounfall m

ferocious [fə'rəʊʃəs] adj 1. wild, grimmig; 2. (vehement) heftig

ferry ['ferɪ] sb 1. Fähre f; v 2. (across water) übersetzen; 3. (fig) befördern

fertilizer ['fɜ:tɪlaɪzə] sb AGR Dünger m; (artificial ~) Kunstdünger m

fervour ['fɜ:və] sb (intensity of feeling) Inbrunst f, Leidenschaft f

festival ['festɪvl] sb 1. Festspiele pl, Festival n; 2. REL Fest n

fetch [fetʃ] v 1. (pick up, collect) abholen; 2. (go get) holen, herbeiholen, herbringen

fetus ['fi:təs] sb Fötus m

feud [fju:d] v 1. sich befehden; sb 2. Fehde f

fever ['fi:və] sb Fieber n; reach ~ pitch den Siedepunkt erreichen

few [fju:] pron 1. a ~ einige, ein paar; 2. quite a ~ ziemlich viele; adj 3. wenige; to be ~ selten sein; every ~ days alle paar Tage; ~ and far between dünn gesät

fiancé/fiancée [fɪ'ɑ:nseɪ] sb Verlobter/ Verlobte m/f

fib [fɪb] v 1. schwindeln, flunkern; sb 2. kleine Lüge f, Schwindelei f, Flunkerei f

fiction ['fɪkʃən] sb 1. Erzählliteratur f, Prosaliteratur f, Belletristik f; 2. (make-believe, invention) Erfindung f, Dichtung f

fictional ['fɪkʃənl] adj erdichtet, erfunden

fiddle ['fɪdl] sb 1. MUS Fiedel f, Geige f; play second ~ (fig) die zweite Geige spielen; as fit as a ~ (fam) kerngesund; 2. (UK: swindle) Schiebung f, Betrug m, Schwindel m; v 3. ~ with sth (try to improve sth) an etw herumbasteln; (in an annoying manner, with no purpose) an etw herumfummeln

fidget ['fɪdʒɪt] v zappeln

field [fi:ld] sb 1. Feld n; play the ~ (fam) sich keine Chance entgehen lassen; 2. (of grass) Wiese f; 3. SPORT Platz m, Spielfeld n; 4. (profession, ~ of study) Gebiet n, Fach n, Bereich m; 5. the ~ (for a salesman) Außendienst m; 6. ~ of vision Blickfeld n, Gesichtsfeld n; v 7. (a ball) auffangen und zurückwerfen; 8. (a team) aufs Feld schicken; 9. (fig: questions) für Fragen zur Verfügung stehen

field day ['fi:ldeɪ] sb have a ~ seinen großen Tag haben

fiend [fi:nd] sb 1. Teufel m; 2. (enthusiast) Fanatiker m; 3. (dope ~) Süchtiger m

fierce [fɪəs] adj 1. wild, grimmig; 2. (competition) scharf

fight [faɪt] v irr 1. kämpfen; ~ it out es untereinander ausfechten; go down ~ing bis zum bitteren Ende kämpfen; 2. (exchange blows) sich prügeln, sich schlagen, raufen; 3. (verbally) sich streiten, sich zanken; 4. (s.o.) kämpfen gegen, kämpfen mit; 5. (exchange blows with s.o.) sich schlagen mit, sich prügeln mit; 6. (box against) SPORT boxen gegen; 7. (oppose) bekämpfen, ankämpfen gegen; sb 8. Kampf m; 9. (fist ~) Schlägerei f, Prügelei f, Rauferei f; 10. (boxing match) SPORT Boxkampf m; 11. (argument) Streit m; 12. (~ing spirit) Kampfgeist m

fighting ['faɪtɪŋ] adj a ~ chance eine faire Chance f

figure ['fɪgə] v 1. (fam: make sense) passen; That ~s. Das hätte ich mir denken können. 2. (have its place) eine Rolle spielen; 3. (US: reckon) glauben, schätzen; 4. ~ on sth (US) mit etw rechnen; sb 5. (human form) Gestalt f, (shapeliness) Figur f; cut a fine ~ gut aussehen, elegant aussehen; 6. (character) Persönlichkeit f; a public ~ eine Persönlichkeit des öffentlichen Lebens; 7. ~ of speech Redewendung f; 8. (number) Zahl f; (digit) Ziffer f; (sum) Summe f; 9. (geometric) Figur f

file [faɪl] v 1. (put in files) ablegen, abheften, einordnen; 2. (a petition, a claim) einreichen, erheben; sb 3. (row) Reihe f; in single ~ im Gänsemarsch; 4. Akte f; on ~ bei den Akten; 5. (holder) Aktenordner m, Aktenhefter m, Sammelmappe f; 6. INFORM Datei f, Datenblock mit Adresse m

• **file in** v hereinmarschieren, nacheinander hereinkommen

filet ['fɪlɪt] sb GAST Filet n

filing cabinet ['faɪlɪŋkæbɪnət] sb Aktenschrank m

fill [fɪl] v 1. füllen; 2. (a job opening) besetzen, (take a job opening) einnehmen; 3. (a tooth) füllen, plombieren; 4. (a pipe) stopfen; 5. (permeate) erfüllen; sb 6. eat one's ~ sich satt essen; have had one's ~ of sth (fig) von etw die Nase voll haben

• **fill in** v 1. ~ for s.o. für jdn einspringen; 2. (a form) ausfüllen, (information) eintragen; 3. fill s.o. in on sth jdn ins Bild setzen; 4. (a hole) ausfüllen

• **fill out** v 1. (in shape) fülliger werden; (face) voller werden; 2. (a form) ausfüllen

filling ['fɪlɪŋ] sb 1. (for a tooth) Plombe f, Füllung f; 2. GAST Füllung f; adj 3. sättigend

film [fɪlm] *v 1.* filmen, drehen; *(adapt for the screen)* verfilmen; *sb 2.* Film *m*; *3. (thin layer)* Film *m*, Schicht *f*; *(on the eye)* Schleier *m*; *4. (membrane)* Membrane *f*, Häutchen *n*

film star [fɪlm stɑː] *sb* Filmstar *m*

filth [fɪlθ] *sb 1.* Schmutz *m*, Dreck *m*; *2. (fig)* Schweinerei *f*; *3. (disreputable people)* Dreckspack *n*, Abschaum *m*

filthy [ˈfɪlθɪ] *adj 1.* schmutzig, dreckig; *rich (fam)* stinkreich; *2. (obscene)* unanständig, schweinisch

final [ˈfaɪnl] *adj 1. (last)* letzte(r,s); *2. (definite)* endgültig; *sb 3.* SPORT Finale *n*, Endspiel *n*

finally [ˈfaɪnəlɪ] *adv 1. (at long last)* endlich; *2. (lastly)* schließlich, zum Schluss; *3. (eventually)* schließlich; *4. (definitely)* endgültig

finance [ˈfaɪnæns] *v 1.* finanzieren; *sb 2.* Finanz *f*, Finanzwesen *n*; *3. ~s pl* Finanzen *pl*, Vermögenslage *f*, Finanzlage *f*

find [faɪnd] *v irr 1.* finden; *2. (locate and provide)* besorgen; *3. to be found* vorkommen, zu finden sein; *4. ~ o.s. (in a certain situation)* sich befinden; *5. (ascertain, notice)* feststellen, herausfinden; *6. (consider to be)* finden, empfinden; *7.* JUR finden für, erklären für; *sb 8.* Fund *m*, Entdeckung *f*

finder's fee [ˈfaɪndəz fiː] *sb* Finderlohn *m*

fine¹ [faɪn] *adj 1.* fein; *2. (very good)* fein, prächtig, großartig; *3. (elegant)* fein, vornehm, elegant; *4. (OK)* in Ordnung, gut

fine² [faɪn] *v 1.* mit einer Geldstrafe belegen; *sb 2.* Geldstrafe *f*, Bußgeld *n*

finger [ˈfɪŋgə] *sb 1.* Finger *m*; *cross one's ~s (fig)* die Daumen halten; *put one's ~ on sth* den Kern der Sache treffen; *have green ~s (fig/UK)* einen grünen Daumen haben; *He won't lift a ~.* Er macht keinen Finger krumm. *v 2.* herumfingern an; *3. (US: accuse)* verpfeifen

fingered [ˈfɪŋgəd] *adj ... ~ mit ...* Fingern

fingerprints [ˈfɪŋgəprɪnts] *pl* Fingerabdrücke *pl*

finish [ˈfɪnɪʃ] *v 1. (come to an end)* enden, zu Ende gehen; *2.* SPORT das Ziel erreichen; *~ fourth* Vierter werden, den vierten Platz belegen; *3. (sth)* beenden, abschließen; *4. (complete)* vollenden, beendigen, fertig stellen; *~ (reading) a book* ein Buch zu Ende lesen; *5. (give ~ to)* den letzten Schliff geben; *(furniture)* polieren; *sb 6. (end)* Ende *n*, Schluss *m*; *7.* SPORT Finish *n*; *(line)* Ziel *n*; *8. (of an object)* Ausführung *f*; *(polish)* Politur *f*; *(paintwork)* Lack *m*

finished [ˈfɪnɪʃt] *adj 1. (done)* fertig; *2. (exhausted, ruined)* erledigt; *3. (woodwork, metal)* fertig bearbeitet; *(polished)* poliert; *(varnished)* lackiert

fire [faɪə] *v 1. (fam: dismiss)* feuern (fam); *2. (a gun)* abschießen; *(a shot)* abfeuern; *(a rocket)* zünden; *3. Fire away!* Schieß los! *4. (pottery)* brennen; *sb 5.* Feuer *n*; *build a ~* Feuer machen; *play with ~ (fig)* mit dem Feuer spielen; *6. (house ~, forest ~)* Brand *m*; *catch ~* in Brand geraten; *set on ~* anzünden; *7. line of ~* Schusslinie *f*

fire alarm [ˈfaɪərəlɑːm] *sb 1.* Feueralarm *m*; *2. (device)* Feuermelder *m*

firearm [ˈfaɪərɑːm] *sb* Schusswaffe *f*, Feuerwaffe *f*

fire brigade [ˈfaɪəbrɪgeɪd] *sb* Feuerwehr *f*

fire-fighter [ˈfaɪəfaɪtə] *sb (fireman)* Feuerwehrmann *m*

fireman [ˈfaɪəmən] *sb* Feuerwehrmann *m*

fireproof [ˈfaɪəpruːf] *adj* feuerfest, feuersicher

fireworks [ˈfaɪəwɜːks] *pl* Feuerwerk *n*

firm [fɜːm] *adj 1.* fest; *sb 2.* Firma *f*, Unternehmen *n*, Betrieb *m*

first [fɜːst] *adj 1.* erste(r,s); *adv 2.* zuerst; *(before anyone else)* als Erster; *head ~* kopfvoraus; *3. (~ of all)* als Erstes, zunächst; *4. (in reciting a list)* erstens; *5. at ~* zuerst, anfangs, zunächst; *6. (rather)* lieber, eher

first aid [fɜːst ˈeɪd] *sb* erste Hilfe *f*

first-class [ˈfɜːstklɑːs] *adj* erstklassig, ausgezeichnet, prima

first floor [fɜːst flɔː] *sb 1. (UK)* erster Stock *m*; *2. (US)* Erdgeschoss *n*

firsthand [fɜːstˈhænd] *adj* aus erster Hand, direkt

firstly [ˈfɜːstlɪ] *adv* erstens, zuerst einmal

first-rate [ˈfɜːstreɪt] *adj* erstklassig, prima

fiscal [ˈfɪskəl] *adj* fiskalisch, Finanz...

fish [fɪʃ] *sb 1.* Fisch *m*; *feel like a ~ out of water* sich fehl am Platze fühlen; *have other ~ to fry* Wichtigeres zu tun haben; *a queer ~* ein komischer Kauz *m*; *v 2.* fischen; *(with a rod)* angeln; *(~ a river)* abfischen; *~ for sth* nach etw angeln; *3. ~ out* hervorholen, hervorkramen; *4. ~ for* angeln auf; *(fig: ~ for compliments)* fischen nach; *(fig: ~ for information)* aus sein auf

fisherman [ˈfɪʃəmən] *sb 1.* Fischer *m*; *2. (amateur)* Angler *m*

fish-finger [ˈfɪʃfɪŋgə] *sb* GAST Fischstäbchen *n*

fishing [ˈfɪʃɪŋ] *sb* Fischen *n*, Angeln *n*

fishy ['fɪʃɪ] *adj (suspicious)* verdächtig, faul

fist [fɪst] *sb* Faust *f*

fit [fɪt] *v irr 1.* passen; *2. (match)* entsprechen; *3. (sth)* passen auf; *(key)* passen in; *(clothes)* passen; *v 4. (attach)* anbringen, montieren; *5. ~ with (provide with)* ausstatten mit; *adj 6. (healthy)* gesund, fit; *keep ~* sich fit halten; *7. (for sth; capable of sth)* fähig, tauglich; *8. (suited for)* geeignet; *adv 9. (of clothes)* Passform *f*; *10. MED* Anfall *m*; *have a ~ (fam)* einen Wutanfall bekommen; *~ of laughter* Lachkrampf *m*

fitness ['fɪtnɪs] *sb 1. (for a job)* Eignung *f*; *2. (physical ~)* Fitness *f*

fitting ['fɪtɪŋ] *adj 1.* passend, geeignet, angemessen; *sb 2. (trying on)* Anprobe *f*; *3. ~s pl* Beschläge *pl*, Zubehör *n*

fitting room ['fɪtɪŋ ruːm] *sb (in a shop)* Anproberaum *m*, Umkleideraum *m*

fix [fɪks] *v 1. (make firm)* befestigen, festmachen, anheften; *2. (set, decide)* festsetzen, festlegen, bestimmen; *3. (attention, gaze)* richten, heften; *4. (arrange)* arrangieren; *5. (a sporting event)* manipulieren; *6. (repair)* reparieren, in Ordnung bringen; *7. (prepare) (a drink)* mixen; *(a meal)* zubereiten; *8. FOTO* fixieren; *sb 9. (difficult situation)* Klemme *f*, Patsche *f*; *to be in a ~* in der Klemme sitzen, in der Patsche sitzen; *10. (~ed fight, ~ed race)* Schiebung *f*, Bestechung *f*

fixation [fɪk'seɪʃən] *sb PSYCH* Fixierung *f*

fixed [fɪkst] *adj 1.* fest; *2. (smile, gaze)* starr

fixed assets [fɪkst 'æsets] *pl FIN* feste Anlagen *pl*

fixed costs [fɪkst kɒsts] *pl ECO* Festkosten *pl*

fizz [fɪz] *v* sprudeln

flabbergasted ['flæbəgɑːstɪd] *adj (fam)* platt, verblüfft

flabby ['flæbɪ] *adj (stomach)* schwammig, wabbelig

flag [flæg] *sb 1.* Fahne *f*; *2. (of a country)* Flagge *f*; *v 3. (slacken)* erlahmen, nachlassen

flagpole ['flægpəʊl] *sb* Fahnenstange *f*

flair [fleə] *sb 1. (stylishness)* Flair *n*; *2. (talent)* Talent *n*; *3. (sense for sth)* Gespür *n*

flake [fleɪk] *sb 1.* Flocke *f*; *2. (of paint)* Splitter *m*; *3. (of skin)* Schuppe *f*

flamboyant [flæm'bɔɪənt] *adj (person)* extravagant

flame [fleɪm] *sb* Flamme *f*; *to be in ~s* in Flammen stehen

flammable ['flæməbl] *adj* feuergefährlich, leicht entzündlich

flank [flæŋk] *v 1.* flankieren; *sb 2.* Flanke *f*; *(of a building)* Seite *f*

flap [flæp] *v 1. (wings)* schlagen, *(sails)* flattern; *sb 2.* Klappe *f*; *3. (fam: commotion)* Aufregung *f*

flare [fleə] *sb 1. (signal)* Leuchtsignal *n*; *2. (shot from a gun)* Leuchtrakete *f*; *v 3. (nostrils)* sich blähen; *4. (match)* aufleuchten

flash [flæʃ] *v 1.* blinken, blitzen; *2. (move quickly)* sich blitzartig bewegen, sausen, flitzen; *3. (a light)* aufleuchten lassen; *(a message)* blinken; *~ s.o. a glance* jdm einen Blick zuwerfen; *4. (quickly show)* kurz zeigen; *5. (show off)* zur Schau tragen, protzen mit; *sb 6. (of lightning)* Blitz *m*; *7. in a ~ (fig)* blitzschnell, im Nu; *8. ~ in the pan* Eintagsfliege *f*, Strohfeuer *m*; *9. (of headlights)* Lichthupe *f*; *10. FOTO* Blitzlicht *n*; *11. news* ~ Kurzmeldung *f*

• **flash back** *v 1. ~ to* CINE zurückblenden auf; *2. (fig)* sich zurückversetzen in

flashback ['flæʃbæk] *sb* Rückblende *f*

flashlight ['flæʃlaɪt] *sb (US)* Taschenlampe *f*

flashy ['flæʃɪ] *adj* protzig

flat [flæt] *adj 1.* flach, eben, platt; *2. (drink)* schal, abgestanden; *3. (~ on the ground)* hingestreckt, flach am Boden liegend; *knock s.o. ~* jdn umhauen; *4. (refusal)* glatt, deutlich; *5. (market)* ECO lau, lahm, lustlos; *6. (rate)* Pauschal...; *~ fee* Pauschalgebühr *f*; *adv 7.* platt; *~ broke* total pleite; *in five seconds ~* in genau fünf Sekunden; *in nothing ~* blitzschnell; *8. fall ~* der Länge nach hinfallen; *(fig: fail)* danebengehen; *sb 9. (of a hand)* Fläche *f*; *10. (of a blade)* flache Seite *f*; *11. (dwelling)(UK)* Wohnung *f*; *12. GEOL* Ebene *f*; *13. (~ tyre)* Panne *f*

flatmate ['flætmeɪt] *sb* Mitbewohner *m*

flatter ['flætə] *v* schmeicheln; *to be ~ed* sich geschmeichelt fühlen

flattering ['flætərɪŋ] *adj* schmeichelhaft

flattery ['flætərɪ] *sb* Schmeichelei *f*

flavour ['fleɪvə] *sb 1.* Geschmack *m*; *(fig)* Beigeschmack *m*; *v 2.* Geschmack geben

flaw [flɔː] *sb 1.* Fehler *m*; *2. (fig)* Mangel *m*

flawless ['flɔːlɪs] *adj 1.* fehlerlos, einwandfrei, tadellos; *2. (complexion)* makellos; *3. (gem)* lupenrein

flay [fleɪ] *v 1. (skin an animal)* abhäuten; *2. (whip)* auspeitschen; *3. (fig: with criticism)* kein gutes Haar lassen an

flea [fliː] *sb* Floh *m*

flea-bitten ['fliːbɪtn] *adj (fig)* vergammelt

fleece [fli:s] *sb 1.* Vlies *n,* Schaffell *n; v 2. (fig)* ~ s.o. jdn schröpfen

fleeting ['fli:tɪŋ] *adj 1.* flüchtig; *2. (beauty)* vergänglich

flesh [fleʃ] *sb* Fleisch *n; in the ~* höchstpersönlich, leibhaftig, in Person

flex [fleks] *v 1. (knees)* beugen; *2.* ~ *one's muscles* die Muskeln anspannen, seine Muskeln spielen lassen

flexible ['fleksəbl] *adj 1.* biegsam, elastisch; *2. (fig)* flexibel

flicker ['flɪkə] *v 1.* flackern, flimmern; *(eyelid)* zucken; *2.* Flackern *n,* Flimmern *n, (of an eyelid)* Zucken *n; 3.* a ~ *of hope* ein Hoffnungsschimmer *m*

flight [flaɪt] *sb 1.* Flug *m; 2. (of birds, of insects)* ZOOL Schwarm *m; 3. (act of fleeing)* Flucht *f; take* ~ die Flucht ergreifen; *4. (of stairs)* Treppe *f*

flight attendant ['flaɪtətendənt] *sb (female)* Stewardess *f; (male)* Steward *m*

flimsy ['flɪmzɪ] *adj 1.* dünn, leicht, schwach; *2. (fig: excuse)* fadenscheinig, schwach

fling [flɪŋ] *v irr 1.* schleudern, werfen; ~ *open a door* eine Tür aufreißen; ~ *o.s. at s.o. (fig)* sich jdm an den Hals werfen; *sb 2.* Wurf *m; have one's* ~ sich austoben; *3.* Anlauf *m*

flint ['flɪnt] *sb* Feuerstein *m,* Flint *m*

flip [flɪp] *v 1. (~ over)* wenden, umdrehen; *2. (fam: lose one's mind) (~ out)* ausflippen, durchdrehen; *sb 3. (somersault)* Salto *m*

flip-flop ['flɪpflɒp] *sb do* a ~ *on sth (US)* seine Meinung um 180 Grad ändern

flipper ['flɪpə] *sb 1.* ZOOL Flosse *f; 2. (diver's)* Schwimmflosse *f*

flirt [flɜ:t] *v 1.* flirten; ~ *with an idea* mit einem Gedanken liebäugeln; ~ *with disaster* mit dem Feuer spielen; *sb 2.* Flirt *m*

float [fləʊt] *v 1.* schwimmen, im Wasser treiben; *2. (in the air)* schweben; *sb 3. (in a parade)* Festwagen *m; 4. (anchored raft)* Floß *n; 5. (on a fishing line)* Schwimmer *m*

flock [flɒk] *v 1.* in Scharen kommen; ~ *around s.o.* sich um jdn scharen, sich um jdn drängen; *sb 2. (of sheep, of geese)* Herde *f; 3. (of birds)* Schar *f*

flood [flʌd] *v 1.* überschwemmen, überfluten; ~ *the market (fig)* den Markt überschwemmen; *sb 2.* Flut *f; 3. (disaster)* Überschwemmung *f*

floor [flɔ:] *sb 1.* Boden *m,* Fußboden *m; 2. (for dance)* ~ Tanzfläche *f; 3. (storey)* Stock *m,* Stockwerk *n,* Geschoss *n; on the second ~*

(UK) im zweiten Stock, *(US)* im ersten Stock; *4. (minimum)* Minimum *n*

floored [flɔ:d] *adj (speechless)* sprachlos

floor space ['flɔ:speɪs] *sb* Bodenfläche *f*

flop [flɒp] *v 1. (into a chair)* sich plumpsen lassen; *2. (fish)* zappeln; *3. (fam: fail)* danebengehen; *sb 4. (failure)* Flop *m (fam); 5. (person)* Niete *f*

floppy disk ['flɒpɪ'dɪsk] *sb* INFORM Diskette *f*

florist ['flɒrɪst] *sb* Blumenhändler *m,* Florist(in) *m/f*

flotsam ['flɒtsəm] *sb* ~ *and jetsam* Strandgut *n; (floating)* Treibgut *n*

flounce [flaʊns] *v* herumstolzieren

flounder ['flaʊndə] *sb 1.* ZOOL Flunder *f; v 2. (fig)* ins Schwimmen kommen

flour ['flaʊə] *sb* Mehl *n*

flout [flaʊt] *v* missachten

flow [fləʊ] *v 1.* fließen; *2. (tears)* strömen; *3.* ~ *into* münden; *4.* ~ *out of* herausströmen aus; *5. (prose)* flüssig sein; *sb 6.* Fluss *m*

flower ['flaʊə] *sb 1.* Blume *f; 2. (blossom)* Blüte *f; v 3.* blühen

flower-bed ['flaʊəbed] *sb* Blumenbeet *n*

flowing ['fləʊɪŋ] *adj 1.* fließend; *2. (hair)* wallend; *3. (style)* flüssig

flu [flu:] *sb (fam)* Grippe *f*

fluctuate ['flʌktjʊeɪt] *v* schwanken

fluency ['flu:ənsɪ] *sb (of style)* Flüssigkeit *f; No one knew about her* ~ *in French.* Keiner wusste, dass Sie fließend Französisch sprach.

fluent ['flu:ənt] *adj* fließend

fluffy ['flʌfɪ] *adj 1.* flaumig; *2. (toy)* kuschelig

fluid ['flu:ɪd] *adj 1.* flüssig; *2. (drawing)* fließend; *sb 3.* Flüssigkeit *f*

flunk [flʌŋk] *v (fam: receive a failing grade)* durchrasseln

fluorescent [flʊə'resnt] *adj* fluoreszierend, schillernd

fluorine ['flʊəri:n] *sb* CHEM Fluor *n*

flurry ['flʌrɪ] *sb 1. (of snow)* Gestöber *n; 2. (of activity)* Hektik *f*

flush [flʌʃ] *v 1. (face)* rot werden, rot anlaufen; *2. (toilet)* spülen; ~ *down* hinunterspülen; *sb 3. (of a toilet)* Spülung *f; 4. (of excitement)* Welle *f; 5. (poker)* Flush *m; adj 6.* bündig; ~ *against* direkt an

flustered ['flʌstəd] *adj* durcheinander

fly [flaɪ] *v irr 1.* fliegen; *2. (flag)* wehen; *3. (move quickly)* sausen, fliegen; *4. (fig: time)* verfliegen, fliegen; *5.* ~ *into a rage* in Wut geraten; *6. (a flag)* wehen lassen, *(hoist)* hissen;

sb 7. ZOOL Fliege *f; I would like to be a ~ on the wall.* Da würde ich gern Mäuschen spielen. 8. *(on trousers)* Schlitz *m*, Hosenschlitz *m*
• **fly away** *v irr* wegfliegen, fortfliegen
• **fly in** *v irr* einfliegen

flying saucer ['flaɪɪŋ 'sɔːsə] *sb* fliegende Untertasse *f*

flying squad ['flaɪɪŋ skwɒd] *sb (UK)* Überfallkommando *n*

flyweight ['flaɪweɪt] *sb* SPORT Fliegengewicht *n*, Fliegengewichtler *m*

foam [fəʊm] *v* 1. schäumen; *~ at the mouth (fig)* schäumen vor Wut; *sb* 2. Schaum *m*

focus ['fəʊkəs] *v* 1. *~ on* sich konzentrieren auf, sich richten auf; 2. *(sth) (camera)* einstellen; *(light rays)* bündeln; *v* 3. FOTO Brennpunkt *m*; 4. *(fig)* Brennpunkt *m*, Mittelpunkt *m*; 5. *in ~* FOTO *(camera)* eingestellt, *(photo)* scharf

fog [fɒg] *sb* 1. Nebel *m; v* 2. *~ up, ~ over* beschlagen

foggy ['fɒgɪ] *adj* 1. neblig; 2. *(fig)* unklar

fog light [fɒg laɪt] *sb* Nebelscheinwerfer *m*

foil¹ [fɔɪl] *v* 1. vereiteln, durchkreuzen; *~ s.o.* jdm einen Strich durch die Rechnung machen; *sb* 2. Folie *f*

fold¹ [fəʊld] *v* 1. falten, zusammenfalten; 2. *(close down)* eingehen; 3. *(one's arms)* verschränken; *sb* 4. Falte *f*

folder ['fəʊldə] *sb* 1. Aktendeckel *m*, Mappe *f*, Schnellhefter *m*; 2. *(brochure)* Faltblatt *n*, Broschüre *f*

folk [fəʊk] *pl* Leute *pl; ~s* Leute *pl; my ~s* meine Eltern

follow ['fɒləʊ] *v* 1. folgen; *as ~s* folgendermaßen, wie folgt; 2. *(logically)* folgen, sich ergeben; *It ~s from this ...* Hieraus folgt ... *It doesn't ~!* Das ist nicht unbedingt so! 3. *(advice)* befolgen, folgen; 4. *(pursue)* folgen, verfolgen; 5. *(take an interest in)* (news, a TV show, the progress of sth) verfolgen; *(sports)* sich interessieren für; 6. *(understand)* folgen

follow-through ['fɒləʊθruː] *sb (in tennis)* SPORT Durchschwung *m*

follow-up ['fɒləʊʌp] *sb* 1. Weiterfolgen *n*, Weiterführen *n*; 2. *a ~ letter* ein Nachfassschreiben *n*

fond [fɒnd] *adj* 1. *(loving)* zärtlich, liebevoll; 2. *(wish)* sehnlich; 3. *to be ~ of* mögen, gern haben

food [fuːd] *sb* Essen *n*, Nahrung *f, (for animals)* Futter *n*

food court ['fuːdkɔːt] *sb* Atrium mit Restaurants in einem Einkaufszentrum *n*

fool [fuːl] *sb* 1. Narr *m*/Närrin *f*, Dummkopf *m*, Idiot *m*/Idiotin *f; make a ~ of s.o.* jdn blamieren, jdn zum Narren machen; *make a ~ of o.s.* sich blamieren, sich lächerlich machen; *She's nobody's ~.* Sie lässt sich nichts vormachen; *v* 2. *(trick)* hereinlegen, täuschen; 3. *~ around, ~ about* herumalbern; *(waste time)* herumtrödeln

foolish ['fuːlɪʃ] *adj* dumm, töricht

foolscap ['fuːlskæp] *sb* Papierformat 13 1/2 x 17 Zoll

foot [fʊt] *sb* 1. Fuß *m; on ~* zu Fuß; *My ~!* Quatsch! *set ~ in* eintreten in; *jump to one's feet* aufspringen; *have one's feet on the ground (fig)* mit beiden Beinen auf dem Boden stehen; *land on one's feet (fig)* auf die Beine fallen; *to be back on one's feet (fig)* wieder auf den Beinen sein; *get cold feet* kalte Füße bekommen; *put one's ~ down (fig)* ein Machtwort sprechen, *(forbid)* es strikt verbieten; *put one's ~ in it (fig)* ins Fettnäpfchen treten; *v* 2. *(~ the bill)* bezahlen, begleichen

football ['fʊtbɔːl] *sb* 1. *(game)* Fußball *m*; 2. *(US)* American Football *m*; 3. *(ball)* Fußball *m*; 4. *(US: ball)* Football *m*

footing ['fʊtɪŋ] *sb* 1. Stand *m*, Halt *m; lose one's ~* den Halt verlieren; 2. *(fig)* Basis *f; on equal ~* auf gleicher Basis

footnote ['fʊtnəʊt] *sb* 1. Fußnote *f*; 2. *(fig)* Anmerkung *f*

footpath ['fʊtpɑːθ] *sb* 1. Fußweg *m*; 2. *(UK: pavement)* Bürgersteig *m*

for [fɔː] *prep* 1. für; *What ~?* Wozu? *What did you do that ~?* Warum hast du das getan? *~ and against* für und wider; *go ~ a walk* spazieren gehen; 2. *(in a trade ~)* gegen, für; 3. *(a purpose)* für, zu, um; 4. *(a period of time)* seit, *(during)* während, *(future)* für; *~ a week* eine Woche; *~ weeks* wochenlang; 5. *~ ever* für immer, für alle Zeit; 6. *(toward)* nach; 7. *(because of)* aus, wegen; *to be famous ~* ... wegen ... berühmt sein; *~ this reason* aus diesem Grund; 8. *(in spite of)* trotz; *~ all that* trotz alledem; *konj* 9. denn

forbid [fəˈbɪd] *v irr* 1. verbieten, untersagen; 2. *(make impossible)* unmöglich machen, ausschließen; *God ~!* Gott behüte!

force [fɔːs] *v* 1. zwingen; *~ s.o.'s hand* jdn zwingen; *~ a smile* gezwungen lächeln; 2. *(obtain by ~)* erzwingen; 3. *(~ open)* aufbrechen; 4. *~ sth on s.o.* jdm etw aufdrängen; *(conditions)* jdm etw auferlegen; *sb* 5. Kraft *f*, Macht *f; ~ of habit* Macht der Gewohnheit *f;* 6. *armed ~s pl* MIL Streitkräfte *pl; join ~s* sich zusammentun; 7. (of impact) Wucht f; 8. in ~ (applicable) in Kraft, geltend; 9. in ~ (in numbers) in großer Menge, in großer Zahl; 10. (of character) Stärke f; 11. (coercion) Gewalt f; by ~ gewaltsam, durch Gewalt

force-fed ['fɔːsfed] adj zwangsernährt

forceful ['fɔːsful] adj 1. (person) energisch, kraftvoll; 2. (argument) wirkungsvoll

fore [fɔː] sb 1. come to the ~ ins Blickfeld geraten, in den Vordergrund treten; adj 2. vordere(r,s)

forearm ['fɔːrɑːm] sb Unterarm m

foreboding [fɔː'bəʊdɪŋ] sb 1. (omen) Omen n; 2. (feeling) böse Ahnung f

forecast ['fɔːkɑːst] v 1. vorhersagen, voraussagen; sb 2. Voraussage f, Vorhersage f, Prognose f

forehead ['fɔːhed] sb ANAT Stirn f

foreign ['fɒrən] adj 1. ausländisch; 2. (strange) fremd

foreign affairs ['fɒrən ə'feəz] pl POL Außenpolitik f

foreign country ['fɒrən 'kʌntrɪ] sb Ausland n

foreign currency ['fɒrən 'kʌrənsɪ] sb FIN Devisen pl

foreigner ['fɒrənə] sb Ausländer m

foremost ['fɔːməʊst] adj erste(r,s), vorderste(r,s); (person) führend; first and ~ zualler-lererst

forerunner ['fɔːrʌnə] sb Vorläufer m

foresight ['fɔːsaɪt] sb Weitblick m

forest ['fɒrɪst] sb Wald m, Forst m

forestry ['fɒrɪstrɪ] sb Forstwesen n, Forstwirtschaft f

forethought ['fɔːθɔːt] sb Voraussicht f, Vorbedacht m

forever [fər'evə] adv 1. (constantly) immer, ständig; 2. (US: for ever) für immer, für alle Zeit

forewarn [fɔː'wɔːn] v vorher warnen

foreword ['fɔːwəd] sb Vorwort n

forfeit ['fɔːfɪt] v JUR verwirken

forge [fɔːdʒ] v 1. (metal, a bond, a friendship) schmieden; 2. ~ ahead vorwärts kommen; 3. (counterfeit) fälschen; sb 4. (workshop) Schmiede f; 5. (furnace) Esse f

forget [fə'get] v irr 1. vergessen; ~ about vergessen; 2. ~ o.s. (behave improperly) sich vergessen, aus der Rolle fallen; 3. Forget it! Vergiss es! Schon gut! (there's no chance of that) Das kannst du vergessen

forgetful [fə'getful] adj 1. vergesslich; 2. (negligent) achtlos

forgive [fə'gɪv] v irr 1. verzeihen, vergeben; 2. (a debt) erlassen

forgotten [fə'gɒtn] adj vergessen

fork [fɔːk] sb 1. Gabel f; 2. (in a road) Gabelung f; v 3. sich gabeln

• fork over v (fam: money) blechen

fork-lift ['fɔːklɪft] sb Gabelstapler m

form [fɔːm] v 1. (come into being) sich bilden; (idea) Gestalt annehmen; 2. (take the shape of) bilden; 3. (shape) formen, gestalten; 4. (a plan) ausdenken, entwerfen, fassen; 5. (develop) entwickeln; (an opinion) sich bilden; (an impression) gewinnen; 6. (found, set up) gründen; (a government) bilden; 7. (a friendship) knüpfen, schließen; 8. (constitute) bilden; sb 9. Form f; a ~ of punishment eine Art der Bestrafung; it's bad ~ es schickt sich nicht; take ~ Form nehmen; 10. (document) Formular n, Vordruck m; 11. (class) (UK) Klasse f

formal ['fɔːməl] adj formell, förmlich

format ['fɔːmæt] v 1. INFORM formatieren; sb 2. (of a programme) Struktur f

former ['fɔːmə] adj 1. (onetime, previous) früher, ehemalig, vorig; 2. (first-mentioned) erstere(r,s), erstgenannte(r,s)

formerly ['fɔːməlɪ] adv früher; ~ known as ... früher als ... bekannt

formidable ['fɔːmɪdəbl] adj 1. (considerable) beachtlich, ernst zu nehmend; 2. (obstacle, task) gewaltig, ungeheuer, enorm; 3. (fearsome) Furcht erregend, schrecklich

formula ['fɔːmjʊlə] sb Formel f

forsake [fə'seɪk] v irr 1. (give up) aufgeben; 2. (abandon) im Stich lassen

fort [fɔːt] sb Fort n

forth [fɔːθ] adv 1. (out into view) hervor, vor, her; back and ~ hin und her; 2. (toward outside) hinaus; 3. (forward) voran, vorwärts; 4. (further) weiter; from this day ~ von diesem Tag an; and so ~ und so weiter; 5. hold ~ lang reden

forthwith ['fɔːθwɪθ] adv sofort, unverzüglich

fortify ['fɔːtɪfaɪ] v 1. MIL befestigen; 2. (a person) bestärken; 3. (food) anreichern

fortnight ['fɔːtnaɪt] sb vierzehn Tage pl

fortress ['fɔːtrɪs] sb Festung f

fortunate ['fɔːtʃənɪt] adj glücklich

fortune ['fɔːtʃən] sb 1. (luck) Glück n, glücklicher Zufall m; by sheer good ~ rein zufällig; 2. (fate) Schicksal n, Geschick n; tell ~s wahrsagen; 3. (money) Vermögen n; make a ~ ein Vermögen verdienen

fortune-teller ['fɔ:tʃəntelə] sb Wahrsagerin f; (man) Wahrsager m

forward ['fɔ:wəd] adv 1. vorwärts, (to the front, to a particular point) nach vorn; come ~ sich melden; from this day ~ von jetzt an; look ~ to sth sich auf etw freuen; adj 2. (in front) vordere(r,s); 3. (behaviour) dreist; v 4. (send on) nachsenden; 5. (dispatch) befördern; sb 6. SPORT Stürmer m, (in basketball) Flügelspieler m

forwarding ['fɔ:wədɪŋ] sb Versand m

forwarding address ['fɔ:wədɪŋ ə'dres] sb Nachsendeadresse f

foster ['fɒstə] v 1. fördern; 2. (a hope) hegen

fosterage ['fɒstərɪdʒ] sb 1. (child) Pflegekindschaft f; 2. (parents) Pflegeelternschaft f

foster child ['fɒstətʃɪld] sb Pflegekind n

foster parents ['fɒstəpærɪnts] pl Pflegeeltern pl

foul [faʊl] adj 1. (smell) übel, schlecht; 2. (air) schlecht, stinkig; 3. (weather, mood) ekelhaft, mies; 4. (language) unflätig, schmutzig; 5. (breath) übel riechend; sb 6. SPORT Foul n. Regelverstoß m; v 7. (make dirty) verschmutzen; 8. SPORT foulen

foul play [faʊl pleɪ] sb (in a murder) unnatürlicher Tod m

found [faʊnd] v 1. gründen; 2. to be ~ed on beruhen auf, sich stützen auf; 3. (an object) TECH gießen

foundation [faʊn'deɪʃən] sb 1. (founding) Gründung f, Errichtung f; 2. (institution) Stiftung f; 3. (of a building) ARCH Fundament n, Grundmauer f; 4. (fig: basis) Grundlage f, Basis f

fountain ['faʊntɪn] sb 1. Brunnen m; 2. (fig: source) Quelle f; 3. (jet, spurt) Fontäne f

four-eyes ['fɔ:raɪz] sb (fam) Brillenschlange f (fam)

four-letter word ['fɔ:letə'wɜ:d] sb Vulgärausdruck m

fowl [faʊl] sb ZOOL Geflügel n; neither fish nor ~ (fig) weder Fisch noch Fleisch

fox [fɒks] sb ZOOL Fuchs m; smart as a ~ schlau wie ein Fuchs

foxhole ['fɒkshəʊl] sb 1. Fuchsbau m; 2. MIL Schützenloch n

foxy ['fɒksɪ] adj 1. (sly) gerissen; 2. (lady)(US) scharf

fraction ['frækʃən] sb 1. MATH Bruch m; 2. (fig) Bruchteil m

fracture ['fræktʃə] v 1. MED brechen; sb 2. MED Bruch m, Fraktur f

fragile ['frædʒaɪl] adj 1. zerbrechlich; "~, handle with care" „Vorsicht, zerbrechlich"; 2. TECH brüchig; 3. (fig) schwach; (health) anfällig; (person) gebrechlich

fragment ['frægmənt] sb 1. Bruchstück n; 2. (shard) Scherbe f; 3. (an unfinished work) Fragment n

fragrance ['freɪgrəns] sb Duft m

fragrant ['freɪgrənt] adj duftend

frail [freɪl] adj 1. zart; 2. (old person) gebrechlich; 3. (health) anfällig

frame [freɪm] v 1. ~ s.o. for sth (fam) jdm etw anhängen (fam); 2. (a picture) rahmen; 3. (draw up) entwerfen; v 4. Rahmen m; 5. ~ of mind Stimmung f, Verfassung f; 6. CINE Einzelbild n; 7. (person's) Körperbau m; 8. (of a comic strip) Bild n; 9. ~s (of glasses) pl Rahmen m, Gestell n

franchise ['fræntʃaɪz] sb 1. ECO Konzession f; 2. POL Wahlrecht n

frank [fræŋk] adj 1. offen, ehrlich; to be perfectly ~ ... ehrlich gesagt ...; sb 2. (fam: sausage) GAST Würstchen n

frankly ['fræŋklɪ] adv (to be honest) ehrlich gesagt, offen gestanden

frantic ['fræntɪk] adj 1. (effort, scream) verzweifelt; 2. (activity) rasend; 3. (desire) übersteigert

fraud [frɔ:d] sb 1. Betrug m; 2. (person) Schwindler m

fraught [frɔ:t] adj geladen; ~ with meaning bedeutungsschwer; ~ with tension spannungsgeladen

fray [freɪ] v 1. (sth) ausfransen, durchscheuern, abnutzen; Tempers began to ~. Die Gemüter begannen sich zu erhitzen. sb 2. Schlägerei f; 3. MIL Kampf m

freak [fri:k] adj 1. verrückt, irr, anormal; sb 2. (abnormal person or animal) Missgeburt f, Monstrosität f; 3. (weird person) irrer Typ m, Spinner m; 4. (fam: enthusiast of sth) Narr m; v 5. ~ out (fam) ausflippen

freckle ['frekl] sb Sommersprosse f

free [fri:] v 1. befreien; 2. (release) freilassen; 3. (a knot, a tangle, a snag) lösen; adj 4. frei; you're ~ to ... Sie können ruhig ...; adv 5. (~ of charge) kostenlos, frei, gratis; get sth ~ etw umsonst bekommen

freebie ['fri:bi:] sb etwas Kostenloses

freedom ['fri:dəm] sb Freiheit f

free enterprise [fri: 'entəpraɪz] sb ECO freies Unternehmertum n

free-for-all ['fri:fərɔ:l] sb 1. Gerangel n; 2. (fight) Massenschlägerei f

freelance ['fri:lɑ:ns] v 1. freiberuflich tätig sein; 2. (fam: improvise) improvisieren; adj 3. freiberuflich, freischaffend

freeloader ['fri:ləʊdə] sb Schnorrer m

freeway ['fri:weɪ] sb (US) Autobahn f

freeze [fri:z] v irr 1. (become frozen) frieren; (liquid) gefrieren; (lake) zufrieren; 2. ~ to death erfrieren; 3. (keep still) in der Bewegung erstarren; Freeze! Keine Bewegung! 4. (assets) FIN festlegen; 5. (wages) stoppen; 6. GAST einfrieren; sb 7. Frost m, Kälte f; 8. (stoppage, halt) Stopp m

freezer ['fri:zə] sb 1. (compartment of a refrigerator) Gefrierfach n, Eisfach n, Tiefkühlfach n; 2. (~ chest) Gefriertruhe f

freezing ['fri:zɪŋ] adj 1. (weather) eiskalt; I'm ~! Mir ist eiskalt! sb 2. below ~ unter Null

freight [freɪt] sb 1. (goods transported) Fracht f, Frachtgut n, Ladung f; 2. (charge) ECO Fracht f, Frachtgebühr f

french fries ['frentʃfraɪz] pl (US) GAST Pommes frites pl

French horn [frentʃ hɔ:n] sb MUS Horn n, Waldhorn n

French kiss [frentʃ'kɪs] sb Zungenkuss m

frenzy ['frenzɪ] sb Wahnsinn m, Raserei f

frequency ['fri:kwənsɪ] sb 1. Häufigkeit f; 2. (broadcasting ~) PHYS Frequenz f

frequent ['fri:kwənt] adj häufig

frequent flyer ['fri:kwənt 'flaɪə] sb häufiger Flugreisende m/f

frequently ['fri:kwəntlɪ] adv oft, häufig

fresh [freʃ] adj 1. frisch; ~ water Süßwasser n; 2. (arrival, ideas, supplies, paper) neu; make a ~ start neu anfangen; 3. ~ from direkt aus, direkt von, frisch aus; 4. (cheeky) frech

freshen ['freʃn] v 1. ~ up (o.s.) sich frisch machen; 2. ~ a drink nachschenken

fresher ['freʃə] sb (UK) Erstsemester n (Studienanfänger)

freshman ['freʃmən] sb Student im ersten Semester m

fret [fret] v (worry) sich Sorgen machen

friction ['frɪkʃən] sb 1. PHYS Reibung f, Friktion f; 2. (fam) Reibungen pl, Reiberei f, Spannung f

fridge [frɪdʒ] sb (fam: refrigerator) Kühlschrank m

fried [fraɪd] adj gebraten, Brat...

friend [frend] sb 1. Freund/Freundin m/f; We're just good ~s. Wir sind nur gute Freunde. 2. (acquaintance) Bekannte(r) m/f; 3. make ~s with s.o. mit jdm Freundschaft schließen

friendly ['frendlɪ] adj freundlich, freundschaftlich

friendship ['frendʃɪp] sb Freundschaft f

fright [fraɪt] sb Schreck m

frighten ['fraɪtn] v 1. Angst machen, Angst einjagen; 2. (startle) erschrecken; 3. (thought) ängstigen

•**frighten away** v 1. abschrecken; 2. (deliberately) verscheuchen

frills [frɪlz] pl überflüssige Extras pl, Kinkerlitzchen pl (fam)

frisbee ['frɪzbi:] sb Frisbee n

frisk [frɪsk] v (search) durchsuchen, filzen

frizzy ['frɪzɪ] adj (hair) kraus

frock [frɒk] sb 1. Kleid n; 2. (monk's ~) Kutte f

frog [frɒg] sb Frosch m; have a ~ in one's throat einen Frosch im Hals haben

from [frɒm] prep 1. von; ~ ... until ... von ... bis ...; different ~ anders als; ten miles ~ Leeds zehn Meilen von Leeds entfernt; ~ now on ab jetzt; Where did you get that ~? Wo haben Sie das her? 2. (place of origin) aus; the man ~ Manchester der Mann aus Manchester; 3. (out of) aus

front [frʌnt] sb 1. Vorderseite f; 2. (forward part) Vorderteil n; 3. ARCH Fassade f, Vorderfront f; 4. (outward appearance) Fassade f (fig); 5. (for criminal activity) Tarnung f, Fassade f; 6. (military, weather) Front f; 7. in ~ vorne, an der Spitze; 8. in ~ of vorne; 9. up ~ vorne; (toward the front) nach vorne; adj 10. vorderste(r,s), vordere(r,s); (page, row) erste(r,s)

frontage ['frʌntɪdʒ] sb Front f, Vorderseite f

front door [frʌnt dɔ:] sb Haustür f, Vordertür f

front page [frʌntpeɪdʒ] sb Titelseite f

front-runner ['frʌntrʌnə] sb (favourite) Favorit m / Favoritin f

frost [frɒst] sb 1. Frost m; 2. (on the ground) Reif m; 3. Jack Frost Väterchen Frost m

frosting ['frɒstɪŋ] sb GAST Zuckerguss m

frosty ['frɒstɪ] adj frostig

frown [fraʊn] sb 1. Stirnrunzeln n; v 2. die Stirn runzeln

frozen ['frəʊzn] adj 1. gefroren; (food) tiefgekühlt; 2. (wages) ECO eingefroren

frugal ['fru:gəl] adj 1. sparsam, genügsam; 2. (meal) einfach

fruit [fru:t] sb 1. (in general) Obst n; 2. (one ~) Frucht f; 3. (fig) Frucht f; bear ~ Früchte tragen

fruit cocktail [fru:t'kɒkteɪl] sb Früchtecocktail m

fruitless ['fru:tlɪs] adj (fig) erfolglos, fruchtlos, vergeblich

fruit salad [fru:t'sæləd] sb GAST Obstsalat m

fruity ['fru:tɪ] adj fruchtig; have a ~ taste nach Obst schmecken

frustrate [frʌ'streɪt] v 1. ~ s.o. jdn frustrieren; 2. (plans) vereiteln

frustrated [frʌ'streɪtd] adj (feeling) frustriert

frustration [frʌ'streɪʃən] sb 1. (feeling) Frustration f; 2. (thwarting) Vereitelung f, Zerschlagung f

fry [fraɪ] v 1. GAST braten; sb 2. small ~ kleine Fische pl; (children) kleines Gemüse n

fryer ['fraɪə] sb 1. (pan) Bratpfanne f; 2. (suitable for frying) Bratgut n

frying-pan ['fraɪɪŋ pæn] sb Bratpfanne f; out of the ~, into the fire (fig) vom Regen in die Traufe

f-stop ['efstɒp] sb FOTO Blende f

fudge [fʌdʒ] sb 1. GAST eine Art Fondant m; v 2. (cheat slightly) schummeln

fuel [fjʊəl] sb 1. Brennstoff m; (for a plane, for a spacecraft) Treibstoff m; 2. (petrol) Benzin n; v 3. (sth) (propel) antreiben; 4. (a furnace) mit Brennstoff versorgen; 5. (a ship) auftanken

fulfil [fʊl'fɪl] v 1. erfüllen; 2. (a task) ausführen

fulfilment [fʊl'fɪlmənt] sb Erfüllung f

full [fʊl] adj 1. voll; ~ of o.s. von sich eingenommen; 2. in ~ ganz, vollständig; 3. (detailed) ausführlich, genau, vollständig; 4. (skirt) weitgeschnitten; 5. (had enough to eat) satt; adv 6. hit s.o. ~ in the face jdm mitten ins Gesicht schlagen

full-length ['fʊlleŋθ] adj 1. in voller Größe; 2. (portrait) lebensgroß; 3. (dress) bodenlang

full stop [fʊl stɒp] sb GRAMM Punkt m

full-time ['fʊltaɪm] adj 1. ganztägig, Ganztags...; ['fʊl'taɪm] adv 2. ganztags

fully ['fʊlɪ] adv völlig, voll und ganz

fume [fju:m] v 1. (fig) wütend sein, kochen (fam); sb 2. ~s pl Dämpfe pl, (of a car) Abgase pl

fun [fʌn] sb 1. Spaß m; for the ~ of it spaßeshalber, zum Spaß; Have ~! Viel Spaß! That sounds like ~. Das klingt gut. make ~ of s.o. sich über jdn lustig machen; adj 2. lustig, spaßig

function ['fʌŋkʃən] v 1. funktionieren; sb 2. Funktion f; 3. (duties) Aufgaben pl, Pflichten pl; 4. (official ceremony) Feier f

fund [fʌnd] v 1. (put up money for) das Kapital aufbringen für; sb 2. FIN Fonds m; 3. ~s pl Mittel pl, Gelder pl; to be short of ~s knapp bei Kasse sein

fundamental [fʌndə'mentl] adj 1. fundamental, grundlegend, wesentlich; sb 2. Grundlage f

funeral ['fju:nərəl] sb Begräbnis n, Beerdigung f, Bestattung f

funfair ['fʌnfeə] sb Volksfest n

funky ['fʌŋkɪ] adj (fam) irre, verrückt; (bizarre) bizarr

funny ['fʌnɪ] adj 1. lustig, komisch; 2. (strange) komisch, seltsam

funny bone ['fʌnɪ bəʊn] sb (fam) ANAT Musikantenknochen m

fur [fɜ:] sb 1. Pelz m, Fell n; 2. (coat) Pelzmantel m; 3. (on the tongue) MED Belag m

furious ['fjʊərɪəs] adj 1. (angry) wütend; 2. (vehement) heftig; 3. (struggle) wild

furnace ['fɜ:nɪs] sb Hochofen m, Schmelzofen m

furnish ['fɜ:nɪʃ] v 1. (equip) ausstatten, ausrüsten; 2. (a room) einrichten, ausstatten, möblieren; 3. (provide) liefern, beschaffen, geben

furniture ['fɜ:nɪtʃə] sb Möbel pl; piece of ~ Möbelstück n

further ['fɜ:ðə] adj 1. weiter; v 2. fördern

furthermore ['fɜ:ðəmɔ:] adv außerdem, überdies, ferner

furthest ['fɜ:ðɪst] adv am weitesten, so weit wie möglich

fury ['fjʊərɪ] sb 1. Wut f; 2. (of a struggle, of a wind) Heftigkeit f

fuse [fju:z] v 1. MET verschmelzen; 2. (fig) verschmelzen, vereinigen; sb 3. TECH Sicherung f; blow a ~ die Sicherung durchbrennen lassen; 4. (of an explosive) Zündschnur f

fuss [fʌs] v 1. sich unnötig aufregen; sb 2. Theater n; make a ~ about sth viel Aufhebens um etw machen

fussy ['fʌsɪ] adj (particular) heikel, wählerisch

future ['fju:tʃə] sb 1. Zukunft f; 2. in ~ in Zukunft, künftig; adj 3. zukünftig, künftig

futures ['fju:tʃəz] pl FIN Termingeschäfte pl

fuzz [fʌz] sb 1. (on a boy's chin, on a peach) Flaum m; 2. (sound) Unschärfen pl; 3. the ~ (fam: the cops) die Bullen pl

G

gab [gæb] v 1. quasseln; sb 2. *have the gift of ~ (fam)* ein gutes Mundwerk haben

gadget ['gædʒɪt] sb Vorrichtung f, Gerät n, Dingsda n

Gaelic ['geɪlɪk] sb Gälisch n

gaffer ['gæfə] sb 1. *(foreman)* Vorarbeiter m, Boss m; 2. *(old man)* Alter m, Opa m

gag [gæg] sb 1. Knebel m; 2. *(joke)* Gag m

gaiety ['geɪɪtɪ] sb Fröhlichkeit f, Heiterkeit f

gain [geɪn] v 1. gewinnen, erwerben, sich verschaffen; 2. *(profit)* profitieren; 3. *~ weight* an Gewicht zunehmen; 4. *~ (ground) on s.o. (close the gap)* jdm gegenüber aufholen, *(get further ahead)* den Vorsprung zu jdm vergrößern; sb 5. *(increase)* Zunahme f, Zuwachs m; 6. *(advantage)* Vorteil m; 7. *ECO* Gewinn m, Profit m; 8. *ill-gotten ~s* unrechtmäßiger Gewinn m, Sündengeld n (fam)

gal [gæl] sb *(fam)* Mädel n

gala ['gɑːlə] sb Galaveranstaltung f

galaxy ['gæləksɪ] sb Galaxie f

gale [geɪl] sb Sturm m

gallant ['gælənt] adj *(noble, chivalrous)* galant, höflich, ritterlich

gallery ['gælərɪ] sb Galerie f

gallon ['gælən] sb *(UK: 4.5459 litres/US: 3.7853 liters)* Gallone f

gallop ['gæləp] v 1. galoppieren; sb 2. Galopp m

galore [gə'lɔː] adv ... ~ jede Menge ...

gamble ['gæmbl] v 1. um Geld spielen; *~ with sth* etw aufs Spiel setzen; *~ away* verspielen; *~ sth on sth* etw auf etw setzen; 2. *(on the outcome of sth)* wetten; sb 3. *(fig)* Risiko n

gambler ['gæmblə] sb Spieler m

game [geɪm] sb 1. Spiel n; *play ~s with s.o. (fig)* mit jdm sein Spiel treiben; *beat s.o. at his own ~* jdn mit seinen eigenen Waffen schlagen; *give the ~ away (fam)* alles verraten; *play the ~ (fig)* sich an die Spielregeln halten; *The ~ is up.* Das Spiel ist aus. 2. *(sport)* Sport m; 3. *(for hunting)* Wild n; adj 4. *(willing)* bereit

game plan ['geɪmplæn] sb 1. Strategie für das Spiel f; 2. *(fig)* Strategie f

gammon ['gæmən] sb *GAST* geräucherter Schinken m

gander ['gændə] sb 1. *ZOOL* Gänserich m; 2. *take a ~ at sth* auf etw einen Blick werfen

gang [gæŋ] sb 1. *(of criminals)* Gang f, Bande f; 2. *(of workers, chain ~)* Kolonne f; 3. *(clique)* Clique f; v 4. *~ up on s.o.* sich gegen jdn zusammenrotten

gangland ['gæŋlænd] sb die kriminelle Unterwelt f

gangster ['gæŋstə] sb Gangster m, Verbrecher m

gap [gæp] sb 1. Lücke f; 2. *(chink)* Spalt m; 3. *(fig: gulf)* Kluft f; 4. *(time)* Zwischenraum m; 5. *(lead)* Vorsprung m; *close the ~* den Vorsprung aufholen

garage ['gærɑːʒ] sb 1. Garage f; 2. *(for repairs)* Reparaturwerkstatt f

garage band ['gærɑːʒ bænd] sb *MUS* Amateurrockgruppe f

garbage ['gɑːbɪdʒ] sb 1. Abfall m, Müll m; 2. Unsinn m

garble ['gɑːbl] v durcheinander bringen

garden ['gɑːdn] sb 1. Garten m; 2. *~s pl* Gartenanlagen pl

gardening ['gɑːdnɪŋ] sb Gartenbau m, Gartenarbeit f

garden path ['gɑːdən pɑːθ] sb *lead s.o. up the ~ (fig)* jdn an der Nase herumführen

gargle ['gɑːgl] v gurgeln

garlic ['gɑːlɪk] sb Knoblauch m

garment ['gɑːmənt] sb Kleidungsstück n

garnish ['gɑːnɪʃ] v 1. verzieren; 2. *GAST* garnieren; sb 3. Garnierung f

gas [gæs] sb 1. Gas n; 2. *(US: petrol)* Benzin n; *get ~* tanken; *step on the ~* Gas geben; v 3. *~ up (fam)* tanken, auftanken

gas-guzzler ['gæsgʌzlə] sb *(US) (fam)* Spritschlucker m

gasket ['gæskɪt] sb *TECH* Dichtung f

gasoline ['gæsəliːn] sb *(US)* Benzin n

gasp [gɑːsp] v 1. *(in surprise)* nach Luft schnappen; 2. *(continually)* keuchen; sb 3. tiefer Atemzug m, Laut des Erstaunens m

gas station ['gæssteɪʃən] sb *(US)* Tankstelle f

gastronomy [gæs'trɒnəmɪ] sb Gastronomie f

gate [geɪt] sb 1. Tor n; 2. *(garden ~)* Pforte f; 3. *(in an airport)* Flugsteig m

gate-crasher ['geɪtkræʃə] sb uneingeladener Gast m

gatehouse ['geɪthaʊs] sb Pförtnerhäuschen n

gateway ['geɪtweɪ] sb Tor n

gather ['gæðə] v 1. (come together) sich versammeln, sich ansammeln; 2. (bring together) sammeln; (people) versammeln; 3. (flowers) pflücken; 4. (fruit) AGR ernten; 5. (a harvest) einbringen; 6. (infer) schließen, folgern

gathering ['gæðərɪŋ] sb Versammlung f, Treffen n; (spontaneous) Ansammlung f

gauche [gəʊʃ] adj unbeholfen, ungeschickt

gaudy ['gɔːdɪ] adj 1. prächtig, auffällig; 2. (colours) grell

gauge [geɪdʒ] sb 1. TECH Messgerät n, Messer m, Anzeiger m; 2. (fig) Maßstab m; v 3. TECH eichen; 4. (fig) schätzen, abschätzen, beurteilen

gaunt [gɔːnt] adj (person) hager

gauze [gɔːz] sb Gaze f, Mull m

gawk [gɔːk] v glotzen

gawky ['gɔːkɪ] adj schlaksig, staksig

gay [geɪ] adj 1. (happy) fröhlich, lustig; 2. (colours) bunt; 3. (homosexual) homosexuell, schwul (fam); sb 4. (homosexual) Homosexuelle(r) m/f, Schwuler m (fam)

gaze [geɪz] v starren

gazette [ge'zet] sb 1. (paper) Zeitung f; 2. (UK: government publication) Amtsblatt n

gear [gɪə] sb 1. (of a car) Gang m; put into ~ einen Gang einlegen; change ~ schalten; ~s pl TECH Getriebe n; 2. (fam: garb) Kluft f; 3. (equipment) Ausrüstung f; 4. (fam: belongings) Sachen pl; v 5. (~ in) TECH eingreifen

gear box [gɪə bɒks] sb TECH Getriebe n

gee [dʒiː] interj (US) Mann! Na so was!

geek [giːk] sb Sonderling m

geezer ['giːzə] sb old ~ alter Kauz m

gem [dʒem] sb 1. Edelstein m; 2. (fig) Juwel n, Glanzstück n

gemination [dʒemɪ'neɪʃən] sb Verdopplung f

Gemini ['dʒemɪnaɪ] sb Zwillinge pl; I'm a ~. Ich bin Zwilling.

gemstone ['dʒemstəʊn] sb Edelstein m

gender ['dʒendə] sb Geschlecht n, Genus n

gender-bender ['dʒendəbendə] sb 1. (fam: man) weiblicher Typ m; 2. (fam: woman) Mannweib n

gender gap ['dʒendə gæp] sb (fam) Kluft zwischen den Geschlechtern f (fig)

gender-specific ['dʒendə spə'sɪfɪk] adj geschlechtsspezifisch

gene [dʒiːn] sb BIO Gen n, Erbfaktor m

genealogical [dʒiːnɪə'lɒdʒɪkəl] adj genealogisch

geaneral ['dʒenərəl] adj 1. allgemein; in ~ im Allgemeinen; the ~ public die Öffentlichkeit f; sb 2. MIL General m

general election ['dʒenərəl ɪ'lekʃən] sb POL allgemeine Wahlen pl

generally ['dʒenərəlɪ] adv 1. (usually) gewöhnlich, meistens; 2. (for the most part) im Allgemeinen, im Großen und Ganzen

general practitioner ['dʒenərəl præk'tɪʃənə] sb praktischer Arzt/praktische Ärztin m/f, Arzt/Ärztin für Allgemeinmedizin m/f

generate ['dʒenəreɪt] v erzeugen

generation [dʒenə'reɪʃən] sb 1. Generation f; 2. (act of generating) Erzeugung f

generation gap [dʒenə'reɪʃən gæp] sb Kluft zwischen den Generationen f

generous ['dʒenərəs] adj 1. großzügig; 2. (plentiful) reichlich, üppig

genetic [dʒɪ'netɪk] adj genetisch

genetic engineering [dʒɪ'netɪk endʒɪ'nɪərɪŋ] sb Genmanipulation f

genius ['dʒiːnɪəs] sb 1. (person) Genie n; 2. (quality) Genialität f

genocide ['dʒenəʊsaɪd] sb Genozid m, Völkermord m

genteel [dʒen'tiːl] adj fein, vornehm

gentle ['dʒentl] adj 1. sanft, leicht, zart; 2. (sound) leise; 3. (disposition) sanftmütig, liebenswürdig, freundlich; 4. (hint, reminder) zart

gentry ['dʒentrɪ] sb Landadel m, niederer Adel m

genuine ['dʒenjuɪn] adj 1. echt; 2. (artifact) authentisch, echt; 3. (offer) ernsthaft, ernst gemeint; 4. (sympathy, belief) aufrichtig; 5. (person, laugh) ungekünstelt

geographer [dʒɪ'ɒgrəfə] sb Geograf m

geography [dʒɪ'ɒgrəfɪ] sb Geografie f, Erdkunde f

geologist [dʒɪ'ɒlədʒɪst] sb Geologe/Geologin m/f

geology [dʒɪ'ɒlədʒɪ] sb Geologie f

geometric [dʒɪə'metrɪk] adj geometrisch

geometry [dʒɪ'ɒmɪtrɪ] sb Geometrie f

germ [dʒɜːm] sb Keim m

German measles [dʒɜːmən 'miːzlz] pl MED Röteln pl

German shepherd [dʒɜːmən 'ʃepəd] sb (US) Deutscher Schäferhund m

germinate ['dʒɜːmɪneɪt] v keimen

gerontology [dʒerən'tɒlədʒɪ] sb MED Gerontologie f, Altersforschung f

gesture ['dʒestʃə] v 1. gestikulieren; sb 2. Geste f

get [get] v irr 1. (become) werden; 2. ~ to know kennen lernen; 3. (arrive) kommen; ~ home nach Hause kommen; 4. ~ going (to be on one's way) gehen, sich auf den Weg machen; 5. ~ going TECH in Gang kommen; (fig) in Schwung kommen; 6. ~ to do sth die Möglichkeit haben, etw zu tun; 7. (receive) bekommen, kriegen, erhalten; ~ an idea auf eine Idee kommen; 8. (fetch) holen; 9. (obtain) sich besorgen, sich beschaffen, finden; 10. (take, transport) bringen; ~ sth to s.o. jdm etw zukommen lassen; 11. (understand) kapieren, mitbekommen, mitkriegen; Got it? Alles klar? Don't ~ me wrong. Versteh mich nicht falsch.

• **get around** v irr 1. (get about) (news) sich herumsprechen; (rumour) sich verbreiten; 2. (circumvent) herumkommen um, umgehen; 3. ~ to doing sth dazu kommen etw zu tun

• **get at** v irr 1. (gain access to) herankommen an; 2. (fam: mean) hinauswollen auf; What are you getting at? Worauf wollen Sie hinaus?

• **get away** v irr 1. wegkommen; 2. (criminal) entkommen; 3. (from sth) um etw herumkommen; 4. ~ with davonkommen mit; 5. (abscond with) entkommen mit

• **get by** v irr 1. (manage) auskommen, klarkommen; 2. (get past) vorbeikommen, durchkommen

• **get even** v irr ~ with s.o. mit jdm abrechnen, mit jdm quitt werden, es jdm heimzahlen

• **get on** v irr 1. (have a good relationship) sich verstehen, auskommen; 2. ~ with (continue with) weitermachen mit; Get on with it! Nun mach schon!

• **get over** v irr (recover from) hinwegkommen über, sich erholen von

• **get through** v irr durchkommen

• **get together** v irr 1. zusammenkommen; 2. get it together (fam) sich zusammenreißen

getaway ['getəweɪ] sb Flucht f, Entkommen n

get-together ['gettəgeðə] sb Treffen n, Zusammenkunft f

get-up ['getʌp] sb Aufmachung f

ghastly ['ɡɑːstlɪ] adj entsetzlich, grässlich

ghetto ['getəʊ] sb Getto n

ghost [ɡəʊst] sb Geist m, Gespenst n; not the ~ of a chance nicht die geringste Chance

ghost story ['ɡəʊststɔːrɪ] sb Gespenstergeschichte f, Schauermärchen n

ghost town [ɡəʊst taʊn] sb Geisterstadt f

ghost train [ɡəʊst treɪn] sb Geisterbahn f

ghostwrite ['ɡəʊstraɪt] v für jmd anderen schreiben, als Ghostwriter tätig sein

giant ['dʒaɪənt] adj 1. riesig, riesenhaft; sb 2. Riese m; 3. (fig) Riese m, Gigant m, Koloss m

gibberish ['dʒɪbərɪʃ] sb 1. Quatsch m; 2. (language) Kauderwelsch n

giddy ['ɡɪdɪ] adj 1. (dizzy) schwindlig; 2. (fig) leichtfertig

giddy-up [ɡɪdɪ'ʌp] interj vorwärts

gift [ɡɪft] sb 1. Geschenk n, Gabe f; 2. (talent) Begabung f, Gabe f, Talent n

gig [ɡɪɡ] sb (fam: concert) MUS Mucke f, Auftritt m, Konzert n

gigantic [dʒaɪ'ɡæntɪk] adj gigantisch

giggle ['ɡɪɡl] v kichern

gild [ɡɪld] v irr vergolden

gimmick ['ɡɪmɪk] sb Spielerei f, Knüller m (fam), Trick m

gimpy ['ɡɪmpɪ] adj (fam) He has a ~ knee. Er muss wegen seines Knies etwas humpeln.

gin [dʒɪn] sb Gin m

ginger ['dʒɪndʒə] sb 1. BOT Ingwer m; v 2. ~ up in Schwung bringen, auf Trab bringen

gingerly ['dʒɪndʒəlɪ] adv sachte, vorsichtig

gipsy ['dʒɪpsɪ] sb Zigeuner m

girl [ɡɜːl] sb Mädchen n

girlfriend ['ɡɜːlfrend] sb Freundin f

girl guide ['ɡɜːlɡaɪd] sb (UK) Pfadfinderin f

girlhood ['ɡɜːlhʊd] sb Kindheit f

girl scout ['ɡɜːlskaʊt] sb (US) Pfadfinderin f

giro account ['dʒaɪrəʊ ə'kaʊnt] sb (UK) ECO Girokonto n

give [ɡɪv] v irr 1. geben; 2. (as a present) schenken; 3. (yield, bend) nachgeben; 4. What ~s? Was ist los?

• **give out** v irr 1. (send out) aussenden, verteilen; 2. (make public) bekannt machen, herausgeben; 3. (break down) versagen

• **give up** v irr 1. (surrender) aufgeben, abtreten; 2. give o.s. up sich stellen; 3. (stop doing) aufhören mit, aufgeben, sein lassen

give-and-take [ɡɪvənd'teɪk] sb Geben und Nehmen n

giveaway ['ɡɪvəweɪ] sb 1. Verraten n; 2. (gift) Geschenk n; 3. (of prizes) Preisraten n

given ['ɡɪvən] adj 1. bestimmt; 2. ~ to neigend zu; konj 3. (in view of) angesichts; 4. (presupposing) vorausgesetzt

glacier ['ɡlæsɪə] sb Gletscher m

glad [ɡlæd] adj 1. froh, erfreut; to be ~ sich freuen; 2. (news) froh

gladiator ['glædɪeɪtə] *sb HIST* Gladiator *m*

gladly ['glædlɪ] *adv* gern, gerne

glamorous ['glæmərəs] *adj* glanzvoll, glamourös

glamour ['glæmə] *sb* Glamour *m*, Glanz *m*

glance [glɑːns] *v* 1. Blick *m*; *v* 2. blicken, einen Blick werfen; ~ *at* blicken auf

glancing ['glɑːnsɪŋ] *adj* a ~ *blow* ein Streifschlag

gland [glænd] *sb ANAT* Drüse *f*

glare [gleə] *v* 1. *(light)* grell leuchten, grell sein; 2. ~ *at s.o.* jdn böse anstarren; *sb* 3. *(light)* greller Schein *m*, blendendes Licht *n*; 4. *(stare)* wütender Blick

glass [glɑːs] *sb* 1. Glas *n*; *adj* 2. gläsern, Glas...

glasses ['glɑːsɪz] *pl (eye~)* Brille *f*

Glaswegian [glæs'wiːdʒən] *sb* 1. Glasgower *m*; *adj* 2. aus Glasgow

glaze [gleɪz] *v* 1. *(~ over: eyes)* glasig werden; 2. *(door, window)* verglasen; 3. *TECH* glasieren; 4. *GAST* glasieren; *sb* 5. Glasur *f*; 6. *ART* Lasur *f*

gleam [gliːm] *v* 1. schimmern, glänzen, leuchten; *sb* 2. schwacher Schein *m*, Schimmer *m*; *the* ~ *in her eye* das Funkeln ihrer Augen; 3. ~ *of hope* Hoffnungsschimmer *m*

glee [gliː] *sb* 1. Freude *f*, 2. *(malicious)* Schadenfreude *f*

glib [glɪb] *adj* 1. zungenfertig, glatt; 2. *(superficial)* oberflächlich

glide [glaɪd] *v* gleiten

glimpse [glɪmps] *v* 1. flüchtig zu sehen bekommen, einen Blick erhaschen von; *sb* 2. flüchtiger Blick *m*; 3. *(small insight into sth)* flüchtiger Eindruck *m*, kurzer Einblick *m*

glisten ['glɪsn] *v* glitzern, glänzen

glitter ['glɪtə] *v* 1. glitzern, funkeln; 2. *(fig)* strahlen, glänzen; *sb* 3. Glitzern *n*; 4. *(decoration)* Glitzerstaub *m*

gloat [gləʊt] *v* ~ *over* sich großtun mit, *(over s.o.'s misfortune)* sich hämisch freuen über

global ['gləʊbl] *adj* global, Welt...

globalization [gləʊbəlaɪ'zeɪʃən] *sb* Globalisierung *f*

global village ['gləʊbəl 'vɪlɪdʒ] *sb* die Welt als Dorf *f*

global warming ['gləʊbl 'wɔːmɪŋ] *sb* globale Erwärmung *f*

globe [gləʊb] *sb* 1. *(map)* Globus *m*; 2. *(sphere)* Kugel *f*; 3. *the* ~ *(Earth)* die Erde *f*, der Erdball *m*, die Erdkugel *f*

globetrotter ['gləʊbtrɒtə] *sb* Weltenbummler *m*, Globetrotter *m*

globulin ['glɒbjʊlɪn] *sb BIO* Globuline *pl*

gloom [gluːm] *sb* 1. Dunkel *n*, Düsterkeit *f*; 2. *(sadness)* Trübsinn *m*, düstere Stimmung *f*

glorious ['glɔːrɪəs] *adj* 1. *(marvellous)* herrlich, prächtig, wunderbar; 2. *(saint, victory)* glorreich

glory ['glɔːrɪ] *sb* 1. Ruhm *m*; 2. *(praise)* Ehre *f*; 3. *(magnificence)* Herrlichkeit *f*

glossary ['glɒsərɪ] *sb* Glossar *n*

glove [glʌv] *sb* Handschuh *m*; *fit like a ~* wie angegossen passen; *to be hand in ~ with s.o.* mit jdm unter einer Decke stecken

glove compartment ['glʌvkəmpɑːtmənt] *sb* Handschuhfach *n*

glow [gləʊ] *v* 1. glühen, leuchten, scheinen; *sb* 2. Glühen *n*, Leuchten *n*, Schein *m*

glue [gluː] *v* 1. kleben, leimen; ~*d to the spot* angewurzelt; 2. *keep one's eyes ~d to sth* eine nicht aus den Augen lassen; *sb* 3. Klebstoff *m*, Leim *m*

gluttony ['glʌtənɪ] *sb* Gefräßigkeit *f*, Völlerei *f*, Schlemmerei *f*

G-man ['dʒiːmæn] *sb (US)* FBI-Mann *m*

gnash [næʃ] *v* ~ *one's teeth* mit den Zähnen knirschen

go [gəʊ] *v irr* 1. gehen; ~ *for a walk* spazieren gehen; *it ~es without saying* das versteht sich von selbst; ~ *against* widerstreben; *Let ~!* Lass los! *Let me ~!* Lass mich los! *Let it ~ at that!* Lass es dabei bewenden! *There you ~ again!* Du fängst ja schon wieder an! *Here we ~ again.* Jetzt geht das schon wieder los. *Go for it!* Versuch's mal! 2. *(car)* fahren; 3. *(road)* führen; 4. *(happen, turn out)* gehen, ausgehen; *How's it ~ing?* Wie geht's? *How did it ~?* Wie war's? 5. *(become)* werden; ~ *mad* wahnsinnig werden; 6. *(belong)* hingehören, hingekommen; 7. *(travel)* reisen, fahren; 8. *(wear out)* kaputtgehen; *(eyesight, health)* nachlassen; *(brakes)* versagen; 9. *(disappear)* verschwinden; 10. *to be ~ing to do sth* etw tun werden; *I was going to do it.* Ich wollte es tun. 11. *(fam: say)* sagen; 12. *to ~ (US: food)* zum Mitnehmen; *sb* 13. *on the ~* auf Achse; 14. *have a ~ at sth (fam)* etw versuchen; *interj* 15. *Go!* Los!

• **go ahead** *v irr* 1. ~ *with sth* etw fortsetzen, etw fortführen; *interj* 2. Los! Nur zu!

• **go away** *v irr* weggehen

• **go by** *v irr* 1. *(time)* vergehen; 2. *(a chance)* vorbeigehen; 3. *(~ sth)* *(to be guided by)* sich richten nach; *(base a decision on)* gehen nach; 4. *He goes by the name Dave.* Er hört auf den Namen Dave.

•**go on** v irr 1. (continue) weitermachen, weitergehen; Go on! Weiter! (keep talking) Fahren Sie fort! 2. (happen) passieren; What's going on here? Was geht hier vor? 3. ~ for (last) dauern; 4. ~ and on (talk nonstop) unaufhörlich reden; 5. (lights) angehen; 6. (to be guided by) sich richten nach, sich stützen auf
• **go out** v irr 1. hinausgehen; 2. (on the town) fortgehen; (on a date) ausgehen; 3. (pamphlet) hinausgehen; 4. (to be extinguished) ausgehen
•**go through** v irr 1. (to be approved) durchgehen; 2. (sth)(search) durchsuchen; 3. (endure) durchmachen; 4. (use up) aufbrauchen; 5. ~ with (actually do) durchziehen, ausführen
• **go with** v irr 1. (accompany) begleiten; 2. ~ s.o. (date regularly) mit jdm ausgehen, mit jdm gehen; 3. ~ sth (fam: opt for sth) sich für etw entscheiden

goal [gəʊl] sb 1. SPORT Tor n; 2. (objective) Ziel n

goalie ['gəʊli] sb (fam) SPORT Keeper m, Schlussmann m

goalkeeper ['gəʊkli:pə] sb SPORT Torwart m, Torhüter m

goat [gəʊt] sb ZOOL Ziege f; get s.o.'s ~ (fam) jdn auf die Palme bringen

goatee [gəʊ'ti:] sb Spitzbart m

gob [gɒb] sb Klumpen n; ~s and ~s of ... eine ganze Menge ...

go-between ['gəʊbɪtwi:n] sb Mittelsmann m, Vermittler m

goblin ['gɒblɪn] sb Kobold m

gobsmacked ['gɒbsmækt] adj (fam)(UK) platt

god [gɒd] sb Gott m

God [gɒd] sb REL Gott m; ~ forbid! Gott behüte! so help me ~ so wahr mir Gott helfe; Thank ~. Gott sei Dank. man of ~ Diener Gottes m

godchild ['gɒdtʃaɪld] sb Patenkind n

goddaughter ['gɒddɔ:tə] sb Patentochter f

godfather ['gɒdfɑ:ðə] sb Pate m

god-fearing ['gɒdfɪərɪŋ] adj REL gottesfürchtig

godmother ['gɒdmʌðə] sb Patin f

godparent ['gɒdpɛərənt] sb Pate/Patin m/f

godson ['gɒdsʌn] sb Patensohn m

go-getter ['gəʊgetə] sb Draufgänger m, Ellbogentyp m

goggle-eyed ['gɒgəlaɪd] adj glotzäugig

goggles ['gɒglz] pl Schutzbrille f

goings-on [gəʊɪŋz'ɒn] pl Vorgänge pl, Dinge pl

gold [gəʊld] adj 1. golden; sb 2. Gold n; 3. (wealth) Geld n

golden ['gəʊldn] adj 1. golden; 2. (fig: opportunity) einmalig

golden rule ['gəʊldən ru:l] adj the ~ die Goldene Regel f

gold medal [gəʊld 'medl] sb Goldmedaille f

golf [gɒlf] sb Golf n

golf bag ['gɒlfbæg] sb Golftasche f

golf ball ['gɒlfbɔ:l] sb Golfball m

golf cart [gɒlf kɑ:t] sb (vehicle) Golfkarren m

golf club ['gɒlfklʌb] sb 1. (instrument) Golfschläger m; 2. (association) Golfklub m

golf course ['gɒlfkɔ:s] sb Golfplatz m

golfer ['gɒlfə] sb SPORT Golfer m

gollop ['gɒləp] v herunterschlingen, herunterwürgen

gone [gɒn] adj 1. weg, weggegangen, fort; 2. (missing) verloren, verschwunden; 3. (used up) weg, verbraucht

good [gʊd] adj 1. gut; feel ~ sich wohl fühlen; it's a ~ thing that es ist gut, dass; the ~ life das süße Leben; as ~ as so gut wie; Good morning! Guten Morgen! 2. (kind) gut, lieb; to be ~ to s.o. jdm gut sein; 3. (well-behaved) brav m, artig; 4. (favourable) gut, günstig; 5. to be ~ for (to be capable of) fähig sein zu; ~ for nothing zu nichts nütze; 6. make ~ wieder gutmachen; 7. (considerable) schön, beträchtlich, gut; ~ money (high wages) hoher Lohn; 8. in ~ time alles zu seiner Zeit; 9. (thorough) gut, gründlich, tüchtig; have a ~ look at sth sich etw genau ansehen; to s.o. 10. ~s pl Güter pl, Waren pl; Gute n; to be up to no ~ etw im Schilde führen; 11. (benefit) Wohl n; 12. (use) Nutzen m, Vorteil m; That won't do any ~. Das hilft auch nichts. 13. for ~ für immer, endgültig, ein für alle Mal; 14. ~s pl Güter pl, Waren pl

goodbye [gʊd'baɪ] interj 1. auf Wiedersehen; (said over the telephone) auf Wiederhören; say ~ to s.o. jdm auf Wiedersehen sagen, sich von jdm verabschieden; sb 2. Abschied m

goodness ['gʊdnɪs] sb Güte f; Goodness! Meine Güte! Thank ~! Gott sei Dank!

goody two-shoes [gʊdi 'tu:ʃu:z] sb Tugendlamm n

gooey [gu:i] adj klebrig

goof-off ['gu:fɒf] sb (US: person) Drückeberger m

goose [gu:s] sb Gans f; cook s.o.'s ~ (fig) jdm die Suppe versalzen

goose bumps ['guːsbʌmps] *pl get ~ (US)* eine Gänsehaut bekommen

goose pimples ['guːspɪmplz] *pl get ~ (UK)* eine Gänsehaut bekommen

goose-step ['guːsstep] *v* in Stechschritt marschieren

gore [gɔː] *sb* 1. geronnenes Blut *n*; *v* 2. durchbohren, aufspießen

gorge [gɔːdʒ] *v* 1. ~ o.s. on sth sich mit etw voll fressen, etw in sich hineinschlingen; *sb* 2. Schlucht *f*

gorgeous ['gɔːdʒəs] *adj* 1. herrlich, großartig, wunderbar; 2. *(woman)* hinreißend

gory ['gɔːrɪ] *adj* blutrünstig

gosh [gɒʃ] *interj* Mensch! Mann!

gossip ['gɒsɪp] *v* 1. plaudern, schwatzen; 2. *(maliciously)* klatschen, tratschen; *sb* 3. Klatsch *m*, Tratsch *m*; *(chat)* Schwatz *m*; 4. *(person)* Klatschbase *f*

gossip column ['gɒsɪpkɒləm] *sb* Klatschspalte *f*

gossipmonger ['gɒsɪpmʌŋgə] *sb* Klatschbase *f*

gothic ['gɒθɪk] *adj* gotisch

gourmet ['guəmeɪ] *sb* Feinschmecker *m*, Gourmet *m*

government ['gʌvənmənt] *sb* POL Regierung *f*

governor ['gʌvənə] *sb* 1. *(of a state)* Gouverneur *m*; 2. *(UK: of a bank or prison)* Direktor *m*; 3. *(UK: sir)* *(fam)* Chef *m*

grab [græb] *v* 1. packen; 2. ~ at sth nach etw greifen; 3. *(nab)* schnappen; *How does that ~ you?* *(fig)* Wie findest du das? *sb* 4. Griff *m*

grace [greɪs] *sb* 1. *(of movement)* Anmut *f*, Grazie *f*; 2. *social ~s pl* gute Umgangsformen *pl*; 3. *(mercy)* Gnade *f*; *by the ~ of God* durch die Gnade Gottes; 4. *to be in s.o.'s good ~s* bei jdm gut angeschrieben sein; 5. *(until payment is due)* Aufschub *m*, Zahlungsfrist *f*; 6. *(prayer)* Tischgebet *n*; *say ~* das Tischgebet sprechen

gracious ['greɪʃəs] *adj* 1. *(merciful)* gnädig; 2. *(kind)* liebenswürdig; *sb* 3. *(God)* Good ~! Du meine Güte!

grade [greɪd] *v* 1. *(mark schoolwork)* benoten; 2. *(level)* ebnen; 3. *(classify)* klassifizieren, sortieren; *sb* 4. Stufe *f*; 5. *(quality)* Qualität *f*; 6. *(mark in school)* Note *f*; *make the ~* es schaffen; 7. *(US: school class)* Klasse *f*; 8. *(US: gradient)* Gefälle *n*

grade school ['greɪdskuːl] *sb* Grundschule *f*

gradient ['greɪdɪənt] *sb* Neigung *f*, Steigung *f*, Gefälle *n*

gradually ['grædjʊəlɪ] *adv* nach und nach, allmählich, schrittweise

graduate ['grædjʊeɪt] *v* 1. *(from a university)* graduieren; *(from a school)* die Abschlussprüfung bestehen; 2. *(colours)* abstufen; 3. *(markings)* ['grædjʊɪt] *sb* 4. Absolvent *m*; *(US: from a secondary school)* Schulabgänger *m*

graduation [grædjʊ'eɪʃən] *sb* 1. *(mark)* Einteilung *f*; 2. *(ceremony)* Abschlussfeier *f*; 3. *(from a university)* Graduierung *f*

graffiti [grə'fiːtɪ] *sb* Graffiti *pl*

grain [greɪn] *sb* 1. AGR Getreide *n*, Korn *n*; 2. *(of salt, of sand)* Korn *n*; 3. *(fig)* Spur *f*; *(of truth)* Körnchen *n*; 4. *(of wood, of marble)* Maserung *f*; 5. *(of meat)* GAST Faser *f*; 6. *against the ~* gegen den Strich

grammar ['græmə] *sb* Grammatik *f*

gramme [græm] *sb* Gramm *n*

Grammy ['græmɪ] *sb* MUS Grammy *m* (amerikanischer Musikpreis)

grand [grænd] *adj* 1. *(large)* groß; 2. *(total, design)* Gesamt... 3. *(magnificent)* grandios, großartig; 4. *(splendid)* fabelhaft, fantastisch; *sb* 5. *(fam: thousand)* Riese *m*

grandchild ['græntʃaɪld] *sb* Enkel *m*

granddad ['grændæd] *sb* Gramm *n*

granddaughter ['grændɔːtə] *sb* Enkelin *f*

grandfather ['grændfɑːðə] *sb* Großvater *m*

grandfather clock ['grændfɑːðə klɒk] *sb* Standuhr *f*

grandma ['grændmɑː] *sb* Oma *f*

grandmother ['grændmʌðə] *sb* Großmutter *f*

Grand National [grænd 'næʃənl] *sb (UK)* SPORT Grand National *n* (Pferderennen)

grandnephew ['grændnefjuː] *sb* Großneffe *m*

grandniece ['grændniːs] *sb* Großnichte *f*

grandpa ['grændpɑː] *sb* Opa *m*

grandparents ['grændpeərənts] *pl* Großeltern *pl*

Grand Prix [grã priː] *sb* Grand Prix *n*

grand prize [grænd praɪz] *sb* Hauptgewinn *m*

grand slam [grænd slæm] *sb* SPORT Grandslam *m*

grandson ['grændsʌn] *sb* Enkel *m*

granny flat ['grænɪ flæt] *sb (UK)* Einliegerwohnung *f*

grant [grɑːnt] v 1. gewähren; 2. *(permission)* erteilen; 3. *(a request)* stattgeben; 4. *(land, pension)* zusprechen, bewilligen; 5. *take sth for ~ed* etw als selbstverständlich betrachten; 6. *(admit, agree)* zugeben, zugestehen; *sb* 7. Subvention *f*; 8. *(for studying)* Studienbeihilfe *f*

granulated ['grænjʊleɪtɪd] *adj* ~ *sugar* Zuckerraffinade *f*

graph [grɑːf] *sb* Diagramm *n*, grafische Darstellung *f*

graphic ['græfɪk] *adj* 1. grafisch; 2. *(vivid)* anschaulich, plastisch, lebendig

graphic artist ['græfɪk 'ɑːtɪst] *sb* Grafiker *m*

graphic equalizer ['græfɪk 'iːkwəlaɪzə] *sb* Equalizer *m*

graphics ['græfɪks] *pl* Grafik *f*

grasp [grɑːsp] v 1. *(grab hold of)* ergreifen, packen, fassen; 2. *(hold tightly)* festhalten; 3. *(understand)* begreifen, erfassen; 4. ~ *at* sth nach etw greifen; *sb* 5. *(hold, clutch)* Griff *m*; 6. *(understanding)* Verständnis *n*

grass [grɑːs] *sb* 1. Gras *n*; *let* ~ *grow under one's feet* still stehen, nichts tun; 2. *(lawn)* Rasen *m*; *"keep off the* ~ *"* "Betreten des Rasens verboten"; 3. *(fam: marijuana)* Gras *n*

grateful ['greɪtfʊl] *adj* dankbar

gratification [grætɪfɪ'keɪʃən] *sb* 1. Befriedigung *f*; 2. *(pleasure)* Freude *f*, Vergnügen *n*

gratify ['grætɪfaɪ] v 1. *(satisfy)* befriedigen; 2. *(give pleasure)* erfreuen

gratitude ['grætɪtjuːd] *sb* Dankbarkeit *f*

grave[1] [greɪv] *adj* 1. ernst; *(danger)* groß; *(news)* schlimm; 2. *(error)* ernst, gravierend; 3. *(serious, important)* schwer

grave[2] [greɪv] *sb* Grab *n*; *have one foot in the* ~ mit einem Bein im Grabe stehen

grave-digger ['greɪvdɪgə] *sb* Totengräber *m*

gravestone ['greɪvstəʊn] *sb* Grabstein *m*

graveyard ['greɪvjɑːd] *sb* Friedhof *m*

gravity ['grævɪtɪ] *sb* 1. PHYS Schwerkraft *f*; 2. *centre of* ~ Schwerpunkt *m*; 3. *(seriousness)* Ernst *m*, Größe *f*, Schwere *f*

gravy ['greɪvɪ] *sb* 1. *(sauce)* Soße *f*; 2. *(juice)* Fleischsaft *m*, Bratensaft *m*

grease [griːs] *sb* 1. Fett *n*; 2. *(lubricant)* Schmierfett *n*; v 3. fetten, einfetten; 4. TECH schmieren

grease monkey ['griːsmʌŋkɪ] *sb (fam)* Mechaniker *m*

greasepaint ['griːspeɪnt] *sb* Theaterschminke *f*

greasy ['griːsɪ] *adj* 1. fettig, schmierig, ölig; 2. *(food)* fett

greasy spoon ['griːsɪ spuːn] *sb (fam)* schmuddeliges Restaurant *n*

great [greɪt] *adj* 1. groß; *a* ~ *many* sehr viele; *in* ~ *detail* ganz ausführlich; 2. *(wonderful, excellent)* prima, wunderbar, großartig; ~ *friends* dicke Freunde; 3. *to be* ~ *at sth* etw sehr gut machen; *sb* 4. *(person)* Größe *f*

great-aunt ['greɪt ɑːnt] *sb* Großtante *f*

great-granddaughter [greɪt 'grænddɔːtə] *sb* Urenkelin *f*

great-grandfather [greɪt 'grændfɑːðə] *sb* Urgroßvater *m*

great-grandmother [greɪt'grændmʌðə] *sb* Urgroßmutter *f*

great-grandparents [greɪt'grændpeərənts] *pl* Urgroßeltern *pl*

great-grandson [greɪt'grændsʌn] *sb* Urenkel *m*

great-hearted [greɪt 'hɑːtɪd] *adj* großherzig

great-uncle ['greɪtʌŋkl] *sb* Großonkel *m*

greedy ['griːdɪ] *adj* gierig

green [griːn] *adj* 1. grün; ~ *with envy* blass vor Neid; *give s.o. the* ~ *light* jdm grünes Licht geben; *sb* 2. Grün *n*; 3. *(village* ~*)* Wiese *f*; 4. *(field for sports)* Rasen *m*, Platz *m*; 5. ~*s pl* GAST grünes Gemüse *n*

green card ['griːnkɑːd] *sb* 1. *(for motorists)* grüne Versicherungskarte *f*; 2. *(US: for foreigners)* Arbeits- und Aufenthaltsgenehmigung *f*

greenhouse ['griːnhaʊs] *sb* Treibhaus *n*, Gewächshaus *n*

greenhouse effect ['griːnhaʊsɪfekt] *sb* Treibhauseffekt *m*

greenness ['griːnnɪs] *sb* 1. Grün *n*, Grünes *n*; 2. *(fig: inexperience)* Unreife *f*, Unerfahrenheit *f*

greeting ['griːtɪŋ] *sb* 1. Gruß *m*, Begrüßung *f*; 2. ~*s pl* Grüße *pl*; *(congratulations)* Glückwünsche *pl*

greeting card ['griːtɪŋ kɑːd] *sb* Glückwunschkarte *f*

grenade [grɪ'neɪd] *sb* Granate *f*

grey [greɪ] *adj* 1. grau; 2. *(outlook)* grau, trüb; *sb* 3. Grau *n*; 4. *(horse)* ZOOL Grauschimmel *m*

grey matter ['greɪmætə] *sb (fig)* graue Zellen *pl*

gridlock ['grɪdlɒk] *sb* Verkehrsstillstand *m*

grief [griːf] *sb* Gram *m*, Kummer *m*, Leid *n*; *come to* ~ Pech haben; *Good* ~*!* Meine Güte!

grief-stricken ['gri:fstrɪkən] *adj* kummervoll

grieve [gri:v] *v* 1. bekümmert sein, sich grämen; 2. *(s.o.)* betrüben, bekümmern, wehtun

grievous ['gri:vəs] *adj* schwer, schmerzlich; ~ *bodily harm* JUR schwerer körperlicher Schaden *m*

grill [grɪl] *v* 1. grillen; 2. *(interrogate)* in die Zange nehmen; *sb* 3. Grill *m*, Bratrost *m*

grilled [grɪld] *adj* gegrillt

grim [grɪm] *adj* 1. grimmig; 2. *(prospects)* trostlos; *(task)* grauenhaft; *(times, truth)* hart

grimace ['grɪməs] *v* 1. Grimassen machen, Grimassen schneiden; *(with disgust, with pain)* das Gesicht verziehen; *sb* 2. Grimasse *f*

grin [grɪn] *v* 1. lächeln, strahlen; ~ *and bear it (fam)* in den sauren Apfel beißen; 2. *(stupidly, sarcastically)* grinsen; *sb* 3. Lächeln *n*, Strahlen *n*; 4. *(stupid ~, sarcastic ~)* Grinsen *n*

grip [grɪp] *v* 1. packen, ergreifen; *sb* 2. Griff *m*, Halt *m*; 3. *come to* ~s *with* sich auseinandersetzen mit; 4. *get a* ~ *on o.s.* sich zusammenreißen; 5. *(piece of luggage)* Reisetasche *f*; 6. *(hair* ~*)* Haarspange *f*

grisly ['grɪzlɪ] *adj* grässlich

gristle ['grɪsl] *sb* Knorpel *m*

grit [grɪt] *v* 1. ~ *one's teeth* die Zähne zusammenbeißen; *sb* 2. grober Sand *m*; 3. *(fig)* Mut *m*, Mumm *m*

gritty ['grɪtɪ] *adj* 1. körnig; 2. *(fig)* mutig

groan [grəʊn] *v* 1. *(person)* stöhnen, ächzen; 2. *(hinges, planks)* ächzen, knarren; *sb* 3. Stöhnen *n*, Ächzen *f*

grocer ['grəʊsə] *sb* Lebensmittelhändler *m*

grog [grɒg] *sb* Grog *m*

groggy ['grɒgɪ] *adj* groggy

groovy ['gru:vɪ] *adj (fam)* toll, klasse, stark

gross [grəʊs] *adj* 1. *(total)* brutto, Brutto... 2. *(coarse, vulgar)* grob, derb; 3. *(flagrant)* krass, grob; 4. *(fam: disgusting)* eklig

gross domestic product [grəʊs dɒ'mestɪk 'prɒdʌkt] *sb* Bruttoinlandsprodukt *n*

gross national product [grəʊs 'næʃənl 'prɒdʌkt] *sb* ECO Bruttosozialprodukt *n*

grotesque [grəʊ'tesk] *adj* grotesk

ground [graʊnd] *sb* 1. Boden *m*; *gain* ~/*lose* ~ Boden gewinnen/verlieren; *break new* ~ *(fig)* Neuland erschließen; *common* ~ *(fig)* ein gemeinsamer Nenner *m*; *get off the* ~ *(fig)* in Gang kommen, *(get sth off the* ~*)* in Gang bringen; *hold one's* ~, *stand one's* ~ standhalten, nicht weichen; 2. *(field)* Feld *n*, Platz *m*; 3. ~s *pl (premises)* Gelände *n*; 4. ~s *pl*

(coffee ~*)* Kaffeesatz *m*; 5. *(reason)* Grund *m*; *v* 6. *(electricity)* TECH erden; 7. *to be* ~*ed in*, *to be* ~*ed on* sich gründen auf, sich basieren auf; *to be well* ~*ed in* bewandert sein in; 8. *(a plane)* Startverbot erteilen

groundbreaking ['graʊndbreɪkɪŋ] *adj (fig) (US)* bahnbrechend

ground floor [graʊnd flɔ:] *sb* Erdgeschoss *n*; *get in on the* ~ *(fig)* von Anfang an mit dabei sein

grounding ['graʊndɪŋ] *sb* Fundament *n*, Unterbau *m*

groundwork ['graʊndwɜ:k] *sb (fig)* Grundlage *f*

group [gru:p] *sb* 1. Gruppe *f*; *v* 2. gruppieren, anordnen, einordnen; ~ *together (in one* ~*)* zusammentun

group dynamics [gru:p daɪ'næmɪks] *pl* Gruppendynamik *f*

groupie ['gru:pɪ] *sb* Groupie *n*

group therapy [gru:p 'θerəpɪ] *sb PSYCH* Gruppentherapie *f*

grouse [graʊs] *sb* 1. ZOOL Waldhuhn *n*; *v* 2. meckern, nörgeln

grovel ['grɒvl] *v* kriechen

grow [grəʊ] *v irr* 1. wachsen, größer werden; 2. *(number)* zunehmen; 3. *(become)* werden; 4. ~ *on s.o.* jdm liebwerden; 5. *(sth)* ziehen, anbauen, anpflanzen; 6. ~ *one's hair* sich die Haare wachsen lassen

• **grow out** *v irr* ~ *of sth* aus etw herauswachsen, *(fig)* für etw zu alt werden

growing ['grəʊɪŋ] 1. *adj* wachsend; 2. *(increasing)* zunehmend

grown [grəʊn] *adj* erwachsen, ausgewachsen

grown-up ['grəʊnʌp] *sb* Erwachsene(r) *m/f*

growth [grəʊθ] *sb* 1. Wachstum *n*, Wachsen *n*; 2. *(of a plant)* Wuchs *m*; 3. *(increase)* Zunahme *f*; 4. *(fig: development)* Entwicklung *f*; 5. ECO Zuwachs *m*; 6. MED Gewächs *n*, Tumor *m*

growth industry [grəʊθ 'ɪndəstrɪ] *ECO sb* Wachstumsindustrie *f*

growth rate ['grəʊθreɪt] *sb* ECO Wachstumsrate *f*

grubby ['grʌbɪ] *adj* schmuddelig

grudge [grʌdʒ] *sb* Groll *m*; *bear s.o. a* ~, *have a* ~ *against s.o.* einen Groll gegen jdn hegen

gruesome ['gru:səm] *adj* grausig, grauenhaft, schauerlich

gruff [grʌf] *adj* schroff, barsch, ruppig

grumble ['grʌmbl] *v* murren, schimpfen

grump [grʌmp] *v* brummen, murren

grumpy ['grʌmpɪ] *adj* mürrisch

grungy ['grʌndʒɪ] *adj (fam)* schmuddelig

grunt [grʌnt] *v* 1. grunzen; 2. *(with exertion, with pain)* ächzen; 3. *(a reply)* brummen

guarantee [gærən'tiː] *v* 1. garantieren, Gewähr leisten; 2. *(a loan, a debt)* bürgen für; *sb* 3. Garantie *f*; 4. *(pledge of obligation)* Bürgschaft *f*; 5. *(deposit, money as a ~)* Kaution *f*

guard [gɑːd] *v* 1. bewachen, hüten; ~ against sich hüten vor; 2. *(protect)* schützen; 3. *(fig)* behüten, beschützen; 4. SPORT decken; *sb* 5. Wache *f*; to be on ~ auf Wache sein; stand ~ Wache stehen; throw s.o. off ~ jdn überrumpeln; under ~ unter Bewachung; 6. *(one person)* Wächter *m*, *(soldier)* Wachtposten *m*; 7. *(prison ~)* Gefängniswärter *m*; 8. *(safety device)* Schutz *m*; 9. *(UK: rail ~)* Schaffner *m*; 10. *(in basketball)* SPORT Aufbauspieler *m*

guarded ['gɑːdɪd] *adj* 1. *(under guard)* bewacht; 2. *(cautious)* vorsichtig

guardian ['gɑːdɪən] *sb* 1. Hüter *m*, Wächter *m*; 2. JUR Vormund *m*

guardian angel ['gɑːdɪən 'eɪndʒəl] *sb* Schutzengel *m*

guess [ges] *v* 1. raten, schätzen; 2. *(successfully)* erraten; 3. *(suppose)* schätzen, vermuten; *sb* 4. Schätzung *f*; That's anybody's ~. Das weiß niemand. take a ~ raten, schätzen

guest [gest] *sb* Gast *m*; Be my ~! Aber bitte!

guide [gaɪd] *v* 1. führen, leiten, lenken; *sb* 2. *(person)* Führer *m*; 3. *(indication)* Anhaltspunkt *m*; 4. *(model)* Vorbild *n*; 5. *(manual)* Leitfaden *m*, Handbuch *n*; *(travel ~)* Führer *m*

guide dog ['gaɪddɒg] *sb* Blindenhund *m*

guile [gaɪl] *sb* Arglist *f*, Tücke *f*

guillotine ['gɪlətiːn] *sb* 1. Guillotine *f*, Fallbeil *n*; *v* 2. guillotinieren, auf der Guillotine hinrichten, auf dem Fallbeil hinrichten

guilt [gɪlt] *sb* Schuld *f*

guilt complex ['gɪltkɒmpleks] *sb* PSYCH Schuldkomplex *m*

guilt trip ['gɪlttrɪp] *sb (fam)* (US) lay a ~ on s.o. jdm einen Schuldkomplex einreden

guilty ['gɪltɪ] *adj* 1. schuldig; find ~ JUR für schuldig befinden, für schuldig erklären; 2. *(look)* schuldbewusst; 3. a ~ conscience ein schlechtes Gewissen

guinea pig ['gɪnɪ pɪg] *sb* 1. ZOOL Meerschweinchen *n*; 2. *(fig)* Versuchskaninchen *n*

guitar [gɪ'tɑː] *sb* MUS Gitarre *f*

guitarist [gɪ'tɑːrɪst] *sb* MUS Gitarrist *m*

gulf [gʌlf] *sb* 1. GEO Golf *m*, Meerbusen *m*; 2. *(fig: chasm)* Kluft *f*

gum [gʌm] *sb* 1. Gummi *n*; 2. *(glue)* Klebstoff *m*; 3. *(chewing ~)* Kaugummi *m*; 4. ANAT Zahnfleisch *n*; *v* 5. *(apply ~ to)* gummieren

gumption ['gʌmpʃən] *sb (sense)* Grips *m*

gun [gʌn] *sb* 1. Kanone *f*, Pistole *f*, Revolver *m*; jump the ~ *(fig)* voreilig handeln; stick to one's ~s nicht weichen, nicht nachgeben; under the ~ *(fig)* unter Druck; 2. *(rifle)* Gewehr *n*; 3. *(artillery)* MIL Geschütz *n*; 4. to be a big ~ *(fam)* ein großes Tier sein; *v* 5. ~ down erschießen, niederschießen; 6. *(an engine)* aufheulen lassen

gunfire ['gʌnfaɪə] *sb* Gewehrfeuer *n*, Schüsse *pl*

gung-ho [gʌŋ'həʊ] *adj (fam)* übereifrig

gun licence ['gʌnlaɪsəns] *sb* Waffenschein *m*

gunman ['gʌnmən] *sb* 1. Bewaffneter *m*; 2. *(by profession)* Revolverheld *m*

gunpoint ['gʌnpɔɪnt] *sb* at ~ mit vorgehaltener Schusswaffe

gunpowder ['gʌnpaʊdə] *sb* Schießpulver *n*

gunrunning ['gʌnrʌnɪŋ] *sb* Waffenschmuggel *m*

gunshot ['gʌnʃɒt] *sb* Kanonenschuss *m*, Gewehrschuss *m*

gurgle ['gɜːgl] *v (person)* glucksen; *(liquid)* gluckern

guru ['guːruː] *sb* Guru *m*

gussy ['gʌsɪ] *v* ~ up *(fam)* herausputzen, aufmöbeln

gust [gʌst] *sb (of wind)* Windstoß *m*, Bö *f*

gusty ['gʌstɪ] *adj* böig, stürmisch

gut [gʌt] *v* 1. *(an animal)* ausnehmen; 2. *(fire)* ausbrennen; *sb* 3. *(paunch)* Bauch *m*; 4. ~s *pl* ANAT Eingeweide *n*; I hate his ~s. *(fam)* Ich hasse ihn wie die Pest. 5. ~s *pl (fig: courage)* Mumm *m*, Schneid *m*; *adj* 6. *(instinctive: reaction, feeling)* instinktiv, leidenschaftlich

gutless ['gʌtlɪs] *adj (fam)* feige

guy [gaɪ] *sb* Typ *m*, Kerl *m*

gymnasium [dʒɪm'neɪzɪəm] *sb* Turnhalle *f*

gymnast ['dʒɪmnæst] *sb* SPORT Turner *m*

gymnastics [dʒɪm'næstɪks] *sb* SPORT Turnen *n*, Gymnastik *f*

gynaecologist [gaɪnɪ'kɒlədʒɪst] *sb* MED Gynäkologe/Gynäkologin *m/f*, Frauenarzt/Frauenärztin *m/f*

gynaecology [gaɪnɪ'kɒlədʒɪ] *sb* MED Gynäkologie *f*, Frauenheilkunde *f*

H

habit ['hæbɪt] *sb 1.* Gewohnheit *f,* Angewohnheit *f; out of* ~ aus Gewohnheit; *make a* ~ *of sth* etw zur Gewohnheit werden lassen; *break o.s. of a* ~ sich etw abgewöhnen; *get into the* ~ *of doing sth* sich daran gewöhnen, etw zu tun, sich angewöhnen, etw zu tun; *creature of* ~ Gewohnheitsmensch *m; 2. (addiction)* Sucht *f; 3.* REL Habit *n*

habitable ['hæbɪtəbl] *adj* bewohnbar

habitat ['hæbɪtæt] *sb* ZOOL Habitat *n,* Lebensraum *m*

habit-forming ['hæbɪtfɔːmɪŋ] *adj (drug)* suchterzeugend

hacker ['hækə] *sb (computer* ~) Hacker *m*

hacking cough ['hækɪŋ kɔːf] *sb* trockener Husten *m*

hackle ['hækl] *sb 1.* BIO Nackengefieder *n; 2.* get s.o.'s ~s *up* jdn auf die Palme bringen

hackney ['hæknɪ] *sb (horse for driving)* Kutschpferd *n*

hacksaw ['hæksɔː] *sb* Metallsäge *f*

haddock ['hædək] *sb* ZOOL Schellfisch *m*

haemorrhage ['hemərɪdʒ] *sb* MED Blutung *f*

haggle ['hægl] *v* feilschen

hail¹ [heɪl] *v 1.* ~ *from* kommen aus, stammen aus; *2. (greet, cheer)* zujubeln, freudig begrüßen; *3. to be* ~*ed as* gefeiert werden als; *4. (a taxi) (vocally)* rufen; *(by gesturing)* herbeiwinken

hail² [heɪl] *v 1.* hageln; *sb 2.* Hagel *m*

hailstone ['heɪlstəʊn] *sb* Hagelkorn *n*

hair [heə] *sb* Haar *n; do one's* ~ sich die Haare machen; *by a* ~ *(fig)* ganz knapp; *keep one's* ~ *on (fig)* ruhig Blut bewahren; *split* ~*s (fig)* Haarspalterei betreiben

hairbrush ['heəbrʌʃ] *sb* Haarbürste *f*

haircut ['heəkʌt] *sb* Haarschnitt *m; get a* ~ sich die Haare schneiden lassen

hairdo ['heəduː] *sb* Frisur *f*

hairdresser ['heədresə] *sb* Friseur(in) *m/f*

hair dryer ['heədraɪə] *sb* Haartrockner *m*

hairpiece ['heəpiːs] *sb 1. (for men)* Toupet *n; 2. (for women)* Haarteil *n*

hair-raising ['heərreɪzɪŋ] *adj* haarsträubend

hairstyle ['heəstaɪl] *sb* Frisur *f*

hairstylist ['heəstaɪlɪst] *sb* Hairstylist(in) *m/f*

hale [heɪl] *adj* gesund, kräftig, rüstig; ~ *and hearty* kerngesund, frisch und munter

half [hɑːf] *adj 1.* halb; *adv 2.* halb; *not* ~ *bad* gar nicht übel; ~ *past two* halb drei; ~ *a(n) ...* ein halber/eine halbe/ein halbes ...; *3. (almost)* fast; *I* ~ *thought ...* Ich hätte fast gedacht ...; *sb 4.* Hälfte *f; an hour and a* ~ anderthalb Stunden; *too clever by* ~ überschlau; *in* ~ entzwei; *do things by halves* halbe Sachen machen; *5.* SPORT Halbzeit *f,* Spielhälfte *f*

half-and-half ['hɑːfændhɑːf] *sb* Mischung zu gleichen Teilen *f* (Ale und Porter)

half-baked ['hɑːfbeɪkt] *adj 1. (plan)* nicht durchdacht, blödsinnig; *2. (person)* nicht trocken hinter den Ohren

half-hearted [hɑːf'hɑːtɪd] *adj* halbherzig

halfmoon ['hɑːfmuːn] *sb* Halbmond *m*

halfpenny ['hɑːfpenɪ] *sb* halber Penny *m*

half-price ['hɑːfpraɪs] *adj* um die Hälfte reduziert

half-time ['hɑːftaɪm] *sb* SPORT Halbzeit *f*

halfway ['hɑːf'weɪ] *adv 1.* auf halbem Weg, in der Mitte; *meet s.o.* ~ jdm auf halbem Weg entgegenkommen; *2. (fairly, somewhat)* halbwegs, einigermaßen, teilweise

hall [hɔːl] *sb 1. (*~*way)* Gang *m,* Flur *m,* Korridor *m; 2. (for concerts)* Saal *m; 3. (building)* Halle *f;* ~ *of fame* Ruhmeshalle *f*

Halloween [hæləʊ'wiːn] *sb* Abend vor Allerheiligen *m*

hall stand [hɔːl stænd] *sb* Garderobe *f*

hallucination [həluːsɪ'neɪʃən] *sb* Halluzination *f*

hallucinogen [hə'luːsɪnədʒen] *sb* Halluzinogen *n*

hallway ['hɔːlweɪ] *sb* Gang *m,* Flur *m,* Korridor *m*

halt [hɔːlt] *v 1. (come to a* ~) zum Stillstand kommen, anhalten, stehen bleiben; *2. (s.o.)* anhalten; *sb 3.* Stillstand *m*

halter ['hɔːltə] *sb* Halfter *n*

halting ['hɔːltɪŋ] *adj 1. (verse)* holperig; *2. (speech)* stockend; *3. (walk)* unsicher

halve [hɑːv] *v* halbieren

ham [hæm] *sb 1.* Schinken *m; v 2.* ~ *it up (fam)* zu dick auftragen

hammer ['hæmə] *v 1.* hämmern; ~ *sth into s.o.* jdm etw einbläuen; *2. (fam: defeat badly)* eine Schlappe beibringen; *sb 3.* Hammer *m*

• **hammer out** *v 1.* hämmern, schlagen; *2. (dents)* ausbeulen; *3. (fig)* ausarbeiten, aushandeln

hammer throw ['hæmə θrəʊ] sb SPORT Hammerwerfen n

hamper ['hæmpə] v behindern, hemmen

hamster ['hæmstə] sb ZOOL Hamster m

hand [hænd] sb 1. Hand f; on ~s and knees auf allen vieren; have too much time on one's ~s zu viel Zeit zur Verfügung haben; get sth off one's ~s off sich etw loswerden; take sth off s.o.'s ~s jdm etw abnehmen; to be close at ~ vor der Tür stehen; force s.o.'s ~ auf jdn Druck ausüben; have a ~ in sth an etw beteiligt sein; change ~s den Besitzer wechseln; try one's ~ at sth etw versuchen; well in ~ gut im Griff; get out of ~ außer Kontrolle geraten gain the upper ~ die Oberhand gewinnen; eat out of s.o.'s ~ jdm aus der Hand fressen; keep one's ~s off sth die Finger von etw lassen; lay one's ~s on sth etw in die Hände bekommen; shake ~s sich die Hand geben; wash one's ~s of sth nichts mit einer Sache zu tun haben wollen; It's in your ~s. (fig) Es liegt in deiner Hand. 2. give s.o. a ~ (help s.o.) jdm helfen; (applaud s.o.) jdm Beifall klatschen; 3. cash in ~ Kassenbestand m; 4. on the one ~ einerseits; on the other ~ andererseits, dagegen, dafür; 5. (cards in one's ~) Karten pl, Blatt n; 6. (of a clock) Uhrzeiger m; 7. (worker) Arbeitskraft f, Arbeiter m; an old ~ ein alter Hase; v 8. reichen, geben; you've got to ~ it to him das muss man ihm lassen

• **hand in** v abgeben, einreichen

• **hand on** v weitergeben

• **hand out** v austeilen, verteilen

handbag ['hændbæg] sb Handtasche f

handbrake ['hændbreɪk] sb Handbremse f

handcuffs ['hændkʌfs] pl Handschellen pl

handgrip ['hændgrɪp] sb 1. Griff m; 2. (grasping) Händedruck m

handgun ['hændgʌn] sb Handfeuerwaffe f

handicap ['hændɪkæp] sb 1. Handikap n; v 2. benachteiligen

handicapped ['hændɪkæpt] adj behindert

handily ['hændɪlɪ] adv (easily) leicht

handle ['hændl] v 1. (use hands on) anfassen, berühren; 2. (work with, deal with) sich befassen mit, handhaben; 3. (succeed in dealing with) fertigwerden mit, erledigen; sb 4. Griff m; (of a door) Klinke f; (of a cup) Henkel m; fly off the ~ aus der Haut fahren, die Beherrschung verlieren

hand-made [hænd meɪd] adj handgearbeitet, von Hand gemacht

hand-me-down ['hændmiːdaʊn] sb weitergereichtes Kleidungsstück n

handsaw ['hændsɔː] sb Handsäge f, Fuchsschwanz m

handshake ['hændʃeɪk] sb Händedruck m

handsome ['hændsəm] adj 1. gut aussehend; 2. (considerable) beträchtlich, ansehnlich, stattlich

handwriting ['hændraɪtɪŋ] sb Handschrift f, Schrift f

handwritten ['hændrɪtən] adj handgeschrieben

handy ['hændɪ] adj 1. (useful) praktisch; come in ~ gelegen kommen; 2. (skilled) geschickt, gewandt; adv 3. (close at hand) in der Nähe

hang [hæŋ] v irr 1. (be hanging) hängen; (drapes, map) fallen; 2. (sth) hängen; (a picture) aufhängen; 3. ~ one's head den Kopf hängen lassen; 4. ~ o.s. sich erhängen, sich aufhängen; sb 5. get the ~ of sth den Dreh rauskriegen

• **hang on** v irr 1. festhalten; 2. (wait) Hang on! Halt! Moment!

• **hang out** v irr 1. bummeln; (in a certain place) sich herumtreiben; ~ with s.o. (fam) mit jdm verkehren; 2. (a sign) aushängen

• **hang up** v irr 1. (a telephone) auflegen, aufhängen; 2. (a picture, a coat) aufhängen; 3. to be hung up on (fig: to be obsessed by) einen Komplex haben wegen, besessen sein von

hanging ['hæŋɪŋ] sb Erhängen n, Hängen n

hangover ['hæŋəʊvə] sb Kater m, Katzenjammer m

hanky-panky [hæŋkɪ'pæŋkɪ] sb 1. (tricks) Mauscheleien pl, Tricks pl; 2. (sexy behaviour) Knutscherei f, Techtelmechtel n; (groping) Gefummel n

happen ['hæpən] v 1. geschehen, passieren, sich ereignen; ~ to (become of) geschehen mit, passieren, werden aus; 2. (coincidentally) zufällig geschehen, sich zufällig ergeben; as it ~s zufälligerweise; 3. ~ upon, ~ on zufällig stoßen auf; (s.o.) zufällig treffen

happening ['hæpənɪŋ] sb Ereignis n

happiness ['hæpɪnɪs] sb Glück n

happy ['hæpɪ] adj 1. glücklich, froh; 2. (coincidence) geglückt; 3. (satisfied) zufrieden

happy hour ['hæpɪ aʊə] sb Happy Hour f

harass ['hærəs] v belästigen

harassment ['hærəsmənt] sb 1. Belästigung f, Bedrängung f, Schikane f, Bedrängnis f; 2. MIL Störaktion f

harbour ['hɑːbə] sb 1. Hafen m; v 2. (s.o.) beherbergen; 3. (suspicions, a grudge) hegen

hard [hɑːd] *adj 1.* hart; *2. ~ cash (fam)* Bares *n; 3. No ~ feelings?* Du bist nicht sauer? *4. (difficult)* schwer, schwierig; *learn sth the ~ way* aus bitterer Erfahrung lernen; *~ of hearing* schwerhörig; *5. to be ~ on s.o.* jdm arg zusetzen; *6. give s.o. a ~ time* jdm arg zusetzen, jdm das Leben schwer machen

hard-and-fast ['hɑːdænd'fɑːst] *adj* fest, bindend

hardback ['hɑːbæk] *sb (~ book)* gebundene Ausgabe *f*

hard core ['hɑːdkɔː] *sb* the ~ der harte Kern *m*

harden ['hɑːdn] *v 1.* hart werden; *2. (sth)* härten; *3. (s.o.: physically)* abhärten; *4. (s.o.: emotionally)* verhärten, abstumpfen

hardened ['hɑːdnd] *adj* zäh, abgehärtet, abgebrüht

hard-headed [hɑːd'hedɪd] *adj 1. (stubborn)* starrköpfig; *2. (practical)* nüchtern, realistisch

hardhearted [hɑːd'hɑːtɪd] *adj* hartherzig

hard-hitting [hɑːd'hɪtɪŋ] *adj* hart, kompromisslos

hardship ['hɑːdʃɪp] *sb 1.* Not *f,* Elend *n; 2. (one ~)* JUR Härte *f*

hard shoulder [hɑːd 'ʃəʊldə] *sb (UK)* Standspur *f*

hardware ['hɑːdweə] *sb 1.* Eisenwaren *pl; 2.* INFORM Hardware *f*

hard-working [hɑːd'wɜːkɪŋ] *adj* fleißig

hardy ['hɑːdɪ] *adj 1.* zäh, robust; *2. (brave)* kühn; *3. (plant)* winterfest

harelip ['heəlɪp] *sb* Hasenscharte *f*

harm [hɑːm] *v 1. (s.o.)* verletzen; *2. (sth)* schaden; *sb 3.* Schaden *m; 4. (bodily)* Verletzung *f; No ~ done!* Es ist nichts passiert! *out of ~'s way* in Sicherheit; *do ~ to s.o.* jdm etw antun

harmful ['hɑːmfʊl] *adj* schädlich

harmless ['hɑːmlɪs] *adj 1.* harmlos, unschädlich, ungefährlich; *2. (person)* harmlos, unschuldig, arglos; *3. (question)* unverfänglich

harmony ['hɑːmənɪ] *sb* Harmonie *f*

harrowing ['hærəʊɪŋ] *adj* erschreckend, quälend

harsh [hɑːʃ] *adj 1.* hart, rau; *2. (words)* hart, barsch, schroff; *3. (taste)* herb, scharf, sauer; *4. (punishment)* streng

harvest ['hɑːvɪst] *v 1.* ernten; *sb 2.* Ernte *f; 3. (fig)* Ertrag *m,* Früchte *pl*

has-been ['hæzbɪn] *sb* jmd, der seine Glanzzeit hinter sich hat

hassle ['hæsl] *sb (bother)* Mühe *f,* Theater *n (fam)*

haste [heɪst] *sb 1.* Eile *f; Make ~!* Beeil dich! *2. (nervous ~)* Hast *f*

hasten ['heɪsn] *v 1.* sich beeilen; *2. (sth)* beschleunigen

hasty ['heɪstɪ] *adj 1.* eilig, hastig; *2. (rash)* vorschnell, voreilig, übereilt

hat [hæt] *sb* Hut *m; at the drop of a ~* auf der Stelle; *take one's ~ off to s.o.* vor jdm den Hut ziehen; *If that happens, I'll eat my ~.* Wenn das passiert, fresse ich einen Besen.

hatch¹ [hætʃ] *v 1. (come out of the egg)* ausschlüpfen; *2. (fig: a plan)* ausbrüten, aushecken, ausdenken

hatch² [hætʃ] *sb 1. (hatchway)* Luke *f; 2. Down the ~! (fig)* Hoch die Tassen! *3. (halfdoor)* Halbtür *f*

hate [heɪt] *v 1.* hassen; *2. ~ to do sth* etw sehr ungern tun; *sb 3.* Hass *m*

hateful ['heɪtfʊl] *adj* abscheulich; *(person)* unausstehlich

hate mail ['heɪtmeɪl] *sb* beleidigende Briefe *pl*

hatred ['heɪtrɪd] *sb* Hass *m,* Abscheu *m*

haughty ['hɔːtɪ] *adj* hochmütig, überheblich

haunt [hɔːnt] *v 1. (ghost)* spuken in; *2. (frequent)* verkehren in; *3. (memory)* nicht mehr aus dem Kopf gehen; *sb 4. (person's)* Lieblingsaufenthalt *m; (pub)* Stammlokal *n; 5. (hideout)* Schlupfwinkel *m*

haunted ['hɔːntɪd] *adj This house is ~.* In diesem Haus spukt es.

have [hæv] *v irr 1.* haben; *~ a child* ein Kind bekommen; *I've been had! (fig)* Man hat mich reingelegt! *He's had it. (fam)* Er ist erledigt. *2. I'll ~ ... (when ordering sth)* Ich hätte gern ...; *3. ... haven't you?* ... nicht wahr? ... oder? ... oder nicht? *4. ~ sth done* etw tun lassen; *5. ~ to do sth* etw tun müssen; *6. (permit)* dulden, zulassen

• **have on** *v irr 1. (clothing)* tragen, anhaben; *2. (plan)* vorhaben; *3. have s.o. on (UK)* jdn auf den Arm nehmen

• **have out** *v irr* have it out with s.o. sich mit jdm auseinander setzen

havoc ['hævək] *sb* Verwüstung *f,* Zerstörung *f; (chaos)* Chaos *n; wreak ~ on* verwüsten, zerstören; *(fig)* verheerend wirken auf

hay [heɪ] *sb* Heu *n; hit the ~ (fam)* sich in die Falle hauen

hay fever ['heɪfiːvə] *sb* MED Heuschnupfen *m*

hazard ['hæzəd] v 1. riskieren, wagen, aufs Spiel setzen; sb 2. (danger) Gefahr f; (risk) Risiko n; 3. (golf) SPORT Hindernis n

hazardous ['hæzədəs] adj gefährlich, riskant, gewagt

he [hi:] pron 1. er; 2. ~ who ... wer ...; derjenige, der ...; derjenige, welcher ...

head [hed] sb 1. Kopf m; to be ~ and shoulders above s.o. jdm haushoch überlegen sein; keep one's ~ above water sich über Wasser halten; turn s.o.'s ~ jdm den Kopf verdrehen; talk one's ~ off sich dumm und dusslig reden; I could do that standing on my ~. Das mache ich mit links. go ~ over heels (fam: fall in love) sich bis über beiden Ohren verlieben; go ~ over heels (do a somersault) einen Purzelbaum schlagen; Heads! (when tossing a coin) Kopf! 2. (mind) Kopf m, Verstand m; keep one's ~ einen kühlen Kopf bewahren; put ideas into s.o.'s ~ jdm Flausen in den Kopf setzen; over s.o.'s ~ zu hoch für jdn; use one's ~ seinen Kopf anstrengen; 3. (leader, boss) Chef m, Leiter m, Führer m; (of a family) Familienoberhaupt n; ~ of state Staatsoberhaupt n; 4. come to a ~ (fig) sich zuspitzen; 5. (of foam) Schaumkrone f

headache ['hedeɪk] sb 1. MED Kopfschmerzen pl; 2. (fig) Problem n; etwas, das Kopfzerbrechen macht

head-butt ['hedbʌt] sb Kopfstoß m

head case ['hedkeɪs] sb (fam) Verrückte(r) m/f

headfirst ['hed'fɜːst] adj kopfüber

headhunter ['hedhʌntə] sb 1. Kopfjäger m; 2. (executive searcher) ECO Headhunter m

headmaster ['hedmɑːstə] sb Schulleiter m, Direktor m

head-on collision ['hedɒn kə'lɪʒən] sb Frontalzusammenstoß m

headphones ['hedfəʊnz] pl Kopfhörer m

headquarters ['hedkwɔːtəz] sb 1. Zentrale f; 2. MIL Hauptquartier n

headset ['hedset] sb Kopfhörer m

head start [hed stɑːt] sb Vorsprung m

headstrong ['hedstrɒŋ] adj eigensinnig, halsstarrig

• **head up** führen, leiten

heady ['hedɪ] adj (impetuous) impulsiv

heal [hi:l] v heilen

health [helθ] sb Gesundheit f

health care ['helθkeə] sb Gesundheitsfürsorge f; ~ reform Gesundheitsreform f

health club ['helθklʌb] sb Fitnessklub m

health food ['helθfuːd] sb Reformkost f

health insurance ['helθɪnʃʊərəns] sb Krankenversicherung f

healthy ['helθɪ] adj gesund

hear [hɪə] v irr hören; make o.s. heard sich Gehör verschaffen; He wouldn't ~ of it. Er wollte davon gar nichts hören.

• **hear out** v irr hear s.o. out jdn ausreden lassen

hearing ['hɪərɪŋ] sb 1. Gehör n; hard of ~ schwerhörig; 2. JUR Verhandlung f, Vernehmung f; 3. POL Hearing n, Anhörung f

hearing aid ['hɪərɪŋ eɪd] sb Hörgerät n

hearse [hɜːs] sb Leichenwagen m

heart [hɑːt] sb 1. Herz n; have a change of ~ seine Meinung ändern; to one's ~'s content nach Herzenslust; one's ~'s desire jds Herzenswunsch m; Cross my ~! Hand aufs Herz! break s.o.'s ~ jdm das Herz brechen; know sth by ~ etw auswendig wissen; set one's ~ on sein Herz hängen an; take sth to ~ sich etw zu Herzen nehmen; eat one's ~ out sich vor Kummer verzehren; 2. (of a matter) Kern m, das Wesentliche n; 3. after my own ~ nach meinem eigenen Geschmack; 4. lose ~ den Mut verlieren; 5. in the ~ inmitten, mitten in, im Herzen

heartache ['hɑːteɪk] sb Kummer m

heart attack ['hɑːtətæk] sb 1. Herzanfall m; 2. (thrombosis) Herzinfarkt m

heartbeat ['hɑːtbiːt] sb Herzschlag m

heartbreaking ['hɑːtbreɪkɪŋ] adj to be ~ einem das Herz brechen

heartbroken ['hɑːtbrəʊkən] adj mit gebrochenem Herzen, unglücklich

heart failure ['hɑːtfeɪljə] sb MED Herzversagen n

heartily ['hɑːtɪlɪ] adv herzlich, kräftig

heart-throb ['hɑːtθrɒb] sb 1. (fam) Schwarm m; 2. (throb of a heart) Herzklopfen n

heart-to-heart ['hɑːttuhɑːt] sb offenes Gespräch n

heat [hiːt] sb 1. Hitze f, Wärme f; 2. (fam: pressure) Druck m; 3. ZOOL Brunst f; on ~, in ~ brünstig; 4. SPORT Vorlauf m; v 5. (sth) erhitzen, heiß machen; (food) aufwärmen

heater ['hiːtə] sb Heizgerät n, Heizung f

heating ['hiːtɪŋ] sb Heizung f

heat-seeking ['hiːtsiːkɪŋ] adj wärmesuchend

heatstroke ['hiːtstrəʊk] sb MED Hitzschlag m

heat wave [hiːt weɪv] sb Hitzewelle f

heave [hiːv] v 1. (chest) sich heben und senken; 2. (sth)(lift) hochheben, hochwuchten, hochhieven; 3. *(throw)* schmeißen, werfen; 4. *(a sigh)* ausstoßen; 5. *(fam: vomit)* kotzen, erbrechen; *v irr 6. (an anchor)* NAUT lichten; *sb 7. (throw)* Wurf *m*

heaven ['hevn] *sb* REL Himmel *m; Good ~s!* Du lieber Himmel! *For ~'s sake!* Um Himmels willen! *Thank ~!* Gott sei Dank!

heavy ['hevɪ] *adj 1.* schwer; 2. *(rain, drinker, traffic, beard)* stark; 3. *(tread)* schwerfällig

heavy-handed ['hevɪ 'hændɪd] *adj (rough, boorish)* taktlos, grob

heavy-hearted ['hevɪ 'hɑːtɪd] *adj* mit schwerem Herzen

heavyweight ['hevɪweɪt] *sb 1.* SPORT Schwergewichtler *m;* 2. *(fig)* großes Tier *n (fam)*

heckle ['hekl] *v (a speaker)* durch Zwischenrufe stören

hedge [hedʒ] *sb 1.* Hecke *f; v 2. (fig: when answering a question)* ausweichen; 3. ~ *one's bets* sich absichern

hedgehog ['hedʒhɒg] *sb* Igel *m*

heed [hiːd] *v 1.* beachten, Acht geben auf, Beachtung schenken; *sb 2.* Beachtung *f; pay ~ to, take ~ of* beachten

heel [hiːl] *sb 1.* ANAT Ferse *f; on the ~s of sth (fig)* unmittelbar auf etw folgend; *down at the ~s* schäbig, heruntergekommen; *to be head over ~s in love* bis über beide Ohren verliebt sein; *take to one's ~s* die Beine in die Hand nehmen; 2. *(of a shoe)* Absatz *m*

hefty ['heftɪ] *adj 1.* schwer; 2. *(person)* kräftig; 3. *(blow)* saftig *(fam)*

height [haɪt] *sb 1.* Höhe *f;* 2. *(of a person)* Größe *f;* 3. *(fig)* Höhe *f,* Gipfel *m*

heir [eə] *sb* Erbe *m; ~ to the throne* Thronfolger *m*

heiress ['eərɪs] *sb* Erbin *f*

heirloom ['eəluːm] *sb* Erbstück *n*

helicopter ['helɪkɒptə] *sb* Hubschrauber *m,* Helikopter *m*

hell [hel] *sb* Hölle *f; catch ~* eins aufs Dach kriegen *(fam); give s.o. ~* jdm die Hölle heiß machen *(fam); a ~ of a ...* ein verdammt guter ... *What the ~?* Was zum Teufel? *What the ~!* Was soll's? *Go to ~!* Fahr zur Hölle!

hellish ['helɪʃ] *adj* höllisch

hello [he'ləʊ] *interj 1.* hallo; 2. *(in surprise)* Nanu!

helmet ['helmɪt] *sb* Helm *m*

help [help] *v 1.* helfen; *He can't ~ it.* Er kann nichts dafür. 2. ~ *o.s. (to sth)* sich bedienen, zugreifen; 3. ~ *out* aushelfen; *sb 4.* Hilfe *f; Help!* Hilfe!

helper ['helpə] *sb* Helfer *m; (assistant)* Gehilfe/Gehilfin *m/f*

helpful ['helpfʊl] *adj 1. (person)* behilflich, hilfsbereit; 2. *(thing)* nützlich

helping hand [helpɪŋ'hænd] *sb* Unterstützung *f*

helpless ['helplɪs] *adj* hilflos

helpline [help laɪn] *sb* Notrufstelle *f* (bei Problemen)

helter-skelter [heltə'skeltə] *adj 1.* wirr, wild; 2. Durcheinander *n*

hem [hem] *sb 1.* Saum *m; v 2. ~ in (fig)* einengen; 3. ~ *in* MIL einschließen

he-man ['hiːmæn] *sb* He-Man *m,* sehr männlicher Typ *m*

hemp [hemp] *sb* BOT Hanf *m*

hen [hen] *sb* ZOOL Henne *f,* Huhn *n*

hence [hens] *adv 1. (thus)* also, daher, deshalb; 2. *(from now)* von jetzt an, binnen; *five years ~* in fünf Jahren

hen-party ['henpɑːtɪ] *sb (UK)* Kaffeeklatsch *m*

henpecked ['henpekt] *adj ~ husband (fam)* Pantoffelheld *m*

her [hɜː] *pron 1. (accusative)* sie, *(dative case)* ihr; *adj 2.* ihr(e)

herb [hɜːb] *sb* Kraut *n*

herbal ['hɜːbl] *adj* Kräuter..., Pflanzen...

herbivore ['hɜːbɪvɔː] *sb* ZOOL Pflanzenfresser *m*

herd [hɜːd] *sb 1.* Herde *f;* 2. *(of deer)* Rudel *n; v 3. (drive)* treiben; ~ *together* zusammentreiben

here [hɪə] *adv 1.* hier; ~ *and there* hier und da; *That's neither ~ nor there.* Das gehört nicht zur Sache. *Same ~! (fam)* Ich auch! 2. *(over to me)* her, hierher, hierhin; *Come ~!* Komm her! 3. *Look ~! (fig: Listen to me!)* Na hören Sie mal!

hereabouts ['hɪərəbaʊts] *adv* in dieser Gegend

hereafter [hiːr'ɑːftə] *adv 1.* in Zukunft; *sb 2.* the ~ das Jenseits *n*

hereby [hɪə'baɪ] *adv* hierdurch, hiermit

hereditary [hɪ'redɪtərɪ] *adj* erblich, Erb...

herewith [hɪə'wɪð] *adv* hierdurch, hiermit

heritage ['herɪtɪdʒ] *sb* Erbe *n,* Erbschaft *f*

hermit ['hɜːmɪt] *sb* Einsiedler *m,* Eremit *m*

hernia ['hɜːnɪə] *sb* MED Bruch *m,* Hernie *f*

hero ['hɪərəʊ] *sb* Held *m*

heroic [hɪ'rəʊɪk] *adj 1.* heldenhaft, heroisch; 2. *(size)* mächtig

heroin ['herəʊɪn] *sb* Heroin *n*

heroine ['herəʊɪn] *sb* Heldin *f*
hers [hɜːz] *pron* ihrer/ihre/ihres/ihre
herself [hɜː'self] *pron* sich; *she* ~ sie selbst
hesitate ['hezɪteɪt] *v* 1. zögern, zaudern; 2. *(in speaking)* stocken
hesitation [hezɪ'teɪʃən] *sb* Zögern *n*, Zaudern *n; without* ~ ohne zu zögern
heterosexual [hetərəʊ'seksjʊəl] *adj* heterosexuell
hex [heks] *sb put a* ~ *on s.o.* jdn verhexen
hexagon ['heksəgən] *sb* MATH Sechseck *n*, Hexagon *n*
hey [heɪ] *interj* He!
heyday ['heɪdeɪ] *sb* Glanzzeit *f*, Blütezeit *f*
hi [haɪ] *interj* Guten Tag! Hallo!
hibernate ['haɪbəneɪt] *v* überwintern
hibernation [haɪbə'neɪʃən] *sb* ZOOL Winterschlaf *m*, Überwinterung *f*
hiccup ['hɪkʌp] *sb* Schluckauf *m; have the* ~s den Schluckauf haben
hidden ['hɪdn] *adj* verborgen, geheim
hide¹ [haɪd] *v irr* 1. sich verstecken, sich verbergen; 2. *(sth, s.o.)* verstecken, verbergen
hide² [haɪd] *sb* Haut *f*, Fell *n*
hideaway ['haɪdəweɪ] *sb* Versteck *n*
hideout ['haɪdaʊt] *sb* Versteck *n*
hiding ['haɪdɪŋ] *sb* Versteck *n; to be in* ~ sich versteckt halten; *come out of* ~ wieder auftauchen; *go into* ~ untertauchen
higgledy-piggledy ['hɪgldɪ'pɪgldɪ] *adj* *(fam)* durcheinander
high [haɪ] *adj* 1. hoch, hohe(r,s); *search* ~ *and low* überall suchen; *the* ~ *season* die Hochsaison *f; It's* ~ *time that* ... Es wird höchste Zeit, dass ...; *aim* ~ *(fig)* sich hohe Ziele setzen; *leave s.o.* ~ *and dry* jdn im Stich lassen; 2. *(altitude)* groß; 3. *(fam: on drugs)* high; 4. *(wind)* stark
high chair ['haɪtʃeə] *sb* Hochstuhl *m*
high-handed [haɪ'hændɪd] *adj* anmaßend, selbstherrlich, eigenmächtig
high heels [haɪ hiːlz] *pl* hohe Absätze *pl*
high life ['haɪlaɪf] *sb the* ~ glanzvolles Leben *n*
highlight ['haɪlaɪt] *sb* 1. *(fig)* Höhepunkt *m*, Glanzpunkt *m*; 2. *(in hair)* Strähne *f*; 3. ART Glanzlicht *n; v* 4. *(fig: point to)* ein Schlaglicht werfen auf, hervorheben; 5. *(fig: to be the* ~ *of)* den Höhepunkt bilden
highly ['haɪlɪ] *adv* 1. höchst, äußerst, sehr; 2. *think* ~ *of s.o.* jdn bewundern
high point ['haɪpɔɪnt] *sb* Höhepunkt *m*
high-pressure [haɪ'preʃə] *adj* Hochdruck...

high-rise ['haɪraɪz] *sb* Hochhaus *n*
high-risk ['haɪrɪsk] *adj* Hochrisiko...
high school ['haɪskuːl] *sb (US)* Highschool *f*, Oberschule *f*
high society [haɪ sə'saɪətɪ] *sb* High Society *f*, obere Zehntausend *pl*
high tide [haɪ taɪd] *sb* Hochwasser *n*
highway ['haɪweɪ] *sb* Landstraße *f;* ~s *and byways* Straßen und Wege
hijack ['haɪdʒæk] *v* entführen
hijacking ['haɪdʒækɪŋ] *sb (of an aircraft)* Flugzeugentführung *f*
hike [haɪk] *v* 1. wandern; 2. ~ *up (trousers)* hochziehen; *sb* 3. Wanderung *f*
hiker ['haɪkə] *sb* Wanderer *m*
hilarious [hɪ'leərɪəs] *adj* zum Schreien, urkomisch, sehr lustig
hill [hɪl] *sb* Hügel *m*, Anhöhe *f*, kleiner Berg *m; as old as the* ~s uralt, steinalt; *to be over the* ~ *(fig)* seine besten Jahre hinter sich haben
him [hɪm] *pron* 1. *(accusative case)* ihn; *(dative case)* ihm; 2. *That's* ~! Das ist er!
himself [hɪm'self] *pron* 1. sich; 2. *he* ~ er selbst
Hindi ['hɪndɪ] *sb* LING Hindi *n*
Hindu ['hɪnduː] *sb* REL Hindu *m*
hint [hɪnt] *v* 1. andeuten; ~ *at* anspielen auf; *sb* 2. Andeutung *f; drop a* ~ eine Andeutung machen; *take a* ~ den Wink verstehen; 3. *(piece of advice)* Tipp *m*, Hinweis *m*; 4. *(trace)* Spur *f*
hip¹ [hɪp] *sb* ANAT Hüfte *f*
hip² [hɪp] *adj (fam) to be* ~ voll dabei sein *(fam); to be* ~ *to* ... auf dem Laufenden sein über ...
hip-hop ['hɪphɒp] *sb* MUS Hiphop *m*
hippie ['hɪpiː] *sb* Hippie *m*
hire [haɪə] *v* 1. mieten; 2. *(give a job to)* anstellen, engagieren; NAUT anheuern; 3. ~ *out* vermieten, verleihen; *sb* 4. *for* ~ zu vermieten; *(taxi)* frei
his [hɪz] *adj* 1. sein(e); *pron* 2. seiner/seine/seines/seine
Hispanic [hɪs'pænɪk] *adj* 1. spanisch; 2. *(Latin American)* lateinamerikanisch
hiss [hɪs] *v* 1. zischen; 2. *(~ s.o.)* auszischen
history ['hɪstərɪ] *sb* 1. Geschichte *f*; 2. *(background)* Vorgeschichte *f*
hit [hɪt] *v irr* 1. *(strike)* schlagen; ~ *the deck* sich zu Boden werfen; ~ *the road* sich auf den Weg machen; 2. *(target)* treffen; 3. *(collide against)* stoßen, rammen; 4. ~ *s.o. (occur to s.o.)* jdm aufgehen; 5. *(reach)* erreichen; 6. ~ *the bottle (fig)* zur Flasche greifen; 7. ~ *it off*

with s.o. sich gut mit jdm verstehen, mit jdm bestens auskommen; *sb* 8. *(blow)* Schlag *m*; 9. *(on target)* Treffer *m*; 10. *(success)* Erfolg *m*
• **hit back** *v irr* zurückschlagen
• **hit on** *v irr* 1. stoßen auf; 2. ~ s.o. *(fam)* *(US)* jdn anmachen
hit-and-run [hɪtənd'rʌn] *sb* Unfall mit Fahrerflucht *m*
hitch-hike ['hɪtʃhaɪk] *v* trampen, per Anhalter fahren
hitch-hiker ['hɪtʃhaɪkə] *sb* Tramper *m*, Anhalter *m*
hives [haɪvz] *pl* MED Nesselausschlag *m*, Nesselsucht *f*
hoarse [hɔːs] *adj* heiser
hoax [həʊks] *v* 1. hereinlegen; *sb* 2. Streich *m*, Trick *m*; *(false report)* Ente *f*
hobble ['hɒbl] *v* 1. humpeln, hinken; 2. (~ s.o.) *(fig)* hindern
hobby ['hɒbɪ] *sb* Hobby *n*; Steckenpferd *n*, Liebhaberei *f*
hobo ['həʊbəʊ] *sb* *(US: tramp)* Landstreicher *m*
hocus-pocus [həʊkəs'pəʊkəs] *sb* Hokuspokus *m*
hoist [hɔɪst] *v* hochziehen, hochwinden, hieven
hold [həʊld] *v irr* 1. halten; *Hold your fire!* Nicht schießen! *Hold everything!* Sofort aufhören! 2. *(one's nose, one's ears)* zuhalten; 3. ~ *one's breath* den Atem anhalten; 4. *(a passport)* haben; 5. *(shares)* FIN besitzen; 6. *(contain)* fassen; *(bus, plane)* Platz haben für; 7. *(a meeting, a church service)* abhalten; 8. *(a party, a concert)* veranstalten; 9. *(an office, a post)* innehaben, bekleiden; 10. ~ *one's own* sich behaupten; 11. *(consider)* halten für; ~ s.o. *responsible* jdn verantwortlich machen; *sb* 12. Griff *m*; *get* ~ *of s.o.* *(fig)* jdn erwischen; *get a* ~ *on s.o.* jdn unter seinen Einfluss bekommen; *grab* ~ *of sth* etw fassen; *have a good* ~ *over s.o.* jdn in der Hand haben; *take* ~ *of sth* etw ergreifen; 13. *(in mountaineering)* Halt *m*; 14. NAUT Laderaum *m*
• **hold back** *v irr* 1. sich zurückhalten; 2. *(sth)* zurückhalten; 3. *(a mob)* aufhalten; 4. *(tears)* unterdrücken; 5. *to be held back* *(have to repeat a school year)* sitzen bleiben
• **hold on** *v irr* 1. sich festhalten; ~ *to* festhalten; 2. *(endure)* durchhalten; 3. *(wait, stop)* *Hold on!* Moment!
• **hold out** *v irr* 1. *(refuse to yield)* nicht nachgeben, aushalten; 2. ~ *for* bestehen auf; 3. *(sth)* ausstrecken

• **hold up** *v irr* 1. *(lift up)* hochheben; 2. *(delay)* verzögern; 3. *(fam: rob)* überfallen; 4. ~ *to sth* sich zu etw bekennen; 5. *(weather)* sich halten
holding company ['həʊldɪŋkʌmpənɪ] *sb* ECO Dachgesellschaft *f*
hold-up ['həʊldʌp] *sb* 1. *(robbery)* bewaffneter Überfall *m*; 2. *(delay)* Verzögerung *f*
hole [həʊl] *sb* 1. Loch *n*; *pick* ~*s in sth (fig)* etw kritisieren; 2. *(rabbit's or fox's)* Bau *m*; 3. *(fig: awkward situation)* Klemme *f*; *v* 4. ~ *up* sich verkriechen
holiday ['hɒlɪdeɪ] *sb* 1. Feiertag *m*; *(day off)* freier Tag *m*; 2. ~*s pl (UK)* Urlaub *m*, Ferien *pl*; *on* ~ im Urlaub
holiday resort ['hɒlɪdeɪ rɪ'zɔːt] *sb* Ferienort *m*
holler ['hɒlə] *v* brüllen
hollow ['hɒləʊ] *adj* 1. hohl; 2. *(promise)* leer; 3. *(victory)* wertlos; 4. *(sound)* hohl, dumpf; *sb* 5. *(in the ground)* Mulde *f*; 6. *(valley)* Senke *f*; 7. *(of a tree)* hohler Teil *m*
holly ['hɒlɪ] *sb* BOT Stechpalme *f*
holocaust ['hɒləkɔːst] *sb* 1. Inferno *n*; 2. *The Holocaust* der Holocaust *m*
holster ['həʊlstə] *sb* Pistolenhalfter *f/n*
holy ['həʊlɪ] *adj* REL heilig; *(bread, water, ground)* geweiht
Holy Week ['həʊlɪ wiːk] *sb* Karwoche *f*
home [həʊm] *sb* 1. Heim *n*; *feel at* ~ sich wie zu Hause fühlen; *a letter from* ~ ein Brief von Zuhause; *at* ~ zu Hause, daheim; *make o.s. at* ~ sich wie zu Hause fühlen; 2. *(country)* Heimat *f*; 3. ZOOL Heimat *f*; 4. *(institution)* Heim *n*, Anstalt *f*; 5. *hit* ~ ins Schwarze treffen; *adv* 6. zu Hause, daheim; 7. *(toward* ~*)* nach Hause, heim; *bring sth* ~ *to s.o. (fig)* jdm etw klarmachen; *nothing to write* ~ *about (fam)* nichts Weltbewegendes
homebanking [həʊm 'bæŋkɪŋ] *sb* FIN Home Banking *n* (Bankgeschäfte über Computer von zu Hause aus)
home-brew ['həʊmbruː] *sb* selbst gebrautes Bier *n*
homeless ['həʊmlɪs] *adj* obdachlos
homely ['həʊmlɪ] *adj* 1. *(UK: homey)* anheimelnd, gemütlich; 2. *(US: unattractive)* unansehnlich, unattraktiv
homepage ['həʊmpeɪdʒ] *sb* INFORM Homepage *f*
homesick ['həʊmsɪk] *adj* *to be* ~ Heimweh haben
home truth [həʊm truːθ] *sb* bittere Wahrheit *f*

homework ['həʊmwɜːk] *sb 1.* Hausaufgaben *pl*, Schulaufgaben *pl*; 2. do one's ~ *(fig)* sich gründlich vorbereiten

homicide ['hɒmɪsaɪd] *sb 1.* Tötung *f*; 2. *(murder)* Mord *m*

homophobia [həʊməʊˈfəʊbɪə] *sb* Schwulenhass *m*

homosexual [həʊməʊˈseksjʊəl] *sb 1.* Homosexuelle(r) *m/f*; *adj 2.* homosexuell

homosexuality [həʊməʊseksjʊˈælɪti] *sb* Homosexualität *f*

honest ['ɒnɪst] *adj 1. (sincere)* ehrlich, offen, aufrichtig; 2. *(respectable)* redlich, anständig; 3. *(money, profit)* ehrlich verdient

honesty ['ɒnɪsti] *sb* Ehrlichkeit *f*, Aufrichtigkeit *f*, Redlichkeit *f*

honey ['hʌni] *sb 1.* Honig *m*; 2. *(fam: darling)* Schatz *m*

honeymoon ['hʌnɪmuːn] *sb 1.* Flitterwochen *pl*; 2. *(trip)* Hochzeitsreise *f*

honorary degree ['ɒnərəri dəˈgriː] *sb* ehrenhalber verliehener akademischer Grad *m*

honorific [ɒnəˈrɪfɪk] *adj* ehrend, Ehren...

honour ['ɒnə] *sb 1.* Ehre *f*; word of ~ Ehrenwort *n*; guest of ~ Ehrengast *m*; a point of ~ Ehrensache *f*; 2. Your Honour *(judge)* Euer Ehren, *(mayor)* Herr Bürgermeister; 3. *(award)* Auszeichnung *f*; 4. ~s *pl (academic)* besondere Auszeichnung *f*; v 5. *(a cheque)* annehmen, einlösen; 6. *(a credit card)* anerkennen; 7. *(a debt)* begleichen; 8. *(a commitment)* stehen zu, *(a contract)* erfüllen; 9. *(s.o.)* ehren

honourable ['ɒnərəbl] *adj 1.* ehrenhaft, *(discharge)* ehrenvoll; 2. the Honourable ... der/die Ehrenwerte ...

honours list ['ɒnəz lɪst] *sb (UK)* Liste der Titel- und Rangverleihungen *f*

hook [hʊk] *sb 1.* Haken *m*; by ~ or by crook so oder so; to be off the ~ aus dem Schneider sein *(fam)*; let s.o. off the ~ jdn verschonen; v 2. *(a fish)* an die Angel bekommen; 3. *(fam: a husband)* sich angeln; 4. ~ one's feet around sth etw mit etw umschlingen; 5. ~ sth to sth etw an etw festhaken; 6. ~ sth up *(device)* etw anschließen; *(dress)* zuhaken, *(trailer)* ankoppeln; 7. get ~ed on sth *(really like sth)* auf etw stehen *(fam)*; *(drugs)* von etw abhängig werden

hooker ['hʊkə] *sb (fam: prostitute) (US)* Nutte *f*

hooligan ['huːlɪgən] *sb* Rowdy *m*

hooray [həˈreɪ] *interj* hurra

hoot [huːt] *v 1. (derisively)* johlen; 2. *(owl)* schreien; 3. *(UK: horn)* hupen

hoover ['huːvə] *v (fam)* Staub saugen

hop [hɒp] *v 1.* hüpfen, hopsen; ~ in *(fam)* einsteigen; ~ into bed with s.o. mit jdm ins Bett steigen; Hop to it! *(fam)* Beweg dich! Mach schnell! *sb 2.* kleiner Sprung *m*, Hüpfer *m*; 3. *(fam: short aeroplane flight)* Katzensprung *m*

hope [həʊp] *v 1.* hoffen; ~ for hoffen auf; ~ for the best das Beste hoffen; ~ against ~ that ... trotz allem die Hoffnung nicht aufgeben, dass ...; *sb 2.* Hoffnung *f*

hopeful ['həʊpfʊl] *adj* hoffnungsvoll

hopeless ['həʊplɪs] *adj 1.* hoffnungslos; 2. *(situation)* aussichtslos, hoffnungslos; 3. *(incurable: liar, romantic)* unverbesserlich

horizon [həˈraɪzn] *sb* Horizont *m*

horn [hɔːn] *sb 1.* ZOOL Horn *n*; ~s *pl (deer's)* Geweih *n*; 2. MUS Horn *n*; blow one's own ~ sich selbst auf die Schulter klopfen; 3. *(of a car)* Hupe *f*

horned [hɔːnd] *adj* gehörnt, Horn...

horny ['hɔːni] *adj (fam)* geil, scharf

horoscope ['hɒrəskəʊp] *sb* Horoskop *n*

horrible ['hɒrɪbl] *adj* fürchterlich, schrecklich

horrid ['hɒrɪd] *adj* scheußlich, fürchterlich, schrecklich

horrific [hɒˈrɪfɪk] *adj* entsetzlich, schrecklich

horror ['hɒrə] *sb 1.* Grauen *n*, Entsetzen *n*; 2. *(horrifying thing)* Gräuel *m*, Schrecken *m*; *adj 3.* CINE Horror...

horse [hɔːs] *sb 1.* Pferd *n*; eat like a ~ fressen wie ein Scheunendrescher; straight from the ~'s mouth aus berufenem Mund; Now that's a ~ of a different colour. Aber das ist wieder was anderes. *v 2.* ~ around *(fam)* herumblödeln

horseback ['hɔːsbæk] *sb* on ~ zu Pferd

horsebox ['hɔːsbɒks] *sb* Pferdebox *f*

horseplay ['hɔːspleɪ] *sb* Unfug *m*, Balgerei *f*, Herumalbern *n*

horsepower ['hɔːspaʊə] *sb* Pferdestärke *f*

horseshoe ['hɔːsʃuː] *sb* Hufeisen *n*

horticulture ['hɔːtɪkʌltʃə] *sb* Gartenbau *m*

hospital ['hɒspɪtl] *sb* Krankenhaus *n*, Klinik *f*, Hospital *n*

hospitality [hɒspɪˈtælɪti] *sb* Gastfreundschaft *f*

host [həʊst] *sb 1.* Gastgeber *m*; 2. *(at a pub, at a hotel)* Wirt *m*; 3. *(of a game show)* Moderator *m*

hostage ['hɒstɪdʒ] *sb* Geisel *f*; take s.o. ~ jdn als Geisel nehmen

hostel ['hɒstəl] *sb* Heim *n; youth* ~ Jugendherberge *f*

hostess ['həʊstɪs] *sb* 1. Gastgeberin *f;* 2. *(in a pub, in a hotel)* Wirtin *f;* 3. *(at a night club, at an exhibition)* Hostess *f*

hostility [hɒs'tɪlɪtɪ] *sb* 1. Feindschaft *f*, Feindseligkeit *f;* 2. *hostilities pl* MIL Feindseligkeiten *pl*

hot [hɒt] *adj* 1. heiß; ~ *off the presses,* ~ *from the press* gerade erschienen; ~ *under the collar* (fig) wütend; 2. *(meal, drink)* warm; 3. *(spicy)* scharf; 4. *(temper)* hitzig; 5. *fam: great)* stark, toll; *He's not so* ~. Er ist nicht so toll.

hot-blooded [hɒt'blʌdɪd] *adj* heißblütig

hot dog ['hɒtdɒg] *sb* GAST Hotdog *m/n*

hotel [həʊ'tel] *sb* Hotel *n*

hothead ['hɒthed] *sb* Hitzkopf *m*

hotline ['hɒtlaɪn] *sb* 1. Hotline *f;* 2. *(between heads of government)* POL heißer Draht *m*

hot seat ['hɒtsiːt] *sb* (fig) Schleudersitz *m*

hot-water bottle [hɒt'wɔːtəbɒtl] *sb* Wärmflasche *f*

hour [aʊə] *sb* 1. Stunde *f; for* ~s stundenlang; *five minutes past the* ~ fünf Minuten nach voll; *the wee* ~s die frühen Morgenstunden; *every* ~ *on the* ~ jede volle Stunde; 2. ~s *pl (business* ~) Öffnungszeiten *pl,* Geschäftszeiten *pl; after* ~s nach Büroschluss, nach Ladenschluss

hourly ['aʊəlɪ] *adj* stündlich; ~ *wage* Stundenlohn *m*

house [haʊs] *sb* 1. Haus *n; get on like a* ~ *on fire* sich auf Anhieb verstehen; *bring the* ~ *down* (fig) den Saal zum Kochen bringen; *eat s.o. out of* ~ *and home* jdm die Haare vom Kopf fressen; 2. *on the* ~ auf Kosten des Hauses; 3. *House of Commons (UK)* POL Unterhaus *n; House of Lords (UK)* Oberhaus *n; House of Representatives (US)* POL Abgeordnetenhaus *n;* [haʊz] *v* 4. unterbringen, einbauen

house arrest [haʊsə'rest] *sb* Hausarrest *m*

housebreak ['haʊsbreɪk] *v (US: a dog)* stubenrein machen

household name [haʊshəʊld'neɪm] *sb* gängiger Begriff *m*

house-train ['haʊstreɪn] *v* stubenrein machen

housewife ['haʊswaɪf] *sb* Hausfrau *f*

how [haʊ] *adv* 1. wie; *How come?* Wieso? *And* ~! Und wie! *How about it?* Wie wär's?

How do you do? Guten Tag! 2. ~ *much* wie viel; *(to what degree)* wie sehr; *How much is it?* Was kostet es?

however [haʊ'evə] *konj* 1. jedoch, doch, dennoch; *adv* 2. egal wie, wie; *However did you manage it?* Wie hast du das bloß geschafft?

howl [haʊl] *v* 1. heulen, jaulen; 2. *(person)* brüllen, schreien; *sb* 3. Schrei *m,* Heulen *n*

hub [hʌb] *sb* 1. Radnabe *f;* 2. *(fig)* Mittelpunkt *m,* Zentrum *n*

hubby ['hʌbɪ] *sb (fam: husband)* Männe *m,* Mann *m*

hubcap ['hʌbkæp] *sb* Radkappe *f*

huddle ['hʌdl] *v (confer)* die Köpfe zusammenstecken

hue¹ [hjuː] *sb* ~ *and cry* Zeter und Mordio

hue² [hjuː] *sb (colour)* Farbe *f,* Farbton *m*

huff [hʌf] *sb in a* ~ verstimmt, eingeschnappt

hug [hʌg] *v* 1. umarmen; 2. *(keep close to)* sich dicht halten an; *sb* 3. Umarmung *f*

huge [hjuːdʒ] *adj* riesig, gewaltig, enorm

hula-hoop ['huːləhuːp] *sb* Hula-Hoop-Reifen *m*

hull [hʌl] *sb* 1. NAUT Rumpf *m;* 2. BOT Hülse *f*

hullaballoo [hʌləbə'luː] *sb* Lärm *m,* Tumult *m*

hullo [hʌ'ləʊ] *interj* 1. hallo; 2. *(in surprise)* Nanu!

human ['hjuːmən] *sb* 1. Mensch *m; adj* 2. menschlich; *I'm only* ~. Ich bin auch nur ein Mensch.

human being ['hjuːmən 'biːɪŋ] *sb* Mensch *m*

humane [hjuː'meɪn] *adj* human, menschlich

human interest ['hjuːmən 'ɪntrɪst] *sb* die menschliche Seite *f*

humankind [hjuːmən'kaɪnd] *sb* die Menschheit *f*

human nature ['hjuːmən 'neɪtʃə] *sb* menschliche Natur *f*

human race ['hjuːmən reɪs] *sb the* ~ das Menschengeschlecht *n*

human rights ['hjuːmən raɪts] *pl* Menschenrechte *pl*

humble ['hʌmbl] *v* 1. demütigen, erniedrigen; *adj* 2. *(unassuming)* bescheiden; 3. *(meek)* demütig; 4. *(lowly)* einfach

humid ['hjuːmɪd] *adj* feucht

humidity [hjuː'mɪdɪtɪ] *sb* Feuchtigkeit *f,* Luftfeuchtigkeit *f*

humiliate [hju:'mɪlɪeɪt] v demütigen, erniedrigen

humiliation [hju:mɪlɪ'eɪʃən] sb Demütigung f, Erniedrigung f

humorist ['hju:mərɪst] sb Humorist/Humoristin m/f

humorous ['hju:mərəs] adj humorvoll, lustig

humour ['hju:mə] sb 1. Humor m; 2. (mood) Stimmung f, Laune f

hump [hʌmp] sb 1. ANAT Buckel m; 2. (camel's) ZOOL Höcker m; 3. (hillock) kleiner Hügel m

hunch [hʌntʃ] sb 1. (fig: feeling, idea) Gefühl n, Ahnung f; play a ~ einer Intuition folgen; 2. (hump) ANAT Buckel m

hung [hʌŋ] adj 1. gehängt, aufgehängt; 2. a ~ jury JUR eine Jury, innerhalb derer sich keine Mehrheit bildet

hunger ['hʌŋgə] v 1. hungern; ~ for, ~ after hungern nach; sb 2. Hunger m

hunger strike ['hʌŋgəstraɪk] sb Hungerstreik m

hungry ['hʌŋgrɪ] adj hungrig; go ~ hungern; I'm ~. Ich habe Hunger.

hunk [hʌŋk] sb 1. (big piece) großes Stück n; 2. (fam: man) gut gebauter, attraktiver Mann m

hunky-dory [hʌŋkɪ'dɔ:rɪ] adj (fam) in Ordnung

hunt [hʌnt] v 1. jagen; (search) suchen; ~ s.o. down jdn zur Strecke bringen; sb 2. Jagd f; (by police) Fahndung f

hurdle ['hɜ:dl] v 1. überspringen; sb 2. Hürde f

hurricane ['hʌrɪkeɪn] sb Orkan m; (tropical) Wirbelsturm m

hurried ['hʌrɪd] adj eilig, hastig, übereilt

hurry ['hʌrɪ] v 1. sich beeilen; ~ somewhere irgendwohin eilen; Hurry up! Beeil dich! 2. (s.o.) antreiben; 3. (sth) beschleunigen, schneller machen; (do too quickly) überstürzen; ~ over sth etw hastig erledigen; sb 4. Hast f, Eile f; in a ~ eilig, hastig; to be in a ~ es eilig haben

hurt [hɜ:t] v irr 1. (to be painful) schmerzen, wehtun; 2. (s.o.) wehtun; (injure) verletzen; 3. (sth) schaden; adj 4. verletzt; 5. (look) gekränkt

hurtful ['hɜ:tful] adj verletzend

husband ['hʌzbənd] sb Mann m, Ehemann m, Gatte m

hush [hʌʃ] v 1. zum Schweigen bringen; Hush! Pst! 2. ~ sth up etw vertuschen

hush money ['hʌʃmʌnɪ] sb (fam) Schweigegeld n

husky ['hʌskɪ] adj 1. (voice) heiser; 2. (person) stämmig

hustle ['hʌsl] v 1. (move quickly) hasten, sich beeilen; 2. (US: work quickly) rangehen; 3. (push roughly) drängeln; 4. ~ sth somewhere etw rasch wohin schaffen; 5. ~ up (US) herzaubern (fam); sb 6. Hetze f, Eile f, (jostling) Gedränge n

hut [hʌt] sb 1. Hütte f; 2. MIL Baracke f

hydrogen ['haɪdrɪdʒən] sb Wasserstoff m

hydrogen peroxide ['haɪdrɪdʒən pə'rɒksaɪd] sb Wasserstoffsuperoxid n, Wasserstoffperoxid n

hyena [haɪ'i:nə] sb ZOOL Hyäne f

hyetal ['haɪɪtl] adj Niederschlags...

hygiene ['haɪdʒi:n] sb Hygiene f; personal ~ Körperpflege f

hygienic [haɪ'dʒi:nɪk] adj hygienisch

hymn [hɪm] sb Hymne f

hymnal ['hɪmnəl] sb REL Gesangbuch n

hymn-book ['hɪmbuk] sb REL Gesangbuch n

hype [haɪp] v 1. (promote, publicize) aggressiv propagieren; sb 2. (publicity) Publizität f, aggressive Propaganda f

hyper ['haɪpə] adj (fam) übernervös

hyperactive [haɪpər'æktɪv] adj äußerst aktiv

hypercritical [haɪpə'krɪtɪkl] adj überkritisch

hypermarket ['haɪpəmɑ:kɪt] sb (UK) Großmarkt m, Verbrauchermarkt m

hypersensitive [haɪpə'sensɪtɪv] adj überempfindlich

hypnosis [hɪp'nəʊsɪs] sb Hypnose f

hypnotist ['hɪpnətɪst] sb Hypnotiseur m

hypnotize ['hɪpnətaɪz] v hypnotisieren

hypocrisy [hɪ'pɒkrɪsɪ] sb Heuchelei f

hypocrite ['hɪpəkrɪt] sb Heuchler m

hypocritical [hɪpə'krɪtɪkəl] adj heuchlerisch

hypothermia [haɪpəʊ'θɜ:mɪə] sb Unterkühlung f, Kältetod m

hypothetical [haɪpəʊ'θetɪkəl] adj hypothetisch

hysterectomy [hɪstə'rektəmɪ] sb MED Hysterektomie f, Totaloperation f

hysteria [hɪs'tɪərɪə] sb Hysterie f

hysteric [hɪs'sterɪk] sb 1. (person) Hysteriker m; 2. ~s pl PSYCH Hysterie f

hysterical [hɪs'terɪkəl] adj 1. hysterisch; 2. (fam: very funny) wahnsinnig komisch

I

I [aɪ] *pron* ich
ice [aɪs] *sb 1.* Eis *n; keep sth on ~* eine Sache auf Eis legen; *v 2. ~ over,~ up* zufrieren; *(windscreen)* vereisen
Ice Age [ˈaɪseɪdʒ] *sb GEOL* Eiszeit *f*
iceberg [ˈaɪsbɜːg] *sb* Eisberg *m*
icebox [ˈaɪsbɒks] *sb 1. (part of a refrigerator)* Eisfach *n; 2. (US: refrigerator)* Eisschrank *m*, Kühlschrank *m*
icebreaker [ˈaɪsbreɪkə] *sb 1. NAUT* Eisbrecher *m; 2. (fig) His joke was a real ~.* Sein Witz brach das Eis.
ice cream [ˈaɪskriːm] *sb GAST* Eis *n*, Speiseeis *n*
iced [aɪst] *adj 1. (covered with ice)* vereist; *2. (cooled by means of ice)* geeist, eisgekühlt; *3. (covered with icing) GAST* glasiert
ice skate [ˈaɪsskeɪt] *sb* Schlittschuh *m*
ice-skating [ˈaɪsskeɪtɪŋ] *sb 1.* Schlittschuhlaufen *n; 2. SPORT* Eiskunstlauf *m*
icicle [ˈaɪsɪkl] *sb* Eiszapfen *m*
icing [ˈaɪsɪŋ] *sb GAST* Zuckerguss *m*
icy [ˈaɪsɪ] *adj* eisig
ID [aɪˈdiː](*see "identification", "identify"*)
idea [aɪˈdɪə] *sb 1.* Idee *f*, Einfall *m; What's the big ~?* Was soll denn das? *2. (concept)* Vorstellung *f*, Ahnung *f*, Ansicht *f; The very ~!* Na so was! *give s.o. an ~ of ...* jdm eine ungefähre Vorstellung von ... geben; *I haven't the slightest ~.* Ich habe nicht die geringste Ahnung.
ideal [aɪˈdɪəl] *adj 1.* ideal; *sb 2.* Ideal *n*, Idealvorstellung *f*, Wunschbild *n*
idealistic [aɪdɪəˈlɪstɪk] *adj* idealistisch
identical [aɪˈdentɪkəl] *adj* identisch, gleich; *~ twins* eineiige Zwillinge
identification [aɪdentɪfɪˈkeɪʃən] *sb 1.* Identifizierung *f; 2. (proof of identity)* Ausweis *m*, Legitimation *f; 3. (association)* Identifikation *f*
identity [aɪˈdentɪtɪ] *sb 1.* Identität *f; 2. mistaken ~* Personenverwechslung *f*
identity card [aɪˈdentɪtɪ kɑːd] *sb* Personalausweis *m*, Ausweis *m*
ideology [aɪdɪˈɒlədʒɪ] *sb* Ideologie *f*
idiom [ˈɪdɪəm] *sb (word, phrase)* idiomatische Wendung *f*, Redewendung *f*
idiot [ˈɪdɪət] *sb* Idiot *m*, Dummkopf *m*
idle [ˈaɪdl] *adj 1. (not working)* müßig, untätig; *2. (machine)* stillstehend, außer Betrieb;

3. (lazy) faul, träge; *4. (speculation)* müßig; *5. (threat, words)* leer; *v 6. (engine)* leer laufen
idolatry [aɪˈdɒlətrɪ] *sb* Abgötterei *f*, Götzendienst *m*
idolize [ˈaɪdəlaɪz] *v* abgöttisch verehren, vergöttern, anbeten
idyllic [ɪˈdɪlɪk] *adj* idyllisch
if [ɪf] *konj 1.* wenn, falls; *~ only* wenn nur; *~ so* wenn ja, wenn dem so ist; *~ need be* nötigenfalls; *2. (whether)* ob; *I don't know ~ she wants to talk to him.* Ich weiß nicht, ob sie mit ihm sprechen will.
iffy [ˈɪfɪ] *adj (fam)* fraglich, zweifelhaft
igloo [ˈɪgluː] *sb* Iglu *m*
ignite [ɪgˈnaɪt] *v 1.* sich entzünden, Feuer fangen, *(car)* zünden; *2. (sth)* entzünden, anzünden; *(car)* zünden
ignition [ɪgˈnɪʃən] *sb 1.* Anzünden *n*, Entzünden *n; 2. (of a car, of a rocket)* Zündung *f; 3. (fam) leave the key in the ~* den Zündschlüssel stecken lassen; *The key is in the ~.* Der Zündschlüssel steckt.
ignition key [ɪgˈnɪʃən kiː] *sb* Zündschlüssel *m*
ignorance [ˈɪgnərəns] *sb 1.* Unwissenheit *f; 2. (of sth in particular)* Unkenntnis *f*
ignorant [ˈɪgnərənt] *adj 1.* unwissend, ungebildet, ignorant; *2. (of sth in particular)* nicht wissend, nicht kennend
ignore [ɪgˈnɔː] *v* ignorieren, nicht beachten
ill [ɪl] *adj 1. (sick)* krank; *to be taken ~* erkranken, krank werden; *2. (bad)* schlecht, schlimm, übel; *speak ~ of s.o.* schlecht von jdm sprechen; *~ humour* schlechte Laune; *~ at ease* unbehaglich; *~ feeling (resentment)* Groll *m*, Verbitterung *f*
illegal [ɪˈliːgəl] *adj* illegal, ungesetzlich
illegible [ɪˈledʒəbl] *adj* unleserlich
illegitimate [ɪlɪˈdʒɪtɪmət] *adj* unrechtmäßig; *(child)* unehelich
illiteracy [ɪˈlɪtərəsɪ] *sb* Analphabetentum *n*
illiterate [ɪˈlɪtərət] *adj 1.* des Lesens und Schreibens unkundig; *2.* Analphabet/Analphabetin *m/f*
illness [ˈɪlnɪs] *sb* Krankheit *f*
illogical [ɪˈlɒdʒɪkəl] *adj* unlogisch
illuminating [ɪˈluːmɪneɪtɪŋ] *adj* erhellend, aufschlussreich
illumination [ɪluːmɪˈneɪʃən] *sb 1.* Beleuchtung *f; 2. (fig)* Erläuterung *f*

illusion [ɪˈluːʒən] *sb* 1. Illusion *f;* 2. *(misperception)* Täuschung *f*

illustration [ɪləsˈtreɪʃən] *sb* 1. Abbildung *f,* Bild *n,* Illustration *f;* 2. *(fig)* erklärendes Beispiel *n*

image [ˈɪmɪdʒ] *sb* 1. Bild *n;* 2. *(mental ~)* Vorstellung *f,* Bild *n;* 3. *(sculpted)* ART Standbild *n,* Figur *f;* 4. *(likeness)* Ebenbild *n,* Abbild *n;* 5. *(public perception)* Image *n*

imagery [ˈɪmɪdʒrɪ] *sb* Metaphorik *f,* Vorstellung *f*

imagination [ɪmædʒɪˈneɪʃən] *sb* 1. Fantasie *f,* Vorstellungskraft *f,* Einbildungskraft *f; Use your ~!* Lass dir was einfallen! 2. *(self-deceptive)* Einbildung *f*

imagine [ɪˈmædʒɪn] *v* 1. sich vorstellen, sich denken; 2. *(be under the illusion that)* sich einbilden; 3. *(suppose)* annehmen, vermuten

imbalance [ɪmˈbæləns] *sb* Unausgeglichenheit *f*

imbecile [ˈɪmbəsiːl] *sb* 1. MED Schwachsinniger *m;* 2. *(fam)* Idiot *m,* Blödmann *m,* Dummkopf *m*

imitate [ˈɪmɪteɪt] *v* nachahmen, imitieren, nachmachen

imitation [ɪmɪˈteɪʃən] *sb* 1. Imitation *f,* Nachahmung *f; adj* 2. unecht, künstlich, Kunst...

imitative [ˈɪmɪtətɪv] *adj* nachahmend, imitierend

immaculate [ɪˈmækjulɪt] *adj* 1. untadelig, tadellos, makellos; 2. REL *the Immaculate Conception* die unbefleckte Empfängnis *f*

immaterial [ɪməˈtɪərɪəl] *adj* nebensächlich, unwesentlich, bedeutungslos

immature [ɪməˈtjuə] *adj* unreif

immediately [ɪˈmiːdɪətlɪ] *adv* 1. *(right away)* sofort, umgehend, unverzüglich; 2. *(directly)* direkt, unmittelbar; *konj* 3. *(UK)* sobald

immense [ɪˈmens] *adj* riesig, enorm, ungeheuer

immensity [ɪˈmensɪtɪ] *sb* ungeheure Größe *f*

immigrant [ˈɪmɪgrənt] *sb* Einwanderer *m,* Immigrant/Immigrantin *m/f*

immigrate [ˈɪmɪgreɪt] *v* einwandern, immigrieren; *~ to* einwandern in

immigration [ɪmɪˈgreɪʃən] *sb* Einwanderung *f,* Immigration *f*

imminent [ˈɪmɪnənt] *adj* nahe bevorstehend

immobile [ɪˈməubaɪl] *adj* unbeweglich

immodesty [ɪˈmɒdɪstɪ] *sb* Unbescheidenheit *f,* Unanständigkeit *f*

immoral [ɪˈmɒrəl] *adj* unmoralisch, unsittlich; *(person)* sittenlos

immorality [ɪməˈrælɪtɪ] *sb* Unmoral *f,* Unsittlichkeit *f*

immortal [ɪˈmɔːtl] *adj* unsterblich

immortality [ɪmɔːˈtælɪtɪ] *sb* Unsterblichkeit *f*

immortalize [ɪˈmɔːtəlaɪz] *v* unsterblich machen, verewigen

immovable [ɪˈmuːvəbl] *adj* unbeweglich; *(person: steadfast)* fest

immune [ɪˈmjuːn] *adj* 1. MED immun; 2. *(fig)* gefeit

immunity [ɪˈmjuːnɪtɪ] *sb* Immunität *f*

immunize [ˈɪmjʊnaɪz] *v* immunisieren

impact [ˈɪmpækt] *sb* 1. Aufprall *m;* 2. *(of two moving objects)* Zusammenprall *m;* 3. *(force)* Wucht *f;* 4. *(fig)* Auswirkung *f; have an ~ on* sich auswirken auf

impart [ɪmˈpɑːt] *v (bestow)* verleihen

impartial [ɪmˈpɑːʃəl] *adj* unparteiisch, unvoreingenommen, unbefangen

impatience [ɪmˈpeɪʃəns] *sb* Ungeduld *f*

impatient [ɪmˈpeɪʃənt] *adj* ungeduldig

impeach [ɪmˈpiːtʃ] *v* 1. anklagen; *(US: a president)* ein Impeachment einleiten gegen; 2. *(challenge)* anzweifeln, infrage stellen

impeccable [ɪmˈpekəbl] *adj* untadelig, tadellos

impediment [ɪmˈpedɪmənt] *sb* 1. Hindernis *n;* 2. MED Behinderung *f; speech ~* Sprachfehler *m*

impending [ɪmˈpendɪŋ] *adj* nahe bevorstehend, drohend

impenetrable [ɪmˈpenɪtrəbl] *adj* 1. undurchdringlich; 2. *(fig: mystery)* unergründlich

imperfect [ɪmˈpɜːfɪkt] *adj* 1. unvollkommen, mangelhaft; *(goods)* fehlerhaft; 2. *(incomplete)* unvollständig, unvollkommen; *sb* 3. GRAMM Imperfekt *n,* vollendete Vergangenheit *f*

imperfection [ɪmpəˈfekʃən] *sb (fault)* Mangel *m,* Fehler *m*

impermeable [ɪmˈpɜːmɪəbl] *adj* undurchlässig

impersonal [ɪmˈpɜːsnl] *adj* unpersönlich

impersonate [ɪmˈpɜːsəneɪt] *v* 1. *(pass o.s. off as)* sich ausgeben als; 2. *(for comic purposes)* imitieren, nachahmen

impersonator [ɪmˈpɜːsəneɪtə] *sb* Imitator *m*

impertinence [ɪmˈpɜːtɪnəns] *sb* Unverschämtheit *f,* Frechheit *f*

impertinent [ɪmˈpɜːtɪnənt] *adj* unverschämt, frech

impetuous [ɪmˈpetjʊəs] *adj* ungestüm, stürmisch, hitzig

implant [ɪmˈplɑːnt] *v* 1. MED implantieren; [ˈɪmplɑːnt] *sb* 2. Implantat *n*

implantation [ɪmplɑːnˈteɪʃən] *sb* Einpflanzung *f*, Implantation *f*

implausible [ɪmˈplɔːzəbl] *adj* nicht plausibel, unglaubhaft, unglaubwürdig

implement [ˈɪmplɪmənt] *v* 1. durchführen, ausführen; 2. *(a law)* anwenden; *sb* 3. Werkzeug *n*, Gerät *n*

implicate [ˈɪmplɪkeɪt] *v* ~ *s.o. in sth* jdn in etw verwickeln

implied [ɪmˈplaɪd] *adj* mit inbegriffen, impliziert

impolite [ɪmpəˈlaɪt] *adj* unhöflich

import [ɪmˈpɔːt] *v* 1. einführen, importieren; [ˈɪmpɔːt] *sb* 2. ECO Einfuhr *f*, Import *m*; 3. ~s *pl (goods)* Einfuhrartikel *m*, Einfuhrwaren *pl*

importance [ɪmˈpɔːtəns] *sb* Wichtigkeit *f*, Bedeutung *f*

important [ɪmˈpɔːtənt] *adj* wichtig, bedeutend

import duty [ˈɪmpɔːtdjuːtɪ] *sb* ECO Einfuhrzoll *m*

impose [ɪmˈpəʊz] *v* 1. ~ *on s.o.* sich jdm aufdrängen, jdm zur Last fallen; 2. *(sth)(task, conditions)* auferlegen; 3. *(a fine)* verhängen; 4. *(a tax)* erheben

imposing [ɪmˈpəʊzɪŋ] *adj* eindrucksvoll, imponierend, imposant

impossible [ɪmˈpɒsəbl] *adj* unmöglich

impostor [ɪmˈpɒstə] *sb* Betrüger *m*, Schwindler *m*, Hochstapler *m*

impotent [ˈɪmpətənt] *adj* schwach; *(sexually)* impotent

impound [ɪmˈpaʊnd] *v* 1. beschlagnahmen; 2. *(a car)* abschleppen lassen

impractical [ɪmˈpræktɪkəl] *adj* unpraktisch

imprecise [ɪmprɪˈsaɪs] *adj* ungenau

impregnable [ɪmˈpregnəbl] *adj (fortress)* uneinnehmbar

impress [ɪmˈpres] *v* 1. beeindrucken, Eindruck machen auf, imponieren; 2. ~ *sth on s.o.* jdm etw deutlich klarmachen

impression [ɪmˈpreʃən] *sb* 1. Eindruck *m; to be under the ~ that ...* den Eindruck haben, dass ...; 2. *(humorous impersonation)* Nachahmung *f*, Imitation *f*; 3. *(wax ~, plaster ~)* Abdruck *m*, Eindruck *m*

impressionable [ɪmˈpreʃənəbl] *adj* leicht zu beeindrucken, beeinflussbar

impressive [ɪmˈpresɪv] *adj* eindrucksvoll, beeindruckend, imposant

imprint [ɪmˈprɪnt] *v* 1. prägen; 2. *(fig)* einprägen; [ˈɪmprɪnt] *sb* 3. Abdruck *m*; 4. *(publisher's)* Impressum *n*

imprison [ɪmˈprɪzn] *v* inhaftieren, einsperren

imprisonment [ɪmˈprɪznmənt] *sb* 1. *(imprisoning)* Einsperren *n*, Inhaftierung *f*; 2. *(state)* Gefangenschaft *f*; 3. *(sentence)* JUR Freiheitsstrafe *f*

improper [ɪmˈprɒpə] *adj* 1. *(wrong)* falsch; 2. *(unseemly)* unschicklich; 3. *(not fitting)* unpassend

improve [ɪmˈpruːv] *v* 1. *(get better)* sich verbessern, sich bessern; 2. ~ *upon* übertreffen, besser machen; 3. *(sth)* verbessern; *(refine)* verfeinern; *(sth's appearance)* verschönern

improvement [ɪmˈpruːvmənt] *sb* Verbesserung *f*, Besserung *f*, Verschönerung *f*, Veredelung *f*

improvisation [ɪmprəvaɪˈzeɪʃən] *sb* Improvisation *f*

improvise [ˈɪmprəvaɪz] *v* improvisieren

improvised [ˈɪmprəvaɪzd] *adj* improvisiert

impulse [ˈɪmpʌls] *sb* 1. Antrieb *m*, Triebkraft *f*; 2. *(fig: thought, urge)* Impuls *m*, plötzliche Regung *f*

impulse buying [ˈɪmpʌlsbaɪɪŋ] *sb* Spontankauf *m*

impulsive [ɪmˈpʌlsɪv] *adj (fig)* impulsiv

in [ɪn] *prep* 1. in; ~ *the street* auf der Straße; ~ *the sky* am Himmel; ~ *here* hier drin; ~ *French* auf Französisch; *written* ~ *pencil* mit Bleistift geschrieben; *three metres* ~ *length* drei Meter lang; *adj* 2. *(fam: ~ fashion)* in; *adv* 3. *(present)* da; *Is Mr. Morgan* ~? Ist Herr Morgan da? 4. *to be* ~ *on sth* an einer Sache beteiligt sein; *(on a secret)* über etw Bescheid wissen; 5. *to be* ~ *for it (fam)* dran sein, vor Schwierigkeiten stehen

inability [ɪnəˈbɪlɪtɪ] *sb* Unfähigkeit *f*

inaccurate [ɪnˈækjʊrɪt] *adj* 1. ungenau; 2. *(wrong)* falsch

inactive [ɪnˈæktɪv] *adj* untätig

inadequate [ɪnˈædɪkwət] *adj* unzulänglich, ungenügend

inadmissible [ɪnədˈmɪsəbl] *adj* unzulässig

inadvertent [ɪnədˈvɜːtənt] *adj* unbeabsichtigt, unabsichtlich, versehentlich

inadvisable [ɪnəd'vaɪzəbl] *adj* nicht ratsam, nicht zu empfehlen

inalienable [ɪn'eɪlɪənəbl] *adj* unveräußerlich

inane [ɪ'neɪn] *adj* albern, idiotisch

inapplicable [ɪn'æplɪkəbl] *adj* nicht zutreffend, ungeeignet, nicht anwendbar

inappropriate [ɪnə'prəʊprɪət] *adj* unpassend; *(action)* unangemessen

inasmuch [ɪnəz'mʌtʃ] *konj* ~ as da, weil; *(to the extent that)* insofern als

inattentiveness [ɪnə'tentɪvnɪs] *sb* Unaufmerksamkeit *f*

inaudible [ɪn'ɔːdəbl] *adj* unhörbar

in-between [ɪnbɪ'twiːn] *adj* Mittel..., Zwischen...

inbound [ɪn'baʊnd] *adj* 1. NAUT einlaufend; 2. *(traffic)* stadteinwärts

inbred [ɪn'bred] *adj* 1. *(innate)* angeboren, vererbt; 2. *(from inbreeding)* durch Inzucht erworben

inbreeding [ɪn'briːdɪŋ] *sb* Inzucht *f*

incalculable [ɪn'kælkjʊləbl] *adj* 1. unermesslich; 2. *(mood)* unberechenbar

incapable [ɪn'keɪpəbl] *adj* unfähig, nicht fähig

incapacitated [ɪnkə'pæsɪteɪtɪd] *adj* 1. *physically* ~ körperlich behindert; 2. *(unable to work)* erwerbsunfähig

incarcerate [ɪn'kɑːsəreɪt] *v* 1. einsperren; 2. MED *(Nerv)* einklemmen

incendiary [ɪn'sendɪərɪ] *adj* 1. Brand..., Feuer...; 2. *(fig: seditious)* aufhetzend

incense ['ɪnsens] *sb* Weihrauch *m*

incensed [ɪn'senst] *adj* aufgebracht, wütend

incentive [ɪn'sentɪv] *sb* Ansporn *m*

incessant [ɪn'sesnt] *adj* unaufhörlich, unablässig, ständig

incest ['ɪnsest] *sb* Inzest *m*, Blutschande *f*

inch [ɪntʃ] *sb* 1. Zoll *m*; ~ by ~ Zentimeter um Zentimeter; *v* 2. ~ forward sich zentimeterweise vorwärts schieben

incident ['ɪnsɪdənt] *sb* 1. Ereignis *n*, Begebenheit *f*, Vorfall *m*; 2. *(international ~)* Zwischenfall *m*

incidental [ɪnsɪ'dentl] *adj* 1. beiläufig; *to be* ~ *to* gehören zu; 2. *(unplanned)* zufällig; 3. ~ *expenses* Nebenkosten *pl*

incidentally [ɪnsɪ'dentəlɪ] *adv (by the way)* übrigens

incise [ɪn'saɪz] *v* einschneiden

incite [ɪn'saɪt] *v* aufhetzen, aufwiegeln

incivility [ɪnsɪ'vɪlɪtɪ] *sb* Unhöflichkeit *f*

incline [ɪn'klaɪn] *v* 1. neigen; 2. *to be* ~*d to do sth* etw tun wollen; *(have a tendency to do sth)* dazu neigen, etw zu tun; *to be* ~*d to think that ...* zu der Ansicht neigen, dass ...; *if you feel so* ~*d.* falls Sie Lust haben; ['ɪnklaɪn] *sb* 3. Neigung *f*, Abhang *m*, Gefälle *n*

inclined [ɪn'klaɪnd] *adj* 1. *(disposed)* geneigt, bereit; 2. *(sloping)* schräg, geneigt

include [ɪn'kluːd] *v* 1. einschließen, enthalten, umfassen; 2. *(apply to as well)* einschließen, betreffen, gelten für; 3. *tax* ~*d* einschließlich Steuer, inklusive Steuer; 4. *(add)* aufnehmen

inclusion [ɪn'kluːʒən] *sb* Einbeziehung *f*, Einschluss *m*, Aufnahme *f*

incoherent [ɪnkəʊ'hɪərənt] *adj* 1. zusammenhangslos, wirr; 2. *(person)* schwer verständlich

income ['ɪnkʌm] *sb* Einkommen *n*, Einkünfte *pl*

income tax ['ɪnkʌm tæks] *sb* Einkommensteuer *f*; ~ *return* Einkommensteuererklärung *f*

incoming ['ɪnkʌmɪŋ] *adj* 1. ankommend, hereinkommend; 2. *(post)* eingehend

incomparable [ɪn'kɒmpərəbl] *adj* unvergleichlich

incompatible [ɪnkəm'pætəbl] *adj* unvereinbar; *(drugs, blood groups)* nicht miteinander verträglich

incompetence [ɪn'kɒmpɪtəns] *sb* 1. Unfähigkeit *f*, Untauglichkeit *f*; 2. JUR Unzuständigkeit *f*, Inkompetenz *f*

incomplete [ɪnkəm'pliːt] *adj* unvollständig, unvollendet, unvollkommen

incomprehensible [ɪnkɒmprɪ'hensəbl] *adj* unbegreiflich

inconceivable [ɪnkən'siːvəbl] *adj* 1. unvorstellbar, undenkbar; 2. *(hard to believe)* unbegreiflich, unfassbar

inconclusive [ɪnkən'kluːsɪv] *adj* 1. nicht überzeugend, nicht schlüssig; 2. *(action)* ergebnislos

inconsiderable [ɪnkən'sɪdərəbl] *adj* unbedeutend, unerheblich

inconsiderate [ɪnkən'sɪdərət] *adj* rücksichtslos, unbedacht

inconsistent [ɪnkən'sɪstənt] *adj* 1. *(uneven)* unbeständig; 2. *(contradictory)* widersprüchlich

inconsolable [ɪnkən'səʊləbl] *adj* untröstlich

incontinent [ɪn'kɒntɪnənt] *adj* 1. *(sexually)* unkeusch; 2. MED inkontinent

inconvenience [ɪnkən'viːnɪəns] v 1. ~ s.o. jdm lästig sein, jdm Umstände machen; sb 2. Unannehmlichkeit f, Lästigkeit f, Unbequemlichkeit f

inconvenient [ɪnkən'viːnɪənt] adj ungünstig

incorrect [ɪnkə'rekt] adj 1. falsch, unrichtig, irrig; 2. (improper) inkorrekt, ungehörig

increase [ɪn'kriːs] v 1. zunehmen; 2. (amount, number) anwachsen; 3. (sales, demand) steigen; 4. (rage) sich vergrößern; 5. (difficulties) sich vermehren; 6. (sth) vergrößern; (taxes, price, speed) erhöhen; (performance) steigern; ['ɪnkriːs] sb 7. Zunahme f, Erhöhung f, Steigerung f

increasingly [ɪn'kriːsɪŋlɪ] adv immer mehr; it's becoming ~ difficult es wird immer schwieriger

incredible [ɪn'kredəbl] adj unglaublich

incriminate [ɪn'krɪmɪneɪt] v JUR belasten

incubator ['ɪnkjʊbeɪtə] sb (for babies) Brutkasten m, (for bacteria) Brutschrank m

indebted [ɪn'detɪd] adj to be ~ to s.o. for sth jdm etw zu verdanken haben, für etw in jds Schuld stehen

indecent [ɪn'diːsnt] adj unanständig, anstößig

indecision [ɪndɪ'sɪʒən] sb Unentschlossenheit f

indecisive [ɪndɪ'saɪsɪv] adj 1. unentschlossen, unschlüssig, schwankend; 2. (battle, argument) nicht entscheidend

indeed [ɪn'diːd] adv 1. (really, in fact) tatsächlich, wirklich, in der Tat; 2. (yes, that's true) allerdings, aber sicher; 3. (admittedly) zwar

indefensible [ɪndɪ'fensəbl] adj 1. (fig) nicht zu rechtfertigen, unentschuldbar; 2. MIL nicht zu verteidigen

indefinite [ɪn'defɪnɪt] adj 1. unbestimmt; 2. (vague) unklar, undeutlich

indentation [ɪnden'teɪʃən] sb Einkerbung f, Vertiefung f

independent [ɪndɪ'pendənt] adj unabhängig, selbstständig

in-depth ['ɪndepθ] adj eingehend, gründlich

indescribable [ɪndɪs'kraɪbəbl] adj unbeschreiblich

indestructible [ɪndɪ'strʌktəbl] adj unzerstörbar, unverwüstlich

index ['ɪndeks] sb 1. (number showing ratio) Index m; 2. (card ~) Kartei f; 3. (in a book) Register n

indicate ['ɪndɪkeɪt] v 1. (mark) zeigen, bezeichnen, deuten auf; 2. (gesture, express) andeuten, zeigen, zu verstehen geben; 3. (to be a sign of) erkennen lassen, hinweisen auf, hindeuten auf

indication [ɪndɪ'keɪʃən] sb 1. (sign) Anzeichen n, Hinweis m; 2. (suggestion) Andeutung f; 3. (on a gauge) Anzeige f

indicative [ɪn'dɪkətɪv] adj to be ~ of sth auf etw hinweisen, auf etw hindeuten, auf etw schließen lassen

indifference [ɪn'dɪfrəns] sb 1. Gleichgültigkeit f; 2. (mediocrity) Mittelmäßigkeit f

indifferent [ɪn'dɪfrənt] adj 1. gleichgültig; 2. (mediocre) mittelmäßig

indigenous [ɪn'dɪdʒɪnəs] adj einheimisch

indigestion [ɪndɪ'dʒestʃən] sb Magenverstimmung f

indignant [ɪn'dɪgnənt] adj empört, ungehalten, entrüstet

indirect [ɪndɪ'rekt] adj 1. indirekt; 2. (result) mittelbar

indiscretion [ɪndɪs'kreʃən] sb Indiskretion f

indispensable [ɪndɪs'pensəbl] adj unentbehrlich, unerlässlich; (obligation) unbedingt erforderlich

indisputable [ɪndɪs'pjuːtəbl] adj unbestreitbar

indistinct [ɪndɪs'tɪŋkt] adj unklar, undeutlich

indistinguishable [ɪndɪs'tɪŋgwɪʃəbl] adj ~ from nicht zu unterscheiden von

individual [ɪndɪ'vɪdjʊəl] adj 1. einzeln; 2. (distinctive) eigen, individuell; sb 3. Einzelne(r) m/f, Individuum n, Einzelperson f; 4. (pejorative) Person f, Individuum n; a scruffy ~ ein ungepflegter Typ

individualism [ɪndɪ'vɪdjʊəlɪzəm] sb Individualismus m

individuality [ɪndɪvɪdjʊ'ælɪtɪ] sb Individualität f, Eigenart f

indoors [ɪn'dɔːz] adv im Hause, zu Hause, drinnen

induce [ɪn'djuːs] v 1. (a reaction) herbeiführen; 2. (labour, birth) einleiten; 3. (electrical current) induzieren; 4. ~ s.o. to do sth (persuade) jdn veranlassen, etw zu tun/ jdn dazu bewegen, etw zu tun/ jdn dazu bringen, etw zu tun

induct [ɪn'dʌkt] v 1. einweihen; 2. (US) MIL einberufen

indulge [ɪn'dʌldʒ] v 1. ~ in sth sich etw gönnen, sich etw genehmigen; (a vice) sich einer Sache hingeben; 2. *(s.o.)* nachgeben; *(spoil a child)* verwöhnen

indulgent [ɪn'dʌldʒənt] *adj* nachsichtig

industrial [ɪn'dʌstrɪəl] *adj* industriell, Industrie..., Betriebs...

industrial action [ɪn'dʌstrɪəl 'ækʃən] *sb (UK)* Arbeitskampfmaßnahmen *pl*

industrial estate [ɪn'dʌstrɪəl ɪs'teɪt] *sb (UK)* Industriegebiet *n*

industrialist [ɪn'dʌstrɪəlɪst] *sb* Industrielle(r) *m/f*

industrious [ɪn'dʌstrɪəs] *adj* fleißig, arbeitsam, emsig

industry ['ɪndəstrɪ] *sb* 1. Industrie *f*; 2. *(industriousness)* Fleiß *m*

inedible [ɪn'edɪbl] *adj* ungenießbar, nicht essbar

ineffectiveness [ɪnɪ'fektɪvnɪs] *sb* Wirkungslosigkeit *f*; *(of a person)* Unfähigkeit *f*

inefficiency [ɪnɪ'fɪʃənsɪ] *sb* 1. *(of a method)* Unproduktivität *f*; 2. *(of a person)* Untüchtigkeit *f*; 3. *(of a machine, of a company)* Leistungsunfähigkeit *f*

inefficient [ɪnɪ'fɪʃənt] *adj* 1. *(method)* unproduktiv; 2. *(person)* untüchtig; 3. *(machine, company)* leistungsunfähig

ineligible [ɪn'elɪdʒəbl] *adj* nicht berechtigt, ohne die nötigen Voraussetzungen

inequable [ɪn'ekwəbl] *adj* ungleichmäßig, unausgeglichen

inert [ɪ'nɜːt] *adj* 1. *(person)* reglos; 2. PHYS träge

inexcusable [ɪnɪk'skjuːzəbl] *adj* unverzeihlich

inexpensive [ɪnɪk'spensɪv] *adj* nicht teuer, billig

inexperienced [ɪnɪks'pɪərɪənst] *adj* unerfahren

inexplicable [ɪnɪks'plɪkəbl] *adj* unerklärlich, unverständlich

infant ['ɪnfənt] *sb* Säugling *m*, Baby *n*, kleines Kind *n*

infatuated [ɪn'fætjʊeɪtɪd] *adj* vernarrt

infect [ɪn'fekt] *v* 1. anstecken; 2. *(a wound)* infizieren

infection [ɪn'fekʃən] *sb* MED Ansteckung *f*, Infektion *f*

infectious [ɪn'fekʃəs] *adj* ansteckend

infer [ɪn'fɜː] *v* schließen, folgern

inferior [ɪn'fɪərɪə] *adj* 1. niedriger, geringer, geringwertiger; *to be ~ to s.o.* jdm unterlegen sein; 2. *(low-quality)* minderwertig

inferiority complex [ɪnfɪərɪ'ɒrɪtɪ 'kɒmpleks] *sb* Minderwertigkeitskomplex *m*

infernal [ɪn'fɜːnl] *adj* 1. Höllen..., höllisch; 2. *(fam: blasted)* verdammt, verteufelt

inferno [ɪn'fɜːnəʊ] *sb* Inferno *n*

infertile [ɪn'fɜːtaɪl] *adj* unfruchtbar

infest [ɪn'fest] *v* befallen, heimsuchen

infidelity [ɪnfɪ'delɪtɪ] *sb* Untreue *f*, Treulosigkeit *f*

infiltrate ['ɪnfɪltreɪt] *v* 1. *(troops)* infiltrieren; 2. *(spies)* einschleusen; 3. *(an organization)* unterwandern

infinity [ɪn'fɪnɪtɪ] *sb* Unendlichkeit *f*

infirmary [ɪn'fɜːmərɪ] *sb* 1. Krankenzimmer *n*; 2. *(hospital)* Krankenhaus *n*; 3. MIL Krankenrevier *n*

inflate [ɪn'fleɪt] *v* 1. sich mit Luft füllen; 2. *(with air)* aufpumpen; *(by blowing)* aufblasen; 3. *(prices)* ECO hochtreiben

inflation [ɪn'fleɪʃən] *sb* 1. ECO Inflation *f*; *rate of ~* ECO Inflationsrate *f*; 2. *(act of inflating)* Aufpumpen *n*, Aufblasen *n*

in-flight ['ɪnflaɪt] *adj* während des Fluges

influence ['ɪnfluəns] *v* 1. beeinflussen; *sb* 2. Einfluss *m*

influential [ɪnflʊ'enʃəl] *adj* einflussreich

infomercial [ɪnfəʊ'mɜːʃəl] *sb* Werbesendung *f*

inform [ɪn'fɔːm] *v* benachrichtigen, informieren, mitteilen

informal [ɪn'fɔːməl] *adj* 1. zwanglos, ungezwungen; 2. *(meeting, talks)* nicht förmlich, nicht formell, inoffiziell

informant [ɪn'fɔːmənt] *sb* Informant/Informatin *m/f*

information [ɪnfə'meɪʃən] *sb* 1. Information *f*; 2. *(provided)* Auskunft *f*, Informationen *pl*

information desk [ɪnfə'meɪʃən desk] *sb* Auskunft *f*

information highway [ɪnfə'meɪʃən 'haɪweɪ] *sb INFORM* Datenautobahn *f*

information science [ɪnfə'meɪʃən 'saɪəns] *sb* Informatik *f*

informative [ɪn'fɔːmətɪv] *adj* 1. aufschlussreich, informativ; 2. *(person)* mitteilsam

informed [ɪn'fɔːmd] *adj (expert)* sachkundig

informer [ɪn'fɔːmə] *sb* Informant *m*, Denunziant *m*, Spitzel *m*

infotainment [ɪnfəʊ'teɪnmənt] *sb* Infotainment *n* (Mischung aus Unterhaltung und Information)

infrared [ɪnfrə'red] *adj* infrarot

infrasound ['ɪnfrəsaʊnd] *adj* Infraschall...

infrastructure ['ɪnfrəstrʌktʃə] *sb* ECO Infrastruktur *f*

infrequent [ɪn'fri:kwənt] *adj* selten

infuriate [ɪn'fjʊərɪeɪt] *v* wütend machen, aufbringen

infuse [ɪn'fju:z] *v (fig)* erfüllen

infusion [ɪn'fju:ʒən] *sb 1.* MED Infusion *f*; *2. (fig)* Einflößung *f*

ingenious [ɪn'dʒi:nɪəs] *adj* genial

ingenuity [ɪndʒɪ'nju:ɪtɪ] *sb* Genialität *f*; *(of a device)* Raffiniertheit *f*

ingest [ɪn'dʒest] *v* aufnehmen

ingestion [ɪn'dʒestʃən] *sb* Nahrungsaufnahme *f*

ingoing ['ɪngəʊɪŋ] *adj* eingehend, hereinkommend

ingrain [ɪn'greɪn] *v* fest verankern, fest verwurzeln

ingrained [ɪn'greɪnd] *adj 1. (habit)* eingefleischt; *2. (prejudice)* tief verwurzelt

ingratitude [ɪn'grætɪtju:d] *sb* Undankbarkeit *f*

ingredient [ɪn'gri:dɪənt] *sb 1.* Bestandteil *m*; *2.* GAST Zutat *f*

ingrowing ['ɪngrəʊɪŋ] *adj* eingewachsen

ingrown ['ɪngrəʊn] *adj* eingewachsen

inhabit [ɪn'hæbɪt] *v* bewohnen, wohnen in, leben in

inhabitant [ɪn'hæbɪtənt] *sb 1.* Bewohner *m*; *2. (of a city, of a country)* Einwohner *m*

inhalation [ɪnhə'leɪʃən] *sb* Inhalation *f*

inhalator ['ɪnhəleɪtə] *sb* Inhalator *m*

inhale [ɪn'heɪl] *v 1.* einatmen, inhalieren; *2. (in smoking)* Lungenzüge machen

inherent [ɪn'hɪərənt] *adj* eigen, innewohnend

inherit [ɪn'herɪt] *v* erben

inheritance [ɪn'herɪtəns] *sb 1.* Erbe *n*, Erbschaft *f*, Erbteil *n*; *2.* BIO Vererbung *f*

inheritance tax [ɪn'herɪtəns tæks] *sb* Erbschaftssteuer *f*

inhibition [ɪnhɪ'bɪʃən] *sb* Hemmung *f*

inhumane [ɪnhjuː'meɪn] *adj* inhuman; *(to people)* menschenunwürdig

inhumanity [ɪnhjuː'mænɪtɪ] *sb* Unmenschlichkeit *f*

inimitable [ɪ'nɪmɪtəbl] *adj* unnachahmlich, einzigartig

initially [ɪ'nɪʃəlɪ] *adv* am Anfang, zu Anfang, anfänglich

initiate [ɪ'nɪʃɪeɪt] *v 1. (sth)* einleiten, beginnen; *2. (into a club)* feierlich aufnehmen; *3. (into a tribe)* initiieren

initiative [ɪ'nɪʃətɪv] *sb* Initiative *f*

inject [ɪn'dʒekt] *v* MED einspritzen, spritzen; ~ *new life into sth (fig)* etw neu beleben

injection [ɪn'dʒekʃən] *sb* MED Injektion *f*, Spritze *f*

injure ['ɪndʒə] *v 1.* verletzen, beschädigen, verwunden; *2. (feelings, pride)* kränken, verletzen; *3. (damage)* schaden

injury ['ɪndʒərɪ] *sb 1.* Verletzung *f*; *2. (fig)* Kränkung *f*; *3. (damage)* Schaden *m*

injury time ['ɪndʒərɪ taɪm] *sb* SPORT Nachspielzeit *f*

injustice [ɪn'dʒʌstɪs] *sb* Unrecht *n*, Ungerechtigkeit *f*

ink [ɪŋk] *sb 1.* Tinte *f*; *2.* ART Tusche *f*; *3. (for publishing)* Druckfarbe *f*

inkle ['ɪŋkl] *sb* Leinenborte *f*

inkling ['ɪŋklɪŋ] *sb* dunkle Ahnung *f*

inky ['ɪŋkɪ] *adj* tintig, Tinten...

Inland Revenue ['ɪnlənd 'revənju:] *sb (UK)* Finanzamt *n*

in-laws ['ɪnlɔ:z] *pl* angeheiratete Verwandte *pl*; *(spouse's parents)* Schwiegereltern *pl*

inner ['ɪnə] *adj* innere(r,s), Innen...

inner-city ['ɪnəsɪtɪ] *adj* Innenstadt...

innocent ['ɪnəsənt] *adj 1.* unschuldig; *2. (mistake)* unabsichtlich

innovation [ɪnəʊ'veɪʃən] *sb* Neuerung *f*, Innovation *f*

innovative ['ɪnəveɪtɪv] *adj* auf Neuerungen aus

innuendo [ɪnjʊ'endəʊ] *sb* versteckte Andeutung *f*, Anspielung *f*

inoculate [ɪ'nɒkjʊleɪt] *v* impfen

inoculation [ɪnɒkjʊ'leɪʃən] *sb* Impfung *f*

inoffensive [ɪnə'fensɪv] *adj* harmlos

inoperative [ɪn'ɒpərətɪv] *adj (not working)* außer Betrieb, nicht einsatzfähig

inpatient ['ɪnpeɪʃənt] *sb* stationärer Patient/stationäre Patientin *m/f*

input ['ɪnpʊt] *v* INFORM *1.* eingeben; *sb 2.* Eingabe *f*

inquire [ɪn'kwaɪə] *v 1.* ~ *about* sich erkundigen nach, fragen nach; *2.* ~ *into* untersuchen

inquiry [ɪn'kwaɪərɪ] *sb 1.* Anfrage *f*, Erkundigung *f*, Nachfrage *f*; *2. (investigation)* Untersuchung *f*

inquisitive [ɪn'kwɪzɪtɪv] *adj* neugierig, wissbegierig

insane [ɪn'seɪn] *adj 1.* geisteskrank, wahnsinnig; *2. (fig)* wahnsinnig, irrsinnig

insanity [ɪn'sænɪtɪ] *sb 1.* Geisteskrankheit *f*, Wahnsinn *m*; *2. (fig)* Wahnsinn *m*, Irrsinn *m*

inscription [ɪn'skrɪpʃən] *sb* 1. Inschrift *f*; 2. *(in a book)* Widmung *f*

insect ['ɪnsekt] *sb* Insekt *n*, Kerbtier *n*

insect bite ['ɪnsekt baɪt] *sb* MED Insektenstich *m*

insecurity [ɪnsɪ'kjʊərɪtɪ] *sb* Unsicherheit *f*

insensitive [ɪn'sensɪtɪv] *adj* 1. gefühllos; 2. *(to pain)* unempfindlich

insert [ɪn'sɜːt] *v* 1. einfügen, einsetzen, einschieben; 2. *(stick into)* hineinstecken, stecken; ~ *sth into sth* etw in etw stecken; 3. *(an advertisement)* setzen; *v* 4. *(a coin)* einwerfen; ['ɪnsɜːt] *sb* 5. *(in a magazine or newspaper)* Beilage *f*

inside ['ɪn'saɪd] *adj* 1. Innen..., innere(r,s); *prep* 2. in ... (hinein), innerhalb; *adv* 3. innen; 4. *(indoors)* drin, drinnen; 5. *(toward the inside)* nach innen, hinein, herein; *sb* 6. Innenseite *f*, Innenfläche *f*, innere Seite *f*; 7. ~*s pl (fam: stomach)* Eingeweide *pl*

inside information ['ɪnsaɪd ɪnfə'meɪʃən] *sb* interne Informationen *pl*

inside job ['ɪnsaɪd'dʒɒb] *sb* Tat eines Eingeweihten *f*

inside out ['ɪnsaɪdaʊt] *adv* 1. das Innere nach außen, umgestülpt; *turn* ~ umdrehen; *(search thoroughly)* auf den Kopf stellen; *know sth* ~ etw in- und auswendig kennen; 2. *(article of clothing)* verkehrt herum, links

insider [ɪn'saɪdə] *sb* Insider *m*, Eingeweihte(r) *m/f*

insight ['ɪnsaɪt] *sb* 1. Verständnis *n*; 2. *(an* ~*)* Einblick *m*

insignificant [ɪnsɪg'nɪfɪkənt] *adj* bedeutungslos, belanglos, unwichtig

insincere [ɪnsɪn'sɪə] *adj* unaufrichtig

insinuate [ɪn'sɪnjʊeɪt] *v* 1. *(suggest)* versteckt andeuten, anspielen auf; 2. ~ *o.s. into s.o.'s favour* sich bei jdm einschmeicheln

insist [ɪn'sɪst] *v* bestehen

• **insist on** bestehen auf

insistent [ɪn'sɪstənt] *adj* 1. beharrlich; 2. *(demand, tone)* nachdrücklich

insobriety [ɪnsəʊ'braɪtɪ] *sb (intemperance)* Unmäßigkeit *f*

insofar [ɪnsəʊ'fɑː] *konj* ~ *as* so weit

insolent ['ɪnsələnt] *adj* unverschämt, frech

insolvency [ɪn'sɒlvənsɪ] *sb* ECO Zahlungsunfähigkeit *f*

insomnia [ɪn'sɒmnɪə] *sb* Schlaflosigkeit *f*

insomuch [ɪnsəʊ'mʌtʃ] *adv* ~ *as* insofern als

inspect [ɪn'spekt] *v* 1. kontrollieren, prüfen; 2. MIL inspizieren

inspection [ɪn'spekʃən] *sb* 1. Kontrolle *f*, Prüfung *f*; 2. MIL Inspektion *f*

inspector [ɪn'spektə] *sb* Inspektor *m*, Kontrolleur *m*, Aufseher *m*

inspiration [ɪnspə'reɪʃən] *sb* Inspiration *f*, Begeisterung *f*

inspiring [ɪn'spaɪərɪŋ] *adj* anregend, begeisternd, inspirierend

instability [ɪnstə'bɪlɪtɪ] *sb* 1. Instabilität *f*; 2. *(of character)* Labilität *f*

install [ɪn'stɔːl] *v* 1. einbauen, installieren; 2. *(s.o. in office)* einsetzen

instalment [ɪn'stɔːlmənt] *sb* 1. *(payment)* Rate *f*; 2. *(of a series)* Fortsetzung *f*; *(radio, TV)* Folge *f*

instant ['ɪnstənt] *sb* 1. Augenblick *m*, Moment *m*; *adj* 2. unmittelbar, sofortig; 3. GAST Instant...

instantaneously [ɪnstən'teɪnɪəslɪ] *adv* sofort, unverzüglich

instant coffee ['ɪnstənt 'kɒfɪ] *sb* Pulverkaffee *m*

instantly ['ɪnstəntlɪ] *adv* sofort

instant replay ['ɪnstənt 'riːpleɪ] *sb* Wiederholung *f*

instead [ɪn'sted] *prep* 1. ~ *of* statt, anstatt; *adv* 2. stattdessen

instep ['ɪnstep] *sb* ANAT Rist *m*, Spann *m*

instinct ['ɪnstɪŋkt] *sb* Instinkt *m*

instinctive [ɪn'stɪŋktɪv] *adj* instinktiv

institute ['ɪnstɪtjuːt] *v* 1. einführen, einleiten; *(found)* einrichten; *sb* 2. Institut *n*; 3. *(home)* Anstalt *f*

institution [ɪnstɪ'tjuːʃən] *sb* 1. Institution *f*; 2. *(home)* Anstalt *f*

instruct [ɪn'strʌkt] *v* 1. unterrichten; 2. *(tell, direct)* anweisen; 3. *(a jury)* JUR instruieren

instructor [ɪn'strʌktə] *sb* Lehrer *m*, Ausbilder *m*

instrument ['ɪnstrʊmənt] *sb* 1. Instrument *n*; 2. *(fig)* Werkzeug *n*

insufficient [ɪnsə'fɪʃənt] *adj* unzulänglich, nicht genügend, ungenügend

insular ['ɪnsjʊlə] *adj* insular, Insel...

insulin ['ɪnsjʊlɪn] *sb* Insulin *n*

insult [ɪn'sʌlt] *v* 1. beleidigen; 2. *(verbally)* beschimpfen, beleidigen; ['ɪnsʌlt] *sb* 3. Beleidigung *f*, Beschimpfung *f*

insurance [ɪn'ʃʊərəns] *sb* Versicherung *f*

insurance agent [ɪn'ʃʊərəns 'eɪdʒənt] *sb* Versicherungsvertreter *m*

insurance coverage [ɪn'ʃʊərəns 'kʌvərɪdʒ] *sb* Versicherungsschutz *m*

insurance policy [ɪn'ʃʊərəns 'pɒlɪsɪ] sb 1. Versicherungspolice f; 2. (fig) Sicherheitsvorkehrung f

insure [ɪn'ʃʊə] v versichern

insured [ɪn'ʃʊəd] adj versichert

intact [ɪn'tækt] adj intakt, unversehrt

integrate ['ɪntɪgreɪt] v integrieren

integration [ɪntɪ'greɪʃən] sb 1. Integration f; 2. (racial ~) Rassenintegration f

integrity [ɪn'tegrɪtɪ] sb 1. Integrität f; 2. (wholeness) Einheit f

intellectual [ɪntɪ'lektjʊəl] adj 1. intellektuell; sb 2. Intellektuelle(r) m/f

intelligence [ɪn'telɪdʒəns] sb 1. Intelligenz f; 2. (information) Informationen pl; 3. (~ service) POL Geheimdienst f

intelligence agent [ɪn'telɪdʒəns 'eɪdʒənt] sb POL Geheimagent m

intelligence quotient [ɪn'telɪdʒəns 'kwəʊʃənt] sb (I.Q.) Intelligenzquotient m

intelligent [ɪn'telɪdʒənt] adj intelligent, klug

intelligible [ɪn'telɪdʒəbl] adj verständlich, klar

intend [ɪn'tend] v 1. (to do sth) beabsichtigen, fest vorhaben, im Sinne haben; 2. to be ~ed for sth für etw bestimmt sein

intended [ɪn'tendɪd] adj beabsichtigt, gewünscht, geplant

intense [ɪn'tens] adj 1. intensiv; 2. (person) konzentriert, ernst

intensify [ɪn'tensɪfaɪ] v verstärken

intensity [ɪn'tensɪtɪ] sb Intensität f

intensive [ɪn'tensɪv] adj intensiv

intensive care unit [ɪn'tensɪv 'keə ju:nɪt] sb Intensivstation f

intention [ɪn'tenʃən] sb Absicht f, Intention f, Vorsatz m; with good ~s mit guten Vorsätzen

intentional [ɪn'tenʃənəl] adj absichtlich, vorsätzlich

inter [ɪn'tɜ:] v beisetzen

interactive [ɪntər'æktɪv] adj interaktiv

interchangeable [ɪntə'tʃeɪndʒəbl] adj austauschbar, auswechselbar

intercity [ɪntə'sɪtɪ] adj (UK) zwischen Städten, Intercity ...; an ~ train ein Intercityzug

intercom ['ɪntəkɒm] sb Gegensprechanlage f; (in a school) Lautsprecheranlage f; (on a plane) Bordverständigungsanlage f

interconnect [ɪntəkə'nekt] v to be ~ed miteinander verbunden sein; (fig) in Zusammenhang miteinander stehen

intercourse ['ɪntəkɔ:s] sb Verkehr m

interest ['ɪntrɪst] v 1. interessieren; sb 2. Interesse n; 3. FIN Zinsen pl; taxation of ~ Zinsbesteuerung f; 4. (share, stake) Anteil m, Beteiligung f

interest-free ['ɪntrɪst'fri:] adj ECO zinslos

interesting ['ɪntrɪstɪŋ] adj interessant

interest rate ['ɪntrɪst reɪt] sb ECO Zinssatz m

interference [ɪntə'fɪərəns] sb 1. Störung f; 2. (meddling) Einmischung f; 3. run ~ (US) SPORT den balltragenden Stürmer abschirmen; 4. run ~ (fig) Schützenhilfe leisten

interior [ɪn'tɪərɪə] adj 1. Innen...; 2. (domestic) Binnen...; sb 3. the ~ das Innere n

interior decorator [ɪn'tɪərɪə 'dekəreɪtə] sb Innenausstatter m

intermediate [ɪntə'mi:dɪət] adj Zwischen...; (class in school) für fortgeschrittene Anfänger

interment [ɪn'tɜ:mənt] sb Bestattung f, Beerdigung f

interminable [ɪn'tɜ:mɪnəbl] adj endlos

intern ['ɪntɜ:n] sb 1. Praktikant m; 2. MED Assistenzarzt m

internal [ɪn'tɜ:nl] adj 1. innere(r,s); 2. (within an organization) intern; 3. (within a country) Innen..., Binnen..., inländisch

international [ɪntə'næʃnəl] adj international

international date line ['ɪntənæʃnəl deɪt laɪn] sb GEO Datumsgrenze f

international law ['ɪntənæʃnəl lɔ:] sb Völkerrecht n

Internet ['ɪntənet] sb INFORM Internet n

internist ['ɪntɜ:nɪst] sb MED Internist(in) m/f, Arzt/Ärztin für innere Medizin m/f

internship ['ɪntɜ:nʃɪp] sb 1. Praktikum n, Volontariat n; 2. MED Medizinpraktikum n

Interpol ['ɪntəpɒl] sb Interpol f

interpret [ɪn'tɜ:prɪt] v 1. (explain) auslegen, interpretieren; 2. (a dream) deuten; 3. (a role, a piece of music) interpretieren, wiedergeben; 4. (translate orally) dolmetschen

interpretation [ɪntə:prɪ'teɪʃən] sb Auslegung f, Interpretation f, Deutung f

interpreter [ɪn'tɜ:prɪtə] sb (of languages) Dolmetscher m

interracial [ɪntər'reɪʃəl] adj zwischen den Rassen

interrogate [ɪn'terəgeɪt] v verhören, ausfragen

interrupt [ɪntə'rʌpt] v 1. unterbrechen; 2. (disturb) stören

interruption [ɪntəˈrʌpʃən] *sb* Unterbrechung *f*, Störung *f*; *without ~* ununterbrochen

intersection [ɪntəˈsekʃən] *sb* 1. Kreuzung *f*; 2. MATH Schnittpunkt *m*

interstate [ˈɪntəsteɪt] *sb* (US) Autobahn *f*

intervene [ɪntəˈviːn] *v* 1. sich einmischen, einschreiten; *(helping)* eingreifen; 2. *(event)* dazwischenkommen; 3. *(time)* dazwischenliegen; 4. JUR intervenieren

interview [ˈɪntəvjuː] *v* 1. ein Gespräch führen mit; 2. *(journalist)* interviewen; *sb* 3. *(by a journalist)* Interview *n*; 4. *(formal talk)* Gespräch *n*; 5. *(job ~)* Vorstellungsgespräch *n*

interviewer [ˈɪntəvjuːə] *sb* 1. *(journalist)* Interviewer *m*; 2. *(for a job)* Leiter eines Vorstellungsgesprächs *m*

intimacy [ˈɪntɪməsɪ] *sb* 1. Intimität *f*; 2. *(with a subject)* Vertrautheit *f*

intimate [ˈɪntɪmeɪt] *v* 1. andeuten; [ˈɪntɪmət] *adj* 2. *(friend)* eng, vertraut; 3. *(sexually)* intim; 4. *(knowledge)* gründlich

intimidating [ɪnˈtɪmɪdeɪtɪŋ] *adj* einschüchternd

into [ˈɪntʊ] *prep* 1. in, in ... hinein; *translate ~ English* ins Englische übersetzen; *divide six ~ nineteen* neunzehn durch sechs teilen; 2. *(against)* gegen; 3. *(transformation)* zu

intolerance [ɪnˈtɒlərəns] *sb* 1. Intoleranz *f*, Unduldsamkeit *f*; 2. MED Überempfindlichkeit *f*

intolerant [ɪnˈtɒlərənt] *adj* unduldsam, intolerant

intoxication [ɪntɒksɪˈkeɪʃən] *sb* Rausch *m*

intransitive [ɪnˈtrænzɪtɪv] *adj* GRAMM intransitiv

intrigue [ɪnˈtriːg] *sb* Intrige *f*; *~s pl* Machenschaften *pl*, Ränke *pl*

introduce [ɪntrəˈdjuːs] *v* 1. *(s.o.)* vorstellen; *(to a subject)* einführen; *~ o.s.* sich vorstellen; 2. *(reforms, a method, a fashion)* einführen; 3. *(a bill)* POL einbringen; 4. *(an era)* einleiten; 5. *(insert)* einführen

introduction [ɪntrəˈdʌkʃən] *sb* 1. *(to a person)* Vorstellung *f*; 2. *letter of ~* Empfehlungsschreiben *n*, Empfehlungsbrief *m*; 3. *(of a method)* Einführung *f*; 4. *(of a bill)* Einbringen *n*; 5. *(introductory part)* Einleitung *f*; 6. *(elementary course)* Einführung *f*; 7. *(insertion)* Einführung *f*

introductory [ɪntrəˈdʌktərɪ] *adj* einleitend, Vor...

intrude [ɪnˈtruːd] *v* 1. sich dazwischendrängen; *Am I intruding?* Störe ich? 2. *(a remark)* einwerfen

intruder [ɪnˈtruːdə] *sb* Eindringling *m*

intrusion [ɪnˈtruːʒən] *sb* Dazwischendrängen *n*, Eindringen *n*

intuition [ɪntjuˈɪʃən] *sb* Intuition *f*

intuitive [ɪnˈtjuːtɪv] *adj* intuitiv

invade [ɪnˈveɪd] *v* 1. MIL einfallen, einmarschieren in; 2. *(fig)* überlaufen, überschwemmen; 3. *(fig: privacy)* eindringen in

invalid [ɪnˈvælɪd] *adj* 1. ungültig; *(argument)* nicht stichhaltig; [ˈɪnvəlɪd] 2. *(sick)* krank; *(disabled)* invalide; *sb* 3. *(disabled person)* Invalide *m/f*; *(sick person)* Kranke(r) *m/f*

invalidate [ɪnˈvælɪdeɪt] *v* ungültig machen; *(argument, theory)* entkräften

invaluable [ɪnˈvæljʊəbl] *adj* unschätzbar, unbezahlbar

invariably [ɪnˈvɛərɪəblɪ] *adv* stets, ständig

invasion [ɪnˈveɪʒən] *sb* 1. MIL Invasion *f*, Einfall *m*; 2. *(fig)* Eingriff *m*

invent [ɪnˈvent] *v* erfinden

invention [ɪnˈvenʃən] *sb* 1. Erfindung *f*; 2. *(inventiveness)* Erfindungsgabe *f*

inventor [ɪnˈventə] *sb* Erfinder *m*

inventory [ˈɪnvəntrɪ] *sb* Inventar *n*, Bestandsaufnahme *f*; *take an ~ of sth* Inventar von etw aufnehmen

invest [ɪnˈvest] *v* investieren; *~ in sth* sein Geld investieren in

investigate [ɪnˈvestɪgeɪt] *v* 1. nachforschen; *(police)* Ermittlungen anstellen; 2. *(sth)* untersuchen, erforschen, überprüfen

investigation [ɪnvestɪˈgeɪʃən] *sb* 1. Untersuchung *f*, Ermittlung *f*, Ermittlungen *pl*; 2. *(scientific)* Forschung *f*, Erforschung *f*

investigator [ɪnˈvestɪgeɪtə] *sb* 1. Ermittler *m*; 2. *(from the government)* Untersuchungsbeamter *m*; 3. *private ~* Privatdetektiv *m*

investment [ɪnˈvestmənt] *sb* Investition *f*, Anlage *f*; *~ banking* Effektenbankgeschäft *n*

investor [ɪnˈvestə] *sb* FIN Kapitalanleger *m*, Investor *m*

invincible [ɪnˈvɪnsɪbl] *adj* unbesiegbar, unschlagbar, unüberwindlich

invisible [ɪnˈvɪzəbl] *adj* unsichtbar

invitation [ɪnvɪˈteɪʃən] *sb* Einladung *f*

invite [ɪnˈvaɪt] *v* 1. einladen; 2. *(ask for)* bitten um; 3. *(attract, lead to)* führen zu

inviting [ɪnˈvaɪtɪŋ] *adj* einladend

involuntary [ɪnˈvɒləntərɪ] *adj* 1. unabsichtlich; 2. *(reaction)* unwillkürlich; 3. *(against one's will)* unfreiwillig

involve [ɪnˈvɒlv] *v* 1. *(concern)* betreffen; 2. *(include)* beteiligen; 3. *(entail)* mit sich bringen, zur Folge haben, bedeuten; *4. (entangle)* verwickeln; ~ *s.o. in sth* jdn in etw hineinziehen; *5. to be* ~*d in sth* an etw mit etw zu tun haben, an etw beteiligt sein; *to be* ~*d with s.o. (sexually)* mit jdm ein Verhältnis haben; *6. get* ~*d in* sich verstricken in

involved [ɪn'vɒlvd] *adj (intricate, complicated)* kompliziert, verworren

involvement [ɪn'vɒlvmənt] *sb 1. (entanglement)* Beteiligung *f; 2. (commitment)* Engagement *n*

inward ['ɪnwəd] *adv 1.* nach innen; *adj 2.* innere(r,s); *(thoughts)* innerste(r,s)

IOU [aɪəʊ'juː] *sb* Schuldschein *m*

irate [aɪ'reɪt] *adj* zornig

iridescent [ɪrɪ'desnt] *adj* schillernd

irk [ɜːk] *v* ärgern, verdrießen

iron ['aɪən] *v 1.* bügeln; *2.* ~ *out (fig)* ausbügeln; *adj 3.* eisern; *sb 4.* Eisen *n*; *strike while the* ~ *is hot (fig)* das Eisen schmieden, solange es heiß ist; *pump* ~ *(fam)* Krafttraining betreiben; *5. (for clothes)* Bügeleisen *n*

ironic [aɪ'rɒnɪk] *adj 1. (person)* ironisch; *2. (situation)* paradox

ironing ['aɪənɪŋ] *sb* Bügeln *n*

ironing board ['aɪənɪŋbɔːd] *sb* Bügelbrett *n*

iron ore ['aɪən ɔː] *sb* MIN Eisenerz *n*

ironware ['aɪənweə] *sb* Eisenwaren *pl*

ironwork ['aɪənwɜːk] *sb* Eisenbeschläge *pl*

irony ['aɪərənɪ] *sb* Ironie *f*

irrational [ɪ'ræʃənl] *adj* unvernünftig

irrationality [ɪræʃə'nælɪtɪ] *sb* Irrationalität *f*

irregular [ɪ'regjələ] *adj 1.* unregelmäßig; *(shape)* ungleichmäßig; *(surface)* uneben; *2. (conduct)* ungehörig; *3. (contrary to rules)* unvorschriftsmäßig

irregularity [ɪregju'lærɪtɪ] *sb* Unregelmäßigkeit *f*, Ungleichmäßigkeit *f*, Unebenheit *f*

irrelevant [ɪ'reləvənt] *adj* irrelevant, unwesentlich

irreparable [ɪ'repərəbl] *adj* irreparabel, nicht wieder gutzumachen

irreplaceable [ɪrɪ'pleɪsəbl] *adj* unersetzbar, unersetzlich

irresistible [ɪrɪ'zɪstəbl] *adj* unwiderstehlich

irresponsible [ɪrɪs'pɒnsəbl] *adj 1. (person)* verantwortungslos; *2. (behaviour)* unverantwortlich

irreversible [ɪrɪ'vɜːsəbl] *adj 1. (decision)* unumstößlich; *2. (damage)* bleibend; *3. MED, PHYS, CHEM* irreversibel

irritability [ɪrɪtə'bɪlɪtɪ] *sb* Reizbarkeit *f*

irritable ['ɪrɪtəbl] *adj 1.* gereizt; *2. (by nature)* reizbar

irritate ['ɪrɪteɪt] *v* ärgern, irritieren; *(deliberately)* reizen

island ['aɪlənd] *sb 1.* Insel *f; 2. (traffic* ~*)* Verkehrsinsel *f*

islander ['aɪləndə] *sb* Inselbewohner *m*

isle [aɪl] *sb* Insel *f*

isolate ['aɪsəʊleɪt] *v 1. (separate)* absondern, isolieren; *2. (cut off)* isolieren; *3. (pinpoint)* herausfinden

isolated ['aɪsəʊleɪtɪd] *adj 1. (single)* einzeln; *2. (remote)* abgelegen; *3. (existence)* zurückgezogen

isolation [aɪsəʊ'leɪʃən] *sb 1. (state)* Isolation *f*, Abgeschiedenheit *f; 2. (act)* Absonderung *f*, Isolierung *f*, Herausfinden *f*

issue ['ɪʃjuː] *v 1. (liquid, gas)* austreten; *(smoke)* herausquellen; *(sound)* herausdringen; *2. (a command)* ausgeben, erteilen; *3. (currency, military equipment)* ausgeben; *4. (documents)* ausstellen; *5. (stamps, a newspaper, a book)* herausgeben; *sb 6. (handingout)* Ausgabe *f; (thing supplied)* Lieferung *f; 7. (magazine, currency, stamps)* Ausgabe *f; 8. (of documents)* Ausstellung *f; 9. date of* ~ Ausstellungsdatum *n, (of stamps)* Ausgabetag *m; 10. (matter)* Frage *f*, Angelegenheit *f; take* ~ *with s.o. over sth* jdm in etw widersprechen; *make an* ~ *of sth* etw aufbauschen; *evade the* ~ ausweichen; *11. (result)* Ergebnis *n; force the* ~ eine Entscheidung erzwingen

it [ɪt] *pron 1.* er/sie/es; *(direct object)* ihn/sie/es; *(indirect object)* ihm/ihr/ihm; *2. (indefinite subject)* es; *Who is* ~? Wer ist da? *What time is* ~? Wie viel Uhr ist es? *I take* ~ *that ...* ich nehme an, dass ...; *3. that's* ~ *(exactly)* Ja, genau! *(I'm fed up)* Jetzt reicht's mir! *(*~*'s all done)* Das wär's!

itchy ['ɪtʃɪ] *adj 1.* juckend; *I've got an* ~ *trigger finger! (fam)* Es juckt mich abzudrücken!; *2. (sweater)* kratzig

item ['aɪtəm] *sb 1. (object, thing)* Stück *n*, Ding *n,* Gegenstand *m; 2. (on an agenda)* Punkt *m; 3. (news* ~*)* einzelne Nachricht *f; 4. (in an account book)* ECO Posten *m*

itinerary [aɪ'tɪnərərɪ] *sb (travelroute)* Reiseroute *f*

its [ɪts] *pron 1. (masculine or neutral antecedent)* sein(e); *2. (feminine antecedent)* ihr(e)

Ivory Coast ['aɪvərɪ kəʊst] *sb the* ~ GEO die Elfenbeinküste *f*

J

jab [dʒæb] v 1. (with a knife) stechen; (with an elbow) stoßen; (in boxing) eine kurze Gerade schlagen; sb 2. (with a knife, with a needle) Stich m; 3. (with an elbow) Stoß m; 4. (in boxing) Jab m, kurze Gerade f

jackass ['dʒækæs] sb 1. ZOOL Eselshengst m; 2. (fam: person) Esel m

jackboot ['dʒækbu:t] sb Schaftstiefel m

jacket ['dʒækɪt] sb 1. Jacke f; 2. (blazer) Jackett n, Jacke f; 3. (of a book) Buchhülle f, Schutzumschlag m

jackhammer ['dʒækhæmə] sb Presslufthammer m

jack-in-the-box ['dʒækɪndəbɒks] sb Kastenteufel m

jackknife ['dʒæknaɪf] v (lorry) sich quer stellen

jackpot ['dʒækpɒt] sb 1. Jackpot m; 2. hit the ~ einen Treffer haben; (in a lottery) den Hauptgewinn bekommen; (fig) das große Los ziehen

jacuzzi [dʒə'ku:zi:] sb Whirlpool m

jade [dʒeɪd] sb 1. Jade m; 2. (colour) Jadegrün n

jaded ['dʒeɪdɪd] adj abgestumpft, stumpfsinnig

jaguar ['dʒægjʊə] sb ZOOL Jaguar m

jail [dʒeɪl] sb 1. Gefängnis n; v 2. einsperren

jailbird ['dʒeɪlbɜ:d] sb (fam) Knastbruder m

jailbreak ['dʒeɪlbreɪk] sb Ausbruch aus dem Gefängnis m

jailer ['dʒeɪlə] sb Gefängniswärter m

jalopy [dʒə'lɒpɪ] sb Klapperkiste f (Auto)

jam [dʒæm] v 1. (become stuck) (window) klemmen; (gun) Ladehemmung haben; 2. (cram) stopfen, hineinzwängen, quetschen; ~med together zusammengezwängt; (people) zusammengedrängt; 3. ~ on the brakes auf die Bremse treten, eine Vollbremsung machen; 4. (a radio broadcast) stören; sb 5. (blockage) Stauung f, Stockung f; 6. traffic ~ Stau m; 7. (fig: tight spot) Klemme f, Patsche f; 8. GAST Marmelade f, Konfitüre f

jamboree [dʒæmbə'ri:] sb Fest n, Rummel m (fam)

jammy ['dʒæmɪ] adj (fam) (UK) Glücks...

jam-packed ['dʒæmpækt] adj (fam) voll gestopft

janitor ['dʒænɪtə] sb Hausmeister m

January ['dʒænjʊərɪ] sb Januar m

Japan [dʒə'pæn] sb Japan n

Japanese [dʒæpə'ni:z] sb 1. (person) Japaner m; 2. (language) Japanisch n; adj 3. japanisch

jape [dʒeɪp] sb Scherz m, Streich m

jar [dʒɑ:] v 1. erschüttern, einen Stoß versetzen; sb 2. (container) Glas n, Topf m

jargon ['dʒɑ:gən] sb Jargon m, Fachsprache f

jaundice ['dʒɔ:ndɪs] sb MED Gelbsucht f

jaundiced ['dʒɔ:ndɪst] adj (fig) voreingenommen

jaunt [dʒɔ:nt] sb Spritztour f, Ausflug m

jaunty ['dʒɔ:ntɪ] adj unbeschwert, fesch, flott; with one's hat at a ~ angle den Hut keck über dem Ohr

javelin ['dʒævəlɪn] sb SPORT Speer m

jaw [dʒɔ:] sb 1. ANAT Kiefer m, Kinnlade f; 2. the ~s of death pl (fig) die Klauen des Todes pl; v 3. (fam) quatschen

jawbone ['dʒɔ:bəʊn] sb Kieferknochen m

jaywalk ['dʒeɪwɔ:k] v verkehrswidrig über die Straße gehen

jazz [dʒæz] sb 1. Jazz m; v 2. ~ sth up (fam) etw aufpeppen

jealous ['dʒeləs] adj 1. eifersüchtig; to be ~ of s.o. auf jdn eifersüchtig sein; 2. (of s.o.'s success) missgünstig

jealousy ['dʒeləsɪ] sb Eifersucht f; (of s.o.'s success) Missgunst f

jeans [dʒi:nz] pl Jeans f

jeep [dʒi:p] sb Jeep m

jeepers ['dʒi:pəz] interj Mensch! Na so was!

jejune [dʒɪ'dʒu:n] adj fade

jelly ['dʒelɪ] sb 1. Gelee n; 2. (dessert) (UK) GAST Grütze f; 3. (jam) (US) GAST Marmelade f

jelly baby ['dʒelɪbeɪbɪ] sb (UK) Gummibärchen n

jellyfish ['dʒelɪfɪʃ] sb ZOOL Qualle f

jeopardy ['dʒepədɪ] sb Gefahr f

jerk [dʒɜ:k] v 1. einen Ruck geben, (muscle) zucken; ~ to a stop ruckartig anhalten; 2. (sth) ruckweise ziehen, plötzlich reißen; ~ o.s. free sich losreißen; sb 3. Ruck m; 4. (twitch) Zuckung f; 5. (fam: person) Trottel m

jersey ['dʒɜ:zɪ] sb 1. Pullover m; (cloth) Jersey m; 2. SPORT Trikot n

jet [dʒet] sb 1. (~ plane) Düsenflugzeug n; 2. (of water, of vapour) Strahl m; 3. (nozzle) TECH Düse f

jet black [dʒet blæk] adj kohlrabenschwarz

jet lag ['dʒetlæg] sb Probleme durch die Zeitumstellung pl

jetliner ['dʒetlaɪnə] sb Düsenlinienflugzeug n

jet plane ['dʒetpleɪn] sb Düsenflugzeug n

jetski ['dʒetskiː] sb Jetski m

jetty ['dʒetɪ] sb (pier) NAUT Landungsbrücke f

jewel ['dʒuːəl] sb 1. Juwel n, Edelstein m; 2. (piece of jewellery) Schmuckstück n

jeweller ['dʒuːələ] sb Juwelier m

jewellery ['dʒuːələrɪ] sb Schmuck m, Juwelen pl

jiffy ['dʒɪfɪ] sb Augenblick m; in a ~ im Nu

jig [dʒɪg] sb lebhafter Tanz m; The ~ is up. (fam) Das Spiel ist aus.

jiggle ['dʒɪgl] v 1. wackeln; 2. (sth) leicht rütteln

jigsaw ['dʒɪgsɔː] sb Laubsäge f

jigsaw puzzle ['dʒɪgsɔːpʌzl] sb Puzzle n

jilt [dʒɪlt] v ~ s.o. jdm den Laufpass geben

jingle ['dʒɪŋgl] v klingeln

jinx [dʒɪŋks] v 1. verhexen; sb 2. Pech n

jitters ['dʒɪtəz] pl the ~ das große Zittern n

jive [dʒaɪv] sb 1. (US: talk) Gequassel n

job [dʒɒb] sb 1. (employment) Stelle f, Job m, Stellung f; 2. (piece of work) Arbeit f; It was quite a ~. Das war ganz schön schwierig. to be paid by the ~ pro Auftrag bezahlt werden; odd ~s pl Gelegenheitsarbeiten pl; 3. (responsibility, duty) Aufgabe f; That's not my ~. Dafür bin ich nicht zuständig.

job centre ['dʒɒbsentə] sb (UK) Arbeitsamt n

job description ['dʒɒbdɪskrɪpʃən] sb Tätigkeitsbeschreibung f

job rotation ['dʒɒbrəʊteɪʃən] sb ECO Job Rotation f, systematischer Arbeitsplatzwechsel m

job sharing ['dʒɒbʃeərɪŋ] sb Job Sharing n, Teilen einer Arbeitsstelle n

jock [dʒɒk] sb (fam) Sportler m

jockey ['dʒɒkɪ] sb 1. Jockey m; v 2. ~ for position sich in eine gute Position zu drängeln versuchen, (fig) rangeln

jog [dʒɒg] v 1. SPORT joggen; 2. ~ s.o.'s memory jds Gedächtnis nachhelfen

jogger ['dʒɒgə] sb Jogger m

jogging ['dʒɒgɪŋ] sb Jogging n

john [dʒɒn] sb 1. (fam)(US: toilet) Klo n; 2. (fam) (US: prostitute's customer) Freier m

join [dʒɔɪn] v 1. (to be attached) verbunden sein; 2. (become a member of) Mitglied werden von, eintreten in; (army) gehen zu; 3. ~ s.o. in doing sth etw zusammen mit jdm tun; 4. ~ in mitmachen; 5. ~ up with s.o. sich jdm anschließen; 6. (connect) verbinden; ~ hands sich die Hand reichen

joiner ['dʒɔɪnə] sb (craftsman) Tischler m, Schreiner m

joint [dʒɔɪnt] adj 1. gemeinsam, gemeinschaftlich, Gemeinschafts...; ~ and several solidarisch; sb 2. ANAT Gelenk n; 3. TECH Gelenk n; 4. GAST Braten m; 5. (piece of pipe) Verbindung f; 6. (fam: place) Laden m; 7. (fam: marijuana) Joint m

jointly ['dʒɔɪntlɪ] adv gemeinsam, zusammen, miteinander

joke [dʒəʊk] v 1. Witze machen, scherzen; sb 2. Witz m; 3. (statement not meant seriously) Scherz m; to be able to take a ~ einen Spaß verstehen können; 4. (practical ~) Streich m, Schabernack m; play a ~ on s.o. jdm einen Streich spielen

joker ['dʒəʊkə] sb 1. (card) Joker m; 2. Spaßvogel m, Witzbold m

jolly ['dʒɒlɪ] adj 1. fröhlich, vergnügt; adv 2. ~ ... (UK) ganz schön ...

Jolly Roger ['dʒɒlɪ 'rɒdʒə] sb HIST Totenkopfflagge f

jolt [dʒəʊlt] v 1. (sth) einen Ruck geben; (fig) aufrütteln; sb 2. Ruck m; 3. (fig) Schock m

jot [dʒɒt] v ~ down schnell notieren, schnell hinschreiben

journal ['dʒɜːnl] sb 1. Journal n; 2. (diary) Tagebuch n; 3. (magazine) Zeitschrift f; 4. (newspaper) Zeitung f

journalism ['dʒɜːnəlɪzm] sb Journalismus m

journalist ['dʒɜːnəlɪst] sb Journalist(in) m/f

journey ['dʒɜːnɪ] v 1. reisen; sb 2. Reise f

journeyman ['dʒɜːnɪmən] sb Geselle m

joy [dʒɔɪ] sb Freude f

joyful ['dʒɔɪful] adj freudig, froh

joyride ['dʒɔɪraɪd] sb Spritztour f

joystick ['dʒɔɪstɪk] sb 1. Joystick m; 2. (fam: control in a helicopter) Steuerknüppel m

jubilation [dʒuːbɪ'leɪʃən] sb Jubel m

jubilee ['dʒuːbɪliː] sb Jubiläum n

Judaism ['dʒuːdeɪɪzəm] sb Judaismus m

judge [dʒʌdʒ] v 1. urteilen; 2. (sth) beurteilen; 3. (consider, deem) halten für, erachten für; 4. *(estimate)* einschätzen; 5. *(a case)* JUR verhandeln; *sb* 6. JUR Richter *m*; 7. *The Book of Judges* REL das Buch der Richter; 8. SPORT Kampfrichter *m*; 9. *(fig)* Kenner *m*; ~ *of character* Menschenkenner *m*; *I'll be the* ~ *of that.* Das müssen Sie mich schon selbst beurteilen lassen.

judgement ['dʒʌdʒmənt] *sb* 1. Urteil *n*, Beurteilung *f*; JUR Urteil *n*, Gerichtsurteil *n*; *pass* ~ *on* ein Urteil fällen über; 3. *(estimation)* Einschätzung *f*; 4. *(ability to judge)* Urteilsvermögen *n*; *Use your best* ~. Handeln Sie nach Ihrem besten Ermessen. 5. *(opinion)* Meinung *f*, Ansicht *f*

judgment *sb (US: see "judgement")*

judo ['dʒuːdəʊ] *sb* Judo *n*

jug [dʒʌg] *sb* Krug *m*, Kanne *f*

juggle ['dʒʌgl] *v* jonglieren

juice [dʒuːs] *sb* Saft *m*

juicy ['dʒuːsɪ] *adj* 1. saftig; 2. *(fig: story)* pikant

jukebox ['dʒuːkbɒks] *sb* Jukebox *f*, Musikautomat *m*

jumble ['dʒʌmbl] *v* 1. durcheinander werfen; 2. *(fig: facts)* durcheinander bringen; *sb* 3. Durcheinander *n*

jumble sale ['dʒʌmbl seɪl] *sb* Flohmarkt *m*, Basar *m*

jump [dʒʌmp] *v* 1. springen; ~ *for joy* Freudensprünge machen; 2. *(move suddenly)* zusammenfahren, zusammenzucken; 3. *(sth)* überspringen; 4. *(fig: skip)* überspringen, auslassen; ~ *the queue* sich vordrängeln; 5. ~ *all over s.o.* *(fam)* (US) jdn zur Schnecke machen; 6. ~ *at* sich auf etw stürzen; 7. *(fam: as assault)* überfallen; *sb* 8. Sprung *m*, Satz *m*; 9. *(with a parachute)* Absprung *m*; 10. *(fig: increase)* Anstieg *m*; 11. *(hurdle)* Hindernis *n*

• **jump in** *v* hineinspringen, hereinspringen; *Jump in!* *(into a car)* Steig ein!

• **jump off** *v* herunterspringen, *(of a moving vehicle)* abspringen

• **jump up** *v* hochspringen; *(into a standing position)* aufspringen

jumper ['dʒʌmpə] *sb* 1. *(UK: pullover)* Pullover *m*; 2. *(US: dress)* Trägerkleid *n*

jump leads [dʒʌmp liːdz] *pl* Starthilfekabel *n*

jump-start ['dʒʌmpstɑːt] *v* mittels Starthilfekabel anlassen

jumpy ['dʒʌmpɪ] *adj* nervös, schreckhaft

junction ['dʒʌŋkʃən] *sb* 1. *(of roads)* Kreuzung *f*; 2. *(railway ~)* Knotenpunkt *m*; 3. *(electric)* Anschlussstelle *f*

jungle ['dʒʌŋgl] *sb* Dschungel *m*, Urwald *m*; *the law of the* ~ *(fig)* das Gesetz des Dschungels *n*

junior ['dʒuːnɪə] *adj* 1. jünger; *(officer)* rangniedriger; *sb* 2. Jüngere(r) *m/f*; *He is seven years my* ~. Er ist sieben Jahre jünger als ich. 3. *(son with father's first name)* Junior *m*; 4. *(UK: in primary school)* Grundschüler *m*; 5. *(UK: in secondary school)* Unterstufenschüler *m*; 6. *(US: in high school)* Schüler in der elften Klasse; 7. *(US: in college)* Student im dritten Studienjahr

junior partner ['dʒuːnɪə 'pɑːtnə] *sb* jüngerer Teilhaber *m*

junk [dʒʌŋk] *sb* 1. *(discarded objects)* Trödel *m*, alter Kram *m*; 2. *(fam: trash)* Schund *m*, Schrott *m*, Ramsch *m*

junkie ['dʒʌŋkɪ] *sb (fam)* Fixer *m*

junk mail [dʒʌŋk meɪl] *sb* Postwurfsendungen *pl*, Reklame *f*

junkyard ['dʒʌŋkjɑːd] *sb* Schrottplatz *m*

juror ['dʒʊərə] *sb* JUR Geschworene(r) *m/f*

jury ['dʒʊərɪ] *sb* 1. *(for a trial)* JUR die Geschworenen *pl*, die Schöffen *pl*; 2. *(for a competition)* Jury *f*

just [dʒʌst] *adv* 1. *(only)* nur, bloß; ~ *in case* nur für den Fall; ~ *like that* einfach so; 2. *(at that moment, at this moment)* gerade; 3. *(a moment ago)* gerade, eben, soeben; ~ *before* kurz bevor, knapp bevor; ~ *after* kurz nach, gleich nach; 4. ~ *now (a moment ago)* soeben; *(at this moment)* gerade jetzt; 5. *(barely)* gerade noch; 6. ~ *about* to ziemlich; 7. *(absolutely)* einfach, wirklich; 8. *(exactly)* gerade, genau; *It's* ~ *my size.* Genau meine Größe. 9. ~ *as genauso, ebenso; It's* ~ *as well.* Es ist vielleicht besser so. *adj* 10. gerecht, berechtigt

justice ['dʒʌstɪs] *sb* 1. Gerechtigkeit *f*; 2. *(system)* Gerichtsbarkeit *f*, Justiz *f*; 3. *(judge)* Richter *m*

justifiable [dʒʌstɪ'faɪəbl] *adj* zu rechtfertigen, berechtigt, vertretbar

justification [dʒʌstɪfɪ'keɪʃən] *sb* 1. Rechtfertigung *f*; 2. *(of type)* Justierung *f*

justify ['dʒʌstɪfaɪ] *v* 1. rechtfertigen; 2. *(type)* justieren

just-in-time ['dʒʌstɪntaɪm] *adj* produziert zur sofortigen Auslieferung

juvenile ['dʒuːvənaɪl] *adj* 1. jugendlich; *(childish)* kindisch; *sb* 3. Jugendliche(r) *m/f*

juvenile delinquency ['dʒuːvənaɪl dɪ'lɪŋkwənsɪ] *sb* Jugendkriminalität *f*

juvenile delinquent ['dʒuːvənaɪl dɪ'lɪŋkwənt] *sb* jugendlicher Straftäter *m*

K

kaleidoscope [kə'laɪdəskəʊp] *sb* Kaleidoskop *n*

kangaroo [kæŋgə'ru:] *sb* Känguru *n*

kangaroo court [kæŋgə'ru: kɔ:t] *sb* 1. korruptes Gericht *n;* 2. *(unofficial court)* inoffizielles Gericht *n*

karaoke [kærɪ'əʊkɪ] *sb* Karaoke *n*

karate [kə'rɑːtɪ] *sb* Karate *n*

karma ['kɑːmə] *sb* REL Karma *n*

kart [kɑːt] *sb* Gokart *n*

kayak ['kaɪæk] *sb* Kajak *m/n*

kebab [kə'bæb] *sb* GAST Kebab *m*

keen [ki:n] *adj* 1. *(edge, eye, ear, wind)* scharf; 2. *(interest, feeling)* stark; 3. *(hardworking)* eifrig, *(enthusiastic)* begeistert; 4. *to be* ~ *to do sth* sehr scharf darauf sein, etw zu tun; 5. *I'm not* ~ *on it.* Ich lege keinen Wert darauf. Ich mache mir nichts daraus. Ich habe wenig Lust dazu. 6. *to be* ~ *on s.o.* scharf auf jdn sein

keenness ['ki:nnɪs] *sb* Begeisterung *f,* starkes Interesse *n,* Eifer *m*

keep [ki:p] *v irr* 1. *(remain in a certain state)* ~ *silent* schweigen; ~ *calm* ruhig bleiben; 2. ~ *doing sth (continue)* etw weiter tun; *(repeatedly)* etw immer wieder tun; *(constantly)* etw dauernd tun; 3. *(continue in a certain direction)* ~ *to the right* sich rechts halten; 4. *(retain)* behalten; ~ *sth to o.s.* etw für sich behalten; 5. *(maintain in a certain state)* halten; ~ *s.o. informed* jdn auf dem Laufenden halten; ~ *o.s. busy* sich selbst beschäftigen; ~ *s.o. waiting* jdn warten lassen; ~ *an eye on s.o.* jdn im Auge behalten; ~ *one's distance* Abstand halten; 6. *(accounts, a diary)* führen; 7. *(in a certain place)* aufbewahren; 8. *(detain)* aufhalten, zurückhalten; ~ *s.o. from doing sth* jdn davon abhalten, etw zu tun; *a kept woman* eine Frau, die ausgehalten wird; 9. *(an appointment)* einhalten; 10. *(a promise)* halten, einhalten, einlösen; 11. *(run a shop, a hotel)* führen; 12. *(tend animals)* halten; 13. *(save, put aside)* aufheben; ~ *a secret* ein Geheimnis bewahren; *sb* 14. *earn one's* ~ seinen Unterhalt verdienen *m;* 15. *for* ~*s pl* für immer

• **keep at** *v irr* ~ *sth* an etw festhalten, etw weitermachen

• **keep away** *v irr (from s.o., from sth)* wegbleiben

• **keep back** *v irr* 1. *(from an edge)* zurück bleiben, nicht näherkommen; 2. *(a student)* dabehalten

• **keep down** *v irr* 1. *(remain low)* untenbleiben; 2. *(remain quiet)* Keep it down! Beherrsche dich! 3. *keep one's food down* sein Essen im Magen behalten (sich nicht übergeben müssen); 4. *You can't keep a good man down.* Der Tüchtige setzt sich immer durch.

• **keep from** *v irr* ~ *doing sth* von etw abhalten, von etw zurückhalten

• **keep in** *v irr* dabehalten, nicht weglassen; *to be kept in after school* nachsitzen müssen

• **keep on** *v irr (continue)* weitermachen, nicht aufhören

• **keep out** *v irr* „Keep Out" „Zutritt verboten"

• **keep to** *v irr* ~ *o.s.* nicht sehr gesellig sein, ein Einzelgänger sein

• **keep under** *v irr* unterdrücken, unterjochen

• **keep up** *v irr* 1. *(continue)* (rain) andauern; *(determination)* nicht nachlassen; 2. ~ *with s.o.* mit jdm Schritt halten; ~ *with the Joneses* sich mit den Nachbarn messen können; 3. *(night)* (not stop) nicht aufhören mit

keeper ['ki:pə] *sb* 1. *(guard)* Wächter *m,* Aufseher *m;* 2. *(game~)* Jagdhüter *m;* 3. *(goalie)* SPORT Torhüter *m,* Torwart *m;* 4. *(fish)* Fisch, der die gesetzliche Fanggröße erreicht hat *m*

keepnet ['ki:pnet] *sb* Netz zur Aufbewahrung lebender Fische *n*

keepsake ['ki:pseɪk] *sb* Andenken *n,* Erinnerung *f*

keg [keg] *sb* kleines Fass *n,* Fässchen *n*

kelp [kelp] *sb* Seetang *m*

kempt [kempt] *adj* gekämmt, gepflegt

ken [ken] *sb* Horizont *m,* Gesichtskreis *m; in one's* ~ in seinem eigenen Umfeld

kendo ['kendəʊ] *sb* SPORT Kendo *n*

kennel ['kenl] *sb* 1. Hundezwinger *m;* 2. *(boarding* ~*)* Hundeheim *n,* Tierheim *n*

kerb ['kɜ:b] *sb* Bordstein *m,* Randstein *m*

kerb crawling ['kɜ:bkrɔ:lɪŋ] *sb* Straßenstrich *m*

kerbstone ['kɜ:bstəʊn] *sb* Bordstein *m,* Randstein *m*

kernel ['kɜ:nl] *sb* Kern *m*

kerosene ['kerəsi:n] *sb* Kerosin *n*

kestrel ['kestrəl] sb ZOOL Turmfalke m
ketchup ['ketʃəp] sb Ketschup n/m
kettle ['ketl] m Kessel m; *That's a different ~ of fish.* Das ist ganz was anderes.
key [kiː] sb 1. Schlüssel m; 2. (of a typewriter, of a piano) Taste f; 3. (explanation of symbols) Zeichenerklärung f; 4. MUS Tonart f; *sing off ~* falsch singen; v 5. *to be ~ed up* angespannt sein, aufgedreht sein
• **key in** v eingeben
• **key up** v aufdrehen
keyboard ['kiːbɔːd] sb 1. Tastatur f; 2. (of an organ) MUS Manual n; 3. (instrument) MUS Keyboard n
key grip ['kiːgrɪp] sb (US) CINE Erster Studioassistent m
keyhole ['kiːhəʊl] sb Schlüsselloch n
keypad ['kiːpæd] sb Tastenfeld n
keypunch ['kiːpʌntʃ] sb Locher m
keystone ['kiːstəʊn] sb 1. ARCH Schlussstein m; 2. (fig) Grundpfeiler m
key word [kiː wɜːd] sb Schlüsselwort n
khaki ['kɑːkɪ] sb (colour) Kaki n
kibbutz ['kɪbʊts] sb Kibbuz m
kibitzer ['kɪbɪtsə] sb Besserwisser m
kick [kɪk] sb 1. Tritt m, Stoß m, Kick m; *get a ~ out of sth (fam)* an etw mächtig Spaß haben; *just for ~s* nur zum Spaß; v 2. treten; *I felt like ~ing myself.* Ich hätte mich ohrfeigen können. 3. (baby) strampeln; 4. (animal) ausschlagen; 5. (dancer) das Bein hochwerfen; 6. (s.o.) treten; 7. (sth) einen Tritt versetzen, mit dem Fuß stoßen; 8. (a ball) kicken; 9. (a goal) schießen; 10. *~ a habit (fam)* sich etw abgewöhnen
• **kick around** v *~ an idea (fam)* eine Idee diskutieren
• **kick out** v (fam) hinauswerfen
• **kick up** v *~ a row (UK)* Krach machen
kick boxing ['kɪkbɒksɪŋ] sb SPORT Kickboxen n
kickdown ['kɪkdaʊn] sb Kick-Down m
kicker ['kɪkə] sb SPORT 1. (in football) Spieler, der besonders Strafstöße ausführt m; 2. (in American football) Spieler, der Feldtore schießt m
kick-off ['kɪkɒf] sb SPORT Anstoß m
kick-start ['kɪkstɑːt] v anlassen (Motorrad)
kid [kɪd] v 1. *~ s.o.* (tease) jdn aufziehen; (deceive) jdm etw vormachen; *I was only ~ding!* Ich habe nur Spaß gemacht! sb 2. (fam: child) Kind m, Kleiner m / Kleine f; *~'s stuff* Kinderkram m; 3. (fam: man) *None of the ~s*

who work for me is over thirty. Keiner der Burschen, die für mich arbeiten, ist über dreißig Jahre alt. 4. ZOOL Kitz n, Zicklein n
kiddish ['kɪdɪʃ] adj kindisch
kid gloves ['kɪdɡlʌvz] pl Glaceehandschuhe pl; *handle s.o. with ~ (fam)* jdn mit Glaceehandschuhen anfassen, jdn mit Samthandschuhen anfassen
kidnap ['kɪdnæp] v entführen, kidnappen
kidnapper ['kɪdnæpə] sb Entführer m, Kidnapper m
kidnapping ['kɪdnæpɪŋ] sb Entführung f, Kidnapping n, Menschenraub m
kidney ['kɪdnɪ] sb ANAT Niere f
kidney bean ['kɪdnɪ biːn] sb GAST Kidneybohne f
kidney-shaped ['kɪdnɪʃeɪpd] adj nierenförmig
kidney stone ['kɪdnɪ stəʊn] sb MED Nierenstein m
kill [kɪl] v 1. töten, umbringen; *dressed to ~ (fam)* aufgetakelt wie eine Fregatte; *~ time* die Zeit totschlagen; *My feet are ~ing me. (fig)* Meine Füße tun mir entsetzlich weh. 2. (hunting) erlegen; 3. (slaughter) schlachten; 4. (weeds) vernichten; 5. (a proposal) zu Fall bringen; 6. (an engine) abschalten; 7. (pain) stillen; sb 8. (act of ~ing) Tötung f; 9. (animal ~ed) Beute f
• **kill off** v 1. vernichten, töten; 2. (a whole race) ausrotten
killer ['kɪlə] sb Mörder m, Killer m
killing ['kɪlɪŋ] sb Töten n, Morden n
kill-time ['kɪltaɪm] sb Zeitvertreib m
kilocalorie ['kɪləʊkælərɪ] sb PHYS Kilokalorie f
kilogramme ['kɪləʊɡræm] sb (UK) Kilogramm n
kilohertz ['kɪləʊhɜːts] sb Kilohertz n
kilometre ['kɪləʊmiːtə] sb Kilometer m; *~s per hour* Stundenkilometer
kilowatt ['kɪləʊwɒt] sb PHYS Kilowatt n
kilt [kɪlt] sb Kilt m, Schottenrock m
kin [kɪn] sb Familie f, Verwandte pl, Verwandtschaft f; *next of ~* nächster Verwandter m
kind [kaɪnd] sb 1. Art f, Sorte f; *two of a ~* zwei von selben Schlag; *what of ... was für ein ... I know your ~.* Ihre Sorte kenne ich. *sth of the ~* so etwas; *nothing of the ~* nichts dergleichen; *all ~s of* alle möglichen, alle Arten von, (fam: a whole lot of) jede Menge; *~ of (somewhat)* irgendwie, ein bisschen; adj 2. liebenswürdig, nett, freundlich

kindergarten ['kɪndəgɑːtn] *sb* Kindergarten *m*

kindle ['kɪndl] *v* 1. brennen; *(fig)* aufflammen; 2. *(sth)* anzünden, entzünden; *(fig)* entfachen

kindling ['kɪndlɪŋ] *sb* Anmachholz *n*, Brennholz *n*

kindly ['kaɪndlɪ] *adj* 1. lieb, nett, freundlich; 2. He didn't take ~ to that. Das hat ihm gar nicht gefallen.

kindness ['kaɪndnɪs] *sb* 1. Freundlichkeit *f*, Liebenswürdigkeit *f*; kill s.o. with ~ jdn mit Freundlichkeiten überhäufen; 2. *(act of ~)* Gefälligkeit *f*

kindred ['kɪndrɪd] *adj* ~ spirit Gleichgesinnte(r) *m/f*

kindredness ['kɪndrɪdnɪs] *sb* Verwandtschaft *f*

kinetic [kɪ'netɪk] *adj* PHYS kinetisch

kinetic energy [kɪ'netɪk 'enədʒɪ] *sb* PHYS kinetische Energie *f*

king [kɪŋ] *sb* König *m*; The Book of Kings REL das Buch der Könige

kingbird ['kɪŋbɜːd] *sb* Königsvogel *m*

kingdom ['kɪŋdəm] *sb* 1. Königreich *n*; ~ of heaven Himmelreich *n*; 2. ZOOL Reich *n*

kingfisher ['kɪŋfɪʃə] *sb* ZOOL Eisvogel *m*

kingmaker ['kɪŋmeɪkə] *sb* HIST Königsmacher *m*

king-of-arms [kɪŋɒv'ɑːmz] *sb* erster Wappenherold Englands *m*

kingpin ['kɪŋpɪn] *sb (person)* Boss *m*

king-sized ['kɪŋsaɪzd] *adj* 1. Riesen... 2. *(bed)* extra groß

kinky ['kɪŋkɪ] *adj* 1. *(hair)* wellig; 2. *(sexually)* abartig

kiosk ['kiːɒsk] *sb* 1. Kiosk *m*; 2. *(telephone ~)* Telefonzelle *f*

kiss [kɪs] *v* 1. küssen; *sb* 2. Kuss *m*; the ~ of death der Todesstoß *m*; 3. the ~ of life Mund-zu-Mund-Beatmung *f*

kiss-and-tell ['kɪsəndtel] *adj* in den Zeitungen breit getreten; a ~ interview ein Interview über eine Liebesaffäre mit einem Prominenten

kisser ['kɪsə] *sb* 1. *(fam: mouth)* Fresse *f*, Schnauze *f*; She's a good ~. Sie kann gut küssen.

kit [kɪt] *sb* 1. *(equipment)* Ausrüstung *f*; 2. *(box of tools)* Werkzeugkasten *m*; 3. *(set)* Satz *m*, *(parts to be assembled)* Bausatz *m*; 4. *(UK: outfit)* Kluft *f*; *v* 5. ~ out ausrüsten, ausstatten, einkleiden

kitbag ['kɪtbæg] *sb* Seesack *m*

kitchen ['kɪtʃɪn] *sb* Küche *f*

kitchen cabinet ['kɪtʃɪn 'kæbɪnet] *sb* POL Küchenkabinett *n*

kitchenette [kɪtʃɪ'net] *sb* Kochnische *f*

kitchen garden ['kɪtʃɪn 'gɑːden] *sb* Küchengarten *m*, Kräutergarten *m*, Gemüsegarten *m*

kitchen sink ['kɪtʃɪn sɪŋk] *sb* Spüle *f*, Spülstein *m*, Ausguss *m*; everything but the ~ der ganze Krempel

kitchenware ['kɪtʃɪnwɛə] *sb* Küchengeräte *pl*

kite [kaɪt] *sb* Drachen *m*; Go fly a ~! *(fam) (US)* Hau ab und lass mich in Ruhe!

kitten ['kɪtn] *sb* ZOOL Kätzchen *n*, junge Katze *f*

kitty ['kɪtɪ] *sb* 1. *(cat)* Kätzchen *n*, Pussi *f*; 2. *(in a card game)* Spielkasse *f*

kiwi ['kiːwiː] *sb* 1. BOT Kiwi *f*; 2. ZOOL Kiwi *m*

kleptomania [kleptəʊ'meɪnɪə] *sb* PSYCH Kleptomanie *f*

kleptomaniac [kleptəʊ'meɪnɪæk] *sb* PSYCH Kleptomane *m*/Kleptomanin *f*

klutz [klʌts] *sb (fam)* Tölpel *m*, schwerfälliger Mensch *m*

knack [næk] *sb* 1. Trick *m*, Kniff *m*; 2. *(talent)* Talent *n*, Geschick *n*

knacker ['nækə] *sb (of horses)* Abdecker *m*, Schinder *m*

knacker's yard ['nækəz jɑːd] *sb (fam)(UK)* Schrottplatz *m*; ready for the ~ schrottreif

knapsack ['næpsæk] *sb* Rucksack *m*, Ranzen *m*

knave [neɪv] *sb* Schurke *m*, Spitzbube *m*

knead [niːd] *v* 1. kneten; 2. *(muscles)* massieren

knee [niː] *sb* 1. ANAT Knie *n*; *v* 2. mit dem Knie stoßen

knee-deep ['niːdiːp] *adj* knietief

knee-high ['niːhaɪ] *adj* kniehoch, in Kniehöhe

knee jerk ['niːdʒɜːk] *sb (reflex)* Kniesehnenreflex *m*

knee-jerk ['niːdʒɜːk] *adj* reflexartig, automatisch

knee-length ['niːleŋθ] *adj* knielang, bis zum Knie reichend

kneepad ['niːpæd] *sb* Knieschützer *m*

knickerbocker glory ['nɪkəbɒkə 'glɔːrɪ] *sb* GAST Dessert mit Eiskrem *n*

knickers ['nɪkəz] *pl* Schlüpfer *m*

knick-knack ['nɪknæk] *sb (fam)* Kinkerlitzchen *n*

knife [naɪf] *sb* Messer *n*; go under the ~ *(fam)* unters Messer kommen
knife edge [naɪf edʒ] *sb* Messerschneide *f*
knife grinder ['naɪfgraɪndə] *sb* Messerschleifer *m*
knife-point ['naɪfpɔɪnt] *sb* Messerspitze *f*; at ~ mit vorgehaltenem Messer
knit [nɪt] *v* 1. stricken; 2. ~ one's eyebrows die Stirn runzeln
knitwear ['nɪtweə] *sb* Strickwaren *pl*, Wollsachen *pl*
knob [nɒb] *sb* 1. *(door~)* runder Griff *m*; 2. *(on a radio)* Knopf *m*; 3. *(on a walking stick)* Knauf *m*
knock [nɒk] *sb* 1. *(blow)* Stoß *m*, Schlag *m*; 2. *(sound)* Klopfen *n*; *v* 3. *(at a door)* klopfen; 4. *(engine)* klopfen; 5. *(one's head)* anschlagen, anstoßen; 6. *(strike)* stoßen, *(with sth)* schlagen; 7. ~ sth *(fam: criticize)* etw heruntermachen
• **knock about** *v* 1. *(mistreat)* herumstoßen, misshandeln; 2. *(loiter)* herumlungern, sich herumtreiben
• **knock back** *v (fam)* hinter die Binde kippen
• **knock down** *v* 1. *(an object)* umwerfen; 2. *(s.o. by hitting)* niederschlagen; 3. *(the price of one's wares)* heruntergehen (mit dem Preis)
• **knock off** *v* 1. *(quit)* aufhören; Knock it off! Hör auf damit! 2. *(copy)* imitieren, nachmachen
• **knock out** *v* 1. *(by hitting)* bewusstlos schlagen, k.o. schlagen; 2. to be knocked out *(of a competition)* ausscheiden
• **knock over** *v* umwerfen, umstoßen
knockoff ['nɒkɒf] *sb* Imitation *f*
knockout ['nɒkaʊt] *sb* 1. Knock-out *m*, K.o. *m*; 2. *(fam: impressive thing)* tolle Sache *f*; 3. *(fam: woman)* toll aussehende Frau *f*
knot [nɒt] *v* 1. einen Knoten machen in; 2. *(~ together)* verknoten, verknüpfen; *sb* 3. Knoten *m*; tie the ~ *(fam)* den Bund fürs Leben schließen
knotty ['nɒtɪ] *adj* 1. *(wood)* knorrig; 2. *(fig)* verzwickt, verwickelt
know [nəʊ] *v irr* 1. wissen, *(facts, details)* kennen; as far as I ~ so viel ich weiß; for all I ~ so viel ich weiß; you ~ weißt du/wissen Sie; get to ~ s.o. jdn kennen lernen; What do you ~! Na, so was! let s.o. ~ jdm Bescheid sagen; before you ~ it ehe man sich's versieht; *(a language)* können; 2. *(recognize)* erkennen; 3. *(to be able to distinguish)* entscheiden können; 4. *(experience)* erleben; I have ~n it to happen.

Ich habe das schon erlebt. *sb* 5. to be in the ~ Bescheid wissen, im Bilde sein
know-all ['nəʊɔːl] *sb (fam)* Besserwisser *m*, Schlauberger *m*
know-how ['nəʊhaʊ] *sb* Know-how *n*, Sachkenntnis *f*
know-it-all ['nəʊɪtɔːl] *sb* Besserwisser *m*
knowledge ['nɒlɪdʒ] *sb* Kenntnis *f*, Wissen *n*; to the best of my ~ meines Wissens; not to my ~ nicht dass ich wüsste
knowledgeable ['nɒlɪdʒəbl] *adj* kenntnisreich, gebildet
known [nəʊn] *adj* bekannt; make ~ bekannt geben
knuckle ['nʌkl] *sb* 1. ANAT Fingerknöchel *m*, Fingergelenk *n*; 2. GAST Haxe *f*, Hachse *f*; *v* 3. ~ down *(fam)* sich dahinterklemmen, sich reinhängen; 4. ~ under nachgeben
knuckle-duster ['nʌkldʌstə] *sb (brass knuckles)* Schlagring *m*
knucklehead ['nʌklhed] *sb (fam)* Idiot *m*
knuckle joint ['nʌkl dʒɔɪnt] *sb* Knöchelgelenk *n*
knuckle sandwich ['nʌkl 'sændwɪtʃ] *sb (fam)* Fausthieb *m*
knuckly ['nʌklɪ] *adj* zum Knöchel gehörend
kohlrabi [kəʊl'rɑːbɪ] *sb* GAST Kohlrabi *m*
kook [kuːk] *sb* Spinner *m*
kooky ['kuːkɪ] *adj (fam)* komisch, verrückt
Koran [kɔː'rɑːn] *sb* the ~ REL der Koran *m*
Korea [kə'rɪə] *sb* GEO Korea *n*
Korean [kə'rɪən] *adj* 1. koreanisch; the ~ War der Koreakrieg; *sb* 2. Koreaner *m*; 3. LING Koreanisch *n*
kosher ['kəʊʃə] *adj* REL koscher
kowtow ['kaʊtaʊ] *v* ~ to s.o. vor jdm kriechen
krypton ['krɪptɒn] *sb* CHEM Krypton *n*
kudos ['kjuːdɒs] *sb* 1. *(accolades)* Lob *n*; 2. *(prestige)* Ansehen *n*, Ehre *f*
kudu ['kuːduː] *sb* ZOOL Kudu *m*
kulak ['kuːlæk] *sb* HIST Kulak *m*
kumquat ['kʌmkwɒt] *sb* BOT Kumquat *f*
kung fu [kʌŋ'fuː] *sb* Kungfu *n*
kvass [kvɑːs] *sb* GAST Kwass *m*
kvetch [kvetʃ] *v (fam: gripe)* nörgeln, quengeln
kylix ['kaɪlɪks] *sb* Kylix *f* (griechische Trinkschale)
kymograph ['kaɪməgrɑːf] *sb* MED Kymograph *m*
kyphosis [kaɪ'fəʊsɪs] *sb* MED Kyphose *f*

L

lab [læb] *sb (fam)* Labor *n*

label ['leɪbl] *v 1.* etikettieren, mit einem Zettel versehen, mit einem Schildchen versehen; *2. (by writing on)* beschriften, mit einer Aufschrift versehen; *3. (fig)* bezeichnen, abstempeln; *sb 4.* Etikett *n; (sticker)* Aufkleber *m; (on a specimen)* Schild *n; 5. (fam: record company)* Schallplattenfirma *f*

laboratory [lə'bɒrətərɪ] *sb* Laboratorium *n,* Labor *n*

labour ['leɪbə] *sb 1.* Arbeit *f,* Anstrengung *f,* Mühe *f; 2. (workers)* Arbeiter *pl,* Arbeitskräfte *pl; 3.* MED Wehen *pl;* go into ~ die Wehen bekommen; *v 4. (do physical work)* arbeiten; *(work hard)* sich abmühen; ~ over sth sich mit etw abmühen; *5. (move with difficulty)* sich mühsam fortbewegen; sich quälen

labour camp ['leɪbə kæmp] *sb* Arbeitslager *n*

Labrador retriever ['læbrədɔː rɪ'triːvə] *sb* Labradorhund *m*

lack [læk] *v 1.* Mangel haben an, nicht haben, nicht besitzen; *we* ~ ... uns fehlt ...; *he* ~*s* ... es fehlt ihm ...; *2. to be* ~*ing* fehlen, nicht vorhanden sein; *sb 3.* Mangel *m*

lacklustre ['læklʌstə] *adj 1.* glanzlos; *2. (fig)* farblos

ladder ['lædə] *sb 1.* Leiter *f; 2. (UK: in a stocking)* Laufmasche *f*

ladies' man ['leɪdiːz mæn] *sb* Frauenheld *m,* Scharmeur *m*

ladies' room ['leɪdiːz ruːm] *sb* Damentoilette *f*

lady ['leɪdɪ] *sb 1.* Dame *f; ladies and gentlemen* meine Damen und Herren; *2. (as a title)* Lady *f*

ladybird ['leɪdɪbɜːd] *sb (UK)* Marienkäfer *m*

ladybug ['leɪdɪbʌg] *sb (US)* Marienkäfer *m*

ladykiller ['leɪdɪkɪlə] *sb* Frauenheld *m*

laid-back [leɪd'bæk] *adj* entspannt

lake [leɪk] *sb* See *m,* Binnensee *m*

lamb [læm] *sb 1.* ZOOL Lamm *n; like* ~*s to the slaughter* wie ein Lamm zur Schlachtbank; *2. the Lamb of God* REL das Lamm Gottes

lame [leɪm] *adj 1.* lahm, hinkend; *2. (fig)* lahm, müde, schwach

lamp [læmp] *sb 1.* Lampe *f; 2. (in the street)* Laterne *f*

lamppost ['læmppəust] *sb* Laternenpfahl *m*

lampshade ['læmpʃeɪd] *sb (cover for a lamp)* Lampenschirm *m*

land [lænd] *sb 1.* Land *n; 2. (property)* Grund und Boden *m,* Land *n,* Grundbesitz *m; 3. (soil)* Boden *m; 4. live off the* ~ *(by farming)* von den Früchten des Bodens leben; *(by foraging)* sich aus der Natur ernähren; *v 5. land; 6. (a fish)* an Land ziehen; *7. (fam: obtain)* kriegen, schnappen, holen; *8. (a blow)* landen

landing ['lændɪŋ] *sb 1.* Landung *f; 2. (on stairs)* Treppenabsatz *m*

landlady ['lændleɪdɪ] *sb* Vermieterin *f*

landlord ['lændlɔːd] *sb* Vermieter *m*

landmark ['lændmɑːk] *sb 1.* Orientierungspunkt *m; 2. (famous building)* Wahrzeichen *n; 3. (fig)* Markstein *m*

landscape ['lændskeɪp] *sb* Landschaft *f*

landslide ['lændslaɪd] *sb (US: landslip)* Erdrutsch *m*

lane [leɪn] *sb 1. (in town)* Gasse *f; 2. (path in the country)* Weg *m; 3. (of a road)* Fahrbahn *f,* Spur *f; 4. (swimming, track and field)* Bahn *f; 5. (shipping route)* Schifffahrtsweg *m*

language ['læŋgwɪdʒ] *sb* Sprache *f; bad* ~ unanständige Ausdrücke *pl; strong* ~ starke Worte *pl; (bad* ~*)* derbe Ausdrücke *pl*

lanky ['læŋkɪ] *adj* schlaksig

lantern ['læntən] *sb* Laterne *f*

lap [læp] *sb 1. (to sit on)* Schoß *m; live in the* ~ *of luxury* ein Luxusleben führen; *2.* SPORT Runde *f; v 3.* ~ *against (waves)* plätschern an; *4. (s.o.)* SPORT überrunden

•lap up *v 1.* auflecken; *2. (fam: compliments)* liebend gern hören

lap dog ['læpdɒg] *sb* Schoßhund *m*

lapse [læps] *sb 1. (expire)* ablaufen; *2. (friendship)* einschlafen; *3. (decline)* verfallen; ~ *into silence* ins Schweigen verfallen; *4. (morally)* fehlen; *sb 5. (of time)* Zeitspanne *f,* Zeitraum *m; 6. (expiration)* Ablauf *m; 7. (of a claim)* Verfall *m; 8. (mistake)* Fehler *m,* Versehen *n; 9. (decline)* Absinken *n,* Abgleiten *n; 10. (moral* ~*)* Fehltritt *m*

laptop ['læptɒp] *sb* INFORM Laptop *m*

larceny ['lɑːsənɪ] *sb* JUR Diebstahl *m*

large [lɑːdʒ] *adj 1.* groß; ~*r than life* überlebensgroß; *sb 2. at* ~ *(roaming free)* auf freiem Fuß; *3. at* ~ *(in general)* im Allgemeinen

largely ['lɑːdʒlɪ] *adv* größtenteils

large-scale ['lɑːdʒskeɪl] *adj* Groß..., groß, umfangreich

laser ['leɪzə] *sb* TECH Laser *m*

laser printer ['leɪzə 'prɪntə] *sb INFORM* Laserdrucker *m*

lash [læʃ] *v* 1. (waves) ~ against peitschen gegen; 2. (whip) peitschen, auspeitschen; 3. (tie) festbinden; ~ to festbinden an; ~ together zusammenbinden; *sb* 4. (stroke of a whip) Peitschenhieb *m;* 5. (eye~) Wimper *f*

lass [læs] *sb* Mädel *n*

last [lɑːst] *adj* 1. letzte(r,s); ~ but not least nicht zuletzt; ~ but one vorletzte(r,s); ~ night gestern Nacht/(in the evening) gestern Abend; *adv* 2. (after all others) als Letzte(r,s); 3. (the most recent time) das letzte Mal; *sb* 4. der/die/das Letzte; breathe one's ~ seinen letzten Atemzug tun; That was the ~ we saw of her. Danach haben wir sie nicht mehr gesehen; 5. at ~ endlich; at long ~ schließlich und endlich

latch [lætʃ] *sb* Riegel *m*; *v* 2. verriegeln

late [leɪt] *adj* 1. spät; in the ~ seventies gegen Ende der siebziger Jahre; a man in his ~ forties ein Endvierziger; on Friday at the ~st spätestens am Freitag; ~ in life im fortgeschrittenen Alter; It's getting ~. Es ist schon spät. 2. (deceased) verstorben; her ~ husband ihr verstorbener Ehegatte; *adv* 3. spät; of ~ in letzter Zeit; better ~ than never besser spät als gar nicht

lately ['leɪtlɪ] *adv* in letzter Zeit, neuerdings

later ['leɪtə] *adj* 1. später; *adv* 2. später; ~ on nachher

latest ['leɪtɪst] *adj* 1. späteste(r,s); (most recent) neuste(r,s); (person) letzte(r,s); *sb* 2. the ~ der/die/das Neueste; 3. at the ~ spätestens

latitude ['lætɪtjuːd] *sb* 1. GEO Breitengrad *m*; 2. (fig) Spielraum *m*, Freiheit *f*

laudable ['lɔːdəbl] *adj* lobenswert, löblich

laugh [lɑːf] *v* 1. lachen; ~ at s.o. jdn auslachen; ~ sth off etw lachend abtun; This is no ~ing matter. Das ist nicht zum Lachen. 2. ~ o.s. silly, ~ one's head off sich kaputtlachen, sich totlachen; *sb* 3. Lachen *n*; just for ~s jd nur zum Spaß; have the last ~ am Ende Recht behalten; What a ~! Ist ja zum Brüllen!

• **laugh away** *v* übergehen

• **laugh down** *v* auslachen

• **laugh off** *v* mit einem Lachen abtun

laughable ['lɑːfəbl] *adj* lächerlich, lachhaft

laughing gas ['lɑːfɪŋ gæs] *sb* MED Lachgas *n*

laughing-stock ['lɑːfɪŋstɒk] *sb* Witzfigur *f*, Zielscheibe des Spottes *f*

laughter ['lɑːftə] *sb* Lachen *n*, Gelächter *n*

launch [lɔːntʃ] *v* 1. (a rocket) abschießen; 2. NAUT (a lifeboat) aussetzen; (a new ship) vom Stapel lassen; 3. (a product) auf den Markt bringen, (with publicity) lancieren; 4. (a company) gründen; *sb* 5. (of a rocket) Abschuss *m;* 6. (of a new ship) Stapellauf *m*

launder ['lɔːndə] *v* 1. waschen und bügeln; 2. (fig: money) waschen

laundrette [lɔːn'dret] *sb* Waschsalon *m*

laundry ['lɔːndrɪ] *sb* 1. (clothes to be washed) schmutzige Wäsche *f*; Wäsche *f*; 2. (place) Wäscherei *f*

law [lɔː] *sb* 1. Gesetz *n*; by ~ nach dem Gesetz; 2. (system) JUR Recht *n*; under German ~ nach deutschem Recht; ~ and order Recht und Ordnung; lay down the ~ das Sagen haben; 3. (as a study) Jura *pl*

law-abiding ['lɔːəbaɪdɪŋ] *adj* gesetzestreu

law-and-order [lɔː ænd 'ɔːdə] *adj* Recht-und-Gesetz...

lawn [lɔːn] *sb* Rasen *m*

lawsuit ['lɔːsuːt] *sb* JUR Prozess *m*, Klage *f*

lawyer ['lɔːjə] *sb* Anwalt/Anwältin *m/f*, Rechtsanwalt/Rechtsanwältin *m/f*

lay [leɪ] *v irr* 1. legen; ~ the table den Tisch decken; 2. (cable, pipes) verlegen; 3. (a trap) aufstellen; ~ a trap for s.o. jdm eine Falle stellen; 4. (plans) schmieden; 5. (a bet) abschließen, (money) setzen; *adj* 6. laid back (fam) (US) gelassen; 7. to be laid up das Bett hüten

layman ['leɪmən] *sb* Laie *m*

lazy ['leɪzɪ] *adj* faul, träge

lead¹ [led] *sb* 1. (metal) Blei *n*; 2. (in a pencil) Grafit *m*

lead² [liːd] *v irr* 1. führen; ~ the way vorangehen; 2. (street, passage) führen; 3. (in a race) in Führung liegen; 4. ~ s.o. to believe that ... jdm den Eindruck vermitteln, dass ...; jdn glauben machen, dass ...; *sb* 5. (position in front) Führung *f*, Spitze *f*; take the ~ in Führung gehen, die Führung übernehmen; (go first) vorangehen; 6. (distance ahead, time ahead) Vorsprung *m*; 7. (detective's clue) Spur *f*; 8. TECH Leitungskabel *n*; 9. CINE (role) Hauptrolle *f*; (person) Hauptdarsteller *m*; 10. (leash) Leine *f*

leader ['liːdə] *sb* 1. Führer *m*; 2. (of a project) Leiter *m*; 3. (of a gang) Anführer *m*

leading question ['liːdɪŋ 'kwestʃən] *sb* Suggestivfrage *f*

lead poisoning ['lɛdpɔɪznɪŋ] sb Bleivergiftung f
leaf [li:f] sb 1. Blatt n; turn over a new ~ einen neuen Anfang machen; 2. (of a table) Ausziehplatte f; 3. (of metal) Folie f; v 4. ~ through durchblättern
league [li:g] sb 1. SPORT Liga f; 2. POL Bund m, Bündnis n; 3. to be in ~ with im Bunde sein mit, unter einer Decke stecken mit
leak [li:k] v 1. (roof, container) lecken, undicht sein; 2. (liquid) auslaufen; (in drops) tropfen; 3. (gas) ausströmen, entweichen; 4. (sth) durchlassen; (information) zuspielen; sb 5. (hole) undichte Stelle f; (in a container) Loch n; 6. (escape of liquid) Leck n; spring a ~ ein Leck bekommen; 7. (fig: of information) Durchsickern von Informationen n
lean [li:n] adj 1. mager; 2. (person) schlank, schmal; (unnaturally) hager; v irr 3. lehnen; 4. (rest) sich lehnen; 5. (to be tilted, to be angling) sich neigen; 6. ~ toward sth (opinion) zu etw tendieren, zu etw neigen; 7. (rest sth) aufstützen
learn [lɜ:n] v irr 1. lernen; 2. (find out) hören, erfahren
lease [li:s] v 1. (take) pachten, in Pacht nehmen, mieten; 2. (give) verpachten, in Pacht geben, vermieten; sb 3. Pacht f, Miete f; a new ~ on life (fig) ein neues Leben; 4. (contract) Pachtvertrag m, Mietvertrag m
leash [li:ʃ] sb Leine f
least [li:st] adj 1. geringste(r,s), wenigste(r,s); sb 2. at ~ mindestens, wenigstens; not in the ~ nicht im Geringsten; to say the ~ gelinde gesagt, um es milde zu sagen; That's the ~ of his worries. Das ist seine geringste Sorge.
leather ['lɛðə] sb Leder n
leave [li:v] v irr 1. weggehen, (car, bus, train) abfahren, (plane) abfliegen; ~ for fahren nach; 2. (depart from) verlassen; 3. (allow to remain, cause to remain) lassen; ~ alone in Ruhe lassen; ~ s.o. cold (fam) jdn kalt lassen; ~ it at that es dabei belassen; 4. (a message, a scar) hinterlassen; 5. (entrust) überlassen; 6. (after death) hinterlassen; (in a will) vererben; 7. to be left (~ over) übrig bleiben; 8. (permission) Erlaubnis f; 9. (time off) Urlaub m; 10. (departure) take one's ~ sich verabschieden; take ~ of one's senses den Verstand verlieren
lecture ['lɛktʃə] v 1. einen Vortrag halten; (in class) eine Vorlesung halten; 2. (scold s.o.)

eine Standpauke halten, eine Strafpredigt halten; sb 3. Vortrag m; 4. (in class) Vorlesung f; 5. (fig: scolding) Predigt f, Strafpredigt f
ledge [lɛdʒ] sb 1. Leiste f, Kante f; 2. (of a window: outside) Fenstersims n; (inside) Fensterbrett n; 3. (mountain ~) Vorsprung m, Felsvorsprung m
ledger ['lɛdʒə] sb ECO Hauptbuch n
leer [lɪə] v ~ at anzüglich angrinsen, schielen nach
left [lɛft] adv 1. links; adj 2. linke(r,s); sb 3. (in boxing) Linke f; 4. on the ~ links, auf der linken Seite, linker Hand
left-hander [left'hændə] sb Linkshänder m
leftover ['lɛftəʊvə] sb 1. Überbleibsel n; 2. (from a meal) Rest m
leg [lɛg] sb 1. Bein n; to be on one's last ~s es nicht mehr lange machen; have not a ~ to stand on keinerlei Beweise haben; pull s.o.'s ~ (fam) jdn auf den Arm nehmen; 2. GAST Keule f; 3. (of a race) SPORT Etappe f
legal ['li:gl] adj 1. (lawful) legal; 2. (tender, limit) gesetzlich; 3. (legally valid document, purchase) JUR rechtsgültig; 4. (relating to the law) juristisch, rechtlich, Rechts...
legal action ['li:gl 'ækʃən] sb Klage f; take ~ against s.o. gegen jdn gerichtlich vorgehen
legal aid ['li:gl eɪd] sb Rechtshilfe f
legend ['lɛdʒənd] sb 1. Legende f; 2. (fictitious) Sage f
legendary ['lɛdʒəndərɪ] adj legendär, sagenumwoben, berühmt
legible ['lɛdʒəbl] adj leserlich
legion ['li:dʒən] sb MIL Legion f
legislation [lɛdʒɪs'leɪʃən] sb Gesetzgebung f; (laws) Gesetze pl
legitimate [lɪ'dʒɪtɪmət] adj 1. (lawful) rechtmäßig, legitim; 2. (child) ehelich; 3. (reasonable) berechtigt; 4. (excuse) begründet
legroom ['lɛgru:m] sb Beinfreiheit f
legwork ['lɛgwɜ:k] sb Lauferei f
leisure ['lɛʒə] sb Freizeit f, Muße f; at your ~ wenn es Ihnen passt; have the ~ to do sth die Muße haben, etw zu tun
leisure centre ['lɛʒəsɛntə] sb Freizeitpark m
leisurely ['lɛʒəlɪ] adj gemächlich, gemütlich
lend [lɛnd] v irr 1. leihen, verleihen; 2. (fig: give) verleihen; ~ itself to sich eignen für
lending library ['lɛndɪŋlaɪbrərɪ] sb Leihbücherei f

length [leŋθ] *sb* 1. Länge *f*; 2. (~ of time) Dauer *f*; at ~ ausführlich; 3. (section) Stück *n*; 4. go to any ~s (fig) über Leichen gehen

lengthways [ˈleŋθweɪz] *adv* der Länge nach, längs

lengthy [ˈleŋθɪ] *adj* 1. lang; 2. (overly long) langwierig, ermüdend lang, übermäßig lang

lens [lenz] *sb* 1. Linse *f*; 2. (in spectacles) Glas *n*; 3. FOTO (~ itself) Linse *f*; (part of a camera containing the ~) Objektiv *n*

lentil [ˈlentl] *sb* BOT Linse *f*

lesbian [ˈlezbɪən] *adj* 1. lesbisch; *sb* 2. Lesbierin *f*

less [les] *adj* 1. weniger; *adv* 2. weniger; *prep* 3. weniger; 4. ECO abzüglich

lessen [ˈlesn] *v* 1. sich verringern, abnehmen, sich vermindern; 2. (sth) vermindern, verringern, verkleinern; (belittle) herabsetzen, schmälern

lesson [ˈlesn] *sb* 1. (in school) Stunde *f*; 2. (unit of study) Lektion *f*; 3. ~s *pl* Unterricht *m*; *v* 4. (fig) Lehre *f*; teach s.o. a ~ jdm eine Lektion erteilen; He has learned his ~. Er hat seine Lektion gelernt.

let [let] *v irr* 1. lassen; ~ s.o. through jdn durchlassen; ~ s.o. know jdm Bescheid sagen; Let's go! Gehen wir! 2. (UK: hire out) vermieten; "to ~" „zu vermieten"

• **let off** *v irr* 1. (a passenger) aussteigen lassen; 2. let s.o. off (not punish s.o.) jdm etw durchgehen lassen; let s.o. off with a fine jdm mit einer Geldstrafe davonkommen lassen; 3. (a shot) abfeuern; 4. (a bomb, a firework) hochgehen lassen; 5. (vapour) von sich geben; 6. (gases) absondern; 7. ~ steam Dampf ablassen, (fig) sich abreagieren

• **let on** *v irr* let sth on (allow sth to be apparent) sich etw anmerken lassen

lethal [ˈliːθəl] *adj* tödlich, todbringend

letter [ˈletə] *sb* 1. (written message) Brief *m*; (official, business) Schreiben *n*; 2. (of the alphabet) Buchstabe *m*; to the ~ buchstabengetreu; in ~ and in spirit dem Buchstaben und dem Sinne nach; 3. ~s *pl* Literatur *f*; man of ~s Literat *m*

leukemia [luːˈkiːmɪə] *sb* MED Leukämie *f*

level [ˈlevl] *adj* 1. eben; gleichauf; (at the same height) auf gleicher Höhe; 2. (voice) ruhig; 3. (fig) kühl; keep a ~ head einen kühlen Kopf bewahren; 4. do one's ~ best sein Möglichstes tun; *sb* 5. (altitude) Höhe *f*; 6. (standard) Niveau *n*, Ebene *f*; 7. (storey) Geschoss *n*; 8. (fig) Ebene *f*; 9. on the ~ (fig) in Ordnung; 10. (device) Wasserwaage *f*; *v* 11. (ground)

einebnen, ebnen, planieren; 12. (a building) abreißen; 13. (a weapon) richten; ~ at richten auf; 14. (an accusation) erheben; ~ at erheben gegen; 15. ~ with s.o. (fam) zu jdm ehrlich sein

lever [ˈliːvə] *sb* 1. Hebel *m*; 2. (crowbar) Brechstange *f*; 3. (fig) Druckmittel *n*

lewd [luːd] *adj* 1. unanständig, schmutzig; 2. (lustful) lüstern

liability [laɪəˈbɪlɪtɪ] *sb* 1. (burden) Belastung *f*; 2. liabilities *pl* FIN Verpflichtungen *pl*, Verbindlichkeiten *pl*, Schulden *pl*; assets and liabilities Aktiva und Passiva *pl*; 3. (responsibility) Haftung *f*; 4. (being subject to) Pflicht *f*, Unterworfensein *n*

liable [ˈlaɪəbl] *adj* 1. (likely to be) ~ to ... (person: to do sth) leicht ... (tun) können, (to have sth happen to one) in Gefahr sein, ... zu werden; 2. (subject to) unterworfen, ausgesetzt; 3. (responsible) haftbar

liar [ˈlaɪə] *sb* Lügner *m*

libel [ˈlaɪbəl] *sb* Verleumdung *f*

liberal [ˈlɪbərəl] *adj* 1. POL liberal; 2. (supply) großzügig; 3. (helping of food) reichlich; *sb* 4. POL Liberale(r) *m/f*

liberated [ˈlɪbəreɪtɪd] *adj* befreit

liberation [lɪbəˈreɪʃən] *sb* Befreiung *f*

liberty [ˈlɪbətɪ] *sb* Freiheit *f*; take the ~ of doing sth sich die Freiheit nehmen, etw zu tun; I am not at ~ to discuss it. Es ist mir nicht gestattet, darüber zu sprechen.

librarian [laɪˈbreərɪən] *sb* Bibliothekar(in) *m/f*

library [ˈlaɪbrərɪ] *sb* 1. (public) Bibliothek *f*, Bücherei *f*; 2. (private) Bibliothek *f*; 3. (collection of books, of records) Sammlung *f*

licence [ˈlaɪsəns] *sb* 1. Genehmigung *f*, Erlaubnis *f*; 2. ECO Lizenz *f*; 3. (freedom) Freiheit *f*

licence number [ˈlaɪsənsnʌmbə] *sb* Kraftfahrzeugnummer *f*

license [ˈlaɪsəns] *v* 1. eine Lizenz vergeben an; 2. (a product) lizensieren, konzessionieren; (a book) zur Veröffentlichung freigeben; *sb* 3. (US: see "licence")

license plate [ˈlaɪsəns pleɪt] *sb* (US) Nummernschild *n*

lid [lɪd] *sb* 1. Deckel *m*; 2. blow the ~ off sth (fig) etw aufdecken; 3. flip one's ~ (fam) (US) plötzlich ausrasten, aus der Haut fahren; 4. (eye~) Lid *n*

lie¹ [laɪ] *v irr* 1. (tell a ~) lügen; ~ to s.o. jdn anlügen; *sb* 2. Lüge *f*; give the ~ to sth das Gegenteil von etw beweisen

lie² [laɪ] v irr liegen

life [laɪf] sb Leben n; bring s.o. back to ~ jdn wieder beleben; lose one's ~ ums Leben kommen; take s.o.'s ~ jdn umbringen; ~ and limb Leib und Leben; not for the ~ of me nicht um alles in der Welt, niemals; all his ~ sein ganzes Leben lang; in real ~ in der Realität f, the good ~ das süße Leben; come to ~ (fig) lebendig werden; have the time of one's ~ einen Mordsspaß haben; as large as ~ in voller Größe; for ~ fürs Leben, fürs ganze Leben; (prison sentence) lebenslänglich; It's a matter of ~ and death. Es geht um Leben oder Tod

life assurance [laɪfəˈʃʊərəns] sb (UK) Lebensversicherung f

lifeboat [ˈlaɪfbəʊt] sb Rettungsboot n

life expectancy [laɪfɪkˈspektənsɪ] sb Lebenserwartung f

lifeguard [ˈlaɪfgɑːd] sb 1. (at the beach) Rettungsschwimmer m; 2. (at a swimming pool) Bademeister m

life insurance [ˈlaɪfɪnʃʊərəns] sb Lebensversicherung f

life jacket [ˈlaɪfdʒækɪt] sb Schwimmweste f

lifelong [ˈlaɪflɒŋ] adj lebenslänglich

lifestyle [ˈlaɪfstaɪl] sb Lebensstil m

lift [lɪft] v 1. hochheben; (feet, head) heben; 2. (eyes) aufschlagen; 3. (fig) heben; 4. (a restriction) aufheben; 5. (fam: steal) mitgehen lassen (fam); (plagiarize) klauen; sb 6. (lifting) Heben n; 7. (UK: elevator) Fahrstuhl m, Aufzug m, Lift m; 8. give s.o. a ~ (pep s.o. up) jdn aufmuntern; 9. give s.o. a ~ (give s.o. a ride) jdn mitnehmen; 10. TECH Hub m

ligature [ˈlɪɡətʃə] sb Binde f, Band n

light¹ [laɪt] sb 1. Licht n; shed ~ on sth (fig) Licht auf etw werfen; see the ~ (fig) erleuchtet werden; in ~ of ... im Anbetracht ...; in a good ~ in günstigem Licht; throw a new ~ on sth in anderes Licht auf etw werfen; show sth in a different ~ etw in einem anderen Licht erscheinen lassen; come to ~ ans Tageslicht kommen; 2. (electric) ~ Licht n, Lampe f, Beleuchtung f; 3. Have you got a ~? Haben Sie Feuer? v irr 4. (sth) beleuchten, erleuchten; 5. (with flame) anzünden; adj 6. (not dark) hell; ~ blue hellblau;

light² [laɪt] adj 1. (not heavy) leicht; make ~ work of sth etw mit links machen; 2. (punishment) milde; 3. make ~ of bagatellisieren, auf die leichte Schulter nehmen

lighter [ˈlaɪtə] sb (cigarette ~) Feuerzeug n

lighthouse [ˈlaɪthaʊs] sb Leuchtturm m

lighting [ˈlaɪtɪŋ] sb Beleuchtung f

lightning [ˈlaɪtnɪŋ] sb Blitz m; struck by ~ vom Blitz getroffen

lightweight [ˈlaɪtweɪt] sb 1. SPORT Leichtgewichtler m; 2. (person of no consequence) unbedeutender Mensch m

like¹ [laɪk] v 1. mögen; if you ~ wenn Sie wollen; I ~ it. Es gefällt mir. How do you ~ it? Wie gefällt es dir? Wie findest du es? sb 2. (thing ~d, preference) Geschmack m

like² [laɪk] prep 1. wie; to be ~ s.o. jdm ähnlich sein; ~ mad wie verrückt; feel ~ doing sth Lust haben, etw zu tun; That's just ~ him. Das sieht ihm ähnlich. What does it look ~? Wie sieht es aus? It looks ~ rain. Es sieht nach Regen aus. What's she ~? Wie ist sie? adj 2. (similar) ähnlich; 3. (the same) gleich; sb 4. and the ~ und dergleichen; his ~ seinesgleichen; the ~s of you pl deinesgleichen, euresgleichen

likely [ˈlaɪklɪ] adj wahrscheinlich; A ~ story! Wer's glaubt, wird selig!

liken [ˈlaɪkən] v ~ to vergleichen mit

likewise [ˈlaɪkwaɪz] adv ebenfalls, gleichfalls, ebenso

limb [lɪm] sb 1. ANAT Glied n; 2. (of a tree) Ast m

limber [ˈlɪmbə] adj 1. biegsam, geschmeidig; 2. ~ up Lockerungsübungen machen

limelight [ˈlaɪmlaɪt] sb Rampenlicht n

limit [ˈlɪmɪt] v 1. begrenzen, beschränken, einschränken; sb 2. Grenze f, Beschränkung f, Begrenzung f; know no ~s pl keine Grenzen kennen; "off ~s" pl Zutritt verboten; the city ~s die Stadtgrenzen pl; That's about the ~. (fam) Das ist der absolute Hammer.

limited [ˈlɪmɪtɪd] adj begrenzt, beschränkt; ~ liability company Gesellschaft mit beschränkter Haftung f

limited company [ˈlɪmɪtɪd ˈkʌmpənɪ] sb ECO Aktiengesellschaft f

limited liability [ˈlɪmɪtɪd laɪəˈbɪlɪtɪ] sb ECO beschränkte Haftung f

limousine [ˈlɪməziːn] sb Limousine f

line [laɪn] sb 1. Linie f; ~ of vision Gesichtslinie f; come into ~ with sth mit etw übereinstimmen; behind enemy ~s hinter den feindlichen Linien; along these ~s (fig) in dieser Richtung; take a hard ~ eine harte Linie verfolgen; to be along the ~ of ... so etw wie ... sein; draw the ~ at (fig) die Grenze ziehen bei; to be on the ~ (fig: be at stake) auf dem Spiel stehen; 2. (of a train, of travel) Linie f, Strecke f; 3. (straight ~) MATH Gerade f; 4. TEL Lei-

tung *f*; Hold the ~! Bleiben Sie am Apparat!
5. *(row)* Reihe *f*; step out of ~ *(fig)* aus der Reihe tanzen
• **line up** *v* 1. *(stand in line)* sich in einer Reihe aufstellen; 2. *(queue)* sich anstellen; 3. *(objects)* in einer Reihe aufstellen; 4. *(people)* antreten lassen; 5. *(prepare)* auf die Beine stellen, organisieren, arrangieren

linen ['lɪnɪn] *sb* 1. Wäsche *f*; *(table ~)* Tischwäsche *f*; 2. *(material)* Leinen *n*

lineup ['laɪnʌp] *sb* SPORT Aufstellung *f*

lingerie ['lænʒəri:] *sb* Damenunterwäsche *f*

lingo ['lɪŋgəʊ] *sb* Fachjargon *m*

lining ['laɪnɪŋ] *sb (of clothes)* Futter *n*

link [lɪŋk] *v* 1. verbinden; ~ arms sich unterhaken; *to be ~ed with (fig)* in Zusammenhang stehen mit, zusammenhängen mit; ~ up with s.o. sich jdm anschließen; *sb* 2. Glied *n*; 3. *(fig: connection)* Verbindung *f*; 4. *(cuff ~)* Manschettenknopf *m*

lip [lɪp] *sb* 1. Lippe *f*; pay ~ service to ein Lippenbekenntnis ablegen zu; 2. *(fig: insolence)* Unverschämtheit *f*; 3. *(of a cup, of a crater)* Rand *m*

lip-read ['lɪpri:d] *v irr* von den Lippen ablesen

lipstick ['lɪpstɪk] *sb* Lippenstift *m*

liqueur [lɪ'kjʊə] *sb* Likör *m*

liquid ['lɪkwɪd] *adj* 1. flüssig, Flüssigkeits... *sb* 2. Flüssigkeit *f*

liquidation [lɪkwɪ'deɪʃən] *sb* Liquidation *f*, Realisierung *f*, Tilgung *f*

liquidity [lɪ'kwɪdɪti] *sb* 1. flüssiger Zustand *m*; 2. *(of assets)* FIN Liquidität *f*

liquorice ['lɪkərɪs] *sb* GAST Lakritze *f*

lisp [lɪsp] *v* 1. lispeln; *sb* 2. Lispeln *n*

list[1] [lɪst] *v* 1. in eine Liste eintragen, aufschreiben, notieren; 2. *(verbally)* aufzählen; *sb* 3. Liste *f*, Verzeichnis *n*; shopping ~ Einkaufszettel *m*

list[2] [lɪst] *sb* NAUT Schlagseite *f*

listen ['lɪsn] *v* hören, zuhören; ~ for sth auf etw horchen
• **listen in** *v (secretly)* mithören

listener ['lɪsnə] *sb* 1. Zuhörer *m*; 2. *(to the radio)* Hörer *m*

liter *sb (US: see "litre")*

literacy ['lɪtərəsɪ] *sb* Fähigkeit, zu lesen und zu schreiben *f*

literary ['lɪtərərɪ] *adj* literarisch, Literatur...

literature ['lɪtrətʃə] *sb* 1. Literatur *f*; 2. *(company ~)* Prospekte *pl*

litigation [lɪtɪ'geɪʃən] *sb* Rechtsstreit *m*

litter ['lɪtə] *v* 1. to be ~ed with übersät sein mit; *sb* 2. Abfälle *pl*; 3. cat ~, kitty ~ Kies *m*

little ['lɪtl] *adj* 1. klein; *adv* 2. wenig; ~ by ~ nach und nach; a ~ ein wenig, ein bisschen, etwas; a ~ bit ein bisschen; with a ~ effort mit etwas Anstrengung

live [laɪv] *adj* 1. lebend; 2. *(broadcast)* live; 3. *(ammunition)* scharf; [lɪv] *v* 4. leben; ~ and let ~ leben und leben lassen; You have to ~ with it. Du musst dich damit abfinden. 5. *(reside)* wohnen, leben
• **live down** *v* hinwegkommen über; It will take a long time for him to live that down. Das wird ihm noch lange nachhängen.
• **live off** *v* leben von, sich ernähren von; ~ s.o. auf jds Kosten leben
• **live on** *v* weiterleben

livelihood ['laɪvlɪhʊd] *sb* Lebensunterhalt *m*, Auskommen *n*; earn one's ~ sein Brot verdienen

lively ['laɪvlɪ] *adj* 1. lebhaft, lebendig; 2. *(pace)* flott

liver ['lɪvə] *sb* Leber *f*

living ['lɪvɪŋ] *adj* 1. lebend, lebendig, Lebens... *sb* 2. the ~ pl die Lebenden *pl*; 3. *(livelihood)* Lebensunterhalt *m*; cost of ~ Lebenshaltungskosten *pl*

load [ləʊd] *v* 1. laden, beladen; ~ up aufladen; 2. *(a camera)* einen Film einlegen; 3. *(fig)* überhäufen; 4. *(fam: dice)* präparieren; *sb* 5. Last *f*; 6. *(cargo)* Ladung *f*, Fracht *f*; 7. ~s of *pl (fam)* jede Menge, eine Unmasse *f*; 8. get a ~ of this *(look)* guck dir das mal an; *(listen)* hör dir das mal an

loaded ['ləʊdɪd] *adj* 1. *(gun)* geladen; 2. *(fam: dice)* gezinkt; 3. *(fam: rich)* gespickt; 4. *(fam: drunk)* sternhagelvoll; 5. a ~ question eine Fangfrage *f*

loading ['ləʊdɪŋ] *sb* Ladung *f*, Fracht *f*

loaf [ləʊf] *v* 1. *(~ about, ~ around)* bummeln, herumlungern, faulenzen; *sb* 2. Laib *m*

loan [ləʊn] *sb* 1. leihen; *sb* 2. FIN Darlehen *n*, Anleihe *f*

lobby ['lɒbɪ] *sb* 1. Vorzimmer *n*; 2. *(of a hotel)* Rezeption *f*, Empfang *m*; *v* 3. Einfluss nehmen

lobster ['lɒbstə] *sb* ZOOL Hummer *m*

local ['ləʊkəl] *adj* 1. örtlich, Orts... *pl* 2. ~s *(people who live in the area)* Ortsansässige *pl*

local anaesthetic ['ləʊkəl ænɪs'θetɪk] *sb* Lokalanästhesie *f*, örtliche Betäubung *f*

local authority ['ləʊkl ɔ:'θbrɪtɪ] *sb (UK)* örtliche Behörde *f*

local call ['ləʊkəl kɔ:l] *sb* Ortsgespräch *n*

locality [ləʊˈkælɪtɪ] sb Gegend f
location [ləʊˈkeɪʃən] sb 1. (position, site) Lage f; 2. CINE Drehort m
lock [lɒk] v 1. schließen; 2. (wheels) blockieren; 3. (gears) ineinander greifen; 4. (sth) abschließen, zuschließen, zusperren; sb 5. Schloss n; under ~ and key hinter Schloss und Riegel; 6. (fam: sure thing) It's a ~. Todsicher. 7. (hold) Fesselgriff m; 8. (of hair) Locke f; 9. (canal ~) Schleuse f
• **lock on** v (radar) erfassen
• **lock out** v aussperren
locker [ˈlɒkə] sb Schließfach n
locker room [ˈlɒkəruːm] sb 1. Umkleideraum m; 2. SPORT Kabine f
locomotion [ləʊkəˈməʊʃən] sb Fortbewegung f
locus [ˈləʊkəs] sb Ort m
lodge [lɒdʒ] v 1. (stay, live) wohnen; 2. (bullet) stecken bleiben; 3. (a protest) einlegen; 4. (house s.o.) unterbringen; sb 5. (ski ~, hunting ~) Hütte f; 6. (club) Loge f
lodger [ˈlɒdʒə] sb Mieter m, Untermieter m
lodgment [ˈlɒdʒmənt] sb Einreichung f, Erhebung f
logbook [ˈlɒgbʊk] sb 1. Buch n; sb 2. (ship's) Logbuch n; sb 3. (plane's) Bordbuch n
loggerheads [ˈlɒgəhedz] pl 1. to be at ~ with (people) Streit haben mit; 2. to be at ~ (points of view) in Widerspruch stehen
logic [ˈlɒdʒɪk] sb Logik f
logical [ˈlɒdʒɪkəl] adj 1. logisch; 2. (conclusion) folgerichtig
logo [ˈləʊgəʊ] sb Logo n, Emblem n
loiter [ˈlɔɪtə] v 1. trödeln, bummeln; 2. (in a suspicious manner) herumlungern, herumstehen, sich herumtreiben
loneliness [ˈləʊnlɪnɪs] sb Einsamkeit f
lonely [ˈləʊnlɪ] adj einsam
long [lɒŋ] adj 1. lang; so ~ as solange; take a ~ view über längere Zeit planen; a ~ memory ein gutes Gedächtnis; at ~ last endlich; I won't be ~ (in returning). Ich bin gleich wieder da. ~ odds geringe Aussichten; So ~! Bis später! Tschüss! 2. (journey) weit; adv 3. lang, lange; ~ ago vor langer Zeit; ~ dead schon lange tot; all day ~ den ganzen Tag; sb 4. before ~ bald; v 5. ~ for sich sehnen nach, herbeisehnen
long-distance call [lɒŋ ˈdɪstəns kɔːl] sb Ferngespräch n
longing [ˈlɒŋɪŋ] sb 1. Sehnsucht f, Verlangen n; adj 2. sehnsüchtig, verlangend
longitude [ˈlɒndʒɪtjuːd] sb Länge f

long-term [ˈlɒŋtɜːm] adj langfristig, Langzeit...
long-winded [ˈlɒŋwɪndɪd] adj langatmig
look [lʊk] v 1. gucken, schauen, blicken; 2. (seem) aussehen; ~ like aussehen wie; sb 3. (glance) Blick m; Have a ~ at this! Sieh dir das mal an! 4. (appearance) Aussehen n; I don't like the ~ of it. Die Sache gefällt mir überhaupt nicht. 5. good ~s pl gutes Aussehen n
• **look after** v (take care of) sich kümmern um, sehen nach
• **look at** v 1. ansehen, anschauen, angucken; 2. (view, think of) betrachten, sehen; 3. (take into consideration) in Betracht ziehen
• **look down** v ~ on herabsehen auf
• **look forward** v ~ to sich freuen auf
• **look into** v untersuchen, prüfen
• **look out** v 1. (be alert) aufpassen, auf der Hut sein; Look out! Vorsicht! 2. ~ for s.o. (see to s.o.'s well-being) auf jdn aufpassen; 3. ~ for s.o. (look for s.o.) nach jdm Ausschau halten
• **look up** v 1. aufsehen, aufblicken; ~ to s.o. (fig) zu jdm aufblicken; 2. (improve) Things are looking up. Es geht bergauf. 3. (a word) nachschlagen; 4. look s.o. up (pay s.o. a visit) jdn besuchen
looker [ˈlʊkə] sb 1. (fam: woman) heiße Frau f; 2. (fam: man) heißer Typ m
loophole [ˈluːphəʊl] sb Hintertürchen n
loose [luːs] adj 1. locker, (button) lose; (clothing) weit; have a ~ tongue (fig) eine lose Zunge haben; come ~ (button) abgehen; (handle) sich lockern; break ~ sich losreißen; turn ~, let ~ frei herumlaufen lassen; (prisoner) freilassen; 2. (immoral) locker, lose
loose change [luːs ˈtʃeɪndʒ] sb Kleingeld n
lord [lɔːd] sb 1. Herr m; 2. (nobleman) Lord m; the House of Lords das Oberhaus n; live like a ~ (fam) auf großem Fuße leben; as drunk as a ~ (fam) sternhagelvoll, stockbesoffen
lose [luːz] v irr verlieren; ~ weight abnehmen
loser [ˈluːzə] sb Verlierer m
loss [lɒs] sb 1. Verlust m; to be at a ~ for words keine Worte finden; 2. SPORT Niederlage f
lost [lɒst] adj 1. verloren, (child) verschwunden; ~ in thought gedankenverloren; get ~ sich verlaufen, sich verirren; Get ~! (fam) Verschwinde! 2. (cause) aussichtslos
lost-and-found [lɒstændˈfaʊnd] sb (US) Fundbüro n

lot [lɒt] *sb 1. a ~* viel, sehr; *2. a ~, ~s* viel(e), eine Menge; *3. (to be drawn)* Los *n; draw ~s pl* losen, Lose ziehen; *4. (destiny)* Los *n; 5. (quantity)* ECO Posten *m; 6. (property, plot)* Parzelle *f,* Gelände *n; 7. (bunch, group) They're a bad ~.* Das ist ein übles Pack. *That's the ~.* Das ist alles. Das wär's. Das – alles, das Ganze

lotion ['ləʊʃən] *sb* Lotion *f*

lottery ['lɒtərɪ] *sb* Lotterie *f; life is a ~* das Leben ist ein Glücksspiel

lottery ticket ['lɒtərɪtɪkɪt] *sb* Lotterielos *n*

lotto ['lɒtəʊ] *sb* Lotto *n*

lotus ['ləʊtʌs] *sb* BOT Lotos *m*

lotus position ['ləʊtʌs pə'zɪʃən] *sb* Lotossitz *m*

loud [laʊd] *adj 1.* laut; *~ and clear* laut und deutlich; *2. (fig: colour, piece of clothing)* schreiend, auffallend, grell

loudspeaker [laʊd'spiːkə] *sb* Lautsprecher *m*

lout [laʊt] *sb* Flegel *m,* Rüpel *m*

love [lʌv] *v 1.* lieben; *sb 2.* Liebe *f; in ~* verliebt; *fall in ~* sich verlieben; *make ~ to s.o. (sexually)* mit jdm schlafen; *not for ~ or money* nicht um viel Geld, keinesfalls; *There is no ~ lost between them.* Sie haben nichts füreinander übrig; *3. (thing or person ~d)* Liebe *f; 4. (darling)* Liebling *m,* Schatz *m*

love letter ['lʌvletə] *sb* Liebesbrief *m*

love life ['lʌvlaɪf] *sb* Liebesleben *n*

lover ['lʌvə] *sb 1.* Liebhaber *m,* Geliebte(r) *m/f; 2. ~s pl* Liebespaar *n,* Liebende *pl; 3. (fan of sth)* Liebhaber *m,* Freund *m*

low [ləʊ] *adj 1.* niedrig; *2. (quality)* gering; *3. (birth, rank, form of life)* nieder; *4. (note)* tief; *5. (not loud)* leise; *6. (reserves)* knapp; *7. (mean)* niederträchtig; *8. (trick)* gemein; *adv 9. (fly)* tief; *(aim)* nach unten; *sb 10. (fig)* Tiefpunkt *m,* Tiefstand *m*

low-calorie ['ləʊkæləri] *adj* kalorienarm

lower ['ləʊə] *v 1.* niedriger machen; *2. (eyes, weapon, voice, price)* senken; *3. (let down)* herunterlassen, hinunterlassen; *4. (standard)* herabsetzen; *5.* untere(r,s), Unter...

lowermost ['ləʊəməʊst] *adj* unterste(r,s,)

low-fat ['ləʊfæt] *adj* fettarm

low-pitched ['ləʊpɪtʃt] *adj* tief

low-profile [ləʊ'prəʊfaɪl] *adj* wenig markant

loyal ['lɔɪəl] *adj* treu, loyal

loyalty ['lɔɪəltɪ] *sb* Treue *f,* Loyalität *f*

lozenge ['lɒzɪndʒ] *sb* MED Pastille *f*

lubricant ['luːbrɪkənt] *sb 1.* Schmiermittel *n; 2.* MED Gleitmittel *n*

luck [lʌk] *sb* Glück *n; push one's ~* sich auf sein Glück verlassen; *bad ~* Pech *n,* Unglück *n; No such ~!* Schön wär's! *Good ~!* Viel Glück!

luckily ['lʌkɪlɪ] *adv* glücklicherweise

luckless ['lʌklɪs] *adj* glücklos

lucky ['lʌkɪ] *adj* glücklich, Glücks...

ludicrous ['luːdɪkrəs] *adj* lächerlich, haarsträubend

luggage ['lʌgɪdʒ] *sb* Gepäck *n*

lukewarm ['luːkwɔːm] *adj 1.* lauwarm; *2. (fig)* lau

lullaby ['lʌləbaɪ] *sb* Gutenachtlied *n,* Wiegenlied *n*

lumberjack ['lʌmbədʒæk] *sb* Holzfäller *m*

luminous ['luːmɪnəs] *adj* Leucht..., leuchtend

lump [lʌmp] *sb 1.* Klumpen *m; (of sugar)* Stück *n; have a ~ in one's throat* einen Kloß im Hals haben; *2. (swelling)* Beule *f; (in one's breast)* Knoten *m; v 3. ~ together (judge together)* in einen Topf werfen, über einen Kamm scheren

lump sum [lʌmp sʌm] *sb* ECO Pauschalsumme *f,* Pauschalbetrag *m*

lunatic ['luːnətɪk] *sb 1.* Wahnsinnige(r) *m/f,* Irre(r) *m/f; adj 2.* wahnsinnig, irrsinnig, geisteskrank

lunch [lʌntʃ] *sb* Mittagessen *n,* Lunch *m*

lunchtime ['lʌntʃtaɪm] *sb (time of day)* Mittagszeit *f*

lung [lʌŋ] *sb* ANAT Lunge *f*

lupus ['luːpʌs] *sb* MED Lupus *m*

lure [ljʊə] *v 1.* anlocken, ködern; *~ away* fortlocken; *2. (bait)* Köder *m; 3. (fig: appeal)* Verlockung *f*

lurk [lɜːk] *v* lauern

luscious ['lʌʃəs] *adj 1.* köstlich, lecker; *2. (juicy)* saftig; *(girl)* knackig

lush [lʌʃ] *adj* üppig, saftig

lust [lʌst] *v 1. ~ after, ~ for* gieren nach; *sb 2.* geschlechtliche Begierde *f,* Sinneslust *f; 3. (fig)* Verlangen *n*

lusty ['lʌstɪ] *adj* lebhaft, schwungvoll

luxurious [lʌg'zjʊərɪəs] *adj* luxuriös, Luxus...

luxury ['lʌkʃərɪ] *sb* Luxus *m*

lymph [lɪmf] *sb* Lymphe *f*

lynch [lɪntʃ] *v* lynchen

lynching ['lɪntʃɪŋ] *sb* Lynchen *n*

lyric ['lɪrɪk] *sb 1. ~ s pl (of a song)* Text *m; adj 2.* LIT lyrisch

M

macaroni [mækə'rəʊnɪ] *sb* Makkaroni *pl*

macaroon [mækə'ru:n] *sb GAST* Makrone *f*

mace [meɪs] *sb 1. (medieval weapon)* Streitkolben *m; 2. (chemical)* chemische Keule *f*

machinate ['mækɪneɪt] *v* intrigieren

machine [mə'ʃi:n] *sb 1.* Maschine *f*, Apparat *m; 2. (vending ~)* Automat *m*

machine gun [mə'ʃi:n gʌn] *sb* Maschinengewehr *n*

machinery [mə'ʃi:nərɪ] *sb* Maschinen *pl*, Maschinenpark *m*

machine tool [mə'ʃi:n tu:l] *sb* Werkzeugmaschine *f*

macho ['mɑ:tʃəʊ] *adj* machohaft

macroeconomics ['mækrəʊi:kə'nɒmɪks] *sb ECO* Makroökonomie *f*

mad [mæd] *adj 1.* wahnsinnig, verrückt; *drive s.o. ~* jdn wahnsinnig machen; *like ~* wie verrückt; *go ~* verrückt werden; *~ about* versessen auf, verrückt nach; *2. (fam: angry)* böse, wütend, sauer

mad cow disease [mæd'kaʊdɪzi:z] *sb* Rinderwahnsinn *m*

madden ['mædn] *v 1. (drive crazy)* verrückt machen; *2. (make angry)* ärgern

maddening ['mædənɪŋ] *adj* zum Verrücktwerden, ärgerlich

madwoman ['mædwʊmən] *sb* Irre *f*, Verrückte *f*

magazine ['mægəzi:n] *sb 1.* Zeitschrift *f*, Magazin *n; 2. (for a gun)* Magazin *n*

magic ['mædʒɪk] *adj 1.* magisch, Wunder..., Zauber...; *sb 2.* Magie *f*, Zauberei *f*

magical ['mædʒɪkəl] *adj* magisch

magician [mə'dʒɪʃən] *sb* Magier *m*, Zauberer *m*

magnetic [mæg'netɪk] *adj* magnetisch, Magnet...

magnetism ['mægnɪtɪzəm] *sb 1.* Magnetismus *m; 2. (fig)* Anziehungskraft *f*

magnetize ['mægnɪtaɪz] *v* magnetisieren

magnificent [mæg'nɪfɪsənt] *adj* großartig, prächtig, herrlich

magnify ['mægnɪfaɪ] *v 1.* vergrößern; *2. (fig: exaggerate)* aufbauschen

magnifying glass ['mægnɪfaɪɪŋglɑ:s] *sb* Vergrößerungsglas *n*, Lupe *f*

magnitude ['mægnɪtju:d] *sb 1.* Größe *f; 2. (fig: importance)* Bedeutung *f*

magnolia [mæg'nəʊlɪə] *sb* Magnolie *f*

magpie ['mægpaɪ] *sb ZOOL* Elster *f*

maid [meɪd] *sb 1. (servant)* Dienstmädchen *n; 2. (cleaning woman)* Putzfrau *f; 3. (at a hotel)* Zimmermädchen *n*

maiden name ['meɪdn neɪm] *sb* Mädchenname *m*

mail [meɪl] *sb 1.* Post *f; by ~* mit der Post; *v 2. (US)* schicken, abschicken

mailman ['meɪlmæn] *sb (US)* Briefträger *m*

mailorder ['meɪlɔ:də] *sb* Postversand, Bestellung durch die Post *f*

main [meɪn] *adj 1.* Haupt... *the ~ thing* die Hauptsache *f; sb 2. (water ~) TECH* Hauptleitung *f*

mainly ['meɪnlɪ] *adv* hauptsächlich, vorwiegend, in erster Linie

maintain [meɪn'teɪn] *v 1. (order, a relationship)* aufrechterhalten; *(a speed, quality)* beibehalten; *2. (a family)* unterhalten, versorgen; *3. (keep in good condition)* in Stand halten; *(a machine)* warten; *4. (claim, contend)* behaupten

maintenance ['meɪntənəns] *sb 1.* Aufrechterhaltung *f*, Beibehaltung *f; 2. (keeping in good condition)* Instandhaltung *f*, Wartung *f; 3. (of a family)* Unterhalt *f*

majesty ['mædʒɪstɪ] *sb* Majestät *f; Your Majesty* Eure Majestät

majority [mə'dʒɒrɪtɪ] *sb 1.* Mehrheit *f; 2. (UK) JUR* Volljährigkeit *f*

make [meɪk] *v irr 1.* machen; *four plus four ~s eight* vier und vier ist acht; *~ like (fam)* so tun, als ob; *~ o.s. useful* sich nützlich machen; *~ o.s. comfortable* es sich bequem machen; *2. (manufacture)* herstellen; *3. (coffee, tea)* kochen; *4. (a speech)* halten; *5. (peace)* schließen; *6. (arrangements, a choice)* treffen; *7. (cause to do or happen)* lassen; *8. ~ s.o. sth (appoint)* jdn zu etw machen; *9. ~ s.o. do sth (cause)* jdn dazu bringen, etw zu tun; *(force)* jdn zwingen, etw zu tun; *10. (reach, achieve)* schaffen, erreichen; *I don't think I can ~ it tomorrow.* Ich glaube, ich kann morgen nicht. kommen. *11. ~ a team (be chosen)* in die Mannschaft aufgenommen werden; *12. (a decision)* treffen, fällen; *13. (earn)* verdienen; *(a profit, a fortune)* machen; *14. What do you ~ of it?* Was hältst du davon? *sb 15.* Marke *f*, Fabrikat *n*

• **make do** v irr ~ with sth mit etw auskommen

• **make off** v irr ~ with sth sich mit etw davonmachen

• **make up** v irr 1. (after an argument) sich versöhnen; 2. ~ for sth etw ausgleichen; ~ for lost time verlorene Zeit wieder wettmachen; 3. make it up to s.o. bei jdm etw wieder gutmachen; (compensate) jdn für etw entschädigen; 4. (put together) zurechtmachen; (a list) zusammenstellen; 5. (invent) erfinden, sich ausdenken; made up erfunden; 6. (constitute) bilden; to be made up of bestehen aus; 7. ~ one's mind sich entschließen; 8. (apply make-up to) schminken; made up geschminkt

make-up ['meɪkʌp] sb 1. (cosmetics) Make-up n, Schminke f; put on ~ sich schminken; (on s.o. else) schminken; 2. (composition) Zusammenstellung f; 3. (character) Veranlagung f

male [meɪl] adj 1. männlich; sb 2. (animal) ZOOL Männchen n; 3. (fam: man) Mann m

male chauvinist pig [meɪl 'ʃəʊvɪnɪst pɪg] sb (fam) Chauvinistenschwein n

maleness ['meɪlnɪs] sb Männlichkeit f

malevolence [mə'levələns] sb Bosheit f, Böswilligkeit f

malevolent [mə'levələnt] adj böswillig, feindselig

malfunction [mæl'fʌŋkʃən] v 1. versagen, schlecht funktionieren; sb 2. Versagen n, schlechtes Funktionieren n; 3. MED Funktionsstörung f

malice ['mælɪs] sb 1. Bosheit f, Böswilligkeit f; 2. with ~ aforethought JUR vorsätzlich

malicious [mə'lɪʃəs] adj boshaft, böswillig

mall [mɔːl] sb Promenade f; shopping ~ Einkaufszentrum n

mallet ['mælɪt] sb Holzhammer m

malnourished [mæl'nʌrɪʃt] adj unterernährt

malnutrition [mælnjuː'trɪʃən] sb Unterernährung f

malpractice [mæl'præktɪs] sb (by a doctor) JUR Fahrlässigkeit des Arztes f

mama [mə'mɑː] sb (fam) Mama f

mammal ['mæməl] sb ZOOL Säugetier n

mammary ['mæmərɪ] adj Brust..., Milch...

mammogram ['mæməɡræm] sb MED Mammogramm n

mammoth ['mæməθ] adj 1. Mammut..., riesig, Riesen...; sb 2. ZOOL Mammut n

man [mæn] sb 1. Mann m, Mensch m; to a ~ bis auf den letzten Mann; 2. (the human

race) der Mensch m; interj 3. (fam) Mann! Mensch! v 4. besetzen; (a ship) bemannen; (a gun, a pump) bedienen

manage ['mænɪdʒ] v 1. (cope) zurechtkommen, es schaffen; 2. ~ to do sth es schaffen, etw zu tun; 3. (a task) bewältigen, zurechtkommen mit; 4. (supervise) führen, verwalten, leiten; (a team, a band) managen; (a child, an animal) zurechtkommen mit

management ['mænɪdʒmənt] sb 1. Führung f, Verwaltung f, Leitung f; 2. (people) ECO die Geschäftsleitung f, die Direktion f, die Betriebsleitung f

management consultant ['mænɪdʒmənt kən'sʌltənt] sb ECO Unternehmensberater m

manager ['mænɪdʒə] sb 1. ECO Geschäftsführer m, Leiter m, Direktor m; 2. (of a band) Manager m; 3. SPORT Manager m, (coach) Trainer m

managing director ['mænɪdʒɪŋ dɪ'rektə] sb ECO Generaldirektor m, Hauptgeschäftsführer m

mandarin orange ['mændərɪn 'ɒrɪndʒ] sb BOT Mandarine f

mandate ['mændeɪt] sb 1. POL Mandat n; 2. (from the Pope) päpstlicher Entscheid m

mandatory ['mændətərɪ] adj obligatorisch; to be ~ Pflicht sein

man-eater ['mæniːtə] sb Menschenfresser m

manger ['meɪndʒə] sb Krippe f

mangy ['meɪndʒɪ] adj 1. räudig; 2. (fig: hotel) schäbig

manhandle ['mænhændl] v unsanft behandeln

manhole ['mænhəʊl] sb Straßenschacht m

manhood ['mænhʊd] sb 1. (state) Mannesalter n; 2. (masculinity) Männlichkeit f

manhunt ['mænhʌnt] sb Großfahndung f

maniac ['meɪnɪæk] sb Wahnsinnige(r) m/f, Verrückte(r) m/f

manic ['mænɪk] adj manisch

manic-depressive ['mænɪkdɪ'presɪv] adj PSYCH Manisch-depressive(r) m/f

manicure ['mænɪkjʊə] sb Maniküre f

manifold ['mænɪfəʊld] adj vielfältig, vielfach

manikin ['mænɪkɪn] sb 1. (little man) Knirps m, Männchen n; 2. (model) Schneiderpuppe f, Modell n

manipulate [mə'nɪpjʊleɪt] v 1. manipulieren; 2. (handle, operate) handhaben; (a machine) bedienen

manipulation [mənɪpjʊ'leɪʃən] *sb* Manipulation *f*

manipulative [mə'nɪpjʊlətɪv] *adj* manipulierend

manky ['mæŋkɪ] *adj (fam)* schlecht, schmutzig

man-made ['mæn'meɪd] *adj* Kunst..., künstlich

manner ['mænə] *sb 1.* Art *f*, Weise *f*, Art und Weise *f; all ~ of things* alles Mögliche; *2. (behaviour)* Art *f*, Verhalten *n; 3. ~s pl* Benehmen *n*, Umgangsformen *pl*, Manieren *pl*

mannerism ['mænərɪzm] *sb* Angewohnheit *f*, Eigenheit *f*, Manierismus *m*

manœuvre [mə'nuːvə] *v 1.* manövrieren; *sb 2.* Manöver *n*

manslaughter ['mænslɔːtə] *sb* JUR Totschlag *m*

manual ['mænjʊəl] *adj 1.* mit der Hand, Hand..., manuell; *sb 2.* Handbuch *n*

manufacture [mænjʊ'fæktʃə] *v 1.* herstellen; *2. (fig: a story)* erfinden; *sb 3.* Herstellung *f; 4. (products)* Waren *pl*, Erzeugnisse *pl*

manufacturer [mænjʊ'fæktʃərə] *sb* Hersteller *m*

manure [mə'njʊə] *sb 1.* Dung *m*, Mist *m; 2. (artificial)* Dünger *m*

manuscript ['mænjʊskrɪpt] *sb* Manuskript *n*

many ['menɪ] *adj* viel(e); *~ a time* des Öfteren; *as ~* ebenso viel(e); *one too ~* einer zu viel

map [mæp] *sb 1.* Karte *f*, Landkarte *f; (of a town)* Stadtplan *m; put on the ~* Geltung verschaffen; *v 2. ~ out (fig)* entwerfen

marathon ['mærəθ∂n] *sb 1.* SPORT Marathonlauf *m; 2. (fig)* Marathon *m*

marble ['maːbl] *sb 1.* Marmor *m; 2. (glass ball)* Murmel *f; He's lost his ~s. pl (fam)* Er hat sie nicht mehr alle.

march [maːtʃ] *v 1.* marschieren; *sb 2.* Marsch *m; 3. (demonstration)* Demonstration *f*

mare [meə] *sb* ZOOL Stute *f*

margarine [maːdʒə'riːn] *sb* GAST Margarine *f*

margin ['maːdʒɪn] *sb 1. (on a page)* Rand *m; 2. (latitude)* Spielraum *m; ~ of error* Fehlerspielraum *m; 3.* TECH Spielraum *m*

marginal ['maːdʒɪnəl] *adj 1. (slight)* geringfügig; *2. (constituency)* POL mit knapper Mehrheit

marijuana [mærɪ'hwaːnə] *sb* Marihuana *n*

marina [mə'riːnə] *sb* Jachthafen *m*

marine [mə'riːn] *adj* Meeres..., See...

marital status ['mærɪtl 'steɪtəs] *sb* Familienstand *m*

mark [maːk] *v 1. (for identity)* markieren, bezeichnen; *(playing cards)* zinken; *2. (characterize)* kennzeichnen; *3. (schoolwork)* korrigieren; *4. (a football opponent)* SPORT decken; *5. (damage)* beschädigen; *(dirty)* schmutzig machen; *(scratch)* zerkratzen; *sb 6. (indication)* Zeichen *n; On your ~s!* Auf die Plätze! *7. (spot, stain)* Fleck *m; (scratch)* Kratzer *m; 8. (target)* Ziel *n; 9. (in school)* Note *f*
• **mark down** *v 1. (note)* notieren; *2. (prices)* herabsetzen
• **mark off** *v (an area)* abgrenzen

markdown ['maːkdaʊn] *sb (amount lowered)* ECO Preissenkung *f*, Preisabschlag *m*

marked ['maːkt] *adj 1. (noticeable)* merklich, deutlich; *2. a ~ man* ein Gezeichneter

marker ['maːkə] *sb 1. (pen)* Markierstift *m; 2. (indicator)* Markierungszeichen *n*

market ['maːkɪt] *sb 1.* Markt *m; 2. (demand)* ECO Absatzmarkt *m*, Markt *m; to be in the ~ for* Bedarf haben an; *3. (stock ~)* FIN Börse *f; v 4.* ECO vertreiben

market research ['maːkɪt 'rɪsɜːtʃ] *sb* ECO Marktforschung *f*

market share ['maːkɪt ʃeə] *sb* ECO Marktanteil *m*

maroon [mə'ruːn] *v 1.* aussetzen; *sb 2. (colour)* Kastanienbraun *n; 3. (UK: firework)* Leuchtkugel *f*

marriage ['mærɪdʒ] *sb 1. (wedding)* Heirat *f*, Hochzeit *f*, Vermählung *f; related by ~* verschwägert; *2. (state of being married)* Ehe *f*

marriage ceremony ['mærɪdʒ 'serɪmənɪ] *sb* Trauung *f*

marriage certificate ['mærɪdʒ sə'tɪfɪkɪt] *sb* Trauschein *m*

marriage counselling ['mærɪdʒkaʊnsəlɪŋ] *sb* Eheberatung *f*

marriage licence ['mærɪdʒlaɪsəns] *sb* Eheerlaubnis *f*

marriage proposal ['mærɪdʒprəpəʊzəl] *sb* Heiratsantrag *m*

married ['mærɪd] *adj* verheiratet; *~ couple* Ehepaar *n*

marry ['mærɪ] *v 1.* heiraten; *2. (join couple in marriage)* trauen

marsh [maːʃ] *sb* Sumpf *m*

marshmallow ['maːʃmæləʊ] *sb* Marshmallow *n*

martial arts [maːʃəl'aːts] *pl* asiatische Kampfsportarten *pl*

Martian ['mɑːʃən] adj 1. den Mars betreffend, vom Mars kommend; sb 2. Marsmensch m

martyr ['mɑːtə] sb Märtyrer m

martyrdom ['mɑːtədəm] sb Märtyrertum n

marvel ['mɑːvəl] v 1. ~ at staunen über; sb 2. Wunder n

marvellous ['mɑːvələs] adj wunderbar, fantastisch, fabelhaft

marzipan ['mɑːzɪpæn] sb Marzipan n

mascara [mæ'skɑːrə] sb Wimperntusche f

masculine ['mæskjʊlɪn] adj männlich; (woman) maskulin

mashed potatoes [mæʃt pə'teɪtəʊz] pl Kartoffelbrei m

mask [mɑːsk] v 1. maskieren; 2. (one's feelings) verbergen; sb 3. Maske f

mass [mæs] sb 1. Masse f; 2. (of people) Menge f; the ~es pl die breite Masse; 3. REL Messe f; v 4. sich sammeln, sich massieren; 5. (s.o.) massieren; adj 6. Massen... ~ destruction Massenvernichtung f

massacre ['mæsəkə] sb 1. Gemetzel n, Massaker n; v 2. niedermetzeln

massage ['mæsɑːdʒ] v 1. massieren; sb 2. Massage f

massive ['mæsɪv] adj riesig, enorm, massiv

mass-market ['mæsmɑːkɪt] adj Massenwaren...

mass media [mæs 'miːdɪə] pl Massenmedien pl

mass number ['mæsnʌmbə] sb CHEM Massenzahl f

mass-produce [mæsprə'djuːs] v serienmäßig herstellen

mast [mɑːst] sb Mast m

master ['mɑːstə] v 1. meistern; 2. (a subject, a technique) beherrschen; 3. (one's emotions) bändigen, unter Kontrolle bringen; sb 4. Herr m; 5. (teacher) Lehrer m; 6. (employer of an apprentice) Meister m; 7. ART Meister m; 8. (~ copy) Original n; 9. (university degree) Magister m

master key ['mɑːstə kiː] sb Hauptschlüssel m, Generalschlüssel m

masterpiece ['mɑːstəpiːs] sb Meisterstück n, Meisterwerk n

masthead ['mɑːsthed] sb (of a newspaper) Impressum n

masticate ['mæstɪkeɪt] v kauen, zerkauen, zermahlen

mat [mæt] sb 1. Matte f, (of cloth) Deckchen n; v 2. (hair) verfilzen

match [mætʃ] v 1. zusammenpassen; 2. ~ o.s. against s.o. sich mit jdm messen; 3. ~ s.o. against s.o. jdn gegen jdn aufstellen; 4. (equal) gleichkommen; 5. (correspond to) entsprechen, übereinstimmen mit; sb 6. (corresponding or suitable thing) Gegenstück n; to be a good ~ gut zusammenpassen; 7. (equal) meet one's ~ seinen Meister finden; (to be a ~ for s.o.) jdm gewachsen sein; 8. (that produces flame) Streichholz n, Zündholz m; set a ~ to sth ein Streichholz an etw halten; 9. SPORT Wettkampf m; (team game) Spiel n; (tennis) Match n

matchbox ['mætʃbɒks] sb Streichholzschachtel f

matchstick ['mætʃstɪk] sb Streichholz n

mate [meɪt] sb 1. ZOOL (male) Männchen n; (female) Weibchen n; 2. (fam: spouse) Mann/Frau m/f; 3. (fam: friend) Freund m, Kumpel m, Kumpel m; 4. (fellow worker) Arbeitskollege m, Kumpel m; 5. NAUT Maat m; 6. (half of a matched pair) Gegenstück n

material [mə'tɪərɪəl] sb 1. Material n; 2. (cloth) Stoff m; 3. (facts) Stoff m; 4. ~s pl (files, notes) Unterlagen pl; adj 5. materiell; 6. JUR wesentlich, erheblich

materialistic [mətɪərɪə'lɪstɪk] adj materialistisch

materialize [mə'tɪərɪəlaɪz] v 1. (appear) erscheinen; 2. (become reality) sich verwirklichen, zu Stande kommen

maternal [mə'tɜːnl] adj mütterlich; ~ grandmother Großmutter mütterlicherseits

maternity [mə'tɜːnɪtɪ] sb Mutterschaft f

maternity leave [mə'tɜːnɪtɪ liːv] sb Mutterschaftsurlaub m

maternity ward [mə'tɜːnɪtɪ wɔːd] sb Entbindungsstation f

math [mæθ] sb (US) Mathe f (fam)

mathematician [mæθəmə'tɪʃən] sb Mathematiker m

mathematics [mæθə'mætɪks] sb Mathematik f

maths [mæθs] sb (UK) Mathe f (fam)

matriarch ['meɪtrɪɑːk] sb Matriarchin f

matrimony ['mætrɪmənɪ] sb Ehe f

matron ['meɪtrən] sb 1. (married woman) Matrone f; 2. (head nurse) Oberschwester f; 3. (of a boarding school) Hausmutter f; 4. ~ of honour verheiratete Brautjungfer f

matter ['mætə] v 1. von Bedeutung sein; Why should it ~ to you? Warum sollte dir das etwas ausmachen? It doesn't ~. Es macht nichts. sb 2. (substance) Materie f, Material n,

Stoff *m; 3. (affair)* Sache *f,* Angelegenheit *f; for that ~* eigentlich; *no laughing ~* nichts zum Lachen; *to make ~s worse pl* was die Sache noch schlimmer macht; *4. (topic)* Thema *n; 5. to be a ~ of* sich handeln um, gehen um; *a ~ of time* eine Frage der Zeit; *6. the ~ (the problem)* What's the ~? Was ist los? *7. No ~!* Macht nichts; *no ~ how ...* egal, wie ...; *no ~ what ...* egal, was ...
matter-of-course ['mætə ɒv kɔːs] *adj* selbstverständlich
matter-of-fact ['mætərəffækt] *adj* nüchtern, sachlich, prosaisch
matter of opinion ['mætə ɒv ə'pɪnjən] *sb* Ansichtssache *f*
mattress ['mætrɪs] *sb* Matratze *f*
mature [mə'tjʊə] *adj 1.* reif; *(child)* vernünftig; *v 2.* reif werden; *(animal)* auswachsen
maturity [mə'tjʊərɪtɪ] *sb 1.* Reife *f; 2. FIN* Fälligkeit *f; date of ~ FIN* Fälligkeitsdatum *n*
maul [mɔːl] *v* übel zurichten
mauve [məʊv] *sb* Mauve *n,* Malvenfarbe *f*
maximal ['mæksɪməl] *adj* maximal
maximum ['mæksɪməm] *sb 1.* Maximum *n; adj 2.* Höchst..., maximal
may [meɪ] *v irr 1.* können; *it might happen* es könnte geschehen; *it ~ be that ...* vielleicht, es könnte sein, dass ...; *2. (permission)* dürfen; *Yes, you ~.* Ja, Sie dürfen; *3. (wish) May you be happy!* Sei glücklich!
maybe ['meɪbɪ] *adv* vielleicht
mayonnaise [meɪə'neɪz] *sb* Mayonäse *f*
me [miː] *pron 1. (direct object)* mich; *2. (indirect object)* mir; *3. (fam: I)* ich; *It's ~.* Ich bin's. *Who, ~?* Wer, ich?
meadow ['medəʊ] *sb* Wiese *f*
meagre ['miːgə] *adj* dürftig, kärglich, spärlich
meal [miːl] *sb 1.* Mahlzeit *f; 2. (the food itself)* Essen *n; 3. (powder)* Mehl *n*
mean¹ [miːn] *v irr 1. (signify)* bedeuten, heißen; *2. (have in mind, to be referring to)* meinen; *3. (intend)* beabsichtigen, vorhaben, im Sinn haben; *~ well* es gut meinen; *4. ~ to do sth* etw tun wollen; *(do on purpose)* etw absichtlich tun; *5. (to be serious about)* ernst meinen; *I ~ it!* Das ist mein Ernst! *6. (destine) sth is ~t to be* sth soll etw sein; *to be ~t for sth* für etw bestimmt sein
mean² [miːn] *adj 1. (vicious)* bösartig; *(look)* gehässig; *2. (small)* gering; *no ~ achievement* keine geringe Leistung; *3. (miserly)* geizig, knauserig; *4. (unkind, spiteful)* gemein; *5. (shabby)* schäbig

meaning ['miːnɪŋ] *sb* Bedeutung *f,* Sinn *m*
meaningful ['miːnɪnful] *adj* sinnvoll, bedeutungsvoll
meanness ['miːnnɪs] *sb 1. (viciousness)* Bösartigkeit *f; 2. (spitefulness)* Gemeinheit *f; 3. (stinginess)* Geiz *m; 4. (shabbiness)* Schäbigkeit *f*
means [miːnz] *sb 1.* Mittel *n; a ~ to an end* ein Mittel zum Zweck; *by ~ of* durch; *by all ~* auf alle Fälle; *live beyond one's ~* über seine Verhältnisse leben; *2. by no ~* keineswegs, durchaus nicht; *(under no circumstances)* auf keinen Fall; *pl 3. (wherewithal)* Mittel *pl; a man of ~* ein vermögender Mann; *live beyond one's ~* über seine Verhältnisse leben
meanwhile ['miːnwaɪl] *adv* inzwischen
measles ['miːzlz] *pl MED* Masern *pl*
measure ['meʒə] *v 1.* messen; *It ~s six metres by three.* Es misst sechs mal drei Meter. *2. (sth)* messen, abmessen, *(a room)* ausmessen; *3. ~ s.o. for a suit* bei jdm Maß nehmen für einen Anzug; *sb 4.* Maß *n; 5. (amount measured)* Menge *f; for good ~* obendrein; *6. (fig)* Maßstab *m; 7. (action, step)* Maßnahme *f; take ~s to do sth pl* Maßnahmen ergreifen, etw zu tun; *8. MUS* Takt *m*
measurement ['meʒəmənt] *sb 1. (measure)* Maß *n; 2. (act)* Messung *f*
meat [miːt] *sb 1.* Fleisch *n; 2. (fig: essence)* Substanz *f*
mechanical engineering [mɪ'kænɪkəl endʒɪ'nɪərɪŋ] *sb* Maschinenbau *m*
mechanics [mɪ'kænɪks] *sb* Mechanik *f*
meddle ['medl] *v* sich einmischen; *~ with sth mit* etw herumspielen
meddlesome ['medlsəm] *adj* aufdringlich, neugierig
media ['miːdɪə] *pl* Medien *pl*
media event ['miːdɪə ɪ'vent] *sb* Medienereignis *n*
mediate ['miːdɪeɪt] *v* vermitteln
medical history ['medɪkəl 'hɪstərɪ] *sb (person's)* Krankengeschichte *f*
medication [medɪ'keɪʃən] *sb* Medikamente *pl*
medicine ['medɪsɪn] *sb 1.* Arznei *f,* Medizin *f; give s.o. a taste of his own ~ (fig)* es jdm mit gleicher Münze zurückzahlen; *2. (field of ~)* Medizin *f*
medieval [medɪ'iːvəl] *adj* mittelalterlich
meditate ['medɪteɪt] *v 1.* nachdenken; *2. REL* meditieren
meditation [medɪ'teɪʃən] *sb 1.* Nachdenken *n; 2.* Meditation *f*

medium ['mi:diəm] *adj 1.* mittlere(r,s); *sb 2. (means)* Mittel *n; 3. (mass ~)(TV, radio, press)* Medium *n; 4. ART* Ausdrucksmittel *n; 5. (spiritualist)* Medium *n; 6. a happy ~* der richtige Mittelweg *m*

meek [mi:k] *adj* sanftmütig

meet [mi:t] *v irr 1.* sich begegnen; *(by arrangement)* sich treffen; *(committee)* zusammenkommen; *2. (join)* sich treffen, aufeinander stoßen; *(intersect)* sich schneiden; *3. (become acquainted)* sich kennen lernen; *4. (s.o.)* treffen, begegnen; *~ s.o. at the station* jdn von der Bahn abholen; *5. (get to know)* kennen lernen; *pleased to ~ you* sehr erfreut, Sie kennen zu lernen; *6. (expectations, deadline)* erfüllen; *7. (demand)* entsprechen; *8. (expenses)* decken; *9. (an obligation)* nachkommen

meeting ['mi:tɪŋ] *sb 1.* Begegnung *f,* Zusammentreffen *n; 2. (arranged ~)* Treffen *n; 3. (business ~)* Besprechung *f; (of a committee)* Sitzung *f; 4. (gathering)* Versammlung *f; 5. SPORT* Meeting *n,* Veranstaltung *f*

megabyte ['megəbaɪt] *sb INFORM* Megabyte *n*

megahertz ['megəhɜ:ts] *sb TECH* Megahertz *n*

megaphone ['megəfəʊn] *sb* Megafon *n*

melancholy ['melənkɒlɪ] *adj 1.* melancholisch, schwermütig; *sb 2.* Melancholie *f,* Schwermut *f*

melanoma [melə'nəʊmə] *sb MED* Melanom *n*

mellow ['meləʊ] *adj 1. (person)* milde, abgeklärt; *2. (fruit, wine)* ausgereift

melodramatic [melədrə'mætɪk] *adj* melodramatisch

melody ['melədɪ] *sb* Melodie *f*

melt [melt] *v 1.* schmelzen, sich auflösen, zergehen; *2. (fig: person)* dahinschmelzen; *3. (sth)* schmelzen, lösen; *(butter)* zerlassen; *4. (fig: s.o.'s heart)* erweichen

meltdown ['meltdaʊn] *sb* Kernschmelze *f*

melting pot ['meltɪŋ pɒt] *sb* Schmelztiegel *m*

member ['membə] *sb 1.* Mitglied *n,* Angehörige(r) *m/f; 2. ANAT* Glied *n*

membership ['membəʃɪp] *sb 1. (status)* Mitgliedschaft *f,* Zugehörigkeit *f; 2. (number of members)* Mitgliederzahl *f; 3. (fam: members)* Mitglieder *pl*

memoirs ['memwɑ:z] *pl* Memoiren *pl,* Lebenserinnerungen *pl*

memorial [mɪ'mɔ:rɪəl] *adj 1.* Gedächtnis..., Gedenk...; *sb 2.* Denkmal *n*

memorial service [mɪ'mɔ:rɪəl 'sɜ:vɪs] *sb* Gedenkgottesdienst *m*

memory ['memərɪ] *sb 1.* Gedächtnis *n,* Erinnerung *f,* Erinnerungsvermögen *n; 2. (thing remembered)* Erinnerung *f; 3. (of a deceased person)* Andenken *n,* Erinnerung *f; in ~ of* zum Andenken an; *4. INFORM* Speicher *m; (capacity)* Speicherkapazität *f*

menace ['menɪs] *sb 1. (threat)* Bedrohung *f; 2. (danger)* drohende Gefahr *f; v 3.* bedrohen

mend [mend] *v 1. MED* heilen; *2. (sth)* reparieren; *(clothes)* ausbessern; *~ one's ways* sich bessern; *sb 3. (in fabric)* ausgebesserte Stelle *f; (in metal)* Reparatur *f; 4. to be on the ~* auf dem Weg der Besserung sein

mending ['mendɪŋ] *sb* Ausbessern *n,* Flicken *n*

men's room ['menzru:m] *sb* Herrentoilette *f*

menstruation [menstrʊ'eɪʃən] *sb* Menstruation *f*

mental ['mentl] *adj* geistig, seelisch

mental illness [mentl'ɪlnɪs] *sb* Geisteskrankheit *f*

mental patient ['mentlpeɪʃənt] *sb MED* Geisteskranke(r) *m/f*

mention ['menʃən] *v 1.* erwähnen; *Don't ~ it!* Gern geschehen! *not to ~ ...* geschweige denn ... ; *sb 2.* Erwähnung *f*

menu ['menju:] *sb 1.* Speisekarte *f; 2. INFORM* Menü *n*

meow [mɪaʊ] *v* miauen

mercenary ['mɜ:sɪnərɪ] *sb* Söldner *m*

merchandise ['mɜ:tʃəndaɪz] *sb* Ware *f*

merciful ['mɜ:sɪfʊl] *adj 1.* barmherzig, gnädig; *2. REL* gnädig

merciless ['mɜ:sɪlɪs] *adj* unbarmherzig, erbarmungslos

mercy ['mɜ:sɪ] *sb 1.* Barmherzigkeit *f,* Erbarmen *n,* Gnade *f; Have ~!* Gnade! Erbarmen! *2. to be at s.o.'s ~* jdm auf Gedeih und Verderb ausgeliefert sein

mere [mɪə] *adj* bloß

merge ['mɜ:dʒ] *v 1.* zusammenkommen; *(companies)* fusionieren; *2. (sth)* miteinander vereinen, miteinander verschmelzen; *~ sth with sth* etw mit etw vereinen

merit ['merɪt] *v 1.* verdienen; *sb 2.* Leistung *f,* Verdienst *n; 3. (advantage, positive aspect)* Vorzug *m*

merry ['merɪ] *adj* fröhlich, vergnügt, lustig

mess [mes] *sb 1.* Durcheinander *n,* Unordnung *f; make a ~* Unordnung machen; *2.*

(dirty) Schweinerei *f* (fam); 3. *(predicament)* Schlamassel *m*, Schwierigkeiten *pl; to be in a ~ fam)* in der Tinte sitzen; 4. *make a ~ of sth (botch sth)* etw verpfuschen; 5. *MIL* Kasino *n; (on a ship)* Messe *f; v* 6. *~ about, ~ around* herumgammeln; 7. *~ with sth* an etw herumspielen; 8. *~ up* durcheinander bringen, in Unordnung bringen; 9. *~ up (bungle)* verpfuschen

message ['mesɪdʒ] *sb* Mitteilung *f*, Nachricht *f*, Botschaft *f; get the ~ (fig)* kapieren; *May I take a ~?* Kann ich etw ausrichten?

messenger ['mesɪndʒə] *sb* Bote *m*

messy ['mesɪ] *adj* 1. *(untidy)* unordentlich; 2. *(dirty)* dreckig, schmutzig; 3. *(fam: unpleasant)* unschön

metal ['metl] *sb* Metall *n*

metalline ['metəlaɪn] *adj* metallisch, metallhaltig

metamorphosis [metə'mɔːfəsɪs] *sb* Metamorphose *f*, Verwandlung *f*

metaphor ['metəfɔː] *sb* Metapher *m*, bildlicher Ausdruck *m*

meteor ['miːtɪə] *sb ASTR* Meteor *m*, Sternschnuppe *f*

meter¹ ['miːtə] *sb* 1. *(measuring device)* Zähler *m*, Messer *m*, Messgerät *n*; 2. *(in a taxi)* Taxameter *n*

meter² ['miːtə] *(US: unit of measurement) (see "metre")*

methane ['meθeɪn] *sb CHEM* Methan *n*

method ['meθəd] *sb* Methode *f*, Verfahren *n*

metric ['metrɪk] *sb* metrisch; *the ~ system* das metrische System *n*

metro ['metrəʊ] *sb (underground)* Metro *f*, Untergrundbahn *f*

metropolis [mɪ'trɒpəlɪs] *sb* Metropole *f*, Weltstadt *f*

metropolitan [metrə'pɒlɪtən] *adj* weltstädtisch, hauptstädtisch

microchip ['maɪkrəʊtʃɪp] *sb* Mikrochip *m*

microeconomics [maɪkrəʊiːkə'nɒmɪks] *sb* Mikroökonomie *f*

microelectronics [maɪkrəʊelek'trɒnɪks] *pl* Mikroelektronik *f*

microfilm ['maɪkrəʊfɪlm] *sb* Mikrofilm *m*

microphone ['maɪkrəfəʊn] *sb* Mikrofon *n*

microscope ['maɪkrəskəʊp] *sb* Mikroskop *n*

microsecond ['maɪkrəʊsekənd] *sb* Mikrosekunde *f*

microwave oven ['maɪkrəʊweɪv 'ʌvn] *sb* Mikrowellenherd *m*

midday ['mɪd'deɪ] *sb* Mittag *m*

middle ['mɪdl] *sb* 1. Mitte *f; adj* 2. mittlere(r,s)

middle-aged ['mɪdl'eɪdʒd] *adj* mittleren Alters

middle name ['mɪdl neɪm] *sb* zweiter Vorname *m*

middle school ['mɪdl skuːl] *sb (UK)* Schule für Kinder zwischen neun und dreizehn Jahren *f*

middleweight ['mɪdlweɪt] *sb SPORT* Mittelgewicht *n*, Mittelgewichtler *m*

middling ['mɪdlɪŋ] *adj* mittelmäßig; *fair to ~* mittelprächtig

midget ['mɪdʒɪt] *sb* kleiner Mensch *m*, Zwerg *m*

midlife crisis ['mɪdlaɪf 'kraɪsɪs] *sb* Midlifekrise *f*

midnight ['mɪdnaɪt] *sb* Mitternacht *f*

midterm ['mɪdtɜːm] *sb* Mitte des Semesters *f*

midweek [mɪd'wiːk] *sb* Wochenmitte *f*

midwife ['mɪdwaɪf] *sb* Hebamme *f*, Geburtshelferin *f*

midwifery [mɪd'wɪfərɪ] *sb* Geburtshilfe *f*

might [maɪt] *sb* 1. Macht *f*, Gewalt *f*; 2. *(physical strength)* Kraft *f*, Stärke *f*

mighty ['maɪtɪ] *adj* 1. mächtig, gewaltig; *high and ~* arrogant; *adv* 2. *(fam: quite)* mächtig

migraine ['maɪgreɪn] *sb MED* Migräne *f*

migrant ['maɪgrənt] *sb* 1. *(person)* Wander... 2. *(bird)* Zug...

migrant worker ['maɪgrənt 'wɜːkə] *sb* Wanderarbeiter *m*, Gastarbeiter *m*

migrate [maɪ'greɪt] *v* abwandern, wandern; *(birds)* ziehen

migration [maɪ'greɪʃən] *sb* Wanderung *f; (of birds)* Zug *m*

mild [maɪld] *adj* mild, sanft, leicht

mile [maɪl] *sb* Meile *f*

mileage ['maɪlɪdʒ] *sb* 1. Meilenzahl *f*; 2. *He got a lot of ~ out of that joke.* Mit dem Witz hatte er immer wieder Erfolg.

milepost ['maɪlpəʊst] *sb* Meilenpfosten *m*

milestone ['maɪlstəʊn] *sb* Meilenstein *m*

militant ['mɪlɪtənt] *adj* militant

military ['mɪlɪtərɪ] *adj* 1. militärisch, Militär...; *sb* 2. *the ~* das Militär *n*

military service ['mɪlɪtərɪ 'sɜːvɪs] *sb* Wehrdienst *m*, Militärdienst *m*

milk [mɪlk] *v* 1. melken; *sb* 2. Milch *f*

milk-float ['mɪlkfləʊt] *sb (UK)* Milchauto *n*

milkman ['mɪlkmæn] *sb* Milchmann *m*

milkshake ['mɪlkʃeɪk] sb GAST Milchshake m

milk tooth [mɪlk tuːθ] sb Milchzahn n

Milky Way [mɪlkɪ'weɪ] sb ASTR Milchstraße f

mill [mɪl] v 1. mahlen; (metal, paper) walzen; 2. ~ about, ~ around umherlaufen; sb 3. Mühle f; 4. (factory) Fabrik f; 5. run of the ~ (fam) stinknormal

millenium [mɪ'lenɪəm] sb Jahrtausend n, Millenium n

millibar ['mɪlɪbɑː] sb Millibar n

milligramme ['mɪlɪgræm] sb (UK) Milligramm n

millilitre ['mɪlɪliːtə] sb Milliliter m/n

millimetre ['mɪlɪmiːtə] sb Millimeter m

million ['mɪljən] sb Million f

millionaire ['mɪljənɛə] sb Millionär(in) m/f

millisecond ['mɪlɪsekənd] sb Millisekunde f

mime [maɪm] sb (person) Pantomime m

mimic ['mɪmɪk] v 1. nachahmen; (derisively) nachäffen; sb 2. Nachahmer m, Imitator m

mince [mɪns] v 1. zerhacken, in kleine Stücke zerschneiden; 2. She doesn't ~ words. (fig) Sie nimmt kein Blatt vor den Mund.

mind [maɪnd] v 1. (object) etwas dagegen haben; Do you ~ if ...? Haben Sie etwas dagegen, wenn ...? I don't ~. Ich habe nichts dagegen. Never ~! Schon gut! 2. ~ you allerdings; 3. (~ sth)(look after) aufpassen auf; ~ your own business kümmere dich um deine eigenen Dinge; 4. (to be careful of) aufpassen auf; Mind the step! Achtung, Stufe! sb 5. Geist m, Verstand m; lose one's ~ den Verstand verlieren, verrückt werden; He was out of his ~. Er war wie von Sinnen. to be in one's right ~ bei vollem Verstand sein; have an open ~ unvoreingenommen sein; in one's ~'s eye vor dem inneren Auge; 6. (thoughts) Gedanken pl, Sinn m; have sth in ~ etw im Sinne haben, etw vorhaben; have sth on one's ~ etw auf dem Herzen haben; have half a ~ to do sth beinahe Lust haben, etw zu tun; take s.o.'s ~ off sth jdn etw vergessen lassen.

mind-boggling ['maɪndbɒgəlɪŋ] adj irre, kaum zu glauben

mind-numbing ['maɪndnʌmɪŋ] adj benebelnd

mine¹ [maɪn] v 1. MIN Bergbau betreiben; 2. (sth) fördern, abbauen; 3. (put explosive ~s in) verminen; sb 4. MIN Bergwerk n, Mine f, Grube f; 5. (explosive) MIL Mine f;

mine² [maɪn] pron meine(r,s); a friend of ~ ein Freund von mir

mine detector ['maɪndɪtektə] sb Minensuchgerät n

miner ['maɪnə] sb Bergarbeiter m, Bergmann m, Kumpel m

mineral ['mɪnərəl] sb 1. Mineral n; adj 2. mineralisch, Mineral...

mineral oil ['mɪnərəl ɔɪl] sb CHEM Mineralöl n

mineral water ['mɪnərəlwɔːtə] sb Mineralwasser n

mingle ['mɪŋgl] v 1. sich vermischen; 2. (sth) mischen

mini ['mɪnɪ] adj Mini...

miniature ['mɪnɪtʃə] adj Miniatur..., Klein...

minibus ['mɪnɪbʌs] sb Kleinbus m

minicab ['mɪnɪkæb] sb (UK) Kleintaxi n, Minicar n

minidress ['mɪnɪdres] sb Minikleid n

minimal ['mɪnɪml] adj minimal, Mindest...

minimum ['mɪnɪməm] sb 1. Minimum n; adj 2. minimal, mindest, Mindest...

minimum lending rate ['mɪnɪməm 'lendɪŋ reɪt] sb (UK) FIN Diskontsatz m

minimum wage ['mɪnɪməm'weɪdʒ] sb Mindestlohn m

miniskirt ['mɪnɪskɜːt] sb Minirock m

minister ['mɪnɪstə] sb 1. REL Pfarrer m, Pastor m; 2. POL Minister m; v 3. ~ to s.o. sich um jdn kümmern

mink [mɪŋk] sb ZOOL Nerz m

minor ['maɪnə] adj 1. kleiner, geringer; 2. (of lesser importance) unbedeutend, unwichtig; 3. (offence, injuries) leicht; sb 4. (US: course of study) Nebenfach n; 5. MUS Moll n; D~~ d-Moll n; 6. JUR Jugendliche(r) m/f

minority [maɪ'nɒrɪtɪ] sb Minderheit f, Minorität f

minster ['mɪnstə] sb (UK) Münster n

minster ['mɪnstə] sb 1. REL Pfarrer m, Pastor m; 2. POL Minister m; v 3. ~ to s.o. sich um jdn kümmern

mint¹ [mɪnt] v 1. prägen; sb 2. Münze f, Münzanstalt f, Münzstätte f

mint² [mɪnt] sb 1. BOT Minze f; 2. (sweet) Pfefferminz n

mint condition ['mɪntkən'dɪʃən] sb tadelloser Zustand m

minus ['maɪnəs] prep 1. minus, weniger; (taxes) abzüglich; sb 2. Minus n

minus sign ['maɪnəs saɪn] sb MATH Minuszeichen n

minute¹ ['mɪnɪt] sb 1. Minute f; in a ~ (very soon) gleich; 2. ~s pl (of a meeting) Protokoll n

minute² [maɪˈnjuːt] *adj* 1. *(minuscule)* winzig; 2. *(meticulous)* genau

miracle [ˈmɪrəkəl] *sb* Wunder *n*

miraculous [mɪˈrækjʊləs] *adj* übernatürlich, wunderbar

mirage [mɪˈrɑːʒ] *sb* 1. Luftspiegelung *f*, Fata Morgana *f*; 2. *(fig)* Trugbild *n*

mirror [ˈmɪrə] *sb* 1. Spiegel *m*; *v* 2. widerspiegeln, spiegeln

mirth [mɜːθ] *sb* Freude *f*, Fröhlichkeit *f*

misadventure [mɪsədˈventʃə] *sb* Missgeschick *n*

misappropriation [mɪsəprəʊprɪˈeɪʃən] *sb* Entwendung *f*; *(money)* Veruntreuung *f*

misbehave [mɪsbɪˈheɪv] *v* 1. sich schlecht benehmen, sich danebenbenehmen; 2. *(child)* ungezogen sein

miscarriage [ˈmɪskærɪdʒ] *sb* 1. MED Fehlgeburt *f*; 2. ~ *of justice* Justizirrtum *m*

miscarry [ˈmɪskærɪ] *v* MED eine Fehlgeburt haben

miscellaneous [mɪsɪˈleɪnɪəs] *adj* verschieden, gemischt, divers

mischance [mɪsˈtʃɑːns] *sb* unglücklicher Zufall *m*

mischief [ˈmɪstʃɪf] *sb (tricks)* Unfug *m*

mischievous [ˈmɪstʃɪvəs] *adj (playfully)* spitzbübisch, verschmitzt

misconception [mɪskənˈsepʃən] *sb* fälschlich Annahme *f*

misdemeanour [mɪsdɪˈmiːnə] *sb* JUR Vergehen *n*, minderes Delikt *n*

miser [ˈmaɪzə] *sb (skinflint)* Geizhals *m*, Geizkragen *m*

miserable [ˈmɪzərəbl] *adj* 1. *(extremely sad)* unglücklich, traurig; 2. *(wretched)* elend, jämmerlich, erbärmlich; 3. *feel* ~ sich elend fühlen; 4. *(contemptible)* miserabel, erbärmlich, jämmerlich; 5. *(failure)* kläglich, jämmerlich

misery [ˈmɪzərɪ] *sb* 1. *(suffering)* Qualen *pl*; 2. *(wretchedness)* Elend *n*; 3. *(sadness)* Kummer *m*, Trauer *f*

misfile [mɪsˈfaɪl] *v* falsch ablegen

misfortune [mɪsˈfɔːtʃən] *sb (ill-fortune)* Missgeschick *n*

misgiving [mɪsˈgɪvɪŋ] *sb* Bedenken *n*, Befürchtung *f*

misguided [mɪsˈgaɪdɪd] *adj* irrig, unangebracht

mishap [ˈmɪshæp] *sb* Unglück *n*, Missgeschick *n*

mishear [mɪsˈhɪə] *v irr* falsch hören, sich verhören

misinform [mɪsɪnˈfɔːm] *v* falsch informieren; *You were ~ed.* Man hat Sie falsch informiert.

misjudge [mɪsˈdʒʌdʒ] *v* falsch einschätzen; *(a person)* falsch beurteilen

mislead [mɪsˈliːd] *v irr* 1. irreführen; 2. *to be misled* sich verleiten lassen

misleading [mɪsˈliːdɪŋ] *adj* irreführend

misogynist [mɪˈsɒdʒɪnɪst] *sb (womanhater)* Frauenfeind *m*

mispronounce [mɪsprəˈnaʊns] *v* falsch aussprechen

miss [mɪs] *v* 1. nicht treffen, fehlen; 2. *(sth)* verpassen, versäumen; ~ *the train (fig)* den Zug verpassen; 3. *(not hit sth, not find sth)* verfehlen; 4. *(overlook)* übersehen; 5. *(fail to hear)* nicht mitbekommen; 6. ~ *the point* das Wesentliche nicht begreifen; 7. *(regret the absence of)* vermissen *sb* 8. Fehlschuss *m*, Fehltreffer *m*; 9. *(failure)* Misserfolg *m*
• **miss out** *v (fam)* zu kurz kommen; ~ *on sth* etw verpassen

Miss [mɪs] *sb* Fräulein *n*, *(in modern German usage usually)* Frau *f*; ~ *USA 1997* die Miss USA von 1997

misshapen [mɪsˈʃeɪpən] *adj* missgebildet, missgestaltet

missile [ˈmɪsaɪl] *sb* 1. *(projectile)* Geschoss *n*, Wurfgeschoss *n*; 2. *(rocket)* MIL Rakete *f*, Flugkörper *m*

missing [ˈmɪsɪŋ] *adj* 1. fehlend, weg, nicht da; *to be* ~ fehlen; 2. *(lost in the wilderness, ~ in action)* vermisst werden

mission [ˈmɪʃən] *sb* 1. Auftrag *m*; *Mission accomplished!* Auftrag ausgeführt! 2. ~ *in life* Lebensaufgabe *f*; 3. *(people on a ~)* Gesandtschaft *f*, Delegation *f*; POL Mission *f*; 4. MIL Einsatz *m*; *(assignment)* Befehl *m*; 5. REL Mission *f*

misspell [mɪsˈspel] *v irr* falsch buchstabieren, falsch schreiben

missus [ˈmɪsɪz] *sb (fam)* the ~ die bessere Hälfte *f*, die Alte *f* (fam)

mistakable [mɪˈsteɪkəbl] *adj* missverständlich, leicht zu verwechseln

mistake [mɪsˈteɪk] *sb* 1. Fehler *m*, Irrtum *m*; *by* ~ aus Versehen, versehentlich; *make a* ~ einen Fehler machen; *(to be* ~*n)* sich irren; *v irr* 2. *(misunderstand)* falsch verstehen, missverstehen; *(s.o.'s motives)* verkennen; 3. ~ *sth for sth* etw mit etw verwechseln, etw für etw halten

mistaken [mɪsˈteɪkən] *adj* irrtümlich, falsch, verfehlt; *to be* ~ sich irren

Mister ['mɪstə] sb Herr m; (on an envelope) Herrn

mistletoe ['mɪsltəʊ] sb 1. Mistel f; 2. (one sprig) Mistelzweig m

mistreat [mɪs'tri:t] v schlecht behandeln; (violently) misshandeln

mistress ['mɪstrɪs] sb 1. (lover) Geliebte f, Mätresse f; 2. (feminine word for master) Herrin f

mistrust [mɪs'trʌst] sb Misstrauen n

mistrustful [mɪs'trʌstful] adj misstrauisch

misty ['mɪstɪ] adj 1. neblig; 2. (hazy) dunstig; 3. (opaque) milchig

misunderstand [mɪsʌndə'stænd] v irr missverstehen

misunderstanding [mɪsʌndə'stændɪŋ] sb Missverständnis n

mitten ['mɪtn] sb Fausthandschuh m, Fäustling m

mix [mɪks] v 1. (become ~ed) sich mischen lassen, sich vermischen; 2. (go together) zusammenpassen; 3. (sth) mischen, vermischen; ~ sth into sth etw unter etw mischen; 4. (dough) anrühren, mischen; 5. (a drink) mixen, mischen; 6. (fig) verbinden; ~ business with pleasure das Angenehme mit dem Nützlichen verbinden; sb 7. Mischung f
• **mix in** v GAST unterrühren
• **mix up** v 1. vermengen; 2. (get in a muddle) durcheinander bringen; 3. (confuse with sth else) verwechseln; 4. to be mixed up in sth in etw verwickelt sein

mixed bag [mɪkst bæg] sb (fam) a ~ Allerlei n

mixed doubles ['mɪkst'dʌblz] pl SPORT gemischtes Doppel n

mixed grill [mɪkst grɪl] sb GAST gemischter Grillteller m

mixed-up ['mɪkst'ʌp] adj durcheinander

mixer ['mɪksə] sb 1. (fam: sociable person) He's a good ~. Er ist sehr gesellig. 2. (soft drink good for mixing) GAST alkoholfreies Getränk zum Mixen von Cocktails n; 3. (US: party) Kennenlernparty f; 4. TECH Mischmaschine f

mixture ['mɪkstʃə] sb 1. Mischung f; 2. MED Mixtur f; 3. GAST Gemisch n

mix-up ['mɪksʌp] sb Verwechslung f

moan [məʊn] v 1. stöhnen, ächzen; 2. (grumble) klagen, jammern; sb 3. Stöhnen n, Ächzen n

mob [mɒb] sb 1. Horde f; (violent) Mob m; (group of criminals) Bande f; v 2. herfallen über; (a rock star) belagern

mobile ['məʊbaɪl] adj 1. beweglich; (object) fahrbar; sb 2. TEL Handy n

mobile home ['məʊbɪl həʊm] sb Wohnmobil n

mock [mɒk] v 1. verspotten; 2. (ridicule by mimicking) nachäffen; 3. (defy) trotzen; adj 4. Schein..., Pseudo...

mockery ['mɒkəri] sb 1. (mocking) Spott m, Hohn m; 2. (object of ridicule) Gespött n; make a ~ of zum Gespött machen; 3. (travesty) Farce f

mod cons ['mɒdkɒnz] pl (fam) moderner Komfort m

model ['mɒdl] sb 1. Modell n; 2. (perfect example) Muster n; (role ~) Vorbild n; 3. (woman) Mannequin n, Model n; (man) Model n; adj 4. vorbildlich, musterhaft, Muster...; 5. (airplane, railway) Modell...; v 6. (make ~s) modellieren; 7. (pose for an artist) als Modell arbeiten; 8. (to be a fashion ~) Model sein; 9. ~ sth on sth etw nach etw gestalten

modem ['məʊdəm] sb Modem n/m

moderation [mɒdə'reɪʃən] sb Mäßigung f; in ~ mit Maß

modern ['mɒdən] adj modern; (times) heutig

modest ['mɒdɪst] adj bescheiden; (behaviour) sittsam; (chaste, proper) schamhaft

modesty ['mɒdɪstɪ] sb Bescheidenheit f, Sittsamkeit f, Schamgefühl n

modification [mɒdɪfɪ'keɪʃən] sb Änderung f, Abänderung f, Modifizierung f

modifier ['mɒdɪfaɪə] sb GRAMM Bestimmungswort n, nähere Bestimmung f; a misplaced ~ ein falsch verwendetes Bestimmungswort n

modify ['mɒdɪfaɪ] v ändern, abändern, modifizieren

modulation [mɒdju'leɪʃən] sb MUS, TECH Modulation f

moggy ['mɒgɪ] sb (fam) Mieze f

mohair ['məʊheə] sb Mohär m

Mohican [məʊ'hi:kən] sb 1. Mohikaner m; 2. the last of the ~s pl (fam) der letzte Mohikaner; 3. (haircut) Irokesenschnitt m

moisture ['mɔɪstʃə] sb Feuchtigkeit f

moisturizer ['mɔɪstʃəraɪzə] sb Feuchtigkeitskrem f

mole¹ [məʊl] sb 1. ZOOL Maulwurf m; 2. (fam: spy) Maulwurf m

mole² [məʊl] (on one's skin) Muttermal n, Leberfleck m

mole³ [məʊl] (pier) NAUT Mole f

mole⁴ ['məʊl] *CHEM* Mol *n*

molecule ['mɒlɪkjuːl] *sb CHEM* Molekül *n*

molehill ['məʊlhɪl] *sb* Maulwurfshügel *m*, Maulwurfshaufen *m*; *make a mountain out of a ~* aus einer Mücke einen Elefanten machen

molest [məʊ'lest] *v* belästigen

mollify ['mɒlɪfaɪ] *v* beruhigen, besänftigen

mollycoddle ['mɒlɪkɒdl] *v* verhätscheln, verzärteln

moment ['məʊmənt] *sb* 1. Augenblick *m*, Moment *m*; *Just a ~!* Einen Augenblick! *~ of truth* Stunde der Wahrheit *f*; *the ~ (sth happens) ...* sobald (etw passiert) ...; *at the ~* im Augenblick, momentan, gerade; *for the ~* im Augenblick, vorläufig; 2. *PHYS* Moment *n*

momentarily [məʊmən'tærɪlɪ] *adv* 1. einen Augenblick lang, für einen Augenblick; 2. *(US: very soon)* jeden Augenblick

momentary ['məʊməntærɪ] *adj* kurz, augenblicklich, vorübergehend

momentous [məʊ'mentəs] *adj* bedeutsam, bedeutungsvoll

momentum [məʊ'mentəm] *sb* 1. Schwung *m*; 2. *PHYS* Impuls *m*

monarch ['mɒnək] *sb* Monarch *m*, Herrscher *m*

monarchy ['mɒnəkɪ] *sb* Monarchie *f*

monastery ['mɒnəstrɪ] *sb REL* Kloster *n*, Mönchskloster *n*

monastic [mə'næstɪk] *adj* mönchisch

monetary ['mʌnɪtərɪ] *adj* geldlich, Geld...; *POL* Währungs...

monetary unit ['mɒnɪtərɪ 'juːnɪt] *sb* Währungseinheit *f*

money ['mʌnɪ] *sb* Geld *n*; *get one's ~'s worth* etw für sein Geld bekommen; *make ~ (person)* Geld verdienen; *(business)* sich rentieren

money-grubbing ['mʌnɪɡrʌbɪŋ] *adj* geldgierig, raffgierig

money-laundering ['mʌnɪlɔːndərɪŋ] *sb* Geldwäsche *f*

moneylender ['mʌnɪlendə] *sb* Geldverleiher *m*

money-maker ['mʌnɪmeɪkə] *sb (product)* Renner *m (fam)*, Verkaufserfolg *m*

money order ['mʌnɪɔːdə] *sb* Postanweisung *f*, Zahlungsanweisung *f*

money-spinner ['mʌnɪspɪnə] *sb* Verkaufsschlager *m*

mongrel ['mʌŋɡrəl] *sb (dog) ZOOL* Promenadenmischung *f*

monitor ['mɒnɪtə] *v* 1. überwachen; *(a phone conversation)* abhören; *sb* 2. *(screen)* Monitor *m*; 3. *(observer)* Überwacher *m*; 4. *(in school)* Aufsicht *f*

monk [mʌŋk] *sb REL* Mönch *m*

monkey ['mʌŋkɪ] *sb* 1. *ZOOL* Affe *m*; *v* 2. *~ about, ~ around* herumalbern; *~ about with sth* mit etw herumfummeln

monkey business ['mʌŋkɪbɪznɪs] *sb* 1. *(questionable activities)* krumme Tour *f*, fauler Zauber *m*; 2. *(fooling around)* Blödsinn *m*, Unfug *m*

monkey-nut ['mʌŋkɪ nʌt] *sb* Erdnuss *f (fam)*

monkey tricks ['mʌŋkɪ trɪks] *pl (fam)* Unfug *m*, dumme Streiche *pl*

monochrome ['mɒnəkrəum] *sb* Einfarbigkeit *f*

monocle ['mɒnəkl] *sb* Monokel *n*

monocular [mɒ'nɒkjʊlə] *adj* einäugig

monoculture ['mɒnəʊkʌltʃə] *sb AGR* Monokultur *f*

monolingual [mɒnəʊ'lɪŋɡwəl] *adj* einsprachig

monologue ['mɒnəlɒɡ] *sb* Monolog *m*, Selbstgespräch *n*

monopoly [mə'nɒpəlɪ] *sb* Monopol *n*

monotonous [mə'nɒtənəs] *adj* monoton, eintönig

monster ['mɒnstə] *sb* 1. Ungeheuer *n*, Monster *n*, Monstrum *n*; 2. *(cruel person)* Unmensch *m*, Ungeheuer *n*; 3. *(very large thing)* Ungeheuer *n*, Koloss *m*

monstrosity [mɒns'trɒsɪtɪ] *sb (thing)* Monstrosität *f*; *(quality)* Ungeheuerlichkeit *f*

month [mʌnθ] *sb* Monat *m*

monthly ['mʌnθlɪ] *adj* monatlich, Monats...

monument ['mɒnjʊmənt] *sb* 1. Denkmal *n*, Monument *n*; 2. *(fig)* Zeugnis *n*

monumental [mɒnjʊ'mentəl] *adj (very significant)* gewaltig; *(error)* kolossal

mood [muːd] *sb* 1. Stimmung *f*; 2. *(of one person)* Laune *f*, Stimmung *f*; *in a bad ~* schlecht gelaunt; *in a good ~* gut gelaunt

moody ['muːdɪ] *adj* 1. launisch; 2. *(sullen)* schlecht gelaunt, übellaunig

moon [muːn] *sb* Mond *m*; *ask for the ~ (fig)* zu viel verlangen; *once in a blue ~* alle Jubeljahre einmal

moonbeam ['muːnbiːm] *sb* Mondstrahl *m*

moon-faced ['muːnfeɪsd] *adj* mondgesichtig

moonlight ['muːnlaɪt] *sb* 1. Mondlicht *n*, Mondschein *m*; *v* 2. *(fam)* nebenher arbeiten

moonlighting ['muːnlaɪtɪŋ] *sb* Nebenjob *m* (neben hauptberuflicher Tätigkeit) *m*

moonshine ['muːnʃaɪn] sb 1. Mondschein m; 2. (fig: liquor) schwarz gebrannter Alkohol m

moony ['muːnɪ] adj (dreamy) verträumt

moor [mʊə] v 1. festmachen, vertäuen; sb 2. Moor n, Hochmoor n, Heidemoor n

Moor [mʊə] sb Maure/Maurin m/f

moorage ['mʊərɪdʒ] sb Ankergebühren pl

moot [muːt] adj fraglich und doch unwichtig

mop [mɒp] v 1. wischen; sb 2. Mopp m; (fig: of hair) Wust m

• **mop up** v 1. aufwischen; 2. MIL säubern

mope [məʊp] v Trübsal blasen, den Kopf hängen lassen

moral ['mɒrəl] adj 1. moralisch, sittlich; 2. (showing good ~s) sittlich gut, moralisch einwandfrei; sb 3. (lesson) Moral f; 4. ~s pl Moral f, Sitten f

morale [mɒ'rɑːl] sb Moral f, Stimmung f

morality [mə'rælɪtɪ] sb 1. Sittlichkeit f; 2. (system of morals) Moral f

moralize ['mɒrəlaɪz] v moralisieren

morass [mə'ræs] sb Morast m, Sumpf m

moratorium [mɒrə'tɔːrɪəm] sb Moratorium n

mordant ['mɔːdnt] adj beißend, ätzend

more [mɔː] adj 1. mehr, noch mehr; one ~ day noch ein Tag/noch einen Tag; adv 2. mehr; ~ and ~ immer mehr; ~ and ~ difficult immer schwieriger; ~ than mehr als; once ~ noch einmal; not any ~ nicht mehr; ~ or less mehr oder weniger; pron 3. mehr, noch mehr; the ~ ..., the ~ ... je mehr ..., desto mehr ...

moreover [mɔː'rəʊvə] adv außerdem, überdies, ferner

morgue [mɔːg] sb 1. Leichenschauhaus n; 2. (of newspaper cuttings) Archiv n

moribund ['mɒrɪbʌnd] adj sterbend

Mormon ['mɔːmən] sb REL Mormone /Mormonin m/f

morning ['mɔːnɪŋ] sb Morgen m, Vormittag m; Good ~! Guten Morgen!

Morse code [mɔːs'kəʊd] sb Morsealphabet n

morsel ['mɔːsl] sb Bissen m, Happen m

mortal ['mɔːtl] adj 1. sterblich; 2. (combat, fear) tödlich

mortality [mɔː'tælɪtɪ] sb Sterblichkeit f

mortality rate [mɔː'tælɪtɪ reɪt] sb Sterblichkeit f, Sterblichkeitsziffer f

mortgage ['mɔːgɪdʒ] sb 1. Hypothek f; v 2. hypothekarisch belasten, eine Hypothek aufnehmen auf

mortify ['mɔːtɪfaɪ] v demütigen, kränken, verletzen

mosquito [məs'kiːtəʊ] sb 1. Stechmücke f; 2. (in the tropics) Moskito m

most [məʊst] adj 1. meiste(r,s), größte(r,s), höchste(r,s); for the ~ part im Großen und Ganzen; 2. (the majority of) die meisten; adv 3. am meisten; the ~ beautiful ... der/die/das schönste ...; ~ of all am allermeisten; 4. (very) äußerst, überaus; pron 5. die meisten, das meiste; sb 6. make the ~ of sth etw voll ausnützen; (enjoy) etw gründlich genießen; 7. at ~, at the ~ höchstens

mostly ['məʊstlɪ] adv 1. (for the most part) zum größten Teil; 2. (in most cases) meistens

motel [məʊ'tel] sb Motel n

mother ['mʌðə] sb Mutter f

mother country ['mʌðə'kʌntrɪ] sb Vaterland n, Heimat f

mother-in-law ['mʌðərɪnlɔː] sb Schwiegermutter f

Mother's Day ['mʌðəzdeɪ] sb Muttertag m

mother tongue ['mʌðə tʌŋ] sb Muttersprache f

motif [məʊ'tiːf] sb Motiv n, Muster n

motion ['məʊʃən] v 1. ~ s.o. to do sth jdm ein Zeichen geben, dass er etw tun solle; sb 2. Bewegung f; go through the ~s of doing sth etw mechanisch tun; set in ~ in Gang bringen, in Bewegung setzen; 3. TECH Gang m; 4. (proposal) Antrag m

motionless ['məʊʃənlɪs] adj bewegungslos, regungslos, unbeweglich

motion sickness ['məʊʃənsɪknɪs] sb Reisekrankheit f

motivate ['məʊtɪveɪt] v motivieren

motivation [məʊtɪ'veɪʃən] sb Motivation f

motive ['məʊtɪv] sb Beweggrund m, Motiv n

motor ['məʊtə] sb 1. Motor m; v 2. autofahren

motorbike ['məʊtəbaɪk] sb Motorrad n

motorcycle ['məʊtəsaɪkl] sb Motorrad n

motorist ['məʊtərɪst] sb Autofahrer m, Kraftfahrer m

motorized ['məʊtəraɪzd] adj motorisiert

motorway ['məʊtəweɪ] sb (UK) Autobahn f

motto ['mɒtəʊ] sb Motto n, Wahlspruch m; (personal) Devise f

mould [məʊld] v 1. formen; 2. TECH gießen, formen, modellieren; sb 3. Form f; (for casting) Gussform f; 4. BOT Schimmel m

moulder ['məʊldə] v formen, gießen

moulding ['məʊldɪŋ] sb (act of ~) Formen n

mouldy ['məʊldɪ] *adj* schimm(e)lig, verschimmelt

mount [maʊnt] *v* 1. *(fig: increase)* wachsen, steigen; 2. *(sth)(climb onto)* besteigen, steigen auf; *(a ladder)* hinaufsteigen; *(stairs)* hinaufgehen; 3. *(put in, put on, stick on)* montieren; *(a picture)* mit einem Passepartout versehen; 4. *(an attack, an expedition)* organisieren

mountain ['maʊntɪn] *sb* Berg *m; ~s pl* Gebirge *n*

mounting ['maʊntɪŋ] *sb* 1. *(base, support)* Befestigung *f;* 2. *(of a picture)* Passepartout *n;* 3. *(of a machine)* Sockel *m;* 4. *(of a jewel)* Fassung *f*

mourn [mɔːn] *v* 1. trauern; 2. *(s.o.)* trauern um, betrauern; *(s.o.'s death)* beklagen

mourning ['mɔːnɪŋ] *sb* Trauer *f*

mouse [maʊs] *sb* 1. ZOOL Maus *f;* 2. INFORM Maus *f,* Mouse *f*

moustache [məs'tɑːʃ] *sb* Schnurrbart *m*

mouth [maʊθ] *sb* 1. Mund *m; keep one's ~ shut* den Mund halten; *by word of ~* mündlich, durch Mundpropaganda; *have one's heart in one's ~ (fig)* sein Herz auf der Zunge tragen; *put one's foot in one's ~ (fig)* ins Fettnäpfchen treten; *put words into s.o.'s ~* jdm etw in den Mund legen; 2. *(of an animal)* Maul *n;* 3. *(of a river)* Mündung *f;* 4. *(of a cave)* Öffnung *f; v* 5. *(articulate soundlessly)* mit den Lippen formen

mouthful ['maʊθfʊl] *sb* 1. Bissen *m,* Brocken *m;* 2. *(fam: long word)* ellenlanges Wort *n*

movable ['muːvəbl] *adj* beweglich

move [muːv] *v* 1. sich bewegen; *(vehicle)* fahren; *Don't ~!* Keine Bewegung! 2. *(change residences)* umziehen; 3. *(go somewhere)* gehen; 4. *(fam: act)* handeln, vorgehen; 5. *(sth)* bewegen; 6. *(put somewhere else)* woanders hinstellen; 7. *(transport)* befördern; 8. *(a chess piece)* ziehen mit, einen Zug machen mit; 9. *(take away)* wegnehmen; *(one's foot)* wegziehen; 10. *(transfer)* verlegen; 11. *(propose)* beantragen; *sb* 12. *(movement)* Bewegung *f; Get a ~ on!* Nun mach schon! 13. *(to a different job)* Wechsel *m;* 14. *(in a game)* Zug *m; It's my ~.* Ich bin dran. 15. *(to a new residence)* Umzug *m;* 16. *(action)* Schritt *m; (measure taken)* Maßnahme *f*

• **move in** *v* 1. *(into a house)* einziehen; 2. *(come closer)* sich nähern; *(police)* anrücken; *(arrive on the scene)* auf den Plan treten

• **move on** *v* weitergehen

• **move out** *v* 1. *(of a house)* ausziehen; 2. *(troops)* abziehen; 3. *(drive off)* abfahren

• **move over** *v (move to the side)* zur Seite rücken, zur Seite rutschen

• **move up** *v (fig)* aufsteigen

movement ['muːvmənt] *sb* 1. Bewegung *f;* 2. MUS Satz *m*

movie ['muːvɪ] *sb (US)* Film *m; go to the ~s* ins Kino gehen

moving ['muːvɪŋ] *adj* 1. *(emotionally)* ergreifend, bewegend, rührend; 2. *(able to move)* beweglich

mow [məʊ] *v irr* 1. mähen; 2. *~ down (fig)* niedermähen

mower ['məʊə] *sb* Rasenmäher *m*

Mr. ['mɪstə] *sb* Herr *m*

Mrs. ['mɪsɪz] *sb* Frau *f*

Ms. [mɪz] *sb* Frau *f*

much [mʌtʃ] *adj* 1. viel; *how ~* wie viel; *he's not ~ of a ...* er ist kein guter ...; *too ~* zu viel; *nothing ~* nichts besonderes; *as ~ as* soviel wie; *I thought as ~.* Das habe ich mir gedacht. *adv* 2. viel, sehr; *pretty ~* fast; 3. *so ~* so viel; *(to such a great degree)* so sehr; *(nothing more than)* nichts als

muck [mʌk] *sb* 1. Dreck *m; v* 2. *~ about (fam) (UK)* herumhängen, herumlungern; 3. *~ in (fam) (UK)* mit anpacken; 4. *~ up (botch)* verpfuschen

muckraking ['mʌkreɪkɪŋ] *sb* Sensationsmacherei *f (fam)*

mud [mʌd] *sb* Schlamm *m,* Matsch *m; Here's ~ in your eye!* Zum Wohl! *as clear as ~ (fam)* völlig unklar

muddlement ['mʌdlmənt] *sb* Verwirrung *f,* Durcheinander *n*

muddling ['mʌdlɪŋ] *adj* verwirrend

muff [mʌf] *v (botch)* verpatzen

mug [mʌɡ] *sb* 1. Becher *m; (for beer)* Krug *m;* 2. *(fam: face)* Fratze *f;* 3. *(UK: dupe)* Trottel *m; v* 4. *(attack)* überfallen, niederschlagen und ausrauben; 5. *(make faces)* Grimassen schneiden

mulish ['mjuːlɪʃ] *adj* stur, störrisch

mull[1] [mʌl] *v* erwärmen und wie Glühwein würzen

mull[2] [mʌl] *v ~ over* nachdenken über

multi [mʌltɪ] *adj ~... viel...,* mehr..., Multi...

multi-coloured ['mʌltɪ'kʌləd] *adj* mehrfarbig

multicultural [mʌltɪ'kʌltʃərəl] *adj* multikulturell

multiethnic [mʌltɪ'eθnɪk] *adj* Vielvölker...

multifarious [mʌltɪ'feərɪəs] *adj* mannigfaltig

multifold ['mʌltɪfəʊld] *adj* vielfältig

multiform ['mʌltɪfɔːm] *adj* vielgestaltig

multilateral [mʌltɪ'lætərəl] *adj* 1. *POL* multilateral; 2. *MATH* mehrseitig

multilingual [mʌltɪ'lɪŋgwəl] *adj* mehrsprachig

multimedia [mʌltɪ'miːdɪə] *pl* Multimediatechnik *f*

multinational [mʌltɪ'næʃənl] *adj* multinational

multiple ['mʌltɪpl] *adj* mehrfach; *(many)* mehrere

multiplication [mʌltɪplɪ'keɪʃən] *sb MATH* Multiplikation *f*; *(fig)* Vermehrung *f*

multiply ['mʌltɪplaɪ] *v* 1. sich vermehren, sich vervielfachen; 2. *MATH* multiplizieren; 3. *(sth)* vermehren, vervielfachen

multipurpose [mʌltɪ'pɜːpəs] *adj* Mehrzweck...

multitude ['mʌltɪtjuːd] *sb* Menge *f*; *(a ~, a crowd)* Menschenmenge *f*

multivitamin [mʌltɪ'vaɪtəmɪn] *sb* Multivitaminpräparat *n*

mum [mʌm] *adj* 1. keep ~ den Mund halten; *Mum's the word!* Nichts verraten! *sb* 2. *(fam: mother) (UK)* Mami *f*

mumble ['mʌmbl] *v* murmeln

mummy ['mʌmɪ] *sb* 1. *(corpse)* Mumie *f*; 2. *(mother) (UK)* Mami *f*, Mama *f*

municipal [mjuː'nɪsɪpəl] *adj* städtisch, Stadt..., kommunal

munificent [mjuː'nɪfɪsənt] *adj* großzügig

murder ['mɜːdə] *v* 1. ermorden, umbringen; *sb* 2. Mord *m*; shout blue ~, scream bloody ~ Zeter und Mordio schreien

murderer ['mɜːdərə] *sb* Mörder *m*

murmur ['mɜːmə] *v* 1. murmeln; 2. *(unhappily)* murren; *sb* 3. Murmeln *n*; 4. *(unhappy)* Murren *n*

muscle ['mʌsl] *sb* Muskel *m*

muscular ['mʌskjʊlə] *adj* Muskel... *(well-muscled)* muskulös

musculature ['mʌskjʊlətʃə] *sb* Muskulatur *f*

museum [mjuː'zɪəm] *sb* Museum *n*

mush [mʌʃ] *sb* Brei *m*; *(fig: sentimentality)* Schmalz *m*

mushroom ['mʌʃruːm] *sb BOT* 1. Pilz *m*; 2. *(button ~)* Champignon *m*

music ['mjuːzɪk] *sb* Musik *f*; face the ~ *(fam)* die Suppe auslöffeln; set sth to ~ etw vertonen

musical ['mjuːzɪkəl] *adj* 1. musikalisch, Musik...; *(tuneful)* melodisch; *sb* 2. *THEAT* Musical *n*

musical instrument ['mjuːzɪkəl 'ɪn-strəmənt] *sb* Musikinstrument *n*

musician [mjuː'zɪʃən] *sb* Musiker *m*

muss [mʌs] *v* 1. durcheinander bringen; 2. *(hair)* verwuscheln

must [mʌst] *v* 1. müssen; *sb* 2. *(fam: necessary thing)* Muss *n; It's a ~.* Es ist ein Muss.

mustard ['mʌstəd] *sb* Senf *m*

muster ['mʌstə] *v* 1. aufbieten; 2. *(all one's strength)* zusammennehmen; *(courage)* fassen; *sb* 3. pass ~ gebilligt werden

musty ['mʌstɪ] *adj* muffig

mutant ['mjuːtənt] *sb* Mutant *m*

mutate [mjuː'teɪt] *v BIO* mutieren

mutation [mjuː'teɪʃən] *sb* 1. *(process)* Veränderung *f*; 2. *BIO (process)* Mutation *f*; 3. *(result)* Mutationsprodukt *n*

mute [mjuːt] *adj* 1. stumm; *sb* 2. *(person)* Stumme(r) *m/f*; *v* 3. dämpfen

mutilation [mjuːtɪ'leɪʃən] *sb* Verstümmelung *f*

mutinous ['mjuːtɪnəs] *adj* meuterisch; *(fig)* rebellisch

mutt [mʌt] *sb (dog)* Köter *m*

mutter ['mʌtə] *v* 1. murmeln; *(grumble)* murren; *sb* 2. Gemurmel *n*; *(grumbling)* Murren *n*

muttering ['mʌtərɪŋ] *sb* Murren *n*, Murmeln *n*

mutual ['mjuːtʊəl] *adj* 1. *(shared)* gemeinsam; 2. *(bilateral)* beiderseitig; 3. *(reciprocal)* gegenseitig

mutual fund ['mjuːtʊəl fʌnd] *sb (US) FIN* Investmentfonds *m*

muzzy ['mʌzɪ] *adj* benommen, benebelt

my [maɪ] *pron* 1. mein(e); *interj* 2. Oh ~! Meine Güte!

myriad ['mɪrɪəd] *adj* Unzählige

myself [maɪ'self] *pron* 1. *(accusative)* mich; *(dative)* mir; 2. *(as emphasis)* ich selbst

mysterious [mɪs'tɪərɪəs] *adj* mysteriös, rätselhaft

mystery ['mɪstərɪ] *sb* 1. Geheimnis *n*, Rätsel *n*; 2. *(~ novel)* Kriminalroman *m*; 3. *REL* Mysterium *n*

mystic ['mɪstɪk] *adj* 1. mystisch; *sb* 2. Mystiker *m*

mystical ['mɪstɪkəl] *adj* mystisch

mystify ['mɪstɪfaɪ] *v (baffle)* verblüffen, verwirren

myth [mɪθ] *sb* 1. *(legend)* Sage *f*, Mythos *m*; 2. *(fig)* Märchen *n*

mythology [mɪθə'lɒdʒɪ] *sb* Mythologie *f*

mythos ['maɪθɒs] *sb* Mythos *m*

N

nag [næg] v 1. nörgeln; 2. ~ s.o. jdm zusetzen; sb 3. (fam: no-good horse) Gaul m

nagger ['nægə] sb Nörgler m

nail [neɪl] sb 1. ANAT Nagel m; 2. TECH Nagel m; as hard as ~s knallhart, eisern; hit the ~ on the head den Nagel auf den Kopf treffen; v 3. nageln

naive [naɪ'iːv] adj naiv

naked ['neɪkɪd] adj 1. (person) nackt, unbekleidet; 2. (blade) bloß; 3. (countryside) kahl; 4. (truth) nackt

nakedness ['neɪkɪdnɪs] sb Nacktheit f

name [neɪm] v 1. (specify) nennen; 2. (give a ~) nennen, (a scientific discovery) benennen, (a ship) taufen; to be ~d ... ... heißen; 3. (appoint) ernennen; sb 4. Name m; What is your ~? Wie heißen Sie? My ~ is ... Ich heiße ... in the ~ of the law im Namen des Gesetzes; call s.o. ~s jdn beschimpfen; by the ~ of namens; 5. (reputation) Name m, Ruf m; give s.o. a bad ~ jdn in Verruf bringen; make a ~ for o.s. as sich einen Namen machen als

nameable ['neɪməbl] adj zu benennen

nameless ['neɪmlɪs] adj 1. (anonymous) ungenannt; 2. (unknown) unbekannt; 3. (indescribable) unbeschreiblich

namely ['neɪmlɪ] adv nämlich

nanny ['nænɪ] sb Kindermädchen n

nape [neɪp] sb ~ of the neck Genick n, Nacken m

napkin ['næpkɪn] sb (table ~) Serviette f

napped [næpd] adj genoppt, geraut

nappy ['næpɪ] sb (UK: fam) Windel f

nark [nɑːk] v (fam: annoy) (UK) ärgern

narky ['nɑːkɪ] adj (fam) (UK) gereizt

narrate [nə'reɪt] v erzählen

narration [nə'reɪʃən] sb Erzählung f

narrative ['nærətɪv] adj 1. erzählend, Erzählungs... sb 2. (account) Schilderung f

narrator [nə'reɪtə] sb Erzähler m

narrow ['nærəʊ] v 1. (become ~er) enger werden, sich verengen; 2. (sth) enger machen, verengen; adj 3. eng; (path, hips) schmal; 4. (victory, escape) knapp; 5. (interpretation) eng; 6. (scrutiny) peinlich genau; sb 7. ~s pl Enge f
• **narrow down** v beschränken; ~ to beschränken auf

narrow-boat ['nærəʊ bəʊt] sb Kahn m

narrowcast ['nærəʊkɑːst] v Programm für eine bestimmte Zielgruppe senden

narrow-minded [nærəʊ'maɪndɪd] adj engstirnig, borniert, kleinlich

narrowness ['nærəʊnɪs] sb Enge f

nastiness ['nɑːstɪnɪs] sb Scheußlichkeit f, Abscheulichkeit f, Schmutzigkeit f

nasty ['nɑːstɪ] adj 1. (unpleasant) scheußlich, ekelhaft; 2. (serious) schwer, böse, schlimm; He had a ~ fall. Er ist böse gefallen. 3. (malicious) boshaft; 4. (person) gemein

nation ['neɪʃən] sb Nation f, Volk n

national ['næʃənl] adj 1. national, öffentlich, Landes... sb 2. Staatsangehörige(r) m/f

nationality [næʃə'nælɪtɪ] sb Staatsangehörigkeit f, Nationalität f

national park ['næʃənl pɑːk] sb Nationalpark m

National Socialism ['næʃənl 'səʊʃəlɪzm] sb POL Nationalsozialismus m

nationwide [neɪʃən'waɪd] adj landesweit

native ['neɪtɪv] adj 1. einheimische, Heimat... ~ speaker Muttersprachler; 2. (inborn) angeboren; sb 3. Einheimische(r) m/f; a ~ of Germany ein gebürtiger Deutscher/ eine gebürtige Deutsche; 4. (in a colonial context) Eingeborene(r) m/f; 5. (original inhabitant) Ureinwohner m

native language ['neɪtɪv 'læŋgwɪdʒ] sb Muttersprache f

native speaker ['neɪtɪv 'spiːkə] sb Muttersprachler m

NATO ['neɪtəʊ] sb POL NATO f

natural ['nætʃrəl] adj 1. natürlich, Natur... die a ~ death eines natürlichen Todes sterben; 2. (inborn) angeboren; sb 3. a ~ (fam) (a perfect match, an ideal situation) eine klare Sache f; (a talent) ein Naturtalent n

natural history ['nætʃrəl 'hɪstərɪ] sb Naturgeschichte f

naturally ['nætʃrəlɪ] adv 1. natürlich; 2. (by nature) von Natur aus; interj 3. natürlich, selbstverständlich

nature ['neɪtʃə] sb 1. Natur f; 2. (sort) Art f; 3. (inherent qualities of an object) Beschaffenheit f; 4. (personality) Wesen n; to be second ~ to s.o. leicht und selbstverständlich für jdn sein

nature reserve ['neɪtʃə rɪ'zɜːv] sb Naturschutzgebiet n

naughty ['nɔːtɪ] adj 1. unanständig, gewagt; 2. (dog) unartig; 3. (child) ungezogen

nausea ['nɔːsɪə] sb 1. Übelkeit f, Brechreiz m; 2. (fig) Ekel m

nauseate ['nɔːsɪeɪt] v 1. (s.o.) anekeln; 2. MED Übelkeit erregen

nauseating ['nɔːsɪeɪtɪŋ] adj Ekel erregend, widerlich

navel ['neɪvəl] sb ANAT Nabel m

navigable ['nævɪɡəbl] adj schiffbar

navigate ['nævɪɡeɪt] v 1. navigieren; 2. (a river) befahren

navigator ['nævɪɡeɪtə] sb 1. NAUT Navigationsoffizier m; 2. (of a plane) Navigator m

navy ['neɪvɪ] sb Kriegsmarine f

navy blue ['neɪvɪ bluː] adj marineblau

Nazism ['nɑːtsɪzəm] sb HIST Nazismus m

near [nɪə] v 1. sich nähern; ~ completion kurz vor dem Abschluss stehen; adj 2. nahe; in the ~ future in nächster Zeit, in naher Zukunft; 3. to be ~ at hand zur Hand sein, in der Nähe sein; (event) unmittelbar bevorstehen; 4. (escaping) knapp; have a ~ miss knapp davonkommen; adv 5. nahe, in der Nähe; (event) nahe (bevorstehend); draw ~ heranrücken; 6. (almost) fast, beinahe; prep 7. nahe an, in der Nähe von; 8. (~ a certain time) gegen

nearby ['nɪəbaɪ] adj 1. nahe gelegen; adv 2. in der Nähe, nahe

nearly ['nɪəlɪ] adv beinahe, fast

nearsighted ['nɪə'saɪtɪd] adj kurzsichtig

neat [niːt] adj 1. (tidy) ordentlich, sauber; 2. (trick) schlau; 3. (pleasing) hübsch, nett; 4. (fam: excellent) (US) klasse, prima

necessarily [nesɪ'serɪlɪ] adv notwendigerweise; not ~ nicht unbedingt

necessary ['nesɪsərɪ] adj 1. notwendig, nötig, erforderlich; a ~ evil ein notwendiges Übel; if ~ nötigenfalls, wenn nötig; 2. (inevitable) zwangsläufig; sb 3. necessaries pl Notwendigkeiten pl

necessity [nɪ'sesɪtɪ] sb 1. Notwendigkeit f; of ~ notwendigerweise; 2. (poverty) Not f

neck [nek] sb 1. (person's, of a bottle) Hals m; to be a ~ in the ~ (fam) einem auf die Nerven gehen; stick one's ~ out (fam) viel riskieren; ~ and ~ Kopf an Kopf; breathe down s.o.'s ~ (fig) jdm auf die Finger schauen; risk one's ~ Kopf und Kragen riskieren; 2. (of a dress) Ausschnitt m; v 3. (fam: make out) knutschen

necklace ['neklɪs] sb Halskette f

neckline ['neklaɪn] sb Ausschnitt m

need [niːd] v 1. brauchen, benötigen; It ~s to be done. Es muss gemacht werden. ~ to do

sth (have to do sth) etw tun müssen; Need I say more? Mehr brauche ich ja wohl nicht zu sagen. You ~n't to ... ... braucht nicht getan werden; sb 2. (necessity) Notwendigkeit f; there's no ~ to ... ... brauch nicht getan werden; 3. (requirement) Bedürfnis n, Bedarf m; to be in ~ of sth etw dringend brauchen; 4. (misfortune) Not f

needle ['niːdl] sb 1. Nadel f; v 2. (fig) sticheln, durch Sticheleien reizen

needless ['niːdlɪs] adj unnötig, überflüssig; ~ to say selbstverständlich/selbstredend

negative ['negətɪv] adj 1. negativ; (answer) verneinend; sb 2. Verneinung f; 3. GRAMM Negation f; 4. FOTO Negativ n

neglect [nɪ'glekt] v 1. vernachlässigen; 2. (an opportunity) versäumen; 3. (advice) nicht befolgen; sb 4. Vernachlässigung f; 5. (of a garden) Verwahrlosung f; 6. (of a danger, a person, a rule) Nichtbeachtung f

negligence ['neglɪdʒəns] sb 1. Nachlässigkeit f, Unachtsamkeit f; 2. JUR Fahrlässigkeit f

negligent ['neglɪdʒənt] adj 1. nachlässig, unachtsam; 2. JUR fahrlässig

negotiate [nɪ'ɡəʊʃɪeɪt] v 1. verhandeln; 2. (sth) handeln über; (bring about) aushandeln; 3. (an obstacle) überwinden, (a curve) nehmen, (a river) passieren

negotiation [nɪɡəʊʃɪ'eɪʃən] sb 1. Verhandlung f; enter into ~s in Verhandlungen eintreten; 2. (of an obstacle) Überwindung f; (of a curve) Nehmen n; (of a river) Passieren n

neighbour ['neɪbə] sb 1. Nachbar m/ Nachbarin f; 2. (fellow human being) Nächste(r) m/f, Mitmensch m; v 3. (sth) angrenzen an

neighbourhood ['neɪbəhʊd] sb 1. Nachbarschaft f; 2. (district) Gegend f, Viertel n

neighbouring ['neɪbərɪŋ] adj benachbart, angrenzend

neighbourly ['neɪbəlɪ] adj nachbarlich, gutnachbarlich

neither ['naɪðə] adv 1. ~... nor ... weder ... noch .:. konj 2. auch nicht; He wasn't there and ~ was his sister. Er war nicht da und seine Schwester auch nicht. adj/ pron 3. keine(r,s); ~ of them keiner von beiden

Neolithic [niːəʊ'lɪθɪk] sb HIST jungsteinzeitlicher Mensch m

neon ['niːɒn] sb CHEM Neon n

neon sign ['niːɒn saɪn] sb Leuchtreklame f, Neonschild n

nephew ['nefjuː] sb Neffe m

nerd [nɜːd] *sb (fam) (US)* langweiliger Streber (in der Schule) *m*

nerve [nɜːv] *sb 1.* ANAT Nerv *m; 2. get on s.o.'s ~s* jdm auf die Nerven gehen; *3. (fam: impudence)* Frechheit *f,* Unverschämtheit *f; 4. (courage)* Mut *m; lose one's ~* die Nerven verlieren; *v 5. ~ o.s.* sich aufraffen

nerve centre ['nɜːvsentə] *sb* Nervenzentrum *n*

nervous ['nɜːvəs] *adj 1.* nervös; *2.* ANAT Nerven..., nervös

nervous breakdown ['nɜːvəs 'breɪkdaʊn] *sb* MED Nervenzusammenbruch *m*

nest [nest] *v 1.* nisten; *sb 2.* Nest *n*

nestle ['nesl] *v es* sich bequem machen; *a town ~d in the hills* ein Dorf, das zwischen den Bergen eingebettet liegt

net¹ [net] *v 1. (catch in a ~)* mit dem Netz fangen; *(fig: a criminal)* fangen; *sb 2.* Netz *n; 3. (for curtains, for clothing)* Tüll *m*

net² [net] *adj 1.* ECO netto, Netto...; Rein... *v 3.* ECO netto einbringen, *(in wages)* netto verdienen

net income [net 'ɪnkʌm] *sb* Nettoeinkommen *n*

net profit [net 'prɒfɪt] *sb* ECO Reingewinn *m,* Nettogewinn *m*

nettle ['netl] *sb 1.* BOT Brennnessel *f; v 2. (fig)* ärgern, reizen

net weight [net weɪt] *sb* Nettogewicht *n,* Reingewicht *n,* Eigengewicht *n*

network ['netwɜːk] *sb 1.* Netz *n; TECH* Netzwerk *n; 2. (radio, TV)* Sendernetz *n,* Sendergruppe *f*

networker ['netwɜːkə] *sb* INFORM mit dem Computer an ein Netzwerk angeschlossener Heimarbeiter *m*

networking ['netwɜːkɪŋ] *sb 1.* INFORM Rechnerverbund *m; 2. (fam: making contacts)* das Anknüpfen von Beziehungen *n*

neural ['njʊərəl] *adj* Nerven...

neurologist [njʊə'rɒlədʒɪst] *sb* Neurologe *m,* Nervenarzt *m*

neurotic [njʊə'rɒtɪk] *adj* neurotisch

neutral ['njuːtrəl] *adj 1.* neutral; *sb 2. (gear)* Leerlauf *m; put the car in ~* den Gang herausnehmen

neutrality [njuː'trælɪtɪ] *sb* Neutralität *f*

never ['nevə] *adv 1.* nie, niemals; *~ before* noch nie; *2. (not in the least)* durchaus nicht, gar nicht, nicht im Geringsten; *Never fear!* Keine Angst!

never-ending [nevər'endɪŋ] *adj* endlos, nicht enden wollend

nevermore [nevə'mɔː] *adv* nimmermehr, niemals wieder

never-never land ['nevə'nevə lænd] *sb* Traumwelt *f*

nevertheless [nevəðə'les] *konj* dennoch, trotzdem, nichtsdestoweniger

new [njuː] *adj* neu

newborn ['njuːbɔːn] *adj* neugeboren

newly ['njuːlɪ] *adv* frisch

newlywed ['njuːlɪwed] *sb* Frischvermählte(r) *m/f*

news [njuːz] *sb 1.* Neuigkeiten *pl; Is there any ~?* Gibt es etwas Neues? *It's ~ to me.* Das ist mir ganz neu. *2. (report)* Nachricht *f; 3. (in the press, TV, radio)* Nachrichten *pl; make ~* Schlagzeilen machen

news agency ['njuːzeɪdʒənsɪ] *sb* Nachrichtenagentur *f,* Nachrichtenbüro *n*

news agent ['njuːzeɪdʒənt] *sb* Zeitungshändler *m*

newscaster ['njuːzkɑːstə] *sb* Nachrichtensprecher *m*

news flash ['njuːzflæʃ] *sb* Kurzmeldung *f*

newspaper ['njuːzpeɪpə] *sb* Zeitung *f*

newsprint ['njuːzprɪnt] *sb* Zeitungsdruckpapier *n*

newsreader ['njuːzriːdə] *sb* Nachrichtensprecher *m*

newsstand ['njuːzstænd] *sb* Zeitungskiosk *m,* Zeitungsstand *m*

New Year's Day [njuːjɪəz'deɪ] *sb* Neujahrstag *m*

New Year's Eve [njuːjɪəz'iːv] *sb* Silvester *n*

next [nekst] *adj 1.* nächste(r,s); *this time ~ week* nächste Woche um diese Zeit; *week after ~* übernächste Woche; *~ door* nebenan; *Next, please!* Der Nächste bitte! *the ~ best* der/die/das Nächstbeste; *adv* als Nächstes; *2. ~ to* neben, *(all but)* fast; *~ to last* zweitletzte(r,s); *4. (the ~ time)* das nächste Mal

next-door [nekst dɔː] *adj* nebenan

nice [naɪs] *adj 1. (personality)* nett, sympathisch; *2. (pretty)* hübsch, schön; *3. (good)* gut; *4. (weather)* schön, gut; *5. (very) ~ and warm* schön warm; *~ and easy* ganz leicht; *6. (subtle) ~ distinction* feiner Unterschied

nice-looking [naɪs 'lʊkɪŋ] *adj (fam)* schön, gut aussehend

nicely ['naɪslɪ] *adv* nett, gut; *That will do ~.* Das passt ausgezeichnet.

nick [nɪk] *v 1. (give a small cut)* einkerben; *(bullet)* streifen; *sb 2. (small cut)* Kerbe *f; 3. in the ~ of time* gerade noch rechtzeitig; *v 4.*

(UK: catch) schnappen; *(arrest)* einsperren; 5. *(UK: steal)* klauen, mitgehen lassen
nickel ['nɪkl] *sb 1.* CHEM Nickel *n;* 2. *(US: coin)* Nickel *m,* Fünfcentstück *n*
nickname ['nɪkneɪm] *sb 1.* Spitzname *m; v 2.* einen Spitznamen geben, mit einem Spitznamen bezeichnen
nicotine ['nɪkəti:n] *sb* Nikotin *n*
niece [ni:s] *sb* Nichte *f*
nifty ['nɪftɪ] *adj (fam) 1. (skilful)* geschickt; 2. *(excellent)* prima
night [naɪt] *sb 1.* Nacht *f; (evening)* Abend *m; Good* ~! Gute Nacht! *spend the* ~ übernachten; *at* ~, *by* ~ bei Nacht, nachts; *eleven o'clock at* ~ elf Uhr nachts; *seven o'clock at* ~ sieben Uhr abends; ~ *after* ~ jede Nacht, Nacht um Nacht
nightcap ['naɪtkæp] *sb 1.* Nachtmütze *f;* 2. *(drink)* Schlaftrunk *m*
night-dress ['naɪtdres] *sb* Nachthemd *n*
nightfall ['naɪtfɔ:l] *sb* Einbruch der Dunkelheit *m*
nightlife ['naɪtlaɪf] *sb* Nachtleben *n*
nightmare ['naɪtmeə] *sb* Albtraum *m*
night owl ['naɪtaʊl] *sb (fig)* Nachteule *f,* Nachtmensch *m*
night school ['naɪtsku:l] *sb* Abendschule *f*
nightstand ['naɪtstænd] *sb (US)* Nachttisch *m*
night-time ['naɪttaɪm] *sb* Nacht *f*
night watchman [naɪt'wɒtʃmən] *sb* Nachtwächter *m*
nil [nɪl] *sb* Nichts *n,* Null *f*
nimble ['nɪmbl] *adj 1. (agile)* gelenkig, wendig, beweglich; 2. *(quick)* flink; 3. *(skilful)* geschickt
nincompoop ['nɪŋkəmpu:p] *sb* Trottel *m*
ninny ['nɪnɪ] *sb (fam)* Tropf *m,* Dussel *m*
nip [nɪp] *v 1. (bite)* zwicken; 2. *(cold)* angreifen; 3. *(UK: dash)(fam)* sausen, flitzen; *sb 4. (pinch)* Kneifen *n,* Kniff *m*
nippy ['nɪpɪ] *adj 1. (weather)* frisch, kühl; 2. *(cold)* beißend
nit [nɪt] *sb (egg of a louse)* Nisse *f*
nit-picking ['nɪtpɪkɪŋ] *adj* kleinlich, pingelig
nitty-gritty [nɪtɪ'grɪtɪ] *sb get down to the* ~ zur Sache kommen, bis zum Kern der Sache dringen
nitwit ['nɪtwɪt] *sb* Dummkopf *m*
no [nəʊ] *adv 1.* nein; *Oh,* ~! Oh, nein! ~ *later than ...* spätestens ...; *adj 2.* kein; *"No Smoking"* „Rauchen verboten"; *in* ~ *time* im Nu; *sb 3.* Nein *n*

nobility [nəʊ'bɪlɪtɪ] *sb 1. (quality)* Adel *m;* 2. *(people)* die Adligen *pl*
noble ['nəʊbl] *adj 1. (aristocratic)* adlig; 2. *(fig)* edel; 3. *CHEM* edel, Edel...
nobody ['nəʊbədɪ] *pron* niemand, keiner; ~ *else* sonst niemand, niemand anders
nod [nɒd] *v 1.* nicken; ~ *off* einnicken *(fam); sb 2.* Nicken *n*
node [nəʊd] *sb* Knoten *m*
no-frills [nəʊ'frɪlz] *adj* schlicht, einfach gehalten
noise [nɔɪz] *sb 1.* Geräusch *n;* 2. *(loud)* Lärm *m,* Krach *m; make* ~ Krach machen
noiseless ['nɔɪzlɪs] *adj* lautlos, geräuschlos, still
noisy ['nɔɪzɪ] *adj* geräuschvoll, laut, lärmend
no man's land ['nəʊmænzlænd] *sb* Niemandsland *n*
nominal ['nɒmɪnl] *adj* nominell
nominate ['nɒmɪneɪt] *v 1.* nominieren, als Kandidat aufstellen; 2. *(appoint)* ernennen
nomination [nɒmɪ'neɪʃən] *sb 1.* Nominierung *f,* Kandidatenvorschlag *m;* 2. *(appointment)* Ernennung *f*
non-aggression pact [nɒnə'greʃənpækt] *sb* Nichtangriffspakt *m*
non-alcoholic [nɒnælkə'hɒlɪk] *adj* alkoholfrei
non-committal [nɒnkə'mɪtl] *adj 1. (person)* zurückhaltend, sich nicht festlegen wollend; 2. *(answer)* unverbindlich, nichts sagend
non-compliance [nɒnkəm'plaɪəns] *sb 1. (with rules)* Nichterfüllung *f,* Nichteinhaltung *f;* 2. *(with orders)* Zuwiderhandeln *n*
nondescript ['nɒndɪskrɪpt] *adj 1.* unauffällig, unscheinbar; 2. *(hard to classify)* unbestimmbar
none [nʌn] *pron 1.* keine(r,s), keine; ~ *other than* kein anderer als; *adv 2.* in keiner Weise, keineswegs; ~ *too soon* kein bisschen zu früh
nonetheless [nʌnðə'les] *konj* trotzdem, nichtsdestoweniger, dennoch
nonexistent [nɒnɪg'zɪstənt] *adj* nicht existierend, nicht vorhanden
non-fiction [nɒn'fɪkʃən] *sb* ~ *book* Sachbuch *n*
non-negotiable [nɒnnɪ'gəʊʃɪəbl] *adj (ticket)* unübertragbar
no-no ['nəʊnəʊ] *sb (fam) That's a* ~. Das ist Tabu.
no-nonsense [nəʊ'nɒnsəns] *adj* nüchtern, sachlich
nonplussed [nɒn'plʌst] *adj* verdutzt

non-profit-making [nɒn'prɒfɪtmeɪkɪŋ] *adj (UK)* gemeinnützig

non-returnable [nɒnrɪ'tɜːnəbl] *adj* ECO Einweg...

nonsense ['nɒnsəns] *sb* Unsinn *m*, Quatsch *m*, Blödsinn *m*; *talk ~* Quatsch reden

non-smoker [nɒn'sməʊkə] *sb* Nichtraucher *m*

non-smoking [nɒn'sməʊkɪŋ] *adj* Nichtraucher...

nonstop ['nɒn'stɒp] *adj* ohne Halt, pausenlos; *(train)* durchgehend

non-violent [nɒn'vaɪələnt] *adj* gewaltlos

nook [nʊk] *sb* Winkel *m*, Ecke *f*

noon [nuːn] *sb* Mittag *m; at ~* um zwölf Uhr mittags

no one ['nəʊwʌn] *pron* niemand, keiner

normal ['nɔːməl] *adj* normal, üblich

normality [nɔː'mælɪtɪ] *sb* Normalität *f*

normally ['nɔːməlɪ] *adv* 1. *(usually)* normalerweise, gewöhnlich; 2. *(in a normal way)* normal

north [nɔːθ] *adj* 1. Nord... *adv* 2. nach Norden; *~ of* nördlich von; *sb* 3. Norden *m*

North America [nɔːθ ə'merɪkə] *sb* Nordamerika *f*

northeast [nɔːθ'iːst] *adj* 1. nordöstlich; *sb* 2. Nordosten *m*, Nordost *m*

nose [nəʊz] *sb* 1. Nase *f; hold one's ~* sich die Nase zuhalten; *look down one's ~ at s.o.* jdn verachten; *under s.o.'s ~* (fig) direkt vor jds Nase; *pay through the ~ for sth* einen Haufen Geld für etw hinblättern; *have a good ~ for sth* (fig) einen Riecher für etw haben; *keep one's ~ clean* sich nichts zu Schulden kommen lassen; *thumb one's ~ at s.o.* jdm eine lange Nase machen; *turned-up ~* Stupsnase *f; stick one's ~ into sth* (fig) seine Nase in etw stecken; *as plain as the ~ on your face* (fam) klar wie Kloßbrühe, sonnenklar; *cut off one's ~ to spite one's face* sich ins eigene Fleisch schneiden; *have one's ~ in the air* die Nase hoch tragen; *keep one's ~ out of sth* sich aus einer Sache heraushalten; *follow one's ~* (fam) immer der Nase nach gehen; *turn one's ~ up at sth* die Nase über etw rümpfen; *v* 2. *~ around, ~ about* herumschnüffeln, Nachforschungen anstellen

nosebleed ['nəʊzbliːd] *sb* MED Nasenbluten *n*

nostalgia [nɒs'tældʒɪə] *sb* Nostalgie *f*

nostalgic [nɒs'tældʒɪk] *adj* nostalgisch

nosy parker ['nəʊzɪ:pɑːkə] *sb (fam)* neugierige Person *f*

not [nɒt] *adv* 1. nicht; 2. *~ at all* gar nicht; *Not at all! (you're welcome)* Bitte! *adv* 3. *~ a* kein(e)

notable ['nəʊtəbl] *adj* 1. bemerkenswert, beachtenswert; 2. *(conspicuous)* auffallend; *(difference)* beträchtlich; *sb* 3. *(person)* bedeutende Persönlichkeit *f*

notably ['nəʊtəblɪ] *adv* 1. auffallend; 2. *(in particular)* vor allem

note [nəʊt] *v* 1. *(pay attention to)* zur Kenntnis nehmen, beachten; 2. *(remark)* bemerken; 3. *~ down* notieren, aufschreiben; *sb* 4. *(commentary)* Anmerkung *f;* 5. *make a ~ of sth (on paper)* sich etw notieren, etw schriftlich festhalten; 6. *pl ~s* Notizen *pl*, Aufzeichnungen *pl;* 7. *(informal message)* Briefchen *n;* 8. *(notice)* take *~ of sth* etw zur Kenntnis nehmen; 9. *(official notation)* Vermerk *m;* 10. *of ~* bedeutend, erwähnenswert; 11. MUS Note *f, (sound)* Ton *m;* 12. FIN Note *f,* Schein *m;* 13. *(tone)* Ton *m,* Klang *m; Her voice had a ~ of desperation.* Aus ihrer Stimme klang Verzweiflung.

notebook ['nəʊtbʊk] *sb* Notizbuch *n*

notepaper ['nəʊtpeɪpə] *sb* Briefpapier *n*

noteworthy ['nəʊtwɜːðɪ] *adj* bemerkenswert, beachtenswert

nothing ['nʌθɪŋ] *pron* 1. nichts; *~ doing* kommt gar nicht infrage; *~ doing (~ happening)* nichts zu machen; *there is ~ like ...* es geht nichts über ...; *There's ~ to it.* Da ist nichts dabei. *to say ~ of* geschweige denn; *for ~* vergebens, umsonst; *come to ~* sich zerschlagen, zunichte werden; *~ but* nichts als, nur; *~ else* nichts anderes, sonst nichts; *sb* 2. Nichts *n; whisper sweet ~s* Süßholz raspeln

notice ['nəʊtɪs] *v* 1. bemerken, wahrnehmen, feststellen; *sb* 2. *(attention)* Wahrnehmung *f;* take *~ of sth* von etw Notiz nehmen; *escape ~* unbemerkt bleiben; *bring sth to s.o.'s ~* jdm etw zur Kenntnis bringen; 3. *(notification)* Bescheid *m,* Benachrichtigung *f, (in writing)* Mitteilung *f; until further ~* bis auf weiteres; *at short ~* kurzfristig; 4. *(of quitting a job, of moving out)* Kündigung *f;* 5. *give s.o. ~ (to an employee, to a tenant)* jdm kündigen, *(to an employer, to a landlord)* bei jdm kündigen; 6. *(public announcement)* Bekanntmachung *f*

noticeable ['nəʊtɪsəbl] *adj* 1. erkennbar, wahrnehmbar, auffällig; 2. *(emotion)* sichtlich, merklich

notice board ['nəʊtɪs bɔːd] *sb* Anschlagtafel *n*

notify ['nəʊtɪfaɪ] v benachrichtigen, melden, mitteilen

notion ['nəʊʃən] sb 1. Idee f, Vorstellung f, Begriff m; 2. (instinctive feeling, vague idea) Ahnung f; 3. (intention) Neigung f, Lust f, Absicht f

nought [nɔːt] sb 1. Nichts n; 2. (number) Null f

noun [naʊn] sb Hauptwort n, Substantiv n

nourish ['nʌrɪʃ] v 1. (s.o.) nähren, ernähren; 2. (fig) nähren

novel ['nɒvəl] adj 1. neu, neuartig; sb 2. Roman m

novelist ['nɒvəlɪst] sb LIT Romanschriftsteller m

novelty ['nɒvəltɪ] sb 1. (newness) Neuheit f; 2. (something new) etwas Neues

novice ['nɒvɪs] sb 1. Neuling m, Anfänger m; 2. REL Novize m/Novizin f; (in the Bible) Neubekehrte(r) m/f

now [naʊ] adv 1. jetzt, nun; up to ~ bis jetzt; from ~ on von nun an; 2. (right away) jetzt, sofort, gleich; 3. (at this very moment) gerade; 4. (these days) heute, heutzutage; 5. ~ and then, ~ and again gelegentlich, ab und zu, von Zeit zu Zeit; konj 6. ~ that nun aber, nun da, da nun; adv 7. just ~ gerade; 8. by ~ mittlerweile, jetzt; interj 9. ~ then nun, also

nowadays ['naʊədeɪz] adv heutzutage

nowhere ['nəʊweə] adv nirgends, nirgendwo; (with verbs of motion) nirgendwohin; get ~ (fig) nichts erreichen; from out of ~ aus dem Nichts; ~ near ... nicht annähernd ... in the middle of ~ dort, wo sich Fuchs und Hase Gute Nacht sagen

nuclear ['njuːklɪə] adj Kern..., Atom..., nuklear

nuclear bomb ['njuːklɪə bɒm] sb Atombombe f

nuclear energy ['njuːklɪər 'enədʒɪ] sb Atomenergie f, Kernenergie f

nude [njuːd] adj 1. nackt; sb 2. ART Akt m

nuisance ['njuːsns] sb 1. Ärgernis n, Plage f, etwas Lästiges; What a ~! Wie ärgerlich! public ~ öffentliches Ärgernis; 2. (person) Quälgeist m, Nervensäge f; make a ~ of o.s. lästig werden

null [nʌl] adj JUR nichtig, ungültig; ~ and void null und nichtig, ungültig

numb [nʌm] v 1. betäuben; (cold) taub machen; adj 2. taub, empfindungslos, gefühllos

number ['nʌmbə] sb 1. Zahl f, (numeral) Ziffer f; one of their ~ einer aus ihrer Mitte; 2. (phone ~, house ~) Nummer f; It was a wrong ~. Er war falsch verbunden. 3. (quantity) Anzahl f; on a ~ of occasions des Öfteren; 4. (song) Nummer f; 5. Numbers REL Numeri pl; v 6. nummerieren; 7. (amount to) zählen; His days are ~ed. Seine Tage sind gezählt.

number plate ['nʌmbəpleɪt] sb Nummernschild n

numeral ['njuːmərəl] sb Ziffer f

numerous ['njuːmərəs] adj zahlreich

nun [nʌn] sb REL Nonne f

nurse [nɜːs] sb 1. Krankenschwester f, (male ~) Krankenpfleger m; 2. wet ~ Amme f; 3. dry ~ Kinderfrau f, Kindermädchen n; v 4. (be breast-fed) die Brust nehmen; 5. (breast-feed) stillen; 6. (sth) pflegen, (fig: a plan, hopes) hegen

nursery ['nɜːsərɪ] sb 1. (room in a house) Kinderzimmer n, (in a hospital) Säuglingssaal m, (day ~) Kindertagesstätte f; 2. AGR Gärtnerei f

nursery school ['nɜːsərɪ skuːl] sb Kindergarten m

nursing ['nɜːsɪŋ] sb MED (care) Pflege f; (profession) Krankenpflege f

nut [nʌt] sb 1. BOT Nuss f; a hard ~ to crack (fig) eine harte Nuss; 2. (fam: crazy person) Spinner m; 3. ~s pl (fam: testicles) (US) Eier pl (fam); 4. TECH Mutter f, Schraubenmutter f; ~s and bolts (fig) Grundbestandteile

nutcracker ['nʌtkrækə] sb Nussknacker m

nutmeg ['nʌtmeg] sb Muskat m, Muskatnuss f

nutrient ['njuːtrɪənt] sb Nährstoff m

nutriment ['njuːtrɪmənt] sb Nahrung f

nutrition [njuːˈtrɪʃən] sb Ernährung f

nutritionist [njuːˈtrɪʃənɪst] sb Ernährungswissenschaftler m

nutritious [njuːˈtrɪʃəs] adj nahrhaft, nährend

nuts [nʌts] adj (fam: crazy) to be ~ spinnen; go ~ durchdrehen; drive s.o. ~ jdn verrückt machen

nutshell ['nʌtʃel] sb in a ~ (fam) kurz gesagt

nuzzle ['nʌzl] v 1. (dog) mit der Schnauze reiben an; 2. (person) mit der Nase reiben an; ~ against s.o. sich an jdn schmiegen

nylon ['naɪlɒn] sb 1. Nylon n; 2. ~s pl (fam) Nylonstrümpfe pl

nymph [nɪmf] sb Nymphe f

nymphet [nɪmˈfet] sb Nymphchen n

nymphomania [nɪmfəʊˈmeɪnɪə] sb Nymphomanie f

nymphomaniac [nɪmfəʊˈmeɪnɪæk] sb Nymphomanin f

O

oaf [əʊf] *sb* Lümmel *m*, Flegel *m*
oak [əʊk] *sb* BOT Eiche *f*
oar [ɔː] *sb* Ruder *n*; SPORT Riemen *m*
oasis [əʊ'eɪsɪs] *sb* Oase *f*
oat [əʊt] *sb* ~s *pl* BOT Hafer *m*; *sow one's wild* ~*s (fig)* sich die Hörner abstoßen
obedient [ə'biːdɪənt] *adj* 1. gehorsam; 2. *(child, dog)* folgsam
obese [əʊ'biːs] *adj* 1. MED fettleibig; 2. *(fig)* fett
obey [ə'beɪ] *v* 1. gehorchen, folgen; 2. *(an order)* Folge leisten, befolgen
obituary [ə'bɪtjʊərɪ] *sb* 1. *(article)* Nachruf *m*; 2. *(advertisement)* Todesanzeige *f*
object[1] ['ɒbdʒɪkt] *sb* 1. *(thing)* Gegenstand *m*, Ding *n*; *money is no* ~ Geld spielt keine Rolle; 2. *(purpose)* Ziel *n*, Zweck *m*; 3. GRAMM Objekt *n*; *indirect* ~ Dativobjekt *n*, indirektes Objekt *n*; *direct* ~ Akkusativobjekt *n*; *direktes Objekt n*; 4. PHIL Objekt *n*
object[2] [əb'dʒekt] *v* 1. dagegen sein; 2. *(vocally)* protestieren; 3. *(raise an objection)* Einwände erheben; 4. ~ *to (disapprove of)* missbilligen, beanstanden
objection [əb'dʒekʃən] *sb* 1. Einwand *m*; 2. JUR Einspruch *m*
objective [əb'dʒektɪv] *adj* 1. objektiv, sachlich; *sb* 2. Ziel *n*; MIL Angriffsziel *n*; 3. FOTO Objektiv *n*
objectively [əb'dʒektɪvlɪ] *adv* objektiv, sachlich
obligation [ɒblɪ'geɪʃən] *sb* Verpflichtung *f*, Pflicht *f*; *without* ~ unverbindlich
oblige [ə'blaɪdʒ] *v* 1. *(do a favour to)* gefällig sein, einen Gefallen tun; *to be* ~*d to s.o.* jdm sehr verbunden sein; 2. *Much* ~*d!* Herzlichen Dank! 3. *(compel)* zwingen; *feel* ~*d to do sth* sich verpflichtet fühlen, etw zu tun
obliging [ə'blaɪdʒɪŋ] *adj* verbindlich, gefällig, zuvorkommend
obliterate [ə'blɪtəreɪt] *v* 1. vernichten; 2. *(efface)* auslöschen; 3. *(a memory)* tilgen
oblivion [ə'blɪvɪən] *sb* Vergessenheit *f*; *sink into* ~ in Vergessenheit geraten, in der Versenkung verschwinden
oblivious [ə'blɪvɪəs] *adj* *to be* ~ *to sth* sich einer Sache nicht bewusst sein
obnoxious [ɒb'nɒkʃəs] *adj* widerwärtig
obscene [əb'siːn] *adj* obszön, unzüchtig, unanständig

obscenity [ɒb'senɪtɪ] *sb* 1. Unanständigkeit *f*, Schmutz *m*, Zote *f*; 2. *(word)* Obszönität *f*
obscure [əb'skjʊə] *adj* 1. *(little-known)* unbekannt, obskur; 2. *(hard to understand)* dunkel, unklar; *v* 3. verdecken
obscurity [əb'skjʊərɪtɪ] *sb* 1. *(state of not being known)* Unbekanntheit *f*; *sink into* ~ in Vergessenheit geraten; 2. *(quality of being hard to understand)* Unklarheit *f*
observant [əb'zɜːvənt] *adj* *(attentive, alert)* aufmerksam, achtsam, wachsam
observation [ɒbzə'veɪʃən] *sb* 1. Beobachtung *f*; *powers of* ~ Beobachtungsgabe *f*; 2. *(of rules)* Einhalten *n*; 3. *(statement)* Bemerkung *f*
observatory [əb'zɜːvətrɪ] *sb* 1. *(for outer space)* Observatorium *n*, Sternwarte *f*; 2. *(for weather)* Observatorium *n*, Wetterwarte *f*
observe [əb'zɜːv] *v* 1. *(notice)* bemerken; 2. *(watch carefully)* beobachten; 3. *(watch a suspect)* überwachen; 4. *(remark)* bemerken, feststellen, äußern; 5. *(a law, a holiday)* einhalten
observer [əb'zɜːvə] *sb* Beobachter *m/f*, Zuschauer(in) *m/f*
obsess [əb'ses] *v* *to be* ~*ed by* besessen sein von
obsession [əb'seʃən] *sb* 1. *(state)* Besessenheit *f*; 2. *(idea)* fixe Idee *f*; 3. PSYCH Zwangsvorstellung *f*
obsessive [əb'sesɪv] *adj* zwanghaft
obstacle ['ɒbstəkl] *sb* Hindernis *n*
obstetric [ɒb'stetrɪk] *adj* Geburtshilfe..., Entbindungs...
obstetrician [ɒbstə'trɪʃən] *sb* MED Geburtshelfer *m*
obstinate ['ɒbstɪnət] *adj* hartnäckig, eigensinnig
obstruct [əb'strʌkt] *v* 1. *(progress, justice, traffic)* behindern; *(movements)* hemmen; 2. *(block intentionally)* versperren; *(unintentionally)* blockieren; ~ *s.o.'s view* jdm die Sicht versperren
obstruction [əb'strʌkʃən] *sb* 1. Behinderung *f*, Hemmung *f*; Versperrung *f*; 2. *(obstacle)* Hindernis *n*
obstructive [əb'strʌktɪv] *adj* obstruktiv, behindernd
obtain [əb'teɪn] *v* erlangen, erhalten, erwerben

obtuse [əb'tjuːs] *adj* 1. *MATH* stumpf; 2. *(fig: person)* begriffsstutzig, beschränkt

obvious ['ɒbvɪəs] *adj* offensichtlich, klar, deutlich

occasion [ə'keɪʒən] *sb* 1. *(point in time)* Gelegenheit *f*, Anlass *m*; rise to the ~ sich der Lage gewachsen zeigen; on ~ gelegentlich; on several ~s mehrmals; for the ~ für diese besondere Gelegenheit; 2. *sb (opportunity)* Gelegenheit *f*; on the ~ of anlässlich; 3. *(reason)* Grund *m*, Anlass *m*, Veranlassung *f*; have ~ to die Veranlassung haben, zu; *v* 4. verursachen

occasionally [ə'keɪʒənəlɪ] *adv* gelegentlich, hin und wieder

occupant ['ɒkjupənt] *sb* 1. *(of a house)* Bewohner *m*; 2. *(of a car)* Insasse *m*; 3. *(of a job)* Inhaber *m*

occupation [ɒkju'peɪʃən] *sb* 1. *(employment)* Beruf *m*, Tätigkeit *f*; 2. *(pastime)* Beschäftigung *f*, Betätigung *f*, Tätigkeit *f*; 3. *MIL* Besetzung *f*, Besatzung *f*, Okkupation *f*

occupational [ɒkju'peɪʃənəl] *adj* beruflich, Berufs..., Arbeits...

occupational hazard [ɒkju'peɪʃənl 'hæzəd] *sb* Berufsrisiko *n*

occupied ['ɒkjupaɪd] *adj (WC)* besetzt

occupy ['ɒkjupaɪ] *v* 1. *(a house)* bewohnen; 2. *(a seat)* besetzen; 3. *(a room)* belegen; 4. *(a post)* innehaben; 5. *(time)* in Anspruch nehmen; 6. *(busy)* beschäftigen; 7. *(move into)* beziehen; 8. *MIL* besetzen

occur [ə'kɜː] *v* 1. *(take place)* sich ereignen, vorkommen, geschehen; 2. *(be found)* vorkommen; 3. ~ to s.o. jdm einfallen

occurrence [ə'kʌrəns] *sb* 1. *(event)* Ereignis *n*, Vorfall *m*, Vorkommnis *n*; 2. *(presence)* Vorkommen *n*, Auftreten *n*

ocean ['əʊʃən] *sb* 1. Ozean *m*, Meer *n*; 2. *(fig)* Meer *n*; ~s of jede Menge

oceanography [əʊʃə'nɒgrəfɪ] *sb* Meereskunde *f*

o'clock [ə'klɒk] *adv* Uhr; seven ~ sieben Uhr

octagon ['ɒktəgɒn] *sb* Achteck *n*

octave ['ɒktɪv] *sb MUS* Oktave *f*

octopus ['ɒktəpəs] *sb ZOOL* Krake *f*

odd [ɒd] *adj* 1. *(number)* ungerade; 2. *(peculiar)* sonderbar, seltsam, merkwürdig; 3. *(irregular)* gelegentlich; 4. *(single)* einzeln; 5. *(approximately)* etwa; fifty~ pounds etwa fünfzig Pfund, um die fünfzig Pfund; 6. the ~ man out der Überzählige *m*; 7. *(left over)* übrig, überzählig, restlich

oddball ['ɒdbɔːl] *sb* seltsamer Mensch *m*

odd jobs [ɒd'dʒɒbz] *pl* Gelegenheitsarbeiten *pl*

odds [ɒdz] *pl* 1. *(chances for or against)* Chancen *pl; The* ~ are in our favour. Wir haben die besseren Chancen. *The* ~ are against you. Deine Chancen stehen schlecht. 2. *(betting ~)* Gewinnquote *f*, Odds *pl; long* ~ geringe Gewinnchancen; take the ~ eine ungleiche Wette eingehen; *The* ~ are ten to one. Die Chancen stehen zehn zu eins. 3. to be at ~ with s.o. over sth mit jdm in etw nicht einig gehen; *(fam)* ~s and ends Kram *m*

ode [əʊd] *sb* Ode *f*

odious ['əʊdɪəs] *adj* 1. *(person)* verhasst; 2. *(task)* widerlich

odour ['əʊdə] *sb* Geruch *m*

oestrogen ['iːstrədʒən] *sb BIO* Östrogen *n*

of [ɒv, əv] *prep* 1. von, *(or genitive case); He died ~ cancer.* Er starb an Krebs. to be afraid ~ Angst haben vor; *I am proud ~ him.* Ich bin stolz auf ihn. today ~ all days ausgerechnet heute; free ~ charge kostenlos; a lad ~ eleven ein elfjähriger Knabe; that fool ~ a man dieser blöde Mensch; the city ~ Munich die Stadt München; ~ assistance hilfreich; there were four ~ us wir waren zur viert; one ~ the best einer der Besten; *What ~ it?* Ja und? 2. *(~ a certain material)* aus

off [ɒf] *prep* 1. von; ~ the map nicht auf der Karte; fall ~ a horse vom Pferd fallen; *The house is* ~ the road. Das Haus liegt abseits der Straße. *adv* 2. *(distant)* entfernt, weg; *Christmas is a week* ~. Bis Weihnachten ist es eine Woche. a long way ~ weit weg; 3. *(on one's way)* dash ~ losrennen; *Off we go!* Los! *Off with you!* Fort mit dir! *Where are you ~ to?* Wo gehst du hin? 4. *(removal)* have one's pants ~ die Hosen ausgezogen haben; 5. *(discount)* take ten percent ~ the price zehn Prozent vom Preis abziehen; 6. *(not at work)* frei; take a day ~ sich einen Tag freinehmen; 7. on and ~ mit Unterbrechungen; *adj* 8. *(substandard)* schlecht; 9. *(spoiled, no longer edible)* GAST verdorben, schlecht; 10. *(cancelled)* abgesagt, *(deal)* abgeblasen *(fam)*, *(engagement)* gelöst; 11. *(not activated: switch, machine)* aus, *(tap)* zu; 12. *(deactivated)* ausgeschaltet, *(gas, water)* abgestellt; 13. to be well ~ gut gestellt sein

off-duty [ɒf'djuːtɪ] *adj* dienstfrei

offence [ə'fens] *sb* 1. *JUR* Straftat *f*, Delikt *n; first* ~ erste Straftat; 2. *(affront, insult)* Anstoß *m*, Ärgernis *n*, Beleidigung *f; No* ~

(meant)! Nichts für Ungut! take ~ at sth wegen etw beleidigt sein; *an ~ against good taste* eine Beleidigung des guten Geschmacks; 3. *MIL, SPORT* Angriff *m*

offend [ə'fend] *v* 1. *(s.o.)* beleidigen, kränken, verletzen; *to be ~ed by sth* sich durch etw beleidigt fühlen

offense *sb* (US: see "offence")

offensive [ə'fensɪv] *adj* 1. *(smell)* übel, widerlich, ekelhaft; 2. *(film, book, gesture, language)* anstößig, beleidigend; 3. *(attacking)* angreifend, offensiv, Angriffs...; *sb* 4. Offensive *f*, Angriff *m*; *take the ~* in die Offensive gehen

offer ['ɒfə] *v* 1. anbieten, etw zu anbieten, etw zu tun/ sich bereit erklären, etw zu tun; *~ one's hand* jdm die Hand reichen; 2. *(an apology, an opinion)* äußern; 3. *(a view, a price)* bieten; *~ resistance* Widerstand leisten; 4. *(prayers, sacrifice)* darbringen; *sb* 5. Angebot *n*

offering ['ɒfərɪŋ] *sb* 1. Spende *f*; 2. *(to God)* Opfer *n*; 3. *(fam: play, book)* Vorstellung *f*

office ['ɒfɪs] *sb* 1. Büro *n*; *(lawyer's)* Kanzlei *f*; 2. *(public position)* Amt *n*; *take ~* sein Amt antreten; *in ~* im Amt; *hold ~* im Amt sein; 3. *(department)* Abteilung *f*; 4. *(department of the government)* Behörde *f*, Amt *n*; 5. *(one location of a business)* Geschäftsstelle *f*; 6. *good ~s* gute Dienste

officer ['ɒfɪsə] *sb* 1. *(official)* Beamter/Beamtin *m/f*, Funktionär *m*; 2. *(of a club)* Vorstandsmitglied *n*; 3. *(police ~)* Polizist *m*, Polizeibeamte(r) *m*; *yes, ~* jawohl, Herr Wachtmeister; 4. *MIL* Offizier *m*

official [ə'fɪʃəl] *adj* 1. offiziell, amtlich; *sb* 2. Beamter/Beamtin *m/f*, Funktionär/Funktionärin *m/f*; 3. *SPORT* Schiedsrichter *m*

off-licence ['ɒflaɪsəns] *sb* (UK) Wein- und Spirituosenhandlung *f*

off-limits [ɒf 'lɪmɪts] *adj* mit Zugangsbeschränkung

off-load ['ɒfləʊd] *v* ausladen, abladen

off-peak hours ['ɒfpiːk 'aʊəz] *pl* verkehrsschwache Stunden *pl*

off-putting ['ɒfpʊtɪŋ] *adj* abstoßend, abweisend, wenig einladend

off season ['ɒfsiːzn] *sb (in tourism)* Nebensaison *f*

offset ['ɒfset] *v irr* 1. ausgleichen; *(make up for)* aufwiegen; *sb* 2. *(printing)* Offsetdruck *m*; 3. *ECO* Ausgleich *m*

offshoot ['ɒfʃuːt] *sb* 1. *(of a plant)* Ausläufer *m*, Ableger *m*; *(of a tree)* Schössling *m*;

2. *(fig) (of a discussion)* Randergebnis *n*; *(of a family tree)* Nebenlinie *f*

offside [ɒf'saɪd] *adv* SPORT abseits; *to be ~* abseits stehen

offspring ['ɒfsprɪŋ] *pl* Nachkommen *pl*

often ['ɒfən] *adv* oft, häufig, oftmals; *more ~ than not* meistens; *every so ~* von Zeit zu Zeit

ogle ['əʊgl] *v* liebäugeln mit

oil [ɔɪl] *v* 1. ölen, schmieren; *sb* 2. Öl *n*; *pour ~ on the flames (fig)* Öl ins Feuer gießen; *burn the midnight ~ (fam)* (beim Lernen) lange aufbleiben; *strike ~* Erdöl finden, auf Öl stoßen; *(fig)* einen guten Fund machen

oil painting *sb* 1. *(picture)* Ölgemälde *n*; 2. *(activity)* Ölmalerei *f*

oily ['ɔɪli] *adj* fettig, ölig

ointment ['ɔɪntmənt] *sb* Salbe *f*; *a fly in the ~* ein Haar in der Suppe

OK ['əʊ'keɪ] *interj* 1. okay *(fam)*; *adj* 2. in Ordnung, *(fam)* okay; *That's ~.* Das geht in Ordnung. *v* 3. *(approve)* genehmigen, gutheißen; *sb* 4. *(approval)* Zustimmung *f*, Genehmigung *f*

okay ['əʊ'keɪ] *(see "OK")*

old [əʊld] *adj* alt; *three-year-~* *(child)* Dreijährige(r) *m*; *any ~ thing* irgendwas; *grow ~* alt werden

old age pensioner [əʊld eɪdʒ 'penʃənə] *sb* Rentner *m*

old-established [əʊld ɪs'tæblɪʃd] *adj* alteingesessen, alt

old-fashioned [əʊld'fæʃənd] *adj* altmodisch

old hand [əʊld hænd] *sb (fam)* erfahrener Mensch *m*, Veteran *m*

old hat [əʊld hæt] *adj to be ~* ein alter Hut sein

old-timer ['əʊldtaɪmə] *sb (fam)* Oldtimer *m*

old wives' tale [əʊld'waɪvzteɪl] *sb* Ammenmärchen *n*

olive ['ɒlɪv] *sb* 1. Olive *f*; 2. *(colour)* Olive *n*

olive oil ['ɒlɪv ɔɪl] *sb* GAST Olivenöl *n*

omelette ['ɒmlɪt] *sb* GAST Omelett *n*; *You can't make an ~ without breaking eggs. (fig)* Wo gehobelt wird, da fallen Späne.

omen ['əʊmən] *sb* Omen *n*, Zeichen *n*

omission [əʊ'mɪʃən] *sb* 1. *(omitting)* Auslassen *n*; 2. *(thing left out)* Auslassung *f*; 3. *(failure to do sth)* Unterlassung *f*; *sin of ~* Unterlassungssünde *f*

omit [əʊ'mɪt] *v* 1. auslassen; 2. *(not do sth)* es unterlassen, es versäumen

omnipotent [ɒm'nɪpətənt] *adj* allmächtig

omnivore ['ɒmnɪvɔ:] *sb BIO* Allesfresser *m*
omnivorous [ɒm'nɪvərəs] *adj* alles fressend

on [ɒn] *prep* 1. auf, an; *a ring ~ her finger* ein Ring am Finger; *~ earth* auf Erden; *~ my left* links von mir; *~ TV* im Fernsehen; *I have no money ~ me.* Ich habe kein Geld bei mir. *~ foot* zu Fuß; *live ~ sth* von etw leben; *to be ~ a pill* eine Pille ständig nehmen; *to be ~ drugs* Drogen nehmen; *What's ~ TV tonight?* Was kommt heute Abend im Fernsehen? *throw sth ~ the floor* etw zu Boden werfen; *This is ~ me.* (fam: *I'll pay for this.*) Das geht auf meine Rechnung. *He had a scar ~ his face.* Er hatte eine Narbe im Gesicht. 2. (a certain day) an; *~ Wednesday* Mittwoch, am Mittwoch; *~ Wednesdays* mittwochs; 3. (about, ~ the subject of) über; *a book ~ Romy Schneider* ein Buch über Romy Schneider

once [wʌns] *adv* 1. (one time) einmal; *~ and for all* ein für alle Mal; *not ~* kein einziges Mal; *for ~* dieses eine Mal, ausnahmsweise; *~ again, ~ more* noch einmal, erneut; *~ in a while* nun und wieder, ab und zu mal; 2. (in the past) einmal; *~ upon a time there was ...* es war einmal ... 3. *at ~* (right away) sofort, auf der Stelle, gleich; 4. *at ~* (at the same time) auf einmal, gleichzeitig; *konj* 5. sobald, wenn

once-over [wʌns'əʊvər] *sb* 1. *give sth the ~* (appraise sth) etw kurz mustern; 2. *give sth the ~* (clean sth) *Just give it the ~.* Wisch es bloß mal schnell ab.

one [wʌn] *num* 1. eins; *~ and a half* eineinhalb, anderthalb; *; adj* 2. ein/eine; *~ hundred* einhundert; *~ or two* ein paar, einige; *for ~ thing* zunächst einmal; 3. (indefinite) *~ day* eines Tages; *~ of these days* irgendwann mal; *~ Robert Best* ein gewisser Robert Best; 4. (sole) *the ~ way of doing it* die einzige Möglichkeit, es zu tun; *No ~ man could do it.* Niemand konnte es allein tun. *the ~ and only James Brown* der unvergleichliche James Brown; *~ thought* sein einziger Gedanke; *go s.o. ~ better* es besser machen als jmd; *to be ~ up on s.o.* jdm um eine Nasenlänge voraus sein; 5. *not ~ ...* kein Einziger/keine Einzige/kein Einziges ...; *pron* 6. eine(r,s); *the little ~* der/die/das kleine; *He is ~ of us.* Er ist einer von uns. *the last but ~* der Vorletzte; 7. *~ after the other, ~ by ~* einer nach dem Anderen, einzeln; 8. *~ another* einander, sich; 9. *the ~ who ...* der, der.../die, die.../das, das..., derjenige, der.../diejenige, die.../dasjenige, das...

one-night stand [wʌnnaɪt'stænd] *sb* 1. *THEAT* einmaliges Gastspiel *n*; 2. (fam: *sexual*) erotische Beziehung, die nur eine Nacht dauert

oneself [wʌn'self] *pron* 1. sich; (personally) sich selbst; 2. *by ~* aus eigener Kraft, von selbst; (alone) allein

one-to-one [wʌn tu: wʌn] *adj* eins-zueins, sich genau entsprechend

one-track ['wʌntræk] *adj* eingleisig; *He has a ~ mind.* Er hat immer nur dasselbe im Kopf.

one-way street ['wʌnweɪ'stri:t] *sb* Einbahnstraße *f*

one-way ticket [wʌnweɪ'tɪkɪt] *sb* (US) Hinfahrkarte *f*, einfache Fahrkarte *f*

onion ['ʌnjən] *sb* Zwiebel *f*

only ['əʊnlɪ] *adv* 1. nur, bloß; *It's ~ three o'clock.* Es ist erst drei Uhr. *not ~ ... but also ...* nicht nur ..., sondern auch ...; *if ~* wenn nur; *~ just* gerade, kaum; *~ yesterday* erst gestern; *adj* 2. einzige(r,s); *an ~ child* ein Einzelkind *n*

onshore ['ɒnʃɔ:] *adj* Land-

onto ['ɒntʊ] *prep auf; to be ~ sth* hinter etw gekommen sein

onward ['ɒnwəd] *adv* 1. vorwärts, weiter; *adj* 2. vorwärts schreitend, fortschreitend

oops [u:ps] *interj* hoppla

ooze [u:z] *v* 1. sickern; *~ charm* (fig) vor Liebenswürdigkeit triefen; *~ out* heraussickern, herausquellen; *sb* 2. (mud) Schlamm *m*

open ['əʊpən] *v* 1. sich öffnen, aufgehen; 2. *~ on to* gehen auf, führen auf; 3. (shop) aufmachen, öffnen; 4. (sth) öffnen, aufmachen; 5. (a book, a newspaper) aufschlagen; 6. (start) beginnen; (a card game) eröffnen; 7. (trial, exhibition, new business) eröffnen; *adj* 8. offen, auf, geöffnet; *~ to the public* für die Öffentlichkeit zugänglich; *The job is still ~.* Die Stelle ist noch frei. *in the ~* im Freien; *to be ~ to suggestions* Vorschlägen gegenüber offen sein; *~ to question* anfechtbar; 9. (frank) offen, aufrichtig; 10. (unguarded) *SPORT* frei; *His teammate was wide ~.* Sein Mitspieler war völlig frei. *sb* 11. *bring sth into the ~* etw ans Licht bringen; *come into the ~* Farbe bekennen

• **open up** *v* 1. sich öffnen; *Open up!* Aufmachen! 2. (fig: opportunities) sich eröffnen; 3. (sth) erschließen; 4. (unlock) aufschließen; 5. (begin firing) das Feuer eröffnen, schießen; 6. (become familiar) auftauen; 7. (disclose information) gesprächiger werden; 8. (increase speed) beschleunigen, schneller werden

open-air ['əʊpənɛə] *adj* Freilicht..., Freiluft..., Frei...

open day ['əʊpən deɪ] *sb* Tag der offenen Tür *m*

open-hearted ['əʊpənhɑːtɪd] *adj* offen

open-minded [əʊpən'maɪndɪd] *adj* aufgeschlossen, vorurteilslos

opera ['ɒpərə] *sb* Oper *f*

opera house ['ɒpərə haʊs] *sb* MUS Opernhaus *n*

operate ['ɒpəreɪt] *v* 1. *(carry on one's business)* operieren; 2. *(machine)* funktionieren, in Betrieb sein; 3. *(system, organization)* arbeiten; 4. MED operieren; 5. *(manage)* betreiben, führen; *(a machine)* TECH bedienen; *(a brake, a lever)* betätigen

operating ['ɒpəreɪtɪŋ] *adj* ECO Betriebs..., MED Operations...

operating room ['ɒpəreɪtɪŋ ruːm] *sb* Operationssaal *m*

operation [ɒpə'reɪʃən] *sb* 1. *(control)* TECH Bedienung *f*, Betätigung *f*; 2. *(running)* Betrieb *m*; *put out of ~* außer Betrieb setzen; 3. *(enterprise)* Unternehmen *n*, Unternehmung *f*, Operation *f*; 4. MIL Operation *f*; 5. MED Operation *f*

operational [ɒpə'reɪʃənəl] *adj* 1. *(in use)* in Betrieb, im Gebrauch, MIL im Einsatz; 2. *(ready for use)* betriebsbereit, einsatzfähig; 3. *(pertaining to operations)* ECO Betriebs..., MIL Einsatz...

operator ['ɒpəreɪtə] *sb* 1. TEL Vermittlung *f*, Dame/Herr von der Vermittlung *f/m*; 2. *(company)* Unternehmer *m*; 3. *(of a machine)* Bedienungsperson *f*, Arbeiter *m*, *(of a lift, of a vehicle)* Führer *m*; 4. *(fam)* Kerl *m*; *a slick ~* ein gerissener Bursche

operetta [ɒpə'retə] *sb* Operette *f*

opinion [ə'pɪnjən] *sb* 1. Meinung *f*, Ansicht *f*; *matter of ~* Ansichtssache *f*; *public ~* die öffentliche Meinung; *have a high ~ of* viel halten von; *in my ~* meiner Meinung nach, meines Erachtens, meiner Ansicht nach; 2. *(professional advice)* Gutachten *n*; *get a second ~ MED* einen zweiten Befund einholen

opinion poll [ə'pɪnjən pəʊl] *sb* Meinungsumfrage *f*

opponent [ə'pəʊnənt] *sb* 1. Gegner *m*, Opponent *m*; 2. *(one player)* SPORT Gegenspieler *m*

opportunistic [ɒpətjuː'nɪstɪk] *adj* opportunistisch

opportunity [ɒpə'tjuːnɪtɪ] *sb* Gelegenheit *f*, Möglichkeit *f*, Chance *f*

oppose [ə'pəʊz] *v* 1. *(sth)* sich widersetzen, bekämpfen; 2. *(contrast)* gegenüberstellen

opposite ['ɒpəzɪt] *adj* 1. *(contrary)* entgegengesetzt; *the ~ sex* das andere Geschlecht *n*; 2. *(facing)* gegenüberstehend, gegenüberliegend; *adv* 3. gegenüber, auf der anderen Seite; *prep* 4. gegenüber; 5. *play ~ s.o.* THEAT als Partner von jdm spielen; *sb* 6. Gegenteil *n*

opposition [ɒpə'zɪʃən] *sb* 1. Widerstand *m*, Opposition *f*; 2. *(those resisting)* Opposition *f*; 3. *(contrast)* Gegensatz *m*

oppress [ə'pres] *v* 1. unterdrücken, tyrannisieren; 2. *(weigh down)* bedrücken

oppression [ə'preʃən] *sb* 1. Unterdrückung *f*, Tyrannisierung *f*; 2. *(depression)* Bedrängnis *f*, Bedrücktheit *f*

oppressive [ə'presɪv] *adj* 1. tyrannisch, hart; 2. *(fig)* drückend, bedrückend; *(heat)* schwül

opt [ɒpt] *v ~ for* sich entscheiden für

opthalmology [ɒfθæl'mɒlədʒɪ] *sb* Ophtalmologie *f*, Augenheilkunde *f*

optical illusion ['ɒptɪkl ɪ'luːʒən] *sb* optische Täuschung *f*

optician [ɒp'tɪʃən] *sb* Optiker *m*

optimal ['ɒptɪməl] *adj* optimal

optimist ['ɒptɪmɪst] *sb* Optimist *m*

optimistic [ɒptɪ'mɪstɪk] *adj* optimistisch

option ['ɒpʃən] *sb* 1. Wahl *f*; 2. *(one possible course of action)* Möglichkeit *f*

optional ['ɒpʃənəl] *adj* 1. freiwillig; 2. *(accessory)* auf Wunsch erhältlich

optometrist [ɒp'tɒmətrɪst] *sb (US)* Optiker *m*

opt-out ['ɒptaʊt] *sb (in television)* Regionalfenster *n*

or [ɔː] *konj* oder; *He can't read ~ write.* Er kann weder lesen noch schreiben. *in four ~ five days* in vier bis fünf Tagen

oral ['ɔːrəl] *adj* 1. *(verbal)* mündlich; 2. MED oral, Mund...

orange ['ɒrɪndʒ] *sb* 1. Orange *f*, Apfelsine *f*; 2. *(colour)* Orange *n*; *adj* 3. orange

orator ['ɒrətə] *sb* Redner *m*

oratory ['ɒrətəri] *sb* Redekunst *f*

orbit ['ɔːbɪt] *v* 1. kreisen; 2. *(sth)* umkreisen; *sb* 3. *(path)* ASTR Umlaufbahn *f*, Kreisbahn *f*; 4. *(one circuit)* ASTR Umkreisung *f*; 5. *(fig: sphere of influence)* Einflusssphäre *f*

ordeal [ɔː'diːl] *sb* Tortur *f*, Martyrium *n*; *(emotional ~)* Qual *f*, Feuerprobe *f*

order ['ɔːdə] *v* 1. *(place an ~)* bestellen; 2. *(place an ~ for)* bestellen, *(~ to be manufactured)* in Auftrag geben; 3. *(command)* befeh-

len, anordnen; ~ *in* hereinkommen lassen; **4.** *(arrange)* ordnen; *sb* **5.** *(sequence)* Reihenfolge *f*, Folge *f*, Ordnung *f*; *in ~ of priority* je nach Dringlichkeit; **6.** *(proper state)* Ordnung *f*; *put sth in ~* etw in Ordnung bringen; *law and ~* Ruhe und Ordnung; **7.** *(working condition)* Zustand *m*; *to be out of ~* nicht funktionieren, außer Betrieb sein; **8.** *(command)* Befehl *m*, Anordnung *f*; *to be under ~s to do sth* Befehl haben, etw zu tun; *by ~ of* auf Befehl von, im Auftrag von; **9.** *in ~ to* um ... zu; **10.** *(procedure at a meeting)* a point of ~ eine Verfahrensfrage; *call the meeting to ~* die Versammlung zur Ordnung rufen; *to be the ~ of the day (fig)* an der Tagesordnung sein; **11.** *(for goods, in a restaurant)* Bestellung *f*, *(to have sth made)* Auftrag *m*; *make to ~* auf Bestellung anfertigen; **12.** *(honour)* Orden *m*
order form ['ɔːdəfɔːm] *sb* Bestellschein *m*
ordinal number ['ɔːdɪnəl 'nʌmbə] *sb* Ordnungszahl *f*
ordinarily ['ɔːdnrɪlɪ] *adv* normalerweise, gewöhnlich
ordinary ['ɔːdɪnərɪ] *adj* **1.** gewöhnlich, normal, üblich; *sb* **2.** *out of the ~* außergewöhnlich
organ ['ɔːgən] *sb* **1.** ANAT Organ *n*; **2.** MUS Orgel *f*
organ donor ['ɔːgəndəʊnə] *sb* Organspender *m*
organic [ɔːˈgænɪk] *adj* organisch
organization [ɔːgənaɪˈzeɪʃən] *sb* Organisation *f*
organizer ['ɔːgənaɪzə] *sb* Organisator *m*; *(of an event)* Veranstalter *m*
orientate ['ɔːrɪənteɪt] *v* ~ o.s. sich orientieren
orientation [ɔːrɪənˈteɪʃən] *sb* **1.** Orientierung *f*; **2.** *(for newcomers)* Einführung *f*
origin ['ɒrɪdʒɪn] *sb* **1.** Ursprung *m*, Herkunft *f*; **2.** *(of a person)* Herkunft *f*; **3.** *(source)* Quelle *f*
original [əˈrɪdʒɪnl] *adj* **1.** ursprünglich; **2.** *(version)* original; **3.** *(creative)* originell; *sb* **4.** Original *n*
originality [ərɪdʒɪˈnælɪtɪ] *sb* Originalität *f*
originate [əˈrɪdʒɪneɪt] *v* **1.** ~ *from* entstehen aus, seinen Ursprung haben in; **2.** *(sth)* hervorbringen, erzeugen, verursachen
ornament ['ɔːnəmənt] *sb* **1.** Ornament *n*; **2.** *(fig: person)* Zierde *f*
ornamental [ɔːnəˈmentl] *adj* schmückend, Zier...
orphan ['ɔːfən] *sb* Waise *f*, Waisenkind *n*

orphanage ['ɔːfənɪdʒ] *sb* Waisenhaus *n*
orthodontist [ɔːθəˈdɒntɪst] *sb* MED Kieferorthopäde *m*
orthodox ['ɔːθədɒks] *adj* orthodox
orthopaedic [ɔːθəʊˈpiːdɪk] *adj* orthopädisch
Oscar-winning ['ɒskəwɪnɪŋ] *sb* CINE mit einem Oscar ausgezeichnet
ostensible [ɒsˈtensəbl] *adj* vorgeblich; *(alleged)* angeblich
ostentation [ɒstenˈteɪsən] *sb* Protzigkeit *f*
ostentatious [ɒstenˈteɪʃəs] *adj* protzig
other ['ʌðə] *adj* **1.** andere(r,s); ~ *than* auger; *none ~ than* kein anderer als; *some ... or ~* irgendein ...; *one ~ person* eine weitere Person; *the ~ day* neulich; **2.** *every ~ (alternate)* jede(r,s) zweite; *pron* **3.** andere(r,s)
otherwise ['ʌðəwaɪz] *konj* **1.** sonst, andernfalls; *adv* **2.** *(differently)* anders; *(in other respects)* sonst
otter ['ɒtə] *sb* ZOOL Otter *m*
our [aʊə] *adj* unser
ourselves [aʊəˈselvz] *pron* **1.** uns; **2.** *(for emphasis)* selbst
out [aʊt] *adv* **1.** außen; *(~ of doors)* draußen; *have it ~ with s.o. (fig)* die Sache mit jdm ausfechten; *hear s.o.* ~ jdn bis zum Ende anhören; ~ *to do sth* darauf aus, etw zu tun; *two ~ of three* zwei von drei; **2.** *(indicating motion seen from outside)* heraus, raus (fam); **3.** *(indicating motion seen from inside)* hinaus, (fam) raus; *on the way* ~ beim Hinausgehen; **4.** *to be* ~ *(not present)* weg sein, nicht da sein; *She's* ~ *shopping.* Sie ist zum Einkaufen gegangen. ~ *and about* unterwegs; **5.** *(fire, school, ~ of bounds)* aus; **6.** *(~ of fashion) (fam)* out, passee; **7.** *(not permissible)* ausgeschlossen; **8.** *(fam: unconscious)* weg, bewusstlos; *pass ~* ohnmächtig werden; *prep* **9.** aus; *v* **10.** *(fam: reveal s.o. is gay)* outen (fam)
outback ['aʊtbæk] *sb (Australian ~)* GEO das Hinterland *n*
outbreak ['aʊtbreɪk] *sb* Ausbruch *m*
outburst ['aʊtbɜːst] *sb* Ausbruch *m*
outcast ['aʊtkɑːst] *sb (person)* Ausgestoßene(r) *m/f*
outcry ['aʊtkraɪ] *sb* Aufschrei *m*, *(public ~)* Protestwelle *f*
outdated [aʊtˈdeɪtɪd] *adj* überholt
outdo [aʊtˈduː] *v irr* übertreffen
outdoor ['aʊtdɔː] *adj* Außen..., draußen, Freiluft...
outdoors [aʊtˈdɔːz] *adv* draußen, im Freien

outer space [ˌaʊtəˈspeɪs] *sb ASTR* der Weltraum *m*

outfit [ˈaʊtfɪt] *v* 1. ausrüsten, ausstatten; *sb* 2. *(equipment)* Ausrüstung *f*, Ausstattung *f*; 3. *(uniform)* Uniform *f*; 4. *(clothing ensemble)* Ensemble *n*; 5. *(fam: organization)* Verein *m*, Laden *m*

outgoing [aʊtˈgəʊɪŋ] *adj* 1. abgehend; *(tenant)* ausziehend; *(government)* abtretend; 2. *(personality)* kontaktfreudig

outgrow [aʊtˈgrəʊ] *v irr* 1. herauswachsen aus; 2. *(a habit)* ablegen

outhouse [ˈaʊthaʊs] *sb* 1. Seitengebäude *n*; 2. *(US: toilet)* Außenabort *m*

outlaw [ˈaʊtlɔː] *v* 1. für ungesetzlich erklären, verbieten; *sb* 2. Verbrecher *m*

outlet [ˈaʊtlet] *sb* 1. *(electrical ~)* Steckdose *f*; 2. *(for water)* Abfluss *m*; 3. *(for gas)* Abzug *m*; 4. *(for goods)* ECO Absatzmöglichkeit *f*; 5. *(shop)* Verkaufsstelle *f*; 6. *(fig: for emotions)* Ventil *n*

outlive [aʊtˈlɪv] *v* überleben

outlook [ˈaʊtlʊk] *sb* 1. *(view)* Aussicht *f*, Ausblick *m*, Blick *m*; 2. *(attitude)* Einstellung *f*, Anschauung *f*; 3. *(prospects)* Aussichten *pl*

outlying [ˈaʊtlaɪɪŋ] *adj* *(outside of town)* umliegend

out-of-doors [aʊtəvˈdɔːz] *adv* im Freien, draußen

out-of-pocket [aʊtəvˈpɒkɪt] *adj* Bar-...

out-of-the-way [ˈaʊtəvðəweɪ] *adj* abgelegen, versteckt

output [ˈaʊtpʊt] *sb* 1. Produktion *f*; 2. INFORM Output *m*

outrage [aʊtˈreɪdʒ] *v* 1. *(s.o.)* empören, entrüsten, schockieren; 2. *(sense of decency)* verletzen, beleidigen; [ˈaʊtreɪdʒ] *sb* 3. *(feeling of ~)* Empörung *f*, Entrüstung *f*; 4. *(scandalous thing, indecent thing)* Skandal *m*; 5. *(atrocity)* Gräueltat *f*

outrageous [aʊtˈreɪdʒəs] *adj* 1. unerhört, empörend; *(demand)* unverschämt; 2. *(attire)* ausgefallen; 3. *(cruel)* gräulich

outright [ˈaʊtraɪt] *adj* 1. völlig, gänzlich, total; *adv* 2. glatt; *(at once)* sofort

outside [ˈaʊtˈsaɪd] *adv* 1. außen; *(of a house, of a vehicle)* draußen; *prep* 2. außerhalb; 3. *(apart from)* außer; *adj* 4. Außen-..., äußere(r,s); *an ~ chance* eine kleine Chance; *sb* 5. das Äußere *n*, Außenseite *f*; *at the ~* äußerstenfalls

outsider [aʊtˈsaɪdə] *sb* Außenseiter *m*

outsource [aʊtˈsɔːs] *v* ECO an Fremdfirmen vergeben

outsourcing [ˈaʊtsɔːsɪŋ] *sb* ECO Fremdvergabe *f*

outspoken [aʊtˈspəʊkən] *adj* freimütig

outstanding [aʊtˈstændɪŋ] *adj* 1. hervorragend, außerordentlich, überragend; 2. *(not yet paid)* ECO ausstehend; 3. *(not yet done)* unerledigt

outward [ˈaʊtwəd] *adv* 1. nach außen, auswärts; *adj* 2. *(outer)* äußere(r,s); *(beauty)* äußerlich; 3. *(traffic)* nach außen gerichtet, nach außen führend, Aus...

outwit [aʊtˈwɪt] *v* überlisten

oval [ˈəʊvəl] *adj* oval

oven [ˈʌvn] *sb* 1. GAST Backofen *m*; 2. TECH Ofen *m*

over [ˈəʊvə] *prep* 1. über; *hit s.o. ~ the head* jdm auf den Kopf schlagen; *~ the phone* am Telefon; *~ and above* zusätzlich; 2. *(during)* während; *~ the weekend* übers Wochenende; *adv* 3. *(on the other side)* drüben; *~ there* da drüben; 4. *(across: away from the speaker)* hinüber; *(toward the speaker)* herüber; 5. *come ~* vorbeikommen; 6. *(again)* wieder, nochmals; *~ and ~* immer wieder; 7. *(ended)* zu Ende, vorbei; *~ and done with* aus und vorbei; 8. *(left ~)* übrig; 9. *all ~ (everywhere)* überall; *from all ~ Europe* aus ganz Europa; 10. *turn sth ~* etw herumdrehen; *fall ~* umfallen; *bend ~* sich nach vorn beugen

overage [ˈəʊvərɪdʒ] *sb* 1. Überschuss *m*; [əʊvərˈeɪdʒ] *adj* 2. zu alt

overall [ˈəʊvərɔːl] *adj* 1. *(general)* allgemein; 2. gesamt, Gesamt...; *adv* 3. insgesamt; *(on the whole)* im Großen und Ganzen; [ˈəʊvərɔːl] *sb* 4. *(UK)* Kittel *m*

overalls [ˈəʊvərɔːlz] *pl* Overall *m*

overbalance [əʊvəˈbæləns] *v* 1. aus dem Gleichgewicht kommen, das Gleichgewicht verlieren; 2. *(~ sth)* aus dem Gleichgewicht bringen, umwerfen, umstoßen

overbearing [əʊvəˈbeərɪŋ] *adj* anmaßend, herrisch

overboard [ˈəʊvəbɔːd] *adv* NAUT über Bord

overcharge [əʊvəˈtʃɑːdʒ] *v* *(s.o.)* zu viel berechnen

overcompensate [əʊvəˈkɒmpənseɪt] *v* *~ for sth* etw überkompensieren

overcrowded [əʊvəˈkraʊdɪd] *adj* 1. überfüllt; 2. *(overpopulated)* überbevölkert

overdo [əʊvəˈduː] *v irr* übertreiben

overdose [ˈəʊvədəʊs] *sb* Überdosis *f*

overdress [əʊvəˈdres] *v* sich zu elegant kleiden

overeat [əʊvər'iːt] v irr zu viel essen, sich überessen

overestimate [əʊvər'estɪmeɪt] v überschätzen, überbewerten

overexposed [əʊvərɪk'spəʊzd] adj FOTO überbelichtet

overflow [əʊvə'fləʊ] v 1. überlaufen, überfließen; (fig) überquellen; 2. (sth) überschwemmen; ['əʊvəfləʊ] sb 3. (outlet) Überlauf m; 4. (fig: excess) Überschuss m; 5. (overflowing) Überfließen n

overgrown [əʊvə'grəʊn] adj überwachsen; (too big) übermäßig gewachsen

overhead [əʊvə'hed] adv 1. oben; ['əʊvəhed] sb 2. ECO Gemeinkosten pl, allgemeine Unkosten pl

overhead projector ['əʊvəhed prə'dʒektə] sb Tageslichtschreiber m

overhear [əʊvə'hɪə] v irr belauschen, zufällig mit anhören

overjoyed [əʊvə'dʒɔɪd] adj überglücklich, äußerst erfreut

overkill ['əʊvəkɪl] sb (fig) Zuviel n

overland [əʊvə'lænd] adv auf dem Landweg, über Land

overlap [əʊvə'læp] v 1. sich überschneiden, sich teilweise decken; ['əʊvəlæp] sb 2. Überschneidung f

overload [əʊvə'ləʊd] v 1. überladen; (with electricity) überlasten; ['əʊvələʊd] sb 2. Überbelastung f, (electricity) Überlastung f

overlook [əʊvə'lʊk] v 1. (not notice) übersehen, nicht bemerken; 2. (ignore) hinwegsehen über; 3. (have a view of) überblicken

overlord ['əʊvəlɔːd] sb Oberherr m

overnight [əʊvə'naɪt] adv 1. über Nacht; adj 2. Nacht..., Übernachtungs...

overpay [əʊvə'peɪ] v irr überbezahlen

overplay [əʊvə'pleɪ] v 1. überzogen darstellen; 2. ~ one's hand sich überschätzen, sich zu viel zumuten

overpowering [əʊvə'paʊərɪŋ] adj 1. überwältigend; 2. (smell) penetrant

overrate [əʊvə'reɪt] v überschätzen, überbewerten

overreact [əʊvərɪ'ækt] v überreagieren

overriding [əʊvə'raɪdɪŋ] adj vorrangig, überwiegend

overrule [əʊvə'ruːl] v 1. ablehnen; 2. (a verdict) aufheben

overrun [əʊvə'rʌn] v irr (invade) einfallen in; (an enemy position) überrennen

overseas [əʊvə'siːz] adv 1. nach Übersee, in Übersee; adj 2. überseeisch, Übersee...

oversee [əʊvə'siː] v irr beaufsichtigen, überwachen

overside ['əʊvəsaɪd] adj umseitig

oversight ['əʊvəsaɪt] sb Versehen n

oversleep [əʊvə'sliːp] v irr 1. sich verschlafen; 2. (sth) verschlafen

overspend [əʊvə'spend] v irr zu viel ausgeben, overspill Bevölkerungsüberschuss m

overtake [əʊvə'teɪk] v irr 1. (pass) überholen; 2. (catch up to) einholen

overtaking lane [əʊvə'teɪkɪŋ leɪn] sb (UK) Überholspur f

over-the-counter [əʊvəðəkaʊntə] adj nicht rezeptpflichtig

overtime ['əʊvətaɪm] sb 1. Überstunden pl; 2. (US) SPORT Verlängerung f; 3. ~ work ~ Überstunden machen

overweight [əʊvə'weɪt] adj übergewichtig

overwhelm [əʊvə'welm] v 1. überwältigen; 2. (fig: with work, with praise) überhäufen, überschütten

overwork [əʊvə'wɜːk] v 1. (s.o.) überanstrengen; 2. (an idea) überstrapazieren; an ~ed word ein abgedroschenes Wort; 3. ~ o.s. überarbeiten

owe [əʊ] v schulden, schuldig sein; ~ sth to s.o. (have s.o. to thank for sth) jdm etw verdanken; owing to wegen, infolge, dank

owl [aʊl] sb ZOOL Eule f

own¹ [əʊn] v 1. besitzen, haben; 2. (admit) zugeben, zugestehen, (recognize) anerkennen
• **own up** v (admit) zugeben, sich bekennen, gestehen

own² [əʊn] adj 1. eigen; He's his ~ man. Er geht seinen eigenen Weg; pron 2. for reasons of his ~ aus persönlichen Gründen; Those are my ~. Die gehören mir. I have money of my ~. Ich habe eigenes Geld. 3. on one's ~ (without help) selbst, (alone) allein; sb 4. get one's ~ back sich rächen

owner ['əʊnə] sb Besitzer m; (of a house, of a firm) Eigentümer m

ownership ['əʊnəʃɪp] sb Besitz m; under new ~ unter neuer Leitung

oxidize ['ɒksɪdaɪz] v CHEM oxidieren

oxygen ['ɒksɪdʒən] sb Sauerstoff m

oxymoron [ɒksɪ'mɔːrɒn] sb Oxymoron n

oyster ['ɔɪstə] sb ZOOL Auster f

ozone ['əʊzəʊn] sb CHEM Ozon n

ozone-friendly ['əʊzəʊnfrendlɪ] adj die Ozonschicht nicht schädigend

ozone hole ['əʊzəʊn həʊl] sb Ozonloch n

ozone layer ['əʊzəʊnleɪə] sb (over the Earth) Ozonschicht f

P

pace [peɪs] v 1. (stride) schreiten; 2. (measure) mit Schritten ausmessen; sb 3. (step) Schritt m; (of a horse) Gangart f; 4. (speed) Tempo n; set the ~ das Tempo vorgeben; keep ~ with Schritt halten mit

pacemaker ['peɪsmeɪkə] sb MED Herzschrittmacher m

pacer ['peɪsə] sb Schrittmacher m

pacific [pə'sɪfɪk] adj friedlich, friedliebend

pacifier ['pæsɪfaɪə] sb (US: for babies) Schnuller m

pacifist ['pæsɪfɪst] sb 1. Pazifist m; adj 2. pazifistisch

pack [pæk] v 1. packen; send s.o. ~ing jdn fortjagen; 2. (a container) voll packen; 3. (a case) packen; (things into a case) einpacken; 4. (cram) packen; (a container) voll stopfen; 5. (soil) festdrücken; 6. (wrap) einpacken; 7. (fam: carry)(US) tragen, dabei haben; ~ one's lunch sich beim Mittagessen mitnehmen; 8. ~ s.o. off jdn fortschicken; sb 9. Packen m, Ballen m, Bündel n; a ~ of lies ein Haufen Lügen; 10. (packet) Paket n; (US: of cigarettes) Schachtel f; 11. (group) (of wolves) Rudel n; (of submarines) Gruppe f; 12. MED Packung f

package ['pækɪdʒ] v 1. verpacken; 2. (display to best advantage) präsentieren; sb 3. Paket n; 4. ECO Packung f

packaging ['pækɪdʒɪŋ] sb Verpackung f

packet ['pækɪt] sb Paket n, Päckchen n, Schachtel f

pad [pæd] v 1. polstern; (fig: a speech) aufblähen; sb 2. (for comfort) Polster n; 3. (for protection) Schützer m; 4. (with ink) Stempelkissen n; 5. (on an animal's foot) Ballen m; 6. (of paper) Block m; 7. (fam: residence) Bude f

padded ['pædɪd] adj 1. gepolstert; sb 2. a ~ cell eine Gummizelle f

paddle ['pædl] sb 1. Paddel n; v 2. paddeln

paddleboat ['pædlbəʊt] sb Paddelboot n

paddling pool ['pædlɪŋ puːl] sb (UK) Plantschbecken n

paddock ['pædək] sb Koppel f

paediatrician [piːdɪə'trɪʃən] sb Kinderarzt/Kinderärztin m/f, Pädiater m

paediatrics [piːdɪ'ætrɪks] sb Kinderheilkunde f, Pädiatrie f

pagan ['peɪgən] sb Heide/Heidin m/f

page [peɪdʒ] sb 1. (of a book) Seite f; take a ~ out of s.o.'s book es jdm gleichtun, jdn

nachahmen; 2. (messenger) Page m; v 3. ~ s.o. jdn ausrufen lassen

pain [peɪn] sb 1. Schmerz m; (mental torment) Qual f; 2. on ~ of death bei Todesstrafe f; 3. ~s pl Mühe f; take ~s to do sth sich Mühe geben, etw zu tun; v 4. schmerzen

painful ['peɪnfʊl] adj 1. schmerzhaft; 2. (memory) schmerzlich; 3. (fig: embarrassingly bad) peinlich

painkiller ['peɪnkɪlə] sb schmerzstillendes Mittel n

paint [peɪnt] v 1. ART malen; 2. (sth) streichen; sb 3. Farbe f; (on a car) Lack m; (make-up) Schminke f

paintbox ['peɪntbɒks] sb Farbkasten m, Malkasten m

paintbrush ['peɪntbrʌʃ] sb Pinsel m

painter ['peɪntə] sb 1. ART Maler m; 2. (of a house) Anstreicher m

painting ['peɪntɪŋ] sb 1. (picture) Bild n, Gemälde n; 2. (activity) Malerei f

paintwork ['peɪntwɜːk] sb Lack m, Anstrich m

pair [peə] sb 1. Paar n; v 2. paarweise anordnen

paisley ['peɪzlɪ] adj türkisch gemustert

pajamas [pə'dʒɑːməz] pl (US) Pyjama m, Schlafanzug m

pal [pæl] sb Kumpel m (fam), Freund m

palace ['pælɪs] sb Palast m

palate ['pælɪt] sb ANAT Gaumen m

palatial [pə'leɪʃəl] adj palastartig, Palast...

pale [peɪl] adj blass, bleich, fahl

paleface ['peɪlfeɪs] sb Bleichgesicht n

paleness ['peɪlnɪs] sb Blässe f, Farblosigkeit f

palette ['pælɪt] sb ART Palette f

palindrome ['pælɪndrəʊm] sb LING Palindrom n

pall [pɔːl] sb 1. Leichentuch n; 2. (fig) trostlose Stimmung f, Trauerstimmung f

pallet ['pælɪt] sb (for shipping, for storage) TECH Palette f

pallor ['pælə] sb Blässe f

palm¹ [pɑːm] sb 1. ANAT Handfläche f, Handteller m; cross s.o.'s ~ with silver jdm Geld geben (für eine Gefälligkeit); v 2. ~ off (sth) andrehen; 3. (s.o., with an explanation) abspeisen

palm² [pɑːm] sb BOT Palme f

palpable ['pælpəbl] *adj* greifbar
palpitation [pælpɪ'teɪʃən] *sb* MED Herzklopfen *n*
pamper ['pæmpə] *v* verwöhnen
pan [pæn] *sb* 1. Pfanne *f;* *v* 2. (US: criticize) verreißen; 3. (camera) CINE schwenken
pancake ['pænkeɪk] *sb* GAST Pfannkuchen *m*
pandemonium [pændɪ'məʊnɪəm] *n* Chaos *n*
pane [peɪn] *sb* Glasscheibe *f;* window ~ Fensterscheibe *f*
panel ['pænl] *sb* 1. (wood) Holztafel *f;* (glass) Glasscheibe *f;* (in a door) Türfüllung *f;* 2. (of switches) TECH Schalttafel *f,* Kontrolltafel *f;* (of a car) Armaturenbrett *n;* 3. (of experts, of interviewers) Gremium *n;* *v* 4. täfeln
panel discussion ['pænldɪskʌʃən] *sb* Podiumsdiskussion *f*
panelling ['pænlɪŋ] *sb* Täfelung *f*
panellist ['pænəlɪst] *sb* Diskussionsteilnehmer *m*
pang [pæŋ] *sb* Stich *m*
panic ['pænɪk] *v* 1. in Panik geraten; *sb* 2. Panik *f*
panicky ['pænɪkɪ] *adj* überängstlich, nervös
panic-stricken ['pænɪkstrɪkən] *adj* von panischem Schrecken ergriffen
panorama [pænə'rɑːmə] *sb* Panorama *n*
pan-pipes ['pænpaɪps] *pl* MUS Panflöte *f*
pansy ['pænzɪ] *sb* 1. BOT Stiefmütterchen *n;* 2. (fam: homosexual) Schwuler *m*
pant [pænt] *v* 1. keuchen; 2. (dog) hecheln
panties ['pæntɪz] *pl* (for women) Damenslip *m*
pantomime ['pæntəmaɪm] *sb* 1. Pantomime *f;* 2. (UK) Weihnachtsmärchen *n*
pantry ['pæntrɪ] *sb* Speisekammer *f,* Vorratskammer *f*
pants [pænts] *pl* 1. (US: trousers) Hose *f;* 2. (UK: underpants) Unterhose *f*
pantyhose ['pæntɪhəʊz] *sb* Strumpfhose *f*
papal ['peɪpəl] *adj* REL päpstlich
paparazzi [pɑːpə'rɑːtsɪ] *pl* Paparazzi *pl*
paper ['peɪpə] *sb* 1. Papier *n;* 2. ~s *pl* (writings, documents) Papiere *pl;* 3. (scholarly) Referat *n;* 4. (newspaper) Zeitung *f*
paperback ['peɪpəbæk] *sb* (~ book) Taschenbuch *n*
paper clip ['peɪpəklɪp] *sb* Büroklammer *f,* Heftklammer *f*
paper money ['peɪpə 'mʌnɪ] *sb* FIN Papiergeld *n*

paper plate ['peɪpə'pleɪt] *sb* Pappteller *m*
paper-thin [peɪpə'θɪn] *adj* hauchdünn
paperwork ['peɪpəwɜːk] *sb* 1. Schreibarbeit *f;* 2. (in a negative sense) Papierkram *m*
parable ['pærəbl] *sb* LIT Parabel *f,* Gleichnis *n*
parachute ['pærəʃuːt] *sb* 1. Fallschirm *m;* *v* 2. mit dem Fallschirm abspringen
parade [pə'reɪd] *sb* 1. (festive procession) Umzug *m;* 2. MIL Parade *f;* *v* 3. (through a town) durch die Straßen ziehen; 4. (show off) zur Schau stellen
paradise ['pærədaɪs] *sb* Paradies *n*
paraffin ['pærəfɪn] *sb* CHEM Paraffin *n*
paragliding ['pærəglaɪdɪŋ] *sb* Gleitschirmfliegen *n,* Paragliding *n*
paragon ['pærəgən] *sb* Muster *n;* ~ of virtue Ausbund der Tugend *m*
paragraph ['pærəgrɑːf] *sb* 1. Absatz *m,* Abschnitt *m*
parallel ['pærəlel] *adj* 1. parallel; 2. (situations) vergleichbar; *sb* 3. Parallele *f;* 4. GEO Breitenkreis *m*
paralyse ['pærəlaɪz] *v* paralysieren, lähmen; (fig: industry) lahm legen; to be ~d with fear vor Schreck wie gelähmt sein
paralysis [pə'ræləsɪs] *sb* MED Paralyse *f,* Lähmung *f*
paramedic [pærə'medɪk] *sb* Sanitäter *m,* ärztliche(r) Assistent/Assistentin *m/f*
parameter [pə'ræmɪtə] *sb* 1. MATH Parameter *m;* 2. ~s *pl* (framework) Rahmen *m*
paramount ['pærəmaʊnt] *adj* höchste(r,s), oberste(r,s)
paranoia [pærə'nɔɪə] *sb* Paranoia *f*
paraphernalia [pærəfə'neɪlɪə] *sb* Zubehör *n,* Drum und Dran *n*
paraphrase ['pærəfreɪz] *v* umschreiben, paraphrasieren
parasite ['pærəsaɪt] *sb* Parasit *m,* Schmarotzer *m*
parcel ['pɑːsl] *sb* 1. Paket *n;* 2. Parzelle *f;* a ~ of land ein Stück Land *n;* *v* 3. ~ out aufteilen
parched [pɑːtʃt] *adj* (lips, throat) ausgetrocknet; (land) verdorrt
pardon ['pɑːdn] *v* 1. JUR begnadigen; 2. (forgive) verzeihen, vergeben; Pardon me? Verzeihung! Pardon me? Wie bitte? *sb* 3. JUR Begnadigung *f;* general ~ Amnestie *f;* 4. (forgiveness) Verzeihung *f;* 5. I beg your ~ (excuse me, but...) Verzeihen Sie bitte ..., (What did you say?) Wie bitte? I beg your ~! (outraged) Erlauben Sie mal!

pardonable ['pɑːdnəbl] *adj* verzeihlich, entschuldbar

pare [peə] *v* 1. *GAST* schälen; 2. ~ **down** (fig) einschränken

parent ['peərənt] *sb* Elternteil *m*; ~s *pl* Eltern *pl*

parentage ['peərəntɪdʒ] *sb* Herkunft *f*

parent company ['peərənt 'kʌmpəni] *sb* ECO Muttergesellschaft *f*

parenthood ['peərənthʊd] *sb* (state of being a parent) Elternschaft *f*

parings ['peərɪŋz] *pl* Schalen *pl*

parish ['pærɪʃ] *sb* Gemeinde *f*

parishioner [pə'rɪʃənə] *sb* REL Gemeindeglied *n*

park [pɑːk] *sb* 1. Park *m*; 2. SPORT Platz *m*; *v* 3. parken; 4. (~ a bicycle, put sth down) abstellen

parking ['pɑːkɪŋ] *sb* Parken *n*; no ~ Parken verboten

parking brake ['pɑːkɪŋ breɪk] *sb* (US) Feststellbremse *f*

parking light ['pɑːkɪŋ laɪt] *sb* (US) Standlicht *n*, Parklicht *n*

parking lot ['pɑːkɪŋlɒt] *sb* Parkplatz *m*

parking meter ['pɑːkɪŋmiːtə] *sb* Parkuhr *f*

parking space ['pɑːkɪŋspeɪs] *sb* Parklücke *f*

parking ticket ['pɑːkɪŋtɪkɪt] *sb* Strafzettel *m*

parkway ['pɑːkweɪ] *sb* Allee *f*, Chaussee *f*

parliament ['pɑːləmənt] *sb* POL Parlament *n*

parlous ['pɑːləs] *adj* prekär

parody ['pærədɪ] *sb* 1. Parodie *f*; *v* 2. parodieren

parole [pə'rəʊl] *v* 1. auf Bewährung entlassen; *sb* 2. Bewährung *f*

parrot ['pærət] *sb* 1. ZOOL Papagei *m*; *v* 2. nachplappern

parry ['pærɪ] *v* parieren, abwehren

parsley ['pɑːslɪ] *sb* BOT Petersilie *f*

part [pɑːt] *v* 1. sich teilen; (road) sich gabeln; 2. (people) sich trennen; (temporarily) auseinander gehen; ~ with sich von etw trennen; 3. (divide) teilen; (hair) scheiteln; 4. (separate) trennen; *sb* 5. (fragment, portion) Teil *m*; for the most ~ hauptsächlich, weitgehend, meistens; ~ of town Stadtteil *m*, Viertel *n*; in ~ teilweise, zum Teil; 6. ~s (area) Gegend *f*; 7. body ~ Körperteil *m*; 8. (side, interest, concern) Seite *f*; for his ~ seinerseits, was ihn betrifft; on the ~ of seitens, vonseiten; 9. (role) Rolle *f*; take ~ in sth an etw teilnehmen,

bei etw mitmachen; 10. (US: in hair) Haarscheitel *m*; *adv* 11. teils, teilweise

partake [pɑː'teɪk] *v* irr ~ of (food) zu sich nehmen

partial ['pɑːʃəl] *adj* 1. Teil..., teilweise, partiell; 2. (biased) (person) voreingenommen; (judgement) parteiisch; 3. to be ~ to sth eine besondere Vorliebe haben für etw

participant [pɑː'tɪsɪpənt] *sb* Teilnehmer *m*

participate [pɑː'tɪsɪpeɪt] *v* sich beteiligen, teilnehmen

participation [pɑːtɪsɪ'peɪʃən] *sb* Beteiligung *f*, Teilnahme *f*

particle ['pɑːtɪkl] *sb* Teilchen *n*

particular [pə'tɪkjʊlə] *adj* 1. (special) besondere(r,s), bestimmte(r,s); this ~ case dieser spezielle Fall; 2. in ~ besonders, vor allem; nothing in ~ nichts Bestimmtes, nichts Besonderes; 3. (fussy) eigen; (choosy) wählerisch; *sb* 4. ~s *pl* Einzelheiten *pl*

particularity [pətɪkjʊ'lærɪtɪ] *sb* Besonderheit *f*, besonderer Umstand *m*, Einzelheit *f*

particularly [pə'tɪkjʊləlɪ] *adv* besonders, insbesondere

parting ['pɑːtɪŋ] *sb* 1. Abschied *m*; 2. (UK: in hair) Scheitel *m*; *adj* 3. Abschieds..., abschließend

partition [pɑː'tɪʃən] *v* 1. (a room) aufteilen; 2. (a country) teilen; *sb* 3. (act) Teilung *f*; 4. (wall) Trennwand *f*

partly ['pɑːtlɪ] *adv* zum Teil, teilweise, teils

partner ['pɑːtnə] *sb* 1. Partner *m*; 2. (in crime) Komplize/Komplizin *m/f*; 3. (in a limited company) ECO Gesellschafter *m*

part payment [pɑːt 'peɪmənt] *sb* Abschlagszahlung *f*, Teilzahlung *f*

part-time [pɑːttaɪm] *adj* 1. Teilzeit...; *adv* 2. auf Teilzeit, stundenweise

party ['pɑːtɪ] *sb* 1. (celebration) Fest *n*, Party *f* (fam), Gesellschaft *f*; 2. JUR Partei *f*; 3. (participant) Teilnehmer *m*, Teilhaber *m*, Beteiligte(r) *m/f*; a third ~ ein Dritter *m*/ eine Dritte *f*; 4. (group) Gruppe *f*, Gesellschaft *f*; MIL Kommando *n*; 5. POL Partei *f*

party pooper ['pɑːtɪpuːpə] *sb* (fam) Spielverderber *m*

pass [pɑːs] *v* 1. (move past) vorbeigehen, vorbeifahren; let s.o. ~ jdn vorbeilassen; let a remark ~ eine Bemerkung durchgehen lassen; 2. (overtake) überholen; "no ~ing" Überholverbot *n*; 3. (come to an end, disappear) vorübergehen, vorbeigehen; (storm) vorüberziehen; 4. (move) gehen; ~ into oblivion in Ver-

gessenheit geraten; 5. *(time)* vergehen; ~ *the time* sich die Zeit vertreiben; 6. **come to** ~ sich begeben; 7. *(in a card game)* passen; 8. *(move past)* vorbeigehen an, vorbeifahren an; 9. *(cross)* überschreiten, überqueren, passieren; 10. *(approve)* (a law) verabschieden; *(a motion)* annehmen; 11. JUR (a sentence) verhängen; *(judgement)* fällen; 12. *(exam)* bestehen; *(give a passing note)* bestehen lassen; 13. *(the time)* verbringen; 14. *(hand to s.o.)* reichen; 15. MED absondern, ausscheiden
• **pass away** v *(die)* entschlafen, hinscheiden
• **pass off** v pass sth off as sth etw als etw ausgeben
• **pass out** v 1. *(become unconscious)* in Ohnmacht fallen, umkippen (fam); 2. *(distribute)* austeilen, verteilen
• **pass over** v *(not choose, ignore)* übergehen
passage ['pæsɪdʒ] *sb* 1. *(going through)* Durchgang m, Durchfahrt f; 2. *(voyage)* Überfahrt f, Reise f; 3. *(fare)* Überfahrt f; 4. *(of time)* Vergehen n; 5. *(corridor)* Gang m; 6. *(in a book, of a piece of music)* Passage f; 7. *(of a bill)* POL Verabschiedung f
passageway ['pæsɪdʒweɪ] *sb* Durchgang m, Korridor m, Passage f
passenger ['pæsɪndʒə] *sb* 1. *(on a bus, in a taxi)* Fahrgast m; 2. *(on a plane, on a ship)* Passagier m; 3. *(on a train)* Reisende(r) m/f; 4. *(in a car)* Mitfahrer m
passenger seat ['pæsɪndʒəsi:t] *sb* Beifahrersitz m
passer-by [pɑːsə'baɪ] *sb* Passant(in) m/f
passing ['pɑːsɪŋ] *sb* 1. **in** ~ beiläufig; 2. *(death)* Hinscheiden n; 3. *(of a law)* Durchgehen n; *adj* 4. vorübergehend, flüchtig; *(remark)* beiläufig
passion ['pæʃən] *sb* 1. Leidenschaft f; 2. REL, ART, MUS Passion f
passionate ['pæʃənɪt] *adj* leidenschaftlich
passive ['pæsɪv] *adj* 1. passiv; *sb* 2. GRAMM Passiv n
passive smoking ['pæsɪv 'sməʊkɪŋ] *sb* Passivrauchen n
passivism ['pæsɪvɪzəm] *sb* Passivität f
passport ['pɑːspɔːt] *sb* 1. Pass m, Reisepass m; 2. *(fig)* Schlüssel m
password ['pɑːswɜːd] *sb* Kennwort n, Losungswort n, Parole f
past [pɑːst] *adj* 1. vergangene(r,s); 2. *(previous)* frühere(r,s); *adv* 3. vorbei, vorüber; *prep* 4. *(motion)* an ... vorbei; 5. *(time)* nach, über; *half* ~ *nine* halb zehn; 6. *(beyond)* über ... hinaus; *I wouldn't put it* ~ *him.* (fam) Ich

würde es ihm schon zutrauen. *sb* 7. Vergangenheit f; **in the** ~ früher, in der Vergangenheit
pasta ['pæstə] *sb* Pasta f, Teigwaren pl
paste [peɪst] *sb* 1. Kleister m; 2. GAST Paste f; 3. *(jewellery)* Strass m; v 4. *(affix)* kleben; 5. ~ *s.o.* (fam: punch) jdm eins vor den Latz knallen; 6. ~ *s.o.* (fam: defeat) jdn die Pfanne hauen
pastel ['pæstel] *sb* 1. *(chalk)* Pastellkreide f; 2. *(colour)* Pastellton m; 3. *(drawing)* Pastellzeichnung f
pasteurization [pæstəraɪ'zeɪʃən] *sb* Pasteurisierung f, Pasteurisation f
pasteurize ['pæstəraɪz] v pasteurisieren
pastime ['pɑːstaɪm] *sb* Zeitvertreib m
pastor ['pɑːstə] *sb* REL Pfarrer m, Pastor m, Seelsorger m
past participle [pɑːst 'pɑːtɪsɪpl] *sb* GRAMM Partizip Perfekt n
pastry ['peɪstrɪ] *sb* 1. Teig m; 2. *(one ~)* Stückchen n, Kuchen m, Torte f; *pastries* pl Gebäck n
past tense [pɑːst tens] *sb* Vergangenheit f
pasture ['pɑːstʃə] *sb* Weide f; **put out to** ~ auf die Weide treiben; *seek greener* ~s (fig) sich nach besseren Möglichkeiten umsehen
pat [pæt] v tätscheln; ~ *s.o. on the back* jdm auf die Schulter klopfen
pâté ['pæteɪ] *sb* GAST Pastete f
patella [pə'telə] *sb* ANAT Patella f, Kniescheibe f
patent ['peɪtənt] v 1. patentieren lassen; *sb* 2. Patent n
patently ['peɪtntlɪ] *adv* offenkundig, offensichtlich
paternal [pə'tɜːnəl] *adj* väterlich; *my* ~ *grandmother* meine Großmutter väterlicherseits
paternity [pə'tɜːnɪtɪ] *sb* Vaterschaft f
paternity suit [pə'tɜːnɪtɪ suːt] *sb* JUR Vaterschaftsklage f
pathetic [pə'θetɪk] *adj* 1. *(piteous)* Mitleid erregend; 2. *(fam)* erbärmlich, jämmerlich, kläglich
pathological [pæθə'lɒdʒɪkəl] *adj* pathologisch, krankhaft
pathologist [pə'θɒlədʒɪst] *sb* MED Pathologe/Pathologin m/f
pathology [pə'θɒlədʒɪ] *sb* *(science)* MED Pathologie f
patience ['peɪʃəns] *sb* Geduld f
patient ['peɪʃənt] *adj* 1. geduldig; *sb* 2. Patient(in) m/f

patriciate [pə'trɪʃiːt] sb Patriziat n, Patrizierklasse f

patriot ['peɪtrɪət] sb Patriot(in) m/f

patriotic [pætrɪ'ɒtɪk] adj patriotisch

patrol [pə'trəʊl] v 1. auf Patrouille gehen; 2. (policeman) eine Streife machen; 3. (watchman) seine Runden machen; 4. (an area) patrouillieren; sb 5. Streife f; 6. (by a window) Runde f; 7. (by a ship) Patrouille f; 8. (people patrolling) Patrouille f; (of police) Streife f

patrol car [pə'trəʊl kɑː] sb Streifenwagen m

patron ['peɪtrən] sb 1. Patron m, Schutzherr m, Schirmherr m; 2. (of an artist) Förderer m, Gönner m; 3. (customer) Kunde/Kundin m/f, Gast m

patronize ['pætrənaɪz] v 1. (a business) besuchen; 2. (the arts) unterstützen, fördern; 3. (treat condescendingly) gönnerhaft behandeln, herablassend behandeln

patron saint ['peɪtrən seɪnt] sb REL Schutzpatron/Schutzpatronin m/f

pattern ['pætən] sb 1. Muster n; 2. (for sewing) Schnittmuster n; 3. (fig) Vorbild; v 4. ~ sth after sth etw nach etw bilden, etw nach etw gestalten

paunch [pɔːntʃ] sb 1. Bauch m, Wanst m; 2. ZOOL Pansen m

paunchy ['pɔːntʃɪ] adj dick

pause [pɔːz] v 1. eine Pause machen; 2. (in conversation) innehalten; 3. (hesitate) zögern; sb 4. Pause f; give s.o. ~ jdm zu denken geben

pavement ['peɪvmənt] sb 1. (UK) Bürgersteig m, Trottoir m; 2. (US: paved road) Straße f; 3. (material) Pflaster n

pawn¹ [pɔːn] sb 1. (chess piece) Bauer m; 2. (fig) Schachfigur f

pawn² [pɔːn] v 1. verpfänden, versetzen; sb 2. (thing pawned) Pfand n

pay [peɪ] v irr 1. bezahlen; (a bill, interest) zahlen; ~ for bezahlen für; 2. (to be profitable) sich lohnen; 3. ~ for (fig: suffer) bezahlen für, büßen für; 4. ~ attention Aufmerksamkeit schenken; 5. ~ s.o. a visit jdn besuchen, jdm einen Besuch abstatten; sb 6. Lohn m; (salary) Gehalt n; MIL Sold m

• **pay back** v irr 1. zurückzahlen; 2. (a compliment) erwidern; 3. (an insult) sich revanchieren, heimzahlen

• **pay off** v irr 1. (to be profitable) (fam) sich lohnen; 2. (sth) (a debt) abbezahlen; (a mortgage) ablösen; 3. (s.o.) (creditors) befriedigen; (workmen) auszahlen

paycheck ['peɪtʃek] sb (US) Lohnscheck m, Gehaltsscheck m

payment ['peɪmənt] sb 1. Zahlung f; 2. (to a person) Bezahlung f

payoff ['peɪɒf] sb 1. (bribe) Bestechungsgeld n; 2. (revenge) Abrechnung f; 3. (outcome, climax) Quittung f

pay-per-view [peɪpɜː'vjuː] sb Pay per view n

pay phone ['peɪfəʊn] sb Münzfernsprecher m; Is there a ~ near here? Gibt es hier in der Nähe eine Telefonzelle?

pay rise ['peɪraɪz] sb Lohnerhöhung f, Gehaltserhöhung f

pay-TV [peɪ'tiːviː] sb Pay-TV n

pea [piː] sb Erbse f

peace [piːs] sb 1. Frieden m, Friede m; make ~ Frieden schließen; make one's ~ with s.o. sich mit jdm versöhnen; 2. (tranquillity) Ruhe f; ~ of mind Seelenruhe f; 3. JUR öffentliche Ruhe und Ordnung f; disturb the ~ die öffentliche Ruhe stören

peace conference ['piːskɒnfərəns] sb POL Friedenskonferenz f

peaceful ['piːsful] adj 1. friedlich; 2. (undisturbed) ruhig

peacekeeping ['piːskiːpɪŋ] sb Friedenserhaltung f, Friedenssicherung f

peace mission ['piːsmɪʃən] sb Friedensmission f

peacetime ['piːstaɪm] sb Friedenszeiten pl

peak [piːk] sb 1. (of a mountain) Gipfel m; 2. (maximum) Höhepunkt m; 3. (sharp point) Spitze f; v 4. den Höchststand erreichen; adj 5. Höchst..., Spitzen...

peaked [piːkt] adj spitz

peak hours [piːk aʊəz] pl Hauptverkehrszeit f

peakish ['piːkɪʃ] adj ziemlich spitz

peanut ['piːnʌt] sb 1. Erdnuss f; work for ~s (fig) für einen Apfel und ein Ei arbeiten (fam)

peanut butter ['piːnʌtbʌtə] sb GAST Erdnussbutter f

pear [peə] sb Birne f

pearl [pɜːl] sb Perle f

pearly ['pɜːlɪ] adj ~ white perlweiß; the ~ gates die Himmelstür

pear tree [peə triː] sb BOT Birnbaum m

peasant ['pezənt] sb (armer) Bauer m

peasantry ['pezntrɪ] sb Bauern pl, Bauernschaft f

peat [piːt] sb Torf m

pebble ['pebl] sb Kieselstein m, Kiesel m

pecan [pɪ'kæn] sb BOT Pekannuss f

peck [pek] v 1. *(bird)* picken; sb 2. *(kiss)* flüchtiger Kuss m, Küsschen n; 3. *(measure)* Viertelscheffel m

peckish ['pekɪʃ] adj *(fam)* hungrig

peculiar [pɪ'kju:lɪə] adj 1. *(strange)* seltsam, eigenartig; 2. *(own, special)* eigentümlich, eigen

pedal ['pedl] v 1. in die Pedale treten; sb 2. Pedal n, Fußhebel m; **put the ~ to the metal** *(fam) (US)* Vollgas geben

peddle ['pedl] v 1. hausieren gehen; 2. *(sth)* hausieren gehen mit

peddler ['pedlə] sb *(US)* Hausierer m

pedestal ['pedɪstl] sb Sockel m; **put s.o. on a ~** jdn in den Himmel heben

pedestrian [pɪ'destrɪən] sb 1. Fußgänger m; adj 2. *(fam: mundane)* prosaisch

pedestrian crossing [pɪ'destrɪənkrɒsɪŋ] sb *(UK)* Fußgängerüberweg m

pediatrician [pi:dɪə'trɪʃən] sb Kinderarzt/Kinderärztin m/f

pedigree ['pedɪgri:] sb Stammbaum m, Ahnentafel f

peek [pi:k] v 1. gucken; sb 2. flüchtiger Blick m

peel [pi:l] v 1. *(to be ~ing)* sich schälen; *(paint)* abblättern; *(wallpaper)* sich lösen; 2. *(sth)* schälen; sb 3. Schale f

peeler ['pi:lə] sb Schäler m

peep [pi:p] v 1. *(make a small noise)* piepsen, piepen; 2. *(look)* gucken

Peeping Tom ['pi:pɪŋ tɒm] sb Spanner m *(fam)*, Voyeur m

peer [pɪə] v 1. starren; **~ over the wall** über die Mauer spähen; sb 2. Gleiche(r) m/f; **He is without ~.** Er sucht seinesgleichen. 3. *(nobleman)* Angehörige(r) des Hochadels m/f

peer group [pɪə gru:p] sb PSYCH Peergruppe f

peerless ['pɪəlɪs] adj einzigartig, unvergleichlich

peevish ['pi:vɪʃ] adj reizbar, übel gelaunt

peg [peg] v 1. anpflocken; 2. *(fam: prices)* stützen; sb 3. Pflock m; *(for a pegboard)* Stift m; *(to hang a hat on)* Haken m; 4. **take s.o. down a ~ or two** *(fam)* jdm einen Dämpfer aufsetzen

• **peg down** v festpflocken

pegboard ['pegbɔ:d] sb Lochbrett n

peg leg ['pegleg] sb *(fam)* Holzbein n

Pekinese [pi:kɪ'ni:z] sb *(dog)* Pekinese m

pelican ['pelɪkən] sb Pelikan m

pelican crossing ['pelɪkənkrɒsɪŋ] sb Ampelübergang m

pell-mell ['pel'mel] adv 1. *(in a haste)* Hals über Kopf; 2. *(in disorder)* durcheinander, wie Kraut und Rüben

pelt[1] [pelt] v 1. *(beat hard)* verhauen, prügeln; **It's ~ing rain.** Es regnet in Strömen. 2. *(with rocks)* bewerfen

pelt[2] [pelt] sb Pelz m, Fell n

pelvic ['pelvɪk] adj Becken...

pelvis ['pelvɪs] sb ANAT Becken n

pen[1] [pen] sb *(writing instrument)* Feder f; *(ball-point ~)* Kugelschreiber m

pen[2] [pen] sb *(enclosure)* Pferch m

penal institution ['pi:nəl ɪnstɪ'tju:ʃən] sb JUR Strafanstalt f

penalty ['penəltɪ] sb 1. Strafe f; 2. *(fig: disadvantage)* Nachteil m

penalty area ['penəltɪ 'ɛərɪə] sb SPORT Strafraum m

penalty kick ['penəltɪ kɪk] sb SPORT Strafstoß m

pencil ['pensl] sb 1. Bleistift m; v 2. **~ in** mit Bleistift schreiben

pencil sharpener ['penslʃɑ:pənə] sb Bleistiftspitzer m

pend [pend] v 1. *(remain unsettled)* offen sein, ungeregelt sein; 2. *(hang)* hängen

pendant ['pendənt] sb Anhänger m

pendent ['pendənt] adj hängend, Hänge...

pending ['pendɪŋ] adj 1. JUR anhängig; prep 2. bis zu

penetrant ['penɪtrənt] adj eindringend, penetrant

penetrate ['penɪtreɪt] v 1. *(sth)* eindringen in; 2. *(go right through)* durchdringen

penetrating ['penɪtreɪtɪŋ] adj 1. durchdringend; 2. *(mind)* scharfsinnig

pen-friend ['penfrend] sb Brieffreund(in) m/f

penguin ['peŋgwɪn] sb ZOOL Pinguin m

penicillin [penɪ'sɪlɪn] sb MED Penicillin n

peninsula [pɪ'nɪnsjulə] sb Halbinsel f

penitence ['penɪtəns] sb Reue f

penitentiary [penɪ'tenʃərɪ] sb Strafanstalt f, Gefängnis n

penknife ['pennaɪf] sb Taschenmesser n

penmanship ['penmənʃɪp] sb Schreibkunst f

pen name [pen neɪm] sb Schriftstellername m, Pseudonym n

penniless ['penɪlɪs] adj ohne einen Pfennig Geld, mittellos

penny ['penɪ] sb Penny m; Centstück n; **A ~ for your thoughts!** Woran denkst du gerade?

penny-pincher ['penɪpɪntʃə] sb *(fam)* Pfennigfuchser m

pen pal ['penpæl] *sb* Brieffreund(in) *m/f*

pension ['penʃən] *sb* Rente *f*; *(from an employer)* Pension *f*

pensioner ['penʃənə] *sb* Rentner *m*

pensive ['pensɪv] *adj* nachdenklich, sinnend, gedankenvoll

pentagon ['pentəgɒn] *sb* 1. MATH Fünfeck *n*; 2. *the Pentagon* MIL das Pentagon *n*

penthouse ['penthaʊs] *sb (apartment)* Penthouse *n*, Dachterrassenwohnung *f*

penultimate [pɪ'nʌltɪmɪt] *adj* vorletzte(r,s)

people ['piːpl] *pl* 1. Leute *pl*, Menschen *pl*; *a thousand ~* tausend Menschen; *she of all ~* ausgerechnet sie; *~ say* man sagt; *sb* 2. *(race, nation)* Volk *n*

pep [pep] *sb* 1. Schwung *m*; *v* 2. *~ up* Schwung bringen in; *(person)* munter machen

pepper ['pepə] *sb* 1. Pfeffer *m*; *v* 2. pfeffern; 3. *(fig)* sprenkeln

peppery ['pepərɪ] *adj* gepfeffert

per [pɜː] *prep* pro; *as ~* gemäß

per annum [per'ænəm] *adv* pro Jahr

per cent [pə'sent] *sb* Prozent *n*

percentage [pə'sentɪdʒ] *sb* Prozentsatz *m*; *(proportion)* Teil *m*; *on a ~ basis* prozentual, auf Prozentbasis

perceptible [pə'septɪbl] *adj* wahrnehmbar, spürbar

perception [pə'sepʃən] *sb* 1. Wahrnehmung *f*; 2. *(mental image)* Auffassung *f*; 3. *(perceptiveness)* Einsicht *f*

perceptive [pə'septɪv] *adj (astute)* scharfsinnig

perch [pɜːtʃ] *v* 1. sitzen; *sb* 2. *(for a bird)* Stange *f*; 3. *(fig: for a person)* Sitz *m*; 4. *(fish)* ZOOL Flussbarsch *m*

percussion [pə'kʌʃən] *sb* MUS Schlagzeug *n*; *~ instrument* Schlaginstrument *n*

perfect [pə'fekt] *v* 1. vervollkommnen; *(technology, a process)* perfektionieren; ['pɜːfɪkt] *adj* 2. perfekt, vollendet; *(ideal)* ideal; 3. *(complete)* völlig

perfectible [pə'fektəbl] *adj* vervollkommnungsfähig, perfektionierbar

perfection [pə'fekʃən] *sb* Vollkommenheit *f*, Perfektion *f*; *to ~* meisterlich

perfectionist [pə'fekʃənɪst] *sb* Perfektionist(in) *m/f*

perfectly ['pɜːfɪktlɪ] *adv* 1. *(flawlessly)* perfekt, vollendet; 2. *(utterly)* absolut, vollkommen

perfect tense ['pɜːfɪkt tens] *sb* GRAM Perfekt *n*

perform [pə'fɔːm] *v* 1. leisten; *~ well* eine gute Leistung bringen; 2. THEAT auftreten; 3. *(a task, a duty)* erfüllen; 4. *(an operation)* durchführen; 5. *(a play)* THEAT aufführen; 6. *(a song)* vortragen; 7. *(a ritual)* vollziehen

performance [pə'fɔːməns] *sb* 1. *(carrying out)* Erfüllung *f*, Durchführung *f*; 2. *(effectiveness)* Leistung *f*; 3. *(of a film)* CINE Vorstellung *f*; 4. *(of a play)* THEAT Aufführung *f*; 5. *(in a role)* Darstellung *f*

performer [pə'fɔːmə] *sb (actor)* Schauspieler *m*; *(musician)* Musiker *m*

performing [pə'fɔːmɪŋ] *adj* vorstellend, darstellend

perfume ['pɜːfjuːm] *sb* Parfüm *n*, Duft *m*

perfunctory [pə'fʌŋktərɪ] *adj* mechanisch, lustlos, der Form halber

perhaps [pə'hæps] *adv* vielleicht

peril ['perɪl] *sb* Gefahr *f*

perilous ['perɪləs] *adj* gefährlich

perimeter [pə'rɪmɪtə] *sb* Peripherie *f*

period ['pɪərɪəd] *sb* 1. Periode *f*, Zeit *f*; *for a ~ of* auf die Dauer von; 2. SPORT Spielabschnitt *m*; *(in ice hockey)* Drittel *n*; 3. HIST Zeitalter *n*; 4. *(menstruation)* Periode *f*; 5. GRAMM Punkt *m*

periodic [pɪərɪ'ɒdɪk] *adj* periodisch

periodical [pɪərɪ'ɒdɪkəl] *sb (magazine)* Zeitschrift *f*

peripheral [pə'rɪfərəl] *adj* 1. peripher, Rand...; 2. *(fig)* nebensächlich

periphery [pə'rɪfərɪ] *sb* 1. Peripherie *f*; 2. *(fig)* Rand *m*

periscope ['perɪskəʊp] *sb (submarine's)* MIL Sehrohr *n*

perish ['perɪʃ] *v* 1. *(die)* umkommen; *Perish the thought!* Gott behüte! 2. *(goods)* verderben; 3. *(rubber)* altern

perishable ['perɪʃəbl] *adj (goods)* verderblich

perished ['perɪʃt] *adj (fam)* durchgefroren

perk¹ [pɜːk] *sb (fam: perquisite)* Vergünstigung *f*

perk² [pɜːk] *v* 1. *~ up* munter werden, aufleben; 2. *~ up (s.o.)* munter machen; 3. *~ up one's ears* die Ohren spitzen

perky ['pɜːkɪ] *adj* kess, keck

perm [pɜːm] *sb (fam)* Dauerwelle *f*

permanence ['pɜːmənəns] *sb* Dauerhaftigkeit *f*, Beständigkeit *f*

permanency ['pɜːmənənsɪ] *sb* Dauerhaftigkeit *f*, Beständigkeit *f*

permanent ['pɜːmənənt] *adj* 1. bleibend, permanent; 2. *(constant)* ständig

permanently ['pɜːmənəntlɪ] *adv* auf immer, fest

permanent wave ['pɜːmənənt weɪv] *sb* Dauerwelle *f*

permeate ['pɜːmɪeɪt] *v 1.* dringen; *2. (sth)* durchdringen

permissible [pə'mɪsɪbl] *adj* zulässig

permission [pə'mɪʃən] *sb* Erlaubnis *f*

permit [pə'mɪt] *v 1.* erlauben, gestatten; ~ *o.s. sth* sich etw erlauben; ['pɜːmɪt] *sb 2.* Genehmigung *f*, Erlaubnis *f*

pernickety [pə'nɪkɪtɪ] *adj (fam)* pingelig, pedantisch

perpendicular [pɜːpən'dɪkjʊlə] *adj 1.* senkrecht; *sb 2. MATH* Lot *n*, Senkrechte *f*

perpetrate ['pɜːpɪtreɪt] *v* begehen

perpetual [pə'petjʊəl] *adj* ewig, fortwährend, immer während

perpetuate [pə'petjʊeɪt] *v* verewigen, fortbestehen lassen

perplex [pə'pleks] *v* verwirren, verblüffen

perplexed [pə'plekst] *adj* verblüfft, verdutzt

persecute ['pɜːsɪkjuːt] *v* verfolgen

persecution [pɜːsɪ'kjuːʃən] *sb* Verfolgung *f*

persevere [pɜːsɪ'vɪə] *v* nicht aufgeben

persevering [pɜːsɪ'vɪərɪŋ] *adj* beharrlich, standhaft

persist [pə'sɪst] *v 1. (to be tenacious)* beharren; *2. (last, continue)* anhalten, fortdauern

persistent [pə'sɪstənt] *adj 1. (person)* beharrlich; *(obstinate)* hartnäckig; *(importunate)* aufdringlich; *2. (thing)* anhaltend

person ['pɜːsn] *sb* Person *f*, Mensch *m*; *in* ~ persönlich

personage ['pɜːsənɪdʒ] *sb* Persönlichkeit *f*

personal ['pɜːsənl] *adj* persönlich

personal computer ['pɜːsənl kəm'pjuːtə] *sb* Personal-Computer *m*, PC *m*

personal hygiene ['pɜːsənl 'haɪdʒiːn] *sb* Körperpflege *f*

personal injury ['pɜːsənl 'ɪndʒərɪ] *sb* JUR Körperverletzung *f*

personality [pɜːsə'nælɪtɪ] *sb* Persönlichkeit *f*

personal organizer ['pɜːsənl 'ɔːgənaɪzə] *sb* Terminplaner *m*, Zeitplaner *m*

personal stereo ['pɜːsənl 'sterɪəʊ] *sb* tragbarer Kassetten- oder CD-Spieler mit Kopfhörern *m*, Walkman *m*

personification [pɜːsɒnɪfɪ'keɪʃən] *sb* Verkörperung *f*

personify [pɜː'sɒnɪfaɪ] *v* verkörpern

personnel [pɜːsə'nel] *sb 1.* Personal *n*; *2. (crew)* Besatzung *f*

personnel department [pɜːsə'nel dɪ'pɑːtmənt] *sb* Personalabteilung *f*

perspective [pə'spektɪv] *sb* Perspektive *f*

perspiration [pɜːspə'reɪʃən] *sb 1. (sweating)* Schwitzen *n*; *2. (sweat)* Schweiß *m*

perspire [pə'spaɪə] *v* schwitzen

persuade [pə'sweɪd] *v* überreden

persuasion [pə'sweɪʒən] *sb 1.* Überredung *f*; *2. (belief)* Überzeugung *f*

persuasive [pə'sweɪsɪv] *adj* überzeugend

persuasiveness [pə'sweɪsɪvnɪs] *sb 1. (of an argument)* Überzeugungskraft *f*; *2. (of a person)* Überredungskunst *f*

pert [pɜːt] *adj* keck, schnippisch

pertain [pɜː'teɪn] *v* ~ *to sth* etw betreffen

pertinent ['pɜːtɪnənt] *adj* zur Sache gehörig, sachdienlich

perturb [pə'tɜːb] *v* beunruhigen, verwirren, stören

peruse [pə'ruːz] *v* durchlesen

pervade [pɜː'veɪd] *v* durchdringen, erfüllen

perverse [pə'vɜːs] *adj 1.* pervers, *2. (stubborn)* querköpfig

perversion [pə'vɜːʃən] *sb 1.* Perversion *f*; *2. (of sth)* Verdrehung *f*, Entstellung *f*

pervert ['pɜːvɜːt] *sb 1.* perverser Mensch *m*; [pə'vɜːt] *v 2. (distort)* verzerren; *3. (deprave)* verderben, pervertieren

perverted [pə'vɜːtɪd] *adj* pervers

pesky ['peskɪ] *adj (fam)(US)* lästig, nervig

pessimism ['pesɪmɪzəm] *sb* Pessimismus *m*

pessimist ['pesɪmɪst] *sb* Pessimist(in) *m/f*

pessimistic [pesɪ'mɪstɪk] *adj* pessimistisch

pest [pest] *sb 1.* AGR Schädling *m*; *2. (nuisance)* Plage *f*; *3. (person)* Quälgeist *m*, Nervensäge *f*

pest control ['pestkəntrəʊl] *sb* Schädlingsbekämpfung *f*

pesticide ['pestɪsaɪd] *sb* Schädlingsbekämpfungsmittel *n*

pet [pet] *sb 1. (animal)* Haustier *n*; *v 2.* streicheln; *3. (sexually)* Petting machen mit; *adj 4. (favourite)* Lieblings...

petite [pə'tiːt] *adj (woman)* zierlich

petition [pə'tɪʃən] *v 1.* bitten, ersuchen, eine Bittschrift einreichen; ~ *for divorce* die Scheidungsklage einreichen; *sb 2.* JUR Gesuch *n*, Petition *f*, Bittschrift *f*; *3. (list of signatures)* Unterschriftenliste *f*

petitioner [pɪˈtɪʃənə] *sb* Bittsteller *m*, Antragssteller *m*
petrify [ˈpetrɪfaɪ] *v* 1. versteinern; 2. *petrified with fear* starr vor Schrecken
petrol [ˈpetrəl] *sb (UK)* Benzin *n*
petrol can [ˈpetrəl kæn] *sb (UK)* Benzinkanister *m*
petroleum [pɪˈtrəʊlɪəm] *sb* Erdöl *n*, Petroleum *n*
petrol pump [ˈpetrəl pʌmp] *sb (UK)* Zapfsäule *f*
petrol station [ˈpetrəlsteɪʃən] *sb (UK)* Tankstelle *f*
petrol tank [ˈpetrəl tæŋk] *sb (UK)* Benzintank *m*
petticoat [ˈpetɪkəʊt] *sb* Unterrock *m*
petty [ˈpetɪ] *adj* 1. geringfügig; 2. *(person)* kleinlich, engherzig
petty cash [ˈpetɪ kæʃ] *sb* Portokasse *f*
petulant [ˈpetjʊlənt] *adj* gereizt
pew [pjuː] *sb* Kirchenbank *f*
phantom [ˈfæntəm] *sb* 1. Phantom *n*; *adj* 2. Phantom...
pharmaceutical [fɑːməˈsjuːtɪkl] *adj* pharmazeutisch
pharmacist [ˈfɑːməsɪst] *sb* Apotheker *m*
pharmacy [ˈfɑːməsɪ] *sb* 1. *(shop)* Apotheke *f*; 2. *(science)* Pharmazie *f*
phase [feɪz] *sb* 1. Phase *f*; *v* 2. *~ in* allmählich einführen; 3. *~ out* stufenweise auflösen; *(a product)* auslaufen lassen
phenomenon [fɪˈnɒmɪnən] *sb* 1. *(everyday)* Erscheinung *f*; 2. *(remarkable)* Phänomen *n*
philanderer [fɪˈlændərə] *sb* Schürzenjäger *m*, Schäker *m*
philanthropic [fɪlənˈθrɒpɪk] *adj* menschenfreundlich, philanthropisch
philanthropy [fɪˈlænθrəpɪ] *sb* Philanthropie *f*, Menschenliebe *f*
philatelist [fɪˈlætəlɪst] *sb* Briefmarkensammler *m*
philharmonic [fɪlhɑːˈmɒnɪk] *adj* MUS philharmonisch; *~ orchestra* Philharmonieorchester *n*
philology [fɪˈlɒlədʒɪ] *sb* Philologie *f*
philosopher [fɪˈlɒsəfə] *sb* Philosoph *m*
philosophical [fɪləˈsɒfɪkəl] *adj* 1. philosophisch; 2. *(fig)* gelassen
philosophy [fɪˈlɒsəfɪ] *sb* Philosophie *f*
phobia [ˈfəʊbɪə] *sb* Phobie *f*, krankhafte Furcht *f*
phoenix [ˈfiːnɪks] *sb* Phönix *m*
phonecard [ˈfəʊnkɑːd] *sb* Telefonkarte *f*

phone-in [ˈfəʊnɪn] *adj* mit telefonischer Beteiligung der Hörer
phonetics [fəʊˈnetɪks] *sb* Phonetik *f*
phoney [ˈfəʊnɪ] *adj* 1. unecht, falsch; 2. *(story)* erfunden; 3. *(forged)* gefälscht; *sb* 4. *(pretentious person)* Angeber *m*
photo [ˈfəʊtəʊ] *sb* Foto *n*
photocopier [ˈfəʊtəʊkɒpɪə] *sb* Fotokopiergerät *n*
photocopy [ˈfəʊtəʊkɒpɪ] *sb* 1. Fotokopie *f*; *v* 2. fotokopieren
photo finish [ˈfəʊtəʊ ˈfɪnɪʃ] *sb SPORT* Fotofinish *n*
photograph [ˈfəʊtəɡrɑːf] *sb* 1. Fotografie *f*, Aufnahme *f*, Lichtbild *n*; *v* 2. fotografieren, aufnehmen
photographer [fəˈtɒɡrəfə] *sb* Fotograf(in) *m/f*
photography [fəˈtɒɡrəfɪ] *sb* Fotografie *f*
photo opportunity [ˈfəʊtəʊ ɒpəˈtjuːnɪtɪ] *sb POL* spontan wirkender, jedoch gestellter Fototermin *m*
phrase [freɪz] *sb* 1. GRAMM Phrase *f*, Satzglied *n*, Satzteil *m*; 2. *(commonly used expression)* Redewendung *f*; *v* 3. formulieren, ausdrücken
phrase book [ˈfreɪzbʊk] *sb* Sprachführer *m*
phrasing [ˈfreɪzɪŋ] *sb* Formulierung *f*, Ausdrucksweise *f*
physical [ˈfɪzɪkəl] *adj* 1. *(of the body)* körperlich; 2. *(of physics)* physikalisch; 3. *(material)* physisch; *sb* 4. *(check-up)* ärztliche Untersuchung *f*
physical condition [ˈfɪzɪkəl kənˈdɪʃən] *sb* Gesundheitszustand *m*
physical education [ˈfɪzɪkəl edjʊˈkeɪʃən] *sb* Leibeserziehung *f*
physical examination [ˈfɪzɪkəl ɪɡzæmɪˈneɪʃən] *sb* ärztliche Untersuchung *f*
physical handicap [ˈfɪzɪkəl ˈhændɪkæp] *sb* körperliche Behinderung *f*
physician [fɪˈzɪʃən] *sb* Arzt/Ärztin *m/f*
physicist [ˈfɪzɪsɪst] *sb* Physiker *m*
physics [ˈfɪzɪks] *sb* Physik *f*
physiological [fɪzɪəˈlɒdʒɪkl] *adj* physiologisch
physiology [fɪzɪˈɒlədʒɪ] *sb* Physiologie *f*
physiotherapy [fɪzɪəˈθerəpɪ] *sb* Physiotherapie *f*, Heilgymnastik *f*
physique [fɪˈziːk] *sb* Körperbau *m*
pianist [ˈpɪənɪst] *sb* Pianist/Pianistin *m/f*
piano [ˈpjɑːnəʊ] *sb MUS* Klavier *n*; *(grand ~)* Flügel *m*

pick [pɪk] v 1. (choose) wählen, aussuchen; ~ and choose wählerisch sein; 2. (sth)(select) wählen, auswählen; 3. (a lock) (fam) knacken, mit einem Dietrich öffnen; 4. (pull bits off) zupfen an; (a scab) kratzen an; 5. (flowers, fruit) pflücken; 6. (guitar strings) zupfen; 7. ~ one's nose in der Nase bohren; 8. ~ one's teeth zwischen den Zähnen herumstochern; 9. ~ s.o.'s pocket jdm die Brieftasche stehlen; 10. ~ a fight einen Streit vom Zaun brechen; 11. ~ one's way seinen Weg suchen; sb 12. (selection) Auswahl f; Take your ~! Suchen Sie sich etwas aus! have first ~ die erste Wahl haben; 13. (best) Beste(s) n
• **pick up** v 1. (improve) besser werden; 2. (resume) weitermachen; ~ where one left off da weitermachen, wo man aufgehört hat; The wind is picking up. Der Wind frischt auf. 3. (lift sth) hochheben; (lift and hold) aufheben; pick o.s. up aufstehen; ~ the check (fig) die Rechnung bezahlen; 4. (collect, fetch) abholen; 5. (fig: a girl) aufreißen (fam); 6. ~ speed beschleunigen

pickaxe ['pɪkæks] sb Spitzhacke f, Pickel m, Picke f

picket ['pɪkɪt] v 1. (sth) (by striking workers) Streikposten aufstellen vor; (by demonstrators) demonstrieren vor; sb 2. Streikposten m

pickle ['pɪkl] sb 1. GAST Essiggurke f, Gewürzgurke f; 2. (vinegar solution) Essigsoße f; 3. to be in a ~ (fam) in der Patsche sitzen f; v 4. GAST einlegen; 5. (meat) pökeln

pick-me-up ['pɪkmiːʌp] sb (drink) kleine Stärkung f

pickpocket ['pɪkpɒkɪt] sb Taschendieb m

picnic ['pɪknɪk] sb Picknick n; It's no ~. (fig) Es ist kein Honigschlecken.

pictogram ['pɪktəgræf] sb Piktogramm n

picture ['pɪktʃə] sb 1. Bild n; take a ~ of sth ein Bild von etw machen; He's out of the ~. (fig) Er spielt keine Rolle mehr. 2. (painting) Gemälde n, Bild n; pretty as a ~ bildhübsch; 3. (mental ~) Vorstellung f, Bild n; I get the ~. (fam) Ich hab's kapiert. 4. (film) Film m; v 5. (imagine) sich vorstellen; 6. (by drawing) darstellen; (in a book) abbilden

picture book ['pɪktʃə bʊk] sb LIT Bilderbuch n

picturesque [pɪktʃə'resk] adj malerisch, pittoresk

pie [paɪ] sb GAST Pastete f; as easy as ~ (fam) kinderleicht; have one's finger in the ~ (fig) bei einer Sache mitmischen, die Hand im Spiel haben

piece [piːs] sb 1. Stück n; all in one ~ unversehrt, heil; 2. go to ~s in Stücke gehen; (fig) zusammenbrechen; 3. (part) Teil m; 4. (chess ~) Figur f; 5. ~ of paper Blatt n; 6. (article) Artikel m; 7. (coin) Münze f; a fifty-cent ~ ein Fünfzig-Cent-Stück n; 8. (fam: gun) Waffe f; v 9. ~ together zusammenstückeln

pier [pɪə] sb 1. Pier m/f; 2. (of a bridge) Pfeiler m

pierce [pɪəs] v 1. durchbohren, durchstechen; 2. (fig) durchdringen

piercing ['pɪəsɪŋ] adj durchdringend

pig [pɪg] sb 1. ZOOL Schwein n; 2. (fam: greedy person) Vielfraß m

pigeon ['pɪdʒən] sb ZOOL Taube f

pigeon-toed ['pɪdʒən təʊd] adj to be ~ einwärts gerichtete Fußspitzen haben

piggish ['pɪgɪʃ] adj schweinisch, saumäßig

piggyback ['pɪgɪbæk] adv huckepack

piggy bank ['pɪgɪ bæŋk] sb Sparschwein n

piglet ['pɪglɪt] sb ZOOL Ferkel n

pigskin ['pɪgskɪn] sb 1. Schweinsleder n; 2. the ~ (football)(US) das Leder n, das Ei n (fig)

pigsty ['pɪgstaɪ] sb Schweinestall m

pigtail ['pɪgteɪl] sb Zopf m

pile [paɪl] sb 1. Stapel m, Stoß m; 2. (fam: large amount) Haufen m, Menge f; make one's ~ (fam) (UK) das nötige Geld machen; v 3. stapeln
• **pile in** v ~ to hineindrängen in
• **pile up** v 1. sich häufen; 2. (sth) stapeln

pile-up ['paɪlʌp] sb (fam) Massenkarambolage f

pilfer ['pɪlfə] v stehlen, klauen

pilgrim ['pɪlgrɪm] sb Pilger m

pilgrimage ['pɪlgrɪmɪdʒ] sb Pilgerfahrt f

pill [pɪl] sb Pille f, Tablette f

pillar ['pɪlə] sb 1. Pfeiler m; (round) Säule f; a ~ of society (fig) eine Stütze der Gesellschaft

pillarbox ['pɪləbɒks] sb (UK) Briefkasten m

pillbox ['pɪlbɒks] sb 1. (box) Pillendöschen n; 2. (fam) MIL Bunker m; 3. (hat) Pillbox f (Damenhut ohne Krempe)

pillow ['pɪləʊ] sb Kissen n, Kopfkissen n

pillow fight ['pɪləʊ faɪt] sb (fam) Kissenschlacht f

pillow talk ['pɪləʊ tɔːk] sb Bettgeflüster n

pilot ['paɪlət] v 1. (a plane) führen; NAUT lotsen; sb 2. (of a plane) Pilot m; 3. NAUT Lotse m; 4. (~ programme) Pilotsendung f

pilot lamp ['paɪlət læmp] sb TECH Kontrolllampe f

pimp [pɪmp] sb Zuhälter m

pimple ['pɪmpl] sb Pickel m
pin [pɪn] sb 1. (for sewing) Stecknadel f; to be on ~s and needles (fam) ein Kribbeln im Bauch haben; 2. (tie ~, hair ~) Nadel f; 3. (small nail) Stift m; 4. (badge) Anstecknadel f; 5. (brooch) Brosche f; 6. TECH Bolzen m, Stift m; 7. (bowling ~) Kegel m; v 8. (s.o.) festhalten; 9. ~ sth to sth etw an etw heften; ~ one's hopes on seine ganze Hoffnung setzen auf
pinch [pɪntʃ] v 1. kneifen, zwicken; (shoe) (to be too tight) drücken; 2. (fam: steal) klauen; 3. (fam: arrest) schnappen; sb 4. Kneifen n, Zwicken n; 5. (small amount) Prise f; 6. (fam: emergency) Druck m, Not f
pine¹ [paɪn] sb BOT Kiefer f, Pinie f
pine² [paɪn] v ~ for sich sehnen nach
pine cone [paɪn kəʊn] sb BOT Kiefernzapfen m
ping-pong ['pɪŋpɒŋ] sb (fam) Tischtennis n
pink [pɪŋk] adj 1. (colour) rosa; sb 2. BOT Nelke f
pin money ['pɪnmʌnɪ] sb Taschengeld n, Nadelgeld n
pinpoint ['pɪnpɔɪnt] v (identify) genau festlegen
pin-striped ['pɪnstraɪpt] adj mit Nadelstreifen
pint [paɪnt] sb 1. Pinte f; 2. (of beer) Halbe f
pint-sized ['paɪntsaɪzd] adj winzig
pioneer [paɪə'nɪə] sb 1. Pionier m; 2. (fig) Pionier m, Bahnbrecher m, Vorkämpfer m
pip [pɪp] sb 1. (spot) Punkt m; (on dice) Auge n; 2. (disease affecting birds) Pips m; 3. (seed) Kern m
pipe [paɪp] sb 1. Rohr n, Röhre f, Leitung f; 2. (to smoke) Pfeife f; Put that in your ~ and smoke it. (fam) Schreib dir das hinter die Ohren. 3. MUS Pfeife f; v 4. (water, oil) in Rohren leiten; 5. ~d music Musik aus dem Lautsprecher f
pipe dream ['paɪpdriːm] sb (fam) Hirngespinst n
pipeline ['paɪplaɪn] sb Rohrleitung f, Pipeline f
piping ['paɪpɪŋ] sb 1. (pipework) Leitungssystem n; 2. (band of material) Paspel f; 3. MUS (flute) Flötenspiel n; 4. (bagpipes) Dudelsackpfeifen n
piquant ['piːkənt] adj pikant
piracy ['paɪrəsɪ] sb 1. Piraterie f, Seeräuberei f; 2. (plagiarism) Plagiat n
pirate ['paɪrɪt] sb 1. NAUT Pirat m, Seeräuber m; v 2. (an idea) stehlen

pirate copy ['paɪrɪt 'kɒpɪ] sb INFORM Raubkopie f
piss [pɪs] v 1. (fam) pissen; 2. Piss off! Verpiss dich! (fam)
pissed [pɪst] adj 1. (fam: drunk) (UK) besoffen; 2. ~ off (US) sauer, böse
pistol ['pɪstl] sb Pistole f
pit¹ [pɪt] sb 1. Grube f; 2. (of one's stomach) Magengrube f; 3. (orchestra ~) THEAT Orchestergraben m; 4. (UK: for the audience) THEAT Parkett n; 5. (for mechanics at an auto race) SPORT Box f; v 6. ~ s.o. against s.o. jdn jdm gegenüberstellen
pit² [pɪt] sb (US: of a cherry) Stein m
pitch [pɪtʃ] v 1. (fall) fallen, stürzen; 2. (ship) stampfen; 3. (toss) werfen; (hay) gabeln; 4. (a tent) aufschlagen; 5. MUS Tonhöhe f; (of an instrument) Tonlage f; 6. (throw) Wurf m; 7. sales ~ Verkaufsmasche f; 8. (UK: field) SPORT Spielfeld n; 9. (UK: for doing business) Stand m
pitch-black [pɪtʃblæk] adj pechschwarz
pitcher ['pɪtʃə] sb Krug m
pitchfork ['pɪtʃfɔːk] sb Heugabel f
piteous ['pɪtɪəs] adj Mitleid erregend, kläglich
pitfall ['pɪtfɔːl] sb Falle f, Fallstrick m
pithead ['pɪthed] sb Übertageanlagen pl
pitiable ['pɪtɪəbl] adj bemitleidenswert, bedauernswert
pitiful ['pɪtɪfʊl] adj 1. (person: full of pity) mitleidig, mitleidsvoll; 2. (pathetic) jämmerlich, erbärmlich, kläglich
pit stop ['pɪtstɒp] sb SPORT Boxenstopp m
pittance ['pɪtəns] sb (a ~) Hungerlohn m
pity ['pɪtɪ] v 1. bemitleiden, bedauern; sb 2. Mitleid n, Mitgefühl n, Erbarmen n; take ~ on s.o. mit jdm Mitleid haben, sich jds erbarmen; 3. (regrettable circumstance) Jammer m; What a ~! Wie schade!
pitying ['pɪtɪɪŋ] adj mitleidig
pizza ['piːtsə] sb Pizza f
pizzeria [piːtsə'rɪə] sb Pizzeria f
placard ['plækɑːd] sb Plakat n
placate [plə'keɪt] v beschwichtigen, besänftigen
place [pleɪs] v 1. (put) setzen, stellen, legen; ~ trust in s.o. Vertrauen in jdn setzen; 2. (suspicion) anhängen; 3. ~ an order bestellen; 4. (a ball) SPORT platzieren; 5. (an advertisement) platzieren; 6. (remember, identify) einordnen, unterbringen; sb 7. Platz m, Stelle f; at our ~ bei uns zu Hause; Your ~ or mine? Gehen wir zu dir oder zu mir? change ~s with s.o. mit

jdm den Platz tauschen; *in the first* ~ erstens; *put s.o. in his* ~ jdn zurechtweisen; *all over the* ~ überall; *lose one's* ~ *(in a book)* die Seite verblättern; *take the* ~ *of sth* etw ersetzen; *in* ~ *of* statt, an Stelle; *Put yourself in my* ~. Versetzen Sie sich in meine Lage. *fall into* ~ in Ordnung kommen, klar werden; *take* ~ stattfinden; *to be going* ~*s (fam)* eine Zukunft haben; *8.* ~ *of business* Arbeitsstelle *f*; *9. (first* ~, *second* ~*)* SPORT Platz *m*; *10. to be out of* ~ nicht an der richtigen Stelle sein; *feel out of* ~ sich fehl am Platze fühlen, sich nicht wohl fühlen; *to be out of* ~ *(uncalled-for) (remark)* unangebracht sein; *(person)* fehl am Platze sein; *11. (in a street name)* Platz *m*; *12. (town)* Ort *m*; *from* ~ *to* ~ von Ort zu Ort; ~ *of birth* Geburtsort *m*

placebo [pləˈsiːbəʊ] *sb* MED Placebo *n*
place card [ˈpleɪskɑːd] *sb* Platzkarte *f*, Tischkarte *f*
placemat [ˈpleɪsmæt] *sb* Set *n*, Platzdeckchen *n*
placement [ˈpleɪsmənt] *sb* Platzierung *f*
place name [ˈpleɪsneɪm] *sb* Ortsname *m*
place setting [ˈpleɪssetɪŋ] *sb* Gedeck *n*
placid [ˈplæsɪd] *adj* ruhig
plague [pleɪg] *v 1.* plagen; *sb 2.* MED Seuche *f*, Pest *f*; *avoid s.o. like the* ~ jdn meiden wie die Pest; *3. (fig)* Plage *f*
plain [pleɪn] *adj 1. (clear)* klar, deutlich; *2. (straightforward)* klar; *3. (simple)* einfach, schlicht; *4. (person)* unansehnlich; *5. (sheer)* rein; *sb 6.* Ebene *f*, Flachland *n*
plain clothes [pleɪn kləʊz] *pl* Zivilkleidung *f*
plainly [ˈpleɪnlɪ] *adv 1. (clearly)* klar, eindeutig; *2. (obviously)* offensichtlich; *3. (frankly)* offen
plain-spoken [ˈpleɪnspəʊkən] *adj* offen, freimütig
plait [pleɪt] *v 1.* flechten; *sb 2.* Zopf *m*
plan [plæn] *sb 1.* Plan *m*; *2. (of a building)* Grundriss *m*; *v 3.* planen; ~ *to do sth* vorhaben, etw zu tun
planation [pleɪˈneɪʃən] *sb* Einebnung *f*
plane [pleɪn] *sb 1. (aeroplane)* Flugzeug *n*; *2.* MATH Ebene *f*; *3. (tool)* TECH Hobel *m*; *v 4.* TECH hobeln
planet [ˈplænɪt] *sb* Planet *m*
planetarium [plænɪˈteərɪəm] *sb* Planetarium *n*
planform [ˈplænfɔːm] *sb* Flugzeugumriss *m*
plank [plæŋk] *sb 1.* Brett *n*; *as thick as two short* ~*s (fam)* *(UK)* dumm wie Bohnenstroh *n*;

2. NAUT Planke *f*; *walk the* ~ mit verbundenen Augen über eine Schiffsplanke ins Wasser getrieben werden
planning [ˈplænɪŋ] *sb* Planung *f*
planning permission [ˈplænɪŋ pəˈmɪʃən] *sb* Baugenehmigung *f*
plant [plɑːnt] *sb 1.* Pflanze *f*; *2. (factory)* Werk *n*; *3. (equipment)* Anlagen *pl*; *v 4.* pflanzen, einpflanzen, anpflanzen; *5. (place in position)* setzen; *(a bomb)* legen; *(a kiss)* drücken; *6. (fig: sth incriminating)* deponieren; *7. (fig: an informer)* einschleusen
plantation [plænˈteɪʃən] *sb* Plantage *f*
plaque [plæk] *sb 1. (tablet)* Gedenktafel *f*; *2. (on teeth)* Zahnbelag *m*
plaster [ˈplɑːstə] *sb 1. (for art, for a cast)* Gips *m*; *2. (for building)* Verputz *m*, Putz *m*; *3. (sticking* ~*)* Pflaster *n*; *v 4.* verputzen; ~ *over a hole* ein Loch zugipsen
plaster cast [ˈplɑːstə kɑːst] *sb 1.* Gipsabdruck *m*; *2.* MED Gipsverband *m*
plastered [ˈplɑːstəd] *adj (fam: drunk)* besoffen
plastic [ˈplæstɪk] *sb 1.* Kunststoff *m*, Plastik *n*; *adj 2. (made of plastic)* Plastik...; *3. (flexible)* formbar, plastisch
plastic money [ˈplæstɪk ˈmʌnɪ] *sb (fam)* Plastikgeld *n* (Kreditkarten)
plastic surgeon [ˈplæstɪk ˈsɜːdʒən] *sb* Facharzt/Fachärztin für plastische Chirurgie *m/f*
plate [pleɪt] *sb 1.* Teller *m*; *2. (warming* ~*)* Platte *f*; *3.* TECH Platte *f*; *4. (illustration)* Tafel *f*; *v 5. (with gold)* vergolden; *(with nickel)* vernickeln
plate glass [ˈpleɪtglɑːs] *sb* Scheibenglas *n*, Spiegelglas *n*
platform [ˈplætfɔːm] *sb 1.* Plattform *f*; *2. (railway* ~*)* Bahnsteig *m*; *3.* POL Parteiprogramm *n*, Plattform *f*
platform diving [ˈplætfɔːm ˈdaɪvɪŋ] *sb* SPORT Turmspringen *n*
platinum blonde [ˈplætɪnəm blɒnd] *sb* Platinblondine *f*
platonic [pləˈtɒnɪk] *adj* platonisch
platoon [pləˈtuːn] *sb* MIL Zug *m*
plausible [ˈplɔːzəbl] *adj* plausibel; *(excuse)* glaubwürdig
plausive [ˈplɔːzɪv] *adj (plausible)* plausibel
play [pleɪ] *v 1.* spielen; ~ *into s.o.'s hands (fig)* jdm in die Hände spielen; *2.* ~ *around,* ~ *about* spielen; *adj 3.* ~*ed out* erschöpft, ausgebrannt; *sb 4.* Spiel *n*; *to be at* ~ beim Spielen sein; *come into* ~ ins Spiel kommen; *a* ~

on words ein Wortspiel n; 5. THEAT Theaterstück n

play-acting ['pleɪæktɪŋ] sb (fam) Schauspielerei f

playback ['pleɪbæk] sb MUS Wiedergabe f

playbill ['pleɪbɪl] sb Theaterprogramm n

player ['pleɪə] sb Spieler m

playground ['pleɪgraʊnd] sb Spielplatz m; (schoolyard) Schulhof m

playgroup ['pleɪgru:p] sb Spielgruppe f

playing card ['pleɪɪŋ kɑ:d] sb Spielkarte f

playoffs ['pleɪɒfs] pl SPORT Play-off-Runde f

playpen ['pleɪpen] sb Laufstall m, Laufgitter n

playroom ['pleɪru:m] sb Spielzimmer n

playschool ['pleɪsku:l] sb Kindergarten m

playtime ['pleɪtaɪm] sb Zeit zum Spielen f, Schulpause f

plaza ['plɑ:zə] sb Platz m

plea [pli:] sb 1. Bitte f; 2. (excuse) Begründung f; 3. JUR Plädoyer n

plead [pli:d] v 1. (beg) bitten; 2. JUR ~ not guilty sich nicht schuldig bekennen; 3. (sth) vertreten; ~ s.o.'s case jdn vertreten; 4. (as an excuse) sich berufen auf

pleasant ['pleznt] adj 1. angenehm; 2. (person) freundlich

pleasantry ['plezntrɪ] sb 1. (polite remark) Höflichkeit f; 2. (joke) Scherz m

please [pli:z] interj 1. bitte; v 2. gefallen; if you ~ wenn ich darum bitten darf; 3. (satisfy) zufrieden stellen

pleased [pli:zd] adj erfreut; (satisfied) zufrieden

pleasurable ['pleʒərəbl] adj angenehm

pleasure ['pleʒə] sb Vergnügen n, Freude f; take ~ in Vergnügen finden an; with ~ sehr gerne

pleat [pli:t] sb Falte f

pledge [pledʒ] v 1. (promise) versprechen, zusichern; 2. (pawn, give as collateral) verpfänden; sb 3. (promise) Versprechen n; 4. (in a pawnshop) Pfand n

plenteous ['plentɪəs] adj reichlich, üppig, im Überfluss

plentiful ['plentɪfʊl] adj reichlich, im Überfluss

plenty ['plentɪ] sb eine Menge f; ~ of viel, eine Menge

plexiglass ['pleksɪglɑ:s] sb Plexiglas n

pliers ['plaɪəz] pl Zange f

plight [plaɪt] sb Notlage f

plod [plɒd] v schwerfällig gehen, trotten

plonk [plɒŋk] v hinwerfen, hinschmeißen

plonker ['plɒŋkə] sb (fam: person) Niete f

plot [plɒt] v 1. (conspire) sich verschwören; 2. (plan) planen; 3. (a story) ersinnen; 4. (a course) festlegen; (draw on a map) einzeichnen; 5. (a curve) aufzeichnen; sb 6. (conspiracy) Verschwörung f, Komplott n; 7. (of land) Stück Land n; (in a garden) Beet n; (in a graveyard) Grabstelle f; 8. (of a story) Handlung f

plough [plaʊ] v 1. pflügen; sb 2. Pflug m
• **plough back** v 1. AGR unterpflügen; 2. FIN reinvestieren
• **plough through** v The lorry skidded from the road and ploughed through a fence. Der Lastwagen schleuderte von der Straße und durchbrach einen Zaun.

pluck [plʌk] v 1. (fruit) pflücken; (a guitar, eyebrows) zupfen; (a chicken) rupfen; sb 2. (courage) Mut m, Schneid m

plucky ['plʌkɪ] adj tapfer, mutig

plug [plʌg] v 1. (a hole) verstopfen, zustopfen; 2. (fam: publicize) Reklame machen für, Schleichwerbung machen für; 3. ~ s.o. (fam: strike) jdm einen Schlag verpassen; (shoot) jdm einen Kugel verpassen; sb 4. (stopper) Stöpsel m; 5. (of chewing tobacco) Priem m; 6. (electric) Stecker m; 7. (fam: bit of publicity) Schleichwerbung f
• **plug in** v hineinstecken, einstöpseln, anschließen

plumb [plʌm] v 1. NAUT loten; 2. (fig) ergründen

plumber ['plʌmə] sb Installateur m (für Wasserleitungen), Klempner m

plumbing ['plʌmɪŋ] sb 1. (work) Klempnerarbeit f, Installateurarbeit f; 2. (fittings) Rohrleitung f, Wasserleitung f; (in a bathroom) sanitäre Einrichtung f

plume [plu:m] sb Feder f

plump [plʌmp] adj (person) mollig, rundlich, pummelig

plunder ['plʌndə] v 1. plündern; 2. (completely) ausplündern; sb 3. (act) Plünderung f; 4. (booty) Beute f

plunge [plʌndʒ] v 1. (dive) tauchen; 2. ~ o.s. into (studies, preparations) sich stürzen in; 3. (fall: person, prices) stürzen; 4. (into water) tauchen; 5. ~d into darkness in Dunkelheit getaucht

plunger ['plʌndʒə] sb Sauger m

plunk [plʌŋk] v (pluck) zupfen

plural ['plʊərəl] sb 1. Plural m; adj 2. Plural...

plus [plʌs] *prep 1.* plus, und; *ECO* zuzüglich; *sb 2. (sign)* Pluszeichen *n; 3. (positive factor)* Pluspunkt *m; 4. (fig: an extra)* Plus *n; adj 5. (fam: more than)* mehr als, über

plush [plʌʃ] *adj* luxuriös

ply [plaɪ] *v (a trade)* ausüben

p.m. [piː em] *adv (post meridiem)* nachmittags; 11 ~ 23 Uhr

pneumatic [njuˈmætɪk] *adj TECH* pneumatisch

pneumatic tyre [njʊmætɪk taɪə] *sb* Luftreifen *m*

pneumonia [njuˈməʊnɪə] *sb MED* Lungenentzündung *f,* Pneumonie *f*

poach [pəʊtʃ] *v (game)* wildern

PO box [piːˈəʊbɒks] *sb* Postfach *n*

pocket [ˈpɒkɪt] *sb 1.* Tasche *f; 2. (fig: finances)* Geldbeutel *m; to be out of ~* draufzahlen; *3. (in a suitcase)* Fach *n; 4. (small area)* Gebiet *n; ~ of resistance* Widerstandsnest *n; v 5.* einstecken; *(gain)* kassieren

pocketful [ˈpɒkɪtfʊl] *sb* eine Tasche voll

pocket-knife [ˈpɒkɪtnaɪf] *sb* Taschenmesser *n*

pocket money [ˈpɒkɪtmʌnɪ] *sb* Taschengeld *n*

podium [ˈpəʊdɪəm] *sb* Podest *n*

poem [ˈpəʊəm] *sb* Gedicht *n*

poet [ˈpəʊɪt] *sb* Dichter *m,* Poet *m*

poetic [pəʊˈetɪk] *adj* poetisch

poetic justice [pəʊˈetɪk ˈdʒʌstɪs] *sb* poetische Gerechtigkeit *f*

poetry [ˈpəʊɪtrɪ] *sb 1. LIT* Dichtung *f; 2. (fig)* Poesie *f*

poignant [ˈpɔɪnjənt] *adj* ergreifend

point [pɔɪnt] *v 1. (to be aimed)* gerichtet sein; *2. (indicate)* hinweisen; *3. (by making a motion)* zeigen, deuten; *4. (aim)* richten; *sb 5.* Punkt *m; ~ six percent* null Komma sechs Prozent; *make a ~ of doing sth* darauf bedacht sein, etw zu tun; *up to a ~* bis zu einem gewissen Grad; *in ~ of fact* tatsächlich; *s.o.'s good ~s* jds gute Seiten; *s.o.'s strong ~* jds Stärke; *to be on the ~ of doing sth* kurz davor sein, etw zu tun; *You have a ~ there.* Da haben Sie nicht Unrecht. *The ~ is that ...* Die Sache ist die ...; *a sore ~* ein wunder Punkt; *6. ~ of view* Standpunkt *m,* Gesichtspunkt *m,* Perspektive *f; 7. ~ in time* Zeitpunkt *m; at this ~ (in time)* in diesem Augenblick; *(now)* jetzt; *8. a case in ~* ein einschlägiger Fall, ein Beispiel *n; the case in ~* der vorliegende Fall; *9. (of a chin, of a knife)* Spitze *f; 10. (of a star)* Zacke *f; 11. (purpose)* Zweck *m,* Sinn *m;*

miss the ~ nicht wissen, worum es geht; *What's the ~?* Was soll's? *There is no ~ in doing that.* Es hat keinen Zweck, das zu tun. *That's not the ~.* Darum geht es nicht. *stick to the ~* bei der Sache bleiben; *beside the ~* unerheblich, nicht zur Sache gehörig; *come to the ~* zum Wesentlichen kommen

• **point out** *v 1.* zeigen auf; *2. point sth out to s.o. (verbally)* jdn auf etw aufmerksam machen, jdn auf etw hinweisen

point-blank [pɔɪnt blæŋk] *adj 1.* direkt; *(refusal)* glatt; *at ~ range* aus kürzester Entfernung; *adv 2.* aus kürzester Entfernung; *(question)* rundheraus

pointed [ˈpɔɪntɪd] *adj 1.* spitz; *2. (arch)* spitzbogig; *3. (fig: wit, comment)* scharf

point-to-point [ˈpɔɪnttuːˈpɔɪnt] *sb (race) SPORT* Geländejagdrennen *n*

poise [pɔɪz] *v 1.* balancieren, im Gleichgewicht halten; *~d for* bereit zu; *sb 2. (posture)* Haltung *f; (grace)* Grazie *f; 3. (composure)* sicheres Auftreten *n,* Selbstsicherheit *f*

poison [ˈpɔɪzn] *v 1.* vergiften; *sb 2.* Gift *n*

poison gas [ˈpɔɪzn'gæs] *sb* Giftgas *n*

poisoning [ˈpɔɪzn̩ɪŋ] *sb* Vergiftung *f*

poisonous [ˈpɔɪzənəs] *adj* giftig, Gift...

poison pen letter [ˈpɔɪzn pen ˈletə] *sb* verleumderischer anonymer Brief *m*

poke[1] [pəʊk] *v 1. (with a stick)* stoßen; *(with a finger)* stupsen; *~ fun at s.o. (fig)* sich über jdn lustig machen; *2. (one's nose or one's finger somewhere)* stecken; *(one's head somewhere)* vorstrecken; *3. ~ about, ~ around (to be nosy)* stöbern; *(wander aimlessly)* herumbummeln; *4. (make a hole)* bohren; *sb 5. (jab)* Stoß *m,* Schubs *m*

poke[2] [pəʊk] *sb (bag)* Sack *m,* Beutel *m; buy a pig in a ~ (fam)* die Katze im Sack kaufen

poker [ˈpəʊkə] *sb* Poker *n*

poker face [ˈpəʊkəfeɪs] *sb* Pokergesicht *n*

poky [ˈpəʊkɪ] *adj 1. (fam: shabby)* schäbig, heruntergekommen; *2. (dull)* öde

pole[1] [pəʊl] *sb 1.* Stange *f; 2. (for a flag)* Mast *m; 2. (post)* Pfahl *m*

pole[2] [pəʊl] *sb GEO, PHYS, ASTR* Pol *m*

pole position [ˈpəʊlpəzɪʃən] *sb SPORT* Innenbahn *f*

pole star [ˈpəʊlstɑː] *sb* Polarstern *m*

pole vault [ˈpəʊlvɔːlt] *sb SPORT* Stabhochsprung *m*

police [pəˈliːs] *sb 1.* Polizei *f; v 2.* kontrollieren, überwachen; *adj 3.* polizeilich, Polizei...

police dog [pə'liːs dɒg] *sb* Polizeihund *m*
police force [pə'liːs fɔːs] *sb* Polizei *f*, Polizeitruppe *f*
police officer [pə'liːs 'ɒfɪsə] *sb* Polizist *m*, Polizeibeamte(r)/Polizeibeamtin *m/f*
police station [pə'liːssteɪʃən] *sb* Polizeirevier *n*, Polizeiwache *f*
policy ['pɒlɪsɪ] *sb* 1. Politik *f*; *foreign* ~ Außenpolitik *f*; 2. *(principles of conduct)* Verfahrensweise *f*, Politik *f*, Taktik *f*; 3. *(insurance ~)* Police *f*
policyholder ['pɒlɪsɪhəʊldə] *sb* Versicherungsnehmer *m*
polio ['pəʊlɪəʊ] *sb* MED Polio *f*, Kinderlähmung *f*
polish ['pɒlɪʃ] *v* 1. polieren; 2. *(fig)* verfeinern, den letzten Schliff geben; *sb* 3. *(material) (for furniture)* Politur *f*; 4. *(for shoes)* Schuhkrem *f*; 5. *(for fingernails)* Lack *m*; 6. *(for a floor)* Wachs *n*; 7. *(shine)* Glanz *m*; *(of furniture)* Politur *f*; 8. *(fig: of a person)* Schliff *m* *(fam)*
• **polish off** *v* 1. *(fam: food)* verputzen; *(drink)* wegputzen; 2. *(fam: work)* wegschaffen
polished ['pɒlɪʃt] *adj* *(fig: manner)* geschliffen
polite [pə'laɪt] *adj* höflich
politeness [pə'laɪtnɪs] *sb* Höflichkeit *f*
politic ['pɒlɪtɪk] *adj* 1. *(expedient)* zweckmäßig, taktisch klug; 2. *(political)* politisch
political [pə'lɪtɪkl] *adj* politisch
political prisoner [pə'lɪtɪkl 'prɪzənə] *sb* politische(r) Gefangene(r) *m/f*
politician [pɒlɪ'tɪʃən] *sb* Politiker *m*
politicking ['pɒlɪtɪkɪŋ] *sb* politische Aktivitäten *pl*
politics ['pɒlətɪks] *sb* Politik *f*
polka ['pɒʊlkə] *sb* Polka *f*
poll [pəʊl] *sb* 1. *(opinion ~)* Umfrage *f*; 2. *(voting)* Abstimmung *f*; 3. ~*s pl (voting place)* Wahllokale *pl*; *go to the* ~*s* wählen gehen; *v* 4. *(in an opinion ~)* befragen
pollen count ['pɒlən kaʊnt] *sb* BOT Pollenzahl *f*
polling ['pəʊlɪŋ] *sb* Wahl *f*
polling station ['pəʊlɪŋsteɪʃən] *sb* POL Wahllokal *n*
pollute [pə'luːt] *v* 1. verschmutzen, verunreinigen; 2. *(fig: morals)* verderben
polluted [pə'luːtɪd] *adj* verschmutzt, verunreinigt, verseucht
pollution [pə'luːʃən] *sb* Verschmutzung *f*; *(of the environment)* Umweltverschmutzung *f*
polo ['pəʊləʊ] *sb* SPORT Polo *n*

poltergeist ['pɒltəgaɪst] *sb* Poltergeist *m*
polyester [pɒlɪ'estə] *sb* Polyester *n*
polygamy [pɒ'lɪgəmɪ] *sb* Polygamie *f*, Vielehe *f*, Vielweiberei *f*
polygraph ['pɒlɪgrɑːf] *sb* Lügendetektor *m*
polysyllabic [pɒlɪsɪ'læbɪk] *adj* LING mehrsilbig
polytechnic [pɒlɪ'teknɪk] *sb* *(UK)* Polytechnikum *n*
pomade [pə'mɑːd] *sb* Pomade *f*
pomander [pəʊ'mændə] *sb* Duftkugel *f*
pomegranate ['pɒmɪgrænɪt] *sb* BOT Granatapfel *m*
pommy ['pɒmɪ] *sb (fam)* Engländer *m*
pomp [pɒmp] *sb* Pomp *m*, Prunk *m*
pompon ['pɒmpɒn] *sb* Quaste *f*
pomposity [pɒm'pɒsɪtɪ] *sb* Aufgeblasenheit *f*, Wichtigtuerei *f*
pompous ['pɒmpəs] *adj* 1. *(person)* wichtigtuerisch, aufgeblasen; 2. *(style)* schwülstig
ponce [pɒns] *sb (fam)* Zuhälter *m*
pond [pɒnd] *sb* Teich *m*
ponder ['pɒndə] *v* 1. nachdenken; 2. *(sth)* überlegen, nachdenken über, erwägen
pony ['pəʊnɪ] *sb* Pony *n*
pony tail ['pəʊnɪ teɪl] *sb (hairstyle)* Pferdeschwanz *m*
pooch [puːtʃ] *sb* Hund *m*
poodle ['puːdl] *sb* Pudel *m*
pooh-pooh ['puːpuː] *v* verächtlich abtun
pool [puːl] *sb* 1. *(of liquid)* Tümpel *m*; 2. *(of rain)* Pfütze *f*; 3. *(of spilt liquid)* Lache *f*; 4. *(man-made)* Becken *n*; 5. *(fund)* Kasse *f*; 6. *the* ~*s pl (UK)* Toto *m/n* 7. *(US: game similar to billiards)* Poolbilliard *n*; *v* 8. *(combine: resources)* zusammenlegen; *(combine: efforts, knowledge)* vereinigen
poor [pʊə] *adj* 1. arm; 2. *(pitiable)* arm; *You* ~ *thing!* Du Ärmste(r)! 3. *(not good)* schlecht; 4. *(excuse, performance, health, effort)* schwach
poorly ['pʊəlɪ] *adv* schlecht
poor mouth ['pʊəmaʊθ] *v* ~ *s.o.* jdn schlecht machen
pop¹ [pɒp] *v* 1. knallen; *(balloon)* platzen; *(popcorn)* aufplatzen; 2. *(ears)* mit einem Knacken aufgehen; 3. ~ *the question (fam)* jdn einen Heiratsantrag machen; 4. ~ *pills* Tabletten nehmen; *sb* 5. *(sound)* Knall *m*; 6. *(carbonated drink)* Brause *f*, Limo *f (fam)*; 7. *(fam) three dollars a* ~ je drei Dollar
• **pop in** *v (make a short visit)* vorbeischauen, auf einen Sprung vorbeikommen, hereinplatzen

• **pop up** v (appear suddenly) auftauchen
pop² [pɒp] sb MUS Pop m
pop³ [pɒp] sb (fam: father) Papa m
popcorn [ˈpɒpkɔːn] sb Popkorn n
poppy [ˈpɒpɪ] sb BOT Mohn m
poppycock [ˈpɒpɪkɒk] sb Larifari n, Quatsch m
pop singer [ˈpɒpsɪŋə] sb MUS Schlagersänger m
popular [ˈpɒpjʊlə] adj 1. (well-liked) beliebt; 2. (with the public) populär, beliebt; 3. (prevalent) weit verbreitet; 4. (of the people) Volks...; 5. (suitable for the general public) populär; (book) populärwissenschaftlich
popularity [pɒpjʊˈlærɪtɪ] sb Beliebtheit f, Popularität f
population [pɒpjʊˈleɪʃən] sb 1. Bevölkerung f, Einwohnerschaft f; 2. (number of people) Bevölkerungszahl f
porcelain [ˈpɔːslɪn] sb Porzellan n
porch [pɔːtʃ] sb 1. (of a house) Vorbau m, Vordach n; 2. (US) Veranda f
pore¹ [pɔː] sb ANAT Pore f
pore² [pɔː] v ~ over genau studieren; ~ a book über einem Buch hocken
pork [pɔːk] sb Schweinefleisch n
pork chop [ˈpɔːktʃɒp] sb GAST Schweinekotelett n
porky [ˈpɔːkɪ] adj fett
pornographic [pɔːnəˈɡræfɪk] sb pornografisch, Porno...
pornography [pɔːˈnɒɡrəfɪ] sb Pornografie f
porpoise [ˈpɔːpəs] sb ZOOL Tümmler m
porridge [ˈpɒrɪdʒ] sb Haferbrei m
port¹ [pɔːt] sb 1. Hafen m; 2. (city with a ~) Hafenstadt f, Hafen m; 3. (left) NAUT Backbord n
port² [pɔːt] sb (~ wine) Portwein m
porter [ˈpɔːtə] sb 1. Pförtner m; 2. (at a hotel) Portier m, Hoteldiener m; 3. (at an airport) Gepäckträger m; 4. (accompanying an expedition) Träger m
portfolio [pɔːtˈfəʊlɪəʊ] sb 1. (folder) Mappe f; 2. (fig) FIN Portefeuille n
portion [ˈpɔːʃən] sb 1. Teil m; (share) Anteil m; 2. (of food) Portion f
portrait [ˈpɔːtrɪt] sb Porträt n
portray [pɔːˈtreɪ] v 1. darstellen; 2. (describe) schildern
portrayal [pɔːˈtreɪəl] sb 1. Darstellung f; 2. (description) Schilderung f
pose [pəʊz] v 1. (for a picture) posieren; 2. ~ as sich ausgeben als; 3. (position) aufstellen;

4. (a question) stellen; 5. (a problem) aufwerfen; (a threat) darstellen; sb 6. Pose f
poser [ˈpəʊzə] sb (fam) Angeber m
posh [pɒʃ] adj (fam) piekfein
position [pəˈzɪʃən] v 1. aufstellen, platzieren; (soldiers) postieren; sb 2. Position f; to be out of ~ an der falschen Stelle sein; What ~ do you play? Auf welcher Position spielst du? 3. (posture) Haltung f, Stellung f; 4. (situation) Lage f; 5. (job) Stelle f; 6. (point of view) Standpunkt m, Haltung f, Einstellung f
positive [ˈpɒzɪtɪv] adj 1. positiv; 2. (certain) sicher; 3. (fam: definite) ausgesprochen; sb 4. FOTO Positiv n
positively [ˈpɒzɪtɪvlɪ] adv 1. (definitely) sicher; 2. (absolutely) wirklich, echt
possess [pəˈzes] v 1. besitzen, haben; 2. to be ~ed by besessen sein von; like a man ~ed wie ein Besessener
possessed [pəˈzest] adj besessen
possession [pəˈzeʃən] sb 1. (thing owned) Besitz m; all my ~s mein ganzes Hab und Gut n; 2. (owning) Besitz m; take ~ of sth n; etw in Besitz nehmen; 3. (by demons) Besessenheit f
possessive [pəˈzesɪv] adj 1. GRAMM possessiv; 2. (fig) (toward belongings) eigen; (toward a person) besitzergreifend
possessor [pəˈzesə] sb Besitzer m
possibility [pɒsəˈbɪlɪtɪ] sb Möglichkeit f
possible [ˈpɒsəbl] adj möglich; if ~ falls möglich; make ~ ermöglichen
possibly [ˈpɒsəblɪ] adv 1. (perhaps) vielleicht, möglicherweise; 2. (emphatic) I cannot ~ do this. Ich kann das unmöglich tun. She did all she ~ could. Sie tat, was sie nur konnte. How can I ~ ... Wie kann ich nur ...
post [pəʊst] v 1. (on a wall, on a notice board) anschlagen; (fig: announce) bekannt machen; 2. keep s.o ~ed jdn auf dem Laufenden halten; 3. (assign) versetzen; 4. (a guard) aufstellen; sb 5. (pole) Pfosten m; (lamp ~) Pfahl m; (tall) Mast m; as deaf as a ~ stocktaub; 6. MIL Posten m; 7. (job) Stelle f, Posten m; 8. (mail) Post f; by return of ~ postwendend; put in the ~ (UK) aufgeben, mit der Post schicken; (put in a letter box) einwerfen
postage [ˈpəʊstɪdʒ] sb Porto n
postal code [ˈpəʊstəl kəʊd] sb (UK) Postleitzahl f
postal order [ˈpəʊstəlɔːdə] sb (UK) Postanweisung f
postal service [ˈpəʊstəlsɜːvɪs] sb Postdienst m, Post f

postbox ['pəʊstbɒks] *sb* Briefkasten *m*
postcard ['pəʊstkɑːd] *sb* Postkarte *f*; *(picture ~)* Ansichtskarte *f*
postdate [pəʊst'deɪt] *v (a document)* vordatieren
poster ['pəʊstə] *sb* Plakat *n*, Poster *n*
posterity [pɒs'terɪtɪ] *sb* die Nachwelt *f*
postgraduate [pəʊst'grædjʊɪt] *sb* jmd, der seine Studien nach dem ersten Studienabschluss weiterführt
posthumous ['pɒstjʊməs] *adj* posthum
postman ['pəʊstmən] *sb* Briefträger *m*, Postbote *m*
postmark ['pəʊstmɑːk] *sb* Poststempel *m*
post-mortem [pəʊst'mɔːtəm] *sb* 1. *MED* Obduktion *f*; 2. *(fig)* nachträgliche Analyse *f*
post office ['pəʊstɒfɪs] *sb* Post *f*, Postamt *n*
post office box ['pəʊstɒfɪsbɒks] *sb* Postfach *n*
postpone [pəʊst'pəʊn] *v* aufschieben; *(for a specified period)* verschieben
postponement [pəʊst'pəʊnmənt] *sb* 1. Aufschub *m*; 2. *(act of postponing)* Verschiebung *f*
postproduction [pəʊstprə'dʌkʃən] *sb* CINE Nachbearbeitung *f*
postscript ['pəʊstskrɪpt] *sb* 1. *(to a letter)* Postskriptum *n*; 2. *(to a book)* Nachwort *n*; 3. *(fig: to an affair)* Nachspiel *n*
posture ['pɒstʃə] *sb* Haltung *f*
post-war ['pəʊstwɔː] *adj* Nachkriegs...
pot [pɒt] *v* 1. *(a plant)* eintopfen; *sb* 2. Topf *m*; 3. *(coffee ~)* Kanne *f*; 4. *(in a card game)* Topf *m*; 5. go to ~ *(fig)* kaputtgehen, ins Wasser fallen; *(person)* auf den Hund kommen; 6. *(fam: marijuana)* Gras *n*
potato [pə'teɪtəʊ] *sb* Kartoffel *f*
potato chip [pə'teɪtəʊtʃɪp] *sb (US)* Kartoffelchip *m*
potato salad [pə'teɪtəʊ'sæləd] *sb* Kartoffelsalat *m*
potency ['pəʊtənsɪ] *sb* 1. *(of a drink)* Stärke *f*; *(of medication)* Wirksamkeit *f*; 2. *(of an argument)* Stichhaltigkeit *f*; 3. *(of a man)* Potenz *f*
potent ['pəʊtənt] *adj* 1. stark; *(drug)* wirksam; 2. *(argument)* stichhaltig
potential [pəʊ'tenʃəl] *adj* 1. potenziell; *sb* 2. Potenzial *n*
potful ['pɒtfʊl] *sb* Topf *m*, Kanne *f*
potluck ['pɒtlʌk] *sb (fam)* geselliges Beisammensein, zu dem alle Beteiligten selbst etw zu essen mitbringen *n*

pot plant ['pɒtplɑːnt] *sb* Topfpflanze *f*
pot shot ['pɒtʃɒt] *sb* Schuss aufs Geratewohl *m*
pottery ['pɒtərɪ] *sb* 1. Töpferei *f*; 2. *(pots)* Töpferwaren *pl*
pouch [paʊtʃ] *sb* Beutel *m*
poultry ['pəʊltrɪ] *sb* Geflügel *n*
pounce [paʊns] *v ~ on* sich stürzen auf
pound¹ [paʊnd] *v* 1. *(to be ~ing)* hämmern; *(heart)* pochen; *(waves)* schlagen; 2. *(run with heavy footfalls)* stampfen; 3. *(sth)* hämmern; *(meat)* klopfen; 4. *(with bombs)* MIL ununterbrochen beschießen
pound² [paʊnd] *sb (unit of weight, money)* Pfund *n*
pound³ [paʊnd] *sb* 1. *(for stray dogs)* städtischer Hundezwinger *m*; 2. *(for cars)* Abstellplatz für abgeschleppte Autos *m*
pour [pɔː] *v* 1. strömen; 2. *(sth)(liquid)* gießen; *~ money into a project* Geld in ein Projekt pumpen; 3. *(powder, a large amount of liquid)* schütten; 4. *(a drink)* einschenken
• **pour in** *v* 1. hereinströmen/hineinströmen; 2. *(letters, requests)* in Strömen eintreffen
• **pour out** *v* 1. herausströmen/hinausströmen; 2. *(sth)* ausgießen; *(large quantities, powder)* ausschütten; 3. *(fig)* pour one's heart out to s.o. jdm sein Herz ausschütten
poverty ['pɒvətɪ] *sb* Armut *f*
poverty-stricken ['pɒvətɪstrɪkən] *adj* verarmt
powder ['paʊdə] *sb* 1. Pulver *n*; 2. *(cosmetic ~, talcum ~)* Puder *m*; *v* 3. ~ one's nose sich die Nase pudern; *(fam:* go to the bathroom*)* mal kurz verschwinden
powdered milk [paʊdəd'mɪlk] *sb* GAST Trockenmilch *f*
power [paʊə] *sb* 1. Macht *f*; *I will do everything in my ~.* Ich werde tun, was in meiner Macht steht. *to be in s.o.'s ~* in jds Gewalt sein; 2. *(ability)* Fähigkeit *f*; *(of speech, of imagination)* Vermögen *n*; 3. *(of an engine, of loudspeakers)* TECH Leistung *f*; 4. *(of a lens, of a drug)* Stärke *f*; 5. *(physical strength)* Kraft *f*; 6. *(of a blow, of an explosion)* Stärke *f*, Gewalt *f*; 7. *(electric ~)* TECH Starkstrom *m*; 8. *(fig: of an argument)* Überzeugungskraft *f*; 9. *MATH* Potenz *f*; *v* 10. *(sth)* antreiben
power cut ['paʊə kʌt] *sb* 1. Stromausfall *m*; 2. *(in wartime)* Stromsperre *f*
power failure ['paʊəfeɪljə] *sb* Stromausfall *m*, Netzausfall *m*
powerful ['paʊəfʊl] *adj* 1. *(influential)* mächtig, einflussreich; 2. *(strong: person,*

drug, emotions) stark; *3. (car)* leistungsfähig; *4. (blow)* heftig; *5. (argument)* durchschlagend

powerless ['pauǝlıs] *adj 1. (without strength)* kraftlos; *2. (without influence, ~ to act)* machtlos

power plant ['pauǝplɑːnt] *sb* Kraftwerk *n*, Elektrizitätswerk *n*

power steering [pauǝ'stiːrıŋ] *sb* Servolenkung *f*

practical ['præktıkǝl] *adj* praktisch

practical joke ['præktıkǝl dʒǝuk] *sb* Streich *m*

practically ['præktıkǝlı] *adv 1.* praktisch; *2. (fam: virtually)* fast

practice ['præktıs] *v 1. (verb)(US) (see "practise");* *sb 2. (rehearsal, trial run)* Probe *f*; *3. (repeated exercise)* Übung *f*; ~ makes perfect Übung macht den Meister; *out of* ~ aus der Übung; *4.* SPORT Training *n*; *5. (action, not theory)* Praxis *f*; *6. (habit)* Gewohnheit *f*, *(custom)* Brauch *m*; *7. (business ~)* Verfahrensweise *f*; *8. (law ~, medical ~)* Praxis *f*

practise ['præktıs] *v 1.* üben; *2. (a profession, a religion)* ausüben; *3. (law, medicine)* praktizieren

practitioner [præk'tıʃǝnǝ] *sb general ~* Arzt für Allgemeinmedizin *m*, praktischer Arzt *m*

pragmatic [præg'mætık] *adj* pragmatisch

pragmatist ['prægmǝtıst] *sb* Pragmatiker *m*

prairie ['preǝrı] *sb* Prärie *f*

praise [preız] *v 1.* loben; *sb 2.* Lob *n*

praiseworthy ['preızwɜːðı] *adj* lobenswert

pram [præm] *sb (UK)* Kinderwagen *m*

prance [prɑːns] *v 1.* herumhüpfen; *2. (strut)* stolzieren; *3. (horse)* tänzeln

prank [præŋk] *sb* Streich *m*, Schabernack *m*; *play a ~ on s.o.* jdm einen Streich spielen

prat [præt] *sb (fam: fool)* Trottel *m*

prate [preıt] *v* schwafeln, brabbeln

prattle ['prætl] *v* plappern, schwatzen

pray [preı] *v* beten

prayer [preǝ] *sb* Gebet *n*

prayer book ['preǝbʊk] *sb* Gebetbuch *n*

prayerful ['preǝfʊl] *adj* von Gebeten erfüllt

pre-accession country [priːæk'seʃn 'kʌntrı] *sb* POL Beitrittskandidat *m*

preach [priːtʃ] *v 1.* predigen; *2. (fig: the advantages of sth)* propagieren

preacher ['priːtʃǝ] *sb* Prediger *m*

preachy ['priːtʃı] *adj* moralisierend

prearrange [priːǝ'reındʒ] *v* vorher abmachen, vorher bestimmen

precarious [prı'keǝrıǝs] *adj* unsicher; *(dangerous)* gefährlich

precaution [prı'kɔːʃǝn] *sb* Vorsichtsmaßnahme *f*; *take ~s* Vorsichtsmaßnahmen treffen; *as a ~* vorsichtshalber

precedence ['presıdǝns] *sb* Vorrang *m*; *take ~ over* den Vorrang haben vor

precedent ['presıdǝnt] *sb* Präzedenzfall *m*; *without ~* noch nie da gewesen

preceding [prı'siːdıŋ] *adj* vorhergehend

precinct ['priːsıŋkt] *sb 1.* Bezirk *m*; *2. police ~ (US)* Polizeirevier *n*

precious ['preʃǝs] *adj* wertvoll, kostbar, *(stones, metals)* edel

precipitation [prısıpı'teıʃǝn] *sb* METEO Niederschlag *m*

precise [prı'saıs] *adj* genau

precisely [prı'saıslı] *adv* genau; *Precisely!* Genau!

precision [prı'sıʒǝn] *sb* Genauigkeit *f*, Präzision *f*

preclude [prı'kluːd] *v* ausschließen; ~ *s.o. from doing sth* jdn daran hindern, etw zu tun

precocious [prı'kǝuʃǝs] *adj* frühreif; *(in a negative sense)* altklug

preconception [priːkǝn'sepʃǝn] *sb* vorgefasste Meinung *f*

predate [priː'deıt] *v 1. (come before)* vorausgehen; *2. (a document)* zurückdatieren

predator ['predǝtǝ] *sb* Raubtier *n*; *(person)* Plünderer *m*

predecessor ['priːdısesǝ] *sb* Vorgänger *m*

predestined [priː'destınd] *adj* prädestiniert

predicament [prı'dıkǝmǝnt] *sb* Zwangslage *f*, missliche Lage *f*

predict [prı'dıkt] *v* vorhersagen, voraussagen

prediction [prı'dıkʃǝn] *sb* Vorhersage *f*, Voraussage *f*

predisposition [priːdıspǝ'zıʃǝn] *sb* Neigung *f*

predominant [prı'dɒmınǝnt] *adj* vorherrschend, überwiegend

pre-empt [priː'empt] *v* zuvorkommen

pre-emptive [priː'emptıv] *adj* präventiv, Präventiv...

prefabricated [priː'fæbrıkeıtıd] *adj* vorgefertigt, Fertig...

preface ['prefıs] *v 1. (remarks)* einleiten; *sb 2. (to a book)* Vorwort *n*

prefect ['priːfekt] *sb* Präfekt *m*

prefer [prı'fɜː] *v* vorziehen, lieber mögen als, bevorzugen

preference ['prefərəns] *sb* 1. Vorliebe *f; I have no ~.* Mir ist alles recht. 2. *(greater favour)* Vorzug *m; show ~ to s.o.* jdn bevorzugen

pregnancy ['pregnənsɪ] *sb* Schwangerschaft *f; (of an animal)* Trächtigkeit *f*

pregnant ['pregnənt] *adj* 1. schwanger; *(animal)* trächtig; 2. *(fig: remark, pause)* bedeutungsvoll

preheat [pri:'hi:t] *v* vorwärmen

prehistoric [pri:hɪs'tɒrɪk] *adj* prähistorisch, vorgeschichtlich

prejudge [pri:'dʒʌdʒ] *v* vorverurteilen

prejudice ['predʒudɪs] *v* 1. einnehmen, beeinflussen; 2. *(to be detrimental to)* gefährden; *sb* 3. Vorurteil *n;* 4. *(detriment)* JUR Schaden *m*

prejudiced ['predʒudɪst] *adj* voreingenommen

preliminary [prɪ'lɪmɪnərɪ] *adj* Vor..., *(remarks)* einleitend, *(measures)* vorbereitend

premarital [pri:'mærɪtl] *adj* vorehelich

premature ['premətʃuə] *adj* 1. frühzeitig; 2. *(decision)* verfrüht; 3. *~ birth* Frühgeburt *f*

premeditated [pri:'medɪteɪtɪd] *adj* vorsätzlich

premier ['premɪə] *adj* 1. führend; *sb* 2. POL Premierminister *m*

premiere ['premɪeə] *sb* Premiere *f,* Uraufführung *f,* Erstaufführung *f*

premise ['premɪs] *sb* 1. *(logical)* Voraussetzung *f;* 2. *~s pl* Grundstück *n; (of a school, of a factory)* Gelände *n; (of a shop)* Räumlichkeiten *pl*

premium ['pri:mɪəm] *sb* 1. *(bonus)* Bonus *m,* Prämie *f;* 2. *(insurance ~)* Prämie *f;* 3. *(surcharge)* Zuschlag *m;* 4. *to be at a ~* sehr gesucht sein

prenuptial agreement [pri:'nʌpʃəl ə'gri:mənt] *sb* Ehevertrag

preoccupation [pri:ɒkjʊ'peɪʃən] *sb* 1. *(thing preoccupied with)* Hauptbeschäftigung *f;* 2. *~ with* Beschäftigtsein mit, Vertieftsein in, Inanspruchnahme durch

preoccupied [pri:'ɒkjʊpaɪd] *adj* in Gedanken vertieft

preoccupy [pri:'ɒkjʊpaɪ] *v* beschäftigen

pre-package [pri:'pækɪdʒ] *v* abpacken

preparation [prepə'reɪʃən] *sb* Vorbereitung *f; (of a meal, of medicine)* Zubereitung *f*

preparatory [prɪ'pærətərɪ] *adj* vorbereitend

prepare [prɪ'peə] *v* 1. vorbereiten; 2. *(a meal, medicine)* zubereiten

prepared [prɪ'peəd] *adj* vorbereitet, *(ready)* bereit

preposition [prepə'zɪʃən] *sb* Präposition *f*

prepositive [pri:'pɒzɪtɪv] *adj* Präpositional...

prepossess [pri:pə'zes] *v* einnehmen

prepossession [pri:pə'zeʃən] *sb* Voreingenommenheit *f,* Vorurteil *n*

preposterous [prɪ'pɒstərəs] *adj* absurd

preppy ['prepɪ] *sb* Popper *m*

prequel ['pri:kwəl] *sb* Fortsetzung, bei der die Geschichte zeitlich vor der Originalgeschichte spielt *f*

prerequisite [pri:'rekwɪzɪt] *adj* 1. erforderlich, notwendig; *sb* 2. Voraussetzung *f,* Vorbedingung *f*

presage ['presɪdʒ] *v* vorher andeuten

presale ['pri:seɪl] *sb* Vorverkauf *m*

preschool ['pri:sku:l] *sb* Vorschule *f*

prescribe [prɪs'kraɪb] *v* 1. vorschreiben; 2. MED verschreiben

prescript ['pri:skrɪpt] *sb* Vorschrift *f*

prescription [prɪs'krɪpʃən] *sb* MED Rezept *n*

prescriptive [prɪ'skrɪptɪv] *adj* normativ

presence ['prezns] *sb* 1. Gegenwart *f,* Anwesenheit *f; in the ~ of* vor; 2. *(bearing)* Auftreten *n,* Haltung *f;* 3. *~ of mind* Geistesgegenwart *f;* 4. *(stage ~)* Ausstrahlung *f*

present [prɪ'zent] *v* 1. *(put forward)* vorlegen; 2. *(introduce)* vorstellen; 3. *(offer, provide)* bieten; 4. *(hand over)* übergeben, überreichen, *(as a gift)* schenken; 5. *~ itself (an opportunity, a problem)* sich ergeben; ['preznt] *sb* 6. *(gift)* Geschenk *n;* make s.o. a ~ of sth jdm etw schenken; 7. *(~ time, ~ tense)* Gegenwart *f; at ~* zurzeit, im Moment, im Augenblick; *adj* 8. *(at the ~ time)* gegenwärtig, derzeitig, jetzig; 9. *(existing)* vorhanden; 10. *(in attendance)* anwesend

presentation [prezn'teɪʃən] *sb* 1. *(act of presenting)* Vorlage *f,* Präsentation *f;* 2. *(handing over)* Überreichung *f; (of an award)* Verleihung *f;* 3. *(manner of presenting)* Darbietung *f,* Präsentation *f;* 4. *(of a play, of a programme)* Darbietung *f,* Vorführung *f;* 5. *(introduction)* Vorstellung *f*

present-day ['prezntdeɪ] *adj* heutig, von heute

presenter [prɪ'zentə] *sb* Moderator *m; the ~ of an award* derjenige, der einen Preis überreicht

presently ['prezntlɪ] *adv* 1. *(soon)* bald, gleich; 2. *(at present)* zurzeit

preservation [prezə'veɪʃən] *sb* Erhaltung *f; (keeping)* Aufbewahrung *f*

preserve [prɪ'zɜːv] *v* 1. *(maintain)* erhalten; 2. *(a memory, a reputation)* aufrechterhalten; 3. *(silence)* bewahren; 5. *(plants, animals)* schützen; 6. *(for animals)* Gehege *n;* 7. ~s *pl (jam)* Konfitüre *f*

preset [priː'set] *v* vorher einstellen

presidency ['prezɪdənsɪ] *sb* 1. Präsidentschaft *f;* 2. *(of a company)* Vorsitz *m*

president ['prezɪdənt] *sb* 1. Präsident/Präsidentin *m/f;* 2. *(of a company)* Vorsitzende(r) *m/f*

press [pres] *v* 1. drücken; ~ *juice out of a lemon* Saft aus einer Zitrone pressen; 2. *(a button)* drücken auf; 3. *(grapes, flowers)* pressen; 4. ~ *down* hinunterdrücken; 5. *(iron)* bügeln; 6. *(urge)* drängen; ~ *a point* auf seinem Punkt bestehen; 7. *(importune, harass)* bedrängen; *to be ~ed for time* unter Zeitdruck stehen; 8. ~ *ahead with sth,* ~ *forward with sth* mit etw weitermachen; *sb* 9. *(squeeze, push)* Druck *m; (in weightlifting)* Drücken *n;* 10. *(machine)* Presse *f; go to* ~ in Druck gehen; 11. *(media)* Presse *f;* 12. *(publishing company)* Verlag *m*

press agency ['preseɪdʒənsɪ] *sb* Presseagentur *f*

press conference ['preskɒnfərəns] *sb* Pressekonferenz *f*

press release ['presrɪliːs] *sb* Presseverlautbarung *f*

press stud ['prestʌd] *sb* Druckknopf *m*

press-up ['presʌp] *sb* Liegestütz *m*

pressure ['preʃə] *sb* Druck *m; put* ~ *on s.o.* Druck auf jdn ausüben

pressure cooker ['preʃəkʊkə] *sb* GAST Schnellkochtopf *m*

pressure group ['preʃə gruːp] *sb* POL Pressuregroup *f*

pressure point ['preʃə pɔɪnt] *sb* Druckpunkt *m*

prestige [pres'tiːʒ] *sb* Prestige *n*

prestigious [pres'tɪdʒəs] *adj* berühmt, renommiert

presume [prɪ'zjuːm] *v* 1. vermuten, annehmen; 2. ~ *to do sth* sich erlauben, etw zu tun; *(to be presumptuous)* sich anmaßen

presumption [prɪ'zʌmpʃən] *sb* 1. Vermutung *f;* 2. *(arrogance)* Unverschämtheit *f,* Anmaßung *f*

presumptuousness [prɪ'zʌmptjʊəsnɪs] *sb* Anmaßung *f*

pretence [prɪ'tens] *sb* 1. *(feigning)* Heuchelei *f;* 2. *(claim)* Anspruch *m; make no* ~ *to sth* keinen Anspruch auf etw erheben; 3. *(pretext)* Vorwand *m; under false* ~s unter Vorspiegelung falscher Tatsachen

pretend [prɪ'tend] *v* 1. *(make believe)* so tun, als ob ...; 2. *(feign)* vortäuschen

pretension [prɪ'tenʃən] *sb* Anmaßung *f*

pretentious [prɪ'tenʃəs] *adj* 1. angeberisch; 2. *(style)* hochtrabend

preterm [priː'tɜːm] *adj* Frühgeburts..., vor dem errechneten Geburtstermin geboren

pretty ['prɪtɪ] *adj* 1. hübsch; *a* ~ *penny* eine hübsche Summe; *to be sitting* ~ es gut haben; *adv* 2. *(fam: rather)* ziemlich; *(fam: very)* ganz; ~ *good* recht gut, nicht schlecht

prevail [prɪ'veɪl] *v* 1. *(win out)* die Oberhand gewinnen, siegen, sich durchsetzen; 2. *(conditions)* herrschen; 3. ~ *upon s.o. to do sth* jdn dazu bewegen, etw zu tun

prevalence ['prevələns] *sb* Vorherrschaft *f,* weite Verbreitung *f,* Häufigkeit *f*

prevalent ['prevələnt] *adj* vorherrschend, weit verbreitet

prevenient [prɪ'viːnɪənt] *adj* vorbeugend

prevent [prɪ'vent] *v* verhindern; ~ *s.o. from doing sth* jdn daran hindern, etw zu tun

prevention [prɪ'venʃən] *sb* Verhinderung *f*

preview ['priːvjuː] *sb* 1. Vorschau *f;* 2. *(of a film: trailer)* Vorschau *f;* 3. *(entire film seen in advance)* Probeaufführung *f*

previous ['priːvɪəs] *adj* 1. *(immediately preceding)* vorherig, vorhergehend; *the* ~ *year* das Jahr davor; 2. *(earlier)* früher; *have a* ~ *engagement* bereits anderweitig verabredet sein; *adv* 3. ~ *to* vor

previously ['priːvɪəslɪ] *adv* vorher; *(formerly)* früher

prey [preɪ] *v* 1. ~ *upon (by animals)* Beute machen auf; *(by criminals)* als Opfer aussuchen; *sb* 2. Beute *f; beast of* ~ ZOOL Raubtier *n; bird of* ~ Raubvogel *m*

price [praɪs] *v* 1. *(fix the* ~ *of sth)* den Preis von etw festsetzen von; *sb* 2. Preis *m*

price-fixing ['praɪsfɪksɪŋ] *sb* Preisfestlegung *f*

priceless ['praɪslɪs] *adj* 1. unschätzbar; 2. *(fig: person, story)* unbezahlbar

price tag [praɪs tæg] *sb* Preisschild *n*

price war ['praɪswɔː] *sb* Preiskrieg *m*

pricey ['praɪsɪ] *adj (fam)* kostspielig

prick [prɪk] *v* 1. stechen; *(a balloon)* anstechen; 2. ~ *up one's ears (fig)* die Ohren spitzen; *sb* 3. Stich *m;* 4. *(fam: penis)* Schwanz *m*

prickle ['prɪkl] v 1. stechen; 2. *(tingle)* prickeln

pride [praɪd] v 1. ~ o.s. on sth auf etw stolz sein; *sb* 2. Stolz *m*; 3. *(of lions)* Rudel *n*

prier ['praɪə] *sb* Schnüffler *m*

priest [priːst] *sb* REL Priester *m*, Geistliche(r) *m/f*

prim [prɪm] *adj* ~ *and proper* spröde

primacy ['praɪməsɪ] *sb* Vorrang *m*, Vorrangstellung *f*

prima donna [priːmə'dɒnə] *sb* Primadonna *f*

primarily ['praɪmərəlɪ] *adv* in erster Linie

primary ['praɪmərɪ] *adj* Haupt...

primary colour ['praɪmərɪ 'kʌlə] *sb* Grundfarbe *f*

primary election ['praɪmərɪ ɪ'lekʃən] *sb (US)* POL Vorwahl *f*

primary school ['praɪmərɪskuːl] *sb* Grundschule *f*

primate ['praɪmeɪt] *sb* ZOOL Primat *m*

prime [praɪm] *adj* 1. Haupt... 2. *(excellent)* erstklassig; *sb* 3. Blütezeit *f*; *in the ~ of life* im besten Alter; *to be past one's ~* die besten Jahre hinter sich haben

prime cost [praɪm kɒst] *sb* Selbstkosten *pl*, Gestehungskosten *pl*

prime minister [praɪm 'mɪnɪstə] *sb* POL Premierminister *m*

prime rate [praɪm reɪt] *sb* FIN Sollzinssatz der Geschäftsbanken in den USA für Großkunden *m*

prime time [praɪm taɪm] *sb (US)* Haupteinschaltzeit *f*

primeval [praɪ'miːvl] *adj* urzeitlich

priming ['praɪmɪŋ] *sb* 1. *(ignition)* Zündmasse *f*, Zündung *f*; 2. *(paint)* Grundierung *f*

primitive ['prɪmɪtɪv] *adj* primitiv

primrose ['prɪmrəʊz] *sb* 1. BOT Primel *f*; 2. *(colour)* Blassgelb *n*

prince [prɪns] *sb* 1. *(king's son)* Prinz *m*; 2. *(ruler)* Fürst *m*

princedom ['prɪnsdəm] *sb* Fürstentum *n*

princely ['prɪnslɪ] *adj* fürstlich

princess ['prɪnses] *sb* Prinzessin *f*

principal ['prɪnsɪpəl] *adj* 1. Haupt..., hauptsächlich; *sb* 2. *(~ character)* Hauptperson *f*; 3. *(of a school)* Direktor *m*; 4. *(of an investment)* Kapital *n*, *(of debt)* Kreditsumme *f*

principle ['prɪnsɪpl] *sb* Prinzip *n*; *It's a matter of ~.* Es geht dabei ums Prinzip.

print [prɪnt] v 1. *(a photo)* abziehen; 2. *(not write in cursive)* in Druckschrift schreiben; 3.

(a book, a design) drucken; 4. *(publish)* veröffentlichen; *sb* 5. *(picture, publication)* Druck *m*; *out of ~* vergriffen; 6. *(typeface)* Schrift *f*; 7. *(photo)* Abzug *m*; 8. *(cotton ~)* bedruckter Kattun *m*; 9. *(impression)* Abdruck *m*

printed matter ['prɪntɪd 'mætə] *sb* Drucksache *f*

printer ['prɪntə] *sb* Drucker *m*

printer's error ['prɪntəz 'erə] *sb* Druckfehler *m*

printing ['prɪntɪŋ] *sb* Drucken *n*, Druck *m*

print-out ['prɪntaʊt] *sb* Ausdruck *m*

print shop ['prɪntʃɒp] *sb* Druckerei *f*

prior ['praɪə] *adj* früher; *~ to* vor

priority [praɪ'ɒrɪtɪ] *sb* Priorität *f*; *give ~ to* vordringlich behandeln

prison ['prɪzn] *sb* Gefängnis *n*

prison cell ['prɪzn sel] *sb* Gefängniszelle *f*

prisoner ['prɪzənə] *sb* Gefangene(r) *m/f*; *take s.o. ~* jdn gefangen nehmen

prisoner of war ['prɪzənər əv wɔː] *sb* Kriegsgefangene(r) *m/f*

prison sentence ['prɪznsentəns] *sb* Gefängnisstrafe *f*

privacy ['praɪvəsɪ] *sb* 1. Zurückgezogenheit *f*, Ruhe *f*; *in the ~ of one's home* bei sich zu Hause; *invade s.o.'s ~* in jds Privatsphäre eingreifen; 2. *(of information)* Heimlichkeit *f*, Geheimhaltung *f*

private ['praɪvɪt] *adj* 1. privat, Privat...; 2. *(confidential)* vertraulich; *sb* 3. MIL gemeiner Soldat *m*, einfacher Soldat *m*

private bill ['praɪvɪt bɪl] *sb (UK)* Gesetzesinitiative eines Parlamentsmitglieds *f*

private company ['praɪvɪt 'kʌmpənɪ] *sb* Gesellschaft mit beschränkter Haftung *f*

private life ['praɪvɪt laɪf] *sb* Privatleben *n*

private property ['praɪvɪt 'prɒpətɪ] *sb* Privateigentum *n*, Privatbesitz *m*

private sector ['praɪvɪt 'sektə] *sb* privater Sektor *m*

privatization [praɪvətaɪ'zeɪʃən] *sb* Privatisierung *f*

privilege ['prɪvɪlɪdʒ] *sb* 1. Privileg *n*; 2. *(honour)* Ehre *f*

prize [praɪz] *sb* 1. Preis *m*; v 2. schätzen

prize fight [praɪz faɪt] *sb* SPORT Profiboxkampf *m*

prize money ['praɪzmʌnɪ] *sb* Preisgeld *n*

prize-winner ['praɪzwɪnə] *sb* Preisträger *m*

pro [prəʊ] *sb* 1. *(fam: professional)* Profi *m*; 2. *the ~s and cons pl* das Für und Wider *n*, das Pro und Kontra *n*

probability [probə'bılıtı] *sb* Wahrscheinlichkeit *f; in all ~* höchstwahrscheinlich, aller Wahrscheinlichkeit nach

probably ['probəblı] *adv* wahrscheinlich

probation [prə'beıʃən] *sb 1. (~ period)* Probezeit *f; 2.* JUR Bewährung *f*

probe [prəʊb] *v 1.* suchen, forschen; *2. (sth)* untersuchen, sondieren, erforschen; *sb 3.* TECH Sonde *f; 4. (investigation)* Untersuchung *f*

problem ['probləm] *sb* Problem *n, What's the problem?* Was ist los?

problematic [problı'mætık] *adj* problematisch

proceed [prə'si:d] *v 1. (go)* sich begeben; *"~ with caution"* vorsichtig fahren; *~ on the assumption that ...* davon ausgehen, dass ...; *2. (set about sth)* vorgehen; *~ against s.o.* JUR gegen jdn gerichtlich vorgehen; *3. (continue)* fortfahren; *things are ~ing as usual* alles geht seinen üblichen Gang; *4. (continue to go)* weitergehen; *(by car)* weiterfahren; ['prəʊsi:d] *sb 5. ~s pl* Erlös *m,* Ertrag *m*

proceeding [prə'si:dıŋ] *sb* Vorgehen *n,* Verfahren *n; ~s pl* JUR Verfahren *n*

process ['prəʊses] *v 1.* verarbeiten; *2. (film)* entwickeln; *3. (an application)* bearbeiten; *sb 4.* Verfahren *n,* Prozess *m; 5. due ~ of law* JUR rechtliches Gehör *n*

procession [prə'seʃən] *sb 1.* Umzug *m; 2. (solemn)* Prozession *f*

pro-choice [prəʊ'tʃɔıs] *adj* das Abtreibungsrecht befürwortend

proclaim [prə'kleım] *v* proklamieren, erklären

procrastinate [prəʊ'kræstıneıt] *v* zaudern

procrastination [prəʊkræstı'neıʃən] *sb* Zaudern *n,* Aufschieben *n*

procreate [prəʊkrı'eıt] *v* zeugen

procreation [prəʊkrı'eıʃən] *sb* Zeugung *f*

proctor ['proktə] *sb 1. (of an examination)* Aufsichtsführende(r) bei Prüfungen *m/f; 2. (UK: of a university)* Disziplinarbeamte(r) *m/f; 3.* JUR Anwalt/Anwältin an Spezialgerichten *m/f*

procure [prə'kjʊə] *v 1.* beschaffen; *2. (a prostitute)* verkuppeln; *3. (bring about)* herbeiführen

procuring [prə'kjʊərıŋ] *sb* JUR Kuppelei *f*

prod [prod] *v 1.* stoßen; *2. (fig: into action)* anstacheln

prodigal ['prodıgəl] *adj the ~ son* der verlorene Sohn

prodigious [prə'dıdʒəs] *adj* großartig, wunderbar

prodigy ['prodıdʒı] *sb* Wunder; *~child* Wunderkind *n*

produce [prə'dju:s] *v 1.* produzieren, herstellen; *(energy)* erzeugen; *2. (fig: cause)* hervorrufen; *3. (an effect)* erzielen; *4. (a film)* produzieren; *5.* THEAT inszenieren; *6. (bring out)* hervorholen; *(identification)* vorzeigen; *(a witness)* beibringen; ['prodju:s] *sb 7.* AGR Produkte *pl,* Erzeugnis *n*

producer [prə'dju:sə] *sb 1.* Hersteller *m,* Erzeuger *m; 2.* CINE Produzent(in) *m/f*

product ['prodʌkt] *sb* Produkt *n*

production [prə'dʌkʃən] *sb* ECO Herstellung *f,* Produktion *f*

productivity [prodʌk'tıvıtı] *sb* Produktivität *f*

product life cycle ['prodʌkt 'laıfsaıkl] *sb* ECO Lebenszyklus eines Produktes *m*

product placement ['prodʌkt 'pleısmənt] *sb* ECO Produktplatzierung *f*

profane [prəʊ'feın] *adj 1. (blasphemous)* lästerlich; *2. (secular)* profan

profanity [prə'fænıtı] *sb 1.* Profanität *f; 2. (curse)* Fluch *m*

profession [prə'feʃən] *sb 1. (occupation)* Beruf *m; 2. (declaration)* Erklärung *f,* Beteuerung *f*

professional [prə'feʃənl] *adj 1.* beruflich, Berufs...; *2. (competent, expert)* fachmännisch; *3. (using good business practices)* professionell; *sb 4.* Profi *m*

professor [prə'fesə] *sb* Professor *m*

proficiency [prə'fıʃənsı] *sb* Fertigkeit *f,* Können *n,* Tüchtigkeit *f*

proficient [prə'fıʃənt] *adj* tüchtig, fähig; *to be ~ in sth* in etw bewandert sein

profile ['prəʊfaıl] *sb 1.* Profil *n; 2. (story about s.o.)* Porträt *n; 3. keep a low ~* sich im Hintergrund halten; *v 4. (draw in ~)* ART im Profil darstellen; *5. (in writing)* porträtieren

profit ['profıt] *v 1.* profitieren, Nutzen ziehen, Gewinn ziehen; *sb 2.* ECO Gewinn *m,* Profit *m; make a ~ on sth* mit etw einen Gewinn machen; *3. (fig)* Nutzen *m,* Vorteil *m*

profitable ['profıtəbl] *adj 1.* rentabel; *2. (advantageous)* vorteilhaft

profit centre ['profıtsentə] *sb* ECO Profitcenter *n*

profit-sharing ['profıtʃeərıŋ] *sb* ECO Gewinnbeteiligung *f*

profit-taking ['profıtteıkıŋ] *sb* ECO Gewinnmitnahme *f*

profound [prəˈfaʊnd] *adj* 1. *(deep)* tief; 2. *(thought)* tiefsinnig, tief schürfend, tiefgründig; 3. *(regret)* tief gehend; 4. *(knowledge)* gründlich

profusely [prəˈfjuːslɪ] *adv* 1. *(thank)* überschwänglich; 2. *(sweat)* übermäßig

profusion [prəˈfjuːʒən] *sb* Fülle *f*

prognosis [prɒgˈnəʊsɪs] *sb* Prognose *f*

programmable [prəʊˈgræməbl] *adj* INFORM programmierbar

programme [ˈprəʊgræm] *v* 1. programmieren; *(fig: person)* vorprogrammieren; *sb* 2. Programm *n*

programmer [ˈprəʊgræmə] *sb* INFORM Programmierer *m*

programming language [ˈprəʊgræmɪŋ ˈlæŋgwɪdʒ] *sb* INFORM Programmiersprache *f*

progress [prəˈgres] *v* 1. *(make ~)* vorwärts kommen; 2. *(develop)* sich entwickeln; 3. *(proceed)* weitergehen; [ˈprəʊgres] *sb* 4. Fortschritt *m; in ~* im Gange; *make ~* Fortschritte machen; 5. *(movement forwards)* Fortschreiten *n*, Vorwärtskommen *n*

progressive [prəˈgresɪv] *adj* 1. *(increasing)* zunehmend; 2. *(favouring progress)* progressiv

progress report [ˈprəʊgres rɪˈpɔːt] *sb* Zwischenbericht *m*

prohibit [prəˈhɪbɪt] *v* verbieten

prohibition [prəʊɪˈbɪʃən] *sb* 1. Verbot *n;* 2. *(US)* HIST Prohibition *f*

project [ˈprɒdʒekt] *sb* 1. Projekt *n;* [prəˈdʒekt] *v* 2. *(jut out)* hervorragen, hervorspringen; 3. *(costs)* überschlagen; 4. *(a film, figures)* projizieren; 5. *(propel)* abschießen; *~ one's voice* seine Stimme weit tragen lassen

projection [prəˈdʒekʃən] *sb* 1. Projektion *f;* 2. *(sticking out)* Vorsprung *m;* 3. *(prediction)* Vorausplanung *f*

projector [prəˈdʒektə] *sb* Projektor *m*

pro-life [prəʊˈlaɪf] *adj* gegen die Abtreibung

prologue [ˈprəʊlɒg] *sb* 1. *(of a book)* Vorwort *n;* 2. *(of a play)* THEAT Prolog *m;* 3. *(fig)* Vorspiel *n*

prolong [prəˈlɒŋ] *v* verlängern

prom [prɒm] *sb* 1. *(UK: promenade)* Strandpromenade *f;* 2. *(US: dance)* High-School-Ball *m*

prominence [ˈprɒmɪnəns] *sb* 1. *(conspicuousness)* Beliebtheit *f,* Berühmtheit *f;* 2. *(protuberance)* Vorspringen *n,* Vorragen *n*

prominent [ˈprɒmɪnənt] *adj* 1. *(noticeable)* auffallend; 2. *(person)* prominent; 3. *(projecting)* vorstehend

promiscuous [prəˈmɪskjʊəs] *adj* to be ~ *(sexually)* häufig den Partner wechseln

promise [ˈprɒmɪs] *v* 1. versprechen; *sb* 2. Versprechen *n;* 3. *(hope, prospect)* Hoffnung *f,* Aussicht *f*

promising [ˈprɒmɪsɪŋ] *adj* viel versprechend

promote [prəˈməʊt] *v* 1. *(in rank)* befördern; 2. *(foster)* fördern; 3. *(advertise)* werben für; 4. *(organize)* veranstalten

promotion [prəˈməʊʃən] *sb* 1. *(to a better job)* Beförderung *f;* 2. *(fostering)* Förderung *f;* 3. *(advertising, marketing)* Werbung *f,* Promotion *f;* 4. *(of an event)* Veranstaltung *f*

prompt [prɒmpt] *adj* 1. prompt, sofortig; 2. *(punctual)* pünktlich; *v* 3. *(help with a speech)* vorsagen; THEAT soufflieren; 4. *(evoke)* wecken; 5. *(motivate)* veranlassen

promptly [ˈprɒmptlɪ] *adv* prompt; *(punctually)* pünktlich

prone [prəʊn] *adj* 1. *(position)* hingestreckt; *lie ~* auf dem Bauch liegen; 2. *to be ~ to do sth* dazu neigen, etw zu tun

pronoun [ˈprəʊnaʊn] *sb* GRAMM Pronomen *n*

pronounce [prəˈnaʊns] *v* 1. LING aussprechen; 2. *(declare)* erklären für

pronouncement [prəˈnaʊnsmənt] *sb* 1. Erklärung *f;* 2. *(of innocence or guilt)* Verkündung *f*

pronunciation [prənʌnsɪˈeɪʃən] *sb* LING Aussprache *f*

proof [pruːf] *sb* 1. Beweis *m;* 2. *(alcohol content)* Alkoholgehalt *m;* 3. *(of a photo)* Probeabzug *m; adj* 4. *(resistant)* fest, sicher

prop[1] [prɒp] *sb* 1. Stütze *f;* 2. *~ up;* stützen; *~ sth up against sth* etw gegen etw lehnen; 3. *~ up (fig: support)* unterstützen, stützen

prop[2] [prɒp] *sb* THEAT Requisit *n*

propaganda [prɒpəˈgændə] *sb* Propaganda *f*

propagator [ˈprɒpəgeɪtə] *sb* 1. *(reproducer)* Fortpflanzer *m;* 2. *(propagandist)* Verbreiter *m,* Propagandist *m*

propensity [prəˈpensɪtɪ] *sb* Hang *m; ~ for* Hang zu

proper [ˈprɒpə] *adj* 1. *(seemly)* anständig; 2. *(fitting)* richtig; 3. *(actual)* eigentlich

property [ˈprɒpətɪ] *sb* 1. Eigentum *n;* 2. *(characteristic)* Eigenschaft *f;* 3. properties *pl* THEAT Requisiten *pl*

property tax ['prɒpətɪ tæks] sb Grundsteuer f

prophesy ['prɒfɪsaɪ] v prophezeien

prophet ['prɒfɪt] sb Prophet m

proportion [prə'pɔːʃən] sb 1. Verhältnis n, Proportion f; out of all ~ maßlos übertrieben; 2. (part) Teil m; 3. (amount in a mixture) Anteil m; 4. ~s pl (size) Ausmaß n; v 5. (share out) verteilen; 6. (size) proportionieren

proportional [prə'pɔːʃənəl] adj proportional; inversely ~ umgekehrt proportional

proportionate [prə'pɔːʃnɪt] adj im richtigen Verhältnis; to be ~ to sth etw entsprechen

proposal [prə'pəʊzl] sb 1. Vorschlag m; 2. (of marriage) Antrag m

propose [prə'pəʊz] v 1. (make a marriage proposal) einen Heiratsantrag machen; 2. (suggest) vorschlagen; 3. (intend) vorhaben

proposition [prɒpə'zɪʃən] sb 1. (suggestion) Vorschlag m; 2. (business) Sache f, Unternehmen n

proprietary [prə'praɪɪtərɪ] adj besitzend, Besitz...

propriety [prə'praɪɪtɪ] sb 1. Anstand m; 2. (suitability, correctness) Angemessenheit f

propulsion [prə'pʌlʃən] sb Antrieb m

prose [prəʊz] sb Prosa f

prosecute ['prɒsɪkjuːt] v 1. (s.o.) JUR strafrechtlich verfolgen, strafrechtlich belangen; 2. (carry on) durchführen

prosecution [prɒsɪ'kjuːʃən] sb 1. JUR strafrechtliche Verfolgung f; 2. (side) Anklage f; 3. (carrying out) Durchführung f

prosecutor ['prɒsɪkjuːtə] sb JUR Ankläger m

prospect ['prɒspekt] sb Aussicht f

prospective [prə'spektɪv] adj 1. (possible) eventuell; 2. (future) künftig

prosper ['prɒspə] v blühen

prosperity [prɒs'perɪtɪ] sb Wohlstand m

prosperous ['prɒspərəs] adj florierend, gut gehend, blühend

prosthesis [prɒs'θiːsɪs] sb MED Prothese f

prostitute ['prɒstɪtjuːt] sb Prostituierte f; male ~ Strichjunge m

prostitution [prɒstɪ'tjuːʃən] sb Prostitution f

prostrate ['prɒstreɪt] adj hingestreckt

protect [prə'tekt] v schützen

protection [prə'tekʃən] sb Schutz m

protective [prə'tektɪv] adj beschützend, Schutz...

protector [prə'tektə] sb 1. Beschützer m; 2. (protective wear) Schutz m

protégé ['prɒteʒeɪ] sb Schützling m, Protégé m

protein ['prəʊtiːn] sb BIO Eiweiß n, Protein n

protein deficiency ['prəʊtiːn dɪ'fɪʃənsɪ] sb MED Eiweißmangel m

protest [prəʊ'test] v 1. protestieren; 2. (sth) (dispute) protestieren gegen; (affirm, declare) beteuern; ['prəʊtest] 3. Protest m; (demonstration) Protestkundgebung f

protester [prə'testə] sb (demonstrator) Demonstrant(in) m/f

protocol ['prəʊtəkɒl] sb Protokoll n

prototype ['prəʊtəutaɪp] sb Prototyp m

protract [prə'trækt] v hinausziehen, in die Länge ziehen

protracted [prə'træktɪd] adj langwierig

protrude [prə'truːd] v 1. vorstehen; 2. (sth) herausstrecken

protrusion [prə'truːʒən] sb 1. (that which protrudes) Vorsprung m; 2. (act) Vorstehen n, Vorspringen n

proud [praud] adj stolz; to be ~ of s.o. stolz auf jdn sein

provable ['pruːvəbl] adj 1. beweisbar; 2. (guilt) nachweisbar

prove [pruːv] v 1. beweisen; ~ o.s. sich bewähren; 2. ~ to be ... sich als ... erweisen

proven ['pruːvn] adj bewährt

proverb ['prɒvɜːb] sb 1. Sprichwort n; 2. Proverbs REL die Sprüche pl

provide [prə'vaɪd] v 1. besorgen, beschaffen, liefern; 2. (an opportunity) bieten; 3. ~d that ... vorausgesetzt, dass ...; 4. (make available) zur Verfügung stellen; ~ s.o. with sth jdn mit etw versorgen; 5. (see to) sorgen für

• **provide for** v 1. (one's family) versorgen; 2. (foresee, stipulate) vorsehen, vorsorgen

providential [prɒvɪ'denʃəl] adj 1. (resulting from divine providence) durch die göttliche Vorsehung; 2. (fortunate) glücklich

providing [prə'vaɪdɪŋ] konj ~ that ... vorausgesetzt, dass ..., gesetzt den Fall, dass ...

province ['prɒvɪns] sb 1. Provinz f; 2. (fig) Gebiet n, Bereich m

provincial [prə'vɪnʃəl] adj provinziell; (in a negative sense) provinzlerisch

provision [prə'vɪʒən] sb 1. (supplying) Bereitstellung f, (for oneself) Beschaffung f; 2. ~s pl (supplies) Vorräte pl; 3. ~s pl (food) Nahrungsmittel pl; 4. (of a contract) Bestimmung f; 5. (arrangement) Vorkehrung f; make ~s for sth Vorkehrungen für etw treffen; 6. (allowance) Berücksichtigung f

provisional [prə'vɪʒənəl] *adj* 1. *provisorisch*; 2. *(measures, legislation)* vorläufig
provisory [prə'vaɪzərɪ] *adj* 1. *(provisional)* provisorisch, vorläufig; 2. *(conditional)* vorbehaltlich
provocation [prɒvə'keɪʃən] *sb* Provokation *f*, Herausforderung *f*; *at the slightest ~* beim geringsten Anlass
provoke [prə'vəʊk] *v* 1. provozieren, reizen, herausfordern; 2. *(a feeling)* erregen; 3. *(discussion)* herbeiführen; 4. *(criticism)* hervorrufen
provoking [prə'vəʊkɪŋ] *adj* 1. *(inciting)* provozierend; 2. *(vexing)* ärgerlich
prowl [praʊl] *v* 1. herumstreichen; 2. *(sth)* durchstreifen
prowler ['praʊlə] *sb* Herumtreiber(in) *m/f*
proximity [prɒk'sɪmɪtɪ] *sb* Nähe *f*
proxy ['prɒksɪ] *sb* 1. *(power)* Vollmacht *f*; *by ~* in Vertretung; 2. *(person)* Vertreter *m*
prude [pruːd] *sb to be a ~* prüde sein
prudence ['pruːdəns] *sb* Umsicht *f*
prudery ['pruːdərɪ] *sb* Prüderie *f*
prudish ['pruːdɪʃ] *adj* prüde
prune¹ [pruːn] *v* 1. *(a tree)* beschneiden; *(a hedge)* schneiden; 2. *(an essay, expenditures)* kürzen
prune² [pruːn] *sb* Backpflaume *f*
pry¹ [praɪ] *v* neugierig sein, seine Nase stecken in
pry² [praɪ] *v ~ open (US)* aufbrechen
prying ['praɪɪŋ] *adj* neugierig
psalm [sɑːm] *sb* REL Psalm *m*
pseudo ['sjuːdəʊ] *adj* Pseudo..., Möchtegern..., affektiert, gewollt
pseudonym ['sjuːdənɪm] *sb* Pseudonym *n*
psych [saɪk] *v (fam)~ up* ermuntern, aufmuntern, aufbauen
psyche ['saɪkɪ] *sb* Psyche *f*
psychedelic [saɪkə'delɪk] *adj* psychedelisch
psychiatric [saɪkɪ'ætrɪk] *adj* MED psychiatrisch; *(illness)* psychisch
psychiatrist [saɪ'kaɪətrɪst] *sb* MED Psychiater *m*
psychiatry [saɪ'kaɪətrɪ] *sb* Psychiatrie *f*
psychic ['saɪkɪk] *sb* 1. Mensch mit übernatürlichen Kräften *m*; *adj* 2. übersinnlich
psycho ['saɪkəʊ] *sb (fam)* Psychopath *m*
psychological [saɪkə'lɒdʒɪkəl] *adj* psychologisch; *It's all ~ (it's all in your mind).* Das ist alles nur Einbildung.
psychologist [saɪ'kɒlədʒɪst] *sb* Psychologe/Psychologin *m/f*

psychology [saɪ'kɒlədʒɪ] *sb* 1. Psychologie *f*; 2. *(psychological make-up)* Psyche *f*
psychopath ['saɪkəʊpæθ] *sb* Psychopath(in) *m/f*
psychotherapist [saɪkəʊ'θerəpɪst] *sb* Psychotherapeut(in) *m/f*
psychotherapy [saɪkəʊ'θerəpɪ] *sb* Psychotherapie *f*
psychotic [saɪ'kɒtɪk] *adj* psychotisch
pub [pʌb] *sb* 1. Pub *n*, Lokal *n*; 2. *(in the country)* Wirtshaus *n*
pub-crawl ['pʌbkrɔːl] *sb (fam)* Kneipenbummel *m*
puberty ['pjuːbətɪ] *sb* Pubertät *f*
public ['pʌblɪk] *adj* 1. öffentlich; *in the ~ eye* im Lichte der Öffentlichkeit; *make ~* bekannt machen; *sb* 2. Öffentlichkeit *f*; *his ~* sein Publikum
public address system ['pʌblɪk ə'dres sɪstəm] *sb* öffentliche Lautsprecheranlage *f*
publican ['pʌblɪkən] *sb (UK)* Gastwirt(in) *m/f*
publication [pʌblɪ'keɪʃən] *sb* 1. Veröffentlichung *f*; 2. *(thing published)* Publikation *f*
public company ['pʌblɪk 'kʌmpənɪ] *sb* ECO Aktiengesellschaft *f*
public enemy ['pʌblɪk 'enemɪ] *sb* Staatsfeind *m*
public holiday ['pʌblɪk 'hɒlɪdeɪ] *sb* gesetzlicher Feiertag *m*
public house ['pʌblɪk haʊs] *sb (UK)* Gaststätte *f*
publicity [pʌb'lɪsɪtɪ] *sb* Werbung *f*, Publicity *f*
public limited company ['pʌblɪk 'lɪmɪtɪd 'kʌmpənɪ] *sb (UK)* ECO Aktiengesellschaft *f*
public relations ['pʌblɪk rɪ'leɪʃənz] *sb* Publicrelations *pl*
public school ['pʌblɪk skuːl] *sb* 1. *(UK)* höhere Privatschule mit Internat *f*; 2. *(US)* staatliche Schule *f*
public sector ['pʌblɪk 'sektə] *sb* POL öffentlicher Sektor *m*
public transport ['pʌblɪk 'trænspɔːt] *sb* öffentliche Verkehrsmittel *pl*
publish ['pʌblɪʃ] *v* 1. veröffentlichen; 2. *(a thesis)* publizieren; 3. *(serve as publisher of)* herausgeben
publisher ['pʌblɪʃə] *sb* 1. *(person)* Verleger *m*, Herausgeber *m*; 2. *(firm)* Verlag *m*
publishing house ['pʌblɪʃɪŋ haʊs] *sb* Verlag *m*
pudding ['pʊdɪŋ] *sb* Pudding *m*

puddle ['pʌdl] *sb* Pfütze *f*
pudgy ['pʌdʒɪ] *adj* dicklich
puff [pʌf] *v* 1. (*pant*) schnaufen; 2. (*smoke*) ausstoßen; (*a cigar*) paffen (fam); *sb* 3. Schnaufen *n*; (*on a cigarette*) Zug *m*
• **puff up** *v* (*swell*) anschwellen
puffy ['pʌfɪ] *adj* aufgequollen, verschwollen
pug [pʌg] *sb* ZOOL Mopps *m*
puke [pjuːk] *v* (*fam*) kotzen
pull [pʊl] *v* 1. ziehen; 2. (*move*) fahren; 3. (*sth*) ziehen; (*tug*) ziehen an; 4. ~ one's punches verhalten schlagen; (*fig*) sich zurückhalten; 5. (*strain a muscle*) zerren; *sb* 6. (~ed muscle) Zerrung *f*
• **pull away** *v* ~ from (*increase one's lead on*) sich absetzen von
• **pull down** *v* 1. herunterziehen; 2. (*a building*) abreißen
• **pull in** *v* 1. (*drive in*) (*to a station*) einfahren; (*to a driveway*) hineinfahren; 2. (*fam: earn*) kassieren
• **pull out** *v* 1. (*withdraw*) aussteigen (fam); (*troops*) abziehen; 2. (*leave: train*) herausfahren; 3. (*sth*) herausziehen
• **pull over** *v* (*to the side of the road*) zur Seite fahren
• **pull together** *v* pull o.s. together sich zusammenreißen
• **pull up** *v* (*stop*) anhalten
pull-up ['pʊlʌp] *sb* (*exercise*) Klimmzug *m*
pulp [pʌlp] *v* 1. Brei *m*; beat s.o. to a ~ (*fam*) jdn zu Brei schlagen; 2. (*of fruit*) GAST Fruchtfleisch *n*
pulpit ['pʊlpɪt] *sb* Kanzel *f*
pulpy ['pʌlpɪ] *adj* breiig
pulsate [pʌl'seɪt] *v* pulsieren
pulse [pʌls] *sb* 1. ANAT Puls *m*; 2. PHYS Impuls *m*
pulverize ['pʌlvəraɪz] *v* 1. pulverisieren; 2. (*fam: defeat*) fertig machen
pump [pʌmp] *v* 1. pumpen; ~ bullets into s.o. jdn mit Blei voll pumpen (fam); 2. (*a stomach*) auspumpen; ~ s.o. for information jdn aushorchen; *sb* 3. Pumpe *f*
• **pump up** *v* (*inflate*) aufpumpen
pun [pʌn] *sb* Wortspiel *n*
punch [pʌntʃ] *v* 1. (*strike*) mit der Faust schlagen, boxen; 2. (*holes*) stechen, stanzen; 3. (*a ticket*) lochen, knipsen; *sb* 4. (*blow*) Faustschlag *m*, Schlag *m*; 5. (*tool for making holes*) Locher *m*; (*for tickets*) Lochzange *f*; 6. (*drink*) Bowle *f*; (*hot*) Punsch *m*
punchball ['pʌntʃbɔːl] *sb* Punchingball

punch bowl ['pʌntʃbəʊl] *sb* Bowle *f*
punch-line ['pʌntʃlaɪn] *sb* Pointe *f*
punctual ['pʌŋktjʊəl] *adj* pünktlich
punctuality [pʌŋktjʊ'ælɪtɪ] *sb* Pünktlichkeit *f*
punctuation [pʌŋktjʊ'eɪʃən] *sb* Interpunktion *f*
punctuation mark [pʌŋktjʊ'eɪʃən maːk] *sb* Satzzeichen *n*
puncture ['pʌŋktʃə] *v* 1. (*tyre*) einen Platten haben; 2. (*sth*) stechen in; (*a tyre*) ein Loch machen in; 3. MED punktieren; *sb* 4. Loch *n*; (*in skin*) Stich *m*; 5. (*flat tyre*) Reifenpanne *f*
punish ['pʌnɪʃ] *v* 1. bestrafen; 2. (*fam: treat roughly*) strapazieren; 3. (*fam: a boxer*) übel zurichten, vorführen
punishable ['pʌnɪʃəbl] *adj* strafbar
punishment ['pʌnɪʃmənt] *sb* 1. (*penalty*) Strafe *f*; 2. (*punishing*) Bestrafung *f*; 3. (*fam*) take ~ stark strapaziert werden; (*boxer*) vorgeführt werden
punk [pʌŋk] *sb* 1. Punk *m*; 2. (*US: thug, hood*) Ganove *m*
pupil ['pjuːpl] *sb* 1. Schüler *m*; 2. ANAT Pupille *f*
puppet ['pʌpɪt] *sb* Marionette *f*
puppy ['pʌpɪ] *sb* junger Hund *m*
purchase ['pɜːtʃɪs] *v* 1. kaufen, erwerben; *sb* 2. Kauf *m*, Anschaffung *f*
purchase price ['pɜːtʃɪs praɪs] *sb* Kaufpreis *m*
pure [pjʊə] *adj* rein
purebred ['pjʊəbred] *adj* ZOOL reinrassig
purge [pɜːdʒ] *v* 1. reinigen; (*a body*) entschlacken; (*an organization*) säubern; *sb* 2. POL Säuberung *f*, Säuberungsaktion *f*
purify ['pjʊərɪfaɪ] *v* reinigen
purity ['pjʊərɪtɪ] *sb* Reinheit *f*
purple ['pɜːpl] *adj* 1. purpurrot, purpurn; *sb* 2. Purpur *m*
purport [pɜː'pɔːt] *v* 1. (*claim*) vorgeben, behaupten; 2. (*mean*) hindeuten auf
purpose ['pɜːpəs] *sb* 1. (*aim, goal*) Zweck *m*; That defeats the ~. Das verfehlt den Zweck. for all practical ~s praktisch; 2. (*intention*) Absicht *f*; on ~ absichtlich, mit Absicht
purposeful ['pɜːpəsful] *adj* zielbewusst, entschlossen
purposely ['pɜːpəslɪ] *adv* absichtlich
purr [pɜː] *v* schnurren; (*engine*) summen
purse [pɜːs] *sb* 1. Portemonee *n*, Geldbeutel *m*; 2. (*US: handbag*) Handtasche *f*; 3. (*winnings*) Börse *f*; *v* 4. ~ one's lips die Lippen schürzen

pursue [pə'sjuː] v 1. verfolgen; *(a girl)* nachlaufen; 2. *(carry on)* verfolgen; *(an inquiry)* durchführen; *(studies)* nachgehen

pursuit [pə'sjuːt] sb 1. Verfolgung f; 2. *(of pleasure)* Jagd f; 3. *(hobby)* Freizeitbeschäftigung f, Zeitvertreib m; 4. *(occupation)* Beschäftigung f

push [pʊʃ] v 1. *(in a crowd)* drängen, drängeln; *(sth)* schieben; *(violently)* stoßen, schubsen (fam); 3. *(a button)* drücken; 4. *(s.o.)* *(put pressure on)* drängen, antreiben; 5. *(promote)* propagieren; sb 6. Schubs m, *(short)* Stoß m; 7. MIL Offensive f

• **push away** v wegschieben, wegstoßen

• **push back** v 1. zurückdrängen, *(with one push)* zurückstoßen; 2. *(curtains)* zurückschieben

• **push off** v 1. *(in a boat)* abstoßen; 2. *(fam: depart)* abhauen

pushchair ['pʊʃtʃeə] sb Sportwagen m

pusher ['pʊʃə] sb *(drug dealer)* Puscher m, Dealer m

pushover ['pʊʃəʊvə] sb leichtes Opfer n

put [pʊt] v irr 1. stellen, setzen; 2. *(place)* tun; ~ *sth on one's credit card* etw mit der Kreditkarte bezahlen; 3. *(stay – person)* bleiben, wo man ist, *(object)* festbleiben; 4. *(thrust)* stecken; 5. *(devote, give over)* setzen; ~ *one's mind to it* die Sache in Angriff nehmen; ~ *s.o. to work* jdn an die Arbeit setzen; ~ *sth to a good use* etw gut verwenden; ~ *sth right* etw richtig stellen; ~ *an end to sth*, ~ *a stop to sth* etw ein Ende setzen; 6. *(express)* ausdrücken; *(write)* schreiben; 7. *(estimate)* schätzen

• **put away** v irr 1. einräumen; *(dirty dishes)* wegräumen; 2. *(in prison)* einsperren; 3. *(fam: an opponent)* ausschalten; 4. *(fam: consume)* *(food)* verdrücken; *(drinks)* wegkippen; 5. *(save)* zurücklegen

• **put back** v irr 1. *(replace)* zurücktun; 2. *(postpone)* verschieben

• **put by** v irr zur Seite legen, auf die hohe Kante legen

• **put down** v irr 1. hinlegen, niederlegen, hinstellen; 2. *(a deposit)* machen; 3. *(write down)* aufschreiben, notieren; 4. *(a rebellion)* niederschlagen; 5. ~ *to (attribute to)* zuschreiben; 6. *(belittle)* herabsetzen; 7. *(a plane)* landen

• **put forward** v irr *(propose)* vorbringen, *(s.o.)* vorschlagen

• **put in** v irr 1. ~ *for sth* sich um etw bewerben; 2. *(sth)* hineintun, hineinsetzen, hinein-

stellen; ~ *a good word for s.o.* ein gutes Wort für jdn einlegen; 3. *(install)* einbauen; 4. *(insert)* *(words)* einsetzen, einfügen; 5. *(a claim, an application)* einreichen; 6. *(time)* zubringen; ~ *an hour's work* eine Stunde arbeiten; 7. ~ *an appearance* erscheinen

• **put off** v irr 1. *(postpone)* verschieben; *(a decision)* aufschieben; 2. ~ *put s.o. off (by making excuses)* jdn hinhalten; *(repel s.o.)* jdn abstoßen

• **put on** v irr 1. *(clothes)* anziehen; *(a hat, glasses)* aufsetzen; 2. ~ *make-up* sich schminken; 3. ~ *weight* zunehmen; 4. *(a façade)* aufsetzen; 5. ~ *airs* vornehm tun; 6. *(a play)* THEAT aufführen; 7. ~ *a record* eine Platte auflegen; 8. *put s.o. on to sth (inform about)* jdm etw vermitteln; 9. *put s.o. on (deceive s.o.)* jdn auf den Arm nehmen

• **put out** v irr 1. *(~ to sea)* NAUT auslaufen; 2. *(a fire, a candle)* löschen, ausmachen; 3. *(a cat, a drunk)* vor die Tür setzen; 4. *(a publication)* herausgeben; 5. *(stretch out)*(foot, hand) ausstrecken; 6. *(put s.o. out (inconvenience s.o.)* jdm Umstände bereiten

• **put together** v irr 1. zusammentun; *put two and two together (fig)* seine Schlüsse ziehen; 2. *(assemble)* zusammensetzen, zusammenbauen; 3. *(a book)* zusammenstellen

• **put up** v irr 1. *(stay)* wohnen; *(for one night)* übernachten; 2. ~ *with sth* etw dulden, sich etw gefallen lassen; 3. *(decorations)* aufhängen; *(a poster)* anbringen; 4. *(erect)* errichten; 5. *(an umbrella)* aufspannen; 6. ~ *resistance* Widerstand leisten; 7. *put sth up for sale* etw zum Verkauf anbieten; 8. *(give s.o. a place to stay)* unterbringen; 9. *put s.o. up to sth* jdn zu etw anstiften

putrid ['pjuːtrɪd] adj *(smell)* faulig

putty ['pʌtɪ] sb Kitt m; *He was ~ in her hands.* Er war Wachs in ihren Händen.

puzzle ['pʌzl] sb 1. Rätsel n; 2. *(jigsaw ~)* Puzzlespiel n; v 3. ~ *over sth* über etw den Kopf zerbrechen; 4. *(s.o.)* verblüffen

puzzler ['pʌzlə] sb *(puzzling thing)* schwieriger Fall m

puzzling ['pʌzlɪŋ] adj rätselhaft

pyjamas [pɪ'dʒɑːməz] pl (UK) Pyjama m, Schlafanzug m

pyramid ['pɪrəmɪd] sb Pyramide f

pyromania [paɪrəʊ'meɪnɪə] sb Pyromanie f

pyromaniac [paɪrəʊ'meɪnɪæk] sb Pyromane/Pyromanin m/f

python ['paɪθən] sb Pythonschlange f

Q

quack [kwæk] v 1. quaken; sb 2. (fam: ~ doctor) Quacksalber m

quad [kwɒd] sb 1. (quadrangle) Hof m; 2. (quadruplet) Vierling m

quadrant ['kwɒdrənt] sb Quadrant m

quadratic [kwɒd'rætɪk] adj MATH quadratisch

quadriga [kwɒ'driːgə] sb Quadriga f

quadrille [kwɒ'drɪl] sb MUS Quadrille f

quadruped ['kwɒdruped] sb BIO Vierfüßer m

quadruple [kwɒd'ruːpl] v 1. (sth) vervierfachen; adj 2. vierfach

quagmire ['kwægmaɪə] sb Morast m, Sumpf m

quail [kweɪl] sb Wachtel f

quaint [kweɪnt] adj 1. (picturesque) malerisch, idyllisch; 2. (pleasantly odd) drollig, kurios

quake [kweɪk] v 1. (person) zittern, beben; 2. (earth) beben

quaking ['kweɪkɪŋ] adj zitternd, bebend

quaky ['kweɪkɪ] adj zitterig

qualification [kwɒlɪfɪ'keɪʃən] sb 1. (suitable skill, suitable quality) Qualifikation f, Voraussetzung f; 2. (limitation) Einschränkung f; 3. (UK: document) Zeugnis n

qualified ['kwɒlɪfaɪd] adj 1. (person) qualifiziert, geeignet; 2. (entitled) berechtigt; 3. (restricted) bedingt

qualifier ['kwɒlɪfaɪə] sb 1. SPORT Qualifizierte(r) m/f; 2. (qualifying word) Bestimmungswort n, (qualifying phrase) Bestimmungssatz m

qualify ['kwɒlɪfaɪ] v 1. (fulfil requirements) infrage kommen; ~ for sich eignen zu; 2. (get a degree) sich qualifizieren, seine Ausbildung abschließen; 3. SPORT sich qualifizieren; 4. (a statement: limit) einschränken, (modify) modifizieren; 5. (entitle s.o.) berechtigen

qualitative ['kwɒlɪteɪtɪv] adj qualitativ

quality ['kwɒlɪtɪ] sb 1. (excellence) Qualität f; 2. (characteristic) Eigenschaft f; 3. (rank) Art f; 4. (degree) Qualität f; adj 5. (fam: excellent) erstklassig

quality control ['kwɒlɪtɪ kən'trəʊl] sb Qualitätskontrolle f

quality time ['kwɒlɪtɪtaɪm] sb intensiv genutzte Zeit f

quandary ['kwɒndərɪ] sb Zwangslage f, Bedrängnis n; to be in a ~ nicht wissen, was man tun soll

quant [kwɒnt] sb Kahnstange f

quantitative ['kwɒntɪtətɪv] adj quantitativ

quantity ['kwɒntɪtɪ] sb 1. Quantität f; 2. (amount) Menge f; 3. MATH Größe f; 4. He's an unknown ~ (fig). Er ist ein unbeschriebenes Blatt.

quantity discount ['kwɒntɪtɪ 'dɪskaʊnt] sb ECO Mengenrabatt m

quantum leap [kwɒntəm'liːp] sb PHYS Quantensprung m

quarrel ['kwɒrəl] v 1. sich streiten; (have a minor quarrel) sich zanken; 2. ~ with etw auszusetzen haben an; sb 3. Streit m, Zank m

quarreller ['kwɒrələ] sb Streitsüchtige(r) m/f

quarrelling ['kwɒrəlɪŋ] sb Streiterei f

quarry ['kwɒrɪ] sb 1. (for stones) Steinbruch m; 2. (prey) Beute f; 3. (fig: thing) Ziel n; 4. (fig: person) Opfer n

quart [kwɔːt] sb (UK: 1.14 litres; US: 0.95 litres) Quart n

quartan ['kwɔːtn] adj viertägig, Viertage...

quarter ['kwɔːtə] sb 1. Viertel n; 2. a ~ of an hour eine Viertelstunde f; a ~ to three Viertel vor drei; a ~ past three Viertel nach drei; 3. (of a year) Quartal n, Vierteljahr n; 4. (US: 25 cents) 25-Centstück n; 5. (part of town) Viertel n; 6. ~s (lodgings) Quartier n, Unterkunft f, Wohnung f; to be confined to ~s Stubenarrest haben; 7. at close ~s nahe aufeinander; to be at close ~s in der Nähe sein; 8. (mercy) Schonung f, Pardon m; give no ~ kein Pardon gewähren; v 9. (lodge) unterbringen, einquartieren

quarterback ['kwɔːtəbæk] sb SPORT Quarterback m

quarterfinal ['kwɔːtəfaɪnl] sb SPORT Viertelfinale n

quarter-hour ['kwɔːtəraʊə] sb Viertelstunde f

quarterly ['kwɔːtəlɪ] adj vierteljährlich

quarterstaff ['kwɔːtəstɑːf] sb Schlagstock m

quarto ['kwɔːtəʊ] sb MIL Quartformat n

quartz [kwɔːts] sb MIN Quarz m

quash [kwɒʃ] v unterdrücken, niederschlagen

quaver ['kweɪvə] v 1. beben, zittern; 2. *MUS* Achtelnote f

quayside ['kiːsaɪd] sb Kai m

queasy ['kwiːzɪ] adj *(sick)* übel; *I feel* ~. Mir ist übel.

queen [kwiːn] sb 1. Königin f; 2. *(chess, cards)* Dame f

queen bee [kwiːn biː] sb *ZOOL* Bienenkönigin f

queenly ['kwiːnlɪ] adj königlich

queer [kwɪə] adj 1. eigenartig, seltsam, komisch; 2. *(fam: unwell)* unwohl; 3. *(fam: homosexual)* schwul; sb 4. *(fam)* Schwuler m

quell [kwel] v unterdrücken, ersticken, niederschlagen

quench [kwentʃ] v löschen

quenchable ['kwentʃəbl] adj löschbar, zu löschen

query ['kwɪərɪ] sb Frage f

quest [kwest] sb Suche f

question ['kwestʃən] sb 1. Frage f; *to be a* ~ *of* sich handeln um; *there is no* ~ *of ...* es ist nicht die Rede davon, dass ...; *that is out of the* ~ das kommt nicht infrage; *the matter in* ~ die fragliche Angelegenheit; v 2. *(s.o.)* befragen, *(by police)* vernehmen; *(in court)* verhören; 3. *(sth)* bezweifeln, *(dispute)* infrage stellen

questionable ['kwestʃənəbl] adj fragwürdig

questioning ['kwestʃənɪŋ] sb 1. *(interrogation)* Verhör n, Vernehmung f; 2. *(interview)* Befragung f; adj 3. fragend

questionless ['kwestʃənlɪs] adj fraglos

question mark ['kwestʃən mɑːk] sb Fragezeichen n

questionnaire [kwestʃə'neə] sb Fragebogen m

question time ['kwestʃən taɪm] sb Fragestunde f

queue [kjuː] v 1. *(~ up)* Schlange stehen, sich anstellen; sb 2. Schlange f

quick [kwɪk] adj 1. *(rapid)* schnell; 2. *(~ly done)* kurz, flüchtig; *to be* ~ *about sth* sich mit etw beeilen; 3. *(on one's feet)* flink; 4. *(mentally)* schnell von Begriff; 5. *(temper)* hitzig, heftig

quicken ['kwɪkən] v beschleunigen, beleben

quickness ['kwɪknɪs] sb Schnelligkeit f, Geschwindigkeit f

quicksand ['kwɪksænd] sb Treibsand m

quicksilver ['kwɪksɪlvə] sb *CHEM* Quecksilber n

quick-tempered [kwɪk'tempəd] adj jähzornig

quick-witted [kwɪk'wɪtɪd] adj aufgeweckt, *(reply)* schlagfertig

quid [kwɪd] sb *(fam)(UK)* Pfund n

quiet ['kwaɪət] v 1. zur Ruhe bringen; 2. *(silence)* zum Schweigen bringen; 3. *(make calm)* beruhigen; adj 4. ruhig; 5. *(voice, music)* leise; 6. *(silent)* still

• **quiet down** v sich beruhigen

quieten ['kwaɪətn] v beruhigen, zur Ruhe bringen

quiff [kwɪf] sb *(UK: tuft of hair)* Tolle f, Stirnlocke f

quill [kwɪl] sb 1. *ZOOL* Feder f; 2. *(porcupine's)* Stachel m

quilt [kwɪlt] sb Steppdecke f

quintal ['kwɪntl] sb Doppelzentner m

quintuplets [kwɪn'tjuːplɪts] pl Fünflinge pl

quip [kwɪp] v 1. witzeln; sb 2. witziger Einfall m, geistreiche Bemerkung f, Bonmot n

quipster ['kwɪpstə] sb schlagfertiger Mensch m

quirk [kwɜːk] sb 1. Eigenart f; 2. *(in a negative sense)* Schrulle f; 3. *(of fate)* Laune f

quirky ['kwɜːkɪ] adj eigenartig

quit [kwɪt] v irr 1. *(leave one's job)* kündigen; 2. *(accept defeat)* aufgeben; 3. *(sth) (leave)* verlassen; 4. *(a job)* kündigen; 5. *(fam: stop)* aufhören mit

quite [kwaɪt] adv 1. *(to some degree)* ziemlich; ~ *good* recht gut; 2. *(entirely)* ganz, völlig; 3. *(truly)* wirklich

quits [kwɪts] adj 1. quitt; 2. *call it* ~ Schluss machen

quiver ['kwɪvə] v 1. zittern; sb 2. *(for arrows)* *SPORT* Köcher m

quiz [kwɪz] sb 1. *(~ show)* Quiz n; 2. *(US: small test)* Prüfung f

quizmaster ['kwɪzmɑːstə] sb *(game-show host)* Quizmaster m

quizzical ['kwɪzɪkl] adj fragend, zweifelnd

quota ['kwəʊtə] sb 1. Quote f; 2. *(of goods)* Kontingent n

quotation [kwəʊ'teɪʃən] sb 1. *(passage cited)* Zitat n; 2. *(price ~)* Kostenvoranschlag m, Preisangabe f; 3. *(stock ~)* Börsennotierung f

quotation marks [kwəʊ'teɪʃən mɑːks] pl Anführungszeichen pl

quote [kwəʊt] v 1. zitieren; 2. *(cite as an example)* anführen; 3. *(a price)* *ECO* nennen; 4. *FIN* notieren

R

rabbit ['ræbɪt] sb ZOOL 1. Kaninchen n; 2. (US) Hase m

rabies ['reɪbiːz] sb MED Tollwut f

race¹ [reɪs] v 1. (compete in a ~) laufen, fahren; 2. (rush) rasen, jagen, rennen; 3. (engine) hochdrehen; 4. (pulse) jagen; 5. (s.o.) um die Wette laufen mit, um die Wette fahren mit, SPORT laufen gegen, fahren gegen; sb 6. Rennen n; SPORT (on foot) Lauf m

race² [reɪs] sb (ethnic group) Rasse f; the human ~ das Menschengeschlecht n, die Menschen pl

racehorse [reɪshɔːs] sb Rennpferd n

racetrack ['reɪstræk] sb Rennstrecke f, (for horses) Pferderennbahn f

racial discrimination ['reɪʃəl dɪskrɪmɪ'neɪʃən] sb Rassendiskriminierung f

racing ['reɪsɪŋ] sb 1. (activity) Rennen n; 2. SPORT Rennsport m; adj 3. Renn...

racism ['reɪsɪzəm] sb Rassismus m

racist ['reɪsɪst] sb Rassist m

racket ['rækɪt] sb 1. (noise) Krach m, Lärm m; 2. (shady business) Schwindelgeschäft n, (making excessive profit) Wucher m; 3. SPORT Schläger m

racquet ['rækɪt] sb Schläger m

radar ['reɪdɑː] sb Radar m/n

radiant ['reɪdɪənt] adj strahlend

radiation [reɪdɪ'eɪʃən] sb Strahlung f, Ausstrahlung f

radiator ['reɪdɪeɪtə] sb 1. (heater) Heizkörper m; 2. (of a car) Kühler m

radio ['reɪdɪəʊ] sb 1. (broadcasting) Funk m, Rundfunk m; 2. (~ set) Radio n

radioactivity [reɪdɪəʊæk'tɪvɪtɪ] sb Radioaktivität f

radius ['reɪdɪəs] sb Radius m, Halbmesser m

raffle ['ræfl] v 1. ~ off in einer Tombola verlosen; sb 2. Tombola f, Verlosung f

rag [ræg] sb 1. Lumpen m, Fetzen m; from ~s to riches von Armut zu Reichtum; 2. (for cleaning) Lappen m; 3. ~s pl (fam: clothes) Klamotten pl

rage [reɪdʒ] v 1. toben, rasen; 2. (sea) toben; sb 3. Wut f, Zorn m; 4. to be all the ~ (fam) der letzte Schrei sein

raid [reɪd] v 1. überfallen; 2. (fig) plündern; sb 3. MIL Angriff m; 4. (police ~) Razzia f; 5. (by bandits) Raubzug m

rail [reɪl] sb 1. (for a train) Schiene f, Gleis n; travel by ~ mit der Bahn fahren; 2. (for safety) Geländer n; v 3. ~ against s.o. über jdn schimpfen

railway ['reɪlweɪ] sb Eisenbahn f, Bahn f

railway station ['reɪlweɪ 'steɪʃən] sb Bahnhof m

rain [reɪn] v 1. regnen; sb 2. Regen m; as right as ~ (fig) in guter Verfassung; 3. (fig: of bullets, of punches) Hagel m

rainbow ['reɪnbəʊ] sb Regenbogen m

raincoat ['reɪnkəʊt] sb Regenmantel m

rainfall ['reɪnfɔːl] sb Niederschlag m

rain forest ['reɪnfɒrɪst] sb Regenwald m

rainy ['reɪnɪ] adj regnerisch, verregnet

raise [reɪz] v 1. heben, (blinds, an eyebrow) hochziehen; 2. (in height) erhöhen, (level) anheben; 3. ~ s.o. from the dead jdn von den Toten auferwecken; 4. (salary, price) erhöhen, anheben; 5. (in a card game) erhöhen; 6. (get together: an army) MIL auf die Beine stellen; 7. (money) aufbringen, auftreiben; 8. (a question) aufwerfen, vorbringen; 9. (an objection) erheben; ~ one's voice against sth seine Stimme gegen etw erheben; 10. (build) errichten; 11. (children) aufziehen, großziehen; 12. AGR anbauen; 13. (contact over radio) Funkverbindung aufnehmen mit; sb 14. ECO (in salary) Gehaltserhöhung f, (in wages) Lohnerhöhung f

raisin ['reɪzən] sb Rosine f

rally ['rælɪ] v 1. sich sammeln; 2. (regain vigour) neue Kräfte sammeln; 3. (s.o.)(gather) versammeln; 4. (motivate) aufmuntern; sb 5. (gathering) Massenversammlung f; 6. (on the stock market) Erholung f; 7. (road race) Rallye f

ram [ræm] v 1. stoßen, (with great force) rammen; sb 2. ZOOL Widder m, Schafbock m; 3. battering ~ HIST Sturmbock m

ramble ['ræmbl] v 1. (wander about) wandern; 2. (fam: in speaking) drauflosreden

ramp [ræmp] sb Rampe f, (for loading) Laderampe f

rampage [ræm'peɪdʒ] v 1. herumwüten (fam); sb 2. to be on the ~ randalieren

ranch [rɑːntʃ] sb Ranch f

rancid ['rænsɪd] adj ranzig

random ['rændəm] sb 1. at ~ aufs Geratewohl; adj 2. ziellos; 3. (chance) zufällig

range [reɪndʒ] v 1. ~ from ... to ... von ... bis ... gehen, (temperature) zwischen ... und ... liegen; sb 2. (distance) Entfernung f; at close ~ auf kurze Entfernung; 3. (of a telescope, of a gun) Reichweite f; out of ~ außer Schussweite; 4. (of a plane) Flugbereich m; 5. ~ of vision Sichtweite f; 6. (selection) Reihe f, Auswahl f; 7. mountain ~ Gebirgskette f; 8. (fig) Bereich m; 9. (cooking stove) Kochherd m; 10. (US: grazing land) Freiland n; 11. shooting ~ Schießplatz m

rank [ræŋk] v 1. ~ among gehören zu, zählen zu; 2. (sth) einordnen, (fig) zählen; She is ~ed fourth in the world. Sie steht an vierter Stelle in der Weltrangliste. sb 3. MIL Rang m; 4. (status) Stand m; 5. (row) Reihe f; 6. (formation) MIL Glied

ransom ['rænsəm] sb 1. (paying of a ~) Loskauf m; 2. (sum) Lösegeld n; v 3. (pay a ~) Lösegeld bezahlen für, freikaufen

rap [ræp] v 1. klopfen; 2. MUS rappen (fam); sb 3. (noise, blow) Klopfen n; 4. (fam: guilt) Schuld f, (penalty) Strafe f; take the ~ die Schuld zugeschoben kriegen (fam); 5. beat the ~ sich rauswinden; 6. MUS Rap m

rape [reɪp] v 1. vergewaltigen; sb 2. Vergewaltigung f

rapid ['ræpɪd] adj 1. schnell; pl 2. ~s Stromschnellen pl

rapist ['reɪpɪst] sb Vergewaltiger m

rapper ['ræpə] sb MUS Rapper m (fam)

rare¹ [reə] adj 1. selten; 2. (valuable) rar

rare² [reə] adj (meat) nicht gar; (steak) nicht durchgebraten

rarely ['reəlɪ] adv selten

raspy ['rɑːspɪ] adj (voice) kratzend

rat [ræt] sb 1. Ratte f; smell a ~ (fig) den Braten riechen; v 2. ~ on s.o. (fam: tell on s.o.) jdn verpfeifen

rate [reɪt] v 1. (deserve) verdienen; 2. ~ among ~ gelten als ..., zählen zu ~ 3. (estimate the worth of) schätzen, einschätzen; sb 4. Rate f, Ziffer f; at the ~ of im Verhältnis von; at any ~ jedenfalls; 5. (speed) Tempo n; 6. (UK: local tax) Gemeindesteuer f; 7. FIN Satz m; 8. (fixed charge) Tarif m; 9. ~ of exchange Umrechnungskurs m

rather ['rɑːðə] adv 1. (more accurately) vielmehr, eher; 2. (preference) lieber; 3. (quite) ziemlich; 4. or ~ beziehungsweise, genauer gesagt

rating ['reɪtɪŋ] sb 1. (assessment) Schätzung f; 2. (category) Klasse f; 3. ~s pl (radio, TV) Einschaltquote f

ratio ['reɪʃɪəʊ] sb Verhältnis n

ration ['ræʃən] v 1. rationieren; sb 2. Ration f; 3. ~s pl Verpflegung f, Lebensmittel pl

rational ['ræʃənl] adj 1. (sensible) vernünftig; 2. (having reason) rational

rat race ['rætreɪs] sb Überlebenskampf m, Konkurrenzkampf m

rattle ['rætl] v 1. klappern; 2. (gunfire) knattern; 3. (chains) rasseln; 4. (sth) schütteln; 5. (fig: make uneasy) aus der Fassung bringen, verunsichern; sb 6. (child's toy) Rassel f, Klapper f; 7. (sound) Klappern n, Rasseln n, Knattern n

rave [reɪv] v 1. delirieren, spinnen; 2. ~ about sth von etw schwärmen

raven ['reɪvn] sb ZOOL Rabe m

ravenous ['rævənəs] adj 1. (appetite) gewaltig; 2. (person) heißhungrig

raving ['reɪvɪŋ] adj wahnsinnig, verrückt

raw [rɔː] adj 1. roh, Roh...; 2. get a ~ deal (fam) schlecht wegkommen; 3. (without skin) aufgeschunden; 4. (inexperienced) neu, unerfahren

raw material [rɔː məˈtɪrɪəl] sb Rohstoff m

razor ['reɪzə] sb 1. Rasiermesser n; 2. (safety ~) Rasierapparat m

re [riː] prefix 1. ~... wieder...; prep 2. (on a letter) betrifft

reach [riːtʃ] v 1. ~ for sth nach etw greifen, nach etw langen; 2. ~ as far as, ~ to sich erstrecken bis, gehen bis, reichen bis; 3. (sth)(a place) erreichen, ankommen an, (a town) ankommen in; ~ s.o.'s ears jdm zu Ohren kommen; 4. (a goal, a total) erreichen; 5. (come up to) reichen bis zu, gehen bis zu; 6. to be able to ~ sth an etw heranreichen können, zu etw hingreifen können; 7. (a conclusion, an agreement) kommen zu, gelangen zu; sb 8. Reichweite f, Tragweite f; within easy ~ leicht erreichbar

react [riːˈækt] v reagieren; ~ to reagieren auf

reaction [riːˈækʃən] sb Reaktion f

read [riːd] v irr 1. lesen; 2. (aloud) vorlesen; 3. (a meter, a thermometer) ablesen, sehen auf; 4. (have as its wording) lauten; 5. (indicate: meter) anzeigen; 6. (understand: radio transmission) verstehen; Do you ~ me? Können Sie mich verstehen? 7. (UK: for an examination) vorbereiten

reader ['riːdə] sb 1. Leser m; 2. (UK: at university) Dozent/Dozentin m/f; 3. publisher's ~ Verlagslektor m; 4. (schoolbook) Lesebuch n

readily ['redılı] *adv 1.* bereitwillig; *2. (easily)* leicht

reading ['riːdıŋ] *sb 1. (act of ~)* Lesen *n; 2. (~ matter)* Lektüre *f; 3. (recital)* Lesung *f; 4. (interpretation)* Interpretation *f; 5. (on a meter)* Anzeige *f*

ready ['redı] *adj 1.* bereit, fertig; *2. (finished)* fertig; *3. get sth* ~ etw fertig machen, etw bereitmachen, *(food, a room)* etw vorbereiten; *4. get o.s.* ~ sich fertig machen, sich bereitmachen; *5. (prompt)* unverzüglich, prompt; *have a* ~ *wit* schlagfertig sein; *6.* ~ *money* jederzeit verfügbares Geld

ready-made ['redı'meıd] *adj* gebrauchsfertig, fertig

real [rıəl] *adj 1.* wirklich, wahr; *2. (genuine)* echt; *adv 3. (fam: very)(US)* sehr, äußerst kräftig *(fam)*

real estate ['rıəlısteıt] *sb* Immobilien *pl*

realistic [rıə'lıstık] *adj 1.* realistisch; *2. (true-to-life)* wirklichkeitsgetreu

reality [riː'ælıtı] *sb* Wirklichkeit *f*

realization [riːəlaı'zeıʃən] *sb 1.* Erkenntnis *f; 2. (of a goal, of a plan)* Realisierung *f*, Verwirklichung *f; 3. (of assets)* Realisation *f*, Flüssigmachen *n*

realize ['rıəlaız] *v 1. (recognize)* einsehen, erkennen; *2. (achieve)* verwirklichen; *3. (assets)* FIN realisieren, verflüssigen

really ['rıəlı] *adv 1.* wirklich, tatsächlich; *2. (quite)* wirklich, echt

rear¹ [rıə] *adj 1.* hintere(r,s), Hinter... *sb 2.* hinterer Teil *m; bring up the* ~ die Nachhut bilden; *3. (fam: buttocks)* Hintern *m*

rear² [rıə] *v 1. (a child)* aufziehen; *2. (an animal)* züchten; *3.* ~ *up (horse)* sich aufbäumen

rearrange [riːə'reındʒ] *v* umstellen

rear-view mirror [rıəvjuː'mırə] *sb* Rückspiegel *m*

reason ['riːzn] *v 1.* ~ *with s.o.* vernünftig mit jdm reden; *2.* ~ *that ...* folgern, dass ...; *sb 3. (cause)* Grund *m*, Ursache *f; there is every* ~ *to believe that ...* alles spricht dafür, dass ...; *4. (common sense)* Vernunft *f; listen to* ~ Vernunft annehmen; *it stands to* ~ *that ...* es leuchtet ein, dass ...; *5. (mental powers)* Verstand *m*

reasonable ['riːznəbl] *adj 1. (sensible)* vernünftig; *2. (understanding)* verständig; *3. (excuse, offer)* akzeptabel; *4. (price)* angemessen; *5. (in price)* preiswert

reasonably ['riːznəblı] *adv 1. (fairly, quite)* ziemlich, leidlich; *2. (in a reasonable manner)* vernünftig

reassure [riːə'ʃuə] *v 1.* versichern; *2. (relieve s.o.'s mind)* beruhigen

reassuring [riːə'ʃuərıŋ] *adj* beruhigend

rebel [rı'bel] *v 1.* rebellieren; ['rebl] *sb 2.* Rebell/Rebellin *m/f*

rebellion [rı'belıən] *sb* Rebellion *f*, Aufstand *m*

rebound [rı'baund] *v 1.* zurückspringen, abprallen; ['riːbaund] *sb 2.* SPORT Rebound *m*

rebuild [riː'bıld] *v irr 1.* wieder aufbauen; *2. (convert)* umbauen

rebut [rı'bʌt] *v* widerlegen, entkräften

recall [rı'kɔːl] *v 1. (summon back)* zurückrufen; *2. (an ambassador)* abberufen; *3. (remember)* sich erinnern an, sich entsinnen; *sb 4. (memory)* Gedächtnis *n; total* ~ absolutes Gedächtnis *n*

recap ['riːkæp] *v* kurz zusammenfassen

recapture [riː'kæptʃə] *v 1.* zurückerobern; *2. (fig: atmosphere)* wieder wach werden lassen

receipt [rı'siːt] *sb 1.* Empfang *m; 2.* ECO Eingang *m*, Erhalt *m; 3. (piece of paper)* Quittung *f, (for goods)* Empfangsbestätigung *f; v 4.* quittieren

receive [rı'siːv] *v 1. (recognize)* bekommen, erhalten; *2. (take delivery of)* empfangen; *3. (welcome)* empfangen; *4. (a broadcast)* empfangen

receiver [rı'siːvə] *sb 1.* Empfänger *m; 2.* TEL Hörer *m; 3. (in bankruptcy)* FIN Konkursverwalter *m; 4. (of stolen goods)* Hehler *m*

recent ['riːsənt] *adj* kürzlich, neuerlich, neueste(r,s), jüngste(r,s)

recently ['riːsəntlı] *adv* kürzlich, neulich, vor kurzem

recess [rı'ses] *sb 1. (in a wall)* Nische *f; 2. (of Parliament, of Congress)* POL Ferien *pl; 3. (US: in the school day)* Pause *f*

recession [rı'seʃən] *sb* ECO Rezession *f*, Konjunkturrückgang *m*

recessive [rı'sesıv] *adj* rezessiv

recharge [riː'tʃɑːdʒ] *v* wiederaufladen

recipe ['resıpı] *sb* Rezept *n*, Kochrezept *n*

reckless ['reklıs] *adj 1.* leichtsinnig; *2. (driving, driver)* rücksichtslos

reckon ['rekən] *v 1. (calculate)* rechnen; *He's a man to be ~ed with.* Er ist nicht zu unterschätzen. *2. (calculate sth)* berechnen, errechnen; *3. (suppose)* glauben; *4. (estimate)* schätzen; *5. (consider)* einschätzen

reclaim [rı'kleım] *v 1. (demand back)* zurückfordern; *2. (a lost item)* abholen

recline [rı'klaın] *v 1. (person)* zurückliegen; *2. (seat)* sich verstellen lassen

recognition [rekəg'nɪʃən] sb 1. (acknowledgement) Anerkennung f; 2. (identification) Erkennen n

recognizable [rekəg'naɪzəbl] adj erkennbar

recognize ['rekəgnaɪz] v 1. (know again) wieder erkennen; 2. (acknowledge) anerkennen; 3. (US: allow to speak) das Wort erteilen; 4. (identify) erkennen; 5. (realize) erkennen

recognized ['rekəgnaɪzd] adj anerkannt

recoil [rɪ'kɔɪl] v 1. (person) zurückspringen, (in horror) zurückschrecken, (in disgust) zurückschaudern; 2. (gun) zurückstoßen; ['riːkɔɪl] sb 3. (of a gun) Rückstoß m

recollect [rekə'lekt] v ~ sth sich an etw erinnern

recommend [rekə'mend] v empfehlen; She has much to ~ her. Es spricht sehr viel für sie.

recommendable [rekə'mendəbl] adj empfehlenswert

recommendation [rekəmen'deɪʃən] sb 1. Empfehlung f; 2. (letter of ~) Empfehlungsschreiben n

reconcile ['rekənsaɪl] v 1. (facts, wishes) miteinander in Einklang bringen; 2. (people) versöhnen; 3. become ~d to sth sich mit etw abfinden

reconciliation [rekənsɪlɪ'eɪʃən] sb 1. (of facts, of opposites) Vereinbarung f; 2. (of people) Versöhnung f

reconsider [riːkən'sɪdə] v 1. nochmals überlegen; He has ~ed his decision. Er hat es sich anders überlegt. 2. (a case) JUR wieder aufnehmen

reconstruct [riːkən'strʌkt] v 1. (a crime) rekonstruieren; 2. (a building) wieder aufbauen

reconstruction [riːkən'strʌkʃən] sb 1. (of a crime) Rekonstruktion f; 2. (of a building) Wiederaufbau m

record [rɪ'kɔːd] v 1. (on tape) aufnehmen; 2. (write down) aufzeichnen; (thoughts) niederschreiben; 3. (register) eintragen; by ~ed delivery (UK) per Einschreiben; 4. (keep minutes of) protokollieren; 5. (with a camera) festhalten; 6. (meter: register) registrieren; ['rekɔːd] sb 7. MUS Schallplatte f, Platte f; 8. (account) Aufzeichnung f; To set the ~ straight ... Um das mal klarzustellen ...; 9. (of a meeting) Protokoll n; on the ~ offiziell; off the ~ nicht für die Öffentlichkeit bestimmt; 10. (official document) Unterlage f, Akte f; 11. (history) Vorgeschichte f; police ~ Vorstrafen

pl; 12. SPORT Rekord m, (personal ~) Bestleistung f

record-player ['rekɔːdpleɪə] sb Plattenspieler m

recover [rɪ'kʌvə] v 1. sich erholen; 2. (regain consciousness) wieder zu sich kommen; 3. (goods, a lent item) zurückbekommen; 4. (a lost item) wieder finden; 5. (a wreck) bergen

recovery [rɪ'kʌvərɪ] sb 1. (of sth) Wiedererlangung f; 2. (return to good health) Genesung f, Besserung f; 3. economic ~ ECO Konjunkturaufschwung m

recreation [rekrɪ'eɪʃən] sb 1. Erholung f, Entspannung f; 2. (pastime) Zeitvertreib m

recreation ground [rekrɪ'eɪʃən graʊnd] sb Freizeitgelände n

recriminate [rɪ'krɪmɪneɪt] v eine Gegenbeschuldigung vorbringen

recrimination [rɪkrɪmɪ'neɪʃən] sb Gegenbeschuldigung f

recruit [rɪ'kruːt] v 1. (members) werben; 2. (soldiers) rekrutieren; sb 3. (to a club) neues Mitglied n; 4. MIL Rekrut m

recruitment [rɪ'kruːtmənt] sb 1. Anwerbung f, Werbung f; 2. (of soldiers) Rekrutierung f

rectangle ['rektæŋgl] sb Rechteck n

rectify ['rektɪfaɪ] v berichtigen, korrigieren

rector ['rektə] sb REL Pfarrer m

recuperate [rɪ'kuːpəreɪt] v sich erholen

recur [rɪ'kɜː] v 1. (event, problem) wiederkehren; 2. (theme, character, sickness) wieder auftreten; 3. (to be repeated) sich wiederholen

recurrent [rɪ'kʌrənt] adj immer wiederkehrend, immer wieder auftretend

recyclable [rɪ'saɪkləbl] adj wiederverwertbar, recycelbar

recycle [riː'saɪkl] v wieder verwerten, recyceln

recycling [riː'saɪklɪŋ] sb Recycling n, Wiederverwertung f

red [red] adj 1. rot; see ~ (fig) rot sehen; ~ in the face (fig) verlegen; sb 2. Rot n; 3. to be in the ~ (fig) in Schulden stecken

Red Cross [red krɒs] sb Rotes Kreuz n

redden ['redn] v 1. rot werden, sich röten; 2. (~ sth) rot machen, rot färben

redecorate [riː'dekəreɪt] v 1. renovieren; 2. (repaint) neu streichen; 3. (repaper) neu tapezieren

redefine [riːdɪ'faɪn] v neu definieren

redevelop [riːdɪ'veləp] v (a neighbourhood) sanieren

red-hot ['red'hɒt] *adj* 1. rot glühend; 2. *(fig: very hot)* glühend heiß; 3. *(fig: momentarily very popular)* sehr gefragt

redirect [ri:dɑɪ'rekt] *v* 1. *(forward)* nachsenden; 2. *(fig: efforts)* eine neue Richtung geben

red-light district [red'lɑɪtdɪstrɪkt] *sb* Rotlichtbezirk *m*

redraft ['ri:drɑ:ft] *sb* neu erstellen, neu entwerfen

reduce [rɪ'dju:s] *v* 1. reduzieren; ~ *to a common denominator* auf einen gemeinsamen Nenner bringen; 2. *(swelling)* verringern; 3. *(in rank)* MIL degradieren; 4. *(a price, standards)* herabsetzen; *He is* ~*d to sweeping the streets.* Er ist zum Straßenkehrer herabgesunken. 5. *(expenses)* kürzen; 6. *(scale down)* verkleinern; 7. *(in length)* verkürzen

reduction [rɪ'dʌkʃən] *sb* 1. Verminderung *f*, Reduzierung *f*, *(of prices)* Herabsetzung *f*; 2. *(copy)* Verkleinerung *f*

redundant [rɪ'dʌndənt] *adj* 1. überflüssig; 2. *(UK: worker)* ECO arbeitslos

reek [ri:k] *v* 1. stinken; *sb* 2. Gestank *m*

reel [ri:l] *v* 1. taumeln, *(drunk)* torkeln; *sb* 2. *(of film)* Spule *f*; 3. *(of thread, of fishing line)* Rolle *f*

• **reel in** *v* 1. einrollen; 2. *(a fish)* einholen

• **reel off** *v* *(a list, a poem)* herunterrasseln *(fam)*

re-election [ri:ɪ'lekʃən] *sb* POL Wiederwahl *f*

re-establish [ri:əs'tæblɪʃ] *v* wiederherstellen

refer [rɪ'fɜ:] *v* 1. *(pass)* weiterleiten; 2. ~ *s.o. to s.o.* jdn an jdn verweisen, *(to another doctor)* jdn zu jdm überweisen

• **refer to** *v* 1. *(allude to)* sprechen von; 2. *(regard)* sich beziehen auf, *(rule)* gelten für; 3. *(consult a book)* nachschauen in

reference ['refrəns] *sb* 1. *(mention)* Erwähnung *f*, Hinweis *m*; 2. *(indirect allusion)* Anspielung *f*; 3. *(testimonial)* Referenz *f*, Zeugnis *n*; 4. *(US: person giving a ~)* Referenz *f*; 5. *(note to the reader)* Verweis *m*; 6. *with ~ to ...* was ... betrifft, *(in a business letter)* bezüglich

reference book ['refrəns bʊk] *sb* Nachschlagewerk *n*

refill [ri:'fɪl] *v* 1. nachfüllen; ['ri:fɪl] *sb* 2. *(for a fountain pen, for a lighter)* Nachfüllpatrone *f*; *(for a ballpoint pen)* Ersatzmine *f*; 3. *(fam: of a drink)* Would you like a ~? Darf ich nachschenken? *"free ~s"* Es wird umsonst nachgeschenkt.

refine [rɪ'fɑɪn] *v* 1. *(sugar, oil)* raffinieren; 2. *(manners)* verfeinern, kultivieren; 3. *(techniques)* verfeinern, verbessern

refined [rɪ'fɑɪnd] *adj* *(person)* kultiviert

reflect [rɪ'flekt] *v* 1. *(contemplate)* nachdenken; ~ *on nachdenken über*; 2. *(cast back)* reflektieren, zurückwerfen; 3. *(mirror)* spiegeln; 4. *(fig)* widerspiegeln; 5. ~ *on (show sth about)* etw aussagen über, sich auswirken auf, *(unfavourably)* ein schlechtes Licht werfen auf

reflection [rɪ'flekʃən] *sb* 1. *(reflecting)* Reflexion *f*; 2. *(image)* Spiegelbild *n*; 3. *(contemplation)* Betrachtung *f*, *(consideration)* Überlegung *f*; 4. ~*s pl (comments, thoughts)* Gedanken *pl*, Betrachtungen *pl*

reflex ['ri:fleks] *sb* Reflex *m*

reform [rɪ'fɔ:m] *v* 1. *(sth)* reformieren; 2. *(o.s.)* bessern; *sb* 3. Reform *f*

refrain [rɪ'freɪn] *sb* 1. MUS Refrain *m*; *v* 2. ~ *from* Abstand nehmen von, absehen von, sich ... enthalten

refresh [rɪ'freʃ] *v* erfrischen

refreshing [rɪ'freʃɪŋ] *adj* 1. erfrischend; 2. *(sleep)* erquickend

refreshment [rɪ'freʃmənt] *sb* 1. Erfrischung *f*, *(through food)* Stärkung *f*; 2. ~*s pl* Erfrischungen *pl*

refrigerator [rɪ'frɪdʒəreɪtə] *sb* 1. Kühlschrank *m*, Eisschrank *m*; 2. *(room)* Kühlraum *m*

refuel [ri:'fjʊəl] *v* auftanken

refugee [refjʊ'dʒi:] *sb* POL Flüchtling *m*

refugee camp [refjʊ'dʒi:kæmp] *sb* Flüchtlingslager *n*

refusal [rɪ'fju:zəl] *sb* 1. Ablehnung *f*; 2. *have first ~ of sth* etw als Erster angeboten bekommen; 3. *(of an order)* Verweigerung *f*

refuse [rɪ'fju:z] *v* 1. ablehnen, zurückweisen; *I* ~ *to believe it.* Ich glaube das einfach nicht. *He* ~*d to be bullied.* Er ließ sich nicht tyrannisieren. 2. *(an order)* verweigern; ~ *to do sth* sich weigern, etw zu tun; *it* ~*d to work* es wollte nicht funktionieren; ['refju:s] *sb* 3. Müll *m*

regard [rɪ'gɑ:d] *v* 1. *(consider)* betrachten; 2. *(concern)* betreffen; *as* ~*s ...* was ... betrifft; *with ~ to ...* was ... betrifft, in Bezug auf; 3. *(s.o.'s wishes)* berücksichtigen; *sb* 4. *(respect)* Achtung *f*; *hold in high ~* in Ehren halten; 5. Rücksicht *f*; *have no ~ for s.o.'s feelings* auf jds Gefühle keine Rücksicht nehmen; 6. ~*s pl* Gruß *m*; *Give her my* ~*s.* Grüße sie von mir.

regarding [rɪ'gɑːdɪŋ] *prep* bezüglich, hinsichtlich, in Bezug auf

regime [reɪ'ʒiːm] *sb* POL Regime *n*

regimen ['redʒɪmen] *sb 1. (exercise)* Trainingsverfahren *n; 2. (diet)* Diät *f*

regiment ['redʒɪmənt] *sb* MIL Regiment *n*

Regina [rɪ'dʒaɪnə] *sb* offizieller Titel der Königin

region ['riːdʒən] *sb 1. (of a country)* Gebiet *n,* Region *f; 2. (administrative ~)* Bezirk *m; 3. (fig)* Bereich *m*

regional ['riːdʒənəl] *adj* regional

register ['redʒɪstə] *v 1. (at a hotel)* sich anmelden; *2. (for classes)* sich einschreiben; *3. (to vote)* sich eintragen; *4. (sth)* registrieren; *5. (a birth, a marriage, a trademark)* anmelden, eintragen lassen; *6. (a letter)* als Einschreiben aufgeben; *7. (emotion on one's face)* zeigen, ausdrücken; *8. (fig: a success)* buchen, verzeichnen; *9. (in files)* eintragen, *(a statistic)* erfassen; *10. (meter)* anzeigen; *sb 11. (book)* Register *n; 12. (in a hotel)* Gästebuch *n; 13.* MUS Register *n*

registered ['redʒɪstəd] *adj* ECO eingetragen

registered nurse ['redʒɪstəd nɜːs] *sb* staatlich geprüfte Krankenschwester *f*

registered post ['redʒɪstəd pəʊst] *sb* eingeschriebene Sendung *f; by ~ per* Einschreiben

registration [redʒɪs'treɪʃən] *sb 1.* Anmeldung *f; 2. (by authorities)* Registrierung *f; 3. (of a trademark)* Einschreibung *f; 4. vehicle ~* Kraftfahrzeugbrief *m*

regret [rɪ'gret] *v 1.* bedauern; *I ~ to say* ich muss leider sagen; *sb 2.* Bedauern *n*

regular ['regjʊlə] *adj 1. (usual, habitual)* normal; *2. (symmetrical)* regelmäßig, *(polygon)* gleichseitig; *3. (taking place at even intervals)* regelmäßig; *4. (accepted)* richtig; *5. (US: gasoline)* bleihaltig; *6. (fam: true)* echt; *You're a ~ comedian.* Du bist aber witzig. *7.* MIL regulär, Berufs...; *sb 8. (~ customer)* Stammkunde/Stammkundin *m/f, (in a pub)* Stammgast *m*

regularly ['regjʊləlɪ] *adv* regelmäßig

regulation [regjʊ'leɪʃən] *sb 1. (rule)* Vorschrift *f; 2. (regulating a machine)* Regulierung *f; adj 3. ...* vorschriftsmäßig, vorgeschrieben

rehabilitate [riːə'bɪlɪteɪt] *v* rehabilitieren

rehearsal [rɪ'hɜːsəl] *sb* Probe *f*

reheat [riː'hiːt] *v* aufwärmen, wieder aufwärmen

rein [reɪn] *sb 1.* Zügel *m; take the ~s* die Zügel in die Hand nehmen; *give s.o. free ~* jdm freie Hand lassen; *keep a tight ~ on s.o.* jdn an die Kandare nehmen; *v 2. ~ in* zügeln

reinforced [riːɪn'fɔːst] *adj* verstärkt

reject [rɪ'dʒekt] *v 1.* ablehnen; *2. (a suitor)* abweisen; *3. (a possibility, a judgment)* verwerfen

rejection [rɪ'dʒekʃən] *sb* Ablehnung *f,* Verwerfung *f,* Zurückweisung *f*

rejoice [rɪ'dʒɔɪs] *v 1.* sich freuen, jubeln; *2.* REL jauchzen

rejuvenate [rɪ'dʒuːvɪneɪt] *v 1.* verjüngen; *2. (fig)* erfrischen

relate [rɪ'leɪt] *v 1.* zusammenhängen; *2. I can ~ to that. (fam)* Davon kann ich ein Lied singen. *3. (recount)* erzählen; *4. (associate)* in Zusammenhang bringen, in Beziehung bringen, verbinden

related [rɪ'leɪtɪd] *adj 1. (people)* verwandt; *~ by marriage* verschwägert; *2. (things)* verbunden

relation [rɪ'leɪʃən] *sb 1. (relationship)* Beziehung *f,* Verhältnis *n; in ~ to* im Verhältnis zu; *2. (relative)* Verwandte(r) *m/f*

relationship [rɪ'leɪʃənʃɪp] *sb 1.* Verhältnis *n; 2. (a relative)* Verwandtschaft *f*

relative ['relətɪv] *adj 1.* verhältnismäßig, relativ; *~ to* im Verhältnis zu; *2. (respective)* respektiv; *3. ~ to (relevant to)* bezüglich; *sb 4.* Verwandte(r) *m/f*

relax [rɪ'læks] *v 1.* sich lockern, sich entspannen, *(rest)* sich ausruhen; *2. (calm down)* sich beruhigen; *3. (a rule, one's grip)* lockern; *4. (muscles)* entspannen; *5. (one's effort)* nachlassen

relaxation [riːlæk'seɪʃən] *sb* Entspannung *f,* Erholung *f*

relaxed [rɪ'lækst] *adj 1. (person)* entspannt; *2. (atmosphere)* zwanglos; *3. (muscles)* locker

relaxing [rɪ'læksɪŋ] *adj* entspannend

release [rɪ'liːs] *v 1. (s.o.)* befreien; *2. (from an obligation)* entbinden; *3. (a prisoner)* freilassen, entlassen; *4. (a new product)* herausbringen; *5. (news)* veröffentlichen; *6. (let go of)* loslassen, *(one's grip)* lösen; *7. (a handbrake)* losmachen; *8. (pressure, steam)* ablassen; *sb 9.* Freilassung *f,* Entbindung *f,* Entlassung *f; 10. (mechanism)* Auslöser *m; 11. (of a new product)* Neuerscheinung *f; 12. (press ~)* Verlautbarung *f*

relentless [rɪ'lentlɪs] *adj 1. (pitiless)* erbarmungslos; *2. (unremitting)* unermüdlich, *(efforts)* unaufhörlich

relevant ['reləvənt] *adj* einschlägig, sachdienlich, zur Sache gehörig
relief [rɪ'liːf] *sb 1.* Erleichterung *f; provide
comic ~* eine lustige Abwechslung schaffen;
2. *(substitute)* Ablösung *f;* 3. *(aid)* Hilfe *f;* 4.
ART Relief *n*
relieve [rɪ'liːv] *v 1. (s.o.)* erleichtern;
(pain) lindern, *(completely)* stillen; 3. *(tension)*
abbauen; 4. *(take over from)* ablösen; 5. *~ s.o.
of sth (coat)* jdm etw abnehmen, *(burden)* jdn
von etw befreien, *(command)* jdn einer Sache
entheben, *(fig: steal sth from s.o.)* jdn um etw
erleichtern; 6. *(monotony)* unterbrechen; 7. *~
boredom* Langeweile vertreiben; 8. *~ o.s.
(fam: urinate)* sich erleichtern, seine Notdurft
verrichten
relish ['relɪʃ] *v 1.* genießen; *sb 2. with great
~* mit großem Vergnügen; 3. *GAST* Relish *n*
relive [riː'lɪv] *v* noch einmal erleben
reluctant [rɪ'lʌktənt] *adj 1. (person)* abgeneigt; 2. *(consent)* widerwillig; 3. *(hesitant)*
zögernd
rely [rɪ'laɪ] *v ~ on* sich verlassen auf
remain [rɪ'meɪn] *v 1.* bleiben; *That ~s to be
seen.* Das wird sich zeigen. 2. *(to be left over)*
übrig bleiben
remaining [rɪ'meɪnɪŋ] *adj* übrig, restlich
remains [rɪ'meɪnz] *pl 1. (of a building)*
Überreste *pl;* 2. *(archaeological ~)* Ruinen *pl;
the ~ of an ancient civilization* Spuren einer alten Zivilisation; 3. *(of a meal)* Reste *pl,* Überbleibsel *n*
remake ['riːmeɪk] *sb 1. CINE* Neuverfil-
mung *f;* [riː'meɪk] *v irr 2. (a film)* neu verfilmen
remark [rɪ'mɑːk] *v 1.* bemerken; 2. *~ upon
sth* über etw eine Bemerkung machen; *sb 3.*
Bemerkung *f*
remarkable [rɪ'mɑːkəbl] *adj 1.* bemerkenswert; 2. *(strange)* merkwürdig; 3. *(extraordinary)* außergewöhnlich
remedial [rɪ'miːdɪəl] *adj* Hilfs...; *~ English*
Förderkurs in Englisch *m*
remedy ['remədɪ] *v 1. MED* heilen; 2. *(fig: a
fault)* beheben, *(a situation)* bessern; *sb 3.* Mittel *n,* Heilmittel *n*
remember [rɪ'membə] *v 1.* sich erinnern
an; 2. *(commemorate)* bedenken; 3. *(bear in
mind)* denken an
remind [rɪ'maɪnd] *v ~ s.o. of sth* jdn an etw
erinnern; *That ~s me ...* Dabei fällt mir ein ...
reminder [rɪ'maɪndə] *sb 1.* Gedächtnis-
stütze *f;* 2. *(letter of ~) ECO* Mahnung *f*
remiss [rɪ'mɪs] *adj* nachlässig

remission [rɪ'mɪʃən] *sb 1. (of a sin) REL*
Vergebung *f;* 2. *MED* Remission *f;* 3. *(of a
sentence) JUR* Straferlass *m*
remit [rɪ'mɪt] *v 1. (send)* überweisen; 2.
(pardon) erlassen, *(a sin)* vergeben
remote [rɪ'məʊt] *adj 1. (isolated)* abgelegen; 2. *(distant)* fern, entfernt; 3. *(connection,
resemblance)* entfernt; 4. *(past)* fern; 5.
(chance) winzig, gering; *a ~ possibility* eine
vage Möglichkeit; 6. *(aloof)* unnahbar
remote control [rɪ'məʊt kən'trəʊl] *sb 1.*
Fernsteuerung *f;* 2. *(of a television)* Fernbedienung *f*
removal [rɪ'muːvəl] *sb 1.* Entfernung *f,*
Abnahme *f, (of an obstacle)* Ausräumung *f;* 2.
(UK: move from a house) Umzug *m*
remove [rɪ'muːv] *v 1.* entfernen; 2. *(a lid, a
hat, a bandage)* abnehmen; 3. *~ one's make-
up* sich abschminken; 4. *(a piece of clothing)*
ablegen; 5. *to be far ~d from* weit entfernt
sein von; *He's my cousin twice ~d.* Er ist
mein Cousin zweiten Grades. 6. *(a name from
a list)* streichen; 7. *(from a container)* herausbringen; 8. *(an obstacle)* beseitigen, aus dem
Weg räumen
removed [rɪ'muːvd] *adj* entfernt
render ['rendə] *v 1. (make)* machen; *~ sth
useless* etw unbrauchbar machen; 2. *(interpret: a song, a role)* interpretieren, vortragen;
3. *(give: assistance)* leisten, *(homage)* erweisen; *for services ~ed* für geleistete Dienste
rendering ['rendərɪŋ] *sb 1.* Darstellung *f,*
2. *(in a performance)* Darbietung *f;* 3. *(translation, written version)* Wiedergabe *f,* Version *f*
renew [rɪ'njuː] *v 1.* erneuern; 2. *(an acquaintance, discussions, an attack)* wieder
aufnehmen; 3. *(a library book, a passport)* verlängern
renounce [rɪ'naʊns] *v 1.* verzichten auf; 2.
(religion, the devil) abschwören; 3. *(a friend)*
verleugnen
renovate ['renəveɪt] *v* renovieren, restaurieren
rent [rent] *v 1.* mieten, *(a farm)* pachten, *(a
TV, a car)* leihen; 2. *(~ out)* vermieten, *(a farm)*
verpachten, *(a TV, a car)* verleihen; *sb 3.* Miete *f, (for a farm)* Pacht *f; for ~ (US)* zu vermieten
rental ['rentəl] *sb 1.* Miete *f;* 2. *(for a TV, for
a car)* Leihgebühr *f;* 3. *(for land)* Pacht *f;* 4.
(rented item) Leihgerät *n;* 5. *(rented car)* Mietwagen *m*
rental car ['rentəlkɑː] *sb* Mietwagen *m*
rent-free ['rentfriː] *adj* mietfrei

reorganize [ri:'ɔ:ɡənaɪz] v neu organisieren, umorganisieren, *(furniture)* umordnen

repair [ri'peə] v 1. reparieren; 2. *(clothes, a road)* ausbessern; 3. *(a tyre)* flicken; 4. *(fig: a wrong)* wieder gutmachen; sb 5. Reparatur f, Ausbesserung f; damaged beyond ~ nicht mehr zu reparieren; 6. to be in good ~ in gutem Zustand sein

repairman ['rɪpeəmæn] sb Handwerker m

repay [ri:'peɪ] v irr 1. *(a debt)* abzahlen; 2. zurückzahlen; 3. *(expenses)* erstatten; 4. *(fig: kindness)* vergelten; 5. *(fig: a visit)* erwidern

repayment [ri:'peɪmənt] sb 1. Rückzahlung f; 2. *(fig)* Erwiderung f

repeat [ri'pi:t] v 1. wiederholen; 2. *(tell to s.o. else)* weitersagen

repeated [ri'pi:tid] adj wiederholt, mehrmalig

repel [ri'pel] v 1. *(s.o.'s advance, insects)* abwehren; 2. MIL *(an attacker)* zurückschlagen, *(an attack)* abschlagen; 3. *(disgust)* abstoßen

repellent [ri'pelənt] adj 1. abstoßend; sb 2. insect ~ Mittel zur Abwehr von Insekten n, *(for the body)* Mückensalbe f

repent [ri'pent] v 1. Reue empfinden; 2. *(sth)* REL bereuen

repercussions [ri:pə'kʌʃənz] pl Rückwirkungen pl, Auswirkungen pl

repetition [repə'tɪʃən] sb Wiederholung f

repetitive [ri'petɪtɪv] adj sich ständig wiederholend, monoton

replace [ri'pleɪs] v 1. *(substitute for, be substituted for)* ersetzen; 2. *(put back)* zurücksetzen, zurückstellen, *(on its side)* zurücklegen; ~ the receiver den Hörer auflegen; 3. *(parts)* austauschen, ersetzen

replant [ri:'plɑ:nt] v umpflanzen, neu pflanzen

replay ['ri:pleɪ] sb Wiederholung f

replica ['replɪkə] sb Kopie f

replicate ['replɪkeɪt] v 1. *(reproduce)* nachahmen, nachbilden; 2. *(fold back)* falten, zusammenlegen

reply [ri'plaɪ] v 1. antworten; ~ to a question eine Frage beantworten; sb 2. Antwort f

report [ri'pɔ:t] v 1. *(announce o.s.)* sich melden; ~ for duty sich zum Dienst melden; 2. *(give a report)* berichten; 3. *(sth)* berichten über; 4. *(inform authorities about)* melden; sb 5. Bericht m; 6. *(in the media)* Bericht m, Reportage f; 7. *(sound of a gun)* Knall m; 8. *(UK: from school)* Schulzeugnis n

reportedly [ri'pɔ:tɪdlɪ] adv wie verlautet

reporter [ri'pɔ:tə] sb 1. Berichterstatter m; 2. *(journalist)* Reporter m, Berichterstatter m

repossess [ri:pə'zes] v wieder in Besitz nehmen

represent [repri'zent] v 1. *(portray)* darstellen; 2. *(act for, speak for)* vertreten

representation [reprizen'teɪʃən] sb 1. *(portrayal)* Darstellung f; 2. *(representatives)* Vertretung f

representative [repri'zentətɪv] adj 1. *(acting for)* vertretend; 2. *(typical)* repräsentativ; 3. *(symbolic)* symbolisch; sb 4. Vertreter m; 5. *(deputy)* Stellvertreter m; 6. POL Abgeordnete(r) m/f; 7. JUR Bevollmächtigte(r) m/f

repress [ri'pres] v 1. unterdrücken; 2. *(a laugh, a sneeze)* zurückhalten; 3. PSYCH verdrängen

repression [ri'preʃən] sb 1. Unterdrückung f; 2. PSYCH Verdrängung f

reprieve [ri'pri:v] sb 1. JUR Begnadigung f; 2. *(temporary)* Aufschub m; 3. *(fig)* Gnadenfrist f

reprimand ['reprimɑ:nd] v 1. tadeln, einen Verweis erteilen, maßregeln; sb 2. Tadel m; 3. *(official)* Verweis m

reproach [ri'prəʊtʃ] v 1. Vorwürfe machen; sb 2. Vorwurf m; beyond ~ ohne Tadel; above ~ über jeden Vorwurf erhaben

reproduce [ri:prə'dju:s] v 1. BIO sich fortpflanzen, sich vermehren; 2. wiedergeben; 3. *(mechanically)* reproduzieren, *(documents)* vervielfältigen

reproduction [ri:prə'dʌkʃən] sb 1. BIO Fortpflanzung f; 2. *(copy)* Reproduktion f, *(photo)* Kopie f; 3. *(of sounds)* Wiedergabe f

reptile ['reptaɪl] sb ZOOL Reptil n, Kriechtier n

republic [ri'pʌblɪk] sb Republik f

repugnant [ri'pʌɡnənt] adj widerlich

repulse [ri'pʌls] v *(an attacker)* zurückschlagen, *(an attack)* abwehren

repulsion [ri'pʌlʃən] sb Abscheu f

repulsive [ri'pʌlsɪv] adj abscheulich, widerlich, abstoßend

reputable ['repjʊtəbl] adj angesehen, ehrbar, anständig

reputation [repjʊ'teɪʃən] sb Ruf m

request [ri'kwest] v 1. bitten um, ersuchen um; ~ s.o. to do sth jdn bitten, etwas zu tun; 2. *(a song)* sich wünschen; sb 3. Bitte f, Wunsch m; 4. *(official)* Ersuchen n

require [ri'kwaɪə] v 1. *(need)* brauchen, benötigen; I'll do whatever is ~d. Ich werde alles Nötige tun. 2. *(order)* verlangen, fordern

requirement [rɪ'kwaɪəmənt] *sb* 1. *(condition)* Erfordernis *n*, Anforderung *f*, Voraussetzung *f*; 2. *(need)* Bedürfnis *n*, Bedarf *m*; 3. *(desire)* Wunsch *m*, Anspruch *m*

reschedule [riː'ʃedjuːl] *v* 1. verlegen; 2. *(to an earlier time)* vorverlegen

rescue ['reskjuː] *v* 1. retten, *(free)* befreien; *sb* 2. Rettung *f*, *(freeing)* Befreiung *f*; To the ~! Zu Hilfe!

rescuer ['reskjuːə] *sb* Retter *m*, Befreier *m*

research [rɪ'sɜːtʃ] *v* 1. forschen, Forschung betreiben; 2. *(sth)* erforschen, untersuchen; *sb* 3. Forschung *f*

resemblance [rɪ'zembləns] *sb* Ähnlichkeit *f*; bear a faint ~ to s.o. leichte Ähnlichkeit mit jdm haben

resent [rɪ'zent] *v* 1. *(sth)* übel nehmen, sich ärgern über; 2. *(s.o.)* ein Ressentiment haben gegen

resentful [rɪ'zentfʊl] *adj* 1. *(by nature)* übelnehmerisch, reizbar; 2. ~ of ärgerlich auf, voller Groll auf; to be ~ of s.o.'s success jdm seinen Erfolg nicht gönnen

resentment [rɪ'zentmənt] *sb* Ressentiment *n*, Groll *m*

reserve [rɪ'zɜːv] *v* 1. *(book)* reservieren lassen; 2. *(keep)* aufsparen, aufheben; ~ the right to do sth sich das Recht vorbehalten, etw zu tun; all rights ~d alle Rechte vorbehalten; *sb* 3. *(store)* Reserve *f*, Vorrat *m*; in ~ in Reserve; 4. SPORT Ersatzspieler *m*; 5. the ~s MIL die Reserveeinheiten *pl*; 6. *(coolness)* Zurückhaltung *f*, Reserve *f*

reserved [rɪ'zɜːvd] *adj* 1. *(seat, room)* reserviert, belegt; 2. *(reticent)* zurückhaltend, reserviert

reservoir ['rezəvwɑː] *sb* 1. Reservoir *n*; 2. *(fig)* Fundgrube *f*

residence ['rezɪdəns] *sb* 1. Wohnung *f*; 2. *(stay)* Aufenthalt *m*; 3. *(place of ~)* Wohnsitz *m*, Wohnort *m*; take up ~ in sich niederlassen in

resident ['rezɪdənt] *sb* 1. Bewohner *m*, *(of a town)* Einwohner *m*; 2. *(in a hotel)* Gast *m*; 3. MED im Krankenhaus wohnender Arzt *m*; *adj* 4. ansässig, wohnhaft

resign [rɪ'zaɪn] *v* 1. kündigen; 2. *(from public office, from a committee)* zurücktreten, *(civil servant)* sein Amt niederlegen; 3. *(sth/a post)* zurücktreten von, aufgeben; 4. ~ o.s. to sth sich mit etw abfinden

resignation [rezɪg'neɪʃən] *sb* 1. Rücktritt *m*, Kündigung *f*; 2. *(state of mind)* Resignation *f*

resist [rɪ'zɪst] *v* 1. Widerstand leisten gegen, sich widersetzen; 2. *(a change)* sich sträuben gegen; 3. *(temptation)* widerstehen

resistance [rɪ'zɪstəns] *sb* Widerstand *m*

resit [riː'sɪt] *v* (eine Prüfung) wiederholen

resolution [rezə'luːʃən] *sb* 1. *(decision)* Beschluss *m*, Entschluss *m*; 2. *(resoluteness)* Entschlossenheit *f*, Bestimmtheit *f*; 3. *(of an image)* TECH Rasterung *f*; 4. CHEM, MATH Auflösung *f*

resolve [rɪ'zɒlv] *v* 1. ~ to do sth *(officially)* beschließen, etw zu tun, *(person)* sich entschließen, etw zu tun; 2. *(divide up)* auflösen; 3. *(a problem)* lösen; *sb* 4. *(resoluteness)* Entschlossenheit *f*; 5. *(decision)* Entschluss *m*

resort [rɪ'zɔːt] *v* 1. ~ to zurückgreifen auf, greifen zu; ~ to violence Gewalt anwenden; ~ to stealing sich aufs Stehlen verlegen; *sb* 2. Zuflucht *f*; as a last ~ als letzter Ausweg; 3. *(place)* Ferienort *m*, Urlaubsort *m*

resource [rɪ'sɔːs] *sb* ~ s *pl* Mittel *pl*; natural ~s *pl* Naturschätze *pl*, Reserven *pl*

respect [rɪs'pekt] *v* 1. respektieren, achten; *sb* 2. Respekt *m*, Achtung *f*; 3. *(consideration)* Rücksicht *f*; 4. pay one's ~s to s.o. jdm seine Aufwartung machen; pay one's last ~s to s.o. jdm die letzte Ehre erweisen; 5. *(aspect)* Hinsicht *f*; 6. with ~ to in Bezug auf

respectable [rɪs'pektəbl] *adj* 1. *(club, neighbourhood, firm)* anständig; 2. *(person)* ehrbar; 3. *(considerable)* beachtlich; 4. *(fairly good)* beträchtlich

respective [rɪs'pektɪv] *adj* jeweilig

respectively [rɪs'pektɪvlɪ] *adv* beziehungsweise; A and B, ~ A beziehungsweise B

respire [rɪ'spaɪə] *v* atmen

respite ['respaɪt] *sb* *(rest)* Ruhepause *f*

respond [rɪs'pɒnd] *v* 1. *(answer)* antworten; 2. *(react)* reagieren; 3. *(machine)* ansprechen

response [rɪs'pɒns] *sb* 1. *(answer)* Antwort *f*; 2. *(reaction)* Reaktion *f*

responsibility [rɪspɒnsə'bɪlɪtɪ] *sb* 1. Verantwortung *f*; take ~ for die Verantwortung übernehmen für; 2. *(duty)* Verpflichtung *f*; 3. *(sense of ~)* Verantwortungsgefühl *n*

rest[1] [rest] *v* 1. ruhen, sich ausruhen; ~ up sich ausruhen; 2. ~ against sth sich gegen etw stützen, sich gegen etw lehnen; 3. *(pause, take a break)* Pause machen; 4. *(remain: blame, decision)* liegen; ~ with liegen bei; let the matter ~ die Sache auf sich beruhen lassen; 5. ~ on sth auf etw ruhen, *(argument)* sich stützen auf; 6. *(sth)(one's eyes, one's voice)* schonen; 7. ~ sth against sth etw gegen etw lehnen; 8. ~ sth on sth etw auf etw stützen; *sb* 9. Ruhe *f*; set s.o.'s fears at ~ jdn beschwichtigen; 10. (on holiday) Erholung *f*; 11. (pause) Pause *f*; 12. (support) Stütze *f*, Auflage *f*;

rest² [rest] (remainder) Rest *m*; the ~ of the money das übrige Geld; the ~ of us wir anderen

restaurant ['restərənt] *sb* Restaurant *n*, Gaststätte *f*

resting place ['restɪŋ pleɪs] *sb* (final ~) (letzte) Ruhestätte *f*

restless ['restlɪs] *adj* unruhig

restrain [rɪs'treɪn] *v* 1. zurückhalten; ~ s.o. from doing sth jdn davon abhalten, etw zu tun; 2. (an animal) bändigen; 3. (emotions) unterdrücken; 4. (a prisoner) mit Gewalt festhalten; 5. ~ o.s. sich beherrschen

restrict [rɪs'trɪkt] *v* 1. beschränken; 2. ~ o.s. to sich beschränken auf

restroom ['restruːm] *sb* (US) Toilette *f*

result [rɪ'zʌlt] *v* 1. sich ergeben, resultieren; ~ from sich ergeben aus; ~ in führen zu; *sb* 2. (consequence) Folge *f*; as a ~ folglich; 3. (outcome) Ergebnis *n*, Resultat *n*

resume [rɪ'zjuːm] *v* 1. wieder anfangen; 2. (sth) wieder aufnehmen, fortsetzen; (command) wieder übernehmen

resurface [riː'sɜːfəs] *v* 1. (reappear) wieder auftauchen; 2. (put a new surface on) neu belegen

resurrect [rezə'rekt] *v* wieder beleben

resuscitate [rɪ'sʌsɪteɪt] *v* MED wieder beleben

retail ['riːteɪl] *v* 1. im Einzelhandel verkaufen; It ~s at $3.99. Es wird im Einzelhandel für $3.99 verkauft. *sb* 2. (~ trade) Einzelhandel *m*

retailer ['riːteɪlə] *sb* ECO Einzelhändler *m*

retail price ['riːteɪl praɪs] *sb* Einzelhandelspreis *m*

retaliate [rɪ'tælɪeɪt] *v* sich rächen, Vergeltung üben, (in battle) zurückschlagen

retch [retʃ] *v* würgen

rethink [riː'θɪŋk] *v* irr überdenken

retire [rɪ'taɪə] *v* 1. sich zurückziehen, in Pension gehen, aufhören zu arbeiten; 2. (go to bed) sich zurückziehen; 3. (s.o.) pensionieren; 4. (sth) aus dem Verkehr ziehen

retort [rɪ'tɔːt] *v* 1. scharf erwidern, entgegnen; *sb* 2. scharfe Erwiderung *f*, Entgegnung *f*; 3. CHEM Retorte *f*

retrace [rɪ'treɪs] *v* zurückverfolgen; ~ one's steps denselben Weg zurückgehen

retract [rɪ'trækt] *v* zurückziehen, einziehen

retreat [rɪ'triːt] *v* 1. MIL sich zurückziehen; *sb* 2. MIL Rückzug *m*; beat a hasty ~ (fig) eiligst das Feld räumen

retrial ['riːtraɪəl] *sb* Wiederaufnahmeverfahren *n*

retribution [retrɪ'bjuːʃən] *sb* Vergeltung *f*

retrieve [rɪ'triːv] *v* 1. (get back) wiederbekommen; 2. (from wreckage) bergen; 3. (take out) herausholen

retrospect ['retrəuspekt] *sb in* ~ im Rückblick

return [rɪ'tɜːn] *v* 1. (come back) zurückkommen, zurückkehren, wiederkommen; 2. (go back) zurückgehen; 3. (feelings) wiederkommen, wieder auftreten; 4. (give back) zurückgeben; 5. (a compliment) erwidern; 6. ~ a verdict of guilty JUR schuldig sprechen; 7. (refuse) zurückweisen; 8. (a letter) zurücksenden, zurückschicken; 9. (put back) zurückstellen, zurücksetzen; 10. (bring back) zurückbringen; 11. (profit, interest) FIN abwerfen; *sb* 12. (coming back) Rückkehr *f*, Wiederkehr *f*; by ~ of post (UK) postwendend; 13. the point of no ~ der Punkt, an dem es kein Zurück mehr gibt; 14. (UK: ~ ticket) Rückfahrkarte *f*

return ticket [rɪ'tɜːntɪkɪt] *sb* (UK) Rückfahrkarte *f*

reunification [riːjuːnɪfɪ'keɪʃən] *sb* POL Wiedervereinigung *f*

reunion [riː'juːnjən] *sb* 1. Wiedervereinigung *f*; 2. (class ~, family ~) Treffen *n*

re-use [riː'juːz] *v* wieder verwenden, wieder benutzen

reveal [rɪ'viːl] *v* 1. (make known) enthüllen; 2. (betray) verraten; 3. (make visible) zum Vorschein bringen, zeigen

revealing [rɪ'viːlɪŋ] *adj* 1. (informative) aufschlussreich; 2. (neckline) offenherzig (fam); 3. (skirt) viel zeigend

revelation [revə'leɪʃən] *sb* 1. Enthüllung *f*; That was a ~ to me. Das hat mir die Augen geöffnet. 2. REL Offenbarung *f*

revenge [rɪ'vendʒ] *sb* 1. Rache *f*; take ~ on s.o. for sth sich an jdm für etw rächen; 2. (in games) Revanche *f*

revere [rɪ'vɪə] *v* verehren

reverent ['revərənt] *adj* ehrfürchtig

reverse [rɪ'vɜːs] *v* 1. (change to the opposite) umkehren; ~ the charges (UK) ein R-Gespräch führen; 2. (a decision) umstoßen; 3. (turn sth around) umdrehen; *adj* 4. umgekehrt, *(direction)* entgegengesetzt; *sb* 5. *(back)* Rückseite *f*; 6. *(opposite)* Gegenteil *n*; 7. *(of a coin)* Kehrseite *f*; 8. *(defeat)* Niederlage *f*

reverse gear [rɪ'vɜːz gɪə] *sb* Rückwärtsgang *m*

revert [rɪ'vɜːt] *v* 1. ~ to *(a state)* zurückkehren zu, *(a bad state)* zurückfallen in; 2. ~ to *(a topic)* zurückkommen auf

review [rɪ'vjuː] *v* 1. *(a situation)* überprüfen; 2. *(re-examine)* erneut prüfen, nochmals prüfen; 3. *(look back on)* zurückblicken auf; 4. *(a book, a film)* besprechen, rezensieren; 5. *(troops)* inspizieren, mustern; *sb* 6. *(look back)* Rückblick *m*; 7. *(re-examination)* Prüfung *f*, Nachprüfung *f*; 8. *(summary)* Überblick *m*; 9. *(of troops)* Inspektion *f*; 10. *(magazine)* Zeitschrift *f*; 11. *(of a book or a film)* Kritik *f*, Rezension *f*, Besprechung *f*

reviewer [rɪ'vjuːə] *sb* Kritiker *m*, Rezensent(in) *m/f*

revise [rɪ'vaɪz] *v* 1. *(alter)* ändern; 2. *(correct)* revidieren, überarbeiten, verbessern

revival [rɪ'vaɪvl] *sb* 1. *(coming back)* Wiederaufleben *n*, Wiederaufblühen *n*; 2. *(bringing back)* Wiederbelebung *f*, *(of a play)* Wiederaufnahme *f*; 3. REL Erweckung *f*

revive [rɪ'vaɪv] *v* 1. *(regain consciousness)* wieder zu sich kommen; 2. *(recover)* sich erholen; 3. *(a business)* wieder aufleben; 4. *(s.o.)* wieder beleben; 5. *(feelings, hopes)* wieder erwecken; 6. *(a custom)* wieder einführen

revoke [rɪ'vəʊk] *v* 1. *(licence)* entziehen; 2. *(a decision)* widerrufen; 3. *(a law)* aufheben

revolt [rɪ'vəʊlt] *v* 1. *(rebel)* revoltieren, rebellieren; ~ against rebellieren gegen; 2. *(be disgusted)* sich empören; 3. *(s.o.)* abstoßen, anwidern; 4. *(make indignant)* empören; *sb* 5. Empörung *f*, Aufstand *m*, Aufruhr *m*

revolting [rɪ'vəʊltɪŋ] *adj* widerlich, abstoßend

revolution [revə'luːʃən] *sb* 1. Revolution *f*; 2. *(rotation)* Umdrehung *f*; ~s per minute Drehzahl pro Minute *f*; 3. *(orbit)* Umlauf *m*

revolve [rɪ'vɒlv] *v* 1. sich drehen; 2. *(sth)* drehen

revolving [rɪ'vɒlvɪŋ] *adj* sich drehend, drehbar, Dreh...

reward [rɪ'wɔːd] *v* 1. belohnen; *sb* 2. Belohnung *f*

rewind [riː'waɪnd] *v irr* 1. *(tape)* zurückspulen; 2. *(watch)* wieder aufziehen

rewrite [riː'raɪt] *v* 1. umschreiben, *(without changes)* neu schreiben; ['riːraɪt] *sb* 2. Neufassung *f*

rhetoric ['retərɪk] *sb* 1. Rhetorik *f*; 2. *(in a negative sense)* Schwulst *m*, leere Phrasen *pl*, Phrasendrescherei *f*

rheumatic [ruː'mætɪk] *adj* MED rheumatisch

rhyme [raɪm] *v* 1. LIT sich reimen; 2. *(sth)* reimen; *sb* 3. Reim *m*; without ~ or reason ohne Sinn und Verstand

rhythm ['rɪðəm] *sb* Rhythmus *m*

ribbon ['rɪbən] *sb* 1. Band *n*; 2. *(for a typewriter)* Farbband *n*; 3. tear to ~s in Fetzen reißen

rich [rɪtʃ] *adj* 1. reich; ~ in ... ...reich, reich an ...; 2. *(food)* schwer; 3. *(sound)* voll; 4. *(soil)* fett; 5. *(colour)* satt

rid [rɪd] *v irr* 1. to be ~ of *sth* etw los sein; 2. ~ o.s. of *sth*, get ~ of *sth* etw loswerden

riddle ['rɪdl] *sb* Rätsel *n*; speak in ~s in Rätseln sprechen

ride [raɪd] *v irr* 1. *(in a vehicle, on a bicycle)* fahren; 2. *(on a horse)* reiten; 3. *(sth)* *(a horse)* reiten, *(a bicycle)* fahren; *sb* 4. *(in a vehicle, on a bicycle)* Fahrt *f*; take *s.o.* for a ~ mit jdm eine Fahrt machen, *(fam: cheat s.o.)* jdn reinlegen; *(fam: kill s.o.)* jdn umbringen; 5. *(on a horse)* Ritt *m*

rider ['raɪdə] *sb* 1. *(of a horse)* Reiter *m*; 2. *(of a bicycle)* Fahrer *m*; 3. *(to a contract)* Zusatzklausel *f*

ridicule ['rɪdɪkjuːl] *v* 1. lächerlich machen, verspotten; *sb* 2. Spott *m*; hold *s.o.* up to ~ jdn lächerlich machen

ridiculous [rɪ'dɪkjʊləs] *adj* lächerlich

riffle ['rɪfl] *v* ~ through durchblättern

right [raɪt] *v* 1. *(put upright)* aufrichten; 2. *(a wrong)* wieder gutmachen; *adj* 3. *(correct, proper)* richtig; in one's ~ mind bei klarem Verstand; You're quite ~. Sie haben ganz recht. 4. *(opposite of left)* rechte(r,s); *adv* 5. *(correctly)* richtig; if I remember ~ wenn ich mich recht erinnere; 6. *(opposite of left)* rechts; 7. *(directly)* direkt, *(exactly)* genau; ~ in front of you direkt vor Ihnen; I'll be ~ with you. Ich bin gleich da. 8. ~ away sofort; 9. ~ now *(at this very moment)* in diesem Augenblick, *(immediately)* sofort; 10. *(all the way)* ganz; ~ in the middle genau in der Mitte; *sb* 11. Recht *n*; ~ and wrong Recht und Unrecht; 12. set *sth* to ~s etw in Ordnung bringen; 13. *(to sth)* Anrecht *n*, Anspruch *m*, Recht *n*; have a ~ to *sth* einen Anspruch auf etw haben; 14. equal ~s *pl* Gleichberechtigung *f*; 15. in one's own ~ von selber; 16. *(not left side)* rechte Seite *f*

right angle [raɪt 'æŋgl] *sb MATH* rechter Winkel *m; at* ~s rechtwinklig

right-wing ['raɪtwɪŋ] *adj POL* rechtsorientiert, Rechts..., rechts

rigid ['rɪdʒɪd] *adj* starr, steif, *(principles)* streng

rigor *sb (US) (see "rigour")*

ring [rɪŋ] *v irr* 1. *(small bell)* klingeln; 2. *(bells)* läuten; 3. *(voice)* klingen; ~ *true* wahr klingen; 4. ~ *s.o. (call on the telephone) (UK)* jdn anrufen; *sb* 5. *(sound)* Klang *m;* 6. *(sound of a bell)* Läuten *n*, Klingeln *n;* 7. *(fam: telephone call)* Anruf *m; give s.o. a* ~ jdn anrufen; 8. *(for one's finger)* Ring *m;* 9. *(circle)* Ring *m;* 10. *(at a circus)* Manege *f;* 11. *(for a boxing match)* Ring *m;* 12. *(of thieves)* Ring *m*
• **ring up** *v irr* ring *s.o.* up jdn anrufen

rink [rɪŋk] *sb* Eisbahn *f,* Eislaufbahn *f*

rinse [rɪns] *v* spülen; ~ *down* abspülen

riot ['raɪət] *v* 1. randalieren; *sb* 2. Aufruhr *m*

riot squad ['raɪət skwɒd] *sb* Überfallkommando *n*

rip [rɪp] *v* 1. reißen; 2. *(sth)* einen Riss machen in, reißen; *sb* 3. Riss *m*
• **rip off** *v* 1. *(tear off)* abreißen, *(clothes)* herunterreißen; 2. *(fam: steal)* klauen, *(a shop)* ausrauben; rip *s.o.* off jdn ausnehmen

ripe [raɪp] *adj* reif

rip-off ['rɪpɒf] *sb (fam: outrageous price)* Nepp *m*

rise [raɪz] *v irr* 1. *(go up)* steigen; 2. *(stand up)* aufstehen, sich erheben; 3. *(sun, curtain, dough)* aufgehen; 4. *(landscape: ascend)* sich erheben; *sb* 5. *(to power)* Aufstieg *m;* 6. *(of the sun)* Aufgehen *n;* 7. *(in ground)* Erhebung *f;* 8. *(increase)* Anstieg *m,* Steigen *n;* 9. *(in prices, in pay)* Erhöhung *f;* 10. *give* ~ *to* ~ verursachen, Anlass geben zu, hervorrufen; 11. *get a* ~ *out of s.o.* jdn auf die Palme bringen *(fam)*
• **rise above** *v irr (insults)* erhaben sein über

risk [rɪsk] *v irr* 1. riskieren; *sb* 2. Risiko *n; calculated* ~ kalkuliertes Risiko; *at one's own* ~ auf eigene Gefahr; *put at* ~ gefährden; *run a* ~ ein Risiko eingehen

rival ['raɪvəl] *v* 1. *(fig: to be a match for)* es aufnehmen mit, gleichkommen; *sb* 2. Rivale/ Rivalin *m/f;* 3. *(competitor) ECO* Konkurrent(in) *m/f*

river ['rɪvə] *sb* Fluss *m; sell s.o. down the* ~ *(fam)* jdn verraten

riverfront ['rɪvəfrʌnt] *sb* Lage am Fluss *n*

road [rəʊd] *sb* 1. Straße *f;* 2. *(fig)* Weg *m*

roadhouse ['rəʊdhaʊs] *sb* Rasthaus *n*

road works ['rəʊdwɜːkz] *pl* Straßenbauarbeiten *pl*

roam [rəʊm] *v* wandern; ~ *about* herumwandern

roar [rɔː] *v* 1. *(person, animal)* brüllen; 2. *(engine)* donnern; ~ *past* vorbeibrausen; *the car* ~*ed up the street* der Wagen donnerte die Straße hinauf; 3. *(sea, storm)* toben, *(thunder)* krachen; *sb* 4. *(person's, animal's)* Brüllen *n,* Gebrüll *n;* 5. *(of the sea, of a storm)* Toben *n;* 6. *(of a gun, of an engine)* Donnern *n*

roast [rəʊst] *v* 1. braten; 2. *(sth)* braten, *(coffee beans, chestnuts)* rösten; 3. *(fam)* ~ *s.o.* jdn durch den Kakao ziehen *(fam); adj* 4. gebraten; *sb* 5. Braten *m*

rob [rɒb] *v* 1. *(s.o.)* bestehlen; 2. *(a bank, a shop)* ausrauben

robber ['rɒbə] *sb* Räuber *m*

robbery ['rɒbərɪ] *sb* 1. Raub *m;* 2. *(burglary)* Einbruch *m*

rock[1] [rɒk] *v* 1. *(violently)* schwanken; 2. *(gently)* schaukeln, *(a baby)* wiegen; 3. *(shake)* erschüttern; *sb* 4. *MUS* Rock *m*

rock[2] [rɒk] *sb* 1. *(material)* Stein *m,* Gestein *n;* 2. *(one* ~*)* Fels *m,* Felsen *m, (US: stone)* Stein *m;* 3. *on the* ~*s (for a drink)* mit Eis; *(marriage)* kaputt; *(broke)* pleite

rock-bottom ['rɒkbɒtəm] *adj (price)* allerniedrigst

rocket ['rɒkɪt] *sb* Rakete *f*

rocky ['rɒkɪ] *adj* felsig

rod [rɒd] *sb* 1. Stab *m,* Stange *f;* 2. *(for punishment, for fishing)* Rute *f*

rodent ['rəʊdənt] *sb ZOOL* Nagetier *n*

rogue [rəʊg] *sb* 1. *(scoundrel)* Gauner *m,* Schurke *m;* 2. *(meant humorously)* Schelm *m,* Schlingel *m,* Spitzbube *m;* 3. *ZOOL* Einzelgänger *m*

role [rəʊl] *sb* Rolle *f*

roll [rəʊl] *v* 1. rollen, *(from side to side)* schlingern; 2. *(sth)* rollen, *(a cigarette)* drehen; 3. *(drum)* wirbeln; *sb* 4. Rolle *f;* 5. *(bread)* Brötchen *n;* 6. *(list)* Liste *f,* Register *n;* 7. *(of thunder)* Rollen *n*

roller-coaster ['rəʊləkəʊstə] *sb* Achterbahn *f*

roller skate ['rəʊləskeɪt] *sb* Rollschuh *m*

rolling ['rəʊlɪŋ] *adj* 1. *(hills)* hügelig; 2. *(waves)* wogend

romance [rəʊ'mæns] *sb* 1. Liebe *f,* Romanze *f;* 2. *(love story)* Liebesgeschichte *f*

romantic [rəʊ'mæntɪk] *adj* romantisch

romp [rɒmp] *v* 1. herumtollen, herumtoben; *sb* 2. Tollen *n;* 3. *SPORT* leichter Sieg *m*

roof [ru:f] *sb* 1. Dach *n;* go through the ~ (fig) an die Decke gehen; 2. (of a car) Verdeck *n;* 3. ~ of the mouth Gaumen *m*
roofing ['ru:fɪŋ] *sb* 1. (covering of roof) Dachdecken *n;* 2. (roof) Dach *n*
roof rack [ru:f ræk] *sb* Dachgepäckträger *m*
rook¹ [rʊk] *sb* (in chess) Turm *m*
rook² [rʊk] *v* (fam) betrügen
rookie ['rʊkɪ] *sb* (fam) Neuling *m,* Anfänger *m*
room [ru:m] *sb* 1. Zimmer *n,* Raum *m;* 2. (ball~) Saal *m;* 3. (space) Platz *m;* make ~ for s.o. jdm Platz machen; 4. (fig) Spielraum *m;* There is ~ for improvement. Es ließe sich noch manches besser machen. *v* 5. ~ with s.o. mit jdm eine Wohnung teilen
room-service ['ru:msɜ:vɪs] *sb* Zimmerservice *m,* Etagendienst *m*
root [ru:t] *sb* 1. BOT Wurzel *f;* take ~ Wurzel fassen; 2. (hair) Wurzel *f;* 3. MATH Wurzel *f;* 4. LING Stamm *m*
rootless ['ru:tlɪs] *adj* wurzellos, ohne Wurzeln
rope [rəʊp] *sb* 1. Seil *n;* know the ~s auskennen, die Spielregeln kennen; 2. (hangman's) Strick *m;* 3. NAUT Tau *n*
rose [rəʊz] *sb* 1. Rose *f;* 2. (colour) Rosarot *n*
rose-coloured ['rəʊzkʌləd] *adj* rosa-rot; through ~ spectacles (fig) durch die rosa-rote Brille
rosy ['rəʊzɪ] *adj* 1. rosa-rot, (cheeks) rosig; 2. (fig) rosig
rot [rɒt] *v* 1. faulen; 2. (corpse) verwesen; 3. (teeth) verfaulen; *sb* 4. (fam: nonsense) Quatsch *m,* Blödsinn *m*
rotate [rəʊteɪt] *v* 1. sich drehen; 2. (sth) drehen
rotten ['rɒtn] *adj* 1. faul; 2. (wood) morsch; 3. I feel ~. Mir ist mies. 4. (fig: corrupt) verdorben
rouge [ru:ʒ] *sb* Rouge *n*
rough [rʌf] *adj* 1. (skin, cloth, voice) rau; 2. (ground) uneben, (road) holprig; 3. (treatment) grob, hart; I had a ~ time. Es ist mir ziemlich mies gegangen. 4. (sport, match) hart; *v* 5. ~ it (fam) auf Bequemlichkeit verzichten, primitiv leben, spartanisch hausen
• **rough up** *v* (fam: a person) zusammenschlagen
roughhouse ['rʌfhaʊz] *v* Radau machen, toben
roughly ['rʌflɪ] *adv* (about) ungefähr, etwa

round [raʊnd] *adj* 1. rund; 2. (rotund) pummelig; *adv* 3. look ~ um sich blicken; turn ~ umdrehen; order one's car ~ den Wagen vorfahren lassen; ~ and ~ immer rundherum; all ~ überall; 4. go ~ (spin) sich drehen; (make a detour) außen herumgehen; (to be sufficient) reichen; enough to go ~ genug für alle; *prep* 5. um, um ... herum; 6. ~ about rundum, ringsum; *sb* 7. (of a competition, of talks) Runde *f;* 8. ~s (of a watchman, of a doctor, a delivery man) Runde *f;* 9. a ~ of applause Applaus *m,* Beifallssalve *f;* 10. (of ammunition) Ladung *f;* 11. (UK: slice) Scheibe *f;* 12. theatre in the ~ Arenatheater *n;* 13. MUS Kanon *m; v* 14. (a corner) gehen um
roundabout ['raʊndəbaʊt] *adj* in a ~ way auf Umwegen; (speaking) umständlich
round-trip ticket [raʊnd trɪp 'tɪkɪt] *sb* (US) Rückfahrkarte *f,* (plane ticket) Rückflugticket *n*
rouse [raʊz] *v* 1. (from sleep) wecken; 2. (stimulate) bewegen; 3. (hatred, suspicions) erregen
route [ru:t] *sb* 1. Route *f,* Strecke *f;* 2. (itinerary) Reiseroute *f;* 3. (bus service) Linie *f*
routine [ru:'ti:n] *adj* 1. (everyday) alltäglich, immer gleich bleibend, üblich; 2. (happening on a regular basis) laufend, regelmäßig, routinemäßig; *sb* 3. Routine *f*
row¹ [rəʊ] *sb* (line, rank) Reihe *f*
row² [rəʊ] *v* (a boat) rudern
row³ [raʊ] *sb* 1. (UK: quarrel) Streit *m;* 2. (UK: noise) Lärm *m,* Krach *m;* kick up a ~ Krach schlagen; *v* 3. (quarrel) sich streiten
rowdy ['raʊdɪ] *sb* 1. Rowdy *m,* Raufbold *m; adj* 2. rauflustig, (noisy) laut
royal ['rɔɪəl] *adj* königlich
royalty ['rɔɪəltɪ] *sb* 1. (people) königliche Personen *pl;* 2. (status) Königtum *n;* 3. royalties *pl* Tantiemen *pl;* 4. royalties *pl* (from a patent) Patentgebühren *pl*
rub [rʌb] *v* 1. ~ against reiben an; 2. (sth) reiben; ~ shoulders with (fig) verkehren mit; ~ s.o. the wrong way jdn irritieren
rubber ['rʌbə] *sb* 1. Gummi *m/n;* 2. (UK: eraser) Radiergummi *m;* 3. (in a card game) Robber *m;* 4. (fam: condom) Pariser *m*
rubbish ['rʌbɪʃ] *sb* 1. Abfall *m,* Abfälle *pl;* 2. (household ~) Müll *m;* 3. (fig: item of poor quality) Mist *m;* 4. (fam: nonsense)(UK) Quatsch *m,* Blödsinn *m*
rubbish bin ['rʌbɪʃbɪn] *sb* (UK) Abfalleimer *m,* Mülleimer *m*
ruby ['ru:bɪ] *sb* Rubin *m*

ruddy ['rʌdɪ] *sb (complexion)* gesund, rot
rude [ru:d] *adj* 1. *(impolite)* unhöflich, grob; 2. *(indecent)* unanständig; 3. *(abrupt)* unsanft, roh
rudeness ['ru:dnɪs] *sb (impoliteness)* Unhöflichkeit *f*
rue [ru:] *v* bereuen
rueful ['ru:fʊl] *adj* reuevoll
ruffle ['rʌfl] *v* 1. *(feathers, hair)* zerzausen; 2. *(fig: disconcert)* aus der Fassung bringen; 3. *(fig: annoy)* irritieren
rug [rʌg] *sb* 1. kleiner Teppich *m*; 2. *(by one's bed)* Bettvorleger *m*; 3. *(valuable ~)* Brücke *f*
rugby ['rʌgbɪ] *sb* SPORT Rugby *n*
rugged ['rʌgɪd] *adj* 1. rau; 2. *(terrain)* wild; 3. *(features)* markig
ruin ['ru:ɪn] *v* 1. zerstören; 2. *(s.o.'s plans)* zunichte machen; 3. *(s.o.'s reputation)* ruinieren; 4. *(a party)* verderben; *sb* 5. *(of a person)* Ruin *m*; 6. *(destroyed building)* Ruine *f*; 7. ~s *pl* Ruinen *pl*, Trümmer *pl*
rule [ru:l] *v* 1. herrschen; 2. JUR entscheiden; 3. *(s.o., sth)* beherrschen; *(a land)* regieren; 4. *(draw lines on paper)* linieren; *sb* 5. Regel *f*; as a ~ in der Regel; *unwritten ~ (fig)* ungeschriebenes Gesetz *n*; 6. *(authority, reign)* Herrschaft *f*; 7. *(for measuring)* Metermaß *n*, Maßstab *m*
• **rule out** *v (fig: exclude)* ausschließen
ruler ['ru:lə] *sb* 1. *(measuring stick)* Lineal *n*; 2. *(one who rules)* Herrscher *m*
rum [rʌm] *sb* Rum *m*
rumble ['rʌmbl] *v* 1. *(thunder)* grollen; 2. *(train)* rumpeln; 3. *(stomach)* knurren
rumour ['ru:mə] *sb* Gerücht *n*; Rumour has it that ... Es geht das Gerücht um, dass ...; start a ~ ein Gerücht in Umlauf setzen
run [rʌn] *v irr* 1. laufen, rennen; 2. *(flee)* davonlaufen, weglaufen, wegrennen; 3. *(extend: road)* gehen, führen, *(mountains, wall)* sich ziehen; the road ~s north and the south die Straße geht nach Norden und Süden; 4. *(flow)* laufen; *(river, electricity)* fließen; 5. *(colours in the wash)* färben; 6. *(roll, slide)* laufen, gleiten; 7. *(machine)* laufen; 8. *(last for a period of time)* laufen; 9. ~ low, ~ short knapp werden; 10. ~ dry versiegen, *(pen)* leer werden; *(fig: resources)* ausgehen; 11. ~ a risk ein Risiko eingehen; 12. *(US: for office)* kandidieren; ~ against s.o. jds Gegenkandidat sein; 13. *(a distance)* laufen, rennen; 14. *(make ~)* jagen
• **run away** *v irr* 1. weglaufen, wegrennen; 2. ~ with *(win easily)* spielend gewinnen

• **run down** *v irr* 1. *(battery)* leer werden; 2. *(catch up with)* einholen
• **run into** *v irr* 1. *(meet)* zufällig treffen; 2. *(collide with)* rennen gegen, fahren gegen; ~ difficulties Schwierigkeiten bekommen; 3. *(river)* in ... münden
• **run off** *v irr (run away)* weglaufen, wegrennen
• **run out** *v irr* 1. *(period of time)* ablaufen; We're running out of time. Wir haben nicht mehr viel Zeit. 2. *(supplies, money)* ausgehen; He ran out of money. Ihm ging das Geld aus. 3. *(liquid)* herauslaufen
• **run over** *v irr* 1. *(overflow)* überlaufen; 2. *(s.o., sth)* überfahren
• **run through** *v irr (rehearse)* durchgehen, *(a play)* durchspielen, *(look over notes)* durchsehen
runaway ['rʌnəweɪ] *sb (child)* Ausreißer *m*
runner ['rʌnə] *sb* 1. SPORT Läufer *m*; 2. *(for a drawer)* Laufschiene *f*
running ['rʌnɪŋ] *adj* 1. laufend; 2. ~ jump Sprung mit Anlauf *m*; *sb* 3. to be out of ~ aus dem Rennen sein
rupture ['rʌptʃə] *v* 1. reißen, zerspringen; 2. *(sth)* brechen, zerreißen; *sb* 3. Bruch *m*
rural ['rʊərəl] *adj* ländlich
ruse [ru:z] *sb* List *f*
rush [rʌʃ] *v* 1. *(hurry)* eilen; 2. *(run)* stürzen; 3. *(water)* schießen, stürzen; blood ~ed to her face das Blut schoss ihr ins Gesicht; 4. *(force s.o. to hurry)* hetzen; 5. *(charge at)* stürmen; 6. *(do hurriedly)* hastig machen, schnell machen; 7. *(move sth rapidly)* schnell wohin bringen, schnell wohin schaffen; They were ~ed to hospital. Sie wurden schnellstens ins Krankenhaus gebracht. *sb* 8. *(hurry)* Eile *f*; to be in a ~ es sehr eilig haben; There's no ~. Es eilt nicht. 9. *(of a crowd)* Andrang *m*; 10. *(of air)* Stoß *m*
rush hour ['rʌʃaʊə] *sb* Hauptverkehrszeit *f*, Stoßzeit *f*
rush-hour traffic ['rʌʃaʊə 'træfɪk] *sb* Stoßverkehr *m*
rust [rʌst] *v* 1. *(get rusty)* rosten, verrosten; *sb* 2. Rost *m*
rustle ['rʌsl] *v* 1. rascheln, *(skirts)* rauschen; 2. *(sth)* rascheln mit
rustproof ['rʌstpru:f] *adj* nicht rostend
rusty ['rʌstɪ] *adj* 1. rostig; 2. *(fig)* eingerostet; My German is a bit ~. Meine Deutschkenntnisse sind etwas eingerostet.
ruthless ['ru:θlɪs] *adj* 1. mitleidlos; 2. *(sarcasm, analysis)* schonungslos

S

sabotage ['sæbətɑːʒ] v 1. sabotieren; sb 2. Sabotage f

saboteur [sæbə'tɜː] sb Saboteur m

sack [sæk] sb 1. Sack m; hit the ~ (fam) sich in die Falle hauen; 2. get the ~ gefeuert werden; v 3. (put in ~s) einsacken; 4. (fam: dismiss) entlassen; 5. (pillage) plündern

sacrament ['sækrəmənt] sb REL Sakrament n

sacred ['seɪkrɪd] adj heilig; Nothing was ~ to him. Nichts war ihm heilig .

sacrifice ['sækrɪfaɪs] sb 1. Opfer n; v 2. opfern

sad [sæd] adj 1. traurig; 2. (fam: pathetically bad) miserabel

saddle ['sædl] v 1. (a horse) satteln; 2. to be ~d with sth (fig) etw am Hals haben; sb 3. Sattel m; 4. GAST Rücken m

sadist ['seɪdɪst] sb Sadist m

sadly ['sædlɪ] adv (before a statement) traurigerweise

sadness ['sædnɪs] sb Traurigkeit f

safari [sə'fɑːrɪ] sb Safari f

safe [seɪf] adj 1. sicher; to be on the ~ side um ganz sicher zu sein; it's ~ to say man kann ruhig sagen; play it ~ auf Nummer Sicher gehen; 2. (not dangerous) ungefährlich; 3. (unhurt) unverletzt; ~ and sound heil und ganz; 4. (protected) geschützt; sb 5. Safe m, Tresor m

safe deposit box [seɪf dɪ'pɒzɪt bɒks] sb Bankschließfach n

safe house ['seɪfhaʊs] sb Zufluchtsort m

safekeeping [seɪf'kiːpɪŋ] sb sichere Verwahrung f, Gewahrsam m; for ~ zur sicheren Aufbewahrung

safe sex [seɪf 'seks] sb Safersex m

safety ['seɪftɪ] sb Sicherheit f

safety belt ['seɪftɪ belt] sb Sicherheitsgurt m

safety catch ['seɪftɪ kætʃ] sb 1. Sicherung f; 2. (of a gun) Sicherheitsflügel m

saga ['sɑːgə] sb 1. Saga f, Heldenepos n

said [sed] adj (aforementioned) genannt, erwähnt

sail [seɪl] v 1. fahren, (in a yacht) segeln; 2. (fig: through the air) fliegen, (glide) gleiten; 3. (a ship) steuern, (sailboat) segeln; ~ the seas die Meere befahren; sb 4. Segel m; set ~ auslaufen

sailboat ['seɪlbəʊt] sb NAUT (US) Segelboot n

sailor ['seɪlə] sb 1. Seemann m; 2. (in the navy) Matrose m; 3. (person who sails for recreation) Segler m

saint [seɪnt] sb Heilige(r) m/f; ~ Peter der Heilige Petrus, Sankt Petrus

sake [seɪk] sb 1. for your ~ deinetwegen/Ihretwegen, (to please you) dir zuliebe/Ihnen zuliebe; 2. For Heaven's ~! Um Gottes willen! 3. for old times' ~ in Erinnerung an alte Zeiten

salad ['sæləd] sb Salat m

salary ['sælərɪ] sb Gehalt n

salary increase ['sælərɪ 'ɪnkriːs] sb Gehaltserhöhung f

sale [seɪl] sb 1. Verkauf m; for ~ zu verkaufen; not for ~ unverkäuflich; 2. (at reduced prices) Ausverkauf m; on ~ reduziert; 3. (a transaction) Geschäft n, Abschluss m; 4. ~s pl (turnover) ECO Absatz m; 5. ~s (department) Verkaufsabteilung f; I'm in ~s. (fam) Ich bin im Verkauf.

salesclerk ['seɪlzklɑːk] sb (US) Verkäufer m

sales tax ['seɪlztæks] sb (US) Verkaufssteuer f

saliva [sə'laɪvə] sb Speichel m

salmon ['sæmən] sb ZOOL Lachs m, Salm m

salmonella [sælmə'nelə] sb MED Salmonelle f

saloon [sə'luːn] sb 1. (UK: car) Limousine f; 2. (US: bar) Saloon m; 3. NAUT Gesellschaftsraum m

salsa ['sɑːlsə] sb 1. (sauce) GAST scharfe Soße f; 2. MUS Salsa m (karibischer Tanz)

salt [sɔːlt] sb Salz n; take sth with a grain of ~ (fig) etw nicht wörtlich nehmen

salt shaker ['sɔːltʃeɪkə] sb Salzstreuer m

saltwater ['sɔːltwɔːtə] adj Salzwasser...

salty ['sɔːltɪ] adj salzig

samba ['sɑːmbə] sb MUS Samba m

same [seɪm] adj 1. the ~ der/die/das Gleiche; exactly the ~ thing genau dasselbe; the ~ as der/die/das Gleiche wie; pron 2. the ~ der/die/das Gleiche; treat everyone the ~ alle gleich behandeln; Same to you! Gleichfalls! 3. it's all the ~ to me es ist mir gleich, es ist mir egal; if it's all the ~ to you wenn es Ihnen nichts ausmacht

sample ['sɑːmpl] v 1. probieren, (food, drink) kosten; sb 2. (of blood, of a mineral) Probe f; 3. (for tasting) Kostprobe f; 4. (example) Beispiel n; 5. ECO Muster n; 6. (statistical) Sample n, Stichprobe f

sampler ['sɑ:mplə] *sb (box of sweets)* Sortiment *n*

sanatorium [sænə'tɔːrɪəm] *sb* MED Sanatorium *n*

sanctify ['sæŋktɪfaɪ] *v* heiligen

sanction ['sæŋkʃən] *v* 1. sanktionieren; *sb* 2. *(punishment)* Sanktion *f*; 3. *(permission)* Zustimmung *f*

sanctuary ['sæŋktjʊərɪ] *sb* 1. *(refuge)* Zuflucht *f*; 2. *(holy place)* Heiligtum *n*

sanctum ['sæŋktəm] *sb* REL Heiligtum *n*

sand [sænd] *sb* Sand *m*

sandal ['sændl] *sb* Sandale *f*

sandalwood ['sændlwʊd] *sb* Sandelholz *n*

sandbank ['sændbæŋk] *sb* Sandbank *f*

sandbar ['sændbɑː] *sb* Sandbank *f*

sand-dune ['sænddjuːn] *sb* Sanddüne *f*

sandglass ['sændglɑːs] *sb* Sanduhr *f*

sandpaper ['sændpeɪpə] *sb* Sandpapier *n*

sandpit ['sændpɪt] *sb* Sandkiste *f*, Sandkasten *m*

sandwich ['sændwɪtʃ] *sb* GAST Sandwich *n*

sandy ['sændɪ] *adj* 1. sandig; 2. *(hair)* rotblond

sanitarium [sænɪ'teərɪəm] *sb* Sanatorium *n*

sanitary ['sænɪtərɪ] *adj* sanitär

sanitary towel ['sænɪtərɪ 'taʊəl] *sb* Damenbinde *f*

sanitation [sænɪ'teɪʃən] *sb* 1. *(sanitary measures)* Hygiene *f*, Sanitärwesen *n*; 2. *(sewage disposal)* Abfallbeseitigung *f*

sanity ['sænɪtɪ] *sb* 1. geistige Gesundheit *f*; 2. *(sensibleness)* Vernunft *f*

Santa Claus ['sæntə klɔːz] *sb* Weihnachtsmann *m*

sap [sæp] *sb* 1. *(from a plant)* Saft *m*; *v* 2. *(fig)* untergraben; 3. *(strength)* schwächen

sapling ['sæplɪŋ] *sb* junger Baum *m*

sapphire ['sæfaɪə] *sb* MIN Saphir *m*

sarcasm ['sɑːkæzəm] *sb* Sarkasmus *m*

sarcastic [sɑː'kæstɪk] *adj* sarkastisch

sardine [sɑː'diːn] *sb* Sardine *f*; *packed together like ~s* wie die Sardinen zusammengepfercht

sardonic [sɑː'dɒnɪk] *adj* sardonisch

sari ['sɑːrɪ] *sb* Sari *m*

sarky ['sɑːkɪ] *adj (fam) (UK)* sarkastisch

sash [sæʃ] *sb* 1. Schärpe *f*; 2. *(window ~)* schiebbarer Teil eines Schiebefensters *m*

sassy ['sæsɪ] *adj (US)* frech

satanic [sə'tænɪk] *adj* satanisch

satchel ['sætʃəl] *sb* Schultasche *f*, Schulranzen *m*

satellite ['sætəlaɪt] *sb* Satellit *m*, Trabant *m*

satiable ['seɪʃɪəbl] *adj* zu sättigen, zu befriedigen

satin ['sætɪn] *sb* Satin *m*

satire ['sætaɪə] *sb* Satire *f*

satisfaction [sætɪs'fækʃən] *sb* 1. *(act)* Befriedigung *f*; 2. *(of conditions)* Erfüllung *f*; 3. *(state)* Zufriedenheit *f*

satisfactory [sætɪs'fæktərɪ] *adj* ausreichend, akzeptabel, zufrieden stellend

satisfied ['sætɪsfaɪd] *adj* zufrieden, *(convince)* überzeugt

satisfy ['sætɪsfaɪ] *v* 1. befriedigen, *(customers)* zufrieden stellen; 2. *(convince)* überzeugen; 3. *(conditions, a contract)* erfüllen; 4. *(s.o.'s hunger)* sättigen

Saturday ['sætədeɪ] *sb* Samstag *m*, Sonnabend *m*

sauce [sɔːs] *sb* GAST Soße *f*

saucepan ['sɔːspən] *sb* Kochtopf *m*

saucy ['sɔːsɪ] *adj* 1. *(pert)* kess; 2. *(impudent)* frech

sauna ['sɔːnə] *sb* Sauna *f*

sausage ['sɒsɪdʒ] *sb* Wurst *f*

sausage dog ['sɒsɪdʒ dɒg] *sb (fam)* Dackel *m*

savage ['sævɪdʒ] *adj* 1. wild; 2. *(person, attack)* brutal; 3. *(animal)* gefährlich; *sb* 4. Wilde(r) *m/f*

save [seɪv] *v* 1. *(rescue)* retten; *God ~ the Queen* Gott schütze die Königin; 2. *(prevent)* ersparen; 3. *(avoid using up)* sparen, *(ration)* schonen; 4. *(keep)* aufheben, aufbewahren, *(money)* sparen; 5. INFORM speichern; *sb* 6. SPORT *(by a goalkeeper)* Ballabwehr *f*; *prep* 7. außer

saving ['seɪvɪŋ] *adj* 1. *(preserving)* rettend; 2. *(economical)* sparend, einsparend

savings ['seɪvɪŋz] *pl* Ersparnisse *pl*

savings account ['seɪvɪŋzəkaʊnt] *sb* Sparkonto *n*

savings deposit ['seɪvɪŋz dɪ'pɒsɪt] *sb* Spareinlage *f*

saviour ['seɪvjə] *sb* 1. Retter *m*; 2. REL *Our Saviour* Heiland *m*, Erlöser *m*

savour ['seɪvə] *v* 1. *(sth)* kosten; 2. *(enjoy)* genießen

savoury ['seɪvərɪ] *adj* 1. schmackhaft, lecker; 2. *(fam: pleasant)* angenehm

saw [sɔː] *v* 1. sägen; *sb* 2. *(tool)* Säge *f*

sawdust ['sɔːdʌst] *sb* Sägemehl *n*

sawmill ['sɔːmɪl] *sb* Sägewerk *n*

sax [sæks] *sb* MUS *(fam: saxophone)* Saxofon *n*

Saxony ['sæksənɪ] *sb* GEO Sachsen *n*

saxophone ['sæksəfəʊn] *sb* Saxofon *n*

say [seɪ] v irr 1. sagen; *No sooner said than done.* Gesagt, getan. *when all is said and done* letzten Endes; *You don't ~!* Was du nicht sagst! *It's easier said than done.* Das ist leichter gesagt als getan. *He's said to be wealthy.* Er soll reich sein. *It goes without ~ing.* Es ist selbstverständlich. 2. (fig: *dictionary, clock, horoscope*) sagen; *it ~s in the paper* man hat ... in den Zeitungen steht, dass ...; 3. ~ *a prayer* ein Gebet sprechen; *the rules ~ that* in den Regeln heißt es, dass ...; 4. (*suppose*) angenommen ...; *sb* 5. Mitspracherecht *n*; *have a ~ in sth etw* bei einer Sache zu sagen haben

saying ['seɪɪŋ] *sb* Sprichwort *n*

scaffold ['skæfəld] *sb* 1. Gerüst *n*; 2. *the ~* (*execution*) Schafott *n*

scaffolding ['skæfəldɪŋ] *sb* Baugerüst *n*

scald [skɔːld] v 1. ~ *o.s.* sich verbrühen; 2. (*skin*) verbrühen, (*vegetables*) abbrühen; 4. (*milk*) abkochen

scale[1] [skeɪl] *sb* 1. (*indicating a reading*) Skala *f*; 2. (*measuring instrument*) Messgerät *n*; 3. (*table, list*) Tabelle *f*; *He rates films on a ~ of one to ten.* Zur Beurteilung der Filme benutzt er eine Skala von eins bis zehn. 4. MUS Tonleiter *f*; 5. (*of a map*) Maßstab *m*; 6. (*fig*) Umfang *m*, Ausmaß *n*; *adj* 7. (*drawing, model*) maßstabsgerecht; *v* 8. (*climb up*) erklettern

scale[2] [skeɪl] (*for weighing*) Waage *f*

scale[3] [skeɪl] *sb* ZOOL Schuppe *f*

scandal ['skændl] *sb* Skandal *m*

scandalmonger ['skændlmʌŋgə] *sb* Lästermaul *n*

scandalous ['skændələs] *adj* skandalös

scanner ['skænə] *sb* INFORM Scanner *m*, Abtaster *m*

scant [skænt] *adj* 1. wenig; *pay ~ attention to sth etw* kaum beachten; 2. (*supply*) spärlich

scanty ['skæntɪ] *adj* 1. dürftig; 2. (*piece of clothing, majority*) knapp; 3. (*vegetation*) kärglich

scar [skɑː] *sb* 1. Narbe *f*; *v* 2. MED eine Narbe hinterlassen auf; 3. (*fig*) zeichnen

scarce ['skɛəs] *adj* 1. (*not plentiful*) knapp; 2. (*rare*) selten

scare ['skɛə] v 1. erschrecken; 2. (*worry*) Angst machen; *sb* 3. (*fright*) Schrecken *m*, Schreck *m*; 4. (*about a bomb, about an epidemic*) Alarm *m*; 5. (*hoax*) blinder Alarm *m*

• **scare away** v 1. verscheuchen; 2. (*people*) verjagen

scared ['skɛəd] *adj to be ~ of sth* Angst vor etw haben

scarf [skɑːf] *sb* 1. Schal *m*; 2. (*neck ~*) Halstuch *n*; 3. (*head ~*) Kopftuch *n*

scarlet ['skɑːlɪt] *adj* scharlachrot

scarlet fever ['skɑːlɪt 'fiːvə] *sb* MED Scharlach *m*

scarred ['skɑːd] *adj* narbig

scary ['skɛərɪ] *adj* gruselig, gruslig, schaurig, unheimlich

scatter ['skætə] v 1. sich zerstreuen; 2. (*distribute*) verstreuen, (*seeds*) streuen; 3. (*disperse*) auseinander treiben, zerstreuen

scattered ['skætəd] *adj* 1. verstreut, zerstreut; 2. (*showers*) vereinzelt

scatty ['skætɪ] *adj* (*fam*) schusselig, konfus, wirr

scenario [sɪ'nɑːrɪəʊ] *sb* 1. THEAT Szenar *n*; 2. (*fig*) Szenario *n*

scene [siːn] *sb* 1. (*place*) Schauplatz *m*, (*of a fictional story*) Ort der Handlung, an; *set the ~* den Ort des Geschehens beschreiben; ~ *of the crime* Tatort *m*; 2. (*incident*) Szene *f*; 3. THEAT Szene *f*; 4. (*scenery*) THEAT Bühnenbild *n*, Kulisse *f*; *behind the ~s* hinter den Kulissen; 5. (*fig: emotional outburst*) Szene *f*; *make a ~* eine Szene machen

scenery ['siːnərɪ] *sb* 1. (*landscape*) Landschaft *f*, Gegend *f*; 2. THEAT Bühnendekoration *f*, Kulissen *pl*; 3. *change of ~* (*fig*) Tapetenwechsel *m*

scenic ['siːnɪk] *adj* landschaftlich schön

schedule ['ʃedjuːl] v 1. planen, (*add to a timetable*) ansetzen; *sb* 2. (*list*) Verzeichnis *n*, 3. (*timetable*) Plan *m*; *ahead of ~* vor dem planmäßigen Zeitpunkt; *to be behind ~* Verspätung haben; *on ~* planmäßig, pünktlich

scheme [skiːm] *sb* 1. (*plan*) Plan *m*, Programm *n*; (*dishonest plan*) Intrige *f*; 2. (*system*) System *n*; 3. (*combination*) Schema *n*; *v* 4. Pläne schmieden, intrigieren

scheming ['skiːmɪŋ] *sb* 1. Machenschaften *pl*, Intrigen *pl*; *adj* 2. intrigant

schizophrenia [skɪtsəʊ'friːnɪə] *sb* MED Schizophrenie *f*

schizophrenic [skɪtsəʊ'frenɪk] *adj* schizophren

schnapps [ʃnæps] *sb* Schnaps *m*

scholar ['skɒlə] *sb* 1. Gelehrte(r) *m/f*; 2. (*student*) Student *m*; 3. (*pupil*) Schüler *m*

scholarship ['skɒləʃɪp] *sb* 1. (*grant*) Stipendium *n*; 2. (*learning*) Gelehrsamkeit *f*

school[1] [skuːl] v 1. lehren; *sb* 2. Schule *f*, (*US: university*) Universität *f*; 3. ~ *of thought* geistige Richtung *f*

school[2] [skuːl] *sb* ZOOL Schwarm *m*

schoolboy ['sku:lbɔɪ] *sb* Schüler *m*, Schuljunge *m*

schoolgirl ['sku:lgɜ:l] *sb* Schülerin *f*, Schulmädchen *n*

school-leaver ['sku:lli:və] *sb* Schulabgänger *m*

schoolmaster ['sku:lmɑ:stə] *sb* Lehrer *m*, Schulmeister *m*

schoolmistress ['sku:lmɪstrɪs] *sb* Lehrerin *f*, Schulmeisterin *f*

school-report ['sku:lrɪpɔ:t] *sb* (UK) Schulzeugnis *n*

schoolteacher ['sku:lti:tʃə] *sb* Lehrer *m*

school year [sku:l jɪə] *sb* Schuljahr *n*

science ['saɪəns] *sb* Wissenschaft *f*

science fiction ['saɪəns 'fɪkʃən] *sb* Sciencefiction *f*

science park ['saɪəns pɑ:k] *sb* Forschungspark *m*

scientific [saɪən'tɪfɪk] *adj* wissenschaftlich

scientist ['saɪəntɪst] *sb* Wissenschaftler *m*

scission ['sɪʃən] *sb* Schnitt *m*, Einschnitt *m*

scissors ['sɪzəz] *pl* Schere *f*

scissors kick ['sɪsəz kɪk] *sb* (in swimming) Scherenschlag *m*

scoff [skɒf] *v* spotten

scoffing ['skɒfɪŋ] *sb* Spott *m*, Verächtlichmachung *f*

scold [skəʊld] *v* schelten, ausschimpfen

scolding ['skəʊldɪŋ] *adj* schimpfend

scone [skɒn] *sb* (UK) GAST weiches Teegebäck *n*

scoop [sku:p] *sb* 1. (instrument) Schaufel *f*, (for ice-cream) Portionierer *m*; 2. (portion of ice-cream) Kugel *f*; 3. (in the press) Exklusivbericht *m*; *v* 4. schaufeln

• **scoop out** *v* 1. (take out) herausschaufeln; 2. (hollow out) aushöhlen

scope [skəʊp] *sb* 1. (range) Bereich *m*; 2. (extent) Umfang *m*

scorch [skɔ:tʃ] *v* (sth) versengen

scorcher ['skɔ:tʃə] *sb* 1. (thing) heiße Zeit *f*, heiße Sache *f*; 2. (day) heißer Tag *m*

score [skɔ:] *v* 1. punkten, (make a goal) einen Treffer erzielen, (make one point) einen Punkt erzielen; 2. (keep ~) zählen; 3. (sth) erzielen; 4. (groove) einkerben, eine Rille machen in; 5. MUS schreiben; *sb* 6. (point total) Stand *m*

scoreboard ['skɔ:bɔ:d] *sb* SPORT Anzeigetafel *f*

scoring ['skɔ:rɪŋ] *sb* Erzielen eines Punktes *n*

scorn ['skɔ:n] *v* 1. verachten, (turn down) verschmähen; *sb* 2. Verachtung *f*, Hohn *m*

Scotch [skɒtʃ] *sb* (drink) Scotch *m*

Scotch tape [skɒtʃ teɪp] *sb* durchsichtiger Klebestreifen, Tesafilm *m*

scoundrel ['skaʊndrəl] *sb* Schurke *m*, Schuft *m*, (jokingly) Schlawiner *m*

scour ['skaʊə] *v* 1. (a pot) scheuern; 2. (search) absuchen, abkämmen (fam); ~ for absuchen nach

scout [skaʊt] *v* 1. erkunden, auskundschaften; *sb* 2. MIL (person) Kundschafter *m*, (plane, ship) Aufklärer *m*; 3. (boy ~) Pfadfinder *m*; 4. (of opposing teams) SPORT Kundschafter *m*, Spion *m*; 5. (talent ~) Talentsucher *m*

scowl [skaʊl] *v* 1. ein finsteres Gesicht machen, ein böses Gesicht machen; *sb* 2. ein finsteres Gesicht *n*, ein böses Gesicht *n*

scrabble ['skræbl] *v* herumtasten, herumwühlen

scram [skræm] *v* (fam) verschwinden, abhauen

scramble ['skræmbl] *v* 1. (climb) klettern; ~ up a ladder eine Leiter rasch hinaufklettern; ~ to one's feet sich aufrappeln; 2. ~ for sth sich um etw raufen; 3. (stir) vermischen; 4. (eggs) verrühren; 5. (encode: a message, a TV broadcast) verschlüsseln

scrap [skræp] *v* 1. (a vehicle) verschrotten; 2. (plans) fallen lassen; *sb* 3. (small piece) Stückchen *n*; 4. (of news, of cloth) Fetzen *m*; 5. (of paper) Schnitzel *m*; 6. ~s *pl* (of a meal) Reste *pl*; 7. (fam: fight) Balgerei *f*, (verbal) Streiterei *f*

scrape [skreɪp] *v* 1. (grate) kratzen; 2. (rub) streifen; ~ against sth etw streifen; 3. bow and ~ katzbuckeln; *sb* 4. Schramme *f*; 5. (sound) Kratzen *n*; 6. (fig) get s.o. out of a ~ jdm aus der Patsche helfen; get into a ~ in Schwierigkeiten kommen

• **scrape off** *v* (sth) abkratzen

scratch [skrætʃ] *v* 1. kratzen; 2. (leave a ~ on) zerkratzen; *sb* 3. (mark) Kratzer *m*, Schramme *f*; 4. start from ~ ganz von vorne anfangen

scream [skri:m] *v* 1. schreien; *sb* 2. Schrei *m*; 3. (of tyres) Kreischen *n*

screamer ['skri:mə] *sb* 1. (person who screams) Heuler *m*; 2. (thrilling thing) tolle Sache *f*

screen [skri:n] *v* 1. (protect, hide) abschirmen; 2. (sift) sieben; 3. (applicants) überprüfen; 4. (a film) vorführen; *sb* 5. (shield) Schirm *m*; 6. (on a window) Fliegengitter *n*; 7. (sieve) Sieb *n*; 8. (of a television) Bildschirm *m*; 9. CINE Leinwand *f*; stars of the ~ Filmstars *pl*; 10. (in printing) Raster *m*

screen test ['skri:n test] *sb CINE* Probeaufnahme *f*

screenwriter ['skri:nraitə] *sb* Drehbuchautor *m*

scribble ['skrɪbl] *v* 1. kritzeln; *sb* 2. Gekritzel *n*

script [skrɪpt] *sb* 1. *(handwriting)* Handschrift *f*; 2. *THEAT* Text *m*; 3. *CINE* Drehbuch *n*

scriptwriter ['skrɪptraitə] *sb* Drehbuchautor(in) *m/f*

scrounge [skraʊndʒ] *v* ~ *around for sth* nach etw herumsuchen

scrub [skrʌb] *v* 1. schrubben; *sb* 2. *(scrubbing)* Schrubben *n*; 3. *(underwood)* Gestrüpp *n*; 4. ~ *s pl (backups) SPORT* Ersatzspieler *pl*

scruffy ['skrʌfɪ] *adj (fam)* vergammelt

scrumptious ['skrʌmpʃəs] *adj (food)* lecker

scrutinize ['skru:tɪnaɪz] *v* prüfend ansehen

scrutiny ['skru:tɪnɪ] *sb* Untersuchung *f*

scuba diving ['sku:bədaɪvɪŋ] *sb* Sporttauchen *n*

scud [skʌd] *v* flitzen, jagen

scud missile [skʌd 'mɪsaɪl] *sb MIL* Skudrakete *f*

scull [skʌl] *sb* 1. *(oar)* Skull *n*; 2. *(boat)* Skullboot *n*

scullery ['skʌlərɪ] *sb (UK)* Spülküche *f*

sculpt [skʌlpt] *v* Bildhauerei betreiben

sculptor ['skʌlptə] *sb* Bildhauer *m*

sculpture ['skʌlptʃə] *sb* 1. *(art)* Bildhauerkunst *f*, Skulptur *f*; 2. *(object) ART* Skulptur *f*, Plastik *f*

scum [skʌm] *sb* 1. Schaum *m*; 2. *(fam: people)* Abschaum *m*; 3. *(fam: one person)* Dreckskerl *m*

scurry ['skʌrɪ] *v* huschen

scurvy ['skɜ:vɪ] *sb MED* Skorbut *m*

sea [si:] *sb* Meer *n*, See *f*; *the high* ~s die hohe See; *at* ~ *(fig)* durcheinander, konfus

seaboard ['si:bɔ:d] *sb (US)* Küste *f*

sea breeze ['si:bri:z] *sb* Seewind *m*

seagull ['si:gʌl] *sb ZOOL* Möwe *f*

seal[1] [si:l] *v* 1. versiegeln; 2. *(gum down)* zukleben; 3. *(make airtight)* abdichten; 4. *(fig: finalize)* besiegeln; *sb* 5. Siegel *n*; 6. *(packing, gasket) TECH* Dichtung *f*; 7. *(on a tank, on a crate)* Plombe *f*; 8. *(closure)* Verschluss *m*

seal[2] [si:l] *sb ZOOL* Seehund *m*, Robbe *f*

• **seal off** *v* absperren, abriegeln

• **seal up** *v* 1. versiegeln; 2. *(tape shut, gum down)* zukleben

seam [si:m] *sb* Naht *f*; *bursting at the* ~s zum Bersten voll; *(fig) come apart at the* ~s ausrasten *(fam)*

seaman ['si:mən] *sb* Seemann *m*

seamstress ['si:mstrɪs] *sb* Näherin *f*

sea otter ['si:ɒtə] *sb ZOOL* Seeotter *f*

sear [sɪə] *v* 1. *(burn)* verbrennen, verschmoren; 2. *(burn out)* ausbrennen

search [sɜ:tʃ] *v* 1. suchen; 2. *(sth)* durchsuchen; *(files, one's memory)* durchforschen; 3. *Search me! (fam)* Keine Ahnung! Was weiß ich! Frag mich was Leichteres! *sb* 4. Suche *f*; *in* ~ *of* auf der Suche nach; 5. *(by authorities)* Durchsuchung *f*; 6. *(manhunt)* Fahndung *f*

search party ['sɜ:tʃpɑ:tɪ] *sb* Suchtrupp *m*

seashell ['si:ʃel] *sb* Muschel *f*, Muschelschale *f*

seaside ['si:saɪd] *sb* Küste *f*

seasoning ['si:znɪŋ] *sb GAST* Würze *f*, Gewürz *n*

seat [si:t] *sb* 1. Sitzplatz *m*, Sitz *m*; *take a* ~ Platz nehmen; *Have a* ~! Nehmen Sie Platz! 2. *(part of a chair)* Sitz *m*, Sitzfläche *f*; 3. *(of pants)* Hosenboden *m*; 4. ~ *of government POL* Regierungssitz *m*; *v* 5. *(s.o.)* setzen; *the table* ~s ssix am Tisch ist Platz für sechs Personen; *to be* ~ed sich setzen

seat belt ['si:tbelt] *sb* Sicherheitsgurt *m*; *fasten one's* ~ sich anschnallen

seaweed ['si:wi:d] *sb BOT* Seetang *m*, Tang *m*, Alge *f*

seaworthy ['si:wɜ:ðɪ] *adj* seetüchtig

seclude [sɪ'klu:d] *v* absondern

second ['sekənd] *sb* 1. Sekunde *f*; 2. *(fam: moment)* Augenblick *m*; 3. ~s *(second serving)* Nachschlag *m*; *v* 4. zweite(r,s); *~-thought* nach reiflicher Überlegung; *adv* 5. zweit..., *an* zweiter Stelle; *v* 6. *(a motion)* unterstützen

secondary ['sekəndərɪ] *adj* 1. sekundär, Neben..., *of* ~ *importance* nebensächlich; 2. *(education)* höher

secondary school ['sekəndərɪ sku:l] *sb* höhere Schule *f*

second-class ['sekənd'klɑ:s] *adj* 1. zweitklassig, zweitrangig; 2. *(compartment, mail)* zweiter Klasse

second-degree ['sekənddɪ'gri:] *adj* zweiten Grades *f*

second floor ['sekənd flɔ:] *sb* 1. *(UK)* zweiter Stock *m*; 2. *(US)* erster Stock *m*

second-hand ['sekənd'hænd] *adj* 1. gebraucht; 2. *(fig: information)* aus zweiter Hand

second name ['sekənd neɪm] *sb* Familienname *m*

secrecy ['si:krəsɪ] *sb* Heimlichkeit *f*; *sworn to* ~ zur Verschwiegenheit verpflichtet

secret ['si:krət] *adj 1.* geheim, Geheim...; *sb 2.* Geheimnis *n*

secretary ['sekrətrı] *sb 1.* Sekretär(in) *m/f; 2. (of a club)* Schriftführer *m; 3. (US: minister)* POL Minister *m*

secrete [sı'kri:t] *v 1. (hide)* verbergen; *2. BIO* absondern

secretly ['si:krətlı] *adv 1.* heimlich; *2. (in one's thoughts)* insgeheim

secret police ['si:krıt pə'li:s] *sb* Geheimpolizei *f*

secret service ['si:krət 'sɜ:vıs] *sb 1. (intelligence service)* Geheimdienst *m; 2. Secret Service (of the US)* Abteilung des Finanzministeriums, auch für den Schutz des Präsidenten zuständig

section ['sekʃən] *sb 1.* Teil *m; 2. (of a book)* Abschnitt *m; 3. (of a law)* JUR Paragraf *m; 4. (of an orange)* Stück *n; 5. (operation)* MED Sektion *f; 6. (diagram)* Schnitt *m*

sector ['sektə] *sb* Sektor *m*

secure [sı'kjuə] *v 1. (make safe)* sichern; ~ *sth from sth* etw gegen etw schützen; *2. (fix)* festmachen; *(a window)* schließen; *3. (obtain)* sich beschaffen; *adj 4.* sicher; *5. (emotionally)* geborgen; *6. (grip, knot)* fest

security [sı'kjurıtı] *sb 1.* Sicherheit *f; 2. (guarantee)* Bürgschaft *f; 3. (deposit)* Kaution *f; 4. securities pl* FIN Effekten *pl*, Wertpapiere *pl*

sedative ['sedətıv] *sb* Beruhigungsmittel *n*

sedimentary [sedı'mentərı] *adj* sedimentär

see [si:] *v irr 1.* sehen; *We'll* ~. Wir werden mal sehen. *Let me* ~ ... *(let me think)* Augenblick mal ...; *2. (understand)* verstehen; *3. (check)* nachsehen; ~ *that sth is done* dafür sorgen, dass etw geschieht; *4. (sth)* sehen; *See you! Tschüss! See you tomorrow!* Bis morgen! *5. if you* ~ *fit* wenn Sie es für richtig halten; *6. (accompany)* begleiten, bringen; ~ *s.o. across the street* jdn über die Straße bringen; ~ *s.o. home* jdn nach Hause bringen; *7. (go and look at)* sich ansehen; *8. (receive a visitor)* empfangen; *Mr. Andrews will* ~ *you now.* Herr Andrews ist jetzt zu sprechen. *9. (imagine)* vorstellen; *10. (experience)* erleben; ~ *action* im Einsatz sein; *11. (visit)* besuchen, *(in business)* aufsuchen; *go* ~ *the doctor* zum Arzt gehen; *12. Long time no* ~! *(fam)* Lange nicht gesehen!

• **see off** *v irr* verabschieden, wegbringen

• **see through** *v irr 1.* durchsehen; *2. (fam: see the true nature of)* durchschauen; *3. see sth through* etw zu Ende führen; *4. see s.o. through sth* jdm über etw hinweghelfen, jdm in einer schwierigen Situation beistehen

seed [si:d] *sb 1.* Samen *m; (poppy* ~, *sesame* ~*)* Korn *n; (in fruit)* Kern *m; 2. go to* ~ *(plant)* in Samen schießen; *go to* ~ *(fam: person)* herunterkommen

seek [si:k] *v irr* suchen

seem [si:m] *v* scheinen

seep [si:p] *v* sickern; ~ *through* durchsickern

seer ['sıə] *sb* Seher *m*

seesaw ['si:sɔ:] *sb* Wippe *f*

segment ['segmənt] *sb 1.* Teil *m; 2. (of a circle)* Segment *n; 3. (of an orange)* Stück *n*

segregation [segrı'geıʃən] *sb 1.* Segregation *f; 2. (racial* ~*)* Rassentrennung *f*

seize [si:z] *v 1.* packen, ergreifen; *2. (capture)* einnehmen, *(a building)* besetzen; *(a criminal)* fassen; *(a hostage)* nehmen; *3. (an opportunity)* ergreifen; *4. (power)* an sich reißen; *5. (confiscate)* beschlagnahmen; *6. (fig: by an emotion)* packen, ergreifen; *to be* ~*d with* von etw ergriffen sein

seldom ['seldəm] *adv* selten

select [sı'lekt] *v 1.* auswählen; *adj 2.* auserwählt, auserlesen, *(exclusive)* exklusiv

selection [sı'lekʃən] *sb 1.* Auswahl *f; 2. (thing selected)* Wahl *f*

self [self] *sb 1.* Selbst *n,* Ich *n; 2. (side of one's personality)* Seite *f*

self-appointed [selfə'pɔıntıd] *adj* selbst ernannt

self-assured [selfə'ʃuəd] *adj* selbstsicher

self-catering [self'keıtərıŋ] *adj* selbstversorgend

self-centred [self'sentəd] *adj* egozentrisch, ichbezogen

self-confidence [self'kɒnfıdəns] *sb* Selbstbewusstsein *n*

self-confident [self'kɒnfıdənt] *adj* selbstbewusst

self-conscious [self'kɒnʃəs] *adj* befangen, gehemmt

self-consciousness [self'kɒnʃəsnıs] *sb* Befangenheit *f*

self-control [selfkən'trəul] *sb* Selbstbeherrschung *f*

self-defence [selfdı'fens] *sb 1.* Selbstverteidigung *f; 2. JUR* Notwehr *f*

self-destruct [selfdı'strʌkt] *v* sich selbst zerstören

self-discipline [self'dısıplın] *sb* Selbstdisziplin *f*

self-employed [selfım'plɔıd] *adj* selbstständig erwerbstätig, freiberuflich

self-esteem [selfı'sti:m] *sb* Selbstachtung *f*

self-importance [selfɪm'pɔːtəns] *sb* Aufgeblasenheit *f*

self-important [selfɪm'pɔːtənt] *adj* überheblich

self-indulgent [selfɪn'dʌlgənt] *adj* maßlos, hemmungslos

selfish ['selfɪʃ] *adj* selbstsüchtig, egoistisch

selfless ['selflɪs] *adj* selbstlos

self-made ['self'meɪd] *adj* ~ man Selfmademan *m*

self-pity [self'pɪtɪ] *sb* Selbstmitleid *n*

self-respect [selfrɪ'spekt] *sb* Selbstachtung *f*

self-righteous [self'raɪtʃəs] *adj* selbstgerecht

self-satisfied [self'sætɪsfaɪd] *adj* selbstzufrieden

self-service [self'sɜːvɪs] *sb* Selbstbedienung *f*

self-serving [self'sɜːvɪŋ] *adj* selbstsüchtig

self-styled ['self'staɪld] *adj* selbst ernannt

self-sufficient [selfsə'fɪʃənt] *adj* unabhängig, *(country)* autark

self-worth [self'wɜːθ] *sb* Selbstwert *m*

sell [sel] *v irr* 1. *(have sales appeal)* sich verkaufen lassen; 2. *(sth)* verkaufen; 3. ~ s.o. on sth *(an idea)* jdm etw überzeugen

• **sell off** *v irr* 1. verkaufen; 2. *(quickly, cheaply)* abstoßen

• **sell out** *v irr* 1. alles verkaufen; 2. *(fam: artist)* sich verkaufen; 3. *(sth)* ausverkaufen, *(one's share)* verkaufen; sold out ausverkauft; 4. *(fam: betray)* verraten

• **sell up** *v irr* zu Geld machen, ausverkaufen

sell-by date ['selbaɪ deɪt] *sb* Haltbarkeitsdatum *n*; pass one's ~ *(fig)* seine besten Tage hinter sich haben

semblance ['sembləns] *sb* Anschein *m*

semester [sɪ'mestə] *sb* Semester *n*

semiautomatic [semɪɔːtə'mætɪk] *adj* halbautomatisch

semicircle ['semɪsɜːkl] *sb* Halbkreis *m*

semiconscious [semɪ'kɒnʃəs] *adj* halb bei bewusstlos

semifinal ['semɪfaɪnəl] *sb* SPORT Halbfinale *n*, Semifinale *n*

seminar ['semɪnɑː] *sb* Seminar *n*

semi-nude ['semɪnjuːd] *adj* halb nackt

senate ['senɪt] *sb* POL Senat *m*

senator ['senətə] *sb* POL Senator *m*

send [send] *v irr* 1. schicken; ~ s.o. to Coventry jdn sozial ächten; 2. *(propel)* ~ sth crashing to the ground etw zusammenstürzen lassen; ~ s.o. into a rage jdn wütend machen

• **send back** *v irr* zurückschicken, *(food in a restaurant)* zurückgehen lassen

• **send for** *v irr* kommen lassen, sich bestellen

• **send in** *v irr* 1. einschicken, einsenden; 2. *(s.o.)* hineinsenden/hereinsenden, *(troops)* einsetzen

• **send off** *v irr (a letter)* abschicken

• **send up** *v irr* 1. *(a flare)* in die Luft schießen; 2. *(a rocket)* hochschießen; 3. *(a balloon)* steigen lassen; 4. *(fam: parody)* parodieren

send-off ['sendɒf] *sb* Abschied *m*, Verabschiedung *f*

senile ['siːnaɪl] *adj* senil

senior ['siːnɪə] *adj* 1. älterer; 2. *(in time of service)* dienstälter; 3. *(in rank)* vorgesetzt; *sb* 4. *(in school)* Oberstufenschüler *m*; *(US: in college)* Student im vierten Studienjahr *m*; *(US: in high school)* Schüler im letzten Schuljahr *m*; 5. He is two years my ~. Er ist zwei Jahre älter als ich.

senior citizen ['siːnɪə 'sɪtɪzn] *sb* Senior *m*, *(pensioner)* Rentner *m*

sensation [sen'seɪʃən] *sb* 1. *(feeling)* Gefühl *n*; 2. *(excitement, cause of excitement)* Sensation *f*

sensational [sen'seɪʃənəl] *adj* sensationell

sensationalism [sen'seɪʃənlɪzəm] *sb* Sensationalismus *m*

sense [sens] *v* 1. spüren, fühlen; *sb* 2. Sinn *m*; ~ of smell/taste/touch Geruchssinn/Geschmackssinn/Tastsinn; ~ of humour Sinn für Humor *m*; 3. good ~ Vernunft *f*; 4. ~s *pl (right mind)* Verstand *m*; come to one's ~s zur Besinnung kommen; bring s.o. to his ~s jdn zur Besinnung bringen; 5. *(feeling)* Gefühl *n*; 6. *(meaning)* Sinn *m*, Bedeutung *f*; It doesn't make ~. Es ergibt keinen Sinn. talk ~ vernünftig reden; in a ~ gewissermaßen; make ~ of sth etw begreifen, etw verstehen

sensible ['sensɪbl] *adj* vernünftig

sensitive ['sensɪtɪv] *adj* 1. empfindlich, *(topic)* heikel; 2. *(understanding)* einfühlsam, *(remark, film)* einfühlend

sensor ['sensə] *sb* TECH Sensor *m*

sensual ['sensjʊəl] *adj* sinnlich

sensuous ['sensjʊəs] *adj* sinnlich

sentence ['sentəns] *sb* 1. GRAMM Satz *m*; 2. *(statement)* JUR Urteil *n*; pass ~ das Urteil sprechen; 3. *(punishment)* JUR Strafe *f*; serve a prison ~ eine Freiheitsstrafe verbüßen; *v* 4. JUR verurteilen

sentimental [sentɪ'mentl] *adj* sentimental

sentimentalism [sentɪ'mentlɪzəm] *sb* Sentimentalität *f*

sentimentality [sentɪmen'tælɪtɪ] sb Sentimentalität f

sentimental value [sentɪ'mentl 'væljuː] sb Erinnerungswert m

separate ['sepəreɪt] v 1. sich trennen, auseinander gehen; 2. (sth) trennen, (divide up) aufteilen; ['seprət] adj 3. (not connected) getrennt; 4. (different) verschieden; 5. (individual) einzeln

separation [sepə'reɪʃən] sb 1. Trennung f; 2. (distance) Abstand m, Entfernung f; 3. legal ~ (divorce) JUR Aufhebung der ehelichen Gemeinschaft f

septic ['septɪk] adj vereitert, septisch

septic tank ['septɪk tæŋk] sb Faulbehälter m

sequel ['siːkwəl] sb Folge f

sequence ['siːkwəns] sb 1. Folge f; 2. (order) Reihenfolge f; 3. CINE Sequenz f

sequencer ['siːkwənsə] sb MUS Sequencer m

sequin ['siːkwɪn] sb Paillette f

sequoia [sɪ'kwɔɪə] sb BOT Mammutbaum m, Sequoie f

serenade [serə'neɪd] sb 1. Serenade f; v 2. ein Ständchen bringen

serene [sə'riːn] adj 1. (person) gelassen; 2. (sky) heiter; 3. (sea) ruhig

serenity [sə'renɪtɪ] sb Gelassenheit f

sergeant ['saːdʒənt] sb 1. MIL Feldwebel m; 2. (police) Polizeimeister m

sergeant-major ['saːdʒənt 'meɪdʒə] sb MIL Oberfeldwebel m

serial ['sɪərɪəl] adj 1. Serien...; 2. (radio programme) Sendereihe f

serial killer ['sɪərɪəl 'kɪlə] sb Serienmörder m

serial number ['sɪərɪəlnʌmbə] sb 1. laufende Nummer f; 2. (on goods) Fabrikationsnummer f

series ['sɪərɪz] sb 1. Serie f, Reihe f; 2. (on TV) Sendereihe f

serious ['sɪərɪəs] adj 1. ernst; 2. (person) ernsthaft, (subdued) ernst; 3. (injury, accident, deficiencies) schwer; 4. (offer) ernst gemeint; Are you ~? Meinst du das im Ernst?

seriousness ['sɪərɪəsnɪs] sb 1. Ernst m, Ernsthaftigkeit f; 2. (of an injury) Schwere f

sermonic [saː'mɒnɪk] adj predigtartig

serpent ['saːpənt] sb Schlange f

serrated [se'reɪtɪd] adj gezackt

serration [se'reɪʃən] sb gezackter Rand m, Sägerand m

servant ['saːvənt] sb Diener m

serve [saːv] v 1. dienen; ~ as dienen als; 2. (tennis) SPORT aufschlagen; 3. (sth, food, drinks) servieren; Dinner is ~d. Das Essen ist aufgetragen. It ~s no purpose. Es hat keinen Zweck. 4. (in a restaurant, in a shop) bedienen, (food, drinks) servieren; 5. (a drink) einschenken; 6. (communion) REL ministrieren bei; 7. (a summons) JUR zustellen; 8. ~ s.o. right jdm recht geschieht; It ~s you right! Das geschieht dir recht! 9. (a prison sentence) verbüßen; sb 10. (tennis) SPORT Aufschlag m

• **serve up** v servieren

server ['saːvə] sb 1. INFORM Server m; 2. (tray) Servierbrett n; 3. (fork) Serviergabel f; 4. (spoon) Servierlöffel m; 5. (for cake) Tortenheber m; 6. (in tennis) Aufschläger m

service ['saːvɪs] sb 1. Dienst m; I'm at your ~. Ich stehe Ihnen zur Verfügung. to be of ~ nützlich sein; Can I be of ~? Kann ich Ihnen behilflich sein? 2. (to customers) Service m; 3. (in a restaurant, in a shop) Bedienung f; 4. REL Gottesdienst m; 5. (regular transport, air ~) Verkehr m; 6. (operation) Betrieb m; 7. (upkeep of machines) Wartung f; 8. JUR Zustellung f; 9. (tea set) Service n; 10. (in tennis) SPORT Aufschlag m

service area ['saːvɪs 'ɛərɪə] sb (rest area) Raststätte mit Tankstelle f

service industry ['saːvɪs 'ɪndʌstrɪ] sb Dienstleistungsgewerbe n

service station ['saːvɪssteɪʃən] sb Tankstelle mit Reparaturwerkstatt f

servile ['saːvaɪl] adj unterwürfig, kriecherisch

session ['seʃən] sb 1. Sitzung f; 2. (discussion) Besprechung f; 3. POL Legislaturperiode f; to be ~ ... tagen

set [set] v irr 1. (sun) untergehen; 2. (solidify: cement) hart werden, fest werden; (broken bone) zusammenwachsen; 3. (dye) farbbeständig werden; 4. (place) stellen, setzen; ~ the table (US) den Tisch decken; 5. (a trap) aufstellen; 6. (a bone) einrichten; 7. (a gem) fassen; 8. (type) setzen; 9. (adjust) einstellen, (a clock) stellen; 10. to be ~ in ... (story) spielen in ...; 11. (dictate, impose) festsetzen, festlegen; 12. (arrange a date) festsetzen, ausmachen; 13. (establish)(a record) aufstellen; 14. ~ sth in motion etw in Gang bringen; ~ fire to sth etw anzünden; ~ to work sich an die Arbeit machen; sb 15. Satz m; (of cutlery, of underwear) Garnitur f; 16. ~ of teeth Gebiss n; 17. MATH Reihe f, (in ~ theory) Menge f; 18. (group of people) Kreis m, (in a negative sense) Klüngel m; 19. (series) Reihe f

• **set about** v irr ~ sth sich an etw machen, etw in Angriff nehmen

• **set up** v irr 1. (sth) aufstellen; 2. (assemble) aufbauen; 3. (arrange) arrangieren, vereinbaren; 4. (establish) gründen, 5. (furnish, fit out) einrichten; 5. set s.o. up (fam: trap s.o.) jdm eine Falle stellen, (frame s.o.) jdm etw anhängen

setback ['setbæk] sb Rückschlag m

setting ['setɪŋ] sb 1. (on a dial) Einstellung f; 2. (of a gem) Fassung f; 3. (background) Rahmen m; 4. (of a story) Schauplatz m; 5. (surroundings) Umgebung f; 6. (at a table) Gedeck n; 7. (of the sun) Untergang m

settle ['setl] v 1. (in a town) sich niederlassen, (as a settler) sich ansiedeln; 2. (come to rest) sich niederlassen, (snow) liegen bleiben; (sediment) sich absetzen; sich setzen; (dust) sich legen; 3. ~ out of court sich vergleichen; 4. (sth) (decide) entscheiden; ~ for sth sich mit etw zufrieden geben; 5. (sort out) erledigen, regeln, klären; 6. (arrange) vereinbaren, ausmachen (fam); 7. (land) besiedeln; 8. (nerves) beruhigen; 9. (an account) ausgleichen; 10. (a bill) begleichen, bezahlen; 11. (a dispute) beilegen, schlichten

several ['sevrəl] pron 1. einige; adj 2. einige

severe [sɪ'vɪə] adj 1. (punishment, criticism) hart; 2. (strict) streng; 3. (intense)(weather) rau; 4. (pain) heftig, stark; 5. (drought, illness, injury) schwer

sew [səʊ] v irr nähen; ~ on annähen

sewage ['sjuːɪdʒ] sb Abwasser n

sewing ['səʊɪŋ] sb Nähen n

sex [seks] sb 1. (gender) Geschlecht n; 2. (intercourse) Sex m, Geschlechtsverkehr m; have ~ Verkehr haben

sex appeal ['seksəpiːl] sb Sexappeal m

sex drive ['seksdraɪv] sb Sexualtrieb m

sexism ['seksɪzəm] sb Sexismus m

sexist ['seksɪst] adj sexistisch

sexpot ['sekspɒt] sb (fam) Sexbombe f

sexton ['sekstən] sb Küster m

sexual ['seksjʊəl] adj sexuell, geschlechtlich, Geschlechts...

sexual harassment ['seksjʊəl 'hærəsmənt] sb sexuelle Belästigung f

sexuality [seksjʊ'ælɪtɪ] sb Sexualität f

sexy ['seksɪ] adj (fam) sexy

shack [ʃæk] sb 1. Hütte f; v 2. ~ up with s.o. (fam) mit jdm zusammenziehen

shackle ['ʃækl] v fesseln

shade [ʃeɪd] sb 1. Schatten m; 2. (US: blind) Jalousie f; 3. (of colour) Ton m, Farbton m; 4. (fig: of meaning) Nuance f; 5. Shades of 1977! Das erinnert doch sehr an 1977!

shadow ['ʃædəʊ] sb 1. Schatten m; beyond a ~ of a doubt ohne den geringsten Zweifel; v 2. (fam: follow) beschatten

shadowy ['ʃædəʊɪ] adj schattig, schattenhaft

shady ['ʃeɪdɪ] adj 1. schattig; 2. (fam: dubious) zwielichtig, zweifelhaft

shaft [ʃɑːft] sb 1. Schaft m, (of a tool) Stiel m; 2. (of a carriage) Deichsel f; 3. (of light) Strahl m; 4. (of a mine) Schacht m

shaggy ['ʃægɪ] adj 1. (long-haired) zottig; 2. (unkempt) zottelig

shake [ʃeɪk] v irr 1. beben; 2. (building) wackeln; 3. (person, voice) zittern; 4. (sth) schütteln; 5. (fig: s.o., s.o.'s faith) erschüttern

• **shake up** v irr 1. schütteln; 2. (upset s.o.) erschüttern; 3. (a business: make changes) umkrempeln

shaker ['ʃeɪkə] sb (for drinks) Mixbecher m, Shaker m

shake-up ['ʃeɪkʌp] sb drastische Umbesetzung f, drastische Umgruppierung f

shall [ʃæl] v 1. (future) I ~ ... Ich werde ... We ~ ... Wir werden ...; 2. (command) sollen; Thou shalt not kill. Du sollst nicht töten. 3. (proposal) What ~ we do? Was sollen wir machen?

shallow ['ʃæləʊ] adj 1. (dish) seicht, (dish) flach; 2. (fig) oberflächlich

sham [ʃæm] sb 1. Heuchelei f; 2. (person) Scharlatan m

shamble ['ʃæmbl] v trotten, latschen

shame [ʃeɪm] v 1. beschämen; ~ s.o. into doing sth jdn so beschämen, dass er etw tut; sb 2. (feeling of ~) Scham f; (disgrace) Schande f; Shame on you! Du solltest dich schämen! 4. (pity) What a ~! Wie schade!

shamefaced ['ʃeɪmfeɪst] adj beschämt

shampoo [ʃæm'puː] sb Shampoo n

shank [ʃæŋk] sb Unterschenkel m

shanty ['ʃæntɪ] sb 1. (hut) Hütte f; 2. (song) Seemannslied n, Shanty n

shape [ʃeɪp] v 1. (sth) formen; sb 2. Form f; take ~ Gestalt annehmen; 3. (figure) Gestalt f; 4. (state) Zustand m; 5. (physical condition) Kondition f

• **shape up** v (develop) sich entwickeln

shapeless ['ʃeɪplɪs] adj formlos

shapely ['ʃeɪplɪ] adj 1. (legs) wohlgeformt; 2. (woman) wohlproportioniert

share [ʃeə] v 1. teilen; ~ in sth an etw teilnehmen; 2. (sth) teilen; 3. (have in common) gemeinsam haben; sb 4. Anteil m; have a ~ in sth an etw teilhaben; 5. FIN Anteil m, (in a public limited company) Aktie f

shareholder ['ʃɛəhəʊldə] *sb* FIN Aktionär(in) *m/f*

shark [ʃɑːk] *sb* ZOOL Hai *m*, Haifisch *m*

sharp [ʃɑːp] *adj* 1. scharf; 2. *(point)* spitz; 3. *(drop)* steil; 4. *(mentally)* scharfsinnig, *(in a negative sense)* gerissen; 5. *(sound)* durchdringend, schrill; 6. *(fam: ~ly dressed)* schick; 7. *Look ~!* Zack, zack! 8. MUS *(raised a semitone)* um einen Halbton erhöht, *(too high)* zu hoch; *adv* 9. *(punctually)* pünktlich, genau; *sb* 10. MUS Kreuz *n*; *C* ~ Cis *n*; *F* ~ Fis *n*

sharp-sighted [ʃɑːp'saɪtɪd] *adj* scharfsichtig

sharp-tongued [ʃɑːpt∧nd] *adj* scharfzüngig

sharp-witted [ʃɑːpwɪtɪd] *adj* scharfsinnig, aufgeweckt

shatter ['ʃætə] *v* 1. zersplittern; 2. *(sth)* zerschmettern; 3. *(fig: hopes)* zertrümmern; 4. *(s.o.)* *(fam: flabbergast)* erschüttern

shattering ['ʃætərɪŋ] *adj* 1. *(defeat)* vernichtend; 2. *(blow)* wuchtig; 3. *(psychologically)* niederschmetternd

shave [ʃeɪv] *v irr* 1. sich rasieren; 2. *(one's face)* rasieren; 3. *~ sth off* etw abrasieren; *sb* 4. Rasur *f*; *a close ~* eine glatte Rasur; 5. *That was a close ~.* *(fig)* Das war knapp.

shaving cream ['ʃeɪvɪŋkriːm] *sb* Rasierkrem *f*, *(shaving foam)* Rasierschaum *m*

she [ʃiː] *pron* sie; *~ who ...* diejenige, die ...

shed [ʃed] *v irr* 1. sich haaren; 2. *(sth/hair)* verlieren; 3. *(tears, blood)* vergießen; 4. *(clothes)* ausziehen; 5. *~ light on sth* *(fig)* Licht auf etw werfen; *sb* 6. Schuppen *m*

sheep [ʃiːp] *sb* Schaf *n*; *count ~* Schäfchen zählen; *a wolf in ~'s clothing* ein Wolf im Schafspelz

sheer [ʃɪə] *adj* 1. *(rock)* senkrecht, steil; 2. *(absolute)* rein; 3. *(cloth)* hauchdünn

sheerness ['ʃɪənɪs] *sb* *(of a cliff)* Steilheit *f*

sheet [ʃiːt] *sb* 1. *(of paper)* Blatt *n*, *(large)* Bogen *m*; 2. *(for a bed)* Betttuch *n*, Bettlaken *n*; *white as a ~* *(fig)* kreidebleich; 3. *(of ice)* Fläche *f*; 4. *(of metal)* Blech *n*; 5. *(of glass)* Scheibe *f*

sheet lightning ['ʃiːtlaɪtnɪŋ] *sb* Wetterleuchten *n*

sheet metal ['ʃiːtmetəl] *sb* Walzblech *n*

shelf [ʃelf] *sb* 1. Brett *n*, Bord *n*, *(in a cupboard)* Fach *n*; *put sth on the ~* *(fig)* etw an den Nagel hängen; *off the ~* von der Stange; 2. *(ledge of rock)* Felsvorsprung *f*

shell [ʃel] *v* 1. *(remove the ~ from)* schälen, *(peas)* enthülsen; 2. MIL beschießen; *sb* 3. Schale *f*, *(of a pea)* Hülse *f*; 4. *(turtle's, insect's)*

Panzer *m*; 5. MIL Granate *f*, *(US: cartridge)* Patrone *f*; 6. *(snail's)* ZOOL Haus *n*; 7. *(of a house)* Rohbau *m*; 8. *(pastry ~)* GAST Form *f*

shellfish ['ʃelfɪʃ] *sb* Muscheln *pl*, Meeresfrüchte *pl*

shelly ['ʃelɪ] *adj* schalenähnlich

shelter ['ʃeltə] *v* 1. *(s.o.)* schützen; *sb* 2. *(protection)* Schutz *m*; 3. *(air raid ~)* Bunker *m*; 4. *(for the homeless)* Obdachlosenasyl *n*; 5. *(for overnight)* Obdach *n*; 6. *(place)* Unterstand *m*

sheltered ['ʃeltəd] *adj* geschützt

shelve [ʃelv] *v* 1. *(put on a shelf)* in ein Regal stellen; 2. *(fig: a plan)* beiseite legen, zu den Akten legen

shepherd ['ʃepəd] *sb* Schäfer *m*, Hirt *m*

sheriff ['ʃerɪf] *sb* Sheriff *m*

sherry ['ʃerɪ] *sb* Sherry *m*

shield [ʃiːld] *v* 1. abschirmen; 2. *(protect)* schützen; *sb* 3. TECH Schutz *m*; 4. *(knight's)* HIST Schild *m*

shielded ['ʃiːldəd] *adj* geschützt, abgeschirmt

shielder ['ʃiːldə] *sb* Beschützende(r) *m/f*

shift [ʃɪft] *v* 1. sich bewegen; 2. *(wind)* umspringen; 3. *~ into third gear* den dritten Gang einlegen; 4. *(to another position)* bewegen; 5. *(to another place)* verschieben, verlagern; 6. *~ gears* schalten; *sb* 7. *(work period)* Schicht *f*; 8. *gear* ~ Gangschaltung *f*; 9. *(typewriter key)* Umschalttaste *f*; *~ lock* Umschaltfeststeller *m*; 10. *(movement)* *(change of position)* Bewegung *f*, *(change of place)* Verschiebung *f*, Verlegung *f*

shift work ['ʃɪftwɜːk] *sb* Schichtarbeit *f*

shifty ['ʃɪftɪ] *adj* zwielichtig, fragwürdig

shill [ʃɪl] *sb* *(US)* *(fam)* Lockvogel *m*

shilling ['ʃɪlɪŋ] *sb* FIN Shilling *m*

shimmer ['ʃɪmə] *v* schimmern

shin [ʃɪn] *sb* *(or ~bone)* Schienbein *n*; *kick s.o. on the ~* jdn vors Schienbein treten

shindy ['ʃɪndɪ] *sb* *(fam)* Krach *m*, Radau *m*

shine [ʃaɪn] *v irr* 1. leuchten; 2. *(sun, moon)* scheinen; 3. *(eyes)* strahlen; 4. *(polished surface)* glänzen; 5. *(fig: person)* glänzen; 6. *(shoes)* polieren; 7. *~ a light on sth* etw beleuchten; *sb* 8. Glanz *m*; 9. *take a ~ to s.o.* *(fig)* jdn ins Herz schließen

shining ['ʃaɪnɪŋ] *adj* leuchtend, glänzend

ship [ʃɪp] *v* 1. *(send)* versenden, befördern, *(grain, coal)* verfrachten; *sb* 2. Schiff *n*; *His ~ has come in.* *(fig)* Er hat das große Los gezogen.

shipboard ['ʃɪpbɔːd] *sb* Bord eines Schiffes *n*

shipload ['ʃɪpləʊd] *sb* Schiffsladung *f*

shipmate ['ʃɪpmeɪt] *sb* Schiffskamerad *m*

shipping ['ʃɪpɪŋ] *sb* 1. Schifffahrt *f*; 2. *(transportation)* Versand *m, (by sea)* Verschiffung *f*

shipping lane ['ʃɪpɪŋ leɪn] *sb* NAUT Schifffahrtsstraße *f*

shipping line ['ʃɪpɪŋ laɪn] *sb* Reederei *f*

shipwrecked ['ʃɪprekt] *adj* schiffbrüchig

shipyard ['ʃɪpjɑːd] *sb* Schiffswerft *f*

shirt [ʃɜːt] *sb* Hemd *n; lose one's ~ (fam)* alles bis aufs letzte Hemd verlieren; *Keep your ~ on! (fam)* Hab Geduld! Warte einen Moment!

shirting ['ʃɜːtɪŋ] *sb* Hemdenstoff *m*

shirtsleeves ['ʃɜːtsliːvz] *pl* Hemdsärmel *pl*

shirt-tail ['ʃɜːtteɪl] *sb* Hemdenzipfel *m*

shit [ʃɪt] *sb (fam)* Scheiße *f*

shiver ['ʃɪvə] *v* 1. zittern; *sb* 2. Schauer *m; It gives me the ~s.* Es läuft mir kalt den Rücken hinunter.

shoal [ʃəʊl] *sb* 1. *(shallow place)* Untiefe *f, (sandbank)* Sandbank *f*; 2. *(of fish)* ZOOL Schwarm *m*

shock [ʃɒk] *v* 1. *(outrage)* schockieren; *sb* 2. *(electric ~)* Schlag *m*; 3. *(of impact)* Wucht *f*; 4. MED Schock *m*; 5. *(emotional blow)* Schlag *m*

shocking ['ʃɒkɪŋ] *adj* 1. *(news)* erschütternd; 2. *(disgraceful)* schändlich; 3. *(very bad)* scheußlich, schrecklich, miserabel

shockproof ['ʃɒkpruːf] *adj* stoßfest

shock wave ['ʃɒkweɪv] *sb* Stoßwelle *f*

shoddy ['ʃɒdɪ] *adj* 1. mangelhaft; 2. *(work)* schludrig

shoe [ʃuː] *sb* Schuh *m; to be in s.o.'s ~s (fig)* in jds Haut stecken

shoelace ['ʃuːleɪs] *sb* Schnürsenkel *m*, Schnürriemen *m*

shoe polish ['ʃuːpɒlɪʃ] *sb* Schuhkreme *f*

shoot [ʃuːt] *v irr* 1. schießen; 2. *(move)* ~ *ahead of s.o.* jdm voranstürmen; *pain shot through him* der Schmerz durchzuckte ihn; 3. *(sth)* schießen; ~ *a gun* eine Kanone abfeuern; ~ *a bullet* eine Kugel abfeuern; 4. ~ *s.o. dead* jdn erschießen; 5. *(questions)* abfeuern; 6. ~ *a glance at sth* einen raschen Blick auf etw werfen; 7. CINE drehen; 8. ~ *the rapids* über die Stromschnellen jagen; *sb* 9. *(hunting)* Jagd *f*; 10. BOT Schössling *m, (of a vine)* Trieb *m*

• **shoot up** *v irr* 1. *(heat, temperature)* in die Höhe schnellen; 2. *(grow rapidly)* schnell wachsen

shooting ['ʃuːtɪŋ] *sb (murder)* Erschießung *f*

shooting star ['ʃuːtɪŋ stɑː] *sb* Sternschnuppe *f*

shop [ʃɒp] *sb* 1. Laden *m,* Geschäft *n; 2. set up ~* einen Laden eröffnen, ein Geschäft eröffnen; *talk ~* fachsimpeln; 3. *closed ~* ECO Un-

ternehmen mit Gewerkschaftszwang *n; v* 4. einkaufen; *go ~ping* einkaufen gehen

shop assistant [ʃɒpə'sɪstənt] *sb* Verkäufer *m*

shop floor [ʃɒp flɔː] *sb* Arbeiter in der Produktion *pl*

shoplifter ['ʃɒplɪftə] *sb* Ladendieb/Ladendiebin *m/f*

shopping mall ['ʃɒpɪŋ mɔːl] *sb* Einkaufsgalerie *f*

shop steward ['ʃɒpstjʊəd] *sb* Vertrauensmann *m*

shore [ʃɔː] *sb* 1. Ufer *n*, Strand *m*, Küste *f; v* 2. stützen

short [ʃɔːt] *adj* 1. kurz; *have a ~ temper* leicht aufbrausen; *nothing ~ of* nichts weniger als; *in ~ supply* rar; *to be ~ (not have enough)* zu wenig haben; ~ *of cash* knapp bei Kasse; *fall ~ of* nicht erreichen, *(expectations)* nicht entsprechen; ~ *of (except)* außer, abgesehen von; 2. *(person)* klein; *adv* 3. *(abruptly)* plötzlich, abrupt

shortage ['ʃɔːtɪdʒ] *sb* Knappheit *f, (of people, of money)* Mangel *m*

short-change [ʃɔːt'tʃeɪndʒ] *v* 1. *(give too little change)* zu wenig Wechselgeld geben; 2. *(fig: swindle)* übers Ohr hauen

shortcoming ['ʃɔːtkʌmɪŋ] *sb* Unzulänglichkeit *f*, Mangel *m*

short-cut ['ʃɔːtkʌt] *sb* 1. Abkürzung *f*; 2. *(fig: process)* Schnellverfahren *n*

shorten ['ʃɔːtn] *v* 1. *(days)* kürzer werden; 2. *(sth)* verkürzen; 3. *(a dress)* kürzer machen; 4. *(text)* kürzen

shorthand ['ʃɔːthænd] *sb* Kurzschrift *f*, Stenografie *f*

short-handed [ʃɔːt'hændɪd] *adj to be ~* zu wenig Personal haben

shortly ['ʃɔːtlɪ] *adv* bald, in Kürze; ~ *afterward* kurz danach

shorts [ʃɔːts] *pl* 1. Shorts *pl*, kurze Hosen *pl;* 2. *(US)* Unterhose *f*

short-sighted [ʃɔːt'saɪtɪd] *adj* kurzsichtig

shot [ʃɒt] *sb* 1. Schuss *m; call the ~s (fig)* am Drücker sein *(fam); take a ~ at* schießen auf; 2. *(projectile)* Geschoss *n;* 3. *(pellets)* Schrot *m*, Schrotkugeln *pl;* 4. *(fam: attempt)* Versuch *m; Give it a ~!* Versuch's mal! 5. *(injection)* Spritze *f; (immunization)* Impfung *f;* 6. *(shotput)* SPORT Kugel *f;* 7. *(photograph)* Aufnahme *f;* 8. CINE Aufnahme *f*

shotgun ['ʃɒtgʌn] *sb* Schrotflinte *f*

shotgun wedding ['ʃɒtgʌn 'wedɪŋ] *sb (fam)* Mussheirat *f*

should [ʃʊd] v 1. (ought to) sollte/solltest/sollte/solltet/sollten; 2. (conditional) würde/würdest/würde/würdet/würden; 3. ~ ... (at the start of a phrase of condition) sollte ... ~ the occasion arise sollte sich die Gelegenheit ergeben; 4. (rhetorical) and whom ~ I happen to meet but Chad ausgerechnet Chad ist mir über den Weg gelaufen

shoulder ['ʃəʊldə] sb 1. Schulter f; give s.o. the cold ~ jdm die kalte Schulter zeigen; have a good head on one's ~s ein kluger Kopf sein; 2. (of a road) Seitenstreifen m; v 3. schultern; 4. (fig) auf sich nehmen

shout [ʃaʊt] v 1. rufen; (very loudly) schreien; ~ at s.o. jdn anschreien; 2. (sth) rufen, schreien, (an order) brüllen; sb 3. Ruf m; (loud cry) Schrei m

shove [ʃʌv] v 1. schubsen (fam); ~ sth into sth etw in etw stecken; sb 2. Schubs m, Stoß m

show [ʃəʊ] v irr 1. (to be visible) sichtbar sein, (underwear) vorsehen; 2. (place third) platzieren; 3. (sth) zeigen; 4. (a film) vorführen; 5. (a pass) vorzeigen; 6. (prove) beweisen; 7. (set out on display) ausstellen; 8. (indicate) anzeigen; 9. ~ o.s. to be sth sich als etw erweisen; sb 10. (appearance) Schau f; 11. (display of goods) Ausstellung f; 12. (of emotion) Kundgebung f; 13. (on television) Fernsehsendung f; 14. (performance) Aufführung f; run the ~ (fig) den Laden schmeißen (fam); 15. Good ~! (UK) Ausgezeichnet! Bravo! 16. ~ of hands Handzeichen n
• **show off** v irr 1. angeben; 2. (flaunt) angeben mit; 3. (highlight the strengths of) vorteilhaft wirken lassen
• **show up** v irr 1. (make an appearance) auftauchen; 2. show s.o. up (embarrass s.o.) jdn blamieren

show business ['ʃəʊbɪznɪs] sb Showbusiness n, Showgeschäft n

shower ['ʃaʊə] sb 1. (~ bath) Dusche f; take a ~ duschen; 2. (of rain) Schauer m; 3. (fig: of bullets, of blows) Hagel m; v 4. (take a ~) duschen; 5. (rain down) prasseln; 6. ~ s.o. with sth jdn mit etw überschütten, (blows) etw auf jdn niederhageln lassen

showjumping ['ʃəʊdʒʌmpɪŋ] sb Springen n, Springreiten n

show-stopper ['ʃəʊstɒpə] sb Szene, die mit Applaus aufgenommen wird f

shrapnel ['ʃræpnəl] sb Schrapnell n

shred [ʃred] v 1. (sth) zerkleinern, hobeln, (paper) schnitzeln; 2. (tear) zerreißen; sb 3. Fetzen m, Stückchen m, Schnitzel m; not a ~ of proof kein einziger Beweis

shrew [ʃruː] sb 1. ZOOL Spitzmaus f; 2. (fig) Xanthippe f

shriek [ʃriːk] v 1. aufschreien; (sth) schreien; sb 3. Schrei m

shrift [ʃrɪft] sb give s.o. short ~ jdn kurz abfertigen

shrill [ʃrɪl] adj schrill

shrimp [ʃrɪmp] sb 1. Garnele f; 2. (fam: short person) Knirps m (fam)

shrink [ʃrɪŋk] v irr 1. schrumpfen; 2. (clothes) eingehen; 3. (metal) sich zusammenziehen; 4. ~ from doing sth davor zurückschrecken, etw zu tun; 5. (sth) schrumpfen lassen, eingehen lassen; sb 6. (fam: psychiatrist) Seelenklempner m (fam)

shrivel ['ʃrɪvl] v ~ up 1. kleiner werden, schrumpfen; 2. (skin) runzlig werden

shrub [ʃrʌb] sb Busch m, Strauch m

shrug [ʃrʌg] v 1. ~ one's shoulders mit den Achseln zucken; sb 2. Achselzucken n

shudder ['ʃʌdə] v 1. zittern, (in fear, in horror) schaudern; sb 2. Zittern n, (from fear, from horror) Schauder m

shuffle ['ʃʌfl] v 1. (playing cards) mischen; 2. ~ one's feet mit den Füßen scharren

shun [ʃʌn] v meiden, (publicity) scheuen

shush [ʃʊʃ] v 1. zum Schweigen bringen; interj 2. Shush! Sch!

shut [ʃʌt] v irr 1. schließen; 2. (sth) zumachen, schließen; ~ s.o. in sth jdn in etw einschließen; adj 3. geschlossen
• **shut down** v irr zumachen, schließen
• **shut in** v irr 1. einschließen; 2. (lock in) einsperren
• **shut off** v irr 1. abschalten; 2. (sth) abstellen, ausschalten
• **shut out** v irr 1. aussperren; 2. (fig: a memory) unterdrücken; 3. (US: defeat without allowing a score) SPORT nicht zum Zuge kommen lassen
• **shut up** v irr 1. (fam) den Mund halten, die Klappe halten; Shut up! Halt den Mund! 2. (silence s.o.) zum Schweigen bringen, den Mund stopfen

shutter ['ʃʌtə] sb 1. Fensterladen m; 2. FOTO Verschluss m

shuttle service ['ʃʌtlsɜːvɪs] sb Pendelverkehr m

shy [ʃaɪ] adj 1. schüchtern, (animal) scheu; Don't be ~ Nur keine Hemmungen! v 2. ~ away from sth vor etw zurückschrecken

Siamese twins [saɪə'miːz twɪnz] pl Siamesische Zwillinge pl

siblings ['sɪblɪŋz] pl Geschwister pl

sick [sɪk] *adj* 1. to be ~ sich übergeben; 2. *(US: ill)* krank; 3. *(joke)* geschmacklos; 4. to be ~ of *sth (fam)* von etw die Nase voll haben

sickening ['sɪkənɪŋ] *adj* widerlich, ekelhaft

sick-leave ['sɪkliːv] *sb* to be on ~ krankgeschrieben sein

sickly ['sɪklɪ] *adj* kränklich

sick pay ['sɪkpeɪ] *sb* Krankengeld *n*

side [saɪd] *sb* 1. Seite *f;* ~ by ~ nebeneinander; on the ~ *(fig)* nebenher; the bright ~ die positiven Aspekte; be on the safe ~ sichergehen; I'll check it again to be on the safe ~. Ich werde es nochmals prüfen, um ganz sicher zu sein. a bit on the ... ~ etwas zu ...; His speech was a bit on the boring ~. Seine Rede war schon ein bisschen langweilig. 2. change ~s POL überlaufen; 3. *(of a road)* Straßenrand *m; v* 4. ~ with s.o. jds Partei ergreifen; *adj* 5. Neben..., Seiten...

sideburns ['saɪdbɜːnz] *pl* Koteletten *pl*

sidecar ['saɪdkɑː] *sb* Beiwagen *m*

side door [saɪd dɔː] *sb* Seiteneingang *m*

sideroad ['saɪdrəʊd] *sb* Nebenstraße *f*

sidesaddle ['saɪdsædl] *adv* im Damensitz

sideshow ['saɪdʃəʊ] *sb* Nebenvorstellung *f*

side-splitting ['saɪdsplɪtɪŋ] *adj* zwerchfellerschütternd, urkomisch

side street ['saɪdstriːt] *sb* Seitenstraße *f*

sidetrack ['saɪdtræk] *v (fig)(s.o.)* ablenken

sidewalk ['saɪdwɔːk] *sb (US: pavement)* Bürgersteig *m*

sideways ['saɪdweɪz] *adv* seitwärts

siege [siːdʒ] *sb* MIL Belagerung *f*

sift [sɪft] *v* 1. durchsieben; 2. *(fig: evidence, job applications)* sichten

sigh [saɪ] *v* 1. seufzen; *sb* 2. Seufzer *m*

sight [saɪt] *sb* 1. *(seeing, glimpse)* Blick *m,* Sicht *f;* at first ~ auf den ersten Blick; ~ unseen unbesehen; 2. *(thing seen)* Anblick *m;* a ~ for sore eyes ein erfreulicher Anblick; 3. *(the power to see)* Sehvermögen *n;* lose one's ~ das Augenlicht verlieren; 4. *(range of vision)* Sicht *f;* out of ~ außer Sicht; out of ~, out of mind aus den Augen, aus dem Sinn; lose ~ of sth etw aus den Augen verlieren; 5. *(thing worth seeing)* Sehenswürdigkeit *f;* 6. look a ~ *(fam)* grässlich aussehen; 7. *(on a gun)* Visier *n;* have sth in one's ~s etw im Visier haben; *v* 8. *(sth)* erblicken, *(land)* sichten

sightsee ['saɪtsiː] *v* auf Besichtigungstour gehen

sightseeing ['saɪtsiːɪŋ] *sb* Besichtigungen *pl,* Sightseeing *n*

sign [saɪn] *sb* 1. *(gesture)* Zeichen *n;* make a ~ to s.o. jdm ein Zeichen geben; 2. ~ of the cross REL Kreuzzeichen *n;* 3. *(road ~, shop ~)* Schild *n;* 4. *(indication)* Anzeichen *n;* 5. ~ of life MED Lebenszeichen *n;* 6. *(trace)* Spur *f;* 7. *(proof)* Beweis *m; v* 8. unterschreiben; 9. *(a painting)* signieren; 10. ~ an autograph ein Autogramm geben

• **sign in** *v* sich eintragen

• **sign off** *v* 1. *(letter)* Schluss machen; 2. *(broadcast)* sich verabschieden

• **sign out** *v* sich austragen

• **sign up** *v* 1. *(for an event)* sich melden; *(for a class)* sich einschreiben; *(by signing a contract)* sich verpflichten; 2. *(s.o.)* verpflichten

signal ['sɪgnl] *v* 1. ein Zeichen geben, ein Signal geben; *(with lights)* blinken; 2. *(sth)(a message)* signalisieren; 3. *(indicate)* anzeigen; *(fig: a future event)* ankündigen; *sb* 4. Signal *n;* 5. *(gesture)* Zeichen *n*

signature ['sɪgnətʃə] *sb* Unterschrift *f*

significance [sɪg'nɪfɪkəns] *sb* Bedeutung *f*

significant [sɪg'nɪfɪkənt] *adj* 1. *(important)* wichtig; 2. *(considerable)* bedeutend; 3. *(meaningful)* bedeutungsvoll

signification [sɪgnɪfɪ'keɪʃən] *sb* Sinn *m,* Bedeutung *f*

signify ['sɪgnɪfaɪ] *v* 1. *(mean)* bedeuten; 2. *(indicate)* zu verstehen geben

sign language ['saɪnlæŋgwɪdʒ] *sb* Zeichensprache *f*

signpost ['saɪnpəʊst] *sb* Wegweiser *m,* Straßenschild *n*

silence ['saɪləns] *sb* 1. Stille *f,* Ruhe *f;* 2. *(absence of talk)* Schweigen *n; v* 3. zum Schweigen bringen

silent ['saɪlənt] *adj* 1. still; 2. *(person)* schweigsam; 3. to be ~ *(person)* schweigen; 4. *(mechanism, steps)* geräuschlos, lautlos

silent film ['saɪlənt fɪlm] *sb* CINE Stummfilm *m*

silhouette [sɪlu'et] *sb* Silhouette *f*

silicon ['sɪlɪkən] *sb* CHEM Silizium *n*

silk [sɪlk] *sb* Seide *f*

silk-screen ['sɪlkskriːn] *v* das Siebdruckverfahren anwenden auf

silky ['sɪlkɪ] *adj* seidig, glatt

sill [sɪl] *sb* Fensterbrett *n,* Fenstersims *m*

silly ['sɪlɪ] *adj* albern, dumm, doof *(fam);* knock s.o. ~ jdm einen harten Schlag versetzen

silver ['sɪlvə] *sb* 1. silbern, Silber... *sb* 2. Silber *n*

silver medal ['sɪlvə 'medəl] *sb* Silbermedaille *f*

silver screen [sɪlvə'skriːn] *sb the* ~ CINE die Leinwand *f*

silverware ['sɪlvəweə] sb 1. Silber n; 2. (US: cutlery) Besteck n

similar ['sɪmɪlə] adj ähnlich

similarity [sɪmɪ'lærɪtɪ] sb Ähnlichkeit f

simmer ['sɪmə] v 1. simmern, sieden; 2. (fig: with rage) kochen; 3. (sth) simmern lassen, sieden lassen

• **simmer down** v sich beruhigen

simper ['sɪmpə] v 1. (smile in a weak manner) zurückhaltend lächeln; 2. (in an affected manner) sich zieren

simple ['sɪmpl] adj 1. einfach; 2. (plain) schlicht; 3. (~-minded) einfältig

simplicity [sɪm'plɪsɪtɪ] sb Einfachheit f; It's ~ itself. Das ist die einfachste Sache der Welt.

simplify ['sɪmplɪfaɪ] v vereinfachen

simply ['sɪmplɪ] adv 1. einfach; 2. (merely) nur, bloß

simultaneous [sɪməl'teɪnɪəs] adj gleichzeitig

simultaneous interpreter [sɪməl'teɪnɪəs ɪn'tɜːprɪtə] sb Simultandolmetscher m

sin [sɪn] v 1. sündigen; ~ against sündigen gegen; sb 2. Sünde f; live in ~ in wilder Ehe leben

since [sɪns] prep 1. seit; konj 2. (time) seit, seitdem; 3. (because) da; adv 4. (in the meantime) inzwischen; 5. (~ that time) seitdem

sincere [sɪn'sɪə] adj aufrichtig, (frank) offen

sinful ['sɪnful] adj sündig, sündhaft

sing [sɪŋ] v irr singen; ~ along mitsingen

singing ['sɪŋɪŋ] sb Singen n

single ['sɪŋgl] adj 1. (only one) einzige(r,s); not a ~ one kein Einziger/keine Einzige/kein Einziges; 2. (not double or triple) einzeln, Einzel...; 3. (unmarried) ledig, unverheiratet; sb 4. (record) Single f; 5. (unmarried person) Single m; 6. (UK: ticket) (train ticket) einfache Fahrkarte f, (plane ticket) einfaches Flugticket n; v 7. ~ out auslesen, (for a purpose) bestimmen

single file ['sɪŋgl faɪl] sb Gänsemarsch m

single-handed ['sɪŋgl'hændɪd] adj allein, ohne fremde Hilfe

single parent ['sɪŋgl 'pɛərənt] sb Alleinerzieher m

singles ['sɪŋglz] sb SPORT Einzel n

singles bar ['sɪŋglz bɑː] sb Bar für Singles f

single ticket ['sɪŋgl 'tɪkɪt] sb (UK) Hinfahrkarte f, einfache Fahrkarte f

singular ['sɪŋgjʊlə] adj 1. (odd) sonderbar, eigenartig; 2. GRAMM im Singular; sb 3. GRAMM Singular m

singularity [sɪŋgjʊ'lærɪtɪ] sb Sonderbarkeit f, Eigenartigkeit f

sinister ['sɪnɪstə] adj finster, unheimlich

sink [sɪŋk] v irr 1. sinken; 2. (ship, sun) untergehen; 3. (ground) sich senken, (slope) abfallen; 4. (sth/a ship) versenken; 5. (fam: ruin) zunichte machen; We're sunk. Wir sind erledigt. (fam); 6. (a post) einsenken; 7. (a well) bohren; 8. (one's head, one's voice) senken; 9. ~ one's teeth into sth in etw reinbeißen; 10. ~ into sleep in tiefen Schlaf fallen; sb 11. Ausguss m; (kitchen ~) Spülbecken n

• **sink in** v irr (words) ihre Wirkung haben

sinkhole ['sɪnkhəʊl] sb 1. (hole formed in soluble rock) Sickerloch n; 2. (area in which drainage collects) Abflussloch n

sip [sɪp] v (sth) nippen an, schlürfen

sir [sɜː] sb 1. mein Herr m; No, ~. Nein, mein Herr. Dear Sir or Madam ... Sehr geehrte Damen und Herren! 2. (knight) Sir m

sire [saɪə] sb 1. (form of address) Sire m, Majestät f; 2. ZOOL Vater m; v 3. zeugen

siren ['saɪərən] sb Sirene f

sister ['sɪstə] sb 1. Schwester f; 2. (nun) Ordensschwester f; Sister Mary Schwester Mary

sister-in-law ['sɪstərɪnlɔː] sb Schwägerin f

sit [sɪt] v irr 1. sitzen; 2. (assembly) tagen; 3. (take a seat) sich setzen; 4. (to be placed, rest) stehen

• **sit down** v irr sich setzen, sich hinsetzen

• **sit out** v irr sit sth out etw aussitzen

sitcom ['sɪtkɒm] sb Situationskomödie f

site [saɪt] sb 1. (of a building) Lage f; 2. (of an event) Schauplatz m

sitting room ['sɪtɪŋ ruːm] sb Wohnzimmer n

situation [sɪtjʊ'eɪʃən] sb 1. Lage f; 2. (job) Stelle f

sit-up ['sɪtʌp] sb Sit-up n

six [sɪks] num sechs; ~ of one and a half a dozen of the other Jacke wie Hose, gehüpft wie gesprungen; at ~es and sevens durcheinander, konfus

six-pack ['sɪkspæk] sb Sechserpack m

sixth sense [sɪksθ sens] sb sechster Sinn m

size [saɪz] sb 1. Größe f; That's about the ~ of it. (fam) So ist es. v 2. ~ up abschätzen

sizeable ['saɪzəbl] adj 1. ziemlich groß; 2. (sum, difference) beträchtlich

sized [saɪzd] adj ...zöllig

sizzle ['sɪzl] v zischen

sizzler ['sɪzlə] sb (day) Hitzetag f

skate [skeɪt] v 1. (ice-) Schlittschuh laufen; sb 2. (ice-~) Schlittschuh m

skateboard ['skeɪtbɔːd] sb SPORT Skateboard n

skater ['skeɪtə] *sb* 1. (ice-~) Eisläufer *m*, Schlittschuhläufer *m*; 2. (roller-~) Rollschuhläufer *m*

skeleton ['skelɪtn] *sb* Skelett *n*

skeleton key ['skelɪtnkiː] *sb* Dietrich *m*, Nachschlüssel *m*

skeptical *adj* (see "sceptical")

sketch [sketʃ] *v* 1. (sth) skizzieren; *sb* 2. Skizze *f*; 3. THEAT Sketsch *m*

sketchbook ['sketʃbʊk] *sb* Skizzenbuch *n*

ski [skiː] *v* 1. Ski laufen, Ski fahren; *sb* 2. Ski *m*, Schi *m*

skid [skɪd] *v* 1. rutschen; 2. (car) schleudern

ski jump ['skiːdʒʌmp] *sb* 1. (place) SPORT Sprungschanze *f*; 2. (act) SPORT Skisprung *m*

ski lift ['skiːlɪft] *sb* Skilift *m*

skill [skɪl] *sb* 1. Geschick *n*; 2. (acquired technique) Fertigkeit *f*; 3. (ability) Fähigkeit *f*

skilled [skɪld] *adj* 1. geschickt; 2. (trained) ausgebildet; 3. (requiring skill) Fach...

skim [skɪm] *v* 1. (fam: scan) überfliegen; 2. (remove floating matter) abschöpfen, (milk) entrahmen; 3. (fig: profits) abschöpfen

skimmed milk [skɪmd mɪlk] *sb* Magermilch *f*, entrahmte Milch *f*

skin [skɪn] *sb* 1. Haut *f*; have a thick ~ (fig) dickfellig sein; by the ~ of one's teeth mit knapper Not; That's no ~ off my nose. Das juckt mich nicht. save one's ~ seine Haut retten; 2. (of fruit) Schale *f*; *v* 3. häuten

skin cancer ['skɪnkænsə] *sb* MED Hautkrebs *m*

skinhead ['skɪnhed] *sb* Skinhead *m*

skinny ['skɪnɪ] *adj* dünn, mager

skip [skɪp] *v* 1. hüpfen; 2. (with a rope) seilspringen; 3. (sth) (omit) überspringen, auslassen; 4. ~ school die Schule schwänzen

skipping ['skɪpɪŋ] *sb* Seilhüpfen *n*, Seilspringen *n*

skirt [skɜːt] *sb* 1. Rock *m*; *v* 2. (avoid) umgehen

ski slope [skiː sləʊp] *sb* Skihang *m*

skittish ['skɪtɪʃ] *adj* 1. (nervous) ängstlich; 2. (lively) lebhaft

skive [skaɪv] *v* (UK) schwänzen, blaumachen

skiver ['skaɪvə] *sb* (fam) fauler Strick *m*

skivvy ['skɪvɪ] *sb* (UK: servant) Dienstmagd *f*

skulk [skʌlk] *v* 1. (lurk) lauern, sich versteckt halten; 2. (move) schleichen

skulker ['skʌlkə] *sb* Drückeberger *m*

skull [skʌl] *sb* Schädel *m*; ~ and crossbones Totenkopf *m*

sky [skaɪ] *sb* Himmel *m*; the ~'s the limit nach oben sind keine Grenzen gesetzt; go ~

high sehr hoch hinaufgehen; reach for the ~ nach den Sternen greifen

skydiver ['skaɪdaɪvə] *sb* SPORT Fallschirmspringer *m*

skydiving ['skaɪdaɪvɪŋ] *sb* Fallschirmspringen *n*

skylight ['skaɪlaɪt] *sb* Dachfenster *n*

skyline ['skaɪlaɪn] *sb* 1. (of a city) Skyline *f*, Silhouette *f*; 2. (horizon) Horizont *m*, (of a city) Silhouette *f*

skyscraper ['skaɪskreɪpə] *sb* Wolkenkratzer *m*

slack [slæk] *adj* 1. (not tight) locker; *sb* 2. (in rope) Lose *f*; take up the ~ die Lose durchholen; *v* 3. ~ off (fam: person) nachlassen, nachlässig werden

slag [slæg] *sb* 1. Schlacke *f*; 2. (fig: person) Schlampe *f*

slammer ['slæmə] *sb* the ~ (fam) der Knast *m*, das Kittchen *n*

slander ['slɑːndə] *v* 1. verleumden; *sb* 2. Verleumdung *f*

slang [slæŋ] *sb* 1. Slang *m*; 2. (used by a certain group) Jargon *m*, Sondersprache *f*

slant [slɑːnt] *v* 1. schräg sein, sich neigen; 2. (a report) färben; *sb* 3. Neigung *f*, Schräge *f*; 4. (bias) Tendenz *f*, Färbung *f* (fam)

slap [slæp] *v* 1. schlagen; ~ s.o.'s face jdn ohrfeigen; ~ s.o. on the back jdm auf den Rücken klopfen; *sb* 2. Schlag *m*, Klaps *m*; a ~ in the face eine Ohrfeige *f*, (fig) ein Schlag ins Gesicht *m*

slapstick ['slæpstɪk] *sb* Slapstick *m*

slap-up ['slæpʌp] *adj* (fam) (UK) super, toll; a ~ meal eine erstklassige Mahlzeit

slating ['sleɪtɪŋ] *sb* (by reviewers) Verriss *m*

slaughter ['slɔːtə] *v* 1. schlachten; 2. (people) abschlachten; *sb* 3. Schlachten *n*; 4. (of people) Gemetzel *n*

slave [sleɪv] *sb* 1. Sklave/Sklavin *m/f*; *v* 2. ~ away at sth sich mit etw abschinden

slave-driver ['sleɪvdraɪvə] *sb* Sklaventreiber *m*

slay [sleɪ] *v irr* töten, erschlagen

sleazebag ['sliːzbæg] *sb* (fam: person) mieser Sack *m*

sleazeball ['sliːzbɔːl] *sb* (fam) Widerling *m*

sleazy ['sliːzɪ] *adj* anrüchig

sled [sled] *sb* (US) Schlitten *m*

sleep [sliːp] *v irr* 1. schlafen; ~ sth off etw ausschlafen; *sb* 2. Schlaf *m*; go to ~ einschlafen; I'm not losing any ~ over it. (fig) Darüber mache ich mir keine großen Sorgen. 3. put an animal to ~ ein Tier einschläfern

• **sleep around** v irr (fam) mit vielen Frauen/Männern ins Bett gehen

• **sleep in** v irr ausschlafen

sleeper ['sli:pə] sb 1. (coach) Schlafwagen m; 2. to be a heavy ~ einen festen Schlaf haben; 3. to be a light ~ einen leichten Schlaf haben; 3. (fam: dark horse) Geheimfavorit m

sleeping bag ['sli:pɪŋbæg] sb Schlafsack m

sleeping pill ['sli:pɪŋpɪl] sb Schlaftablette f

sleepless ['sli:plɪs] adj schlaflos

sleepwalk ['sli:pwɔ:k] v schlafwandeln

sleepy ['sli:pɪ] adj 1. müde, schläfrig; 2. (town) verschlafen

sleeve [sli:v] sb 1. Ärmel m; have sth up one's ~ (fig) noch einen Pfeil im Köcher haben; laugh up one's ~ (fam) sich ins Fäustchen lachen; roll up one's ~s die Ärmel hochkrempeln; 2. (of a record) Plattenhülle f

slender ['slendə] adj 1. (person) schlank; 2. (waist) schmal

slice [slaɪs] sb 1. Scheibe f; v 2. (cut) durchschneiden; 3. (cut into slices) in Scheiben schneiden

slide [slaɪd] v irr 1. rutschen; 2. (by accident) ausrutschen; 3. (to be designed to ~) sich schieben lassen; 4. (sth) schieben; 5. let sth ~ (fam) etw vernachlässigen; sb 6. Rutschbahn f; 7. (land~, rock ~) Rutsch m; 8. (fig: fall) Abfall m; 9. FOTO Diapositiv n, Dia n; 10. (for a microscope) Objektträger m; 11. (UK: for hair) Haarspange f

slide show ['slaɪdʃəʊ] sb Diavortrag m

slight [slaɪt] adj 1. (small) gering, geringfügig, leicht; 2. (person) zierlich; v 3. (s.o.) kränken; sb 4. Kränkung f

slighting ['slaɪtɪŋ] adj abfällig, beleidigend

slightly ['slaɪtlɪ] adv 1. etwas, ein kleines bisschen; 2. ~ built zierlich

slim [slɪm] adj 1. (person) schlank; 2. (fig: chance) gering

sling [slɪŋ] v irr 1. schleudern; sb 2. (for one's arm) Schlinge f

slip [slɪp] v 1. rutschen; 2. (slide) gleiten; ~ through one's fingers durch die Finger schlüpfen; 3. let sth ~ etw fallen lassen; 4. (move quickly) schlüpfen; 5. ~ into a dress in ein Kleid schlüpfen; 6. (sth) schieben; ~ sth into one's pocket etw in die Tasche gleiten lassen; 7. ~ one's mind jdm entfallen; sb 8. (on ice) Rutsch m; 9. (mistake) Versehen n; make a ~ of the tongue sich versprechen; 10. (in one's conduct) Fehltritt m; 11. give s.o. the ~ jdm entwischen; 12. ~ of paper Zettel m; 13. (woman's undergarment) Unterrock m

• **slip away** v sich wegschleichen, sich wegstehlen, entwischen; let an opportunity ~ sich eine Gelegenheit entgehen lassen

• **slip up** v sich vertun, einen Fehler machen

slipper ['slɪpə] sb 1. (bedroom ~) Hausschuh m, Pantoffel m; 2. (for dancing) Slipper m

slippy ['slɪpɪ] adj (fam) flott, zackig

slip-up ['slɪpʌp] sb Fehler m

slit [slɪt] v irr 1. aufschlitzen; sb 2. Schlitz m

slob [slɒb] sb (fam) Schmutzfink m

slobber ['slɒbə] v geifern

slog [slɒg] v (walk with an effort) stapfen

slogan ['sləʊgən] sb Slogan m, Schlagwort n

slop [slɒp] v 1. überschwappen; 2. (~ sth) verschütten

slope [sləʊp] v 1. sich neigen, geneigt sein; sb 2. (sloping ground) Hang m; 3. (angle) Neigung f

sloppy ['slɒpɪ] adj (untidy) schlampig

slot [slɒt] sb 1. (opening) Schlitz m; (for money) Einwurf m; 2. (groove) Rille f

slot machine ['slɒtməʃi:n] sb Münzautomat m

slouch [slaʊtʃ] v 1. (sitting) mit hängenden Schultern sitzen; 2. (standing) mit hängenden Schultern stehen; Don't ~! Steh nicht so krumm! sb 3. (fam) He's an excellent player, but you're no ~ either. Er ist ein hervorragender Spieler, aber du kannst auch ganz schön mithalten.

sloven ['slʌvn] sb Schlampe f

slow [sləʊ] adj 1. langsam; ~ly but surely langsam aber sicher; 2. to be ~ (clock) nachgehen; 3. (mentally) schwerfällig, begriffsstutzig; 4. sich verlangsamen; (in an activity) etw langsamer machen; (driver) langsamer fahren; 5. (sth) verlangsamen

slowcoach ['sləʊkəʊtʃ] sb (fam) trübe Tasse f

slow-witted ['sləʊwɪtɪd] adj begriffsstutzig, schwer von Begriff

sluggish ['slʌgɪʃ] adj 1. (market, business) flau; 2. (person) träge

slump [slʌmp] v 1. ~ into a chair sich in einen Sessel plumpsen lassen (fam); 2. (prices) stürzen, fallen; 3. (fig: morale) sinken; sb 4. (fall) plötzlicher Rückgang m, (in markets) Sturz m; 5. (state) Tiefstand m

slur [slɜː] v 1. ~ one's words mit schwerer Zunge reden; sb 2. Makel m; 3. (insult) Beleidigung f

sly [slaɪ] adj 1. schlau, listig; 2. (wink) verschmitzt; sb 3. on the ~ heimlich

slyness ['slaɪnɪs] sb Schlauheit f, Listigkeit f, Verschmitztheit f

smack [smæk] v 1. ~ s.o. jdm einen Klaps geben; sb 2. (slap) Klaps m; 3. (sound) Klatsch m; adv 4. (fam) direkt; v 5. ~ of (fig) riechen nach
small [smɔːl] adj 1. klein; make s.o. feel ~ jdn beschämen; sb 2. the ~ of the back ANAT das Kreuz n
small change [smɔːl'tʃeɪndʒ] sb Kleingeld n
smallholding ['smɔːlhəʊldɪŋ] sb Kleinlandbesitz m
small-scale ['smɔːlskeɪl] adj in kleinem Maßstab
small talk ['smɔːltɔːk] sb Geplauder n, Smalltalk m
smart [smɑːt] adj 1. (intelligent) klug, intelligent; 2. (~looking) schick, flott; 3. (pace) flott, rasch; v 4. brennen
smarty ['smɑːtɪ] sb (fam) Schlaumeier m, Schlauberger m
smash [smæʃ] v 1. zerschlagen, zerbrechen; 2. (crash) prallen; 3. (sth) zerschlagen, (a window) einschlagen; 4. (an enemy) vernichtend schlagen; sb 5. (loud noise) Krach m; 6. (blow) Schlag m, (tennis) Schmetterball m; 7. (crash) Zusammenstoß m; 8. (fam: huge success) Riesenerfolg m
smash hit [smæʃ hɪt] sb Bombenerfolg m
smear [smɪə] v 1. (ink, writing) verwischen; 2. (sth) beschmieren; 3. ~ s.o.'s reputation jds Ruf besudeln; sb 4. Klecks m; 5. (fig) Verleumdung f, Beschmutzung f
smell [smel] v irr 1. riechen; 2. (fam) That ~s! Das stinkt! 3. (fig) ~ trouble Ärger kommen sehen; ~ a rat Lunte riechen, den Braten riechen; sb 4. Geruch m; (stink) Gestank m
smelling-salts ['smelɪŋsɔːlts] sb Riechsalz n
smile [smaɪl] v 1. lächeln; ~ at s.o. jdm zulächeln; ~ about sth über etw lächeln; sb 2. Lächeln n
smite [smaɪt] v irr schlagen
smock [smɒk] sb Kittel m
smog [smɒg] sb Smog m
smoke [sməʊk] v 1. rauchen; 2. (sth)(a cigarette) rauchen; 3. ~ s.o. out jdn ausräuchern; 4. (meat, fish) GAST räuchern; sb 5. Rauch m; 6. (sth to smoke, act of smoking) have a ~ eine rauchen; Do you have a ~? Hast du was zu rauchen? (fam)
smoke alarm ['sməʊkəlɑːm] sb Rauchalarm m
smoker ['sməʊkə] sb Raucher m
smoker's cough ['sməʊkəz kɒf] sb Raucherhusten m

smoking ['sməʊkɪŋ] sb 1. Rauchen n; "No ~." „Rauchen verboten." 2. "Smoking or non-smoking?" „Raucher oder Nichtraucher?"
smoking room ['sməʊkɪŋ ruːm] sb Raucherzimmer n
smooch [smuːtʃ] v (fam) knutschen
smooth [smuːð] adj 1. glatt, (flight) ruhig; 2. (drink) mild; v 3. glätten
• **smooth out** v 1. glätten; 2. (fig: a difficulty) ausbügeln (fam)
smother ['smʌðə] v 1. ersticken; 2. ~ with, ~ in (cover) völlig bedecken mit; ~ s.o. in kisses jdn abküssen
smudge [smʌdʒ] v 1. verwischen, verschmieren; 2. (a reputation) besudeln
smug [smʌg] adj selbstgefällig
smuggle ['smʌgl] v schmuggeln; ~ sb jdn einschleusen
smuggling ['smʌglɪŋ] sb Schmuggel m
snack [snæk] sb Imbiss m; have a ~ eine Kleinigkeit essen
snack bar ['snækbɑː] sb Imbissstube f
snake [sneɪk] sb Schlange f
snap [snæp] v 1. (break) entzweibrechen, (rope) reißen; 2. ~ at s.o. (person) jdn anfahren; 3. ~ to attention Haltung annehmen; 4. ~ shut zuschnappen; 5. (sth)(break) zerbrechen, entzweibrechen; 6. ~ one's fingers mit den Fingern schnipsen, mit den Fingern schnalzen; 7. (a whip) knallen mit; 8. (take a photo of) knipsen; 9. ~ sth into place etw einschnappen lassen; sb 10. (fastener) Druckknopf m; 11. (sound of sth closing) Schnappen n; 12. (sound of sth breaking) Knacken n; 13. (sound of ~ping fingers) Schnippen n, Schnalzen n; adj 14. (spur-of-the-moment) spontan; ~ decision rasche Entscheidung; ~ judgement vorschnelles Urteil; sb 15. GAST Plätzchen n
snapshot ['snæpʃɒt] sb FOTO Schnappschuss m
snatch [snætʃ] v 1. greifen; 2. ~ an opportunity eine Gelegenheit ergreifen; 3. (fam: steal) (UK) klauen (fam); sb 4. Griff m; 5. (in weight-lifting) SPORT Reißen n; 6. ~es pl (bits) Bruchstücke pl, Brocken pl
• **snatch away** v wegreißen
• **snatch up** v schnappen
sneak [sniːk] v 1. schleichen; ~ in sich einschleichen; ~ off, ~ away wegschleichen; ~ a peek at sth etw heimlich ansehen; 2. (UK: tell tales) petzen
sneakers ['sniːkəz] pl (US) leichte Turnschuhe pl
sneaky ['sniːkɪ] adj hinterlistig

sneer ['snɪə] v 1. (have a ~ on one's face) spöttisch lächeln; 2. (make a remark) spotten; sb 3. (smirk) spöttisches Lächeln n; 4. (remark) spöttische Bemerkung f

sneeze [sni:z] v 1. niesen; not to be ~d at (fig) nicht zu verachten; sb 2. Niesen n

sniff [snɪf] v 1. schniefen; ~ at sth (smell sth) an etw schnuppern; 2. ~ at sth (disdainfully) die Nase über etw rümpfen; 3. (dog) schnüffeln; 4. (sth) riechen, (smelling salts) einziehen; sb 5. Schniefen n; 6. (disdainful) Naserümpfen n; 7. (by a dog) Schnüffeln n

snigger ['snɪgə] v kichern

snip [snɪp] v schnippeln

snipe [snaɪp] v (shoot from cover) aus dem Hinterhalt schießen

snitch [snɪtʃ] v ~ on s.o. jdn verpfeifen (fam)

snivelling ['snɪvəlɪŋ] adj winselnd

snob [snɒb] sb Snob m

snobbery ['snɒbəri] sb Snobismus m

snobbish ['snɒbɪʃ] adj (fam) versnobt, snobistisch

snobby ['snɒbɪ] adj herablassend

snooker ['snu:kə] sb Billiardspiel n

snooty ['snu:tɪ] adj (fam) hochnäsig

snooze [snu:z] v 1. ein Nickerchen machen; sb 2. (fam) a ~ ein Nickerchen n

snoozer ['snu:zə] sb Schläfchen n, Nickerchen n

snort [snɔ:t] v schnauben

snot [snɒt] sb (fam) Rotz m

snotty ['snɒtɪ] adj (fig: insolent) patzig

snow [snəʊ] sb 1. Schnee m; as pure as the driven ~ (fig) unschuldig wie ein Lamm; v 2. schneien; ~ed in eingeschneit

snowball ['snəʊbɔ:l] sb Schneeball m

snowboard ['snəʊbɔ:d] sb Snowboard n

snowbound ['snəʊbaʊnd] adj eingeschneit

snowdrift ['snəʊdrɪft] sb Schneewehe f

snowfall ['snəʊfɔ:l] sb Schneefall m

snowflake ['snəʊfleɪk] sb Schneeflocke f

snowman ['snəʊmæn] sb Schneemann m

snowstorm ['snəʊstɔ:m] sb Schneesturm m

snow tyre ['snəʊtaɪə] sb Winterreifen m

snow-white ['snəʊwaɪt] adj schneeweiß

snub [snʌb] v 1. brüskieren, schroff abweisen; 2. (not greet) schneiden; sb 3. Brüskierung f, schroffe Abweisung f

snug [snʌg] adj 1. (cosy) gemütlich; 2. (tight) eng

snuggle ['snʌgl] v sich kuscheln

so [səʊ] konj 1. (therefore) also; So what? Na und? It was necessary, ~ we did it. Es war nötig, und so taten wir es. 2. (~ that) damit; ~ as

to damit; 3. (to begin a question or exclamation) also; So you're Filipino? Sie sind also Filipino? adv 4. (in this way) so; ~ to speak sozusagen; and ~ on und so weiter; 5. (to this degree) so, derart, dermaßen; I'm not ~ sure. Ich bin gar nicht so sicher. She was ~ excited that she could hardly speak. Sie konnte kaum sprechen, so aufgeregt war sie. 6. ~ far (until now) bis jetzt; 7. So long! (fam) Tschüß! Mach's gut! 8. (emphatic) so; She loves him ~. Sie liebt ihn sehr.

soak [səʊk] v 1. eingeweicht werden; 2. ~ through durchkommen; 3. (sth) einweichen; 4. (wet) durchnässen

• **soak up** v aufsaugen

soaking ['səʊkɪŋ] adv ~ wet patschnass

so-and-so ['səʊəndsəʊ] sb 1. (unnamed person) Soundso; 2. You old ~! Du bist vielleicht eine(r)!

soap [səʊp] sb Seife f

soap opera ['səʊpɒpərə] sb rührseliges Drama in Fortsetzungen n

soar [sɔ:] v 1. in die Höhe steigen; (prices) in die Höhe schnellen; 2. (spire) hochragen; 3. (glide) schweben

sob [sɒb] v 1. schluchzen; sb 2. Schluchzer m

sober ['səʊbə] adj 1. nüchtern; 2. (matter-of-fact) sachlich; v 3. nüchtern werden; 4. (s.o.) nüchtern machen

sobriety [səʊ'braɪətɪ] sb Nüchternheit f, Schlichtheit f

sob story ['sɒbstɔ:rɪ] sb (fam) rührselige Geschichte f

so-called ['səʊkɔ:ld] adj so genannt

soccer ['sɒkə] sb (US) Fußball m

sociable ['səʊʃəbl] adj gesellig, umgänglich

social ['səʊʃəl] adj gesellschaftlich, Gesellschafts..., sozial

social climber ['səʊʃəl 'klaɪmə] sb Arrivierte(r) m/f

socialism ['səʊʃəlɪzm] sb POL Sozialismus m

socialist ['səʊʃəlɪst] sb POL Sozialist m

socialize ['səʊʃəlaɪz] v 1. (converse) sich unterhalten; 2. (sth) POL sozialisieren

social security ['səʊʃəl sɪ'kjʊərɪtɪ] sb POL Sozialversicherung f, Sozialhilfe f

social worker ['səʊʃəlwɜ:kə] sb Sozialarbeiter m

society [sə'saɪətɪ] sb 1. Gesellschaft f; 2. (club) Verein m

sociology [səʊsɪ'ɒlədʒɪ] sb Soziologie f

sock [sɒk] sb 1. Socke f, Socken m; v 2. (fam: hit) hauen

socket ['sɒkɪt] *sb* 1. *(electrical ~)* Steckdose *f*; 2. *eye ~* ANAT Augenhöhle *f*

sod [sɒd] *sb* 1. Grassode *f*; 2. *(fam)(UK)* Dreckskerl *m*; 3. *the poor ~ der* arme Kerl; *v* 4. mit Rosen bedecken; 5. *Sod off!* *(UK)* Zieh Leine!

soda ['səʊdə] *sb* CHEM Soda *n*

soda water ['səʊdəwɔːtə] *sb* GAST Sodawasser *n*

sofa ['səʊfə] *sb* Sofa *n*

soft [sɒft] *adj* 1. weich; *have a ~ spot for sth* eine Schwäche für etw haben; 2. *(quiet)* leise; 3. *(breeze, light, voice)* sanft; 4. *(skin)* zart; 5. *(person)* verweichlicht; *~ in the head* schwachsinnig

soften ['sɒfn] *v* 1. weich werden; 2. *(sth)* weich machen; 3. *(light, sound)* dämpfen; 4. *(an effect, a reaction)* mildern; *~ the blow (fig)* den Schock mildern

• **soften up** *v* 1. *(become soft)* weich werden; 2. *(sth)* weich machen; 3. *(fig)* nachgiebig stimmen

soft drink ['sɒftdrɪŋk] *sb* alkoholfreies Getränk *n*, Limonade *f*

soft option ['sɒftɒpʃən] *sb* Weg des geringsten Widerstandes *m*

soft rock [sɒft rɒk] *sb* MUS Softrock *m*

soft-spoken ['sɒftspəʊkən] *adj* leise sprechend

software ['sɒftweə] *sb* INFORM Software *f*

soggy ['sɒgɪ] *adj* 1. durchnässt; 2. *(bread)* klitschig; 3. *(land)* sumpfig

soil [sɔɪl] *sb* 1. Boden *m*, Erde *f*; *v* 2. *(sth)* beschmutzen

solace ['sɒlɪs] *sb* Trost *m*

solar ['səʊlə] *adj* Sonnen..., Solar...

solar energy ['səʊlər'enədʒɪ] *sb* Sonnenenergie *f*

solar power ['səʊlə 'paʊə] *sb* Sonnenenergie *f*, Solarenergie *f*

solar system ['səʊləsɪstəm] *sb* ASTR Sonnensystem *n*

soldier ['səʊldʒə] *sb* 1. Soldat *m*; *v* 2. *~ on* unbeirrt weitermachen

sole[1] [səʊl] *adj* 1. einzig; 2. *(exclusive)* alleinig

sole[2] [səʊl] *sb* *(of the foot, of a shoe)* Sohle *f*

sole[3] [səʊl] *sb* ZOOL Seezunge *f*

solemn ['sɒləm] *adj* feierlich, ernst

solicit [sə'lɪsɪt] *v* 1. *(prostitute)* Kunden anwerben; 2. *(sth)* erbitten, bitten um; 3. *(a prostitute)* ansprechen

solicitor [sə'lɪsɪtə] *sb* *(UK)* Rechtsanwalt/Rechtsanwältin *m/f*

solicitude [sə'lɪsɪtjuːd] *sb* Besorgtheit *f*, Beflissenheit *f*

solid ['sɒlɪd] *adj* 1. *(not liquid)* fest; 2. *(not hollow)* massiv; 3. *(firm, reliable)* solide; 4. *(uninterrupted)* ununterbrochen; *a ~ hour* eine volle Stunde; 5. *(support)* voll

solitaire ['sɒlɪteə] *sb* *(card game)* Patience *f*

solitary ['sɒlɪtərɪ] *adj* 1. einzig; 2. *(lonely)* einsam

solitary confinement ['sɒlɪtərɪ kən'faɪnmənt] *sb* JUR Einzelhaft *f*

solitude ['sɒlɪtjuːd] *sb* Einsamkeit *f*

solo ['səʊləʊ] *adj* Solo...

solution [sə'luːʃən] *sb* Lösung *f*

solve [sɒlv] *v* 1. *(a problem)* lösen; 2. *(a crime)* aufklären; 3. *(a mystery)* enträtseln

some [sʌm] *adj* 1. *(with singular nouns)* etwas, ein bisschen; *~ money* etwas Geld; 2. *(with plural nouns)* einige, ein paar; 3. *(certain)* manche(r,s); *in ~ cases* in manchen Fällen; *in ~ determinate)* irgendein; *Some girl came by today.* Irgendein Mädchen kam heute vorbei. *~ day* eines Tages, *(~ or other)* irgendwann mal; 5. *(quite a bit of)* ziemlich; *quite ~ time* ziemlich lange; 6. *(quite a)* vielleicht ein(e); *pron* 7. *(people)* einige, *(certain people)* manche; *Some say I'm making a mistake.* Einige sagen, ich mache einen Fehler. 8. *(referring to plural nouns)* einige, *(certain ones)* manche, *(in questions)* welche; *Would you like ~?* Möchten Sie welche? 9. *(referring to singular nouns)* etwas, *(certain amount)* manches, *(in questions)* welche(r,s); *adv* 10. *(approximately)* ungefähr, etwa, zirka

somebody ['sʌmbədɪ] *pron (see "someone")*

something ['sʌmθɪŋ] *pron* etwas; *~ special* etwas Besonderes; *or ~ (fam)* oder so was; *~ or other* irgendetwas

sometime ['sʌmtaɪm] *adv* 1. irgendwann; *adj* 2. ehemalig, einstig

sometimes ['sʌmtaɪmz] *adv* manchmal

someway ['sʌmweɪ] *adv* irgendwie

somewhat ['sʌmwɒt] *adv* etwas, ein wenig, ein bisschen

somewhere ['sʌmweə] *adv* 1. *(location)* irgendwo, *(motion)* irgendwohin; 2. *~ else (location)* irgendwo anders, anderswo; 3. *~ else (motion)* irgendwo anders hin, anderswohin

son [sʌn] *sb* 1. Sohn *m*; 2. *(as a form of address)* mein Junge

song [sɒŋ] *sb* 1. Lied *n*; *for a ~* für einen Apfel und ein Ei; 2. *(singing)* Gesang *m*; *break into ~* zu singen anfangen; 3. *Song of Songs* REL das Hohelied *n*

son-in-law ['sʌnɪnlɔː] *sb* Schwiegersohn *m*

soon [suːn] *adv* 1. bald; 2. *(early)* früh; *too ~* zu früh; 3. *just as ~* ... ebenso gern ... tun würden; *I would just as ~ not do it.* Ich würde es lieber nicht tun.

sooty ['sʊtɪ] *adj* rußig, Ruß...

sop [sɒp] *sb* 1. *(piece of bread, etc.)* Brotstück zum Eintunken *n*; 2. *(bribe)* Bestechung *f*; *v* 3. *~ up* aufnehmen

sophisticated [sə'fɪstɪkeɪtɪd] *adj* 1. *(person)* weltklug, kultiviert, weltmännisch; 2. *(tastes)* verfeinert, anspruchsvoll; 3. *(machine)* hoch entwickelt; 4. *(plan)* ausgeklügelt, raffiniert

soprano [sə'prɑːnəʊ] *sb* MUS Sopran *m*

sorbet ['sɔːbeɪ] *sb* Fruchteis *n*

sordid ['sɔːdɪd] *adj* 1. elend; 2. *(crime)* gemein; 3. *(story)* trist

sore [sɔː] *adj* 1. weh; *~ muscles* Muskelkater *m*; 2. *(inflamed)* wund; *a sight for ~ eyes* ein willkommener Anblick; *a ~ point (fig)* ein wunder Punkt; 3. *(fig: upset)* sauer, verärgert; *sb* 4. wunde Stelle *f*; *an open ~* eine offene Wunde

sorely ['sɔːlɪ] *adv* sehr, stark, heftig

sore throat [sɔː'θrəʊt] *sb* MED Halsschmerzen *pl*

sorrow ['sɒrəʊ] *sb* 1. *(suffering)* Leid *n*, Kummer *m*; 2. *(regret)* Bedauern *n*

sorry ['sɒrɪ] *interj* 1. Entschuldigung!, Verzeihung!; 2. *to be ~ about sth* etw bedauern; *I'm ~.* Es tut mir Leid. *feel ~ for o.s.* sich selbst bedauern; *I feel ~ for him.* Er tut mir Leid. *I am ~ to say* ich muss leider sagen; *adj* 3. *(pathetic)* jämmerlich, erbärmlich, *(excuse)* faul

sort [sɔːt] *v* 1. sortieren; *sb* 2. Art *f*, Sorte *f*; *all ~s of things* alles Mögliche; *that ~ of thing* diese Sachen; *nothing of the ~* nichts dergleichen; 3. *a ~ of ...* eine Art ..., so ein .../so eine ...; 4. *(person)* He is a ~ of. Er ist ein anständiger Kerl. 5. *out of ~s* nicht ganz auf der Höhe, *(in a bad temper)* schlecht gelaunt; *adv* 6. *~ of (fam)* irgendwie
• **sort out** *v (straighten out)* in Ordnung bringen, klären

sought-after ['sɔːtɑːftə] *adj* begehrt

soul [səʊl] *sb* 1. Seele *f*; 2. *There wasn't a ~ to be seen.* Es war keine Menschenseele zu sehen. 3. *He's the ~ of generosity.* Er ist die Großzügigkeit selbst. 4. MUS Soul *m*

soul mate ['səʊlmeɪt] *sb* Seelenverwandte(r) *m/f*

soul-searching ['səʊlsɜːtʃɪŋ] *sb* Gewissensprüfung *f*

sound [saʊnd] *v* 1. *(have a certain kind of ~)* klingen, sich anhören; 2. *(seem)* sich anhören;

3. *(make ~s)* erklingen, ertönen; 4. *(sth) (a trumpet)* schallen lassen; 5. *(an alarm)* läuten; 6. *~ the horn* hupen; 7. *(depths)* NAUT loten; *sb* 8. *(noise)* Geräusch *n*; 9. *(of a voice, of instruments)* Klang *m*; 10. *(uttered by a person or animal)* Laut *m*; 11. *(of a broadcast, of a film)* Ton *m*; 12. PHYS Schall *m*; *the speed of ~* Schallgeschwindigkeit *f*; 13. *(impression)* I don't like the ~ of it. Das klingt gar nicht gut. *adj* 14. *(healthy)* gesund; 15. *(company, investment)* solide; 16. *(thorough)* tüchtig; 17. *(sensible)* vernünftig, *(judgement)* folgerichtig; 18. *(logically ~)* stichhaltig
• **sound out** *v* 1. *(person)* aushorchen; 2. *(intentions)* herausbekommen

soundless ['saʊndlɪs] *adj* lautlos

soundly ['saʊndlɪ] *adv* 1. *(sleep)* tief; 2. *(defeat)* klar

soundproof ['saʊndpruːf] *adj* schalldicht

soundtrack ['saʊndtræk] *sb* 1. CINE Tonspur *f*; 2. *(~ album)* Filmmusik *f*

soup [suːp] *sb* 1. Suppe *f*; *to be in the ~ (fam)* in der Patsche sitzen; *v* 2. *~ up (fam: a car)* (US) frisieren *(fam)*

sour [saʊə] *adj* sauer

source [sɔːs] *sb* 1. *(of a river, of information)* Quelle *f*; 2. *(origin)* Ursprung *m*

south [saʊθ] *sb* 1. Süden *m*; *adj* 2. südlich, Süd...; *adv* 3. im Süden; 4. *(toward the ~)* nach Süden, NAUT südwärts

southbound ['saʊθbaʊnd] *adj* südwärts, Richtung Süden

southerly ['sʌðəlɪ] *adj* südlich

southernmost ['sʌðənməʊst] *adj* südlichste(r,s)

southpaw ['saʊθpɔː] *sb (fam)* Linkshänder *m*

southward ['saʊθwəd] *adj* südwärts gerichtet, Richtung Süden

souvenir [suːvə'nɪə] *sb* Souvenir *n*, Andenken *n*

sovereign ['sɒvrɪn] *adj* 1. POL souverän; *sb* 2. Herrscher *m*

sovereignty ['sɒvrəntɪ] *sb* 1. Oberherrschaft *f*; 2. *(independence)* Souveränität *f*

sow¹ [saʊ] *sb* ZOOL Sau *f*

sow² [səʊ] *v irr* säen; *as you ~ so shall you reap (fig)* was der Mensch säet, das wird er ernten

soy bean ['sɔɪbiːn] *sb* Sojabohne *f*

spa [spɑː] *sb* 1. *(spring)* Quelle *f*; 2. *(town)* Kurort *m*

space [speɪs] *sb* 1. Raum *m*; *time and ~* Zeit und Raum; 2. *(room)* Platz *m*, Raum *m*; *take up a lot of ~* viel Platz einnehmen; 3. *(outer ~)*

der Weltraum m, das Weltall n; 4. (of time) Zeitraum m; 5. (distance between two things) Abstand m; 6. (empty area) Platz m; 7. (between lines) Zwischenraum m; 8. (on a form) Spalte f

space age [speɪs eɪdʒ] sb the ~ das Weltraumzeitalter n

space bar ['speɪsbɑː] sb Leertaste f

spaceman ['speɪsmæn] sb Raumfahrer m

spaceship ['speɪsʃɪp] sb Raumschiff n

spacesuit ['speɪssuːt] sb Raumanzug m

space travel ['speɪstrævl] sb Raumfahrt f

spacewalk ['speɪswɔːk] sb Weltraumspaziergang m

spade [speɪd] sb 1. Spaten m; call a ~ a ~ (fam) die Dinge beim Namen nennen; 2. (on playing cards) Pik n

spaghetti [spəˈgetɪ] sb Spagetti pl

span [spæn] v 1. sich spannen über; 2. (encircle) umfassen; 3. (in time) umspannen; sb 4. Spannweite f; 5. (of time) Zeitspanne f

spank [spæŋk] v 1. ~ s.o. jdm den Hintern versohlen; 2. ~ s.o. (playfully) jdm auf den Po ein Klaps geben

spanner ['spænə] sb (UK) Schraubenschlüssel m; throw a ~ in the works (fig) quer schießen

spare [speə] v 1. (do without) entbehren, verzichten auf; 2. ~ s.o. sth jdm etw ersparen; Spare me your flimsy excuses. Ihre fadenscheinigen Ausreden können Sie sich sparen. 3. (use sparingly) sparen mit; 4. (show mercy to) verschonen; (s.o.'s feelings) schonen; adj 5. übrig, überschüssig; 6. (meagre) dürftig

spare part [speə pɑːt] sb Ersatzteil n

spare room [speə ruːm] sb Gästezimmer n

spare tyre [speəˈtaɪə] sb 1. Ersatzreifen m; 2. (fam: fat) Rettungsring m (fam)

spark [spɑːk] v 1. Funken sprühen; 2. (sth) entzünden; 3. (fig: an argument) auslösen; (fig: interest) wecken; sb 4. Funke m

sparkle ['spɑːkl] v 1. funkeln; 2. (wine) perlen; sb 3. Funkeln n

sparkler ['spɑːklə] sb Wunderkerze f

spat [spæt] sb 1. (quarrel) Krach m, Zank m; 2. BIO Muschellaich m

spatter ['spætə] v spritzen

spawn [spɔːn] v (fig) hervorbringen

speak [spiːk] v irr 1. sprechen; 2. (converse) reden; ~ to s.o. mit jdm reden, mit jdm sprechen; nothing to ~ of nichts Erwähnenswertes; I'm not on ~ing terms with him. Ich spreche nicht mit ihm. 3. (make a speech) eine Rede halten; 4. generally ~ing im Allgemeinen; strictly ~ing genau genommen; legally ~ing rechtlich

gesehen; ~ing of ... da wir gerade von ... sprechen; 5. ~ for itself für sich sprechen, alles sagen; ~ so to ~ sozusagen; 7. (sth) sagen; 8. ~ a language eine Sprache sprechen

• **speak up** v irr (speak louder) lauter sprechen

speaker ['spiːkə] sb 1. (person making a speech) Redner m; 2. (of a language) Sprecher m; 3. (commentator) Sprecher m; 4. (loud-) Lautsprecher m

spear [spɪə] sb Speer m

special ['speʃəl] adj 1. besondere(r,s), Sonder...; nothing ~ nichts Besonderes; 2. (specific) bestimmt; Were you looking for anything ~? Suchten Sie etwas Bestimmtes? sb 3. (reduced price) Sonderangebot n; 4. (edition) Sonderausgabe f; 5. (TV programme) Sonderprogramm n; 6. ~ of the day (at a restaurant) Tagesgericht n, Menü n; 7. (train) Sonderzug m

special effects ['speʃəl ɪˈfekts] pl CINE Spezialeffekte pl

specialist ['speʃəlɪst] sb 1. Spezialist m; 2. MED Facharzt m; 3. TECH Fachmann m

specialize ['speʃəlaɪz] v ~ in sth sich auf etw spezialisieren

specialty ['speʃəltɪ] (US) (see "speciality")

species ['spiːʃiːz] sb BIO Art f

specific [spəˈsɪfɪk] adj 1. (certain) bestimmt; 2. (precise) genau; 3. MED, PHYS, CHEM, BIO spezifisch

specify ['spesɪfaɪ] v 1. genau angeben; (reasons) nennen; 2. (prescribe) vorschreiben

specimen ['spesɪmɪn] sb 1. Exemplar n; 2. (sample) Muster n; 3. (of a bodily fluid) Probe f

speck [spek] sb 1. Fleck m; 2. (of dust) Staubkörnchen n

speckle ['spekl] sb Tupfen m, Flecken m, Sprenkel m

spectacle ['spektəkl] sb 1. Schauspiel n; make a ~ of o.s. unangenehm auffallen; 2. ~s pl Brille f

spectacular [spekˈtækjʊlə] adj spektakulär

spectator ['spekteɪtə] sb Zuschauer m

spectator sport ['spekteɪtə spɔːt] sb für Zuschauer attraktiver Sport m

spectrum ['spektrəm] sb Spektrum n

speculate ['spekjʊleɪt] v 1. (conjecture) Vermutungen anstellen; I ~ that ... Ich vermute, dass ...; 2. FIN spekulieren

speculum ['spekjʊləm] sb Spekulum n

speech [spiːtʃ] sb 1. (ability to speak) Sprache f; 2. (act of speaking) Sprechen n; 3. (way of speaking) Sprechweise f; 4. (oration) Rede f; 5. freedom of ~ Redefreiheit f; 6. part of ~ GRAMM Wortart f

speed [spi:d] *sb* 1. Geschwindigkeit *f, (going fast)* Schnelligkeit *f; at full ~* mit Höchstgeschwindigkeit; 2. *(of film)* Lichtempfindlichkeit *f;* 3. *(of an engine)* TECH Drehzahl *f;* (gear) Gang *m; three-~ bicycle* Fahrrad mit Dreigangschaltung; *v irr* 5. *~ off* davonjagen; (car) davonbrausen; 6. *~ up* beschleunigen

speedboat ['spi:dbəʊt] *sb* Schnellboot *n,* Rennboot *n*

speeding ['spi:dɪŋ] *sb* Geschwindigkeitsüberschreitung *f*

speeding ticket ['spi:dɪŋtɪkɪt] *sb* (US) Strafzettel *m*

speed skating ['spi:dskeɪtɪŋ] *sb* SPORT Eisschnelllauf *m*

speed trap ['spi:dtræp] *sb* Radarfalle *f*

speedy ['spi:dɪ] *adj* 1. schnell; 2. *(answer)* prompt

spell[1] [spel] *v irr* 1. schreiben; *How do you ~ it?* Wie wird es geschrieben? 2. *(aloud)* buchstabieren

• **spell out** *v irr* 1. buchstabieren; 2. *(explain)* verdeutlichen, klarmachen

spell[2] [spel] *sb* 1. *(period)* Weile *f,* Weilchen *n;* 2. *~ s.o. (relieve s.o.)* jdn ablösen

spell[3] [spel] *sb (magical ~)* Zauber *m*

spelling ['spelɪŋ] *sb* 1. Rechtschreibung *f,* Orthografie *f;* 2. *(of a word)* Schreibweise *f*

spend [spend] *v irr* 1. *(money)* ausgeben; 2. *(energy)* verbrauchen; 3. *(time: pass)* verbringen, *(time: use)* brauchen

spending money ['spendɪŋmʌnɪ] *sb* Taschengeld *n*

spent [spent] *adj* 1. verbraucht; 2. *(person)* erschöpft

spheral ['sfɪərəl] *adj* sphärisch

sphere [sfɪə] *sb* 1. Kugel *f;* 2. *(fig)* Bereich *m*

spherical ['sferɪkl] *adj* sphärisch

sphincter ['sfɪŋktə] *sb* ANAT Schließmuskel *m*

sphinx [sfɪŋks] *sb* Sphinx *f*

spice [spaɪs] *v* 1. würzen; *sb* 2. Gewürz *n;* 3. *(fig)* Würze *f*

spicery ['spaɪsərɪ] *sb* Würze *f*

spick-and-span [spɪkənd'spæn] *adj* blitzsauber, geschniegelt und gebügelt

spicy ['spaɪsɪ] *adj* 1. würzig, stark gewürzt; 2. *(story)* pikant

spider ['spaɪdə] *sb* Spinne *f*

spike [spaɪk] *sb* 1. Spitze *f;* 2. *(on barbed wire)* Stachel *m;* 3. Spike *m*

spiky ['spaɪkɪ] *adj* spitz, stachlig

spill [spɪl] *v irr* 1. verschüttet werden; 2. *(sth)* verschütten; *sb* 3. *(fall)* Sturz *m*

• **spill over** *v* überlaufen, überfließen

spin [spɪn] *v irr* 1. sich drehen; 2. *(person)* sich plötzlich umdrehen; 3. *(yarn, a web)* spinnen; 4. *(turn)* drehen; 5. *(a top)* drehen lassen; *sb* 6. *take a car for a ~* mit einem Auto eine Spazierfahrt machen

spinach ['spɪnɪtʃ] *sb* Spinat *m*

spindle ['spɪndl] *sb* Spindel *f*

spindling ['spɪndlɪŋ] *adj* spindeldürr

spin doctor ['spɪndɒktə] *sb (fam)* POL Assistent eines Politikers, der für dessen öffentliches Ansehen arbeitet

spine [spaɪn] *sb* 1. ANAT Rückgrat *n;* 2. *(of a book)* Rücken *m*

spine-chilling ['spaɪntʃɪlɪŋ] *adj* gruselig

spine-tingling ['spaɪntɪŋglɪŋ] *adj* aufregend

spin-off ['spɪnɒf] *sb* 1. Nebenprodukt *n;* 2. *(TV)* Serie, die auf einer bereits etablierten Serie basiert

spiral staircase ['spaɪrəl 'steəkeɪs] *sb* Wendeltreppe *f*

spirit ['spɪrɪt] *sb* 1. Geist *m; That's the ~! Richtig!* 2. *(enthusiasm)* Schwung *m,* Elan *m;* 3. *~s pl (state of mind)* Stimmung *f,* Laune *f;* 4. *~s pl (alcohol)* alkoholische Getränke *pl,* Spirituosen *pl;* 5. CHEM Spiritus *m*

spiritual ['spɪrɪtjʊəl] *adj* 1. geistig; 2. REL geistlich

spit[1] [spɪt] *v irr* 1. spucken; 2. *to be the ~ting image of s.o.* jdm wie aus dem Gesicht geschnitten sein; *sb* 3. *(saliva)* Spucke *f;* 4. *(act of ~ting)* Spucken *n*

• **spit out** *v irr* 1. ausspucken; 2. *(fig: words)* ausstoßen

spit[2] [spɪt] *sb* 1. GEO Landzunge *f;* 2. *(for cooking)* Bratspieß *m*

spite [spaɪt] *sb* 1. Boshaftigkeit *f,* Gehässigkeit *f; out of ~* aus reiner Boshaftigkeit; 2. *in ~ of* trotz; 3. *in ~ of o.s.* obwohl man es gar nicht tun wollte

spiteful ['spaɪtful] *adj* gehässig

spitting image ['spɪtɪŋ] *sb (fam)* Ebenbild *n*

spittle ['spɪtl] *sb* Spucke *f,* Speichel *m*

splash [splæʃ] *v* 1. *(liquid)* spritzen; 2. *(rain)* klatschen; 3. *(when playing)* plantschen; 4. *(s.o.)* bespritzen; 5. *(sth)(water)* spritzen; *sb* 6. Spritzen *n;* 7. *(noise)* Platschen *n;* 8. *(sensation)* Aufsehen *n*

• **splash out** *v ~ on sth (fam)* viel Geld für etw ausgeben

splatter ['splætə] *v* 1. spritzen, klecksen; 2. *(sth)* spritzen; 3. *(with sth)* bespritzen

splay [spleɪ] *adj* nach außen gestellt

splint [splɪnt] *sb* MED Schiene *f*

splinter ['splɪntə] *v* 1. splittern; *sb* 2. Splitter *m*

splinter party ['splɪntəpɑːtɪ] *sb* POL Splitterpartei *f*

split [splɪt] *v irr* 1. entzweibrechen; 2. *(trousers)* platzen; 3. *(group)* sich spalten; 4. *(fam: leave)* abhauen; 5. *(physically)* teilen, spalten; 6. *(divide)* spalten; 7. *(share)* sich teilen; *sb* 8. Riss *m*, Spalt *m*; 9. *(fig)* Bruch *m*; 10. *(in a party)* Spaltung *f*; 11. banana ~ Bananensplit *m*; 12. do the ~s Spagat machen; *adj* 13. gespalten
• **split up** *v* 1. *(lovers)* auseinander gehen; 2. *(group)* sich spalten; 3. *(sth)* aufteilen, teilen; 4. *(an organization)* spalten

split personality ['splɪt pɜːsə'nælɪtɪ] *sb* PSYCH gespaltene Persönlichkeit *f*

split screen [splɪt skriːn] *sb* TECH geteilter Bildschirm *m*

split second [splɪt 'sekənd] *sb* Bruchteil einer Sekunde *m*

spoil [spɔɪl] *v irr* 1. verderben; 2. *(sth)* verderben; 3. *(s.o.)* verwöhnen

spoiler ['spɔɪlə] *sb* *(aerodynamic attachment)* Spoiler *m*

spoil-sport ['spɔɪlspɔːt] *sb* Spielverderber *m*

sponge [spʌndʒ] *sb* 1. Schwamm *m*; *v* 2. ~ down abwaschen, abreiben

sponge cake ['spʌndʒkeɪk] *sb* Biskuitkuchen *m*

sponsor ['spɒnsə] *v* 1. fördern; 2. *(a future member)* bürgen für; 3. *(a bill)* POL befürworten; *sb* 4. Förderer *m*; 5. *(of a future member)* Bürge/Bürgin *m/f*; 6. *(of a team)* Sponsor *m*

sponsored ['spɒnsəd] *adj* gesponsert

spoof [spuːf] *sb* Parodie *f*

spook [spuːk] *sb* 1. Gespenst *n*; 2. *(fam: spy)* Spion *m*

sporadic [spə'rædɪk] *adj* sporadisch

spore [spɔː] *sb* Spore *f*, Keim *m*

sport [spɔːt] *sb* 1. Sport *m*; 2. *(one kind of ~)* Sportart *f*; 3. *(fun)* Spaß *m*; 4. *(fam: person)* anständiger Kerl *m*; *a good ~* einer, der alles mitmacht, einer, der es nicht übel nimmt, wenn er verliert; *v* 5. stolz tragen, protzen mit; *(a black eye)* herumlaufen mit

sportful ['spɔːtfʊl] *adj* *(done for mere play)* aus Spaß gemacht

sporting ['spɔːtɪŋ] *adj* 1. sportlich, Sports...; 2. *(decent)* anständig

sporting goods ['spɔːtɪŋgʊdz] *pl* Sportartikel *m*

sports [spɔːts] *pl* Sport *m*

sportswear ['spɔːtsweə] *sb* Sportkleidung *f*

sporty ['spɔːtɪ] *adj* *(car)* sportlich

spot [spɒt] *v* 1. *(notice)* erkennen, sehen; *sb* 2. *(on an animal, on s.o.'s skin)* Fleck *m*; 3. *(pimple)* Pickel *m*; 4. *(dot)* Tupfen *m*, Punkt *m*; 5. *(fig: on one's reputation)* Makel *m*; 6. *(place)* Stelle *f*; *on the* ~ zur Stelle, *(immediately)* auf der Stelle, *(there and then)* an Ort und Stelle; 7. *put s.o. on the* ~ jdn in Verlegenheit bringen; 8. *a ~ of ... (UK)* ein bisschen ...; *We're in a* ~ *of bother.* Wir haben Schwierigkeiten. 9. *to be in a tight* ~ in der Klemme sitzen; 10. *a soft* ~ *(fig)* eine Schwäche *f*; 11. *(commercial)* Werbespot *m*

spotless ['spɒtlɪs] *adj* makellos

spotlight ['spɒtlaɪt] *sb* 1. Scheinwerfer *m*; 2. *(fig) to be in the* ~ im Mittelpunkt stehen

spouse [spaʊs] *sb* 1. Gatte/Gattin *m/f*, Gemahl/Gemahlin *m/f*; 2. JUR Ehepartner *m*

spout [spaʊt] *sb* 1. *(for rainwater)* Ausguss *m*; 2. *(of a kettle)* Schnauze *f*; 3. *(of a watering can)* Rohr *n*; 4. *(jet of water)* Wasserstrahl *m*; 5. *(coming from a whale)* Fontäne *f*; *v* 6. *(fam: say)* deklamieren

sprawl [sprɔːl] *v* 1. *(lie)* behaglich ausgestreckt liegen; *send s.o. ~ing* jdn zu Boden strecken; 2. *(sit)* behaglich ausgestreckt sitzen; 3. *(town)* sich weit ausdehnen

spray [spreɪ] *v* 1. sprühen; 2. *(water, mud)* spritzen; 3. *(plants)* spritzen; 4. *(hair)* sprayen; 5. *(water, paint)* sprühen; *sb* 6. *(for plants, medical ~, hair ~)* Spray *n*; 7. *(atomizer)* Sprühdose *f*; 8. *(of the sea)* Gischt *f*

spray paint ['spreɪpeɪnt] *sb* Sprühfarbe *f*

spread [spred] *v irr* 1. *(fire)* sich ausbreiten; 2. ~ *across (extend over)* sich erstrecken über, sich ausdehnen über; 3. *(news, disease)* sich verbreiten; 4. *(sth)* etw ausbreiten; 5. *(legs)* spreizen; 6. *(bread with butter)* bestreichen; 7. *(butter)* streichen, aufstreichen; 8. *(sand, fertilizer)* streuen; 9. *(news, a disease, a rumour)* verbreiten; *sb* 10. *(spreading)* Verbreitung *f*; 11. *(for bread)* GAST Aufstrich *m*; 12. *(fam: huge buffet, lots of food)* fürstliches Mahl *n*; 13. *(fig: range)* Umfang *m*; 14. *(cover)* Decke *f*
• **spread out** *v irr* GAST *(people)* sich verteilen

spring [sprɪŋ] *v irr* 1. *(leap)* springen; ~ *to one's feet* aufspringen; 2. *(~ forth)* quellen, hervorquellen, *(fire)* springen; 3. ~ *from (arise)* entstammen; 4. ~ *sth on s.o.* jdn mit etw überraschen; 5. ~ *a leak* ein Leck bekommen; *sb* 6. *(season)* Frühling *m*; 7. *(of water)* Quelle *f*; 8.

(device) Feder _f_, _(in a mattress, in a seat)_ Sprungfeder _f_; 9. _(bounciness)_ Elastizität _f_; _He walked with a ~ in his step._ Er ging mit federnden Schritten. 10. _(leap)_ Sprung _m_
• **spring up** _v_ 1. _(person)_ aufspringen; 2. _(fig)_ aus dem Boden schießen
spring-clean ['sprɪŋkli:n] _v_ Frühjahrsputz machen
sprinkle ['sprɪŋkl] _v_ 1. _(water)_ sprengen; 2. _(sth with water)_ besprengen; 3. _(sugar, salt)_ streuen
sprint [sprɪnt] _v_ 1. rennen; 2. _(in a race)_ sprinten
sprout [spraʊt] _v_ 1. _(seed)_ treiben; 2. _(plant)_ sprießen; 3. _(from a plant)_ hochschießen; 4. _(sth)_ treiben; 5. _(horns)_ entwickeln; 6. _(fig: a moustache)_ sich wachsen lassen; _sb_ 7. Spross _m_
spruce¹ [spru:s] _sb BOT_ Fichte _f_
spruce² [spru:s] _v ~ up_ 1. _(a house)_ auf Vordermann bringen (fam); 2. ~ _o.s._ sich sein Äußeres pflegen, _(get dressed up)_ sich in Schale werfen
spud [spʌd] _sb (fam: potato)_ Kartoffel _f_
spur [spɜ:] _sb_ 1. Sporn _m_; 2. _(fig)_ Ansporn _m_; 3. _on the ~ of the moment_ ganz spontan; _v_ 4. ~ _on_ vorantreiben; 5. _(horns)_ anspornen
spurt [spɜ:t] _v_ 1. _(liquid)_ herausspritzen; _sb_ 2. _(of liquid)_ Strahl _m_; 3. _(sudden burst of sth)_ a ~ _of ..._ plötzliche(r,s) ...; 4. _(acceleration)_ Spurt _m_
spy [spaɪ] _sb_ 1. Spion _m_; _v_ 2. spionieren; ~ _on s.o._ jdm nachspionieren, jdn bespitzeln; 3. _(sth)_ sehen
• **spy out** _v_ auskundschaften
spyhole ['spaɪhəʊl] _sb_ Guckloch _n_, Spion _m_
squad [skwɒd] _sb_ 1. _MIL_ Truppe _f_; 2. _(police) (special)_ Kommando _n_, _(police department)_ Dezernat _n_; 3. _(team)_ Mannschaft _f_; 4. _(of workers)_ Trupp _m_
squad car ['skwɒdkɑ:] _sb_ Polizeiwagen _m_
squander ['skwɒndə] _v_ 1. _(money)_ vergeuden; 2. _(opportunities)_ vertun
square [skweə] _adj_ 1. quadratisch, viereckig; ~ _metre_ Quadratmeter _m_; 2. _(chin, shoulders)_ eckig; 3. _(deal)_ gerecht; 4. _(meal)_ ordentlich; 5. _(fam: person)_ spießig; _to be all ~ (not to owe)_ quitt sein; _to be all ~ SPORT_ gleich stehen; _sb_ 7. Quadrat _n_; 8. _(in a town)_ Platz _m_; 9. _(on a chessboard)_ Feld _n_; _we were back to ~ one_ wir müssten wieder von vorne anfangen; _v_ 10. _(a number) MATH_ quadrieren; 11. _(debts)_ begleichen
squarely ['skweəlɪ] _adv_ 1. ~ _built_ stämmig; 2. _It hit him ~ on the nose._ Es traf ihn direkt an der Nase.

squarish ['skweərɪʃ] _adj_ ziemlich quadratisch
squash [skwɒʃ] _v_ 1. _(sth)_ zerdrücken, zerquetschen; _to be ~ed together_ eng zusammengepresst sein; _sb_ 2. _(US) BOT_ Kürbis _m_; 3. _SPORT_ Squash _n_
squat [skwɒt] _v_ 1. hocken, kauern; 2. _(live somewhere illegally)_ sich illegal ansiedeln, ein Haus besetzen; _adj_ 3. gedrungen
squatter ['skwɒtə] _sb_ 1. Squatter _m_; 2. _(in a house)_ Hausbesetzer _m_
squawk [skwɔ:k] _v_ 1. kreischen; _sb_ 2. Kreischen _n_
squeak [skwi:k] _v_ 1. _(hinge, shoes)_ quietschen; 2. _(mouse)_ piepsen; 3. _(person)_ quieksen; _sb_ 4. Quiekser _m_, Piepser _m_, Quietschen _n_
squeaky-clean ['skwi:kɪ kli:n] _adj_ blitzsauber
squeal [skwi:l] _v_ 1. _(person)_ schreien; 2. _(brakes)_ kreischen; 3. _(pig)_ quieksen; 4. _(fam: criminal)_ singen, _(schoolboy)_ petzen; _sb_ 5. Schrei _m_, Kreischen _n_, Quieken _n_
squeeze [skwi:z] _v_ 1. ~ _into sth_ sich in etw hineinzwängen; 2. ~ _through_ sich durchzwängen; 3. _(sth)_ drücken; _(a tube, a sponge)_ ausdrücken; 5. _(an orange)_ auspressen; _sb_ 6. Drücken _n_; 7. _(hug)_ Umarmung _f_; 8. _It was a tight ~._ Es war sehr eng.
squelch [skweltʃ] _v_ _(sth)_ abwürgen, vernichten, unterdrücken
squint [skwɪnt] _v_ 1. schielen; 2. _(in bright light)_ blinzeln; _sb_ 3. _MED_ Schielen _n_, Silberblick _m_
squirm [skwɜ:m] _v_ sich winden
stab [stæb] _v_ 1. _(s.o.)_ einen Stich versetzen; ~ _s.o to death_ jdn erstechen; 2. _(food)_ durchstechen; _sb_ 3. Stich _m_; _take a ~ at sth (fig)_ etw probieren
stabile ['steɪbaɪl] _sb ART_ unbewegliches abstraktes Kunstwerk aus Metall, Draht oder Holz _n_
stable ['steɪbl] _adj_ 1. stabil; 2. _(job)_ dauerhaft; 3. _(person)_ ausgeglichen; _sb_ 4. Stall _m_; 5. _(group of racehorses)_ Rennstall _m_
stack [stæk] _v_ 1. _(sth)_ stapeln; _sb_ 2. Stapel _m_
staddle ['stædl] _sb (bottom of a stack)_ Unterbau eines Heuschobers _m_
staddle stone ['stædlstəʊn] _sb_ Abstandsstein unter dem Boden eines Heuschobers oder Kornspeichers _m_
stadium ['steɪdɪəm] _sb_ Stadion _n_
staff [stɑ:f] _sb_ 1. _(stick)_ Stab _m_; 2. _(personnel)_ Personal _n_; _to be on the ~ of_ Mitarbeiter sein bei; 3. _(teaching ~)_ Lehrkörper _m_; 4. Chief of

Staff POL Stabschef *m*; 5. *(general ~) MIL* Stab *m*; *v* 6. mit Personal besetzen

stag [stæg] *sb ZOOL* Hirsch *m*

stage [steɪdʒ] *v* 1. inszenieren; *sb* 2. Bühne *f*; 3. *(of a trip, of a race)* Etappe *f*; 4. *(phase)* Stadium *n*, Phase *f*; 5. *(of a rocket)* Stufe *f*

stage door [steɪdʒ dɔː] *sb THEAT* Bühneneingang *m*

stage fright ['steɪdʒfraɪt] *sb* Lampenfieber *n*

stage name ['steɪdʒneɪm] *sb* Künstlername *m*

stagger ['stægə] *v* 1. schwanken, *(nearly fall)* taumeln, *(drunkenly)* torkeln; ~ to one's feet schwankend aufstehen; 2. *(s.o.)(fig)* erschüttern; 3. *(sth)* versetzt anordnen; 4. *(holidays)* staffeln

staging ['steɪdʒɪn] *sb* Inszenierung *f*

stag night [stæg naɪt] *sb* Junggesellenabschied *m*, Männerabend des Bräutigams vor der Hochzeit *m*

stain [steɪn] *v* 1. *(make dirty)* beflecken; 2. *(colour: glass)* färben; 3. *(wood)* beizen; *sb* 4. Fleck *m*; 5. *(fig)* Makel *m*; 6. *(colouring)* Färbemittel *n*; 7. *(for wood)* Beize *f*

stained-glass window ['steɪndɡlɑːs'wɪndəʊ] *sb* Buntglasfenster *n*

stainless ['steɪnlɪs] *adj* rostfrei

stain remover ['steɪnrɪmuːvə] *sb* Fleckentferner *m*

stairway ['steəweɪ] *sb* Treppe *f*

stake [steɪk] *v* 1. ~ a claim to sth sich ein Anrecht auf etw sichern; *sb* 2. *(post)* Pfahl *m*

stake² [steɪk] *sb* 1. *(financial interest)* Anteil *m*; 2. *(in gambling)* Einsatz *m*; play for high ~s um einen hohen Einsatz spielen; to be at ~ *(fig)* auf dem Spiel stehen; *v* 3. *(risk)* setzen

• **stake out** *v (land)* abstecken

stale [steɪl] *adj* 1. alt; 2. *(fam: person)* eingerostet; 3. *(beer)* abgestanden; 4. *(joke)* abgedroschen; 5. *(bread)* altbacken; 6. *(air)* verbraucht

stalemate ['steɪlmeɪt] *sb* Patt *n*

stalk [stɔːk] *v* 1. *(walk stiffly)* stolzieren; 2. *(sth: game)* sich anpirschen an, *(a person)* verfolgen; *sb* 3. *BOT* Stiel *m*

stall¹ [stɔːl] *v* 1. *(delay)* Ausflüchte machen; ~ for time Zeit schinden; 2. *(engine)* absterben; 3. ~ *s.o.* jdn hinhalten

stall² [stɔːl] *sb* 1. Stand *m*, Bude *f*; 2. *REL* Kirchenstuhl *m*; 3. ~s *pl (UK: in a theatre)* Parkett *n*

stammer ['stæmə] *v* 1. stottern; 2. *(with embarrassment)* stammeln

stamp [stæmp] *v* 1. *(walk)* stampfen, *(horse)* aufstampfen; 2. *(sth)* stempeln, *(with a machine)* prägen; 3. *(one's name)* aufstempeln, aufprägen; 4. *(put postage on)* frankieren; 5. ~ *s.o.* as stempeln als, kennzeichnen als; 6. ~ one's foot mit dem Fuß stampfen; *sb* 7. *(postage ~)* Briefmarke *f*; 8. *(mark, instrument)* Stempel *m*; 9. a man of that ~ ein Mann dieses Schlages

• **stamp out** *v* 1. *(a fire)* austreten; 2. *(fig: an epidemic)* ausrotten

stampede [stæm'piːd] *sb* 1. *(by animals)* panische Flucht *f*; 2. *(by people)* Massenansturm *m*

stance [stæns] *sb* 1. Haltung *f*, Einstellung *f*; 2. *(fig)* Einstellung *f*

stand [stænd] *v irr* 1. stehen; as it ~s so wie die Sache aussieht; 2. *(get up)* aufstehen; 3. *(to be a certain height)* hoch sein, *(person)* groß sein; 4. *(still be valid)* gelten, *(record, decision)* stehen; 5. ~ as a candidate *(UK)* kandidieren; 6. ~ to gain a lot viel gewinnen können; 7. ~ for sth für etw stehen, etw repräsentieren; 8. ~ together zusammenhalten; 9. *(withstand)* standhalten, *(person)* gewachsen sein; ~ one's ground sich behaupten; 10. *(place sth)* stellen; 11. ~ a chance eine gute Chance haben; 12. *(put up with)* aushalten; *sb* 13. *(booth, taxi)* ~ Stand *m*; 14. *(piece of furniture, rack)* Ständer *m*; 15. *(witness ~)(US)* Zeugenstand *m*; 16. *(~s) SPORT* Zuschauertribüne *f*; 17. *(fig: on an issue)* Standpunkt *m*, Einstellung *f*; take a ~ on sth zu etw eine Stellung nehmen; 18. *(resistance in battle)* Widerstand *m*; make a ~ sich widersetzen

• **stand back** *v irr* zurücktreten

• **stand down** *v irr* 1. zurücktreten; 2. *JUR* den Zeugenstand verlassen

• **stand in** *v irr* ~ for s.o. für jdn einspringen

• **stand up** *v irr* 1. *(arise)* aufstehen; 2. *(to be standing)* stehen; 3. ~ for sth für etw eintreten; 4. ~ to s.o. sich jdm gegenüber behaupten; 5. stand s.o. up *(fam: fail to meet s.o)* jdn versetzen, jdn sitzen lassen

standard ['stændəd] *adj* 1. üblich; 2. *ECO* handelsüblich, Standard..., Norm... *sb* 3. Norm *f*; 4. *(monetary) FIN* Standard *m*; 5. *(criterion)* Maßstab *m*; double ~ doppelte Moral *f*; 6. *(level)* Niveau *n*; 7. *(one's expectation)* Anforderung *f*; 8. *(flag)* Fahne *f*

standing ['stændɪŋ] *sb* 1. *(position)* Rang *m*; 2. *(duration)* Dauer *f*; 3. of long ~ langjährig, alt; *sb* 4. *(repute)* Ruf *m*; *adj* 5. *(established)* ständig, bestehend; become a ~ joke sprichwörtlich werden

standing ovation ['stændıŋ əʊ'veıʃən] *sb* give s.o. a ~ jdm im Stehen Beifall klatschen
standstill ['stændstıl] *sb* Stillstand *m; come to a* ~ zum Stillstand kommen, *(person)* anhalten, *(vehicle)* zum Stehen kommen
stand-up comedy ['stændʌp 'kɒmədı] *sb* witzige Einmannvorstellung *f*
staple ['steıpl] *sb 1. (food)* Hauptnahrungsmittel *n; 2. (fastener) (for paper)* Heftklammer *f, (for cables)* Krampe *f*
star [stɑː] *sb 1.* Stern *m; the* ~s and stripes das Sternenbanner *n; 2. (person)* Star *m; v 3.* die Hauptrolle spielen; *4. (s.o.)* CINE jdn in der Hauptrolle zeigen; *4. (career, argument)* ~*ring William Hurt* ein Film mit William Hurt
stare [steə] *v 1.* starren; ~ *at s.o.* jdn anstarren; *sb 2.* starrer Blick *m*
stargazing ['stɑːgeızıŋ] *sb 1.* Betrachten der Sterne *n; 2. (astrology)* Sterndeutung *f*
stark [stɑːk] *adj 1.* krass; *2. (landscape)* nackt; *adv 3.* ~ *naked* splitternackt
start [stɑːt] *v 1.* anfangen, beginnen; *to* ~ *with* zunächst einmal; *2. (engine)* anspringen; *3. (found)* gründen; *4. (career, argument)* anfangen, beginnen; *5. (a fire)* anzünden; *6. (sth)* anfangen mit; *7. (a car)* starten; *sb 8.* Beginn *m,* Anfang *m; from* ~ *to finish* von Anfang bis Ende; *9.* SPORT Start *m; 10. (fright)* Auffahren *n,* Zusammenfahren *n,* Zusammenschrecken *n; give s.o. a* ~ jdn erschrecken
• **start off** *v 1.* anfangen; *2. (moving)* losgehen; *3. (on a journey)* aufbrechen; *4. (sth)* anfangen
• **start up** *v 1. (move)* aufspringen, hochspringen; *2. (begin)* anfangen
starter ['stɑːtə] *sb 1. (of a car)* TECH Anlasser *m; 2. (fam: first course)* GAST Vorspeise *f; 3. (of a race)* SPORT Starter *m; 4. (player in the starting lineup)* SPORT Stammspieler *m*
starting point ['stɑːtıŋ pɔınt] *sb* Ausgangspunkt *m*
starting salary ['stɑːtıŋ 'sælərı] *sb* Anfangsgehalt *n*
starve [stɑːv] *v 1.* hungern; *2. (to death)* verhungern; *3. I'm starving. (fig: I'm hungry)* Ich sterbe vor Hunger. *4. (s.o.)* hungern lassen
state [steıt] *v 1.* angeben, feststellen, darlegen; *sb 2.* POL Staat *m; 3. (pomp)* Pomp *m; 4. (condition)* Zustand *m; 5.* ~ *of emergency* Notstand *m; 6.* ~ *of affairs* Stand *m,* Lage *f*
statement ['steıtmənt] *sb 1.* Erklärung *f,* Feststellung *f, (claim)* Behauptung *f; 2. (representation)* Darstellung *f; 3. (bank* ~*)* Auszug *m*
state-of-the-art ['steıtəvðıː'ɑːt] *adj* hochmodern

state secret [steıt'siːkrıt] *sb* Staatsgeheimnis *n*
stateside ['steıtsaıd] *adj* in den Staaten; aus den Staaten
state trooper [steıt 'truːpə] *sb (US)* Soldat der amerikanischen Nationalgarde *m*
statewide [steıt waıd] *adj* im gesamten Bundesgebiet
station ['steıʃən] *sb 1.* Station *f; the Stations of the Cross* die Stationen des Kreuzweges; *2. (bus* ~, *train* ~*)* Bahnhof *m; 3. (radio/TV)* Sender *m; 4. (police* ~*)* Wache *f; 5. (position)* Platz *m; 6. (in society)* Rang *m,* Stand *m; 7.* MIL Posten *m; v 8. (o.s., s.o.)* aufstellen; *9.* MIL stationieren
stationary ['steıʃənərı] *adj 1. to be* ~ stillstehen, *(car)* stehen; *2. (not movable)* fest, feststehend
stationery ['steıʃənərı] *sb 1. (paper)* Briefpapier *n; 2. (writing materials)* Schreibwaren *pl*
station wagon ['steıʃənwægən] *sb (US)* Kombiwagen *m*
statistic [stə'tıstık] *sb* Statistik *f;* ~*s pl* Statistik *f*
stative ['steıtıv] *adj* GRAMM zustandsbeschreibend
statue ['stætjuː] *sb* Statue *f,* Standbild *n*
statuesque [stætju'esk] *adj (woman)* mit klassischen Maßen
stature ['stætʃə] *sb 1.* Wuchs *m,* Statur *f,* Gestalt *f; 2. (fig)* Format *n,* Kaliber *n*
status ['steıtəs] *sb 1.* Status *m; 2. marital* ~ Familienstand *m*
status symbol ['steıtəssımbəl] *sb* Statussymbol *n*
staunch [stɔːntʃ] *adj* treu
stave [steıv] *sb 1. (stick)* Knüppel *m; 2. (of a cask)* Daube *f; 3. (of a ladder)* Sprosse *f; v irr 4.* ~ *off* abwehren; *5.* ~ *off (delay)* aufschieben
stay [steı] *v 1.* bleiben; *2. (reside)* wohnen; *sb 3.* Aufenthalt *m; 4. (*~ *of execution)* Aussetzung *f*
• **stay away** *v 1.* wegbleiben; *2.* ~ *from s.o.* jdm fernbleiben
staying power ['steııŋ] *sb* Stehvermögen *n,* Ausdauer *f*
steadiness ['stedınıs] *sb 1.* Festigkeit *f,* Ruhe *f; 2. (reliability)* Zuverlässigkeit *f*
steady ['stedı] *adj 1.* fest; *2. (constant)* ständig; *3. (hand, eye, voice)* ruhig; *4. (ladder)* standfest; *5. (reliable)* zuverlässig; *v 6. (sth)(a boat)* wieder ins Gleichgewicht bringen; *7. (s.o., s.o.'s nerves)* beruhigen
steak [steık] *sb* Steak *n*

steal [sti:l] v irr 1. stehlen; 2. ~ a glance at s.o. jdm einen verstohlenen Blick zuwerfen

steam [sti:m] sb 1. Dampf m; let off ~ Dampf ablassen; at full ~ mit Volldampf; 2. (from a swamp) Dunst m; v 3. dampfen; 4. (sth) dämpfen

• **steam up** v (glass) beschlagen

steamboat ['sti:mbəut] sb Dampfer m, Dampfschiff n

steam engine ['sti:mendʒin] sb Dampfmaschine f, Dampflokomotive f

steamer ['sti:mə] sb 1. NAUT Dampfer m; 2. GAST Dampfkochtopf m

steamy ['sti:mi] adj dampfig, dunstig

steel [sti:l] sb 1. Stahl m; v 2. ~ o.s. (mentally) sich stählen

steep [sti:p] adj 1. steil; 2. (fam: price) gepfeffert; v 3. eintauchen, einweichen; 4. (fig) ~ed in tradition traditionsreich

steeple ['sti:pl] sb Kirchturm m

steer [stiə] v 1. lenken; ~ clear of sth (fig) etw vermeiden; 2. NAUT steuern; sb 3. ZOOL junger Ochse m

steering ['stiəriŋ] sb 1. Lenkung f; 2. NAUT Steuerung f

steering wheel ['stiəriŋ wi:l] sb Lenkrad n, Steuer n

stem¹ [stem] sb 1. BOT Stiel m, (of a woody plant) Stamm m; 2. (of a word) LING Stamm m; 3. (of a pipe) Hals m; 4. (of a glass) Stiel m; 5. NAUT Steven m; v 6. ~ from herrühren von

stem² [stem] v (stop) aufhalten, (tide) eindämmen, (bleeding) stillen

stench [stentʃ] sb Gestank m

stenography [stə'nɒgrəfi] sb Kurzschrift f, Stenografie f

stentor ['stentɔ:] sb Stentor m

step [step] v 1. treten, gehen; Step on it! (fam) Gib Gas! (fig: hurry up) Tempo! Beeil dich! sb 2. Schritt m; ~ by ~ schrittweise; out of ~ with (fig) nicht in Einklang mit; watch one's ~ vorsichtig gehen; 4. (sound of a ~) Tritt m; 5. (measure) Schritt m, Maßnahme f; take ~s Schritte unternehmen; 6. (in a process) Stufe f; 7. (stair) Stufe f; ~s Treppe f

• **step back** v zurücktreten

• **step in** v 1. eintreten; 2. (fig) eingreifen, einschreiten

• **step up** v (production) steigern

step dance ['stepdɑ:ns] sb Solotanz mit komplizierter Schrittfolge m

stepladder ['steplædə] sb Trittleiter f

step-parent ['steppeərənt] sb 1. (woman) Stiefmutter f; 2. (man) Stiefvater m

stereo ['steriəʊ] sb 1. (unit) Stereoanlage f; 2. in ~ in Stereo

stereotype ['steriəʊtaip] sb 1. (fig) Stereotyp n, Klischee n; v 2. (fig) klischeehaft darstellen

sterile ['sterail] adj 1. (germ-free) keimfrei; 2. (fig) steril; 3. (person) steril; 4. (animal) unfruchtbar

sterilization [sterilai'zeiʃən] sb Sterilisation f, Sterilisierung f

sterling ['stɜ:liŋ] sb pound ~ (UK) Pfund Sterling n

stern [stɜ:n] adj streng

steward ['stju:əd] sb (attendant) Steward m

stewardess ['stju:ədes] sb Stewardess f

stick¹ [stik] sb 1. Stock m; 2. (twig) Zweig m; 3. (hockey ~) Schläger m; 4. (drum ~) Schlegel m; 5. (of celery, of dynamite) Stange f; 6. get hold of the wrong end of the ~ etw völlig falsch verstehen

stick² [stik] v irr 1. (adhere) kleben; 2. (not come open easily) festsitzen, (door) klemmen; 3. (become caught) stecken bleiben; 4. (stay) bleiben; ~ to bleiben bei; 5. (pointed object) stecken; 6. (sth)(with glue) kleben; 7. (pin) stecken; 8. (jab) stoßen; 9. (fam: put) tun; I stuck it in my pocket. Ich habe es eingesteckt. 10. (UK: tolerate) aushalten; 11. to be stuck (fam: perplexed) nicht klarkommen; 12. to be stuck with sth etw am Hals haben

• **stick around** v irr (fam) dableiben, (near the speaker) hier bleiben

• **stick at** v irr (persist at) dranbleiben

• **stick down** v irr festkleben, zukleben

• **stick out** v irr 1. (protrude) vorstehen; 2. (fig: to be noticeable) auffallen; 3. (one's tongue, one's arm) herausstrecken; 4. stick sth out (persevere) etw aushalten, etw durchstehen

sticker ['stikə] sb Aufkleber m

sticky ['stiki] adj 1. klebrig; 2. (weather) schwül; 3. (fig: situation) heikel; 4. (unpleasant) a ~ end (fam) ein schreckliches Ende

stiff [stif] adj 1. steif; 2. (difficult) schwierig; 3. (competition, punishment) hart; 4. (manner) steif, formell, gezwungen; keep a ~ upper lip kühl bleiben; 5. (drink, resistance) stark

stiffen ['stifn] v 1. sich versteifen; 2. (person) starr werden

stiff-necked ['stifnekd] adj halsstarrig

stiletto [sti'letəʊ] sb Stilett n

stiletto heels [sti'letəʊ hi:lz] pl Pfennigabsätze pl

still¹ [stil] adv 1. noch, (for emphasis) immer noch, (now as in the past) nach wie vor; 2. (nevertheless) trotzdem; 3. (even) noch; ~ better noch besser; konj 4. dennoch, und doch; adj 5. (motionless) bewegungslos, ruhig; 6. stand ~ still stehen sb 7. (photo) Standfoto n; 8. (~ness) Stille f

still² [stɪl] sb (distilling apparatus) Destillierapparat m

still birth [stɪl bɜ:θ] sb Totgeburt f

stillborn ['stɪlbɔːn] adj tot geboren

stimulant ['stɪmjʊlənt] sb Anregungsmittel n

stimulate ['stɪmjʊleɪt] v 1. stimulieren; 2. (the circulation) anregen

stimulus ['stɪmjʊləs] sb 1. Stimulus m; 2. (incentive) Anreiz m; 3. (physical) Reiz m

sting [stɪŋ] v irr 1. brennen; 2. (insect) stechen; 3. (fig: remarks) schmerzen; 4. (s.o.) stechen, (by a jellyfish) verbrennen; sb 5. (act of stinging) Stich m, (by a jellyfish) Brennen n; 6. (stinging organ) Stachel m, (of a jellyfish) Brennfaden m

stingy ['stɪndʒɪ] adj geizig, knauserig (fam)

stink [stɪŋk] v irr 1. stinken; sb 2. Gestank m; 3. (fam: fuss) Stunk m; raise a ~ Stunk machen

stinks [stɪŋks] sb (UK)(fam) Chemie f

stint [stɪnt] sb Schicht f; Last year he had a ~ as chairman. Im letzten Jahr war er eine Weile Vorsitzender. I did my daily ~ on the weights. Ich machte mein tägliches Gewichtstraining.

stipend ['staɪpənd] sb Lohn m

stipulate ['stɪpjʊleɪt] v 1. (specify) festsetzen; 2. (make a condition) voraussetzen

stir [stɜː] v 1. (person) sich regen; (animal, object) sich bewegen; (feeling) wach werden; 2. (liquid) umrühren; (mixture) rühren; 3. (s.o.) aufreizen; 4. (curiosity) erregen; 5. (move) bewegen; sb 6. (excitement) Aufregung f; cause a ~ für Aufregung sorgen

● **stir up** v 1. (liquid) umrühren; 2. ~ trouble Unruhe stiften

stitch [stɪtʃ] v 1. (sth) nähen; 2. (mend) zusammenflicken; 3. MED vernähen; sb 4. Stich m, (in knitting) Masche f; a ~ in time saves nine gleich getan ist viel gespart; 5. (pain) Seitenstechen n; to be in ~es (fig) sich totlachen

stitcher ['stɪtʃə] sb Näher m

stock [stɒk] v 1. (a product) führen; 2. (a cupboard) füllen; 3. (a pond) mit Fischen besetzen; sb 4. (supply) Vorrat m; in ~ vorrätig; take ~ of the situation die Lage abschätzen; 5. ECO Bestand m; 6. FIN Aktien pl; 7. GAST Brühe f; 8. (ethnic) Stamm m; 9. (of a rifle) Schaft m; 10. Standard...

stockbroker ['stɒkbrəʊkə] sb Börsenmakler m

stock company ['stɒkkʌmpənɪ] sb (US) Repertoiretheater n

stockholder ['stɒkhəʊldə] sb (US) FIN Aktionär m

stocking ['stɒkɪŋ] sb 1. Strumpf m; 2. (kneelength) Kniestrumpf m

stock market ['stɒkmɑːkɪt] sb FIN Börse f

stock-still [stɒk'stɪl] adj stand ~ regungslos stehen

stock-taking ['stɒkteɪkɪŋ] sb 1. Inventur f; 2. (fig) Bestandsaufnahme f

stocky ['stɒkɪ] adj stämmig

stoke [stəʊk] v heizen, schüren

● **stoke up** v 1. (heat) beheizen; 2. (eat) sich satt essen

stole [stəʊl] sb Stola f

stolen ['stəʊlən] adj gestohlen

stomach ['stʌmək] sb 1. Magen m; 2. (belly) Bauch m; v 3. (fam) vertragen

stomach-ache ['stʌməkeɪk] sb Magenschmerzen pl

stone [stəʊn] sb 1. Stein m; 2. (UK: unit of weight) 6,35 kg; v 3. (pelt with ~s) mit Steinen bewerfen; 4. (fruit) entkernen

stone-blind ['stəʊnblaɪnd] adj stockblind

stone-cold ['stəʊnkəʊld] adj eiskalt

stone-dead ['stəʊnded] adj mausetot

stone-deaf ['stəʊndef] adj stocktaub

stoneware ['stəʊnweə] sb Steingut n

stonewashed ['stəʊnwɒʃt] adj stonewashed

stonework ['stəʊnwɜːk] sb Mauerwerk n

stony ['stəʊnɪ] adj 1. steinig; 2. (fig: gaze) starr

stoop [stuːp] v 1. sich bücken, sich beugen; sb 2. (US) Treppe f

stop [stɒp] v 1. (come to a halt) anhalten; Stopp! Halt! 2. (cease) aufhören; ~ at nothing vor nichts zurückschrecken; 3. (fighting) abbrechen; 4. (machine) nicht mehr laufen, (clock) stehen bleiben; 5. (an action) aufhören mit; Stop it! Hör auf damit! 6. (from continuing) ein Ende machen; 7. (prevent from happening) verhindern; 8. (prevent from doing) abhalten; 9. (interrupt temporarily) unterbrechen; 10. (halt) anhalten, (briefly) aufhalten; 11. (a machine) abstellen; 12. (payments, production) einstellen; 13. (a cheque) sperren; 14. (a ball) SPORT stoppen; 15. ~ up (block up) verstopfen, zustopfen; sb 16. Stillstand m; come to a ~ zum Stillstand kommen; put a ~ to sth etw ein Ende machen; 17. FOTO Blende f; 18. (break) Pause f; 19. (bus ~) Haltestelle f; 20. (for a train) Station f; 21. (stay) Aufenthalt m; 22. (UK: punctuation mark) Punkt m

stoplight ['stɒplaɪt] *sb* 1. *(UK)* Bremslicht *n;* 2. *(US: traffic light)* rotes Licht *n*

stopover ['stɒpəʊvə] *sb* Zwischenstation *f,* *(for a plane)* Zwischenlandung *f*

stopwatch ['stɒpwɒtʃ] *sb* Stoppuhr *f*

store [stɔː] *v* 1. lagern; *(documents)* aufbewahren; *(furniture)* lagern; *sb* 2. *(large shop)* Geschäft *n;* 3. *(US: shop)* Laden *m;* 4. *(storage place)* Lager *n;* 5. *(supply)* Vorrat *m;* 6. to be in ~ for s.o. jdm bevorstehen; 7. set great ~ by großen Wert legen auf, viel halten von

storeroom ['stɔːruːm] *sb* 1. Lagerraum *m;* 2. *(for food)* Vorratskammer *f*

storey ['stɔːrɪ] *sb* Stockwerk *n,* Etage *f; on the third ~* im dritten Stock, *(US)* im zweiten Stock; *a three-~ building* ein dreistöckiges Gebäude

stork [stɔːk] *sb* ZOOL Storch *m*

storm [stɔːm] *sb* 1. Sturm *m,* Unwetter *n;* 2. take sth by ~ etw im Sturm erobern; *v* 3. *(move violently)* stürmen; 4. MIL stürmen

storm window ['stɔːmwɪndəʊ] *sb* äußeres Doppelfenster *n*

story ['stɔːrɪ] *sb* 1. Geschichte *f; That's another ~.* (fig) Das ist etw ganz anderes. *It's the same old ~.* (fig) Es ist immer das alte Lied. 2. *(article)* Artikel *m;* 3. *(plot)* Handlung *f;* 4. *(fig)* Märchen *n;* 5. *(US: of a building)* (see "storey")

storybook ['stɔːrɪbʊk] *adj* Bilderbuch..., märchenhaft

storyteller ['stɔːrɪtelə] *sb* Geschichtenerzähler *m*

stove [stəʊv] *sb* Herd *m*

stow [stəʊ] *v* verladen, verstauen
• **stow away** *v* 1. als blinder Passagier fahren; 2. *(sth)* verstauen

straight [streɪt] *adj* 1. gerade; *Your tie isn't ~.* Deine Krawatte sitzt schief. *keep a ~ face* das Gesicht nicht verziehen; 2. *(hair)* glatt; 3. *(whisky)* pur; 4. *(frank)* offen, direkt, *(honest)* ehrlich; 5. *(continuous)* in Folge; *The team won three ~ matches.* Die Mannschaft gewann drei Spiele in Folge. 6. ~ *A's* glatte Einsen; 7. *(fam: boringly proper)* spießig; 8. *(fam: heterosexual)* heterosexuell; 9. get sth ~ *(fig: make sth clear)* etw klarstellen; *adv* 10. gerade; *I can't think ~.* Ich kann nicht richtig denken. 11. go ~ geradeaus gehen; 12. go ~ *(fig)* ein ehrliches Leben beginnen; 13. *(directly)* direkt; ~ *through* sth glatt durch etw; ~ *ahead* geradeaus; *give it to s.o.* ~ jdm etw klipp und klar sagen; ~ *away* sofort

straightforward [streɪt'fɔːwəd] *adj* 1. *(not complicated)* einfach; 2. *(frank)* offen

strain [streɪn] *v* 1. *(exert effort)* sich anstrengen; 2. *(sth)* *(put strain on)* belasten; 3. *(s.o.'s patience)* überfordern; 4. MED *(a muscle)* zerren, *(eyes, heart, back)* überanstrengen, *(an ankle)* verrenken; 5. *(stretch)* spannen; 6. *(filter)* sieben, *(vegetables)* abgießen; *sb* 7. Belastung *f,* Beanspruchung *f;* 8. *(muscle ~)* MED Zerrung *f;* 9. *(on one's heart, eyes, back)* MED Überanstrengung *f;* 10. ~s *pl (of music)* Klänge *pl;* 11. *(breed)* *(of a virus)* Art *f,* *(of animals)* Rasse *f,* *(of plants)* Sorte *f;* 12. *(streak)* Hang *m,* Zug *m*

strait [streɪt] *sb* Meerenge *f,* Straße *f; in dire ~s* (fig) in einer Notlage

strait-laced ['streɪtleɪst] *adj* prüde, sittenstreng

strand¹ [strænd] *v to be ~ed* gestrandet sein

strand² [strænd] *sb* 1. Strang *m;* 2. *(of hair)* Strähne *f;* 3. *(fig: of a story)* Faden *m*

strange [streɪndʒ] *adj* 1. *(unfamiliar)* fremd, *(activity)* ungewohnt; 2. *(peculiar)* seltsam, sonderbar

stranger ['streɪndʒə] *sb* Fremde(r) *m/f; to be no ~ to* sth (fig) mit etw vertraut sein

strap [stræp] *v* 1. ~ sth onto sth etw auf etw schnallen; ~ o.s. in sich anschnallen; ~ sth down etw festschnallen; *sb* 2. Riemen *m;* 3. *(shoulder ~)* Träger *m;* 4. *(of a watch)* Armband *n*

strapping ['stræpɪŋ] *adj* stramm

strategic [strə'tiːdʒɪk] *adj* strategisch, taktisch

strategy ['strætɪdʒɪ] *sb* 1. Strategie *f;* 2. SPORT Taktik *f*

straw [strɔː] *sb* 1. Stroh *n;* 2. *(one stalk)* Strohhalm *m; draw ~s* Strohhalme ziehen; *draw the ~* den kürzeren ziehen; *short ~* kürzeres Ende; *That's the last ~!* (fig) Das hat gerade noch gefehlt! *grasp at ~s* (fig) sich an einen Strohhalm klammern; 3. *(drinking ~)* Strohhalm *m,* Trinkhalm *m*

strawberry ['strɔːbərɪ] *sb* BOT Erdbeere *f*

stray [streɪ] *v* 1. streunen, sich verirren; 2. *(thoughts)* abschweifen; *adj* 3. *(dog)* streunend; 4. *(child, bullet)* verirrt; *sb* 5. streunendes Tier *n*

streak [striːk] *v* 1. flitzen; 2. *(sth)* streifen; *sb* 3. *(strip)* Streifen *m;* 4. *(in hair)* Strähne *f;* 5. *(of light)* Strahl *m;* 6. *(fig: trace)* Spur *f;* 7. *(humorous)* Ader *f;* 8. *(of meanness)* Zug *m*

stream [striːm] *v* 1. strömen, fließen; *sb* 2. *(small river)* Bach *m;* 3. *(flow)* Strom *m*

street [striːt] *sb* Straße *f*; *in the ~* auf der Straße; *He lives on Lincoln Street.* Er wohnt in der Lincoln Street. *at ~ level* zu ebener Erde; *the man in the ~* (fig) der Mann auf der Straße *That's right up your ~.* (fig) Das ist wie geschaffen für dich.

streetcar ['striːtkɑː] *sb* Straßenbahn *f*

street smart ['striːtsmɑːt] *adj* gewieft, mit allen Wassern gewaschen

street value ['striːtvæljuː] *sb* Schwarzmarktpreis *m*

streetwalker ['striːtwɔːlkə] *sb* Straßenmädchen *n*

strength [streŋθ] *sb* 1. Stärke *f*; 2. (physical ~) Kraft *f*; 3. (of a colour) Intensität *f*

stress [stres] *v* 1. (emphasize) betonen; 2. (a syllable) betonen; *sb* 3. (strain) Belastung *f*, Stress *m*; 4. TECH Belastung *f*, Beanspruchung *f*; 5. (pressure) Druck *m*; 6. (emphasis) Nachdruck *m*; 7. (accent) Betonung *f*

stretch [stretʃ] *v* 1. (elastic) sich dehnen; 2. (landscape) sich erstrecken; 3. (person) sich strecken, sich recken; *~ for sth* nach etw langen; 4. (sth) (pull tight) spannen; 5. (expand) dehnen; 6. (a part of one's body) dehnen; 7. (make go further) (money) strecken; (abilities) bis zum Äußersten fordern; 8. *~ sth* (truth, rule) es mit etw nicht allzu genau nehmen; *sb* 9. (of road) Strecke *f*, (of countryside) Stück *n*; 10. (of a journey) Abschnitt *m*; 11. (of time) Zeitspanne *f*, Zeitraum *m*; 12. (stretching) Strecken *n*

stretcher ['stretʃə] *sb* Tragbahre *f*

strict [strɪkt] *adj* 1. streng; 2. (precise) genau

stride [straɪd] *sb* 1. langer Schritt *m*; 2. *take sth in (one's) ~* etw gut verkraften; *v* 3. schreiten *f*

strife [straɪf] *sb* Streit *m*

strike [straɪk] *v irr* 1. (clock) schlagen; 2. (blow, bullet, disaster) treffen; 3. (disease) zuschlagen; 4. (employees) streiken; 5. (sth) schlagen; 6. (oil, gold) finden, stoßen auf; 7. (impress) beeindrucken; 8. *~ fear into s.o.'s heart* jdn mit Angst erfüllen; 9. (occur to) in den Sinn kommen, auffallen; 10. (camp) abbrechen; 11. *~ a balance between sth and sth* das richtige Verhältnis von etw zu etw finden; *sb* 12. (by workers) Streik *m*, Ausstand *m*; 13. MIL Angriff *m*

striking ['straɪkɪŋ] *adj* (fig) auffallend, bemerkenswert; (beauty) eindrucksvoll

string [strɪŋ] *sb* 1. Schnur *f*; 2. *pull ~s* Beziehungen spielen lassen; 3. (of a puppet) Draht *m*; 4. *the ~s* MUS die Streichinstrumente *pl*; 5. (fam: condition) Bedingung *f*; *with no ~s at-* tached ohne Bedingungen; 6. (series) Reihe *f*, Kette *f*; *v irr* 7. (pearls) auf eine Schnur aufziehen; 8. (a musical instrument) mit Saiten spannen

• **string along** *v irr string s.o. along* (fam) jdn hinhalten

string instrument ['strɪŋ ˈɪnstrəmənt] *sb* Streichinstrument *n*

string quartet [strɪŋ kwɔːˈtet] *sb* Streichquartett *n*

strip [strɪp] *v* 1. sich ausziehen; (for a medical examination) sich frei machen; *~ to the waist* den Oberkörper frei machen; 2. (do a striptease) strippen; 3. (a bed) abziehen; 4. (paint) abziehen; (with liquid) abbeizen; 5. *~ s.o. of a title* jdm seinen Titel aberkennen; *sb* 6. Streifen *m*

strip club [strɪp klʌb] *sb* Striptease-Klub *m*, Striplokal *n*

stripper ['strɪpə] *sb* 1. (person) Stripper *m*, Stripteasetänzer *m*; 2. (peeling device) Tapetenlöser *m*

striptease ['strɪptiːz] *sb* Striptease *m*

strive [straɪv] *v irr* 1. *~ to do sth* sich bemühen, etw zu tun; 2. *~ for sth* etw anstreben, nach etw streben

stroke [strəʊk] *v* 1. streicheln; *sb* 2. (caress) Streicheln *n*; 3. (blow, of a clock, in tennis) Schlag *m*; 4. (of a pen) Strich *m*; 5. (of luck) Glücksfall *m*; 6. *~ of bad luck* Pechsträhne *f*; 7. *~ of genius* Geniestreich *m*; 8. TECH Hub *m*; 9. MED Schlaganfall *m*

stroll [strəʊl] *v* 1. schlendern, bummeln; *sb* 2. Spaziergang *m*; *take a ~* spazieren gehen

strong [strɒŋ] *adj* 1. stark; 2. (physically, expression, voice) kräftig; 3. (argument) überzeugend; 4. (measures) drastisch; 5. (features) ausgeprägt

structure ['strʌktʃə] *v* 1. strukturieren; 2. (an argument) aufbauen, gliedern; *sb* 3. Struktur *f*; 4. (of society) Aufbau *m*; 5. (thing built) Konstruktion *f*; 6. (building) Gebäude *n*

struggle ['strʌgl] *v* 1. kämpfen; 2. (financially) in Schwierigkeiten sein; 3. (with schoolwork) sich abmühen mit; *sb* 4. Kampf *m*; 5. (effort) Anstrengung *f*, Streben *n*

struggler ['strʌglə] *sb* Kämpfer *m*

stub [stʌb] *v* 1. *~ one's toe* sich den Zeh stoßen; 2. *~ out* (a cigarette) ausdrücken; *sb* 3. (of a candle) Stummel *m*; (of a cigarette) Kippe *f*

stubborn ['stʌbən] *adj* 1. hartnäckig, eigensinnig, stur; 2. (thing) widerspenstig

stuck-up ['stʌkˈʌp] *adj* hochnäsig

student ['stju:dənt] *sb* 1. *(at university)* Student/Studentin *m/f*; 2. *(US: pupil)* Schüler/Schülerin *m/f*

studio ['stju:dɪəʊ] *sb* 1. Studio *n*; 2. *(artist's)* Atelier *n*

study ['stʌdɪ] *v* 1. lernen, *(attend university)* studieren; 2. *(sth)* studieren, lernen; 3. *(scrutinize)* mustern; *sb* 4. *(piece of work)* Studie *f*; The firm was a ~ in mismanagement. *(fig)* Die Firma war ein perfektes Beispiel schlechter Verwaltung. 5. *(of a situation)* Untersuchung *f*; 6. *(of nature)* Beobachtung *f*; 7. studies *pl* Studium *n*; 8. *(room)* Arbeitszimmer *n*

stuff [stʌf] *v* 1. ~ sth into sth etw in etw stopfen; ~ sth into an envelope etw in einen Umschlag stecken; 2. voll stopfen; GAST füllen; *sb* 3. Zeug *n*, *(belongings)* Sachen *pl*; made of the same ~ aus dem gleichen Holz geschnitzt; 4. know one's ~ *(fam)* sich in seinen Fach gut auskennen; 5. Stuff and nonsense! Unsinn!

stumble ['stʌmbl] *v* 1. stolpern; 2. *(in speaking)* stocken; 3. ~ on sth, ~ upon sth *(fig)* auf etw stoßen

stump [stʌmp] *sb* 1. *(of a tree, of a tooth, of a limb)* Stumpf *m*; 2. *(of a pencil, of a candle, of a cigar)* Stummel *m*

stun [stʌn] *v* 1. betäuben; 2. *(fig: surprise)* verblüffen; 3. *(fig: shock)* fassungslos machen

stunning ['stʌnɪŋ] *adj* 1. niederschmetternd; 2. *(fig)* umwerfend, phänomenal

stunt [stʌnt] *v* 1. ~ s.o.'s growth jdn im Wachstum hemmen; *sb* 2. Kunststück *n*; 3. *(publicity ~)* Gag *m*; 4. CINE Stunt *m*, gefährliche Szene *f*

stupid ['stju:pɪd] *adj* 1. dumm; 2. *(fam: foolish, boring)* blöd

stupor ['stju:pə] *sb* Betäubung *f*

sturdy ['stɜ:dɪ] *adj* 1. *(structure)* stabil, kräftig; 2. *(person)* robust, kräftig, stämmig

stutter ['stʌtə] *v* stottern

style [staɪl] *v* 1. *(hair)* schneiden und frisieren; 2. *(designate)* nennen; *sb* 3. Stil *m*; 4. *(type)* Art *f*

stylish ['staɪlɪʃ] *adj* 1. schick; 2. *(fashionable)* modisch

styrofoam ['staɪrəfəʊm] *sb* Styropor *n*

suave [swɑ:v] *adj* 1. kultiviert, höflich; 2. *(smooth)* sanft, mild

subconscious [sʌb'kɒnʃəs] *adj* 1. unterbewusst; *sb* 2. Unterbewusstsein *n*

subcontinent ['sʌbkɒntɪnənt] *sb* GEO Subkontinent *m*

subcontractor ['sʌbkɒntræktə] *sb* ECO Subunternehmer *m*

subdivision ['sʌbdɪvɪʒən] *sb* 1. *(subdividing)* Unterteilung *f*; 2. *(group)* Unterabteilung *f*

subeditor ['sʌbedɪtə] *sb* (UK) Redakteur/Redakteurin *m/f*

subject ['sʌbdʒɪkt] *sb* 1. *(topic, ~ of a painting)* Thema *n*, Gegenstand *m*; 2. *(of study, of expertise)* Fach *n*; 3. GRAMM Subjekt *n*; 4. *(of an experiment)* Versuchsobjekt *n*, *(person)* Versuchsperson *f*; 5. *(patient)* Patient/Patientin *m/f*; 6. POL Staatsbürger *m*, *(of a monarch)* Untertan/Untertanin *m/f*; *adj* 7. to be ~ to sth von etw abhängig sein, *(to law, to s.o.'s will)* einer Sache unterworfen sein; ~ to change without notice Änderungen vorbehalten; ~ to a fee gebührenpflichtig; [səb'dʒekt] *v* 8. ~ s.o. to sth jdn einer Sache unterziehen, *(to sth unpleasant)* jdn einer Sache aussetzen

subjective [səb'dʒektɪv] *adj* subjektiv

subject matter ['sʌbdʒɪktmætə] *sb (content)* Inhalt *m*

sublet [sʌb'let] *v* untervermieten

sublime [sə'blaɪm] *adj* erhaben; ~ indifference totale Gleichgültigkeit *f*

submarine [sʌbmə'ri:n] *sb* U-Boot *n*, Unterseeboot *n*

submerge [səb'mɜ:dʒ] *v* 1. tauchen; 2. *(sth)* untertauchen; *(flood)* überschwemmen; It was completely ~d. Es stand völlig unter Wasser.

submission [səb'mɪʃən] *sb* 1. *(yielding)* Unterwerfung *f*; 2. *(obedience)* Ergebung *f*; 3. *(of documents)* Vorlage *f*

submit [səb'mɪt] *v* 1. sich fügen, sich beugen; 2. ~ to sth *(s.o.'s orders)* sich einer Sache unterwerfen, *(demands, threats)* einer Sache nachgeben; 3. ~ sth to s.o. jdm etw vorlegen, bei jdm etw einreichen; 4. ~ sth to sth etw einer Sache unterziehen; 5. I ~ that ... ich gebe zu bedenken, dass ...

subscribe [səb'skraɪb] *v* ~ to 1. *(a publication)* abonnieren; 2. ~ to an opinion einer Ansicht beistimmen

subscript ['sʌbskrɪpt] *sb (number)* tiefgestellte Zahl *f*

subscription [səb'skrɪpʃən] *sb (to a publication)* Abonnement *n*

subsequent ['sʌbsɪkwənt] *adj* 1. folgend; 2. *(later)* später

subside [səb'saɪd] *v* 1. *(storm, wind)* nachlassen; 2. *(river, flood)* sinken; 3. *(anger, noise, fever)* abklingen

subsidiary [səb'sɪdɪərɪ] *adj* 1. Neben...; 2. ECO Tochter...; *sb* 3. ECO Tochtergesellschaft *f*

subsidy ['sʌbsɪdɪ] *sb* Subvention *f*

substance ['sʌbstəns] *sb 1.* Substanz *f*, Stoff *m*, Materie *f*; *2. (fig: essence)* Kern *m*; *3. (fig: meaningful ideas)* Gehalt *m*, Substanz *f*; *4. in ~* im Wesentlichen, im Großen und Ganzen

substandard [sʌb'stændəd] *adj* minderwertig, unter der Norm

substantial [səb'stænʃəl] *adj 1. (large)* beträchtlich; *2. (contribution, improvement)* wesentlich; *3. (argument)* überzeugend; *4. (real)* wirklich; *5. (meal)* sättigend, reichlich; *6. (solid)* solide; *7. (important)* bedeutend

substitute ['sʌbstɪtjuːt] *v 1. ~ for s.o.* jdn vertreten, als Ersatz für jdn dienen; *in rapid ~ A for B* B durch A ersetzen; *The manager substituted Smith for Jones.* Der Trainer wechselte Jones gegen Smith aus. *sb 3.* Ersatz *m*; *4. (person)* Vertretung *f*; *5. SPORT* Ersatzspieler *m*; *adj 6.* Ersatz...

substitution [sʌbstɪ'tjuːʃən] *sb* Ersetzen *n*, Einsetzen *n*

subtitle ['sʌbtaɪtl] *sb 1.* Untertitel *m*; *v 2. The book is ~d "The Later Years."* Das Buch hat den Untertitel "The Later Years."

subtle ['sʌtl] *adj 1.* fein; *2. (distinction)* subtil

suburb ['sʌbɜːb] *sb* Vorort *m*

suburban [sə'bɜːbən] *adj* Vororts..., Vorstadt...

subway ['sʌbweɪ] *sb 1. (US)* U-Bahn *f*, Untergrundbahn *f*; *2. (UK)* Unterführung *f*, *(for cars)* Tunnel *m*

succeed [sək'siːd] *v 1.* gelingen, Erfolg haben; *2. ~ s.o.* jdm nachfolgen, jdm folgen, jds Nachfolger sein

success [sək'ses] *sb* Erfolg *m*

succession [sək'seʃən] *sb 1.* Folge *f*, Serie *f*; *in ~* hintereinander, nacheinander; *in rapid ~* in rascher Folge; *sb 2. (within a family)* Erbfolge *f*; *3. (to a post)* Nachfolge *f*; *4. (to a throne)* Thronfolge *f*

success story [sək'sessʌtɔːrɪ] *sb* Erfolgsgeschichte *f*

succumb [sə'kʌm] *v ~ to sth* einer Sache unterliegen

such [sʌtʃ] *adj 1.* solche(r,s); *there's no ~ thing as ...* so etwas wie ... gibt es nicht; *~ a man* ein solcher Mann; *in ~ a way that* auf solche Weise, dass; *2. ~ as* wie, so wie, zum Beispiel; *adv 3.* so, solch; *Such a clever lad!* So ein kluger Junge! *He's ~ a liar.* Er ist solch ein Lügner. *4. Such is life!* So ist das Leben! *pron 5.* dergleichen; *as ~* an sich; *Such as?* Zum Beispiel? *and ~* und dergleichen; *~ and ~* das und das

suck [sʌk] *v 1.* saugen; *2. (through a straw)* ziehen; *3. (on a lollipop, on a bonbon)* lutschen; *4. (fam) (US) That ~s.* Das ist Scheiße. *5. (sth)* saugen; *6. (a straw, a breast)* saugen an; *7. (one's thumb, a bonbon)* lutschen

sucker ['sʌkə] *sb 1. (fam: person)* Dussel *m*; *2. (US: lollipop)* Lutscher *m*; *3. ZOOL* Saugnapf *m*

suction ['sʌkʃən] *sb 1. (action)* Saugen *n*; *2. (effect)* Saugwirkung *f*; *3. PHYS* Sog *m*

suction cup ['sʌkʃənkʌp] *sb* Saugnapf *m*

sudden ['sʌdn] *adj 1.* plötzlich; *2. (drop)* jäh; *3. (unexpected)* unvermutet; *sb 4. all of a ~* plötzlich, ganz plötzlich

suddenly ['sʌdnlɪ] *adv* plötzlich

sue [suː] *v 1. JUR* klagen, Klage erheben; *~ for divorce* die Scheidung einreichen; *2. ~ s.o. JUR* gegen jdn gerichtlich vorgehen, jdn belangen; *~ s.o. for damages* jdn auf Schadenersatz verklagen

suede [sweɪd] *sb* Wildleder *n*

suffer ['sʌfə] *v 1.* leiden, *(as punishment)* büßen; *~ from sth* unter etw leiden; *~ from an illness* an einer Krankheit leiden; *2. (sth)* erleiden; *~ a defeat* eine Niederlage einstecken müssen; *3. (tolerate)* leiden

suffering ['sʌfərɪŋ] *sb 1.* Leiden *n*; *adj 2.* leidend

suffice [sə'faɪs] *v* genügen, reichen

sufficient [sə'fɪʃənt] *adj* genügend, genug, ausreichend

suffix ['sʌfɪks] *sb GRAMM* Suffix *n*, Nachsilbe *f*

suffocation [sʌfə'keɪʃən] *sb* Ersticken *n*

sugar ['ʃʊgə] *sb* Zucker *m*

sugar beet ['ʃʊgə biːt] *sb* Zuckerrübe *f*

sugar cane ['ʃʊgə keɪn] *sb* Zuckerrohr *n*

suggest [sə'dʒest] *v 1.* vorschlagen; *2. (an explanation)* nahe legen; *3. (indicate)* hindeuten auf, andeuten; *4. (insinuate)* andeuten; *5. (evoke)* denken lassen an; *6. ~ itself* sich anbieten

suggestion [sə'dʒestʃən] *sb 1.* Vorschlag *m*; *2. (insinuation)* Andeutung *f*; *3. (theory)* Vermutung *f*; *4. (trace)* Spur *f*

suicidal [suɪ'saɪdl] *adj* Selbstmord..., selbstmörderisch

suicide ['suɪsaɪd] *sb 1.* Selbstmord *m*; *commit ~* Selbstmord begehen; *2. (person)* Selbstmörder *m*

suit [suːt] *v 1. (adapt)* anpassen; *2. (to be pleasing to)* passen, gefallen; *3. (to be right for)* geeignet sein für; *4. ~ s.o. (clothes)* jdm gut stehen; *5. Suit yourself!* Wie du willst! *sb 6.* Anzug

m; 7. (woman's) Kostüm n; 8. JUR Prozess m, Verfahren n; 9. (of playing cards) Farbe f; 10. follow ~ (fig) jds Beispiel folgen, dasselbe tun
suitable ['su:təbl] adj 1. geeignet, passend; 2. (socially appropriate) angemessen
suitcase ['su:tkeis] sb Koffer m
suite [swi:t] sb 1. (of rooms) Suite f; 2. MUS Suite f
sulk [sʌlk] v schmollen
sullen ['sʌlən] adj mürrisch, grämlich, verdrossen
sultana [sʌl'tɑ:nə] sb (raisin) Sultanine f
sum [sʌm] sb 1. Summe f; 2. (of money) Betrag m, Summe f, Geldsumme f; 3. MATH Rechnung f; 4. (UK: maths problem) (fam) Rechenaufgabe f; v 5. (summarize) zusammenfassen; 6. (evaluate quickly) abschätzen; 7. MATH summieren, zusammenzählen
summary ['sʌməri] sb 1. Zusammenfassung f, Abriss m; 2. (of a plot) kurze Inhaltsangabe f; adj 3. (immediate) summarisch; ~ dismissal fristlose Entlassung
summer ['sʌmə] sb Sommer m
summerhouse ['sʌməhaus] sb Gartenhaus n, Laube f
summertime ['sʌmətaim] sb Sommerzeit f
summing-up ['sʌmiŋ ʌp] sb Zusammenfassung f, Resümee n
summit ['sʌmit] sb Gipfel m
summon ['sʌmən] v 1. rufen, kommen lassen, (a meeting) einberufen; 2. (strength, courage) aufbieten, zusammenraffen, zusammennehmen
summons ['sʌmənz] sb JUR Vorladung f, Ladung f
sum total [sʌm təutəl] sb Gesamtbetrag m
sumptuous ['sʌmptjuəs] adj prächtig
sun [sʌn] sb 1. Sonne f; have the ~ in one's eyes die Sonne genau im Gesicht haben; v 2. ~ o.s. sich sonnen
sunbathe ['sʌnbeið] v ein Sonnenbad nehmen
sunburn ['sʌnbɜ:n] sb Sonnenbrand m
sun deck [sʌn dek] sb Sonnendeck n
sundown ['sʌndaun] sb Sonnenuntergang m
sun-drenched ['sʌndrentʃt] adj sonnenüberflutet
sundry ['sʌndri] adj 1. verschiedene, diverse; 2. all and ~ alle, Hinz und Kunz
sunglasses ['sʌnglɑ:siz] pl Sonnenbrille f
sunhat ['sʌnhæt] sb Sonnenhut m
sunken ['sʌŋkən] adj versunken, eingesunken
sunlamp ['sʌnlæmp] sb Höhensonne f

sunlight ['sʌnlait] sb Sonnenlicht n
sunlit ['sʌnlit] adj sonnig, sonnenbeschienen
sunny ['sʌni] adj sonnig
sunny side ['sʌnisaid] sb 1. Sonnenseite f; 2. (fig) on the ~ of sixty noch nicht sechzig
sunrise ['sʌnraiz] sb Sonnenaufgang m
sunroof ['sʌnruf] sb (of a car) Schiebedach n
sunscreen ['sʌnskri:n] sb Sonnenschutz m
sunset ['sʌnset] sb Sonnenuntergang m
sunshade ['sʌnʃeid] sb Sonnenschirm m
sunshine ['sʌnʃain] sb Sonnenschein m; in the ~ in der Sonne
sunstroke ['sʌnstrəuk] sb MED Sonnenstich m
sun-worshipper ['sʌnwɜ:ʃipə] sb Sonnenanbeter m
super ['su:pə] adj (fam) super
superb [su:'pɜ:b] adj vorzüglich
supercomputer ['su:pəkəmpju:tə] sb INFORM Superrechner m
supercool ['su:pəku:l] adj (fam: person) (US) ultracool
superfluous [su'pɜ:fluəs] adj überflüssig
superglue ['su:pəglu:] sb Sekundenkleber m
supergroup ['su:pəgru:p] sb MUS erfolgreiche Popgruppe f
superhero ['su:pəhiərəu] sb Superheld m
superhuman [su:pə'hju:mən] adj übermenschlich
superintendent [su:pərin'tendənt] sb 1. Leiter m, Vorsteher m, Direktor m; 2. (police ~) (UK) Hauptkommissar m, (US) Polizeichef m
superior [su'piəriə] adj 1. (better) besser, (abilities) überlegen; 2. (excellent) großartig, hervorragend; 3. (arrogant) überheblich; 4. (in rank) höher; sb 5. (in rank) Vorgesetzte(r) m/f; 6. to be s.o.'s ~ (in ability) jdm überlegen sein
supermarket ['su:pəmɑ:kit] sb Supermarkt m
supermodel ['su:pəmɒdl] sb Top-Model n
supernatural [su:pə'nætʃərəl] adj übernatürlich
superstar ['su:pəstɑ:] sb Superstar m
superstition [su:pə'stiʃən] sb Aberglaube m
superstitious [su:pə'stiʃəs] adj abergläubisch
supervise ['su:pəvaiz] v beaufsichtigen
supervision [su:pə'viʒən] sb Aufsicht f, Beaufsichtigung f
supper ['sʌpə] sb Abendessen n; have ~ zu Abend essen; the Last Supper das letzte Abendmahl

supple ['sʌpl] *adj* geschmeidig

supplement ['sʌplɪmənt] *v* 1. ergänzen; *sb* 2. Ergänzung *f;* 3. *(in a newspaper)* Beilage *f;* 4. *(at the end of a book)* Nachtrag *m*

supplementary [sʌplɪ'mentərɪ] *adj* zusätzlich, Zusatz...

supply [sə'plaɪ] *v* 1. sorgen für; 2. *(goods, public utilities)* liefern; 3. *(put at s.o.'s disposal)* stellen; 4. *(fuel to a motor)* TECH speisen; 5. ~ s.o. with sth jdn mit etw versorgen; 6. *(s.o.)(with goods)* ECO beliefern; *sb* 7. *(act of supplying)* Versorgung *f;* 8. ~ and demand Angebot *(n)* und Nachfrage *(f);* 9. *(thing supplied)* Lieferung *f;* 10. *(delivery)* Lieferung *f;* 11. *(stock)* Vorrat *m;* 12. supplies *pl (for a journey)* Proviant *m;* 13. MIL Nachschub *m;* 14. TECH Zufuhr *f*

support [sə'pɔːt] *v* 1. *(a plan)* befürworten; 2. *(give moral support to)* beistehen; 3. *(physically)* stützen; 4. *(one's family)* erhalten; 5. *(fig)* unterstützen; *sb* 6. *(physical)* Stütze *f;* 7. *(fig)* Unterstützung *f*

supporter [sə'pɔːtə] *sb* 1. Anhänger *m;* 2. *(proponent)* Befürworter *m*

support group [sə'pɔːt gruːp] *sb* Selbsthilfegruppe *f*

supporting actor [sə'pɔːtɪŋ 'æktə] *sb* Nebendarsteller *m*

suppose [sə'pəʊz] *v* 1. *(think)* vermuten, glauben, meinen; 2. *(assume)* annehmen; 3. *I ~ so* stimmt wohl, ja, schon; 4. *(imagine)* sich vorstellen; 5. *(to begin a suggestion)* wie wäre es, wenn...; 6. *to be ~d to do sth* etw tun sollen; 7. *to be ~d to be sth* etw angeblich sein sollen; 8. *What's that ~d to mean?* Was soll das heißen?

supposed [sə'pəʊzd] *adj* angeblich

suppress [sə'pres] *v* 1. unterdrücken; 2. *(publication)* verbieten; 3. *(the truth, a scandal)* vertuschen

supremacist [sʊ'preməsɪst] *sb* jmd, der an die Überlegenheit einer bestimmten Gruppe glaubt

supreme [sʊ'priːm] *adj* 1. höchste(r,s); 2. *(in rank)* oberste(r,s); 3. *(very great)* äußerste(r,s); 4. *the Supreme Court* JUR das oberste Gericht; *adv* 5. *reign* ~ unangefochten herrschen

sure [ʃʊə] *adj* 1. sicher; *make* ~ *of sth* sich einer Sache vergewissern; 2. *to be* ~, *... allerdings* ...; *adv* 3. *for* ~ sicher, gewiss; *interj* 4. Klar! *adv* 5. *She said it would be easy and* ~ *enough, it was.* Sie sagte, es würde einfach sein, und das war es auch. 6. *(US: certainly)* Did you do it? I ~ did! Hast du es gemacht? Na klar! *That* ~ *was difficult.* Das war ganz schön schwierig.

sure-footed ['ʃʊəfʊtɪd] *adj* trittsicher

surely ['ʃʊəlɪ] *adv* 1. bestimmt, sicher; *slowly but* ~ langsam aber sicher; 2. *(emphasis)* doch; *Surely you don't believe that!* Das glauben Sie doch nicht im Ernst!

surface ['sɜːfɪs] *v* 1. auftauchen; 2. *(a road)* mit einem Belag versehen; *sb* 3. Fläche *f;* 4. *(exterior)* Oberfläche *f;* 5. *on the* ~ äußerlich, oberflächlich betrachtet

surfboard ['sɜːfbɔːd] *sb* Surfbrett *n*

surfboat ['sɜːfbəʊt] *sb* Brandungsboot *n*

surfing ['sɜːfɪŋ] *sb* Wellenreiten *n;* Surfen *n*

surgeon ['sɜːdʒən] *sb* MED Chirurg/Chirurgin *m/f*

surgery ['sɜːdʒərɪ] *sb* 1. Chirurgie *f;* *have* ~ operiert werden; 2. *(room)* MED Operationssaal *m;* 3. *(UK: consultation room)* MED Sprechzimmer *n*

surly ['sɜːlɪ] *adj* verdrießlich, bärbeißig *(fam)*

surname ['sɜːneɪm] *sb* Nachname *m,* Familienname *m*

surplus ['sɜːpləs] *sb* 1. Überschuss *m;* *adj* 2. überschüssig

surprise [sə'praɪz] *v* 1. überraschen; 2. *(in an attack)* überrumpeln; *sb* 2. Überraschung *f;* *take s.o. by* ~ jdn überraschen

surprising [sə'praɪzɪŋ] *adj* überraschend, erstaunlich

surreal [sə'rɪəl] *adj* unwirklich

surrender [sə'rendə] *v* 1. sich ergeben, *(to the police)* sich stellen; 2. *(sth)* übergeben; 3. *(a claim, a post, a hope)* aufgeben; 4. Kapitulation *f;* 5. *(handing over)* Übergabe *f*

surreptitious [sʌrəp'tɪʃəs] *adj* heimlich

surround [sə'raʊnd] *v* 1. umgeben; 2. MIL umzingeln

surroundings [sə'raʊndɪŋz] *pl* Umgebung *f*

surveillance [sɜː'veɪləns] *sb* Überwachung *f*

survey [sɜː'veɪ] *v* 1. *(from a high place)* überblicken; 2. *(fam: poll)* befragen; 3. *(measure)* vermessen; 4. *(appraise)* abschätzen, begutachten; 5. *(study)* untersuchen; ['sɜːveɪ] *sb* 6. *(overview)* Überblick *m;* 7. *(poll)* Umfrage *f;* 8. *(measuring)* Vermessung *f*

survive [sə'vaɪv] *v* 1. überleben; 2. *(objects)* erhalten bleiben; 3. *(custom)* fortbestehen; 4. *(sth)* überleben, überstehen

survivor [sə'vaɪvə] *sb* 1. Überlebende(r) *m/f;* 2. *(of a deceased person)* Hinterbliebene(r) *m/f*

suspect [səs'pekt] *v* 1. verdächtigen; 2. *(think likely)* vermuten; 3. *(have doubts about)* anzuzweifeln; ['sʌspekt] *sb 4.* Verdächtige(r) *m/f; adj 5. (person)* verdächtig; *6. (thing)* suspekt

suspend [sə'spend] *v 1. (hang)* aufhängen; *2. to be ~ed from sth (hang)* von etw hängen; *3. (stop)* einstellen; *4. (delay)* aufschieben; *5. (s.o.)* suspendieren; *6. (a member)* zeitweilig ausschließen; *7. (an athlete)* SPORT sperren

suspender [sə'spendə] *sb 1. (UK) (for socks)* Sockenhalter *m, (for stockings)* Strumpfhalter *m; 2. ~s pl (US)* Hosenträger *m*

suspicion [sə'spɪʃən] *sb 1.* Verdacht *m,* Argwohn *m; above ~* über jeden Verdacht erhaben; *2. (fig: trace)* Spur *f*

suspicious [sə'spɪʃəs] *adj 1. (feeling suspicion)* argwöhnisch, misstrauisch; *to be ~ of s.o.* jdn verdächtigen; *2. (causing suspicion)* verdächtig

sustain [sə'steɪn] *v 1. (maintain)* erhalten; *2. (an effort)* nicht nachlassen in; *3. (life)* erhalten; *4. (one's family)* unterhalten; *5. (suffer)* erleiden; *6. (an objection)* JUR stattgeben; *objection ~ed* Einspruch stattgegeben

sustained [sə'steɪnd] *adj* ausdauernd, anhaltend

svelte [svelt] *adj* grazil

swab [swɒb] *sb 1.* MED Tupfer *m; 2. (specimen)* Abstrich *m*

swaddle ['swɒdl] *v* wickeln

swag [swæg] *sb (fam: booty)* Beute *f*

swallow¹ ['swɒləʊ] *v 1.* schlucken; *2. (sth)* schlucken, hinunterschlucken; *~ one's pride* seinen Stolz schlucken; *~ sth whole* etw ganz schlucken; *sb 3.* Schluck *m*

swallow² ['swɒləʊ] *sb* ZOOL Schwalbe *f*

swamp [swɒmp] *sb 1.* Sumpf *m; v 2. to be ~ed with sth (fig)* mit etw überhäuft werden

swank [swæŋk] *v (fam)* angeben, protzen

swanky ['swæŋki] *adj (fam)* protzig

swan song ['swɒnsɒŋ] *sb* Schwanengesang *m*

swap [swɒp] *v 1.* tauschen, *(stories)* austauschen; *~ sth for sth* etw gegen etw austauschen; *sb 2.* Tausch *m*

swarm [swɔːm] *v 1.* schwärmen; *sb 2.* Schwarm *m; 3. (of people)* Schar *f*

swastika ['swɒstɪkə] *sb* Hakenkreuz *n*

swatch book ['swɒtʃbʊk] *sb* Musterbuch *n*

sway [sweɪ] *v 1.* schwanken; *2. (trees)* sich wiegen; *3. (boat)* schaukeln; *4. (sth)* schwenken; *5. (s.o.)* beeinflussen; *sb 6. hold ~ over* herrschen über

swear [sweə] *v 1.* schwören; *2. (curse)* fluchen; *3. (sth)* schwören; *~ s.o. to secrecy* jdn eidlich zur Verschwiegenheit verpflichten

• **swear in** *v* vereidigen

swear-word ['sweəwɜːd] *sb* Fluch *m,* Kraftausdruck *m*

sweat [swet] *v 1.* schwitzen; *~ blood (fam)* Blut schwitzen; *sb 2.* Schweiß *m; to be in a cold ~ (fam)* Blut und Wasser schwitzen; *No ~! (fam)* Kein Problem!

sweatpants ['swetpænts] *sb (US)* weite Trainingshose *f*

sweaty ['sweti] *adj 1.* verschwitzt; *2. (work)* anstrengend

sweep [swiːp] *v irr 1.* kehren, fegen; *2. (wind, rain)* fegen; *3. (army, war)* stürmen; *4. (water)* fluten; *5. (sth)* kehren, fegen; *~ s.o. off his feet* jds Herz im Sturm erobern; *~ sth aside* beiseite schieben; *6. (scan)* absuchen; *7. (lights)* streichen über; *8. (a minefield)* durchkämmen; *9. (fig: fashion, mood)* überrollen; *10. (fig: a competition)* alles gewinnen bei; *sb 11. (movement)* Schwung *m; 12.* make a clean *~* reinen Tisch machen; *13. (curve)* geschwungene Kurve *f; 14. (fig)* Reichweite *f,* Bereich *m*

• **sweep along** *v irr* sweep sth along etw mitreißen

sweeper ['swiːpə] *sb* Straßenkehrer *m*

sweepstakes ['swiːpsteɪks] *sb (lottery)* Lotterie, deren Gewinne aus den Einsätzen gebildet werden

sweet [swiːt] *adj 1.* süß; *2. (sound)* wohlklingend; *sb 3. (UK: candy)* Süßigkeit *f; 4. (UK: dessert)* Nachtisch *m*

sweeten ['swiːtn] *v 1.* süßen; *2. (fig: a task)* versüßen

sweetheart ['swiːthɑːt] *sb* Schatz *m; his college ~* seine Liebe aus der Studienzeit

sweet shop ['swiːtʃɒp] *sb (UK)* Süßwarengeschäft *n*

sweet-talk ['swiːttɔːk] *v* schmeicheln

swell [swel] *v irr 1.* anschwellen; *2. have a ~ed head (fam)(US)* hochnäsig sein, eingebildet sein; *3. (in number)* anwachsen; *4. (sth)* anschwellen lassen; *adj 5. (fam)* prima

swelling ['swelɪŋ] *sb 1.* Anschwellen *n,* Blähen *n; 2.* MED Verdickung *f,* Schwellung *f*

swift [swɪft] *adj 1.* schnell, rasch; *2. (reply)* prompt

swim [swɪm] *v irr 1.* schwimmen; *~ the river* den Fluss durchschwimmen; *my head is ~ming (fig)* mir ist schwindelig; *go ~ming* Schwimmen gehen; *sb 2. go for a ~* schwimmen gehen

swimming ['swɪmɪŋ] *sb* Schwimmen *n*

swimming pool ['swɪmɪŋpuːl] *sb 1. (outdoor)* Schwimmbad *n,* Freibad *n; 2. (indoor)* Schwimmbad *n,* Hallenbad *n*

swimsuit ['swɪmsuːt] *sb* Badeanzug *m*

swimwear ['swɪmwɛə] *sb* Badekleidung *f*

swing [swɪŋ] *v irr* 1. schwingen; ~ *open* aufgehen; ~ *round* sich umdrehen; ~ *at s.o.* nach jdm schlagen; ~ *from tree to tree* sich von Baum zu Baum schwingen; 2. (*hanging object*) baumeln; 3. (*person on a* ~) schaukeln; 4. (*sth*) schwingen; ~ *one's hips* sich in den Hüften wiegen; 5. (*above one's head*) schwenken; 6. (*turn*) herumschwenken; 7. (*fig: influence*) beeinflussen; *sb* 8. Schwung *m; to be in full* ~ in vollem Gange sein; 9. (*back and forth*) Schwingen *n;* 10. (*on a playground, on a veranda*) Schaukel *f;* 11. (*golf*) SPORT Schwung *m;* 12. (*boxing*) SPORT Schwinger *m;* 13. (*kind of music*) MUS Swing *m*

swipe [swaɪp] *v* 1. (*strike*) schlagen; 2. (*fam: steal*) klauen (*fam*); *sb* 3. Schlag *m; take a* ~ *at s.o.* nach jdm schlagen

switch [swɪtʃ] *v* 1. wechseln; 2. (*exchange*) tauschen; 3. (*sth*) (*alter*) wechseln, (*plans*) ändern; 4. (*exchange*) tauschen, (*transpose*) vertauschen; 5. (*a machine*) schalten, umschalten, (*US: train tracks*) rangieren; *sb* 6. (*on a control panel*) Schalter *m;* 7. (*change*) Wechsel *m,* (*of plan*) Änderung *f,* (*exchange*) Tausch *m;* 8. (*stick*) Gerte *f*

swivel ['swɪvl] *v* 1. sich drehen; 2. (*sth*) drehen

swollen ['swəʊlən] *adj* geschwollen

swoon [swuːn] *v* ~ *over s.o.* (*fig*) wegen jdm beinahe ohnmächtig werden

swoop [swuːp] *v* 1. (~ *down*) (*bird*) herabstoßen, (*plane*) im Tiefflug fliegen; 2. ~ *down on* (*attack*) herfallen über; *sb* 3. *at one fell* ~ mit einem Schlag

sword [sɔːd] *sb* Schwert *n*

swordfish ['sɔːdfɪʃ] *sb* Schwertfisch *m*

swordsman ['sɔːdzmən] *sb* Schwertkämpfer *m*

sworn [swɔːn] *adj* geschworen

swung dash [swʌŋ dæʃ] *sb* Tilde *f*

sycamore ['sɪkəmɔː] *sb* 1. (*kind of maple*) BOT Bergahorn *m;* 2. (*plane tree*) BOT Platane *f*

syllable ['sɪləbl] *sb* LING Silbe *f*

symbol ['sɪmbəl] *sb* Symbol *n,* Zeichen *n,* Sinnbild *n*

symbolic [sɪm'bɒlɪk] *adj* symbolisch

symmetric [sɪ'metrɪk] *adj* symmetrisch

symmetry ['sɪmɪtrɪ] *sb* Symmetrie *f*

sympathetic [sɪmpə'θetɪk] *adj* 1. mitfühlend; 2. (*understanding*) verständnisvoll; 3. (*fam: to a cause*) wohlwollend

sympathize ['sɪmpəθaɪz] *v* 1. ~ *with* (*understand, appreciate*) Verständnis haben für; 2. ~ *with* (*feel too*) mitfühlen mit; 3. ~ *with* (*a cause*) sympathisieren mit

sympathizer ['sɪmpəθaɪzə] *sb* Anhänger *m,* Sympathisant/Sympathisantin *m/f*

sympathy ['sɪmpəθɪ] *sb* 1. (*understanding*) Verständnis *n;* 2. (*compassion*) Mitgefühl *n,* Mitleid *n;* 3. (*agreement*) Sympathie *f*

symphonist ['sɪmfənɪst] *sb* Komponist/Komponistin von Symphonien *m/f*

symphony ['sɪmfənɪ] *sb* MUS Symphonie *f*

symptom ['sɪmptəm] *sb* Symptom *n,* Anzeichen *n*

symptomatic [sɪmptə'mætɪk] *adj* symptomatisch

synagogue ['sɪnəgɒg] *sb* Synagoge *f*

synchronic [sɪŋ'krɒnɪk] *adj* synchronisch

synchronicity [sɪŋkrə'nɪsɪtɪ] *sb* Synchronizität *f*

synchronization [sɪŋkrənaɪ'zeɪʃən] *sb* Abstimmung *f*

synchronize ['sɪŋkrənaɪz] *v* 1. abstimmen; 2. (*two or more things*) aufeinander abstimmen; 3. (*clocks*) gleichstellen; ~ *your watches* stimmen Sie Ihre Uhren aufeinander ab

synchronized swimming ['sɪŋkrənaɪzd 'swɪmɪŋ] *sb* SPORT Synchronschwimmen *n*

syndicate ['sɪndɪkɪt] *sb* 1. (*newspaper* ~) Pressezentrale *f;* 2. (*crime* ~) Ring *m;* ['sɪndɪkeɪt] *v* 3. (*a column, a cartoon*) an mehrere Zeitungen verkaufen

syndication [sɪndɪ'keɪʃən] *sb* 1. (*forming of a syndicate*) Syndikatsbildung *f;* 2. (*in journalism*) bundesweite Veröffentlichung in den Medien *f*

synopsis [sɪ'nɒpsɪs] *sb* Zusammenfassung *f,* Abriss *m*

syntax ['sɪntaks] *sb* LING Syntax *f,* Satzbau *m*

synthesizer ['sɪnθɪsaɪzə] *sb* Synthesizer *m*

synthetic [sɪn'θetɪk] *adj* synthetisch, Kunst...

syphilis ['sɪfɪlɪs] *sb* Syphilis *f*

Syria ['sɪrɪə] *sb* GEO Syrien *n*

Syrian ['sɪrɪən] *adj* 1. syrisch; *sb* 2. Syrier *m*

syringe [sɪ'rɪndʒ] *sb* MED Spritze *f*

syrup ['sɪrəp] *sb* Sirup *m*

syrupy ['sɪrʌpɪ] *adj* 1. sirupartig; 2. (*voice*) zuckersüß; 3. (*sentimental*) schmalzig

system ['sɪstəm] *sb* System *n*

systematic [sɪstə'mætɪk] *adj* systematisch

table 258 tan

T

table ['teɪbl] *sb* 1. Tisch *m*; *turn the ~s* den Spieß umdrehen; *the ~s are turned* das Blatt hat sich gewendet; *lay one's cards on the ~* seine Karten auf den Tisch legen; 2. *(of figures)* Tabelle *f*

table tennis ['teɪbltenɪs] *sb* SPORT Tischtennis *n*

tabloid ['tæblɔɪd] *sb* 1. kleinformatige Zeitung *f*; 2. *(sensationalized)* Boulevardzeitung *f*

tacit ['tæsɪt] *adj* stillschweigend

tack [tæk] *sb* 1. *(UK: stitch)* Heftstich *m*; 2. *(US: pin)* Heftzwecke *f*; *get down to brass ~s* zur Sache kommen; 3. *(course)* NAUT Schlag *m*; 4. *(fig)* Weg *m*; *try a different ~* es anders versuchen; *v* 5. *(with a nail)* annageln; 6. *(with a pin)* feststecken; 7. *(UK: sew)* heften; 8. NAUT kreuzen

tackle ['tækl] *v* 1. SPORT stoppen; 2. *(a problem)* anpacken; 3. *(a task)* in Angriff nehmen; *sb* 4. *(fishing gear)* Angelausrüstung *f*; 5. *(shaving gear)* Rasierzeug *n*; 6. SPORT Tackling *n*

tactful ['tæktful] *adj* taktvoll

tag [tæg] *sb* 1. *(label)* Schild *n*; 2. *(name ~)* Namensschild *n*; 3. *(with manufacturer's name)* Etikett *n*; 4. *(game)* Haschen *n*, Fangen *n*

tail [teɪl] *sb* 1. Schwanz *m*; *turn ~* Reißaus nehmen; *I can't make head or ~ of it.* Daraus werde ich nicht klug. 2. *(of a shirt)* Zipfel *m*; 3. *(of a coat)* Schoß *m*; *~s pl (jacket)* Frack *m*; *v* 5. *(fam: follow)* beschatten

tailgate ['teɪlgeɪt] *v* 1. *(fam)* zu dicht auffahren; *sb* 2. *(of a car)* Hecktür *f*

tailor ['teɪlə] *sb* Schneider *m*

tails [teɪlz] *sb* *(side of a coin)* Zahl *f* (fam)

take [teɪk] *v irr* 1. nehmen; *~ sth the wrong way* etw falsch auffassen; *~ a chance* ein Risiko eingehen; *Take it from me!* Glaube es mir! 2. *(~ along)* mitnehmen; 3. *(~ away)* wegnehmen; 4. *(~ over)* übernehmen; 5. *(measure)* messen; 6. *(subscribe to)* beziehen; 7. *(transport)* bringen; 8. *(seize)* nehmen; 9. *(endure)* vertragen, *(object)* aushalten; *to be able to ~ sth* etw vertragen können; 10. *(capture)* fangen, *(a town)* einnehmen; 11. *(a test, a course)* machen; 12. *(a poll)* durchführen; 13. *(dictation)* aufnehmen; 14. *(assume)* annehmen; *I took him for a German.* Ich hielt ihn

für einen Deutschen. *What do you ~ me for?* Wofür halten Sie mich denn? 15. *(require)* brauchen, erfordern; *have what it ~s* das gewisse Etwas haben; 16. *to be ~n with an idea* von einer Idee angetan sein

• **take after** *v irr* nachschlagen

• **take back** *v irr* 1. *(retract)* zurücknehmen; 2. *(agree to ~)* zurücknehmen; 3. *(get back)* sich zurückgeben lassen; 4. *(return)* zurückbringen

• **take over** *v irr* 1. die Leitung übernehmen; 2. POL an die Macht kommen; 3. *(sth)* übernehmen

• **take up** *v irr* 1. *(start doing as a hobby)* zu seinem Hobby machen; 2. *(a cause)* sich einsetzen für; 3. *take s.o. up on an offer* von jds Angebot Gebrauch machen; 4. *(a challenge, a new job)* annehmen; 5. *take sth up with s.o.* etw mit jdm besprechen; 6. *(arms, a pen)* greifen zu; 7. *(a carpet)* hochnehmen; 8. *(space)* einnehmen; 9. *(time)* in Anspruch nehmen

takeover ['teɪkəʊvə] *sb* Übernahme *f*, Machtergreifung *f*

tale [teɪl] *sb* 1. Geschichte *f*, Erzählung *f*; 2. *tell ~s (snitch on s.o.)* petzen (fam); 3. *tell ~* (lie) flunkern

talk [tɔːk] *v* 1. reden, sprechen; *~ to s.o.* mit jdm sprechen; *~ to o.s.* Selbstgespräche führen; *Look who's ~ing!* Das sagst ausgerechnet du! *Now you're ~ing!* Das hört sich schon besser an! 2. *(discuss)* reden; *~ politics* über Politik reden; 3. *~ s.o. into doing sth* jdn zu etw überreden; *~ s.o.* 4. Gespräch *n*; *have a ~ with s.o.* mit jdm reden; 5. *(~ ing)* Reden *n*, *(rumour)* Gerede *n*; *there is ~ of ...* man sagt ..., es heißt ...; 6. *(lecture)* Vortrag *m*, Rede *f*

• **talk back** *v* widersprechen, freche Antworten geben

talker ['tɔːkə] *sb* Sprechende(r) *f/m*

talk show ['tɔːkʃəʊ] *sb* Talkshow *f*

tame [teɪm] *v* 1. zähmen, *(a lion)* bändigen; 2. *(one's passions)* bezähmen; *adj* 3. zahm

tameness ['teɪmnɪs] *sb* Zahmheit *f*

tamer ['teɪmə] *sb* Bändiger *m*

tammy ['tæmɪ] *sb* *(Tam o' Shanter)* schottische Kappe *f*

tampon ['tæmpən] *sb* Tampon *m*

tan [tæn] *adj* 1. hellbraun; 2. *(suntanned)* braun; *sb* 3. *(suntan)* Bräune *f*; *v* 4. sich bräunen; 5. *~ s.o.'s hide (fig)* jdn versohlen

tandem ['tændəm] *sb in ~* (fig) zusammen

tandem bicycle ['tændəm 'baɪsɪkl] *sb* Tandem *n*

tang [tæŋ] *sb* 1. (smell) scharfer Geruch *m*; 2. (taste) starker Geschmack *m*

tanga ['tæŋgə] *sb* Tanga *m*

tangent ['tændʒənt] *sb* 1. MATH Tangente *f*; 2. go off on a ~ (fig) vom Thema abschweifen

tangle ['tæŋgl] *v* 1. get ~d up sich verwirren; 2. get ~d up in (become involved in) verwickelt werden in; *sb* 3. (of string) Gewirr *n*

tank [tæŋk] *sb* 1. (container) Tank *m*; 2. MIL Panzer *m*, Tank *m*; *v* 3. ~ up (fam: get drunk) (UK) tanken, sich voll laufen lassen

tank top ['tæŋktɒp] *sb* ärmelloses Top *n*

tantrum ['tæntrəm] *sb* Wutanfall *f*, Koller *m*

tap [tæp] *v* 1. (touch lightly) leicht klopfen; 2. (sth) klopfen; 3. (a keg) anzapfen, anstechen; 4. (a telephone line) anzapfen; 5. (fig: markets, resources) erschließen; *sb* 6. Klaps *m*, (at a door) Klopfen *n*; 7. (faucet) Hahn *m*; 8. (for a keg) Zapfen *m*; 9. on ~ (beer) vom Fass; 10. on ~ (fig: at one's disposal) leicht verfügbar

tape [teɪp] *v* 1. (with adhesive tape) verkleben, zukleben; 2. (record) aufnehmen; *sb* 3. Band *n*; 4. (adhesive ~) Klebestreifen *n*, Klebstreifen *n*; 5. (at a finish line) SPORT Zielband *n*; 6. (audio ~) Tonband *n*; 7. (fam: cassette) Kassette *f*

tape-recorder ['teɪprɪkɔːdə] *sb* Kassettenrekorder *m*, Tonbandgerät *n*

tap water ['tæpwɑːtə] *sb* Leitungswasser *n*

tar [tɑː] *sb* 1. Teer *m*; *v* 2. teeren; ~ and feather teeren und federn

tardy ['tɑːdɪ] *adj* 1. spät; 2. (person) säumig

target ['tɑːgɪt] *sb* 1. Ziel *n*; 2. (of jokes) Zielscheibe *f*; 3. SPORT Zielscheibe *f*; *v* 4. zum Ziel setzen, im Visier haben

tarot card ['tærəʊ kɑːd] *sb* Tarockkarte *f*

tart [tɑːt] *adj* 1. sauer, herb, scharf; *sb* 2. GAST Torte *f*, (small pastry) Törtchen *n*; 3. (fam: prostitute)(UK) Nutte *f*; 4. (fam: loose woman)(UK) Flittchen *n*

task [tɑːsk] *sb* 1. Aufgabe *f*; 2. take s.o. to ~ jdn zur Rede stellen

taste [teɪst] *v* 1. schmecken; ~ of sth nach etw schmecken; 2. (sth) schmecken; 3. (fig: experience) erleben; 4. (sample) versuchen, probieren, kosten; *sb* 5. Geschmack *m*; matter of ~ Geschmackssache *f*; in bad ~ geschmacklos; in good ~ geschmackvoll; 6.

(sample) Kostprobe *f*; 7. (fig: of sth to come) Vorgeschmack *m*

tasty ['teɪstɪ] *adj* schmackhaft

tattoo [tə'tuː] *v* 1. (s.o.'s body) tätowieren; *sb* 2. Tätowierung *f*

taunt [tɔːnt] *v* 1. verspotten; *sb* 2. spöttische Bemerkung *f*

taut [tɔːt] *adj* 1. straff, gespannt; 2. (nerves) angespannt

tavern ['tævɜːn] *sb* 1. (pub, in modern times) Gaststätte *f*; 2. HIST Taverne *f*, Schänke *f*

tax [tæks] *sb* 1. Steuer *f*; *v* 2. (s.o., sth) besteuern; 3. (fig) strapazieren, (one's patience, one's strength) auf eine harte Probe stellen

tax evasion ['tæksɪveɪʒən] *sb* Steuerhinterziehung *f*

tax exile [tæks 'egzaɪl] *sb* im Steuerexil lebender Mensch *m*

tax-free ['tæks'friː] *adj* FIN steuerfrei

taxi ['tæksɪ] *sb* Taxi *n*

taxicab ['tæksɪkæb] *sb* Taxi *n*

taxi driver ['tæksɪdraɪvə] *sb* Taxifahrer *m*

taxing ['tæksɪŋ] *adj* strapazierend, anstrengend

taxi rank ['tæksɪræŋk] *sb* Taxistand *m*

taxpayer ['tækspeɪə] *sb* Steuerzahler *m*

tea [tiː] *sb* Tee *m*

tea bag ['tiːbæg] *sb* Teebeutel *m*

tea break ['tiːbreɪk] *sb* (UK) Pause *f*

tea cosy ['tiːkəʊzɪ] *sb* Kannenwärmer *m*

teacup ['tiːkʌp] *sb* Teetasse *f*; a storm in a ~ ein Sturm im Wasserglas

teahouse ['tiːhaʊs] *sb* Teehaus *n*

tea leaf ['tiːliːf] *sb* Teeblatt *n*

team [tiːm] *sb* 1. Team *n*; 2. SPORT Mannschaft *f*, Team *n*; 3. (of horses) Gespann *n*; *v* 4. ~ up sich zusammenschließen

team spirit ['tiːm'spɪrɪt] *sb* Teamgeist *m*

teamwork ['tiːmwɜːk] *sb* Teamarbeit *f*, Teamwork *n*, Gemeinschaftsarbeit *f*

teapot ['tiːpɒt] *sb* Teekanne *f*

tear¹ [teə] *v irr* 1. reißen, zerreißen; 2. (sth) zerreißen; ~ a hole in sth ein Loch in etw reißen; ~ one's hair sich die Haare raufen; ~ sth into pieces etw in Stücke reißen; 3. (pull away) reißen; 4. ~ into sth etw aufs Schärfste kritisieren; 5. (fam: rush, dash) rasen, sausen; *sb* 6. Riss *m*; 7. wear and ~ Abnützung *f*

• **tear down** *v irr* 1. (a building) abreißen; 2. (a poster) herunterreißen

tear² [tɪə] *sb* Träne *f*; in ~s in Tränen aufgelöst; shed ~s over sth Tränen über etw vergießen

tease [tiːz] v 1. (playfully) necken; 2. (ridicule) aufziehen; sb 3. (fam: person who teases) Necker m, (woman) Frau, die nur so tut, als ob sie etwas Sexuelles vorhätte f

teaspoon ['tiːspuːn] sb Teelöffel m

teat [tiːt] sb (nipple) Brustwarze f

technical ['teknɪkəl] adj technisch, Fach...

technicolour ['teknɪkʌlə] adj Technicolor...

technological [teknə'lɒdʒɪkəl] adj technologisch

technology [tek'nɒlədʒɪ] sb Technologie f

teddy bear ['tedɪbeə] sb Teddybär m

tee [tiː] sb SPORT 1. Tee n; v 2. ~ off abschlagen

teen [tiːn] sb Teenager m; to be in one's ~s Teenager sein

teenage ['tiːneɪdʒ] adj 1. (child) halbwüchsig; 2. (activity) Teenager...

teenager ['tiːneɪdʒə] sb Teenager m

teenybopper ['tiːnɪbɒpə] sb Backfisch m (fam)

telegram ['telɪgræm] sb Telegramm n; send a ~ telegrafieren

telegraph ['telɪgrɑːf] sb 1. (device) Telegraf m; 2. (message) Telegramm n

telemarketing [telə'mɑːkətɪŋ] sb Telefonmarketing n

telephone ['telɪfəʊn] sb 1. Telefon n, Fernsprecher m; to be on the ~ am Telefon sein; v 2. (s.o.) anrufen; 3. telefonieren

telephone book ['telɪfəʊn bʊk] sb Telefonbuch n

telephone box ['telɪfəʊn bɒks] sb Telefonzelle f

telephone call ['telɪfəʊnkɔːl] sb Telefonanruf m

telephone number ['telɪfəʊnnʌmbə] sb Telefonnummer f, Rufnummer f

telescope ['telɪskəʊp] sb Teleskop n, Fernrohr n

television ['telɪvɪʒən] sb 1. Fernsehen n; (~ set) Fernseher m, Fernsehgerät n

tell [tel] v irr 1. (discern) wissen; 2. (be sure) wissen; you never can ~ man kann nie wissen; 3. (have an effect) seine Wirkung haben; 4. (sth)(say) sagen; ~ the truth die Wahrheit sagen; ~ s.o. about sth jdm von etw erzählen; You're ~ing me! Wem sagst du das! Wem sagen Sie das! 5. (a story) erzählen; 6. (a secret) verraten; ~ on s.o. jdn verpetzen (fam); 7. (recognize) erkennen, (distinguish) unterscheiden; 8. ~ s.o. to do sth jdm sagen, er solle was tun

telling ['telɪŋ] adj (revealing) aufschlussreich

telly ['telɪ] sb (fam: television) Fernseher m

temp [temp] sb (fam) Aushilfe f

temper ['tempə] sb 1. Temperament n, Naturell n, Gemütsart f; have a quick ~ ein hitziges Temperament haben; lose one's ~ in Wut geraten, die Beherrschung verlieren; keep one's ~ sich beherrschen; 2. (mood) Laune f, Stimmung f; 3. (bad mood) Wut f; v 4. (fig) mildern, mäßigen

temperament ['tempərəmənt] sb 1. (character) Veranlagung f; 2. (excitability) Temperament n

temperature ['temprɪtʃə] sb Temperatur f; take s.o.'s ~ jds Temperatur messen; He has a ~. Er hat Fieber.

temple ['templ] sb 1. REL Tempel m; 2. ANAT Schläfe f

temporarily ['tempə'rerɪlɪ] adv vorübergehend

temporary ['tempərərɪ] adj 1. (provisional) vorläufig, provisorisch; 2. (passing) vorübergehend; sb 3. (~ employee) Aushilfe f, Aushilfskraft f

tempt [tempt] v 1. versuchen, in Versuchung führen; ~ fate das Schicksal herausfordern; to be ~ed to do sth versucht sein, etw zu tun; ~ s.o. to do sth jdn verlocken, etw zu tun; 2. (successfully) verleiten

tenacity [tɪ'næsɪtɪ] sb Zähigkeit f

tenant ['tenənt] sb 1. Mieter m; 2. (of a farm) Pächter m

tend [tend] v 1. ~ to do sth (person) dazu neigen, etw zu tun, dazu tendieren, etw zu tun; 2. ~ to do sth (thing) die Tendenz haben, etw zu tun; 3. ~ toward (person, views) tendieren zu, (line) führen nach; 4. (a garden) pflegen; 5. (a machine) bedienen

tender ['tendə] adj 1. zart; at a ~ age in zarten Kindesalter; 2. (sore) empfindlich; 3. (person) zärtlich; sb 4. ECO Angebot n, Offerte f; invite ~s for a job (UK) Angebote für eine Arbeit einholen; 5. legal ~ FIN gesetzliches Zahlungsmittel n; v 6. anbieten; 7. (a resignation) einreichen

tendon ['tendən] sb ANAT Sehne f

tenet ['tenɪt] sb Grundsatz m

tennis ['tenɪs] sb Tennis n

tense [tens] adj 1. gespannt; 2. (scene in a film) spannungsgeladen; v 3. (~ up) sich anspannen, sich spannen; sb 4. GRAMM Zeit f; past ~ Vergangenheit f

tension ['tenʃən] sb 1. Spannung f; 2. PHYS Druck m

tent [tent] *sb* Zelt *n*

tentation [ten'teɪʃən] *sb (way of adjusting)* Einstellung durch versuchsweises Herantasten *f*

tenterhook ['tentəhʊk] *sb* 1. to be on ~s wie auf glühenden Kohlen sitzen; 2. keep s.o. on ~s jdn auf die Folter spannen, jdn zappeln lassen

term [tɜːm] *sb* 1. (period) Zeit *f*, Dauer *f*; 2. ~ of imprisonment Gefängnisstrafe *f*, Freiheitsstrafe *f*; 3. school ~ (semester) Semester *n*, (trimester) Trimester *n*, (quarter) Vierteljahr *n*; 4. (limit) Frist *f*; 5. (expression) Ausdruck *m*; a contradiction in ~s ein Widerspruch in sich; ~ of endearment Kosewort *n*; 6. in ~s of ... in Hinsicht auf ..., was ... betrifft; 7. ~s *pl* (conditions) Bedingungen *pl*; come to ~s sich einigen; come to ~s with sth (fig) sich mit etw abfinden; 8. ~s *pl* (relations) Beziehungen *pl*; to be on bad ~s with s.o. sich mit jdm schlecht verstehen; They aren't on speaking ~s. Sie sprechen nicht miteinander. 9. MATH Glied *n*; *v* 10. nennen, bezeichnen

terminal ['tɜːmɪnəl] *sb* 1. Terminal *m*; 2. (railway ~) Endstation *f*; 3. TECH Anschlussklemme *f*; 4. (of a battery) Pol *m*; *adj* 5. MED unheilbar

terrace ['terəs] *sb* 1. Terrasse *f*; 2. (UK: row of houses) Häuserreihe *f*; 3. ~s *pl* (UK) SPORT Ränge *pl*

terrain [te'reɪn] *sb* Gelände *n*

terrible ['terɪbl] *adj* schrecklich, furchtbar

terrific [tə'rɪfɪk] *adj* 1. (enormous) ungeheuer; 2. (fam: excellent) großartig, fantastisch, toll (fam)

terror ['terə] *sb* 1. Schrecken *m*, Entsetzen *n*; 2. (person or thing causing ~) Schrecken *m*; 3. (fam: brat) Ungeheuer *n*

terrorism ['terərɪzəm] *sb* Terrorismus *m*

test [test] *v* 1. testen, prüfen; 2. (examine) untersuchen; *sb* 3. Test *m*, Prüfung *f*, Probe *f*; put sth to the ~ etw auf die Probe stellen; stand the ~ of time die Zeit überdauern; 4. (check) Kontrolle *f*; 5. (UK) SPORT Testmatch *n*, internationaler Vergleichskampf *m*

test case ['testkeɪs] *sb* Musterfall *m*

testify ['testɪfaɪ] *v* 1. JUR Zeugnis ablegen; 2. (sth) JUR aussagen; 3. (fig) bezeugen

test match ['testmætʃ] *sb* (UK) SPORT Testmatch *n*, internationaler Vergleichskampf *m*

test tube ['testtjuːb] *sb* Reagenzglas *n*

tether ['teðə] *v* 1. anbinden; *sb* 2. to be at the end of one's ~ fix und fertig sein

textbook ['tekstbʊk] *sb* Lehrbuch *n*

than [ðæn] *konj* als

thank [θæŋk] *v* 1. danken, sich bedanken bei; have s.o. to ~ for sth jdm etw zu verdanken haben; *interj* 2. ~ you danke; ~ you very much vielen Dank; ~ God, ~ goodness, ~ heavens Gott sei Dank

thanks [θæŋks] *interj* 1. (fam) danke; *pl* 2. Dank *m*; give ~ to God Gott Dank sagen; 3. ~ to dank; It was a failure ~ to her. Ihretwegen war es ein Misserfolg. Yes, it worked, no ~ to you. Ja, es hat geklappt, und das habe ich nicht dir zu verdanken.

that [ðæt] *pron* 1. (demonstrative pronoun) das; like ~ so; after ~ danach; How much are those? Wie viel kosten die da? ~ which das, was; ~ is to say das heißt; and ... at ~ und dabei ..., (in addition) und außerdem ...; ~'s it das ist es; ~'s it (you're doing it correctly) gut so; ~'s it (~'s all) das wär's; 2. (relative pronoun) der/die/das; some articles ~ I wrote einige Berichte, die ich schrieb; *adj* 3. der/die/das, jene(r,s); ~ morning an jenem Morgen; What's the name of ~ new Bruce Willis film? Wie heißt denn dieser neue Film mit Bruce Willis? *adv* 4. (fam) so; It's not ~ difficult. So schwierig ist es auch wieder nicht. He's big, but not ~ strong. Er ist zwar groß, aber nicht sehr kräftig.

the [ðə, ðiː] *art* der/die/das; ~ ... ~ ... je ..., desto ...; ~ poor die Armen; so much ~ better umso besser

theatre ['θɪətə] *sb* 1. Theater *n*; 2. operating ~ MED Operationssaal *m*; 3. ~ of operations MIL Schauplatz der Handlungen *m*

theft [θeft] *sb* Diebstahl *m*

them [ðem] *pron* 1. (direct object) sie; 2. (indirect object) ihnen

then [ðen] *adv* 1. (at that time) da; from ~ on von da an; ~ and there auf der Stelle; by ~ inzwischen, bis dahin; 2. (in those days) damals; 3. (after that) dann; 4. (in that case) dann; Then you didn't do it? Sie haben es also nicht getan? 5. (furthermore) dann, außerdem; 6. now ~ nun; *adj* 7. damalig; the ~ chairman der damalige Vorsitzende

theory ['θɪərɪ] *sb* Theorie *f*; in ~ theoretisch

therapy ['θerəpɪ] *sb* Therapie *f*

there [ðeə] *adv* 1. dort, da; over ~ dort; He's not all ~. (fam) Er hat nicht alle Tassen im Schrank. 2. (toward that direction) dorthin, dahin; ~ and back hin und zurück; 3. (on this matter) da; 4. ~ is es gibt, es ist; There is no speed limit on German motorways, is ~? Auf deutschen Autobahnen gibt es keine Geschwindigkeitsbegrenzung, oder? *interj* 5. *There, ~!* Schon gut!

thermometer [θəˈmɒmɪtə] *sb* Thermometer *n*

thesaurus [θɪˈsɔːrəs] *sb* Thesaurus *m*

thesis [ˈθiːsɪs] *sb* 1. These *f;* 2. *(student's)* Diplomarbeit *f;* 3. *(doctoral ~)* Dissertation *f,* Doktorarbeit *f* (fam)

they [ðeɪ] *pron* 1. sie; 2. *(people in general)* man; *They're coming out with a film about* Joan of Arc. Es wird demnächst einen Film über Jeanne d'Arc geben.

thick [θɪk] *adj* 1. dick; *a board three centimetres* ~ ein drei Zentimeter dickes Brett; 2. *(hair, fog, hedges)* dicht; 3. *(syrup)* dickflüssig; 4. *(crowd)* dicht gedrängt; 5. *(accent)* stark; *adv* 6. *lay it on* ~ *(fam)* dick auftragen; *sb* 7. *in the* ~ *of things* voll dabei, mittendrin;

thief [θiːf] *sb* Dieb *m; as thick as thieves* (fam) *(UK)* unzertrennlich, sehr vertraut, dicke Freunde sein

thigh [θaɪ] *sb* ANAT Oberschenkel *m*

thin [θɪn] *adj* 1. dünn; *vanish into ~ air* sich in Luft auflösen 2. *(hair)* schütter; 3. *(plot)* schwach; *v* 4. *(hair)* schütter werden; 5. *(paint)* verdünnen

thing [θɪŋ] *sb* 1. Ding *n; to be seeing ~s* (fam) sich etw einbilden; 2. *~s pl (belongings)* Sachen *pl;* 3. *(affair, matter)* Sache *f; know a ~ or two about sth* sich mit etw auskennen; *the best ~ to do* das Beste, was man tun kann; *first ~ in the morning* als Erstes morgen früh; *for one* ~ einerseits; *It's just one of those* ~s. Da kann man halt nichts machen. *It's a good* ~ *you came.* Es ist gut, dass Sie gekommen sind. *the very* ~ genau das Richtige; 4. *have a* ~ *about sth (fam)* von etw besessen sein; 5. *I say, old* ~*...* *(fam)(UK)* Na, du altes Haus!

think [θɪŋk] *v irr* 1. denken; 2. *(sth)* denken, meinen, glauben

thin-skinned [ˈθɪnskɪnd] *adj* 1. dünnhäutig; 2. *(fig)* sensibel

thirst [θɜːst] *sb* 1. Durst *m; die of* ~ verdursten; 2. *~ for knowledge* Wissensdurst *m; v* 3. ~ *for* dürsten nach

thirsty [ˈθɜːstɪ] *adj* durstig; *I'm* ~. Ich habe Durst.

this [ðɪs] *pron* 1. dies, das; *like* ~ so; *adj* 2. ~ *one* diese(r,er,es); 3. *diese(r,s); these days* heutzutage; ~ *evening* heute Abend; ~ *time* diesmal; *adv* 4. so; ~ *big* so groß; ~ *far* bis hierher

thorn [θɔːn] *sb* BOT Dorn *m; He's a ~ in my side.* Er ist mir ein Dorn im Auge.

thorough [ˈθʌrə] *adj* 1. gründlich; 2. *(knowledge)* umfassend

thoroughly [ˈθʌrəlɪ] *adv* 1. gründlich; 2. *(through and through)* durch und durch

though [ðəʊ] *konj* 1. obwohl, obgleich; *as* ~ als ob; *adv* 2. aber, allerdings, immerhin; *He never did it,* ~. Er hat es aber nie getan. *She'll keep on trying,* ~. Sie wird es aber weiterhin versuchen.

thought [θɔːt] *sb* 1. *(act of thinking)* Denken *n;* 2. *(idea, opinion)* Gedanke *m;* 3. *(sudden inspiration)* Einfall *m;* 4. *(consideration)* Nachdenken *n; have second* ~s Zweifel bekommen; *Give it some* ~. Denk mal darüber nach. *on second* ~ bei näherer Überlegung

thought-out [θɔːt aʊt] *adj* wohl überlegt, durchdacht

thrash [θræʃ] *v* 1. verprügeln; 2. *(fig: defeat)* vernichtend schlagen

thread [θred] *v* 1. *(a needle)* einfädeln; 2. *(a necklace)* aufziehen; 3. ~ *one's way through sth (fig)* sich durch etw hindurchschlängeln; *sb* 4. Faden *m; hang by a* ~ am seidenen Faden hängen; 5. *pick up the* ~*(s)* den Faden wieder aufnehmen; 6. *(for sewing)* Garn *n;* 7. *(of a screw)* TECH Gewinde *n*

threat [θret] *sb* 1. Drohung *f;* 2. *(danger)* Bedrohung *f,* Gefahr *f*

thresh [θreʃ] *v* dreschen

thresher [ˈθreʃə] *sb* 1. *(person)* Drescher *m;* 2. *(machine)* Dreschmaschine *f*

thrifty [ˈθrɪftɪ] *adj* sparsam

thrill [θrɪl] *v* 1. begeistern, entzücken; *to be ~ed* begeistert sein; 2. *(an audience)* packen; *sb* 3. Erregung *f*

thriving [ˈθraɪvɪŋ] *adj* prächtig, gedeihend, blühend

throat [θrəʊt] *sb* 1. *(outside)* Hals *m;* 2. *(inside)* Kehle *f; jump down s.o.'s* ~ jdm über den Mund fahren; 3. *(animal's)* Rachen *m*

throne [θrəʊn] *sb* Thron *m*

throttle [ˈθrɒtl] *v* 1. *(s.o.)* erdrosseln, erwürgen; 2. *(fig: opposition)* ersticken; *sb* 3. *(lever)* Gashebel *m; at full* ~ mit Vollgas; 4. *(valve)* Drosselklappe *f*

through [θruː] *prep* 1. durch; 2. *(time)* während, hindurch; 3. *(US: up to and including)* bis einschließlich; *adv* 4. durch; *adj* 5. *to be* ~ *with sth* mit etw fertig sein; 6. *Darling, you and I are* ~. Schätzchen, es ist aus zwischen uns. 7. *(not stopping)* durchgehend, Durchgangs...

throw [θrəʊ] v irr 1. werfen; 2. (a rider) abwerfen; 3. (judo-style) zum Boden werfen; 4. (a fit) bekommen; 5. (pottery) töpfern; 6. (a party) geben; 7. (a switch) betätigen; 8. ~ o.s. at s.o. sich jdm an den Hals werfen; sb 9. Wurf m

• **throw away** v irr 1. wegwerfen; 2. throw sth away (fig) etw durch Nachlässigkeit verlieren; 3. (fam: money) verschwenden

• **throw off** v irr (a pursuer) abschütteln

• **throw out** v irr 1. (trash) wegwerfen; 2. (a person) rauswerfen (fam)

• **throw up** v irr 1. (vomit) sich übergeben, brechen; 2. (one's hands) hochwerfen

thrust [θrʌst] v irr 1. stoßen, (with a knife) stechen; ~ one's hands into one's pockets die Hände in die Tasche stecken; ~ out one's hand die Hand ausstrecken; ~ sth on s.o. jdm etw aufdrängen; ~ s.o. aside jdn beiseite schieben; sb 2. Stoß m, (in fencing) Stich m; 3. MIL Vorstoß m; 4. (of a turbine) TECH Schub m

thud [θʌd] sb dumpfes Geräusch n

thumb [θʌm] sb 1. Daumen m; rule of ~ Faustregel f; to be all ~s zwei linke Hände haben; v 2. ~ through (a book) durchblättern; 3. ~ a ride per Anhalter fahren

thumbnail ['θʌmneɪl] sb Daumennagel m

thumbprint ['θʌmprɪnt] sb Daumenabdruck m

thunder ['θʌndə] sb 1. Donner m; v 2. donnern

thunderstorm ['θʌndəstɔːm] sb Gewitter n, Unwetter n

tic [tɪk] sb Tick m, nervöses Zucken n

tick [tɪk] sb 1. (of a clock) Ticken n, (fam: moment) Moment m; 2. (mark) Häkchen n, Vermerkzeichen n; sb 3. ZOOL Zecke f; v 4. ticken

• **tick off** v (an item on a list) abhaken

• **tick over** v laufen, in Gang sein

ticker ['tɪkə] sb 1. Börsentelegraf m; 2. (fam: heart) Pumpe f; 3. (fam: watch) Uhr f

ticker tape ['tɪkəteɪp] sb 1. Lochstreifen m; 2. ~ parade Konfettiparade f

ticket ['tɪkɪt] sb 1. Karte f; 2. (train ~) Fahrkarte f; 3. (bus ~) Fahrschein m; 4. (for reclaiming an item) Schein m, (cloakroom ~) Garderobenmarke f; 5. JUR Strafzettel m; 6. (lottery ~) Lotterielos m; 7. POL Wahlliste f

ticket day ['tɪkɪtdeɪ] sb FIN Tag vor dem Abrechnungstag m

ticket office ['tɪkɪtɒfɪs] sb 1. Fahrkartenschalter m; 2. (at a theatre) Kasse f

tickle ['tɪkl] v 1. kitzeln; 2. (amuse) amüsieren; 3. (fig: flatter) schmeicheln; 4. ~ s.o.'s fancy jdn neugierig machen, jdn interessieren

tickler ['tɪklə] sb (problem) kitzlige Sache f

tickly ['tɪklɪ] adj kitzlig, heikel

tidal ['taɪdl] adj Tiden..., Gezeiten...

tidal power ['taɪdlpaʊə] sb Gezeitenkraft f

tiddler ['tɪdlə] sb (fam: person) (UK) Knirps m, Dreikäsehoch m

tiddlywinks ['tɪdlɪwɪŋks] sb Flohhüpfen n

tide [taɪd] sb 1. Gezeiten pl; high ~ Hochwasser n; low ~ Niedrigwasser n; v 2. ~ s.o. over (fig) jdm hinweghelfen über

tidy ['taɪdɪ] v 1. in Ordnung bringen; adj 2. ordentlich, sauber

• **tidy up** v (a room) aufräumen

tie [taɪ] v 1. (in a competition) gleich stehen, punktgleich sein, SPORT unentschieden spielen; 2. (sth) binden; sb 3. (neck~) Krawatte f, Schlips m; 4. (result of a match) Unentschieden n; 5. (UK: football match) SPORT Ausscheidungsspiel n; 6. (fig: bond) Bindung f

• **tie up** v 1. binden; 2. (a prisoner) fesseln; 3. to be tied up (to be busy) beschäftigt sein

tie-dyeing ['taɪdaɪɪŋ] sb Bindebatik f

tight [taɪt] adj 1. (clothes, space) eng; in a ~ spot (fig) in der Klemme; 2. (screw, lid, knot) fest; 3. (taut) gespannt; 4. (fig: money) knapp; 5. (schedule) knapp bemessen; 6. (control) streng; 7. ...~ (air~, water~) dicht; adv 8. fest, (taut) straff; hold ~ festhalten; sit ~ sich nicht rühren

tight-fisted [taɪt'fɪstɪd] adj (fam) geizig, knickerig, knauserig

tights ['taɪts] pl Strumpfhose f

tile [taɪl] sb 1. (on a wall) Kachel f; 2. (cork, linoleum) Platte f; 3. (on a roof) Dachziegel m; 4. (ceramic ~) Fliese f; v 5. (a bathroom) Fliesen anbringen in; 6. (a wall) kacheln; 7. (a roof) decken

till [tɪl] sb 1. Ladenkasse f; konj 2. (see "until"); v 3. AGR bestellen

tilt [tɪlt] v 1. sich neigen; 2. (fall) umkippen; 3. (sth) kippen, schräg stellen; ~ one's chair mit dem Stuhl wippen; 4. (one's head) neigen; sb 5. (slant) Neigung f

timber ['tɪmbə] sb 1. Holz n, Nutzholz n, (for construction) Bauholz n; 2. Timber! Achtung!

time [taɪm] sb 1. Zeit f; for all ~ für alle Zeiten; he had a hard ~ (doing sth) es fiel ihm schwer (etw zu tun); have a good ~ sich amüsieren; the first ~ das erste Mal; every ~ jedes

Mal; *at ~s* manchmal; *of all ~* aller Zeiten; *take one's ~* sich Zeit lassen; *bide one's ~* abwarten; *from ~ to ~* ab und zu; *by that ~* bis dahin; *at any ~* jederzeit; *a few ~s* ein paar Mal; *on ~* pünktlich; *in good ~* rechtzeitig; *in six weeks' ~* in sechs Wochen; *behind the ~s* altmodisch; *a race against ~* ein Wettlauf mit der Zeit; *ahead of ~* der Zeit voraus; *for the ~ being* zunächst, im Moment; *in no ~ (at all)* im Nu; *keep up with the ~s* mit der Zeit gehen, sich auf dem Laufenden halten; *play for ~* Zeit herausschinden; *at that ~* dann, *(in the past)* damals; *at the same ~* gleichzeitig, zur selben Zeit, *(on the other hand)* andererseits; *in no ~* im Handumdrehen, im Nu; *once upon a ~* es war einmal; *at all ~s* stets, jederzeit; *~ and again, ~ after ~* immer wieder; *for the ~ being* vorläufig, *(as it stands now)* unter den gegenwärtigen Umständen; *two at a ~* zu zweit, jeweils zwei; *Time's up!* Die Zeit ist um! *What ~ is it?* Wie viel Uhr ist es? *take ~* dauern; *Take your ~!* Lass dir Zeit! 2. *do ~ (fam: inprison)* sitzen; 3. *~s (in multiplication)* mal; 4. MUS Takt *m*;

time-consuming ['taɪmkənsjuːmɪŋ] *adj* zeitraubend

timely ['taɪmlɪ] *adj* rechtzeitig, zur rechten Zeit

timetable ['taɪmteɪbl] *sb* 1. Zeittabelle *f*, Fahrplan *m* (fam); 2. *(of arrivals or departures)* Fahrplan *m*, *(of a plane)* Flugplan *m*; 3. *(UK: student's)* Stundenplan *m*

time zone ['taɪmzəʊn] *sb* Zeitzone *f*

tin [tɪn] *sb* 1. Zinn *n*; 2. *(can)* Dose *f*, Büchse *f*; 3. *(~plate)* Blech *n*; *v* 4. *(can)* in Dosen servieren

tinker ['tɪŋkə] *v* ~ *with* herumbasteln an, *(mess with)* herumpfuschen an

tinkle ['tɪŋkl] *v* klingeln, klirren

tinner ['tɪnə] *sb* Blechschmied *m*

tin-opener ['tɪnəʊpənə] *sb* Dosenöffner *m*, Büchsenöffner *m*

tint [tɪnt] *v* 1. *(colour)* tönen; *sb* 2. Ton *m*, Tönung *f*

tiny ['taɪnɪ] *adj* winzig

tip¹ [tɪp] *sb* 1. *(end)* Spitze *f*; 2. *(of a cigarette)* Filter *m*

tip² [tɪp] *sb* 1. *(piece of advice, piece of information)* Tipp *m*, Hinweis *m*; 2. *(gratuity)* Trinkgeld *n*; 3. *(give a gratuity to)* Trinkgeld geben; 4. *~ s.o. off* jdm einen Tipp geben

tip³ [tɪp] *v* 1. *(tilt)* kippen; *sb* 2. *(for rubbish)* Abladeplatz *m*; 3. *(for coal)* Halde *f*

tipple ['tɪpl] *v* saufen, trinken

tipsy ['tɪpsɪ] *adj* beschwipst

tiptoe ['tɪptəʊ] *v* auf den Zehenspitzen gehen, schleichen

tire¹ [taɪə] *v* 1. ermüden, müde werden; *~ of s.o.* jds überdrüssig sein; 2. *(s.o.)* ermüden, müde machen

tire² [taɪə] *sb (US)* Reifen *m*

tired ['taɪəd] *adj* 1. müde; 2. *(hackneyed)* abgegriffen; 3. *to be ~ of sth* etw satt haben

title ['taɪtl] *sb* 1. Titel *m*; 2. *(of a chapter)* Überschrift *f*; 3. *(person's)* Anrede *f*, *(of nobility)* Adelstitel *m*; 4. JUR Rechtsanspruch *m*; *(to property)* JUR Eigentumsrecht *n*; 5. *(document)* JUR Eigentumsurkunde *f*

titter ['tɪtə] *v* kichern

tittle ['tɪtl] *sb* Pünktchen *n*, Tüpfelchen *n*

tizzy ['tɪzɪ] *sb (fam)* Aufregung *f*, Konfusion *f*; *in a ~* aufgeregt, konfus

to [tuː] *prep* 1. zu; *a quarter ~ three* Viertel vor drei; *live ~ be ninety* neunzig Jahre alt werden; *I've never been ~ Manila.* Ich war noch nie in Manila. *I don't want ~.* Ich will nicht. 2. *(until, as far as)* bis; *~ this day* bis zum heutigen Tag; 3. *(attach ~)* an; 4. *next ~* neben; 5. *(when proposing a toast)* auf; 6. *(infinitive)* ~ *jump* springen; *easy ~ understand* leicht zu verstehen

toad [təʊd] *sb* ZOOL Kröte *f*

toast [təʊst] *sb* 1. Toast *m*; 2. *(drink)* Toast *m*, Trinkspruch *m*; *propose a ~* einen Toast ausbringen; *v* 3. *(sth)* toasten; 4. *~ s.o. (drink in honour of s.o.)* auf jds Wohl trinken

tobacco [təˈbækəʊ] *sb* Tabak *m*

toe [təʊ] *v* 1. mit den Zehen berühren; *~ the line (fig)* spuren; *sb* 2. Zehe *f*; *on one's ~s (fig)* auf Draht

together [təˈgeðə] *adv* zusammen; *go ~ (fit)* zusammenpassen; *go ~ (events)* zusammen auftreten; *go ~ (two people)* miteinander gehen

toil [tɔɪl] *v* 1. sich abplagen; *~ up a hill* sich einen Berg hinaufquälen; *sb* 2. mühselige Arbeit *f*, Mühe *f*

toilet ['tɔɪlɪt] *sb* Toilette *f*

token ['təʊkən] *sb* 1. *(coin, counter)* Marke *f*; 2. *(voucher)* Gutschein *m*; 3. *(sign)* Zeichen *n*; 4. *by the same ~* ebenso, aber auch; *adj* 5. Schein..., nominell, symbolisch

token payment ['təʊkənˈpeɪmənt] *sb* symbolische Bezahlung *f*

tolerant ['tɒlərənt] *adj* tolerant

tolerate ['tɒləreɪt] *v* 1. dulden, tolerieren; 2. *(bear)* ertragen

toll¹ [təʊl] *v* läuten

toll² [təʊl] *sb* 1. Zoll *m*, Gebühr *f*; *(for a road)* Straßengebühr *f*; 2. *(fig)* take its ~ arg mitnehmen; *take a ~ of twenty lives* zwanzig Todesopfer fordern

toll-gate ['təʊlgeɪt] *sb* Schlagbaum *m*, Mautschranke *f*

tomato [tə'mɑːtəʊ] *sb* Tomate *f*

tomboy ['tɒmbɔɪ] *sb* Wildfang *m*

tombstone ['tuːmstəʊn] *sb* Grabstein *m*

tomorrow [tə'mɒrəʊ] *adv/sb* morgen; *the day after ~* übermorgen; *~ morning* morgen früh

ton [tʌn] *sb* Tonne *f*

tongs [tɒŋz] *pl* Zange *f*; *a pair of ~* eine Zange

tongue [tʌŋ] *sb* Zunge *f*; *~ in cheek* augenzwinkernd, ironisch; *make a slip of the ~* sich versprechen; *hold one's ~* den Mund halten; *get one's ~ around sth* etw aussprechen; *It's on the tip of my ~.* *(fig)* Es liegt mir auf der Zunge.

tongue-tied ['tʌŋtaɪd] *to be ~* kein Wort herausbringen können

tongue twister ['tʌŋtwɪstə] *sb* Zungenbrecher *m*

tonic ['tɒnɪk] *sb* Tonikum *n*

tonic water ['tɒnɪkwɔːtə] *sb* Tonic *n*

tonight [tə'naɪt] *adv* 1. *(this evening)* heute Abend; 2. *(late at night)* heute Nacht

tonsil ['tɒnsl] *sb* ANAT Mandel *f*

too [tuː] *adv* 1. *(excessively)* zu; *all ~ well* nur zu gut; 2. *(very)* zu; 3. *(moreover)* auch noch; 4. *(also)* auch

tooth [tuːθ] *sb* 1. Zahn *m*; *by the skin of one's teeth (fam)* gerade so, haarscharf; *armed to the teeth* bis an die Zähne bewaffnet; *to be long in the ~* nicht mehr der/die Jüngste sein; *fight ~ and nail* erbittert kämpfen; *get one's teeth into sth* sich in etw verbeißen; *have a sweet ~* eine Naschkatze sein; 2. *(of a comb)* Zacke *f*

toothache ['tuːθeɪk] *sb* Zahnschmerzen *pl*

toothbrush ['tuːθbrʌʃ] *sb* Zahnbürste *f*

top [tɒp] *v* 1. *~ a list* ganz oben auf einer Liste stehen; 2. *(surpass)* übertreffen, *(a sum)* übersteigen; 3. *(cut off the ~ of)* kappen; 4. *(cover)* bedecken; 5. *(crown)* krönen; *sb* 6. *(highest part)* oberer Teil *m*, Spitze *f*; 7. *(of a mountain)* Gipfel *m*; 8. *(fig)* Spitze *f*; *at the ~ of one's voice* aus vollem Halse; *blow one's ~ (fam)* in die Luft gehen; *on ~ of that* darüber hinaus; *to be on ~ of the situation* die Situation unter Kontrolle haben; 9. *(lid)* Deckel *m*; **topic** ['tɒpɪk] *sb* Thema *n*

topmost ['tɒpməʊst] *adj* oberste(r,s), höchste(r,s)

topple ['tɒpl] *v* 1. wackeln, stürzen; 2. *(sth)* umwerfen; 3. *(fig: a government)* stürzen

torch [tɔːtʃ] *sb* 1. Fackel *f*; *(fig)* carry a ~ for s.o. jdn lieben, ohne geliebt zu werden; 2. *(UK: electric ~)* Taschenlampe *f*

torment ['tɔːment] *v* 1. quälen; *sb* 2. Qual *f*, Marter *f*

tornado [tɔː'neɪdəʊ] *sb* Tornado *m*

torrent ['tɒrənt] *sb* 1. *(violent stream)* reißender Strom *m*; 2. *(fig)* Schwall *m*

torso ['tɔːsəʊ] *sb* Rumpf *m*

torture ['tɔːtʃə] *v* 1. foltern; 2. *(fig)* quälen; *sb* 3. Folter *f*; 4. *(fig)* Qual *f*

toss [tɒs] *v* 1. *~ and turn* sich schlaflos im Bett wälzen; 2. *(sth)* werfen; *to be ~ed by a horse* vom Pferd abgeworfen werden; 3. *~ a coin* eine Münze hochwerfen; 4. *(storm)* schütteln; 5. *(a salad)* anmachen

total ['təʊtl] *v* 1. *(add)* zusammenzählen, zusammenrechnen; 2. *(amount to)* sich belaufen auf; *adj* 3. *(whole)* gesamt; 4. völlig, total, absolut; *sb* 5. Gesamtsumme *f*, Gesamtbetrag *m*, Gesamtmenge *f*

totally ['təʊtəli] *adv* völlig, total

touch [tʌtʃ] *v* 1. *(one another)* sich berühren; 2. *(sth)* berühren, *(in a negative sense)* anrühren; *This is really ~ and go.* Das ist wirklich eine heikle Situation. 3. *(grasp)* anfassen; 4. *(emotionally)* rühren, bewegen; *sb* 5. *(sense of ~)* Gefühl *n*; 6. *(act of ~ing)* Berührung *f*, Berühren *n*; 7. *(feature)* Zug *m*; *a nice ~* eine hübsche Note; 8. *(trace)* Spur *f*; 9. *(skill)* Hand *f*; 10. *(communication)* Kontakt *m*, Verbindung *f*; *keep in ~ with* in Verbindung bleiben mit; *get in ~ with s.o.* sich mit jdm in Verbindung setzen

● **touch down** *v* *(plane)* aufsetzen

● **touch up** *v* 1. *(paint)* ausbessern; 2. *(a photo)* retuschieren

tough [tʌf] *adj* 1. *(person, meat)* zäh; 2. *(opponent, negotiator, part of town)* hart; 3. *(resistant)* widerstandsfähig; 4. *(difficult)* schwierig; *~ luck* Pech; *sb* 5. Schlägertyp *m*

tough-minded ['tʌfmaɪndɪd] *adj* nüchtern, unsensibel

tour [tʊə] *v* 1. eine Reise machen; 2. *(band, theatre company)* eine Tournee machen; 3. *(sth)* besichtigen; *~ the country* das Land bereisen; *sb* 4. Tour *f*, Reise *f*; 5. *(guided ~)* Führung *f*; 6. *(of a building, of a town)* Rundgang *m*; 7. *(by a band, by a theatre company)* Tournee *f*; 8. *(inspection)* Inspektion *f*

tourism ['tʊərɪzm] sb Fremdenverkehr m, Tourismus m

tourist ['tʊərɪst] sb Tourist/Touristin m/f

tourist class ['tʊərɪst klɑːs] sb Touristenklasse f

tow [təʊ] v 1. (a car) abschleppen; 2. (a boat) schleppen; 3. (a trailer) ziehen

towel ['taʊəl] sb Handtuch n

towel rack ['taʊəlræk] sb Handtuchhalter m

tower ['taʊə] sb 1. Turm m; v 2. ragen; ~ over weit überragen; 3. ~ over (fig) übertreffen

town [taʊn] sb Stadt f; to be the talk of the ~ Stadtgespräch sein

townspeople ['taʊnzpiːpl] pl 1. Bürger pl; 2. (as opposed to country folk) Städter pl

toxic ['tɒksɪk] adj giftig

toxic waste ['tɒksɪk weɪst] sb Giftmüll m

toy [tɔɪ] sb 1. Spielzeug n; ~s pl Spielzeug n, Spielsachen pl; v 2. ~ with an idea mit einem Gedanken spielen

trace [treɪs] v 1. ~ back to zurückverfolgen bis zu; 2. (copy) nachziehen; (with tracing paper) durchpausen; 3. (follow the trail of) verfolgen; 4. (find) aufspüren, ausfindig machen; sb 5. Spur f

track [træk] v 1. (follow) verfolgen; sb 2. (path) Weg m, Pfad m; 3. (trail) Spur f, Fährte f; throw s.o. off the ~ jdn von der Spur ablenken; cover one's ~s seine Spuren verwischen; keep ~ of verfolgen; on the right ~ auf dem richtigen Wege; on the wrong ~, off the ~ auf falscher Fährte; 4. make ~s (fam) sich auf den Weg machen; 5. (train ~) Gleis n; 6. (racing ~) Bahn f, (for auto racing) Rennstrecke f; 7. (~ and field) SPORT Leichtathletik f

tracker dog ['trækədɒg] sb Spürhund m

tracksuit ['træksuːt] sb Trainingsanzug m

tractor ['træktə] sb Traktor m

trade [treɪd] v 1. ECO handeln, Handel treiben; ~ in sth mit etw handeln; 2. ~ sth for sth etw gegen etw tauschen; ~ in one's car sein Auto in Zahlung geben; sb 3. (exchange) Tausch m; 4. (line of work) Branche f; know all the tricks of the ~ alle Kniffe kennen; by ~ von Beruf; 5. (commerce) ECO Handel m, Gewerbe n; 6. (craft) Handwerk n

trade-in ['treɪdɪn] sb In-Zahlung-Gegebenes n

trademark ['treɪdmɑːk] v 1. gesetzlich schützen lassen; sb 2. Warenzeichen n; 3. (fig) Kennzeichen n

trade secret ['treɪdsiːkrɪt] sb Betriebsgeheimnis n

trade union ['treɪdjuːnɪən] sb Gewerkschaft f

tradition [trə'dɪʃən] sb Tradition f

traffic ['træfɪk] sb 1. Verkehr m; 2. (trade) Handel m

traffic jam ['træfɪkdʒæm] sb Stau m, Verkehrsstauung f

tragedy ['trædʒədɪ] sb Tragödie f

tragic ['trædʒɪk] adj tragisch

trail [treɪl] v 1. (drag on the floor) schleifen; 2. (to be behind) weit zurückliegen; 3. (drag) schleppen; 4. (s.o.) verfolgen, (secretly) beschatten; sb 5. Spur f, Fährte f; 6. (path) Weg m, Pfad m

train [treɪn] v 1. SPORT trainieren; 2. (s.o.) ausbilden; 3. (a child) erziehen; 4. ~ s.o. (a new employee) jdm etw beibringen; 5. (an animal) abrichten, dressieren; 6. (aim) richten; sb 7. Zug m; take a ~ to mit dem Zug fahren nach; 8. (procession) Kolonne f; 9. ~ of thought Gedankengang m; lose one's ~ of thought den Faden verlieren; 10. (series) Folge f

trainer ['treɪnə] sb 1. (of a race horse) Trainer m; 2. (animal ~) Dresseur m; 3. (instructor) Ausbilder m

trait [treɪt] sb Eigenschaft f

tram [træm] sb (UK) Straßenbahn f

trample ['træmpl] v (sth) trampeln

trance [trɑːns] sb Trance f

tranquil ['træŋkwɪl] adj ruhig

transact [træn'zækt] v ECO führen, abschließen

transaction [træn'zækʃən] sb Geschäft n

transatlantic [trænzət'læntɪk] adj transatlantisch

transcript ['trænskrɪpt] sb 1. Kopie f; 2. (of a tape) Niederschrift f; 3. (US: academic record) Zeugnis n

transcription [træn'skrɪpʃən] sb Transkription f, Niederschrift f

transfer [træns'fɜː] v 1. (to another bus or train) umsteigen; 2. ~ to übergehen zu, überwechseln zu, umstellen auf; 3. (move) verlegen; 4. (hand over) übertragen; 5. (money be-tween accounts) überweisen; 6. (an employee) versetzen; ['trænsfɜː] sb 7. (handing over) Übertragung f; 8. (of funds) Überweisung f; 9. (of an employee) Versetzung f; 10. (to another bus or train) Umsteigen n, (ticket) Umsteigekarte f; 11. (physical moving) Verlegung f

transform [træns'fɔːm] v 1. umgestalten, umwandeln; 2. (person) verwandeln

transfusion [træns'fju:ʒən] *sb MED* Transfusion *f*

transit ['trænzɪt] *sb* Durchreise *f; ECO* Transit *m; in* ~ unterwegs

translate [trænz'leɪt] *v* übersetzen; ~ *ideas into action* Gedanken in die Tat umsetzen

transmit [trænz'mɪt] *v* 1. übertragen; 2. *(news)* übermitteln; 3. *(broadcast)* senden, übertragen; 4. *(through heredity) BIO* vererben

transparency [træns'pærənsɪ] *sb* 1. *(transparent quality)* Durchsichtigkeit *f;* 2. *(for an overhead projector)* Folie *f*

transplant [trænz'plɑ:nt] *v* 1. umpflanzen; 2. *MED* transplantieren, verpflanzen; ['trɑ:nsplɑ:nt] *sb MED* Transplantation *f,* Verpflanzung *f, (organ ~ed)* Transplantat *n*

transport [træn'spɔ:t] *v* 1. transportieren, befördern; ['trænspɔ:t] *sb* 2. Transport *m,* Beförderung *f;* 3. *(vehicle) MIL* Truppentransporter *m, (plane)* Transportflugzeug *n*

transvestite [trænz'vestaɪt] *sb* Transvestit *m*

trap [træp] *v* 1. in die Falle locken; 2. *(physically: leave no way out)* einschließen; 3. *(gases)* stauen; 4. *(stop a rolling object)* stoppen; *sb* 5. Falle *f;* 6. *(fam: mouth)* Klappe *f; Shut your ~!* Halt die Klappe!

trappings ['træpɪŋz] *pl* 1. Drum und Dran *n;* 2. *(of wealth, of power)* Insignien *pl*

trash [træʃ] *sb* 1. *(US: rubbish)* Abfall *m;* 2. *(thing of low quality)* Schund *m*

trashy ['træʃɪ] *adj* minderwertig

trauma ['trɔ:mə] *sb MED* Trauma *n*

travel ['trævl] *v* 1. reisen; 2. *(move)* sich bewegen; 3. *(light, sound)* sich fortpflanzen; 4. *(sth)(a distance)* zurücklegen; 5. *(a route)* fahren; 6. *(the world)* bereisen; *sb* 7. Reisen *n;* 8. ~s *pl* Reisen *pl*

traveller's cheque ['trævləz tʃek] *sb* Reisescheck *m*

tray [treɪ] *sb* 1. Tablett *n;* 2. *(for papers)* Ablagekorb *m*

treason ['tri:zn] *sb* 1. Verrat *m;* 2. *JUR* Landesverrat *m*

treasure ['treʒə] *sb* 1. Schatz *m; v* 2. schätzen, hoch schätzen, würdigen

treasurer ['treʒərə] *sb* Kassierer *m*

treat [tri:t] *v* 1. *(behave toward)* behandeln; 2. *(regard)* betrachten; 3. *MED, CHEM, TECH* behandeln; 4. ~ *o.s. to sth* sich etw gönnen; 5. ~ *s.o. to sth* jdm etw spendieren; *sb* 6. besonderes Vergnügen *n;* 7. *It's my* ~. Das geht auf meine Rechnung.

treatment ['tri:tmənt] *sb* Behandlung *f*

treaty ['tri:tɪ] *sb POL* Vertrag *m*

tremble ['trembl] *v* 1. zittern; 2. *(ground, building)* beben

tremendous [trə'mendəs] *adj* 1. enorm, riesig, gewaltig; 2. *(fam: very good)* toll

tremor ['tremə] *sb* 1. *(of the earth)* Beben *n;* 2. *(of the body)* Zittern *n*

trend [trend] *sb* 1. Trend *m,* Richtung *f;* 2. *(fashion)* Mode *f,* Trend *m*

trendy ['trendɪ] *adj (fam)* modisch, schick, im Trend liegend

trespass ['trespəs] *v* unbefugt betreten; *"no ~ing"* „Betreten verboten"

triable ['traɪəbl] *adj JUR* verhandelbar, verhandlungsfähig

trial ['traɪəl] *sb* 1. *JUR* Prozess *m,* Verfahren *n;* 2. *(test)* Probe *f; on a* ~ *basis* probeweise; 3. *(hardship)* Last *f,* Plage *f*

triangle ['traɪæŋgl] *sb* Dreieck *n*

triathlon [traɪ'æθlɒn] *sb* Triathlon *n*

tribe [traɪb] *sb* Stamm *m*

tribesman ['traɪbzmən] *sb* Stammesangehöriger *m*

tribune ['trɪbju:n] *sb HIST* Tribun *m*

tribute ['trɪbju:t] *sb* Tribut *m,* Huldigung *f; pay* ~ to huldigen

trick [trɪk] *v* 1. täuschen, hereinlegen; *sb* 2. Trick *m;* 3. *(skilful act)* Kunststück *n; That did the* ~. Damit war es geschafft. 4. *(prank)* Streich *m*

trickle ['trɪkl] *v* 1. tröpfeln, rieseln; *sb* 2. Rinnsal *n;* 3. *(drip)* Tröpfeln *n*

tricky ['trɪkɪ] *adj* 1. *(difficult)* schwierig; 2. *(situation)* heikel; *v* 3. *(person)* durchtrieben, raffiniert

trifle ['traɪfl] *sb* 1. Kleinigkeit *f; v* 2. ~ *with s.o.* jdn zu leicht nehmen

trigger ['trɪgə] *v* 1. auslösen; *sb* 2. *(of a gun)* Abzug *m; pull the* ~ abdrücken

trim [trɪm] *v* 1. *(hair)* nachschneiden; 2. *(a dog's hair)* trimmen; 3. *(a beard, a hedge)* stutzen; 4. *(fig: a budget)* kürzen; 5. *(a Christmas tree)* ausschmücken; 6. *(sails) NAUT* richtig stellen; *sb* 7. *give sth a* ~ etw nachschneiden; *adj* 8. *(person)* schlank

trimming ['trɪmɪŋ] *sb* 1. Verzierung *f;* 2. ~s *pl (accessories)* Zubehör *n; with all the* ~s mit allem Drum und Dran; 3. ~s *pl GAST* Garnierung *f*

trip [trɪp] *v* 1. *(stumble)* stolpern; 2. ~ *s.o.* jdm ein Bein stellen; *sb* 3. *(excursion)* Ausflug *m;* 4. *(journey)* Reise *f*

trip switch ['trɪpswɪtʃ] *sb* Auslöseschalter *m*

tripwire ['trɪpwaɪə] sb Stolperdraht m

triumph ['traɪʌmf] v 1. triumphieren, siegen; sb 2. Triumph m

trivia ['trɪvɪə] pl Trivialitäten pl

trivial ['trɪvɪəl] adj geringfügig, unbedeutend

trivialize ['trɪvɪəlaɪz] v trivialisieren

troll [trəʊl] sb Troll m

trolley ['trɒlɪ] sb 1. (cart) Handwagen m, (shopping cart) Einkaufswagen m; 2. (for luggage) Gepäckwagen m; 3. (US: streetcar) Straßenbahn f

trolleybus ['trɒlɪbʌs] sb Trolleybus m

troop [truːp] sb 1. ~s MIL Truppen pl; 2. (of scouts) Gruppe f; v 3. ~ in hereinströmen

trooper ['truːpə] sb 1. (in the cavalry) Kavallerist m; 2. (US) Polizist m

trophy ['trəʊfɪ] sb Trophäe f

trot [trɒt] v 1. traben; sb 2. Trab m

trouble ['trʌbl] sb 1. (difficulties) Schwierigkeiten pl, Ärger f; to be in ~ in Schwierigkeiten sein; give s.o. ~ jdm Schwierigkeiten machen; look for ~ (fam) Streit suchen; He's ~. (fam) Mit ihm wird es Ärger geben. 2. (pains, discomfort) Leiden n; 3. (unrest) Unruhe f; make ~ Unruhe stiften; 4. (effort) Mühe f; take the ~ sich die Mühe machen; v 5. ~ to do sth sich bemühen, etw zu tun; 6. (bother) bemühen, belästigen; 7. (worry) beunruhigen; What's troubling you? Worüber machst du dir Sorgen?

troublemaker ['trʌblmeɪkə] sb Unruhestifter m

troublesome ['trʌblsʌm] adj 1. lästig; 2. (task) unangenehm

trousers ['traʊzəz] pl Hose f

trowel ['traʊəl] sb Kelle f

truant ['truːənt] sb Schulschwänzer m

truce [truːs] sb Waffenstillstand m

truck [trʌk] sb (US) Lastwagen m, Laster m (fam)

true [truː] adj 1. wahr; to be ~ of sth auf etw zutreffen; come ~ (wishes) wahr werden, (a prediction) sich verwirklichen, (fears) sich bewahren; hold ~ sich bewahrheiten; That's ~. Das stimmt. Das ist wahr. 2. (accurate) wahrheitsgetreu; 3. (genuine) echt, wahr, wirklich; 4. (aim) genau; 5. (faithful) treu; He's still ~ to his favourite team. Er ist seinem Lieblingsteam noch treu.

true-love [truː lʌv] sb Geliebte(r) m/f

truly ['truːlɪ] adv 1. (genuinely) wirklich; 2. Yours ~ ... Hochachtungsvoll ..., Mit freundlichen Grüßen ...

trunk [trʌŋk] sb 1. (case) Koffer m; 2. (tree ~) Stamm m; 3. (US: of a car) Kofferraum m; 4. (elephant's) Rüssel m; 5. (of one's body) ANAT Rumpf m; 6. ~s pl (swimming ~s) Badehose f

trunk road ['trʌŋkrəʊd] sb Fernstraße f

trust [trʌst] v 1. vertrauen; 2. (s.o.) vertrauen, trauen; 3. (sth) trauen; 4. (hope) hoffen; sb 5. Vertrauen n; 6. (charitable) ~ Stiftung f; 7. JUR Treuhand f; 8. ECO Trust m

trustworthy ['trʌstwɜːðɪ] adj 1. (person) vertrauenswürdig; 2. (thing) zuverlässig

truth [truːθ] sb Wahrheit f

truthful ['truːθful] adj 1. (person) ehrlich; 2. (story) wahr

try [traɪ] v 1. versuchen; 2. (~ out) ausprobieren; 3. (sth) versuchen; 4. (sample) probieren; 5. (s.o.'s patience) richten; 6. (a case) JUR verhandeln; 7. (a person) JUR vor Gericht stellen; sb 8. Versuch m; Give it a ~! Versuch es doch mal!

T-shirt ['tiːʃɜːt] sb T-Shirt n

tube [tjuːb] sb 1. Rohr n; 2. (in a TV) Röhre f; 3. (flexible) Schlauch m; 4. (of toothpaste, of paint) Tube f; 5. (London underground) U-Bahn f; 6. ANAT Röhre f

tubing ['tjuːbɪŋ] sb 1. (tubes) Schläuche pl; 2. (floating in inner tubes) Befahren von Flüssen auf Reifenschläuchen n

tuck [tʌk] v stecken

• **tuck in** v 1. tuck s.o. in jdn zudecken; 2. ~ one's shirt das Hemd in die Hose stecken

tug [tʌg] v 1. ziehen, zerren; sb 2. Zerren n

tug-of-war [tʌgəvˈwɔː] sb SPORT Tauziehen n

tuition [tjuːˈɪʃən] sb 1. Unterricht m; 2. (~ fees) Unterrichtsgeld n

tumble ['tʌmbl] v 1. stürzen; 2. (do gymnastics) Bodenakrobatik machen; 3. (sth) umwerfen, umstürzen; 4. (fall) Sturz m

tumble-dry ['tʌmbldraɪ] v im Wäschetrockner trocknen

tummy ['tʌmɪ] sb 1. (fam) Magen m; 2. (fam: belly) Bauch m

tuna ['tjuːnə] sb Tunfisch m

tune [tjuːn] v 1. (an instrument) stimmen; 2. (a radio, an engine) einstellen; sb 3. Melodie f; change one's ~ (fig) andere Töne anschlagen; 4. out of ~ (singing) falsch, (instrument) verstimmt

tunic ['tjuːnɪk] sb 1. Kasack m; 2. (soldier's) Waffenrock m

tunnel ['tʌnl] sb Tunnel m

turban ['tɜːbən] sb Turban m

turbulence ['tɜːbjʊləns] *sb* Aufgewühltheit *f*, Turbulenz *f*

turf [tɜːf] *sb* 1. Rasen *m*; 2. *(fig: of a gang)* Revier *n*; 3. *(sod)* Sode *f*; 4. *(peat)* Torf *m*; *v* 5. ~ *out (UK)(fam)* wegschmeißen, rauswefen, rausschmeißen

turn [tɜːn] *v* 1. *(revolve)* sich drehen; 2. *(person)* wenden, sich umdrehen; 3. *(change direction)* abbiegen; 4. *(vehicle)* wenden; *(~ off: car)* abbiegen, *(plane, boat)* abdrehen; 5. *(become)* werden; ~ *into* sich in etw verwandeln; 6. ~ *to s.o.* sich an jdn wenden; 7. ~ *to sth* sich einer Sache zuwenden; *He ~ed to a life of crime. Er wurde kriminell.* 8. *(sth)* drehen; ~ *the corner* um die Ecke biegen; 9. ~ *sth into* sth etw in etw verwandeln; 10. ~ *one's attention to sth* seine Aufmerksamkeit einer Sache zuwenden; 11. ~ *s.o. loose* jdn loslassen; 12. *(~ over)* wenden, *(a record)* umdrehen; ~ *the page* umblättern; *sb* 13. *(movement)* Drehung *f*; 14. *(in a road)* Kurve *f*; *take a ~ for the worse (fig)* sich verschlimmern; *at every ~* auf Schritt und Tritt; .

•**turn around** *v (person)* sich umdrehen

•**turn back** *v* 1. zurückgehen, umkehren; 2. *(a clock)* zurückstellen, *(fig)* zurückdrehen

turning point ['tɜːnɪŋpɔɪnt] *sb (fig)* Wendepunkt *m*

turnout ['tɜːnaʊt] *sb* Beteiligung *f*, Teilnahme *f*

turnpike ['tɜːnpaɪk] *sb* 1. *(device)* Schlagbaum *m*; 2. *(toll road)* gebührenpflichtige Autobahn *f*

turn-up ['tɜːnʌp] *sb (UK: cuff on trousers)* Aufschlag *m*

turquoise ['tɜːkwɔɪz] *sb* 1. *(colour)* Türkis *n*; 2. MIN Türkis *m*

turret ['tʌrɪt] *sb* 1. MIL Turm *m*; 2. ARCH Türmchen *n*

turtle ['tɜːtl] *sb* ZOOL Schildkröte *f*

turtledove ['tɜːtldʌv] *sb* Turteltaube *f*

turtleneck ['tɜːtlnek] *sb* Rollkragenpullover *m*

tusk [tʌsk] *sb* 1. Stoßzahn *f*; 2. *(boar's)* Hauer *m*

tutor ['tjuːtə] *sb* Privatlehrer *m*

tutorial [tjuː'tɔːrɪəl] *sb* 1. Kolloquium *n*; 2. INFORM Benutzerhandbuch *n*

tuxedo [tʌk'siːdəʊ] *sb (US)* Smoking *m*

TV [tiː'viː] *sb* 1. *(fam: television)* Fernsehen *n*; 2. *(fam: television set)* Fernseher *m*

twee [twiː] *adj (UK)* niedlich, schnuckelig, putzig

tweezers ['twiːzəz] *pl* Pinzette *f*

twice [twaɪs] *adv* zweimal; ~ *a week* zweimal pro Woche; ~ *as much* doppelt so viel; *think ~ about* sth sich etw zweimal überlegen; *He doesn't think ~ about stating his opinion. Er hat keine Bedenken, seine Meinung zu äußern.*

twiddle ['twɪdl] *v* herumdrehen; ~ *one's thumbs* Däumchen drehen

twilight ['twaɪlaɪt] *sb* Abenddämmerung *f*, Zwielicht *n*

twin [twɪn] *sb* Zwilling *m*

twine [twaɪn] *sb* Schnur *f*, Bindfaden *m*

twinkle ['twɪŋkl] *v* 1. funkeln; *sb* 2. Funkeln *n*; *She had a ~ in her eye. (fig)* Ihr schaute der Schalk aus den Augen.

twinkling ['twɪŋklɪŋ] *sb (of the eye)* Zwinkern *n*

twin town ['twɪntaʊn] *sb* Partnerstadt *f*

twist [twɪst] *v* 1. *(road)* sich winden; 2. *(sth)* drehen, winden; ~ *sth round sth* etw um etw wickeln; 3. *(bend out of shape)* verdrehen, verzerren; 4. ~ *off (a lid)* abschrauben; 5. ~ *s.o.'s arm* jdm den Arm verdrehen, *(fig)* jdn unter Druck setzen; *sb* 6. Drehung *f*; 7. *(in a road)* Kurve *f*; 8. *(fig: unusual aspect)* Wendung *f*

tycoon [taɪ'kuːn] *sb* Magnat *m*

type [taɪp] *v* 1. *(use a typewriter)* Maschine schreiben, tippen *(fam)*; 2. *(sth)* tippen, mit der Maschine schreiben; *sb* 3. *(kind)* Art *f*; 4. *(of person, of character)* Typ *m*; 5. *(print)* Type *f*

typecast ['taɪpkɑːst] *v* auf ein bestimmtes Rollenfach festlegen

typescript ['taɪpskrɪpt] *sb* Typoskript *n*

typesetter ['taɪpsetə] *sb (person)* Schriftsetzer *m*, Setzer *m*

typewriter ['taɪpraɪtə] *sb* Schreibmaschine *f*

typhoid fever ['taɪfɔɪd 'fiːvə] *sb* MED Typhus *m*

typical ['tɪpɪkəl] *adj* typisch; *to be ~ of* charakterisieren

typography [taɪ'pɒɡrəfɪ] *sb* Typografie *f*

tyrannical [tɪ'rænɪkəl] *adj* tyrannisch

tyrannize ['tɪrənaɪz] *v (s.o.)* tyrannisieren

tyranny ['tɪrənɪ] *sb* Tyrannei *f*

tyrant ['taɪrənt] *sb* Tyrann *m*

tyre [taɪə] *sb* Reifen *m*

tyro [taɪrəʊ] *sb* Anfänger *m*

U

ugly [ˈʌglɪ] *adj* hässlich

ulcer [ˈʌlsə] *sb* MED Geschwür *n*

ulterior [ʌlˈtɪərɪə] *adj* ~ motive Hintergedanke *m*

ultimate [ˈʌltɪmət] *adj* 1. *(last)* letzte(r,s), endgültig; 2. *(greatest possible)* vollendet, äußerste(r,s)

ultra [ˈʌltrə] *adj* ~... extrem, Erz..., Ultra...

ultrasound [ˈʌltrəsaʊnd] *sb* Ultraschall *m*

umbilical cord [ʌmˈbɪlɪkl kɔːd] *sb* ANAT Nabelschnur *f*

umbrage [ˈʌmbrɪdʒ] *sb* take ~ at Anstoß nehmen an

umbrella [ʌmˈbrelə] *sb* 1. Schirm *m*, Regenschirm *m*; 2. *(sun ~)* Sonnenschirm *m*

umpteenth [ˈʌmptiːnθ] *adj (fam)* x-te

unable [ʌnˈeɪbl] *adj* to be ~ to do sth etw nicht tun können

unacceptable [ʌnəkˈseptəbl] *adj* nicht akzeptabel, unannehmbar

unaccountable [ʌnəˈkaʊntəbl] *adj* unerklärlich, unerklärbar

unaccustomed [ʌnəˈkʌstəmd] *adj* to be ~ to sth etw nicht gewohnt sein

unambiguous [ʌnæmˈbɪgjʊəs] *adj* unzweideutig

unanimous [juːˈnænɪməs] *adj* einstimmig

unapproachable [ʌnəˈprəʊtʃəbl] *adj* unnahbar

unarmed [ʌnˈɑːmd] *adj* unbewaffnet

unassisted [ʌnəˈsɪstɪd] *adj* ohne Unterstützung, ohne Hilfe

unattainable [ʌnəˈteɪnəbl] *adj* unerreichbar

unattractive [ʌnəˈtræktɪv] *adj (person)* reizlos

unavoidable [ʌnəˈvɔɪdəbl] *adj* unvermeidlich

unbearable [ʌnˈbeərəbl] *adj* unerträglich

unbecoming [ʌnbɪˈkʌmɪŋ] *adj* 1. *(clothing)* unvorteilhaft; 2. *(conduct)* unschicklich

unbelievable [ʌnbɪˈliːvəbl] *adj* unglaublich

unbreakable [ʌnˈbreɪkəbl] *adj* unzerbrechlich

uncalled-for [ʌnˈkɔːldfɔː] *adj* unangebracht, fehl am Platze

unceremoniously [ʌnserɪˈməʊnɪəslɪ] *adv* kurzerhand, unsanft, ohne viel Federlesens

uncertain [ʌnˈsɜːtn] *adj* 1. *(unknown)* ungewiss, unbestimmt; 2. *(unclear)* vage; 3. to be ~ of sth sich einer Sache nicht sicher sein

uncertainty [ʌnˈsɜːtəntɪ] *sb* 1. Ungewissheit *f*, Unbestimmtheit *f*; 2. *(doubt)* Zweifel *m*

uncle [ˈʌŋkl] *sb* Onkel *m*

uncomfortable [ʌnˈkʌmfətəbl] *adj* 1. unbequem, ungemütlich; 2. *(unpleasant)* unangenehm

uncommon [ʌnˈkɒmən] *adj* 1. ungewöhnlich; 2. *(outstanding)* außergewöhnlich

unconcerned [ʌnkənˈsɜːnd] *adj* gleichgültig, unbeteiligt

unconnected [ʌnkəˈnektɪd] *adj* nicht zusammenhängend, nicht in Verbindung stehend

unconscious [ʌnˈkɒnʃəs] *adj* 1. bewusstlos; 2. *(unintentional)* unbewusst, unbeabsichtigt; to be ~ of sth sich einer Sache nicht bewusst sein

uncontrollable [ʌnkənˈtrəʊləbl] *adj* 1. unkontrollierbar; 2. *(child)* unbändig; 3. *(urge)* unwiderstehlich

uncooperative [ʌnkəʊˈɒpərətɪv] *adj* wenig hilfreich, stur

uncouth [ʌnˈkuːθ] *adj* 1. *(person)* ungehobelt; 2. *(remark)* grob

uncover [ʌnˈkʌvə] *v* aufdecken

undaunted [ʌnˈdɔːntɪd] *adj* unerschrocken, unverzagt

undecided [ʌndɪˈsaɪdɪd] *adj* 1. *(person)* unentschlossen; 2. *(issue, matter)* unentschieden

under [ˈʌndə] *prep* 1. unter; ~ construction im Bau; 2. *(fam: less than)* weniger als, unter; 3. *(according to)* nach, gemäß; *adv* 4. unten; go ~ untergehen

underachiever [ʌndərəˈtʃiːvə] *sb* einer, der weniger leistet, als man von ihm erwartet

underarm [ˈʌndərɑːm] *sb* Achselhöhle *f*

underclothes [ˈʌndəkləʊðz] *pl* Unterwäsche *f*

underdeveloped [ʌndədɪˈveləpt] *adj* unterentwickelt

underdone [ʌndəˈdʌn] *adj* GAST nicht gar

underestimate [ʌndərˈestɪmeɪt] *v* unterschätzen

underfloor [ˈʌndəflɔː] *adj* Fußboden...

undergarment [ˈʌndəgɑːmənt] *sb* Unterwäsche *f*

underground ['ʌndəgraʊnd] adj 1. unterirdisch; 2. (fig) Untergrund... adv 3. ten metres ~ zehn Meter unter der Erde; go ~ (fig) untertauchen; sb 4. POL Untergrundbewegung f, Untergrund m; 5. (UK) U-Bahn f, Untergrundbahn f

underneath ['ʌndə'ni:θ] prep 1. unter, unterhalb; adv 2. unten, darunter

underpaid [ʌndə'peɪd] adj unterbezahlt

underpants ['ʌndəpænts] pl Unterhose f

underprice [ʌndə'praɪs] v unter Preis anbieten

under-secretary ['ʌndəsekrətrɪ] sb 1. (UK) Staatssekretär m; 2. (US) Undersecretary of Defense stellvertretender Verteidigungsminister m

undershirt ['ʌndəʃɜ:t] sb Unterhemd n

understand [ʌndə'stænd] v irr 1. verstehen; 2. (interpret, take to mean) am I to ~ that ... soll das etwa heißen, dass ...; I ~ you're planning to buy a car. Ich höre, du hast vor, ein Auto zu kaufen. 3. ~ one another sich verstehen

understanding [ʌndə'stændɪŋ] adj 1. verständnisvoll; sb 2. (sympathy) Verständnis n; 3. (knowledge) Kenntnisse pl; my ~ of the matter is that ... wie ich es verstehe, ... 4. (agreement) Vereinbarung f, Abmachung f; come to an ~ with s.o. zu einer Einigung mit jdm kommen; on the ~ that ... unter der Voraussetzung, dass ...

undertaking ['ʌndəteɪkɪŋ] sb 1. (task) Aufgabe f; 2. (risky ~, bold ~) Unterfangen n

underwater [ʌndə'wɔ:tə] adv unter Wasser

underwrite [ʌndə'raɪt] v irr (guarantee) FIN garantieren

underwriter ['ʌndəraɪtə] sb Versicherer m

undesigning [ʌndɪ'zaɪnɪŋ] adj ohne Hintergedanken, aufrichtig

undesirable [ʌndɪ'zaɪərəbl] adj 1. unerwünscht; sb 2. unerfreuliches Element n

undisciplined [ʌn'dɪsɪplɪnd] adj undiszipliniert

undo [ʌn'du:] v irr 1. aufmachen, öffnen; 2. (a knot) lösen; 3. (fig: reverse) aufheben, rückgängig machen

undone [ʌn'dʌn] adj 1. (unfastened) gelöst, offen; come ~ aufgehen; 2. (not done) ungetan, unerledigt

undress [ʌn'dres] v 1. sich ausziehen; 2. (s.o.) ausziehen

undressed [ʌn'drest] adj unbekleidet, ausgezogen

uneasy [ʌn'i:zɪ] adj 1. (awkward) unbehaglich; 2. (worried) besorgt; 3. (truce) unsicher; 4. (sleep) unruhig

uneducated [ʌn'edjʊkeɪtɪd] adj ungebildet

unemployed [ʌnɪm'plɔɪd] adj arbeitslos

unemployment [ʌnɪm'plɔɪmənt] sb Arbeitslosigkeit f

unequal [ʌn'i:kwəl] adj ungleich; to be ~ to a task einer Aufgabe nicht gewachsen sein

unethical [ʌn'eθɪkəl] adj unmoralisch

uneven [ʌn'i:vən] adj 1. (surface) uneben; 2. (breathing) unregelmäßig; 3. (quality) ungleichmäßig

unexpected [ʌnɪk'spektɪd] adj unerwartet, unvermutet

unfair [ʌn'feə] adj ungerecht, unfair

unfaithful [ʌn'feɪθfʊl] adj (wife, husband) untreu

unfamiliar [ʌnfə'mɪljə] adj unbekannt, fremd, ungewohnt; to be ~ with sth etw nicht kennen

unfasten [ʌn'fɑ:sn] v 1. aufmachen; 2. (detach) losbinden

unfavourable [ʌn'feɪvərəbl] adj 1. (conditions, result) ungünstig; 2. (reply, reaction) negativ

unfinished [ʌn'fɪnɪʃt] adj 1. nicht fertig; 2. (business) unerledigt; 3. (symphony) unvollendet

unflattering [ʌn'flætərɪŋ] adj (clothing, haircut) unvorteilhaft

unfold [ʌn'fəʊld] v 1. sich entfalten; 2. (plot) sich entwickeln; 3. (sth) entfalten; 4. (a newspaper) ausbreiten; 5. (a plan) darlegen

unforgettable [ʌnfə'getəbl] adj unvergesslich

unfortunate [ʌn'fɔ:tʃənɪt] adj 1. bedauerlich; 2. (person) unglücklich

unfounded [ʌn'faʊndɪd] adj unbegründet, grundlos

unfriendly [ʌn'frendlɪ] adj unfreundlich

unfurnished [ʌn'fɜ:nɪʃt] adj unmöbliert

ungainly [ʌn'geɪnlɪ] adj unbeholfen, plump

ungrateful [ʌn'greɪtfʊl] adj undankbar

unhappy [ʌn'hæpɪ] adj 1. unglücklich; 2. (not satisfied) unzufrieden

unholy [ʌn'həʊlɪ] adj 1. gottlos; 2. (fam: mess) heillos

unhoped-for [ʌn'həʊptfɔ:] adj unverhofft

unhurried [ʌn'hʌrɪd] adj geruhsam, gemächlich

unhurt [ʌn'hɜ:t] adj unverletzt

unidentified [ˌʌnaɪ'dentɪfaɪd] *adj* unbekannt

uniform ['juːnɪfɔːm] *sb 1.* Uniform *f; adj 2.* einheitlich, gleich

unify ['juːnɪfaɪ] *v 1.* vereinigen; *2. (a theory)* vereinheitlichen

unimaginable ['ʌnɪ'mædʒɪnəbl] *adj* unvorstellbar

unimportant [ˌʌnɪm'pɔːtənt] *adj* unwichtig, unbedeutend

unimproved [ˌʌnɪm'pruːvd] *adj 1.* nicht verbessert; *2. AGR* unbebaut, nicht kultiviert

uninhabited [ˌʌnɪn'hæbɪtɪd] *adj* unbewohnt

uninspiring [ˌʌnɪn'spaɪrɪŋ] *adj* nicht gerade begeisternd

unintelligent [ˌʌnɪn'telɪdʒənt] *adj* unklug

unintentional [ˌʌnɪn'tenʃənl] *adj* unabsichtlich, unbeabsichtigt

union ['juːnjən] *sb 1. (joining)* Vereinigung *f;* POL Zusammenschluss *m; 2. (group)* Vereinigung *f,* Verband *m,* Verein *m; 3. (labor ~, trade ~)* Gewerkschaft *f*

unique [juː'niːk] *adj* einzig, einmalig, einzigartig

unisex ['juːnɪseks] *adj* unisex

unison ['juːnɪzn] *sb* Einklang *m; in ~* einstimmig

unit ['juːnɪt] *sb* Einheit *f*

unite [juː'naɪt] *v 1.* sich vereinigen, sich zusammenschließen; *2.* (sth) vereinigen, verbinden, zusammenschließen

united [juː'naɪtɪd] *adj* vereint, gemeinsam, vereinigt

universal [juːnɪ'vɜːsəl] *adj 1.* universal, Universal..., Welt-. *2. (general)* allgemein; *3. (rule)* allgemein gültig

universe ['juːnɪvɜːs] *sb* Weltall *n,* Universum *n*

unkempt [ʌn'kempt] *adj 1. (appearance)* ungepflegt; *2. (hair)* ungekämmt

unkind [ʌn'kaɪnd] *adj 1.* unfreundlich; *2. (cruel)* lieblos

unknown [ʌn'nəʊn] *adj 1.* unbekannt; *sb 2.* Unbekannte(r) *m/f*

unlawful [ʌn'lɔːful] *adj* rechtswidrig, gesetzwidrig, ungesetzlich

unless [ʌn'les] *konj* es sei denn, außer wenn

unlimited [ʌn'lɪmɪtɪd] *adj 1.* unbegrenzt; *2. ECO* unbeschränkt

unlock [ʌn'lɒk] *v* aufschließen

unlucky [ʌn'lʌkɪ] *adj* unglücklich; *to be ~* Pech haben

unmarked [ʌn'mɑːkt] *adj* nicht gekennzeichnet, nicht markiert

unmarried [ʌn'mærɪd] *adj* unverheiratet, ledig

unmask [ʌn'mɑːsk] *v (fig)* entlarven

unmeasured [ʌn'meʒəd] *adj* unermesslich, grenzenlos, unbegrenzt

unmistakable [ˌʌnmɪs'teɪkəbl] *adj* unverkennbar

unnatural [ʌn'nætʃərəl] *adj 1.* unnatürlich; *2. (act)* widernatürlich; *3. (affected)* gekünstelt

unnecessary [ʌn'nesəsərɪ] *adj 1.* unnötig, nicht notwendig; *2. (superfluous)* überflüssig

unoccupied [ʌn'ɒkjupaɪd] *adj 1. (seat)* frei; *2. (house)* unbewohnt, leer stehend; *3. (person)* unbeschäftigt

unorthodox [ʌn'ɔːθədɒks] *adj (fig)* unorthodox, unkonventionell

unpaid [ʌn'peɪd] *adj* unbezahlt

unparalleled [ʌn'pærəleld] *adj* einmalig, beispiellos

unpleasant [ʌn'pleznt] *adj 1.* unangenehm; *2. (person)* unfreundlich

unpleasantness [ʌn'plezntnɪs] *sb 1.* Unangenehmheit *f; 2. (of a person)* Unfreundlichkeit *f; 3. (bit of ~)* Unannehmlichkeit *f*

unpopular [ʌn'pɒpjulə] *adj* unbeliebt

unprecedented [ʌn'presɪdentɪd] *adj* beispiellos, unerhört

unprepared [ʌnprɪ'peəd] *adj 1.* unvorbereitet; *2. to be ~ for sth (caught by surprise)* auf etw nicht vorbereitet sein

unproductive [ˌʌnprə'dʌktɪv] *adj* unproduktiv, unergiebig

unprotected [ˌʌnprə'tektɪd] *adj* schutzlos, ungeschützt

unquestionably [ʌn'kwestʃənəblɪ] *adv* fraglos, zweifellos

unravel [ʌn'rævl] *v 1.* sich aufziehen; *2. (fig)* sich entwirren; *3. (sth)* aufziehen; *4. (fig)* entwirren

unread [ʌn'red] *adj 1. (book)* ungelesen; *2. (person)* nicht belesen

unreadable ['ʌnriːdəbl] *adj* unleserlich, unlesbar

unrealistic [ˌʌnrɪə'lɪstɪk] *adj* unrealistisch, wirklichkeitsfremd

unreasonable [ʌn'riːznəbl] *adj 1. (demand)* unzumutbar; *2. (person)* unvernünftig

unrecognizable [ˌʌnrekəg'naɪzəbl] *adj* nicht wieder zu erkennen

unrehearsed [ˌʌnrɪ'hɜːst] *adj 1.* spontan; *2. THEAT* ungeprobt

unrelated [ˌʌnrɪ'leɪtɪd] *adj* nicht verbunden

unreliable [ʌnrɪˈlaɪəbl] *adj* unzuverlässig
unreported [ʌnrɪˈpɔːtɪd] *adj* 1. *(crime)* nicht gemeldet; 2. *(story)* nicht berichtet
unreserved [ʌnrɪˈzɜːvd] *adj (complete)* uneingeschränkt
unresponsive [ʌnrɪˈspɒnsɪv] *adj* teilnahmslos
unrestricted [ʌnrɪˈstrɪktɪd] *adj* unbeschränkt, uneingeschränkt
unripe [ʌnˈraɪp] *adj* unreif
unruly [ʌnˈruːlɪ] *adj* 1. *(child)* unbändig; 2. *(hair)* widerspenstig
unsaid [ʌnˈsed] *adj* unerwähnt, unausgesprochen; *to be left* ~ unerwähnt bleiben
unsatisfactory [ʌnsætɪsˈfæktərɪ] *adj* 1. unbefriedigend; 2. *(schoolwork)* mangelhaft; 3. *(profits)* nicht ausreichend; 4. *(service)* schlecht
unscheduled [ʌnˈʃedjʊld] *adj* außerplanmäßig
unscientific [ʌnsaɪənˈtɪfɪk] *adj* unwissenschaftlich
unscrew [ʌnˈskruː] *v (sth)* abschrauben
unseal [ʌnˈsiːl] *v* öffnen
unseasonably [ʌnˈsiːznəblɪ] *adv* für die Jahreszeit ungewöhnlich
unseat [ʌnˈsiːt] *v* 1. *(remove from office)* des Postens entheben; 2. *(fig)* Smith ~ed Jones at the top of the rankings. Smith hat Jones aus der Spitze der Rangliste verdrängt.
unseen [ʌnˈsiːn] *adj* 1. ungesehen; *sight* ~ unbesehen; 2. *(unobserved)* unbemerkt; 3. *(UK: passage for translation)* unvorbereitet
unselfish [ʌnˈselfɪʃ] *adj* selbstlos
unsettle [ʌnˈsetl] *v* beunruhigen
unsightly [ʌnˈsaɪtlɪ] *adj* unansehnlich
unsized [ʌnˈsaɪzd] *adj* nicht nach Größe geordnet, unsortiert
unskilled [ʌnˈskɪld] *adj* ungelernt
unsolved [ʌnˈsɒlvd] *adj* ungelöst; *(crime)* unaufgeklärt
unsophisticated [ʌnsəˈfɪstɪkeɪtɪd] *adj (person)* schlicht, naiv
unspeakable [ʌnˈspiːkəbl] *adj* 1. unbeschreiblich; 2. *(fam: horrible)* entsetzlich
unspoken [ʌnˈspəʊkən] *adj* unausgesprochen, stillschweigend
unstable [ʌnˈsteɪbl] *adj* 1. nicht stabil; 2. *(mentally)* labil; 3. *(rocking)* schwankend; 4. *CHEM* instabil
unstoppable [ʌnˈstɒpəbl] *adj* nicht aufzuhalten, unaufhaltsam
unstructured [ʌnˈstrʌktʃəd] *adj* unstrukturiert, nicht strukturiert

unsuccessful [ʌnsəkˈsesfʊl] *adj* 1. erfolglos; 2. *(person)* nicht erfolgreich; 3. *(applicant)* abgewiesen
unsuitable [ʌnˈsuːtəbl] *adj* unpassend, ungeeignet, unangebracht
unsure [ʌnˈʃʊə] *adj* unsicher; *He's ~ of himself.* Er ist unsicher.
unthinkable [ʌnˈθɪŋkəbl] *adj* undenkbar, unvorstellbar
untidy [ʌnˈtaɪdɪ] *adj* unordentlich
until [ənˈtɪl] *prep* 1. bis; *not ~ Friday* erst am Freitag; *~ now* bis jetzt; *konj* 2. bis; *not ~* erst wenn
untold [ʌnˈtəʊld] *adj* 1. *(not told)* unerzählt, ungesagt; 2. *(uncounted)* ungezählt, unzählig, zahllos
untrue [ʌnˈtruː] *adj* 1. *(false)* unwahr, falsch; 2. *(unfaithful)* untreu
untruth [ʌnˈtruːθ] *sb* Unwahrheit *f*
unusual [ʌnˈjuːʒʊəl] *adj* außergewöhnlich, ungewöhnlich
unwanted [ʌnˈwɒntɪd] *adj* unerwünscht
unwashed [ʌnˈwɒʃt] *adj* ungewaschen; *the great ~* der Pöbel *m*
unwelcome [ʌnˈwelkəm] *adj* 1. unwillkommen; 2. *(news)* unangenehm
unwell [ʌnˈwel] *adj* krank
unwilling [ʌnˈwɪlɪŋ] *adj* ~ to do sth nicht bereit, etw zu tun
unwind [ʌnˈwaɪnd] *v* 1. *(relax)* sich entspannen; 2. *(become unwound)* sich abwickeln; 3. *(undo)* abwickeln
unworldly [ʌnˈwɜːldlɪ] *adj* 1. *(unearthly)* übernatürlich; 2. *(naive)* weltfremd
unworthy [ʌnˈwɜːðɪ] *adj* unwürdig; *to be ~ of sth* etw nicht wert sein; *That's ~ of you.* Das ist unter deiner Würde.
up [ʌp] *adv* 1. *(upward)* nach oben, aufwärts, hinauf/herauf; ~ and down auf und ab; *ages eight and ~* ab acht Jahre; 2. *(northward, to a mountain)* oben; 3. *(toward the speaker)* heran; 4. *(in a high place)* oben; 5. *(not in bed)* auf; *to be ~ and about* wieder gesund auf den Beinen sein; 6. ~ to *(as far as)* bis; ~ to now bisher; 7. *What's ~?* *(how are you)* Wie geht's? *(what's wrong)* Was ist los? 8. *to be ~ to sth (to be doing sth)* etw machen, *(mischief)* etw im Schilde führen; 9. *to be ~ to s.o. (s.o.'s decision)* jds Sache sein, *(depend on s.o.)* von jdm abhängen; 10. *to be ~ (to be installed: posters)* angeschlagen sein, *(shelves, framed pictures)* hängen; 11. *to be ~ on sth (know all about sth)* sich mit etw auskennen, sich in etw auskennen; 12. *feel ~ to sth* sich

einer Sache gewachsen fühlen; **13. to be ~ against** sth etw gegenüberstehen; **14. to be hard ~** *(fam)* blank sein, ohne Kohle sein; **15.** *(having been increased)* gestiegen

up-and-coming [ˌʌp ænd ˈkʌmɪŋ] *adj* kommend

upbringing [ˈʌpbrɪŋɪŋ] *sb* Erziehung *f*

up front [ʌpˈfrʌnt] *adj* **1.** *(person)* offen; **2.** *(money)* Vorschuss...

uphill [ˈʌpˈhɪl] *adv* **1.** bergauf; *adj* **2. to be an ~ climb** *(fig)* mühsam sein

uphold [ʌpˈhəʊld] *v* **1.** *(the law)* hüten; **2.** *(a verdict)* bestätigen

upkeep [ˈʌpkiːp] *sb* **1.** Instandhaltung *f*; **2.** *(costs)* Instandhaltungskosten *pl*

uplift [ʌpˈlɪft] *v* erheben

up-market [ˈʌpmɑːkɪt] *adj* anspruchsvoll, Oberklasse...

upright [ˈʌpraɪt] *adj* **1.** *(erect)* aufrecht; **2.** *(vertical)* senkrecht; **3.** *(fig: honest)* aufrecht

uprate [ʌpˈreɪt] *v* aufwerten

uprising [ˈʌpraɪzɪŋ] *sb* Aufstand *m*

uproar [ˈʌprɔː] *sb* Tumult *m*, Aufruhr *m*

upset [ʌpˈset] *v irr* **1.** *(knock over)* umwerfen, umkippen, umstoßen; **2.** *(fig: offend)* verletzen; **3.** *(fig: excite, distress)* aufregen; **4.** *(fig: unsettle)* bestürzen, erschüttern, mitnehmen *(fam)*; **5.** *(fig: a plan)* umstoßen; *adj* **6.** bestürzt, aus der Fassung; [ˈʌpset] *sb* **7.** *(fam)* SPORT unerwarteter Sieg gegen eine hochfavorisierte Mannschaft *f*

upside down [ˈʌpsaɪdˈdaʊn] *adj* verkehrt herum; **turn sth ~** etw herumdrehen, das Unterste zuoberst kehren

upstairs [ʌpˈsteəz] *adv* **1.** oben, im oberen Stockwerk; **2.** *(toward the top of the stairs)* nach oben, die Treppe hinauf; *adj* **3.** im oberen Stockwerk

upstream [ʌpˈstriːm] *adv* flussaufwärts

upsy-daisy [ˈʌpsɪˈdeɪzɪ] *interj* Hoppla!

up-to-date [ˈʌptuːˈdeɪt] *adj* **1.** *(modern)* modern; **2.** *(current)* aktuell; **3.** *(informed)* auf dem Laufenden

upward [ˈʌpwəd] *adv* **1.** aufwärts, nach oben; *adj* **2.** Aufwärts..., nach oben

urge [ɜːdʒ] *v* **1. ~ s.o.** jdn vorwärts treiben; **2. ~ s.o. to do sth** *(recommend)* darauf dringen, dass jemand etw tut, *(plead)* jdn dringend bitten, etw zu tun; **3.** *(advocate)* drängen auf; *sb* **4.** Drang *m*, Antrieb *m*

urgency [ˈɜːdʒənsɪ] *sb* Dringlichkeit *f*

urgent [ˈɜːdʒənt] *adj* dringend

urinal [ˈjʊərɪnəl] *sb* Pissoir *n*, *(for a patient)* Urinflasche *n*

urn [ɜːn] *sb* **1.** Urne *f*; **2.** *(tea ~)* Teemaschine *f*

us [ʌs] *pron* uns; *both of* **~** wir beide; **~ kids** wir Kinder; *It's* **~.** Wir sind's.

usage [ˈjuːsɪdʒ] *sb* LING Gebrauch *m*, Anwendung *f*

use [juːz] *v* **1.** benutzen, verwenden, gebrauchen; **~ up** aufbrauchen, verbrauchen; **2.** *(take advantage of)* ausnutzen, nutzen; [juːs] *sb* **3.** Verwendung *f*, Benutzung *f*, Gebrauch *m*; *to be in* **~** gebraucht werden; *have the* **~ of** sth etw benutzen dürfen; **4.** *(taking advantage of)* Nutzung *f*; *make* **~ of** sth etw nutzen; **5.** *(usefulness)* Nutzen *m*; *it's no* **~** *(doing ...)* es ist zwecklos, (... zu tun); *to be of* **~** von Nutzen sein, nützlich sein; **6.** *(particular application)* Verwendung *f*; *put to* **~** verwenden, anwenden

used [juːzd] *v* **1. ~ to** sth etw einem früher gemacht haben; **2.** **(~ to be sth)** *He ~ to be the best tennis player in the whole city.* Er war früher der beste Tennisspieler der ganzen Stadt. *adj* **3. get ~ to** sth sich an etw gewöhnen; **4. to be ~ to** sth an etw gewohnt sein; [juːzd] **5.** gebraucht

used car [juːzd kɑː] *sb* Gebrauchtwagen *m*

useful [ˈjuːsfʊl] *adj* nützlich, brauchbar; *make o.s.* **~** sich nützlich machen

useless [ˈjuːslɪs] *adj* **1.** nutzlos; **2.** *(pointless)* zwecklos, sinnlos; **3.** *(object)* unbrauchbar; **4.** *(in vain)* vergeblich

uselessness [ˈjuːslɪsnɪs] *sb* Nutzlosigkeit *f*, Unbrauchbarkeit *f*

user [ˈjuːzə] *sb* Benutzer(in) *m/f*

username [ˈjuːzə ˈneɪm] *sb* INFORM Benutzername *m*

usual [ˈjuːʒʊəl] *adj* üblich, gewöhnlich; *as* **~** wie gewöhnlich

usually [ˈjuːʒʊəlɪ] *adv* normalerweise, gewöhnlich, meistens

uterus [ˈjuːtərəs] *sb* ANAT Gebärmutter *f*

utility [juːˈtɪlɪtɪ] *adj* **1.** Gebrauchs..., Allzweck...; *sb* **2. public** ~ öffentlicher Versorgungsbetrieb *m*; **3. public utilities** *(services)* Leistungen der öffentlichen Versorgungsbetriebe *pl*, *(gas)* Gasversorgung *f*, *(power)* Stromversorgung *f*

utilize [ˈjuːtɪlaɪz] *v* **1.** verwenden; **2.** *(raw materials, waste materials)* verwerten; **3.** *(take advantage of)* nutzen

utter [ˈʌtə] *v* **1.** *(a sound, a curse)* von sich geben; **2.** *(express)* äußern, aussprechen

U-turn [ˈjuːtɜːn] *sb* Kehrtwende *f*

uxorious [ʌkˈsɔːrɪəs] *adj* treu liebend

V

vacancy ['veɪkənsɪ] *sb* 1. leerer Platz *m*, Lücke *f*; 2. *(job)* freie Stelle *f*; 3. *(emptiness)* Leere *f*

vacant ['veɪkənt] *adj* 1. frei, leer, unbesetzt; 2. *(land)* unbebaut; *(building)* unbewohnt, unvermietet; 3. *(fig: look)* leer

vacate [və'keɪt] *v* 1. räumen; 2. *(a seat)* frei machen; 3. *(a job)* aufgeben

vacation [və'keɪʃən] *sb* 1. *(from university)* Semesterferien *pl*; 2. *(US)* Ferien *pl*, Urlaub *m*; 3. *(vacating)* Räumung *f*

vaccinate ['væksɪneɪt] *v* impfen

vacuous ['vækjʊəs] *adj* 1. leer; 2. *(statement)* nichts sagend

vacuum ['vækjʊm] *v* 1. saugen; *sb* 2. Vakuum *n*

vacuum cleaner ['vækjʊmkliːnə] *sb* Staubsauger *m*

vagarious [və'geərɪəs] *adj* sprunghaft

vagina [və'dʒaɪnə] *sb* ANAT Scheide *f*, Vagina *f*

vague [veɪg] *adj* 1. vage; 2. *(answer)* unklar

vagueness ['veɪgnɪs] *sb* Unbestimmtheit *f*, Vagheit *f*

vain [veɪn] *adj* 1. *(person)* eitel, eingebildet; 2. *(effort)* vergeblich; *in ~* vergeblich; *take God's name in ~* den Namen Gottes missbrauchen

vale [veɪl] *sb* Tal *n*

valedictory [vælɪ'dɪktərɪ] *adj* Abschieds...

valet ['væleɪ] *sb* Diener *m*

valiant ['vælɪənt] *adj* tapfer, mutig, heldenhaft

valid ['vælɪd] *adj* 1. gültig; 2. *(argument)* stichhaltig

validate ['vælɪdeɪt] *v* 1. gültig machen; 2. *(claim)* bestätigen

validity [və'lɪdɪtɪ] *sb* 1. Gültigkeit *f*; 2. *(of an argument)* Stichhaltigkeit *f*

vallation [və'leɪʃən] *sb* *(rampart)* Schutzwall *m*

valley ['vælɪ] *sb* Tal *n*

valour ['vælə] *sb* Tapferkeit *f*

valuable ['væljʊəbl] *adj* 1. wertvoll; *sb* 2. Wertgegenstand *m*

valuation [væljʊ'eɪʃən] *sb* 1. *(process)* Schätzung *f*, Bewertung *f*; 2. *(estimated value)* Schätzwert *m*

value ['væljuː] *v* 1. *(estimate the value of)* schätzen, abschätzen; 2. *(prize, appreciate)*

schätzen; *if you ~ your life* wenn Ihnen Ihr Leben lieb ist; *sb* 3. Wert *m*

value-added tax [væljuː'ædɪd tæks] *sb* Mehrwertsteuer *f*

valueless ['væljʊlɪs] *adj* wertlos

valve [vælv] *sb* 1. TECH Ventil *n*; 2. *(in a pipe system)* Hahn *m*; 3. ANAT Klappe *f*

vampire ['væmpaɪə] *sb* Vampir *m*

van [væn] *sb* Lieferwagen *m*

vandalism ['vændəlɪzəm] *sb* 1. Vandalismus *m*; 2. JUR mutwillige Beschädigung *f*

vandalize ['vændəlaɪz] *v* mutwillig beschädigen

vane [veɪn] *sb* *weather ~* Wetterfahne *f*, Wetterhahn *m*

vanguard ['vængɑːd] *sb* 1. Vorhut *f*; 2. NAUT Vorgeschwader *n*; 3. *(fig)* Spitze *f*

vanish ['vænɪʃ] *v* verschwinden

vanity ['vænɪtɪ] *sb* Eitelkeit *f*

vanity case ['vænɪtɪkeɪs] *sb* Kosmetikkoffer *m*

vanquish ['væŋkwɪʃ] *v* bezwingen, besiegen

vantage ['vɑːntɪdʒ] *sb* Vorteil *m*

vantage point ['vɑːntɪdʒ pɔɪnt] *sb* Aussichtspunkt *m*

vapid ['væpɪd] *adj* geistlos, fade

vaporize ['veɪpəraɪz] *v* verdampfen

vaporous ['veɪpərəs] *adj* dampfförmig, gasförmig

vapour ['veɪpə] *sb* Dunst *m*, Dampf *m*

variability [veərɪə'bɪlɪtɪ] *sb* Veränderlichkeit *f*, Variabilität *f*, Unbeständigkeit *f*

variable ['veərɪəbl] *adj* 1. veränderlich, wechselnd; 2. *(adjustable)* regelbar, verstellbar; *sb* 3. Variable *f*, veränderliche Größe *f*

variance ['veərɪəns] *sb* *to be at ~ with* im Widerspruch stehen; *(people)* uneinig sein mit

variant ['veərɪənt] *sb* Variante *f*

variation [veərɪ'eɪʃən] *sb* 1. *(varying)* Veränderung *f*, Schwankung *f*; 2. BIO, MATH Variation *f*; 3. *(new twist, different form)* Variation *f*, Variante *f*; 4. MUS Variation *f*; *~s on a theme* Variationen über ein Thema

varied ['veərɪd] *adj* unterschiedlich

variety [və'raɪətɪ] *sb* 1. Abwechslung *f*; 2. *(assortment)* Vielfalt *f*; 3. *(selection)* Auswahl *f*; 4. *(type)* Art *f*; 5. THEAT Varietee *n*

various ['veərɪəs] *adj* verschieden

vary ['veərɪ] v 1. (diverge) sich unterscheiden, abweichen; 2. (to be different) unterschiedlich sein; 3. (fluctuate) schwanken; 4. (change sth) verändern; 5. (give variety to) variieren

vase [vɑːz] sb Vase f

vast [vɑːst] adj 1. riesig; 2. (in area) ausgedehnt

vastitude ['vɑːstɪtjuːd] sb Größe f, Weite f

vastness ['vɑːstnɪs] sb Größe f, Weite f

vault¹ [vɔːlt] v 1. ~ over sth über etw springen; sb 2. (leap) Sprung m

vault² [vɔːlt] sb 1. (cellar) Gewölbe n; 2. (tomb) Gruft f; 3. (of a bank) Tresorraum m

vectorial [vek'tɔːreɪ] adj vektoriell

V-E Day [viː'iːdeɪ] sb HIST Tag des Sieges in Europa im zweiten Weltkrieg m (8. Mai 1945)

veejay ['viːdʒeɪ] sb (fam) Video Jockey m

veer [vɪə] v 1. (car) ausscheren; 2. (ship) abdrehen; 3. (wind) sich drehen

vegetable ['vedʒtəbl] sb Gemüse n

vegetarian [vedʒɪ'teərɪən] sb 1. Vegetarier m; adj 2. vegetarisch

vegetate ['vedʒɪteɪt] v vegetieren

vegetation [vedʒɪ'teɪʃən] sb Vegetation f

vehicle ['viːɪkl] sb 1. Fahrzeug n; 2. (means) Medium n

veil [veɪl] sb 1. Schleier m; v 2. verschleiern; 3. (fig) verhüllen

vein [veɪn] sb 1. ANAT Vene f, Ader f; 2. BOT Rippe f; 3. (in wood, in marble) Maser f; 4. MIN Ader f; 5. (fig: style) Art f

velocity [vɪ'lɒsɪtɪ] sb Geschwindigkeit f

velvet ['velvɪt] sb Samt m

velvety ['velvɪtɪ] adj samtig

venal ['viːnl] adj käuflich, korrupt

vend [vend] v verkaufen

vendible ['vendəbl] adj verkäuflich, gängig

vendition [ven'dɪʃən] sb Verkauf m

vendor ['vendə] sb 1. Verkäufer m; 2. (machine) Automat m

venerate ['venəreɪt] v verehren, hoch achten

vengeance ['vendʒəns] sb Rache f

vengeful ['vendʒful] adj rachsüchtig

Venice ['venɪs] sb GEO Venedig n

venison ['venɪsən] sb 1. Wildbret n; 2. (deer meat) Rehfleisch n

venom ['venəm] sb Gift n

vent¹ [vent] sb 1. Öffnung f; v 2. give ~ to (feelings) Luft machen, (anger) auslassen

vent² [vent] sb (in a jacket) Schlitz m

ventilate ['ventɪleɪt] v lüften, belüften

ventilation [ventɪ'leɪʃən] sb Belüftung f, Ventilation f

ventilator ['ventɪleɪtə] sb Ventilator m

venture ['ventʃə] v 1. sich wagen; 2. (sth) aufs Spiel setzen, riskieren; 3. (an opinion, a guess) wagen; sb 4. Unternehmen n

venue ['venjuː] sb (for a match, for a concert) Schauplatz m

veracity [və'ræsɪtɪ] sb 1. (truthfulness) Ehrlichkeit f, Aufrichtigkeit f; 2. (correctness) Richtigkeit f

verb [vɜːb] sb LING Zeitwort n, Verb n, Verbum n

verbal ['vɜːbəl] adj 1. (oral) mündlich; 2. GRAMM verbal

verbalism ['vɜːbəlɪzəm] sb (expression) Ausdruck m

verbose [vɜː'bəʊs] adj wortreich

verdant ['vɜːdnt] adj grün

verification [verɪfɪ'keɪʃən] sb 1. (check) Überprüfung f, Kontrolle f; 2. (confirmation) Bestätigung f, Nachweis m

verify ['verɪfaɪ] v 1. (check) prüfen, nachprüfen; 2. (confirm) bestätigen

veritable ['verɪtəbl] adj wahrhaft, wahr, echt

verity ['verɪtɪ] sb Wahrheit f

vermouth [və'muːθ] sb Wermut m

vernacular [və'nækjulə] sb 1. the ~ die Alltagssprache f; 2. the ~ (of a certain place) die Mundart f; 3. the ~ (of a certain profession) die Fachsprache f

vernal ['vɜːnl] adj Frühlings...

versatile ['vɜːsətaɪl] adj vielseitig

versatility [vɜːsə'tɪlɪtɪ] sb Vielseitigkeit f

verse [vɜːs] sb 1. (stanza) Strophe f; 2. (of the Bible) Vers m; 3. (poetry) Dichtung f

version ['vɜːʃən] sb 1. Fassung f; 2. (account) Version f; 3. (of a game) Variante f; 4. ECO Modell n

versus ['vɜːsəs] prep 1. gegen; 2. JUR kontra

vertical ['vɜːtɪkəl] adj senkrecht, vertikal

very ['verɪ] adv 1. sehr; at the ~ latest allerspätestens; do one's ~ best sein Äußerstes tun; Very well then! Nun gut! 2. ~ much (to a great degree) sehr, (a large amount) sehr viel; adj 3. (extreme) at the ~ beginning ganz am Anfang; at the ~ edge am äußersten Rand; 4. (exact) at that ~ moment genau in dem Augenblick; 5. (mere) The ~ idea! Nein, so etwas!

vessel ['vesl] *sb* 1. *(ship)* Schiff *n;* 2. *(container)* Gefäß *n*

vested ['vestɪd] *adj* ~ interest persönliches Interesse *n*

veteran ['vetərən] *sb* 1. Veteran *m;* 2. SPORT Routinier *m*

veterinarian [vetərɪ'neərɪən] *sb* Tierarzt/Tierärztin *m/f*

veto ['viːtəʊ] *sb* 1. Veto *n; v* 2. ~ sth ein Veto gegen etw einlegen

vex [veks] *v* 1. *(annoy)* ärgern, irritieren; 2. *(puzzle)* verwirren

vexation [vek'seɪʃən] *sb* Ärger *m*

vexed [vekst] *adj* verärgert

via ['vaɪə] *prep* über, via

viable ['vaɪəbl] *adj (fig)* durchführbar

vibrant ['vaɪbrənt] *adj* vibrierend

vibrate [vaɪ'breɪt] *v* 1. vibrieren, *(tone)* schwingen; *his voice ~d with ...* seine Stimme bebte vor ...; 2. *(sth)* zum Vibrieren bringen

vibration [vaɪ'breɪʃən] *sb* 1. Vibrieren *n;* 2. *(of sound)* Schwingung *f;* 3. *(of a voice)* Beben *n*

vicar ['vɪkə] *sb* REL Pfarrer *m*

vice¹ [vaɪs] *sb* Laster *n; ~ squad* Sittenpolizei *f*

vice² [vaɪs] *sb (UK)* TECH Schraubstock *m*

vice³ [vaɪs] *adj* Vize...

vice-president [vaɪs 'prezɪdənt] *sb* POL Vizepräsident *m*

victim ['vɪktɪm] *sb* Opfer *n*

victimize ['vɪktɪmaɪz] *v* 1. schaden; 2. *(s.o. in particular)* schikanieren

victor ['vɪktə] *sb* Sieger *m*

victorious [vɪk'tɔːrɪəs] *adj* siegreich

victory ['vɪktərɪ] *sb* Sieg *m*

victualler ['vɪtələ] *sb (UK)* Schankwirt(in) *m/f*

victuals ['vɪtəlz] *pl* Lebensmittel *pl*

video ['vɪdɪəʊ] *sb* 1. Video *m; adj* 2. Video...

video conference ['vɪdɪəʊ 'kɒnfərəns] *sb* Videokonferenz *f*

video game ['vɪdɪəʊgeɪm] *sb* Videospiel *n*

videophone ['vɪdɪəʊfəʊn] *sb* TECH Bildschirmtelefon *n*

videotape ['vɪdɪəʊteɪp] *sb* Videoband *n*

view [vjuː] *v* 1. *(examine)* besichtigen; 2. *(see)* ansehen; 3. *(consider)* betrachten; *sb* 4. *(watching, range of vision)* Ansicht *f; come into ~* in Sicht kommen; *keep sth in ~* etw im Auge behalten; 5. *(sight)* Aussicht *f;* 6. *(intention)* Absicht *f; have in ~* beabsichtigen; 7. *(perspective of sth)* Ansicht *f;* 8. *in ~ of* angesichts, im Hinblick auf; 9. *(examination)*

Besichtigung *f;* 10. *(fig: opinion)* Ansicht *f; in my ~* aus meiner Sicht; *point of ~* Standpunkt *m;* 11. *(fig: prospect)* Aussicht *f*

viewer ['vjuːə] *sb* 1. *(person)* Zuschauer *m;* 2. *(for slides)* Bildbetrachter *m*

viewfinder ['vjuːfaɪndə] *sb* FOTO Sucher *m*

viewing ['vjuːɪŋ] *sb* Besichtigung *f*

viewless ['vjuːlɪs] *adj (not expressing one's opinion)* meinungslos, urteilslos

viewpoint ['vjuːpɔɪnt] *sb* Gesichtspunkt *m,* Standpunkt *m*

vignette [vɪ'njet] *sb* Vignette *f*

vigorous ['vɪgərəs] *adj* kräftig, energisch

vigour ['vɪgə] *sb* Kraft *f,* Energie *f*

vile [vaɪl] *adj* 1. *(smell)* übel; 2. *(temper, weather)* scheußlich; 3. *(person)* gemein

vilify ['vɪlɪfaɪ] *v* diffamieren, verleumden

villa ['vɪlə] *sb* 1. Villa *f;* 2. *(UK)* Einfamilienhaus *n,* Doppelhaushälfte *f*

village ['vɪlɪdʒ] *sb* Dorf *n*

villain ['vɪlən] *sb* 1. *(scoundrel)* Schurke *m;* 2. *(of a story)* Bösewicht *m;* 3. *(fam: criminal)* Verbrecher *m*

villainy ['vɪlənɪ] *sb* Gemeinheit *f,* Niederträchtigkeit *f*

vindicate ['vɪndɪkeɪt] *v* 1. rechtfertigen; 2. *(a claim)* geltend machen

vindictive [vɪn'dɪktɪv] *adj* nachtragend, rachsüchtig

vine [vaɪn] *sb* BOT Weinstock *m,* Wein *m,* Rebe *f*

vinegar ['vɪnɪgə] *sb* Essig *m*

violate ['vaɪəleɪt] *v* 1. *(a contract, a treaty, an oath)* verletzen; 2. *(a law)* übertreten; 3. ~ *s.o.'s privacy* in jds Privatsphäre eindringen; 4. *(rape)* vergewaltigen

violation [vaɪə'leɪʃən] *sb* 1. *(of a contract)* Verletzung *f;* 2. *(of a law)* Gesetzübertretung *f;* 3. *(rape)* Vergewaltigung *f*

violator ['vaɪəleɪtə] *sb* Verletzer *m*

violence ['vaɪələns] *sb* 1. Gewalt *f;* 2. *(forcefulness)* Heftigkeit *f*

violent ['vaɪələnt] *adj* 1. gewalttätig; 2. *(forceful)* heftig, stark, gewaltig

violin [vaɪə'lɪn] *sb* MUS Geige *f,* Violine *f*

VIP [viːaɪ'piː] *sb (fam: very important person)* VIP *m*

viral ['vaɪrəl] *adj* Virus...

virgin ['vɜːdʒɪn] *adj* 1. unberührt; *sb* 2. Jungfrau *f*

virginal ['vɜːdʒɪnl] *adj* jungfräulich

virginity [vɜː'dʒɪnɪtɪ] *sb* Unschuld *f; lose one's ~* die Unschuld verlieren

virile ['vɪraɪl] *adj* männlich
virtual ['vɜːtʃʊəl] *adj* to be a ~ ... praktisch ein/eine ... sein, so gut wie ein/eine ... sein
virtually ['vɜːtʃʊəlɪ] *adv* fast, beinahe, praktisch
virtual reality ['vɜːtʃʊəl rɪ'ælɪtɪ] *sb* INFORM virtuelle Realität *f*
virtue ['vɜːtʃuː] *sb* 1. Tugend *f; make a ~ of necessity* aus der Not eine Tugend machen; 2. *(chastity)* Tugendhaftigkeit *f;* 3. *by ~ of* auf Grund, kraft
virtuosity [vɜːtʃʊ'ɒsɪtɪ] *sb* Virtuosität *f*
virtuous ['vɜːtʃʊəs] *adj* tugendhaft
virulent ['vɪrʊlənt] *adj* virulent
virus ['vaɪrəs] *sb* 1. MED Virus *n;* 2. INFORM Virus *m*
visa ['viːzə] *sb* Visum *n*
viscous ['vɪskəs] *adj* zähflüssig
vise [vaɪs] *sb* Schraubstock *m*
visibility [vɪzɪ'bɪlɪtɪ] *sb* 1. Sichtbarkeit *f;* 2. *(distance one can see)* Sichtweite *f;* 3. *(conditions)* Sichtverhältnisse *pl*
visible ['vɪzəbl] *adj* 1. sichtbar; 2. *(obvious)* sichtlich
vision ['vɪʒən] *sb* 1. *(ability to see)* Sehvermögen *n; line of ~* Gesichtslinie *f,* Gesichtsachse *f;* 2. *(foresight)* visionäre Kraft *f,* Weitblick *m;* 3. *(in a dream, supernatural)* Vision *f;* 4. *(conception)* Vorstellung *f*
visionary ['vɪʒənərɪ] *adj* 1. *(visional)* visionär; 2. *(impractical)* unrealistisch, fantastisch
visit ['vɪzɪt] *v* 1. einen Besuch machen; 2. *(s.o., sth)* besuchen; *sb* 3. Besuch *m; pay s.o. a ~* jdn besuchen
visitor ['vɪzɪtə] *sb* Besucher *m,* Gast *m*
visitorial [vɪzɪ'tɔːrɪəl] *adj* Visitations...
visor ['vaɪzə] *sb* 1. *(cap)* Schildkappe *f;* 2. *(in a car)* Sonnenblende *f*
vista ['vɪstə] *sb* Aussicht *f,* Blick *m*
visualize ['vɪzjʊəlaɪz] *v* sich vorstellen
vital ['vaɪtl] *adj* 1. *(essential for life)* lebenswichtig; 2. *(very important)* unerlässlich; 3. *(pertaining to life)* vital, Lebens...
vitalize ['vaɪtəlaɪz] *v* beleben
vitiate ['vɪʃɪeɪt] *v* beeinträchtigen, verderben
vivacity [vɪ'væsɪtɪ] *sb* Lebhaftigkeit *f*
vivid ['vɪvɪd] *adj* 1. *(clear)* deutlich; 2. *(description, imagination)* lebhaft; 3. *(bright)* hell
vividness ['vɪvɪdnɪs] *sb* Lebhaftigkeit *f,* Lebendigkeit *f*
vivify ['vɪvɪfaɪ] *v* beleben
vivisection [vɪvɪ'sekʃən] *sb* Vivisektion *f*

vocabulary [vəʊ'kæbjʊlərɪ] *sb* Wortschatz *m,* Vokabular *n*
vocal ['vəʊkəl] *adj* 1. Stimm...; 2. *(verbal)* mündlich; 3. *(vociferous)* lautstark
vocalist ['vəʊkəlɪst] *sb* Sänger *m*
voice [vɔɪs] *v* 1. äußern; *sb* 2. Stimme *f; raise one's ~* seine Stimme erheben, *(speak up)* lauter sprechen; *with one ~* einstimmig; *give ~ to* etw öffentlich zum Ausdruck bringen; 3. *(fig: say)* Stimmrecht *n;* 4. GRAMM Genus *n; passive* ~ Passiv *n*
volcanic [vɒl'kænɪk] *adj* Vulkan..., vulkanisch
volcano [vɒl'keɪnəʊ] *sb* Vulkan *m*
volition [və'lɪʃən] *sb* Wille *m; of its own ~* von selbst
volley ['vɒlɪ] *sb* 1. Salve *f,* Hagel *m;* 2. *(fig)* Hagel *m,* Flut *f;* 3. *(in tennis)* SPORT Volley *m*
voltage ['vəʊltɪdʒ] *sb* PHYS Spannung *f*
volume ['vɒljuːm] *sb* 1. *(measure)* Volumen *n;* 2. *(fig: of business, of traffic)* Umfang *m;* 3. *(loudness)* Lautstärke *f;* 4. *(book)* Band *m*
voluntary ['vɒləntərɪ] *adj* freiwillig
volunteer [vɒlən'tɪə] *sb* 1. Freiwillige(r) *m/ f; v* 2. sich freiwillig melden; 3. *(sth)* anbieten
vomit ['vɒmɪt] *v* sich erbrechen
voracious [və'reɪʃəs] *adj* 1. gefräßig; 2. *(fig)* unersättlich
vote [vəʊt] *v* 1. wählen; ~ *on* abstimmen über; ~ *down* niederstimmen; 2. *(a party)* wählen; 2. *(fam: name, judge)* wählen zu; *sb* 4. *(election, act of voting)* Abstimmung *f,* Wahl *f; take a ~ on sth* über eine Sache abstimmen lassen; 5. *(one ~)* Stimme *f;* 6. *(result of voting)* Abstimmungsergebnis *n,* Wahlergebnis *n;* 7. *(right to ~)* Wahlrecht *n*
voter ['vəʊtə] *sb* Wähler *m*
vouch [vaʊtʃ] *v* ~ *for* bürgen für
voucher ['vaʊtʃə] *sb* 1. *(coupon)* Gutschein *m;* 2. *(receipt)* Beleg *m*
vow [vaʊ] *v* 1. geloben, schwören; *sb* 2. Versprechen *n,* Gelöbnis *n;* 3. REL Gelübde *n*
vowel ['vaʊəl] *sb* LING Vokal *m,* Selbstlaut *m*
voyage ['vɔɪɪdʒ] *sb* Reise *f*
voyeur [vwaː'jɜː] *sb* Voyeur *m*
vulnerability [vʌlnərə'bɪlɪtɪ] *sb* 1. Verletzbarkeit *f,* Verwundbarkeit *f;* 2. *(fig)* Anfälligkeit *f*
vulnerable ['vʌlnərəbl] *adj* 1. verletzbar, verwundbar; 2. *(fig: to criticism, to temptation)* anfällig
vulture ['vʌltʃə] *sb* Geier *m*

W

wacky ['wækɪ] *adj (fam)* ausgefallen, schräg

wafer ['weɪfə] *sb* 1. Waffel *f;* 2. REL Hostie *f*

wagon ['wægən] *sb* Wagen *m*

waif [weɪf] *sb* verlassenes Kind *n*

wail [weɪl] *v* 1. heulen; 2. *(mourner)* klagen; 3. *(complain)* jammern

waist [weɪst] *sb* Taille *f*

waist-deep [weɪst di:p] *adj* bis zur Taille

wait [weɪt] *v* 1. warten; ~ *for* warten auf; *Wait and see!* Abwarten und Tee trinken. *(fam); keep s.o. ~ing* jdn warten lassen; *That can ~.* Das hat Zeit. *I can't ~ (to do sth)* ich kann es kaum noch erwarten (bis ich etw tue); 2. ~ *one's turn* warten, bis man an der Reihe kommt; *sb* 3. Wartezeit *f; It was worth the ~. (fam)* Es hat sich gelohnt, darauf zu warten. 4. *lie in ~ for s.o.* jdm auflauern

waiter ['weɪtə] *sb* Kellner *m; Waiter!* Herr Ober!

waiting room ['weɪtɪŋru:m] *sb* 1. *(at a railway station)* Wartesaal *m;* 2. *(at a doctor's office)* Wartezimmer *n*

waitress ['weɪtrɪs] *sb* Kellnerin *f*

wake¹ [weɪk] *sb* NAUT Kielwasser *n; in the ~ of (fig)* im Gefolge

wake² [weɪk] *v irr* 1. aufwachen; 2. *(s.o.)* erwecken; 3. *(for a dead person)* Totenwache *f*

walk [wɔːk] *v* 1. gehen, laufen, laufen *(as opposed to riding)* zu Fuß gehen; ~ *all over s.o. (fig)* jdn wie den letzten Dreck behandeln, 2. *(a distance)* laufen, gehen, zurücklegen; 3. *(a dog)* ausführen; 4. *(lead along)* führen; ~ *s.o. home* jdn nach Hause bringen; 5. *(gait)* Gang *m;* 6. *(stroll)* Spaziergang *m; go for a ~, take a ~* spazieren gehen; 7. *(path)* Weg *m;* 8. *(distance to be ~ed)* Strecke *f;* 9. ~ *of life (fig)* Schicht *f*
• **walk away** *v* davongehen

walkie-talkie ['wɔːkɪ'tɔːkɪ] *sb* Walkie-Talkie *n,* tragbares Funkgerät *n*

walk-on ['wɔːkɒn] *sb (part)* THEAT Statistenrolle *f*

wall [wɔːl] *sb* 1. *(outside)* Mauer *f;* 2. *(part of a building)* Wand *f; drive s.o. up the ~ (fam)* jdn auf die Palme bringen

wallet ['wɒlɪt] *sb* Brieftasche *f*

wallop ['wɒləp] *v* 1. eine knallen (fam), schlagen; 2. *(fig: defeat decisively)* SPORT eine Schlappe beibringen; *sb* 3. wuchtiger Schlag *m*

wallow ['wɒləʊ] *v* 1. sich suhlen, sich wälzen; 2. *(fig)* ~ *in* schwelgen in

wall-to-wall ['wɔːltu:'wɔːl] *adj* ~ *carpeting* Teppichboden *m*

waltz [wɔːlts] *sb* MUS Walzer *m*

waltzer ['wɔːltsə] *sb* Walzertänzer *m*

wan [wɒn] *adj* 1. *(pallid)* bleich, fahl; 2. *(smile)* schwach

wand [wɒnd] *sb* 1. Stab *m;* 2. *(magic ~)* Zauberstab *m*

wander ['wɒndə] *v* 1. wandern; ~ *about* umherwandern; 2. *(stray)* irren; 3. *(fig: thoughts, eye)* schweifen

wandering ['wɒndərɪŋ] *adj* wandernd, umherziehend

want [wɒnt] *v* 1. wollen, wünschen, mögen; ~ *to do sth* etw tun wollen; 2. ~ *for (lack)* he ~s for ... es fehlt ihm ...; 3. *(sth)* wollen, wünschen, mögen; *(need)* brauchen; 4. *(to be searching for)* suchen; *sb* 5. *(need)* Bedürfnis *n;* 6. *(wish)* Wünsch *m;* 7. *(lack)* Mangel *m; for ~ of* mangels; 8. *(poverty)* Not *f*

wanting ['wɒntɪŋ] *adj* fehlend, mangelnd; *to be found* ~ sich als mangelhaft erweisen

war [wɔː] *sb* Krieg *m; make* ~ Krieg führen

war correspondent [wɔː kɒrəs'pɒndənt] *sb* Kriegsberichterstatter *m*

war crime ['wɔːkraɪm] *sb* Kriegsverbrechen *n*

war criminal ['wɔːkrɪmɪnəl] *sb* Kriegsverbrecher *m*

wardrobe ['wɔːdrəʊb] *sb* 1. Garderobe *f;* 2. *(place for clothes)* Kleiderschrank *m*

ware ['weə] *sb* Ware *f,* Erzeugnis *n*

warehouse ['weəhaʊs] *sb* Lagerhaus *n,* Lager *n*

warehousing ['weəhaʊzɪŋ] *sb* FIN Lagerung *f*

warlike ['wɔːlaɪk] *adj* kriegerisch, militant

warm [wɔːm] *adj* 1. warm; *you're getting ~er (fig)* du kommst der Sache näher; 2. *(~-hearted)* herzlich; *v* 3. sich erwärmen; ~ *to s.o.* sich für jdn erwärmen; 4. *(sth)* wärmen

warm-blooded [wɔːm'blʌdɪd] *adj* warmblütig

warmth [wɔːmθ] *sb* Wärme *f*

warm-up ['wɔːmʌp] *sb* SPORT Aufwärmen *n*

warn [wɔːn] v 1. warnen; ~ *against* warnen vor; 2. *(give an official warning to)* verwarnen
warning ['wɔːnɪŋ] sb 1. Warnung f; 2. *(notice)* Ankündigung f, Benachrichtigung f
war paint [wɔː peɪnt] sb Kriegsbemalung f
warrior ['wɒrɪə] sb Krieger m
warship ['wɔːʃɪp] sb Kriegsschiff n
wartime ['wɔːtaɪm] sb Kriegszeit f
wash [wɒʃ] v 1. waschen; ~ *one's hands* sich die Hände waschen; 2. *(dishes)* spülen; 3. *(tide: carry)* spülen; 4. *That excuse won't ~.* *(fam)* Diese Ausrede zieht nicht. sb 5. *need a* ~ gewaschen werden müssen; 6. *(laundry)* Wäsche f; 7. MED Waschung f
• **wash down** v 1. *(wash off)* abwaschen; 2. *(food, by drinking)* hinunterspülen
washable ['wɒʃəbl] adj waschbar
washbasin ['wɒʃbeɪsɪn] sb *(washstand)* Waschbecken n
washcloth ['wɒʃklɒθ] sb (US) Waschlappen m
washing machine ['wɒʃɪŋməʃiːn] sb Waschmaschine f
waste [weɪst] v 1. ~ *away* dahinschwinden; 2. *(sth)* verschwenden, vergeuden, *(a chance)* vertun; sb 3. Verschwendung f; 4. *(rubbish)* Abfall m; 5. *(~ material)* Abfallstoffe pl; 6. ~ s pl *(wasteland)* Einöde f
wasted ['weɪstɪd] adj 1. verschwendet; 2. *(fam: drunk)* volltrunken
wasting ['weɪstɪŋ] adj zehrend, schwächend
watch [wɒtʃ] sb 1. *(wrist~)* Armbanduhr f; 2. *(pocket~)* Taschenuhr f; 3. *(duty)* Wache f; *keep a close ~ on s.o.* jdn scharf beobachten; v 4. zusehen, zuschauen; 5. *(a TV show)* sich ansehen; 6. *(guard)* aufpassen auf; 7. *(sth)* beobachten, zusehen bei; 8. *(to be careful of)* achten auf, aufpassen auf
• **watch out** v Ausschau halten
• **watch over** v wachen über, aufpassen auf
watchtower ['wɒtʃtauə] sb Wachtturm m
water ['wɔːtə] sb 1. Wasser n; *hold ~* *(fig)* stichhaltig sein; *to be in hot ~* *(fig)* in Schwulitäten sein; *throw cold ~ on sth* *(fam)* die Begeisterung für etw dämpfen; *keep one's head above ~* den Kopf über Wasser halten; *like a fish out of ~* fehl am Platze; 2. ~ s pl Gewässer n; v 3. *(mouth)* wässern; *make s.o.'s mouth ~* jdm den Mund wässrig machen; 4. *(eyes)* tränen; 5. *(sth)(a plant)* begießen; 6. *(livestock)* tränken
watercolourist ['wɔːtəkʌlərɪst] sb ART Aquarellmaler m

watered-down ['wɔːtəd'daun] adj *(fig)* verwässert
waterfall ['wɔːtəfɔːl] sb Wasserfall m
waterfront ['wɔːtəfrʌnt] sb 1. Ufer n; 2. *(part of town)* Hafenviertel n
water level ['wɔːtəlevl] sb Wasserstand m
water line ['wɔːtəlaɪn] sb Wasserlinie f
waterproof ['wɔːtəpruːf] adj 1. wasserundurchlässig, wasserdicht; 2. wasserundurchlässig machen, wasserdicht machen
water-resistant ['wɔːtərɪzɪstənt] adj wasserbeständig
water sports ['wɔːtəspɔːts] pl SPORT Wassersport m
watery ['wɔːtəri] adj wässrig, wässerig tralische Akazie f
wave [weɪv] v 1. *(flag)* wehen; 2. *(person)* winken; 3. *(sth)* schwenken; ~ *one's arms mit* den Armen fuchteln; ~ *goodbye to s.o.* jdm zum Abschied zuwinken; 4. ~ *s.o. off/aside/ to a chair/away* jdn mit einer Handbewegung auffordern, etw zu tun; *She ~d me over. Die* winkte mich zu sich herüber. sb 5. Welle f; 6. *(gesture)* Winken n
waver ['weɪvə] v 1. *(courage)* wanken; 2. *(in making a decision)* schwanken; 3. *(quiver) (light)* flackern, *(voice)* zittern
wax [wæks] v 1. *(apply wax to)* wachsen; sb 2. Wachs n; 3. *(ear~)* Ohrenschmalz n
wax museum [wæksmjuːzɪəm] sb Wachsfigurenkabinett n
waxy ['wæksi] adj wächsern
way [weɪ] sb 1. *(manner)* Art f, Weise f; *to my ~ of thinking* meiner Meinung nach; *have a ~ with sth* mit etw umgehen können; *do sth the hard ~* etw auf die schwierigste Art machen; *one ~ or another* so oder so; *show s.o. the ~ to do sth* jdm zeigen, wie etw gemacht wird; *have one's ~* seinen Willen bekommen; *have it both ~s* beides haben; 2. *to be in a bad ~* in einer schlimmen Lage sein, in schlechter Verfassung sein; 3. *(respect)* Hinsicht f; *in no ~* in keiner Weise; *in a ~* in gewisser Hinsicht; *in some ~s* in mancher Hinsicht; 4. *(custom)* Art f; *the ~ of the world* der Lauf der Welt
we [wiː] pron wir
weak [wiːk] adj schwach
weakly ['wiːkli] adj schwächlich, angeschlagen, labil
weakness ['wiːknɪs] sb Schwäche f
wealth [welθ] sb 1. Reichtum m; 2. *(fig: abundance)* Fülle f
wealthy ['welθi] adj reich, wohlhabend
weapon ['wepən] sb Waffe f

wear [wɛə] v irr 1. (become worn) sich abnutzen, (clothes) durchgewetzt werden; My patience is ~ing thin. Mir geht langsam die Geduld aus. His jokes are ~ing thin. Nun fangen seine Witze an zu nerven. 2. ~ well strapazierfähig sein, (article of clothing) sich gut tragen, (fam: person) sich gut halten; 3. (sth)(clothes, a moustache) anhaben; 4. (make worn) abnutzen, (clothes) durchwetzen; sb 5. (clothing) Kleidung f; 6. (~ and tear) Abnutzung f, Verschleiß m
• **wear off** v irr (effect) nachlassen
• **wear out** v irr 1. wear o.s. out sich erschöpfen; 2. wear s.o. out jdn erschöpfen, jdn aufarbeiten; 3. to be worn out erschöpft sein
wearing ['wɛərɪŋ] adj anstrengend, ermüdend
weary ['wɪərɪ] adj 1. müde; 2. grow ~ of sth einer Sache überdrüssig sein; v 3. ~ of sth einer Sache überdrüssig sein; 4. (s.o.) ermüden
weather ['wɛðə] sb 1. Wetter n; v 2. (endure) überstehen
weather forecast ['wɛðə 'fɔːkɑːst] sb Wettervorhersage f
weather station ['wɛðəsteɪʃən] sb METEO Wetterwarte f
weave [wiːv] v irr 1. ~ through traffic sich durch den Verkehr schlängeln; 2. (sth)(thread, cloth) weben; 3. (baskets) flechten
web [web] sb 1. Netz n; 2. ~ of lies Lügengewirr n; 3. INFORM the Web (WWW) das Netz f
wedding ['wedɪŋ] sb Hochzeit f
wedding cake ['wedɪŋkeɪk] sb Hochzeitstorte f
wedding day ['wedɪŋdeɪ] sb Hochzeitstag m
wedding dress ['wedɪŋdres] sb Brautkleid n
wedding ring ['wedɪŋrɪŋ] sb Trauring m
wedge [wedʒ] sb 1. Keil m; drive a ~ between einen Keil treiben zwischen; 2. (~-shaped piece) keilförmiges Stück n; (of cake) Stück n, (of cheese) Ecke f; 3. MIL Keil m, Keilformation f; v 4. verkeilen; 5. (fig) to be ~d between two things zwischen zwei Dingen eingezwängt sein; ~ sth into sth etw in etw einzwängen
wee [wiː] adj 1. winzig; 2. (small) klein; a ~ bit ein kleines bisschen
week [wiːk] sb Woche f
weekend ['wiːkend] sb Wochenende n
weekly ['wiːklɪ] adj wöchentlich, Wochen...

weep [wiːp] v irr weinen
weepy ['wiːpɪ] adj 1. weinerlich; 2. (story) rührselig
weigh [weɪ] v 1. wiegen; 2. ~ on (fig) lasten auf; 3. (sth) wiegen; 4. (fig: pros and cons) abwägen; ~ one's words seine Worte abwägen; 5. ~ anchor NAUT den Anker lichten
weight [weɪt] sb 1. Gewicht n; lose ~/gain ~ (person) abnehmen/zunehmen; 2. (fig: burden) Last f
weird [wɪəd] adj 1. (uncanny) unheimlich; 2. (strange) seltsam
weirdo ['wɪədəʊ] sb (fam) irrer Typ m
welcome ['welkəm] v 1. (s.o.) begrüßen, willkommen heißen; 2. (fig: sth) begrüßen; adj 3. willkommen; You're ~ to. Sie können es gerne versuchen. 4. You're ~! Bitte! Bitte sehr! Nichts zu danken! sb 5. Willkommen n; a warm ~ ein herzlicher Empfang; 6. wear out one's ~ länger bleiben als man erwünscht ist
well[1] [wel] sb 1. Brunnen m; 2. (oil ~) Ölquelle f; 3. (fig: source) Quelle f; v 4. ~ up hervorquellen
well[2] [wel] adv 1. gut; Well done! Gut gemacht! She's ~ over seventy. Sie ist weit über siebzig. 2. as ~ auch, ebenfalls; as ~ as sowie; 3. (probably) wohl; That may ~ be true. Das könnte auch stimmen. adj 4. gut; all's ~ that ends ~ Ende gut, alles gut; 5. (healthy) gesund; Get ~ soon! Gute Besserung! interj 6. nun, also; 7. (when pondering sth) tja; 8. Well, ~, ~! (surprised to see s.o.) Sieh mal einer an!
well-behaved [welbɪˈheɪvd] adj wohlerzogen, artig
well-born [wel bɔːn] adj aus guter Familie
well-built [wel bɪlt] adj (person) gut gebaut
well-connected [wel kəˈnektɪd] adj mit guten Beziehungen; to be ~ gute Beziehungen haben
well-developed [weldɪˈveləpt] adj gut entwickelt
well-done ['welˈdʌn] adj 1. gutgemacht; 2. GAST durchgebraten
well-educated [welˈedjʊkeɪtɪd] adj wohlerzogen
well-fed ['welfed] adj wohlgenährt
well-informed [welɪnˈfɔːmd] adj (person) gutinformiert
wellington ['welɪŋtən] sb (UK) Gummistiefel m
well-intentioned ['welɪnˈtenʃənd] adj 1. wohl gemeint; 2. (person) wohlmeinend

well-kept ['welkept] *adj (secret)* streng gehütet

well-known ['welnəun] *adj* bekannt

well-meaning ['welmi:nɪŋ] *adj* wohlmeinend

well-off ['wel'ɒf] *adj (financially)* wohlhabend

well-read ['wel'red] *adj* belesen

well-spoken ['welspəukən] *adj* sprachgewandt

well-thought-of ['welθɔ:tɒv] *adj* angesehen

well-timed ['weltaɪmd] *adj* zeitlich günstig

well-to-do ['weltə'du:] *adj* wohlhabend

well-wisher ['welwɪʃə] *sb* jmd, der jdm alles Gute wünscht

well-worn ['welwɔ:n] *adj* abgetragen, abgenützt

west [west] *adj 1.* West..., westlich; *adv 2.* nach Westen, westwärts; *sb 3.* Westen *m*

western ['westən] *adj 1.* westlich; *sb 2.* CINE Western *m*

westward ['westwəd] *adj* westwärts

wet [wet] *v 1.* nass machen, befeuchten; *adj 2.* nass; *You're all ~!* (fig) Du irrst dich gewaltig! *3. (climate)* feucht

wet blanket [wet 'blæŋkɪt] *sb* Miesmacher *m,* Spielverderber *m*

wetness ['wetnɪs] *sb* Nässe *f*

whack [wæk] *v (strike)* schlagen, hauen

whacking ['wækɪŋ] *adj (fam)* Mords...

wharf [wɔ:f] *sb* Kai *m*

what [wɒt] *pron 1.* was; *What's for dinner?* Was gibt's zum Abendessen? *He knows ~'s ~.* Er weiß Bescheid. *What do you take me for?* Wofür hältst du mich eigentlich? *adj 2. (which)* welche(r,s), was für; *3. (all that)* alle, die, alles, was; *~ little I had* das Wenige, das ich hatte; *interj 4. (isn't that right)* Nice weather today, *~?* Schönes Wetter heute, nicht wahr?

whatever [wɒt'evə] *pron 1.* was, was auch immer; *2. (no matter what)* egal was; *3. (in a question)* was ... wohl; *adj 4.* egal welche(r,s); *nothing ~* überhaupt nichts

whatsoever [wɒtsəu'evə] *adj 1.* überhaupt; *pron 2.* was auch immer

wheel [wi:l] *sb 1.* Rad *n; meals on ~s* Essen auf Rädern *n 2. (steering ~)* Lenkrad *n; at the ~* am Steuer; *take the ~* das Steuer übernehmen; *3. (roulette ~)* Drehscheibe *f; 4. (potter's ~)* Töpferscheibe *f*

wheelchair ['wi:ltʃeə] *sb* Rollstuhl *m*

when [wen] *adv 1.* wann; *Say ~!* Sag, wenn du genug hast! *2. (relative) on the day ~* an dem Tag, als; *konj 3.* wenn, *(in the past)* als; *4. (as soon as)* sobald; *5. (~ doing sth)* beim; *6. (although)* wo ... doch

whenever [wen'evə] *adv 1. (any time that)* wann immer; *~ you're ready* sobald du fertig bist; *2. (every time that)* immer wenn

where [weə] *adv 1.* wo; *2. (to ~)* wohin; *3. (from ~)* woher

whereby [weə'baɪ] *adv 1.* wodurch, womit; *2. (relative)* durch welchen

wherever [weər'evə] *adv 1.* wo auch immer, egal wo; *2. (every place where)* überall, wo; *3. Wherever did you find it?* Wo hast du das bloß gefunden?

whether ['weðə] *konj 1.* ob; *2. (no matter ~)* egal, ob

which [wɪtʃ] *adj 1.* welche(r,s); *pron 2. (relative) (referring to a noun)* der/die/das, welche(r,s); *3. (referring to a clause)* was; *4. (interrogative)* welche(r,s); *Which is ~?* Welche(r,s) ist welche(r,s)?

whichever [wɪtʃ'evə] *adv* welche(r,s) auch immer, ganz gleich welche(r,s)

while [waɪl] *konj 1.* während; *2. (although)* obwohl; *sb 3.* Weile *f; for quite a ~* ziemlich lange; *to be worth one's ~ to ...* sich für jdn lohnen, zu ... *4. once in a ~* gelegentlich, ab und zu; *v 5. ~ away the time* sich die Zeit vertreiben

whilst [waɪlst] *konj* während

whimper ['wɪmpə] *v 1.* wimmern; *2. (dog)* winseln; *sb 3.* Wimmern *n; 4. (dog's)* Winseln *n*

whine [waɪn] *v 1. (complain)* jammern; *2. (child)* quengeln; *3. (dog)* jaulen; *4. (siren)* heulen

whip [wɪp] *v 1. (a horse)* peitschen, *(a person)* auspeitschen; *2.* GAST schlagen; *3. (defeat)* vernichtend schlagen; *4. (make a quick movement) ~ out* one's *wallet* seine Brieftasche rasch aus der Tasche ziehen; *sb 5.* Peitsche *f*

• **whip up** *v 1. (incite)* antreiben, anheizen, aufpeitschen; *2. (prepare hurriedly)* schnell machen, *(meal)* schnell zubereiten

whipped cream ['wɪpt'kri:m] *sb* GAST Schlagsahne *f*

whisk [wɪsk] *v 1. ~ sth away* etw schnell entfernen; *He was ~ed away in a limousine.* Eine Limousine sauste schnell mit ihm davon. *sb 2.* GAST Schneebesen *m*

whisky ['wɪskɪ] *sb* Whisky *m*

whisper ['wɪspə] v 1. flüstern; 2. (wind) wispern; sb 3. Geflüster n, Flüstern n

whistle ['wɪsl] v 1. pfeifen; 2. (fig) An arrow ~d through the air. Ein Pfeil schwirrte durch die Luft. sb 3. (instrument) Pfeife f; wet one's ~ (fig) einen heben; 4. (sound) Pfiff m

white [waɪt] adj 1. weiß; 2. a ~ lie eine Höflichkeitslüge f; sb 3. (colour) Weiß n; 4. (of an eye) das Weiße im Auge n; 5. (egg) Eiweiß n; 6. (person) Weiße(r) m/f; 7. ~s pl (~ clothes) weiße Kleidung f

White House ['waɪthaʊs] sb the ~ das Weiße Haus n

white wine ['waɪt'waɪn] sb GAST Weißwein m

who [huː] pron 1. wer; (direct object) wen; (indirect object) wem; 2. (relative pronoun) der/die/das, welche(r,s)

whoever [huː'evə] pron 1. wer auch immer; 2. (all who) jeder der; 3. (no matter who) egal wer

whole [həʊl] adj 1. ganz; a ~ lot of ... eine ganze Menge ...; sb 2. Ganze n; 3. on the ~ alles in allem, im Großen und Ganzen

wholesale ['həʊlseɪl] sb 1. ECO Großhandel m; adv 2. ECO im Großhandel; adj 3. (fig) Massen..., unterschiedslos

whom [huːm] pron 1. (interrogative: accusative case) wen, (dative case) wem; 2. (relative: accusative case) den/die/das/die, (dative case) dem/der/dem/denen; to ~ dem/der/dem/denen; all of ~ von denen alle

whopper ['wɒpə] sb Mordsding n

whore [hɔː] sb Hure f

whorehouse ['hɔːhaʊs] sb Bordell n, Freudenhaus n

whose [huːz] pron 1. wessen; Whose is it? Wem gehört's? 2. (relative) dessen/deren/dessen/deren

why [waɪ] adv 1. warum, weshalb; interj 2. nun, aber

wicked ['wɪkɪd] adj 1. böse; 2. (grin, parody) boshaft

wide [waɪd] adj 1. breit; 2. (eyes, selection) groß; 3. (plain) weit; adv 4. weit; Open ~! Weit aufmachen! 5. (not on target) daneben

widen ['waɪdn] v 1. breiter werden; 2. (sth) erweitern; 3. (a street) verbreitern; 4. (a hole) ausweiten

wide-screen ['waɪdskriːn] adj Breitwand...

widespread ['waɪdspred] adj weit verbreitet

widow ['wɪdəʊ] sb Witwe f

widower ['wɪdəʊə] sb Witwer m

widow's peak ['wɪdəʊzpiːk] sb dreieckiger Haaransatz m

wife [waɪf] sb Frau f, Ehefrau f, Gattin f

wiggle ['wɪgl] v 1. wackeln; 2. (sth) wackeln mit

wild [waɪld] adj 1. wild; 2. (flower) wild wachsend; 3. (crazy) verrückt; to be ~ about sth (fig) auf etw scharf sein; a ~ guess eine wilde Vermutung; drive s.o. ~ jdn wahnsinnig machen; sb 4. Wildnis f

wildcat ['waɪldkæt] sb Wildkatze f

wilderness ['wɪldənɪs] sb Wildnis f

wildfire ['waɪldfaɪə] sb spread like ~ sich wie ein Lauffeuer verbreiten

wildlife ['waɪldlaɪf] sb Wildtiere pl

wildlife preserve ['waɪldlaɪf prɪ'zɜːv] sb Tierschutzgebiet n

wilful ['wɪlfʊl] adj (deliberate) vorsätzlich, mutwillig

will¹ [wɪl] v 1. (future) werden; 2. Accidents ~ happen. Unfälle wird es immer geben. 3. would (see "would")

will² [wɪl] v 1. (cause to happen by force of ~) erzwingen; 2. (bequeath) vermachen; sb 3. Wille m; at ~ nach Belieben; 4. (last ~ and testament) letzter Wille n, Testament n

willing ['wɪlɪŋ] adj 1. bereitwillig; 2. to be ~ to do sth bereit sein, etw zu tun

willow ['wɪləʊ] sb BOT Weide f

willpower ['wɪlpaʊə] sb Willenskraft f

wilt [wɪlt] v 1. verwelken; 2. (fig: person) schlapp werden; 3. (enthusiasm, courage) nachlassen

wimp [wɪmp] sb (fam) Schlappschwanz m, Waschlappen m

win [wɪn] v irr 1. gewinnen, siegen; 2. (sth) gewinnen; 3. (a scholarship) bekommen; 4. (praise) ernten; sb 5. Sieg m

wind¹ [wɪnd] sb 1. Wind m; get ~ of sth (fig) von etw Wind bekommen, etw spitzkriegen; 2. (breath) Atem m; 3. (flatulation) Blähung f

wind² [waɪnd] v irr 1. (road, river) sich winden, sich schlängeln; 2. (sth) winden, wickeln, (onto a reel) spulen; 3. (a toy, a watch) aufziehen; ~ sth around sth etw um etw wickeln

windbreaker ['wɪndbreɪkə] sb (US) Windjacke f

window ['wɪndəʊ] sb 1. Fenster n; 2. (at a bank) Schalter m

window-dressing ['wɪndəʊdresɪŋ] sb 1. Schaufenstergestaltung f; 2. (fig: front, facade) Fasade f, äußere Erscheinung f

window-shopping ['wɪndəʊʃɒpɪŋ] *sb* Schaufensterbummel *m*

windscreen ['wɪndskri:n] *sb (UK)* Windschutzscheibe *f*

windscreen wiper ['wɪndskri:nwaɪpə] *sb (UK)* Scheibenwischer *m*

windshield ['wɪndʃi:ld] *sb (US)* Windschutzscheibe *f*

windsurf ['wɪndsɜ:f] *v* surfen

windsurfing ['wɪndsɜ:fɪŋ] *sb* Windsurfen *n*

windy ['wɪndɪ] *adj* windig

wine [waɪn] *sb* Wein *m*

wine bar ['waɪnbɑ:] *sb* Weinlokal *n*

wing [wɪŋ] *sb* 1. Flügel *m;* 2. ~s *pl* THEAT Kulisse *f; wait in the* ~s *(fig)* in den Kulissen warten

wink [wɪŋk] *v* 1. zwinkern, blinzeln; *sb* 2. Zwinkern *n*, Blinzeln *n; I didn't sleep a* ~. Ich habe kein Auge zugetan. *as quick as a* ~ blitzschnell; *catch forty* ~s ein Nickerchen machen

winner ['wɪnə] *sb* 1. Gewinner *m;* 2. *(of a match)* Sieger *m;* 3. *(successful thing)* Erfolg *m*

winnings ['wɪnɪŋz] *pl* Gewinn *m*

wintry ['wɪntrɪ] *adj* winterlich, eisig, frostig

wipe [waɪp] *v* wischen, *(a surface)* abwischen; ~ *one's nose* sich die Nase putzen; ~ *sth clean* etw sauberwischen

wire [waɪə] *sb* 1. *(send a telegram to)* telegrafieren; 2. *(fix with* ~*)* mit Draht verbinden; 3. *(install or connect electrical wiring)* Leitungen legen in; *sb* 4. Draht *m;* 5. *(for electricity)* Leitung *f;* 6. *go down to the* ~ *(US)* erst ganz am Ende entschieden werden

wiry ['waɪərɪ] *adj (fig)* drahtig

wisdom ['wɪzdəm] *sb* Weisheit *f*

wise [waɪz] *v* 1. weise, klug; *to be* ~ *to sth (fam)* über etw Bescheid wissen; *adv* 2. *(suffix)* ...mäßig

wise guy ['waɪzgaɪ] *sb* Klugscheißer *m (fam)*

wish [wɪʃ] *v* 1. wünschen; ~ *s.o. well* jdm alles Gute wünschen; ~ *for sth* sich etw wünschen; ~ *to do sth* etw tun wollen; *sb* 2. Wunsch *m; best* ~*es* herzliche Grüße; *make a* ~ sich etw wünschen

wisp [wɪsp] *sb* 1. ~ *of smoke* Rauchkringel *m;* 2. *(of hair)* Strähne *f;* 3. *a* ~ *of a lad* ein kleiner, schmächtiger Junge

wit¹ [wɪt] *sb* 1. *(sense of humor)* Geist *m*, Witz *m;* 2. *(witty person)* witziger Kopf *m;* 3.

~s *pl* Verstand *m; scared out of one's* ~s zu Tode erschreckt; *have one's* ~s *about one* einen klaren Kopf haben; *to be at one's* ~s' *end* mit seiner Weisheit am Ende sein; *keep one's* ~s *about one* seine fünf Sinne beieinander haben

wit² [wɪt] *v* "*to* ~" und zwar, nämlich

with [wɪð, wɪθ] *prep* 1. mit; 2. *(because of)* vor; 3. *(on s.o.'s person)* bei; 4. *(in the company of)* bei

withdraw [wɪð'drɔ:] *v* 1. sich zurückziehen; 2. *(sth)* zurückziehen; 3. *(extract)* entfernen, wegnehmen; 4. *(a statement)* zurücknehmen; 5. *(money from a bank)* abheben; 6. *(troops)* MIL abziehen

wither ['wɪðə] *v* 1. verdorren; 2. *(beauty)* vergehen; 3. *(hopes)* schwinden; 4. *(sth)* verdorren lassen

withhold [wɪθ'həʊld] *v irr* 1. vorenthalten; 2. *(refuse)* verweigern

withstand [wɪθ'stænd] *v irr* 1. aushalten; 2. *(an attack)* widerstehen

witness ['wɪtnɪs] *v* 1. Zeuge sein bei, erleben; 2. *(consider)* zum Beispiel nehmen; 3. *(by signing)* bestätigen; *sb* 4. Zeuge/Zeugin *m/f;* 5. *bear* ~ *to* Zeugnis ablegen über

witty ['wɪtɪ] *adj* witzig, geistreich

woe [wəʊ] *sb (trouble)* Kummer *m; Woe is me!* Weh mir!

woman ['wʊmən] *sb* Frau *f*

womanizer ['wʊmənaɪzə] *sb* Schürzenjäger *m*

womb [wu:m] *sb* Gebärmutter *f*, Mutterleib *m*

wonder ['wʌndə] *v* 1. gern wissen mögen, sich fragen; *I* ~ *why ...* ich möchte gern wissen, warum ... 2. ~ *at sth* sich über etw wundern; *sb* 3. *(feeling)* Verwunderung *f*, Staunen *n*, Erstaunen *n;* 4. *(miracle)* Wunder *n; the seven* ~*s of the world* die sieben Weltwunder

wonky ['wɒŋkɪ] *adj (fam: shaky)* wacklig

wood [wʊd] *sb* 1. Holz *n;* 2. ~s *pl (forest)* Wald *m*

woodcraft ['wʊdkrɑ:ft] *sb* Holzschnitzerei *f*

wooden ['wʊdn] *adj* hölzern

woodpile ['wʊdpaɪl] *sb* Holzstoß *m*

woof [wʊf] *sb (by a dog)* Wuff *n*

wool [wʊl] *sb* Wolle *f; pull* ~ *over s.o.'s eyes* jdm Sand in die Augen streuen

word [wɜ:d] *sb* 1. Wort *n; take s.o.'s* ~ *for sth* jdm etw glauben; *take s.o. at his* ~ jdn beim Wort nehmen; *to be as good as one's* ~ sein Wort halten; ~ *for* ~ Wort für Wort; *in*

other ~s mit anderen Worten; *have a ~ with
s.o.* mit jdm sprechen; *put into ~s* in Worte
fassen; *waste ~s* Worte vergeuden; *2. (news)*
Nachricht *f; get ~ of sth* etw erfahren; *leave ~
with s.o.* bei jdm eine Nachricht hinterlassen;
v 3. formulieren, ausdrücken

work [wɜːk] *v 1.* arbeiten; *~ on* arbeiten an;
2. (function) funktionieren; *3. (be successful)*
klappen; *4. (a lever)* betätigen; *5. (a machine)*
bedienen; *6. (bring about)* bewirken; *7. (clay)*
kneten; *8. (wood)* bearbeiten; *9. (land)* AGR
bearbeiten; *10. (s.o.)* arbeiten lassen, antreiben; *sb 11.* Arbeit *f; to be at ~ on sth* am etw
arbeiten; *out of ~* arbeitslos; *make short ~ of
sth* mit etw kurzen Prozess machen; *He's at
~.* Er ist in der Arbeit. *12. (~ of art)* Werk *n; pl
13. ~s (machinery)* Getriebe *n; 14. ~s (factory)*
Betrieb *m*, Fabrik *f; 15. the ~s (fam: everything)* Drum und Dran *n*
• **work in** *v 1. (to a schedule)* einschieben; *2.
(lotion)* einarbeiten
• **work off** *v (fat)* abarbeiten
workaholic [wɜːkəˈhɒlɪk] *sb* Arbeitssüch-
tige(r) *m/f*
worker [ˈwɜːkə] *sb* Arbeiter *m*
working [ˈwɜːkɪŋ] *adj* arbeitend, *(hypothesis, model)* Arbeits...
working class [ˈwɜːkɪŋ klɑːs] *sb* Ar-
beiterklasse *f*
world [wɜːld] *sb* Welt *f; a ~ of difference* ein
himmelweiter Unterschied; *out of this ~ (fam)*
fantastisch
world champion [wɜːld ˈtʃæmpɪən] *sb*
SPORT Weltmeister *m*
world-famous [wɜːld ˈfeɪməs] *adj* welt-
berühmt
worldly [ˈwɜːldlɪ] *adj* weltlich
world premiere [wɜːld prɪˈmɪə] *sb* THEAT
Uraufführung *f*
worm [wɜːm] *sb* ZOOL Wurm *m*
worn [wɔːn] *adj 1. (clothing)* abgetragen; *2.
(tyre)* abgefahren; *3. ~ out* erschöpft; *4. ~ out
(hackneyed)* abgedroschen
worry [ˈwʌrɪ] *v 1.* sich Sorgen machen; *2.
(s.o.)* beunruhigen; *3. (bother)* belästigen; *sb
4.* Sorge *f*
worse [wɜːs] *adj* schlechter, schlimmer; *to
make matters ~* um die Sache zu verschlimmern
worship [ˈwɜːʃɪp] *v 1.* beten; *2. (s.o.)* anbeten
worst [wɜːst] *adj 1.* schlechteste(r,s),
schlimmste(r,s); *sb 2. at ~* schlimmstenfalls;
3. the ~ of it is ... das Schlimmste daran ist ...

worth [wɜːθ] *adj 1.* wert; *it's not ~ it* es
lohnt sich nicht; *~ mentioning* erwähnenswert; *sb 2.* Wert *m*
would [wʊd] *v 1. (conditional)* würden;
Would you mind (doing sth)? Würden Sie bitte (etw tun)? *2. (conjecture) It ~ seem so.* Es
sieht wohl so aus. *3. (habit) You ~!* Das sieht
dir ähnlich! *4. (insistence) He ~n't do it.* Er
wollte es einfach nicht tun.
would-be [ˈwʊdbiː] *adj* Möchtegern-,
...in spe
wow [waʊ] *interj 1.* Mann! *v 2. (fam)* in
Erstaunen versetzen
wrap [ræp] *sb 1.* Umhangtuch *n; 2. (cape)*
Cape *n; 3. (scarf)* Schal *m; 4. under ~s (fig)*
geheim; *v 5.* einwickeln; *~ sth round sth* etw
um etw wickeln; *~ one's arms round s.o.* jdn
in die Arme schließen
• **wrap up** *v 1.* einwickeln; *to be wrapped
up in one's work* in seine Arbeit vertieft sein;
2. (fam: bring to a close) abschließen, beenden; *have sth wrapped up (fig)* etw unter Dach
und Fach haben
wrapping paper [ˈræpɪŋpeɪpə] *sb 1.*
Packpapier *n; 2. (for gifts)* Geschenkpapier *n*
wrath [rɑːθ] *sb* Zorn *m*
wreak [riːk] *v* anrichten; *~ havoc on sth* etw
verwüsten
wreck [rek] *v 1.* zerstören; *2.* zu Schrott
fahren, *(a ship)* zum Wrack machen; *3. (fig)*
ruinieren, vernichten, zerstören; *sb 4.* Wrack
n; 5. a nervous ~ ein Nervenbündel *n*
wren [ren] *sb* ZOOL Zaunkönig *m*
wrestle [ˈresl] *v 1.* SPORT ringen; *2. ~ with
(fig: a problem)* kämpfen mit
wrinkle [ˈrɪŋkl] *v 1.* Falten werfen; *2. (face)*
runzelig werden; *3. ~ sth* in etw Falten machen, *(crumple)* etw zerknittern; *sb 4.* Falte *f;
5. (in clothes, in paper)* Knitter *m; 6. (in one's
face)* Runzel *f*, Falte *f*
wrist [rɪst] *sb* Handgelenk *n*
wristwatch [ˈrɪstwɒtʃ] *sb* Armbanduhr *f*
write [raɪt] *v irr* schreiben
wrong [rɒŋ] *adj 1.* falsch; *prove s.o. ~* beweisen, dass jemand im Irrtum ist; *2. to be ~
(statement)* nicht stimmen; *to be ~ (person)*
Unrecht haben; *3. (morally)* unrecht; *4. (unfair)*
ungerecht, unfair; *adv 5. go ~ (plan)* schief
gehen, misslingen; *6. get sth ~ (misunderstand)* etw missverstehen; *v 7. ~ s.o.* jdm
Unrecht tun; *He has been ~ed.* Ihm ist
Unrecht geschehen; *sb 8.* Unrecht *n*
wrongful [ˈrɒŋfʊl] *adj* ungerechtfertigt
wrongly [ˈrɒŋlɪ] *adv 1. (accused)* zu Unrecht; *2. (believe)* fälschlicherweise

X/Y/Z

xenophobia [zenəˈfəʊbɪə] sb Ausländerfeindlichkeit f, Xenophobie f

Xmas sb (see "Christmas")

X-ray [ˈeksreɪ] sb 1. (picture) MED Röntgenbild n; 2. (ray) MED Röntgenstrahl m; v 3. MED röntgen

xylophone [ˈzaɪləfəʊn] sb Xylofon n

yacht [jɒt] sb Jacht f

yachtsman [ˈjɒtsmən] sb Segler m

Yankee [ˈjænkɪ] sb 1. (American) Ami m (fam); 2. (person from the northeastern US) Neuengländer m

yard¹ [jɑːd] sb 1. (court~, school~) Hof m; 2. (US: garden) Garten m

yard² [jɑːd] sb (0.914 metres) Yard n

yarmulke [ˈjɑːmʊlkə] sb Jarmurka f

yarn [jɑːn] sb 1. Garn n; 2. (fam: story) Seemannsgarn n

yawn [jɔːn] v 1. gähnen; sb 2. Gähnen n

year [jɪə] sb Jahr n; ~ in, ~ out Jahr für Jahr

yearbook [ˈjɪəbʊk] sb Jahrbuch n

yearlong [ˈjɪəlɒŋ] adj einjährig

yeast [jiːst] sb Hefe f

yell [jel] v 1. schreien, brüllen; 2. ~ out hinausschreien; sb 3. Schrei m

yellow [ˈjeləʊ] adj gelb

yen [jen] sb 1. FIN Yen m; 2. (yearning) Verlangen n, Sehnsucht f

yes [jes] interj ja

yesterday [ˈjestədeɪ] adv gestern; the day before ~ vorgestern; I wasn't born ~. Ich bin nicht von gestern.

yet [jet] adv 1. (thus far) bis jetzt, bisher; not ~ noch nicht; 2. (still) noch; ~ again noch einmal; ~ another noch ein(e); 3. (already) schon; Are we there ~? Sind wir schon da? konj 4. doch, dennoch, trotzdem

yield [jiːld] v 1. (give way) nachgeben; "Yield" (on a road sign) Vorfahrt gewähren; 2. (a crop, a result) hervorbringen, ergeben; 3. FIN abwerfen; 4. (hand over) hergeben; sb 5. Ertrag m

yoga [ˈjəʊgə] sb Joga n

yogurt [ˈjəʊgɜːt] sb Jogurt n/m

yolk [jəʊk] sb Eidotter m, Eigelb n

yonks [jɒŋks] sb (fam) (UK) Ewigkeit f

you [juː] pron 1. Sie; 2. (addressing a friend or relative) du; (direct object) dich; (indirect object) dir; 3. (two or more friends or relatives) ihr; (direct or indirect object) euch; 4. (fam: one) man, (direct object) einen, (indirect object) einem

young [jʌŋ] adj 1. jung; pl 2. the ~ junge Leute pl, die Jugend f; 3. ZOOL Junge n

your [jʊə] adj 1. Ihr/Ihre/Ihr; 2. (addressing friend or relative) dein/deine/dein; (familiar plural) euer/eure/euer; 3. (one's) sein/seine/sein

yourself [jəˈself] pron 1. sich; 2. (addressing a relative or friend) dich; (direct object) dir; (familiar plural) euch; 3. (for emphasis) You said so ~. Sie haben es selbst gesagt. by ~ selbst, allein

youth [juːθ] sb 1. Jugend f; 2. (boy) Jugendliche(r) m

youth club [ˈjuːθklʌb] sb Jugendklub m

yo-yo [ˈjəʊjəʊ] sb Jo-Jo n, Yo-Yo n

yucky [ˈjʌkɪ] adj eklig, ekelhaft, widerlich

yummy [ˈjʌmɪ] adj (fam) lecker

yuppie [ˈjʌpɪ] sb Yuppie m

zeal [ziːl] sb Eifer m

zealous [ˈzeləs] adj eifrig

zebra [ˈzebrə] sb ZOOL Zebra n

zebra crossing [ˈzebrəkrɒsɪŋ] sb (UK) Zebrastreifen m

zero [ˈzɪərəʊ] sb 1. Null f; 2. (on a scale) Nullpunkt m

zero hour [ˈzɪərəʊaʊə] sb the ~ die Stunde X f

zero-rated [ˈzɪərəʊreɪtɪd] adj FIN mehrwertsteuerfrei

zest [zest] sb 1. (verve) Schwung m; 2. (enthusiasm) Begeisterung f

zinc [zɪŋk] sb CHEM Zink m

zip [zɪp] v 1. (close a zipper) den Reißverschluß zumachen; 2. (fam: move quickly) flitzen (fam)

ZIP code [ˈzɪpkəʊd] sb (US) Postleitzahl f

zipper [ˈzɪpə] sb Reißverschluß m

zodiac [ˈzəʊdɪæk] sb Tierkreis m; sign of the ~ Tierkreiszeichen n

zombie [ˈzɒmbɪ] sb 1. Zombie m; 2. (fig) Roboter m

zone [zəʊn] sb Zone f

zoo [zuː] sb Zoo m, Tiergarten m

zoom [zuːm] v (fam: move quickly) sausen

zucchini [zuːˈkiːnɪ] sb 1. Zucchini pl; 2. (one ~) Zucchino m

Zulu [ˈzuːluː] sb Zulu m/f

Deutsch – Englisch

A

Aal [aːl] *m* ZOOL eel

aalen ['aːlən] *v sich* ~ laze about

aalglatt ['aːlˈglat] *adj (fig)* slick, slippery

Aas [aːs] *n* ZOOL rotting carcass, carrion

ab [ap] *prep 1. (zeitlich)* from; ~ *heute* from today *(UK)*, starting today *(US)*; *von jetzt* ~ from now on, henceforth; *vom ersten April* ~ from April first onwards; ~ *und zu* now and then; *2. (örtlich)* off, from; *von hier* ~ from here; *weit* ~ *von* far from

abändern ['apɛndərn] *v 1.* alter, modify, revise; *2. (Gesetz)* amend

Abänderung ['apɛndəruŋ] *f 1.* alteration, modification; *2. (Gesetz)* amendment

abarbeiten ['aparbaɪtən] *v 1.* work off; *2. sich* ~ work o.s. to exhaustion, slave away

abartig ['apaˌrtɪç] *adj* abnormal, deviant

Abbau ['apbaʊ] *m 1. (Verringerung)* reduction, cutback; *2. (Zerlegung)* dismantling; *3.* CHEM decomposition; *4.* MIN mining

abbaubar ['apbaʊbaːr] *adj* degradable, decomposable

abbauen ['apbaʊən] *v 1. (verringern)* reduce; *2. (zerlegen)* dismantle, pull down, take to pieces; *3.* MIN mine, work

abbekommen ['apbəkɔmən] *v irr 1. Er hat seinen Teil* ~. He got his share. *2. (beschädigt werden)* be damaged

abbestellen ['apbəʃtɛlən] *v* cancel

abbezahlen ['apbətsaːlən] *v* pay off, repay

abbiegen ['apbiːgən] *v 1.* turn off; *2. (Straße)* branch off

abbilden ['apbɪldən] *v* represent, portray, picture; *unten abgebildet* pictured below

Abbildung ['apbɪlduŋ] *f* representation, illustration, picture

Abbitte ['apbɪtə] *f bei jdm* ~ *leisten* apologize to s.o.

abblasen ['apblaːzən] *v 1. (wegblasen)* blow off; *2. (entweichen lassen)* release; *3. (fig)* call off

abblättern ['apblɛtərn] *v* flake off

abblenden ['apblɛndən] *v 1.* dim; *2.* FOTO darken, stop down

Abblendlicht ['apblɛndlɪçt] *n* TECH dimmer, passing beam *(UK)*, low beam *(US)*

abblitzen ['apblɪtsən] *v 1. (fam)* meet with a rebuff; *2. jdn* ~ *lassen* give s.o. the cold shoulder, give s.o. the brush-off, send s.o. packing

abblocken ['apblɔkən] *v 1.* block; *2. (fig)* ward off

abbrechen ['apbrɛçən] *v irr 1. (Tätigkeit)* cease, stop, break off; *2. (Gebäude)* demolish; *alle Brücken hinter sich* ~ burn one's bridges

abbrennen ['apbrɛnən] *v irr* burn down

abbringen ['apbrɪŋən] *v irr* ~ *von* dissuade from, argue out of; *vom rechten Weg* ~ lead astray

Abbruch ['apbrux] *m 1. (eines Gebäudes)* demolition; *2. (fig)* breaking off

abbuchen ['apbuːxən] *v 1.* ECO deduct, debit; *2. (abschreiben)* write off

Abbuchung ['apbuːxuŋ] *f* ECO debiting

abdämpfen ['apdɛmpfən] *v 1. (Stoß)* cushion, dampen; *2. (Geräusch)* silence, muffle

abdanken ['apdaŋkən] *v 1. (Minister)* POL resign, retire; *2. (König)* POL abdicate

Abdankung ['apdaŋkuŋ] *f 1. (König)* POL abdication; *2. (Minister)* POL retirement

abdecken ['apdɛkən] *v 1. (Tisch)* clear; *2. (zudecken)* cover; *3. (Dach)* tear off

Abdeckung ['apdɛkuŋ] *f 1. (Bedeckung)* cover, covering; *2. (von Schulden)* settlement

abdichten ['apdɪçtən] *v 1. (verschließen)* TECH seal; *2. (isolieren)* insulate

Abdichtung ['apdɪçtuŋ] *f 1.* TECH sealing; *2. (Isolierung)* insulation

abdrängen ['apdrɛŋən] *v* push aside

abdrehen ['apdreːən] *v 1. (Schiff)* change course, veer off; *2. (zudrehen)* turn off

abdriften ['apdrɪftən] *v* drift off

Abdruck ['apdruk] *m 1. (Nachbildung)* impression, copy, reproduction; *2. (Spur)* imprint, print

abdrucken ['apdrukən] *v* print

abdrücken ['apdrykən] *v 1. (zudrücken)* choke, stop; *2. (abfeuern)* pull the trigger, fire; *3. (umarmen)* hug, squeeze

Abend ['aːbənt] *m 1.* evening; *Es ist noch nicht aller Tage* ~. It's early days yet. *Heiliger* ~ Christmas Eve; *adv 2. heute* ~ this evening, tonight; *gestern* ~ last night

Abendbrot ['aːbəntbroːt] *n* supper, dinner

Abenddämmerung ['aːbəntdɛməruŋ] *f* dusk, evening twilight

Abendessen ['aːbəntɛsən] *n* dinner, supper

Abendkasse ['aːbəntkasə] *f* THEAT box office (open on the night of the performance)

Abendkleid ['a:bəntklaıt] *n* evening dress

Abendland ['a:bəntlant] *n* the West, the Occident

Abendmahl ['a:bəntma:l] *n* REL Communion; *das ~ empfangen* take Communion

Abendrot ['a:bəntro:t] *n* afterglow

abends ['a:bənts] *adv* in the evening, at night, *(heute abend)* tonight

Abendschule ['a:bəntʃu:lə] *f* evening classes, evening school, night school

Abendstern ['a:bəntʃtɛrn] *m* evening star

Abenteuer ['a:bəntɔyər] *n* adventure

abenteuerlich ['a:bəntɔyərlıç] *adj* 1. adventurous; 2. *(fig: ungewöhnlich)* strange

Abenteurer ['a:bəntɔyrər] *m* adventurer, crook *(fam)*

aber ['a:bər] *konj* 1. but; 2. *(zur Verstärkung) Das ist ~ nett von dir!* That's really nice of you! *Aber sicher!* But of course! *Aber gern!* With pleasure!

Aberglaube ['a:bərglaubə] *m* superstition

abergläubisch ['a:bərglɔybıʃ] *adj* superstitious

aberkennen ['apɛrkɛnən] *v irr* JUR deprive, disallow, dispossess

Aberkennung ['apɛrkɛnuŋ] *f* JUR deprivation, abjudication, disallowance

abermalig ['a:bərma:lıç] *adj* repeated

abermals ['a:bərma:ls] *adv* again, once more

abfahren ['apfa:rən] *v irr* depart, set out

Abfahrt ['apfa:rt] *f* 1. *(Abreise)* departure; 2. NAUT sailing; 3. *(Skiabfahrt)* SPORT descent

Abfall ['apfal] *m* 1. *(Müll)* waste, rubbish, garbage, refuse; 2. *(Rückgang)* decline, decrease, drop

Abfalleimer ['apfalaımər] *m* dustbin *(UK)*, rubbish bin *(UK)*, trash can *(US)*

abfallen ['apfalən] *v irr* 1. *(Obst)* fall, drop; 2. *(übrig bleiben)* to be left over, go to waste

abfällig ['apfɛlıç] *adj (fig)* disparaging, derogatory

abfangen ['apfaŋən] *v irr* intercept

abfärben ['apfɛrbən] *v* 1. run, lose colour; 2. *(fig)* rub off on sth

abfassen ['apfasən] *v* 1. *(Text)* word, draw up; 2. *(fam: jdn erwischen)* catch

abfedern ['apfe:dərn] *v* 1. *(Sprung)* spring, absorb; 2. *(fig: Folgewirkungen)* cushion

abfertigen ['apfɛrtıgən] *v* 1. *(fam: Gegner)* deal with; 2. *(Zoll)* clear; 3. *(Kunde)* attend to

Abfertigung ['apfɛrtıguŋ] *f* 1. *(Kunde)* service; 2. *(Zoll)* clearance

abfeuern ['apfɔyərn] *v* fire (off), discharge

abfinden ['apfındən] *v irr* 1. *sich ~ mit* come to terms with, settle for, put up with; 2. JUR settle with, indemnify, pay off; 3. *(jdn ~)* ECO pay off, *(Teilhaber)* buy out

Abfindung ['apfınduŋ] *f* 1. JUR settlement, indemnification; 2. ECO settlement

abflachen ['apflaxən] *v* flatten, level

abflauen ['apflauən] *v* 1. abate, drop, subside; 2. ECO flag, slacken, slow down

abfliegen ['apfli:gən] *v irr (Flugzeug)* take off, depart

abfließen ['apfli:sən] *v irr* drain off

Abflug ['apflu:k] *m* take-off, departure

Abfluss ['apflus] *m* 1. *(Abfließen)* draining away; 2. *(Öffnung)* drain

Abfolge ['apfɔlgə] *f* 1. sequence, order; 2. *(Nachfolge)* succession

abfordern ['apfɔrdərn] *v (Dinge)* demand

Abfrage ['apfra:gə] *f* inquiry

abfragen ['apfra:gən] *v (in der Schule)* question, quiz *(US)*

abfrieren ['apfri:rən] *v irr* freeze, to be frostbitten

abführen ['apfy:rən] *v* 1. *(Verbrecher)* take away, take into custody; 2. *(Gelder)* ECO pay

Abführmittel ['apfy:rmıtəl] *n* MED laxative

abfüllen ['apfylən] *v (in Flaschen)* bottle

Abgabe ['apga:bə] *f* 1. *(Ablieferung)* delivery, handing over, handing in; 2. *(Steuer)* ECO duty, levy, tax

abgabenpflichtig ['apga:bənpflıçtıç] *adj* ECO taxable, liable to tax

Abgang ['apgaŋ] *m* 1. *(von der Schule)* school leaving, graduation *(US)*; 2. *(Ausscheidung)* MED passing, *(von Eiter)* discharge; 3. *(Fehlgeburt)* MED miscarriage; 4. *(Waren)* ECO outlet, sale, market; 5. THEAT exit; 6. *einen ~ machen* make one's exit

Abgas ['apga:s] *n* TECH waste gas

abgearbeitet ['apgəarbaıtət] *adj* 1. *(abgenutzt)* worn out; 2. *(überarbeitet)* tired out, exhausted

abgeben ['apge:bən] *v irr* give up, deliver, hand over; *seine Stimme ~* cast one's vote

abgedroschen ['apgədrɔʃən] *adj (fig)* trite, clichéd, stale

Abgedroschenheit ['apgədrɔʃənhaıt] *f* banality, triteness

abgeflacht ['apgəflaxt] *adj* flattened

abgegriffen ['apgəgrıfən] *adj* 1. *(fig)* stale, overused; 2. *(Buch)* well-thumbed

abgehackt ['apgəhakt] *adj* 1. *(Ast)* chopped off; 2. *(Sprechweise)* jerky, abrupt

abgehen ['apgeːən] *v irr* 1. *(Knopf)* come off, fall off; 2. *(fam: ablaufen) gut* ~ go well; 3. *(weggehen)* leave; 4. *THEAT* exit; 5. *(Ausscheidung) MED* to be passed; *(Eiter) MED* to be discharged; *(Fötus) MED* to be aborted; 6. *Er geht mir ab.* I miss him. 7. *Da geht der Bär ab.* Things are really happening there.

abgeklärt ['apgəkleːrt] *adj* 1. *(souverän)* serene, mellow; 2. *(abgesprochen)* agreed

Abgeklärtheit ['apgəkleːrthait] *f* serenity

abgelegen ['apgəleːgən] *adj* remote, distant, out-of-the-way

abgeneigt ['apgənaikt] *adj* disinclined, averse, reluctant

abgenutzt ['apgənutst] *adj* worn, worn-out

Abgeordnete(r) ['apgəɔrdnətə(r)] *m/f POL* delegate, representative *(US)*, Member of Parliament *(UK)*

abgepackt ['apgəpakt] *adj* packaged, pre-packed

abgeschieden ['apgəʃiːdən] *adj* isolated, remote

Abgeschiedenheit ['apgəʃiːdənhait] *f* loneliness, isolation

abgeschlossen ['apgəʃlɔsən] *adj* 1. *(abgesperrt)* locked; 2. *(beendet)* completed

abgesehen ['apgəzeːən] *adv* ~ von apart from, irrespective of, except for

abgespannt ['apgəʃpant] *adj* exhausted

abgestanden ['apgəʃtandən] *adj* stale

abgestimmt ['apgəʃtimt] *adj* 1. *(im Einklang)* coordinated; 2. *(nach Stimmabgabe)* voted on

abgestumpft ['apgəʃtumpft] *adj* 1. *(Gegenstand)* dull; 2. *(Person)* indifferent

Abgestumpftheit ['apgəʃtumpfthait] *f* indifference, apathy

abgewinnen ['apgəvinən] *v irr (Gefallen finden)* find pleasure in, make the best of

abgewöhnen ['apgəvøːnən] *v sich etw* ~ give sth up, get out of the habit of doing sth

abgleiten ['apglaitən] *v irr* slip, slide

abgöttisch ['apgœtiʃ] *adj REL* idolatrous

abgrenzen ['apgrɛntsən] *v* delineate, demarcate, mark off

Abgrenzung ['apgrɛntsuŋ] *f* demarcation

Abgrund ['apgrunt] *m* 1. *(precipice)* precipice; 2. *(fig)* abyss, gulf

abgründig ['apgryndiç] *adj* profound

Abguss ['apgus] *m* 1. *(Spüle)* sink; 2. *(Kopie)* copy, cast

abhaben ['aphaːbən] *v (einen Teil bekommen)* have a share of

abhaken ['aphaːkən] *v* 1. check off, tick off; 2. *(fig)* cross off

abhalten ['aphaltən] *v irr* 1. *(Versammlung)* hold; 2. *(hindern)* prevent; *jdn von der Arbeit* ~ keep s.o. from working; *jdn davon* ~, *etw zu tun* prevent s.o. from doing sth

abhandeln ['aphandəln] *v (Thema)* treat, deal with, discuss

Abhandlung ['aphandluŋ] *f* treatise

Abhang ['aphaŋ] *m* slope

abhängen ['aphɛŋən] *v irr* 1. *von etw* ~ depend on sth; 2. *jdn* ~ shake s.o. off; 3. *(Anhänger)* unhitch; 4. *(Bild)* take down; 5. *(Eisenbahnwagen)* uncouple

abhängig ['aphɛŋiç] *adj* dependent; ~ *sein von* to be dependent on

Abhängigkeit ['aphɛŋiçkait] *f* dependence

abhärten ['aphɛrtən] *v* harden, inure

abhauen ['aphauən] *v (fam: verschwinden)* push off, beat it *(US)*, scram *(US)*; *Hau ab!* Push off! Beat it! Scram!

abheben ['apheːbən] *v irr* 1. *(Flugzeug)* take off; 2. *(Rakete)* lift off; 3. *(Telefonhörer)* pick up; 4. *(Geld) FIN* withdraw, take out, draw; 5. *sich* ~ *von* contrast with

abhelfen ['aphɛlfən] *v irr einer Sache* ~ remedy sth

Abhilfe ['aphilfə] *f* remedy, cure

abholen ['aphoːlən] *v* collect, pick up, fetch; *Ich hole dich ab.* I'll pick you up.

abholzen ['aphɔltsən] *v* deforest

abhören ['aphøːrən] *v* 1. *(Telefongespräch)* listen in on; *(mit einem Abhörgerät)* tap; 2. *(fragen)* question, test

Abitur [abiˈtuːr] *n* school-leaving exam, A-levels *pl (UK)*

abkaufen ['apkaufən] *v* 1. buy, purchase; 2. *(glauben)* buy *(fam)*; *Die Geschichte kaufe ich dir nicht ab.* I won't buy that story.

Abkehr ['apkeːr] *f* estrangement, withdrawal

abkehren ['apkeːrən] *v* 1. *sich* ~ turn away, take no further interest; 2. *(Tisch)* sweep

abkleben ['apkleːbən] *v (mit Klebeband)* mask *(with tape)*

abklemmen ['apklemən] *v TECH* disconnect

abklingen ['apkliŋən] *v irr* 1. *(Lärm)* die away, fade; 2. *(Fieber) MED* subside

abklopfen ['apklɔpfən] *v* 1. *(Schmutz)* knock off; 2. *(fig: prüfen)* scrutinize

abknicken ['apknikən] *v* 1. break off, snap off; 2. *(Straße)* bend

abkochen ['apkɔxən] *v* boil, sterilize (by boiling)

abkommandieren ['apkɔmandiːrən] *v MIL* post, assign

abkommen ['apkɔmən] *v* 1. *(vom Weg)* lose one's way; 2. *(vom Thema)* stray from the point

Abkommen ['apkɔmən] *n* agreement, deal

abkömmlich ['apkœmlɪç] *adj* available

Abkömmling ['apkœmlɪŋ] *m* descendant, offspring

abkoppeln ['apkɔpəln] *v* 1. *(Waggon)* uncouple, detach; 2. *(fam)* sich ~ break away

abkühlen ['apkyːlən] *v* 1. *(Speisen)* cool off; 2. *(Beziehungen)* cool

Abkühlung ['apkyːlʊŋ] *f* cooling

Abkunft ['apkʊnft] *f* descent, origin

abkürzen ['apkyrtsən] *v* 1. *(Wort)* abbreviate; 2. den Weg ~ take a short-cut; 3. *(Buch)* abridge

Abkürzung ['apkyrtsʊŋ] *f* 1. *(Wort)* abbreviation; 2. *(Weg)* short-cut

abladen ['aplaːdən] *v irr* 1. *(Wagen)* unload; 2. *(Schutt)* dump

Ablage ['aplaːgə] *f* 1. *(das Ablegen)* filing; 2. *(Gestell)* place to put sth

Ablagerung ['aplaːgərʊŋ] *f GEOL* deposit

ablaufen ['aplaʊfən] *v irr* 1. *(Flüssigkeit)* run off, drain; 2. *(Zeit)* go by, pass; 3. *(Gültigkeit verlieren)* expire; 4. *(Frist)* ECO run out

Ablaut ['aplaʊt] *m LING* stem change

ablegen ['apleːgən] *v* 1. *(Kleidung)* take off; 2. eine Gewohnheit ~ break a habit; 3. *(Karten)* put down, lay down; 4. *(Akten)* file; 5. über etw Rechenschaft ~ account for sth; 6. *(Examen)* take; 7. ein Geständnis ~ JUR confess; Zeugnis ~ bear witness

Ableger ['apleːgər] *m BOT* layer

ablehnen ['apleːnən] *v* refuse, reject, decline

Ablehnung ['apleːnʊŋ] *f* 1. *(Zurückweisung)* refusal, rejection; 2. *(Missbilligung)* disapproval; auf ~ stoßen meet with disapproval

ableisten ['aplaɪstən] *v* perform, fulfil

ableiten ['aplaɪtən] *v* 1. *(Wasser)* divert, drain off; 2. *(fig: folgern)* derive, deduce

Ableitung ['aplaɪtʊŋ] *f* 1. *(von Wasser)* diversion, drainage; 2. *(Folgern)* derivation

ablenken ['aplɛŋkən] *v* divert, distract

Ablenkung ['aplɛŋkʊŋ] *f* diversion, distraction

Ablenkungsmanöver ['aplɛŋkʊŋsmanøːvər] *n* diversion, diversionary tactic

ablesen ['apleːzən] *v irr* read off

ableugnen ['aplɔygnən] *v* deny

abliefern ['apliːfərn] *v* deliver, hand over

Ablieferung ['apliːfərʊŋ] *f* delivery, submission

ablösen ['apløːzən] *v* 1. *(einander abwechseln)* alternate, take turns; 2. *(Dienst)* replace; 3. *(entfernen)* remove, detach, take off; 4. *(tilgen)* ECO redeem, pay off

abmachen ['apmaxən] *v* *(übereinkommen)* agree on, settle

Abmachung ['apmaxʊŋ] *f* agreement, deal, settlement

abmagern ['apmaːgərn] *v* get thinner, lose weight

abmahnen ['apmaːnən] *v* give a warning

Abmahnung ['apmaːnʊŋ] *f* warning, reminder

abmelden ['apmɛldən] *v* 1. *(Zeitung)* cancel; 2. das Telefon ~ have the phone disconnected; 3. sein Auto ~ take one's car off the road; 4. sich ~ *(behördlich)* notify the police that one is moving

Abmeldung ['apmɛldʊŋ] *f* *(Zeitung, Mitgliedschaft)* cancellation

Abmessung ['apmɛsʊŋ] *f* 1. *(Vorgang)* measurement, measuring; 2. *(Maß)* dimension, proportion

abmildern ['apmɪldərn] *v* 1. *(Aufprall)* soften; 2. *(Schock)* lessen

abmontieren ['apmɔntiːrən] *v* dismantle, disassemble, take to pieces

abmühen ['apmyːən] *v* sich ~ labour, struggle, slave

abnabeln ['apnaːbəln] *v* 1. MED cut the umbilical cord; 2. *(fig)* sich ~ free o.s.

Abnäher ['apnɛːər] *m* tuck, dart

Abnahme ['apnaːmə] *f* 1. *(Herunternahme)* taking down; 2. *(Verminderung)* decrease, decline, diminution; 3. *(Kauf)* ECO purchase; 4. *(Gewicht)* loss (of weight); 5. *(amtliche)* TECH official acceptance, inspection

abnehmen ['apneːmən] *v irr* 1. *(Gewicht)* lose weight; 2. *(Telefon)* answer; 3. *(entgegennehmen)* take, *(abkaufen)* ECO buy; jdm etw ~ relieve s.o. of sth; 4. *(entfernen)* remove, detach, take away; 5. TECH inspect

Abnehmer ['apneːmər] *m ECO* buyer, purchaser

Abneigung ['apnaɪgʊŋ] *f* aversion, dislike

abnorm [ap'nɔrm] *adj* abnormal

Abnormität [apnɔrmi'tɛːt] *f* 1. abnormality, monstrosity; 2. MED anomaly, abnormity, abnormality

abnutzen ['apnutsən] *v* wear out
Abnutzung ['apnutsuŋ] *f* wear, wearing out
Abonnement [abɔnə'mãː] *n* subscription
Abonnent [abɔ'nɛnt] *m* subscriber
abonnieren [abɔ'niːrən] *v* subscribe to
abordnen ['apɔrdnən] *v* delegate
Abordnung ['apɔrdnuŋ] *f* delegation
abpacken ['apakən] *v* pack
abprallen ['apralən] *v* 1. *(Ball)* bounce off, rebound; 2. *(fig: Beleidigung)* bounce off
abpumpen ['appumpən] *v* 1. pump dry; 2. *(Wasser, Öl)* pump off
abputzen ['apputsən] *v* clean off, wipe off; *sich die Schuhe ~* wipe one's feet *(fam)*
abquälen ['apkvɛːlən] *v* sich ~ struggle, toil; *sich ein Lächeln ~* force a smile
abraten ['apraːtən] *v* irr advise against
abräumen ['aprɔymən] *v* clear (away)
abreagieren ['apreagiːrən] *v* 1. work off; 2. *sich ~* let off steam
abrechnen ['aprɛçnən] *v* 1. settle; 2. *(fig) mit jdm ~* get even with s.o.; 3. *(etw abziehen)* deduct
Abrechnung ['aprɛçnuŋ] *f* 1. *(Abzug)* deduction; 2. *(Aufstellung)* statement; 3. *(Rechnung)* ECO bill; 4. *(Schlussrechnung)* settlement (of accounts); 5. *(fig: Vergeltung)* revenge; *Tag der ~* day of reckoning
Abrede ['apreːdə] *f* etw in ~ stellen deny sth
abreiben ['apraibən] *v* irr 1. *(Schmutz)* rub off; 2. *(Fenster)* wipe
Abreise ['apraizə] *f* departure
abreisen ['apraizən] *v* depart, leave
abreißen ['apraisən] *v* irr 1. *(Gebäude)* pull down, tear down, demolish; 2. *(Papier)* tear off, rip off
abrichten ['apriçtən] *v* *(Tier)* train; *(Pferd)* break in
abriegeln ['apriːgəln] *v* *(Gebiet)* cordon off, block off
Abriss ['apris] *m* 1. *(eines Gebäudes)* demolition; 2. *(Zusammenfassung)* summary, outline
abrollen ['aprɔlən] *v* unroll, unreel
abrücken ['aprykən] *v* 1. von jdm ~ move away from s.o. 2. *(Truppeneinheit)* MIL withdraw
Abruf ['apruːf] *m* 1. auf ~ on call; 2. INFORM retrieval
abrufen ['apruːfən] *v* irr 1. ECO request delivery of; 2. INFORM retrieve
abrunden ['aprundən] *v* round off; *eine Zahl ~ (nach oben/unten)* round a number up/down

abrupt [ap'rupt] *adj* abrupt, sudden
abrüsten ['aprystən] *v* POL disarm
Abrüstung ['aprystuŋ] *f* MIL disarmament
abrutschen ['aprutʃən] *v* 1. slip; 2. *(Wagen)* skid
Absage ['apzaːgə] *f* 1. refusal; 2. *(auf eine Einladung)* negative reply
absagen ['apzaːgən] *v* 1. withdraw; *jdm ~* cancel s.o.'s appointment; 2. *etw ~* call sth off, cancel sth
absägen ['apzɛːgən] *v* 1. *(Ast)* saw off; *den Ast ~, auf dem man sitzt* cut one's own throat; 2. *(fam: jdn absetzen)* dismiss, sack
Absatz ['apzats] *m* 1. *(Abschnitt)* paragraph, section; 2. *(Treppenabsatz)* landing; 3. *(Schuhabsatz)* heel; 4. ECO sales
Absatzflaute ['apzatsflautə] *f* ECO slump in sales
Absatzmarkt ['apzatsmarkt] *m* ECO market
absatzweise ['apzatsvaizə] *adv* in paragraphs, paragraph by paragraph
absaugen ['apzaugən] *v* irr suck off
absaven ['apseivən] INFORM back up
abschaffen ['apʃafən] *v* abolish, do away with, get rid of
Abschaffung ['apʃafuŋ] *f* abolition
abschalten ['apʃaltən] *v* *(etw ~)* switch off, turn off
abschätzen ['apʃɛtsən] *v* estimate, assess
abschätzig ['apʃɛtsɪç] *adj* disparaging
Abschaum ['apʃaum] *m* *(fig)* scum; *der ~ der Menschheit* the scum of the earth
Abscheu ['apʃɔy] *f* abhorrence, repulsion, repugnance; *vor einer Sache ~ empfinden* abhor sth, detest sth
abscheulich [ap'ʃɔylɪç] *adj* 1. abominable, atrocious; *Wie ~! How awful!* 2. *(Verbrechen)* heinous
abschieben ['apʃiːbən] *v* irr 1. *(fam: weggehen)* shove off; 2. *Verantwortung ~* pass the buck; 3. *(ausweisen)* POL deport
Abschiebung ['apʃiːbuŋ] *f* POL deportation
Abschied ['apʃiːt] *m* parting, farewell; *~ nehmen von* say good-bye to
Abschiedsgesuch ['apʃiːtsgəzuːx] *n* das ~ einreichen tender one's resignation
abschießen ['apʃiːsən] *v* irr 1. *(schießen)* fire, fire off, *(Pfeil)* shoot, shoot off, *(Rakete)* launch; 2. *(Flugzeug)* MIL shoot down
abschirmen ['apʃirmən] *v* 1. screen, shield; 2. *(fig)* protect
Abschirmung ['apʃirmuŋ] *f* 1. screening, shielding; 2. *(fig)* protection

Abschlag ['apʃlaːk] *m 1. (Rate)* ECO part payment; *2. (Preissenkung)* ECO markdown, discount; *3. (Kursabschlag)* FIN marking down; *4. (vom Tor)* SPORT goal kick; *5. (Golf)* tee-off

abschlagen ['apʃlaːgən] *v irr 1. (abschneiden)* cut off, chop down; *2.* SPORT *(Golf)* tee off, *(Fußball)* punt; *3. (fig: ablehnen)* decline, refuse, turn down

abschleifen ['apʃlaɪfən] *v irr* TECH grind off, grind down, polish

abschleppen ['apʃlɛpən] *v (Fahrzeug)* tow away

Abschleppseil ['apʃlɛpzaɪl] *n* tow rope

abschließen ['apʃliːsən] *v irr 1. (zuschließen)* lock, lock up; *2. (beenden: Sitzung)* conclude, bring to a close, end; *3. (Geschäft)* ECO transact, conclude; *4. (Vertrag)* JUR conclude

abschließend ['apʃliːsənt] *adj 1.* concluding; *adv 2.* in conclusion

Abschluss ['apʃlʊs] *m 1. (Beendigung)* end; *zum ~ bringen* bring to a conclusion; *zum ~ kommen* come to an end; *das Wort zum ~* the final word; *2. (Vertragsschluss)* signing of an agreement, conclusion of a contract; *3. (Geschäftsabschluss)* (business) transaction, (business) deal; *4. (Bilanz)* financial statement, annual accounts

Abschlussprüfer ['apʃlʊspryːfər] *m* ECO auditor

Abschlussprüfung ['apʃlʊspryːfʊŋ] *f 1. (Schule)* final examination; *2.* ECO audit

Abschlusstest ['apʃlʊstɛst] *m* final test

abschmecken ['apʃmɛkən] *v 1. (würzen)* season; *2. (kosten)* taste

abschmieren ['apʃmiːrən] *v* grease, lubricate

abschminken ['apʃmɪŋkən] *v 1.* remove one's make-up; *2. Das kannst du dir ~!* *(fig)* Get it out of your head!

abschnallen ['apʃnalən] *v 1.* unfasten one's belt; *2. (fig)* to be flabbergasted; *Da schnallst du ab!* It's mind-boggling!

abschneiden ['apʃnaɪdən] *v irr 1.* cut, cut off; *jdm das Wort ~* cut s.o. short; *2. gut/schlecht ~ (fig)* come off well/badly, do well/badly

Abschnitt ['apʃnɪt] *m 1. (Kapitel)* section; *2. (Gebiet)* sector; *3. (Zeit)* period

abschnittweise ['apʃnɪtvaɪzə] *adv* in sections, in portions

abschöpfen ['apʃœpfən] *v* skim off

Abschöpfung ['apʃœpfʊŋ] *f* ECO skimming off (of profits), siphoning off

abschotten ['apʃɔtən] *v (fig) sich gegen etw ~* cut o.s. off from sth

Abschottung ['apʃɔtʊŋ] *f* cutting off

abschrauben ['apʃraʊbən] *v* unscrew

abschrecken ['apʃrɛkən] *v irr 1. (abhalten)* deter; *2.* GAST rinse; *3. (Stahl)* TECH quench

abschreckend ['apʃrɛkənt] *adj* deterrent; *ein ~es Beispiel* a warning

Abschreckung ['apʃrɛkʊŋ] *f* deterrence

abschreiben ['apʃraɪbən] *v irr 1.* copy; *2.* ECO write off

Abschreibung ['apʃraɪbʊŋ] *f (Wertverminderung)* ECO depreciation

Abschrift ['apʃrɪft] *f* copy

Abschuss ['apʃʊs] *m 1.* shooting; *2. (einer Rakete)* launching

abschüssig ['apʃʏsɪç] *adj* sloping

abschwächen ['apʃvɛçən] *v* weaken, lessen, soften

Abschwächung ['apʃvɛçʊŋ] *f* weakening, reduction

abschweifen ['apʃvaɪfən] *v (fig)* digress; *vom Thema ~* deviate from the subject

abschwören ['apʃvøːrən] *v irr 1. (sich lossagen)* renounce; *2. (negieren)* deny by oath

absehbar ['apzeːbaːr] *adj* foreseeable; *Es ist ~, dass ...* It's clear that ... *Es ist nicht ~, ob ...* There's no telling whether ...

absehen ['apzeːən] *v irr 1. (voraussehen)* foresee; *2. (nicht berücksichtigen)* disregard, not consider

abseits ['apzaɪts] *adv 1. (abgelegen)* remote; *2.* SPORT offside

Absender ['apzɛndər] *m* sender, sender's address

absetzen ['apzɛtsən] *v 1. (hinstellen)* set down, put down; *2. jdn ~ (aussteigen lassen)* drop s.o. off; *3. (jdm kündigen)* dismiss; *4. sich gegen etw ~* stand out against sth, contrast with sth; *5. sich ~ (fam: weggehen)* clear out; *6. (verkaufen)* ECO sell; *7. (abschreiben)* ECO deduct; *8.* CHEM deposit

Absetzung ['apzɛtsʊŋ] *f 1. (Kündigung)* dismissal, removal; *2. (Abschreibung)* ECO deduction, depreciation, allowance

absichern ['apzɪçərn] *v 1.* secure; *2. sich ~* protect o.s. *sich ~ gegen* guard against

Absicht ['apzɪçt] *f* intention, intent; *mit ~* on purpose

absichtlich ['apzɪçtlɪç] *adj 1.* intentional, deliberate, wilful; *adv 2.* on purpose, deliberately, intentionally

absinken ['apzɪŋkən] *v* decline, drop

absolut [apzo'lu:t] *adj* absolute

Absolution [apzolu'tsjo:n] *f* REL absolution

Absolutismus [apzolu'tɪsmus] *m* HIST absolutism

absolutistisch [apzolu'tɪstɪʃ] *adj* POL absolutist, absolutistic

Absolvent [apzɔl'vɛnt] *m* graduate

absolvieren [apzɔl'vi:rən] *v 1. (abschlie-ßen)* pass, graduate, complete; *2. (erledigen)* settle

absondern ['apzɔndərn] *v 1. (trennen)* separate, divide, segregate; *2. sich ~* seclude o.s., isolate o.s. *3. MED* secrete, excrete

Absonderung ['apzɔndəruŋ] *f 1. (Tren-nung)* separation, segregation, seclusion; *2. MED* secretion, excretion, discharge

absorbieren [apzɔr'bi:rən] *v* absorb

abspalten ['apʃpaltən] *v 1. (Partei)* POL split off; *2. (Molekül)* CHEM separate

Abspaltung ['apʃpaltuŋ] *f* POL secession, separation

abspecken ['apʃpɛkən] *v (fam)* slim down

abspeichern ['apʃpaiçərn] *v* INFORM save, store

absperren ['apʃpɛrən] *v 1. (zuschließen)* lock, lock up; *2. (Gebiet)* block off, barricade

Absperrung ['apʃpɛruŋ] *f* barricade

abspielen ['apʃpi:lən] *v 1. (Schallplatte)* play; *2. sich ~* happen, take place, occur

absplittern ['apʃplɪtərn] *v 1.* chip off, peel off; *2. (Gruppierung)* split off

Absplitterung ['apʃplɪtəruŋ] *f 1.* chipping; *2. POL* splitting off

Absprache ['apʃpra:xə] *f* agreement

absprechen ['apʃprɛçən] *v irr 1. (verein-baren)* agree, arrange, settle; *2. (aberkennen)* JUR disallow, deny

abspringen ['apʃprɪŋən] *v irr 1. (herunter)* jump down, jump off, *(mit Fallschirm)* bail out; *2. (abplatzen)* come loose

abspulen ['apʃpu:lən] *v 1. (Band)* TECH unreel; *2. (fam: Rede)* rattle off

abspülen ['apʃpy:lən] *v* wash off, rinse off

abstammen ['apʃtamən] *v 1. (Herkunft)* ~ *von* descend from, to be descended from; *2. (Ursprung)* ~ *von* originate from, to be derived from

Abstammung ['apʃtamuŋ] *f 1. (Ursprung)* origin, derivation; *2. (Herkunft)* descent, extraction, birth

Abstand ['apʃtant] *m* distance; ~ *halten* keep one's distance; *mit* ~ *(fig)* by far; *von etw* ~ *nehmen* refrain from doing sth

abstatten ['apʃtatən] *v 1. einen Besuch ~* pay a visit; *2. Dank ~* give thanks

abstauben ['apʃtaubən] *v 1.* dust; *2. (fig: klauen)* swipe

Abstecher ['apʃtɛçər] *m* excursion, trip, detour

abstecken ['apʃtɛkən] *v 1. (markieren)* mark off, stake out, lay out; *2. (Programm)* work out; *3. (Saum)* pin

abstehen ['apʃte:ən] *v irr 1. (Ohren)* stick out; *2. (in einem gewissen Abstand stehen)* to be ... from; *3. (heißes Wasser)* sit; *4. (Bier)* become flat

Absteige ['apʃtaigə] *f (fam)* dosshouse, lodgings, quarters

absteigen ['apʃtaigən] *v irr 1.* descend, get down; *2. (einkehren)* stay; *3. SPORT* drop

abstellen ['apʃtɛlən] *v 1. (ausschalten)* turn off, shut off; *2. (hinstellen)* put down, set down; *3. (Auto)* park

Abstellgleis ['apʃtɛlglais] *n* sidetrack, siding; *jdn auf das ~ schieben* put s.o. on the scrap heap

Abstellkammer ['apʃtɛlkamər] *f* larder, pantry, storage room

Abstieg ['apʃti:k] *m 1. (hinuntersteigen)* descent; *2. SPORT* drop, relegation; *beim ~* on the way down; *3. (fig: Niedergang)* decline

abstimmen ['apʃtɪmən] *v 1. (aufeinander)* adjust, reconcile, harmonize; *2. (wählen)* vote

Abstimmung ['apʃtɪmuŋ] *f 1. (Wahl)* taking a vote, vote, polling; *2. (Anpassung)* adjust-ment, coordination; *3. (eines Radios)* tuning

abstinent [apsti'nɛnt] *adj 1.* abstinent; *2. (bezüglich Alkohol)* teetotal

Abstinenz [apsti'nɛnts] *f* abstinence

Abstinenzler [apsti'nɛntslər] *m* teetotaller

abstoßend ['apʃto:sənt] *adj* repulsive, disgusting, revolting

abstrahieren [apstra'hi:rən] *v* abstract

abstrakt [ap'strakt] *adj* abstract

Abstraktion [apstrak'tsjo:n] *f* abstraction

abstreifen ['apʃtraifən] *v* take off, cast off

abstreiten ['apʃtraitən] *v irr* dispute, deny

Abstrich ['apʃtrɪç] *m 1. (Abzug)* ECO cut, curtailment; *2. MED* smear, swab

abstufen ['apʃtu:fən] *v 1. farblich ~* gradu-ate, tone, shade; *2. (staffeln)* form into steps, mark out in portions or degrees

Abstufung ['apʃtu:fuŋ] *f 1. (Staffelung)* graduation, arranging in steps or degrees, gra-dation; *2. farbliche ~* gradation, shade

abstumpfen ['apʃtumpfən] *v 1.* blunt, become blunt; *2. (fig)* blunt, deaden, dull

Abstumpfung ['apʃtumpfuŋ] *f* stupefaction

Absturz ['apʃturts] *m 1.* fall, crash, drop; *2. (steiler Abhang)* precipice

abstürzen ['apʃtyrtsən] *v 1.* fall, plunge; *2. (Flugzeug)* crash; *3. (steil abfallen)* descend steeply

abstützen ['apʃtytsən] *v* support, prop up

absurd [ap'zurt] *adj* absurd, preposterous

Absurdität [apzurdi'tɛːt] *f* absurdity, foolishness

Abt [apt] *m* REL abbot

abtasten ['aptastən] *v 1.* feel; *2.* MED palpate, feel, scan; *3.* INFORM read, scan

abtauen ['aptauən] *v 1.* thaw out; *2. (Kühlschrank)* defrost

Abtei [ap'taɪ] *f* REL abbey

Abteil [ap'taɪl] *n* compartment

abteilen ['aptaɪlən] *v* divide, partition off, separate

Abteilung [ap'taɪluŋ] *f 1.* department, section; *2.* MIL unit

Abteilungsleiter [ap'taɪluŋslaɪtər] *m* head of department, department manager

Äbtissin [ɛp'tɪsɪn] *f* abbess

abtragen ['aptraɪgən] *v irr 1.* carry away, carry off; *(Geschirr)* clear away; *2. (abbauen)* take down; *3. (Schulden)* pay off; *4. (abnutzen)* wear out

abträglich ['aptreːklɪç] *adj* harmful, detrimental, adverse

Abträglichkeit ['aptreːklɪçkaɪt] *f* harm

Abtragung ['aptraːguŋ] *f 1. (von Schulden)* ECO paying off, payment; *2. (von Erde)* excavation

Abtransport ['aptranspɔrt] *m 1.* conveyance, transport; *2.* MIL dispatch

abtransportieren ['aptranspɔrtiːrən] *v 1.* transport away, carry off; *2.* MIL evacuate

abtreiben ['aptraɪbən] *v irr* MED abort; *ein Kind ~* have an abortion

Abtreibung ['aptraɪbuŋ] *f* MED abortion

Abtreibungspille ['aptraɪbuŋspɪlə] *f* MED abortifacient

abtrennen ['aptrɛnən] *v* detach, sever

Abtrennung ['aptrɛnuŋ] *f* separation, detachment, severance

abtreten ['aptreːtən] *v irr 1. (überlassen)* relinquish, transfer, cede; *2.* THEAT exit

Abtreter ['aptreːtər] *m* doormat

Abtretung ['aptreːtuŋ] *f* JUR assignment, cession, transfer

abtrocknen ['aptrɔknən] *v* dry, dry off

abtropfen ['aptrɔpfən] *v* drip

abtrünnig ['aptrynɪç] *adj* disloyal, unfaithful

Abtrünnigkeit ['aptrynɪçkaɪt] *f* disloyalty

aburteilen ['apurtaɪlən] *v* sentence

abwägen ['apvɛːgən] *v irr* weigh; *seine Worte ~* choose one's words carefully

abwählen ['apvɛːlən] *v* POL vote out, not re-elect

abwarten ['apvartən] *v* wait for, await; *warte es ab* wait and see; *es bleibt abzuwarten* it remains to be seen; *seine Zeit (Gelegenheit) ~* bide one's time

abwärts ['apvɛrts] *adv* downward, down

Abwärtstrend ['apvɛrtstrɛnt] *m* ECO downward trend

Abwasch ['apvaʃ] *m* washing-up; *alles in einem ~ machen* (fig) to do sth in one go

abwaschbar ['apvaʃbaːr] *adj* wipe-clean, washable

abwaschen ['apvaʃən] *v irr* wash up (UK), do the dishes (US)

Abwasser ['apvasər] *n* sewage

Abwasserkanal ['apvasərkanaːl] *m* sewer

abwechseln ['apvɛksəln] *v sich ~* take turns, alternate

abwechselnd ['apvɛksəlnt] *adj* alternating

Abwechslung ['apvɛksluŋ] *f 1. (Wechsel)* change, alternation; *2. (Zerstreuung)* variety, diversion, change; *zur ~* for a change

abwechslungsreich ['apvɛksluŋsraɪç] *adj* varied, diversified

Abweg ['apveːk] *m* (fig) wrong way; *auf ~e geraten* take the wrong path, go astray

abwegig ['apveːgɪç] *adj* bizarre, eccentric

Abwehr ['apveːr] *f 1.* SPORT defence; *2. (Abwendung)* defence, protection; *3. (Geheimdienst)* MIL counter-intelligence; *4. (Zurückweisung)* warding off

abwehren ['apveːrən] *v 1. (abwenden)* ward off, avert, prevent; *2. (zurückweisen)* repel, drive away, repulse

Abwehrspieler ['apveːrʃpiːlər] *m* SPORT defender

Abwehrstoffe ['apveːrʃtɔfə] *pl* MED antibodies

abweichen ['apvaɪçən] *v irr* deviate, digress, diverge

Abweichung ['apvaɪçuŋ] *f 1.* deviation, digression, divergence; *2. (Unterschied)* difference, discrepancy, variation

abweisen ['apvaɪzən] *v irr* refuse, reject, turn down

abweisend ['apvaizənt] *adj* unfriendly, cold, *(Geste)* dismissive

Abweisung ['apvaizuŋ] *f* 1. refusal, rejection, denial; 2. *JUR* dismissal

abwenden ['apvɛndən] *v* 1. *(verhüten)* parry, ward off, stave off; *eine Gefahr ~* avert danger; 2. *sich ~* turn away; 3. turn away; *seinen Blick ~* avert one's eyes

abwerben ['apvɛrbən] *v irr* entice away, woo away

abwerfen ['apvɛrfən] *v irr* 1. *(hinunterwerfen)* drop, discard, throw off; 2. *(einbringen)* ECO yield, return

abwerten ['apvɛːrtən] *v* 1. devalue; 2. *FIN* devaluate, depreciate, devalue

abwertend ['apvɛːrtənt] *adj* derogatory, derisive, disdainful

Abwertung ['apvɛːrtuŋ] *f* devaluation

abwesend ['apvɛːzənt] *adj* 1. absent; 2. *(fig: geistes~)* distracted, absent-minded

Abwesenheit ['apvɛːzənhait] *f* absence; *durch ~ glänzen* to be conspicuous by one's absence

abwickeln ['apvɪkəln] *v (durchführen)* deal with, handle

Abwicklung ['apvɪkluŋ] *f* completion, settlement, handling

abwimmeln ['apvɪməln] *v (fam)* rid o.s. of, get rid of, brush off

abwinken ['apvɪŋkən] *v irr* wave off, motion away

abwischen ['apvɪʃən] *v* 1. *(trocknen)* wipe dry; 2. *(sauber machen)* wipe off

Abwurf ['apvurf] *m* 1. *(herunterwerfen)* dropping, throwing off; 2. *ECO* yield, profit, return; 3. *(von Flugzeug)* jettisoning

abwürgen ['abvyrgən] *v* 1. choke; 2. *(Motor)* stall

abzahlen ['aptsaːlən] *v* 1. *(Raten)* ECO pay off, repay, pay by instalments; 2. *(Schulden)* pay off, repay, settle

abzählen ['aptsɛːlən] *v* count off

Abzahlung ['aptsaːluŋ] *f* 1. *(Schulden)* paying off, repayment, clearing off; 2. *(Raten)* ECO payment by instalments

Abzeichen ['aptsaiçən] *n* badge, mark, decoration

abzeichnen ['aptsaiçnən] *v* 1. *(abmalen)* sketch, draw, copy; 2. *(unterschreiben)* initial, sign, tick off; 3. *sich ~* stand out against; 4. *sich ~ (drohend bevorstehen)* impend, loom

Abziehbild ['aptsiːbɪlt] *n* transfer

abziehen ['aptsiːən] *v irr* 1. *(entfernen)* pull off, draw off; *ein Bett ~* strip a bed; 2. *MATH* subtract; 3. *(Rabatt)* ECO deduct; *etwas vom Preis ~* take sth off the price; 4. *MIL* march off, withdraw, retreat

Abzug ['aptsuːk] *m* 1. *(Kopie)* copy, duplicate, print; 2. *(einer Waffe)* trigger; 3. *MATH* subtraction; 4. *(Rabatt)* ECO discount, deduction, rebate; 5. *MIL* withdrawal

abzüglich ['aptsyːkliç] *prep* ECO less, minus, deducting

abzweigen ['aptsvaigən] *v* 1. *(abbiegen)* branch off, fork off; 2. *(fam)* put aside secretly for oneself, set aside, earmark

Abzweigung ['aptsvaiguŋ] *f* junction, fork

abzwicken ['aptsvɪkən] *v* TECH pinch off

Accessoires [aksɛˈswaːrs] *pl* accessories

Ach [ax] *n mit ~ und Krach* by the skin of one's teeth

Achse ['aksə] *f* 1. TECH axle, axis; 2. MATH axis; 3. *auf ~ (fam)* out and about

Achselzucken ['aksəltsukən] *n* shrug of the shoulders

acht [axt] *num* eight

Acht [axt] *f* 1. *außer ~ lassen* ignore, disregard; *~ geben* take care, pay attention; 2. *in ~ nehmen* to be careful about

achtbar ['axtbaːr] *adj* respectable, reputable, honourable

Achtbarkeit ['axtbaːrkait] *f* respectability

achte(r,s) ['axtə(r,s)] *adj* eighth

achten ['axtən] *v* 1. *(beachten)* observe, respect, consider; 2. *(schätzen)* respect, esteem, hold in high esteem

ächten ['ɛçtən] *v* ostracize

Achterbahn ['axtərbaːn] *f* big dipper, roller-coaster

achtfach ['axtfax] *adj* eightfold

achtlos ['axtloːs] *adj* careless, heedless

Achtlosigkeit ['axtloːzɪçkait] *f* carelessness

achtsam ['axtzaːm] *adj* careful, heedful, mindful

Achtsamkeit ['axtzaːmkait] *f* 1. attentiveness; 2. *(Sorgfalt)* care

Achtung ['axtuŋ] *f* 1. *(Hochachtung)* respect, esteem, regard; 2. *(Beachtung)* attention, heed; 3. *(Ausruf)* Careful!/Look out!/Watch out! 4. *(Recht)* JUR observance (of laws)

Ächtung ['ɛçtuŋ] *f* ostracism

ächzen ['ɛçtsən] *v* 1. *(Gegenstand)* creak; 2. *(Person)* groan, sigh, moan

Acker ['akər] *m* field, soil, land

Ackerbau ['akərbau] *m* agriculture, cultivation of land

ad absurdum [at ap'zurdum] *adv* ~ führen take to an absurd level

ad acta [at 'akta] *adv* 1. ~ *legen* file away; 2. ~ *legen (fig)* shelve

Adamsapfel ['a:damsapfəl] *m ANAT* Adam's apple

Adamskostüm ['a:damskɔsty:m] *n im* ~ in one's birthday suit (fam)

Adapter [a'daptər] *m TECH* adapter, adaptor

adaptieren [adap'ti:rən] *n* adapt

Adaption [adap'tsjo:n] *f THEAT* adaptation

adäquat [adɛ'kva:t] *adj* adequate, sufficient

addieren [a'di:rən] *v MATH* add, sum up

Addition [adi'tsjo:n] *f MATH* addition

ade [a'de:] *interj* bye, see you

Adel ['a:dəl] *m* aristocracy, nobility, peerage

adeln ['a:dəln] *v* ennoble, bestow a title on, make s. o. a peer

Adept [a'dɛpt] *m* 1. *(Eingeweihter)* adept; 2. *(Jünger)* disciple

Ader ['a:dər] *f* 1. MIN lode, ledge; 2. *(fig: Wesenszug)* streak; *eine ~ für etw haben* have a flair for sth; 3. ANAT blood vessel, vein

Adjektiv ['atjɛkti:f] *n GRAMM* adjective

Adjutant [atju'tant] *m MIL* adjutant, aide-de-camp

Adler ['a:dlər] *m ZOOL* eagle

Adlerauge ['a:dləraugə] *n* eagle eye

adlig ['a:dlɪç] *adj* titled, of noble birth, aristocratic

Adlige(r) ['a:dlɪgə(r)] *m/f* aristocrat, nobleman/noblewoman

Administration [atmɪnɪstra'tsjo:n] *f POL* administration

administrativ [atministra'ti:f] *adj* administrative

Admiral [atmi'ra:l] *m MIL* admiral

adoptieren [adɔp'ti:rən] *v* adopt

Adoption [adɔp'tsjo:n] *f* adoption

Adoptivkind [adɔp'ti:fkɪnt] *n* adopted child

Adrenalin [adrena'li:n] *n BIO* adrenaline

Adressat [adrɛ'sa:t] *m* addressee, consignee

Adressbuch [a'drɛsbu:x] *n* address book

Adresse [a'drɛsə] *f* address

adressieren [adrɛ'si:rən] *v* address

adrett [a'drɛt] *adj* neat, proper, pretty

Advent [at'vɛnt] *m* Advent

Adventskranz [at'vɛntskrants] *m* Advent wreath

Adventszeit [at'vɛntstsait] *f* Advent

Adverb [at'vɛrp] *n GRAMM* adverb

Advocatus Diaboli [atvo'ka:tus di'aboli] *m* devil's advocate

Advokat [atvo'ka:t] *m* lawyer

Aerodynamik [ɛ:rody'na:mɪk] *f PHYS* aerodynamics

aerodynamisch [ɛ:rody'na:mɪʃ] *adj* aerodynamic

Affäre [a'fɛ:rə] *f* affair, matter, business

Affe ['afə] *m ZOOL* monkey, ape; *Mich laust der ~.* That takes the biscuit! *(UK)*, That takes the; *cake! (US)*; *seinem ~n Zucker geben* to be on one's hobby-horse

Affekt [a'fɛkt] *m* emotion, emotional disturbance

affektiert [afɛk'ti:rt] *adj* affected, unnatural

affektiv [afɛk'ti:f] *adj* affective, emotional

Affektivität [afɛktivi'tɛ:t] *f* emotional traits

Affenbrotbaum ['afənbro:tbaum] *m BOT* monkey-bread tree

Affentheater ['afəntea:tər] *n* 1. fuss; 2. *(Farce)* complete farce

affig ['afɪç] *adj (fam)* stuck-up, conceited, affected

Affinität [afini'tɛ:t] *f* affinity

affirmativ [afɪrma'ti:f] *adj* affirmative

Affront [a'frɔ:] *m* affront, insult

Afrika ['afrika] *n GEO* Africa

Afrikaner(in) [afri'ka:nər(ɪn)] *m/f* African

afrikanisch [afri'ka:nɪʃ] *adj* African

After ['a:ftər] *m ANAT* anus

Aftershave ['a:ftərʃeɪv] *n* aftershave

Ägäis [ɛ'gɛɪs] *f GEO* Aegean

Agave [a'ga:və] *f BOT* agave, century plant

Agenda [a'gɛnda] *f* agenda

Agent [a'gɛnt] *m* agent

Agentur [agɛn'tu:r] *f ECO* agency

Agglomeration [aglomera'tsjo:n] *f* 1. agglomeration; 2. *(städtisch)* GEO conurbation

Aggregat [agrɛ'ga:t] *n* aggregate

Aggression [agrɛ'sjo:n] *f* aggression

aggressiv [agrɛ'si:f] *adj* 1. aggressive; 2. *(Chemikalien)* CHEM corrosive

Aggressivität [agrɛsifi'tɛ:t] *f* aggressiveness

Aggressor [a'grɛsɔr] *m POL* aggressor

agieren [a'gi:rən] *v* ~ *als* act as, play the part of *(fig)*

agil [a'gi:l] *adj* agile

Agilität [agi:li'tɛ:t] *f* agility

Agonie [ago'ni:] *f MED* death struggle, throes of death

Agrarerzeugnis [a'graːrɛrtsɔygnɪs] *n* agricultural produce

Agrarindustrie [a'graːrɪndustriː] *f* agricultural industry

Agrarpolitik [a'graːrpolɪtiːk] *f* agricultural policy

Ägypten [ɛ'gyptən] *n GEO* Egypt

Ägypter [ɛ'gyptər] *m* Egyptian

ägyptisch [ɛ'gyptɪʃ] *adj* Egyptian

Aha-Erlebnis [a'haːɛrleːpnɪs] *n* sudden insight

ahnden ['aːndən] *v* punish

Ahne ['aːnə] *m/f* ancestor

ähneln ['ɛːnəln] *v* resemble, to be similar to

ahnen ['aːnən] *v* 1. *(voraussehen)* sense, anticipate, foresee; 2. *(befürchten)* suspect, have a foreboding of, have a premonition of; *nichts ~d* unsuspecting

ähnlich ['ɛːnlɪç] *adj* similar, like; *Das sieht dir ~!* (fig) That's just like you!

Ähnlichkeit ['ɛːnlɪçkaɪt] *f* similarity, resemblance, likeness; *~ haben* mit bear a resemblance to

Ahnung ['aːnuŋ] *f* 1. *(Vorgefühl)* inkling, idea; *keine blasse ~ haben* not have the foggiest idea; *Keine ~!* I have no idea. 2. *(Befürchtung)* premonition, foreboding, suspicion

ahnungslos ['aːnuŋsloːs] *adj* 1. *(nichts vermutend)* unsuspecting; 2. *(nichts wissend)* clueless

Ahnungslosigkeit ['aːnuŋsloːzɪçkaɪt] *f* ignorance

ahnungsvoll ['aːnuŋsfɔl] *adj* full of foreboding, full of presentiments

Ahorn ['aːhɔrn] *m BOT* maple

Ähre ['ɛːrə] *f BOT* ear

Aids [eɪdz] *n MED* AIDS (Acquired Immune Deficiency Syndrome)

Aidstest ['eɪdztɛst] *m* AIDS test

Airbag ['ɛːrbɛk] *m TECH* air bag

Airbus ['ɛːrbus] *m TECH* airbus

Air-conditioning ['ɛːrkəndɪʃənɪŋ] *n* air conditioning

Akademie [akade'miː] *f* academy

Akademiker(in) [aka'deːmɪkər(ɪn)] *m/f* university graduate

akademisch [aka'deːmɪʃ] *adj* academic

akklimatisieren [aklimati'ziːrən] *v sich ~* acclimatize

Akklimatisierung [aklimati'ziːruŋ] *f* acclimatization

Akkord [a'kɔrt] *m* 1. *(Abkommen)* settlement, agreement; 2. *(Stücklohn) ECO* piecework; 3. *MUS* chord

Akkordarbeit [a'kɔrtarbaɪt] *f ECO* piecework

Akkordeon [a'kɔrdeon] *n MUS* accordion

akkreditieren [akredi'tiːrən] *v* 1. *POL* accredit; 2. *jdn für etw ~ FIN* credit sth to s.o.'s account

Akkreditierung [akredi'tiːruŋ] *f* 1. *POL* accreditation; 2. *ECO* opening a credit

Akkreditiv [akredi'tiːf] *n ECO* letter of credit

Akku ['aku] *m TECH* battery, accumulator

akkumulieren [akumu'liːrən] *v* 1. pile up; *ECO* accumulate

akkurat [aku'raːt] *adj* accurate, exact, precise

Akkusativ ['akuzatiːf] *m GRAMM* accusative

Akne ['aknə] *f MED* acne

akribisch [ak'riːbɪʃ] *adj* meticulous

Akrobat [akro'baːt] *m* acrobat

Akrobatik [akro'baːtɪk] *f* acrobatics

akrobatisch [akro'baːtɪʃ] *adj* acrobatic

Akryl [a'kryːl] *n CHEM* acryl

Akt [akt] *m* 1. *(Tat)* act, deed; 2. *(Zeremonie)* ceremonial act; 3. *JUR* act, deed; 4. *(Geschlechtsakt)* coitus; 5. *THEAT* act; 6. *ART* nude

Akte ['aktə] *f* file, record, document

Aktenmappe ['aktənmapə] *f* portfolio, briefcase, folder

Aktennotiz ['aktənnotiːts] *f* memorandum

Aktenschrank ['aktənʃraŋk] *m* filing cabinet

Aktentasche ['aktəntaʃə] *f* briefcase, portfolio

Aktenzeichen ['aktəntsaɪçən] *n* reference number, file number, case number

Aktie ['aktsjə] *f FIN* share, stock (US)

Aktiengesellschaft ['aktsjəngəzelʃaft] *f FIN* joint stock company

Aktienkurs ['aktsjənkurs] *m FIN* share price

Aktion [ak'tsjoːn] *f* 1. *(Unternehmung)* campaign, drive; 2. *in ~ treten* take action

Aktionär [aktsjo'nɛːr] *m FIN* shareholder, stockholder (US)

aktiv [ak'tiːf] *adj* 1. active; 2. *(Bilanz) ECO* favourable

aktivieren [akti'viːrən] *v* 1. activate; *f* 2. *ECO* enter on the assets side

Aktivierung [akti'viːruŋ] *f* 1. activation; 2. *ECO* entering on the assets side

Aktivist [akti'vɪst] *m POL* activist

Aktivität [aktivi'tɛːt] *f* activity

Aktivposten [ak'ti:fpɔstən] *m 1. ECO* assets; *2. (fig)* resources

Aktivsaldo [ak'ti:fzaldo] *n ECO* credit balance

aktualisieren [aktuali'zi:rən] *v* update, bring up to date

Aktualisierung [aktuali'zi:ruŋ] *f* updating, update

Aktualität [aktuali'tɛ:t] *f* topicality, relevance (to the present)

aktuell [aktu'ɛl] *adj* current, up to date, topical

Akupunktur [akupuŋk'tu:r] *f MED* acupuncture

Akustik [a'kustɪk] *f* acoustics

akustisch [a'kustɪʃ] *adj* acoustic, audible

akut [a'ku:t] *adj 1.* acute, serious; *2. (vordringlich)* urgent

Akzent [ak'tsɛnt] *m 1.* accent; *2. (Betonung)* stress, emphasis

akzentfrei [ak'tsɛntfraɪ] *adj* without any accent

akzentuieren [aktsɛntui'i:rən] *v 1.* accentuate; *2. (fig)* stress, emphasize

akzeptabel [aktsɛp'ta:bəl] *adj* acceptable

Akzeptanz [aktsɛp'tants] *f* acceptance

akzeptieren [aktsɛp'ti:rən] *v 1.* accept; *2. (Rechnung)* ECO honour

Alarm [a'larm] *m* alarm; ~ *schlagen* sound the alarm

Alarmanlage [a'larmanla:gə] *f* alarm, alarm system

alarmbereit [a'larmbəraɪt] *adj* on the alert, standing by

alarmieren [alar'mi:rən] *v* alarm, alert

Alarmsignal [a'larmzɪgna:l] *n* alarm signal, distress signal, emergency signal

Albaner [al'ba:nər] *m* Albanian

Albanien [al'ba:njən] *n GEO* Albania

albanisch [al'ba:nɪʃ] *adj* Albanian

Albatros [albatrɔs] *m ZOOL* albatross

albern [albərn] *adj* silly, foolish

Albernheit [albərnhaɪt] *f* silliness, foolishness

Albino [al'bi:no] *m* albino

Album [album] *n* album

Alchimist [alçi'mɪst] *m HIST* alchemist

Alemanne [alə'manə] *m HIST* Alemannic

alemannisch [alə'manɪʃ] *adj HIST* Alemannic

Algebra [algebra:] *f MATH* algebra

Algen [algən] *pl BOT* algae, seaweed

Algerien [al'ge:rjən] *n GEO* Algeria

Algerier [al'ge:rjər] *m* Algerian

alias [aljas] *adv* alias

Alibi [a:libi:] *n* alibi

Alimente [ali'mɛntə] *pl JUR* maintenance, support

Alkali [al'ka:li] *n CHEM* alkali

alkalisch [al'ka:lɪʃ] *adj CHEM* alkaline

Alkohol [alkoho:l] *m* alcohol

alkoholabhängig [alko'ho:laphɛŋɪç] *adj* alcoholic

Alkoholabhängigkeit [alko'ho:laphɛŋɪçkaɪt] *f* alcoholism

alkoholfrei [alkoho:lfraɪ] *adj* non-alcoholic

Alkoholiker [alko'ho:lɪkər] *m* alcoholic

alkoholisch [alko'ho:lɪʃ] *adj* alcoholic

Alkoholmissbrauch [alko'ho:lmɪsbraux] *m* alcohol abuse

All [al] *n* universe, space

alle [alə] *pron 1.* everybody, everyone; *adj 2.* all the, every; ~ *die, the people;* ~ *Tage* every day; ~ *drei Tage* every three days; *vor* ~*m* above all

alledem [alə'de:m] *pron* all that, all of that; *trotz* ~ in spite of all that

Allee [a'le:] *f* avenue

Allegorie [alego'ri:] *f* allegory

allein [a'laɪn] *adj 1.* alone; *ganz* ~ all alone; ~ *erziehend* single, being alone, being on one's own ~ *stehend* single; *adv 2.* alone, on one's own; *3.* ~ *der Gedanke ...* the mere thought ...

Alleinerzieher [a'laɪnɛrtsi:ər] *m* single parent

Alleingang [a'laɪngaŋ] *m* sth done on one's own, solo attempt; *im* ~ single-handed; *einen* ~ *machen* go it alone

Alleinherrschaft [a'laɪnhɛrʃaft] *f POL* autocracy, autocratic rule, absolute dictatorship

alleinig [a'laɪnɪç] *adj* only, exclusive, sole

Alleinsein [a'laɪnzaɪn] *n* loneliness

Alleinstehende(r) [a'laɪnʃte:əndə(r)] *m/f* single

Alleinunterhalter [a'laɪnuntərhaltər] *m* solo entertainer

allemal [alə'ma:l] *adv* every time; *Allemal!* Any time!

allenfalls [alən'fals] *adv 1. (wenn es nötig ist)* if need be, if necessary; *2. (höchstens)* at the most

allenthalben [alənt'halbən] *adv* everywhere

allerdings [alər'dɪŋs] *adv* indeed, certainly, to be sure; *Ich mag* ~ *Unrecht haben.* I may of course be wrong. *Allerdings hat er das getan.* He certainly did do that.

allerfrühestens ['alər'fry:əstəns] adv at the very earliest

Allergie [alər'gi:] f MED allergy

Allergietest [alər'gi:test] m MED allergy test

Allergiker [a'lergikər] m MED person suffering allergies

allergisch [a'lergɪʃ] adj MED allergic

allerhand ['alər'hant] adj 1. (viel) a lot of, a good deal of; 2. (vielerlei) all sorts of, all kinds of; 3. Das ist ~! Not bad at all!/That's really something! 4. Das ist ~! (empört) That's the limit!

Allerheiligen [alər'haɪlɪgən] n REL All Saints' Day

allerhöchste(r,s) [alər'hø:çstə(r,s)] adj very highest; Es wird ~ Zeit, dass ... It's high time that ...

allerhöchstens ['alər'hø:çstəns] adv at the very most

allerlei ['alər'laɪ] adj all kinds of, all sorts of

Allerlei ['alər'laɪ] n potpourri, mixture; medley, jumble

allerliebst ['alər'li:pst] adj 1. (Lieblings...) favourite (of all); 2. (reizend) delightful

allermeiste(r,s) [alər'maɪstə(r,s)] adj most; am allermeisten the most; das ~ davon almost all of it

Allernötigste [alər'nø:tɪçstə] n das ~ the bare necessities

allerseits ['alər'zaɪts] adv on all sides; Guten Tag ~! Hello everyone! Gute Nacht ~! Good night everybody!

alles ['aləs] pron everything; ~ in allem all in all; Alles aussteigen! Everybody out! Alles oder nichts! All or nothing. Alles zu seiner Zeit! All in good time.

allesamt ['alə'zamt] adv all together, all of them

Allgegenwart [al'ge:gənvart] f omnipresence, ubiquity

allgegenwärtig [al'ge:gənvertɪç] adj omnipresent, ubiquitous

allgemein [algə'maɪn] adj 1. general, universal, common; im Allgemeinen in general; adv 2. generally, universally, commonly; ~ bildend educational, general-knowledge; ~ gültig universal, generally valid

Allgemeinbildung [algə'maɪnbɪlduŋ] f general education

Allgemeinheit [algə'maɪnhaɪt] f (die Öffentlichkeit) general public, everyone

Allgemeinplatz [algə'maɪnplats] m empty words

Allgemeinwohl [algə'maɪnvo:l] n common welfare

Allheilmittel [al'haɪlmɪtəl] n panacea, cure-all

Allianz [al'jants] f alliance

Alligator [ali'ga:tɔr] m ZOOL alligator

alliiert [ali'i:rt] adj POL allied

Alliierte(r) [ali'i:rtə(r)] m/f die ~n pl (im zweiten Weltkrieg) POL the Allies

alljährlich [al'je:rlɪç] adj annual, yearly

allmächtig [al'mɛçtɪç] adj 1. omnipotent; 2. (Gott) REL almighty

Allmächtige [al'mɛçtɪgə] m REL almighty; ~r! Oh my God!

allmählich [al'mɛ:lɪç] adj gradual

Allradantrieb ['alratantri:p] m TECH allwheel drive

Allrounder ['ɔ:l'raʊndə] m jack of all trades

allseits ['alzaɪts] adv everywhere, on all sides; ~ bekannt known to all

Alltag ['alta:k] m 1. der ~ everyday life, daily life; 2. (Werktag) working day

alltäglich [al'tɛ:klɪç] adj daily; eine ~ Sache an everyday affair

Alltagstrott ['alta:kstrɔt] m workaday routine, treadmill of everyday life

allumfassend [alum'fasənt] adj all-encompassing, universal

Allüre [a'ly:rə] f air, manner, bearing, airs and graces

allwissend ['al'vɪsənt] adj omniscient

Allwissenheit [al'vɪsənhaɪt] f omniscience

allzu ['altsu] adv too, far too

Alm [alm] f alpine meadow, alpine pasture

Almanach ['almanax] m almanac

Almosen ['almo:zən] pl alms, charity

Almosenempfänger ['almo:zənempfɛŋər] m beneficiary of charity

Aloe ['a:loe] f BOT aloe

Alpen ['alpən] pl GEO Alps

Alpenveilchen ['alpənfaɪlçən] n BOT cyclamen

Alpenvorland [alpən'vo:rlant] n GEO foothills of the Alps pl

Alphabet [alfa'be:t] n alphabet

alphabetisch [alfa'be:tɪʃ] adj alphabetical

alpin [al'pi:n] adj alpine

Alpinist(in) [alpi'nɪst(ɪn)] m/f alpinist

Alptraum ['alptraum] m nightmare

als [als] konj 1. (gleichzeitig) when, as; 2. (in der Eigenschaft) as; ~ ob as if; sowohl ... ~ auch ... both ... and ... Es gefällt mir zu gut hier, ~ dass ich gehen würde. I like it too much here to want to leave. 3. (Komparativ) than

also ['alzo] *konj* so, therefore
alt [alt] *adj* old; ~es Haus *(fig)* old chap; ~er Hut *(fig)* old hat; *jdn ~ aussehen lassen* make a fool of s.o. *Er ist ganz der ~e.* He hasn't changed a bit.
Alt [alt] *m MUS* alto
Altar [al'ta:r] *m REL* altar
altbacken ['altbakən] *adj 1. GAST* stale; 2. *(fig)* stale, old-fashioned, out of date;
Altbau ['altbau] *m* old building
Altenpfleger(in) ['altənpfle:gər(ın)] *m/f* nurse for the elderly
Alter ['altər] *n* age; *im ~* in one's old age; *im besten ~* in the prime of one's life
älter ['ɛltər] *adj* older; *(bei Familienangehörigen) die ~e Schwester* the elder sister
altern ['altərn] *v* age, grow old, get old
alternativ [altərna'ti:f] *adj* alternative, alternate
Alternative [altərna'ti:fə] *f* alternative
altersgerecht ['altərsgərɛçt] *adj* suitable for the age group
Altersgrenze ['altərsgrɛntsə] *f* age limit
Altersgruppe ['altərsgrupə] *f* age group
Altersheim ['altərshaim] *n* old people's home, home for the aged
altersschwach ['altərsʃvax] *adj 1.* decrepit, infirm; 2. *(senil) MED* senile
Altersschwäche ['altərsʃvɛçə] *f* senility
Altersunterschied ['altərsuntərʃi:t] *m* age difference, disparity in age
Altertum ['altərtu:m] *n* antiquity, ancient times
Altertümer ['altərty:mər] *pl* antiquities, ancient relics
altertümlich ['altərty:mlıç] *adj* ancient, antiquated
Altertumsforscher ['altərtu:msfɔrʃər] *m* archaeologist
Altertumskunde ['altərtu:mskundə] *f* archaeology
Alterungsprozess ['altəruŋsprotsɛs] *m* ageing process
Älteste(r) ['ɛltəstə(r)] *m/f* eldest, senior
Ältestenrat ['ɛltəstənra:t] *m* Council of Elders
Altglas ['altgla:s] *n* waste glass, used glass, empty bottles
Altglascontainer ['altgla:skɔntɛinə] *m* glass recycling container
altgriechisch ['altgri:çıʃ] *adj HIST* ancient Greek, classical Greek
althergebracht [alt'he:rgəbraxt] *adj* traditional, time-honoured

altklug ['altklu:k] *adj* precocious
Altlast ['altlast] *f* old hazardous waste
ältlich ['ɛltlıç] *adj* oldish
Altmetall ['altmetal] *n* scrap metal
altmodisch ['altmo:dıʃ] *adj* old-fashioned, out of date
Altpapier ['altpapi:r] *n* waste paper
altruistisch [altru'ıstıʃ] *adj* altruistic
Altstimme ['altʃtımə] *f MUS* alto
alttestamentarisch ['alttɛstamenta:rıʃ] *adj REL* of the Old Testament
Altweiberfastnacht [alt'vaibərfastnaxt] *f* Thursday before Shrove Tuesday
Altweibersommer [alt'vaibərzɔmər] *m* Indian summer
Alufolie ['alufo:ljə] *f* aluminium foil
Aluminium [alu'mi:njum] *n CHEM* aluminium, aluminum *(US)*
am *prep (siehe „an")*
Amalgam [amal'ga:m] *n MET* amalgam
Amateur [ama'tø:r] *m* amateur
Amazonas [ama'tso:nas] *m GEO* Amazon
Amazone [ama'tso:nə] *f* Amazon
Ambiente [ambi'ɛntə] *n* ambience, atmosphere
Ambition [ambi'tsjo:n] *f* ambition; ~*en haben auf* have ambitions of
ambitioniert [ambitsjo'ni:rt] *adj* ambitious
ambivalent [ambiva'lɛnt] *adj* ambivalent
Ambivalenz [ambiva'lɛnts] *f* ambivalence
Amboss ['ambɔs] *m TECH* anvil
ambulant [ambu'lant] *adj 1.* ambulant; 2. *MED* outpatient, ambulatory, ambulant
Ambulanz [ambu'lants] *f 1. (Abteilung) MED* out-patient department; 2. *(Wagen) MED* ambulance
Ameise ['a:maizə] *f ZOOL* ant
Ameisenbär ['a:maizənbe:r] *m ZOOL* anteater
Amen ['a:mən] *n* amen; *zu allem Ja und ~ sagen* say yes to everything
Amerika [a'me:rika] *n GEO* America
Amerikaner(in) [ameri'ka:nər(ın)] *m/f* American
amerikanisch [ameri'ka:nıʃ] *adj* American
amerikanisieren [amerikani'zi:rən] *v* Americanize
Amerikanistik [amerika'nıstık] *f* American studies
Aminosäure [a'mi:nozɔyrə] *f BIO* amino acid
Amme ['amə] *f* nurse, nanny

Ammenmärchen ['amenmɛːrçən] *n (fig)* old wives' tale

Ammoniak ['amonjak] *n CHEM* ammonia

Amnesie [amne'ziː] *f MED* amnesia

Amnestie [amnɛs'tiː] *f JUR* amnesty, general pardon

Amöbe [a'møːbə] *f BIO* amoeba

Amokläufer ['amɔklɔyfər] *m* one who runs amok/amuck

amoralisch ['amoraːlɪʃ] *adj* amoral

Amortisation [amɔrtiza'tsjoːn] *f ECO* amortisation

amortisieren [amɔrti'ziːrən] *v ECO* write off, amortise

amourös [amu'røːs] *adj* amorous

Ampel ['ampəl] *f 1.* traffic light; *2. (Blumentopf)* BOT hanging flower-pot

Ampelkoalition ['ampəlkoalitsjoːn] *f POL* coalition made up of parties with different political colours

Amphibie [am'fiːbjə] *f BIO* amphibian

Amphibienfahrzeug [am'fiːbjənfaːrtsɔyk] *n TECH* amphibious vehicle

Amphitheater [am'fiːteaːtər] *n THEAT* amphitheatre

Amplitude [ampli'tuːdə] *f PHYS* amplitude

Ampulle [am'pulə] *f (Behälter)* MED ampoule

Amputation [amputats'joːn] *f MED* amputation

amputieren [ampu'tiːrən] *v MED* amputate

Amsel ['amzəl] *f ZOOL* blackbird

Amt [amt] *n 1. (Behörde)* office, agency, bureau; *2. (Stellung)* office, position, post

amtieren [am'tiːrən] *v* hold office, to be in office

amtlich ['amtlɪç] *adj* official

Amtsantritt ['amtsantrɪt] *m POL* entering into office, assumption of office

Amtsbezirk ['amtsbətsɪrk] *m (local administration)* district

Amtsblatt ['amtsblat] *n* official gazette

Amtsdeutsch ['amtsdɔytʃ] *n* officialese *(fam)*

Amtsenthebung ['amtsɛntheːbuŋ] *f POL* dismissal from a post

Amtsgeheimnis ['amtsgəhaɪmnɪs] *n 1.* official secret; *2. (Schweigepflicht)* official secrecy

Amtshandlung ['amtshandluŋ] *f* official act

Amtsinhaber(in) ['amtsɪnhaːbər(ɪn)] *m/f* officeholder

Amtsmissbrauch ['amtsmisbraux] *m* abuse of authority

Amtszeit ['amtstsaɪt] *f* time in office, tenure

Amulett [amu'lɛt] *n* amulet, talisman, charm

amüsant [amy'zant] *adj* amusing, entertaining

Amüsement [amys'mãː] *n* amusement

amüsieren [amy'ziːrən] *v sich* ~ have fun, enjoy oneself, have a good time

an [an] *prep 1. (örtlich)* on, at, by; *ein Bild* ~ *der Wand* a picture on the wall; *jmd ist* ~ *der Tür* s.o. is at the door; ~ *der Tür sitzen* sit by the door; *2. (zeitlich)* in, on; *am Abend* in the evening; ~ *einem schönen Morgen* on a fine morning; *am zweiundzwanzigsten Juni* on June twenty-second; *am Anfang* at the beginning; *3. (gerichtet* ~) to; ~ *den Direktor* to the director; *4. von diesem Zeitpunkt* ~ from this moment on; *5. (Vorhandensein) ein großes Angebot* ~ *Waren* a large selection of goods; *arm* ~ *Fett* low in fat; *6. (ungefähr)* ~ *die* ... about ..., around ... *7.* ~ *etw denken* think about sth

Anabolikum [ana'boːlikum] *n MED* anabolic

Anachronismus [anakro'nɪsmus] *m* anachronism

anachronistisch [anakro'nɪstɪʃ] *adj* anachronistic

anal [a'naːl] *adj MED* anal

analog [ana'loːk] *adj 1.* analogous; *2. INFORM* analogue

Analogie [analo'giː] *f* analogy

Analphabet ['analfabeːt] *m* illiterate

Analphabetismus ['analfabeːtɪsmus] *m* illiteracy

Analyse [ana'lyːzə] *f* analysis

analysieren [analy'ziːrən] *v* analyse

Analytiker [ana'lyːtikər] *m* analyst

analytisch [ana'lyːtɪʃ] *adj* analytical

Ananas ['ananas] *f BOT* pineapple

Anarchie [anar'çiː] *f POL* anarchy

Anarchist [anar'çɪst] *m POL* anarchist

anarchistisch [anar'çɪstɪʃ] *adj POL* anarchistic

Anästhesie [anɛste'ziː] *f MED* anaesthesia

Anästhesist [anɛste'zɪst] *m MED* anaesthetist

Anatomie [anato'miː] *f MED* anatomy

anatomisch [ana'toːmɪʃ] *adj* anatomical

Anbau ['anbau] *m 1. (Gebäude)* extension, annex; *2. AGR* cultivation

anbauen ['anbauən] v 1. (Gebäude) build an extension; 2. AGR cultivate, grow, raise

anbehalten ['anbəhaltən] v irr keep on

anbei [an'baɪ] adv enclosed, herewith, attached

anbelangen ['anbəlaŋən] v concern, regard; was mich anbelangt as far as I am concerned, as for me

anberaumen ['anbəraumən] v einen Termin ~ set a time

anbeten ['anbe:tən] v adore, worship

Anbetracht ['anbətraxt] m in ~ in view of, in consideration of, on account of

Anbetung ['anbe:tuŋ] f REL worship, adoration

anbieten ['anbi:tən] v irr offer

Anbieter ['anbi:tər] m 1. (einer Ware) ECO supplier; 2. (einer Dienstleistung) service provider

anbinden ['anbɪndən] v irr tie up, tether

Anbindung ['anbɪnduŋ] f connection; (Verkehr) link

Anblick ['anblɪk] m 1. sight; 2. (Landschaft) view

anblicken ['anblɪkən] v look at, glance at, view

anbrechen ['anbreçən] v irr 1. (Packung) open, start on; 2. Die Nacht bricht an. It is getting dark. Der Tag bricht an. Day is dawning.

anbrennen ['anbrenən] v irr burn, catch fire, set on fire

anbringen ['anbrɪŋən] v irr 1. (befestigen) fasten, mount, put up; 2. (Vorschlag, Korrektur) make; 3. (fam: herbringen) bring

Anbruch ['anbrux] m opening; ~ der Nacht nightfall

Andacht ['andaxt] f REL devotion

andächtig ['andeçtɪk] adj 1. serious, attentive, solemn; 2. REL devout

andauern ['andauərn] v go on, continue

andauernd ['andauərnt] adj continuous, lasting, perpetual

Andenken ['andeŋkən] n 1. (Erinnerung) remembrance; 2. (Souvenir) keepsake, token, souvenir

andere(r,s) ['andərə(r,s)] pron 1. (Exemplar gleicher Art) another; zum einen ... und zum anderen ... for one thing ... and for another; 2. (anderer Art) different, other; etwas anderes something different; 3. andere (Leute) others, other people

andererseits ['andərərzaɪts] adv on the other hand

ändern ['endərn] v 1. change, modify, amend; 2. sich ~ change

andernfalls ['andərnfals] adv otherwise

anders ['andərs] adv 1. differently; es sich ~ überlegen change one's mind; ~ denkend dissenting, dissident; ~ formuliert differently phrased; Er ist ganz ~ als ich. He and I are very different. 2. (sonst) else; niemand ~ nobody else

andersartig ['andərsa:rtɪç] adj different

Andersdenkende(r) ['andərsdeŋkəndə(r)] m/f dissident

andersherum ['andərsherum] adv the other way around

anderswo ['andərsvo:] adv somewhere else, elsewhere

Änderung ['endəruŋ] f change, alteration; eine ~ mit sich bringen bring about a change

anderweitig ['andərvaɪtɪç] adv 1. otherwise; ~ besetzt werden to be filled by s.o. else; adj 2. other, further

andeuten ['andɔytən] v insinuate, imply, hint

Andeutung ['andɔytuŋ] f insinuation, suggestion, implication

andeutungsweise ['andɔytuŋsvaɪzə] adv indirectly, allusively, in passing

Andrang ['andraŋ] m rush, crush, crowd

androhen ['andro:ən] v threaten, menace

Androhung ['andro:uŋ] f threat, menace

anecken ['anekən] v (fam) annoy, cause annoyance, irritate; bei jdm ~ rub s.o. the wrong way

aneignen ['anaɪgnən] v sich ~ acquire, learn; sich eine Meinung ~ adopt an opinion

Aneignung ['anaɪgnuŋ] f appropriation, assumption

aneinander [anaɪ'nandər] adv together, to one another; ~ fügen join together, link; ~ geraten quarrel, clash; ~ grenzen border; ~ grenzend adjoining, adjacent; ~ reihen arrange in a row; ~ reihen (Perlen) string

Anekdote [anek'do:tə] f anecdote

Anerbieten ['anerbi:tən] n offer, proposal

anerkannt ['anerkant] adj acknowledged, recognized, accepted

anerkennen ['anerkenən] v irr recognize, acknowledge, admit

anerkennend ['anerkenənt] adj appreciative, approving

Anerkennung ['anerkenuŋ] f recognition, acknowledgement, acceptance

anfachen ['anfaxən] v 1. (Feuer) fan; 2. (fig: anspornen) incite, rouse, spur on

anfahren ['anfa:rən] *v irr* 1. *(zu fahren beginnen)* start; 2. *(sich nähern)* approach; 3. *(fahren gegen)* hit, run into; 4. *(fig: schimpfen)* snap at, fly at, jump on

Anfahrt ['anfa:rt] *f* 1. *(Fahrt)* journey, drive; 2. *(Zufahrt)* drive, approach

Anfall ['anfal] *m MED* attack, bout, fit

anfallen ['anfalən] *v irr* 1. *(überfallen)* attack, assail, assault; 2. *(Arbeit)* come up

anfällig ['anfɛlɪç] *adj für etw ~ sein* to be susceptible to sth, to be prone to sth

Anfälligkeit ['anfɛlɪçkaɪt] *f* susceptibility, proneness

Anfang ['anfaŋ] *m* beginning, start; ~ *der Woche* at the beginning of the week

anfangen ['anfaŋən] *v irr* begin, start

Anfänger ['anfɛŋər] *m* beginner, novice

anfänglich ['anfɛŋlɪç] *adj* 1. early, initial, original; *adv* 2. at first, initially, in the beginning

anfangs ['anfaŋs] *adv* at first, initially, at the beginning

anfassen ['anfasən] *v* 1. *(berühren)* touch; 2. *(greifen)* grasp, seize, hold; 3. *mit ~ (fam: helfen)* give a hand

anfechten ['anfɛçtən] *v irr* 1. challenge, contest, dispute; 2. *JUR* challenge, appeal

anfeinden ['anfaɪndən] *v jdn ~* to be hostile to s.o.

Anfeindung ['anfaɪnduŋ] *f* malice, ill-will

anfertigen ['anfɛrtɪgən] *v* 1. make; 2. *(Schriftstück)* draw up, draft

Anfertigung ['anfɛrtɪguŋ] *f* 1. making; 2. *(eines Schriftstücks)* drawing up, drafting

anfeuchten ['anfɔyçtən] *v* dampen, moisten, wet

anfeuern ['anfɔyərn] *v (fig)* encourage, animate, incite

anflehen ['anfle:ən] *v* plead, implore

Anflug ['anflu:k] *m* 1. *(eines Flugzeuges)* approach; 2. *(fig: Hauch)* trace, suggestion

anfordern ['anfɔrdərn] *v* demand, ask for

Anforderung ['anfɔrdəruŋ] *f* 1. *(Anspruch)* demand, requirement, standard; 2. *(Bestellung)* request; 3. *MIL* requisition; 4. *ECO* demand

Anfrage ['anfra:gə] *f* 1. inquiry, enquiry; 2. *POL* question

anfragen ['anfra:gən] *v* inquire, enquire, ask

anfreunden ['anfrɔyndən] *v sich ~* become friends; *sich mit jdm ~* make friends with s.o.

anfügen ['anfy:gən] *v* 1. *(hinzufügen)* add; 2. *(beilegen)* join, attach, enclose

anfühlen ['anfy:lən] *v sich ~* feel

anführen ['anfy:rən] *v* 1. *(führen)* lead, conduct; 2. *(zitieren)* quote, cite, state

Anführer ['anfy:rər] *m* leader

Anführungszeichen ['anfy:ruŋstsaɪçən] *n* quotation marks, inverted commas

Angabe ['anga:bə] *f* 1. statement, declaration; 2. *(fam: Prahlerei)* showing off, bragging, boasting; *pl* 3. *~n (Daten) TECH* data *pl*

angeben ['ange:bən] *v irr* 1. state, declare, indicate; 2. *(fam: prahlen)* show off, brag, boast

Angeber ['ange:bər] *m (fam)* show-off, boaster

Angeberei [ange:bə'raɪ] *f (fam)* showing off

angeberisch ['ange:bərɪʃ] *adj* pretentious

Angebetete(r) ['ange:be:tətə] *m/f* beloved

angeblich ['ange:plɪç] *adj* alleged, supposed, ostensible

angeboren ['angəbo:rən] *adj* 1. innate, inborn; 2. *MED* congenital

Angebot ['angəbo:t] *n* offer, tender, bid; ~ *und Nachfrage* supply and demand

angebracht ['angəbraxt] *adj* appropriate, fitting

angebunden ['angəbundən] *adj kurz ~ (fig)* brusque, curt

angeheiratet ['angəhaɪra:tət] *adj* related by marriage

angeheitert ['angəhaɪtərt] *adj* tipsy

angehen ['ange:ən] *v irr* 1. *(beginnen)* begin, commence, start; 2. *(fam: Licht)* go on; 3. *(betreffen)* concern, regard; *Das geht dich nichts an.* That is none of your business. 4. *jdm um etw ~* ask s.o. for sth

angehend ['ange:ənt] *adj* 1. incipient, prospective; 2. *(Künstler)* budding; 3. *(Vater)* expectant

angehören ['angəhø:rən] *v* belong to

Angehörige(r) ['angəhø:rɪgə(r)] *m/f* 1. member; 2. *(Verwandter)* relative

Angeklagte(r) ['angəkla:ktə(r)] *m/f JUR* accused, defendant

Angel ['aŋəl] *f* 1. *(Türangel)* hinge; *zwischen Tür und ~* in passing; *die Welt aus den ~n heben* turn the world upside down; *aus den ~n gehen* come off the hinges; 2. *SPORT* fishing rod, fishing tackle

Angelegenheit ['angəle:gənhaɪt] *f* matter, affair, concern; *Das ist nicht deine ~.* That's none of your concern.

angeln ['aŋəln] *v* fish, go fishing

Angeln ['aŋəln] *n* fishing

Angelpunkt ['aŋəlpuŋkt] *m* 1. pivot; 2. central issue

Angelsachse ['aŋəlzaksə] *m* Anglo-Saxon

angelsächsisch ['aŋəlzɛksɪʃ] *adj* HIST Anglo-Saxon

angemessen ['aŋəmɛsən] *adj* appropriate, suitable, reasonable

Angemessenheit ['aŋəmɛsənhaɪt] *f* appropriateness, aptness, suitability

angenehm ['aŋənɛːm] *adj* pleasant, agreeable, pleasing

angenommen ['aŋənɔmən] *adj* 1. (geschätzt) estimated, assumed; 2. (adoptiert) adopted; *konj* 3. assuming; ~ ich mache es ... assuming I do it ...

Angepasstheit ['aŋəpasthaɪt] *f* adjustment

angeschlagen ['aŋəʃlaːgən] *adj* 1. (Geschirr) chipped; 2. (erschöpft) exhausted, beat *(fam)*

angesehen ['aŋəzeːən] *adj* ~ sein respectable, prestigious, distinguished

Angesicht ['aŋəzɪçt] *n* face, countenance; von ~ zu ~ face to face

angesichts ['aŋəzɪçts] *prep* 1. in the presence of; 2. (fig: im Hinblick auf) in view of, considering

angespannt ['aŋəʃpant] *adj* 1. tense, strained; 2. (Aufmerksamkeit) close

angestellt ['aŋəʃtɛlt] *adj* employed

Angestellte(r) ['aŋəʃtɛltə(r)] *m/f* (salaried) employee, white collar worker

Angestelltenverhältnis ['aŋəʃtɛltən-fərhɛːltnɪs] *n* non-tenured employment

angetan ['aŋətaːn] *adj* 1. ~ sein von to be taken with; 2. dazu ~ sein to be suitable for

angetrunken ['aŋətruŋkən] *adj* slightly drunk, tipsy

angewöhnen ['aŋəvøːnən] *v* 1. jdm etw ~ get s.o. used to sth, accustom s.o. to sth; 2. sich etw ~ get accustomed to sth, get used to sth

Angewohnheit ['aŋəvoːnhaɪt] *f* habit

Angina [aŋˈgiːna] *f* MED angina

angleichen ['aŋlaɪçən] *v irr* adapt, bring into line

Angleichung ['aŋlaɪçuŋ] *f* assimilation

Angler ['aŋlər] *m* fisherman, angler

angliedern ['aŋliːdərn] *v* 1. join, link up; 2. (Betrieb) ECO affiliate

Angliederung ['aŋliːdəruŋ] *f* affiliation, incorporation

anglikanisch [aŋgliˈkaːnɪʃ] *adj* REL Anglican

angreifen ['aŋgraɪfən] *v irr* 1. attack; 2. (berühren) touch, handle; 3. (anpacken) CHEM seize

angrenzen ['aŋgrɛntsən] *v* adjoin, border on

Angriff ['aŋgrɪf] *m* attack, assault; etw in ~ nehmen take on sth

angriffslustig ['aŋgrɪfslustɪç] *adj* aggressive

Angriffspunkt ['aŋgrɪfspuŋkt] *m* 1. (fig) opening; 2. MIL point of attack

Angst [aŋst] *f* fear, fright, terror; aus ~ vor for fear of; ~ haben to be afraid

ängstigen ['ɛŋstɪgən] *v* 1. jdn ~ alarm s.o., frighten s.o. 2. sich ~ to be frightened, to be scared, to be afraid

ängstlich ['ɛŋstlɪç] *adj* nervous, anxious, timid

angurten ['aŋgurtən] *v* sich ~ fasten one's safety belt

anhaben ['anhaːbən] *v irr* 1. have on, wear; 2. Der Wind kann mir nichts ~. The wind doesn't bother me. Er kann mir nichts ~. He can't harm me.

anhalten ['anhaltən] *v irr* 1. (stehen bleiben) stop, pull up, halt; 2. (stoppen) stop; 3. (fortdauern) continue, last, go on

anhaltend ['anhaltənt] *adj* constant, continuous, sustained

Anhalter ['anhaltər] *m* hitch-hiker

Anhaltspunkt ['anhaltspuŋkt] *m* clue, indication, guide

anhand [anˈhant] *prep* by means of, with the help of, on the basis of

Anhang ['anhaŋ] *m* 1. (in einem Buch) appendix, supplement; 2. (Anhängerschaft) following

anhängen ['anhɛŋən] *v* 1. hang up, attach, join; 2. jdm etw ~ blame sth on s.o.

Anhänger ['anhɛŋər] *m* 1. (Wagen) trailer; 2. (Schild) name-tag; 3. (Schmuck) pendant; 4. (Befürworter) adherent, supporter, follower

anhänglich ['anhɛŋlɪç] *adj* devoted, faithful

Anhänglichkeit ['anhɛŋlɪçkaɪt] *f* devotion, attachment

Anhängsel ['anhɛŋsəl] *n* 1. (Schildchen) tag; 2. (am Weihnachtsbaum) ornament; 3. (fig: Mensch) hanger-on

anhäufen ['anhɔyfən] *v* accumulate, pile up

Anhäufung ['anhɔyfuŋ] *f* accumulation

anheben ['anheːbən] *v irr* 1. (hochheben) lift up, heave; 2. (erhöhen) raise, increase

Anhebung ['anhe:buŋ] f increase

anheimelnd ['anhaɪməlnt] adj cosy, pleasant

anherrschen ['anhɛrʃən] v jdn ~ bark at s.o.

anheuern ['anhɔyərn] v engage, hire

Anhieb ['anhi:p] m auf ~ right from the start, from the word go

anhimmeln ['anhɪməln] v worship, idolize

Anhöhe ['anhø:ə] f elevation, hill

anhören ['anhø:rən] v 1. listen to; 2. (anmerken) tell; Ich höre ihr an, dass sie Amerikanerin ist. I can tell that she's American; 3. (fig) sich ~ sound; Das hört sich gut an. That sounds good.

Anhörung ['anhø:ruŋ] f JUR hearing

animalisch [ani'ma:lɪʃ] adj animalistic, animal

Animateur [anima'tø:r] m animator

Animation [anima'tsjo:n] f animation

animieren [ani'mi:rən] v animate, incite, instigate

Animosität [animozi'tɛ:t] f animosity

Anis [a'ni:s] n BOT anise

Ankauf ['ankauf] m purchase, acquisition

ankaufen ['ankaufən] v purchase, acquire

Anker ['aŋkər] m anchor

ankern ['aŋkərn] v drop anchor, anchor

Ankerplatz ['aŋkərplats] m NAUT anchorage, berth

anketten ['ankɛtən] v chain

Anklage ['ankla:gə] f 1. (Beschuldigung) accusation, imputation; 2. JUR charge, accusation, indictment

Anklagebank ['ankla:gəbaŋk] f 1. JUR dock; 2. (fig) auf der ~ sitzen to be accused of sth

anklagen ['ankla:gən] v 1. (beschuldigen) accuse; 2. JUR charge with, indict with, accuse of; 3. (zu Unrecht beschuldigen) denounce

Ankläger ['anklɛ:gər] m JUR prosecutor, plaintiff, accuser

Anklageschrift ['ankla:gəʃrɪft] f JUR indictment

Anklang ['anklaŋ] m sound, suggestion, approval

Ankleidekabine ['anklaɪdəkabi:nə] f changing room

ankleiden ['anklaɪdən] v sich ~ get dressed, dress

anklicken ['anklɪkən] v etw ~ INFORM click on sth

anklingen ['anklɪŋən] v irr etw ~ lassen evoke sth

anklopfen ['anklɔpfən] v knock

anknüpfen ['anknypfən] v an etw ~ carry on (where one left off)

Anknüpfungspunkt ['anknypfuŋspuŋkt] m common interest

ankommen ['ankɔmən] v 1. arrive; 2. (Zustimmung finden) to be received; Damit kommst du nicht an. You won't have any luck with that. Das ist gut angekommen. That was well received. 3. auf etw ~ depend on sth

Ankömmling ['ankœmlɪŋ] m newcomer, new arrival

ankoppeln ['ankɔpəln] v couple, link up

ankratzen ['ankratsən] v scratch

ankreiden ['ankraɪdən] v 1. chalk up; 2. jdm etw ~ (fig) hold sth against s.o.

ankreuzen ['ankrɔytsən] v mark with a cross, tick, check off (US)

ankündigen ['ankyndɪgən] v 1. announce, advertise; 2. (auf etw hinweisen) to be a sign of

Ankündigung ['ankyndɪguŋ] f announcement, notification

Ankunft ['ankunft] f arrival

ankurbeln ['ankurbəln] v (fig: beleben) stimulate, pep up, boost

anlächeln ['anlɛçəln] v smile at, give s.o. a smile

anlachen ['anlaxən] v 1. (fig: anziehen) tempt; 2. smile at, beam at, laugh at

Anlage ['anla:gə] f 1. (Fabrik) plant, works, factory; 2. (Parkanlage) park; 3. (Veranlagung) predisposition, tendency, inclination; 4. (Geldanlage) FIN investment; 5. (Briefanlage) ECO enclosure

anlagern ['anla:gərn] v CHEM take up

Anlagerung ['anla:gəruŋ] f CHEM addition

Anlass ['anlas] m 1. (Gelegenheit) occasion; ~ geben zu give cause for; 2. (Grund) cause, reason

anlassen ['anlasən] v irr 1. (Motor) start; 2. (anbehalten) keep on, leave on; 3. (eingeschaltet lassen) leave on

Anlasser ['anlasər] m TECH starter

anlässlich ['anlɛslɪç] prep on the occasion of

anlasten ['anlastən] v jdm etw ~ accuse s.o. of sth, blame s.o. for sth

anlaufen ['anlaufən] v irr 1. start; 2. (beschlagen: Metall) tarnish, oxide; (Fensterscheibe, Brille) steam up

Anlaufstelle ['anlaufʃtɛlə] f point of contact

anlegen ['anle:gən] v 1. (Schiff) dock, moor, berth; 2. eine Akte ~ start a file; 3. (Leiter) lay against, put against; 4. *(Garten)* lay out; 5. *(Geld)* FIN invest; 6. *(anziehen)* put on

Anleger ['anleːgər] *m* FIN investor

Anlegestelle ['anleːgəʃtɛlə] *f NAUT* docking site

anlehnen ['anleːnən] *v* 1. *(Gegenstand)* lean against; 2. *(Tür)* leave ajar; 3. sich ~ lean against

Anlehnung ['anleːnuŋ] *f* in ~ an ... following

Anleihe ['anlaɪə] *f* ECO loan, loan stock, *(Wertpapier)* bond

anleinen ['anlaɪnən] *v (Hund)* put a leash on

anleiten ['anlaɪtən] *v* instruct, guide

Anleitung ['anlaɪtuŋ] *f* instruction(s)

anlernen ['anlɛrnən] *v* train

anliefern ['anliːfərn] *v* supply, deliver

Anlieferung ['anliːfəruŋ] *f* supply, delivery

anliegen ['anliːgən] *v irr* 1. *(bevorstehen)* be on the agenda; 2. *(angrenzen)* border, to be adjacent to

Anliegen ['anliːgən] *n* 1. request; 2. *(Sorge)* matter of concern

Anlieger ['anliːgər] *m* neighbour, resident, adjoining owner; „~ frei" "residents only"

anlocken ['anlɔkən] *v* 1. attract; 2. *(Tiere)* lure

anlügen ['anlyːgən] *v irr* lie to

anmachen ['anmaxən] *v* 1. *(würzen)* dress (a salad), spice, season; 2. *(fam: ansprechen)* make a pass at, come on to; 3. *(befestigen)* fix, fasten; 4. *(einschalten)* turn on, switch on

anmahnen ['anmaːnən] *v* etw ~ send a reminder about sth

anmalen ['anmaːlən] *v* paint

Anmarsch ['anmarʃ] *m* 1. *(Näherkommen)* MIL approach; 2. *(Wegstrecke)* MIL walk; 3. *(fig)* advance; im ~ on the way

anmaßen ['anmaːsən] *v* sich etw ~ claim a right to sth, arrogate sth to o.s.

anmaßend ['anmaːsənt] *adj* presumptuous, arrogant

Anmaßung ['anmaːsuŋ] *f* presumptuousness, arrogance

anmeckern ['anmɛkərn] *v (fam)* grumble at

anmelden ['anmɛldən] *v* 1. register; 2. *(ankündigen)* announce; 3. sich ~ register o.s. 4. sich ~ *(amtlich)* give formal notice of address, report change of address, give formal notice of arrival; 5. sich ~ *(beim Arzt)* make an appointment

anmeldepflichtig ['anmɛldəpflɪçtɪç] *adj* subject to registration

Anmeldung ['anmɛlduŋ] *f* 1. announcement, application; 2. *(Einschreibung)* registration, enrolment; 3. *(amtliche ~)* official notification of arrival

anmerken ['anmɛrkən] *v* 1. observe, notice; 2. *(Kommentar geben)* remark

Anmerkung ['anmɛrkuŋ] *f* remark, comment, observation

Anmut ['anmuːt] *f* grace, attractiveness, charm

anmuten ['anmuːtən] *v* seem, appear

anmutig ['anmuːtɪç] *adj* graceful, charming

annähen ['annɛːən] *v* sew on

annähern ['annɛːərn] *v* sich ~ approach

annähernd ['annɛːərnt] *adv* 1. approximately; nicht ~ not nearly; *adj* 2. approximate

Annäherung ['annɛːəruŋ] *f* approach, approximation

annäherungsweise ['annɛːəruŋsvaɪzə] *adv* approximately

Annahme ['annaːmə] *f* 1. *(Entgegennahme)* acceptance; 2. *(Zustimmung)* acceptance, approval; 3. *(fig: Vermutung)* assumption, supposition, hypothesis; 4. POL adoption, passing; 5. ECO receipt

Annalen [a'naːlən] *pl* HIST annals

annehmbar ['annɛːmbaːr] *adj* acceptable

annehmen ['annɛːmən] *v irr* 1. *(entgegennehmen)* accept, take receipt of; 2. *(zustimmen)* accept, subscribe to; 3. *(fig: vermuten)* assume, suppose, presume

annehmlich ['annɛːmlɪç] *adj* convenient

Annehmlichkeit ['annɛːmlɪçkaɪt] *f* 1. convenience; 2. *(Wohnkomfort)* amenities, comforts

annektieren [anɛk'tiːrən] *v* POL annex

Annexion [anɛks'joːn] *f* POL annexation

Annonce [a'nõːsə] *f* advertisement

annoncieren [anõ'siːrən] *v* advertise

annullieren [anu'liːrən] *v* annul, cancel

anomal [ano'maːl] *adj* 1. anomalous, irregular; 2. MED abnormal

anonym [ano'nyːm] *adj* anonymous

Anonymität [anony'miːtɛːt] *f* anonymity

Anorak ['anorak] *m* anorak

anordnen ['anɔrdnən] *v* 1. *(befehlen)* command, decree, order; 2. *(ordnen)* arrange

Anordnung ['anɔrdnuŋ] *f* 1. *(Befehl)* order, instruction, direction; 2. *(Ordnung)* arrangement, grouping, structure

anormal ['anɔrmaːl] *adj* abnormal

anpassen ['anpasən] *v* 1. sich ~ adapt o.s. to, conform to; 2. *(fig)* adapt to, adjust to, suit

Anpassung ['anpasʊŋ] *f* adaptation, adjustment, *(an die Gesellschaft)* conformity

anpassungsfähig ['anpasʊŋsfɛːɪç] *adj* adaptable, accommodating, flexible

anpeilen ['anpaɪlən] *v* 1. head for; 2. *(fig)* eye

anprangern ['anpraŋərn] *v* pillory, criticize maliciously, denounce

anpreisen ['anpraɪzən] *v irr* promote, boost, push

anprobieren ['anprobiːrən] *v* try on

Anrede ['anreːdə] *f* form of address, speech

anreden ['anreːdən] *v* speak to, address

anregen ['anreːgən] *v* 1. *(vorschlagen)* suggest, propose; 2. *(beleben)* stimulate

anregend ['anreːgənt] *adj* stimulating, exciting, inspiring

Anregung ['anreːgʊŋ] *f* 1. *(Vorschlag)* suggestion; 2. *(Veranlassung)* stimulation

anreichern ['anraɪçərn] *v* enrich

Anreicherung ['anraɪçərʊŋ] *f* upgrading

Anreise ['anraɪzə] *f* journey (to one's destination), arrival

anreisen ['anraɪzən] *v* journey (to one's destination), arrive

anreißen ['anraɪsən] *v irr* 1. *(Packung)* start, open; 2. *(erwähnen)* mention; 3. *(vorzeichnen)* TECH mark

Anreiz ['anraɪts] *m* stimulus, incentive, impulse

anrempeln ['anrɛmpəln] *v* 1. *(anstoßen)* bump into; 2. *(fig)* provoke

anrennen ['anrɛnən] *v irr* 1. *angerannt kommen* come running; 2. *gegen etw ~* MIL storm this; 3. *gegen etw ~ (Vorurteile)* smash, bust; 4. *(versehentlich stoßen gegen)* run into sth; 5. *gegen etw ~* run into sth

Anrichte ['anrɪçtə] *f* sideboard, dresser

anrichten ['anrɪçtən] *v* 1. *(Essen)* prepare, serve up, dish up; 2. *(verursachen)* cause

anrüchig ['anryːçɪç] *adj (Person)* notorious; *(Sache)* disreputable, shady

Anrüchigkeit ['anryːçɪçkaɪt] *f* bad reputation, ill repute

Anruf ['anruːf] *m* call

Anrufbeantworter ['anruːfbəantvɔrtər] *m* answering machine

anrufen ['anruːfən] *v irr* 1. *(rufen)* call; 2. *(telefonieren)* telephone, call (US)

Anrufer(in) ['anruːfər(ɪn)] *m/f* caller

anrühren ['anryːrən] *v* 1. *(vermischen)* mix, stir; 2. *(fig: rühren)* move (emotionally); 3. *(berühren)* touch

ans *(an das) (siehe „an")*

Ansage ['anzaːgə] *f* announcement

ansagen ['anzaːgən] *v* announce, declare, proclaim

Ansager(in) ['anzaːgər(ɪn)] *m/f* announcer

ansammeln ['anzaməln] *v sich ~* gather, accumulate

Ansammlung ['anzamlʊŋ] *f* accumulation

ansässig ['anzɛsɪç] *adj* resident

Ansatz ['anzats] *m* 1. *(Anfang)* outset, starting point, beginning; *Das ist im ~ richtig.* That is basically correct.; 2. *(Ablagerung)* deposit, sediment; 3. *(Haaransatz)* roots (of hair); 4. *(Anzeichen)* sign, indication

Ansatzpunkt ['anzatspʊŋkt] *m (fig)* starting point

ansatzweise ['anzatsvaɪzə] *adv* for the start

anschaffen ['anʃafən] *v* procure, acquire, purchase

Anschaffung ['anʃafʊŋ] *f* acquisition

anschalten ['anʃaltən] *v* switch on, turn on

anschauen ['anʃaʊən] *v* view, look at

anschaulich ['anʃaʊlɪç] *adj* concrete, vivid, descriptive

Anschauung ['anʃaʊʊŋ] *f* view, outlook, perception

Anschein ['anʃaɪn] *m* appearance, look, semblance; *allem ~ nach* to all appearances

anscheinend ['anʃaɪnənt] *adv* apparently

anschieben ['anʃiːbən] *v irr etw ~* give sth a push

Anschiss ['anʃɪs] *m* bollocking (UK), chewing-out (US)

Anschlag ['anʃlaːk] *m* 1. *(Plakat)* poster, placard; 2. *(Schreibmaschinenanschlag)* stroke; 3. *(Attentat)* POL attempt on a person's life, assassination attempt

Anschlagbrett ['anʃlaːkbrɛt] *n* notice board, bulletin board (US)

anschlagen ['anʃlaːgən] *v irr* 1. *(anstoßen)* knock, strike; 2. *(aushängen)* put (a sign) up; 3. *(befestigen)* affix, fasten, post

anschleichen ['anʃlaɪçən] *v irr sich an etw ~* creep up on sth, come creeping up on sth

anschließen ['anʃliːsən] *v irr* 1. *(verbinden)* attach, connect, link; 2. *sich jdm ~* join s.o. *Darf ich mich Ihnen ~?* May I join you? 3. *sich jdm ~ (zustimmen)* side with s.o. 4. *(fig: anfügen)* add, annex

anschließend ['anʃliːsənt] *adj* 1. *(räumlich)* adjoining, adjacent; 2. *(zeitlich)* subsequent, following, ensuing; *adv* 3. *(räumlich)* next to, adjacent to; 4. *(zeitlich)* subsequently

Anschluss ['anʃlus] *m* 1. connection; 2. *(fig: Bekanntschaft)* social contact, making friends; *Er findet leicht ~.* He makes friends easily.

anschmiegen ['anʃmiːgən] *v* cuddle up to, cling to

anschnallen ['anʃnalən] *v* 1. buckle; *sich ~* fasten one's seatbelt; 2. *(Skier)* put on

anschneiden ['anʃnaidən] *v irr* 1. *(schneiden)* cut; 2. *(fig: Thema)* bring up, raise, broach

Anschrift ['anʃrɪft] *f* address

anschwellen ['anʃvelən] *v irr* 1. *(anwachsen)* swell up, rise, increase; 2. MED swell, bulge

anschwemmen ['anʃvemən] *v* wash up

Anschwemmung ['anʃvemuŋ] *f* deposits

Ansehen ['anzeːən] *n* 1. *(Äußeres)* appearance; 2. *(Ruf)* reputation, *(Achtung)* prestige

ansehen ['anzeːən] *v irr* 1. look at; *sich etw ~* look at sth; 2. *Man sieht ihm an, dass ...* You can see that he ...

ansehnlich ['anzeːnlɪç] *adj* 1. *(fig)* considerable, respectable; 2. presentable, good-looking

ansetzen ['anzetsən] *v* 1. *Fett ~* grow fat; 2. *jdn auf eine Person ~* put s.o. on a person; 3. *(festlegen)* set

Ansicht ['anzɪçt] *f* 1. *(Meinung)* opinion, view; *der ~ sein, dass ...* to be of the opinion that ... 2. *(Aussicht)* view, sight

Ansichtskarte ['anzɪçtskartə] *f* postcard

Ansichtssache ['anzɪçtszaxə] *f* matter of opinion

ansiedeln ['anziːdəln] *v* settle

Ansiedlung ['anziːdluŋ] *f* settlement

Ansinnen ['anzɪnən] *n* 1. *(Bitte)* request; 2. *(Idee)* idea

ansonsten [an'zɔnstən] *adv* otherwise

anspannen ['anʃpanən] *v* 1. *(Kräfte)* strain; 2. *(Pferd)* harness

Anspannung ['anʃpanuŋ] *f* strain, tension, stress

anspielen ['anʃpiːlən] *v* 1. *auf etw ~* allude to sth; 2. *jdn ~* SPORT pass to s.o.

Anspielung ['anʃpiːluŋ] *f* insinuation, hint, allusion

anspornen ['anʃpɔrnən] *v* encourage, incite, stimulate

Ansprache ['anʃpraːxə] *f* speech, address

ansprechbar ['anʃprɛçbaːr] *adj* 1. *(gut gelaunt)* in a good mood; 2. *(Patient)* responsive

ansprechen ['anʃprɛçən] *v irr* 1. *(reagieren)* react to, respond to; 2. speak to, address;

3. *(bedrängen)* accost; 4. *(fig: gefallen)* appeal to

ansprechend ['anʃprɛçənt] *adj* appealing

Ansprechpartner(in) ['anʃprɛçpartnər(ɪn)] *m/f* contact person

Anspruch ['anʃprux] *m* claim, demand, expectation; *etw in ~ nehmen* claim sth

anspruchslos ['anʃpruxsloːs] *adj* unassuming

anspruchsvoll ['anʃpruxsfɔl] *adj* demanding, exacting, fastidious

anstacheln ['anʃtaxəln] *v* 1. *(antreiben)* stimulate; 2. *(provozieren)* provoke

Anstalt ['anʃtalt] *f* institution

Anstand ['anʃtant] *m* 1. *(Bedenken)* objection; 2. manners, decency, good behaviour

anständig ['anʃtɛndɪç] *adj* proper, decent

anstandshalber ['anʃtantshalbər] *adv* for decency's sake, out of politeness

anstandslos ['anʃtantsloːs] *adv* unhesitatingly, readily

anstarren ['anʃtarən] *v* stare at, glare at

anstatt [an'ʃtat] *prep* 1. instead of; *konj* 2. instead of

anstecken ['anʃtɛkən] *v* 1. *(Brosche)* fasten, pin on; 2. *(anzünden)* set on fire, *(Zigarette)* light; 3. MED infect; *sich mit etw ~* to catch sth

ansteckend ['anʃtɛkənt] *adj* MED infectious, contagious

Anstecknadel ['anʃtɛknaːdəl] *f* pin

Ansteckung ['anʃtɛkuŋ] *f* MED infection

anstehen ['anʃteːən] *v irr* 1. *(bevorstehen)* to be impending; 2. *(Schlange stehen)* queue *(UK)*, stand in line, line up

ansteigen ['anʃtaigən] *v irr* 1. go up, increase, rise; 2. *(Weg)* ascend

anstelle [an'ʃtɛlə] *prep* instead of

anstellen ['anʃtɛlən] *v* 1. *(einschalten)* turn on, switch on; 2. *(beschäftigen)* hire, employ, take on; 3. *sich ~* queue *(UK)*, line up, stand in line; 4. *(unternehmen)* do

Anstellung ['anʃtɛluŋ] *f* 1. *(Einstellung)* employment, engagement, hiring; 2. *(Stellung)* job, position, post

Anstieg ['anʃtiːk] *m* 1. *(Steigung)* ascent; 2. *(Erhöhung)* increase, rise

anstiften ['anʃtɪftən] *v* cause, bring about, instigate

Anstiftung ['anʃtɪftuŋ] *f* 1. encouragement; 2. JUR inducement

Anstoß ['anʃtoːs] *m* 1. *(Anregung)* impulse, inducement, initiative; 2. *(Skandal)* offence, scandal; 3. SPORT kick-off

anstoßen ['anʃtoːsən] *v irr 1. (stoßen)* push, bump, nudge; *sich das Knie ~ an* bump one's knee against; 2. *(zuprosten)* toast, drink a toast; 3. *(in Bewegung setzen)* push

anstößig ['anʃtøːsɪç] *adj* indecent, improper

anstreichen ['anʃtraɪçən] *v irr 1. (bemalen)* paint, mark; 2. *(kennzeichnen)* mark

Anstreicher ['anʃtraɪçər] *m* painter

anstrengen ['anʃtrɛŋən] *v sich ~* make an effort, exert o.s.

anstrengend ['anʃtrɛŋənt] *adj* tiring, exhausting, arduous

Anstrengung ['anʃtrɛŋuŋ] *f* exertion, effort, strain

Ansturm ['anʃturm] *m* onslaught, onset, attack

anstürmen ['anʃtyrmən] *v* attack, assault

Antarktis [ant'arktɪs] *f GEO* Antarctic

Anteil ['antaɪl] *m 1.* share, portion, proportion; 2. *ECO* interest

anteilig ['antaɪlɪç] *adj* proportionate

Anteilnahme ['antaɪlnaːmə] *f* sympathy, concern

Antenne [an'tɛnə] *f TECH* antenna, aerial

Antialkoholiker [antialko'hoːlɪkər] *m* teetotaller

antiautoritär [antiautori'tɛːr] *adj* antiauthoritarian

Antibabypille [anti'beːbipɪlə] *f MED* birth control pill

antibakteriell [antibakte'rjɛl] *adj MED* antibacterial

Antibiotikum [anti'bjoːtikum] *n MED* antibiotic

antik [an'tiːk] *adj 1.* antique; 2. *HIST* ancient

Antike [an'tiːkə] *f HIST* antiquity

Antikörper ['antikœrpər] *m BIO* antibodies

Antipathie [antipa'tiː] *f* antipathy

Antiquariat [antikva'rjaːt] *n 1.* secondhand bookshop; 2. *modernes ~* cut-outs *pl* (new books sold at a marked-down price)

antiquiert [anti'kviːrt] *adj* antiquated, obsolete

Antiquitäten [antikvi'tɛːtən] *pl* antiques

Antisemitismus [antizemi'tɪsmus] *m POL* anti-Semitism

Antisepsis [anti'zɛpsɪs] *f MED* antisepsis

antizipieren [antitsi'piːrən] *v* anticipate

Antlitz ['antlɪts] *n* face

Antrag ['antraːk] *m 1. (Gesuch)* application, request; 2. *(Vorschlag)* proposal, motion

antreffen ['antrɛfən] *v irr* find, meet, catch, come across

antreiben ['antraɪbən] *v irr 1.* urge on, stimulate; 2. *TECH* power, propel

antreten ['antreːtən] *v irr 1. (Stelle)* take up, assume; 2. *(Reise)* set out on, embark on

Antrieb ['antriːp] *m 1. TECH* traction, drive, driving; 2. *(fig)* motivation, impetus, incentive; *aus eigenem ~* of one's own accord

Antritt ['antrɪt] *m 1. (eines Amtes)* assumption of office; 2. *(Spurt) SPORT* burst of speed

Antrittsbesuch ['antrɪtsbəzuːx] *m POL* first visit, formal call

Antrittsrede ['antrɪtsreːdə] *f* inaugural speech

Antwort ['antvɔrt] *f* answer, reply

antworten ['antvɔrtən] *v* answer, reply

anvertrauen ['anfɛrtrauən] *v 1. jdm etw ~ (Sache)* entrust s.b. with sth; 2. *jdm etw ~ (Geheimnis)* confide sth to s.o.

anvisieren [anvi'ziːrən] *v* aim at, sight

anwachsen ['anvaksən] *v irr 1. (zunehmen)* grow, increase; 2. *(Wurzeln schlagen)* take root

anwählen ['anvɛːlən] *v* dial

Anwalt ['anvalt] *m* lawyer, solicitor, attorney *(US)*

Anwältin ['anvɛltɪn] *f* female lawyer, attorney

Anwandlung ['anvandluŋ] *f MED* fit, slight attack

Anwärter ['anvɛrtər] *m 1. (Amtsanwärter) POL* candidate; 2. *JUR* claimant

anweisen ['anvaɪzən] *v irr 1. (anordnen)* instruct, direct, order; 2. *FIN* remit, assign, transfer

Anweisung ['anvaɪzuŋ] *f 1. (Anordnung)* instruction, direction, order; 2. *FIN* transfer, remittance

anwendbar ['anvɛntbaːr] *adj* applicable, suitable

anwenden ['anvɛndən] *v irr* apply, use

Anwender(in) ['anvɛndər] *m/f 1.* client; 2. *INFORM* user

anwenderfreundlich ['anvɛndərfrɔyntlɪç] *adj* user-friendly

Anwenderprogramm ['anvɛndərproɡram] *n INFORM* user programme

Anwendung ['anvɛnduŋ] *f* use, application

anwerben ['anverbən] *v irr 1.* attract; 2. *MIL* recruit

Anwesen ['anveːzən] *n* property, estate

anwesend ['anveːzənt] *adj* present

Anwesende(r) ['anveːzəndə(r)] *m/f* person in attendance

Anwesenheit ['anveːzənhaɪt] *f* presence

anwidern ['anvi:dərn] v repel, disgust

Anwohner ['anvo:nər] m resident

Anzahl ['antsa:l] f number, quantity

anzahlen ['antsa:lən] v make a down payment on

Anzahlung ['antsa:luŋ] f down payment

anzapfen ['antsapfən] v tap

Anzeichen ['antsaiçən] n sign, indication, symptom

Anzeige ['antsaigə] f 1. (Annonce) advertisement; 2. JUR report, legal proceedings pl; gegen jdn ~ erstatten report s.o. to the authorities

anzeigen ['antsaigən] v 1. show, announce, advertise; 2. jdn ~ JUR press charges against s.o.

Anzeigetafel ['antsaigəta:fəl] f 1. indicator board; 2. SPORT scoreboard

anziehen ['antsi:ən] v irr 1. (Kleidung) put on; 2. (Schraube) TECH tighten, screw in; 3. (fig) attract, interest

anziehend ['antsi:ənt] adj attractive, appealing

Anziehung ['antsi:uŋ] f attraction, appeal

Anzug ['antsu:k] m 1. suit; 2. (Anrücken) approach, advance

anzüglich ['antsy:kliç] adj personal, pointed

Anzüglichkeit ['antsy:kliçkait] f overly personal remark

anzünden ['antsyndən] v light, ignite, set alight; etw ~ set fire to sth

anzweifeln ['antsvaifəln] v doubt, question, call in question

apart [a'part] adj distinctive, unusual, striking

apathisch [a'pa:tiʃ] adj apathetic, listless, indifferent

Aperitif [aperi'ti:f] m aperitif

Apfel ['apfəl] m apple; in den sauren ~ beißen müssen swallow the pill

Apfelsaft ['apfəlzaft] m apple juice

Apfelsine [apfəl'zi:nə] f orange

Aphorismus [afo'rismus] m LIT aphorism

Apokalypse [apoka'lypsə] f REL apocalypse

apokalyptisch [apoka'lyptiʃ] adj REL apocalyptic

Apostel [a'pɔstəl] m apostle

Apostroph [apɔ'stro:f] m apostrophe

Apotheke [apo'te:kə] f chemist's shop (UK), pharmacy (US)

Apotheker(in) [apo'te:kər(in)] m/f chemist, pharmacist

Appalachen [apa'laxən] pl GEO Appalachian Mountains

Apparat [apa'ra:t] m 1. machine, device, instrument; 2. (Telefon) phone; Am ~! Speaking! This is he! This is she!

Apparatur [apara'tu:r] f TECH apparatus

Appartement [apart'mã:] n flat, apartment (US)

Appell [a'pɛl] m MIL roll-call, inspection

appellieren [apɛ'li:rən] v ~ an appeal to

Appetit [ape'ti:t] m appetite

appetitanregend [ape'ti:tanre:gənt] adj appetizing, mouth-watering

appetitlich [ape'ti:tliç] adj appetizing

Appetitlosigkeit [ape'ti:tlo:ziçkait] f lack of appetite

applaudieren [aplau'di:rən] v applaud

Applaus [a'plaus] m applause

Aprikose [apri'ko:zə] f apricot

April [a'pril] m April

apropos [apro'po:] adv by the way

Aquaplaning [akva'pla:niŋ] n hydroplaning, aquaplaning

Aquarell [akva'rɛl] n ART watercolour

Aquarium [a'kva:rjum] n aquarium

Äquator [ɛ'kva:tɔr] m GEO equator

äquivalent [ɛkviva'lɛnt] adj equivalent

Äquivalent [ɛkviva'lɛnt] n equivalent

Ära ['ɛ:ra] f era

Araber ['arabər] m Arab

Arabien [a'ra:bjən] n GEO Arabia

arabisch [a'ra:biʃ] adj Arabian

Arbeit ['arbait] f 1. work, labour; 2. (Berufstätigkeit) employment

arbeiten ['arbaitən] v work, labour

Arbeiter(in) ['arbaitər(in)] m/f worker, employee, labourer

Arbeitgeber(in) [arbait'ge:bər(in)] m/f employer

Arbeitnehmer(in) [arbait'ne:mər(in)] m/f employee, worker

Arbeitsamt ['arbaitsamt] n employment office, labour exchange

Arbeitsbeschaffungsmaßnahme [arbaitsbə'ʃafuŋsma:sna:mə] f POL job-creating measure

Arbeitsgericht ['arbaitsgəriçt] n JUR industrial tribunal

Arbeitskraft ['arbaitskraft] f 1. (Person) worker; 2. (Fähigkeit) working capacity

arbeitslos ['arbaitslo:s] adj unemployed, jobless, out of work

Arbeitslose(r) ['arbaitslo:zə(r)] m/f ECO unemployed person

Arbeitslosenrate ['arbaıtslo:zənra:tə] f unemployment rate
Arbeitslosigkeit ['arbaıtslo:zıçkaıt] f unemployment
Arbeitsmarkt ['arbaıtsmarkt] m job market
Arbeitsplatz ['arbaıtsplats] m 1. job, position; 2. (Arbeitsstätte) place of work
Arbeitsspeicher ['arbaıtsʃpaıçər] m INFORM main memory
Arbeitssuche ['arbaıtszu:xə] f ECO looking for work, job search
Arbeitstag ['arbaıtsta:k] m workday, working day
arbeitsunfähig ['arbaıtsunfe:ıç] adj unable to work, disabled, unfit for work
Arbeitszeit ['arbaıttsaıt] f working hours
Arbeitszimmer ['arbaıtstsımər] n study, workroom
archaisch [ar'ça:ıʃ] adj archaic
Archäologe [arçeo'lo:gə] m archaeologist
Arche ['arçə] f ark
Archipel [arçi'pe:l] m GEO archipelago
Architekt(in) [arçi'tɛkt(ın)] m/f architect
Architektur [arçitɛk'tu:r] f architecture
Archiv [ar'çi:f] n archive
Areal [are'a:l] n area
Arena [a're:na] f HIST arena
arg [arg] adj 1. bad, terrible; adv 2. (fam: sehr) terribly, awfully
Ärger ['ɛrgər] m aggravation, annoyance, anger
ärgerlich ['ɛrgərlıç] adj angry, irritated, aggravated
ärgern ['ɛrgərn] v 1. annoy, irritate, make angry; 2. sich ~ to be annoyed, to be angry
Ärgernis ['ɛrgərnıs] n nuisance, worry
Arglist ['arglıst] f malice
arglistig ['arglıstıç] adj crafty, cunning
arglos ['arglo:s] adj guileless, harmless
Argument [argu'mɛnt] n argument, contention
argumentieren [argumɛn'ti:rən] v argue, reason
Argwohn ['arkvo:n] m suspicion, mistrust
argwöhnen ['arkvø:nən] v suspect, to be suspicious of
argwöhnisch ['arkvø:nıʃ] adj suspicious
Arie ['a:rjə] f MUS aria
Aristokrat [aristo'kra:t] m aristocrat
Aristokratie [aristokra'ti:] f aristocracy
arithmetisch [arıt'me:tıʃ] adj MATH arithmetical
Arkade [ar'ka:də] f ARCH arcade

Arktis ['arktıs] f GEO Arctic
arm [arm] adj poor
Arm [arm] m arm; jdn auf den ~ nehmen pull s.o.'s leg; jdm in die ~e laufen bump into s.o. einen langen ~ haben (fig) have a lot of pull; jdm unter die ~e greifen (fig) help s.o. out
Armband ['armbant] n 1. bracelet; 2. (für die Uhr) strap
Armbanduhr ['armbantu:r] f wristwatch
Armbrust ['armbrust] f crossbow
Armee [ar'me:] f MIL army
Ärmel ['ɛrməl] m sleeve; etw aus dem ~ schütteln (fig) pull sth out of thin air
Ärmelkanal ['ɛrməlkana:l] m GEO English Channel
ärmellos ['ɛrməllo:s] adj sleeveless
Armenviertel ['armənfırtəl] n poor neighbourhood
Armlehne ['armle:nə] f armrest
Armleuchter ['armlɔyçtər] m 1. candelabrum; 2. (als Schimpfwort) ass
ärmlich ['ɛrmlıç] adj poor, meagre, humble, (Kleidung, Wohnung) shabby
armselig ['armze:lıç] adj poor, miserable
Armseligkeit ['armze:lıçkaıt] f wretchedness
Armut ['armu:t] f poverty, destitution
Arnika ['arnika] f BOT arnica
Aroma [a'ro:ma] n 1. aroma; 2. (Geschmack) flavour; 3. (Geruch) fragrance
aromatisch [aro'ma:tıʃ] adj aromatic
Arrangement [arãʒ'mã:] n arrangement
arrangieren [arã'ʒi:rən] v arrange
Arrest [a'rɛst] m detention
arrogant [aro'gant] adj arrogant
Arroganz [aro'gants] f arrogance
Arsch [arʃ] m (fam) arse (UK), ass (US)
Arsen [ar'ze:n] n CHEM arsenic
Arsenal [arze'na:l] n MIL arsenal
Art [a:rt] f 1. kind, way, manner; 2. ZOOL species; aus der ~ schlagen (fig) take after nobody in the family
Arterie [ar'te:rjə] f ANAT artery
artgerecht ['a:rtgəreçt] adj ZOOL characteristic of the species
Arthrose [ar'tro:zə] f MED arthritis
artig ['artıç] adj good, well-behaved
Artikel [ar'tıkəl] m 1. (Bericht) article; 2. GRAMM article; 3. ECO product, good
Artikulation [artıkula'tsjo:n] f LING articulation
artikulieren [artıku'li:rən] v articulate
Artillerie [artılə'ri:] f MIL artillery
Artischocke [arti'ʃɔkə] f BOT artichoke

Artist(in) [ar'tɪst(ɪn)] *m/f* acrobat, circus performer

artistisch [ar'tɪstɪʃ] *adj* artistic, acrobatic

Arznei [a:rts'naɪ] *f* medicine

Arzt [artst] *m* doctor, physician

Ärztin ['ɛːrtstɪn] *f* (female) doctor

As [as] *n* ace

Asbest [as'bɛst] *m* MIN asbestos

aschblond ['aʃblɔnt] *adj* ash-blond

Asche ['aʃə] *f* 1. ash, cinders; 2. *(sterbliche Überreste)* ashes

Äsche ['ɛʃə] *f* ZOOL ash

Aschenbecher ['aʃənbeçər] *m* ashtray

Aschermittwoch [aʃər'mɪtvɔx] *m* Ash Wednesday

aschfahl ['aʃ'fa:l] *adj* ashen

Asiat(in) [azi'a:t(ɪn)] *m/f* Asian

asiatisch [azi'a:tɪʃ] *adj* Asian

Asien ['a:zjən] *n* GEO Asia

Askese [as'ke:zə] *f* REL asceticism

Asket [as'ke:t] *m* REL ascetic

asketisch [as'ke:tɪʃ] *adj* ascetic

asozial ['a:zotsja:l] *adj* antisocial

Aspekt [as'pɛkt] *m* aspect, point of view

Asphalt [as'falt] *m* asphalt, tarmac

Aspirant(in) [aspi'rant(ɪn)] *m/f* candidate

Assimilation [asimila'tsjo:n] *f* assimilation

assimilieren [asimi'li:rən] *v* assimilate

Assistent(in) [asɪs'tɛnt(ɪn)] *m/f* assistant

Assistenzarzt/Assistenzärztin [asɪs-'tɛntsartst/asɪs'tɛntsɛːrtstɪn] *m/f* MED assistant physician

assistieren [asɪs'ti:rən] *v* assist, aid

Assoziation [asotsja'tsjo:n] *f* association

assoziieren [asotsi'i:rən] *v* associate

Ast [ast] *m* limb, branch; *den ~ absägen, auf dem man sitzt* bite the hand that feeds you; *sich einen ~ lachen* to be in stiches; *auf dem absteigenden ~ sein* to be going downhill

Aster ['astər] *f* BOT aster

Astgabel ['astga:bəl] *f* fork of a branch

Ästhet(in) [ɛs'te:t(ɪn)] *m/f* aesthete

ästhetisch [ɛs'te:tɪʃ] *adj* aesthetic, aesthetical

Asthma ['astma] *n* MED asthma

Astrologie [astro'gi:] *f* astrology

Astronaut(in) [astro'naut(ɪn)] *m/f* astronaut

Astronom [astro'no:m] *m* astronomer

Astronomie [astrono'mi:] *f* astronomy

astronomisch [astro'no:mɪʃ] *adj* 1. astronomical; 2. *(fig: Zahl)* astronomical, enormous

Asyl [a'zy:l] *n* asylum, refuge

Asylant [azy'lant] *m* person having political asylum

Asylbewerber(in) [a'zy:lbəvɛrbər(ɪn)] *m/f* person seeking political asylum

asymmetrisch ['azyme:trɪʃ] *adj* 1. asymmetrical; 2. dissymmetrical

Aszendent [astsɛn'dɛnt] *m* ascendant

Atelier [atəl'je:] *n* studio, atelier

Atem ['a:təm] *m* 1. breath; 2. *(Atmen)* breathing; *den ~ anhalten* hold one's breath; *jdm den ~ verschlagen* take s.o.'s breath away

atemberaubend ['a:təmbəraubənt] *adj* breathtaking

atemlos ['a:təmlo:s] *adj* breathless

Atempause ['a:təmpauzə] *f* pause to catch one's breath, breather

Atemwege ['a:təmve:gə] *pl* ANAT respiratory tract

Äthanol [ɛta'no:l] *n* CHEM ethanol, ethyl alcohol

Atheismus [ate'ɪsmus] *m* atheism

Äther ['ɛːtər] *m* MED ether

ätherisch [ɛ'te:rɪʃ] *adj* 1. CHEM etheric; 2. *~e Öle* essential oils

Äthiopien [ɛ'tio:pjən] *n* GEO Ethiopia

Äthiopier(in) [ɛ'tio:pjər(ɪn)] *m/f* Ethiopian

Athlet [at'le:t] *m* athlete

athletisch [at'le:tɪʃ] *adj* athletic

Atlantik [at'lantɪk] *m* GEO Atlantic

Atlas ['atlas] *m* atlas

atmen ['a:tmən] *v* breathe

Atmosphäre [atmos'fe:rə] *f* atmosphere

Atmung ['a:tmuŋ] *f* breathing, respiration

Atom [a'to:m] *n* PHYS atom

atomar [ato'ma:r] *adj* atomic, nuclear

Atombombe [a'to:mbɔmbə] *f* atom bomb, A-bomb

Atomkraft [a'to:mkraft] *f* nuclear power

Atomkraftwerk [a'to:mkraftvɛrk] *n* TECH nuclear power plant

Attachment [a'tætʃmənt] *n* INFORM attachment

Attacke [a'takə] *f* attack

Attentat [atən'ta:t] *n* assassination

Attentäter [atən'tɛ:tər] *m* 1. assassin; 2. *(bei gescheitertem Versuch)* would-be assassin

Attest [a'tɛst] *n* attestation, certificate

attestieren [atɛs'ti:rən] *v* attest, certify

Attraktion [atrak'tsjo:n] *f* attraction

attraktiv [atrak'ti:f] *adj* attractive

Attraktivität [atraktivi'tɛ:t] *f* attractiveness

Attrappe [a'trapə] *f* dummy

Attribut [atriˈbuːt] *n 1.* characteristic; *2. GRAMM* attribute
atypisch [ˈatyːpɪʃ] *adj* atypical
ätzen [ˈɛtsən] *v CHEM* corrode
ätzend [ˈɛtsənt] *adj 1.* caustic, corrosive; *2. (fam: furchtbar)* awful
Aubergine [obɛrˈʒiːnə] *f BOT* aubergine
auch [aux] *konj 1.* also, as well, too; *2. (sogar)* even; *adv 3. (tatsächlich)* So war das ~! That's how it was! *4. (verstärkend)* was ~ immer geschieht ... no matter what happens ... wie dem ~ sei be that as it may; Wenn ~! So what?
Audienz [auˈdjɛnts] *f POL* audience, hearing
audiovisuell [audjovizuˈɛl] *adj* audio-visual
auf [auf] *prep 1.* on, upon, onto; ~ Englisch in English; ~ die Universität gehen go to university; ~ diese Weise in this way; ~ einer Hochzeit at a wedding; ~ der Welt in the world; ~ meinem Zimmer in my room; ~ der Gitarre spielen play guitar; ~ jdn böse sein to be angry with s.o., to be angry at s.o. sich ~ etwas vorbereiten prepare for sth; *adv 2. (offen)* open; ~ sein to be open; *3. (nach oben)* up; ~ und ab up and down; *prep 4.* ~ eine Woche for a week; *5. von klein* ~ from childhood, since childhood (US); *adj 6. (wach)* up, awake
aufarbeiten [ˈaufarbaitən] *v 1. (Material)* refurbish; *2. (erledigen)* catch up on
Aufarbeitung [ˈaufarbaituŋ] *f 1.* catching up; *2. (von Material)* refurbishing
aufatmen [ˈaufaːtmən] *v* draw a deep breath; *erleichtert* ~ heave a sigh of relief
aufbahren [ˈaufbaːrən] *v* lay out in state
Aufbau [ˈaufbau] *m 1. (Anordnung)* structure; *2. (Struktur)* formation, construction
aufbauen [ˈaufbauən] *v 1. (montieren)* construct, build, erect; *2. (fig)* organize, structure; *etw auf etw* ~ base sth on sth
aufbauschen [ˈaufbauʃən] *v (fig)* exaggerate, overstate
aufbegehren [ˈaufbəgeːrən] *v* rebel, revolt
aufbekommen [ˈaufbəkɔmən] *v irr 1. etw* ~ *(öffnen können)* to be able to open sth, to get sth open; *2. Hausaufgaben* ~ to be assigned homework, get homework
aufbereiten [ˈaufbəraitən] *v* process, prepare, treat; *wieder* ~ reprocess
aufbewahren [ˈaufbəvaːrən] *v* keep, preserve, set aside
aufbinden [ˈaufbɪndən] *v irr 1. (Knoten öffnen)* unknot; *2. jdm einen Bären* ~ *(fig)* dupe s.o.

aufblähen [ˈaufblɛːən] *v 1. (Bauch)* swell; *2. (Frosch)* puff up; *3. (fig: prahlen)* boast
aufblasen [ˈaufblaːzən] *v irr* blow up, inflate
aufbleiben [ˈaufblaibən] *v irr* stay up
aufblicken [ˈaufblɪkən] *v* look up, raise one's eyes, glance up
aufblühen [ˈaufblyːən] *v* blossom, bloom
aufbrauchen [ˈaufbrauxən] *v* use up
aufbrechen [ˈaufbrɛçən] *v irr 1. (öffnen)* break open, force open; *2. (fig)* set off
Aufbruch [ˈaufbrux] *m* departure, start, setting out; *politischer* ~ fundamental change (in politics)
aufbürden [ˈaufbyrdən] *v jdm etw* ~ burden s.o. with sth
aufdecken [ˈaufdɛkən] *v 1. (bloßlegen)* expose, lay bare; *2. (fig: Geheimnis)* disclose, reveal, unveil
aufdrängen [ˈaufdrɛŋən] *v jdm etw* ~ force sth on s.o.
aufdrehen [ˈaufdreːən] *v 1. (öffnen)* turn on; *2. (Lautstärke)* turn up; *3. (aufziehen)* wind up; *4. (lockern)* loosen; *5. (aufdröseln)* unravel; *6. (aufrollen: Haar)* put in curlers; *(Schnurrbart)* turn up; *7. (lebhaft werden)* get going
aufdringlich [ˈaufdrɪŋlɪç] *adj* obtrusive, pushy, importunate
Aufdringlichkeit [ˈaufdrɪŋlɪçkait] *f* intrusion
Aufdruck [ˈaufdruk] *m* imprint, print
aufeinander [aufainˈandər] *adv 1. (örtlich)* one on top of the other; ~ legen pile up; ~ treffen meet; *2. (zeitlich)* one after the other; ~ folgen follow one another, follow in succession
Aufenthalt [ˈaufɛnthalt] *m 1.* stay; *2. (Ort)* residence; *3. (des Zuges)* stop
Aufenthaltsgenehmigung [ˈaufɛnthaltsgənɛːmiguŋ] *f* residence permit
Aufenthaltsraum [ˈaufɛnthaltsraum] *m* lounge
auferlegen [ˈauferleːgən] *v jdm etw* ~ impose sth on s.o.
Auferstehung [ˈauferʃteːuŋ] *f REL* resurrection
auffahren [ˈauffaːrən] *v irr 1. (vorfahren)* drive up; *2. auf etw* ~ drive onto sth; *3. auf etw* ~ *(gegen etw stoßen)* run into sth; *4. dicht* ~ tailgate *(fam)*; *5. (aufbrausen)* flare up; *6. aus dem Schlaf* ~ awake with a start
Auffahrt [ˈauffaːrt] *f 1. (zu einem Haus)* drive, driveway (US); *2. (zur Autobahn)* approach, access road, freeway entrance (US)
auffallen [ˈauffalən] *v irr* to be noticeable

auffällig ['auffɛlɪç] *adj* 1. noticeable, conspicuous; 2. *(Kleider)* flashy

Auffälligkeit ['auffɛlɪçkaɪt] *f* conspicuousness

auffangen ['auffaŋən] *v irr* 1. catch; 2. *(fig)* einen Blick ~ catch s.o.'s eye

Auffassung ['auffasuŋ] *f* opinion, view

Auffassungsgabe ['auffasuŋsgabə] *f* ability to grasp concepts, intelligence

auffordern ['auffɔrdərn] *v* invite, ask, request

Aufforderung ['auffɔrdəruŋ] *f* invitation, request

aufforsten ['auffɔrstən] *v* reforest

auffressen ['auffrɛsən] *v irr* eat up

auffrischen ['auffrɪʃən] *v* 1. freshen up; 2. *(Kenntnisse)* brush up on

aufführen ['auffy:rən] *v* THEAT perform

Aufführung ['auffy:ruŋ] *f* THEAT performance, production

auffüllen ['auffʏlən] *v* refill, replenish

Aufgabe ['aufga:bə] *f* 1. *(Arbeit)* task, assignment, responsibility; *mit einer ~ betraut sein* to be charged with a task; 2. *(Arbeit)* MIL mission; 3. *(Verzicht)* giving up, abandonment; 4. *(Verzicht)* MIL surrender; 5. *(Versand)* dispatch, posting, mailing *(US)*

Aufgabenbereich ['aufga:bənbəraɪç] *m* area of responsibility

Aufgang ['aufgaŋ] *m* 1. rising, ascent; 2. *(Treppe)* stairs

aufgeben ['aufge:bən] *v irr* 1. *(versenden)* post, mail *(US)*, dispatch; 2. *(verzichten)* give up, abandon; 3. *(beauftragen)* assign

Aufgeblasenheit ['aufgəbla:zənhaɪt] *f* *(fig: Überheblichkeit)* arrogance, conceit

Aufgebot ['aufgəbo:t] *n* 1. *(Anzahl)* array, mass; 2. *(von Menschen)* contingent; 3. *(Eheaufgebot)* banns of marriage

aufgebracht ['aufgəbraxt] *adj* angry

aufgedreht ['aufgədre:t] *adj* 1. *(Lautstärke)* at full volume; 2. *(fig: Mensch)* in high spirits

aufgedunsen ['aufgədunzən] *adj* bloated

aufgehen ['aufge:ən] *v irr* 1. open, burst open; 2. *(Teig)* rise; 3. *(Sonne)* rise; 4. *~ wie eine Dampfnudel* pile on weight

aufgeklärt ['aufgəklɛ:rt] *adj* 1. *(informiert)* well-informed; 2. *(sexuell)* knowing the facts of life

Aufgeklärtheit ['aufgəklɛrthaɪt] *f* enlightenment

aufgeregt ['aufgəre:kt] *adj* excited, nervous

Aufgeregtheit ['aufgəre:kthaɪt] *f* excitedness, nervousness

aufgeschlossen ['aufgəʃlosən] *adj* *(fig: Person)* open-minded, broad-minded

Aufgeschlossenheit ['aufgəʃlosənhaɪt] *f* open-mindedness

aufgeweckt ['aufgəvɛkt] *adj* bright

aufgreifen ['aufgraɪfən] *v irr* pick up

aufgrund [auf'grunt] *prep* because of, on the basis of, by virtue of

aufhalten ['aufhaltən] *v irr* 1. *(Tür)* hold open, keep open; *seine Hand ~ (fig)* hold out one's hand *(fig)*; 2. *(jdn ~)* detain, delay, keep; 3. *sich ~ (an einem Ort)* live in, reside in, *(vorübergehend)* to be in

aufhängen ['aufhɛŋən] *v* 1. *sich ~* hang o.s. 2. hang up, suspend

Aufhänger ['aufhɛŋər] *m* 1. hook, hanger; 2. *(fig)* hook

aufheben ['aufhe:bən] *v irr* 1. *(beenden)* cancel, stop, do away with; 2. *(aufbewahren)* save, keep, reserve; 3. *(vom Boden)* pick up, lift up

Aufhebung ['aufhe:buŋ] *f* 1. abolition, repeal; 2. *(Versammlung)* dissolution; 3. ECO cancellation

aufheitern ['aufhaɪtərn] *v* cheer up, brighten up, encourage

Aufheiterung ['aufhaɪtəruŋ] *f* 1. *(eines Menschen)* cheering up; 2. *(des Wetters)* clearing up

aufhellen ['aufhɛlən] *v* 1. brighten, light up; 2. *(fig: klären)* shed light on

aufhetzen ['aufhɛtsən] *v* incite, instigate

aufheulen ['aufhɔylən] *v* 1. *(vor Schmerz)* cry; 2. *(Motor)* TECH roar

aufholen ['aufho:lən] *v* 1. catch up; 2. *(Zeit)* make up (time)

aufhören ['aufhø:rən] *v* stop, end; *Hör auf damit!* Stop it!

aufklären ['aufklɛ:rən] *v* clear up, enlighten, inform

Aufklärung ['aufklɛ:ruŋ] *f* 1. explanation; *sexuelle ~* sex education; 2. HIST Enlightenment; 3. MIL reconnaissance

aufkleben ['aufkle:bən] *v* stick on

Aufkleber ['aufkle:bər] *m* sticker

aufkommen ['aufkɔmən] *v irr* 1. *(heraufziehen)* rise, get up; 2. *(entstehen)* arise, come into use

aufladen ['aufla:dən] *v irr* 1. *(beladen)* load; 2. *(fig: aufbürden)* burden; 3. *(Batterie)* TECH charge

Auflage ['aufla:gə] *f* 1. *(Buch)* edition; 2. *(Bedingung)* condition

auflauern ['aoflaoərn] *v jdm ~* lie in wait for s.o., *(angreifen)* waylay s.o.

Auflauf ['aoflaof] *m* 1. *(Menschen)* crowd, commotion; 2. GAST soufflé

auflehnen ['aofle:nən] *v* 1. *die Arme ~* lean one's arms (on sth); 2. *sich ~ (fig)* rebel

Auflehnung ['aofle:noŋ] *f* rebellion

auflesen ['aofle:zən] *v irr* pick up *(fig)*, gather, collect

auflisten ['aoflistən] *v* list

auflockern ['aoflɔkərn] *v* 1. loosen up; 2. *(entspannen)* make more relaxed

Auflockerung ['aoflɔkəroŋ] *f* ease, relaxation

auflösen ['aoflø:zən] *v* 1. *(Pulver)* dissolve; 2. *(Geschäft)* ECO liquidate, dissolve

Auflösung ['aoflø:zoŋ] *f* 1. *(Rätsel)* solution; 2. *(Geschäft)* ECO dissolution

aufmachen ['aofmaxən] *v* open, undo

Aufmachung ['aofmaxoŋ] *f* 1. *(Kleidung)* get-up, outfit; 2. *(einer Zeitschrift)* layout

aufmerksam ['aofmɛrkza:m] *adj* attentive, observant

Aufmerksamkeit ['aofmɛrkza:mkaɪt] *f* 1. *(Vorsicht)* attentiveness, attention; *die ~ auf sich ziehen* attract attention; *die ~ lenken auf* call attention to; 2. *(Geschenk)* little present

aufmuntern ['aofmontərn] *v* cheer up

Aufmunterung ['aofmontəroŋ] *f* encouragement

aufmüpfig ['aofmypfiç] *adj* rebellious

Aufnahme ['aofna:mə] *f* 1. *(Empfang)* reception, welcome; 2. *(in eine Organisation)* admission, admittance; 3. *(Nahrung)* intake; 4. FOTO exposure, photograph, shot; 5. CINE shot

aufnehmen ['aofne:mən] *v irr* 1. *(empfangen)* receive; 2. *(beginnen)* enter into, take up, embark on; 3. *(fotografieren)* take a picture of, photograph; 4. *(fassen)* take in, assimilate, absorb; 5. *es mit jdm ~* challenge s.o.

aufopfern ['aofɔpfərn] *v sich ~* sacrifice o.s.

aufopferungsvoll ['aofɔpfəroŋsfɔl] *adj* self-sacrificing, dedicated

aufpassen ['aofpasən] *v* pay attention, look out, take care; *Pass auf dich auf!* Take care of yourself!

Aufpasser(in) ['aofpasər(ɪn)] *m/f* 1. *(Beaufsichtigende(r))* watchdog; 2. *(Beobachter(in))* spy

Aufprall ['aofpral] *m* impact

aufprallen ['aofpralən] *v ~ auf* 1. *(Ball)* bounce against; 2. *(Auto)* collide with; 3. *(zerschmettern)* smash against

aufpumpen ['aofpompən] *v* pump up, inflate

aufräumen ['aofrɔymən] *v* clean up, tidy up, clear up

aufrecht ['aofrɛçt] *adj* upright, erect

aufrechterhalten ['aofrɛçtɛrhaltən] *v irr* maintain, uphold, keep up

aufregen ['aofre:gən] *v* 1. *jdn ~* excite s.o., get on s.o.'s nerves; 2. *sich ~* get upset, get worked up, become agitated

aufregend ['aofre:gənt] *adj* exciting

Aufregung ['aofre:goŋ] *f* excitement

aufreibend ['aofraɪbənt] *adj* exhausting

aufreißen ['aofraɪsən] *v irr* 1. tear open, rip open; 2. *(Tür)* throw open; 3. *(Mund, Augen)* open wide; 4. *(fam: Mädchen)* pick up

aufreizend ['aofraɪtsənt] *adj* provocative

aufrichten ['aofrɪçtən] *v* 1. *(hochstellen)* set upright, raise, erect; 2. *(fig)* comfort, console, cheer up

aufrichtig ['aofrɪçtɪç] *adj* honest, sincere

Aufrichtigkeit ['aofrɪçtɪçkaɪt] *f* honesty, sincerity

aufrücken ['aofrykən] *v* move up, advance

Aufruf ['aofru:f] *m* summons, challenge

aufrufen ['aofru:fən] *v irr* 1. *(Zeugen)* summon; 2. *(Namen)* call; 3. INFORM call up

Aufruhr ['aofru:r] *m* 1. POL riot, revolt; 2. *(Tumult)* commotion

aufrührerisch ['aofry:rərɪʃ] *adj* seditious, rebellious

aufrüsten ['aofrystən] *v* POL rearm, arm

Aufrüstung ['aofrystoŋ] *f* POL rearmament, armament

aufsässig ['aofzɛsɪç] *adj* rebellious, *(Kind)* obstreperous

Aufsatz ['aofzats] *m* 1. *(Abhandlung)* essay, composition; 2. *(oberer Teil)* top

aufschauen ['aofʃaoən] *v* 1. glance up, look up; 2. *zu jdm ~* look up to s.o., admire s.o.

aufscheuchen ['aofʃɔyçən] *v* rouse, startle

aufschichten ['aofʃɪçtən] *v* pile up, stack up, build up

aufschieben ['aofʃi:bən] *v irr* 1. *(verschieben)* postpone, put off; 2. *(Tür)* push open

Aufschlag ['aofʃla:k] *m* 1. *(Kleidung)* cuff, *(Mantelaufschlag)* lapel, *(an der Hose)* turn-up; 2. *(beim Tennis)* SPORT serve; 3. *(Preisaufschlag)* ECO surcharge, extra charge

aufschließen ['aofʃli:sən] *v irr* 1. unlock; 2. *(fig)* reveal, disclose

aufschlussreich ['aofʃlusraɪç] *adj* instructive, revealing, illuminating

aufschneiden ['aʊfʃnaɪdən] v irr 1. (schneiden) cut open; 2. (fig: angeben) brag, exaggerate
Aufschneider ['aʊfʃnaɪdər] m braggart, boaster
Aufschrei ['aʊfʃraɪ] m outcry, scream, yell
aufschreiben ['aʊfʃraɪbən] v irr 1. write down, note; 2. (Polizei) book
Aufschrift ['aʊfʃrɪft] f inscription
Aufschub ['aʊfʃuːp] m postponement, delay
Aufschwung ['aʊfʃvʊŋ] m ECO recovery, boom, upswing
Aufsehen ['aʊfzeːən] n sensation, stir; ~ erregend sensational
Aufseher(in) ['aʊfzeːər(ɪn)] m/f 1. supervisor, inspector; 2. (eines Parkplatzes, eines Museums) attendant
Aufsicht ['aʊfzɪçt] f supervision
Aufsichtsbehörde ['aʊfzɪçtsbəhœrdə] f supervisory authority
Aufsichtspflicht ['aʊfzɪçtspflɪçt] f JUR responsibility
aufspalten ['aʊfʃpaltən] v split, break up
aufsperren ['aʊfʃpɛrən] v 1. open, unlock, throw open; 2. (Mund) open wide
aufspielen ['aʊfʃpiːlən] v sich ~ put on an act
aufspüren ['aʊfʃpyːrən] v track down
aufstacheln ['aʊfʃtaxəln] v egg on, incite
Aufstand ['aʊfʃtant] m rebellion, revolt, uprising
aufständisch ['aʊfʃtɛndɪʃ] adj rebellious
aufstehen ['aʊfʃteːən] v irr 1. get up, stand up; spät ~ get up late; 2. (sich empören) revolt
aufsteigen ['aʊfʃtaɪgən] v irr 1. climb; 2. (im Beruf) advance, to be promoted; 3. (Ballon) go up; 4. (aufs Pferd) mount
Aufsteiger ['aʊfʃtaɪgər] m 1. SPORT team promoted to a higher division; 2. (fig: Mensch) person who is moving up in the world
aufstellen ['aʊfʃtɛlən] v 1. (montieren) set up, mount, erect; 2. (Kandidaten) put forward, nominate; 3. (Mannschaft) set up
Aufstellung ['aʊfʃtɛlʊŋ] f 1. list; 2. (das Aufstellen) arrangement, drawing up
Aufstieg ['aʊfʃtiːk] m 1. (Entwicklung) rise, improvement; 2. (bei einem Berg) climb, ascent; 3. (Karriere) advancement, promotion
aufstoßen ['aʊfʃtoːsən] v 1. (öffnen) push open, fling open; 2. (rülpsen) burp, belch
aufstrebend ['aʊfʃtreːbənt] adj rising
aufstützen ['aʊfʃtʏtsən] v sich ~ support o.s., prop o.s. up

aufsuchen ['aʊfzuːxən] v jdn ~ look s.o. up, go to see s.o.
Auftakt ['aʊftakt] m beginning, prelude, initial phase
auftauchen ['aʊftaʊxən] v 1. surface; 2. (fig) appear, turn up
aufteilen ['aʊftaɪlən] v divide up
Aufteilung ['aʊftaɪlʊŋ] f division
Auftrag ['aʊftraːk] m 1. (Aufgabe) assignment, instruction, orders pl; 2. ECO order
auftragen ['aʊftraːgən] v irr 1. (Speisen) serve; 2. (beauftragen) instruct, direct, order; 3. (bestreichen) apply; 4. dick ~ lay it on thick
auftreiben ['aʊftraɪbən] v irr 1. (beschaffen) get hold of, hunt down, chase down; 2. (Staub) raise; 3. (aufblähen) bloat
auftreten ['aʊftreːtən] v irr 1. (erscheinen) appear; 2. THEAT appear, perform, enter
Auftrieb ['aʊftriːp] m jdm ~ geben give s.o. a lift
Auftritt ['aʊftrɪt] m 1. (Erscheinen) appearance; 2. THEAT entrance, performance
aufwachen ['aʊfvaxən] v wake up, awaken
aufwachsen ['aʊfvaksən] v irr grow up
Aufwand ['aʊfvant] m 1. (Einsatz) effort; 2. (Prunk) ostentatious splendour, extravagance; 3. (Kosten) ECO expense(s), cost, expenditure
aufwärmen ['aʊfvɛrmən] v 1. warm up, reheat; 2. (fig) revive, renew
aufwärts ['aʊfvɛrts] adv upward, up
Aufwärtsentwicklung ['aʊfvɛrtsɛntvɪklʊŋ] f upward trend
aufwecken ['aʊfvɛkən] v awake, waken
aufweichen ['aʊfvaɪçən] v 1. soften; 2. (im Wasser) soak
aufweisen ['aʊfvaɪzən] v irr show, exhibit
aufwendig ['aʊfvɛndɪç] adj expensive
aufwerten ['aʊfvɛrtən] v FIN revalue
Aufwertung ['aʊfveːrtʊŋ] f 1. upgrading; 2. (Währung) FIN revaluation
aufwiegeln ['aʊfviːgəln] v stir up, incite
Aufwind ['aʊfvɪnt] m 1. METEO upwind; 2. (fig) upswing
aufwirbeln ['aʊfvɪrbəln] v 1. whirl up; 2. (Staub) stir up
aufwühlen ['aʊfvyːlən] v dig up, agitate
aufzählen ['aʊftsɛːlən] v enumerate
Aufzählung ['aʊftsɛːlʊŋ] f list
aufzeigen ['aʊftsaɪgən] v show, indicate
aufziehen ['aʊftsiːən] v irr 1. (großziehen) bring up, raise, rear; 2. (Uhr) wind; 3. (öffnen) pull open, (Vorhang) draw, (Schleife) undo; 4. jdn ~ pull s.o.'s leg
Aufzucht ['aʊftsuxt] f ZOOL breeding

Aufzug ['auftsuːk] m 1. (Aufmachung) get-up, attire; 2. (Fahrstuhl) lift (UK), elevator (US)
aufzwingen ['auftsvɪŋən] v irr jdm etw ~ force sth on s.o.
Augapfel ['aukapfəl] m ANAT eyeball
Auge ['augə] n eye; unter vier ~n in private; aus den ~n, aus dem Sinn out of sight, out of mind; ein ~ zudrücken turn a blind eye on sth; ins ~ gehen go wrong; ~n machen gape; ein Dorn im ~ sein be a thorn in one's side; sich die ~n ausweinen cry one's eyes out; ein ~ auf jdn werfen make eyes at s.o. etw ins ~ fassen have an eye on sth; ins ~ stechen catch s.o.'s eye; die ~n vor etw verschließen shut one's eyes to sth; seinen ~n nicht trauen können not to be able to believe one's eyes; mit offenen ~n ins Unglück rennen rush headlong into disaster; jdm etw aufs ~ drücken load sth onto s.o. Das passt wie die Faust aufs ~. Isn't that just perfect!
Augenarzt ['augənartst] m ophthalmologist, eye doctor
Augenblick ['augənblɪk] m moment, instant; im ~ at the moment; ~ mal! Just a minute!
augenblicklich ['augənblɪklɪç] adj immediate, instantaneous
Augenbraue ['augənbrauə] f eyebrow
augenfällig ['augənfɛlɪç] adj eye-catching, obvious
Augenlid ['augənliːt] n eyelid
Augenmaß ['augənmaːs] n ein gutes ~ a good eye (for distances); nach ~ approximately
Augenoptiker ['augənɔptɪkər] m optician
augenscheinlich ['augənʃaɪnlɪç] adv apparently
Augenwimper ['augənvɪmpər] f ANAT eyelash
Augenwinkel ['augənvɪŋkəl] m corner of one's eye; Ich beobachtete ihn aus den ~n. I watched him out of the corner of my eye.
Augenwischerei ['augənvɪʃəraɪ] f (fig) minimization, playing down
Augenzeuge ['augəntsɔygə] m JUR eyewitness
Augenzwinkern ['augəntsvɪŋkərn] n wink
August [au'gust] m 1. (Monat) August; 2. dummer ~ clown
Auktion [auk'tsjoːn] f auction, open sale
Aula ['aula] f assembly hall
aus [aus] prep 1. out of, from; ~ welchem Grund? For what reason? ~ Spaß for fun; ~

Rache in revenge; Er hat es ~ Mitleid getan. He did it out of pity. 2. (Stoff, Material) made of; adv 3. out; von mir ~ as far as I'm concerned; 4. von dort ~ from there; vom Fenster ~ from the window; 5. (vorbei) over; v 6. ~ sein (zu Ende sein) to be over; 7. auf etw ~ to be keen on sth
ausarbeiten ['ausarbaɪtən] v 1. work out, develop; 2. (schriftlich niederlegen) draw up
ausatmen ['ausʔaːtmən] v breathe out
Ausbau ['ausbau] m 1. (eines Gebäudes) completion, extension; 2. (von Beziehungen) development, expansion, consolidation
ausbauen ['ausbauən] v 1. (Gebäude) extend, enlarge; 2. (Beziehungen) cultivate, improve; 3. (herausnehmen) remove
ausbessern ['ausbɛsərn] v 1. repair, mend; 2. (Fehler) correct; 3. (Gemälde) restore
Ausbeute ['ausbɔytə] f ECO yield, profit
ausbeuten ['ausbɔytən] v 1. exploit, take advantage of; 2. (Bodenschätze) work
Ausbeutung ['ausbɔytuŋ] f exploitation
ausbilden ['ausbɪldən] v train, teach
Ausbildung ['ausbɪlduŋ] f education
ausblasen ['ausblaːzən] v irr blow out
ausbleiben ['ausblaɪbən] v irr 1. (nicht eintreffen) not happen; 2. (nicht nach Hause kommen) stay out
ausbleichen ['ausblaɪçən] v bleach out
Ausblick ['ausblɪk] m outlook
ausbrechen ['ausbrɛçən] v irr 1. (herausbrechen) break out, burst out; 2. (entfliehen) break out, break loose; aus dem Gefängnis ~ break out of prison; 3. (plötzlich aufkommen) break out, erupt; in Tränen ~ burst into tears
Ausbrecher ['ausbrɛçər] m escapee
ausbreiten ['ausbraɪtən] v 1. (etw ~) spread out; 2. sich ~ spread; 3. sich ~ (erstrecken) extend; 4. sich ~ (sich breit machen) spread out
Ausbreitung ['ausbraɪtuŋ] f expansion
Ausbruch ['ausbrux] m 1. (Flucht) breakout, escape; 2. (plötzlicher Beginn) outbreak, eruption; 3. (Vulkan) eruption
Ausbuchtung ['ausbuxtuŋ] f bulge
Ausdauer ['ausdauər] f endurance
ausdauernd ['ausdauərnt] adj persevering, tenacious, enduring
ausdehnen ['ausdeːnən] v 1. (zeitlich) extend, prolong; 2. (örtlich) extend
Ausdehnung ['ausdeːnuŋ] f 1. (örtlich) extension, stretching; 2. (Umfang) expanse; 3. (zeitlich) extension, prolonging
ausdenken ['ausdɛŋkən] v irr 1. sich etw ~ (erfinden) invent; 2. sich ~ make up, contrive

Ausdruck ['ausdruk] *m 1. (Wort)* expression, term, phrase; *2. (Gesichtsausdruck)* facial expression; *3. (Druck)* print

ausdrücken ['ausdrykən] *v 1.* squeeze out, *(Früchte)* press; *2. (äußerlich zeigen)* convey; *3. (äußern)* express, put into words, articulate

ausdrücklich ['ausdryklıç] *adj* express, explicit, categorical

ausdruckslos ['ausdruksloːs] *adj* expressionless, blank, vacant

ausdrucksvoll ['ausdruksfɔl] *adj* expressive

Ausdrucksweise ['ausdruksvaızə] *f* way of expressing o.s., mode of expression

Ausdünstung ['ausdynstuŋ] *f* perspiration, evaporation

auseinander [ausaın'andər] *adv* apart; ~ *brechen* break in two, break apart; ~ *bringen* separate; *sich* ~ *entwickeln* develop in different directions; ~ *fallen* fall apart; ~ *gehen* go apart, separate, part; ~ *halten* keep apart, distinguish; *zwei Dinge* ~ *halten können* tell two things apart; ~ *nehmen* take apart, dismantle; ~ *reißen* tear apart; *(Streitende)* ~ *reißen* separate; *sich mit jdm* ~ *setzen* argue with s.o.; *sich mit etw* ~ *setzen* examine sth

Auseinandersetzung [ausaın'andərzetsuŋ] *f 1. (Streit)* argument, conflict; *2. (sich befassen mit)* examination

auserlesen ['ausɛrleːzən] *adj* select

auserwählt ['ausɛrvɛːlt] *adj* selected

ausfahren ['ausfaːrən] *v irr 1. (einen Ausflug machen)* go for a ride; *2. (Zeitung)* deliver; *3. (nach außen gleiten lassen)* TECH extend

Ausfahrt ['ausfaːrt] *f 1. (Ausgang, Autobahnausfahrt)* exit; *2. (Abfahrt)* departure; *3. (Spazierfahrt)* excursion

Ausfall ['ausfal] *m 1. (Störung)* breakdown, failure, stoppage; *2. (Haare)* hair loss

ausfallen ['ausfalən] *v irr 1. (von Haaren)* come out, fall out; *Ihm fallen die Haare aus.* He is losing his hair. *2. (nicht stattfinden)* to be cancelled, fail to take place; *3. (Maschine)* fail, break down

ausfallend ['ausfalənt] *adj* rude, abusive

ausfällig ['ausfɛlıç] *adj* insulting

Ausfertigung ['ausfɛrtıguŋ] *f 1. (das Ausfertigen)* drawing-up; *2. (Kopie)* copy

Ausflüchte ['ausflyçtə] *pl* subterfuge, excuses

Ausflug ['ausfluːk] *m* excursion, trip

Ausfluss ['ausflus] *m* MED discharge, outflow, effluence

ausfragen ['ausfraːgən] *v* interrogate, question

ausfressen ['ausfreːsən] *v irr (fam)* etw ~ do sth wrong

Ausfuhr ['ausfuːr] *f* ECO export

ausführen ['ausfyːrən] *v 1. (durchführen)* carry out, execute, implement; *2. (spazieren führen)* take out, take for a walk; *3.* ECO export

Ausfuhrgenehmigung ['ausfuːrgəneːmıguŋ] *f* ECO export permit

ausführlich ['ausfyːrlıç] *adj 1.* detailed, extensive, comprehensive; *adv 2.* in detail

Ausführlichkeit [aus'fyːrlıçkaıt] *f* detail, comprehensiveness

Ausführung ['ausfyːruŋ] *f 1. (Darlegung)* explanation; *2. (einer Aufgabe)* execution

Ausfuhrverbot ['ausfuːrfɛrboːt] *n* export ban

ausfüllen ['ausfylən] *v* fill out, fill in, complete

Ausgabe ['ausgaːbə] *f 1. (Geldausgabe)* expenditure, expense, spending; *2. (Gepäckausgabe)* baggage claim; *3. (Buchausgabe)* edition; *die neue ~ einer Zeitschrift* the latest issue of a magazine

Ausgang ['ausgaŋ] *m 1.* exit, way out; *2. (Ende)* ending, outcome

Ausgangspunkt ['ausgaŋspuŋkt] *m* starting point

ausgeben ['ausgeːbən] *v irr 1. (Geld)* spend; *2. (verteilen)* distribute; *3. (Aktien)* issue; *4. etw als etw ~* pass sth off as sth

ausgefallen ['ausgəfalən] *adj* unusual, odd, weird

ausgefeilt ['ausgəfaılt] *adj* polished

ausgefranst ['ausgəfranst] *adj* frayed

ausgeglichen ['ausgəglıçən] *adj 1.* balanced, even; *2. (seelisch ~)* level-headed

Ausgeglichenheit ['ausgəglıçənhaıt] *f 1.* balance, stability; *2. (eines Menschen)* level-headedness

ausgehen ['ausgeːən] *v irr 1. (weggehen)* have an evening out, go out; *2. (enden)* end, turn out; *3. (erlöschen)* go out; *4. von etw ~ (fig)* proceed on an assumption; *Wir gehen davon aus, dass ...* We will proceed on the assumption that ... *5. (Vorräte)* run out, run short

ausgeklügelt ['ausgəklyːgəlt] *adj* clever

ausgelassen ['ausgəlasən] *adj* merry, boisterous, jolly

ausgelastet ['ausgəlastət] *adj* fully occupied, working to capacity

ausgelaugt ['ausgəlaukt] *adj* worn-out

ausgeleiert ['ausgəlaıərt] *adj (fam)* worn-out

ausgenommen ['ausgənɔmən] *prep* with the exception of, except, except for

ausgeprägt ['ausgəprɛːkt] *adj* distinct, marked, distinctive
ausgeschlossen ['ausgəʃlɔsən] *adj* excluded; *Das ist ~.* That's out of the question.
ausgewachsen ['ausgəvaksən] *adj 1.* full-grown, fully grown; *2. (fig)* full-blown
ausgewogen ['ausgəvoːgən] *adj* well-balanced
ausgezeichnet ['ausgətsaiçnət] *adj* excellent, superb
ausgiebig ['ausgiːbiç] *adj* abundant
Ausgleich ['ausglaiç] *m* compensation, balancing, evening out
ausgleichen ['ausglaiçən] *v irr 1.* SPORT even the score, tie the game; *2. (fig)* even out, settle; *3.* ECO equalize, compensate, settle
ausgraben ['ausgraːbən] *v irr 1.* dig up; *2. (Altertümer)* excavate
Ausgrabung ['ausgraːbuŋ] *f* excavation
ausgrenzen ['ausgrɛntsən] *v 1. (begrenzen)* limit; *2. (isolieren)* exclusion, leave aside
Ausgrenzung ['ausgrɛntsuŋ] *f 1. (Begrenzung)* limitation; *2. (Isolation)* exclusion
Ausguss ['ausgus] *m 1.* spout, drain; *2. (Becken)* sink
aushalten ['aushaltən] *v irr* bear, endure, tolerate
aushandeln ['aushandəln] *v* negotiate
aushändigen ['aushɛndiɡən] *v* hand over
Aushang ['aushaŋ] *m* notice, poster
aushängen ['aushɛŋən] *v irr 1. (Anzeige)* to be posted; *2. (sth: Anzeige)* post; *3. (aus den Angeln heben)* unhinge
Aushängeschild ['aushɛŋəʃilt] *n 1.* sign; *2. (Reklame)* advertisement
ausharren ['ausharən] *v* persevere, hold out
ausheben ['aushɛːbən] *v irr 1. (Erde ~)* dig, uproot; *2.* MIL levy, raise; *3. (Tür)* unhinge
aushecken ['aushɛkən] *v* hatch, brew
aushelfen ['aushɛlfən] *v irr* help out
Aushilfe ['aushilfə] *f* help, aid, temporary assistance
Aushilfskraft ['aushilfskraft] *f* temporary worker
aushilfsweise ['aushilfsvaizə] *adv* to help out, temporarily
aushöhlen ['aushøːlən] *v 1. (hohl machen)* hollow out; *2. (untergraben)* undermine
aushorchen ['aushɔrçən] *v* sound out
auskennen ['auskɛnən] *v irr sich ~* know one's way around, *(fam)* know the ropes; *sich mit etw ~* have a thorough knowledge of sth
ausklammern ['ausklamərn] *v* exclude
Ausklang ['ausklaŋ] *m* end, finish, finale

ausklappen ['ausklapən] *v* fold out
ausklingen ['ausklɪŋən] *v irr* fade away
ausklügeln ['ausklyːgəln] *v* work out
auskommen ['auskɔmən] *v irr 1.* make do, manage; *Ich könnte ohne ihn ~.* I could do without him. *2. (vertragen)* get along; *mit jmd auskommen* get along with s.o.
Auskommen ['auskɔmən] *n* subsistence, livelihood, sufficient means
auskundschaften ['auskuntʃaftən] *v 1.* explore, scout; *2.* MIL spy out, reconnoitre
Auskunft ['auskunft] *f 1. (Information)* information, details, particulars; *2. (in einem Büro)* information desk; *3. (am Telefon)* Directory Enquiries *(UK)*, directory assistance *(US)*
auslachen ['auslaxən] *v* laugh at
ausladen ['auslaːdən] *v irr 1. (Gepäck)* unload; *2. (fam) jdn ~* uninvite s.o.
ausladend ['auslaːdənt] *adj (breit)* wide
Auslage ['auslaːgə] *f 1. (Schaufenster)* display, shop window; *2. (Geld)* expenditure
auslagern ['auslaːgərn] *v* ECO dislocate
Ausland ['auslant] *n im ~* abroad
Ausländer(in) ['auslɛndər(ɪn)] *m* foreigner, alien
Ausländerfeindlichkeit ['auslɛndərfaintliçkait] *f* xenophobia
ausländisch ['auslɛndiʃ] *adj* foreign
auslassen ['auslasən] *v irr 1. (unterlassen)* leave out, omit; *2. (Zorn ~)* work off, let out; *3. sich über etw ~* speak one's mind about sth
auslasten ['auslastən] *v 1.* utilize fully, make full use of; *2. (Maschine)* use to capacity
Auslastung ['auslastuŋ] *f* ECO utilization to capacity
auslaufen ['auslaufən] *v irr 1. (Flüssigkeit)* leak, run out, flow out; *2. (Schiff)* put out to sea, set sail, leave port
auslaugen ['auslaugən] *v 1.* wash out; *2. wie ausgelaugt sein (fam)* to be worn out
ausleben ['auslɛːbən] *v sich ~* live it up
ausleeren ['auslɛːrən] *v* empty, drain, pour out
auslegen ['auslɛːgən] *v 1. (Waren)* display; *2. (Geld)* lend; *3. (deuten)* interpret, explain
Auslegung ['auslɛːguŋ] *f* definition
ausleihen ['auslaiən] *v irr 1. jdm etw ~* lend sth to s.o. *2. sich etw ~* borrow sth
Auslese ['auslɛːzə] *f* selection
auslesen ['auslɛːzən] *v irr 1.* select, pick out, choose; *2. (Buch)* finish
Ausleseverfahren ['auslɛːzəfɛrfaːrən] *n* process of elimination, process of selection

ausliefern ['ausli:fərn] v deliver, hand over
Auslieferung ['ausli:fəruŋ] f delivery, handing over
auslöffeln ['auslœfəln] v 1. spoon out; 2. etw ~, was man sich eingebrockt hat face the music
auslösen ['auslø:zən] v 1. (loskaufen) redeem; 2. (in Gang setzen) release, trigger, set off; 3. (fig: verursachen) cause, produce
Auslöser ['auslø:zər] m FOTO shutter release
ausloten ['auslo:tən] v 1. NAUT sound; 2. (fig) sound out
ausmachen ['ausmaxən] v 1. (Feuer, Zigarette) put out; 2. (Licht) switch off, turn off; 3. (übereinkommen) agree, arrange; 4. (sich belaufen auf) amount to, come to; 5. (bedeuten) matter, make a difference; Macht es Ihnen etwas aus? Would you mind?
ausmalen ['ausma:lən] v 1. (bunt anmalen) paint; 2. (fig: sich vorstellen) imagine, picture
Ausmaß ['ausma:s] n extent, dimension
ausmerzen ['ausmertsən] v 1. (aussondern) cull; 2. (vernichten) kill; 3. (streichen) expunge
ausmisten ['ausmɪstən] v 1. clean out; 2. (fig) clear
Ausnahme ['ausna:mə] f exception
Ausnahmezustand ['ausna:mətsuʃtant] m state of emergency
ausnahmslos ['ausna:mslo:s] adj without exception
ausnahmsweise ['ausna:msvaizə] adv for once, by way of exception, exceptionally
ausnützen ['ausnytsən] v 1. (ausbeuten) exploit; 2. (gebrauchen) use
Ausnützung ['ausnytsuŋ] f exploitation
auspacken ['auspakən] v 1. unpack; 2. (alles sagen) talk, speak one's mind
auspeitschen ['auspaitʃən] v whip, flog
ausplaudern ['ausplaudərn] v give away
ausplündern ['ausplyndərn] v plunder
auspolstern ['auspɔlstərn] v pad, upholster
Ausprägung ['ausprɛ:guŋ] f 1. (Deutlichkeit) markedness; 2. (einer Münze) mintage
auspressen ['auspresən] v squeeze out
ausprobieren ['ausprobi:rən] v try, try out, test
Auspuff ['auspuf] m TECH exhaust
ausquartieren ['auskvarti:rən] v accommodate elsewhere, lodge elsewhere
ausradieren ['ausradi:rən] v erase, delete
ausrangieren ['ausraŋʒi:rən] v discard, dispose of, (Fahrzeug) scrap

ausrauben ['ausraubən] v rob
ausräumen ['ausrɔymən] v 1. (Gegenstände) clear out, remove; Ich räumte die Kiste aus. I emptied the box. 2. (fig: Zweifel) remove
ausrechnen ['ausreçnən] v calculate
Ausrede ['ausre:də] f excuse, pretext
ausreden ['ausre:dən] v 1. (zu Ende reden) Lass mich bitte ~! Please let me finish! 2. jdm etw ~ talk s.o. out of sth; 3. sich ~ have one's say, speak one's mind
ausreichen ['ausraiçən] v suffice, do, to be sufficient; Das reicht aus. That will do.
ausreichend ['ausraiçənt] adj 1. sufficient, enough, adequate; adv 2. sufficiently
Ausreise ['ausraizə] f departure, exit
ausreisen ['ausraizən] v leave the country
ausreißen ['ausraisən] v irr 1. rip out, tear out, pull out; (Unkraut) pull; 2. (sich lösen) come off; 3. (davonlaufen) run away
Ausreißer ['ausraisər] m runaway
ausrenken ['ausreŋkən] v sich etw ~ dislocate sth, put sth out of joint
ausrichten ['ausriçtən] v 1. (aufstellen) align; 2. (veranstalten) organize, arrange; 3. (benachrichtigen) deliver a message, give a message; Richte ihm viele Grüße aus. Give him my regards. 4. (erreichen) achieve
Ausrichtung ['ausriçtuŋ] f 1. (Stellung) alignment; 2. (Veranstaltung) organisation
ausrotten ['ausrɔtən] v 1. (Pflanzen, Tiere) exterminate, wipe out, root out; 2. (fig) eradicate, destroy, exterminate
Ausrottung ['ausrɔtuŋ] f extermination
Ausruf ['ausru:f] m cry, exclamation
ausrufen ['ausru:fən] v irr call out, cry out, exclaim
Ausrufezeichen ['ausru:fətsaiçən] n exclamation mark, exclamation point
ausruhen ['ausru:ən] v rest, take a rest
ausrüsten ['ausrystən] v 1. equip, fit out; 2. MIL arm
Ausrüstung ['ausrystuŋ] f 1. equipment, gear, outfit; 2. MIL armament
ausrutschen ['ausrutʃən] v slip; Ihm rutscht leicht die Hand aus. (fig) He has a quick temper.
Aussaat ['ausza:t] f seed
aussäen ['ausze:ən] v sow
Aussage ['ausza:gə] f 1. statement, declaration; 2. JUR testimony, statement, evidence
aussagekräftig ['ausza:gəkrɛftiç] adj meaningful
aussagen ['ausza:gən] v 1. declare, state; 2. JUR testify

Aussatz ['aʊszats] m MED leprosy
ausschachten ['aʊsʃaxtən] v excavate, dig
ausschalten ['aʊsʃaltən] v 1. (abstellen) turn off, switch off; 2. (fig) eliminate
Ausschank ['aʊsʃaŋk] m 1. (Schankraum) bar, pub; 2. sale of alcohol
ausschauen ['aʊsʃaʊən] v 1. ~ nach look out for; 2. (aussehen) look
ausscheiden ['aʊsʃaɪdən] v irr 1. (ausschließen) eliminate, rule out; 2. SPORT to be eliminated; 3. MED eliminate
Ausscheidung ['aʊsʃaɪdʊŋ] f 1. (Sekret) discharge; 2. (Wettkampf) SPORT elimination
ausscheren ['aʊsʃeːrən] v swerve
ausschimpfen ['aʊsʃɪmpfən] v scold
ausschlafen ['aʊsʃlaːfən] v irr have enough sleep, sleep in (fam)
Ausschlag ['aʊsʃlaːk] m 1. MED rash; 2. den ~ geben tip the balance
ausschlagen ['aʊsʃlaːgən] v irr 1. (Fenster) knock out; 2. (Pferd) kick out; 3. (Angebot) turn down
ausschlaggebend ['aʊsʃlaːkgeːbənt] adj decisive, determining
ausschließen ['aʊsʃliːsən] v irr 1. (jdn ~) exclude, expel; 2. (aussperren) lock out, shut out; 3. (Möglichkeit) rule out
ausschließlich ['aʊsʃliːslɪç] adv 1. exclusively; adj 2. exclusive; prep 3. not including
ausschlüpfen ['aʊsʃlʏpfən] v hatch out
Ausschluss ['aʊsʃlʊs] m exclusion, expulsion; zeitweiliger ~ (temporary) suspension
ausschmücken ['aʊsʃmyːkən] v decorate
Ausschnitt ['aʊsʃnɪt] m 1. (eines Kleides) neck; ein tiefer ~ a low neckline; 2. (Zeitungsausschnitt) clipping, cutting; 3. (Detail) excerpt, section, extract
ausschöpfen ['aʊsʃœpfən] v 1. scoop out, empty; 2. (fig) exhaust
ausschreiben ['aʊsʃraɪbən] v irr 1. (Stelle) advertise a vacancy; 2. (vollständig schreiben) write in full; 3. (Scheck) FIN issue, write out
Ausschreibung ['aʊsʃraɪbʊŋ] f (Bekanntmachung) announcement, advertisement
Ausschreitung ['aʊsʃraɪtʊŋ] f 1. (Aufruhr) POL riot; 2. (Ausschweifung) excess
Ausschuss ['aʊsʃʊs] m 1. (Kommission) committee, commission; 2. (Abfall) refuse
ausschütten ['aʊsʃʏtən] v 1. pour out, empty, empty out; 2. (fig) jdm sein Herz ~ pour one's heart out to s.o. 3. (Dividenden) ECO distribute, pay
Ausschüttung ['aʊsʃʏtʊŋ] f ECO distribution, payout

ausschweifend ['aʊsʃvaɪfənt] adj extravagant, excessive
Ausschweifung ['aʊsʃvaɪfʊŋ] f dissipation
aussehen ['aʊszeːən] v irr look, appear; so alt ~ wie man ist look one's age; Es sieht nach Regen aus. It looks like rain. Du siehst gut aus! You look good! gut ~d good-looking
Aussehen ['aʊszeːən] n appearance
außen ['aʊsən] adv outside
Außendienst ['aʊsəndiːnst] m field work, field service; im ~ in the field
Außenminister(in) ['aʊsənmɪnɪstər(ɪn)] m/f POL foreign minister, Foreign Secretary (UK), Secretary of State (US)
Außenpolitik ['aʊsənpolɪtiːk] f POL foreign policy, foreign affairs
Außenseiter(in) ['aʊsənzaɪtər(ɪn)] m/f outsider
außer ['aʊsər] prep 1. (räumlich) out of, outside; ~ sich sein to be beside o.s. 2. (ausgenommen) except (for), other than, but; 3. ~ Atem out of breath
außerdem ['aʊsərdeːm] konj besides, moreover, furthermore
äußere ['ɔysərə] adj 1. exterior, outer; 2. MED external
Äußere ['ɔysərə] n 1. outside, exterior; 2. (Aussehen) appearance
außerehelich ['aʊsəreːəlɪç] adj 1. extramarital; 2. (Kind) illegitimate
außergewöhnlich ['aʊsərgəvøːnlɪç] adj unusual, extraordinary, uncommon
außerhalb ['aʊsərhalp] prep 1. outside, outside of; adv 2. outside
außerirdisch ['aʊsərɪrdɪʃ] adj extraterrestrial
Äußerlichkeit ['ɔysərlɪçkaɪt] f 1. outward appearance; pl 2. ~en superficialities
äußern ['ɔysərn] v express, voice, utter
außerordentlich ['aʊsərɔrdəntlɪç] adj extraordinary, exceptional
äußerst ['ɔysərst] adv extremely
außerstande ['aʊsərʃtandə] adv unable
äußerste(r,s) ['ɔysərstə(r,s)] adj 1. (räumlich) farthest, outermost, remotest; 2. (zeitlich) latest possible; 3. (fig) extreme, utmost, utter
Äußerung ['ɔysərʊŋ] f remark, comment
aussetzen ['aʊszetsən] v 1. (Motor) stall, cut out; 2. (Tier) abandon; 3. (Arbeit) stop
Aussicht ['aʊszɪçt] f 1. (Ausblick) view, outlook; 2. (fig) chance, prospect, outlook
aussichtslos ['aʊszɪçtsloːs] adj hopeless
Aussichtslosigkeit ['aʊszɪçtsloːzɪçkaɪt] f hopelessness

Aussichtspunkt ['aus…çtspuŋkt] *m* viewpoint, vantage point

aussichtsreich ['aus…çtsraıç] *adj* promising

aussiedeln ['ausi:dəln] *v* resettle

Aussiedler ['ausi:dlər] *m* emigrant

aussöhnen ['auszø:nən] *v* reconcile

Aussöhnung ['auszø:nuŋ] *f* reconciliation

aussondern ['auszɔndərn] *v* separate, select, pick out

aussortieren ['auszɔrti:rən] *v* sort out

ausspannen ['ausʃpanən] *v* 1. (sich ausruhen) relax, take it easy; 2. (fam) jdm sein Freundin ~ steal s.o.'s girl; 3. (durch schmeicheln erhalten) jdm etw ~ talk s.o. out of sth; 4. (Pferde) unharness; 5. (etw ~) (ausbreiten) spread out; 6. (aus der Schreibmaschine) take out

aussparen ['ausʃpa:rən] *v* leave empty, (fig) omit

Aussparung ['ausʃpa:ruŋ] *f* gap

aussperren ['ausʃpɛrən] *v* 1. (ausschließen) lock out, shut out; 2. (Streik) ECO lock out

ausspielen ['ausʃpi:lən] *v* 1. ausgespielt haben to be finished (fig); 2. (Karte: ins Spiel bringen) play; 3. (auslosen) give as a prize; 4. jdn gegen einen anderen ~ play s.o. off against s.o. else

ausspionieren ['ausʃpioni:rən] *v* spy out

Aussprache ['ausʃpra:xə] *f* 1. (Gespräch) discussion, talk; 2. (Aussprechen) pronunciation, diction

aussprechen ['ausʃprɛçən] *v irr* 1. sich ~ speak one's mind; sich mit jdm ~ talk things out with s.o.; 2. (äußern) express, utter; 3. LING pronounce, enunciate, articulate

ausspucken ['ausʃpukən] *v* 1. spit out; 2. (fig: Geld) cough up

Ausstand ['ausʃtant] *m* 1. (Streik) ECO strike; 2. (Ausscheiden) departure from a job

ausstatten ['ausʃtatən] *v* (einrichten) fit out, furnish, equip

Ausstattung ['ausʃtatuŋ] *f* 1. (Einrichtung) furnishings, fixtures, fittings; 2. (Ausrüstung) equipment, outfit

ausstehen ['ausʃte:ən] *v irr* 1. (ertragen) bear, stand, endure; 2. (noch fehlen) to be pending, (Zahlung) to be outstanding

aussteigen ['ausʃtaıgən] *v irr* 1. get out; 2. (fig) drop out (of society)

Aussteiger ['ausʃtaıgər] *m* dropout (from society)

ausstellen ['ausʃtɛlən] *v* 1. (Waren) display, lay out, exhibit; 2. (Dokumente) issue

Aussteller ['ausʃtɛlər] *m* ECO exhibitor

Ausstellung ['ausʃtɛluŋ] *f* 1. (Waren) display, exhibition, show; 2. (Dokumente) drawing-up, issue, making-out

aussterben ['ausʃtɛrbən] *v irr* die out

Aussteuer ['ausʃtɔyər] *f* dowry

Ausstieg ['ausʃti:k] *m* 1. exit, escape hatch; 2. (fig) withdrawal

ausstoßen ['ausʃto:sən] *v irr* 1. (etw ~) emit, eject; 2. (jdn ~) expel

ausstrahlen ['ausʃtra:lən] *v* 1. (übertragen) transmit; 2. (Wärme) radiate, emit, give off; 3. (fig: Gelassenheit) radiate, exude

Ausstrahlung ['ausʃtra:luŋ] *f* (fig) charisma, radiation

ausstrecken ['ausʃtrɛkən] *v* extend, stretch out, hold out (hand)

ausströmen ['ausʃtrø:mən] *v* 1. stream out, flow out; 2. (Gas) escape

aussuchen ['auszu:xən] *v* pick out, select, choose

Austausch ['austauʃ] *m* 1. exchange; im ~ gegen in exchange for; 2. (Ersatz) TECH replacement

austauschbar ['austauʃba:r] *adj* exchangeable, interchangeable

austauschen ['austauʃən] *v* 1. exchange, swap; 2. (ersetzen) TECH replace, exchange

austeilen ['austaılən] *v* 1. distribute, hand out; 2. (Medikamente ~) MED dispense

Auster ['austər] *f* ZOOL oyster

austragen ['austra:gən] *v irr* 1. (Wettkampf) hold; 2. (Streit) settle; 3. (Pakete) deliver

Australien [au'stra:ljən] *n* GEO Australia

Australier(in) [au'stra:ljər(ın)] *m/f* Australian

austreiben ['austraıbən] *v irr* 1. (Geister) exorcise; 2. (Flausen) jdm etw ~ cure s.o. of sth

austreten ['austre:tən] *v irr* 1. (ausströmen) escape, overflow; 2. (aus einem Verein) leave, (formell) resign; 3. (zur Toilette gehen) go to the bathroom, go to the loo (UK)

austricksen ['austrıksən] *v* (fam) jdn ~ trick s.o.

Austritt ['austrıt] *m* 1. withdrawal, leaving; 2. POL resignation

austrocknen ['austrɔknən] *v* dry out, dry up, parch, drain

austüfteln ['austyftəln] *v* work out

ausüben ['ausy:bən] *v* 1. (Beruf) practise; 2. (Tätigkeit) perform; ein Amt ~ hold an office

Ausverkauf ['ausfɛrkauf] *m* sale, clearance sale

ausverkauft ['ausfɛrkauft] *adj* sold out

auswachsen ['auswaksən] *v 1. (Pflanze)* go to seed; *2. Das ist zum ~!* It's enough to drive you round the bend!

Auswahl ['ausva:l] *f* choice, selection; *etw zur ~ haben* have one's choice of sth

auswählen ['ausvɛ:lən] *v* select, choose

Auswanderer ['ausvandərər] *m* emigrant

auswandern ['ausvandərn] *v* emigrate, migrate

Auswanderung ['ausvandərʊŋ] *f* emigration

auswärtig ['ausvertɪç] *adj 1.* out-of-town; *~e Besucher* visitors from out of town; *2. (ausländisch)* foreign

auswärts ['ausvɛrts] *adv 1. (nicht zu Hause)* away from home, out of town; *2. (Richtung)* outward

auswechseln ['ausvɛksəln] *v* replace

Ausweg ['ausve:k] *m* way out, outlet, exit

ausweglos ['ausve:klo:s] *adj* hopeless

Ausweglosigkeit ['ausve:klo:zɪçkaɪt] *f* hopelessness

ausweichen ['ausvaɪçən] *v irr* avoid, evade, dodge

ausweichend ['ausvaɪçənt] *adj* evasive, non-committal

Ausweichmanöver ['ausvaɪçmanø:vər] *n* MIL evasive action

Ausweichmöglichkeit ['ausvaɪçmø:klɪçkaɪt] *f* alternative, loophole (fam)

Ausweis ['ausvaɪs] *m* identification, pass, identity card

Ausweisung ['ausvaɪzʊŋ] *f* deportation, expulsion

ausweiten ['ausvaɪtən] *v* extend, widen

auswendig ['ausvɛndɪç] *adj 1. ~ lernen* memorize; *2. (außen)* outside

auswerten ['ausve:rtən] *v* evaluate, interpret

Auswertung ['ausve:rtʊŋ] *f* evaluation, interpretation

auswirken ['ausvɪrkən] *v sich ~* have an effect

Auswirkung ['ausvɪrkʊŋ] *f* effect

auszahlen ['austsa:lən] *v 1.* pay; *2. sich ~* pay off, to be worthwhile

Auszahlung ['austsa:lʊŋ] *f* payment, disbursement

auszehren ['austse:rən] *v* exhaust; *jdn ~* drain s.o.

auszeichnen ['austsaɪçnən] *v 1. (würdigen)* honour, decorate, distinguish; *2. (Waren) ECO* mark

Auszeichnung ['austsaɪçnʊŋ] *f* decoration

Auszeit ['austsaɪt] *f* SPORT time-out

ausziehen ['austsi:ən] *v irr 1. (Kleidung)* take off; *sich ~* undress; *2. (Wohnung wechseln)* move out

Auszubildende(r) ['austsubildəndə(r)] *m/f* trainee, apprentice

Auszug ['austsu:k] *m 1. (Zusammenfassung)* summary; *2. (Kontoauszug)* statement (of account); *3. (Umzug)* removal

auszugsweise ['austsu:ksvaɪze] *adv* in excerpts

autark [au'tark] *adj* ECO self-supporting, self-sufficient

authentisch [au'tɛntɪʃ] *adj* authentic

Auto ['auto] *n* car, automobile

Autobahn ['autoba:n] *f* motorway, freeway (US)

Autobiografie [autobiogra'fi:] *f* autobiography

Autofahrer(in) ['autofa:rər(ɪn)] *m/f* driver, motorist

autogen [auto'ge:n] *adj* autogenous

Autogramm [auto'gram] *n* autograph

Automat [auto'ma:t] *m* machine

automatisch [auto'ma:tɪʃ] *adj* automatic

Automatisierung [automati'zi:rʊŋ] *f* automation

Automechaniker ['automeça:nɪkər] *m* auto mechanic

autonom [auto'no:m] *adj* autonomous, self-governing

Autonomie [autono'mi:] *f* POL autonomy

Autopilot ['autopilo:t] *m* TECH autopilot

Autopsie [autop'si:] *f* MED autopsy

Autor(in) ['autɔr/au'to:rɪn] *m/f* author, writer

Autoreifen ['autoraɪfən] *m* tyre, tire (US)

autorisieren [autori'zi:rən] *v* authorize

autoritär [autori'tɛ:r] *adj* authoritarian

Autorität [autori'tɛ:t] *f* authority

Autounfall ['autounfal] *m* motor accident, car accident (US)

Autowerkstatt ['autoverkʃtat] *f* garage, car repair shop

Avance [a'vãsə] *f jdm ~n machen* make advances to s.o.

avantgardistisch [avãgar'dɪstɪʃ] *adj* avant-garde

Avocado [avo'kado] *f* BOT avocado

Axt [akst] *f* axe, hatchet

Azalee [atsa'le:ə] *f* BOT azalea

Azteke [ats'te:kə] *m* HIST Aztec

azyklisch ['atsy:klɪʃ] *adj* acyclic

B

Baby ['be:bi] *n* baby
babysitten ['be:bisɪtən] *v* babysit
Babysitter ['be:bisɪtər] *m* baby-sitter
Bach [bax] *m* 1. brook; 2. den ~ hinunter sein (fam) go down the drain
Backbord ['bakbɔrt] *n* NAUT port
Backe ['bakə] *f* 1. (Wange) cheek; 2. (Hinterbacke) buttock, cheek (fam)
backen ['bakən] *v irr* bake
Bäcker ['bɛkər] *m* baker
Bäckerei [bɛkə'raɪ] *f* bakery, baker's shop
Backofen ['bako:fən] *m* oven
Bad [ba:t] *n* 1. bath; das ~ in der Menge nehmen go on a walkabout; das Kind mit dem ~ ausschütten throw out the baby with the bathwater; 2. (Badezimmer) bathroom
Badeanstalt ['ba:dəanʃtalt] *f* public swimming baths *pl*, public swimming pool
Badeanzug ['ba:dəantsu:k] *m* bathing suit
Badehose ['ba:dəho:zə] *f* bathing trunks *pl*, swimming trunks *pl*
Bademeister ['ba:dəmaɪstər] *m* pool attendant
baden ['ba:dən] *v* 1. (in der Wanne) bathe, have a bath; 2. (schwimmen) swim, bathe
Badesaison ['ba:dəzɛzɔ̃] *f* swimming season, bathing season
Badewanne ['ba:dəvanə] *f* bathtub
Badezimmer ['ba:dətsɪmər] *n* bathroom
baff [baf] *adj* ~ sein (fam) to be flabbergasted
Bagatelle [baga'tɛlə] *f* bagatelle
Bagger ['bagər] *m* TECH excavator
baggern ['bagərn] *v* dig, excavate
Bahn [ba:n] *f* 1. path; 2. (Eisenbahn) railway, railroad (US); 3. (Straßenbahn) tramway, streetcar (US); 4. (Fahrbahn) lane; 5. (Umlaufbahn) ASTR orbit; 6. (fig) freie ~ haben get the go-ahead; auf die schiefe ~ kommen leave the straight and narrow; jdn aus der ~ werfen throw s.o. off the track; etw in die richtige ~ lenken channel sth properly
bahnen ['ba:nən] *v* etw den Weg ~ clear a path for sth, clear the way for sth; sich einen Weg ~ work one's way
Bahnfahrkarte ['ba:nfa:rkartə] *f* railway ticket, train ticket
Bahnhof ['ba:nho:f] *m* 1. railway station, railroad station (US); 2. Ich verstehe immer nur ~. It's all Greek to me.

Bahnlinie ['ba:nli:njə] *f* railway-line
Bahnsteig ['ba:nʃtaɪk] *m* platform
Bahre ['ba:rə] *f* 2. (für Tote) bier; 1. (Krankenbahre) stretcher
Bakterie [bak'te:rjə] *f* BIO bacteria
Balance [ba'lɯs] *f* balance, equilibrium
balancieren [balɯ'si:rən] *v* balance
bald [balt] *adv* soon, shortly, presently
baldig ['baldɪç] *adj* ich hoffe auf ein ~es Wiedersehen. I hope we see each other again soon. eine ~e Genesung a speedy recovery
balgen ['balgən] *v* sich ~ wrestle, tussle
Balkan ['balka:n] *m* GEO the Balkans *pl*
Balken ['balkən] *m* beam
Balkon [bal'kɔŋ] *m* balcony
Ball [bal] *m* 1. ball; am ~ sein to be on the ball; am ~ bleiben keep one's eyes on the ball; jdm die Bälle zuwerfen (fig) give s.o. cues; 2. (Tanz) ball
Ballade [bal'la:də] *f* LIT ballad
Ballast ['balast] *m* ballast
ballen ['balən] *v* 1. pack into a ball; 2. (Faust) clench; 3. sich ~ gather
Ballen ['balən] *m* 1. ECO bale; 2. ANAT ball of the foot, torus
Ballett [ba'lɛt] *n* THEAT ballet
Balletttänzer(in) [bal'lɛttɛntsər(ɪn)] *m/f* THEAT ballet dancer
Ballon [ba'lɔŋ] *m* balloon
Balsam ['balza:m] *m* balm, balsam
balzen ['baltsən] *v* ZOOL court, mate
banal [ba'na:l] *adj* banal, commonplace, trivial
Banalität [banali'tɛːt] *f* banality, triviality
Banane [ba'na:nə] *f* BOT banana
Banause [ba'nauzə] *m* philistine, narrow-minded person, low-brow
Band [bant] *m* 1. (Buch) volume; Bände sprechen speak volumes; *n* 2. (Streifen) band, ribbon; 3. (Tonband) audio tape; 4. (fig) bond, link, shackles *pl*; 5. am laufenden ~ (fig) constantly
Bandage [ban'da:ʒə] *f* MED bandage, dressing; mit harten ~n kämpfen *pl* fight tooth and nail
Bande ['bandə] *f* (Gruppe) gang, band
bändigen ['bɛndɪgən] *v* 1. tame; 2. (fig) restrain; seine Gefühle ~ curb one's emotions
Bandit [ban'di:t] *m* bandit
bange ['baŋə] *adj* anxious, uneasy, worried

bangen ['baŋən] v 1. worry, to be worried, to be anxious; 2. (Angst haben) to be afraid
Bank¹ [baŋk] f 1. (Sitzbank) bench, seat; 2. etw auf die lange ~ schieben (fig) put sth off
Bank² [baŋk] f FIN bank
Bankautomat ['baŋkautoma:t] m FIN automatic cash dispenser
Bankfiliale ['baŋkfilja:lə] f FIN branch bank
Bankguthaben ['baŋkgu:tha:bən] n FIN bank credit balance
Bankier [baŋk'je:] m FIN banker
Bankkonto [baŋk'kɔnto] n FIN bank account
Bankleitzahl ['baŋklaɪtsa:l] f FIN bank code number, bank identification number (US)
Banknote ['baŋkno:tə] f FIN banknote, bill (US)
Bankraub ['baŋkraup] m bank holdup, bank robbery
Bankräuber ['baŋkrɔybər] m bank robber
bankrott [baŋk'rɔt] adj FIN bankrupt
Bankverbindung ['baŋkfɛrbɪndʊŋ] f 1. FIN banking details pl; 2. (Konto) bank account
Bann [ban] m spell; jdn in seinen ~ ziehen cast a spell over s.o.
bannen ['banən] v 1. (fesseln) captivate, fascinate; 2. (vertreiben) banish; (Gefahr) ward off; (böse Geister) exorcise; 3. (festhalten) capture
Baptist(in) [bap'tɪst(ɪn)] m/f REL Baptist
bar [ba:r] adj cash; gegen ~ for cash
Bar [ba:r] f bar
Bär [bɛ:r] m bear; jdm einen ~en aufbinden (fig) pull s.o.'s leg; Da ist der ~ los. Things are really happening there.
barfuß ['ba:rfu:s] adv barefoot
Bargeld ['ba:rgɛlt] n cash
bargeldlos ['ba:rgɛltlo:s] adj FIN non-cash, cashless
Bariton ['ba:rɪtɔn] m MUS baritone
Barkeeper ['ba:rki:pər] m barkeeper
barmherzig [barm'hɛrtsɪç] adj merciful, compassionate
Barmherzigkeit [barm'hɛrtsɪçkaɪt] f mercy, compassion
barock [ba'rɔk] adj ART baroque
Barock [ba'rɔk] m/n ART baroque
Baron [ba'ro:n] m baron
Barren ['barən] m (Goldbarren) bar of gold, ingot

Barriere [bar'jɛ:rə] f barrier
Barrikade [bari'ka:də] f barricade
barsch [barʃ] adj brusque, curt, rude
Bart [ba:rt] m beard; um des Kaisers ~ streiten (fig) split hairs
bärtig ['bɛ:rtɪç] adj bearded
bartlos ['ba:rtlo:s] adj beardless
Barzahlung ['ba:rtsa:lʊŋ] f FIN cash payment, payment in cash
Basar [ba'za:r] m bazaar
Base¹ ['ba:zə] f CHEM base
Base² ['ba:zə] f (Kusine) cousin
basieren [ba'zi:rən] v ~ auf to be based on
Basilikum [ba'zi:likʊm] n BOT basil
Basis ['ba:zɪs] f 1. basis; 2. MIL base
Basketball ['baskətbal] m SPORT basketball
Bass [bas] m MUS bass
Bassin [ba'sɛ̃] n basin, reservoir
Bastard ['bastart] m 1. (fam) bastard; 2. ZOOL cross breed, mongrel
basteln ['bastəln] v do handicrafts
Batterie [batə'ri:] f TECH battery
Bau [bau] m 1. (Konstruktion) building, construction; im ~ under construction; 2. (Tierbau) burrow, den
Bauch [baux] m stomach, belly (fam), tummy (fam); eine Wut im ~ haben to be hopping mad; sich den ~ voll schlagen stuff o.s.; sich den ~ vor Lachen halten split one's sides laughing; mit etw auf den ~ fallen (fig) come a cropper
bauchig ['bauxɪç] adj bulging, bulbous
Bauchschmerzen ['bauxʃmertsən] pl stomach-ache, belly ache, stomach pain
Bauchtanz ['bauxtants] m belly dance
Bauchweh ['bauxve:] n stomach-ache, tummy-ache (fam)
bauen ['bauən] v build, construct
Bauer ['bauər] m 1. farmer; 2. (Schachfigur) pawn
Bäuerin ['bɔyərɪn] f 1. farmer's wife; 2. (Landwirtin) farmer
bäuerlich ['bɔyərlɪç] adj rustic, rural
Bauernfänger ['bauərnfɛŋər] m swindler
Bauernhof ['bauərnho:f] m farm
baufällig ['baufɛlɪç] adj dilapidated
Baugenehmigung ['baugəne:mɪgʊŋ] f building permission, building permit
Baugerüst ['baugəryst] n scaffolding
Baugewerbe ['baugəvɛrbə] n construction industry, building trade
Bauingenieur ['bauɪnʒenjø:r] m civil engineer, structural engineer

Baum [baum] *m* tree; *Ich könnte Bäume ausreißen.* (fig) I feel like a world beater. *Es ist zum
auf die Bäume klettern.* It's enough to drive
you up the wall.
baumeln ['baumǝln] *v* dangle, swing
Baumsterben ['baumʃtɛrbǝn] *n* the dying
of trees
Baumwolle ['baumvɔlǝ] *f* cotton
Bausch [bauʃ] *m* 1. (Wattebausch) ball,
swab; 2. (Polster) pad; 3. *in ~ und Bogen* lock,
stock and barrel
Baustein ['bauʃtain] *m* 1. brick, stone; 2.
(Bauklotz) building block; 3. (fig) building
block
Baustelle ['bauʃtɛlǝ] *f* construction site,
building site
Bauunternehmen ['bauuntǝrne:mǝn] *n*
construction firm
Bauwerk ['bauvɛrk] *n* building
Bayer ['baiǝr] *m* Bavarian
Bayern ['baiǝrn] *n* GEO Bavaria
beabsichtigen [bǝ'apziçtigǝn] *v* intend,
mean; *Was beabsichtigst du zu tun?* What do
you intend to do?
beachten [bǝ'axtǝn] *v* pay attention to,
heed, observe
beachtlich [bǝ'axtlíç] *adj* considerable,
remarkable
Beachtung [bǝ'axtuŋ] *f* attention, observation, consideration
Beamte(r)/Beamtin [bǝ'amtǝ(r)/bǝ'am-
tın] *m/f* civil servant, public servant, official
beanspruchen [bǝ'anʃpruxǝn] *v* claim,
demand, require
beanstanden [bǝ'anʃtandǝn] *v* object,
complain, challenge
Beanstandung [bǝ'anʃtanduŋ] *f* objection, complaint
beantragen [bǝ'antra:gǝn] *v* 1. apply for;
2. (vorschlagen) propose
beantworten [bǝ'antvɔrtǝn] *v* answer,
reply to
bearbeiten [bǝ'arbaitǝn] *v* 1. (erledigen)
handle, manage; 2. TECH work, process; 3.
AGR cultivate, till, work; 4. (Theaterstück)
THEAT adapt; 5. *neu bearbeitete Auflage* revi-
sed edition
Bearbeitung [bǝ'arbaituŋ] *f* 1. treatment,
processing; 2. *in ~* in preparation; 3. AGR
working, cultivation
beatmen [bǝ'a:tmǝn] *v* supply with air,
give artificial respiration to
Beatmung [bǝ'a:tmuŋ] *f* MED artificial
respiration

beaufsichtigen [bǝ'aufziçtigǝn] *v* supervise, control, oversee
beauftragen [bǝ'auftra:gǝn] *v* charge,
commission, instruct
Beauftragte(r) [bǝ'auftra:ktǝ(r)] *m/f* 1.
representative; 2. POL commissioner
bebauen [bǝ'bauǝn] *v* 1. (landwirtschaftlich)
farm; 2. (Gebäude errichten auf) build on
beben [be:bǝn] *v* quake, shake, tremble
Beben [be:bǝn] *n* (Erdbeben) earthquake
Becher ['bɛçǝr] *m* cup, mug, tumbler
Becken [bɛkǝn] *n* 1. (Waschbecken) wash
basin, sink; 2. (Schwimmbecken) swimming
pool; 3. ANAT pelvis
bedächtig [bǝ'dɛçtıç] *adj* cautious, wary,
circumspect
bedanken [bǝ'daŋkǝn] *v sich ~* say thank
you, express one's thanks; *Ich bedanke mich.*
Thank you.
Bedarf [bǝ'darf] *m* 1. need; 2. ECO demand
bedauerlich [bǝ'dauǝrlıç] *adj* regrettable,
unfortunate
bedauern [bǝ'dauǝrn] *v* 1. regret; 2. (jdn
bemitleiden) feel sorry for, pity
bedauernswert [bǝ'dauǝrnsve:rt] *adj*
pitiable, pitiful, deplorable
bedecken [bǝ'dɛkǝn] *v* cover
bedenken [bǝ'dɛŋkǝn] *v irr* 1. (erwägen)
consider, take into consideration, think over;
2. (beachten) reckon with, keep in mind
bedenkenlos [bǝ'dɛŋkǝnlo:s] *adj* 1. unhe-
sitating; *adv* 2. without hesitation
bedenklich [bǝ'dɛŋklıç] *adj* 1. (verdächtig)
dubious; 3. (ernst) critical; 2. (heikel) delicate
bedeuten [bǝ'dɔytǝn] *v* mean, signify
bedeutend [bǝ'dɔytǝnt] *adj* important,
significant
Bedeutung [bǝ'dɔytuŋ] *f* meaning, significance, importance
bedeutungslos [bǝ'dɔytuŋslo:s] *adj* 1.
(ohne Sinn) meaningless; 2. (unwichtig) insignificant
bedeutungsvoll [bǝ'dɔytuŋsfɔl] *adj* 1.
important; 2. (Person) famous
bedienen [bǝ'di:nǝn] *v* 1. *jdn ~* wait on s.o.,
serve s.o., attend to s.o. 2. *sich ~* serve o.s.,
help o.s. 3. TECH operate
Bedienung [bǝ'di:nuŋ] *f* 1. service; 2. (Kell-
ner(in)) waiter/waitress; 3. TECH operation,
control
Bedienungsanleitung [bǝ'di:nuŋsanlai-
tuŋ] *f* TECH operating instructions *pl*
bedingt [bǝ'dıŋkt] *adj* 1. conditional; *~
durch* contingent on; 2. (beschränkt) limited

Bedingung [bə'dɪŋʊŋ] f condition, provision, term; *unter der ~, dass ...* on condition that ...

bedingungslos [bə'dɪŋʊŋsloːs] adj unconditional

Bedrängnis [bə'drɛŋnɪs] f need, distress

bedrängt [bə'drɛŋt] adj hard-pressed

bedrohen [bə'droːən] v threaten, menace

bedrohlich [bə'droːlɪç] adj 1. threatening, menacing; 2. (gefährlich) dangerous

Bedrohung [bə'droːʊŋ] f threat, menace

bedrucken [bə'drukən] v print

bedrücken [bə'drykən] v 1. depress, worry; 2. (unterdrücken) oppress

bedürfen [bə'dyrfən] v irr need, require

Bedürfnis [bə'dyrfnɪs] n need, requirement, want

bedürftig [bə'dyrftɪç] adj needy, indigent

beeilen [bə'aɪlən] v sich ~ hurry, rush; *Beeil dich!* Hurry up!

Beeilung [bə'aɪlʊŋ] interj Step on it! (fig), Get a move on! (fam)

beeindrucken [bə'aɪndrukən] v impress

beeinflussen [bə'aɪnflusən] v influence

Beeinflussung [bə'aɪnflusʊŋ] f influencing, influence

beeinträchtigen [bə'aɪntrɛçtɪgən] v impair, prejudice, detract from

Beeinträchtigung [bə'aɪntrɛçtɪgʊŋ] f impairment, damage, detriment

beenden [bə'ɛndən] v end, finish, wind up complete

Beendigung [bə'ɛndɪgʊŋ] f termination, conclusion

beengt [bə'ɛŋt] adj confined, cramped

beerben [bə'ɛrbən] v jdn ~ to be s.o.'s heir, succeed to s.o.'s estate

beerdigen [bə'eːrdɪgən] v bury

Beerdigung [bə'eːrdɪgʊŋ] f funeral, burial

Beere ['beːrə] f BOT berry

Beet [beːt] n (flower) bed, (vegetable) patch

befähigen [bə'fɛːɪgən] v enable, qualify

Befähigung [bə'fɛːɪgʊŋ] f 1. capacity, competence, aptitude; 2. (Voraussetzung) qualifications pl

befahren [bə'faːrən] v irr 1. drive on; adj 2. (Straße) travelled

Befangenheit [bə'faŋənhaɪt] f 1. self-consciousness, embarrassment; 2. (Voreingenommenheit) prejudice, partiality

befassen [bə'fasən] v sich ~ mit deal with, attend to, handle

Befehl [bə'feːl] m order, command

befehlen [bə'feːlən] v irr order, command

Befehlshaber [bə'feːlshaːbər] m MIL commander, commanding officer

befestigen [bə'fɛstɪgən] v fix, secure, fasten

Befestigung [bə'fɛstɪgʊŋ] f 1. attachment, fastening, strengthening; 2. MIL fortification

befeuchten [bə'fɔʏçtən] v dampen, moisten, wet

befinden [bə'fɪndən] v irr sich ~ to be (somewhere)

Befinden [bə'fɪndən] n MED state of health

beflecken [bə'flɛkən] v 1. stain; 2. (fig) sully

beflissen [bə'flɪsən] adj eager, keen

befolgen [bə'fɔlgən] v 1. follow, comply with; 2. (Vorschriften) observe; 3. (Befehl) obey

befördern [bə'fœrdərn] v 1. (transportieren) transport, convey, carry; 2. (dienstlich aufrücken lassen) promote, advance

Beförderung [bə'fœrdərʊŋ] f 1. (Waren) ECO transport, conveying, shipping; 2. (eines Angestellten, eines Offiziers) promotion

befragen [bə'fraːgən] v 1. question; 2. (zurate ziehen) consult

Befragung [bə'fraːgʊŋ] f 1. personal interview, questioning; 2. (Zeuge) JUR interrogation; 3. (Rat) consultation

befreien [bə'fraɪən] v 1. release, free; 2. JUR acquit, discharge; 3. (von Steuern) exempt

Befreiung [bə'fraɪʊŋ] f 1. liberation, release, deliverance; 2. ECO exemption

befreunden [bə'frɔʏndən] v 1. sich mit jdm ~ make friends with s.o. 2. sich mit etw ~ come to like sth, get used to sth

befriedigen [bə'friːdɪgən] v satisfy, please, gratify

befriedigend [bə'friːdɪgənt] adj satisfying

Befriedigung [bə'friːdɪgʊŋ] f satisfaction, gratification, fulfilment

befristen [bə'frɪstən] v limit

befristet [bə'frɪstət] adj limited

befruchten [bə'fruxtən] v BIO fertilize

Befruchtung [bə'fruxtʊŋ] f 1. BIO fertilization, impregnation; 2. künstliche ~ MED artificial insemination

Befugnis [bə'fuːknɪs] f 1. power, authority; 2. JUR jurisdiction

befugt [bə'fuːkt] adj authorized, entitled, competent

Befund [bə'funt] m MED findings pl, evidence, result

befürchten [bə'fʏrçtən] *v* fear, be afraid of
Befürchtung [bə'fʏrçtuŋ] *f* apprehension, fear, misgiving
befürworten [bə'fy:rvɔrtən] *v* support, advocate, recommend
Befürworter(in) [bə'fy:rvɔrtər(ɪn)] *m/f* supporter, advocate
begabt [bə'ga:pt] *adj* talented, gifted, able
Begabung [bə'ga:buŋ] *f* talent, gift, aptitude
begeben [bə'ge:bən] *v irr sich* ~ go to, proceed to, set out on
Begebenheit [bə'ge:bənhaɪt] *f* event, happening
begegnen [bə'ge:gnən] *v* 1. *jdm* ~ meet s.o., run into s.o. 2. *sich* ~ meet
Begegnung [bə'ge:gnuŋ] *f* meeting, encounter
begehen [bə'ge:ən] *v irr* 1. *(Verbrechen)* commit, perpetrate; 2. *(Fest)* celebrate
begehren [bə'ge:rən] *v* desire, covet, crave
begehrenswert [bə'ge:rənsve:rt] *adj* desirable
begehrt [bə'ge:rt] *adj* sought-after, in demand
begeistern [bə'gaɪstərn] *v* 1. *jdn* ~ inspire, fill with enthusiasm; 2. *sich* ~ become enthusiastic
begeistert [bə'gaɪstərt] *adj* enthusiastic
Begeisterung [bə'gaɪstəruŋ] *f* enthusiasm
Begierde [bə'gi:rdə] *f* desire, craving, longing
begierig [bə'gi:rɪç] *adj* eager, impatient, anxious; *auf etw* ~ *sein* to be eager for sth
Beginn [bə'gɪn] *m* beginning, start
beginnen [bə'gɪnən] *v irr* start, begin
beglaubigen [bə'glaubɪgən] *v* attest, certify, authenticate
Beglaubigung [bə'glaubɪguŋ] *f* JUR authentication, certification, attestation
begleiten [bə'glaɪtən] *v* accompany, escort, come with
Begleiter(in) [bə'glaɪtər(ɪn)] *m/f* companion
Begleitung [bə'glaɪtuŋ] *f* company
beglückwünschen [bə'glykvʏnʃən] *v jdn* ~ *zu etw* congratulate s.o. on sth
begnadigen [bə'gna:dɪgən] *v* JUR pardon, grant pardon
Begnadigung [bə'gna:dɪguŋ] *f* JUR pardon, reprieve
begraben [bə'gra:bən] *v irr* 1. *(beerdigen)* bury; 2. *(fig)* bury; *etw* ~ *können* give sth up, forget about sth
Begräbnis [bə'grɛpnɪs] *n* funeral, burial

begreifen [bə'graɪfən] *v irr* understand, comprehend, grasp; *Er hat es endlich begriffen.* He finally got it.
begrenzen [bə'grɛntsən] *v* 1. limit; 2. *(die Grenze bilden für etw)* form the boundary of sth
Begrenzung [bə'grɛntsuŋ] *f* 1. limit; 2. *(das Begrenzen)* limitation; 3. *(Grenze)* boundary
Begriff [bə'grɪf] *m* 1. *(Vorstellung)* concept, idea, notion; *Ist dir das ein* ~? Do you know what that is? *für meine* ~*e* as far as I'm concerned; 2. *(Ausdruck)* term; 3. *im* ~ *sein, etw zu tun* to be about to do sth
begründen [bə'gryndən] *v* 1. justify, substantiate; 2. *(gründen)* found, establish
Begründer(in) [bə'gryndər(ɪn)] *m/f* founder
Begründung [bə'grynduŋ] *f* 1. reason, explanation; 2. *(Gründung)* establishment, founding
begrüßen [bə'gry:sən] *v* welcome, greet
Begrüßung [bə'gry:suŋ] *f* welcome, reception, greeting
begünstigen [bə'gʏnstɪgən] *v* favour, support, encourage
Begünstigung [bə'gʏnstɪguŋ] *f* encouragement, support, favouring
begutachten [bə'gu:taxtən] *v* examine, give a professional opinion on
behäbig [bə'hɛ:bɪç] *adj* 1. *(Gestalt)* portly; 2. *(geruhsam)* easy-going
Behagen [bə'ha:gən] *n* 1. comfort; 2. *(Vergnügen)* pleasure, relish; 3. *(Zufriedenheit)* contentment
behaglich [bə'ha:klɪç] *adj* comfortable
behalten [bə'haltən] *v irr* keep, retain
Behälter [bə'hɛltər] *m* container
behandeln [bə'handəln] *v* 1. treat, deal with, handle; 2. *MED* treat
Behandlung [bə'handluŋ] *f* 1. treatment, handling; 2. *MED* treatment
beharren [bə'harən] *v* ~ *auf* insist on
beharrlich [bə'harlɪç] *adj* persistent, insistent, persevering
behaupten [bə'hauptən] *v* 1. maintain, claim, contend; 2. *(Stellung)* maintain; 3. *sich* ~ hold one's own, assert o.s., hold one's ground
Behauptung [bə'hauptuŋ] *f* claim, assertion, statement
beheizen [bə'haɪtsən] *v* heat
Beheizung [bə'haɪtsuŋ] *f* heating
behelfen [bə'hɛlfən] *v irr sich* ~ manage, make do

beherrschen [bə'hɛrʃən] *v 1.* dominate; *2. sich ~* control o.s. *3. (können)* master; *Er beherrscht die englische Sprache.* He has a strong command of English.

Beherrschung [bə'hɛrʃuŋ] *f 1. (Selbstbeherrschung)* self-control, self-discipline; *die ~ verlieren* blow up, fly off the handle; *2. POL* dominance, control; *3. (fig: Können)* mastery, grasp

beherzigen [bə'hɛrtsɪgən] *v* take to heart, heed

beherzt [bə'hɛrtst] *adj* plucky, brave

behilflich [bə'hɪlflɪç] *adj jdm ~ sein* to be of assistance, to be helpful, to be of service; *Kann ich Ihnen ~ sein?* May I help you?

behindern [bə'hɪndərn] *v* hinder, hamper, impede

behindert [bə'hɪndərt] *adj* handicapped

Behinderte(r) [bə'hɪndərtə(r)] *m/f* handicapped person, disabled person

Behinderung [bə'hɪndəruŋ] *f 1.* hindrance, impediment, obstruction; *2. MED* disability, handicap

Behörde [bə'hœːrdə] *f* authority, office, bureau

behüten [bə'hyːtən] *v* guard, protect, preserve

behutsam [bə'huːtzaːm] *adj* careful, cautious, wary

bei [baɪ] *prep 1. (örtlich)* near, at, by; *Ich habe es nicht ~ mir.* I don't have it with me. *~ uns zu Hause* at our house; *2. (zeitlich)* at, upon; *~ Nacht* by night; *3. (während)* while; *4. ~ (einer Tätigkeit) sein* to be doing sth; *~m Auswählen der Artikel* on selecting the articles; *5. Bei mir war es genauso.* It was the same for me. *6. ~ aller Vorsicht* taking all precautions

beibehalten ['baɪbəhaltən] *v irr* keep, maintain

Beibehaltung ['baɪbəhaltuŋ] *f* maintenance, retention, keeping

beibringen ['baɪbrɪŋən] *v irr 1. (beschaffen)* bring forward, present, produce; *2. (lehren)* teach

Beichte ['baɪçtə] *f REL* confession

beichten ['baɪçtən] *v REL* confess, go to confession

Beichtstuhl ['baɪçtʃtuːl] *m REL* confessional

beide ['baɪdə] *pron 1.* both, the two; *wir ~* the two of us; *alle ~* both; *adj 2.* both, the two

beiderseitig ['baɪdərzaɪtɪç] *adj* on both sides; *in ~em Einvernehmen* by mutual agreement; *ein ~es Abkommen* a bilateral treaty

beiderseits ['baɪdər'zaɪts] *adv 1.* on both sides; *prep 2.* on both sides of

beidhändig ['baɪthɛndɪç] *adj 1.* two-handed; *2. (mit beiden Händen gleich geschickt)* ambidextrous

beidseitig ['baɪtzaɪtɪç] *adj* on both sides

Beifahrer(in) ['baɪfaːrər(ɪn)] *m/f* passenger, *(bei einem Lastwagen)* co-driver

Beifall ['baɪfal] *m 1. (Applaus)* applause, cheers *pl; 2. (Billigung)* approval, acclaim

beifügen ['baɪfyːgən] *v 1.* add; *2. (mitschicken)* enclose

beige [beːʃ] *adj* beige, fawn

beigeben ['baɪgeːbən] *v irr 1. (hinzufügen)* add; *2. klein ~ (fig: nachgeben)* give in, back down

Beihilfe ['baɪhɪlfə] *f 1.* allowance, grant, subsidy; *2. JUR* aiding and abetting, acting as an accessory

Beil [baɪl] *n* hatchet

Beilage ['baɪlaːgə] *f 1. GAST* side dish; *2. (Zeitungsbeilage)* supplement

beiläufig ['baɪlɔyfɪç] *adj 1.* casual, passing; *adv 2.* casually, in passing

beilegen ['baɪleːgən] *v 1. (hinzufügen)* insert, enclose; *2. (fig: schlichten)* settle, resolve

Beileid ['baɪlaɪt] *n* sympathy; *jdm sein ~ aussprechen* express one's condolences to s.o.

beiliegend ['baɪliːgənt] *adj* enclosed

beim [baɪm] *prep ("bei dem")* (siehe „bei")

beimessen ['baɪmɛsən] *v irr* attribute, put down to

Bein [baɪn] *n* leg; *auf den ~en sein* to be on one's feet; *jdm auf die ~e helfen (fig)* help s.o. out; *mit einem ~ im Grabe stehen (fig)* have one foot in the grave; *mit den ~en fest im Leben stehen* have both feet on the ground; *auf eigenen ~en stehen* stand on one's own feet; *sich auf die ~e machen* get moving; *jdm ~e machen* get s.o. moving; *sich die ~e vertreten* stretch one's legs; *die ~e unter den Arm nehmen* take to one's heels; *sich die ~e in den Leib stehen* cool one's heels; *sich kein ~ ausreißen* not strain o.s.

beinahe [baɪ'naːə] *adv* almost, nearly

beinhalten [bə'ɪnhaltən] *v 1.* contain, hold; *2. (Brief)* say

beipflichten ['baɪpflɪçtən] *v* agree

Beirat ['baɪraːt] *m* advisory council

beirren [bə'ɪrən] *v* mislead

beisammen [baɪ'zamən] *adv* together

Beischlaf ['baɪʃlaːf] *m* sexual intercourse, coitus

beiseite [baɪˈzaɪtə] *adv* aside; Spaß ~ joking aside; ~ schaffen get rid of

Beisetzung [ˈbaɪzetsuŋ] *f* funeral, burial

Beisitz [ˈbaɪzɪts] *m* membership of a jury, seat on a commission, seat in a court

Beisitzer [ˈbaɪzɪtsər] *m* assessor

Beispiel [ˈbaɪʃpiːl] *n* example, instance; zum ~ for example; sich ein ~ an jdm nehmen take example of s.o. ohne ~ sein to be unheard-of; mit gutem ~ vorangehen set an example

beispielhaft [ˈbaɪʃpiːlhaft] *adj* exemplary, model

beispiellos [ˈbaɪʃpiːlloːs] *adj* unparalleled, unprecedented, unheard-of

beispielsweise [ˈbaɪʃpiːlzvaɪsə] *adv* for example, for instance, by way of example

beißen [ˈbaɪsən] *v irr* 1. (jucken) itch; 2. (Schmerzen) sting; 3. bite

beißend [ˈbaɪsənt] *adj* 1. (Geruch) biting, pungent, sharp; 2. (fig: Spott) caustic, sarcastic

Beistand [ˈbaɪʃtant] *m* assistance, help, aid

beistehen [ˈbaɪʃteːən] *v irr* help, aid, assist

Beitrag [ˈbaɪtraːk] *m* 1. contribution; 2. (Zeitungsartikel) article; 3. (Versicherungsbeitrag) premium

beitragen [ˈbaɪtraːgən] *v irr* contribute, supply, add to

beitreten [ˈbaɪtreːtən] *v irr* join, become a member of

Beitritt [ˈbaɪtrɪt] *m* joining, entry

bejahen [bəˈjaːən] *v* 1. (Frage) say yes to, affirm; 2. (billigen) approve of, accept

bejubeln [bəˈjuːbəln] *v* cheer

bekämpfen [bəˈkɛmpfən] *v* fight against, combat, wage war against

Bekämpfung [bəˈkɛmpfuŋ] *f* struggle against, combat

bekannt [bəˈkant] *adj* familiar, known; ~ geben make public, announce; ~ machen make known, report

Bekannte(r) [bəˈkantə(r)] *m/f* acquaintance, friend

Bekanntgabe [bəˈkantgaːbə] *f* announcement, notification, publication

Bekanntheit [bəˈkanthaɪt] *f* fame

bekanntlich [bəˈkantlɪç] *adv* 1. as is well-known, as you know; 2. (negativ) notoriously

Bekanntmachung [bəˈkantmaxuŋ] *f* announcement

Bekanntschaft [bəˈkantʃaft] *f* acquaintance; jds ~ machen make s.o.'s acquaintance

bekehren [bəˈkeːrən] *v* 1. (fig: überzeugen) convince, bring round; 2. REL convert

Bekehrung [bəˈkeːruŋ] *f REL* conversion

bekennen [bəˈkɛnən] *v irr* 1. (zugeben) admit, confess; 2. REL profess

Bekenntnis [bəˈkɛntnɪs] *n* 1. (Zugeben) confession, admission, avowal; 2. (Konfession) REL denomination

beklagen [bəˈklaːgən] *v* 1. (etw ~) lament, deplore, bemoan; jds Tod ~ mourn s.o.'s death; 2. sich ~ complain

beklatschen [bəˈklatʃən] *v* applaud

bekleiden [bəˈklaɪdən] *v* 1. clothe, dress; 2. (Amt) hold (an office)

Bekleidung [bəˈklaɪduŋ] *f* 1. clothing, clothes pl; 2. (eines Amtes) tenure

Beklemmung [bəˈklɛmuŋ] *f* apprehension, trepidation, feeling of oppression

beklommen [beˈklɔmən] *adj* anxious

bekommen [bəˈkɔmən] *v irr* 1. (erhalten) receive, get; Fieber ~ develop a fever; 2. (finden) get, find; 3. (erlangen) obtain; 4. (einen Preis ~) to be awarded

bekömmlich [bəˈkœmlɪç] *adj* 1. digestible, healthy; 2. (wohltuend) beneficial

bekräftigen [bəˈkrɛftɪgən] *v* confirm, corroborate

Bekräftigung [bəˈkrɛftɪguŋ] *f* strengthening, confirmation

bekreuzigen [bəˈkrɔytsɪgən] *v sich ~ REL* make the sign of the cross

bekriegen [bəˈkriːgən] *v POL* to be at war with

bekümmern [bəˈkymərn] *v* worry, alarm, trouble

bekunden [bəˈkundən] *v* demonstrate, manifest, reveal

belächeln [bəˈlɛçəln] *v* smile at

beladen [bəˈlaːdən] *v irr* 1. load; 2. (fig) burden, weigh down

Belag [bəˈlaːk] *m* 1. (Schicht) layer, coating, film; 2. (Brotbelag) filling

belagern [bəˈlaːgərn] *v* besiege

Belagerung [bəˈlaːgəruŋ] *f MIL* siege, besieging

belanglos [bəˈlaŋloːs] *adj* irrelevant, insignificant, unimportant

Belanglosigkeit [bəˈlaŋloːzɪçkaɪt] *f* insignificance, irrelevance

belassen [bəˈlasən] *v irr* leave; es dabei ~ leave it at that

belastbar [bəˈlastbaːr] *adj* (Mensch) capable of taking stress, able to take pressure

Belastbarkeit [bəˈlastbaːraɪt] *f* (eines Menschen) capacity to take stress, stress tolerance

belasten [bə'lastən] *v* 1. load, burden, encumber; 2. *(bedrücken)* worry, weigh on; 3. *(beanspruchen)* burden, strain; 4. *(Konto)* FIN debit, charge to; 5. *JUR* charge, incriminate; 6. *(Haus)* FIN mortgage, encumber

belästigen [bə'lɛstɪgən] *v* 1. harass, bother, pester; 2. *(körperlich)* molest

Belästigung [bə'lɛstɪgʊŋ] *f* harassment, annoyance, bothering

Belastung [bə'lastuŋ] *f* 1. burden, load, weight; 2. *(Steuer)* FIN burden; 3. *(Konto)* FIN debit; 4. *JUR* incrimination, charge; 5. *(Hypothek)* mortgage

belauern [bə'lauərn] *v* lie in wait for, spy on

belaufen [bə'laufən] *v irr sich ~ auf* ECO amount to, come to, add up to; *sich auf hundert Dollar ~* amount to one hundred dollars

belauschen [bə'lauʃən] *v* listen in on, eavesdrop on

beleben [bə'le:bən] *v* stimulate

Beleg [bə'le:k] *m* 1. voucher, receipt; 2. *(Beweis)* JUR proof, evidence

belegen [bə'le:gən] *v* 1. *(Platz)* occupy; 2. *(Kurs)* enrol for, register for, sign up for; 3. *(Brot) mit etw ~* put sth on; 4. *(beweisen)* FIN account for; 5. *(beweisen)* JUR prove

Belegschaft [bə'le:kʃaft] *f* staff, personnel, work force

belehren [bə'le:rən] *v* instruct, advise, inform

Belehrung [bə'le:ruŋ] *f* instruction, explanation

beleidigen [bə'laɪdɪgən] *v* insult, offend

Beleidigung [bə'laɪdɪgʊŋ] *f* insult

beleuchten [bə'lɔʏçtən] *v* 1. illuminate, light up; 2. *(fig)* shed light on, illuminate

Beleuchtung [bə'lɔʏçtuŋ] *f* illumination

belichten [bə'lɪçtən] *v* FOTO expose

beliebig [bə'li:bɪç] *adj* 1. any; *jeder ~e* anybody, anyone; *adv* 2. *~ viel* as much as you want; *~ oft* as often as you like

beliebt [bə'li:pt] *adj* popular

Beliebtheit [bə'li:pthaɪt] *f* popularity

beliefern [bə'li:fərn] *v* supply, furnish, provide

bellen [bɛlən] *v* bark

Belletristik [bɛle'trɪstɪk] *f* LIT fiction and poetry

belohnen [bə'lo:nən] *v* reward

Belohnung [bə'lo:nuŋ] *f* reward

belüften [bə'lyftən] *v* aerate

Belüftung [bə'lyftuŋ] *f* ventilation, airing

belügen [bə'ly:gən] *v irr* lie to, deceive

belustigen [bə'lustɪgən] *v* delight, amuse, entertain

Belustigung [bə'lustɪguŋ] *f* amusement, entertainment

bemalen [bə'ma:lən] *v* paint

bemängeln [bə'mɛŋəln] *v* find fault with

bemerkbar [bə'mɛrkba:r] *adj* noticeable; *sich ~ machen* make o.s. noticed

bemerken [bə'mɛrkən] *v* 1. *(äußern)* remark, observe, note; 2. *(wahrnehmen)* notice, note, observe

Bemerkung [bə'mɛrkuŋ] *f* 1. *(Äußerung)* remark, observation, comment; 2. *(Anmerkung)* note, comment

bemessen [bə'mɛsən] *v irr* 1. proportion, allocate; 2. *(einteilen)* calculate

bemitleiden [bə'mɪtlaɪdən] *v* pity, commiserate with; *jdn ~* have compassion for s.o., feel sorry for s.o.

bemühen [bə'my:ən] *v sich ~* take pains, try hard

Bemühung [bə'my:uŋ] *f* endeavour, effort

benachrichtigen [bə'na:xrɪçtɪgən] *v* inform, notify, advise

Benachrichtigung [bə'na:xrɪçtɪguŋ] *f* notification, notice

benachteiligen [bə'na:xtaɪlɪgən] *v* handicap, put at a disadvantage, discriminate against

Benachteiligung [bə'na:xtaɪlɪguŋ] *f* disadvantage

benehmen [bə'ne:mən] *v irr sich ~* behave, conduct o.s. *Benimm dich!* Behave yourself!

Benehmen [bə'ne:mən] *n* behaviour, demeanour, manners *pl*

beneiden [bə'naɪdən] *v* envy; *jdn um etw ~* envy s.o. for sth

beneidenswert [bə'naɪdənsve:rt] *adj* enviable

Beneluxstaaten ['beneluksʃta:tən] *pl* GEO Benelux countries *pl*

benennen [bə'nɛnən] *v irr* 1. *(einen Namen geben)* name; 2. *(für ein Amt)* nominate

Benennung [bə'nɛnuŋ] *f* 1. *(Bezeichnung)* name; 2. *(für ein Amt)* nomination

Bengel ['bɛŋəl] *m* rascal

benommen [bə'nɔmən] *adj* dazed, dizzy

benoten [bə'no:tən] *v* mark, grade *(US)*

benötigen [bə'nø:tɪgən] *v* need, require

Benotung [bə'no:tuŋ] *f* marks *pl*, grading

benutzen [bə'nutsən] *v* use, make use of

Benutzer(in) [bə'nutsər(ɪn)] *m/f* user

Benutzung [bə'nutsuŋ] *f* use

Benzin [bɛn'tsi:n] *n* petrol, gasoline *(US)*, gas *(fam)* *(US)*

Benzol [bɛn'tso:l] *n* CHEM benzene

beobachten [bə'o:baxtən] *v* observe, watch, keep an eye on

Beobachter(in) [bə'o:baxtər(ɪn)] *m/f* observer

Beobachtung [bə'o:baxtuŋ] *f* 1. *(Feststellung)* observation; 2. MED observation

bepflanzen [bə'pflantsən] *v* plant

Bepflanzung [bə'pflantsuŋ] *f* 1. *(Bepflanzen)* planting; 2. *(Grünanlage)* plantation

bequem [bə'kve:m] *adj* 1. *(behaglich)* comfortable, convenient (time); 2. *(träge)* lazy, indolent

Bequemlichkeit [bə'kve:mlɪçkaɪt] *f* 1. *(Behaglichkeit)* comfort, ease; 2. *(Trägheit)* laziness, indolence

beraten [bə'ra:tən] *v irr* 1. *(Rat erteilen)* advise, give advice, counsel; 2. *(besprechen)* discuss; 3. *sich ~* confer, deliberate

Berater(in) [bə'ra:tər(ɪn)] *m/f* adviser, consultant, counsellor

beratschlagen [bə'ra:tʃla:gən] *v irr* confer

Beratung [bə'ra:tuŋ] *f* 1. consultation; 2. *(Rat)* counsel, advice

berauschen [bə'rauʃən] *v* 1. intoxicate; 2. *sich ~* get drunk; 3. *sich ~ an* *(fig)* fall in love with

berechenbar [bə'rɛçənba:r] *adj* 1. *(abschätzbar)* calculable, computable; 2. MATH calculable

berechnen [bə'rɛçnən] *v* 1. calculate, work out, compute; 2. *jdm etw ~* charge s.o. for sth

Berechnung [bə'rɛçnuŋ] *f* calculation, computation; *meiner ~ nach* according to my calculations

berechtigen [bə'rɛçtɪgən] *v* entitle to, give a right to, authorize

berechtigt [bə'rɛçtɪçt] *adj* 1. *(befugt)* authorized, entitled; *~ zu* entitled to; 2. *(begründet)* justified

Berechtigte(r) [bə'rɛçtɪçtə(r)] *m/f* party entitled

Berechtigung [bə'rɛçtɪguŋ] *f* 1. *(Begründetsein)* justification; 2. *(Befugnis)* authorization, entitlement

Bereich [bə'raɪç] *m* 1. *(Gebiet)* area; 2. *(Fachbereich)* field, sphere, area; *im ~ des Möglichen* within the bounds of possibility

Bereicherung [bə'raɪçəruŋ] *f* enrichment

bereinigen [bə'raɪnɪgən] *v* settle, resolve, clear up

bereit [bə'raɪt] *adj* 1. prepared, ready; 2. *(gewillt)* willing

bereiten [bə'raɪtən] *v* 1. *(zubereiten)* prepare, make; 2. *(zufügen)* give, cause

bereitliegen [bə'raɪtli:gən] *v irr* to be ready

bereits [bə'raɪts] *adv* already

Bereitschaft [bə'raɪtʃaft] *f* 1. readiness; 2. *~ haben* to be on call; 3. *(Einheit)* squad

bereitstellen [bə'raɪtʃtɛlən] *v* make available, provide

bereitwillig [bə'raɪtvɪlɪç] *adj* willing, eager, ready

bereuen [bə'rɔyən] *v* 1. *(bedauern)* regret, to be sorry for; 2. REL repent

Berg [bɛrk] *m* mountain, hill; *über alle ~e sein* to be miles away; *über den ~ sein* *(fig)* to be out of the wood; *etw hinter dem ~ halten* *(fig)* keep quiet about sth

bergab [bɛrk'ap] *adv* downhill

Bergarbeiter [ˈbɛrkarbaɪtər] *m* miner

bergauf [bɛrk'auf] *adv* uphill

Bergbau [ˈbɛrkbau] *m* MIN mining

bergen [ˈbɛrgən] *v irr* 1. *(retten)* rescue, save; *ein Schiff ~* salvage a ship; 2. *(fig: enthalten)* harbour, hold

bergig [ˈbɛrgɪç] *adj* mountainous, hilly

Bergsteiger(in) [ˈbɛrkʃtaɪgər(ɪn)] *m/f* mountaineer, climber

Bergung [ˈbɛrguŋ] *f* 1. *(von Menschen)* rescue; 2. *(von Schiffen)* salvage

Bergwerk [ˈbɛrkvɛrk] *n* MIN mine

Bericht [bə'rɪçt] *m* report, account

berichten [bə'rɪçtən] *v* report

Berichterstattung [bə'rɪçtɛrʃtatuŋ] *f* 1. reporting, *(Bericht)* report; 2. *(in der Presse)* coverage

berichtigen [bə'rɪçtɪgən] *v* correct, rectify, set right

Berichtigung [bə'rɪçtɪguŋ] *f* correction

Bernstein [ˈbɛrnʃtaɪn] *m* MIN amber

berücksichtigen [bə'rʏkzɪçtɪgən] *v* consider, bear in mind, take into account

Berücksichtigung [bə'rʏkzɪçtɪguŋ] *f* consideration

Beruf [bə'ru:f] *m* profession, occupation, trade; *Was ist er von ~?* What does he do for a living?

Berufsausbildung [bə'ru:fsausbɪlduŋ] *f* vocational training, professional training

Berufserfahrung [bə'ru:fsɛrfa:ruŋ] *f* ECO professional experience

berufstätig [bə'ru:fste:tɪç] *adj* working, (gainfully) employed

Berufstätigkeit [bə'ruːfstɛːtɪçkaɪt] *f* ECO employment

Berufung [bə'ruːfʊŋ] *f* 1. *(Lebensaufgabe)* vocation; 2. *(Ernennung)* nomination, appointment; 3. JUR appeal; 4. REL calling

beruhen [bə'ruːən] *v* ~ auf to be based on, to be founded on, to be due to

beruhigen [bə'ruːɪgən] *v* 1. *(jdn ~)* calm, soothe, quiet; 2. sich ~ calm down, set one's mind at ease, compose o.s.

beruhigend [bə'ruːɪgənt] *adj* reassuring, calming, soothing

Beruhigung [bə'ruːɪgʊŋ] *f* reassurance, consolation, relief

berühmt [bə'ryːmt] *adj* famous, renowned, celebrated

Berühmtheit [bə'ryːmthaɪt] *f* 1. fame; 2. *(Person)* celebrity

berühren [bə'ryːrən] *v* 1. *(anfassen)* touch, handle; 2. *(fig: emotional ~)* move, affect

Berührung [bə'ryːrʊŋ] *f* touch, contact

besagen [bə'zaːgən] *v* say, mean, signify

besänftigen [bə'zɛnftɪgən] *v* calm down, soothe, alleviate

Besatzung [bə'zatsʊŋ] *f* 1. *(Mannschaft)* crew; 2. *(~struppen)* MIL occupation troops *pl*, occupation forces *pl*, garrison

beschädigen [bə'ʃɛːdɪgən] *v* damage, harm, injure

Beschädigung [bə'ʃɛːdɪgʊŋ] *f* damage, harm

beschaffen [bə'ʃafən] *v* procure, obtain

Beschaffenheit [bə'ʃafənhaɪt] *f* condition, state, nature

beschäftigen [bə'ʃɛftɪgən] *v* 1. *(jdn ~)* occupy, engage, employ; 2. sich mit etw ~ concern o.s. with sth, occupy o.s. with sth, engage in sth; *damit beschäftigt sein, etw zu tun* to be busy doing sth

Beschäftigung [bə'ʃɛftɪgʊŋ] *f* 1. occupation, employment, pursuit; 2. *(geistige ~)* preoccupation; 3. *(Arbeit)* employment

beschämen [bə'ʃɛːmən] *v* jdn ~ humiliate s.o., make s.o. feel ashamed

Bescheid [bə'ʃaɪt] *m* 1. *(Auskunft)* information; *Ich weiß ~.* I know about it. *Ich sage Ihnen ~.* I'll let you know. 2. *(Nachricht)* message; 3. JUR reply, notification

bescheiden [bə'ʃaɪdən] *adj* modest, unassuming

Bescheidenheit [bə'ʃaɪdənhaɪt] *f* modesty, humility, unpretentiousness

bescheinigen [bə'ʃaɪnɪgən] *v* certify, attest, vouch for

Bescheinigung [bə'ʃaɪnɪgʊŋ] *f* 1. *(Dokument)* certificate; 2. *(das Bescheinigen)* certification; 3. MED attestation; 4. ECO voucher

Bescherung [bə'ʃeːrʊŋ] *f* 1. *(an Weihnachten)* distribution of Christmas presents; 2. *eine schöne ~ (fam: neg. Ereignis)* A fine mess!

beschießen [bə'ʃiːsən] *v* shoot at, fire at; *(mit Granaten)* bombard

beschimpfen [bə'ʃɪmpfən] *v* jdn ~ swear at s.o., call s.o. names, abuse s.o. (verbally)

Beschimpfung [bə'ʃɪmpfʊŋ] *f* *(Beleidigung)* insult

beschlagen [bə'ʃlaːgən] *v irr* 1. *(Tür)* put fittings on; 2. *(Tier)* shoe; 3. *(sich ~) (Glas)* steam up; *adj irr* 4. *(Kenntnisse habend)* proficient, knowledgeable; *in einer Sache gut ~ sein* know the ropes

Beschlagnahme [bə'ʃlaːknaːmə] *f* confiscation, seizure

beschlagnahmen [bə'ʃlaːknaːmən] *v* confiscate, seize

beschleunigen [bə'ʃlɔynɪgən] *v* accelerate, speed up

Beschleunigung [bə'ʃlɔynɪgʊŋ] *f* acceleration

beschließen [bə'ʃliːsən] *v irr* 1. *(entscheiden)* decide, resolve; 2. *(beenden)* terminate, end, conclude

Beschluss [bə'ʃlʊs] *m* decision, determination, resolution

beschmieren [bə'ʃmiːrən] *v* 1. smear; 2. *(Brot)* spread; 3. *(bekritzeln)* scribble

beschmutzen [bə'ʃmutsən] *v* 1. dirty, soil, get dirty; 2. *(fig)* defile, sully

beschränken [bə'ʃrɛŋkən] *v* 1. *(einschränken)* confine, limit, restrict; 2. sich ~ auf confine o.s. to, restrict o.s. to, limit o.s. to

beschränkt [bə'ʃrɛŋkt] *adj* 1. *(eng)* narrow; 2. *(engstirnig)* narrow-minded; 3. *(eingeschränkt)* limited, restricted

Beschränktheit [bə'ʃrɛŋkthaɪt] *f* 1. restrictedness; 2. *(Engstirnigkeit)* narrowmindedness

Beschränkung [bə'ʃrɛŋkʊŋ] *f* limitation, restriction

beschreiben [bə'ʃraɪbən] *v irr* 1. *(fig)* describe; 2. *(Papier)* write on, inscribe

Beschreibung [bə'ʃraɪbʊŋ] *f* description, portrayal, representation; *der ~ von ... entsprechen* answer to the description of ... *Das spottet jeder ~!* That defies description! That beggars description!

beschriften [bə'ʃrɪftən] *v* write on, inscribe, mark

Beschriftung [bə'ʃrɪftuŋ] *f* 1. inscription; 2. *(Bildunterschrift)* caption

beschuldigen [bə'ʃuldıgən] *v* accuse of, charge with, blame for

Beschuldigung [bə'ʃuldıguŋ] *f* accusation, charge

Beschuss [bə'ʃus] *m* unter ~ geraten come under attack

beschützen [bə'ʃytsən] *v* protect, screen, shelter

Beschützer [bə'ʃytsər] *m* protector

Beschwerde [bə'ʃveːrdə] *f* 1. complaint, grievance; *pl* 2. *(Schmerzen)* complaint, trouble, discomfort; *f* 3. JUR appeal

beschweren [bə'ʃveːrən] *v* sich ~ complain; sich ~ über complain about

beschwichtigen [bə'ʃvɪçtıgən] *v* appease

beschwören [bə'ʃvøːrən] *v irr* 1. *(anflehen)* entreat, implore; 2. JUR swear to, take an oath on

beseitigen [bə'zaıtıgən] *v* 1. *(Zweifel)* remove; 2. *(entfernen)* remove, get rid of, dispose of; 3. *(fam: töten)* knock off, do in, do away with

Beseitigung [bə'zaıtıguŋ] *f* removal, elimination, disposal

Besen ['beːzən] *m* broom; *Wenn das wahr ist, fresse ich einen ~!* If that's true, I'll eat my hat!

besessen [bə'zɛsən] *adj* obsessed; *von bösen Geistern ~* possessed by evil spirits

Besessenheit [bə'zɛsənhaıt] *f* obsession

besetzen [bə'zɛtsən] *v* 1. occupy, fill; 2. THEAT cast

besetzt [bə'zɛtst] *adj* 1. TEL engaged, busy (US); 2. *(Toilette)* occupied

Besetzung [bə'zɛtsuŋ] *f* 1. MIL occupation; 2. THEAT cast

besichtigen [bə'zıçtıgən] *v* view, look at, examine

Besichtigung [bə'zıçtıguŋ] *f* 1. *(eines Museums usw.)* visit; 2. *(eines Hauses)* viewing; 3. *(amtlich)* inspection

besiedeln [bə'ziːdəln] *v* settle, colonize

Besiedelung [bə'ziːdəluŋ] *f* settlement, colonization

besiegen [bə'ziːgən] *v* beat, defeat

besinnlich [bə'zınlıç] *adj* thoughtful, reflective, contemplative

Besinnung [bə'zınuŋ] *f* 1. *(Bewusstsein)* consciousness; 2. *(Überlegung)* consideration, reflection

besinnungslos [bə'zınuŋsloːs] *adj* 1. unconscious; 2. *(fig)* thoughtless, inconsiderate

Besitz [bə'zıts] *m* 1. possession; *in jds ~ gelangen* come into s.o.'s possession; 2. *(Immobilien)* property, estate

besitzen [bə'zıtsən] *v irr* possess, own

Besitzer(in) [bə'zıtsər(ın)] *m/f* owner

Besitztum [bə'zıtstuːm] *n* property

besoffen [bə'zɔfən] *adj (fam)* drunk, plastered, smashed, pissed (UK)

besondere(r,s) [bə'zɔndərə(r,s)] *adj* 1. special; 2. *(bestimmt)* particular

Besonderheit [bə'zɔndərhaıt] *f* unusual characteristic, distinctiveness, peculiarity

besonders [bə'zɔndərs] *adv* 1. *(sehr)* particularly, especially; 2. *(vor allem)* above all, most of all, chiefly; 3. *(ausdrücklich)* especially, in particular, expressly

besorgen [bə'zɔrgən] *v* 1. *(beschaffen)* provide, supply, obtain; 2. *(ausführen)* attend to, see to, effect; 3. *es jdm ~ (fig)* sort s.o. out

Besorgnis [bə'zɔrknıs] *f* concern, worry, anxiety; *~ erregend* worrying, alarming

Besorgung [bə'zɔrguŋ] *f* 1. *(Kauf)* errand, shopping; 2. *(Erledigung)* attending to, arrangement of, handling of

bespitzeln [bə'ʃpıtsəln] *v jdn ~* spy on s.o.

besprechen [bə'ʃprɛçən] *v irr* 1. discuss, talk over; 2. *(rezensieren)* review

Besprechung [bə'ʃprɛçuŋ] *f* 1. discussion, meeting; 2. *(Rezension)* review

bespritzen [bə'ʃprıtsən] *v* splash

besprühen [bə'ʃpryːən] *v* 1. spray; 2. ART spray-paint; 3. CHEM spray

bessere(r,s) ['bɛsər(r,s)] *adj* better; *die ~ Hälfte (fig)* one's better half

bessern ['bɛsərn] *v* sich ~ improve

Besserung ['bɛsəruŋ] *f* improvement, recovery; *Gute ~!* Get well soon!

Bestand [bə'ʃtant] *m* 1. *(Fortdauer)* continued existence; *von ~ sein* to be lasting; 2. *(Kassenbestand)* FIN cash assets *pl*; 3. *(Vorrat)* ECO stock, stores *pl*, supply

beständig [bə'ʃtɛndıç] *adj* 1. *(dauerhaft)* constant, steady, continuous; 2. *(widerstandsfähig)* resistant

Beständigkeit [bə'ʃtɛndıçkaıt] *f* 1. *(Dauer)* constancy, steadiness, permanence; 2. *(Widerstandskraft)* resistance

bestärken [bə'ʃtɛrkən] *v* confirm, reinforce, strengthen

bestätigen [bə'ʃtɛːtıgən] *v* confirm, acknowledge, certify

Bestätigung [bə'ʃtɛːtıguŋ] *f* confirmation, acknowledgement, ratification

bestatten [bə'ʃtatən] *v* bury

Bestattung [bə'ʃtatʊn] f 1. (Beerdigung) funeral; 2. (Einäscherung) cremation

beste(r,s) ['bestə(r,s)] adj best; jdn zum Besten halten pull s.o.'s leg; etw zum Besten geben entertain with sth; Mit ihm steht es nicht zum Besten. Things don't look too promising for him.

bestechen [bə'ʃtɛçən] v 1. bribe, corrupt; irr 2. (beeindrucken) captivate, attract

bestechlich [bə'ʃtɛçlɪç] adj bribable, corruptible

Bestechlichkeit [bə'ʃtɛçlɪçkaɪt] f corruptibility

Bestechung [bə'ʃtɛçʊn] f bribery, corruption

Besteck [bə'ʃtɛk] n cutlery, silverware (US)

bestehen [bə'ʃteːən] v irr 1. (vorhanden sein) exist, to be in existence; Es ~ noch Fragen. There are still questions. 2. ~ aus consist of, to be composed of; 3. ~ auf insist upon, insist on; 4. (Prüfung) pass

bestehlen [bə'ʃteːlən] v irr rob, steal from

bestellen [bə'ʃtɛlən] v 1. (in Auftrag geben) order, place an order, commission; nicht viel zu ~ haben (fig) not have much to say; wie bestellt und nicht abgeholt (fig) like orphan Annie; 2. (ernennen) POL appoint

Bestellung [bə'ʃtɛlʊn] f 1. (Auftrag) order; 2. (Ernennung) appointment, nomination

besteuern [bə'ʃtɔyərn] v tax, impose a tax

bestialisch [bestj'aːlɪʃ] adj bestial

Bestie ['bestjə] f 1. beast; 2. (fig) brute

bestimmen [bə'ʃtɪmən] v 1. (festlegen) determine, decide; 2. (definieren) define; 3. (zuweisen) appoint, assign, appropriate

bestimmt [bə'ʃtɪmt] adj 1. (entschieden) determined, definite, resolute; 2. ~ für destined for; 3. (gewiss) certain; adv 4. (sicherlich) certainly, definitely

Bestimmtheit [bə'ʃtɪmthaɪt] f 1. (Entschiedenheit) determination, resolve; 2. (Gewissheit) certainty, definiteness

Bestimmung [bə'ʃtɪmʊn] f 1. (Festlegung) decision, determination, definition; 2. (Vorschrift) provision, decree, regulations pl; 3. (Schicksal) destiny, decree of fate; 4. (Zweck) purpose

bestrafen [bə'ʃtraːfən] v punish, penalize

Bestrafung [bə'ʃtraːfʊn] f punishment, penalty

Bestrebung [bə'ʃtreːbʊn] f endeavour

bestreichen [bə'ʃtraɪçən] v irr (Brot) spread

bestreiken [bə'ʃtraɪkən] v strike against

bestreiten [bə'ʃtraɪtən] v irr 1. (streitig machen) contest, dispute, challenge; 2. (finanzieren) cover, defray, carry

bestreuen [bə'ʃtrɔyən] v ~ mit strew with, cover with

bestürmen [bə'ʃtyrmən] v storm, besiege, assail

bestürzt [bə'ʃtyrtst] adj ~ sein to be dismayed, to be perplexed, to be taken aback

Bestürzung [bə'ʃtyrtsʊn] f consternation, bewilderment, dismay

Besuch [bə'zuːx] m 1. visit; 2. (Gäste) guests pl

besuchen [bə'zuːxən] v 1. jdn ~ visit s.o., pay a visit to s.o. 2. (besichtigen) visit; 3. (Schule) attend

Besucher(in) [bə'zuːxər(ɪn)] m/f 1. guest, visitor; 2. (einer Ausstellung) visitor, viewer

betasten [bə'tastən] v touch, feel

betätigen [bə'tɛːtɪgən] v 1. TECH operate, activate, work; 2. sich ~ work, busy o.s. sich ~ als act as, work as

Betätigung [bə'tɛːtɪgʊn] f 1. operation; 2. (Tätigkeit) activity

betäuben [bə'tɔybən] v MED anaesthetize

Betäubung [bə'tɔybʊn] f MED anaesthesia

beteiligen [bə'taɪlɪgən] v 1. sich ~ participate, take part, join; 2. jdn an etw ~ give a person a share, make a person a partner, let s.o. take part

Beteiligte(r) [bə'taɪlɪçtə(r)] m/f 1. participant; 2. (Betroffene(r)) person involved, person concerned

Beteiligung [bə'taɪlɪgʊn] f participation, share, interest

beten ['beːtən] v REL pray

beteuern [bə'tɔyərn] v swear, assert, affirm solemnly

Beteuerung [bə'tɔyərʊn] f protestation, assurance

Beton [be'tɔn] m concrete, cement

betonen [bə'toːnən] v emphasize, stress

betonieren [betoˈniːrən] v concrete

Betonung [bə'toːnʊn] f emphasis, stress

Betracht [bə'traxt] m consideration; in ~ ziehen take into consideration; nicht in ~ kommen to be out of the question

betrachten [bə'traxtən] v 1. (anschauen) look at, view, watch; 2. (fig: beurteilen) consider, view, regard

Betrachter(in) [bə'traxtər(ɪn)] m/f observer, onlooker

beträchtlich [bə'trɛçtlɪç] adj considerable, substantial

Betrachtung [bə'traxtʊŋ] *f 1. (Anschauen)* view, inspection; 2. *(fig: Überlegung)* reflection, consideration, contemplation

Betrag [bə'tra:k] *m* amount, sum

betragen [bə'tra:gən] *v irr 1. (sich belaufen auf)* amount to, add up to, come to; 2. *sich ~* behave

betrauern [bə'trauərn] *v* mourn

Betreff [bə'trɛf] *m* subject, subject matter; *in ~ einer Sache* with regard to sth

betreffen [bə'trɛfən] *v irr (angehen)* affect, concern, regard; *Betrifft das mich?* Does that apply to me? *was dich betrifft ...* as for you ..., as far as you are concerned ...

betreffend [bə'trɛfənt] *prep 1.* regarding, concerning; *adj 2. (einschlägig)* relevant; 3. *(erwähnt)* in question

betreiben [bə'traibən] *v irr 1. (leiten)* operate, manage, run; 2. *(ausüben)* do, pursue

betreten [bə'tre:tən] *v 1. (hineingehen)* enter, go into; 2. *(unbefugt ~)* trespass; *adj 3. ~ sein (fig)* to be embarrassed

betreuen [bə'trɔyən] *v 1.* look after, attend to; 2. *(Sachgebiet)* to be in charge of; 3. *(Kunden)* serve

Betreuer(in) [bə'trɔyər(ɪn)] *m/f 1.* attendant; 2. *SPORT* coach

Betreuung [bə'trɔyʊŋ] *f 1.* looking after; 2. *(der Kunden)* service

Betrieb [bə'tri:p] *m 1. (Treiben)* bustle, activity; 2. *(Firma)* ECO business, enterprise, firm; 3. *(Werk)* ECO factory, works; 4. *(Tätigkeit)* operation; *außer ~* out of order; *etw in ~ nehmen* start using sth, put sth into operation

betriebsam [bə'tri:pza:m] *adj* busy, diligent, industrious

Betriebsanleitung [bə'tri:psanlaitʊŋ] *f TECH* operating instructions *pl*

Betriebskosten [bə'tri:pskɔstən] *pl ECO* operating costs *pl*, working expenses *pl*

Betriebssystem [bə'tri:pszyste:m] *n INFORM* operating system

Betriebswirt [bə'tri:psvɪrt] *m* business economist, management expert

Betriebswirtschaft [bə'tri:psvɪrtʃaft] *f ECO* business economics

betrinken [bə'trɪŋkən] *v irr sich ~* get drunk

betroffen [bə'trɔfən] *adj 1. (berührt)* affected, concerned; 2. *(heimgesucht)* afflicted, stricken; 3. *(bestürzt)* perplexed

Betroffenheit [bə'trɔfənhait] *f* shock

betrübt [bə'try:pt] *adj* sad, distressed, grieved

Betrug [bə'tru:k] *m* fraud, deceit, deception

betrügen [bə'try:gən] *v irr* cheat, deceive, defraud

Betrüger(in) [bə'try:gər(ɪn)] *m/f* cheat, swindler, fraud

betrügerisch [bə'try:gərɪʃ] *adj 1. (Person)* deceitful, cheating; 2. *(Dinge)* fraudulent

betrunken [bə'trʊŋkən] *adj* drunk, intoxicated

Bett [bɛt] *n 1.* bed; *ins ~ gehen* go to bed; 2. *(Flussbett)* bed

Bettdecke [bɛtdɛkə] *f* bed-cover, bedspread, blanket

betteln ['bɛtəln] *v* beg

Bettler(in) ['bɛtlər(ɪn)] *m/f* beggar

Bettwäsche ['bɛtvɛʃə] *f* bedclothes *pl*, bed-linen

betucht [bə'tu:xt] *adj* wealthy, well-off

beugen ['bɔygən] *v 1. (biegen)* bend, flex; 2. *(fig: brechen)* bow, bend; *vom Alter gebeugt* bowed by age; 3. *sich ~* bend over, stoop; 4. *(fig: sich fügen)* bow, submit, yield

Beule ['bɔylə] *f 1. (Delle)* dent; 2. *MED* lump, bump, swelling

beunruhigen [bə'unru:ɪgən] *v 1.* disconcert, disturb, trouble; 2. *sich ~ wegen* worry about

beunruhigend [bə'unru:ɪgənt] *adj* unsettling, disturbing, alarming

beurkunden [bə'u:rkundən] *v 1. (bezeugen)* JUR prove (by documentary evidence); 2. *JUR* record (in an official document), document

Beurkundung [bə'u:rkundʊŋ] *f 1. (Bezeugung)* JUR documentary evidence; 2. *JUR* recording, certification, documentation

beurlauben [bə'u:rlaubən] *v 1.* grant leave, give leave; 2. *(suspendieren)* suspend

Beurlaubung [bə'u:rlaubʊŋ] *f ECO* granting of leave

beurteilen [bə'urtailən] *v 1.* judge; 2. *(abschätzen)* estimate

Beurteilung [bə'urtailʊŋ] *f* assessment, judgement, judgment (US), opinion

Beute ['bɔytə] *f 1.* booty, loot, spoils *pl*; 2. *(Opfer)* prey

Beutel ['bɔytəl] *m* bag, sack

bevölkern [bə'fœlkərn] *v 1.* populate; 2. *(fig)* crowd; 3. *sich ~ become inhabited*; 4. *sich ~ (fig)* fill up

Bevölkerung [bə'fœlkərʊŋ] *f* population

bevollmächtigen [bə'fɔlmɛçtɪgən] *v JUR* authorize, empower, give power of attorney

Bevollmächtigte(r) [bə'fɔlmɛçtɪçtə(r)] *m/f* JUR person holding power of attorney, proxy (for votes), representative

Bevollmächtigung [bə'fɔlmɛçtɪɡuŋ] *f* JUR power of attorney, authorization

bevor [bə'fo:r] *konj* before

bevormunden [bə'fo:rmundən] *v* jdn ~ make s.o.'s decisions for him/her

Bevormundung [bə'fo:rmunduŋ] *f* making decisions for others

bevorstehen [bə'fo:rʃte:ən] *v irr* to be imminent, impend, await

bevorzugen [bə'fo:rtsu:ɡən] *v* prefer, favour, give priority to

bewachen [bə'vaxən] *v* guard, watch over

Bewachung [bə'vaxuŋ] *f* guard; *unter ~* under guard

bewaffnen [bə'vafnən] *v* arm; *sich mit etw ~* arm o.s. with sth

bewahren [bə'va:rən] *v* 1. *(aufheben)* keep, preserve; 2. *(fig: beibehalten)* keep

bewähren [bə've:rən] *v sich ~* stand the test, prove worthwhile, prove o.s.

Bewährung [bə've:ruŋ] *f* JUR probation

bewältigen [bə'vɛltɪɡən] *v* 1. *(Problem)* cope with, overcome; 2. *(Aufgabe)* accomplish, master

Bewältigung [bə'vɛltɪɡuŋ] *f* 1. *(Problem)* solving, overcoming, mastering; 2. *(Aufgabe)* accomplishment

bewässern [bə'vɛsərn] *v* 1. water; 2. *(Landwirtschaft)* irrigate

Bewässerung [bə'vɛsəruŋ] *f* irrigation

bewegen [bə've:ɡən] *v* 1. move; 2. *sich ~* move; 3. *(fig: rühren)* move, affect; 4. *sich ~* SPORT exercise

beweglich [bə've:klıç] *adj* 1. movable, mobile; 2. *(elastisch)* flexible; 3. *(flink)* agile, nimble; 4. *(fig: flexibel)* versatile, resourceful

Beweglichkeit [bə've:klıçkaıt] *f* mobility, flexibility

Bewegung [bə've:ɡuŋ] *f* 1. movement, motion; *körperliche ~* exercise; *Keine ~!* Don't move! 2. *(Gebärde)* gesture

bewegungslos [bə've:ɡuŋslo:s] *adj* motionless, immobile

Beweis [bə'vaıs] *m* proof, evidence

beweisen [bə'vaızən] *v irr* 1. prove, substantiate; 2. *(fig: zeigen)* demonstrate, show *dabei ~ lassen*. We'll leave it at that.

bewerben [bə'vɛrbən] *v irr sich ~ um* apply for

Bewerber(in) [bə'vɛrbər(ın)] *m/f* applicant, candidate

Bewerbung [bə'vɛrbuŋ] *f* application

bewerkstelligen [bə'vɛrkʃtɛlıɡən] *v* 1. *(erreichen)* bring off, manage to do; 2. *(durchführen)* carry out

bewerten [bə'vɛrtən] *v* assess, evaluate, appraise

Bewertung [bə'vɛrtuŋ] *f* 1. evaluation, assessment; 2. *(Feststellung des Werts)* valuation, appraisal

bewilligen [bə'vılıɡən] *v* permit, grant, agree to

Bewilligung [bə'vılıɡuŋ] *f* allowance, granting, permission, grant

bewirken [bə'vırkən] *v* effect, cause, bring about

bewirten [bə'vırtən] *v* entertain to a meal, feed

bewirtschaften [bə'vırtʃaftən] *v* 1. *(verwalten)* manage, run, conduct; 2. *(bestellen)* AGR cultivate, till

Bewirtschaftung [bə'vırtʃaftuŋ] *f* 1. *(Verwaltung)* management, running; 2. *(landwirtschaftliche ~)* AGR cultivation; 3. *(staatliche ~)* rationing, control

bewohnen [bə'vo:nən] *v* inhabit, live in, reside in

Bewohner(in) [bə'vo:nər(ın)] *m/f* inhabitant, occupant, resident

Bewölkung [bə'vœlkuŋ] *f* cloudy sky, overcast sky, cloudiness

bewundern [bə'vundərn] *v* admire

Bewunderung [bə'vunduruŋ] *f* admiration

bewusst [bə'vust] *adj* 1. conscious, aware; *jdm etw ~ machen* make s.o. aware of sth; 2. *(absichtlich)* intentional, deliberate

bewusstlos [bə'vustlo:s] *adj* unconscious

Bewusstlosigkeit [bə'vustlo:zıçkaıt] *f* unconsciousness; *bis zur ~ (fig)* ad nauseam

Bewusstsein [bə'vustzaın] *n* consciousness, awareness

bezahlen [bə'tsa:lən] *v* pay, pay for

Bezahlung [bə'tsa:luŋ] *f* 1. payment; 2. *(Lohn)* pay

bezaubern [bə'tsaubərn] *v* enchant, charm, fascinate

bezaubernd [bə'tsaubərnt] *adj* enchanting, charming, enthralling

bezeichnen [bə'tsaıçnən] *v* 1. *(benennen)* designate, label, call; 2. *(angeben)* indicate; 3. *(kennzeichnen)* mark

Bezeichnung [bə'tsaıçnuŋ] *f* 1. *(Name)* term, expression; 2. *(Benennung)* designation; 3. *(Zeichen)* marking

bezeugen [bə'tsɔygən] v JUR testify to, bear witness to

bezichtigen [bə'tsɪçtɪgən] v accuse of

beziehen [bə'tsi:ən] v irr 1. (überziehen) cover; mit Saiten ~ string; 2. (einziehen) move into, occupy, take up residence in; 3. (Gehalt) receive, draw; 4. (abonnieren) subscribe to, get, take; 5. sich ~ auf refer to, relate to

Beziehung [bə'tsi:uŋ] f relationship, connection, relation; gute ~en haben to be well-connected

beziehungsweise [bə'tsi:uŋsvaɪzə] konj 1. (im anderen Fall) or, respectively; bekannt als X ~ Z known as X and Z respectively; 2. (genauer gesagt) or rather; Sie konnte es nicht tun, ~ wollte es nicht tun. She couldn't do it, or rather didn't want to do it.

Bezirk [bə'tsɪrk] m district, region, area

Bezug [bə'tsu:k] m 1. (Kissenbezug) pillow-case, pillow-slip; 2. (Überzug) cover, covering; 3. (Kauf) procurement, purchase, supply

bezüglich [bə'tsy:klɪç] prep with reference to, regarding, concerning; Bezüglich Ihres Schreibens ... Regarding your letter ...

bezuschussen [bə'tsu:ʃusən] v subsidize

bezwecken [bə'tsvɛkən] v intend, aim at

bezweifeln [bə'tsvaɪfəln] v doubt, question

bezwingen [bə'tsvɪŋən] v irr overcome, subdue, master

Bezwinger(in) [bə'tsvɪŋər(ɪn)] m/f conqueror, winner

bibbern ['bɪbərn] v shiver, shake, tremble

Bibel ['bi:bəl] f REL Bible

Biber ['bi:bər] m ZOOL beaver

Bibliografie [biblɪogra'fi:] f bibliography

Bibliothek [biblɪo'te:k] f library

Bibliothekar(in) [biblɪote'ka:r(ɪn)] m/f librarian

biblisch ['bi:blɪʃ] adj REL biblical

biegen ['bi:gən] v irr 1. bend; auf Biegen und Brechen come hell or high water; gerade ~ straighten out; 2. (Mensch, Wagen) turn; Er bog um die Ecke. He turned the corner.

biegsam ['bi:kza:m] adj flexible, malleable, pliable

Biegung ['bi:guŋ] f bend, curve

Biene ['bi:nə] f 1. ZOOL bee; 2. (fam: Mädchen) bird (UK), chick (US)

Bier [bi:r] n beer; Das ist nicht mein ~! (fam) That's not my thing! That's not my pigeon!

Bierbrauer ['bi:rbrauər] m brewer

Biest [bi:st] n 1. (Tier) beast; 2. (Person) beast, brute

bieten ['bi:tən] v irr 1. offer; eine Gelegenheit bot sich an opportunity presented itself; 2. (dar~) present

bigott [bi'gɔt] adj bigoted

Bilanz [bi'lants] f 1. FIN balance-sheet, financial statement, balance; 2. (fig) result, outcome; die ~ ziehen aus take stock of

bilanzieren [bilan'tsi:rən] v balance (accounts)

Bild [bɪlt] n 1. picture; 2. (fig: Ansicht) sight; ein ~ für die Götter What a sight! sich ein ~ von jdm machen have an impression of s.o. im ~e über etw sein to be in the picture

bilden ['bɪldən] v 1. form; 2. sich ~ (lernen) educate o.s. 3. sich ~ (entstehen) form, arise

Bilderbuch ['bɪldərbu:x] n picture-book; wie aus dem ~ perfect

Bildfläche ['bɪltflɛçə] f 1. screen; 2. (fig) auf der ~ erscheinen come on the scene; von der ~ verschwinden drop out of sight

Bildhauer ['bɪlthauər] m sculptor

bildlich ['bɪltlɪç] adj figurative, metaphoric

Bildnis ['bɪltnɪs] n portrait

Bildschirm ['bɪltʃɪrm] m screen

Bildschirmtext ['bɪltʃɪrmtɛkst] m INFORM viewdata

Bildung ['bɪlduŋ] f 1. (Gestaltung) formation, forming, shaping; 2. (Schulbildung) education

Bildungswesen ['bɪlduŋsve:zən] n education

Billard ['bɪljart] n billiards

Billiarde [bɪl'jardə] f a thousand billions (UK), quadrillion (US)

billig ['bɪlɪç] adj 1. (preiswert) cheap, inexpensive; 2. (angemessen) just, right, fair

billigen ['bɪlɪgən] v approve, consent to, agree to

Billigung ['bɪlɪguŋ] f approval, consent, approbation

Billion [bɪl'jo:n] f billion (UK), trillion (US)

binär [bi'nɛ:r] adj INFORM binary

Binde ['bɪndə] f 1. (Damenbinde) sanitary towel, sanitary napkin (US); 2. MED bandage; 3. sich einen hinter die ~ gießen (fam) knock one back

binden ['bɪndən] v irr bind, tie

Bindestrich ['bɪndəʃtrɪç] m hyphen

Bindewort ['bɪndəvɔrt] n GRAMM conjunction

Bindung ['bɪnduŋ] f 1. (Verpflichtung) engagement, obligation, commitment; 2. (Skibindung) binding; 3. (Verbundenheit) bond

binnen ['bɪnən] *prep* within; ~ *kurzem* before long

Binnenmarkt ['bɪnənmarkt] *m* ECO common market

Biochemie [bioçe'miː] *f* biochemistry

biochemisch [bio'çeːɪʃ] *adj* biochemical

Biografie [biogra'fiː] *f* biography

biografisch [bio'graːfɪʃ] *adj* LIT biographical, biographic

Biologe [bio'loːgə] *m* biologist

Biologie [biolo'giː] *f* biology

biologisch [bio'loːgɪʃ] *adj* biological

Biomüll ['biːomyl] *m* biological waste

Biotechnologie [biːotɛçnolo'giː] *f* biotechnology

Biotop [bio'toːp] *n* biotope

Birke ['bɪrkə] *f* BOT birch

Birnbaum ['bɪrnbaum] *m* BOT pear tree

Birne ['bɪrnə] *f* 1. (Obst) pear; 2. (Glühbirne) light bulb

bis [bɪs] *prep* 1. (zeitlich) until; *Bis später!* See you later! *Montag ~ Freitag geöffnet* open Monday through Friday; 2. (nicht später als) by; 3. (örtlich) to, up to, as far as; *Bis dorthin sind es zwei Kilometer.* It's two kilometres away. 4. ~ *auf except*; ~ *auf (einschließlich)* down to; *Das Stadion war ~ auf den letzten Platz ausverkauft.* The stadium was sold out down to the last seat. 5. (ungefähr) to, or; *drei ~ vier Tage* three or four days; *adv* 6. ~ *zu (nicht mehr als)* up to; *konj* 7. till, until, before

Bischof ['bɪʃɔf] *m* REL bishop

bischöflich ['bɪʃøflɪç] *adj* REL episcopal

bisher [bɪs'heːr] *adv* so far, as yet, up to now

bisherig [bɪs'heːrɪç] *adj* up to now, previous, hitherto existing

Biskuit [bɪs'kvɪt] *m* GAST sponge-cake

Bison ['biːzɔn] *m* ZOOL bison

Biss [bɪs] *m* bite

bisschen ['bɪsçən] *adv* 1. *ein ~* a little, a bit, slightly; *adj* 2. a little; *adv* 3. *Ach du liebes ~!* Oh dear!

Bissen ['bɪsən] *m* bite; *jdm keinen ~ gönnen* begrudge s.o. the very air he breathes; *keinen ~ anrühren* not touch a thing

bissig ['bɪsɪç] *adj* 1. vicious; *ein ~er Hund* a dog that bites; 2. (fig) biting, cutting

Bit [bɪt] *n* INFORM bit

bitte ['bɪtə] *interj* 1. please; 2. (Bejahung) of course, please do, help yourself; 3. (~ schön) (Antwort auf Dank) you're welcome, not at all; 4. (von Verkäufer) Bitte schön? May I help you?

Bitte ['bɪtə] *f* request

bitten ['bɪtən] *v irr* ask, request; *jdn um etw ~* ask that s.o. do sth

bitter ['bɪtər] *adj* bitter

bizarr [bi'tsar] *adj* bizarre

blähen ['blɛːən] *v* MED cause flatulence

Blähungen ['blɛːuŋən] *pl* MED flatulence

blamabel [bla'maːbəl] *adj* shameful, humiliating, disgraceful

Blamage [bla'maːʒə] *f* disgrace, shame, humiliation

blamieren [bla'miːrən] *v* 1. *jdn ~* make a fool of s.o., disgrace s.o., bring shame on s.o. 2. *sich ~* make a fool of o.s., bring shame upon o.s.

blank [blaŋk] *adj* 1. (nackt) bare; 2. (glänzend) shining; 3. (abgescheuert) shiny; 4. (fig: rein) sheer, pure

Blase ['blaːzə] *f* 1. bubble; 2. MED blister; 3. ANAT bladder

blasen ['blaːzən] *v irr* 1. blow; 2. (spielen) MUS play

Blasinstrument ['blaːsɪnstrument] *n* MUS wind instrument

Blasphemie [blasfe'miː] *f* REL blasphemy

blasphemisch [blas'feːmɪʃ] *adj* REL blasphemous

blass [blas] *adj* 1. pale; 2. (cheeks) pallid; ~ *werden* grow pale

Blässe ['blɛsə] *f* paleness, pallor

Blatt [blat] *n* 1. (Papier) sheet, piece; 2. (fig) *ein unbeschriebenes ~* (fig) a blank sheet (fig); *Das ~ hat sich gewendet.* (fig) The tide has turned. (fig); *kein ~ vor den Mund nehmen* not mince words; 3. BOT leaf

blättern ['blɛtərn] *v* leaf through, turn the pages

blau [blau] *adj* 1. blue; *jdm das Blaue vom Himmel versprechen* promise s.o. the moon; 2. (fig: betrunken) drunk

Blaubeere ['blaubeːrə] *f* BOT bilberry (UK), blueberry (US)

Blauhelm ['blauhelm] *m* blue helmet (United Nations soldier)

Blaulicht ['blaulɪçt] *n* blue light

Blaumeise ['blaumaɪzə] *f* ZOOL blue tit

Blech [blɛç] *n* sheet of metal, tin-plate

Blechblasinstrument ['blɛçblaːsɪnstrument] *n* MUS brass wind instrument

Blechdose ['blɛçdoːzə] *f* tin (UK), tin can (US)

Blechschaden ['blɛçʃaːdən] *m* TECH slight material damage, body-work damage

Blei [blaɪ] *n* 1. lead; *jdm wie ~ in den Gliedern liegen* weigh s.o. down; 2. (Schrot) shot

bleiben ['blaɪbən] *v irr* 1. *(in einem Zustand)* stay, remain, continue to be; 2. *(verweilen)* stay, remain
bleich ['blaɪç] *adj* pale, faint
bleichen ['blaɪçən] *v* bleach
bleifrei ['blaɪfraɪ] *adj (Benzin)* unleaded
Bleistift ['blaɪʃtɪft] *m* pencil
Blende ['blɛndə] *f* 1. *(Abschirmung)* screen, guard; 2. FOTO aperture, stop, diaphragm
blenden ['blɛndən] *v* 1. *(Licht)* dazzle, glare; 2. *(fig: täuschen)* dazzle, blind
blendend ['blɛndənt] *adj* 1. *(leuchtend)* dazzling, glaring; 2. *(fig: bezaubernd)* wonderful, dazzling, gorgeous
Blick [blɪk] *m* 1. *(Schauen)* look; *einen schnellen ~ auf etw werfen* dart a glance at sth; *auf den ersten ~* at first sight; *den bösen ~ haben* have the evil eye; *jdn keines ~es würdigen* refuse to look at s.o. *einen ~ für etw haben* have an eye for sth; *einen ~ hinter die Kulissen werfen* have a look behind the scenes; 2. *(Aussicht)* view, outlook
blicken ['blɪkən] *v* look, glance
Blickfeld ['blɪkfɛlt] *n* sight
Blickpunkt ['blɪkpʊŋkt] *m* focus, focal point
blind [blɪnt] *adj* blind; *~ fliegen* fly blind; *~ schreiben* touch typing
Blinddarm ['blɪntdarm] *m* ANAT appendix
Blinde(r) ['blɪndə(r)] *m/f* blind person
Blindenschrift ['blɪndənʃrɪft] *f* Braille
Blindheit ['blɪnthaɪt] *f* blindness
blindwütig ['blɪntvyːtɪç] *adj* blind with rage
blinken ['blɪŋkən] *v* flash, gleam
Blinker ['blɪŋkər] *m* TECH turn indicator, blinker
Blinklicht ['blɪŋklɪçt] *n* TECH blinker, direction indicator
blinzeln ['blɪntsəln] *v* 1. blink; 2. *(geblendet ~)* squint; 3. *(zwinkern)* wink
Blitz [blɪts] *m* 1. lightning; *wie der ~* like a bat out of hell; *wie ein ~ aus heiterem Himmel* like a bolt from the blue; 2. *(~strahl)* flash of lightning
blitzen ['blɪtsən] *v* flash, sparkle; *Es blitzt und donnert.* There is thunder and lightning.
Blitzlicht ['blɪtslɪçt] *n* FOTO flashlight (UK), flash (US)
blitzschnell ['blɪtsʃnɛl] *adj* fast as lightning
Block [blɔk] *m* 1. *(Papier)* pad, block; 2. *(Gebäude)* block
Blockade [blɔˈkaːdə] *f* blockade
Blockflöte ['blɔkfløːtə] *f* MUS recorder

blockieren [blɔˈkiːrən] *v* block
Blockschrift ['blɔkʃrɪft] *f* block letters *pl*
blöd [bløːt] *adj* 1. stupid, foolish; 2. *(albern)* silly
Blödsinn ['bløːtzɪn] *m* nonsense, rubbish
blöken ['bløːkən] *v* bleat
blond [blɔnt] *adj* blond, blonde
Blonde(r) ['blɔndə(r)] *m/f* blonde, blond
blondieren [blɔnˈdiːrən] *v* dye blond, bleach
bloß [bloːs] *adv* 1. just, merely, simply; *adj* 2. *(unbedeckt)* bare, naked; 3. *(fig)* mere
bloßstellen ['bloːsʃtɛlən] *v* show up, expose
Bloßstellung ['bloːsʃtɛlʊŋ] *f* exposure
blühen ['blyːən] *v* 1. flower, bloom, blossom; *Das kann dir auch noch ~.* That may happen to you too. 2. *jdm — (fig) Dann blüht dir aber was.* Then you'll be in for it. *Das kann dir auch noch ~.* That may happen to you too.
blühend ['blyːənt] *adj (fig: Geschäft)* blooming, flourishing
Blume ['bluːmə] *f* 1. flower; 2. *durch die ~ sprechen* put sth in a roundabout way
Blumenbeet ['bluːmənbeːt] *n* flower bed
Blumenhändler ['bluːmənhɛndlər] *m* florist
Blumenkohl ['bluːmənkoːl] *m* BOT cauliflower
Blumenstrauß ['bluːmənʃtraus] *m* bouquet of flowers, bunch of flowers
blumig ['bluːmɪç] *adj* flowery
Bluse ['bluːzə] *f* blouse
Blut [bluːt] *n* blood; *böses ~ schaffen* make bad blood (between persons); *blaues ~ haben* to be blue-blooded; *~ geleckt haben* have tasted blood; *~ und Wasser schwitzen* sweat blood; *~ sehen wollen* to be bloodthirsty; *Das liegt ihm im ~.* It's in his blood.
Blutdruck ['bluːtdruk] *m* MED blood pressure
Blüte ['blyːtə] *f* 1. blossom, bloom; 2. *(fig)* flower; *in der ~ seiner Jahre* in the flower of his youth
bluten ['bluːtən] *v* bleed
Blütezeit ['blyːtətsaɪt] *f* 1. *die ~ von etw* BOT the time sth is in blossom; 2. *(fig)* heyday
Blutgruppe ['bluːtgrupə] *f* MED blood group, blood type
blutig ['bluːtɪç] *adj* bloody
Blutprobe ['bluːtproːbə] *f* MED blood sample, blood test
Blutung ['bluːtʊŋ] *f* MED bleeding
Bö [bøː] *f* gust, squall

Bock [bɔk] *m 1. SPORT* vaulting horse; *2. ZOOL* buck; *3. einen ~ schießen (fig)* make a howler

bocken ['bɔkən] *v 1. (Tier)* refuse to move; *2. (schmollen)* sulk

Boden ['boːdən] *m 1. (Erde)* soil, ground; *Vor Scham wäre ich am liebsten in den ~ versunken.* I wished the ground would open and swallow me up. *2. (Fußboden)* floor; *3. (Grund)* land, ground; *4. (fig: Halt) festen ~ unter den Füßen haben to be on terra firma; den ~ unter den Füßen verlieren* lose one's footing; *5. am ~ zerstört sein* to be absolutely shattered; *6. an ~ gewinnen* gain ground

bodenlos ['boːdənloːs] *adj 1.* bottomless; *2. (fig)* outrageous, indescribable

Bodenschätze ['boːdənʃɛtsə] *pl* minerals *pl*, natural resources *pl*

Bodensee ['boːdənzeː] *m der ~ GEO* Lake Constance

Bogen ['boːgən] *m 1. (Kurve)* bend, curve; *einen ~ um etw machen* give sth a wide berth; *jdn in hohem ~ hinauswerfen* give s.o. the boot, send s.o. flying out; *2. (Waffe)* bow; *~ überspannen* overstep the mark; *3. (Papier)* sheet of paper; *4. ARCH* arch; *5. den ~ heraushaben* have the knack

Bohne ['boːnə] *f 1. (Hülsenfrucht) BOT* bean; *Du hast wohl ~n in den Ohren?* Are you deaf? *2. (Kaffeebohne) BOT* coffee bean; *3. Nicht die ~. (fam)* Not at all., Not a scrap.

bohren ['boːrən] *v* drill, bore

Bohrer ['boːrər] *m TECH* drill

Bohrinsel ['boːrɪnzəl] *f* drilling platform

Bohrmaschine ['boːrmaʃiːnə] *f TECH* drill

Bohrturm ['boːrtʊrm] *m TECH* oil derrick

Boiler ['bɔylər] *m TECH* boiler, hot water tank

Boje ['boːjə] *f* buoy

Bolzen ['bɔltsən] *m TECH* pin, bolt

bombardieren [bɔmbar'diːrən] *v* bomb, bombard

Bombardierung [bɔmbar'diːrʊŋ] *f MIL* bombardment

Bombe ['bɔmbə] *f* bomb; *eine ~ platzen lassen (fig)* drop a bombshell

Bombenanschlag ['bɔmbənanʃlaːk] *m MIL* bomb attack

Bomber ['bɔmbər] *m MIL* bomber

Bon [bɔŋ] *m 1.* credit note, credit voucher; *2. (Kassenbon)* receipt

Bonbon [bɔŋ'bɔŋ] *n* sweet

Bonität [boːni'tɛːt] *f FIN* solvency

Bonus ['boːnʊs] *m FIN* bonus

Bonze ['bɔntsə] *m (fam)* bigwig, big shot

Boom [buːm] *m ECO* boom

Boot [boːt] *n* boat

Bord[1] [bɔrt] *n 1. (Brett)* shelf; *m 2. (Rand)* rim, brim

Bord[2] [bɔrt] *m an ~* on board; *etw über ~ werfen (fig)* throw sth to the wind

Bordcomputer ['bɔrtkɔmpjuːtər] *m TECH* aircraft computer

Bordell [bɔr'dɛl] *n* brothel

Bordkarte ['bɔrtkartə] *f* boarding card, boarding pass (US)

borgen ['bɔrgən] *v 1. (entleihen)* borrow; *2. (verleihen)* lend

borniert [bɔr'niːrt] *adj 1. (engstirnig)* narrow-minded; *2. (dumm)* dense, obtuse

Börse ['bœrzə] *f 1. (Geldbörse)* wallet, purse; *2. FIN* exchange, market

Börsenhandel ['bœrzənhandəl] *m FIN* stock market trading, stock market dealing

Börsenkrach ['bœrzənkrax] *m FIN* stock market crash

Börsenkurs ['bœrzənkurs] *m FIN* market price, market rate

Börsenmakler ['bœrzənmaːklər] *m FIN* stockbroker, exchange broker

Börsennotierung ['bœrzənnotiːrʊŋ] *f FIN* market exchange quotation

Borste ['bɔrstə] *f* bristle

Borstentier ['bɔrstəntiːr] *n ZOOL* swine

borstig ['bɔrstɪç] *adj 1.* bristly; *2. (fig)* gruff

bösartig ['bøːsartɪç] *adj 1.* malicious, mean, nasty; *2. MED* malignant

Bösartigkeit ['bøːsartɪçkaɪt] *f 1.* maliciousness, evilness, wickedness; *2. MED* malignancy

Böschung ['bœʃʊŋ] *f* slope, embankment

böse ['bøːzə] *adj 1. (verärgert)* angry, cross, mad (US); *2. (schlimm)* bad, nasty

Bösewicht ['bøːzəvɪçt] *n* villain

boshaft ['boːshaft] *adj* nasty, mean, wicked

Bosheit ['boːshaɪt] *f 1.* malice, wickedness; *2. MED* malignancy

Bosnien und Herzegowina ['bɔznjən ʊnt hɛrtsə'govina] *n GEO* Bosnia and Herzegovina

Bosnier(in) ['bɔznjər(ɪn)] *m/f* Bosnian

bosnisch ['bɔznɪʃ] *adj* Bosnian

böswillig ['bøːsvɪlɪç] *adj* malevolent, malicious; *2. JUR* wilful, malicious

Böswilligkeit ['bøːsvɪlɪçkaɪt] *f* malice

Botanik [bo'taːnɪk] *f* botany

botanisch [bo'taːnɪʃ] *adj* botanical

Bote ['boːtə] *m 1.* messenger; *2. (Kurier)* courier; *3. (Laufbursche)* errand-boy

Botschaft ['bo:tʃaft] f 1. (Nachricht) message, news; 2. POL embassy
Botschafter(in) ['bo:tʃaftər(ɪn)] m/f POL ambassador
Bottich ['bɔtɪç] m tub
Boulevardzeitung [bulə'va:rtsaɪtuŋ] m/f tabloid
Bowle ['bo:lə] f 1. (Getränk) punch; 2. (Gefäß) punch bowl, tureen
Box [bɔks] f 1. (Stallbox) loose-box (UK), box stall; 2. (Motorsport) SPORT pit
boxen ['bɔksən] v box
Boxer ['bɔksər] m 1. SPORT boxer; 2. ZOOL boxer
Boxkampf ['bɔkskampf] m SPORT boxing match, fight, bout
Boykott [bɔy'kɔt] m boycott
boykottieren [bɔykɔ'ti:rən] v boycott
brach [bra:x] adj AGR fallow, untilled
Branche ['brã:ʃə] f ECO branch, line, business
Brand [brant] m fire
brandneu ['brant'nɔy] adj brand new
Brandstifter ['brantʃtɪftər] m arsonist
Brandstiftung ['brantʃtɪftuŋ] f arson
Brandung ['branduŋ] f surf, waves pl, surge
Branntwein ['brantvaɪn] m spirits
Brasilianer(in) [brazil'ja:nər(ɪn)] m/f Brasilian
brasilianisch [brazil'ja:nɪʃ] adj Brazilian
Brasilien [bra'zi:ljən] n GEO Brazil
braten ['bra:tən] v irr 1. (im Ofen) GAST roast; 2. (in Fett) GAST fry
Braten ['bra:tən] m GAST roast; den ~ riechen (fig) smell a rat
Bratenfett ['bra:tənfɛt] n cooking fat
Bratensoße ['bra:tənzo:sə] f gravy
Bratfisch ['bra:tfɪʃ] m fried fish
Brathuhn ['bra:thu:n] n roast chicken
Bratkartoffeln ['bra:tkartɔfəln] pl fried potatoes pl
Bratpfanne ['bra:tpfanə] f frying-pan
Bratsche ['bra:tʃə] f MUS viola
Bratwurst ['bra:tvurst] f 1. (zum Braten) frying sausage, bratwurst; 2. (gebraten) fried sausage, bratwurst
Brauch [braux] m custom, habit, tradition
brauchen ['brauxən] v 1. (nötig haben) need, require, to be in need of; 2. (müssen) need to, have to; 3. (benutzen) use
Brauchtum ['brauxtu:m] n customs pl, traditions pl
Braue ['brauə] f brow

brauen ['brauən] v brew
Brauerei [brauə'raɪ] f brewery
braun [braun] adj 1. brown; 2. (sonnengebräunt) brown, tan, tanned ~ gebrannt tanned, bronzed
Bräune ['brɔynə] f brownness, brown colour
bräunen ['brɔynən] v brown, turn brown; sich in der Sonne ~ lassen get a tan
Brause ['brauzə] f 1. (Getränk) soda-pop; 2. (Dusche) shower
brausen ['brauzən] v 1. (rasen) roar, rage; 2. (duschen) take a shower, shower, have a shower
Braut [braut] f bride
Bräutigam ['brɔytɪgam] m bridegroom
Brautjungfer ['brautjuŋfər] f bridesmaid
Brautkleid ['brautklaɪt] n wedding dress
Brautpaar ['brautpa:r] n bride and bridegroom
brav [bra:f] adj good, well-behaved
bravo ['bra:vo] interj bravo, well-done
Bravur [bra'vu:r] f 1. (Kühnheit) bravery; 2. MUS bravura
bravurös [bravu'rø:s] adj (meisterhaft) brilliant
brechen ['brɛçən] v irr 1. break; (Knochen) break, fracture; 2. (fig: Vertrag) breach; 3. (sich übergeben) vomit, throw up; 4. (abbrechen) break off
Brei [braɪ] m mash, pap, pulp; um den heißen ~ herumreden (fig) beat about the bush, beat around the bush; (US): jdm ~ ums Maul schmieren (fam) butter s.o. up
breit [braɪt] adj 1. broad, wide; sich ~ machen spread o.s. out; sich ~ machen (fig) act as if one owned the place, behave ostentatiously; ~ gefächert diversified; 2. (Stoffe) wide; 3. (ausgedehnt) broad, extensive
Breite ['braɪtə] f 1. width, breadth; in die ~ gehen fill out; 2. GEO latitude
Breitengrad ['braɪtəngra:t] m GEO degree of latitude
Bremse ['brɛmzə] f 1. TECH brake; 2. (Fliege) ZOOL horse-fly
bremsen ['brɛmzən] v 1. brake, apply the brakes; 2. Ich kann mich ~! (fig) Not likely!/No fear!
Bremslicht ['brɛmslɪçt] n brake light
brennbar ['brɛnba:r] adj combustible
brennen ['brɛnən] v irr burn, blaze; vor Verlangen ~ (fig) burn with desire; 2. (Licht) burn; 3. (Schnaps) distil; 4. (Wunde) cauterize
Brennholz ['brɛnhɔlts] n firewood

Brennnessel ['brɛnnɛsəl] f BOT nettle
Brennpunkt ['brɛnpuŋkt] m focus, focal point
Brennstoff ['brɛnʃtɔf] m fuel
brenzlig ['brɛntslıç] adj (fig) precarious, touch-and-go, risky
Brett [brɛt] n board, plank, shelf; ein ~ vor dem Kopf haben (fig) to be a blockhead
Brettspiel ['brɛtʃpiːl] n board game
Brezel ['breːtsəl] f pretzel
Brief [briːf] m letter; blauer ~ letter of dismissal, pink slip (US); jdm ~ und Siegel geben give s.o. one's word of honour
Briefgeheimnis ['briːfgəhaımnıs] n secrecy of letters, secrecy of the post, secrecy of mail (US)
Briefing ['briːfıŋ] n briefing
Briefkasten ['briːfkastən] m letter-box, mailbox (US)
Briefmarke ['briːfmarkə] f postage stamp, stamp
Briefpapier ['briːfpapiːr] n writing paper, stationery, letter paper
Briefporto ['briːfpɔrto] n postage
Brieftasche ['briːftaʃə] f wallet
Briefträger ['briːftrɛːgər] m postman, mailman (US)
Briefumschlag ['briːfumʃlaːk] m envelope
Briefwahl ['briːfvaːl] f POL postal ballot, absentee ballot (US)
Briefwechsel ['briːfvɛksəl] m correspondence, exchange of letters
Brikett [bri'kɛt] n briquette
brillant [brıl'jant] adj brilliant, splendid; ~ aussehen look beautiful
Brillant [brıl'jant] m diamond, brilliant
Brillanz [brıl'jants] f brilliance
Brille ['brılə] f glasses pl, spectacles pl
bringen ['brıŋən] v irr 1. bring, take; ins Spiel ~ bring into play; 2. (begleiten) take; 3. (veröffentlichen) publish, print; 4. (einbringen) bring, produce; Das bringt nichts. That doesn't do any good. That's pointless. 5. (Gewinn) yield; 6. Er wird es niemals zu etw ~. He'll never amount to anything.
brisant [bri'zant] adj explosive
Brisanz [bri'zants] f explosiveness
Brise ['briːzə] f breeze
Brite ['briːtə] m Briton, Englishman
Britin ['briːtın] f Briton, Englishwoman
britisch ['briːtıʃ] adj British
Britische Inseln ['briːtıʃə 'ınzəln] pl die Britischen Inseln the British Isles pl
bröckeln ['brœkəln] v crumble

Brocken ['brɔkən] m 1. chunk, lump; Das war ein harter ~. That was a hard nut to crack. 2. (fam: Bissen) mouthful; 3. (fig) scrap, bit, snippet
brodeln ['broːdəln] v bubble, boil, simmer
Brokkoli ['brɔkɔli] m BOT broccoli
Brombeere ['brɔmbeːrə] f blackberry
Bronchie ['brɔnçiə] f ANAT bronchi, bronchial system
Bronze ['brɔ̃sə] f MET bronze
Bronzezeit ['brɔ̃saıt] f HIST Bronze Age
Brosche ['brɔʃə] f brooch, pin
Broschüre [brɔ'ʃyːrə] f brochure, pamphlet, booklet
bröseln ['brøːzəln] v crumble
Brot [broːt] n bread
Brotaufstrich ['broːtaufʃtrıç] m spread
Brötchen ['brøːtçən] n roll
Bruch [brux] m 1. break, rupture, breakage; zu ~ gehen go to pieces; 2. (Knochenbruch) MED fracture; 3. MATH fraction; 4. (Vertragsbruch) JUR breach of contract
brüchig ['bryçıç] adj fragile, brittle
Bruchlandung ['bruxlanduŋ] f crash-landing
Bruchrechnung ['bruxrɛçnuŋ] f MATH fractions
Bruchstelle ['bruxʃtɛlə] f point of fracture
Bruchstrich ['bruxʃtrıç] m MATH fraction bar
Bruchteil ['bruxtaıl] m fraction; ~ einer Sekunde fraction of a second, split-second
Brücke ['brykə] f 1. bridge; alle ~n hinter sich abbrechen (fig) burn one's bridges; 2. (Teppich) rug; 3. (Zahnersatz) MED bridge
Bruder ['bruːdər] m brother
brüderlich ['bryːdərlıç] adj brotherly, fraternal
Brüderschaft ['bryːdərʃaft] f mit jdm ~ trinken agree to use the familiar „du" over a drink with s.o.
Brühe ['bryːə] f 1. broth; 2. (schmutzige Flüssigkeit) slop, slush
brüllen ['brylən] v scream, yell, roar; wie am Spieß ~ scream one's head off; zum Brüllen sein to be a scream
brummen ['brumən] v hum, buzz, grumble
brummig ['brumıç] adj grumbling, growling, cross
brünett [bry'nɛt] adj brunette
Brunft [brunft] f ZOOL rut, heat
Brunnen ['brunən] m spring, well

brüskieren [brys'ki:rən] v treat brusquely, snub, affront

Brüssel ['brysəl] n Brussels

Brust [brust] f 1. ANAT chest, breast; 2. (weibliche ~) breast, bosom; 3. (fig) breast, heart; einen zur ~ nehmen knock one back; mit geschwellter ~ proud as a peacock; sich in die ~ werfen put on airs

brüsten ['brystən] v sich ~ boast, brag

Brüstung ['brystuŋ] f parapet, balustrade

Brut [bru:t] f brood, spawn

brutal [bru'ta:l] adj brutal, cruel

Brutalität [brutali'tɛ:t] f brutality

brüten ['bry:tən] v 1. incubate; 2. (fig) ~ über brood over

brutto ['bruto] adj gross

Bruttoinlandsprodukt [bruto'ɪnlandsprodukt] n ECO gross domestic product

Bruttosozialprodukt ['brutozo'tsja:lprodukt] n ECO gross national product

Bube ['bu:bə] m boy

Buch [bu:x] n 1. book; wie es im ~e steht (fig) a perfect example; ein ~ mit sieben Siegeln a closed book; wie ein ~ reden talk one's head off (fam); Für mich ist er ein offenes ~. I can read him like a book. 2. (Drehbuch) screenplay, script

Buchdruck ['bu:xdruk] m 1. book printing; 2. (Druckverfahren) letterpress printing

Buche ['bu:xə] f BOT beech

buchen ['bu:xən] v book, enter into the books, record

Bücherei [by:çə'raı] f library

Bücherregal ['by:çərrega:l] n bookcase

Buchführung ['bu:xfy:ruŋ] f ECO bookkeeping, accounting

Buchhalter(in) ['bu:xhaltər(ɪn)] m/f accountant, bookkeeper

Buchhaltung ['bu:xhaltuŋ] f bookkeeping, accounting

Buchhandel ['bu:xhandəl] m book trade

Buchhändler(in) ['bu:xhɛndlər(ɪn)] m/f bookseller

Buchhandlung ['bu:xhandluŋ] f bookshop, bookstore (US)

Buchmesse ['bu:xmɛsə] f book fair

Buchse ['buksə] f TECH box, case

Büchse ['byksə] f 1. tin, can (US), jar; 2. (Gewehr) rifle

Büchsenöffner ['byksənœfnər] m tin-opener, can opener (US)

Buchstabe ['bu:xʃta:bə] m letter; sich auf seine vier ~n setzen sit o.s. down (fam)

buchstabieren [bu:xʃta'bi:rən] v spell

Bucht [buxt] f bay, cove

Buchung ['bu:xuŋ] f 1. (Reservierung) reservation, booking; 2. ECO entry

Buckel ['bukəl] m 1. hump, hunch; 2. (buckliger Rücken) hunchback, humpback; 3. (Schneebuckel) mogul; 4. (fam: Rücken) back; einen breiten ~ haben to be thick-skinned; etw auf dem ~ haben have notched up sth

bücken ['bykən] v sich ~ bend down, stoop

bucklig ['buklɪç] adj hunchbacked

Buddhismus [bu'dɪsmus] m REL Buddhism

Buddhist(in) [bu'dɪst(ɪn)] m/f REL Buddhist

buddhistisch [bu'dɪstɪʃ] adj REL Buddhist

Bude ['bu:də] f 1. hut, stall, booth; 2. (fam: Wohnung) pad; jdm auf die ~ rücken drop in at s.o.'s place; jdm die ~ einrennen to be constantly on s.o.'s doorstep; die ~ auf den Kopf stellen turn the place upside down; Ich habe heute Abend sturmfreie ~. I've got the place to myself tonight.

Büfett [by'fe:] n buffet

Büffel ['byfəl] m ZOOL buffalo

büffeln ['byfəln] v cram, swot (UK)

Bug [bu:k] m NAUT bow

Bügel ['by:gəl] m 1. bow; 2. (Kleiderbügel) hanger, coat-hanger; 3. (Steigbügel) stirrup

Bügeleisen ['by:gəlaɪzən] n iron

bügeln ['by:gəln] v iron

Bühne ['by:nə] f stage, raised platform; über ~ sein have taken place; etw glatt über die ~ bringen see that things go off smoothly

Buhruf ['bu:ru:f] m boo

Bulette [bu'lɛtə] f GAST meatball

Bulle ['bulə] m 1. ZOOL bull; 2. (fam: Polizist) cop, copper

Bumerang ['bu:məraŋ] m boomerang

bummeln ['buməln] v 1. (faulenzen) loaf, take it easy, idle; 2. (schlendern) stroll

Bums [bums] m bump, thump, thud

bumsen ['bumzən] v 1. (stoßen) bang, bump; 2. (fam) screw

Bund [bunt] m 1. (Verbindung) bond; 2. (Vereinigung) association; POL alliance; mit jdm im ~e stehen (fig) join forces with s.o. 3. (fam: Bundeswehr) army; 4. (Rockbund) waistband; 5. den ~ fürs Leben schließen tie the knot, take the plunge

Bündel ['byndəl] n bundle, bunch; sein ~ schnüren pack one's bags; jeder hat sein ~ zu tragen everybody has his cross to bear

Bundesamt ['bundəsamt] *n* POL National Bureau

Bundesbank ['bundəsbaŋk] *f* Bundesbank, German Federal Bank

Bundesbürger ['bundəsbyrgər] *m* citizen of the Federal Republic of Germany

Bundesgebiet ['bundəsgəbi:t] *n* federal territory

Bundeskanzler ['bundəskantslər] *m* POL Federal Chancellor

Bundesland ['bundəslant] *n* POL Land, state

Bundesliga ['bundəsli:ga] *f* SPORT first division, national league

Bundesminister(in) ['bundəsministər(ɪn)] *m/f* POL Federal Minister

Bundespräsident ['bundəsprezident] *m* POL Federal President

Bundesrat ['bundəsra:t] *m* POL upper house of the German Parliament

Bundesregierung ['bundəsregi:ruŋ] *f* POL Federal Government

Bundesrepublik ['bundəsrepubli:k] *f* POL Federal Republic (of Germany)

Bundesstaat ['bundəsʃta:t] *m* federal state

Bundestag ['bundəsta:k] *m* POL lower house of the German Parliament

Bundeswehr ['bundəsve:r] *f* armed forces (of Germany) *pl*, army

bündig ['byndɪç] *adj* 1. *(kurz)* succinct, concise, terse; 2. *(schlüssig)* conclusive; 3. TECH flush, level

Bündnis ['byntnɪs] *n* POL alliance, league

Bungalow ['buŋgalo] *m* bungalow

Bunker ['buŋkər] *m* MIL bunker

bunt [bunt] *adj* 1. coloured, colourful; 2. *(gemischt)* mixed; 3. *Mir wird es jetzt zu ~!* That's going too far! *Es zu ~ treiben* go too far, overstep the mark; 4. *(abwechslungsreich)* varied; *eine ~e Menge* an assorted crowd, a motley crowd

Bürde ['byrdə] *f* burden, load

Burg [burk] *f* castle

Bürge ['byrgə] *m* guarantor, sponsor

bürgen ['byrgən] *v* guarantee, vouch for; *jdm für etw ~* to be answerable to s.o. for sth; *für jdn ~* stand surety for s.o.

Bürger(in) ['byrgər(ɪn)] *m/f* citizen

Bürgerkrieg ['byrgərkri:k] *m* civil war

bürgerlich ['byrgərlɪç] *adj* 1. *(mittelständisch)* middle-class, bourgeois; 2. *(gesetzlich)* JUR civil, civic

Bürgermeister ['byrgərmaistər] *m* mayor

Bürgerrecht ['byrgərreçt] *n* civil rights *pl*

Bürgersteig ['byrgərʃtaik] *m* pavement, sidewalk *(US)*

Bürgertum ['byrgərtu:m] *n* 1. middle classes *pl*; 2. HIST bourgeoisie

Bürgschaft ['byrkʃaft] *f* 1. *(gegenüber Gläubigern)* security, surety; 2. *(Haftungssumme)* penalty; *~ für jdn leisten* stand surety for s.o., act as guarantor for s.o., *(fig)* vouch for s.o.

Büro [by'ro:] *n* office

Büroangestellte(r) [by'ro:angəʃtɛltə(r)] *m/f* office clerk, white collar worker *(US)*, office employee

Büroarbeit [by'ro:arbait] *f* office work, clerical work

Bürokauffrau [by'ro:kauffrau] *f* ECO office administrator (woman)

Bürokaufmann [by'ro:kaufman] *m* ECO office administrator (man)

Büroklammer [by'ro:klamər] *f* paper clip

Bürokrat [byro'kra:t] *m* bureaucrat

Bürokratie [byrokra'ti:] *f* bureaucracy

bürokratisch [byro'kra:tɪʃ] *adj* bureaucratic

Bursche ['burʃə] *m* 1. boy, lad, chap; 2. *(Kerl)* fellow, guy

Bürste ['byrstə] *f* brush

bürsten ['byrstən] *v* brush

Bus [bus] *m* bus

Busbahnhof ['busba:nho:f] *m* bus terminal

Busch [buʃ] *m* 1. bush; 2. *(Urwald)* jungle, bush; 3. *Da ist etw im ~. (fig)* Something's up.

Büschel ['byʃəl] *n* 1. bunch, bundle; 2. *(Haar, Gras)* tuft

Busen ['bu:zən] *m* ANAT bosom, breast; *am ~ der Natur (fig)* in the open countryside

Bushaltestelle ['bushaltəʃtɛlə] *f* bus stop

Buß- und Bettag ['bu:sunt'be:tta:k] *m* REL Day of Repentance and Prayer

Buße ['bu:sə] *f* penance, penitence

büßen ['by:sən] *v* 1. pay for, atone for; 2. REL do penance for

Bußgeld ['bu:sgɛlt] *n* fine

Büste ['by:stə] *f* ART bust

Büstenhalter ['by:stənhaltər] *m* brassiere, bra *(fam)*

Butter ['butər] *f* butter; *sich nicht die ~ vom Brot nehmen lassen (fig)* to be able to stick up for o.s. *Alles in ~.* Everything's just fine.

Butterbrot ['butərbro:t] *n* GAST bread and butter, *(belegtes ~)* sandwich

Buttermilch ['butərmɪlç] *f* GAST buttermilk

Byte [bait] *n* INFORM byte

C

Cadmium ['katmɪʊm] n CHEM cadmium
Café [ka'fe:] n cafe, café
Cafeteria [kafete'ri:a] f cafeteria
Cafetiere [kafe'tje:rə] f (Inhaberin eines Caféhauses) GAST proprietress of a coffee-house
Callgirl ['kɔ:lgɜ:l] n call girl
Calvados [kalva'dos] m GAST calvados
Calzium ['kaltsjʊm] n CHEM calcium
Calziumbedarf ['kaltsjʊmbədarf] m MED calcium requirements
Calziummangel ['kaltsjʊmmaŋəl] m MED calcium deficiency, lack of calcium
Camcorder ['kɛmkɔ:də] m TECH camcorder
Camembert [kamã'be:r] m GAST Camembert
campen ['kɛmpən] v camp
Camper ['kɛmpər] m camper
Camping ['kɛmpɪŋ] n camping
Campinganhänger ['kɛmpɪŋanhɛŋər] m camping trailer
Campingartikel ['kɛmpɪŋartɪkəl] m piece of camping equipment
Campingausrüstung ['kɛmpɪŋausrys-tʊŋ] f camping equipment
Campingbus ['kɛmpɪŋbus] m camping bus
Campingführer ['kɛmpɪŋfy:rər] m camping guide
Campingplatz ['kɛmpɪŋplats] m camping site, campground (US)
Cannabis ['kanabɪs] m 1. BOT Indian hemp; 2. (Droge) cannabis
Cappuccino [kapu'tʃi:no] m GAST cappuccino
Carbonat [karbo'na:t] n CHEM carbonate
Cartoon [kar'tu:n] m/n ART cartoon
Cartoonist(in) [kartu:'nɪst(ɪn)] m/f ART cartoonist
Cashewnuss ['kɛʃunus] f GAST cashew nut
CB-Funk [tse:'be:fʊŋk] m TECH CB radio, citizen's band radio
CD-ROM [tse:de:'rɔm] f INFORM CD-ROM
CD-Spieler [tse:de:'ʃpi:lər] m CD player (compact disc player)
Cellist [tʃɛ'lɪst] m MUS cellist
Cello ['tʃɛlo:] n MUS cello

Cellophan [tʃɛlo'fa:n] n MUS cellophane
Celsius ['tsɛlzjus] n centigrade, Celsius
Cembalo ['tʃɛmbalo] n MUS harpsichord, cembalo
Chalet [ʃa'le:] n chalet
Chamäleon [ka'mɛ:ljon] n ZOOL chameleon
Champagner [ʃam'panjər] m champagne
Champignon ['ʃampɪnjõ] m mushroom
Chance ['ʃãsə] f chance, opportunity; eine gute ~ haben stand a fair chance; nicht den Hauch einer ~ haben not have a ghost of a chance
Chancengleichheit ['ʃãsənglaiçhait] f equal opportunity
Chaos ['ka:ɔs] n chaos
Chaot [ka'o:t] m chaotic person
chaotisch [ka'o:tɪʃ] adj chaotic
Charade [ʃa'ra:də] f charade
Charakter [ka'raktər] m character
Charaktereigenschaft [ka'raktəraigən-ʃaft] f character trait
Charakterfehler [ka'raktərfe:lər] m character flaw
charakterfest [ka'raktərfest] adj of strong character, of firm character, staunch
charakterisieren [karaktəri'zi:rən] v characterize
Charakteristik [karaktə'rɪstɪk] f characteristic
charakteristisch [karaktər'ɪstɪʃ] adj characteristic
charakterlos [ka'raktərlo:s] adj without character
Charakterlosigkeit [ka'raktərlo:zɪçkait] f lack of character
Charakterschwäche [ka'raktərʃveçə] f weakness of character
Charakterstärke [ka'raktərʃterkə] f strength of character
Charakterzug [ka'raktərtsu:k] m characteristic, trait, feature
Charisma [ka:'rɪsma] n charisma
charismatisch [karɪs'ma:tɪʃ] adj charismatic
charmant [ʃar'mant] adj charming
Charme ['ʃarm] n charm
Charmeur [ʃar'mør] n charmer
Charta ['karta] f POL charter
Charterflug ['tʃartərflu:k] m charter flight

Charterflugzeug ['tʃartərfluːktsɔyk] n charter plane, chartered aircraft
Chartergesellschaft ['tʃartərgəzelʃaft] f ECO charter carrier, charter airline
Chartermaschine ['tʃartərmaʃiːnə] f ECO chartered aircraft
chartern ['tʃartərn] v charter
Chauffeur [ʃɔ'føːr] m chauffeur, driver
chauffieren [ʃɔ'fiːrən] v drive
Chauvinismus [ʃoviˈnɪsmus] m chauvinism, jingoism
Chauvinist [ʃoviˈnɪst] m chauvinist (Macho)
chauvinistisch [ʃoviˈnɪstɪʃ] adj chauvinistic
checken ['tʃɛkən] v 1. TECH test, check; 2. (fam: prüfen) control; 3. (fam: verstehen) get, understand
Checkliste ['tʃɛklɪstə] f checklist
Chef [ʃɛf] m 1. boss, chief, head; Er ist mein ~. He's my boss. 2. (fam) He, ~! Hey, guy! (UK), Hey, buddy! (US)
Chefarzt ['ʃɛfaːrtst] m head physician
Chefredakteur(in) ['ʃɛfredaktøːr(ɪn)] m/f editor-in-chief
Chefsekretär(in) ['ʃɛfzekreteːr(ɪn)] m/f executive secretary
Cheftrainer ['ʃɛftreːnər] m SPORT head coach
Chemie [çeˈmiː] f chemistry
Chemiefaser [çeˈmiːfaːzər] f chemical fibre, man-made fibre
Chemieindustrie [çeˈmiːɪndustriː] f ECO chemical industry
Chemielabor [çeˈmiːlaboːr] n CHEM chemical laboratory
Chemikalie [çemiˈkaːljə] f chemical
Chemiker(in) [çeˈmɪkər(ɪn)] m/f chemist
chemisch ['çeːmɪʃ] adj chemical
chemische Reinigung ['çeːmɪʃə 'raɪnɪgun] f dry-cleaning
chemotherapeutisch ['çeːmoteˈrapɔytɪʃ] adj MED chemotherapeutical
Chemotherapie ['çeːmoteˈrapiː] f MED chemotherapy
Chicorée [ʃikoˈreː] m BOT chicory
Chiffre ['ʃɪfrə] f 1. cipher, code; 2. (in Zeitungsanzeigen) box number
chiffrieren [ʃɪ'friːrən] v cipher, encode, code
Chile ['tʃiːlə] n GEO Chile
Chilene/Chilenin [tʃiˈleːnə/tʃiˈleːnɪn] m/f Chilean
chilenisch [tʃiˈleːnɪʃ] adj Chilean

Chili ['tʃiːli] m GAST chili, chilli
Chilipulver ['tʃiːlipulvər] n GAST chili powder, chilli powder
Chimäre [çiˈmeːrə] f chimera, chimaera
China ['çiːna] n GEO China
Chinakohl ['çiːnakoːl] m GAST Chinese cabbage
Chinarinde ['çiːnarɪndə] f cinchona, Peruvian bark
Chinese/Chinesin [çiˈneːzə/çiˈneːzɪn] m/f Chinese
chinesisch [çiˈneːzɪʃ] adj Chinese
Chinin [çiˈniːn] n MED quinine
Chip [tʃɪp] m 1. (Kartoffelchip) crisp (UK), potato chip (US); 2. (Spielchip) chip; 3. INFORM chip
Chipkarte ['tʃɪpkartə] f INFORM chip card
Chiropraktiker [çiroˈpraktɪkər] m MED chiropractor
Chirurg(in) [çiˈrurg(ɪn)] m/f surgeon
Chirurgie [çirurˈgiː] f surgery
chirurgisch [çiˈrurgɪʃ] adj surgical
Chlor [kloːr] n CHEM chlorine
chloren ['kloːrən] v chlorinate
chlorhaltig ['kloːrhaltɪç] adj CHEM chloric, chlorous
Chlorkalk ['kloːrkalk] m CHEM chlorinated lime
Chloroform [kloroˈfɔrm] n chloroform
chloroformieren [klorofɔrˈmiːrən] v chloroform
Chlorophyll [kloroˈfyl] n chlorophyll
Chlorung ['kloːruŋ] f CHEM chlorination
Cholera ['koːlera] f MED cholera
Choleraepidemie ['koːləraepideˈmiː] f MED cholera epidemic
Choleriker [koˈleːrɪkər] m choleric person
cholerisch [koˈleːrɪʃ] adj choleric
Cholesterin [kɔləstəˈriːn] n CHEM cholesterol; n MED cholesterol
Cholesterinspiegel [kɔləstəˈriːnʃpiːgəl] m MED cholesterol level
Chor [koːr] m choir
Choral [koˈraːl] m MUS chorale
Choreograf(in) [koːrjoˈgraːf(ɪn)] m/f THEAT choreographer
Choreografie [koːrjografiː] f choreography
choreografieren [koːrjografiːrən] v THEAT choreograph
Chorgesang ['koːrgəzaŋ] m MUS choral singing, choir singing
Chorleiter(in) ['koːrlaɪtər(ɪn)] m/f choir leader

Christ(in) [krɪst(ɪn)] *m/f REL* Christian
Christbaum ['krɪstbaum] *m* Christmas tree
Christdemokrat(in) ['krɪstdemokra:t(ɪn)] *m/f POL* Christian Democrat
christdemokratisch ['krɪstdemokra:tɪʃ] *adj POL* Christian Democratic
Christenheit ['krɪstənhaɪt] *f REL* Christendom
Christentum ['krɪstəntu:m] *n* Christianity
Christenverfolgung ['krɪstənferfɔlgʊŋ] *f REL* persecution of Christians
Christi Himmelfahrt ['krɪstɪ 'hɪmlfa:rt] *f REL* Ascension, Feast of the Ascension
Christkind ['krɪstkɪnt] *n das ~* the Christ child, baby Jesus
christlich ['krɪstlɪç] *adj REL* Christian
Christus ['krɪstus] *m REL* Christ
Chrom [kro:m] *n CHEM* chromium
Chromatik [kro'ma:tɪk] *f* chromatics
Chromosom [kromo'so:m] *n BIO* chromosome
Chronik ['kro:nɪk] *f* chronicle
chronisch ['kro:nɪʃ] *adj* 1. chronic; *adv* 2. chronically
Chronist(in) [kro'nɪst(ɪn)] *m/f HIST* chronicler, recorder of events
chronologisch [krono'lo:gɪʃ] *adj* chronological
Cidre ['si:drə] *m GAST* cider
Cineast [si:ne'ast] *m* 1. (Fan) film buff; 2. (Filmemacher) filmmaker
circa ['tsɪrka] *adv* 1. approximately, about; 2. (bei Datumsangaben) circa
Claqueur [kla'kø:r] *m* paid applauder
clean [kli:n] *adj* (fam: ohne Alkohol oder Drogen) clean
Cleverness ['klevərnɛs] *f* cleverness
Clip [klɪp] *m CINE* clip
Clique ['klɪkə] *f* 1. clique; 2. (im positiven Sinne) group
Clou [klu:] *m* chief attraction, highlight
Clown [klaun] *m* clown
Coach [kout∫] *m SPORT* coach
coachen ['kout∫ən] *v SPORT* coach
Cockpit ['kɔkpɪt] *n TECH* cockpit
Cocktail ['kɔkteɪl] *m* cocktail
Cocktailparty ['kɔkteɪlpa:rti] *f* cocktail party
Code [ko:d] *m INFORM* code
Collage [kɔ'la:ʒə] *f ART* collage
Comic ['kɔmɪk] *m* comic strip
Comicheft ['kɔmɪkhɛft] *n* comic book, comic
Computer [kɔm'pju:tər] *m* computer

Computerdiagnostik [kɔm'pju:tərdiagnɔstɪk] *f MED* computer diagnostics
computergesteuert [kɔm'pju:tərgəʃtɔyərt] *adj* computer-controlled
computergestützt [kɔm'pju:tərgəʃtytst] *adj TECH* computer-aided
Computergrafik [kɔm'pju:tərgra:fɪk] *f INFORM* computer graphics
Computerindustrie [kɔm'pju:tərɪndustri:] *f INFORM* computer industry
Computerspiel [kɔm'pju:tərʃpi:l] *n INFORM* computer game
Computertomographie [kɔm'pju:tərtɔmografi:] *f MED* computerized tomography, computerized scanning
Container [kɔn'teɪnər] *m* container
Copyright ['kɔpɪraɪt] *n ECO* copyright
Cordonbleu [kɔrdõ'blø:] *n GAST* cordon bleu
Cornflakes ['kornfleɪks] *pl GAST* cornflakes
Cortison [kɔrti'zo:n] *n MED* cortisone
Costa Rica [kɔsta'ri:ka] *n GEO* Costa Rica
Costa-Ricaner(in) [kɔstari'ka:nər(ɪn)] *m/f* Costa Rican
costa-ricanisch [kɔstari'ka:nɪʃ] *adj* Costa Rican
Couch [kaut∫] *f* couch
Couchtisch ['kaut∫tɪʃ] *m* coffee table
Count-down ['kauntdaun] *m* countdown
Coup [ku:] *m* coup; *einen ~ landen* pull off a coup
Coupé [ku'pe:] *n* (Sportwagen) coupé, coupe (US)
Coupon [ku:'põ:] *m* coupon, voucher
Cousin/Cousine [ku'zẽ/ku'zi:nə] *m/f* cousin
Couturier [kuty'rje:] *m* couturier
Cowboyhut ['kaubɔyhu:t] *m* cowboy hat
Crack [kræk] *m* 1. (Sportler) ace, star; 2. (Rauschgift) crack
Cracker ['krɛkər] *m GAST* cracker
Creme ['kre:mə] *f* cream
cremefarben ['kre:mfarbən] *adj* cream-coloured
Cremetorte ['kre:mtɔrtə] *f GAST* cream cake
cremig ['kre:mɪç] *adj* creamy
Curry ['kœri] *m/n GAST* curry
Currywurst ['kœrivurst] *f GAST* sausage covered in curry and ketchup
Cursor ['kø:rsər] *m INFORM* cursor
Cutter ['katər] *m CINE* cutter
C-Waffe ['tse:vafə] *f MIL* chemical weapon

D

da [da:] *adv* 1. *(dort)* there; ~ draußen out there; *Da ist er ja!* There he is! *Da siehst du's!* There you have it! *Wer ist ~?* Who's there? 2. *(hier)* here, present; 3. *(zeitlich)* then, at that time, at that moment; *konj* 4. as, since; *Da wir kein Geld hatten, haben wir nichts gekauft.* We didn't have anything, as we had no money.

dabei [da'baɪ] *adv* 1. thereby, therewith, by that; 2. *(anwesend)* there, present; *Ich war ~, als sie es taten.* I was with them when they did it. I was there; *when they did it. Ich habe kein Geld ~.* I don't have any money on me. 3. *(nahe)* nearby, close by; 4. *(zur gleichen Zeit)* at the same time, in doing so; *Ich höre ~ immer Musik.* I always listen to music when I'm doing that. 5. ~ sein be along, be there; ~ sein, etw zu tun to be in the process of doing sth; *Ich war gerade ~, es anzuschalten.* I was just about to turn it on. 6. *(doch)* yet, nevertheless

Dach [dax] *n* 1. roof; *kein ~ über dem Kopf haben* have no roof over one's head; *mit jdm unter einem ~ leben* live under the same roof as s.o. *unter ~ und Fach* all wrapped up, in the bag; 2. *eins aufs ~ bekommen* get a ticking-off, to be called on the carpet; 3. *jdm aufs ~ steigen* haul s.o. over the coals

Dachboden ['daxbo:dən] *m* attic, loft

Dachs [daks] *m* ZOOL badger

Dachwohnung ['daxvo:nuŋ] *f* 1. attic apartment; 2. *(Penthouse)* penthouse

Dackel ['dakəl] *m* ZOOL dachshund

dadurch [da'durç] *adv* 1. *(örtlich)* through there, through that; 2. *(folglich)* thereby, with that, because of that; 3. *(auf diese Weise)* thus, in that way, thereby

dafür [da'fy:r] *adv* 1. for it, for that; *Er kann nichts ~.* He can't help it. *etw ~ können (schuldig sein)* to be s.o.'s fault; 2. ~ aber and yet, but on the other hand; 3. *(als Ausgleich)* in return, in exchange, for that

dagegen [da'ge:gən] *konj* 1. against it; *adv* 2. *(im Vergleich)* compared to it, in comparison; 3. *(dafür)* however, on the other hand; 4. whereas, on the other hand, however

daheim [da'haɪm] *adv* at home

daher [da'he:r] *adv* 1. *(örtlich)* from there; 2. *(kausal)* hence, from that, from this; *konj* 3. therefore, for this reason

daherkommen [da'he:rkɔmən] *v irr* 1. come along; 2. *(auftreten)* look; *Er kommt daher wie ein Landstreicher.* He looks like a tramp.

dahin [da'hɪn] *adv* there

dahinter [da'hɪntər] *adv* 1. behind it; 2. *(fig)* at the bottom of it; *sich ~ knien* get down to it; *sich ~ klemmen* hold one's nose to the grindstone, set to it; ~ *stecken* to be behind it, to be at the bottom of it; ~ *stehen* back it, support it

daliegen ['da:li:gən] *v irr (fig)* lie there

damalig ['da:malɪç] *adj* then, at that time, at the time; *der ~e Weltmeister* the world champion at the time

damals ['da:mals] *adv* then, at that time

Dame ['da:mə] *f* 1. lady; *eine ~ von Welt sein* to be a woman of the world; 2. ~ *spielen* play draughts, play checkers *(US)*; 3. *(Schachfigur)* queen

Damenbinde ['da:mənbɪndə] *f* sanitary towel, sanitary napkin *(US)*

damit [da'mɪt] *konj* 1. with it; *adv* 2. *(dadurch)* thereby, by that; 3. in order to, so that, so as to

dämlich ['dɛ:mlɪç] *adj (fam)* stupid, dumb

Damm [dam] *m* 1. dam, dike, embankment; 2. *wieder auf dem ~ sein* to be back on one's feet again

dämmern ['dɛmərn] *v* 1. *(morgens)* dawn; 2. *(abends)* fall; 3. *(im Halbschlaf sein)* doze

Dämmerung ['dɛmərʊŋ] *f* 1. *(abends)* dusk, twilight; 2. *(morgens)* dawn, daybreak

Dämon ['dɛ:mɔn] *m* demon

dämonisch [dɛ'mo:nɪʃ] *adj* demonic

Dampf [dampf] *m* steam; ~ *ablassen (fig)* let off steam; ~ *dahinter machen* put on pressure

dampfen ['dampfən] *v* steam

dämpfen ['dɛmpfən] *v* 1. *(verringern)* soften, subdue; 2. *(Ton)* muffle; 3. GAST steam

Dampfer ['dampfər] *m* steamboat, steamer; *auf dem falschen ~ sein (fig)* to be barking up the wrong tree

Dämpfer ['dɛmpfər] *m* damper; *jdm einen ~ aufsetzen* take s.o. down a peg or two; *einen ~ bekommen* get a ticking-off, to be brought down to earth

Dämpfung ['dɛmpfʊŋ] *f* 1. *(Verringerung)* softening, muffling; 2. PHYS attenuation

danach [da'na:x] *adv* 1. *(zeitlich)* afterwards, after that, thereafter; 2. *(dementsprechend)* accordingly

Däne/Dänin [ˈdɛːnə/ˈdɛːnɪn] *m/f* Dane

daneben [daˈneːbən] *adv* 1. *(örtlich)* beside it, next to it; 2. *(fig: außerdem)* besides, moreover, furthermore

Dänemark [ˈdɛːnəmark] *n* GEO Denmark

dänisch [ˈdɛːnɪʃ] *adj* Danish

Dank [daŋk] *m* thanks, gratitude; Vielen ~! Thank you very much! Gott sei ~! Thank God!

dankbar [ˈdaŋkbaːr] *adj* 1. grateful, thankful; 2. *(lukrativ)* rewarding, lucrative

Dankbarkeit [ˈdaŋkbaːrkaɪt] *f* gratitude, thankfulness

danke [ˈdaŋkə] *interj* thank you, thanks

danken [ˈdaŋkən] *v* thank

Danksagung [ˈdaŋkzaːguŋ] *f* expression of thanks

dann [dan] *adv* 1. then, after that; ~ und wann now and then, every so often; 2. *(in dem Falle)* then, in that case

daran [daˈran] *adv* 1. on it, to it, at it; Ich denke ~. I am thinking about it. I will keep it in mind. 2. ~ hängt es *(fam)* it depends on it; ~ glauben müssen kick the bucket *(fam)*; gut ~ tun to be well advised to do sth; Da ist etwas ~. There is a kernel of truth to it.

darauf [daˈrauf] *adv* 1. *(örtlich)* on it, upon it; jdn ~ aufmerksam machen, dass call s.o.'s attention to the fact that; gut drauf sein *(fam)* to be on the ball; nichts drauf haben *(fam)* to be a dim bulb; 2. *(zeitlich)* after that; ~ folgend ensuing; 3. *(folglich)* whereupon

daraus [daˈraus] *adv* out of it, of it

darbieten [ˈdaːrbiːtən] *v irr* 1. *(anbieten)* offer, present; 2. *(aufführen)* perform, present

Darbietung [ˈdaːrbiːtuŋ] *f* 1. *(Angebot)* offer, presentation; 2. *(Aufführung)* performance, presentation

darein [daˈraɪn] *adv* in there, into it, therein

darin [daˈrɪn] *adv* 1. *(örtlich)* in it, *(Plural)* in them; mitten ~ in between 2. *(diesbezüglich)* in this, in that respect

darlegen [ˈdaːrleːgən] *v* set forth, explain, demonstrate

Darlegung [ˈdaːrleːguŋ] *f* explanation

Darlehen [ˈdaːrleːən] *n* ECO loan

Darm [darm] *m* intestines *pl*, bowels *pl*

darstellen [ˈdaːrʃtɛlən] *v* 1. *(beschreiben)* depict, portray, represent; 2. *(fig: bedeuten)* represent, symbolize; 3. CINE play, portray

Darsteller(in) [ˈdaːrʃtɛlər(ɪn)] *m/f* CINE actor

Darstellung [ˈdaːrʃtɛluŋ] *f* 1. *(Beschreibung)* description, representation, depiction; 2. CINE portrayal, performance

darüber [daˈryːbər] *adv* 1. *(örtlich)* above it, over it; 2. *(quer über)* across it; 3. *(zu diesem Thema)* about it; 4. ~ hinaus beyond it; 5. ~ hinaus *(fig)* in addition to that, on top of that, apart from that; *v irr* 6. ~ stehen *(fig)* to be above such things

darum [daˈrum] *konj* 1. *(örtlich)* (a)round it; 2. *(kausal)* that is why, for that reason, on that account; *adv*

darunter [daˈrunter] *adv* 1. *(örtlich)* below, underneath, beneath; 2. *(mengenmäßig)* among them; ~ fallen fall under, to be included in, fall within; ~ liegen to be below it, to be lower

das [das] *art* 1. the; 2. *(demonstrativ)* that, this; *pron* 3. *(relativ)* which, that, who

Dasein [ˈdaːzaɪn] *n* existence, being

dasjenige [ˈdasjeːnɪgə] *pron* the one, that one

dass [das] *konj* that

dasselbe [dasˈzɛlbə] *pron* 1. the same thing; 2. *(adjektivisch)* the same

Datei [daˈtaɪ] *f* record, file

Daten [ˈdaːtən] *pl* 1. data; 2. *(Zeitangaben)* dates

Datenautobahn [ˈdaːtənautobaːn] *f* INFORM information highway

Datenbank [ˈdaːtənbaŋk] *f* INFORM data bank

Datennetz [ˈdaːtənnɛts] *n* INFORM data network

Datenschutz [ˈdaːtənʃuts] *m* data protection, safeguarding of data

Datenträger [ˈdaːtəntrɛːgər] *m* INFORM data medium, data carrier

Datenübertragung [ˈdaːtənyːbərtraːguŋ] *f* INFORM data transmission

Datenverarbeitung [ˈdaːtənfɛrarbaɪtuŋ] *f* INFORM data processing

datieren [daˈtiːrən] *v* date

Datierung [daˈtiːruŋ] *f* dating

Dativ [ˈdaːtiːf] *m* dative, dative case

Dattel [ˈdatəl] *f* BOT date

Datum [ˈdaːtum] *n* date

Dauer [ˈdauər] *f* duration; auf ~ permanently; Auf die ~ wird es langweilig. It gets boring after a while. von ~ sein to be long-lasting; nicht von ~ sein to be short-lived

Dauerauftrag [ˈdauərauftraːk] *m* ECO standing order, banker's order

dauerhaft [ˈdauərhaft] *adj* 1. *(anhaltend)* durable, lasting, permanent; 2. *(widerstandsfähig)* solid, strong, durable

dauern [ˈdauərn] *v* last, continue, go on for; Es dauert lange. It takes a long time.

dauernd ['dauərnt] *adv 1. (ständig)* constantly, continuously, incessantly; *Er stört mich ~.* He keeps bothering me. *adj 2.* lasting, permanent, continuous

Dauerwelle ['dauərvɛlə] *f* perm *(fam)*, permanent wave

Daumen ['daumən] *m ANAT* thumb; *über den ~ gepeilt* as a rule of thumb; *den ~ auf etw halten* have dibs on sth *(fam)*; *per ~ fahren* thumb a ride; *jdm den ~ aufs Auge drücken* get s.o. under one's thumb *(fam)*; *jdm werde (dir) die ~ drücken.* I'll keep my fingers crossed.

Daune ['daunə] *f* down

davon [da'fɔn] *adv 1. (örtlich)* from it, from there; *2. (Teil von etw)* of it; *Sie gab mir ein Stück ~.* She gave me a piece of it.

davonkommen [da'fɔnkɔmən] *v irr (fig)* get off lightly, have a narrow escape

davonlaufen [da'fɔnlaufən] *v irr* run off, run away

davontragen [da'fɔntra:gən] *v irr 1. (wegtragen)* carry off; *2. (fig: Schaden)* incur, sustain, suffer; *3. (fig: Sieg)* win; *4. (Krankheit)* catch

davor [da'fo:r] *adv 1. (örtlich)* in front of it; *2. (zeitlich)* before that, before then, previously; *~ stehen* stand in front of it

dazu [da'tsu:] *adv 1.* to that, to it; *Dazu habe ich keine Lust.* I don't want to do that. *im Vergleich ~* compared to that; *2. (Zweck)* for that, for it; *3. (außerdem)* in addition, besides, moreover

dazukommen [da'tsu:kɔmən] *v irr 1.* come along, arrive on the scene; *2. Kommt noch etw dazu?* Will there be anything else? *3. (Zeit finden)* get around to it

dazwischen [da'tsvɪʃən] *adv 1. (örtlich)* between them, in between; *2. (zeitlich)* in between

dealen ['di:lən] *v (fam: mit Rauschgift handeln)* deal

Debakel [de'ba:kəl] *n* debacle

Debatte [de'batə] *f* debate

debattieren [deba'ti:rən] *v* debate, *über etw ~* discuss

Debüt [de'by:] *n* debut

Deck [dɛk] *n* deck

Decke ['dɛkə] *f 1. (Bettdecke)* bed-cover, bedspread; *mit jdm unter eine ~ stecken* to be hand in glove with s.o., to be in cahoots with s.o. *(US)*; *2. (Tischdecke)* tablecloth; *3. (Zimmerdecke)* ceiling; *sich nach der ~ strecken* make ends meet; *vor Freude an die ~ springen* to be pleased as punch; *an die ~ gehen* hit the roof; *Mir fällt langsam die ~ auf den Kopf.* I feel shut in.

Deckel ['dɛkəl] *m 1.* cover, lid, cap; *2. Der wird eins auf den ~ bekommen.* He's going to be put in his place.

decken ['dɛkən] *v 1. (zudecken)* cover; *2. den Tisch ~* lay the table, set the table *(US)*; *3. (Bedarf)* meet, cover; *4. (schützen)* shield, protect, cover; *5. (Scheck)* cover

Deckung ['dɛkuŋ] *f 1.* cover, covering; *in ~ gehen* take cover; *2. (Schutz)* protection

defekt [de'fɛkt] *adj* defective, faulty

Defekt [de'fɛkt] *m 1.* defect, fault; *2. PSYCH* deficiency

defensiv [defɛn'zi:f] *adj 1.* defensive; *adv 2.* defensively, on the defensive

Defensive [defɛn'zi:və] *f* defensive

definieren [defi'ni:rən] *v* define

Definition [defɪnɪ'tsjo:n] *f* definition

definitiv [defɪni'ti:f] *adv 1.* definitive, final; *adj 2.* definitely, for certain

Defizit ['de:fɪtsɪt] *n* deficit

deftig ['dɛftɪç] *adj 1.* heavy, solid; *2. (Essen)* solid, substantial

degradieren [degra'di:rən] *v 1.* degrade; *2. MIL* demote

dehnen ['de:nən] *v 1. (strecken)* stretch, distend; *2. (verlängern)* extend, lengthen; *3. (erweitern)* widen, expand

Dehnung ['de:nuŋ] *f 1. (Strecken)* stretching; *2. (Verlängerung)* lengthening, extension; *3. (Erweiterung)* expansion

Deich [daɪç] *m* dike

dein [daɪn] *adj 1.* your; *pron 2.* yours, for your part

deinesgleichen ['daɪnəs'glaɪçən] *pron* people like you, *(abschätzig)* the likes of you

deinetwegen ['daɪnətve:gən] *adv* because of you, for your sake, on your account

Dekade [de'ka:də] *f* decade

Dekan [de'ka:n] *m* dean

deklamieren [dekla'mi:rən] *v LIT* declaim, recite

Deklaration [deklara'tsjo:n] *f POL* declaration

deklarieren [dekla'ri:rən] *v* declare

deklassieren [dekla'si:rən] *v 1.* downgrade; *2. SPORT* outclass

Deklination [deklina'tsjo:n] *f* declination

deklinieren [dekli'ni:rən] *v* decline

Dekolletee [dekɔl'te:] *n* cleavage, low neckline, decolletage

Dekoration [dekɔra'tsjo:n] *f* decoration

dekorativ [dekɔra'ti:f] *adj* decorative

dekorieren [deko'ri:rən] v decorate

Dekret [de'kre:t] n JUR decree

Delegation [delega'tsjo:n] f 1. (Personen) delegation; 2. (Übertragung) delegation

delegieren [dele'gi:rən] v delegate

Delegierte(r) [dele'gi:rtə(r)] m/f POL delegate

Delfin [dɛl'fi:n] m ZOOL dolphin

delikat [delɪ'ka:t] adj 1. delicate, dainty; 2. (Speise) delicious; 3. (Problem) delicate, touchy

Delikatesse [delika'tɛsə] f 1. delicacy; 2. (Geschäft) GAST delicatessen

Delikt [de'lɪkt] n JUR offence, crime, civil wrong

dem [de:m] art 1. the, to the; pron 2. (Dativ des Demonstrativpronomens) that, to that; (Mensch) to him; 3. (Dativ des Relativpronomens) which, to which; (Mensch) whom, to whom; 4. (fam: ihm) him

dementieren [demɛn'ti:rən] v deny officially

dementsprechend ['de:mɛnt'ʃprɛçənt] adj 1. corresponding; adv 2. accordingly

demgegenüber ['de:mge:gən'y:bər] adv 1. (im Vergleich dazu) compared to that, compared to this; 2. (andererseits) on the other hand

demnach ['de:mna:x] adv accordingly

demnächst ['de:mnɛ:çst] adv soon, shortly, before long; ~ im Kino coming soon

Demographie [demogra'fi:] f demography, population analysis

demographisch [demo'grafɪʃ] adj demographic

Demokrat [demo'kra:t] m POL democrat

Demokratie [demokra'ti:] f POL democracy

demokratisch [demo'kra:tɪʃ] adj POL democratic

demokratisieren [demokrati'zi:rən] v POL democratize

Demokratisierung [demokrati'zi:ruŋ] f POL democratization

demolieren [demo'li:rən] v demolish

Demonstration [demɔnstra'tsjo:n] f demonstration

demonstrativ [demɔnstra'ti:f] adj demonstrative, pointed

Demonstrativpronomen [demɔnstra-'ti:fprono:mən] n GRAMM demonstrative pronoun

demonstrieren [demɔn'stri:rən] v 1. (darlegen) demonstrate, illustrate, show; 2. (bei einer Demonstration mitmachen) demonstrate

Demontage [demɔn'ta:ʒə] f disassembly, dismantling

Demoskopie [demɔsko'pi:] f public opinion research

demoskopisch [demɔs'ko:pɪʃ] adj demoscopic

demselben [de:m'zɛlbən] pron the same

demütigen ['de:my:tɪgən] v 1. humble; 2. (erniedrigen) humiliate

Demütigung ['de:my:tɪguŋ] f humiliation, degradation

den [de:n] art 1. the; pron 2. (Akkusativ des Demonstrativpronomens) that; 3. (Akkusativ des Relativpronomens) which; 4. (Mensch) whom; 5. (fam: ihn) him

denken ['dɛŋkən] v irr think; Wo denkst du hin? What can you be thinking of? Ich denke nicht daran! That's out of the question. Das dachte ich mir. I thought as much. Es gab mir zu ~. It made me think. anders ~d dissenting, dissident

Denker ['dɛŋkər] m PHIL thinker, philosopher

Denkmal ['dɛŋkma:l] n monument, memorial, statue; sich ein ~ setzen (fig) ensure o.s. a place in history

denn [dɛn] konj 1. because, for; 2. (vergleichend) than; mehr ~ je more than ever; adv 3. es sei ~ unless; 4. (verstärkend) Siehst du das ~ nicht? Don't you see that? Wieso ~ nicht? Why not?

dennoch ['dɛnɔx] konj nevertheless, however, yet

Denunziation [denuntsja'tsjo:n] f POL denunciation

denunzieren [denun'tsi:rən] v POL denounce, inform against

Deodorant [deodo'rant] n deodorant

deplatziert ['deplatsi:rt] adj misplaced

Deponie [depo'ni:] f dump, disposal site, refuse tip

deponieren [depo'ni:rən] v deposit, leave

Deportation [depɔrta'tsjo:n] f POL deportation

deportieren [depɔr'ti:rən] v deport

Depot [de'po:] n depot, warehouse, storehouse

Depp [dɛp] m idiot, dope (fam)

Depression [depres'jo:n] f depression; in ~en verfallen fall into depression

depressiv [deprə'si:f] adj depressive, down in the dumps

deprimieren [deprɪ'mi:rən] v depress

deprimiert [deprɪ'mi:rt] adj depressed

der [de:r] *art* 1. the; *pron* 2. *(Demonstrativpronomen)* that, the one; *(Mensch)* he; 3. *(Relativpronomen)* that, which; *(Mensch)* who; *art* 4. *(gen von "die")* of the

derartig ['de:ra:rtɪç] *adj* 1. such, of that kind; *adv* 2. so, that, such; *Er war ~ verängstigt, dass...* He was so scared that ...

derb [dɛrp] *adj* coarse, rough

deren ['de:rən] *pron* 1. *(Relativpronomen)* whose; *(einer Sache)* of which; 2. *(Possessivpronomen)* her; *seine Stieftochter und ~ Kinder* his stepdaughter and her children; *(einer Sache)* its; *(Plural)* their

derjenige ['de:rje:nɪgə] *pron* the one, he; *~, der meine Jacke gestohlen hat* the one who stole my jacket

derselbe [de:r'zɛlbə] *adj* the same

derzeit ['de:rtsaɪt] *adv* at present

derzeitig ['de:rtsaɪtɪç] *adj* current

des [dɛs] *art (gen von der/das)* of the

Deserteur [dezɛr'tø:r] *m* MIL deserter

desertieren [dezɛr'ti:rən] *v* MIL desert

deshalb ['dɛshalp] *konj* for that reason, therefore; *~ bin ich hierher gekommen.* That's why I came here.

Design [di'zaɪn] *n* design

Designer(in) [dɪ'zaɪnər(ɪn)] *m/f* designer

desinfizieren [dɛsɪnfi'tsi:rən] *v* disinfect

Desinteresse ['dɛsɪntərɛsə] *n* disinterest

desinteressiert ['dɛsɪntərɛsi:rt] *adj* disinterested, indifferent

dessen ['dɛsən] *pron* 1. *(Relativpronomen)* whose, of which, of whom; 2. *(Demonstrativpronomen)* that; *Dessen kannst du gewiss sein.* You can be sure of that. *Er erinnert sich ~ nicht.* He doesn't remember that. *~ ungeachtet* nevertheless, (that) notwithstanding; 3. *(Possessivpronomen)* his; *sein Geschäftspartner und ~ Frau* his business partner and the partner's wife, his business partner and the latter's wife; *(einer Sache)* its

Dessert [dɛ'sɛ:r] *n* dessert

Dessous [dɛ'su:] *n* lingerie

desto ['dɛsto] *adv* that much, so much; *je ... ~ ...* the more ... the more ...

destruktiv [dɛstrʊk'ti:f] *adj* destructive

deswegen ['dɛsve:gən] *konj* for that reason, because of that

Detail [de'tai] *n* detail

detailliert [de'taɪ'ji:rt] *adj* 1. detailed; *adv* 2. in detail

Detektiv [detɛk'ti:f] *m* detective

deuten ['dɔytən] *v* 1. *(auslegen)* interpret, construe; 2. *auf etw ~* point to sth

deutlich ['dɔytlɪç] *adj* clear

Deutlichkeit ['dɔytlɪçkaɪt] *f* clarity

deutsch [dɔytʃ] *adj* German

Deutsch [dɔytʃ] *n* German; *Sprechen Sie ~?* Do you speak German?

Deutsche(r) ['dɔytʃə(r)] *m/f* German

Deutschland ['dɔytʃlant] *n* Germany

deutschsprachig ['dɔytʃʃpra:xɪç] *adj* 1. *(Gebiet)* German-speaking; 2. *(Zeitung)* German language

Deutung ['dɔytʊŋ] *f* interpretation, explanation

Devise [de'vi:zə] *f* motto

Devisen [de'vi:zən] *pl* FIN foreign currency, foreign exchange

foreign-exchange earner

devot [de'vo:t] *adj* humble, devout

Dezember [de'tsɛmbər] *m* December

dezent [de'tsɛnt] *adj* discreet, unobtrusive

dezimal [detsi'ma:l] *adj* MATH decimal

Dezimeter [detsi'me:tər] *m* decimetre, decimeter *(US)*

dezimieren [detsi'mi:rən] *v* decimate

Dezimierung [detsi'mi:rʊŋ] *f* decimation

Dia ['di:a] *n* slide

Diagnose [dia'gno:zə] *f* diagnosis

diagnostizieren [diagnɔsti'tsi:rən] *v* diagnose

diagonal [diago'na:l] *adj* diagonal

Diagramm [dia'gram] *n* diagram

Diakon [dia'ko:n] *m* REL deacon

Diakonie [diako'ni:] *f* REL social welfare work

Dialekt [dia'lɛkt] *m* dialect

Dialog [dia'lo:k] *m* dialogue

Diamant [dia'mant] *m* MIN diamond

Diät [di'ɛ:t] *f* diet

Diäten [di'ɛ:tən] *pl* POL parliamentary allowance

diätetisch [diɛ'te:tɪʃ] *adj* dietetic

dich [dɪç] *pron* 1. you; 2. *(reflexiv)* yourself

dicht [dɪçt] *adj* 1. *(kompakt)* dense, compact, thick; *~ bevölkert* densely populated; *~ bewachsen* dense; *~ gedrängt* tightly packed, crowded; 2. *(undurchlässig)* tight, impermeable; *Du bist wohl nicht ganz ~. (fam)* You must be nuts. *adv* 3. *(nahe)* closely

Dichte ['dɪçtə] *f* 1. *(Kompaktheit)* density, compactness, concentration; 2. *(Undurchlässigkeit)* tightness

dichten ['dɪçtən] *v* 1. LIT write poetry; 2. TECH seal, make watertight

Dichter(in) ['dɪçtər(ɪn)] *m/f* poet

dichterisch ['dɪçtərɪʃ] *adj* poetic

Dichtung ['dɪçtʊŋ] f 1. LIT poetry; 2. (Einzeldichtung) LIT poem; 3. TECH seal, packing
dick [dɪk] adj 1. (Gegenstand) thick, big; 2. (Person) fat; 3. (Flüssigkeit) thick, syrupy; 4. etw ~e haben (fam) to be sick of sth; 5. mit jdm durch ~ und dünn gehen go through thick and thin with s.o.
Dicke ['dɪkə] f (Material) thickness
Dickicht ['dɪkɪçt] n thicket
didaktisch [di'daktɪʃ] adj didactic
die [di:] art 1. the; pron 2. (demonstrativ) that, the one; (Mensch) she; (Plural) those, the ones; 3. (relativ) that, which; (Mensch) who, whom
Dieb(in) [di:p(ɪn)] m/f thief
Diebstahl ['di:pʃta:l] m theft
diejenige ['di:je:nɪgə] pron the one, she
Diele ['di:lə] f (Vorraum) entrance hall
dienen ['di:nən] v serve
Diener ['di:nər] m servant, attendant
Dienerin ['di:nərɪn] f maid
Dienst ['di:nst] m 1. service, duty, office; sich in den ~ einer Sache stellen embrace a cause; jdm gute ~e leisten serve s.o. well; im ~ on duty; ~ habend on duty; 2. Öffentlicher ~ civil service
Dienstag ['di:nsta:k] m Tuesday
dienstags ['di:nsta:ks] adv every Tuesday, on Tuesdays
Dienstgrad ['di:nstgra:t] m MIL rank
Dienstleistung ['di:nstlaistʊŋ] f service
dienstlich ['di:nstlɪç] adj 1. official; adv 2. officially, on official business, on business
Dienststelle ['di:nstʃtɛlə] f office, agency
dies [di:s] adj this
diesbezüglich ['di:sbətsy:klɪç] adj relating to this, relevant, regarding this
diese(r,s) ['di:zə(r,s)] adj 1. this; 2. (Plural) these; pron 3. this one; 4. (Plural)
dieselbe [di:'zɛlbə] pron the same one
Dieselöl [di:'zələ:l] n TECH diesel oil
diesig ['di:zɪç] adj hazy, misty
diesjährig ['di:sjɛ:rɪç] adj of this year, this year's
diesmal ['di:sma:l] adv this time
diesseits ['di:szaits] prep on this side of
diffamieren [dɪfa'mi:rən] v defame, slander
Diffamierung [dɪfa'mi:rʊŋ] f slandering
Differenz [dɪfə'rɛnts] f 1. (Unterschied) difference; 2. (Streit) dispute, difference of opinion
differenzieren [dɪfərən'tsi:rən] v differentiate
differieren [dɪfə'ri:rən] v differ
digital [dɪgɪ'ta:l] adj digital

digitalisieren [digitali'zi:rən] v TECH digitalize
Diktat [dɪk'ta:t] n 1. dictation; 2. (Zwang) dictate
Diktator [dɪk'ta:tər] m POL dictator
diktatorisch [dɪkta'to:rɪʃ] adj POL dictatorial
Diktatur [dɪkta'tu:r] f POL dictatorship
diktieren [dɪk'ti:rən] v dictate
Dilemma [dɪ'lɛma] n dilemma
Dilettant [dɪlɛ'tant] m amateur, dilettante
dilettantisch [dɪlɛ'tantɪʃ] adj amateurish
Dimension [dɪmɛn'zjo:n] f dimension
Ding [dɪŋ] n 1. thing; guter ~e sein to be in high spirits; unverrichteter ~e without having accomplished anything; über den ~en stehen to be above things; jdm ein ~ verpassen give s.o. (fam), show s.o. (fam); Das geht nicht mit rechten ~en zu. There's something fishy about that. 2. ein ~ drehen (fam) pull a job
Dinosaurier [dino'zauriər] m dinosaur
Diözese [diø'tse:zə] f REL diocese
Dip [dɪp] m GAST dip
Diplom [di'plo:m] n diploma, certificate
Diplomat(in) [diplo'ma:t(ɪn)] m/f POL diplomat
Diplomatie [diploma'ti:] f POL diplomacy
diplomatisch [diplo'ma:tɪʃ] adj diplomatic
Diplomingenieur [di'plo:mɪnʒənjø:r] m academically trained engineer
dir [di:r] pron 1. you, to you; 2. (reflexiv) yourself
direkt [di'rɛkt] adj 1. direct, immediate; adv 2. directly; ~ neben right next to
Direktion [dirɛk'tsjo:n] f direction
Direktor(in) [di'rɛktor(ɪn)] m/f 1. director, manager; 2. (Schulleiter) headmaster/headmistress, principal (US)
Dirigent [diri'gɛnt] m conductor
dirigieren [diri'gi:rən] v 1. direct, manage; 2. MUS conduct
Dirne ['dɪrnə] f (Nutte) prostitute, whore
Disharmonie [dɪsharmo'ni:] f discord
disharmonisch ['dɪsharmo:nɪʃ] adj 1. MUS disharmonious; 2. dissonant
Diskette [dɪs'kɛtə] f INFORM diskette
Diskettenlaufwerk [dɪs'kɛtənlaufvɛrk] n INFORM disk drive
Diskont [dɪs'kont] m ECO discount
diskontieren [dɪskon'ti:rən] v ECO discount
Diskothek [dɪsko'te:k] f discotheque, disco (fam)

diskret [dɪs'kre:t] *adj* 1. discreet, tactful; 2. *MATH* discrete

Diskretion [dɪskre'tsjo:n] *f* 1. discretion; 2. *(vertrauliche Behandlung)* confidentiality

diskriminieren [dɪskrɪmɪ'ni:rən] *v* discriminate against

Diskriminierung [dɪskrɪmɪ'ni:ruŋ] *f* discrimination

Diskurs [dɪs'kurs] *m* discourse

Diskus ['dɪskus] *m SPORT* discus

Diskussion [dɪskus'jo:n] *f* discussion, debate, argument

diskutieren [dɪsku'ti:rən] *v* discuss, debate

Display ['dɪsplɛ:] *n TECH* display

disponieren [dɪspo'ni:rən] *v* 1. make arrangements for; 2. *über etw* ~ have sth at one's disposal

Disposition [dɪspozi'tsjo:n] *f* 1. *(Vorbereitung)* preparations, arrangements; 2. *(Verfügung) jdm zur* ~ *stehen* to be at s.o.'s disposal; *jdn zur* ~ *stellen* send s.o. into temporary retirement; 3. *(Gliederung)* layout, plan; 4. *(Empfänglichkeit)* susceptibility

Disput [dɪs'pu:t] *m* dispute

Disqualifikation [dɪskvalifika'tsjo:n] *f* disqualification

disqualifizieren [dɪskvalifɪ'tsi:rən] *v* disqualify

Dissertation [dɪsɛrta'tsjo:n] *f* dissertation, thesis, treatise

Dissident [dɪsɪ'dɛnt] *m HIST* dissident

Dissonanz [dɪso'nants] *f* 1. discord; 2. *MUS* dissonance

Distanz [dɪs'tants] *f* distance; *jdn auf* ~ *halten* keep s.o. at a distance

distanzieren [dɪstan'tsi:rən] *v sich* ~ distance o.s.

distanziert [dɪstan'tsi:rt] *adj* distant, detached

Disziplin [dɪstsi'pli:n] *f* discipline

divers [di'vɛrs] *adj* various

dividieren [divi'di:rən] *v MATH* divide

Division [divi'zjo:n] *f MIL* division

D-Mark ['de:mark] *f HIST* German mark; *achtundsiebzig* ~ seventy-eight German marks

doch [dɔx] *adv* 1. „Du möchtest also nicht mitmachen?" „Doch!" "So you don't want to join in?" "Yes, I do!"; 2. *Er kommt also* ~ *mit?* He's coming along after all? 3. *(bekanntlich)* of course; *konj* 4. yet, but, still

Dogma ['dɔgma] *n* dogma

Dogmatiker [dɔg'ma:tɪkər] *m* dogmatist

dogmatisch [dɔg'ma:tɪʃ] *adj* dogmatic

Doktor ['dɔktɔr] *m* doctor

Dokument [doku'mɛnt] *n* document, *(fig)* record

Dokumentation [dokumɛnta'tsjo:n] *f* documentary report

dokumentieren [dokumɛn'ti:rən] *v* 1. document; 2. *(fig)* demonstrate, reveal, show

Dolch [dɔlç] *m* dagger

Dollar ['dɔlar] *m* dollar

Dollarkurs ['dɔlarkurs] *m ECO* dollar rate

dolmetschen ['dɔlmɛtʃən] *v* interpret

Dolmetscher(in) ['dɔlmɛtʃər(ɪn)] *m/f* interpreter

Dom [do:m] *m* cathedral

Domain [do'mɛɪn] *f INFORM* domain

Domäne [do'mɛ:nə] *f* domain

dominant [domi'nant] *adj* dominant

Dominanz [domi'nants] *f* dominance

dominieren [domi'ni:rən] *v* dominate

Donau ['do:nau] *f GEO* Danube

Donner ['dɔnər] *m* thunder; *wie vom* ~ *gerührt* thunderstruck

donnern ['dɔnərn] *v* 1. thunder; 2. *(fig)* rage, roar

Donnerstag ['dɔnərsta:k] *m* Thursday

donnerstags ['dɔnərsta:ks] *adv* every Thursday, on Thursdays

doof [do:f] *adj* 1. *(fam: dumm)* stupid, dumb (US); 2. *(fam: langweilig)* boring, a drag

dopen ['do:pən] *v SPORT* dope

Doping ['do:pɪŋ] *n SPORT* doping

Doppel ['dɔpəl] *n* 1. *(Duplikat)* duplicate; 2. *SPORT* doubles

doppeldeutig ['dɔpəldɔytɪç] *adj* ambiguous, equivocal, with a double meaning

Doppeldeutigkeit ['dɔpəldɔytɪçkaɪt] *f* ambiguity

Doppelgänger ['dɔpəlgɛŋər] *m* double

Doppelpunkt ['dɔpəlpuŋkt] *m GRAMM* colon

doppelt ['dɔpəlt] *adj* 1. double; *adv* 2. ~ *sehen* see double

Doppelzimmer ['dɔpəltsɪmər] *n* double room

Dorf [dɔrf] *n* village

Dorn [dɔrn] *m* 2. *TECH* awl; 1. *BOT* thorn; *jdm ein* ~ *im Auge sein* to be a thorn in s.o.'s side

dornig ['dɔrnɪç] *adj* thorny, prickly

dörren ['dœrən] *v* dry

Dorsch [dɔrʃ] *m ZOOL* codfish, cod

dort [dɔrt] *adv* there; ~ *drüben* over there

dorther ['dɔrthe:r] *adv* from there

dorthin ['dɔrthɪn] *adv* there, that way

Dose ['do:zə] f 1. tin, can (US), (mit Deckel) jar; 2. TECH box

dösen ['dø:zən] v doze

Dosenöffner ['do:zənœfnər] m tin-opener, can opener (US)

Dosierung [do'zi:ruŋ] f MED dosage, dose

Dosis ['do:zıs] f dose

Dotter ['dɔtər] m yolk, egg yolk

Dozent(in) [do'tsɛnt(ın)] m/f lecturer, assistant professor (US)

dozieren [do'tsi:rən] v 1. give lectures; 2. (fig: belehrend vorbringen) hold forth

Drache ['draxə] m dragon

Drachen ['draxən] m (Spielzeug) kite

Draht [dra:t] m 1. wire; einen guten ~ zu jdm haben get on well with s.o. 2. auf ~ sein (fig) to be on the ball

Drahtesel ['dra:te:zəl] m (fam) boneshaker

drahtlos ['dra:tlo:s] adj TECH wireless

Drama ['dra:ma] n LIT drama

Dramatiker [dra'ma:tıkər] m LIT dramatist, playwright

dramatisch [dra'ma:tıʃ] adj 1. dramatic; adv 2. dramatically

dramatisieren [dramatı'zi:rən] v 1. dramatize; 2. (fig) exaggerate

dran adv (siehe „daran")

Drang [draŋ] m urge

drängeln ['drɛŋəln] v 1. push, jostle; 2. (bedrängen) pester

drängen ['drɛŋən] v 2. (fig) press, urge; 1. press, push, force

drastisch ['drastıʃ] adj drastic

drauf adv (siehe „darauf")

Draufgänger ['draufgɛŋər] m 1. (Wagehals) daredevil; 2. (bei Frauen) wolf, Casanova, he-man; 3. (Erfolgsmensch) person who goes for it, go-getter (US)

draußen ['drausən] adv outside

Dreck [drɛk] m 1. dirt, muck, mud; stehen vor ~ to be absolutely filthy; 2. (Schund) rubbish; 3. (fig) ~ am Stecken haben have skeletons in one's closet; jdn aus dem ~ ziehen pull s.o. out of the gutter

dreckig ['drɛkıç] adj dirty, filthy, grimy

Drehbuch ['dre:bu:x] n CINE script

drehen ['dre:ən] v 1. turn; 2. (ver~) twist; 3. (sich schnell ~) spin; 4. (um seinen Mittelpunkt) revolve; 5. CINE shoot, film; 6. (Zigarette) roll

Drehung ['dre:uŋ] f 1. turn; 2. (Umdrehung) revolution; 3. (um eine Achse) rotation

Drehzahl ['dre:tsa:l] f 1. TECH speed, number of revolutions; 2. (pro Minute) revolutions per minute

drei [drai] num three; ~ viertel three quarters

dreidimensional ['draidimɛnzjona:l] adj three-dimensional

Dreieck ['draiɛk] n MATH triangle

dreieckig ['draiɛkıç] adj triangular

dreifach ['draifax] adj threefold

Dreiklang ['draiklaŋ] m MUS triad

dreimal ['draima:l] adv three times; Dreimal darfst du raten. (fam) I'll give you three guesses.

dreißig ['draisıç] num thirty

dreist [draist] adj cheeky, bold, forward

Dreistigkeit ['draistıçkait] f boldness, cheek (fam)

dreizehn ['draitse:n] num thirteen; Jetzt schlägt's ~! That's enough! Now I'm fed up!

dressieren [drɛ'si:rən] v train, condition, (Pferd) break in

Dressur [drɛ'su:r] f training, breaking in, (~ reiten) dressage

Drillinge ['drılıŋə] pl triplets

drin adv (fam) (siehe „darin")

dringen ['drıŋən] v irr 1. penetrate, pass through; 2. (Wasser) seep through; 3. in jdn ~ press s.o., urge s.o. 4. auf etw ~ insist on sth

dringend ['drıŋənt] adj 1. urgent, pressing, imperative; 2. (Gründe) compelling

drinnen ['drınən] adv inside

dritte(r,s) ['drıtə(r,s)] adj third; der lachende Dritte the real winner

Drittel ['drıtəl] n third

drittens ['drıtəns] adv thirdly

Droge ['dro:gə] f drug

drogenabhängig ['dro:gənaphɛŋıç] adj drug-addicted, addicted to drugs

Drogerie [dro:gə'ri:] f chemist's, drugstore (US)

drohen ['dro:ən] v threaten

Drohne ['dro:nə] f ZOOL drone

dröhnen ['drø:nən] v resound, roar, boom

Drohung ['dro:uŋ] f threat

drollig ['drɔlıç] adj funny, droll, cute

Dromedar [dromə'da:r] n ZOOL dromedary, Arabian camel

Drossel ['drɔsəl] f ZOOL thrush

Druck [druk] m 1. pressure; 2. (Belastung) burden, load; unter ~ stehen to be under pressure; jdn unter ~ setzen put pressure on s.o. 3. (Flächendruck) compression

Druckbuchstabe ['drukbuxʃta:bə] m block letter

drucken ['drukən] v print

drücken ['drykən] v 1. press; 2. (Preise) ECO force down; 3. (umarmen) squeeze; 4. (fig: bedrücken) depress

Drucker ['drukər] m 1. (Person) printer; 2. (Gerät) INFORM printer

Drücker ['drykər] m 1. button; Er kommt immer auf den letzten ~. He always shows up at the last minute. am ~ sitzen (fig) to be at the controls; 2. (Klinke) handle; 3. (Türschloss) latch

Druckerei [drukə'raɪ] f printer

Druckluft ['drukluft] f TECH compressed air

drunter adv 1. (siehe „darunter") 2. ~ und drüber higgledy-piggledy, haywire

Drüse ['dry:zə] f ANAT gland

Dschungel ['dʒuŋəl] m jungle

du [du:] pron you; „Du, Michael ..." "Say, Michael ..."

Dübel ['dy:bəl] m TECH plug

ducken ['dukən] v duck

Dudelsack ['du:dəlzak] m bagpipes pl

Duell [du'ɛl] n duel

Duett [du'ɛt] n MUS duet

Duft [duft] m fragrance, aroma

duften ['duftən] v smell sweet, to be fragrant, to be scented

duftig ['duftɪç] adj scented, fragrant

dulden ['duldən] v 1. (hinnehmen) tolerate, put up with, permit; 2. (ertragen) bear, endure

Duldung ['duldʊŋ] f tolerance

dumm [dum] adj stupid, dumb (fam), foolish; jdn für ~ verkaufen play s.o. for a fool; jdm ~ kommen get funny with s.o. Das ist mir zu ~. (fam) That's just too much for me.

Dumme(r) ['dumə(r)] m/f fool; der Dumme sein come off worst

Dummheit ['dumhaɪt] f stupidity, foolishness, idiocy

Dummkopf ['dumkɔpf] m idiot, fool

dümmlich ['dymlɪç] adj fairly stupid, pretty stupid

dumpf [dumpf] adj 1. (Klang) hollow; 2. (Schmerz) dull

Düne ['dy:nə] f dune

düngen ['dyŋən] v AGR spread fertilizer, spread manure

Dünger ['dyŋər] m AGR dung, manure, fertilizer

dunkel ['duŋkəl] adj 1. dark, obscure; 2. (unklar) vague

Dunkel ['duŋkəl] n darkness; Im ~n ist gut munkeln. Darkness is the friend of lovers.

Dünkel ['dyŋkəl] m arrogance

Dunkelheit ['duŋkəlhaɪt] f darkness

dünn [dyn] adj thin

dünnflüssig ['dynflysɪç] adj liquid, watery

Dunst [dunst] m 1. vapour, steam; 2. (Rauch) smoke; 3. keinen blassen ~ von etw haben not have the foggiest idea of sth

dünsten ['dynstən] v GAST steam, stew

dunstig ['dunstɪç] adj 1. (Wetter) misty; 2. (Raum) stuffy

Dur [du:r] n MUS major

durch [durç] prep 1. (örtlich) through; ~ die Straßen gehen walk the streets; ~ die ganze Welt all over the world; Hier darf man nicht ~! No way through here! ~ und ~ through and through; Das geht mir ~ und ~. It goes right through me. 2. (zeitlich) throughout, for; 3. (mittels) through, by means of; 4. (kausal) by; 5. (geteilt ~) divided by; neun ~ drei nine divided by three

durchaus [durç'aus] adv thoroughly, entirely, absolutely

durchblicken ['durçblikən] v 1. (hindurchblicken) look through; 2. (fam: verstehen) understand; 3. etw ~ lassen hint at sth, intimate

Durchblutung [durç'blu:tʊŋ] f MED circulation

durchbrechen ['durçbrɛçən] v irr (fig: durchstoßen) break through; [durç'brɛçən] v irr 2. (fig: übertreffen) break through

Durchbruch ['durçbrux] m 1. (Öffnung) opening; 2. (fig) breakthrough

durchdrehen ['durçdre:ən] v 1. (Räder) spin, skid; 2. (fam) crack up, freak out

durcheinander [durçaɪn'andər] adj 1. (unordentlich) mixed up, messed up, muddled; ~ bringen/~ werfen mix up, make a mess of, muddle; ~ reden talk all at once; ~ rufen shout at the same time, shout all at once; 2. (fam: verwirrt) confused, mixed up; zwei Sachen ~ bringen confuse two things

durchfahren [durç'fa:rən] v irr 1. drive through; 2. (ohne Stopp) drive without stopping, drive without a break, drive straight through

Durchfall ['durçfal] m MED diarrhoea, diarrhea (US)

durchfallen ['durçfalən] v irr (bei einer Prüfung) fail

durchfließen ['durçfli:sən] v irr flow through

durchführen ['durçfy:rən] v 1. (leiten) guide through, lead through; 2. (ausführen) carry out, implement, execute

Durchführung ['durçfy:rʊŋ] f carrying out, execution, implementation

Durchgang ['durçgaŋ] m 1. (Weg) passage; 2. (Runde) SPORT round

durchgeben ['durçge:bən] *v irr eine Meldung ~* make an announcement; *Der Sprecher gab die Nachrichten durch.* The announcer read the news. *Ich werde es Ihnen telefonisch ~.* I'll read it to you over the phone.

durchgehen ['durçge:ən] *v irr 1. (überprüfen)* examine, go through; *2. (genehmigt werden)* to be carried, to be passed, to be adopted; *3. (tan: weglaufen)* bolt, run away, *(Liebende)* elope

durchgreifen ['durçgraifən] *v irr 1.* reach through; *2. (fig)* take drastic measures

durchhalten ['durçhaltən] *v irr* endure, hold out, last out

durchkommen ['durçkɔmən] *v irr 1.* come through, get through; *2. (finanziell)* get by; *3. (sich zurechtfinden)* manage; *4. (bei jdm)* get somewhere; *5. mit etw ~* get by with sth

durchlassen ['durçlasən] *v irr* let s.o. through, let pass

durchlaufen ['durç'laufən] *v irr 1.* run through; *2. (Flüssigkeit)* leak

durchmachen ['durçmaxən] *v 1. die ganze Nacht ~* keep going all night; *2. (etw ~)* go through; *3. (Wandlung)* undergo

Durchmesser ['durçmɛsər] *m* diameter

durchqueren [durç'kve:rən] *v* cross

Durchreise ['durçraizə] *f* transit

Durchsage ['durçza:gə] *f* announcement

durchschauen ['durçʃauən] *v 1.* look through; [durç'ʃauən] *2. (erkennen)* see through; *Du bist durchschaut.* I see right through you. I've got your number. (fam)

durchschlagen ['durç'ʃla:gən] *v irr 1.* penetrate, pierce, go through; *2. (zerteilen)* cut in two; *3. (durchpassieren)* strain; *4. sich ~* fight one's way through

durchschneiden ['durçʃnaidən] *v irr* cut through, cut in two

Durchschnitt ['durçʃnit] *m* average

durchschnittlich ['durçʃnitliç] *adj 1.* average, ordinary; *adv 2.* on average

durchsehen ['durçze:ən] *v irr* look through

durchsetzen ['durçzɛtsən] *v 1. sich ~* prevail, assert o.s. *2. sich ~ (Erzeugnis)* prove its worth

Durchsicht ['durçziçt] *f* looking through, examination, inspection

durchsichtig ['durçziçtiç] *adj 1.* transparent, clear; *2. (fig)* clear, lucid

durchstehen ['durçʃte:ən] *v irr (fig)* see through

durchstellen ['durçʃtɛlən] *v (fig: telefonisch)* TEL put through

durchsuchen [durç'zu:xən] *v* search, go through; *jdn ~* frisk s.o.

Durchsuchung [durç'zu:xuŋ] *f* search

durchtrennen [durç'trɛnən] *v* divide, split, *(schneiden)* cut through

Durchwahl ['durçva:l] *f* TEL extension, direct dialing

durchweichen ['durçvaiçən] *v 1.* become soggy, become soaked; *2.* soak, drench

durchziehen ['durçtsi:ən] *v irr 1.* come through, go through, pass through; *2. (Luft) Es zieht durch.* There's a draught in here., There's a draft in here. (US); *3. (etw ~)* pull through; *(Plan)* push through; [durç'tsi:ən] *4.* pass through, traverse

dürfen ['dyrfən] *v irr 1.* may, can, to be allowed to, to be permitted to; *Darf ich das tun?* May I do it? *Das darf doch nicht wahr sein!* That can't be! *Wenn ich bitten darf?* If you please? *2. (Vermutung) das dürfte ...* that is probably ..., that must be ...

dürr [dyr] *adj 1. (mager)* skinny, gaunt; *2. (Boden)* arid, barren

Dürre ['dyrə] *f 1.* barrenness; *2. (Regenmangel)* drought; *3. (Person)* gauntness

Durst [durst] *m* thirst; *~ haben* to be thirsty

durstig ['durstiç] *adj* thirsty

Dusche ['du:ʃə] *f* shower

duschen ['du:ʃən] *v* shower, take a shower

Duschvorhang ['du:ʃfo:rhaŋ] *m* shower curtain

Düse ['dy:zə] *f* TECH jet, nozzle

Dusel ['du:zəl] *m 1. (Glück)* dumb luck; *2. (Schlaftrunkenheit, Schwindel)* daze

Düsenflugzeug ['dy:zənflu:ktsɔyk] *n* jet plane

düster ['dy:stər] *adj 1.* gloomy, dark; *Unsere Aussichten sind ~.* Our prospects are dismal. *2.* dismally, gloomily; *adj*

Düsterkeit ['dy:stərkait] *f* gloominess dimness

Dutzend ['dutsənt] *n* dozen

dutzendfach ['dutsəntfax] *adv* by the dozen

DVD-ROM [de: fau de: 'rɔm] *f* INFORM DVD-ROM

Dynamik [dy'na:mik] *f* dynamics

dynamisch [dy'na:mɪʃ] *adj* dynamic

Dynamit [dyna'mi:t] *n* dynamite

Dynamo [dy'na:mo] *m* TECH dynamo

Dynastie [dynas'ti:] *f* HIST dynasty

dynastisch [dy'nastɪʃ] *adj* HIST dynastic

E

Ebbe ['ɛbə] f ebb tide, low tide, ebb
eben ['eːbən] adj 1. even, flat, level; adv 2. (vor kurzer Zeit) just, just now
Ebenbild ['eːbənbɪlt] n image
ebenbürtig ['eːbənbyrtɪç] adj of equal birth, of equal rank; wir sind einander ~ we are equal(s)
Ebene ['eːbənə] f 1. (fig) level, plane; 2. GEO plain
ebenerdig ['eːbəneːrdɪç] adj ground-floor, at ground level, on the first floor (US)
ebenfalls ['eːbənfals] adv also, likewise, as well
ebenmäßig ['eːbənmɛːsɪç] adj regular, harmonious
ebenso ['eːbənzoː] adv equally, just as; ~ gut just as well; ~ lang just as long; ~sehr just as much; ~ wenig just as little, no more
Eber ['eːbar] m ZOOL boar
ebnen ['eːbnən] v 1. level, make level, smooth; 2. (fig) pave the way
Echo ['ɛço] n 1. echo; 2. (fig) response; lebhaftes ~ finden meet with/attract a lively response
Echse ['ɛksə] f ZOOL lizard
echt [ɛçt] adj 1. real, genuine, authentic; adv 2. (fam)
Echtheit ['ɛçthaɪt] f genuineness, authenticity
Eckbank ['ɛkbaŋk] f corner bench
Ecke ['ɛkə] f corner; um die ~ round the corner; jdn um die ~ bringen bump s.o. off (fam); mit jdm über fünf ~n verwandt sein to be a distant relation of s.o.; Es fehlt an allen ~n und Enden. We're short of everything.
eckig ['ɛkɪç] adj angular, square
Eckstein ['ɛkʃtaɪn] m 1. cornerstone; 2. (Karo) diamonds pl
Eckzahn ['ɛktsaːn] m ANAT canine tooth
Ecuador [ekva'doːr] n GEO Ecuador
edel ['eːdəl] adj 1. (adlig) noble; 2. (Wein) high-class, superior; 3. (hochwertig) precious
Edelmann ['eːdəlman] m nobleman
edelmütig ['eːdəlmyːtɪç] adj noble
Edelstein ['eːdəlʃtaɪn] m precious stone
edieren [e'diːrən] v publish
Edikt [e'dɪkt] n edict
EDV [eːdeː'faʊ] f (elektronische Datenverarbeitung) electronic data processing; ~-... computer ...

Efeu ['eːfɔy] m BOT ivy
Effekt [ɛ'fɛkt] m effect
effektiv [ɛfɛk'tiːf] adj effective
effektvoll [ɛ'fɛktfɔl] adj effective, impressive, striking
effizient [ɛfi'tsjɛnt] adj efficient
egal [e'gaːl] adj 1. (fam: gleichmäßig) alike; 2. Das ist mir ~. I don't care. It doesn't matter to me. It makes no difference to me.
egalitär [egali'tɛːr] adj egalitarian
Ego ['eːgo] n ego
Egoismus [ego'ɪsmʊs] m selfishness, egoism, egotism
Egoist [ego'ɪst] m egoist
egoistisch [ego'ɪstɪʃ] adj egotistical
egozentrisch [ego'tsɛntrɪʃ] adj egocentric
ehe ['eːə] konj before
Ehe ['eːə] f marriage
Ehebruch ['eːəbrux] m adultery
Ehefrau ['eːəfrau] f wife, married woman, spouse
ehelich ['eːəlɪç] adj 1. conjugal, matrimonial; 2. (Kind) legitimate
ehemalig ['eːəmaːlɪç] adj former, ex-...
ehemals ['eːəmaːls] adv formerly, in the past, in former times
Ehemann ['eːəman] m husband, married man, spouse
Ehepaar ['eːəpaːr] n married couple
eher ['eːər] adv 1. (früher) sooner, earlier; 2. (lieber) rather, sooner
Ehering ['eːərɪŋ] m wedding ring
Eheschließung ['eːəʃliːsʊŋ] f marriage
Ehevertrag ['eːəfɛrtraːk] m prenuptial agreement, marriage contract
ehrbar ['eːrbaːr] adj honourable, reputable, respectable
Ehrbarkeit ['eːrbaːrkaɪt] f integrity, respectability, honesty
Ehre ['eːrə] f honour; etw in ~n halten treasure sth; sich alle ~ machen do o.s. credit; jdm die letzte ~ erweisen lay s.o. to rest; jdn bei seiner ~ packen appeal to s.o.'s sense of honour; zur ~ Gottes to the glory of God; Habe die ~! Pleased to meet you!
ehren ['eːrən] v honour
ehrenamtlich ['eːrənamtlɪç] adj 1. unpaid, honorary; adv 2. without payment, in an honorary capacity

Ehrengast ['e:rəngast] *m* guest of honour
ehrenhaft ['e:rənhaft] *adj* honourable
Ehrenmitglied ['e:rənmɪt gli:t] *n* honorary member
ehrenrührig ['e:rənry:rɪç] *adj* defamatory
Ehrensache ['e:rənzaxə] *f* matter of honour, point of honour
Ehrenwort ['e:rənvɔrt] *n* word of honour
ehrerbietig ['e:rɛrbi:tɪç] *adj* respectful, reverential
Ehrerbietung ['e:rɛrbi:tuŋ] *f* respect
Ehrfurcht ['e:rfʊrçt] *f* awe, reverence; ~ gebietend awe-inspiring, awesome; von ~ ergriffen overawed
ehrfürchtig ['e:rfyrçtɪç] *adj* awestruck
ehrgeizig ['e:rgaɪtsɪç] *adj* ambitious
ehrlich ['e:rlɪç] *adj* 1. honest; Ehrlich? Really? *adv* 2. honestly; ~ gesagt to be honest
Ehrlichkeit ['e:rlɪçkaɪt] *f* honesty, uprightness, fairness
ehrlos ['e:rlo:s] *adj* dishonourable, disgraceful, infamous
Ehrung ['e:ruŋ] *f* honour, tribute, homage
ehrwürdig ['e:rvyrdɪç] *adj* venerable
Ei [aɪ] *n* egg; wie aus dem ~ gepellt as neat as a pin; wie auf ~ern gehen walk gingerly; sich gleichen wie ein ~ dem anderen to be as like as two peas in a pod; jdn wie ein rohes ~ behandeln handle s.o. with kid gloves; Das ist nicht das Gelbe vom ~. It's not exactly the bee's knees.
eichen ['aɪçən] *adj* oak, oaken; *v* 1. TECH gauge, calibrate; 2. (prüfen) verify
Eichhörnchen ['aɪçhœrnçən] *n* ZOOL squirrel
Eichung ['aɪçuŋ] *f* TECH adjusting
Eid [aɪt] *m* JUR oath
Eidechse ['aɪdɛksə] *f* ZOOL lizard
eidesstattlich ['aɪdəsʃtatlɪç] *adj* JUR in lieu of an oath
Eierstock ['aɪərʃtɔk] *m* ANAT ovary
Eifer ['aɪfər] *m* eagerness, keenness, zeal
eifern ['aɪfərn] *v* strive
Eifersucht ['aɪfərzuxt] *f* jealousy
eifersüchtig ['aɪfərzyçtɪç] *adj* jealous
eifrig ['aɪfrɪç] *adj* 1. eager, zealous, avid; *adv* 2. eagerly, zealously, avidly
eigen ['aɪgən] *adj* 1. own, separate, particular; 2. (seltsam) peculiar
Eigenart ['aɪgəna:rt] *f* 1. individuality; 2. (Wesensmerkmal) idiosyncrasy, quirk, peculiarity
eigenartig ['aɪgəna:rtɪç] *adj* peculiar, queer, strange

Eigenbrötler ['aɪgənbrø:tlər] *m* loner, nonconformist
eigenhändig ['aɪgənhɛndɪç] *adj* with one's own hands, personal
Eigeninitiative ['aɪgənɪnitsjati:və] *f* own initiative
eigenmächtig ['aɪgənmɛçtɪç] *adj* arbitrary, high-handed, done on one's own authority
Eigenmächtigkeit ['aɪgənmɛçtɪçkaɪt] *f* arbitrary action
Eigenname ['aɪgənna:mə] *m* proper name
eigennützig ['aɪgənnytsɪç] *adj* selfish
Eigenschaft ['aɪgənʃaft] *f* characteristic, quality, attribute
eigensinnig ['aɪgənzɪnɪç] *adj* headstrong, stubborn, obstinate
eigenständig ['aɪgənʃtɛndɪç] *adj* independent
eigentlich ['aɪgəntlɪç] *adj* 1. actual, real; *adv* 2. actually, really
Eigentum ['aɪgəntu:m] *n* property, possession, ownership
Eigentümer ['aɪgənty:mər] *m* owner
eigentümlich ['aɪgənty:mlɪç] *adj* peculiar, characteristic
eigentümlicherweise ['aɪgənty:mlɪçərvaɪzə] *adv* strangely enough, curiously enough
eigenverantwortlich ['aɪgənferantvɔrtlɪç] *adj* responsible
Eigenverantwortung ['aɪgənferantvɔrtuŋ] *f* responsibility
eigenwillig ['aɪgənvɪlɪç] *adj* with a mind of one's own, highly individual, (eigensinnig) self-willed; (unkonventionell) unconventional
eignen ['aɪgnən] *v sich ~ für* to be suited for
Eignung ['aɪgnuŋ] *f* 1. suitability; 2. (Befähigung) aptitude
Eignungsprüfung ['aɪgnuŋspry:fuŋ] *f* aptitude test
Eilbrief ['aɪlbri:f] *m* express letter, special delivery (US)
Eile ['aɪlə] *f* hurry, rush, haste; in ~ sein to be in a hurry
Eileiter ['aɪlaɪtər] *m* ANAT fallopian tube
eilen ['aɪlən] *v* hurry, rush, hasten
eilig ['aɪlɪç] *adj* hurried, rushed, hasty; es ~ haben to be in a hurry
Eilzustellung ['aɪltsu:ʃtɛluŋ] *f* special delivery, express delivery
Eimer ['aɪmər] *m* bucket, pail; im ~ sein (fig) to be ruined, to be up the spout
ein [aɪn] *art* a, an

einarbeiten ['aɪnarbaɪtən] v 1. etw ~ work sth in; 2. sich ~ familiarize o.s. with one's work, make o.s. acquainted with one's work

einäschern ['aɪnɛʃərn] v 1. burn to ashes; 2. (Leichnam) cremate

Einäscherung ['aɪnɛʃərʊŋ] f incineration, cremation

einatmen ['aɪna:tmən] v breathe in, inhale

Einbahnstraße ['aɪnba:nʃtra:sə] f one-way street

Einband ['aɪnbant] m binding

einbauen ['aɪnbauən] v install, build in, fit

einbehalten ['aɪnbəhaltən] v irr keep back, retain

einberufen ['aɪnbəru:fən] v irr 1. (Versammlung) convene, call, summon; 2. MIL call up, summon, draft

einbetten ['aɪnbɛtən] v 1. embed, imbed; 2. (Rohr) lay

einbeziehen ['aɪnbətsi:ən] v irr include, incorporate, integrate

einbilden ['aɪnbɪldən] v sich ~ imagine, fancy; Er bildet sich ein, dass ... He's under the impression that ... He's under the delusion that ...

Einbildung ['aɪnbɪldʊŋ] f imagination

einbinden ['aɪnbɪndən] v irr 1. (Buch) bind; 2. (fig) include, integrate, involve

einbläuen ['aɪnblɔyən] v (fam) jdm etw ~ beat sth into s.o.

einblenden ['aɪnblɛndən] v CINE fade in, intercut, insert

Einblick ['aɪnblɪk] m insight

einbrechen ['aɪnbrɛçən] v irr 1. break in; 2. (durchbrechen) break down, smash in; 3. (fig: beginnen) set in

Einbrecher ['aɪnbrɛçər] m burglar

Einbruch ['aɪnbrʊx] m 1. (Diebstahl) burglary; 2. (Einsturz) collapse; 3. (plötzlicher Beginn) onset, break

einbürgern ['aɪnbyrgərn] v POL naturalize

Einbürgerung ['aɪnbyrgərʊŋ] f POL naturalization

einbüßen ['aɪnby:sən] v 1. (Geld) lose; 2. (Recht) for feit

einchecken ['aɪntʃɛkən] v check in

eincremen ['aɪnkre:mən] v rub in

eindecken ['aɪndɛkən] v 1. sich mit etw ~ stock up on sth, lay in a supply of sth; 2. jdn mit etw ~ provide s.o. with sth

eindeutig ['aɪndɔytɪç] adj 1. clear, unmistakable; adv 2. clearly, unmistakably

eindringen ['aɪndrɪŋən] v irr 1. intrude, penetrate, enter forcibly; 2. MIL invade

eindringlich ['aɪndrɪŋlɪç] adj insistent

Eindringling ['aɪndrɪŋlɪŋ] m intruder

Eindruck ['aɪndrʊk] m impression

eindrücken ['aɪndrykən] v 1. push in; 2. (Fenster) break in

eindrucksvoll ['aɪndrʊksfɔl] adj impressive, imposing, striking

eine(r,s) ['aɪnə] art 1. a, an; pron 2. one; 3. (jemand) someone, somebody

einengen ['aɪnɛŋən] v constrain

einerseits ['aɪnərzaɪts] adv on the one hand

einfach ['aɪnfax] adj 1. simple, plain, easy; 2. ~e Fahrkarte single ticket (UK), one-way ticket (US); adv 3. simply, plainly, easily

Einfachheit ['aɪnfaxhaɪt] f simplicity

Einfahrt ['aɪnfa:rt] f 1. (Ankunft) arrival; 2. (Zufahrt) drive, entrance, approach

Einfall ['aɪnfal] m 1. (Idee) idea, notion, thought; 2. MIL invasion, raid

einfallen ['aɪnfalən] v irr 1. jdm ~ occur to one; Lass dir etwas ~. Figure something out. Was fällt dir ein? Are you crazy? Nun fällt mir etwas ein. Something just occurred to me. (in Erinnerung kommen) come to one; Langsam fiel es ihr wieder ein. Slowly it came back to her. 2. (überfallen) invade, raid; 3. (einstürzen) collapse; 4. (Licht) shine in

Einfallslosigkeit ['aɪnfalslo:zɪçkaɪt] f unimaginativeness

einfallsreich ['aɪnfalsraɪç] adj imaginative

einfältig ['aɪnfɛltɪç] adj simple, naive

Einfaltspinsel ['aɪnfaltspɪnzəl] m simpleton

einfangen ['aɪnfaŋən] v irr 1. seize, hook; 2. (fig: Krankheit) catch

einfärben ['aɪnfɛrbən] v dye

einfinden ['aɪnfɪndən] v irr sich ~ arrive

einflößen ['aɪnflø:sən] v 1. jdm etw ~ give sth to s.o., administer sth; 2. (fig) jdm etw ~ instil sth in s.o.

Einfluss ['aɪnflʊs] m 1. influence; 2. (das Einfließen) influx

einflussreich ['aɪnflʊsraɪç] adj influential

einförmig ['aɪnfœrmɪç] adj uniform

einfrieren ['aɪnfri:rən] v irr freeze

einfügen ['aɪnfy:gən] v insert

einfühlsam ['aɪnfy:lza:m] adj sympathetic, understanding, sensitive

Einfühlungsvermögen ['aɪnfy:lʊŋsfermø:gən] n empathy, understanding

Einfuhr ['aɪnfu:r] f ECO import

Einfuhrbeschränkung ['aɪnfu:rbəʃrenkʊŋ] f ECO import restriction

einführen ['aɪnfy:rən] v 1. (etw Neues ~) introduce, initiate; 2. (hineinschieben) insert, introduce; 3. (importieren) ECO import

Einführung ['aɪnfy:ruŋ] f 1. (von etw Neuem) introduction; 2. (Hineinschieben) insertion, introduction; 3. (Import) ECO import, importation

Einfuhrverbot ['aɪnfu:rfɛrbo:t] n ECO import prohibition, ban on imports

einfüllen ['aɪnfʏlən] v fill, pour into

Eingabe ['aɪnga:bə] f 1. (Antrag) POL petition, application, request; 2. (Daten) INFORM input, entry

Eingang ['aɪngaŋ] m 1. entrance; 2. (Wareneingang) ECO receipt of goods; 3. (Geldeingang) ECO receipt

eingeben ['aɪnge:bən] v irr 1. MED administer; 2. (Daten) INFORM input, enter

eingebildet ['aɪngəbɪldət] adj 1. (überheblich) conceited, vain, big-headed; 2. (unwirklich) imaginary, imagined

Eingebung ['aɪnge:buŋ] f (fig) inspiration

eingefallen ['aɪngəfalən] adj 1. (Gesicht) haggard; 2. (Augen) sunken; 3. (Wangen) hollow

eingehen ['aɪnge:ən] v irr 1. (ankommen) arrive, come in; 2. (Pflanze) die; 3. (kleiner werden) shrink; 4. (auf einen Vorschlag) agree to, consent to; 5. (Verpflichtung) enter into, embark on

eingehend ['aɪnge:ənt] adj (ausführlich) detailed, thorough, in-depth

Eingeständnis ['aɪngəʃtɛntnɪs] n admission, confession

eingestehen ['aɪngəʃte:ən] v irr admit

Eingeweide ['aɪngəvaɪdə] n ANAT entrails pl, intestines pl

Eingeweihte(r) ['aɪngəvaɪtə(r)] m/f initiate, person in the know (fam), insider (fam)

eingewöhnen ['aɪngəvøːnən] v sich ~ get accustomed to, acclimatize o.s., settle in

eingießen ['aɪngiːsən] v irr pour in, pour

eingraben ['aɪngraːbən] v irr 1. bury; 2. (eingravieren) engrave; 3. sich ~ MIL dig o.s. in; 4. sich ~ (sich einprägen) etch itself

eingravieren ['aɪngraviːrən] v engrave

eingreifen ['aɪngraɪfən] v irr 1. (einschreiten) intervene, step in; 2. TECH engage, catch

Eingriff ['aɪngrɪf] m 1. (Einschreiten) intervention, interference; 2. TECH meshing, gearing; 3. MED surgery, operation

einhaken ['aɪnha:kən] v 1. (unterbrechen) jump in (fig); 2. (etw ~) hook in; 3. sich bei jdm ~ link arms with s.o.

Einhalt ['aɪnhalt] m ~ gebieten stop, put a stop to, halt

einhalten ['aɪnhaltən] v 1. (befolgen) observe, stick to, adhere to; 2. (Versprechen) keep; 3. (beibehalten) follow, keep to; 4. (anhalten) stop

Einhaltung ['aɪnhaltuŋ] f observance of, compliance to

einheimisch ['aɪnhaɪmɪʃ] adj 1. native, indigenous; 2. (Mannschaft, Industrie) local

Einheimische(r) ['aɪnhaɪmɪʃə(r)] m/f die ~n pl the locals pl

Einheit ['aɪnhaɪt] f 1. unity; 2. (eine ~) unit

einheitlich ['aɪnhaɪtlɪç] adj uniform, homogeneous

einhellig ['aɪnhɛlɪç] adj unanimous

Einhorn ['aɪnhɔrn] n unicorn

einhüllen ['aɪnhʏlən] v wrap, envelop

einig ['aɪnɪç] adj 1. sich über etw ~ werden come to an agreement on sth; wir sind uns ~, dass ... we agree that ..., we are in agreement that ...; 2. (geeint) united

einige ['aɪnɪgə] pron 1. some, a little; 2. (Plural) some, a few, several

einigen ['aɪnɪgən] v sich ~ come to an agreement, agree, come to terms; sich ~ über agree on

einigermaßen [aɪnɪgər'ma:sən] adv somewhat, to some extent, to some degree

Einigkeit ['aɪnɪçkaɪt] f unity, harmony

Einigung ['aɪnɪguŋ] f agreement, understanding, settlement

einjährig ['aɪnjɛːrɪç] adj 1. one-year; 2. (Kind) one-year-old; 3. (Pflanze) annual

Einkauf ['aɪnkauf] m purchase, shopping

einkaufen ['aɪnkaufən] v buy, purchase; sich ~ in buy o.s. into; ~ gehen go shopping

Einkäufer ['aɪnkɔyfər] m ECO buyer

Einkaufsbummel ['aɪnkaufsbuməl] m shopping trip, shopping spree

Einkaufswagen ['aɪnkaufsva:gən] m trolley, shopping cart (US)

einkehren ['aɪnke:rən] v 1. (im Gasthaus) stop at an inn; 2. (fig: kommen) come

Einkerbung ['aɪnkɛrbuŋ] f notch

einklagen ['aɪnkla:gən] v sue for

Einklang ['aɪnklaŋ] m harmony, unison

einkleben ['aɪnkle:bən] v stick

Einkommen ['aɪnkɔmən] n income, earnings

Einkommensteuer ['aɪnkɔmənsʃtɔyər] f ECO income tax

einkreisen ['aɪnkraɪzən] v encircle, surround

Einkünfte ['aɪnkʏnftə] *pl* income, earnings *pl*, *(des Staates)* revenue

einladen ['aɪnla:dən] *v irr 1. (Gäste)* invite; *2. (Gepäck)* load

Einladung ['aɪnla:duŋ] *f* invitation

Einlage ['aɪnla:gə] *f 1. (Programmeinlage)* interlude; *2. (Suppeneinlage)* soup ingredients, garnish; *3. ECO* investment; *4. (Spareinlage)* deposit

Einlagerung ['aɪnla:gəruŋ] *f* storage

Einlass ['aɪnlas] *m 1.* admittance; *„~ elf Uhr"* "doors open at eleven o'clock"; *2. (Tür)* door

einlassen ['aɪnlasən] *v irr 1. (hereinlassen)* admit; *2. (Wasser einlaufen lassen)* run; *3. sich ~ mit* get involved with, get involved with, become mixed up in

einlaufen ['aɪnlaufən] *v irr 1. (in den Hafen) NAUT* enter; *2. (Stoff)* shrink; *3. (eingehen)* come in, arrive; *4. (Schuhe)* break in; *5. jdm das Haus ~* pester s.o.; *6. sich ~* get going

einleben ['aɪnle:bən] *v sich ~* settle in, settle down

einlegen ['aɪnle:gən] *v 1.* put in; *Protest ~* lodge a protest; *eine Pause ~* take a break; *2. (Geld)* deposit; *3. (Haar)* put in rollers, set; *4. (Holz)* inlay; *5. (Heringe)* pickle

einleiten ['aɪnlaɪtən] *v 1. (einführen)* introduce, initiate, usher in; *2. (beginnen)* begin

Einleitung ['aɪnlaɪtuŋ] *f 1. (Einführung)* introduction, preface; *2. (Beginn)* beginning

einliefern ['aɪnli:fərn] *v 1. (ins Krankenhaus)* hospitalize, take to the hospital; *(ins Gefängnis)* send to, put in

Einlieferung ['aɪnli:fəruŋ] *f (ins Krankenhaus)* admission

einlösen ['aɪnlø:zən] *v 1. (Scheck)* cash; *2. (Versprechen)* keep, redeem

einmal ['aɪnma:l] *adv 1.* once; *noch ~* again, once more; *Es war ~ ...* There once was ...; *2. (in Zukunft)* one day; *3. auf ~ (gleichzeitig)* at once; *4. auf ~ (plötzlich)* suddenly, all of a sudden; *5. nicht ~* not even

einmalig ['aɪnma:lɪç] *adj 1.* first and final; *2. (Gelegenheit)* unique

Einmarsch ['aɪnmarʃ] *m MIL* marching in

einmischen ['aɪnmɪʃən] *v sich ~* interfere, butt in *(fam)*, intervene

Einmischung ['aɪnmɪʃuŋ] *f* interference

Einmündung ['aɪnmʏnduŋ] *f 1. (eines Flusses)* estuary; *2. (einer Straße)* junction

einmütig ['aɪnmy:tɪç] *adj* unanimous

Einnahme ['aɪnna:mə] *f 1. (Ertrag)* receipts *pl*, proceeds *pl*, earnings *pl*; *2. MIL* capture

einnehmen ['aɪnne:mən] *v irr 1. (verdienen)* earn; *2. (Arznei)* take; *3. seinen Platz ~* take one's seat; *4. MIL capture; (Land)* occupy

Einöde ['aɪnø:də] *f* wilderness, desert

einordnen ['aɪnɔrdnən] *v 1.* arrange, put into proper order; *(in Akten)* file; *2. sich ~* fall into line, drop into place, take one's place

einpacken ['aɪnpakən] *v* pack, wrap

einpflanzen ['aɪnpflantsən] *v 1.* plant; *2. MED* implant; *3. (fig)* implant

einplanen ['aɪnpla:nən] *v* include in the plan, plan on

einräumen ['aɪnrɔymən] *v 1. (wegräumen)* clear away; *2. (füllen) (Regal)* fill; *(Zimmer)* arrange; *3. (zugeben)* admit, grant, concede

einreichen ['aɪnraɪçən] *v* submit, present, hand in

Einreise ['aɪnraɪzə] *f* entry

einrichten ['aɪnrɪçtən] *v* equip, set up

Einrichtung ['aɪnrɪçtuŋ] *f 1.* setting up, establishment, fitting out; *2. (Möbel)* furnishing

einsam ['aɪnza:m] *adj* lonely, solitary

Einsamkeit ['aɪnza:mkaɪt] *f* loneliness, solitude

einsammeln ['aɪnzaməln] *v* gather in, collect

Einsatz ['aɪnzats] *m 1. (beim Glücksspiel)* stake; *(beim Kartenspiel)* ante; *2. (Kapitaleinsatz)* investment; *3. (Anwendung)* employment, use, application; *4. (Topfeinsatz)* inset; *5. (Hingabe)* effort, commitment, dedication; *6. MIL* mission, action

einsatzbereit ['aɪnzatsbəraɪt] *adj* ready for use; *(Mensch)* ready for action

einschalten ['aɪnʃaltən] *v 1. (anschalten)* turn on, switch on; *2. (hinzuziehen)* bring in, call in; *3. sich ~* intervene, interfere

Einschätzung ['aɪnʃetsuŋ] *f* assessment

einschenken ['aɪnʃeŋkən] *v* pour

einschlafen ['aɪnʃla:fən] *v irr* fall asleep

einschlagen ['aɪnʃla:gən] *v irr 1. (Nagel)* drive in; *2. (Fenster)* break, smash; *3. (Richtung)* take; *Moskau schlägt einen härteren Kurs ein.* Moscow is taking a harder line. *(Blitz)* strike; *wie ein Blitz ~* to be devastating

einschlägig ['aɪnʃle:gɪç] *adj* pertinent

einschließen ['aɪnʃli:sən] *v irr 1.* lock in, shut in, imprison; *2. (fig)* include, comprise

einschließlich ['aɪnʃli:slɪç] *prep 1.* including, inclusive of; *adv 2.* inclusively

einschneidend ['aɪnʃnaɪdənt] *adj (fig)* drastic, radical

Einschnitt ['aɪnʃnɪt] *m 1. (Schnitt)* incision, cut; *2. (fig)* turning-point, decisive moment

einschränken ['aɪnʃrɛŋkən] v restrict
einschreiben ['aɪnʃraɪbən] v sich ~ register, enrol, enlist
Einschreibung ['aɪnʃraɪbuŋ] f registration, enrolment, entry
einschreiten ['aɪnʃraɪtən] v irr take steps, take action
einschüchtern ['aɪnʃʏçtərn] v intimidate
Einschulung ['aɪnʃuːluŋ] f enrolment in school
einsehen ['aɪnzeːən] v irr 1. (Einblick nehmen) look into, examine; 2. (fig: verstehen) understand, see, recognize
einseitig ['aɪnzaɪtɪç] adj one-sided, unilateral
einsenden ['aɪnzɛndən] v irr send in
Einsender ['aɪnzɛndər] m sender
Einsendung ['aɪnzɛnduŋ] f letter, contribution
einsetzen ['aɪnzɛtsən] v 1. (einfügen) insert; 2. (anwenden) employ, use, utilize; 3. (Amt übertragen) appoint, install (in office); 4. (riskieren) risk, put at stake
Einsicht ['aɪnzɪçt] f 1. (fig: Vernunft) reason; 2. (fig: Erkenntnis) insight
einsichtig ['aɪnzɪçtɪç] adj reasonable, sensible, of insight
Einsichtnahme ['aɪnzɪçtnaːmə] f inspection
Einsiedler ['aɪnziːdlər] m hermit, recluse
einsparen ['aɪnʃpaːrən] v economize, save money
einsperren ['aɪnʃpɛrən] v lock in, shut in
einsprachig ['aɪnʃpraːxɪç] adj monolingual
Einspruch ['aɪnʃprux] m objection, protest
einst ['aɪnst] adv 1. (Vergangenheit) once, at one time; 2. (Zukunft) someday, one day
Einstand ['aɪnʃtant] m 1. start; 2. (Tennis) deuce
einstecken ['aɪnʃtɛkən] v irr 1. (in die Tasche) pocket, put in one's pocket; 2. (~ und mitnehmen) take along; 3. (Stecker) plug in; 4. (fig: hinnehmen) take
einsteigen ['aɪnʃtaɪgən] v irr get in
Einsteiger ['aɪnʃtaɪgər] m beginner
einstellen ['aɪnʃtɛlən] v 1. (Arbeitskräfte) employ, engage; 2. (beenden) stop, cease, leave off; 3. (Rekord) tie, equal; 4. (regulieren) adjust, regulate; 5. sich auf etw ~ (sich etw anpassen) adjust to sth
Einstellung ['aɪnʃtɛluŋ] f 1. (Arbeitskräfte) employment; 2. (Beendigung) cessation, suspension; 3. (eines Rekords) equalling; 4. (Re-

gulierung) setting, adjustment; 5. (Denkhaltung) attitude, frame of mind
Einstieg ['aɪnʃtiːk] m start, introduction
einstimmig ['aɪnʃtɪmɪç] adj 1. (fig) unanimous; 2. MUS unison
Einstimmigkeit ['aɪnʃtɪmɪçkaɪt] f 1. (fig) unanimity, accord, agreement; 2. MUS unison
einstufen ['aɪnʃtuːfən] v grade, classify
Einstufung ['aɪnʃtuːfuŋ] f classification
einstürzen ['aɪnʃtʏrtsən] v 1. collapse; 2. (Boden) cave in
einstweilig ['aɪnstvaɪlɪç] adj temporary; ~e Verfügung temporary injunction
einteilen ['aɪntaɪlən] v 1. divide; 2. (verteilen) distribute
Einteilung ['aɪntaɪluŋ] f 1. division, sectioning; 2. (in Klassen) classification
eintönig ['aɪntøːnɪç] adj monotonous
Eintracht ['aɪntraxt] f harmony
Eintrag ['aɪntraːk] m entry
eintragen ['aɪntraːgən] v irr enter, register, record
einträglich ['aɪntrɛːklɪç] adj profitable
eintreffen ['aɪntrɛfən] v irr 1. arrive; 2. (geschehen) happen; 3. (sich erfüllen) come true
eintreten ['aɪntreːtən] v irr 1. (beitreten) enter; 2. für jdn ~ intercede for s.o., side with s.o., stand up for s.o.; 3. (eintreffen) come to pass, happen, occur; 4. (hineingehen) enter
Eintritt ['aɪntrɪt] m 1. (Beitritt) entry; 2. (Betreten) entrance, entering
Eintrittskarte ['aɪntrɪtskartə] f admission ticket
Einvernehmen ['aɪnfɛrneːmən] n agreement, understanding
einvernehmlich ['aɪnfɛrneːmlɪç] adj in mutual agreement
einverstanden ['aɪnfɛrʃtandən] v mit etw ~ sein agree with sth, consent to sth, to be agreeable to sth; Einverstanden! Agreed!
Einverständnis ['aɪnfɛrʃtɛntnɪs] n agreement, consent, approval
Einwand ['aɪnvant] m objection
Einwanderer ['aɪnvandərər] m immigrant
einwandern ['aɪnvandərn] v immigrate
Einwanderung ['aɪnvandəruŋ] f immigration
einweihen ['aɪnvaɪən] v inaugurate
Einweihung ['aɪnvaɪuŋ] f inauguration, ceremonial opening
einweisen ['aɪnvaɪzən] v irr 1. (anleiten) introduce, instruct; 2. ~ in (einliefern) commit to, admit to

Einweisung ['aɪnvaɪzuŋ] f 1. (Instruktionen) instructions pl; 2. MED reference to hospital

einwenden ['aɪnvɛndən] v irr ~ gegen object to, protest against

einwerfen ['aɪnvɛrfən] v irr 1. throw in; 2. (Münze) insert; 3. (Post) post, mail (US); 4. (einschlagen) smash, break

einwilligen ['aɪnvɪlɪgən] v agree, consent

Einwilligung ['aɪnvɪlɪguŋ] f approval

einwirken ['aɪnvɪrkən] v act, have an effect; auf jdn ~ influence s.o.

Einwirkung ['aɪnvɪrkuŋ] f effect, influence

Einwohner ['aɪnvo:nər] m inhabitant, resident

einzahlen ['aɪntsa:lən] v pay in, deposit

Einzahlung ['aɪntsa:luŋ] f payment, deposit

Einzelgänger ['aɪntsəlɡɛŋər] m loner

Einzelheit ['aɪntsəlhaɪt] f detail, particular; sich mit ~en befassen go into detail

Einzelkämpfer ['aɪntsəlkɛmpfər] m 1. (fig) pioneer; 2. MIL ranger

Einzelkind ['aɪntsəlkɪnt] n only child

einzeln ['aɪntsəln] adj 1. individual, single, particular; im Einzelnen in detail; adv 2. individually, separately, one by one

Einzelne(r) ['aɪntsəlnə(r)] m/f individual

Einzelzimmer ['aɪntsəltsɪmər] n single room

einziehen ['aɪntsi:ən] v 1. (Wohnung) move in; 2. (beschlagnahmen) confiscate, impound, withdraw; 3. Auskünfte über etw ~ gather information about sth

einzig ['aɪntsɪç] adj only, one, sole; kein ~es Mal not once

einzigartig ['aɪntsɪçartɪç] adj unique, singular, unparalleled

Einzigartigkeit ['aɪntsɪçartɪçkaɪt] f uniqueness

Eis [aɪs] n 1. ice; ~ laufen ice-skate, zu ~ werden turn to ice; etw auf ~ legen (fig) put sth on the shelf; das ~ brechen (fig) break the ice; 2. (Speiseeis) ice-cream

Eisbär ['aɪsbɛːr] m ZOOL polar bear

Eisberg ['aɪsbɛrk] m GEOL iceberg

Eiscreme ['aɪskre:m] f ice-cream

Eisen ['aɪzən] n iron; zum alten ~ gehören to be left on the scrap heap; mehrere ~ im Feuer haben have a few irons in the fire

Eisenbahn ['aɪzənba:n] f railway; Es ist höchste ~! It's high time!

eisig ['aɪzɪç] adj 1. (kalt) icy, freezing; 2. (fig) frosty, cold, cutting

Eislauf ['aɪslauf] m ice-skating

Eisprung ['aɪʃpruŋ] m BIO ovulation

Eisschrank ['aɪsʃraŋk] m refrigerator

Eiswürfel ['aɪsvyrfəl] m ice cube

Eiszapfen ['aɪstsapfən] m icicle

Eiszeit ['aɪstsaɪt] f GEOL Ice Age

eitel ['aɪtəl] adj 1. vain; 2. (eingebildet) conceited

Eiweiß ['aɪvaɪs] n 1. (vom Ei) egg-white; 2. BIO protein, albumen

Eizelle ['aɪtsɛlə] f BIO egg cell, ovum

Ekel ['e:kəl] m disgust, repulsion; ~ erregend disgusting, repulsive repugnant

ekelhaft ['e:kəlhaft] adj 1. disgusting, revolting, nauseating; 2. (unangenehm) nasty

ekeln ['e:kəln] v sich ~ vor to be sickened by, to be disgusted by

Eklat [e'kla:] m (Aufsehen) stir, sensation

Ekstase [ɛk'sta:zə] f ecstasy; in ~ geraten go into ecstasies

elastisch [e'lastɪʃ] adj elastic, flexible

Elch [ɛlç] m ZOOL elk, moose (US)

Elefant [ele'fant] m ZOOL elephant; wie der ~ im Porzellanladen like a bull in a china shop

elegant [ele'gant] adj elegant, graceful, smart

Eleganz [ele'gants] f elegance

Elektriker [e'lɛktrɪkər] m electrician

Elektrizität [elɛktritsi'tɛːt] f electricity, electric current

Elektron [elɛk'tro:n] n PHYS electron

Elektronik [elɛk'tro:nɪk] f electronics

Elektrotechnik [e'lɛktrotɛçnɪk] f TECH electrical engineering

Element [ele'mɛnt] n element; in seinem ~ sein take to sth like a duck to water, to be in one's element

elementar [elemɛn'ta:r] adj elementary

elend ['e:lɛnt] adj miserable

Elend ['e:lɛnt] n misery, distress; wie ein Häufchen ~ with one's tail between one's legs

Elfe ['ɛlfə] f elf

Elfenbein ['ɛlfənbaɪn] n ivory

elitär [eli'tɛːr] adj elitist

Elite [e'li:tə] f elite

Ellbogen ['ɛlbo:gən] m ANAT elbow

eloquent [elo'kvɛnt] adj eloquent

Elster ['ɛlstər] f ZOOL magpie

Eltern ['ɛltərn] pl parents pl; Das ist nicht von schlechten ~. (fam) That's not bad at all.

Email [e'ma:j] n enamel

Emanzipation [emantsipa'tsjo:n] f (der Frau) Women's Liberation, emancipation

emanzipieren [ɛmantsi'pi:rən] v sich ~ emancipate o.s.

Embargo [ɛm'bargo] *n POL* embargo

Embryo ['ɛmbryo] *m BIO* embryo

Emigrant [emi'grant] *m* emigrant

Emigration [emigra'tsjoːn] *f* emigration

emigrieren [emi'griːrən] *v POL* emigrate

eminent [emi'nɛnt] *adj* eminent

Emission [emis'joːn] *f 1. ECO* issue, issuing; 2. *PHYS* emission

Emotion [emo'tsjoːn] *f* emotion

emotional [emotsjo'naːl] *adj* emotional

Empfang [ɛm'pfaŋ] *m 1. (Erhalt)* receipt; 2. *(Begrüßung)* reception, welcome; 3. *(Veranstaltung)* reception; 4. *(Rezeption)* reception area; 5. *(TV) TECH* reception

empfangen [ɛm'pfaŋən] *v irr 1.* receive; 2. *(begrüßen)* welcome, greet, meet

Empfänger [ɛm'pfɛŋɐr] *m 1. (Adressat)* addressee, recipient; 2. *(Gerät) TECH* receiver

empfänglich [ɛm'pfɛŋlɪç] *adj 1.* susceptible; 2. *(aufnahmebereit)* receptive

Empfängnis [ɛm'pfɛŋnɪs] *f BIO* conception

Empfängnisverhütung [ɛm'pfɛŋnɪsfɛrhyːtuŋ] *f* contraception

empfehlen [ɛm'pfeːlən] *v irr* recommend

Empfehlung [ɛm'pfeːluŋ] *f* recommendation

empfinden [ɛm'pfɪndən] *v irr* feel, sense

empfindlich [ɛm'pfɪntlɪç] *adj 1.* sensitive, delicate; 2. *(reizbar)* touchy, sensitive; 3. *(stark spürbar)* severe

Empfindlichkeit [ɛm'pfɪntlɪçkaɪt] *f* sensitivity

empfindsam [ɛm'pfɪntzaːm] *adj* sensitive, sentimental

Empfindsamkeit [ɛm'pfɪntzaːmkaɪt] *f* sentimentality

Empfindung [ɛm'pfɪnduŋ] *f* sensation, feeling

empirisch [ɛm'piːrɪʃ] *adj* empirical

empor [ɛm'poːr] *adv* up, upward, upwards

empören [ɛm'pøːrən] *v 1.* sich ~ gegen revolt against; 2. *sich ~ (fig)* to be outraged, to be appalled

empörend [ɛm'pøːrənt] *adj* shocking, outrageous

empört [ɛm'pøːrt] *adj* outraged, appalled

Empörung [ɛm'pøːruŋ] *f 1. (Unwille)* indignation, outrage; 2. *(Aufstand)* revolt

emsig ['ɛmzɪç] *adj* busy, industrious, active

Ende ['ɛndə] *n* end; *zu ~ gehen* come to an end; *am ~ sein* to be at the end of one's tether; *kein ~ finden* go on and on; *zu einem guten ~ führen* to be all for the best; *ein böses ~ neh-* men come to a bad end; *einer Sache ein ~ bereiten* put an end to sth; *Das dicke ~ kommt noch.* The worst is yet to come. *Er ist ~ Sechzig.* He is in his late sixties.

enden ['ɛndən] *v* end; *Dieser Zug endet hier.* This train does not go any further.

endgültig ['ɛntgyltɪç] *adj 1.* final, definitive, definite; *adv 2.* once and for all

Endivie [ɛn'diːvjə] *f BOT* endive

endlich ['ɛntlɪç] *adj 1.* finite; *adv 2.* finally, at last

endlos ['ɛntloːs] *adj 1.* endless, never-ending, infinite; *adv 2.* endlessly, infinitely, unceasingly

Endstadium ['ɛntʃtaːdjum] *n* final stage

Endstation ['ɛntʃtatsjoːn] *f* last stop

Endverbraucher ['ɛntfɛrbrauxɐr] *m ECO* consumer

Endzeit ['ɛnttsaɪt] *f* last days *pl*

Energie [enɛr'giː] *f* energy

energisch [e'nɛrgɪʃ] *adj 1.* energetic, strong, vigorous; *adv 2.* emphatically, resolutely, vigorously

eng [ɛŋ] *adj* tight, narrow; ~ *anliegend* tight-fitting; ~ *befreundet* close; *Das darfst du nicht so ~ sehen.* Don't take it so seriously.

Engagement [ãga'ʒmãː] *n 1. (Einsatz)* commitment, involvement; 2. *(Anstellung)* engagement

engagieren [ãŋa'ʒiːrən] *n 1.* jdn ~ employ s.o., engage s.o., hire s.o.; 2. *sich ~* commit o.s.

Enge ['ɛŋə] *f* narrowness, tightness; *jdn in die ~ treiben* corner s.o.; drive s.o. into a corner

Engel ['ɛŋəl] *m* angel

engherzig ['ɛŋhɛrtsɪç] *adj* parochial, narrow-minded

England ['ɛŋlant] *n GEO* England

englisch ['ɛŋlɪʃ] *adj* English

Engpass ['ɛŋpas] *m* narrow pass; *Ich habe gerade einen finanziellen ~.* (fig) Money is tight for me at the moment.

engstirnig ['ɛŋʃtɪrnɪç] *adj* narrow-minded

Enkel ['ɛŋkəl] *m* grandson; *unsere ~* our grandchildren

Enkelin ['ɛŋkəlɪn] *f* granddaughter

Enkelkind ['ɛŋkəlkɪnt] *n* grandchild

enorm [e'nɔrm] *adj 1.* enormous, huge, immense; *adv 2.* enormously, tremendously

entarten [ɛnt'artən] *v* degenerate

entbehren [ɛnt'beːrən] *v 1.* lack; 2. *(verzichten)* do without; 3. *(vermissen)* miss

Entbehrung [ɛnt'beːruŋ] f hardship, want, need

entbinden [ɛnt'bɪndən] v irr 1. (befreien) liberate, release, deliver; 2. (Baby) MED deliver

entdecken [ɛnt'dɛkən] v discover, find

Entdeckung [ɛnt'dɛkuŋ] f discovery, detection, finding

Ente ['ɛntə] f 1. ZOOL duck; eine lahme ~ (fig) a slowcoach, a slowpoke; 2. (fig: Zeitungsente) false report, hoax

entehren [ɛnt'eːrən] v dishonour, disgrace

enteignen [ɛnt'aignən] v JUR expropriate

Enteignung [ɛnt'aignuŋ] f JUR expropriation, dispossession

enterben [ɛnt'ɛrbən] v disinherit

entfachen [ɛnt'faxən] v 1. (Feuer) kindle; 2. (fig: Streit) arouse, provoke

entfallen [ɛnt'falən] v irr 1. jdm ~ drop, slip from one's hands; 2. (ausfallen) to be cancelled; 3. jdm ~ (fig: vergessen) slip one's mind, escape; Sein Name ist mir ~. His name escapes me s.o..

entfalten [ɛnt'faltən] v develop, display

entfernen [ɛnt'fɛrnən] v 1. (wegnehmen) remove, take away, take out; 2. sich ~ leave, go away

entfernt [ɛnt'fɛrnt] adj distant, remote

Entfernung [ɛnt'fɛrnuŋ] f 1. (Distanz) distance; 2. (Wegnahme) removal; ~ aus dem Amt removal from office

entfremden [ɛnt'frɛmdən] v 1. alienate, estrange; 2. etw von seinem Zweck ~ use sth for the wrong purpose; 3. sich ~ become alienated, become estranged; Sie hat sich mir durch ihre lange Abwesenheit entfremdet. Her long absence has made her a stranger to me.

entführen [ɛnt'fyːrən] v kidnap, abduct

Entführer [ɛnt'fyːrər] m kidnapper

Entführung [ɛnt'fyːruŋ] f kidnapping, abduction

entgegen [ɛnt'geːgən] prep 1. (örtlich) toward, against, towards; 2. (wider) contrary to

entgegengesetzt [ɛnt'geːgəzɛtst] adj opposite

Entgegenkommen [ɛnt'geːgənkɔmən] n obligingness, accommodating manner, helpfulness

entgegennehmen [ɛnt'geːgənneːmən] v irr accept

entgegensehen [ɛnt'geːgənzeːən] v irr 1. await; 2. einer Sache ~ müssen have to face sth; 3. Wir sehen Ihrer Antwort gern entgegen. We look forward to your reply.

entgegensetzen [ɛnt'geːgənzɛtsən] v 1. Widerstand ~ put up resistance; 2. einer Sache etw ~ counter sth with sth, respond to sth with sth

entgegenwirken [ɛnt'geːgənvɪrkən] v counteract, oppose

entgegnen [ɛnt'geːgnən] v reply, answer

entgehen [ɛnt'geːən] v irr escape, elude

entgleisen [ɛnt'glaizən] v 1. (Zug) derail; 2. (fig) slip up, make a faux pas

enthalten [ɛnt'haltən] v irr 1. (beeinhalten) contain, hold, comprise; 2. sich einer Sache ~ abstain from sth, refrain from sth; sich des Rauchens ~ abstain from smoking

enthaltsam [ɛnt'haltzaːm] adj 1. abstinent, abstemious; adv 2. abstemiously

Enthaltsamkeit [ɛnt'haltzaːmkait] f abstinence, abstemiousness

Enthaltung [ɛnt'haltuŋ] f abstention

entheben [ɛnt'heːbən] v irr 1. (der Verantwortung) dispense, exempt, release; 2. (eines Amtes) remove, dismiss

enthüllen [ɛnt'hylən] v 1. (Denkmal) unveil; 2. (fig) disclose, reveal

Enthüllung [ɛnt'hyluŋ] f 1. (Denkmal) unveiling; 2. (fig) disclosure, revelation

Enthusiasmus [ɛntu'zjasmus] m enthusiasm

enthusiastisch [ɛntu'zjastiʃ] adj enthusiastic

entkommen [ɛnt'kɔmən] v irr get away, escape

Entkommen [ɛnt'kɔmən] n escape

entkräften [ɛnt'krɛftən] v 1. devitalize, weaken; 2. (widerlegen) refute; 3. (fig) invalidate, make null and void

entladen [ɛnt'laːdən] v irr 1. (abladen) unload; 2. (fig: befreien) pour out one's feelings

entlang [ɛnt'laŋ] prep along, down; die Straße ~ down the street

entlarven [ɛnt'larfən] v expose, unmask

entlassen [ɛnt'lasən] v irr 1. (Arbeitskraft) dismiss, fire (fam), sack (fam); 2. (Gefangene) release; 3. (Patienten) discharge; 4. MIL discharge, dismiss

Entlassung [ɛnt'lasuŋ] f 1. (einer Arbeitskraft) dismissal; 2. (eines Gefangenen) release; 3. (eines Patienten) discharge; 4. MIL discharge, dismissal

entlasten [ɛnt'lastən] v 1. reduce the pressure on, relieve the strain on; 2. (Angeklagten) JUR exonerate

Entlastung [ɛnt'lastuŋ] f 1. relief; Wir schicken Ihnen Ihre Unterlagen zu unserer ~

zurück. We are returning your documents to you for your files. 2. *(eines Angeklagten) JUR* exoneration; *zu seiner ~ führte er an, dass ...* in his defence he stated that ...

entlegen [ɛnt'le:gən] *adj* distant, isolated

entlocken [ɛnt'lɔkən] *v* 1. *jdm etw ~* coax sth out of s.o.; 2. *jdm etw ~ (Geständnis, Geheimnis)* worm sth out of s.o.

entmachten [ɛnt'maxtən] *v jdn ~* deprive s.o. of his power

Entmachtung [ɛnt'maxtuŋ] *f POL* deprivation of power

entmündigen [ɛnt'myndɪgən] *v JUR* declare incapable of managing his own affairs

entmutigen [ɛnt'mu:tɪgən] *v* discourage, dishearten; *~, etw zu tun* discourage from doing sth

Entnahme [ɛnt'na:mə] *f* 1. taking, extraction, drawing; 2. *(von Geld)* withdrawal

entnehmen [ɛnt'ne:mən] *v irr* 1. *(herausnehmen)* take out, withdraw; 2. *(fig: schließen)* conclude, gather, deduce

enträtseln [ɛnt'rɛ:tsəln] *v* unravel, solve

entrichten [ɛnt'rɪçtən] *v* pay

entrinnen [ɛnt'rɪnən] *v irr* escape

entrücken [ɛnt'rykən] *v jdn einer Sache ~* remove s.o. from sth, whisk s.o. away from sth

entrüsten [ɛnt'rystən] *v* 1. fill with indignation, outrage; 2. *sich ~* to be indignant, to be outraged

entschädigen [ɛnt'ʃɛ:dɪgən] *v* compensate, repay, reimburse

Entschädigung [ɛnt'ʃɛ:dɪguŋ] *f* compensation, indemnification, reimbursement

entschärfen [ɛnt'ʃɛrfən] *v* 1. *(Bombe)* defuse, deactivate; 2. *(fig: Situation)* defuse, ease, take the bite out of

entscheiden [ɛnt'ʃaɪdən] *v irr* decide, determine, settle; *sich gegen etw ~* decide against sth; *Sie entschied sich für das rote Kleid.* She decided on the red dress.

Entscheidung [ɛnt'ʃaɪduŋ] *f* decision; *eine ~ treffen* make a decision

entschließen [ɛnt'ʃli:sən] *v irr sich ~* decide, make up one's mind, determine

Entschluss [ɛnt'ʃlus] *m* resolution, decision

entschuldigen [ɛnt'ʃuldɪgən] *v* 1. *etw ~* excuse; 2. *sich ~* apologize; 3. *sich ~ (sich abmelden)* excuse o.s., ask to be excused

Entschuldigung [ɛnt'ʃuldɪguŋ] *f* 1. *(Abbitte)* apology; *~!* Excuse me! Sorry! 2. *(Ausrede)* excuse

entsetzen [ɛnt'zɛtsən] *v* appal, dismay, shock

Entsetzen [ɛnt'zɛtsən] *n* dismay, fright, horror

entsetzlich [ɛnt'zɛtslɪç] *adj* dreadful, frightful, ghastly

entsorgen [ɛnt'zɔrgən] *v Abfall ~* dispose of waste

entspannen [ɛnt'ʃpanən] *v sich ~* relax

Entspannung [ɛnt'ʃpanuŋ] *f* 1. relaxation; 2. POL detente

Entspannungspolitik [ɛnt'ʃpanuŋspoliti:k] *f POL* policy of detente

entsprechen [ɛnt'ʃprɛçən] *v irr* correspond to, to be in accordance with, tally with

entsprechend [ɛnt'ʃprɛçənt] *adj* 1. corresponding; 2. *(angemessen)* adequate

Entsprechung [ɛnt'ʃprɛçuŋ] *f* 1. correspondence; 2. *(Äquivalent)* equivalent

entstehen [ɛnt'ʃte:ən] *v irr* 1. come into being; 2. *(geschaffen werden)* to be created; 3. *(sich entwickeln)* develop; 4. *(verursacht werden)* result

Entstehung [ɛnt'ʃte:uŋ] *f* 1. coming into being, genesis; *(Ursprung)* origin; 2. *(Bildung)* formation

entstellen [ɛnt'ʃtɛlən] *v* disfigure, distort

enttäuschen [ɛnt'tɔyʃən] *v* disappoint

Enttäuschung [ɛnt'tɔyʃuŋ] *f* disappointment

entvölkern [ɛnt'fœlkərn] *v* depopulate

entwaffnend [ɛnt'vafnənt] *adj* disarming

entwarnen [ɛnt'varnən] *v* sound the all-clear

Entwarnung [ɛnt'varnuŋ] *f* the all-clear

entweder ['ɛntve:dər] *konj ~ ... oder* either ... or

entweichen [ɛnt'vaɪçən] *v irr* escape

entweihen [ɛnt'vaɪən] *v REL* desecrate

Entweihung [ɛnt'vaɪuŋ] *f REL* desecration

entwenden [ɛnt'vɛndən] *v irr* steal, pilfer

entwerfen [ɛnt'vɛrfən] *v irr* design, draft

entwerten [ɛnt'vɛrtən] *v* 1. *(Fahrkarte)* cancel; 2. *(Geld)* devalue; 3. *(fig)* devalue, depreciate

Entwertung [ɛnt'vɛrtuŋ] *f ECO* depreciation, devaluation

entwickeln [ɛnt'vɪkəln] *v* develop, evolve

Entwicklung [ɛnt'vɪkluŋ] *f* development, evolution

Entwicklungsland [ɛnt'vɪkluŋslant] *n POL* developing country

entwürdigend [ɛnt'vyrdɪgənt] *adj* degrading

Entwurf [ɛnt'vurf] *m* design, plan, draft
entwurzeln [ɛnt'vurtsəln] *v* uproot
entziehen [ɛnt'tsi:ən] *v irr 1.* sich einer Sache ~ avoid sth, escape sth, evade sth; *Das entzieht sich meiner Kenntnis.* I don't know anything about that. *Es entzieht sich jeder Berechnung.* It's beyond calculation. *2. (etw ~)* take away; *jdm den Alkohol* ~ deprive s.o. of alcohol; *3. (Unterstützung, Erlaubnis)* withdraw
entziffern [ɛnt'tsɪfərn] *v* decipher
entzücken [ɛnt'tsʏkən] *v* delight
Entzücken [ɛnt'tsʏkən] *n* delight, rapture, joy
Entzug [ɛnt'tsu:k] *m* MED withdrawal
entzünden [ɛnt'tsʏndən] *v 1. (Feuer)* kindle, light, set on fire; *2.* sich ~ MED become inflamed
Entzündung [ɛnt'tsʏnduŋ] *f* MED inflammation, irritation
Enzian ['ɛntsjan] *m* BOT gentian
Enzyklopädie [ɛntsyklopɛ'di:] *f* encyclopedia
Enzym [ɛn'tsy:m] *n* BIO enzyme
Epidemie [epide'mi:] *f* MED epidemic
Epilepsie [epilɛp'zi:] *f* MED epilepsy
Episode [epi'zo:də] *f* episode
Epoche [e'pɔxə] *f* HIST epoch
Erachten [ɛr'axtən] *n* meines ~s in my opinion
Erbanlagen ['ɛrpanla:gən] *pl* BIO hereditary disposition
erbarmen [ɛr'barmən] *v* sich ~ have mercy, have pity
Erbarmen [ɛr'barmən] *n* compassion, mercy, pity
erbärmlich [ɛr'bɛrmlɪç] *adj* miserable, wretched, poor
erbarmungslos [ɛr'barmuŋslo:s] *adj* pitiless, merciless, ruthless
erbauen [ɛr'bauən] *v 1.* build, erect; *2. (fig)* edify
erbaulich [ɛr'baulɪç] *adj* edifying, uplifting, elevating
Erbauung [ɛr'bauuŋ] *f 1. (Gebäude)* construction; *2.* REL edification
Erbe ['ɛrbə] *n 1.* inheritance, heritage; *m 2.* heir
erben ['ɛrbən] *v* inherit
erbeuten [ɛr'bɔytən] *v* capture, carry off
Erbin ['ɛrbɪn] *f* heiress
erbitten [ɛr'bɪtən] *v irr 1.* sich etw von jdm ~ ask s.o. for sth, request sth of s.o. *2.* sich ~ lassen yield, relent

erblassen [ɛr'blasən] *v (blass werden)* turn pale
erblich ['ɛrplɪç] *adj* hereditary
erblinden [ɛr'blɪndən] *v* go blind
Erblindung [ɛr'blɪnduŋ] *f* loss of eyesight
erbrechen [ɛr'brɛçən] *v irr 1. (öffnen)* break open, force open; *2.* MED vomit
Erbschaft ['ɛrpʃaft] *f* inheritance, legacy
Erbse ['ɛrpsə] *f* pea
Erdbeben ['e:rtbe:bən] *n* earthquake
Erdbeere ['e:rtbe:rə] *f* BOT strawberry
Erdboden ['e:rtbo:dən] *m* ground, soil; *etw dem ~ gleichmachen* raze sth to the ground; *vom ~ verschwinden* vanish from the face of the earth
Erde ['e:rdə] *f 1. (Boden)* earth, ground, soil; *jdn unter die* ~ *bringen* to be the death of s.o.; *auf der* ~ *bleiben (fig)* stay down-to-earth; *etw aus der* ~ *stampfen (fig)* set sth up from scratch; *2. (Erdball)* Earth, the earth
erden ['e:rdən] *v* TECH earth, ground *(US)*
Erdgas ['e:rtga:s] *n* natural gas
Erdgeschoss ['e:rtgəʃɔs] *n* ground floor, first floor *(US)*
erdichten [ɛr'dɪçtən] *v* fabricate, invent, make up
Erdkunde ['e:rtkundə] *f* geography
Erdnuss ['e:rtnus] *f* peanut
Erdöl ['e:rtø:l] *n* crude oil, petroleum; ~ *exportierend* oil exporting
Erdreich ['e:rtraɪç] *n* earth, soil
erdrücken [ɛr'drykən] *v 1.* crush (to death); *ein ~des Gefühl* a stifling feeling *2. (fig)* overwhelm
Erdrutsch ['e:rtrutʃ] *m* landslide, landslip
Erdteil ['e:rttaɪl] *m* continent
erdulden [ɛr'duldən] *v* tolerate, endure
ereignen [ɛr'aɪgnən] *v* sich ~ happen, take place, occur
Ereignis [ɛr'aɪgnɪs] *n* event, incident, occurrence
Erektion [erɛk'tsjo:n] *f* erection
Eremit [ere'mi:t] *m* hermit
erfahren [ɛr'fa:rən] *v irr 1. (erleben)* experience; *2. (mitgeteilt bekommen)* hear, learn; *adj 3.* experienced, skilled, expert
Erfahrung [ɛr'fa:ruŋ] *f* experience; *in* ~ *bringen* find out
erfassen [ɛr'fasən] *v 1. (greifen)* seize, grasp, hold; *2. (in Statistik)* register, record; *3. (fig: verstehen)* grasp
erfinden [ɛr'fɪndən] *v irr 1.* invent, devise; *2. (erdichten)* concoct, fabricate
Erfinder [ɛr'fɪndər] *m* inventor

Erfindung [ɛr'fɪnduŋ] *f* 1. invention; 2. *(Lüge)* fabrication, fiction

Erfolg [ɛr'fɔlk] *m* success; ~ *versprechend* promising

erfolgen [ɛr'fɔlgən] *v* ensue, happen, arise

erfolglos [ɛr'fɔlkloːs] *adj* unsuccessful, fruitless

erfolgreich [ɛr'fɔlkraɪç] *adj* successful

erforderlich [ɛr'fɔrdərlɪç] *adj* necessary, required

erfordern [ɛr'fɔrdərn] *v* require, demand, need

Erfordernis [ɛr'fɔrdərnɪs] *n* requirement, necessity

erfragen [ɛr'fraːgən] *v* find out (by asking), ask, inquire

erfreuen [ɛr'frɔyən] *v* delight, rejoice

erfreulich [ɛr'frɔylɪç] *adj* pleasant, welcome

erfreulicherweise [ɛr'frɔylɪçərvaɪzə] *adj* fortunately, happily

erfrieren [ɛr'friːrən] *v irr* 1. *(Person)* freeze to death; 2. *(Pflanze)* to be killed by frost

erfrischen [ɛr'frɪʃən] *v sich* ~ refresh o.s.

Erfrischung [ɛr'frɪʃuŋ] *f* refreshment

erfüllen [ɛr'fylən] *v* 1. *(Pflicht)* fulfil, carry out; 2. *(Wunsch)* fulfil

Erfüllung [ɛr'fyluŋ] *f* 1. *(Pflicht)* performance, fulfilment, accomplishment; 2. *(Wunsch)* fulfilment, realization

ergänzen [ɛr'gɛntsən] *v* 1. supplement; 2. *(vervollständigen)* complete

Ergänzung [ɛr'gɛntsuŋ] *f* 1. supplementing; 2. *(Vervollständigung)* completion

ergeben [ɛr'geːbən] *v irr* 1. result in; 2. *(sich erweisen)* reveal; 3. *(abwerfen)* yield; 4. *(betragen)* amount to; 5. *sich* ~ result, ensue; 6. *sich* ~ *(aufgeben)* surrender; 7. *sich einer Sache* ~ devote o.s. to sth

Ergebenheit [ɛr'geːbənhaɪt] *f* devotion

Ergebnis [ɛr'geːpnɪs] *n* 1. result, outcome; 2. *(Folgen)* consequences *pl*

ergebnislos [ɛr'geːpnɪsloːs] *adj* fruitless, ineffective, without success

ergehen [ɛr'geːən] *v irr* 1. *Wie ist es ihm ergangen?* How did he do? How did he fare? 2. *(erteilt werden)* to be issued, go out; 3. *etw über sich ~ lassen* endure sth, submit to sth; 4. *sich ~ in (fig)* indulge in; 5. *sich an der Luft ~* go for a stroll in the fresh air

ergiebig [ɛr'giːbɪç] *adj* productive, lucrative, rich

ergreifen [ɛr'graɪfən] *v irr* 1. *(greifen)* seize, grasp, grip; 2. *Maßnahmen ~* take measures; 3. *(festnehmen)* seize, capture, apprehend; 4. *(fig: bewegen)* move, affect, thrill

Ergriffenheit [ɛr'grɪfənhaɪt] *f* emotion

ergründen [ɛr'gryndən] *v* 1. get to the bottom of; 2. *(erforschen)* probe

erhaben [ɛr'haːbən] *adj* 1. raised; 2. *(über anderen stehend)* exalted; 3. *über etw ~ sein* to be above sth (fig); 4. *(Anblick)* sublime

erhalten [ɛr'haltən] *v irr* 1. *(bekommen)* receive, get; 2. *(bewahren)* keep, preserve

erhältlich [ɛr'hɛltlɪç] *adj* obtainable

Erhaltung [ɛr'haltuŋ] *f* maintenance, preservation, conservation

erhärten [ɛr'hɛrtən] *v* 1. harden; 2. *(bestätigen)* substantiate, confirm

erheben [ɛr'heːbən] *v irr* 1. *(hochheben)* lift up, raise; 2. *sich* ~ get up, rise; 3. *(Steuern)* ECO levy, impose; 4. *(Klage)* JUR file (a complaint), bring an action against

erheitern [ɛr'haɪtərn] *v* 1. amuse, entertain; 2. *sich* ~ cheer up

Erheiterung [ɛr'haɪtəruŋ] *f* amusement

erhellen [ɛr'hɛlən] *v* 1. light up, illuminate; 2. *(fig: aufklären)* make evident; 3. *sich* ~ light up

erhöhen [ɛr'høːən] *v* 1. increase, raise, elevate; 2. *(Preise)* ECO raise, increase

Erhöhung [ɛr'høːuŋ] *f* increase, raising, heightening

erholen [ɛr'hoːlən] *v sich* ~ recover, recuperate, get well

Erholung [ɛr'hoːluŋ] *f* recuperation, recreation, relaxation

erinnern [ɛr'ɪnərn] *v* 1. *jdn* ~ remind s.o.; 2. *sich* ~ remember, recall, recollect

Erinnerung [ɛr'ɪnəruŋ] *f* remembrance, recollection, memory

erkälten [ɛr'kɛltən] *v sich* ~ catch (a) cold

Erkältung [ɛr'kɛltuŋ] *f* cold

erkennen [ɛr'kɛnən] *v irr* 1. recognize; 2. *(einsehen)* realize; 3. *(entdecken)* discover

erkenntlich [ɛr'kɛntlɪç] *adj* grateful

Erkenntnis [ɛr'kɛntnɪs] *f* 1. *(Einsicht)* realization; 2. *(Wissen)* knowledge; 3. *(Verständnis)* recognition

Erker ['ɛrkər] *m* bay

erklären [ɛr'klɛːrən] *v* 1. *(verdeutlichen)* explain, define, account for; 2. *(verkünden)* declare, state

erklärtermaßen [ɛr'klɛːrtərmaːsən] *adv* as previously explained, as previously stated

Erklärung [ɛr'klɛːruŋ] *f* 1. *(Verdeutlichung)* explanation, definition, interpretation; 2. *(Verkündung)* declaration, statement

erkranken [ɛr'kraŋkən] v to be taken ill

erkundigen [ɛr'kundɪgən] v sich ~ inquire

Erkundigung [ɛr'kundɪguŋ] f inquiry; ~en einholen make inquiries

erlangen [ɛr'laŋən] v obtain, achieve

Erlass [ɛr'las] m 1. (Verordnung) decree, ordinance, edict; 2. (Befreiung) release, dispensation, exemption; 3. (einer Sünde) remission

erlassen [ɛr'lasən] v irr 1. (verordnen) enact, pass, issue; 2. (Strafe) JUR remit; (Gebühren) waive; (Verpflichtung) exempt

erlauben [ɛr'laubən] v allow, permit; Was ~ Sie sich? What on earth do you think you're doing?

Erlaubnis [ɛr'laupnɪs] f 1. permission; 2. (Schriftstück) permit

erläutern [ɛr'lɔytərn] v explain, clarify

Erläuterung [ɛr'lɔytəruŋ] f explanation

Erle ['ɛrlə] f BOT alder

erleben [ɛr'le:bən] v experience; Gleich kannst du etwas ~! Just you wait!

Erlebnis [ɛr'le:pnɪs] n 1. experience; 2. (Ereignis) event, occurrence

erledigen [ɛr'le:dɪgən] v handle, deal with, take care of

erleichtern [ɛr'laɪçtərn] v relieve, ease, alleviate

erleichtert [ɛr'laɪçtərt] adj relieved

Erleichterung [ɛr'laɪçtəruŋ] f alleviation, relief

erleiden [ɛr'laɪdən] v irr 1. (erdulden) suffer, endure; 2. (Verlust) sustain

erlesen [ɛr'le:zən] adj select, choice, exquisite

Erlös [ɛr'lø:s] m ECO proceeds pl, revenue

erlösen [ɛr'lø:zən] v deliver, release, redeem

Erlöser [ɛr'lø:zər] m REL Redeemer

Erlösung [ɛr'lø:zuŋ] f 1. deliverance, release; 2. REL redemption, salvation

ermächtigen [ɛr'mɛçtɪgən] v authorize, empower

Ermächtigung [ɛr'mɛçtɪguŋ] f 1. authorization, power; 2. (Urkunde) warrant, licence

ermahnen [ɛr'ma:nən] v admonish

Ermahnung [ɛr'ma:nuŋ] f admonition

ermäßigen [ɛr'mɛːsɪgən] v reduce, lower

Ermäßigung [ɛr'mɛːsɪguŋ] f reduction, discount

Ermessen [ɛr'mɛsən] n 1. (Einschätzung) estimation; nach menschlichem ~ as far as it is possible to tell; 2. (Gutdünken) discretion

ermitteln [ɛr'mɪtəln] v 1. determine, ascertain, find out; 2. JUR investigate, inquire into

Ermittlung [ɛr'mɪtluŋ] f 1. determination, ascertaining; 2. (Erkundigung) inquiry, investigation; 3. (Entdeckung) discovery

ermöglichen [ɛr'mø:klɪçən] v enable, make possible

ermorden [ɛr'mɔrdən] v murder

ermüden [ɛr'my:dən] v tire, weary

ermüdend [ɛr'my:dənt] adj tiring

ermutigen [ɛr'mu:tɪgən] v encourage, give courage, embolden

Ernährung [ɛr'nɛːruŋ] f 1. nourishment, feeding; 2. (Kost) diet; 3. MED nutrition

ernennen [ɛr'nɛnən] v irr nominate, appoint, designate

Ernennung [ɛr'nɛnuŋ] f nomination, appointment, designation

erneuern [ɛr'nɔyərn] v 1. renew; 2. (wieder beleben) revive; 3. (renovieren) renovate

erniedrigen [ɛr'ni:drɪgən] v degrade, humiliate, humble

Erniedrigung [ɛr'ni:drɪguŋ] f 1. humiliation, degradation; 2. ECO reduction

ernst [ɛrnst] adj 1. serious; 2. (streng) severe; 3. (bedenklich) grave; adv 4. seriously; ~ zu nehmend to be taken seriously; Er meint es ~. He's serious.

Ernst [ɛrnst] m 1. seriousness; der ~ des Lebens the real world; mit etw ~ machen get down to business with sth; Das ist doch nicht dein ~! You can't be serious! 2. (Bedenklichkeit) gravity; 3. (Strenge) severity

ernsthaft ['ɛrnsthaft] adj serious

Ernte ['ɛrntə] f 1. (Tätigkeit) harvest; 2. (Ertrag) crop

ernten ['ɛrntən] v 1. harvest, reap; 2. (fig) reap, gain

ernüchtern [ɛr'nyçtərn] v 1. sober up; 2. (fig) disillusion, bring down to earth

Eroberer [ɛr'o:bərər] m conqueror

erobern [ɛr'o:bərn] v conquer, capture

Eroberung [ɛr'o:bəruŋ] f conquest, capture

eröffnen [ɛr'œfnən] v 1. open; 2. jdm etw ~ reveal sth to s.o., break the news about sth to s.o.

Eröffnung [ɛr'œfnuŋ] f 1. opening; 2. (Einweihung) inauguration; 3. (Mitteilung) revelation, notification, disclosure

erörtern [ɛr'œrtərn] v discuss, argue, debate

Erosion [ero'zjo:n] f erosion

Erotik [e'ro:tɪk] f eroticism

erpressen [ɛr'prɛsən] v jdn ~ blackmail s.o.

Erpresser [ɛr'prɛsər] m blackmailer

Erpressung [ɛr'prɛsuŋ] f blackmail

erregen [ɛr're:gən] v 1. (Aufsehen) cause, provoke, arouse; 2. (aufregen) excite, agitate, upset; 3. sich ~ get upset, get excited

Erreger [ɛr're:gər] m MED germ

Erregung [ɛr're:guŋ] f excitement

erreichbar [ɛr'raɪçba:r] adj 1. attainable, within reach; 2. (verfügbar) available

erreichen [ɛr'raɪçən] v 1. reach; 2. (fig) reach, attain, achieve; 3. (fig: erlangen) obtain

errichten [ɛr'rɪçtən] v 1. build, construct, erect; 2. (gründen) open, set up, establish

erröten [ɛr'rø:tən] v 1. turn red; 2. (vor Verlegenheit) blush

Errungenschaft [ɛr'ruŋənʃaft] f achievement, triumph

Ersatz [ɛr'zats] m 1. (Vergütung) compensation; 2. (Austauschstoff) substitute, ersatz; 3. (Ersetzendes) replacement, alternative; 4. (Entschädigung) indemnification

Erschaffung [ɛr'ʃafuŋ] f creation

erscheinen [ɛr'ʃaɪnən] v irr 1. (sich sehen lassen) appear, make an appearance, turn up; 2. (veröffentlicht werden) to be published, appear, come out; 3. (vor Gericht) appear; 4. (scheinen) seem, appear

Erscheinung [ɛr'ʃaɪnuŋ] f 1. (Phänomen) phenomenon; 2. (Aussehen) appearance, look; 3. in ~ treten appear

erschießen [ɛr'ʃi:sən] v irr shoot dead

erschließen [ɛr'ʃli:sən] v irr 1. (Baugelände) develop; 2. (Märkte) ECO open up; 3. (folgern) infer

Erschließung [ɛr'ʃli:suŋ] f 1. (eines Baugeländes) development; 2. (Märkte) ECO opening up

erschöpfen [ɛr'ʃœpfən] v 1. exhaust; 2. sich ~ exhaust o.s.; 3. sich in etw ~ to be limited to sth

erschöpft [ɛr'ʃœpft] adj exhausted, worn out

Erschöpfung [ɛr'ʃœpfuŋ] f exhaustion

erschrecken [ɛr'ʃrɛkən] v irr 1. scare, frighten; 2. jdn ~, damit er etw tut frighten s.o. into doing sth; 2. (plötzlich) alarm, startle

erschreckend [ɛr'ʃrɛkənt] adj frightening

erschüttern [ɛr'ʃytɐn] v 1. shake, make tremble; 2. (fig: psychologisch) upset, shock

Erschütterung [ɛr'ʃytəruŋ] f 1. vibration, shaking; 2. MED concussion; 3. (fig) shock, inner turmoil

erschweren [ɛr'ʃve:rən] v 1. make difficult, complicate; 2. (hemmen) hinder

erschwinglich [ɛr'ʃviŋlɪç] adj attainable, affordable, within one's means

ersehnen [ɛr'ze:nən] v long for

ersetzen [ɛr'zɛtsən] v 1. (austauschen) replace; 2. (entschädigen) compensate for; (Unkosten) reimburse for

ersichtlich [ɛr'zɪçtlɪç] adj obvious, clear

ersinnen [ɛr'zɪnən] v irr devise, invent

Ersparnis [ɛr'ʃpa:rnɪs] f 1. saving; Dieser Weg bedeutet eine ~ von fünf Minuten. One can save five minutes going this way. 2. ~se pl (erspartes Geld) savings pl

erst [e:rst] adv 1. first; 2. (nur) only, just

erstarren [ɛr'ʃtarən] v 1. stiffen; 2. (vor Kälte) go numb; 3. (Zement) set; 4. (Flüssigkeit) solidify; 5. (Fett) congeal; 6. (fig: person) freeze; (vor Schreck) to be paralyzed

erstatten [ɛr'ʃtatən] v 1. (Kosten) reimburse; 2. Anzeige ~ file charges; 3. Bericht ~ report

erstaunen [ɛr'ʃtaunən] v 1. to be amazed; 2. jdn ~ amaze s.o.

erstaunlich [ɛr'ʃtaunlɪç] adj amazing, astonishing, remarkable

erste(r,s) ['e:rstə(r,s)] num first

ersteigern [ɛr'ʃtaɪgərn] v buy at an auction

erstellen [ɛr'ʃtɛlən] v 1. create; 2. (Rechnung, Übersicht) draw up

erstens ['e:rstəns] adv first of all, in the first place, firstly

ersticken [ɛr'ʃtɪkən] v 1. suffocate; in Arbeit ~ to be up to one's neck in work; 2. an etw ~ to choke on sth; 3. (Flammen) smother

erstmals ['e:rstma:ls] adv for the first time

erstreben [ɛr'ʃtre:bən] v aspire to, strive for

erstrebenswert [ɛr'ʃtre:bənsvert] adj desirable

erstrecken [ɛr'ʃtrɛkən] v 1. sich ~ stretch, extend; 2. sich ~ auf (betreffen) apply to, concern

Ersuchen [ɛr'zu:xən] n request, petition

ersuchen [ɛr'zu:xən] v request

ertappen [ɛr'tapən] v catch; jdn auf frischer Tat ~ catch s.o. red-handed

erteilen [ɛr'taɪlən] v 1. (geben) administer, give; 2. (gewähren) grant

ertönen [ɛr'tø:nən] v ring out, sound

Ertrag [ɛr'tra:k] m ECO return, profit, proceeds pl

ertragen [ɛr'tra:gən] v irr bear, endure

erträglich [ɛr'trɛ:klɪç] adj bearable, tolerable, endurable

ertragreich [ɛr'traːkraiç] *adj* productive, profitable, lucrative

ertränken [ɛr'trɛŋkən] *v* drown (s.o.)

erträumen [ɛr'trɔymən] *v* sich etw ~ dream about sth, dream of having sth

ertrinken [ɛr'trɪŋkən] *v irr* drown

Erwachen [ɛr'vaxən] *n* awakening, dawn

erwachsen [ɛr'vaksən] *adj* adult

Erwachsene(r) [ɛr'vaksənə(r)] *m/f* adult, grown-up

erwägen [ɛr'vɛːgən] *v irr* consider, think about, ponder

Erwägung [ɛr'vɛːguŋ] *f* consideration; in ~ ziehen take into consideration

erwähnen [ɛr'vɛːnən] *v* mention, name

erwähnenswert [ɛr'vɛːnənsvɛːrt] *adj* worth mentioning

erwarten [ɛr'vartən] *v* expect, anticipate

Erwartung [ɛr'vartuŋ] *f* expectation, anticipation

erwartungsvoll [ɛr'vartuŋsfɔl] *adj* expectant, full of expectation

erwehren [ɛr'veːrən] *v* sich ~ resist, fend off; *Er konnte sich eines Lächelns nicht ~.* He couldn't help smiling.

erweisen [ɛr'vaizən] *v irr* prove, show; *jdm etw ~* do sth for s.o.; *sich ~ als* prove to be

erweitern [ɛr'vaitərn] *v* 1. expand, widen, extend; 2. *(Kleid)* let out

Erweiterung [ɛr'vaitəruŋ] *f* extension, expansion, distension

Erwerb [ɛr'vɛrp] *m* 1. *(Beruf)* livelihood, living; 2. *(Kauf) ECO* purchase, acquisition

erwerben [ɛr'vɛrbən] *v irr* 1. acquire, obtain; 2. *(durch Arbeit)* earn; 3. *(kaufen)* purchase, buy

erwerbstätig [ɛr'vɛrpstɛːtɪç] *adj* gainfully employed

erwidern [ɛr'viːdərn] *v* 1. *(antworten)* reply, answer, respond; 2. *(Gleiches zurückgeben)* reciprocate

erwirtschaften [ɛr'vɪrtʃaftən] *v ECO* make a profit

erwischen [ɛr'vɪʃən] *v* catch, get hold of; *jdn bei etw ~* catch s.o. doing sth; *den Zug ~* catch the train

erwürgen [ɛr'vyrgən] *v* strangle

Erz [ɛrts] *n MIN* ore

erzählen [ɛr'tsɛːlən] *v* tell, relate

Erzählung [ɛr'tsɛːluŋ] *f* tale, story

Erzbischof ['ɛrtsbɪʃɔf] *m REL* archbishop

erzeugen [ɛr'tsɔygən] *v* 1. *(herstellen)* produce, manufacture, make; 2. *(hervorrufen)* evoke, bring about, give rise to

Erzeugnis [ɛr'tsɔyknɪs] *n* 1. product; 2. *(Boden~)* produce

Erzfeind ['ɛrtsfaint] *m* arch-enemy

Erzgauner ['ɛrtsgaunər] *m* out-and-out blackguard, arch-rogue

erziehen [ɛr'tsiːən] *v irr* educate, train, bring up

Erziehung [ɛr'tsiːuŋ] *f* 1. upbringing, education, bringing up; 2. training; 3. *(Manieren)* breeding

Erziehungsurlaub [ɛr'tsiːuŋsuːrlaup] *m* 1. *(der Mutter)* maternity leave; 2. *(des Vaters)* paternity leave

erzielen [ɛr'tsiːlən] *v* achieve, realize, reach

erzwingen [ɛr'tsvɪŋən] *v irr* force, obtain by force

es [ɛs] *pron* 1. it; 2. *(Kind, Mädchen)* he/she

Esche ['ɛʃə] *f BOT* ash-tree

Esel ['eːzəl] *m* donkey; *der ~ nennt sich selbst zuerst* it's rude to put yourself first

Eselsohr ['eːzəlsɔːr] *n* dog-ear

Eskalation [ɛskala'tsjoːn] *f POL* escalation

eskalieren [ɛska'liːrən] *v POL* escalate

Eskapade [ɛska'paːdə] *f* escapade

Eskimo ['ɛskimo] *m* Eskimo

Eskorte [ɛs'kɔrtə] *f* escort

Esoterik [ezo'teːrɪk] *f* esoterica

esoterisch [ezo'teːrɪʃ] *adj* esoteric

Espresso [ɛs'prɛso] *m* espresso

Essay ['ɛseː] *n* essay

essbar ['ɛsbaːr] *adj* edible re *(US)*

Essen ['ɛsən] *n* 1. food; 2. *(Mahlzeit)* meal; 3. *(Gericht)* dish

essen ['ɛsən] *v irr* eat; *auswärts ~* eat out

essenziell [ɛsɛn'tsjɛl] *adj* essential

Essig ['ɛsɪç] *m* vinegar

Esstisch ['ɛstɪʃ] *m* dining-table

Esszimmer ['ɛstsɪmər] *n* dining-room

Estrich ['ɛstrɪç] *m* 1. plastered stone floor, plastered stone flooring; 2. *(Dachboden)* attic

etablieren [eta'bliːrən] *v* sich ~ establish o.s., settle down; *(geschäftlich)* set up

Etage [e'taːʒə] *f* floor, storey

Etagenwohnung [e'taːʒənvoːnuŋ] *f* flat, apartment *(US)*

Etat [e'taː] *m* budget

Ethik ['eːtɪk] *f* ethics, morality

ethnisch ['eːtnɪʃ] *adj* ethnic

Ethnologie [ɛtnolo'giː] *f* ethnology

ethnologisch [ɛtno'loːgɪʃ] *adj* ethnological

Etikett [eti'kɛt] *n* label, tag

Etikette [eti'kɛtə] *f* etiquette

etikettieren [etike'ti:rən] v label, tag
etliche ['ɛtlɪçə] pron some, a few
Etui [e'tvi:] n case
etwa ['ɛtva] adv approximately, about, roughly
etwaig ['ɛtvaɪç] adj possible; ~e Schwierigkeiten any problems that might arise
etwas ['ɛtvas] pron 1. something, anything; ~ Besonderes sth special; Ich habe nie so ~ gesehen. I have never seen anything like it. adv 2. somewhat, rather, a little
Etymologie [etymolo'gi:] f etymology
euch [ɔyç] pron you
euer ['ɔyər] pron your
Eukalyptus [ɔyka'lyptus] m BOT eucalyptus
Eule ['ɔylə] f ZOOL owl
Eunuch [ɔy'nu:x] m eunuch
euphorisch [ɔy'fo:rɪʃ] adj euphoric
eure(r,s) ['ɔyrə(r,s)] pron your
Euro ['ɔyro] m FIN euro
Europa [ɔy'ro:pa] n GEO Europe
evakuieren [evaku'i:rən] v evacuate
Evakuierung [evaku'i:ruŋ] f evacuation
evangelisch [evan'ge:lɪʃ] adj REL evangelical, Protestant
Evangelium [evan'ge:ljum] n REL gospel
eventuell [evɛntu'ɛl] adj 1. possible, potential; adv 2. possibly, perhaps, maybe
evident [evi'dɛnt] adj evident
Evolution [evolu'tsjo:n] f evolution
evolutionär [evolutsjo'nɛ:r] adj evolutionary
ewig ['e:vɪç] adj eternal, endless, everlasting; ~ und drei Tage forever and a day
Ewigkeit ['e:vɪçkaɪt] f eternity
exakt [ɛ'ksakt] adj 1. exact, precise, accurate; adv 2. exactly, accurately, precisely
Exaktheit [ɛ'ksakthaɪt] f exactness, accuracy
Exaltiertheit [ɛksal'ti:rthaɪt] f agitation
Examen [ɛ'ksa:mən] n examination, exam (fam)
Exekutive [ɛkseku'ti:və] f POL executive (power)
Exempel [ɛ'ksɛmpəl] n example, instance; an jdm ein ~ statuieren make an example of s.o.
Exemplar [ɛksɛm'pla:r] n copy, specimen
exemplarisch [ɛksɛm'pla:rɪʃ] adj exemplary
Exhibitionist [ɛkshɪbitsjo'nɪst] m exhibitionist
Exil [ɛ'ksi:l] n POL exile

existent [ɛksɪs'tɛnt] adj existent
Existenz [ɛksɪs'tɛnts] f 1. existence; 2. (Auskommen) livelihood
Existenzialismus [ɛksɪstɛntsja'lɪsmus] m existentialism
existenziell [ɛksɪstɛn'tsjel] adj existential
Existenzminimum [ɛksɪs'tɛntsminimum] n subsistence level, subsistence minimum
existieren [ɛksɪs'ti:rən] v exist
exklusiv [ɛksklu'zi:f] adj 1. exclusive; adv 2. exclusively
Exkursion [ɛkskur'sjo:n] f excursion
Exotik [ɛ'kso:tɪk] f exotic
expandieren [ɛkspan'di:rən] v ECO expand
Expansion [ɛkspan'zjo:n] f expansion
Expedition [ɛkspedɪ'tsjo:n] f 1. expedition; 2. (Versendung) dispatch, forwarding
Experiment [ɛksperɪ'mɛnt] n experiment
experimentell [ɛksperimɛn'tɛl] adj experimental
Experte [ɛks'pɛrtə] m expert
explodieren [ɛksplo'di:rən] v explode
Explosion [ɛksplo'zjo:n] f explosion
explosiv [ɛksplo'zi:f] adj explosive
Export [ɛks'pɔrt] m ECO export, exportation
exportieren [ɛkspɔr'ti:rən] v ECO export
Expressionismus [ɛkspresjo'nɪsmus] m ART expressionism
expressiv [ɛksprɛ'si:f] adj expressive
Expressivität [ɛkspresifi'tɛ:t] f expressiveness
extern [ɛks'tɛrn] adj external
extra ['ɛkstra] adj 1. extra, additional; adv 2. additionally, especially; 3. (absichtlich) on purpose; Ich habe es ~ so gemacht. I did it that way on purpose.
extravagant [ɛkstrava'gant] adj extravagant
extrem [ɛks'tre:m] adj 1. extreme; adv 2. extremely
Extremismus [ɛkstre'mɪsmus] m POL extremism
Extremist [ɛkstre'mɪst] m extremist
Extremsportarten [ɛks'tre:mʃportartən] pl SPORT dangerous sports
extrovertiert [ɛkstrover'ti:rt] adj extrovert
exzellent [ɛkstsɛ'lɛnt] adj excellent
Exzellenz [ɛkstsɛ'lɛnts] f Eure ~ Your Excellency
Exzentriker [ɛks'tsɛntrɪkər] m eccentric
exzentrisch [ɛks'tsɛntrɪʃ] adj eccentric
Exzess [ɛks'tsɛs] m excess

F

Fabel ['faːbəl] f 1. fable; 2. (erfundene Geschichte) tall tale
fabelhaft ['faːbəlhaft] adj phenomenal, wonderful, fabulous
Fabrik [fa'briːk] f factory, works, plant
Fabrikat [fabri'kaːt] n manufactured article, product, make
Fabrikation [fabrika'tsjoːn] f ECO manufacture
Fach [fax] n 1. (Ablagefach) compartment, partition; 2. (Unterrichtsfach) subject; 3. (Wissensgebiet) branch, field
Facharzt ['faxartst] m MED specialist
Fachausbildung ['faxausbɪldʊŋ] f professional education, specialized training
Fachhochschule ['faxhoːxʃuːlə] f technical college
fade ['faːdə] adj 1. (geschmacklos) tasteless, insipid; 2. (langweilig) boring, dull
Faden ['faːdən] m thread; den ~ verlieren lose the thread
Fagott [fa'gɔt] n MUS bassoon
fähig ['fɛːɪç] adj capable, competent, able; zu allem ~ sein to be capable of anything
Fähigkeit ['fɛːɪçkaɪt] f 1. ability, capability; 2. (praktisches Können) skill
fahl [faːl] adj pale, pallid, wan
fahnden ['faːndən] v ~ nach search for
Fahndung ['faːndʊŋ] f search
Fahne ['faːnə] f flag, banner; die ~ hochhalten keep the flag flying; die ~ nach dem Winde drehen swim with the tide
Fahrbahn ['faːrbaːn] f 1. (Spur) lane; 2. roadway, carriageway
Fähre ['fɛːrə] f ferry
fahren ['faːrən] v irr 1. travel, go; Ich weiß nicht, was in mich ge~ ist. I don't know what got into me; 2. (steuern) drive, 3. jdm durchs Haar ~ run one's fingers through s.o.'s hair
Fahrer ['faːrər] m driver, chauffeur
Fahrgast ['faːrgast] m passenger
Fahrgeld ['faːrgelt] n fare
Fahrkarte ['faːrkartə] f ticket
fahrlässig ['faːrlɛsɪç] adj 1. negligent, careless; 2. JUR negligent
Fahrlässigkeit ['faːrlɛsɪçkaɪt] f carelessness, negligence; recklessness
Fahrlehrer ['faːrleːrər] m driving instructor
Fahrplan ['faːrplaːn] m schedule, timetable

Fahrprüfung ['faːrpryːfʊŋ] f driving test
Fahrrad ['faːraːt] n bicycle
Fahrschein ['faːrʃaɪn] m ticket
Fahrschule ['faːrʃuːlə] f driving school
Fahrschüler ['faːrʃyːlər] m student driver
Fahrstuhl ['faːrʃtuːl] m lift, elevator (US)
Fahrt [faːrt] f drive, ride
Fährte ['fɛːrtə] f 1. track, trail; jdn auf die falsche ~ führen lead s.o. up the garden path; 2. (gewittert) scent
Fahrzeug ['faːrtsɔyk] n vehicle
fair [fɛːr] adj 1. fair; adv 2. fairly
Fairness ['fɛːrnɛs] f fairness
Fakt [fakt] m fact
Faktor ['faktor] m factor
Fakultät [fakul'tɛːt] f faculty
Fall [fal] m 1. (Sturz) fall, tumble; 2. (Umstand) case, event, occasion; im ~e, dass in case; für alle Fälle just in case; auf alle Fälle by all means, certainly; ein hoffnungsloser ~ a dead loss; jds ~ sein to be s.o.'s cup of tea; 3. (fig: Niedergang) fall, downfall, decline; jdn zu ~ bringen (fig) bring about s.o.'s downfall; 4. JUR case, matter
Falle ['falə] f trap; jdm eine ~ stellen set a trap for s.o.; jdn in eine ~ locken lure s.o. into a trap
fallen ['falən] v irr 1. (stürzen) fall, tumble, stumble; etw ~ lassen drop sth; (fig) jdn ~ lassen drop s.o.; 2. (fig: sinken) drop, go down, slump; 3. (im Krieg ~) be killed; 4. (Bemerkung) be made
fällen ['fɛlən] v 1. (Baum) chop down, cut down; 2. (eine Entscheidung ~) make a decision; 3. (Urteil) JUR pass judgement
fällig ['fɛlɪç] adj ECO due, matured, payable; ~ werden become due
Fälligkeit ['fɛlɪçkaɪt] f ECO maturity
falls [fals] konj in case, if, supposing
Fallschirm ['falʃɪrm] m parachute
falsch [falʃ] adj 1. wrong; Da bin ich an den Falschen geraten. I should have known him better. 2. (unwahr) false, untrue; 3. (unecht) false, fake, bogus; 4. (Geld) counterfeit; 5. (fig: unaufrichtig) false, deceitful, insincere
fälschen ['fɛlʃən] v falsify, fake, forge, (Banknoten) counterfeit
Fälscher ['fɛlʃər] m 1. forger; 2. (von Banknoten) counterfeiter
Falschgeld ['falʃgelt] n counterfeit money

fälschlich ['fɛlʃlɪç] adj false, wrong, erroneous

Fälschung ['fɛlʃuŋ] f fake, falsification, forgery

Faltblatt ['faltblat] n leaflet

Falte ['faltə] f 1. fold; 2. (Haut) wrinkle; 3. (Stoffe) crease

falten ['faltən] v 1. fold; 2. (Hände) fold, clasp

familiär [famil'jɛːr] adj familiar

Familie [fa'miːljə] f family; Es bleibt in der ~. It'll stay in the family.

Familienname [fa'miːljənnaːmə] m surname, last name (US)

Familienstand [fa'miːljənʃtant] m marital status

Fan [fɛn] m fan

Fanatiker [fa'naːtɪkər] m fanatic

fanatisch [fa'naːtɪʃ] adj fanatical

Fanatismus [fana'tɪsmus] m fanaticism

Fang [faŋ] m 1. catch; 2. (Todesstoß) coup de grâce; 3. (Kralle) ZOOL talon; jdm in die Fänge geraten fall into s.o.'s clutches; 4. (Falle) trap; 5. (Reißzahn) ZOOL fang; 6. auf ~ gehen go hunting

fangen ['faŋən] v irr catch

Fantasie [fanta'ziː] f fantasy, imagination

fantasieren [fanta'ziːrən] v fantasize

fantasievoll [fanta'ziːvol] adj fanciful

fantastisch [fan'tastɪʃ] adj fantastic

Farbe ['farbə] f 1. colour; ~ bekennen show one's true colours; 2. (Gesichtsfarbe) complexion

färben ['fɛrbən] v dye

farbenfroh ['farbənfroː] adj colourful

farbig ['farbɪç] adj coloured

Farbige(r) ['farbɪgə(r)] m/f coloured person (UK), person of colour (US)

Farbkasten ['farpkastən] m paint box

farblos ['farploːs] adj 1. (Sache) colourless, dull; 2. (Person) pale, pallid, colourless

Farbton ['farptoːn] m shade

Färbung ['fɛrbuŋ] f colouring, tone

Fasan [fa'zaːn] m ZOOL pheasant

Fasching ['faʃɪŋ] m Shrovetide carnival

Faschismus [fa'ʃɪsmus] m POL fascism

faschistisch [fa'ʃɪstɪʃ] adj POL fascist

faseln ['faːzəln] v babble, blather

Faser ['faːzər] f fibre

Fass [fas] n barrel, cask, (kleines) keg; ein ~ ohne Boden sein to be a constant drain on one's resources; Das schlägt dem ~ den Boden aus. That's the last straw!

Fassade [fa'saːdə] f facade, front

fassen ['fasən] v 1. (greifen) grasp, take hold of, clutch; zu ~ kriegen get hold of; 2. (fangen) catch; 3. (beinhalten) contain; 4. (begreifen) comprehend, grasp; Das ist ja nicht zu ~! That's unbelievable! 5. (fig) sich ~ collect o.s., compose o.s., recover

Fassung ['fasuŋ] f 1. (Lampe) holder; 2. (Schmuck) setting, mounting; 3. (Selbstbeherrschung) composure, self-control

fassungslos ['fasuŋsloːs] adj stunned, staggered, aghast

fast [fast] adv almost, nearly

fasten ['fastən] v fast

Fastnacht ['fastnaxt] f carnival

Faszination [fastsɪna'tsjoːn] f fascination

faszinieren [fastsɪ'niːrən] v fascinate

faszinierend [fastsɪ'niːrənt] adj fascinating, mesmerizing

fatal [fa'taːl] adj 1. (peinlich) embarrassing; 2. (verhängnisvoll) fatal, fateful

fauchen ['fauxən] v hiss

faul [faul] adj 1. (verdorben) rotten, bad; 2. (träge) lazy, indolent, idle; 3. (fam: bedenklich) suspect, shady

faulen ['faulən] v decay, rot

faulenzen ['faulɛntsən] v to be lazy, loaf, take it easy

Faulheit ['faulhaɪt] f laziness, idleness; vor ~ stinken to be bone-idle

faulig ['faulɪç] adj 1. rotten, going bad; 2. (Wasser) stale; 3. (Geruch) foul

Fäulnis ['fɔylnɪs] f decomposition, decay

Faust [faust] f fist; die ~ im Nacken spüren have s.o. breathing down one's neck; auf eigene ~ off one's own bat (UK), on one's own; mit der ~ auf den Tisch hauen (fig) put one's foot down

Faustregel ['faustreːgəl] f rule of thumb

favorisieren [favori'ziːrən] v favour

Favorit [favo'riːt] m favourite

Fax [faks] n fax, facsimile transmission

faxen ['faksən] v fax

Fazit ['faːtsɪt] n net result; das ~ aus etw ziehen sum sth up

Februar ['feːbruar] m February

fechten ['fɛçtən] v irr 1. SPORT fence; 2. (fam: betteln) beg

Fechter ['fɛçtər] m 1. HIST fighter; 2. SPORT fencer

Feder ['feːdər] f 1. (Schreibfeder) quill-pen, nib; 2. (Bettfeder) bed spring; in den ~n in bed; Er kommt morgens nicht aus den ~n. He finds it hard to get up in the mornings.

3. *TECH* spring; 4. *ZOOL* feather, quill; ~n lassen müssen (fig) suffer in the process

Federhalter ['fe:dərhaltər] *m* 1. pen holder; 2. (*Füller*) fountain pen

Fee [fe:] *f* fairy

fegen ['fe:gən] *v* sweep

Fehde ['fe:də] *f* feud

fehlbar ['fe:lba:r] *adj* fallible

fehlen ['fe:lən] *v* 1. to be missing, to be lacking; *Es fehlen noch zwanzig Minuten bis* ... There are twenty minutes left until ...; *Das fehlt mir gerade noch.* That's the last straw! 2. *Du fehlst mir.* I miss you.

Fehler ['fe:lər] *m* 1. mistake, error; 2. (*Defekt*) fault, imperfection

Fehlschlag ['fe:lʃla:k] *m* 1. miss; 2. (*fig: Misserfolg*) failure

fehlschlagen ['fe:lʃla:gən] *v irr* 1. miss; 2. (*fig*) fail, go wrong

Feier ['faɪər] *f* 1. celebration, party; 2. (*öffentliche ~*) ceremony

Feierabend ['faɪəra:bənt] *m* finishing time, quitting time; ~ *machen* finish work, stop working

feierlich ['faɪərlɪç] *adj* solemn, ceremonial; *Das ist schon nicht mehr ~!* That's really too much!

Feierlichkeit ['faɪərlɪçkaɪt] *f* 1. solemnity, ceremony; 2. ~en *pl* festivities *pl*

feiern ['faɪərn] *v* celebrate

Feiertag ['faɪərta:k] *m* holiday

feig [faɪk] *adj* cowardly

Feige ['faɪgə] *f BOT* fig

Feigheit ['faɪkhaɪt] *f* cowardice

Feigling ['faɪklɪŋ] *m* coward

Feile ['faɪlə] *f* file

feilen ['faɪlən] *v* file

feilschen ['faɪlʃən] *v* bargain, haggle

fein [faɪn] *adj* 1. fine; 2. (*zart*) delicate, fragile, frail; 3. (*vornehm*) elegant, smart; 4. (*präzise*) fine, precision

Feind [faɪnt] *m* enemy, foe

feindlich ['faɪntlɪç] *adj* 1. hostile, antagonistic; *adv* 2. antagonistically

Feindschaft ['faɪntʃaft] *f* animosity, hostility, enmity

feindselig ['faɪntze:lɪç] *adj* hostile, unfriendly

feinfühlig ['faɪnfy:lɪç] *adj* sensitive, tactful

Feingefühl ['faɪngəfy:l] *n* sensitivity

Feinheit ['faɪnhaɪt] *f* 1. fineness; 2. (*Zartheit*) delicacy

Feinschmecker ['faɪnʃmɛkər] *m* gourmet

feinsinnig ['faɪnzɪnɪç] *adj* subtle

Feld [fɛlt] *n* 1. field; *das ~ behaupten* dominate the game; 2. (*fig: Gebiet*) field, area; *ein weites ~ sein* to be too complex to discuss here; *jdm das ~ überlassen* hand over to s.o.; *das ~ räumen* admit defeat

Feldherr ['fɛldhɛr] *m MIL* general

Fell [fɛl] *n* coat, fur; *ein dickes ~ haben* to be thick-skinned; *jdm das ~ gerben* give s.o. a good hiding, tan s.o.'s hide; *Ihm juckt das ~.* He's asking for a good hiding. He's asking for it. (fam)

Fels [fɛls] *m* rock; *ein ~ in der Brandung sein* to be as firm as a rock

felsenfest ['fɛlzənfɛst] *adj* (*fig*) firm, unshakable

felsig ['fɛlzɪç] *adj* rocky

feminin [femi'ni:n] *adj* feminine

Feminismus [femi'nɪsmus] *m* feminism

feministisch [femi'nɪstɪʃ] *adj* feminist

Fenster ['fɛnstər] *n* window

Ferien ['fe:rjən] *pl* holidays, vacation (US); *die großen ~* the summer holidays, the long vacation

Ferkel ['fɛrkəl] *n* 1. (*fig*) pig, dirty person; 2. *ZOOL* piglet

fern [fɛrn] *adj* 1. far, distant, remote; 2. (*zeitlich*) far-off; *prep* 3. far from, far away from; ~ *halten* keep away; *jdn von sich ~ halten* keep s.o. at a distance; ~ *liegen* to be distant; (*fig*) *es liegt mir fern, zu...* far be it from me to...; ~ *liegend* distant, remote

Fernbedienung ['fɛrnbədi:nuŋ] *f* remote control

Ferne ['fɛrnə] *f* distance

ferner ['fɛrnər] *konj* 1. furthermore, moreover; *adj* 2. *unter ~ liefen* among the also-rans; 3. (*künftig*) in future

Fernfahrer ['fɛrnfa:rər] *m* long-distance lorry driver, long-haul truck driver

Ferngespräch ['fɛrngəʃprɛːç] *n* long-distance call, trunk call

Fernglas ['fɛrngla:s] *n* binoculars *pl*, field glasses *pl*

Fernkurs ['fɛrnkurs] *m* correspondence course

Fernost ['fɛrnˈɔst] *m GEO* Far East

Fernrohr ['fɛrnroːr] *n* telescope

fernsehen ['fɛrnzeːən] *v irr* watch television

Fernseher ['fɛrnzeːər] *m* 1. television set, TV set; *f* 2. (*Zuschauer*) television viewer

Ferse ['fɛrzə] *f* 1. *ANAT* heel; 2. (*fig*) heel; *sich an jds ~n heften* dog s.o.'s footsteps; *jdm auf den ~n bleiben* to be close on s.o.'s heels

fertig ['fɛrtɪç] *adj* 1. *(beendet)* finished, complete; *mit einer Sache ~ werden* cope with sth; *mit jdm ~ sein* to be through with s.o.; *~ bringen* finish, get done; *(im Stande sein)* manage; *etw ~ machen* prepare sth, get sth ready; 2. *(bereit)* ready, prepared; 3. *(fam: erschöpft)* exhausted

Fertiggericht ['fɛrtɪçgərɪçt] *n GAST* ready-made dish, instant food

Fertigkeit ['fɛrtɪçkaɪt] *f* skill; *er hat eine große ~ darin* he is very skilled at it

Fertigung ['fɛrtɪgʊŋ] *f* manufacture, production, manufacturing

Fessel ['fɛsəl] *f* 1. bond, shackle; 2. *(fig)* bonds *pl*; 3. *ANAT* ankle

fesseln ['fɛsəln] *v* 1. chain, shackle; 2. *(binden)* bind; 3. *(mit Handschellen)* handcuff; 4. *(fig: stark interessieren)* captivate, rivet, fascinate; *jdn ans Bett ~ (fig)* to keep sb in bed; *jdn an sich ~ (fig)* to bind s.o. to oneself

fest [fɛst] *adj* 1. *(hart)* solid, hard, firm; 2. *(stark)* solid, stable, substantial; 3. *(dicht)* tight, close; 4. *(gleich bleibend)* stable, constant, permanent

Fest [fɛst] *n* party, festival, celebration; *frohes ~* Merry Christmas

Festakt ['fɛstakt] *m* ceremonial act

festbinden ['fɛstbɪndən] *v irr* tie up, fasten

Festessen ['fɛstesən] *n* feast, banquet

festhalten ['fɛsthaltən] *v irr* 1. hold on, hold tight; 2. *(sich merken)* register, make a mental note; 3. *JUR* detain; 4. *(aufzeichnen)* record; 5. *sich ~* hold on

festigen ['fɛstɪgən] *v* 1. *(stärken)* stabilize, fortify, harden; 2. *sich ~* become stronger

Festival ['fɛstɪval] *n* festival

Festland ['fɛstlant] *n* mainland, continent

festlegen ['fɛstleːgən] *v* 1. set, fix, specify; 2. *(verpflichten)* commit; 3. *sich ~* commit o.s.

festlich ['fɛstlɪç] *adj* festive

festmachen ['fɛstmaxən] *v* 1. *(befestigen)* attach; 2. *(Boot)* moor; 3. *(vereinbaren)* arrange; 4. *etw an etw ~* link sth to sth

Festnahme ['fɛstnaːmə] *f* arrest, apprehension

festnehmen ['fɛstneːmən] *v irr* arrest

Festplatte ['fɛstplatə] *f INFORM* hard disk

festsetzen ['fɛstzɛtsən] *v* lay down, fix

Festsetzung ['fɛstzɛtsʊŋ] *f* setting, determination

feststehen ['fɛstʃteːən] *v irr* 1. *(sicher sein)* to be certain; *eines steht fest* one thing's for sure; 2. *(Termin)* to be set

feststellen ['fɛstʃtɛlən] *v* 1. *(wahrnehmen, sagen)* observe; 2. *(erkennen)* detect, discover; 3. *(ermitteln)* establish

Feststellung ['fɛstʃtɛlʊŋ] *f* 1. *(Bemerkung)* observation, remark, statement; 2. *(Erkenntnis)* conclusion; 3. *(Ermitteln)* establishment, ascertainment

Festtag ['fɛsttaːk] *m* 1. holiday; 2. *REL* feast; 3. *(Tag mit einem besonderen Ereignis)* red-letter day

Fete ['feːtə] *f (fam)* party

fett [fɛt] *adj* 1. fat; 2. *(Essen) GAST* fatty, greasy; 3. *(Schrift)* bold

Fett [fɛt] *n* fat, grease; *sein ~ abbekommen* learn one's lesson; *das ~ abschöpfen* take the cream of everything; *Der hat sein ~ weg.* That's taught him a lesson.

fettig ['fɛtɪç] *adj* greasy

Fetzen ['fɛtsən] *m* 1. shred; 2. *(Lumpen)* rag; ..., *dass die ~ nur so fliegen (fam)*... like mad

feucht [fɔyçt] *adj* 1. damp, humid, moist; 2. *(klebrig, kalt)* clammy

Feuchtigkeit ['fɔyçtɪçkaɪt] *f* humidity, dampness, moisture

Feuer ['fɔyər] *n* fire; *~ und Flamme sein* to be wild with enthusiasm; *~ fangen* catch fire; *hinter etw ~ machen* build a fire under sth; *mit dem ~ spielen* play with fire; *für jdn durchs ~ gehen* go through fire and water for s.o.; *Haben Sie ~?* Have you got a light?

Feuerlöscher ['fɔyərlœʃər] *m* fire extinguisher

Feuermelder ['fɔyərmɛldər] *m* fire alarm

Feuerwehr ['fɔyərveːr] *f* fire brigade, fire department *(US)*

Feuerwehrmann ['fɔyərveːrman] *m* fireman, firefighter

Feuerwerk ['fɔyərverk] *n* fireworks *pl*

Feuerzeug ['fɔyərtsɔyk] *n* lighter, cigarette lighter

feurig ['fɔyrɪç] *adj* 1. fiery; 2. *(Wein)* strong

Fibel ['fiːbəl] *f (Buch)* primer

Fichte ['fɪçtə] *f BOT* spruce, pine

Fieber ['fiːbər] *n* fever, high temperature

fiebern ['fiːbərn] *v* 1. have a fever, have a temperature; 2. *(fig) ~ nach* long for, yearn for

fiebrig ['fiːbrɪç] *adj* feverish

fies [fiːs] *adj (fam)* nasty

Figur [fɪˈguːr] *f* 1. *(Körper)* figure; *eine gute ~ machen* cut a fine figure; 2. *(Statue) ART* figure, statue; *(kleine Statue)* figurine, statuette; 3. *(in einer Geschichte)* character

Fiktion [fɪkˈtsjoːn] *f* fiction

fiktiv [fɪk'tiːf] *adj* fictitious
Filet [fi'leː] *n GAST* filet
Filiale [fil'jaːlə] *f ECO* branch, branch office
Film [fɪlm] *m* 1. *(dünne Schicht)* film, thin coating; 2. *CINE* film
filmen ['fɪlmən] *v* film, shoot
Filter ['fɪltər] *m/n* filter
filtern ['fɪltərn] *v* filter, strain
Filz [fɪlts] *m* felt
Filzstift ['fɪltsʃtɪft] *m* felt-tipped pen
Finale [fi'naːlə] *n* 1. finale; 2. *SPORT* final
Finanzamt [fɪ'nantsamt] *n* Inland Revenue (UK), tax office
Finanzen [fɪ'nantsən] *pl* finances
finanziell [finan'tsjɛl] *adj* financial
Finanzier [finan'tsjeː] *m* financier
finanzierbar [finan'tsiːrbaːr] *adj* Es ist ~. It can be financed.
finanzieren [finan'tsiːrən] *v* finance
Finanzierung [finan'tsiːruŋ] *f* financing
Finanzminister [fɪ'nantsministər] *m POL* Finance Minister, Chancellor of the Exchequer (UK), Secretary of the Treasury (US)
finden ['fɪndən] *v irr* 1. find; Freude an etw ~ to take pleasure in sth; 2. *(dafürhalten)* find, think, consider; Finden Sie nicht? Don't you think so? 3. sich ~ *(auftauchen)* turn up
Finder ['fɪndər] *m* finder
Finger ['fɪŋər] *m ANAT* finger; jdn um den kleinen ~ wickeln twist s.o. round one's little finger; keinen ~ krumm machen not lift a finger; lange ~ machen to be light-fingered; den ~ draufhaben not let sth out of one's hands; die ~ im Spiel haben have one's finger in the pie; sich nicht die ~ schmutzig machen not get one's hands dirty; sich die ~ verbrennen burn one's fingers; jdm auf die ~ klopfen give s.o. a rap on the knuckles; jdm auf die ~ schauen keep an eye on s.o.; sich etw aus den ~n saugen pull sth out of thin air; etw mit den kleinen ~ machen können know sth backwards; nur mit dem kleinen ~ zu winken brauchen have s.o. twisted round one's little finger; mit dem ~ auf jdn zeigen point the finger at s.o.; Lass die ~ von ihr! Keep your hands off her!
Fingerkuppe ['fɪŋərkupə] *f* fingertip
Fingernagel ['fɪŋərnaːgəl] *m* fingernail
fingieren [fɪŋ'giːrən] *v* fake, feign, simulate
Fink [fɪŋk] *m ZOOL* finch
Finne[1] ['fɪnə] *m* Finn
Finne[2] ['fɪnə] *f (Rückenflosse beim Wal)* fin
finnisch ['fɪnɪʃ] *adj* Finnish
Finnland ['fɪnlant] *n GEO* Finland

finster ['fɪnstər] *adj* 1. *(dunkel)* dark, obscure; 2. *(grimmig)* gloomy, grim, sinister
Finsternis ['fɪnstərnɪs] *f* darkness
Firma ['fɪrma] *f ECO* firm, company; die ~ Coors the Coors company
firmen ['fɪrmən] *v REL* confirm
Firmung ['fɪrmuŋ] *f REL* Confirmation
Fisch [fɪʃ] *m ZOOL* fish; ein dicker ~ (fig) a big fish; weder ~ noch Fleisch sein to be neither fish nor fowl; Das sind kleine ~e. They are just small fry.
fischen ['fɪʃən] *v* fish
Fischer ['fɪʃər] *m* fisherman
Fischotter ['fɪʃɔtər] *m ZOOL* otter
fit [fɪt] *adj* fit
Fitness ['fɪtnɛs] *f* fitness
fix [fɪks] *adj* 1. *(feststehend)* fixed; ~e Idee obsession; 2. *(schnell)* quick; 3. *(aufgeweckt)* sharp; 4. ~ und fertig *(bereit)* ready; 5. ~ und fertig *(erschöpft)* worn out
fixen ['fɪksən] *v (fam: sich Rauschgift spritzen)* shoot
Fixer ['fɪksər] *m* 1. *(fam: Süchtiger)* junkie; 2. *FIN* bear seller
fixieren [fɪk'siːrən] *v* 1. fix; 2. *(anstarren)* fix one's eyes upon, stare at
Fixstern ['fɪksʃtɛrn] *m ASTR* fixed star
flach [flax] *adj* flat, even, level
Fläche ['flɛçə] *f* surface
Flächeninhalt ['flɛçəninhalt] *m* area
Flächenmaß ['flɛçənmaːs] *n MATH* surface measure
Flachland ['flaxlant] *n* flat land, plain, lowland
flackern ['flakərn] *v* flicker
Fladen ['flaːdən] *m* 1. *(Pfannkuchen)* pancake; 2. *(Brot)* round flat loaf; 3. *(Kuhfladen)* cowpat
Flagge ['flagə] *f* flag; ~ zeigen nail one's colours to the mast; unter falscher ~ segeln sail under false colours
Flamme ['flamə] *f* flame; in ~n stehen to be in flames
Flasche ['flaʃə] *f* 1. bottle; zu tief in die ~ geschaut haben have had a few too many; 2. *(fam: Versager)* dud, flop, washout
Flaschenöffner ['flaʃənœfnər] *m* bottle-opener
Flaum [flaum] *m* 1. soft feathers; 2. *(Bartwuchs)* peach fuzz *(fam)*
Flaute ['flautə] *f* 1. *(Windstille)* calm, lull in the wind; 2. *ECO* slump, recession, slackness
flechten ['flɛçtən] *v irr* 1. weave; 2. *(Haare)* braid

Fleck [flɛk] *m* 1. *(Schmutzfleck)* spot, stain, mark; *einen ~ auf der weißen Weste haben* have a black mark on one's record; 2. *(blauer ~)* bruise; 3. *(Stofffleck)* patch; 4. *(Ort)* spot; *am falschen ~* in the wrong place; *vom ~ weg* on the spot; *nicht vom ~ kommen* make no headway

fleckig ['flɛkɪç] *adj* spotted, stained

Fledermaus ['fleːdərmaus] *f* ZOOL bat

Flegel ['fleːɡəl] *m (fig)* lout, uncouth fellow

flehen ['fleːən] *v* beg, beseech, implore

Fleisch [flaɪʃ] *n* 1. *(zum Essen)* GAST meat; 2. ANAT flesh; *in ~ und Blut übergehen* become second nature; *vom ~ fallen* lose a lot of weight; *sich ins eigene ~ schneiden* cut off one's nose to spite one's face; *sein eigen ~ und Blut* his own flesh and blood

Fleischer ['flaɪʃər] *m* butcher

fleischlich ['flaɪʃlɪç] *adj* 1. *(aus Fleisch)* meaty, fleshy; 2. *(körperlich)* REL of the flesh

Fleiß [flaɪs] *m* diligence, industry, assiduousness

fleißig ['flaɪsɪç] *adj* diligent, hard-working, industrious

flexibel [flɛk'siːbəl] *adj* flexible

Flexibilität [flɛksibiliˈtɛːt] *f* flexibility, versatility

flicken ['flɪkən] *v* mend, repair, patch

Fliege ['fliːɡə] *f* 1. fly; *zwei ~n mit einer Klappe schlagen (fig)* kill two birds with one stone; 2. *(Kleidungsstück)* bow tie; 3. *eine ~ machen* beat it

fliegen ['fliːɡən] *v irr* fly

Flieger ['fliːɡər] *m* 1. *(Pilot)* pilot; 2. *(Soldat der Fliegertruppe)* airman; 3. *(Radrennfahrer)* SPORT sprinter; 4. *(fam: Flugzeug)* plane

fliehen ['fliːən] *v irr* flee, run away; *zu jdm ~* seek refuge with s.o.

Fliese ['fliːzə] *f* tile

fliesen ['fliːzən] *v* tile

Fließband ['fliːsbant] *n* 1. conveyor belt; 2. *(als Einrichtung)* assembly line

fließen ['fliːsən] *v irr* flow

flimmern ['flɪmərn] *v* flicker, twinkle

flink [flɪŋk] *adj* quick, nimble, agile

Flirt [flɔrt] *m* flirt

flirten ['flɔrtən] *v* flirt

Flitterwochen ['flɪtərvɔxən] *pl* honeymoon

flitzen ['flɪtsən] *v* zip, dash

Flocke ['flɔkə] *f* flake

Floh [floː] *m* ZOOL flea; *jdm einen ~ ins Ohr setzen* put an idea in s.o.'s head

Flohmarkt ['floːmarkt] *m* flea market

Flop [flɔp] *m* 1. *(fam: Misserfolg)* flop; 2. *(Hochsprungtechnik)* SPORT flop

Florett [floˈrɛt] *n* SPORT foil

Floskel ['flɔskəl] *f* rhetorical embellishment, platitude, mere words *pl*

Floß [floːs] *n* raft

Flosse ['flɔsə] *f* 1. *(Taucherflosse)* flipper; 2. ZOOL fin

Flöte ['fløːtə] *f* flute

flöten ['fløːtən] *v* ~ *gehen* go down the drain

flott [flɔt] *adj* 1. *(schnell)* brisk, quick, speedy; 2. *(schick)* elegant, smart; 3. *(Mann)* dashing

Flotte ['flɔtə] *f* fleet

Fluch [fluːx] *m* curse, profanity, swearword

fluchen ['fluːxən] *v* curse, swear

Flucht [fluxt] *f* flight, escape; *die ~ ergreifen* take flight; *jdn in die ~ schlagen* put s.o. to flight

flüchten ['flyçtən] *v* flee, run away

Flüchtling ['flyçtlɪŋ] *m* 1. fugitive, runaway; 2. POL refugee

Flug [fluːk] *m* flight; *Die Zeit verging wie im ~e.* Time just flew by.

Flugbegleiter ['fluːkbəɡlaɪtər] *m* steward

Flugbegleiterin ['fluːkbəɡlaɪtərɪn] *f* stewardess

Flugblatt ['fluːkblat] *n* leaflet, handbill

Flügel ['flyːɡəl] *m* 1. wing; *jdm die ~ stutzen* clip s.o.'s wings; 2. *(Klavier)* MUS grand piano

Fluggast ['fluːkɡast] *m* passenger, airline passenger

Flughafen ['fluːkhaːfən] *m* airport

Fluglinie ['fluːkliːniə] *f* 1. *(Strecke)* air route; 2. *(Fluggesellschaft)* airline

Flugplan ['fluːkplaːn] *m* flight schedule

Flugreise ['fluːkraɪzə] *f* plane trip

Flugzeug ['fluːktsɔyk] *n* airplane, plane, aircraft

Flunkerei [fluŋkəˈraɪ] *f* 1. fibbing; 2. *(kleine Lüge)* fib

Fluor ['fluːɔr] *n* CHEM fluorine

Flur¹ [fluːr] *m (Gang)* corridor, passage

Flur² [fluːr] *f* 1. open fields; *allein auf weiter ~* all alone; 2. AGR farmland

Fluss [flus] *m* 1. *(Fließen)* flow, flowing, running; 2. GEO river, stream

flussabwärts [flusˈapvɛrts] *adj* downstream, down the river

flussaufwärts [flusˈaufvɛrts] *adj* upstream, up the river

flüssig ['flysɪç] *adj 1. (nicht fest)* fluid, liquid; *2. (fig: fließend)* fluent

Flüssigkeit ['flysɪçkaɪt] *f 1. (Zustand)* fluidity, liquidity; *2. (flüssiger Stoff)* liquid

Flusslauf ['flʊslaʊf] *m* course of a river

Flusspferd ['flʊspfɛːrt] *n* ZOOL hippopotamus

flüstern ['flystərn] *v* whisper

Flut [fluːt] *f* flood

föderal [fødə'raːl] *adj* POL federal

Föderalismus [fødəra'lɪsmʊs] *m* POL federalism

Föderation [fødəra'tsjoːn] *f* POL federation

Fohlen ['foːlən] *n 1.* ZOOL foal, colt; *2. (Hengstfohlen)* foal, colt

Föhn [føːn] *m 1.* blow-dryer, hair-dryer; *2. (Fallwind)* foehn

föhnen ['føːnən] *v* blow-dry

Folge ['fɔlɡə] *f 1. (Auswirkung)* result, effect, consequence; *2. (Reihenfolge)* sequence, order, succession; *3. (Fortsetzung)* sequel, continuation

folgen ['fɔlɡən] *v 1. (hinterhergehen)* follow, pursue; *2. (gehorchen)* obey, follow, comply with; *3. (aufeinander-)* follow, succeed

folgend ['fɔlɡənt] *adj* following, subsequent

folgern ['fɔlɡərn] *v* conclude, deduce, gather

Folgerung ['fɔlɡərʊŋ] *f* deduction, inference, conclusion

folglich ['fɔlklɪç] *konj* consequently, therefore, hence

folgsam ['fɔlkzaːm] *adj* obedient

Folie ['foːljə] *f* foil

Folklore ['fɔlkloːrə] *f* folklore

Folter ['fɔltər] *f 1.* torture; *jdn auf die ~ spannen (fig)* keep s.o. in suspense; *2. (~bank)* rack

foltern ['fɔltərn] *v* torture

Folterung ['fɔltərʊŋ] *f* torture

Fond [fõ] *m 1. (eines Autos)* back of the car, back seat; *2.* THEAT back of the theatre

förderlich ['fœrdərlɪç] *adj* beneficial, conducive, favourable

fordern ['fɔrdərn] *v 1.* demand; *2. (herausfordern)* challenge

fördern ['fœrdərn] *v 1. (unterstützen)* support, promote, further; *2. (abbauen)* mine, extract, haul

Forderung ['fɔrdərʊŋ] *f 1. (Verlangen)* demand, requirement; *2. (Herausforderung)* challenge; *3. (Geldforderung)* ECO claim, debt

Förderung ['fœrdərʊŋ] *f 1. (Unterstützung)* promotion, advancement, support; *2. (Abbau)* MIN extraction; *3. (Menge)* MIN production

Forelle [fo'rɛlə] *f* ZOOL trout

Form [fɔrm] *f 1.* form, shape; *zu großer ~ auflaufen* to be in great shape; *2. (Stil)* form, style; *in aller ~* in due and proper form; *3. (Gussform)* mould, casting mould, mold (US)

formal [fɔr'maːl] *adj* formal

Formalität [fɔrmali'tɛːt] *f* formality

Format [fɔr'maːt] *n 1. (Maß)* format, shape, size; *2. (fig)* stature

formatieren [fɔrma'tiːrən] *v* INFORM format

Formatierung [fɔrma'tiːrʊŋ] *f* INFORM formatting

Formel ['fɔrmɛl] *f* formula

formell [fɔr'mɛl] *adj 1.* formal, stiff; *adv 2.* in a formal manner, ceremoniously, formally

formen ['fɔrmən] *v* form, shape, mould

formieren [fɔr'miːrən] *v 1.* form; *2.* MIL line up

förmlich ['fœrmlɪç] *adj 1.* formal, stiff; *adv 2. (buchstäblich)* literally

Förmlichkeit ['fœrmlɪçkaɪt] *f* formality, conventionality

formlos ['fɔrmloːs] *adj 1.* shapeless, formless; *2. (fig)* informal, unconventional, unceremonious; *adv 3.* without shape or form; *4. (fig)* informally

Formular [fɔrmu'laːr] *n* form

formulieren [fɔrmu'liːrən] *v* word, phrase, formulate

Formulierung [fɔrmu'liːrʊŋ] *f* wording, phrasing

forsch [fɔrʃ] *adj 1.* dynamic; *2. (flott)* smart; *3. (wagemutig)* bold

forschen ['fɔrʃən] *v 1.* investigate, inquire after, search for; *2. (wissenschaftlich)* research

Forscher ['fɔrʃər] *m (wissenschaftlicher ~)* researcher, research scientist

Forschung ['fɔrʃʊŋ] *f* research, study, investigation

Forst [fɔrst] *m* forest

Förster ['fœrstər] *m* forester

fort [fɔrt] *adv* away, gone; *Er ist schon ~.* He has already left. *... und so ~* ... and so on and so forth

fortbestehen ['fɔrtbəʃteːən] *v irr* endure, continue to exist, continue

Fortbewegung ['fɔrtbəveːɡʊŋ] *f* movement

fortbilden ['fɔrtbɪldən] *v sich ~* continue one's studies, obtain further education

Fortbildung ['fɔrtbɪlduŋ] f further education, advanced training

Fortdauer ['fɔrtdauər] f continuation

fortdauern ['fɔrtdauərn] v continue

fortfahren ['fɔrtfaːrən] v irr 1. (wegfahren) drive away, drive off; 2. (fortsetzen) continue; Fahren Sie bitte fort! Please go on! Please continue!

fortführen ['fɔrtfyːrən] v 1. continue, carry on; 2. (wegführen) lead away

Fortgang ['fɔrtgaŋ] m 1. departure; 2. (Weiterentwicklung) further development, continuation

fortgehen ['fɔrtgeːən] v irr go away, leave

fortgeschritten ['fɔrtgəʃrɪtən] adj advanced

Fortgeschrittene(r) ['fɔrtgəʃrɪtənə(r)] m/f advanced student

fortkommen ['fɔrtkɔmən] v irr 1. (wegkommen) get away; Mach, dass du fortkommst! Now disappear! 2. (vorankommen) get ahead

fortpflanzen ['fɔrtpflantsən] v 1. sich ~ reproduce, propagate; 2. sich ~ (Krankheit, Gerücht) spread

Fortpflanzung ['fɔrtpflantsuŋ] f reproduction, propagation

Fortschritt ['fɔrtʃrɪt] m progress, advancement

fortschrittlich ['fɔrtʃrɪtlɪç] adj progressive

fortsetzen ['fɔrtzɛtsən] v carry on, go on, continue

Fortsetzung ['fɔrtzɛtsuŋ] f continuation, resumption; ~ folgt to be continued

Forum ['foːrum] n (fig) forum, tribunal

Fossil [fɔ'siːl] m fossil

Foto ['foːto] n photograph, picture, photo

Fotoapparat ['foːtoapaːraːt] m camera

Fotograf [foːto'graːf] m photographer

Fotografie ['foːtogra'fiː] f FOTO photography

fotografieren [foːtogra'fiːrən] v photograph

Fotokopie [foːtoko'piː] f photocopy

fotokopieren [foːtoko'piːrən] v photocopy, make a photocopy

Fotomodell [foːtomodɛl] n model

Foul [faul] n SPORT foul

Foyer [fɔ'jeː] n THEAT lobby, foyer

Fracht [fraxt] f 1. (Ware) ECO cargo, freight; 2. (Preis) ECO freight

Frachter ['fraxtər] m cargo ship, freighter

Frachtgut ['fraxtguːt] n ECO freight

Frack [frak] m tails (fam), swallow-tailed coat

Frage ['fraːgə] f 1. question; etw in ~ stellen question sth; außer ~ stehen to be beyond any doubt; 2. (Angelegenheit) question, matter, issue; eine ~ der Zeit a matter of time; in ~ kommen to be considered; Das kommt nicht in ~. That's out of the question.

fragen ['fraːgən] v ask; nach etw ~ ask for sth; jdn nach seinem Namen ~ ask s.o. his name

Fragesatz ['fraːgəzats] m GRAMM interrogative clause

Fragezeichen ['fraːgətsaiçən] n question mark

fraglos ['fraːkloːs] adj without question, without a doubt

Fragment [frak'mɛnt] n fragment

fragwürdig ['fraːkvyrdɪç] adj dubious, doubtful, questionable

Fraktion [frak'tsjoːn] f POL parliamentary group

Fraktionsvorsitzende(r) [frak'tsjoːnsfoːrzɪtsəndə(r)] m/f POL chairman of the parliamentary group, floor leader (US)

Fraktur [frak'tuːr] f MED fracture

frankieren [fraŋ'kiːrən] v put postage on

Frankreich ['fraŋkraiç] n GEO France

Franzose [fran'tsoːzə] m Frenchman

Französin [fran'tsøːzɪn] f Frenchwoman; Sie ist ~. She's French.

französisch [fran'tsøːzɪʃ] adj French

fräsen ['frɛːzən] v 1. mill; 2. (Holz) shape

Fraß [fras] m 1. feed, food; 2. (fam: schlechtes Essen) slop, swill

Frau [frau] f 1. woman; 2. (Ehe~) wife; 3. (Anrede) Mrs.; (ledige ~) Miss

Frauenarzt ['frauənartst] m gynaecologist

Frauenbewegung ['frauənbəveːguŋ] f women's lib (fam), women's liberation

Fräulein ['frɔylain] n Miss

frech [frɛç] adj impertinent, sassy (US), impudent, cheeky

Frechheit ['frɛçhait] f 1. impudence, insolence; 2. Das ist aber eine ~! What nerve!

Fregatte [fre'gatə] f NAUT frigate

frei [frai] adj 1. (ungebunden) free, independent; 2. (nicht besetzt) vacant, free, unoccupied; Ist hier noch ~? (Sitzplatz) Is this seat available? 3. (kostenlos) free, complimentary

Freibad ['fraibaːt] n outdoor swimming pool, open-air swimming pool

freiberuflich ['fraibəruːflɪç] adj 1. self-employed, freelance; adv 2. freelance

Freigabe ['fraɪgaːbə] f release
freigeben ['fraɪgeːbən] v irr 1. clear, release, open; 2. (entlassen) release; 3. (beurlauben) jdm ~ give s.o. time off
freihalten ['fraɪhaltən] v irr 1. (Platz) hold; 2. jdn ~ pay the bill for s.o.; 3. „Ausfahrt ~" "keep driveway clear"
Freihandel ['fraɪhandəl] m ECO free trade
freihändig ['fraɪhɛndɪg] adv 1. without holding on; 2. (Schießen) without support; 3. (Verkauf) directly, in the open market, over the counter (US); adj 4. (zeichnen) freehand
Freiheit ['fraɪhaɪt] f freedom, liberty, independence; Ich schenke dir die ~. I am giving you your freedom; dichterische ~ poetic licence; persönliche ~ personal freedom; ~ der Presse freedom of the press
Freiheitsstatue ['fraɪhaɪtsʃtaːtuə] f die ~ the Statue of Liberty
Freiheitsstrafe ['fraɪhaɪtsʃtraːfə] f JUR imprisonment, prison sentence
freilassen ['fraɪlasən] v irr release, free, set free
Freilassung ['fraɪlasʊŋ] f release
freilegen ['fraɪleːgən] v expose, uncover
Freilegung ['fraɪleːgʊŋ] f exposure
freilich ['fraɪlɪç] adv 1. (einräumend) it is true, indeed, of course; 2. (bestätigend) certainly, of course, sure
freimachen ['fraɪmaxən] v 1. (frankieren) stamp; 2. (entkleiden) sich ~ undress, get undressed; 3. (befreien) sich ~ extricate o.s., shake o.s. free, free o.s.
freimütig ['fraɪmyːtɪç] adj 1. candid, frank, outspoken; adv 2. candidly, frankly
freisprechen ['fraɪʃprɛçən] v irr 1. acquit; 2. (von Schuld) exonerate; 3. jdn von einem Verdacht ~ clear s.o. of suspicion
Freispruch ['fraɪʃprʊx] m JUR acquittal, verdict of not guilty
freistehen ['fraɪʃteːən] v irr 1. (Haus) to be vacant; 2. SPORT to be open; 3. es steht jdm frei, etw zu tun s.o. is free to do sth
freistellen ['fraɪʃtɛlən] v 1. jdn von etw ~ release; 2. jdm etw ~ leave sth up to s.o.; 3. sich ~ SPORT run clear, get open
Freistellung ['fraɪʃtɛlʊŋ] f release
Freistoß ['fraɪʃtoːs] m SPORT free kick
Freitag ['fraɪtaːk] m Friday
freitags ['fraɪtaːks] adv every Friday, on Fridays
freiwillig ['fraɪvɪlɪç] adj 1. voluntary; adv 2. voluntarily
Freiwillige(r) ['fraɪvɪlɪgə(r)] m/f volunteer

Freizeit ['fraɪtsaɪt] f free time, spare time
freizügig ['fraɪtsyːgɪç] adj 1. free to move; 2. (moralisch ~) permissive; 3. (reichlich) liberal
Freizügigkeit ['fraɪtsyːgɪçkaɪt] f 1. freedom of movement; 2. (moralische ~) permissiveness
fremd [frɛmt] adj 1. (unbekannt) strange, unknown; 2. (anderen gehörig) s.o. else's, not one's own; 3. (ausländisch) foreign
Fremde(r) ['frɛmdə(r)] m/f stranger
Fremdenführer ['frɛmdənfyːrər] m 1. (Buch) guide, guidebook; 2. (Person) tour guide
Fremdenverkehr ['frɛmdənfɛrkeːr] m tourism
Fremdsprache ['frɛmtʃpraːxə] f foreign language
Fremdwort ['frɛmtvɔrt] n foreign word
frenetisch [fre'neːtɪʃ] adj frenetic
Frequenz [fre'kvɛnts] f TECH frequency
fressen ['frɛsən] 1. eat, devour, gobble up; 2. Das war ein gefundenes Fressen für ihn. That was just what he wanted. jdn zum Fressen gern haben to be mad about s.o., to be crazy about s.o.; 3. (ätzen) corrode
Freude ['frɔʏdə] f joy, happiness, delight
freudig ['frɔʏdɪç] adj 1. joyous, happy, cheerful; adv 2. gleefully, joyfully, cheerfully
freudlos ['frɔʏtloːs] adj joyless, dismal, gloomy
freuen ['frɔʏən] v sich ~ to be happy, to be glad, to be pleased; Ich freue mich darauf. I'm looking forward to it; Das freut mich. I'm glad.
Freund [frɔʏnt] m 1. friend; 2. (Liebhaber) boyfriend
Freundin ['frɔʏndɪn] f 1. friend; 2. (Liebhaberin) girlfriend
freundlich ['frɔʏntlɪç] adj friendly, kind
Freundlichkeit ['frɔʏntlɪçkaɪt] f friendliness, kindness
Freundschaft ['frɔʏntʃaft] f friendship
freundschaftlich ['frɔʏntʃaftlɪç] adj 1. friendly; adv 2. in a friendly manner; jdm ~ auf die Schulter klopfen give s.o. a friendly pat on the back
Frevel ['freːfəl] m 1. sacrilege, sin; 2. (Untat) crime, outrage
frevelhaft ['freːfəlhaft] adj 1. sacrilegious, sinful; 2. (kriminell) criminal
Frevler ['freːflər] m sinner, offender
Frieden ['friːdən] m peace; dem ~ nicht trauen smell a rat; jdn in ~ lassen leave s.o. in peace

Friedensnobelpreis [fri:dənsno'bɛlpraɪs] m Nobel Peace Prize

Friedensvertrag ['fri:dənsfɛrtraːk] m POL peace treaty

friedfertig ['fri:tfɛrtɪç] adj peaceful, peace-loving

Friedhof ['fri:thoːf] m cemetery, graveyard

friedlich ['fri:tlɪç] adj 1. peaceful; 2. (ungestört) tranquil

frieren ['fri:rən] v irr 1. (Person) feel cold, to be freezing; 2. (Wasser) freeze

Frikadelle [frɪka'dɛlə] f rissole, hamburger patty

frisch [frɪʃ] adj fresh

frisieren [frɪ'ziːrən] v 1. have one's hair done; sich ~ do one's hair; 2. (fig) fiddle with, (fam) doctor, (Wagen) soup up; die Bilanzen ~ cook the books

Frisör(in) [frɪ'zøːr(ɪn)] m/f hairdresser, (für Herren) barber

Frist [frɪst] f 1. (Zeitraum) period; 2. (äußerste ~) deadline

fristen ['frɪstən] v ein kümmerliches Dasein ~ scrape out a living

fristlos ['frɪstloːs] adv without notice

Frisur [fri'zuːr] f hairstyle, hairdo

frittieren [frɪ'tiːrən] v GAST deep-fry

frivol [fri'voːl] adj 1. (schlüpfrig) risqué; 2. (leichtfertig) frivolous

froh [froː] adj happy, glad, cheerful

fröhlich ['frøːlɪç] adj merry, cheerful, jovial, gay

Fröhlichkeit ['frøːlɪçkaɪt] f gaiety, cheerfulness, merriment

Frohsinn ['froːzɪn] m good cheer, cheerfulness

fromm [frɔm] adj REL pious, devout, religious

Frömmelei [frœmə'laɪ] f false piety

Frömmigkeit ['frœmɪçkaɪt] f REL piety, devoutness

Fronleichnam [froːn'laɪçnaːm] m REL Corpus Christi

Front [frɔnt] f front

frontal [frɔn'taːl] adj frontal

Frosch [frɔʃ] m frog; einen ~ im Hals haben have a frog in one's throat; Sei kein ~! Be a sport!

Frost [frɔst] m frost

frösteln ['frœstəln] v shiver

frostig ['frɔstɪç] adj 1. (kalt) frosty, chilly; 2. (fig) frosty, cold, icy

Frucht [fruxt] f 1. fruit; 2. (fig) product, result

fruchtbar ['fruxtbaːr] adj 1. fertile; 2. (fig) fruitful, productive; 3. (Schriftsteller) prolific

Fruchtbarkeit ['fruxtbaːrkaɪt] f fertility, productiveness, fruitfulness

fruchtig ['fruxtɪç] adj fruity

Fruchtsaft ['fruxtzaft] m fruit juice

früh [fryː] adj 1. early; adv 2. early

Frühe ['fryːə] f 1. in der ~ early in the morning; in aller ~ at the crack of dawn; 2. (Anfang) dawn

früher ['fryːər] adj 1. earlier; 2. (ehemalig) former, past; in ~en Zeiten in former times; adv 3. earlier, sooner; ~ oder später sooner or later; 4. (ehemals) formerly, before; Ich habe sie ~ mal gekannt. I used to know her.

frühestens ['fryːəstəns] adv at the earliest

Frühgeschichte ['fryːgəʃɪçtə] f HIST ancient history

Frühjahr ['fryːjaːr] n spring

Frühling ['fryːlɪŋ] m spring

Frühstück ['fryːʃtʏk] n breakfast

frühstücken ['fryːʃtʏkən] v have breakfast, breakfast

frühzeitig ['fryːtsaɪtɪç] adj 1. early; 2. (vorzeitig) premature; adv 3. early; 4. (vorzeitig) prematurely

Frustration [frustra'tsjoːn] f PSYCH frustration

frustrieren [frus'triːrən] v frustrate

Fuchs [fuks] m ZOOL fox

Fuge ['fuːgə] f 1. joint; aus den ~n geraten go to pieces; 2. MUS fugue

fügen ['fyːgən] v 1. sich ~ (nachgeben) give in, comply; 2. sich ~ (sich anpassen) conform, fit in

Fügung ['fyːgʊŋ] f (des Schicksals) act of providence

fühlbar ['fyːlbaːr] adj 1. (tastbar) palpable; 2. (spürbar) perceptible; 3. (deutlich) marked

fühlen ['fyːlən] v feel, sense

Fühler ['fyːlər] m feeler, antenna

führen ['fyːrən] v 1. lead, direct, guide; 2. (leiten) manage, lead, run; 3. (Ware) carry

Führer ['fyːrər] m 1. (Chef) leader; 2. (Fahrer) driver; 3. (Fremdenführer) tourist guide

Führerschein ['fyːrərʃaɪn] m driving licence, driver's license (US)

Führung ['fyːrʊŋ] f 1. (Leitung) control, management, leadership; 2. (Benehmen) behaviour, conduct; 3. (Fremdenführung) sightseeing tour

Führungsposition ['fyːrʊŋspositsjoːn] f management position

Fülle ['fʏlə] *f* 1. abundance, profusion; 2. *(volles Maß)* fullness; 3. *(Leibesumfang)* corpulence

füllen ['fʏlən] *v* fill

Füllfeder ['fʏlfe:dər] *f* fountain pen

Füllung ['fʏlʊŋ] *f* 1. *(das Füllen)* filling; 2. *(Polsterung)* stuffing; 3. *(Zahn~)* MED filling; 4. GAST stuffing

Fund [fʊnt] *m* 1. finding, discovery; 2. *(Gefundenes)* find

Fundament [fʊndaˈmɛnt] *n* 1. *(eines Hauses)* foundation; 2. *(fig: Grundlage)* basis, foundation, groundwork

Fundbüro ['fʊntbyro:] *n* lost property office, lost-and-found department *(US)*

fünf [fʏnf] *num* five; *alle ~e gerade sein lassen* let sth slide; *~ Minuten vor zwölf* (fig) the eleventh hour

fünftens ['fʏnftəns] *adv* fifthly, in fifth place

fünfzehn ['fʏnftse:n] *num* fifteen

fünfzig ['fʏnftsɪç] *num* fifty

fungieren [fʊŋˈgi:rən] *v ~ als* function as

Funk [fʊŋk] *m* wireless, radio

Funke ['fʊŋkə] *m* spark

funkeln ['fʊŋkəln] *v* sparkle, twinkle

funken ['fʊŋkən] *v* 1. *(übermitteln)* transmit, radio; 2. *Es hat bei ihm gefunkt.* He figured it out; 3. *(fam: funktionieren)* work; 4. *(Funken von sich geben)* spark, give off sparks

Funkgerät ['fʊŋkgərɛ:t] *n* radio equipment, wireless equipment

Funktion [fʊŋkˈtsjo:n] *f* function

Funktionär [fʊŋktsjoˈnɛ:r] *m* functionary

funktionell [fʊŋktsjoˈnɛl] *adj* functional

funktionieren [fʊŋktjoˈni:rən] *v* function, work, operate

für [fy:r] *prep* 1. for; *sich ~ etw entscheiden* decide in favour of sth; 2. *was ~ ...* what kind of ..., what sort of ...; 3. *an und ~ sich* strictly speaking; *Das ist eine Sache ~ sich.* That's a different story. 4. *Tag ~ Tag* every day

Furcht [fʊrçt] *f* fear, dread, terror

furchtbar ['fʊrçtba:r] *adj* terrible

fürchten ['fʏrçtən] *v* fear, to be afraid of, to be frightened of

fürchterlich ['fʏrçtərlɪç] *adj* dreadful, frightful, ghastly

furchtlos ['fʊrçtlo:s] *adj* fearless, dauntless

furchtsam ['fʊrçtza:m] *adj* fearful, apprehensive

füreinander [fy:raɪˈnandər] *adv* for each other

Furie ['fu:rjə] *f* fury

Fürsorge ['fy:rzɔrgə] *f* 1. care; 2. *(öffentliche ~)* public service

fürsorglich ['fy:rzɔrglɪç] *adj* caring, considerate

Fürst [fʏrst] *m* prince, sovereign ruler

Fürstentum ['fʏrstəntu:m] *n* principality

fürstlich ['fʏrstlɪç] *adj* 1. princely; 2. *(fig: üppig)* regal, stately, royal

Fürwort ['fy:rvɔrt] *n* GRAMM pronoun

Fusion [fuˈzjo:n] *f* 1. PHYS fusion; 2. ECO merger

fusionieren [fuzjoˈni:rən] *v* 1. ECO merge, consolidate; 2. TECH combine

Fuß [fu:s] *m* 1. foot; *zu ~ on foot*; *~ fassen* gain a foothold; *auf freiem ~ sein* to be at large; *auf großem ~ leben* live like a lord; *mit einem ~ im Grabe stehen* have one foot in the grave; *mit den linken ~ zuerst aufstehen* get up on the wrong side of the bed; *kalte Füße bekommen* (fig) get cold feet; *jdm auf die Füße treten* step on s.o.'s toes; *sich auf eigene ~ stellen* strike out on one's own, paddle one's own canoe; *auf die Füße fallen* fall on one's feet; *etw mit Füßen treten* trample sth; *jdm zu Füßen liegen* go down on one's knees before s.o.; 2. *(Sockel)* base, pedestal; 3. *(Zoll)* foot

Fußball ['fu:sbal] *m* 1. *(Spiel)* football, soccer *(US)*; 2. *(Ball)* football, soccer ball *(US)*

Fußballmannschaft ['fu:sbalmanʃaft] *f* SPORT football team, soccer team *(US)*

Fußballspiel ['fu:sbalʃpi:l] *n* SPORT football match, soccer game *(US)*

Fußballspieler ['fu:sbalʃpi:lər] *m* SPORT football player, footballer, soccer player *(US)*

Fußballstadion ['fu:sbalʃta:djɔn] *n* football stadium, soccer stadium *(US)*

Fußboden ['fu:sbo:dən] *m* floor

Fussel ['fʊsəl] *m/f* bit of fluff

fusseln ['fʊsəln] *v* fluff

Fußgänger ['fu:sgɛŋər] *m* pedestrian

Fußgängerzone ['fu:sgɛŋərtso:nə] *f* pedestrian zone

Fußgelenk ['fu:sgəlɛŋk] *n* ankle

Fußspur ['fu:sʃpu:r] *f* footprint

Fußweg ['fu:sve:k] *m* footpath

Futter ['fʊtər] *n* 1. *(Vieh~)* feed, fodder; 2. *(Essen)* food, grub (fam), chow (fam) *(US)*; 3. *(Material)* lining

füttern ['fʏtərn] *v* 1. feed; 2. *(Kleidungsstück ~)* line

Fütterung ['fʏtərʊŋ] *f* *(Tierfütterung)* feeding

Futur [fuˈtu:r] *n* GRAMM future tense

G

Gabe ['ga:bə] f gift
Gabel ['ga:bəl] f fork
Gabelung ['ga:bəluŋ] f fork, parting
gähnen ['gɛ:nən] v yawn
galant [ga'lant] adj gallant, chivalrous, courteous
Galaxis [ga'laksıs] f ASTR galaxy
Galerie [galə'ri:] f gallery
Galgen ['galgən] m gallows pl; jdn an den ~ bringen send s.o. to the gallows
Galle ['galə] f ANAT gall; Da läuft mir die ~ über. (fig) That makes my blood boil.
Gang [gaŋ] m 1. (Gehen) gait, walk; 2. (Verlauf) course, trend; eine Sache in ~ halten keep sth going, keep the ball rolling; in ~ sein to be in full swing; in ~ kommen get underway; etw in ~ setzen get sth going; seinen ~ gehen take its course; Da ist was im ~e. Something's up. (fam); 3. (Flur) passage, corridor; 4. (eines Autos) gear; in einen höheren/niedrigeren ~ schalten gear up/down; einen ~ zulegen shift up a gear; einen ~ zurückschalten shift down a gear; 5. GAST course
gängig ['gɛŋıç] adj (üblich) common
Gangster ['gɛŋstər] m gangster
Ganove [ga'no:və] m crook
Gans [gans] f ZOOL goose; eine dumme ~ a silly goose
Gänseblümchen ['gɛnzəbly:mçən] n BOT daisy
Gänsehaut ['gɛnzəhaut] f gooseflesh, goose pimples, goose bumps; eine ~ bekommen get gooseflesh, get goose bumps (US)
ganz [gants] adj 1. entire, whole, complete; adv 2. (völlig) entirely, fully, completely; 3. (sehr) very, quite; 4. ~ und gar nicht not one bit, not in the least
ganzheitlich ['gantshaitlıç] adj in its entirety
gänzlich ['gɛntslıç] adj 1. total, complete; adv 2. totally, completely
ganztags ['gantsta:ks] adv 1. all day; 2. (arbeiten) full-time
gar [ga:r] adj 1. (gekocht) well-done; adv 2. (überhaupt) at all; ~ nicht not at all; ~ nicht übel not bad at all; ~ nichts nothing (at all)
Garage [ga'ra:ʒə] f garage
Garantie [garan'ti:] f guarantee; Unter ~. That's certain.
garantieren [garan'ti:rən] v guarantee

Garderobe [gardə'ro:bə] f 1. wardrobe; 2. (Kleiderablage im Kino usw) cloak-room, coat-check area (US)
Gardine [gar'di:nə] f curtain; hinter schwedischen ~n behind bars
garen ['ga:rən] v GAST cook until well-done
gären ['gɛ:rən] v irr ferment
Garn [garn] n yarn, thread (for sewing)
garnieren [gar'ni:rən] v trim, garnish
Garnitur [garni'tu:r] f 1. (Wäsche, Möbel) set; 2. die erste ~ the top people (fam); zur zweiten ~ gehören to be a notch below the best (fam)
garstig ['garstıç] adj ugly, nasty
Garten ['gartən] m 1. garden; 2. (Ziergarten) garden, yard (US)
Gärtner ['gɛrtnər] m gardener
Gärtnerei [gɛrtnə'rai] f 1. (Betrieb) garden-centre, nursery; 2. (Tätigkeit) gardening, horticulture
Gas [ga:s] n gas
Gasmaske ['ga:smaskə] f gas mask
Gaspedal ['ga:speda:l] n accelerator, gas pedal (US)
Gasse ['gasə] f alley, lane
Gast [gast] m guest; bei jdm zu ~ sein to be s.o.'s guest
Gastarbeiter ['gastarbaitər] m immigrant worker
gastfreundlich ['gastfrɔyntlıç] adj hospitable
Gastgeber ['gastge:bər] m host
Gasthof ['gastho:f] m GAST restaurant, guest-house
Gastlichkeit ['gastlıçkait] f hospitality
Gastronomie [gastrono'mi:] f gastronomy
Gaststätte ['gastʃtɛtə] f restaurant, public-house (UK), pub
Gastwirt ['gastvırt] m restaurant owner
Gatte ['gatə] m spouse, husband; die ~n the husband and wife
Gattin ['gatın] f spouse, wife
Gattung ['gatuŋ] f 1. type, kind, sort; 2. BIO species; 3. LIT genre
Gaumen ['gaumən] m ANAT palate; einen feinen ~ haben to be a gourmet
Gauner ['gaunər] m rogue, trickster, scoundrel
Gazelle [ga'tsɛlə] f ZOOL gazelle

Geächtete(r) [gə'ɛçtɛtə(r)] *m/f* 1. outlaw; 2. *(fig)* outcast

Gebäck [gə'bɛk] *n* pastry, baked goods

Gebärde [gə'bɛːrdə] *f* gesture

gebärden [gə'bɛːrdən] *v sich* ~ behave, act, conduct oneself

gebären [gə'bɛːrən] *v irr* bear, give birth to

Gebärmutter [gə'bɛːrmutər] *f* ANAT womb, uterus

Gebäude [gə'bɔydə] *n* building

geben ['geːbən] *v irr* 1. give; *Ich gäbe viel darum, das zu wissen.* I'd give a lot to know that. *Wo gibt's denn so was?* That's unbelievable! 2. es gibt there is/there are; 3. einen Laut von sich ~ make a sound; 4. *Dem werd' ich's aber ~!* I'll show him! 5. auf etw nichts ~ not think much of sth; 6. sich ~ (sich benehmen) act, behave; 7. sich geschlagen ~ concede defeat

Gebet [gə'beːt] *n* REL prayer; *jdn ins ~ nehmen* take s.o. to task

Gebiet [gə'biːt] *n* 1. area, district, territory; 2. *(fig: Sachgebiet)* field, area, subject

gebieten [gə'biːtən] *v irr* 1. demand; 2. *(befehlen)* command; 3. *über etw* ~ command sth; 4. *(Gefühl)* control, restrain

gebieterisch [gə'biːtərɪʃ] *adj* commanding, dictatorial, imperious

Gebilde [gə'bɪldə] *n* formation, form

gebildet [gə'bɪldət] *adj* educated, cultivated

Gebirge [gə'bɪrgə] *n* mountains

Gebiss [gə'bɪs] *n* 1. ANAT set of teeth; 2. *(künstliches)* dentures, false teeth

geborgen [gə'bɔrgən] *adj* 1. *(sicher)* safe, sheltered; 2. *(Wrack)* salvaged

Geborgenheit [gə'bɔrgənhaɪt] *f* safety

Gebot [gə'boːt] *n* 1. *(Befehl)* command, order; 2. REL commandment; *die Zehn ~e* the Ten Commandments

Gebrauch [gə'braux] *m* use; *in ~ kommen* come into use

gebrauchen [gə'brauxən] *v* use, make use of, employ; *Das kann ich gut ~.* I could really use that.

gebräuchlich [gə'brɔyçlɪç] *adj* common, commonly used

Gebrauchsanweisung [gə'brauxsanvaɪzuŋ] *f* instructions for use

Gebrechen [gə'brɛçən] *n* MED ailment, infirmity, affliction

gebrechlich [gə'brɛçlɪç] *adj* frail, fragile

Gebühr [gə'byːr] *f* fee, charge

gebührend [gə'byːrənt] *adj* due, proper

gebührenfrei [gə'byːrənfraɪ] *adj* free of charge, without fee

gebührenpflichtig [gə'byːrənpflɪçtɪç] *adj* subject to a fee, subject to a charge

Geburt [gə'burt] *f* birth; *Das war eine schwere ~!* (fig) That took some doing!

Geburtstag [gə'burtstaːk] *m* birthday

Gebüsch [gə'byʃ] *n* bushes, shrubbery

Gedächtnis [gə'dɛçtnɪs] *n* memory

Gedanke [gə'daŋkə] *m* thought, idea; *~n lesen können* to be able to read s.o.'s thoughts; *mit dem ~n spielen* toy with the idea; *seine ~n beisammen haben* have one's thoughts concentrated; *etw ganz in ~n tun* do sth without thinking

Gedankenlosigkeit [gə'daŋkənloːzɪçkaɪt] *f* thoughtlessness

Gedankenstrich [gə'daŋkənʃtrɪç] *m* dash

gedankenvoll [gə'daŋkənfɔl] *adj* thoughtful, pensive

Gedeck [gə'dɛk] *n* cover

gedeihen [gə'daɪən] *v irr* thrive, grow, flourish

gedenken [gə'dɛŋkən] *v irr* 1. *(erinnern)* remember, think of; 2. *(vorhaben)* intend

Gedenkstätte [gə'dɛŋkʃtɛtə] *f* memorial

Gedicht [gə'dɪçt] *n* poem; *ein ~ sein (gut schmecken)* taste heavenly

gediegen [gə'diːgən] *adj* 1. *(Metall)* sterling; 2. *(geschmackvoll)* tasteful; 3. *(haltbar)* solid

Gedränge [gə'drɛŋə] *n (Menge)* crowd

gedrängt [gə'drɛŋt] *adj* crowded

Geduld [gə'dult] *f* patience

geduldig [gə'duldɪç] *adj* patient

geeignet [gə'aɪgnət] *adj* suitable, appropriate, fitting

Gefahr [gə'faːr] *f* danger; *~ laufen, etw zu tun* run the risk of doing sth; *auf eigene ~* at one's own risk

gefährden [gə'fɛːrdən] *v* endanger, imperil, jeopardize

gefährlich [gə'fɛːrlɪç] *adj* dangerous

gefahrlos [gə'faːrloːs] *adj* without danger, safe

Gefährte [gə'fɛːrtə] *m* companion

Gefälle [gə'fɛlə] *n* gradient, incline

gefallen [gə'falən] *v irr* please, appeal to; *Es gefällt mir.* I like it. *sich etw ~ lassen* put up with sth

Gefallen [gə'falən] *m* 1. *(Freundschaftsdienst)* favour; *Würden Sie mir einen ~ tun?* Would you do me a favour? *n* 2. delight, pleasure; *~ finden an* take a fancy to

gefällig [gə'fɛlɪç] *adj* 1. *(zuvorkommend)* obliging, accommodating; 2. *(angenehm)* agreeable, attractive

Gefälligkeit [gə'fɛlıçkaıt] *f 1.* kindness, obligingness; *2. (Gefallen)* favour

Gefangene(r) [gə'faŋənə(r)] *m/f 1.* prisoner; *2. MIL* prisoner of war, captive

Gefangenschaft [gə'faŋənʃaft] *f MIL* captivity, imprisonment; *in ~ geraten* be taken prisoner

Gefängnis [gə'fɛŋnıs] *n* prison, jail, gaol (*UK*)

Gefäß [gə'fɛːs] *n 1.* container; *2. ANAT* vessel

Geflecht [gə'flɛçt] *n* network

gefleckt [gə'flɛkt] *adj* spotted, speckled

Geflügel [gə'flyːgəl] *n* poultry, fowl

Geflüster [gə'flystər] *n* whispering

Gefolge [gə'fɔlgə] *n* followers, entourage

gefräßig [gə'frɛsıç] *adj* voracious, greedy

gefrieren [gə'friːrən] *v irr* freeze

Gefrierschrank [gə'friːrʃraŋk] *m* upright deep freezer

gefügig [gə'fyːgıç] *adj 1.* flexible, pliable; *2. (Charakter)* compliant, submissive, docile, obedient

Gefühl [gə'fyːl] *n 1. (körperlich)* feeling, sensation, sense; *mit gemischten ~en* with mixed feelings; *das höchste der ~e* the pinnacle, the utmost you can expect; *2. (seelisch)* perception, feeling, emotion; *3. (Ahnung)* notion, hunch, feeling; *etw im ~ haben* know sth instinctively

gefühllos [gə'fyːlloːs] *adj 1. (körperlich)* numb; *2. (seelisch)* insensitive, hard-hearted, callous

gefühlsmäßig [gə'fyːlsmɛsıç] *adv* instinctively

Gefühlsregung [gə'fyːlsreːguŋ] *f* emotion

gefühlvoll [gə'fyːlfɔl] *adj 1. ~ singen* sing with feeling; *2. (empfindsam)* sensitive

gegebenenfalls [gə'geːbənənfals] *adv* should the occasion arise, if applicable

Gegebenheit [gə'geːbənhaıt] *f* fact, reality, situation

gegen ['geːgən] *prep 1. (zeitlich)* about, around, toward; *2. (örtlich)* against; *3. (zu ... hin) ~ Westen fahren* go west; *4. (wider)* against, contrary to; *ein Mittel ~ Kopfschmerzen* medicine for headaches; *etw ~ jdn haben* have sth against s.o.; *5. (im Austausch)* for, in exchange for, in return for; *~ Quittung* against a receipt; *6. (Vergleich)* compared with, compared to

Gegend ['geːgənt] *f 1.* area, region; *die ~ unsicher machen* knock about the district; *2. (Wohngegend)* neighbourhood

gegeneinander ['geːgənaınandər] *adv* against each other, against one another

gegenläufig ['geːgənlɔyfıç] *adj* contrary, opposite

Gegenleistung ['geːgənlaıstuŋ] *f* quid pro quo, service in return

Gegenmittel ['geːgənmıtəl] *n MED* remedy; *(gegen Gift)* antidote

Gegensatz ['geːgənzats] *m 1.* contrast; *einen ~ bilden zu* contrast with; *im ~ zu* unlike; *2. (Gegenteil)* opposite

gegensätzlich ['geːgənzɛtslıç] *adj 1.* opposing, contradictory, contrary; *adv 2.* differently, in different ways, antagonistically

gegenseitig ['geːgənzaıtıç] *adj 1.* mutual, reciprocal; *adv 2.* mutually, reciprocally

Gegenseitigkeit ['geːgənzaıtıçkaıt] *f* mutuality, reciprocity

Gegenstand ['geːgənʃtant] *m 1.* object; *2. (Thema)* subject

Gegenstück ['geːgənʃtyk] *n* counterpart, equivalent

Gegenteil ['geːgəntaıl] *n* opposite, contrary; *(Umkehrung)* reverse

gegenteilig ['geːgəntaılıç] *adj* opposite, contrary

gegenüber [geːgən'yːbər] *prep 1. (örtlich)* opposite, facing; *Er wohnt mir ~.* He lives across from me. *2. (im Hinblick)* in relation to; *Sie war mir ~ sehr freundlich.* She was very nice to me. *3. (im Vergleich)* in comparison with, compared with

gegenüberliegend [geːgən'yːbərliːgənt] *adj* opposite

gegenüberstehen [geːgən'yːbərʃteːən] *v irr 1.* face; *2. (fig)* face, confront

gegenüberstellen [geːgən'yːbərʃtɛlən] *v 1. (vergleichen)* compare; *2. (konfrontieren)* bring face-to-face with

Gegenüberstellung [geːgən'yːbərʃtɛluŋ] *f 1. (Vergleich)* comparison; *2. (Konfrontation)* confrontation

Gegenverkehr ['geːgənfɛrkeːr] *m* oncoming traffic, *(Verkehrsschild)* two-way traffic

Gegenwart ['geːgənvart] *f 1.* present; *2. GRAMM* present tense; *3. (Anwesenheit)* presence

gegenwärtig ['geːgənvɛrtıç] *adj 1. (jetzig)* present, current; *2. (anwesend)* present

Gegenwind ['geːgənvınt] *m* head-wind

gegenzeichnen ['geːgəntsaıçnən] *v* countersign

Gegner ['geːgnər] *m 1.* opponent, adversary; *2. MIL* enemy

gegnerisch ['ge:gnərɪʃ] adj opposing, enemy, hostile

Gehalt [gə'halt] n 1. (Lohn) salary, pay; 2. (Inhalt) content

Gehaltserhöhung [gə'haltserhø:uŋ] f salary increase, raise (US)

gehässig [gə'hɛsɪç] adj spiteful, malicious

Gehässigkeit [gə'hɛsɪçkaɪt] f spite, malice

Gehäuse [gə'hɔyzə] n 1. case, box; 2. (Schneckenhaus) shell

Gehege [gə'he:gə] n 1. enclosure; jdm ins ~ kommen (fig) step on s.o.'s toes; 2. (Wildgehege) game preserve

geheim [gə'haɪm] adj 1. secret; 2. (heimlich) clandestine; 3. (vertraulich) confidential, private

Geheimagent [gə'haɪmagɛnt] m secret agent, intelligence agent

Geheimdienst [gə'haɪmdi:nst] m intelligence service

Geheimfach [gə'haɪmfax] n secret compartment

Geheimhaltung [gə'haɪmhaltuŋ] f secrecy

Geheimnis [gə'haɪmnɪs] n 1. secret; ein offenes ~ an open secret; 2. (Rätselhaftes) mystery; ein ~ verraten disclose a secret; ich habe kein ~ vor dir I have no secrets from you; kein ~ aus etw machen make no secret of sth

Geheimniskrämer [gə'haɪmnɪskrɛ:mər] m secretive person, mystery-monger

geheimnisvoll [gə'haɪmnɪsfɔl] adj mysterious

Geheimnummer [gə'haɪmnumər] f personal identification number

Geheiß [gə'haɪs] n order, command

gehemmt [gə'hɛmt] adj ~ sein to be inhibited, to be self-conscious

Gehemmtheit [gə'hɛmthaɪt] f inhibition

gehen ['ge:ən] v irr 1. go; Gehen wir! Let's go! Wie geht's? How's it going? in sich ~ decide to mend one's ways; 2. (zu Fuß) walk; 3. (möglich sein) work; 4. Es geht. (es ist mittelmäßig) It's all right. 5. es geht um ... it's about ...; Worum geht's? What's this about? 6. vor sich ~ happen

geheuer [gə'hɔyər] adj nicht ~ uncanny

Gehirn [gə'hɪrn] n ANAT brain

Gehirnerschütterung [gə'hɪrnɛrʃy:təruŋ] f MED concussion

Gehirnwäsche [gə'hɪrnvɛʃə] f brain-washing

Gehölz [gə'hœlts] n 1. wood, copse; 2. (Dickicht) undergrowth

Gehör [gə'hø:r] n hearing; ~ finden get a hearing; jdm ~ schenken lend s.o. an ear; sich ~ verschaffen make o.s. heard; um ~ bitten request a hearing

gehorchen [gə'hɔrçən] v obey

gehören [gə'hø:rən] v 1. belong to; 2. sich ~ to be proper

gehörlos [gə'hø:rlo:s] adj MED deaf

Gehörlosigkeit [gə'hø:rlo:zɪçkaɪt] f deafness

Gehorsam [gə'ho:rza:m] m obedience

Gehsteig ['ge:ʃtaɪk] m pavement, sidewalk (US)

Geier ['gaɪər] m ZOOL vulture; Weiß der ~! God knows!

Geige ['gaɪgə] f MUS violin; die erste ~ spielen (fig) call the tune; nach jds ~ tanzen dance to s.o.'s tune; Für ihn hängt der Himmel voller ~n. He's on cloud nine.

geil [gaɪl] adj 1. (erregt) randy, horny (US); 2. (fam: toll) awesome, cool

Geisel ['gaɪzəl] f hostage

geißeln ['gaɪsəln] v 1. whip; 2. (fig) chastise

Geist [gaɪst] m 1. (Seele) spirit, soul; 2. (Verstand) mind; 3. (Gespenst) ghost, spirit, apparition; von allen guten ~ern verlassen sein have taken leave of one's senses; 4. den ~ aufgeben (fig) conk out (fam)

Geisterbahn ['gaɪstərba:n] f ghost train

Geisterfahrer ['gaɪstərfa:rər] m motorist driving in the wrong direction (against traffic)

geistesabwesend ['gaɪstəsapve:zənt] adj absent-minded

Geistesgegenwart ['gaɪstəsge:gənvart] f presence of mind

geistesgestört ['gaɪstəsgəʃtø:rt] adj MED mentally deranged, mentally disturbed

geisteskrank ['gaɪstəskraŋk] adj mentally ill

Geisteskranke(r) ['gaɪstəskraŋkə(r)] m/f MED mentally ill person

Geisteswissenschaften ['gaɪstəsvɪsənʃaftən] pl the arts, the humanities

geistig ['gaɪstɪç] adj intellectual, mental, spiritual

geistlich ['gaɪstlɪç] adj 1. spiritual, religious; 2. (kirchlich) ecclesiastical

Geistliche(r) ['gaɪstlɪçə(r)] m REL clergyman, priest, man of the church

geistlos ['gaɪstlo:s] adj dull, insipid, stupid

geistreich ['gaɪstraɪç] adj bright, witty, intelligent, clever

Geiz [gaɪts] *m* stinginess, meanness

Geizhals ['gaɪtshals] *m* skinflint, miser

geizig ['gaɪtsɪç] *adj* stingy, tight-fisted

Gejammer [gə'jamər] *n* wailing, moaning and groaning

Gekicher [gə'kɪçər] *n* giggling, sniggering

gekünstelt [gə'kynstəlt] *adj* artificial; ~e Sprache affected way of speaking

Gel [ge:l] *n* gel

Gelächter [gə'lɛçtər] *n* laughter

Gelage [gə'la:gə] *n* 1. feast; 2. (Saufgelage) drinking bout

gelähmt [gə'lɛ:mt] *adj* MED paralyzed

Gelähmte(r) [gə'lɛ:mtə(r)] *m/f* paralytic

Gelände [gə'lɛndə] *n* 1. grounds; 2. (Landschaft) terrain

Geländer [gə'lɛndər] *n* railing, bannisters

gelangen [gə'laŋən] *v* zu etw ~ arrive at, reach, come to

gelangweilt [gə'laŋvaɪlt] *adj* bored

gelassen [gə'lasən] *adj* relaxed, composed, calm

Gelassenheit [gə'lasənhaɪt] *f* collectedness, composure, calmness

Gelatine [ʒela'ti:nə] *f* GAST gelatine

geläufig [gə'lɔyfɪç] *adj* common, current, usual, familiar

Geläufigkeit [gə'lɔyfɪçkaɪt] *f* familiarity, common use

gelaunt [gə'launt] *adj* schlecht ~ in a bad mood; gut ~ in a good mood

geläutert [gə'lɔytərt] *adj* (fig) enlightened, purified

gelb [gɛlp] *adj* yellow

gelblich ['gɛlplɪç] *adj* yellowish

Gelbsucht ['gɛlpzuxt] *f* MED jaundice

Geld [gɛlt] *n* money; ~ wie Heu haben have pots of money; das ~ unter die Leute bringen go on a spending spree; etw zu ~ machen make money out of sth; Das geht ganz schön ins ~. It all adds up. nicht mit ~ zu bezahlen sein to be priceless; in ~ schwimmen to be rolling in money; sich für ~ sehen lassen können to be a true original; Ihm rinnt das ~ durch die Finger. A fool and his money are soon parted. ~ stinkt nicht. Money is money.

Geldanlage ['gɛltanla:gə] *f* investment

Geldautomat ['gɛltautoma:t] *m* cash dispenser, automatic teller machine (US)

Geldbeutel ['gɛltbɔytəl] *m* purse

Geldbuße ['gɛltbu:sə] *f* fine

Geldschein ['gɛltʃaɪn] *m* bank note, bill (US)

Geldstück ['gɛltʃtyk] *n* coin

Geldverschwendung ['gɛltferʃvɛnduŋ] *f* waste of money

Geldwäsche ['gɛltvɛʃə] *f* money-laundering

Gelee [ʒe'le:] *n* jelly

gelegen [gə'le:gən] *adj* 1. (liegend) situated, located; 2. (fig) ~ kommen to be convenient, to be opportune, to be suitable

Gelegenheit [gə'le:gənhaɪt] *f* 1. (gute ~) opportunity, chance; die ~ beim Schopfe packen take the bull by the horns; 2. (Anlass) occasion

gelegentlich [gə'le:gəntlɪç] *adj* 1. occasional; adv 2. occasionally, once in a while, now and then

Gelehrsamkeit [gə'le:rzamkaɪt] *f* learning, erudition, scholarship

gelehrt [gə'le:rt] *adj* learned

Gelehrte(r) [gə'le:rtə(r)] *m/f* scholar, man/woman of learning

geleiten [gə'laɪtən] *v* escort, accompany

Geleitschutz [gə'laɪtʃuts] *m* 1. escort; 2. NAUT convoy

Gelenk [gə'lɛŋk] *n* 1. ANAT joint; 2. TECH joint, link, articulation

gelenkig [gə'lɛŋkɪç] *adj* supple, flexible, pliable

Geliebte(r) [gə'li:ptə(r)] *m/f* lover

gelingen [gə'lɪŋən] *v irr* succeed; Es gelang mir nicht, zu ... I wasn't able to ...

geloben [gə'lo:bən] *v* promise, vow

Gelöbnis [gə'lø:bnɪs] *n* vow; ein ~ ablegen take a vow

gelockt [gə'lɔkt] *adj* curly

gelten ['gɛltən] *v irr* 1. (gültig sein) to be valid; 2. ~ als count as, to be considered; 3. (Gesetz) to be in force, to be effective, apply

Geltung ['gɛltuŋ] *f* 1. (Gültigkeit) validity; 2. (Ansehen) standing, worth, status; jdm ~ verschaffen help s.o. gain recognition; etw zur ~ bringen show off sth to its best advantage; zur ~ kommen gain recognition

Gelübde [gə'lypdə] *n* REL vow, pledge

gelungen [gə'luŋən] *adj* successful

Gelüste [gə'lystə] *pl* craving, longing, desire

gemächlich [gə'mɛ:çlɪç] *adj* leisurely, slow, unhurried

Gemahl/Gemahlin [gə'ma:l/gə'ma:lɪn] *m/f* husband/wife, spouse

Gemälde [gə'mɛ:ldə] *n* painting, picture

gemäß [gə'mɛ:s] *prep* according to, in accordance with

gemäßigt [gə'mɛ:sɪçt] *adj* moderate

Gemäuer [gə'mɔyər] *n* walls

gemein [gə'maɪn] *adj 1. (böse)* mean, nasty, base; *2. (gewöhnlich)* common, ordinary

Gemeinde [gə'maɪndə] *f 1. (Gemeinschaft)* community; *2. POL* local authority, municipality

Gemeinderat [gə'maɪndəra:t] *m POL* local council

Gemeingut [gə'maɪngu:t] *n* common property

Gemeinheit [gə'maɪnhaɪt] *f 1.* meanness; *2. eine ~* a mean thing

Gemeinkosten [gə'maɪnkɔstən] *pl ECO* overhead (expenses)

gemeinnützig [gə'maɪnnʏtsɪç] *adj* charitable

gemeinsam [gə'maɪnza:m] *adj 1.* common, mutual, joint; *adv 2.* together, jointly

Gemeinsamkeit [gə'maɪnza:mkaɪt] *f* mutuality, common ground, things in common

Gemeinschaft [gə'maɪnʃaft] *f 1.* community, association; *2. POL* union; *3. ~ Unabhängiger Staaten* Commonwealth of Independent States

Gemeinwesen [gə'maɪnve:zən] *n* community

Gemeinwohl [gə'maɪnvo:l] *n* common welfare, public interest

Gemetzel [gə'mɛtsəl] *n* butchery, massacre, slaughter

gemischt [gə'mɪʃt] *adj* mixed; *mit ~en Gefühlen* with mixed feelings

Gemurmel [gə'mʊrməl] *n* murmuring

Gemüse [gə'my:zə] *n* vegetable; *junges ~ (fig)* youngsters, small fry

gemustert [gə'mustərt] *adj* patterned

Gemüt [gə'my:t] *n* nature, disposition, temperament; *sich etw zu ~e führen* indulge in sth; *jdm aufs ~ schlagen* get s.o. down; *etw fürs ~ sth* for the soul; *jds ~ bewegen* stir s.o.'s emotions/heart

gemütlich [gə'my:tlɪç] *adj 1. (zwanglos)* informal, relaxed; *2. (freundlich)* friendly; *3. (Zimmer)* comfortable, cosy

Gemütlichkeit [gə'my:tlɪçkaɪt] *f 1.* cosiness, snugness; *2. (Person)* sociability, good nature

Gen [ge:n] *n BIO* gene

genau [gə'nau] *adj 1.* exact, precise, accurate; *2. (sorgfältig)* careful; *interj 3.* Exactly!

Genauigkeit [gə'nauɪçkaɪt] *f* accuracy, precision, exactness

genauso [gə'nauzo:] *adv 1.* just the same as; *2. (vor Adjektiv)* just as; *~ ... wie* just as ... as; *3. Mir geht es ~.* It's the same way for me.

genehmigen [gə'ne:mɪgən] *v* approve, authorize, grant; *sich einen ~* have one for the road (fam)

Genehmigung [gə'ne:mɪguŋ] *f 1.* approval, authorization, permission; *2. (Schein)* permit

geneigt [gə'naɪgt] *adj* willing; *~er Leser!* Gentle reader! *ein ~es Ohr* a willing ear; *zu etw ~ sein* to be inclined to do sth

General [genə'ra:l] *m MIL* general

generalisieren [genərali'zi:rən] *v* generalize

Generalprobe [genə'ra:lpro:bə] *f* dress rehearsal

Generation [genəra'tsjo:n] *f* generation

Generator [genə'ra:tɔr] *m TECH* generator

generell [genə'rɛl] *adj* general

genesen [gə'ne:zən] *v irr 1.* recover; *2. (gebären) eines Kindes ~* give birth to a child

Genesung [gə'ne:zuŋ] *f* recuperation, recovery, convalescence; *eine baldige ~* a speedy recovery

Genetik [ge'ne:tɪk] *f BIO* genetics

Genforschung ['ge:nfɔrʃuŋ] *f* genetic research

genial [gen'ja:l] *adj* brilliant, ingenious

Genick [gə'nɪk] *n* neck, nape of the neck; *sich das ~ brechen* break one's neck

Genie [ʒe'ni:] *n* genius

genieren [ʒe'ni:rən] *v sich ~* to be embarrassed, to be shy

genießbar [gə'ni:sba:r] *adj 1.* edible; *2. (fig)* enjoyable

Genießbarkeit [gə'ni:sba:rkaɪt] *f* edibility

genießen [gə'ni:sən] *v irr 1.* enjoy; *2. (fig: etw erhalten)* enjoy, have the benefit of; *3. (trinken)* drink; *4. (essen)* eat

Genießer [gə'ni:sər] *m* epicure, gourmet, connoisseur

Genitalien [geni'ta:ljən] *pl ANAT* genitals

Genitiv ['ge:nitif] *m GRAMM* genitive

Genosse [gə'nɔsə] *m* comrade

Genossenschaft [gə'nɔsənʃaft] *f* cooperative

Genre ['ʒãrə] *n* genre

Gentechnologie ['gɛntɛçnologi:] *f* genetic engineering

genug [gə'nu:k] *adv* enough, sufficient, sufficiently; *Ich habe ~ davon.* I've had it with that. *gut ~* good enough

genügen [gə'ny:gən] *v* suffice, to be sufficient, to be enough; *Das wird ~.* That will do. *Anruf genügt.* A phone call will suffice.

genügsam [gə'ny:kza:m] *adj* modest, undemanding, frugal

Genugtuung [gə'nu:ktu:uŋ] f satisfaction, gratification

genuin [genu'i:n] adj genuine

Genus ['ge:nus] n 1. genus; 2. GRAMM gender

Genuss [gə'nus] m 1. (von Nahrung) consumption; 2. (Freude) enjoyment, delight, pleasure; in den ~ von etw kommen enjoy sth

Genussmittel [gə'nusmɪtəl] n semi-luxury item (alcohol, coffee, tea, tobacco)

Geografie [geogra'fi:] f geography

Geologie [geolo'gi:] f geology

Geometrie [geome'tri:] f geometry

Gepäck [gə'pɛk] n luggage, baggage (US)

Gepäckträger [gə'pɛktrɛ:gər] m (Person) porter

Gepard [ge'part] m ZOOL cheetah

gepflegt [gə'pfle:kt] adj 1. (Person) well-groomed; 2. (Sache) well-looked-after, cared-for; 3. (fig: Sprache) cultivated

Gepflogenheit [gə'pflo:gənhaɪt] f custom, practice, habit

Geplapper [gə'plapər] n chattering, babbling

Gepolter [gə'pɔltər] n din, racket, thudding

gerade [gə'ra:də] adj 1. straight; 2. (Zahl) even; 3. (fig: aufrichtig) honest; adv 4. (genau) just, exactly, precisely; ~ gegenüber directly opposite; Es war nicht ~ ein Riesenerfolg. It was not exactly a huge success. 5. (eben) just; Er wollte ~ gehen. He was just about to leave. 6. (knapp) just; ~ noch zur rechten Zeit just in time

geradeaus [gəra:də'aus] adv straight ahead, straight on

geradeheraus [gəra:dəhe'raus] adv frankly

geradeso [gə'ra:dəzo:] adv just like that

geradewegs [gə'ra:dəve:ks] adv directly, straight

geradezu [gə'ra:dətsu:] adv perfectly, simply, downright; das ist ~ Wahnsinn that's sheer madness

geradlinig [gə'ra:tli:nɪç] adj (fig) straightforward, honest, frank

Geranie [gə'ra:njə] f BOT geranium

Geraschel [gə'raʃəl] n rustling

Gerassel [gə'rasəl] n rattling, rattle

Gerät [gə'rɛ:t] n 1. piece of equipment, device, appliance; 2. (Werkzeug) tool, utensil

geraten¹ [gə'ra:tən] v irr 1. (ausfallen) turn out; 2. (sich entwickeln) thrive; 3. (zufällig gelangen) get, come; an den Richtigen ~ come

to the right person; in Schulden ~ fall into debt; 4.(stoßen auf) come across, happen upon; in jds Hände ~ fall into s.o.'s hands; in Angst ~ get scared; in Gefangenschaft ~ be taken prisoner; in eine Falle ~ fall into a trap; in Brand ~ catch fire; take after s.o.

geraten² [gə'ra:tən] adj advisable

Geräteturnen [gə'rɛ:təturnən] n SPORT gymnastics

geräumig [gə'rɔymɪç] adj spacious, roomy, large

Geräusch [gə'rɔyʃ] n sound, noise; mit einem dumpfen ~ with a dull thud

geräuschlos [gə'rɔyʃlo:s] adj noiseless, soundless, quiet; ~ öffnete sie die Tür without a sound she opened the door

geräuschvoll [gə'rɔyʃfɔl] adj noisy, loud

gerben ['gɛrbən] v tan

gerecht [gə'rɛçt] adj 1. fair, just; 2. (unparteiisch) impartial, unbiased

gerechtfertigt [gə'rɛçtfɛrtɪçt] adj justifiable, justified, warranted

Gerechtigkeit [gə'rɛçtɪçkaɪt] f justice; einer Sache ~ widerfahren lassen do justice to sth

Gerede [gə're:də] n 1. talk; 2. (Gerücht) rumour, hearsay; 3. (Klatsch) gossip; jdn ins ~ bringen spread rumours about s.o.; ins ~ kommen get o.s. talked about

Gericht [gə'rɪçt] n 1. JUR court, court of justice, court of law; vor ~ bringen bring to trial; vor ~ stehen stand trial; mit jdm ins ~ gehen (fig) judge s.o. harshly; 2. GAST dish

gerichtlich [gə'rɪçtlɪç] adj 1. JUR legal, judicial; adv 2. JUR legally, judicially; gegen jdn ~ vorgehen take legal action against s.o.

Gerichtsvollzieher [gə'rɪçtsfɔltsi:ər] m JUR bailiff

geriffelt [gə'rɪfəlt] adj grooved

gering [gə'rɪŋ] adj 1. (wenig) little, small, slight; nicht im ~sten not in the least; die ~ste Möglichkeit the slightest chance; 2. (niedrig) low, inferior; kein Geringerer als none other than; 3. (kurz) brief, short

geringelt [gə'rɪŋəlt] adj ringed

geringfügig [gə'rɪŋfy:gɪç] adj 1. slight, negligible, petty; adv 2. slightly

Geringfügigkeit [gə'rɪŋfy:gɪçkaɪt] f smallness, insignificance, slightness; triviality; ein Verfahren wegen ~ einstellen dismiss a case because of the trifling nature of the offence

geringhalten [gə'rɪŋhaltən] v irr keep down

geringschätzig [gə'rɪŋʃɛtsɪç] adj contemptuous

Geringschätzung [gə'rɪŋʃɛtsuŋ] *f* contempt, disdain, low regard

gerinnen [gə'rɪnən] *v irr 1. (Blut)* coagulate, clot; *2. (Milch)* curdle

Gerippe [gə'rɪpə] *n ANAT* skeleton

gerissen [gə'rɪsən] *adj* sly, crafty, cunning

Germanistik [gɛrma'nɪstɪk] *f* German Studies; *Professor der ~* professor of German Studies

gern [gɛrn] *adv* gladly, with pleasure, happily; *jdn sehr ~ haben* to hold s.o. dear; *etw ~ tun* like doing sth; *Ich hätte ~ Herrn Andrews gesprochen.* I would like to speak to Mr. Andrews.

geröstet [gə'rœstət] *adj GAST* roasted

Gerste ['gɛrstə] *f BOT* barley

Gerte ['gɛrtə] *f 1.* switch; *2. (Reitgerte)* riding crop

Geruch [gə'rux] *m 1.* smell; *2. (angenehmer ~)* fragrance, scent; *3. (übler ~)* odour, stench; *4. (Mundgeruch)* bad breath; *5. (Körpergeruch)* body odour

Geruchssinn [gə'ruxszɪn] *m* sense of smell

Gerücht [gə'rʏçt] *n* rumour

gerührt [gə'rʏ:rt] *adj (fig)* moved, touched

Gerümpel [gə'rʏmpəl] *n* junk

Gerüst [gə'rʏst] *n 1. (Baugerüst)* scaffolding; *2. (fig)* frame, framework, skeleton

gesamt [gə'zamt] *adj* entire, total, whole

Gesamtheit [gə'zamthaɪt] *f* entirety, totality

Gesandte(r)/Gesandtin [gə'zantə(r)/gə-'zantɪn] *m/f POL* envoy

Gesandtschaft [gə'zantʃaft] *f POL* legation, mission

Gesang [gə'zaŋ] *m 1. (Singen)* singing; *2. (Lied)* song; *(Vogelgesang)* birdsong

Gesäß [gə'zɛ:s] *n* buttocks *pl*

Geschäft [gə'ʃɛft] *n 1.* business; *ein ~ mit etw machen* do very well with sth; *2. (Laden)* shop, store; *3. (Transaktion)* transaction, deal, operation

Geschäftigkeit [gə'ʃɛftɪçkaɪt] *f* bustling

geschäftlich [gə'ʃɛftlɪç] *adj 1.* business, commercial; *~e Angelegenheit* business matter; *adv 2.* on business, commercially

Geschäftsleitung [gə'ʃɛftslaɪtuŋ] *f ECO* management

Geschäftsreise [gə'ʃɛftsraɪzə] *f* business trip

Geschäftsschluss [gə'ʃɛftsʃlus] *m* closing time

Geschäftsstelle [gə'ʃɛftsʃtɛlə] *f 1.* office; *2. (Filiale)* branch office

geschäftstüchtig [gə'ʃɛftstʏçtɪç] *adj* smart, efficient, diligent

geschehen [gə'ʃe:ən] *v irr* happen, occur, take place; *Gern ~!* My pleasure! *Das geschieht dir recht.* It serves you right. *Um ihn ist es ~.* He's had it.

Geschehnis [gə'ʃe:nɪs] *n* event, occurrence

gescheit [gə'ʃaɪt] *adj 1. (klug, intelligent)* clever, smart, bright; *Du bist wohl nicht recht ~!* You must be out of your mind! *2. (ordentlich)* decent, proper, good

Geschenk [gə'ʃɛŋk] *n* gift, present; *ein ~ des Himmels* a godsend

Geschenkpapier [gə'ʃɛŋkpapi:r] *n* giftwrapping paper

Geschichte [gə'ʃɪçtə] *f 1. (Vergangenheit)* history; *~ machen* make history; *2. (Erzählung)* story, tale; *3. (Angelegenheit)* matter, business

geschichtlich [gə'ʃɪçtlɪç] *adj 1.* historical; *2. (~ bedeutsam)* historic

Geschick [gə'ʃɪk] *n (Schicksal)* destiny, fate, fortune

Geschicklichkeit [gə'ʃɪklɪçkaɪt] *f* dexterity, skill, cleverness

geschickt [gə'ʃɪkt] *adj* clever, skilful, adept, practical

Geschirr [gə'ʃɪr] *n 1. (Küchengeschirr)* kitchen utensils *pl*; *2. (Tafelgeschirr)* dishes *pl*; *3. sich ins ~ legen* pull out all the stops

Geschirrspülmaschine [gə'ʃɪrʃpy:lma-ʃi:nə] *f* dishwasher

Geschlecht [gə'ʃlɛçt] *n 1. (weiblich/männlich)* sex; *2. LING* gender; *3. (Adelsgeschlecht)* lineage, ancestry, descent; *4. (Gattung)* race

geschlechtlich [gə'ʃlɛçtlɪç] *adj* sexual

Geschlechtskrankheit [gə'ʃlɛçtskraŋk-haɪt] *f MED* venereal disease

Geschlechtsorgan [gə'ʃlɛçtsɔrga:n] *n ANAT* sexual organ, reproductive organ

Geschlechtsumwandlung [gə'ʃlɛçts-umvandluŋ] *f* sex change

Geschlechtsverkehr [gə'ʃlɛçtsferke:r] *m* sexual intercourse

Geschlossenheit [gə'ʃlɔsənhaɪt] *f 1. (~ Form)* compactness; *2. (Einheit)* unity

Geschmack [gə'ʃmak] *m 1. (Speisen)* taste, flavour; *2. (Sinn für Schönes)* taste *auf den ~ von etw kommen* acquire a taste for sth

geschmacklos [gə'ʃmaklo:s] *adj 1. (fade)* dull, insipid; *2. (fig: hässlich)* tasteless, unbecoming; *3. (fig: taktlos)* in bad taste, tactless

Geschmacklosigkeit [gə'ʃmaklo:zɪçkaɪt] *f 1.* tastelessness; *2. (fig: Taktlosigkeit)* bad taste, crudeness

Geschmackssinn [gə'ʃmakszɪn] m sense of taste

geschmackvoll [gə'ʃmakfɔl] adj (fig) tasteful, elegant, smart

geschmeidig [gə'ʃmaɪdɪç] adj 1. lithe, supple; 2. (elastisch) pliant; 3. (glatt) smooth; 4. (gewandt) adroit

Geschöpf [gə'ʃœpf] n creature

Geschoss [gə'ʃɔs] n 1. (Stockwerk) storey, story (US), floor; 2. (Projektil) projectile; (Kugel) bullet; (Rakete) missile

Geschrei [gə'ʃraɪ] n shouting, yelling, screaming

Geschwätz [gə'ʃvɛts] n chatter, idle talk, prattle

geschweige [gə'ʃvaɪgə] konj ~ denn not to mention, to say nothing of

Geschwindigkeit [gə'ʃvɪndɪçkaɪt] f 1. speed, quickness; 2. PHYS velocity

Geschwister [gə'ʃvɪstər] pl siblings, brothers and sisters

Geschworene(r) [gə'ʃvoːrənə(r)] m/f JUR juror

Geschwulst [gə'ʃvʊlst] f 1. swelling; 2. (Tumor) tumour, tumor (US)

Geschwür [gə'ʃvyːr] n MED ulcer, abscess, boil

Geselle/Gesellin [gə'zɛlə/gə'zɛlɪn] m/f journeyman/journeywoman

gesellig [gə'zɛlɪç] adj 1. (Person) sociable, convivial, social; 2. ~es Beisammensein social gathering

Gesellschaft [gə'zɛlʃaft] f 1. society; 2. (Begleitung) company, companionship; jdm ~ leisten keep s.o. company; sich in guter ~ befinden to be in good company; 3. ECO company; ~ mit beschränkter Haftung private limited liability company, corporation (US)

gesellschaftlich [gə'zɛlʃaftlɪç] adj social

Gesetz [gə'zɛts] n law

Gesetzentwurf [gə'zɛtsɛntvurf] m POL bill

Gesetzesänderung [gə'zɛtsəsɛndəruŋ] f POL amendment

Gesetzesbrecher [gə'zɛtsəsbrɛçər] m lawbreaker

Gesetzgebung [gə'zɛtsgeːbuŋ] f POL legislation

gesetzlich [gə'zɛtslɪç] adj 1. legal, statutory; adv 2. legally

gesetzt [gə'zɛtst] adj 1. (ruhig) steady, settled; prep 2. ~ den Fall ... assuming ...

gesetzwidrig [gə'zɛtsviːdrɪç] adj unlawful, illegal, contrary to law

Gesicht [gə'zɪçt] n face; sein ~ wahren save face; den Tatsachen ins ~ sehen face facts; jdm nicht ins ~ sehen können not be able to look s.o. in the eye; das ~ verlieren lose face; jdm ins ~ springen go for sth; sein wahres ~ zeigen show one's true colours; jdm im ~ geschrieben stehen to be written all over s.o.'s face; jdm etw ins ~ sagen say sth to s.o.'s face; ein langes ~ machen pull a long face; jdm wie aus dem ~ geschnitten sein to be the spitting image of s.o.

Gesichtsfarbe [gə'zɪçtsfarbə] f complexion

Gesichtspunkt [gə'zɪçtspuŋkt] m aspect, point of view

Gesichtszüge [gə'zɪçtstsyːgə] pl features

Gesindel [gə'zɪndəl] n riff-raff, rabble

Gesinnung [gə'zɪnuŋ] f attitude

gesittet [gə'zɪtət] adj 1. (Person) well-behaved, polite, courteous; 2. (zivilisiert) civilized

Gespenst [gə'ʃpɛnst] n ghost, phantom; ~ sehen imagine things

Gespött [gə'ʃpœt] n jeering, mockery, derision; jdn zum ~ machen make s.o. a laughing-stock; zum ~ werden become a laughing-stock

Gespräch [gə'ʃprɛːç] n conversation, talk, discussion; im ~ sein to be under discussion; mit jdm im ~ bleiben keep in touch with s.o.

gesprächig [gə'ʃprɛːçɪç] adj talkative, communicative

Gespür [gə'ʃpyːr] n sense, feeling

Gestalt [gə'ʃtalt] f 1. (Figur) shape, figure; 2. (Aussehen) appearance, shape; 3. (Körperbau) stature; 4. (fig) in ~ in the shape of

gestalten [gə'ʃtaltən] v 1. (formen) shape, mould, model; 2. (verwirklichen) create; 3. (einrichten) fashion, furnish, design

gestalterisch [gə'ʃtaltərɪʃ] adj creative

Gestaltung [gə'ʃtaltuŋ] f 1. (Formgebung) forming, moulding, shaping; 2. (Verwirklichung) creation, dramatization, arrangement; 3. (Einrichtung) fashioning, designing

Gestammel [gə'ʃtaməl] n stammering

Geständnis [gə'ʃtɛntnɪs] n confession

Gestank [gə'ʃtaŋk] m stench, stink

gestatten [gə'ʃtatən] v allow, permit

Geste ['gɛstə] f gesture

gestehen [gə'ʃteːən] v irr admit, confess

Gestein [gə'ʃtaɪn] n MIN rock

Gestell [gə'ʃtɛl] n 1. stand; 2. (Rahmen) frame

gestern ['gɛstərn] adv yesterday; Sie ist nicht von ~. She wasn't born yesterday.

Gestik ['gɛstɪk] f gestures

Gestirn [gə'ʃtɪrn] n ASTR star, constellation

gestreift [gə'ʃtraɪft] adj striped

Gestrüpp [gə'ʃtrʏp] n 1. BOT undergrowth; 2. (fig) jungle

Gestüt [gə'ʃtyːt] n stud farm

Gesuch [gə'zuːx] n application, petition, request

gesund [gə'zunt] adj 1. (Person) healthy; 2. (geistig) sane; 3. (Nahrungsmittel) healthy, wholesome, nutritious

gesunden [gə'zundən] v recover, get well

Gesundheit [gə'zunthaɪt] f health; ~! Bless you!

gesundheitsschädlich [gə'zunthaɪts-ʃɛːdlɪç] adj detrimental to one's health

Getöse [gə'tøːzə] n din, racket, row

Getränk [gə'trɛŋk] n drink, beverage

getrauen [gə'trauən] v sich ~ dare, venture

Getreide [gə'traɪdə] n AGR grain, cereals pl, corn (UK)

Getriebe [gə'triːbə] n 1. TECH gear, transmission, gearing; 2. (fig) hustle and bustle

Getue [gə'tuːə] n 1. ado, fuss, to-do; 2. (umständliches Gehaben) affectation

Getümmel [gə'tʏməl] n (fam) turmoil, tumult; sich ins ~ stürzen plunge into the tumult

Gewächshaus [gə'vɛkshaus] n greenhouse, hothouse

Gewähr [gə'vɛːr] f guarantee, security, warranty; ~ leisten guarantee, warrant, ensure; ohne ~ no liability assumed

gewähren [gə'vɛːrən] v grant, allow, concede; Vorteil ~ offer an advantage; jdn ~ lassen let s.o. do as he/she like

Gewahrsam [gə'vaːrzaːm] m custody, safekeeping, care; jdn in ~ nehmen take s.o. into custody

Gewährsmann [gə'vɛːrsman] m source

Gewalt [gə'valt] f 1. violence, force; mit aller ~ with all one's might; 2. (Macht) command, control, power; höhere ~ force majeure; sich in der ~ haben have o.s. under control

gewaltig [gə'valtɪç] adj 1. mighty, powerful; 2. (riesig) vast; 3. (heftig) vehement, violent; adv 4. immensely, tremendously

gewaltsam [gə'valtzaːm] adj 1. forceful, forcible; adv 2. forcefully, with violence, forcibly

gewalttätig [gə'valttɛːtɪç] adj violent

Gewand [gə'vant] n 1. gown; 2. (fig: äußere Erscheinung) look

gewandt [gə'vant] adj 1. skilful, skillful (US); ~ sein in to be good at; 2. (flink) agile, deft, nimble; 3. (wendig) versatile

Gewandtheit [gə'vanthaɪt] f 1. skill; 2. (des Ausdrucks) elegance

Gewässer [gə'vɛsər] n waters

Gewebe [gə've:bə] n 1. (Stoff) fabric, texture; 2. BIO tissue

Gewehr [gə've:r] n rifle; ~ bei Fuß stehen (fig) to be at the ready

Geweih [gə'vaɪ] n antlers, horns

Gewerbe [gə'vɛrbə] n 1. ECO trade, business, industry; 2. (Handwerk) craft

Gewerbegebiet [gə'vɛrbəgəbiːt] n ECO industrial area

Gewerkschaft [gə'vɛrkʃaft] f trade union, union

Gewicht [gə'vɪçt] n 1. weight; an ~ zunehmen gain weight; 2. (fig: Wichtigkeit) importance, significance; ins ~ fallen to be crucial; auf etw ~ legen attach importance to sth

gewichten [gə'vɪçtən] v etw stärker ~ emphasize sth more, put more emphasis on sth

Gewinde [gə'vɪndə] n (Schraubengewinde) TECH thread

Gewinn [gə'vɪn] m 1. (Spiel) prize, winnings; 2. ECO profit, earnings; 3. (fig: Nutzen) advantage, benefit, gain; wie gewonnen, so zerronnen easy come easy go; ~ bringend profitable, lucrative, gainful

gewinnen [gə'vɪnən] v irr 1. (siegen) win; 2. (verdienen) gain, make a profit; 3. (fig: profitieren) gain, benefit; die Oberhand ~ gain the upper hand; 4. (fördern) MIN mine, extract, derive

Gewinner(in) [gə'vɪnər(ɪn)] m/f winner

gewiss [gə'vɪs] adj 1. certain; adv 2. certainly

Gewissen [gə'vɪsən] n conscience; jdm ins ~ reden appeal to s.o.'s conscience; ein gutes ~ a clear conscience; etw auf dem ~ haben have sth on one's conscience; jdn auf dem ~ haben have s.o. on one's conscience

gewissenhaft [gə'vɪsənhaft] adj conscientious, scrupulous

gewissenlos [gə'vɪsənloːs] adj 1. unscrupulous; 2. (verantwortungslos) reckless, irresponsible

Gewissensbisse [gə'vɪsənsbɪsə] pl qualms, remorse

gewissermaßen [gə'vɪsərmaːsən] adv 1. (in gewissem Maße) to a certain extent; 2. (sozusagen) so to speak, as it were

Gewissheit [gə'vɪshaɪt] f certainty

Gewitter [gə'vɪtər] n thunderstorm

gewöhnen [gə'vøːnən] v sich ~ an get used to, accustom o.s. to, get into the habit of

Gewohnheit [gə'voːnhaɪt] f habit, custom, practice

gewohnheitsmäßig [gə'voːnhaɪtsmɛsɪç] adj 1. habitual; adv 2. habitually, by force of habit

gewöhnlich [gə'vøːnlɪç] adj 1. (gebräuchlich) customary, habitual; 2. (normal) usual, ordinary; 3. (unfein) common, vulgar; adv 4. (üblicherweise) normally, usually

gewohnt [gə'voːnt] adj 1. usual; 2. etw ~ sein to be used to sth, to be accustomed to sth

Gewölbe [gə'vœlbə] n vault, dome

Gewühl [gə'vyːl] n (Gedränge) crowd, throng

Gewürze [gə'vyrtsə] pl spices, seasoning

Geysir [gaɪ'ziːr] m GEO geyser

Gezappel [gə'tsapəl] n (fam) fidgeting

Gezeiten [gə'tsaɪtən] pl tides

Gezwitscher [gə'tsvɪtʃər] n chirping, twittering

gezwungenermaßen [gə'tsvʊŋənərmaːsən] adv of necessity

Getto ['gɛto] n ghetto

Gibbon ['gɪbən] m ZOOL gibbon

Gicht [gɪçt] f MED gout

Giebel ['giːbəl] m gable

Gier [giːr] f greed

gierig ['giːrɪç] adj greedy

gießen ['giːsən] v irr 1. (einschenken) pour; 2. (Blumen) water; 3. in Strömen ~ to be raining cats and dogs (fam); 4. (schmelzen) (Statue oder Glocke) TECH found

Gießkanne ['giːskanə] f watering can

Gift [gɪft] n 1. poison; ~ für jdn sein to be very bad for s.o. ~ und Galle spucken breathe fire and brimstone; Darauf kannst du ~ nehmen. You can bet your life on that. 2. (Schlangengift) venom

giftig ['gɪftɪç] adj poisonous, toxic

Giftstoffe ['gɪftʃtɔfə] pl toxins

gigantisch [gɪ'gantɪʃ] adj gigantic

Gin [dʒɪn] m GAST gin

Gipfel ['gɪpfəl] m 1. GEOL summit, peak, top; 2. POL summit; 3. (fig: Höhepunkt) peak, climax, apex; Das ist der ~! That's the limit!

gipfeln ['gɪpfəln] v in etw ~ culminate in sth

Gipfeltreffen ['gɪpfəltrɛfən] n summit, summit meeting

Gips [gɪps] m 1. MED plaster; 2. (~verband) cast; 3. MIN gypsum

Giraffe [gi'rafə] f ZOOL giraffe

Girlande [gɪr'landə] f garland, festoon

Gitarre [gi'tarə] f MUS guitar

Gitter ['gɪtər] n 1. (Zaun) fence; 2. (Eisengitter) bars; hinter ~n sitzen to be behind bars; jdn hin-

ter ~ bringen put s.o. behind bars; 3. (Gatterwerk) trellis

Gladiator [gla'djaːtɔr] m HIST gladiator

Glanz [glants] m shine, lustre; mit ~ und Gloria in grand style

glänzen ['glɛntsən] v shine, gleam

glänzend ['glɛntsənt] adj 1. shining, gleaming, shiny; 2. (fig) brilliant, dazzling

Glas [glaːs] n 1. (Material) glass; 2. (Trinkglas) glass; ein ~ Wasser a glass of water; zu tief ins ~ schauen have a few too many, have one over the eight (UK), ein ~ über den Durst trinken have one too many, have one over the eight (UK)

glasieren [gla'ziːrən] v 1. glaze; 2. GAST glaze, ice

glasig ['glaːzɪç] adj glassy, glazed

Glasur [gla'zuːr] f 1. TECH glaze, enamel; 2. GAST icing, frosting

glatt [glat] adj 1. (faltenlos) straight, unruffled, smooth; 2. (rutschig) slippery; 3. (fig: mühelos) smooth, straightforward, easy; 4. (fig: heuchlerisch) slick, slippery, glib; 5. (fig: eindeutig) straightforward, clear, outright; ~ streichen smouth out

Glätte ['glɛtə] f 1. (Schneeglätte) slipperiness; 2. (Ebenheit) smoothness

Glatteis ['glataɪs] n black ice; jdn aufs ~ führen lead s.o. up the garden path

glätten ['glɛtən] v 1. (glattmachen) smooth out; 2. (fig: beruhigen) sort out (quarrel), calm

Glatze ['glatsə] f bald head

glatzköpfig ['glatskœpfɪç] adj bald

Glaube ['glaʊbə] m REL belief, faith, creed; in gutem ~n in good faith

glauben ['glaʊbən] v 1. believe; Das glaube ich dir nicht. I don't believe you. jdn etw ~ machen make s.o. believe sth; Das ist doch nicht zu ~! That's unbelievable; 2. (meinen, annehmen) think

glaubhaft ['glaʊphaft] adj credible, plausible, believable

gläubig ['glɔʏbɪç] adj REL believing, religious

Gläubige(r) ['glɔʏbɪgə(r)] m/f REL believer

Gläubiger ['glɔʏbɪgər] m ECO creditor

glaubwürdig ['glaʊpvyrdɪç] adj credible, plausible

Glaubwürdigkeit ['glaʊpvyrdɪçkaɪt] f credibility, plausibility

gleich [glaɪç] adj 1. equal, the same; aufs ~e hinauslaufen boil down to the same thing; Gleiches mit Gleichem vergelten give tit for tat; zur ~en Zeit at the same time; in ~em

Abstand at an equal distance; *ist mir ganz ~!* it's all the same to me! *adv 2.* equally, alike; *3. (bald)* in a minute, presently; *Wir sind ~ da.* We'll be there in just a moment. *4. (sofort)* immediately, at once, right away

gleichberechtigt ['glaɪçbərɛçtɪçt] *adj* having equal rights

Gleichberechtigung ['glaɪçbərɛçtɪguŋ] *f* equal rights, equality of rights

gleichen ['glaɪçən] *v irr* equal, to be like, resemble

gleichförmig ['glaɪçfœrmɪç] *adj* regular, even

gleichgestellt ['glaɪçgəʃtɛlt] *adj* of equal standing, on the same footing, equal to

Gleichgewicht ['glaɪçgəvɪçt] *n 1.* balance; *jdn aus dem ~ bringen* disconcert s.o., throw s.o. off balance; *das ~ verlieren* lose one's balance *2. MED* equilibrium

gleichgültig ['glaɪçgyltɪç] *adj 1.* indifferent; *2. (unwesentlich)* immaterial, of no consequence

Gleichheit ['glaɪçhaɪt] *f 1.* equality; *2. (Übereinstimmung)* uniformity

gleichmäßig ['glaɪçmɛːsɪç] *adj* even, regular, steady

Gleichmut ['glaɪçmuːt] *m* calmness, indifference

gleichmütig ['glaɪçmyːtɪç] *adj* even-tempered, calm, composed

Gleichnis ['glaɪçnɪs] *n 1.* simile; *2. (Allegorie)* allegory

Gleichstellung ['glaɪçʃtɛluŋ] *f* equality

gleichwertig ['glaɪçveːrtɪç] *adj* equivalent, of equal value, equally good

gleichzeitig ['glaɪçtsaɪtɪç] *adj* simultaneous, concurrent

Gleis [glaɪs] *n 1.* track, rail, line; *2. (fig)* rut; *jdn aus dem ~ werfen* put s.o. off his stroke; *etw ins rechte ~ bringen* set sth to rights

gleiten ['glaɪtən] *v irr* glide

Gleitzeit ['glaɪtsaɪt] *f* flextime

Gletscher ['glɛtʃər] *m* glacier

Gletscherspalte ['glɛtʃərʃpaltə] *f* crevasse

Glied [gliːt] *n 1. (Bestandteil)* division, part, section; *2. (Kettenglied)* link; *3. (Körperteil) ANAT* limb, member; *Der Schreck steckt ihr noch in den ~ern.* She's still shaking from the shock. *jdm in die ~er fahren* go right through s.o. *4. (~teil) ANAT* joint; *5. (männliches ~) ANAT* penis

gliedern ['gliːdərn] *v 1. (aufteilen)* divide; *2. (anordnen)* arrange, put together, structure

glimpflich ['glɪmpflɪç] *adj 1.* gentle, mild

glitzern ['glɪtsərn] *v* glitter, sparkle, glisten

global [glo'baːl] *adj* global

Globus ['gloːbus] *m* globe

Glocke ['glɔkə] *f* bell; *etw an die große ~ hängen* tell the whole world about sth, bandy sth out

Glöckner ['glœknər] *m* bell-ringer

glorifizieren [glorifi'tsiːrən] *v* glorify

Glossar [glɔ'saːr] *n* glossary

Glosse ['glɔsə] *f (Zeitungsglosse)* commentary

Glück [glyk] *n 1.* luck, fortune; *sein ~ versuchen* try one's luck; *Er hat mehr ~ als Verstand.* He's more lucky than smart. *auf gut ~ at* random; *noch nichts von seinem ~ wissen* not know anything about it yet; *2. (Glücklichsein)* happiness

Glucke ['glukə] *f* sitting hen

glücken ['glykən] *v* succeed, work, turn out well

glücklich ['glyklɪç] *adj 1.* fortunate, lucky; *2. ~ sein* to be happy

glücklicherweise [glyklɪçər'vaɪzə] *adv* fortunately, luckily

Glücksbringer ['glyksbrɪŋər] *m (Gegenstand)* good-luck charm, talisman

Glückseligkeit [glyk'zeːlɪçkaɪt] *f* happiness, bliss

Glücksfall ['glyksfal] *m* stroke of luck

Glückspilz ['glykspɪlts] *m* lucky devil, lucky dog

Glücksspiel ['glyksʃpiːl] *n* game of chance

Glückwunsch ['glykvunʃ] *m* congratulations *pl,* felicitations *pl; Herzlichen ~ zum Geburtstag!* Happy Birthday!

Glühbirne ['glyːbɪrnə] *f* light bulb

glühen ['glyːən] *v* glow, to be aglow

Glühwürmchen ['glyːvyrmçən] *n ZOOL* glow-worm

Glut [gluːt] *f 1. (Feuer)* glow, blaze; *2. (Hitze)* glow, heat; *3. (fig)* ardour, fervour

Glyzerin [glytsə'riːn] *n CHEM* glycerine

Gnade ['gnaːdə] *f 1. (Nachsicht)* mercy; *2. REL* grace, mercy; *3. JUR* pardon, clemency; *~ vor Recht ergehen lassen* temper justice with mercy

gnadenlos ['gnaːdənloːs] *adj* merciless

gnädig ['gnɛːdɪç] *adj 1.* merciful, gracious, lenient; *2. (wohlwollend)* kind; *3. ~e Frau* madam, ma'am

Gold [gɔlt] *n* gold; *~ wert sein* to be as good as gold

golden ['gɔldən] *adj* gold

Goldfisch ['gɔltfɪʃ] *m ZOOL* goldfish

Golf¹ [gɔlf] *n SPORT* golf

Golf² [gɔlf] *m GEO* gulf

Gondel ['gɔndəl] *f* gondola

gönnen ['gœnən] *v* 1. *sich etw ~* treat o.s. to sth, permit o.s. sth; 2. *jdm etw ~* grant s.o. sth, not begrudge s.o. sth

Gönner ['gœnər] *m* patron

gönnerhaft ['gœnərhaft] *adj* condescending, patronizing

Gorilla [go'rɪla] *m ZOOL* gorilla

Gosse ['gɔsə] *f* gutter; *in der ~ enden* land in the gutter; *jdn aus der ~ auflesen* pull s.o. out of the gutter

gotisch ['goːtɪʃ] *adj* Gothic

Gott [gɔt] *m* 1. god, deity; *wie ein junger ~* like a young god; *von allen Göttern verlassen sein* have taken leave of one's senses; 2. *(als Name)* God; *den lieben ~ einen frommen Mann sein lassen* take things as they come; *leider ~es* alas; *in ~es Namen!* For God's sake! *bei ~* by God; *~ bewahre!* Heaven forbid! *Gnade dir ~!* God help you! *~ und die Welt* everybody and his brother, everybody under the sun

gottesfürchtig ['gɔtəsfyrçtɪç] *adj* god-fearing

gotteslästerlich ['gɔtəslɛstərlɪç] *adj REL* blasphemous

Gotteslästerung ['gɔtəslɛstəruŋ] *f REL* blasphemy

göttlich ['gœtlɪç] *adj* divine

gottlos ['gɔtloːs] *adj* 1. godless, impious, ungodly; *adv* 2. impiously

Gourmet [gur'meː] *m GAST* gourmet

Gouverneur [guvɛr'nøːr] *m POL* governor

Grab [graːp] *n* grave, *(Gruft)* tomb; *sich sein eigenes ~ schaufeln* dig one's own grave; *jdn ins ~ bringen* to be the death of s.o. *Er hat sein Geheimnis mit ins ~ genommen.* He took his secret to his grave. The secret died with him. *sich im ~ umdrehen (fig)* roll over in one's grave

graben ['graːbən] *v irr* dig

Graben ['graːbən] *m* 1. ditch; 2. *(Burggraben)* moat; 3. *MIL* trench

Grabmal ['graːpmaːl] *n* 1. tomb; 2. *(Grabstein)* gravestone; 3. *(Ehrenmal)* monument

Grabung ['graːbuŋ] *f* excavation

Grad [graːt] *m* 1. degree, extent; *sich um hundertachtzig ~ drehen* do a 180-degree turn; 2. *(Abstufung)* grade, standard, rank; 3. *(Maßeinheit)* degree; *siebzehn ~ Fahrenheit* seventeen degrees Fahrenheit

Graf [graːf] *m* count

Graffiti [gra'fɪti] *pl* graffiti

Gräfin ['grɛːfɪn] *f* countess

Grafschaft ['graːfʃaft] *f* earldom, county

Gram [graːm] *m* grief, sorrow, trouble

grämen ['grɛːmən] *v sich ~* grieve, worry

Gramm [gram] *n* gramme

Grammatik [gra'matɪk] *f* grammar

grandios [grandi'oːs] *adj* 1. grand, magnificent, splendid; *adv* 2. pompously, magnificently

Granit [gra'niːt] *m MIN* granite; *bei jdm auf ~ beißen* to come up against a brick wall with s.o.

Grapefruit ['greɪpfruːt] *f BOT* grapefruit

Grafik ['graːfɪk] *f* graphics

Grafiker ['graːfɪkər] *m* graphic artist

Grafit [gra'fiːt] *m* graphite

Gras [graːs] *n* grass; *ins ~ beißen* bite the dust (fam); *~ über etw wachsen lassen* let the dust settle on sth

grasen ['graːzən] *v* graze

grässlich ['grɛslɪç] *adj* ghastly, frightful, hideous

Grat [graːt] *m* 1. *(Bergkamm)* ridge; 2. *(überstehende Kante)* edge, *(feiner)* burr

Gräte ['grɛːtə] *f* fish-bone

Gratifikation [gratifika'tsjoːn] *f* bonus

gratis ['graːtɪs] *adj* gratis, free (of charge)

Gratulation [gratula'tsjoːn] *f* congratulations *pl*

gratulieren [gratu'liːrən] *v* congratulate; *Du kannst dir ~, dass ...* You can be thankful that ...

grau [grau] *adj* 1. grey; 2. *(düster)* grey, dismal, gloomy

grauen ['grauən] *v (Furcht haben) Mir graut vor ...* I dread ...

Grauen ['grauən] *n* horror

grauenvoll ['grauənfɔl] *adj* ghastly, atrocious, dreadful

Graupe ['graupə] *f* grain of pearl barley

grausam ['grauzaːm] *adj* cruel, brutal

Grausamkeit ['grauzaːmkaɪt] *f* cruelty, brutality

gravieren [gra'viːrən] *v* engrave

gravierend [gra'viːrənt] *adj* serious, grave

Gravitation [gravita'tsjoːn] *f PHYS* gravitation

Gravur [gra'vuːr] *f* engraving

Grazie ['graːtsjə] *f* grace, elegance, gracefulness

graziös [gra'tsjøːs] *adj* graceful

greifbar ['graɪfbaːr] *adj* 1. *in ~er Nähe* within easy reach; 2. *(zur Verfügung)* available; 3. *(fig: konkret)* tangible

greifen ['graɪfən] *v irr* seize, grasp, grab; *zum Greifen nah sein* to be within reach

Greis [graɪs] *m* old man

greisenhaft ['graɪzənhaft] *adj* senile

grell [grɛl] *adj 1.* dazzling; *2. (Stimme)* shrill; *3. (fig)* loud, glaring

Gremium ['greːmjum] *n 1. (Körperschaft)* POL body; *2. (Ausschuss)* committee

Grenze ['grɛntsə] *f 1.* border, frontier; *2. (fig)* limit, boundary, bounds; *keine ~n kennen* know no bounds; *sich in ~n halten* to be limited; *jdm ~n setzen* lay down limits for sb

grenzen ['grɛntsən] *v 1.* border, adjoin; *2. (fig)* border

grenzenlos ['grɛntsənloːs] *adj 1.* boundless, unlimited; *adv 2. (fig)* immensely, beyond measure

Grenzfall ['grɛntsfal] *m* borderline case

Grenzwert ['grɛntsveːrt] *m* limit

Griechenland ['griːçənlant] *n* GEO Greece

griesgrämig ['griːsgrɛːmɪç] *adj (fam)* grouchy, grumpy, sullen

Grieß [griːs] *m 1.* grit, gravel; *2.* GAST semolina

Griff [grɪf] *m 1. (Zugriff)* grab; *einen ~ nach etw machen* reach for sth; *2. (Handbewegung)* motion; *etw im ~ haben* have sth under control; *etw in den ~ bekommen* master sth; *3. (Stiel)* shaft, handle; *(Türgriff)* door handle; *dies ist ein ~ nach den Sternen* that's just reaching for the stars; *mit festem ~* firmly; *mit etw einen glücklichen ~ tun* make a wise choice with sth

griffig ['grɪfɪç] *adj 1. (handlich)* handy; *2. (nicht rutschig)* easy to get a good grip on; *3. (Rad, Maschine)* gripping well

Grill [grɪl] *m* grill

grillen ['grɪlən] *v* grill

Grimasse [grɪ'masə] *f* grimace; *eine ~ schneiden* make a face

grimmig ['grɪmɪç] *adj 1.* grim; *2. (zornig)* furious; *3. (sehr schlimm)* severe, harsh

grinsen ['grɪnzən] *v (fam)* grin, *(höhnisch)* smirk

Grippe ['grɪpə] *f* MED influenza, the flu

grob [groːp] *adj 1. (derb)* crude, coarse; *aus dem Gröbsten heraus sein* to be over the worst; *2. (rau)* rough, coarse; *3. (fig: unhöflich)* rough; *4. (fig: ungefähr)* rough

Groll [grɔl] *m* grudge, bitterness, ill-will

grollen ['grɔlən] *v* grumble, frown, to be sullen

Grönland ['grøːnlant] *n* GEO Greenland

Groschen ['grɔʃən] *m* HIST penny; *Bei ihm fällt der ~ pfennigweise.* He's a little slow on the uptake.

groß [groːs] *adj 1.* big, large, great; *2. (~gewachsen)* tall; *3. (fig: älter)* grown up, older; *unser Größter* our oldest son, our eldest son; *4. (Hitze)* intense; *5. (fig: berühmt)* great

großartig ['groːsaːrtɪç] *adj* excellent, superb, magnificent

Großbritannien [groːsbri'tanjən] *n* GEO Great Britain

Großbuchstabe ['groːsbuːxʃtaːbə] *m* capital letter

Größe ['grøːsə] *f 1.* size; *2.* ASTR magnitude; *3. (fig: Wichtigkeit)* greatness, magnitude, eminence; *4. Er ist eine unbekannte ~.* He's an unknown quantity.

Großeltern ['groːsɛltərn] *pl* grandparents

Größenwahn ['grøːsənvaːn] *m* megalomania, delusions of grandeur

großflächig ['groːsflɛçɪç] *adj* extensive (in area)

Großherzigkeit ['groːshɛrtsɪçkaɪt] *f* generosity

großmütig ['groːsmyːtɪç] *adj* generous

Großmutter ['groːsmutər] *f* grandmother

Großraumbüro ['groːsraumbyroː] *n* ECO open-plan office

größtenteils ['grøːstəntaɪls] *adv* for the most part, mainly, mostly

Großvater ['groːsfaːtər] *m* grandfather

großziehen ['groːstsiːən] *v irr* raise, rear, bring up

großzügig ['groːstsyːgɪç] *adj 1.* generous; *2. (weiträumig)* spacious

Großzügigkeit ['groːstsyːgɪçkaɪt] *f* generosity

grotesk [gro'tɛsk] *adj* grotesque

Grotte ['grɔtə] *f* grotto

Grübchen ['gryːpçən] *n* dimple

Grube ['gruːbə] *f 1.* hole, pit; *2.* MIN pit, mine, quarry

grübeln ['gryːbəln] *v 1.* ponder; *2. (brüten)* brood

Gruft [gruft] *f* tomb, vault, grave

grün [gryːn] *adj* green; *jdn ~ und blau schlagen* beat s.o. black and blue; *Das ist dasselbe in Grün.* That's six of one and half a dozen of the other. *die Grünen* POL the Green Party

Grund [grunt] *m 1. (Erdboden)* ground, land, soil; *festen ~ unter den Füßen haben* to be on terra firma; *2. (Meeresboden)* bottom of the sea; *3. (Motiv)* reason, grounds *pl*, cause; *einer Sache auf den ~ gehen* get to the bottom of sth; *4. im ~e genommen* actually

Grundbesitz ['gruntbəzɪts] *m* real estate, land

gründen ['gryndən] *v* found, establish
Gründer ['gryndər] *m* founder
Grundfläche ['gruntflɛçə] *f* base
Grundgesetz ['gruntgəzɛts] *n* POL constitution; *(das deutsche ~)* POL Basic Law
grundieren [grun'di:rən] *v* prime
Grundierung [grun'di:ruŋ] *f* priming
Grundlage ['gruntla:gə] *f* basis, groundwork, foundation
grundlegend ['gruntle:gənt] *adj* fundamental, basic
gründlich ['gryntlɪç] *adj* 1. thorough; *(sorgfältig)* careful
grundlos ['gruntlo:s] *adj* 1. unfounded, without reason; *adv* 2. without reason, for no reason
Grundnahrungsmittel ['gruntna:ruŋsmɪtəl] *n* basic foodstuffs
Grundrecht ['gruntrɛçt] *n* POL constitutional right
Grundsatz ['gruntzats] *m* principle, rule
grundsätzlich ['gruntzɛtslɪç] *adj* 1. fundamental, basic; *adv* 2. fundamentally, *(im Prinzip)* in principle
Grundschule ['gruntʃu:lə] *f* primary school
Grundstein ['gruntʃtaɪn] *m* 1. foundationstone; *den ~ zu etw legen* lay the groundwork for sth; 2. *(fig)* foundation
Grundstück ['gruntʃtyk] *n* property, piece of land, plot of land
Gründung ['grynduŋ] *f* foundation, establishment, formation
Gruppe ['grupə] *f* group
gruppieren [gru'pi:rən] *v* group, arrange in a group
gruselig ['gru:zəlɪç] *adj* spooky, scary
Gruß [gru:s] *m* greeting, salutation
grüßen ['gry:sən] *v* greet
gültig ['gyltɪç] *adj* valid, in force
Gültigkeit ['gyltɪçkaɪt] *f* validity, legality, *(Gesetze)* legal force
Gummi ['gumi] *m* rubber
Gummistiefel ['gumiʃti:fəl] *pl* rubber boots, gumboots, wellingtons *(UK)*
Gunst [gunst] *f* favour, partiality; *zu jds ~en* in s.o.'s favour, to s.o.'s advantage
günstig ['gynstɪç] *adj* favourable, convenient, advantageous
Günstling ['gynstlɪŋ] *m* favourite
Gurgel ['gurgəl] *f* throat; *jdm die ~ zudrücken* strangle s.o.; *sein Geld durch die ~ jagen (fam)* drink away one's money
Gurke ['gurkə] *f* 1. cucumber; 2. *(Essiggurke)* gherkin, pickle

Gurt [gurt] *m* 1. belt; 2. *(Sicherheitsgurt)* safety belt, seat belt
Gürtel ['gyrtəl] *m* belt, girdle; *den ~ enger schnallen* tighten one's belt
Guss [gus] *m* 1. *(Gießen)* casting; 2. *(Regenguss)* downpour, heavy shower; 3. *(Zuckerguss)* GAST icing
gut [gu:t] *adj* 1. good; *es mit etw ~ sein lassen* leave sth at that; *Du hast ja ~ lachen.* It's all very well for you to laugh. *~ daran tun, etw zu tun* to be well-advised to do sth; *für etw ~ sein* to be good for sth; *Alles hat sein Gutes.* Every cloud has a silver lining. *zu viel des Guten* sein to be too much of a good thing; *Du bist ~!* You're really something! *adv* 2. well; *~ aussehend* good-looking; *~ bezahlt* well-paid; *~ gehen* go well, turn out well; *Mir geht's gut.* I'm fine. *Lass es dir ~ gehen!* Take care of yourself! *~ gelaunt* in a good mood, good-humoured; *Gut gemacht!* Well done! *~ und gern* easily; 3. *(in Ordnung)* OK, all right
Gut [gu:t] *n* 1. *(Gutshof)* estate, farm; 2. *(Besitz)* belongings, property, assets; 3. *(Ware)* ECO goods
Gutachten ['gu:taxtən] *n* expert opinion
Gutachter ['gu:taxtər] *m* 1. expert; 2. *(Versicherung)* valuator
gutartig ['gu:ta:rtɪç] *adj* 1. good-natured, harmless; 2. MED benign
Güte ['gy:tə] *f* 1. goodness, kindness, *(Gottes ~)* loving-kindness; *Würden Sie die ~ haben, zu ...* Would you have the goodness/kindness to ...; 2. *(Qualität)* quality, excellence; 3. *Meine ~!* My goodness!
gutgläubig ['gu:tglɔybɪç] *adv* 1. in good faith; *adj* 2. *(Mensch)* trusting, *(leichtgläubig)* credulous
Guthaben ['gu:tha:bən] *n* ECO assets, credit, credit balance
gutheißen ['gu:thaɪsən] *v irr* approve
gutherzig ['gu:thertsɪç] *adj* good, kindhearted
gütig ['gy:tɪç] *adj* kind
gutmütig ['gu:tmy:tɪç] *adj* good-natured
Gutschein ['gu:tʃaɪn] *m* coupon, voucher, *(für Umtausch)* credit note
gutschreiben ['gu:tʃraɪbən] *v irr* credit
Gymnasium [gym'na:zjum] *n* nine-year secondary school
Gymnastik [gym'nastɪk] *f* SPORT gymnastics
Gynäkologe/Gynäkologin [gynɛko'lo:gə/gynɛko'lo:gɪn] *m/f* gynaecologist

H

Haar [haːr] *n* hair; *~e auf den Zähnen haben* have a sharp tongue; *ein ~ in der Suppe finden* find a fly in the ointment; *sich die ~e raufen* tear one's hair; *jdm kein ~ krümmen* not touch a hair on s.o.'s head; *sich wegen etw keine grauen ~e wachsen lassen* not trouble one's head about sth; *an einem ~ hängen* to be hanging by a thread, to be touch and go; *jdm die ~e vom Kopf fressen* eat s.o. out of house and home; *an den ~en herbeigezogen* far-fetched; *sich wegen etw in die ~e geraten* clash over sth; *sich in den ~en liegen* to be quarrelling; *um ein ~ by* a hair's breadth; *Mir stehen die ~e zu Berge.* That sets my teeth on edge.

Haarbürste ['haːrbyrstə] *f* hairbrush
Haarspalterei [haːrʃpaltə'raɪ] *f* splitting hairs
Haarspange ['haːrʃpaŋə] *f* hair slide (UK), barrette (US)
Habe ['haːbə] *f* belongings, possessions
haben ['haːbən] *v irr 1.* have; *Das hat etw für sich.* There's much to be said for that. *Recht ~* to be right; *noch zu ~ sein* have no strings attached, to be available; *für etw zu ~ sein* to be game for sth; *etw gegen jdn ~ sein* have sth against s.o.; *etw hinter sich ~* have got sth over and done with; *etw mit jdm ~* to be carrying on with s.o.; *etw von etw ~* get sth out of sth; *wie gehabt* as usual; *2. geschlossen ~* to be closed
Haben ['haːbən] *n ECO* credit
habgierig ['haːpgiːrɪç] *adj* greedy
habhaft ['haːphaft] *adj jds ~ werden* get hold of s.o.
Habicht ['haːbɪçt] *m* hawk
Hacke ['hakə] *f 1. (Absatz)* high heel; *2. (Werkzeug)* hoe, pick, pickaxe; *3. ANAT* heel
hacken ['hakən] *v 1. (Holz)* chop; *2. (Erde)* hoe
Hacker ['hakər] *m INFORM* hacker
hadern ['haːdərn] *v* quarrel
Hafen ['haːfən] *m* harbour, port, docks *pl; im ~ der Ehe einlaufen* tie the knot, stand at the altar
Haft [haft] *f JUR* imprisonment, detention, confinement
haftbar ['haftbaːr] *adj 1.* liable, legally responsible; *2. jdn ~ machen* hold s.o. responsible, make s.o. responsible

haften ['haftən] *v 1. (kleben)* stick to, adhere to, cling to; *2. (bürgen)* to be liable, to be answerable, to be responsible
Häftling ['hɛftlɪŋ] *m* prisoner
Haftpflichtversicherung ['haftpflɪçtfɛrzɪçəruŋ] *f JUR* third party insurance
Haftung ['haftuŋ] *f JUR* liability, responsibility
Hagel ['haːgəl] *m* hail
hageln ['haːgəln] *v* hail
hager ['haːgər] *adj* gaunt, haggard, skinny
Hahn [haːn] *m 1. (Wasserhahn)* water-tap, faucet (US); *2. ZOOL* cock; *Kein ~ kräht danach.* Nobody gives two hoots about it.
Hai [haɪ] *m ZOOL* shark
Hain [haɪn] *m* grove
häkeln ['hɛːkəln] *v* crochet
Haken ['haːkən] *m 1.* hook, peg; *2. (fig)* snag, hitch; *einen ~ schlagen* dart sideways
halb [halp] *adj* half; *~ voll* half full; *eine ~ Stunde* half an hour; *~ so viel* half as much; *Er ist nur eine ~e Portion. (fam)* He's a half-pint.
halbieren [hal'biːrən] *v 1.* halve, cut in two; *2. MATH* bisect
Halbinsel ['halpɪnzəl] *f* peninsula
halbjährlich ['halpjɛːrlɪç] *adj 1.* half-yearly; *adv 2.* twice a year, every six months
Halbkugel ['halpkuːgəl] *f* hemisphere
Halbmond ['halpmoːnt] *m 1. ASTR* half-moon; *2. (Symbol)* crescent
Halbpension ['halppɛnsjoːn] *f* half board, room with breakfast and one other meal
halbtags ['halptaːks] *adv* part-time, half-days
Halbzeit ['halptsaɪt] *f 1. (Pause)* SPORT half-time; *2. (Spielhälfte)* SPORT half
Hälfte ['hɛlftə] *f* half
Halfter ['halftər] *m/n 1. (Pferdehalfter)* halter; *2. (für Pistole)* holster
Halle ['halə] *f 1.* hall; *2. (Empfangshalle eines Hotels)* lobby, vestibule; *3. SPORT* indoor court
hallen ['halən] *v* echo, resound, reverberate
hallo ['haloː] *interj 1.* hello, hullo, hi; *2. (um jdn auf etw aufmerksam zu machen)* hey, hello; *3. (am Telefon)* hello
Halluzination [halutsinaˈtsjoːn] *f* hallucination
Halm [halm] *m* stalk, stem; *(Grashalm)* blade of grass

Hals [hals] m 1. ANAT neck; jdm den ~ kosten cost s.o. his neck; den ~ aus der Schlinge ziehen get out of a tight spot; Sie kriegt den ~ nicht voll. She's never satisfied. sich jdm an den ~ werfen throw o.s. at s.o.; bis über den ~ in Schulden stecken be up to one's ears in debt; jdm jdn auf den ~ schicken set s.o. on s.o.; etw in den falschen ~ bekommen get the wrong end of the stick; Bleib mir nur vom ~! Get off my back! sich etw vom ~ halten get rid of sth; ~ über Kopf head over heels; Er hängt mir zum ~ heraus. I'm sick and tired of him. Du stehst mir bis zum ~. I'm sick and tired of you. 2. (Kehle) ANAT throat; 3. (Flaschenhals) neck

Halstuch ['halstuːx] n scarf

halt[1] [halt] interj stop

halt[2] [halt] adv just

Halt [halt] m 1. hold; 2. (Stütze) support; ohne inneren ~ insecure; 3. (Aufenthalt) stop, halt; ~ machen stop, halt

haltbar ['haltbaːr] adj 1. (widerstandsfähig) durable, stable, strong; 2. (fig: Theorie) tenable; 3. (unverderblich) not perishable; mindestens ~ bis 21. Juli use by July 21st

halten ['haltən] v irr 1. (festhalten) hold, clutch; 2. (Rede) make, hold; 3. (dauern) keep, last; sich vor Lachen nicht ~ können split one's sides laughing; sich wenig von etw ~ think little of sth; etw für etw ~ believe sth to be sth; 5. den Kurs ~ hold one's course; 6. sein Wort ~ keep one's word; 7. den Mund ~ keep quiet; 8. (Zug) stop; 9. sich ... ~ (so bleiben, wie man ist) keep; 10. sich an etw ~ adhere to sth

Halter ['haltər] m 1. (Griff) handle; 2. (Eigentümer) owner

Haltestelle ['haltəʃtɛlə] f stop

haltlos ['haltloːs] adj 1. (unbeständig) unstable, unsteady; 2. (unbegründet) groundless, unfounded, baseless

Haltung ['haltuŋ] f 1. (Körperhaltung) posture, carriage; ~ annehmen stand at attention; 2. (Verhalten) attitude, approach; 3. (Selbstbeherrschung) composure

hämisch ['hɛːmɪʃ] adj 1. malicious, spiteful, sneering; adv 2. sich ~ freuen gloat

Hammel ['haməl] m ZOOL wether

Hammer ['hamər] m hammer; unter den ~ kommen come under the hammer; einen ~ haben to be round the bend

hämmern ['hɛmərn] v hammer, rap, beat

Hampelmann ['hampəlman] m 1. jumping jack; 2. (Kasper) clown

Hamster ['hamstər] m ZOOL hamster

Hand [hant] f hand; jds ~ ergreifen clasp s.o.'s hand; Er ist gleich bei der ~. He's close at hand. seine ~ im Spiel haben have a hand in sth; Er hat zwei linke Hände. He's all thumbs. jdm freie ~ lassen allow s.o. a free hand; zur rechten ~ on the right-hand side; etw in die ~ nehmen take charge of sth; etw zur ~ nehmen pick sth up; jds rechte ~ sein to be s.o.'s right-hand man; ~ in ~ hand in hand; eine ~ voll handful; sich für etw die ~ abhacken lassen stake one's life on sth; bei etw mit ~ anlegen lend a hand with sth; seine ~ aufhalten hold out one's hand (fig); ~ und Fuß haben make sense; die ~ gegen jdn erheben lay hand on s.o.; die ~ auf etw halten keep a tight rein on sth; die ~ für etw ins Feuer legen vouch for sth; freie ~ bei etw haben get a free hand with sth; eine glückliche ~ haben have the magic touch; auf der ~ liegen to be obvious; Informationen aus erster ~ first-hand information; mit der linken ~ (fig) with one's eyes shut; sich in der ~ haben have o.s. under control; Das lässt sich nicht von der ~ weisen. There's no getting away from it. jdm zur ~ gehen give s.o. a hand; etw zur ~ haben have sth handy; etw gegen jdn in der ~ haben have the goods on s.o. (fam), have a hold on s.o.; hinter vorgehaltener ~ on the quiet; von der ~ in den Mund hand to mouth; Ihm rutscht leicht die ~ aus. He has a quick temper. in guten Händen sein to be in good hands; Es ist mir in die Hände gefallen. (fig) It fell into my hands. in die Hände spucken (fig) roll up one's sleeves; mit Händen und Füßen reden gesture wildly; seine Hände in den Schoß legen sit and twiddle one's thumbs; sich mit Händen und Füßen wehren fight tooth and nail; die Hände über dem Kopf zusammenschlagen throw up one's hands in horror; sich die Hände reiben rub one's hands in glee; Ich wasche meine Hände in Unschuld. I wash my hands of it. Das kannst du dir an beiden Händen abzählen. You can see that coming a mile away. Mir sind die Hände gebunden. (fig) My hands are tied.

Handarbeit ['hantarbaɪt] f 1. work done by hand; 2. (Nähen, Sticken) needlework; 3. (körperliche Arbeit) manual work

Handball ['hantbal] m SPORT handball, team handball (US)

Handbremse ['hantbrɛmzə] f hand-brake

Händedruck ['hɛndədruk] m handshake

Handel ['handəl] m 1. ECO trade, dealing, commerce; 2. (Laden) ECO shop

handeln ['handəln] v 1. (tätig sein) act; für jdn ~ act for s.o.; nach jds Rat ~ act on s.o.'s advice; 2. (Handel treiben) trade, deal, do business; 3. (feilschen) bargain; 4. sich ~ um to be a matter of concern, to be a question of

Händeschütteln ['hɛndəʃytəln] n handshake, shaking hands

handfest ['hantfɛst] adj 1. (robust) robust, strong, sturdy; 2. (fig) substantial, concrete

Handfläche ['hantflɛçə] f palm

Handgelenk ['hantgəlɛŋk] n wrist; aus dem ~ heraus off the cuff

Handgemenge ['hantgəmɛŋə] n scuffle

Handgepäck ['hantgəpɛk] n small luggage, hand baggage (US)

handgreiflich ['hantgraɪflɪç] adj ~ werden apply physical force, become violent

Handgriff ['hantgrɪf] m 1. (Griff) handle; 2. (kleine Mühe) lifting a finger, flick of the wrist

handhaben ['hantha:bən] v handle

Handikap ['hɛndɪkɛp] n handicap

Handlanger ['hantlaŋər] m (verächtlich) underling, henchman, stooge

Händler ['hɛndlər] m dealer, merchant

handlich ['hantlɪç] adj handy, easy to handle

Handlung ['handluŋ] f 1. (Tat) act, action, deed; 2. (Laden) trade, business, shop; 3. (Geschehen) LIT story, plot

Handrücken ['hantrykən] m ANAT back of the hand

Handschellen ['hantʃɛlən] pl handcuffs

Handschlag ['hantʃla:g] m handshake

Handschrift ['hantʃrɪft] f handwriting

Handschuh ['hantʃu:] m glove

Handtasche ['hanttaʃə] f handbag

Handtuch ['hanttu:x] n towel; das ~ werfen throw in the towel

Handwerk ['hantvɛrk] n trade, craft; jdm ins ~ pfuschen interfere with s.o.'s work

Handwerker ['hantvɛrkər] m craftsman, tradesman

Handzettel ['hanttsetəl] m leaflet

Hanf [hanf] m BOT hemp

Hang [haŋ] m 1. (Abhang) slope, slant, inclination; 2. (fig: Neigung) leaning, tendency

Hängematte ['hɛŋəmatə] f hammock

hängen ['hɛŋən] v irr 1. (befestigt sein) hang; 2. (herabhängen) hang, to be suspended, hang down; 3. (aufhängen) hang up, suspend; 4. an jdm ~ (fig: gern haben) to be attached to s.o., to be fond of s.o.; mit Hängen und Würgen by the skin of one's teeth; 5. ~

bleiben get stuck, get caught; An mir bleibt alles hängen. I get stuck with everything. im Gedächtnis ~ bleiben stick in one's memory; in der Schule ~ bleiben to be held back; einem Ort ~ bleiben to be held up; (Blick) rest; 6. ~ lassen (fig) jdn ~ let s.o. down

hänseln ['hɛnzəln] v jdn ~ tease s.o., pull s.o.'s leg

Hantel ['hantəl] f dumbbell

hantieren [han'ti:rən] v (herum~) tinker, fiddle about

Happy End ['hɛpɪ'ɛnd] n happy ending

Harfe ['harfə] f MUS harp

harmlos ['harmlo:s] adj (ungefährlich) harmless, innocent, inoffensive

Harmonie [harmo'ni:] f harmony

harmonieren [harmo'ni:rən] v harmonize

harmonisch [har'mo:nɪʃ] adj 1. harmonic; 2. (fig) harmonious

Harmonium [har'monjum] n MUS harmonium

Harn [harn] m urine

Harpune [har'pu:nə] f harpoon

harren ['harən] v await, wait for, look forward to

harsch [harʃ] adj harsh

hart [hart] adj 1. hard, firm, solid; 2. (streng) strict, harsh, severe

Härte ['hɛrtə] f 1. hardness; 2. (Strenge) strictness, hard-heartedness, toughness

hartnäckig ['hartnɛkɪç] adj obstinate, persistent, stubborn

Harz [harts] m resin

haschen ['haʃən] v catch, snatch; nach Komplimenten ~ fish for compliments; sich ~ play tag

Haschisch ['haʃɪʃ] n hashish

Hase ['ha:zə] m ZOOL hare, rabbit (US); ein alter ~ sein to be an old hand

Haselnuss ['ha:zəlnus] f BOT hazelnut

Hass [has] m hatred, hate

hassen ['hasən] v hate, detest, loathe

hässlich ['hɛslɪç] adj ugly

Hast [hast] f haste, hurry

hasten ['hastən] v hurry, rush, race

hastig ['hastɪç] adj 1. hasty, hurried; adv 2. hastily, hurriedly

Haube ['haubə] f 1. bonnet; 2. (Mütze) cap; 3. (eines Autos) bonnet (UK), hood (US); 4. jdn unter die ~ bringen marry s.o. off

Hauch [haux] m 1. (Atem) breath; 2. (Luft) breath of air, breeze; 3. (Duft) whiff; 4. (geringe Menge) touch, tinge

hauchen ['hauxən] v breathe

hauen ['hauən] v irr hit, strike
Haufen ['haufən] m 1. heap, pile, mass; 2. (Schar) crowd; 3. (fam) ein ~ Arbeit a ton of work; jdn über den ~ fahren knock s.o. down; etw über den ~ werfen put the kibosh on sth
häufen ['hɔyfən] v heap, pile up
haufenweise ['haufənvaɪzə] adv 1. in heaps; 2. (Menschen) in droves
häufig ['hɔyfɪç] adj 1. frequent; adv 2. often, frequently
Häufigkeit ['hɔyfɪçkaɪt] f frequency
Haupt [haupt] n head
hauptberuflich ['hauptbəru:flɪç] adj full-time
Häuptling ['hɔyptlɪŋ] m chief
Hauptmann ['hauptman] m captain
Hauptquartier ['hauptkvarti:r] n headquarters
Hauptrolle ['hauptrɔlə] f CINE leading role, lead
hauptsächlich ['hauptzɛçlɪç] adj 1. principal, primary, main; adv 2. mainly, above all, principally
Hauptstadt ['hauptʃtat] f capital
Hauptstraße ['hauptʃtra:sə] f main street, main road
Hauptverkehrszeit ['hauptferke:rstsaɪt] f rush hour, peak hours
Hauptwort ['hauptvɔrt] m GRAMM noun
Haus [haus] n 1. house; zu ~e at home; jdm das ~ einrennen pester s.o.; jdm das ~ verbieten ban s.o. from the premises; mit der Tür ins ~ fallen blurt out the news; ins ~ stehen to be just around the corner (fig); jdm ins ~ schneien drop in on s.o.; Sie ist außer ~. She's not in. nach ~e home; nach ~e kommen get home; 2. (Gebäude) building; Sie ist außer ~. She's not in.
Hausarbeit ['hausarbaɪt] f 1. housework; 2. (Hausaufgabe) homework
Hausaufgaben ['hausaufga:bən] pl homework
hausbacken ['hausbakən] adj (fig) frumpish, plain, homespun
hausen ['hauzən] v 1. (wohnen) live; 2. (Zerstörungen anrichten) ravage
Häuserblock ['hɔyzərblɔk] m block
Haushalt ['haushalt] m 1. household; 2. (Staatshaushalt) POL budget
haushalten ['haushaltən] v irr 1. keep house; 2. (sparsam sein) budget, economize
Hausherr/Hausherrin ['hausher/'hausherɪn] m/f 1. (Familienoberhaupt) man of the house/lady of the house; 2. (Gastgeber) host/

hostess; 3. (Vermieter) landlord/landlady; 4. die Hausherren SPORT the home team
hausieren [hau'zi:rən] v peddle, hawk
Hausierer [hau'zi:rər] m pedlar, hawker, peddler (US)
häuslich ['hɔyslɪç] adj 1. domestic; 2. (an ~en Dingen interessiert) domesticated
Hausmannskost ['hausmanskɔst] f plain cooking
Hausmeister ['hausmaɪstər] m caretaker, janitor
Hausordnung ['hausɔrdnuŋ] f house rules
Hausschuh ['hausʃu:] m slipper
Haustier ['hausti:r] n domestic animal
Hausverbot ['hausferbo:t] n order to stay away, off-limits order
Hausverwaltung ['hausfervaltuŋ] f property management
Haut [haut] f ANAT skin; nur noch ~ und Knochen sein to be all skin and bones; seine eigene ~ retten save one's own skin; sich seiner ~ wehren put up stubborn resistance; sich auf die faule ~ legen take it easy; aus der ~ fahren fly off the handle; Er kann nicht aus seiner ~ heraus. A leopard can't change his spots. Ich möchte nicht in deiner ~ stecken. I wouldn't like to be in your shoes. mit heiler ~ davonkommen get out by the skin of one's teeth; mit ~ und Haaren completely; jdm unter die ~ gehen get under s.o.'s skin
häuten ['hɔytən] v skin
Hautfarbe ['hautfarbə] f skin colour
Hebamme ['he:bamə] f midwife
Hebebühne ['he:bəby:nə] f TECH lift, platform lift, lifting stage
Hebel ['he:bəl] m TECH lever; alle ~ in Bewegung setzen pull out all the stops; am längeren ~ sitzen to be in the stronger position
heben ['he:bən] v irr 1. (hochheben) lift, raise; einen ~ knock one back (fam); 2. (steigern) raise, enhance, improve
Hecht [hɛçt] m ZOOL pike
Heck [hɛk] n 1. (Auto) tail, rear; 2. (Schiff) stern
Hecke ['hɛkə] f BOT hedge
Heer [he:r] n MIL army
Hefe ['he:fə] f yeast
Heft [hɛft] n 1. (Zeitschrift) magazine; 2. (Broschüre) booklet; 3. (Übungsheft) exercise-book, workbook
heften ['hɛftən] v 1. (befestigen) attach, fix, pin; 2. (nähen) tack, stitch
Hefter ['hɛftər] m file, (Heftmaschine) stapler

heftig ['hɛftɪç] *adj 1.* severe, vehement, fierce; *adv 2.* severely, vehemently, intensely

Hegemonie [hegemo'ni:] *f POL* hegemony

hegen ['he:gən] *v 1. (pflegen)* care for; *2. (empfinden)* harbor, harbor *(US)*

Hehl [he:l] *m* keinen ~ aus etw machen make no secret of sth, make no bones about sth

Hehler ['he:lər] *m* fence (fam), receiver of stolen goods

Heide[1] ['haidə] *m* heathen, pagan

Heide[2] ['haidə] *f* heath, moor, moorland

Heidelbeere ['haidəlbe:rə] *f BOT* bilberry, blueberry *(US)*, huckleberry *(US)*

heidnisch ['haidnɪʃ] *adj REL* heathen, pagan

heikel ['haikəl] *adj 1. (Angelegenheit)* delicate, tricky, awkward; *2. (Person: wählerisch)* fussy, fastidious, particular

Heil [hail] *n 1. REL* salvation; *2.* well-being, welfare, good; *interj 3. HIST* hail

Heiland ['hailant] *m REL* Saviour

heilbar ['hailba:r] *adj* curable

heilen ['hailən] *v 1.* heal, to be cured; *2. (jdn ~)* cure, heal

heilig ['hailɪç] *adj REL* holy; ~ sprechen canonize

Heiligabend [hailɪç'a:bənt] *m REL* Christmas Eve

Heilige(r) ['hailɪgə(r)] *m/f REL* saint

Heilung ['hailʊŋ] *f MED* curing, healing, cure

Heim [haim] *n* home

Heimat ['haimat] *f* native country, home, home country

heimatlos ['haimatlo:s] *adj* homeless

Heimfahrt ['haimfa:rt] *f 1.* the way home, journey home; *2. NAUT* return voyage

heimisch ['haimɪʃ] *adj 1. (heimatlich)* home; *2. (vertraut)* familiar

Heimkehr ['haimke:r] *f* return home

heimkehren ['haimke:rən] *v* return home

heimlich ['haimlɪç] *adj 1. (verstohlen)* surreptitious, clandestine, furtive; *2. (geheim)* secret; *adv 3.* secretly, surreptitiously

Heimlichtuer ['haimlɪçtu:ər] *m* secretive person

Heimweg ['haimve:k] *m* the way home

Heimweh ['haimve:] *n 1.* homesickness; *(nach Vergangenem)* nostalgia

Heimwerker ['haimvɛrkər] *m* hobbyist, do-it-yourselfer

heimzahlen ['haimtsa:lən] *v* pay back, get back at, get even with

Heinzelmännchen ['haintsəlmɛnçən] *n* friendly elf

Heirat ['haira:t] *f* marriage

heiraten ['haira:tən] *v* marry

heiser ['haizər] *adj* hoarse, husky

heiß [hais] *adj 1.* hot; *ein* ~*es Eisen* (fig) a hot potato; ~*e Luft* hot air; *Da läuft es einem* ~ *und kalt über den Rücken.* It sends shivers running down your spine. *2. (heftig)* heated, vehement, passionate; ~ *ersehnt* fervently longed for; ~ *geliebt* dearly beloved; ~ *umstritten* very controversial, hotly debated, hotly disputed; ~ *umkämpft* embattled

heißen ['haisən] *v irr 1. (nennen)* call, name; *2. (bezeichnet werden)* to be named, to be called; *3. (bedeuten)* mean, signify; *4. jdn willkommen* ~ welcome s.o.; *5. es heißt (man sagt)* they say

heiter ['haitər] *adj 1. (fröhlich)* cheerful, jolly, bright; *2. (sonnig)* bright, cheerful, fair; *Das kann ja* ~ *werden!* Now we're in for it!

Heiterkeit ['haitərkait] *f* cheerfulness, brightness, gaiety

heizen ['haitsən] *v* heat

Heizung ['haitsʊŋ] *f* heating

Hektar ['hɛktar] *n* hectare

Hektik ['hɛktɪk] *f* hectic pace

hektisch ['hɛktɪʃ] *adj* hectic

Held [hɛlt] *m* hero

heldenhaft ['hɛldənhaft] *adj 1.* heroic, valiant; *adv 2.* heroically, valiantly

Heldentat ['hɛldənta:t] *f* heroic deed, feat

Heldentum ['hɛldəntum] *n* heroism

helfen ['hɛlfən] *v irr* help, assist

Helfer ['hɛlfər] *m* helper, assistant

Helfershelfer ['hɛlfərshɛlfər] *m* accessory

Helikopter [heli'kɔptər] *m* helicopter

Helium ['he:lium] *n CHEM* helium

hell [hɛl] *adj 1. (Licht)* bright, light; *2. (Klang)* clear, ringing, resonant; *3. (fig: aufgeweckt)* bright, intelligent, shrewd

Hellhörigkeit ['hɛlhø:rɪçkait] *f 1. (scharfes Gehör)* good ears; *2. (Schalldurchlässigkeit)* poor soundproofing; *3. (fig: Aufmerksamkeit)* alertness, attentiveness

Helligkeit ['hɛlɪçkait] *f* brightness, brilliance, lightness

Hellseher ['hɛlze:ər] *m* clairvoyant, visionary

Helm [hɛlm] *m* helmet

Hemd [hɛmt] *n* shirt; *sein letztes* ~ *hergeben* give the shirt off one's back; *kein* ~ *mehr auf dem Leib haben* have lost one's shirt

Hemisphäre [hemi'sfɛːrə] f ASTR hemisphere

hemmen ['hɛmən] v impede, hinder, obstruct

Hemmschwelle ['hɛmʃvɛlə] f PSYCH inhibition threshold

hemmungslos ['hɛmuŋsloːs] adj 1. uninhibited, unrestrained; adv 2. without restraint; ~ weinen cry uncontrollably

Henkel ['hɛŋkəl] m handle

Henne ['hɛnə] f ZOOL hen

Hepatitis [hepa'tiːtis] f MED hepatitis

her [heːr] adv 1. (örtlich) from; Wo hat sie das ~? Where did she get that from? Wo sind Sie ~? Where do you come from? hinter jdm ~ sein to be after s.o.; 2. (zeitlich) since, ago; 3. (in Aufforderung) here; Her damit! Give me that! Komm ~! Come here! 4. Mit ihm ist es nicht weit ~. He's nothing to write home about. 5. (Standpunkt) von der Idee ~ as far as the idea is concerned

herab [hɛ'rap] adv down, downward

herablassen [hɛ'raplasən] v irr let down, lower

herablassend [hɛ'raplasənt] adj condescending, patronising, supercilious

herabsetzen [hɛ'rapzɛtsən] v 1. (vermindern) lower, reduce, cut; 2. (herabwürdigen) belittle, disparage

herabwürdigen [hɛ'rapvyːrdɪgən] v 1. belittle, disparage; 2. sich ~ demean o.s., lower o.s.

heran [hɛ'ran] adv 1. (örtlich) here; 2. (zeitlich) near

herankommen [hɛ'rankɔmən] v irr 1. approach, draw near; 2. (ergreifen) an etw ~ get hold of sth

heranschleichen [hɛ'ranʃlaɪçən] v irr ~ an creep up on, steal up on, sidle up to

herantasten [hɛ'rantastən] v sich an etw ~ approach sth cautiously

herantragen [hɛ'rantraːgən] v irr 1. bring over; 2. etw an jdn ~ (fig) put sth to s.o., bring sth up to s.o.

heranwachsen [hɛ'ranvaksən] v irr grow up

Heranwachsende [hɛ'ranvaksəndə] pl adolescents pl

herauf [hɛ'rauf] adv up

heraufbeschwören [hɛ'raufbəʃvøːrən] v irr conjure up, bring on

heraus [hɛ'raus] adv out

herausarbeiten [hɛ'rausarbaɪtən] v etw ~ work sth out

herausbekommen [hɛ'rausbəkɔmən] v irr 1. (Wechselgeld) receive change, get change; 2. (fig: herausfinden) find out, get to the bottom of

herausfinden [hɛ'rausfɪndən] v irr find out

herausfordern [hɛ'rausfɔrdərn] v 1. challenge; 2. (Trotz bieten) defy; 3. (provozieren) provoke

Herausforderung [hɛ'rausfɔrdəruŋ] f challenge, defiance, provocation

herausgeben [hɛ'rausgeːbən] v irr 1. hand out; 2. (Buch) publish, (als Bearbeiter) edit

Herausgeber(in) [hɛ'rausgeːbər(ɪn)] m/f 1. publisher; 2. (Redakteur(in)) editor

herausragend [hɛ'rausraːgənt] adj 1. projecting; 2. (fig) outstanding

herausreden [hɛ'rausreːdən] v sich ~ make excuses

herausstellen [hɛ'rausʃtɛlən] v 1. put outside; 2. (hervorheben) emphasize; 3. sich ~ als prove to be; es stellte sich heraus, dass ... it turned out that ...

herausstrecken [hɛ'rausʃtrɛkən] v stick out, put out

heraussuchen [hɛ'rauszuːxən] v choose, select, pick out

herb [hɛrp] adj 1. (Geschmack) harsh, sharp; 2. (fig: Kritik) harsh; 3. (fig: Schönheit) plain, austere

herbei [hɛr'baɪ] adv along, over

herbeieilen [hɛr'baɪaɪlən] v hurry over

herbeiführen [hɛr'baɪfyːrən] v 1. lead up; 2. (fig) cause, induce, give rise to

herbeisehnen [hɛr'baɪzeːnən] v yearn for, long for

Herberge ['hɛrbɛrgə] f 1. lodging; 2. (Jugendherberge) youth hostel

herbringen [hɛr'brɪŋən] v irr bring over, bring round, bring here

Herbst [hɛrpst] m autumn, fall (US)

Herd [heːrt] m hearth, cooking-stove

Herde ['heːrdə] f herd, drove; mit der ~ laufen follow the crowd

Herdplatte ['hɛrtplatə] f hot plate

herein [hɛ'raɪn] adv 1. in; 2. Herein! Come in!

hereinbitten [hɛ'raɪnbɪtən] v irr ask in, invite in

hereinbrechen [hɛ'raɪnbrɛçən] v irr (fig) close in, set in, befall

hereinkommen [hɛ'raɪnkɔmən] v irr come in, walk in; Komm nur herein! Come on in!

hereinlassen [hɛ'raɪnlasən] v irr let in

hereinlegen [hɛ'raɪnleːgən] v (jdn ~) trick, dupe

herfallen ['hɛːrfalən] v irr 1. über jdn ~ attack s.o.; 2. über etw ~ pounce upon sth

Hergang ['heːrgaŋ] m course of events

Hering ['heːrɪŋ] m ZOOL herring

herkommen [hɛ'rkɔmən] v irr 1. (näher kommen) come near, approach; 2. (herstammen) originate, derive from, to be due to

herkömmlich ['hɛːrkœmlɪç] adj customary, conventional, traditional

Herkunft ['hɛːrkunft] f origin, descent, source

herleiten ['hɛːrlaɪtən] v 1. bring here; 2. (folgern) derive; 3. sich von etw ~ come from sth, to be derived from sth

Hermelin [hɛrməˈliːn] n ZOOL ermine

hermeneutisch [hɛrmeˈnɔʏtɪʃ] adj PHIL hermeneutic

Heroin [heroˈiːn] n CHEM heroin

heroisch [heˈroːɪʃ] adj heroic

Herold ['heːrɔlt] m 1. herald; 2. (fig) harbinger

Herr [hɛr] m 1. (Mann) gentleman; 2. (vor Eigennamen) Mr., Mister; ~ Doktor Huber Doctor Huber; 3. (Gebieter) lord, master, ruler, sovereign; der ~ im eigenen Haus sein wear the trousers (fam); über jdn ~ werden to master s.o.

Herrenhaus ['hɛrənhaus] n manor house

herrenlos ['hɛrənloːs] adj 1. abandoned, ownerless; 2. (Hund) stray

Herrin ['hɛrɪn] f mistress

herrisch ['hɛrɪʃ] adj arrogant, domineering, haughty

herrlich ['hɛrlɪç] adj 1. wonderful, delightful, glorious; 2. (reizend) lovely, gorgeous

Herrlichkeit ['hɛrlɪçkaɪt] f excellence, magnificence, splendour

Herrschaft ['hɛrʃaft] f power, supremacy, rule

herrschaftlich ['hɛrʃaftlɪç] adj (vornehm) grand, elegant

herrschen ['hɛrʃən] v 1. (regieren) dominate, rule, reign over; 2. (bestehen) prevail

Herrscher ['hɛrʃər] m ruler, sovereign

Herrschsucht ['hɛrʃzuxt] f 1. thirst for power, imperiousness; 2. (fig) domineering nature, imperiousness

herrühren ['hɛːrryːrən] v emanate from, spring from, derive from; Das rührt von seinem Unfall her. That dates back to his accident.

herstellen ['hɛrʃtɛlən] v 1. (erzeugen) produce, make, manufacture; 2. (fig: realisieren) create, establish

Herstellung ['hɛrʃtɛluŋ] f 1. (Erzeugung) production, manufacture; 2. (Realisierung) establishment, bringing about

herüber [hɛ'ryːbər] adv across, over here

herum [hɛ'rum] adv round, around, about

herumkommen [hɛ'rumkɔmən] v irr 1. (reisen) get around; 2. (fig) um etw ~ avoid sth, get around sth

herumsprechen [hɛ'rumʃprɛçən] v irr sich ~ get around, go around

herumtreiben [hɛ'rumtraɪbən] v irr sich ~ knock around, hang around

Herumtreiber [hɛ'rumtraɪbər] m 1. loafer; 2. (Mensch ohne festen Wohnsitz) vagabond, drifter

herunter [hɛ'runtər] adv down

herunterfallen [hɛ'runtərfalən] v irr fall down, drop

heruntergekommen [hɛ'runtərgəkɔmən] adj neglected, run-down

herunterkommen [hɛ'runtərkɔmən] v irr 1. come down; 2. (fig) deteriorate, go downhill

herunterschlucken [hɛ'runtərʃlukən] v swallow

herunterspielen [hɛ'runtərʃpiːlən] v (fam) etw ~ play sth down

herunterwirtschaften [hɛ'runtərvɪrtʃaftən] v ruin by mismanagement

hervor [hɛr'foːr] adv out, forward

hervorbringen [hɛr'foːrbrɪŋən] v irr 1. (erzeugen) produce, generate; 2. (sagen) utter

hervorgehen [hɛr'foːrgeːən] v irr 1. aus etw ~ Aus der Ehe gingen drei Kinder hervor. The marriage produced three children. Er ging aus dem Wettkampf als Sieger hervor. He emerged as the winner of the competition. 2. (zu folgern sein) follow

hervorheben [hɛr'foːrheːbən] v irr emphasize, stress, underline

hervorragen [hɛr'foːrraːgən] v 1. stand out, stick out; 2. (fig) stand out

hervorragend [hɛr'foːrraːgənt] adj 1. (ausgezeichnet) outstanding, excellent, first-rate; 2. (fig) eminent, distinguished

hervorrufen [hɛr'foːrruːfən] v irr (fig) provoke, produce, bring about

Herz [hɛrts] n heart; ein ~ und eine Seele sein to be inseparable; jdm sein ~ ausschütten pour out one's heart to s.o.; jdm das ~ brechen break s.o.'s heart; sich ein ~ nehmen pluck up one's courage; das ~ auf der Zunge *tragen* wear one's heart on one's sleeve; *jdm sein ~ schenken* lose one's heart to s.o.; *jdm das ~ schwermachen* sadden s.o.; *seinem ~en Luft machen* get sth off one's chest; *Das liegt mir sehr am ~en.* That's very important to me. *jdm ans ~ wachsen* grow on s.o.; *etw auf dem ~en haben* have sth on one's mind; *Du sprichst mir aus dem ~en.* You've taken the words right out of my mouth. *aus tiefstem ~en* from the bottom of one's heart; *jdn in sein ~ schließen* become fond of s.o.; *jdn ins ~ treffen* cut s.o. to the quick; *etw nicht übers ~ bringen* not have the heart to do sth; *sich etw zu ~en nehmen* take sth to heart; *Mir wurde leicht ums ~.* I was relieved. *Das ~ ist ihm in die Hose gerutscht.* His heart was in his boots. *Das ~ wurde ihr schwer.* She had a heavy heart.

herzhaft ['hɛrtshaft] *adj* 1. *(Geschmack)* full, strong; 2. *(Lachen)* hearty, warm, vigorous

Herzinfarkt ['hɛrtsɪnfarkt] *m* heart attack, cardiac infarction

Herzklopfen ['hɛrtsklɔpfən] *n* palpitations
heart disease

herzlich ['hɛrtslɪç] *adj* cordial, warm, sincere

Herzlichkeit ['hɛrtslɪçkaɪt] *f* warmth, cordiality

herzlos ['hɛrtsloːs] *adj* heartless, cold, callous

Herzog ['hɛrtsoːk] *m* duke

Herzogin ['hɛrtsoːgɪn] *f* duchess

Herzschlag ['hɛrtsʃlaːk] *m* 1. *(einzelner)* heartbeat; 2. *MED* pulse, heartbeat

heterogen [hetero'geːn] *adj* heterogeneous

heterosexuell [heterozɛksuˈɛl] *adj* heterosexual

hetzen ['hɛtsən] *v* 1. *(eilen)* hurry, race, rush; 2. *(fig)* agitate, excite feelings

Heu [hɔy] *n BOT* hay

Heuchelei [hɔyçaˈlaɪ] *f* hypocrisy, insincerity, deceit

heucheln ['hɔyçəln] *v* 1. to be hypocritical; 2. *(sich verstellen)* feign, simulate, fake

heulen ['hɔylən] *v* 1. *(fam: weinen)* bawl, wail, howl; *zum ~ sein* to be enough to make you cry; 2. *(Sirene)* wail

Heuschnupfen ['hɔyʃnupfən] *m MED* hay fever

Heuschrecke ['hɔyʃrɛkə] *f* 1. grasshopper; 2. *(Wanderheuschrecke)* locust

heute ['hɔytə] *adv* today; *~ vor einer Woche* a week ago today; *~ Abend* this evening; *von ~ auf morgen* overnight

heutzutage ['hɔytsutaːgə] *adv* nowadays, these days

Hexe ['hɛksə] *f* witch

Hieb [hiːp] *m* blow, knock, hit

hier [hiːr] *adv* here

Hierarchie [hiːerarˈçiː] *f* hierarchy

hierauf ['hiːrauf] *adv* 1. *(örtlich)* on; 2. *(Erwiderung)* to this; 3. *(zeitlich)* upon, then

hierdurch ['hiːrdurç] *adv* *(kausal)* by this means, by this, hereby

hierher ['hiːrheːr] *adv* here, this way, over here

hiermit ['hiːrmɪt] *adv* herewith

Hilfe ['hɪlfə] *f* 1. help, aid, assistance; *jdm zu ~ kommen* come to s.o.'s aid; 2. *Erste ~* first aid; 3. *(sozial)* social security, social welfare; 4. *(Katastrophenhilfe)* aid, relief; *interj* 5. help

hilflos ['hɪlfloːs] *adj* helpless

hilfreich ['hɪlfraɪç] *adj* helpful

hilfsbedürftig ['hɪlfsbədyrftɪç] *adj* in need of help

hilfsbereit ['hɪlfsbəraɪt] *adj* helpful

Hilfskraft ['hɪlfskraft] *f* assistant

Hilfsmittel ['hɪlfsmɪtəl] *n* aid

Hilfsverb ['hɪlfsvɛrp] *v GRAMM* auxiliary verb

Himbeere ['hɪmbeːrə] *f BOT* raspberry

Himmel ['hɪməl] *m* 1. *(Firmament)* sky, firmament; 2. *REL* heaven; *aus heiterem ~ kommen* come out of the blue; *der ~ auf Erden* heaven on earth; *jdm den ~ auf Erden versprechen* promise s.o. heaven on earth; *aus allen ~n fallen* come down to earth with a bump; *im siebten ~ sein* to be in seventh heaven; *Das schreit zum ~.* That's an absolute scandal. *Ach du lieber Himmel!* Good heavens! *Weiß der ~!* God knows! *Um ~s willen!* For goodness' sake!

Himmelfahrt ['hɪməlfaːrt] *f* 1. *Christi ~ REL* Ascension Day; 2. *Mariä ~ REL* Feast of Assumption

Himmelsrichtung ['hɪməlsrɪçtuŋ] *f ASTR* point of the compass

himmlisch ['hɪmlɪʃ] *adj* heavenly

hin [hɪn] *adv* there; *~ und wieder* every now and then; *~ und her* back and forth; *~ und zurück* there and back; *Wo geht er ~?* Where is he going? *~ und her* back and forth; *nach langem Hin und Her* after quite some dithering

hinab [hɪn'ap] *adv* down
hinauf [hɪn'auf] *adv* up
hinaus [hɪn'aus] *adv* out
hinausbegleiten [hɪ'nausbəglaitən] *v jdn* ~ see s.o. out
hinauslaufen [hɪn'auslaufən] *v irr 1.* run out; *2. (fig) auf etw* ~ amount to sth, boil down to sth
hinausschieben [hɪn'ausʃiːbən] *v irr* postpone, defer, delay
hinauswollen [hɪn'ausvɔlən] *v irr (fig) Worauf willst du hinaus?* What are you getting at?
hinauszögern [hɪ'naustsøːgərn] *v 1. etw* ~ delay, put off; *2. sich* ~ to be delayed
Hinblick ['hɪnblɪk] *m im* ~ *auf* in view of, considering
hindern ['hɪndərn] *v* impede, hinder, obstruct
Hindernis ['hɪndərnɪs] *n* obstruction, impediment, hindrance
Hinduismus [hɪndu'ɪsmus] *m REL* Hinduism
hindurch [hɪn'durç] *adv 1. (örtlich)* through; *2. (zeitlich)* throughout
hinein [hɪn'ain] *adv* in, into
hineingeraten [hɪn'aingəraːtən] *v irr in etw* ~ get into sth, become involved in sth
hineinplatzen [hɪn'ainplatsən] *v* burst in, barge in
hineinversetzen [hɪn'ainfɛrzɛtsən] *v sich* ~ *in jds Lage* put o.s. in s.o.'s place
hineinziehen [hɪn'aintsiːən] *v irr 1.* pull in, drag in; *2. (fig) jdn in etw* ~ drag s.o. into sth, involve s.o. in sth
Hinfahrt ['hɪnfaːrt] *f* outward journey, the way there
hinfallen ['hɪnfalən] *v irr* fall, drop
hinfällig ['hɪnfɛlɪç] *adj (ungültig)* invalid
Hinflug ['hɪnfluːk] *m* outward flight
Hingabe ['hɪngaːbə] *f* devotion, abandon, self-abandon
hingegen [hɪn'geːgən] *konj* however, on the other hand, whereas
hingerissen ['hɪngərɪsən] *v von etw* ~ *sein* to be fascinated by sth
hinhalten ['hɪnhaltən] *v irr 1.* hold out; *2. jdn* ~ put s.o. off, keep s.o. dangling, stall s.o.
hinken ['hɪŋkən] *v* limp
hinlegen ['hɪnleːgən] *v 1. etw* ~ put sth down; *2. sich* ~ lie down, rest
hinnehmen ['hɪnneːmən] *v irr* accept, tolerate, endure
hinreichend ['hɪnraiçənt] *adj* sufficient

hinreißen ['hɪnraisən] *v hin- und hergerissen sein* to be torn between two possibilities
hinrichten ['hɪnrɪçtən] *v* execute
hinsetzen ['hɪnzɛtsən] *v sich* ~ sit down, take a seat
Hinsicht ['hɪnzɪçt] *f in gewisser* ~ in some respects
hinsichtlich ['hɪnzɪçtlɪç] *prep* regarding, concerning, with regard to
hinten ['hɪntən] *adv* behind, at the back, at the rear; *Ich weiß nicht mehr wo* ~ *und vorne ist!* I don't know whether I'm coming or going!
hinter ['hɪntər] *prep 1.* behind; *etw* ~ *sich lassen* get sth over and done with; ~ *den anderen zurückbleiben* lag behind the others; *zwei Kilometer* ~ *München* two kilometres beyond Munich; ~ *jdm zurückstehen* take second place to s.o.; *2.* ~ *etw her sein* to be after sth
Hinterausgang ['hɪntərausgaŋ] *m* back door, rear exit
Hinterbliebene ['hɪntərbliːbənə] *pl* survivors, surviving dependents
hintere(r,s) ['hɪntərə(r,s)] *adj* back, rear, hind
hintereinander [hɪntərai'nandər] *adv* one after another, in succession
hinterfragen [hɪntər'fraːgən] *v* analyze, question
Hintergedanke ['hɪntərgədaŋkə] *m* ulterior motive
hintergehen [hɪntər'geːən] *v irr jdn* ~ deceive s.o., cheat on s.o.
Hintergrund ['hɪntərgrunt] *m 1.* background; *in den* ~ *treten* to be pushed into the background, take a back seat (fam); *2. (fig)* background, setting
Hinterhalt ['hɪntərhalt] *m* ambush; *noch etw im* ~ *haben* have sth up one's sleeve; *ohne* ~ unreservedly
hinterhältig ['hɪntərhɛltɪç] *adj* deceitful, underhanded, insidious
hinterher [hɪntər'heːr] *adv 1. (örtlich)* behind, after; *2. (zeitlich)* after, afterward(s)
Hinterhof ['hɪntərhoːf] *m* backyard
hinterlassen [hɪntər'lasən] *v irr* leave (behind); *eine Nachricht* ~ leave a message
hinterlegen [hɪntər'leːgən] *v* deposit, place on deposit
Hinterlist ['hɪntərlɪst] *f* craftiness, trick
hinterlistig ['hɪntərlɪstɪç] *adj* deceitful, back-stabbing, underhanded

Hintermann ['hɪntərman] *m* 1. person behind one; 2. *(der aus dem Hintergrund handelt)* person behind sth; 3. *FIN* subsequent endorser

Hintern ['hɪntərn] *m (fam)* behind, backside, bottom; *sich auf den ~ setzen (arbeiten)* buckle down to work

hinüber [hɪ'ny:bər] *adv* over, across

hinunter [hɪ'nuntər] *adv* down, downward; *die Straße ~* down the street

hinweghelfen [hɪn'vɛkhɛlfən] *v irr jdm über etw ~* help s.o. get over sth

hinwegkommen [hɪn'vɛkkɔmən] *v irr über etw ~* get over sth

hinwegsehen [hɪn'vɛkze:ən] *v irr* 1. *über etw ~* see over sth; 2. *(fig) über etw ~* overlook sth

hinwegsetzen [hɪn'vɛkzɛtsən] *v sich ~* dismiss, disregard, override

hinwegtrösten [hɪn'vɛktrø:stən] *v jdn über etw ~* help s.o. get over sth

Hinweis ['hɪnvaɪs] *m* 1. *(Rat)* tip, piece of advice; 2. *(Anzeichen)* indication, clue; 3. *(Anspielung)* allusion; 4. *(Benachrichtigung)* notice

hinweisen ['hɪnvaɪzən] *v irr auf etw ~* refer to sth, point sth out, indicate sth

hinzu [hɪn'tsu:] *adv* in addition, moreover, besides

hinzufügen [hɪn'tsu:fy:gən] *v* add

hinzuziehen [hɪn'tsu:tsi:ən] *v irr* consult, call in

Hiobsbotschaft ['hiːɔpsboːtʃaft] *f* bad news

Hirn [hɪrn] *n ANAT* brain; *sich das ~ zermartern* rack one's brains

Hirngespinst ['hɪrngəʃpɪnst] *n* fantasy

Hirsch [hɪrʃ] *m ZOOL* stag, deer

Hirte [hɪrt] *m* shepherd, herdsman

hissen ['hɪsən] *v* hoist

Historiker(in) [hɪ'stoːrɪkər(ɪn)] *m/f* historian

Hitze ['hɪtsə] *f* heat; *in der ~ des Gefechts* in the heat of the moment

hitzig ['hɪtsɪç] *adj* choleric, hot-tempered

Hitzschlag ['hɪtsʃlaːk] *m MED* heatstroke

Hobby ['hɔbi] *n* hobby

hoch [hoːx] *adj* high, tall; *jdm etw ~ und heilig versprechen* promise sth solemnly to s.o.; *Das ist mir zu ~!* That's just beyond me! That's over my head!

hochachtungsvoll ['hoːxaxtuŋsfɔl] *adv (Brief)* Yours faithfully, Yours sincerely, Yours truly

Hochdruck ['hoːxdruk] *m* high pressure

Hochebene ['hoːxeːbənə] *f* plateau

hochfahren ['hoːxfaːrən] *v irr* 1. ride up; 2. *aus dem Schlaf ~* awake with a start; 3. *(plötzlich aufbrausen)* flare up; 4. *(jdn ~)* drive up

Hochform ['hoːxfɔrm] *f* top form

Hochhaus ['hoːxhaus] *n* high-rise, *(Wolkenkratzer)* skyscraper

hochkant ['hoːxkant] *adj jdn ~ hinauswerfen* kick s.o. out on his ear

hochkarätig ['hoːxkarɛːtɪç] *adj* 1. highcarat; 2. *(fig)* first-class

Hochland ['hoːxlant] *n* highlands

hochleben ['hoːxleːbən] *v jdn ~ lassen* give s.o. three cheers

Hochmut ['hoːxmuːt] *m* arrogance

hochmütig ['hoːxmyːtɪç] *adj* arrogant

hochnäsig ['hoːxnɛːzɪç] *adj* snooty

Hochschule ['hoːxʃuːlə] *f* university, college, institution of higher education

Hochschulreife ['hoːxʃuːlraɪfə] *f* Advanced levels (UK), high school diploma (US)

höchst [høːçst] *adv* highly, greatly, extremely

Hochstapler ['hoːxʃtaplər] *m* confidence man, swindler, fraud

höchste(r,s) ['høːçstə(r,s)] *adj* highest, maximum, peak

höchstens ['høːçstəns] *adv* at the most, at best, at the utmost

Hochtouren ['hoːxtuːrən] *f auf ~ laufen* in full swing

hochtrabend ['hoːxtraːbənt] *adj* highflown, flowery, grandiloquent

Hochverrat ['hoːxfɛraːt] *m POL* high treason

Hochwasser ['hoːxvasər] *n* 1. high water; *(der See)* high tide; 2. *(Überschwemmung)* flood

hochwertig ['hoːxvɛrtɪç] *adj* high-grade, high-quality

Hochwürden ['hoːxvyrdən] *m REL* Reverend, *(römisch-katholisch)* Father

Hochzeit ['hɔxtsaɪt] *f* wedding; *auf allen ~en tanzen* run with the hare and hunt with the hounds

Hochzeitsreise ['hɔxtsaɪtsraɪzə] *f* honeymoon

Hocker ['hɔkər] *m* stool

Hoden ['hoːdən] *pl ANAT* testicles *pl*

Hof [hoːf] *m* 1. *(Hinterhof)* yard; 2. *(Königshof)* court; 3. *(Bauernhof)* farm, farmyard; 4. *jdm den ~ machen* court s.o.

hoffen ['hɔfən] *v* hope

hoffentlich ['hɔfəntlıç] *adv* hopefully; *Hoffentlich regnet es morgen nicht.* I hope it doesn't rain tomorrow.

Hoffnung ['hɔfnuŋ] *f* hope; *seine ~en auf etw setzen* pin one's hopes on sth; *jds ~en zerschlagen* dash s.o.'s hopes; *guter ~ sein* to be expecting

hoffnungslos ['hɔfnuŋsloːs] *adj* hopeless

hoffnungsvoll ['hɔfnuŋsfɔl] *adj* hopeful, promising

höflich ['høːflıç] *adj* polite, courteous, civil

Höflichkeit ['høːflıçkaıt] *f* politeness, courtesy

Höhe ['høːə] *f* height, altitude; *auf der ~ sein* to be in good form; *in die ~ gehen* (fig) hit the ceiling; *Das ist doch die ~!* That's the last straw!

Hoheit ['hoːhaıt] *f* 1. (*Anrede*) Highness; *Seine Königliche ~* His Royal Highness; 2. POL sovereignty, jurisdiction

Höhepunkt ['høːəpuŋkt] *m* 1. climax; 2. *(einer Veranstaltung)* high point, highlight

hohl [hoːl] *adj* 1. hollow; 2. *(fig: gehaltlos)* hollow, empty, unsubstantial

Höhle ['høːlə] *f* 1. cave, cavern; 2. *(von Raubtieren)* den; *sich in die ~ des Löwen wagen* beard the lion in his den; 3. *(von Kaninchen)* burrow

Hohn [hoːn] *m* 1. scorn, disdain; 2. *(Spott)* mockery, derision; *der reinste ~ sein* utterly ludicrous

höhnen ['høːnən] *v* jeer, scoff

höhnisch ['høːnıʃ] *adj* derisive, mocking, sardonic

holen ['hoːlən] *v* fetch, get; *Bei ihm ist nichts zu ~.* You won't get anything out of him.

Holland ['hɔlant] *n* GEO Holland

Hölle ['hœlə] *f* hell; *Hier ist die ~ los.* (fig) All hell has broken loose here. *jdm die ~ heiß machen* give s.o. hell; *jdm das Leben zur ~ machen* make s.o.'s life hell; *Zur ~ mit ihm!* He can go to hell!

höllisch ['hœlıʃ] *adj* 1. *(fam)* terrible; *adv* 2. like hell

Holm [hɔlm] *m* bar

holperig ['hɔlpərıç] *adj* 1. bumpy, jolty, rough; 2. *(fig: stockend)* jolting, *(Rede)* halting

Holunder [ho'lundər] *m* BOT elder

Holz [hɔlts] *n* wood, *(Bauholz)* timber; *~ in den Wald tragen* (fig) carry coals to Newcastle

Holzfäller ['hɔltsfɛlər] *m* lumberjack

Hommage [ɔ'maːʒ] *f* homage

homogen [homo'geːn] *adj* homogeneous

Homonym [homo'nyːm] *n* LING homonym

homosexuell [homozɛksu'ɛl] *adj* homosexual, gay

Honig ['hoːnıç] *m* honey; *jdm ~ ums Maul schmieren* (fig) butter s.o. up

Honorar [hono'raːr] *n* fee

honorieren [hono'riːrən] *v* 1. *(bezahlen)* pay for, remunerate for; 2. *(anerkennen)* honour, recognize

Hopfen ['hɔpfən] *m* 1. BOT hop; *Bei ihr ist ~ und Malz verloren.* She's hopeless. 2. *(beim Brauen)* hops *pl*

horchen ['hɔrçən] *v* listen

hören ['høːrən] *v* 1. hear; *Das lässt sich ~!* Now you're talking! *etw von sich ~ lassen* get in touch; *von jdm ~* hear from s.o.; *etw von jdm zu ~ bekommen* get told off by s.o. *Da vergeht einem Hören und Sehen!* You don't know if you're coming or going! 2. *(zuhören)* listen to

Hörensagen ['høːrənzaːgən] *n* *etw vom ~ kennen* know sth by hearsay

Hörer ['høːrər] *m* 1. *(Person)* listener; 2. *(Telefonhörer)* receiver

hörig ['høːrıç] *adj* enslaved, in bondage

Horizont [hori'tsɔnt] *m* horizon, skyline

horizontal [horitsɔn'taːl] *adj* horizontal

Hormon [hɔr'moːn] *n* hormone

Horn [hɔrn] *n* horn; *ins gleiche ~ blasen* chime in; *sich die Hörner abstoßen* sow one's wild oats; *jdm Hörner aufsetzen* cuckold s.o.

Hornhaut ['hɔrnhaut] *f* 1. *(Schwiele)* callus; 2. *(des Auges)* ANAT cornea

Hornisse [hɔr'nısə] *f* ZOOL hornet

Horoskop [horɔs'koːp] *n* horoscope

Horrorfilm ['hɔrɔrfılm] *m* CINE horror film, horror movie *(US)*

Hörsaal ['høːrsaːl] *m* auditorium

Hörspiel ['høːrʃpiːl] *n* radio play

Hort [hɔrt] *m* 1. *(Zuflucht)* refuge, shelter; 2. *(Kinderhort)* day-nursery

horten ['hɔrtən] *v* hoard, stockpile

Hose ['hoːzə] *f* trousers, pants *(US)*; *die ~n anhaben* (fig) wear the trousers; *jdm die ~n strammziehen* give s.o. a good hiding; *in die ~ gehen* to be a complete wash-out; *sich in die ~ machen* wet one's pants

Hosenträger ['hoːzəntrɛːgər] *m* braces *pl (UK)*, suspenders *pl (US)*

Hospital [hɔspi'taːl] *n* hospital

Hostess [hɔs'tɛs] *f* hostess

Hotel [ho'tɛl] *n* hotel

hübsch [hypʃ] *adj* 1. pretty, nice, fine; 2. *(Person)* good-looking

Hubschrauber ['hu:pʃraubər] *m* helicopter

Hufeisen ['hu:faɪzən] *n* horseshoe

Hüfte ['hYftə] *f ANAT* hip

Hügel ['hy:gəl] *m* hill, mound, hillock

hügelig ['hy:gəlɪç] *adj* hilly, undulating

Huhn [hu:n] *n ZOOL* chicken, *(Gattung)* fowl; *mit den Hühnern ins Bett gehen* go to bed early; *mit den Hühnern aufstehen* get up at the crack of dawn

Hühnerauge ['hy:nəraugə] *n MED* corn

huldigen ['huldɪgən] *v 1.* pay homage to, render homage to; *2. (einer Ansicht)* embrace an opinion, subscribe to a point of view

Huldigung ['huldɪguŋ] *f 1.* homage; *2. (Beifall)* ovation, enthusiastic reception

Hülle ['hYlə] *f 1.* wrapper, covering; *2. (Gehäuse)* case; *3. (fig) in ~ und Fülle* in abundance

hüllen ['hYlən] *v* wrap, cover, envelop

Hülse ['hYlzə] *f 1. (Behälter)* case, sleeve; *2. (Waffen~)* case; *3. BOT* hull, husk, shell

human [hu'ma:n] *adj* humane

Humanismus [huma'nɪsmus] *m HIST* Humanism

humanitär [humani'tɛ:r] *adj* humanitarian

Humanität [humani'tɛ:t] *f* humanity

Hummel ['huml] *f ZOOL* bumble-bee; *~n im Hintern haben* have a bee in one's bonnet

Hummer ['humər] *m ZOOL* lobster

Humor [hu'mo:r] *m* humour

humoristisch [humo'rɪstɪʃ] *adj 1.* humorous; *adv. 2.* with humour

humorlos [hu'mo:rlo:s] *adj* humourless

humorvoll [hu'mo:rfɔl] *adj* humorous

humpeln ['humpəln] *v* hobble, limp

Humus ['hu:mus] *m* humus

Hund [hunt] *m* dog; *vor die ~e gehen (verkommen)* go to the dogs; *auf den ~ kommen* go to the dogs

hundert ['hundərt] *num* one hundred

Hunger ['huŋər] *m* hunger

hungern ['huŋərn] *v 1.* hunger, go hungry; *2. (fig) ~ nach* crave for, long for, yearn for

Hungersnot ['huŋərsno:t] *f* famine

Hungertuch ['huŋərtu:x] *n am ~ nagen* to be on the breadline

hungrig ['huŋrɪç] *adj* hungry; *~ wie ein Wolf* hungry as a bear

Hupe ['hu:pə] *f* horn

hupen ['hu:pən] *v* honk the horn, sound the horn, hoot

hüpfen ['hYpfən] *v 1.* hop, skip; *2. (springen)* jump, leap

Hürde ['hYrdə] *f* hurdle, obstacle; *eine ~ nehmen* take a hurdle

Hure ['hu:rə] *f* whore, prostitute

hurra [hu'ra:] *interj* Hurrah! Hooray!

Hurrikan ['hœrɪkən] *m* hurricane

husch [huʃ] *interj 1. (Weg da!)* Shoo! *2. (Schnell!)* Quick!

husten ['hu:stən] *v* cough; *Dem werde ich was ~!* He can get lost!

Husten ['hu:stən] *m MED* cough

Hut [hu:t] *m* hat; *ein alter ~ sein (fam)* to be old hat; *vor jdm den ~ ziehen* take off one's hat to s.o.; *Das kannst du dir an den ~ stecken!* You can keep it! *mit jdm nichts am ~ haben* not want to have anything to do with s.o.; *etw unter einen ~ bringen* reconcile sth; *jdm eins auf den ~ geben* give s.o. a dressing-down, give s.o. a rocket *(UK)*

hüten ['hy:tən] *v 1.* watch over, guard; *2. (aufpassen auf)* look after

Hüter ['hy:tər] *m* guardian, protector

Hutkrempe ['hu:tkrempə] *f* brim of a hat

Hütte ['hYtə] *f 1. (Häuschen)* hut, shed, shack; *2. (Eisenhütte/Stahlhütte)* forge, foundry, smelting-house

Hyäne [hy'ɛ:nə] *f ZOOL* hyena

Hyazinthe [hyat'sɪntə] *f BOT* hyacinth

Hydrant [hy'drant] *m* hydrant, fire-plug

Hydraulik [hy'draulɪk] *f PHYS* hydraulics

Hygiene [hy'gje:nə] *f* hygiene

hygienisch [hyg'je:nɪʃ] *adj* hygienic

Hymne ['hymnə] *f* hymn

hyperkorrekt [hypɐ'kɔrekt] *adj* ultra-correct

hypermodern [hypɐmo'dern] *adj* ultra-modern, hypermodern

hypersensibel ['hypɐzenzi:bəl] *adj* hypersensitive

Hypnose [hyp'no:zə] *f* hypnosis

hypnotisch [hyp'no:tɪʃ] *adj* hypnotic

Hypnotiseur [hypno:ti'zø:r] *m* hypnotist

hypnotisieren [hypno:ti'zi:rən] *v* hypnotize

Hypochonder [hypo'xɔndər] *m* hypochondriac

hypochondrisch [hypo'xɔndrɪʃ] *adj* hypochondriac

Hypothek [hypo'te:k] *f* mortgage

Hypothese [hypo'te:zə] *f* hypothesis

hypothetisch [hypo'te:tɪʃ] *adj 1.* hypothetical, hypothetic; *adv 2.* hypothetically

Hysterie [hyste'ri:] *f* hysteria, hysterics

Hysteriker [hys'te:rɪkər] *m* hysteric

hysterisch [hys'te:rɪʃ] *adj* hysterical

I

ich [ɪç] *pron* I; *mein zweites ~* my alter-ego; *Ich nicht!* Not me!

Ich [ɪç] *n* self; *sein zweites ~* one's alter-ego

ideal [ide'a:l] *adj* ideal

Ideal [ide'a:l] *n* ideal, model, standard

idealisieren [ideali'zi:rən] *v* idealize

Idealismus [idea'lɪsmʊs] *m* idealism

Idealist [idea'lɪst] *m* idealist

idealistisch [idea'lɪstɪʃ] *adj* idealistic

Idee [i'de:] *f* idea, concept, notion; *wie kommen Sie denn auf die ~* whatever gave you that idea; *nicht die leiseste ~ von etw haben* not have the faintest idea of sth

ideell [ide'ɛl] *adj* theoretical

ideenlos [i'de:ənlo:s] *adj* lacking ideas, without imagination

Ideenlosigkeit [i'de:ənlo:zıçkaıt] *f* lack of ideas, lack of imagination

Identifikation [identifika'tsjo:n] *f* identification

identifizieren [identifi'tsi:rən] *v* identify

identisch [i'dɛntɪʃ] *adj* identical

Identität [identi'tɛ:t] *f* identity

Ideologe [ideo'lo:gə] *m* POL ideologist

Ideologie [ideolo'gi:] *f* ideology

ideologisch [ideo'lo:gɪʃ] *adj* ideological

ideologisieren [ideologi'zi:rən] *v* ideologize

idiomatisch [idjo'ma:tɪʃ] *adj* idiomatic

Idiot [id'jo:t] *m* idiot, fool, imbecile

idiotisch [id'jo:tɪʃ] *adj* idiotic, foolish

Idol [i'do:l] *n* idol

Idyll [i'dyl] *n* idyll, *(Gegend)* idyllic place

idyllisch [i'dylɪʃ] *adj* idyllic, pastoral, picturesque

Igel [i:gəl] *m* ZOOL hedgehog

Iglu [i:glu] *m* igloo

ignorant [igno'rant] *adj* ignorant

Ignoranz [igno'rants] *f* ignorance

ignorieren [igno'ri:rən] *v* ignore, take no notice of

ihm [i:m] *pron* 1. him, to him; 2. *(bei Dingen und Tieren)* it, to it

ihn [i:n] *pron* 1. him; 2. *(bei Dingen und Tieren)* it

ihnen [i:nən] *pron* them, to them

Ihnen [i:nən] *pron* you, to you

ihr [i:r] *pron* 1. her, to her; 2. *(bei Dingen und Tieren)* it, to it; 3. *(Nominativ Plural von "du")* you

Ihr [i:r] *pron* your

ihre(r,s) [i:rə(r,s)] *pron* 1. *(von mehreren)* their, theirs; 2. *(einer Person)* her(s); 3. *(eines Tiers)* its

Ihre(r,s) [i:rə(r,s)] *pron* your(s)

Ikone [i'ko:nə] *f* ART icon

illegal [ɪle'ga:l] *adj* illegal

Illegalität [ɪlegali'tɛ:t] *f* JUR illegality

illegitim [ɪlegi'ti:m] *adj* illegitimate

Illegitimität [ɪlegitimi'tɛ:t] *f* illegitimacy

illoyal [ɪlɔy'ja:l] *adj* disloyal

Illoyalität [ɪlɔyjali'tɛ:t] *f* disloyalty

Illusion [ɪluz'jo:n] *f* illusion, delusion

illusorisch [ɪlu'zo:rɪʃ] *adj* illusory

illuster [ɪ'lʊstər] *adj* illustrious

Illustration [ɪlʊstra'tsjo:n] *f* illustration

illustrativ [ɪlʊstra'ti:f] *adj* illustrative

illustrieren [ɪlʊ'stri:rən] *v* illustrate, make clear

Illustrierte [ɪlʊ'stri:rtə] *f* illustrated magazine, glossy magazine

Iltis [ɪltɪs] *m* ZOOL polecat

im [ɪm] *prep* in the; *~ Kino* at the cinema; *~ Alter von zweiundachtzig Jahren* at the age of eighty-two

Image [ɪmɪdʒ] *n* image

imaginär [imagi'nɛ:r] *adj* imaginary

Imagination [imagina'tsjo:n] *f* imagination

Imbiss [ɪmbɪs] *m* snack

Imbissstand [ɪmbɪsʃtant] *m* snack bar

Imitat [ɪmi'ta:t] *n* imitation

Imitation [ɪmita'tsjo:n] *f* imitation, fake

Imitator [ɪmi'ta:tɔr] *m* imitator

imitieren [ɪmi'ti:rən] *v* imitate

Imker [ɪmkər] *m* bee-keeper

immanent [ima'nɛnt] *adj* immanent

Immatrikulation [ɪmatrikula'tsjo:n] *f* matriculation, enrolment

immatrikulieren [ɪmatriku'li:rən] *v* enrol

immens [ɪ'mɛns] *adj* immense

Immensität [ɪmɛnzi'tɛ:t] *f* immensity

immer [ɪmər] *adv* 1. always; *auf ~ und ewig* for ever and ever; 2. *~ schneller* faster and faster; *~ öfter* more and more often; *~ wieder* again and again; 3. *~ noch still*; 4. *wo* wherever, no matter where; *was* ~ whatever, no matter what; *wie auch* ~ however; *Wie auch* ~ ... Whatever the case ...; 5. *Immer mit der Ruhe!* Calm down!

immerfort ['ɪmərfɔrt] *adv* constantly
immerhin ['ɪmərhɪn] *adv 1. (schließlich)* after all; *2. (trotz allem)* nevertheless, still
immerzu [ɪmər'tsu:] *adv* continually
Immigrant(in) [ɪmi'grant(ɪn)] *m/f* immigrant
Immigration [ɪmigra'tsjo:n] *f* immigration
immigrieren [ɪmi'gri:rən] *v* immigrate
Immission [ɪmɪs'jo:n] *f 1. (in ein Amt)* appointment; *2. JUR* effect of noise, smells, or chemicals on adjoining property
immobil ['ɪmobi:l] *adj* immobile
Immobilien [ɪmo'bi:ljən] *pl* real estate, property
Immobilienmakler [ɪmo'bi:ljənma:klər] *m* real estate agent
immun [ɪ'mu:n] *adj* immune
immunisieren [ɪmuni'zi:rən] *v MED* immunize
Immunisierung [ɪmuni'zi:ruŋ] *f MED* immunization
Immunität [ɪmuni'tɛːt] *f* immunity
Immunschwäche [ɪ'mu:nʃvɛçə] *f MED* immune deficiency
Immunsystem [ɪ'mu:nsystɛm] *n* immune system
Imperativ ['ɪmperati:f] *m 1. GRAMM* imperative; *2. kategorischer ~ PHIL* categorical imperative
Imperfekt ['ɪmpɛrfɛkt] *n GRAMM* imperfect tense
Imperialismus [ɪmperja'lɪsmus] *m POL* imperialism
Imperialist [ɪmperja'lɪst] *m POL* imperialist
imperialistisch [ɪmperja'lɪstɪʃ] *adj POL* imperialistic
Imperium [ɪm'pɛrjum] *n* empire
impertinent [ɪmpɛrti'nɛnt] *adj* impertinent
Impertinenz [ɪmpɛrti'nɛnts] *f* impertinence
impfen ['ɪmpfən] *v MED* vaccinate, inoculate
Impfpass ['ɪmpfpas] *m MED* vaccination record
Impfschein ['ɪmpfʃaɪn] *m* certificate of vaccination
Impfstoff ['ɪmpfʃtɔf] *m* vaccine
Impfung ['ɪmpfuŋ] *f* vaccination, inoculation
Implantat [ɪmplan'taːt] *n MED* implant
implizieren [ɪmpli'tsi:rən] *v* imply

implodieren [ɪmplo'di:rən] *v* implode
Implosion [ɪmplo'zjo:n] *f TECH* implosion
imponieren [ɪmpo'ni:rən] *v 1.* to be impressive, command respect; *2. (jdm ~)* impress
imponierend [ɪmpo'ni:rənt] *adj* imposing, impressive
Import [ɪm'pɔrt] *m* import, importation
Importartikel [ɪm'pɔrtartɪkəl] *m* imported articles, imports
Importbeschränkung [ɪm'pɔrtbəʃrɛŋkuŋ] *f ECO* import restriction
Importeur [ɪmpɔr'tø:r] *m* importer
importieren [ɪmpɔr'ti:rən] *v* import
imposant [ɪmpo'zant] *adj* imposing, striking, impressive
impotent ['ɪmpotɛnt] *adj* impotent
Impotenz ['ɪmpotɛnts] *f MED* impotence
imprägnieren [ɪmprɛg'ni:rən] *v* impregnate, *(wasserdicht machen)* waterproof
Imprägnierung [ɪmprɛ'gni:ruŋ] *f* impregnation
Impression [ɪmprɛ'sjo:n] *f* impression
Impressionismus [ɪmprɛsjo'nismus] *m ART* impressionism
Impressionist [ɪmprɛsjo'nɪst] *m ART* impressionist
impressionistisch [ɪmprɛsjo'nɪstɪʃ] *adj ART* impressionistic
Impressum [ɪm'prɛsum] *n* imprint
Improvisation [ɪmproviza'tsjo:n] *f* improvisation
improvisieren [ɪmprovi'zi:rən] *v* improvise
Impuls [ɪm'puls] *m* impulse, thrust, stimulus
impulsiv [ɪmpul'si:f] *adj* impulsive; *~e Entschlüsse* spur of the moment/impulsive decisions
in [ɪn] *prep 1. (örtlich)* in; *~ die Stadt gehen* go to town; *2. (zeitlich)* in; *adj 3. ~ sein (fam: modern sein)* to be in (fam)
inadäquat ['ɪnadɛkva:t] *adj* inadequate
inaktiv ['ɪnakti:f] *adj* inactive
Inaktivität [ɪnaktivi'tɛːt] *f* inactivity
inakzeptabel [ɪnaktsɛpta:bəl] *adj* unacceptable
Inanspruchnahme [ɪn'anʃpruxna:mə] *f 1.* claims *pl,* demands *pl; 2. (Benutzung)* use; *3. (geistige)* preoccupation
Inbegriff ['ɪnbəgrɪf] *m* essence, embodiment, epitome
inbegriffen ['ɪnbəgrɪfən] *adj* included, inclusive, implicit

Inbetriebnahme [ɪnbəˈtriːpnaːmə] f implementation, initiation, starting
Inbrunst [ˈɪnbrunst] f ardour, passion, fervour
inbrünstig [ˈɪnbrynstɪç] adj ardent, fervent, passionate
indem [ɪnˈdeːm] konj 1. (Gleichzeitigkeit) as, while; 2. (Mittel) by
Inder [ˈɪndər] m Indian
indessen [ɪnˈdɛsən] adv 1. meanwhile, in the meantime, at that moment; konj 2. whereas
Index [ˈɪndɛks] m index
Indianer [ɪnˈdjaːnər] m (American) Indian
indianisch [ɪnˈdjaːnɪʃ] adj (American) Indian
Indien [ˈɪndjən] n GEO India
indifferent [ˈɪndɪfərɛnt] adj indifferent
Indifferenz [ˈɪndɪfərɛnts] f indifference
Indikation [ɪndikaˈtsjoːn] f MED indication
Indikativ [ˈɪndikatiːf] m GRAMM indicative
Indikator [ɪndiˈkaːtɔr] m indicator
Indio [ˈɪndjo] m Indian
indirekt [ˈɪndɪrɛkt] adj indirect
indisch [ˈɪndɪʃ] adj Indian
indiskret [ˈɪndɪskreːt] adj indiscreet, tactless
Indiskretion [ɪndɪskreˈtsjoːn] f indiscretion
indiskutabel [ˈɪndɪskutaːbəl] adj 1. (nicht der Erörterung wert) out of the question; 2. (sehr schlecht) unspeakably bad
indisponiert [ˈɪndɪsponiːrt] adj indisposed
Individualismus [ɪndividuaˈlɪsmus] m individualism
Individualist [ɪndividuaˈlɪst] m individualist
individualistisch [ɪndividuaˈlɪstɪʃ] adj individualistic
Individualität [ɪndividualiˈtɛːt] f individuality
individuell [ɪndividuˈɛl] adj individual, particular
Individuum [ɪndiˈviːduum] n individual
Indiz [ɪnˈdiːts] n indication, evidence
Indizienprozess [ɪnˈdiːtsjənprotsɛs] m JUR case based on circumstantial evidence
Indonesien [ɪndoˈneːzjən] n GEO Indonesia
Indonesier [ɪndoˈneːzjər] m Indonesian
indonesisch [ɪndoˈneːzɪʃ] adj Indonesian
Induktion [ɪndukˈtsjoːn] f TECH induction

industrialisieren [ɪndustriˈaliˈziːrən] v ECO industrialize
Industrialisierung [ɪndustriˈaliˈziːruŋ] f industrialization
Industrie [ɪndusˈtriː] f industry
Industrieanlagen [ɪndusˈtriːanlaːgən] pl ECO industrial plants
Industriebetrieb [ɪndusˈtriːbətriːp] m ECO industrial concern
Industrieerzeugnis [ɪndusˈtriːɛrtsɔyknɪs] n industrial product
Industriegebiet [ɪndusˈtriːgəbiːt] n industrial area
Industriekauffrau [ɪndusˈtriːkauffrau] f industrial manager
Industriekaufmann [ɪndusˈtriːkaufman] m ECO industrial manager
Industrieland [ɪndusˈtriːlant] n industrialized country
industriell [ɪndustriˈɛl] adj industrial
Industrielle(r) [ɪndustriˈɛlə(r)] m/f industrialist
Industrienation [ɪndusˈtriːnatsjoːn] f industrial nation
Industrie- und Handelskammer [ɪndusˈtriːunt ˈhandəlskamər] f Chamber of Industry and Commerce
ineffektiv [ˈɪnɛfɛktiːf] adj ineffective, ineffectual, inefficient
Ineffektivität [ɪnɛfɛktiviˈtɛːt] f ineffectiveness
ineinander [ɪnaɪˈnandər] adj into each other, into one another; ~ fließen flow into one another; ~ greifen interlock, gear into each other, mesh; ~ stecken interlock; ~ passen fit into each other/fit together; ~ schieben telescope
infam [ɪnˈfaːm] adj infamous
Infanterie [ɪnfanˈtriː] f MIL infantry
infantil [ɪnfanˈtiːl] adj infantile
Infantilität [ɪnfantiliˈtɛːt] f infantility
Infarkt [ɪnˈfarkt] m MED infarction
Infektion [ɪnfɛkˈtsjoːn] m MED infection
Infektionskrankheit [ɪnfɛkˈtsjoːnskraŋkhaɪt] f MED infectious disease
Inferno [ɪnˈfɛrno] n inferno
Infiltration [ɪnfɪltraˈtsjoːn] f POL infiltration
infiltrieren [ɪnfɪlˈtriːrən] v POL infiltrate
Infinitiv [ˈɪnfinitiːf] m GRAMM infinitive
infizieren [ɪnfiˈtsiːrən] v infect, get infected
Inflation [ɪnflatsˈjoːn] f inflation
inflationär [ɪnflatsjoˈnɛːr] adj inflationary

Inflationsrate [ɪnflaˈtsjoːnsraːtə] f rate of inflation

infolge [ɪnˈfɔlgə] prep as a result of, because of, due to

infolgedessen [ɪnfɔlgəˈdɛsən] konj consequently, as a result

Informatik [ɪnfɔrˈmaːtɪk] f information science, informatics

Informatiker [ɪnfɔrˈmaːtɪkər] m information specialist, information technologist

Information [ɪnfɔrmaˈtsjoːn] f information

Informationsbüro [ɪnfɔrmaˈtsjoːnsbyroː] n information office

Informationsfluss [ɪnfɔrmaˈtsjoːnsflʊs] m flow of information

Informationsmaterial [ɪnfɔrmaˈtsjoːnsmaterjaːl] n information

Informationsquelle [ɪnfɔrmaˈtsjoːnskvɛlə] n source of information

informativ [ɪnfɔrmaˈtiːf] adj informative

informell [ɪnfɔrˈmɛl] adj informal

informieren [ɪnfɔrˈmiːrən] v inform, instruct

Infrarot [ˈɪnfraroːt] n PHYS infrared

Infrarotlicht [ˈɪnfraˈroːtlɪçt] n TECH infrared light

Infrarotstrahler [ˈɪnfraroːtʃtraːlər] m TECH infrared lamp

Infrarotstrahlung [ˈɪnfraroːtʃtraːlʊŋ] f TECH infrared radiation

Infrastruktur [ˈɪnfraʃtruktuːr] f infrastructure

infrastrukturell [ˈɪnfraʃtrukturɛl] adj infrastructural

Infusion [ɪnfuˈsjoːn] f MED infusion, drip

Ingenieur [ɪnʒɛnˈjøːr] m engineer

Ingredienz [ɪŋgreˈdjɛnts] f ingredient

Ingwer [ˈɪŋvər] m GAST ginger

Inhaber [ˈɪnhaːbər] m 1. (Besitzer) owner, possessor, holder; 2. (Eigentümer) owner, proprietor; 3. (Amtsinhaber) holder

inhaftieren [ɪnhafˈtiːrən] v imprison, put in prison, place under arrest

inhaftiert [ɪnhafˈtiːrt] adj in custody, in prison

Inhaftierung [ɪnhafˈtiːrʊŋ] f arrest

Inhalation [ɪnhalaˈtsjoːn] f MED inhalation

inhalieren [ɪnhaˈliːrən] v MED inhale

Inhalt [ˈɪnhalt] m 1. contents; 2. (fig) content, essence, substance

inhaltlich [ˈɪnhaltlɪç] adv with regard to content, in substance

Inhaltsangabe [ˈɪnhaltsangaːbə] f 1. statement of contents; 2. (eines Werkes) summary

inhaltslos [ˈɪnhaltsloːs] adj empty, unsubstantial, meaningless

inhaltsreich [ˈɪnhaltsraɪç] adj 1. rich in content; 2. (Leben) full

Inhaltsverzeichnis [ˈɪnhaltsfɛrtsaɪçnɪs] n table of contents

inhuman [ˈɪnhumaːn] adj inhuman, inhumane

Initialen [ɪnɪˈtsjaːlən] pl initials

Initiative [ɪnɪtsjaˈtiːvə] f initiative

Initiator [ɪnɪtsˈjaːtoːr] m initiator

initiieren [ɪnɪˈtsiːrən] v initiate

Injektion [ɪnjɛkˈtsjoːn] f MED injection

injizieren [ɪnjiˈtsiːrən] v MED inject

Inkarnation [ɪnkarnaˈtsjoːn] f REL incarnation

Inkasso [ɪnˈkaso] n FIN collection

inklusive [ɪnkluˈziːvə] prep including, inclusive of

inkognito [ɪnˈkɔgniːto] adv incognito

inkompatibel [ɪnkompaˈtiːbəl] adj INFORM incompatible

inkompetent [ɪnkɔmpəˈtɛnt] adj incompetent

Inkompetenz [ɪnkɔmpəˈtɛnts] f incompetence

Inkonsequenz [ɪnkɔnzəˈkvɛnts] f inconsistency

In-Kraft-Treten [ɪnˈkraftˈtreːtən] n coming into effect, entering into force; Tag des ~s effective date

Inkubationszeit [ɪnkubaˈtsjoːnstsaɪt] f MED incubation period

Inland [ˈɪnlant] n 1. home country; 2. (das Innere des Landes) interior

inländisch [ˈɪnlɛndɪʃ] adj domestic, native, home

inmitten [ɪnˈmɪtən] prep in the midst of, amid, in the middle of

innehaben [ˈɪnəhaːbən] v irr own, hold, occupy

innehalten [ˈɪnəhaltən] v irr 1. halt, pause, stop; 2. (einhalten) observe

innen [ˈɪnən] adv inside, within; nach ~ inward; von ~ from within

Innenarchitekt [ˈɪnənarçɪtɛkt] m interior decorator, interior designer

Innenaufnahme [ˈɪnənaufnaːmə] f 1. CINE indoor shot; 2. FOTO indoor photograph

Innenausschuss [ˈɪnənausʃus] m central committee

Innenausstattung ['ɪnənausʃtatuŋ] f 1. interior decoration; 2. (eines Autos) interior design

Innendienst ['ɪnəndiːnst] m work done in the office, office duty

Inneneinrichtung ['ɪnənaɪnrɪçtuŋ] f interior decorating, interior design

Innenhof ['ɪnənhoːf] m inner courtyard

Innenleben ['ɪnənleːbən] n (fig) jds ~ one's feelings, one's emotions, one's thoughts

Innenminister ['ɪnənmɪnɪstər] m POL Minister of the Interior, Home Secretary (UK), Secretary of the Interior (US)

Innenministerium ['ɪnənmɪnɪsteːrjum] n POL Ministry of the Interior, Home Office (UK), Department of the Interior (US)

Innenpolitik ['ɪnənpolitiːk] f POL domestic policy, internal politics, home policy

innenpolitisch ['ɪnənpolitɪʃ] adj POL internal, domestic, relating to domestic affairs

Innenraum ['ɪnənraum] m interior

Innenseite ['ɪnənzaɪtə] f inner side, inside

Innenspiegel ['ɪnənʃpiːgəl] m (im Auto) inside rear view mirror

Innenstadt ['ɪnənʃtat] f city centre, centre of town, downtown

Innentasche ['ɪnəntaʃə] f inside pocket

inner(e,er,es) ['ɪnər(ə,ər,əs)] adj 1. inner, internal, interior; 2. (fig) intrinsic, inner

Innereien [ɪnər'aɪən] pl GAST innards, giblets

innerhalb ['ɪnərhalp] prep 1. (örtlich) within, inside (of); 2. (zeitlich) within

innerlich ['ɪnərlɪç] adj 1. inner; 2. MED internal

innerparteilich ['ɪnərpartaɪlɪç] adj POL within a party, internal

innerstaatlich ['ɪnərʃtaːtlɪç] adj POL domestic

innewohnen ['ɪnəvoːnən] v to be inherent in

innig ['ɪnɪç] adj intimate, close, intense

Innovation [ɪnnova'tsjoːn] f innovation

innovativ [ɪnnova'tiːf] adj innovative

Innung ['ɪnuŋ] f guild

inoffiziell [ɪnɔfi'tsjɛl] adj unofficial, informal

inoperabel [ɪnɔpə'raːbəl] adj inoperable

Inquisition [ɪnkvizi'tsjoːn] f HIST inquisition

ins [ɪns] prep in the, into the; ~ Kino gehen to the cinema

Insasse ['ɪnzasə] m 1. (einer Anstalt) inmate; 2. (Fahrgast) passenger, occupant

insbesondere [ɪnsbə'zɔndərə] adv especially, particularly, in particular

Inschrift ['ɪnʃrɪft] f inscription

Insekt [ɪn'zɛkt] n insect

Insektenstich [ɪn'zɛktənʃtɪç] m 1. insect sting; 2. (von Mücken, Ameisen, Flöhen) insect bite

Insektizid [ɪnzɛkti'tsiːt] n CHEM insecticide

Insel ['ɪnzəl] f island; Ich bin reif für die ~! I need a holiday! I need a vacation! (US)

Inselgruppe ['ɪnzəlgrupə] f GEO group of islands, archipelago

Inserat [ɪnzə'raːt] n advertisement

Inserent [ɪnzə'rɛnt] m advertiser

inserieren [ɪnzə'riːrən] v advertise

insgeheim [ɪnsgə'haɪm] adv secretly

insgesamt [ɪnsgə'zamt] adv altogether, in all, all in all, collectively

Insider ['ɪnsaɪdər] m insider

insistieren [ɪnzɪs'tiːrən] v insist

insofern [ɪnzo'fɛrn] konj 1. so long, as; adv 2. so far, to that extent, in that respect

insolvent ['ɪnzɔlvɛnt] adj ECO insolvent

Insolvenz ['ɪnzɔlvɛnts] f ECO insolvency

Inspektion [ɪnspɛk'tsjoːn] f inspection

Inspektor [ɪn'spɛktor] m 1. inspector; 2. (Aufseher) superintendent

Inspiration [ɪnspira'tsjoːn] f inspiration

inspirieren [ɪnspi'riːrən] v inspire

inspizieren [ɪnspi'tsiːrən] v inspect

instabil ['ɪnʃtabiːl] adj instable

Instabilität ['ɪnʃtabiliˈtɛːt] f instability

Installateur [ɪnstala'tøːr] m 1. plumber, fitter; 2. (Elektroinstallateur) electrician

Installation [ɪnstala'tsjoːn] f installation

installieren [ɪnsta'liːrən] v install, fit

Instandhaltung [ɪn'ʃtanthaltuŋ] f maintenance, upkeep

inständig ['ɪnʃtɛndɪç] adj 1. urgent; adv 2. beseechingly, urgently; ~ hoffen hope fervently; ~ bitten implore, beseech

Instandsetzung [ɪn'ʃtantzɛtsuŋ] f repair, restoration, reconditioning

Instantkaffee ['ɪnstantkafeː] m instant coffee

Instanz [ɪn'stants] f 1. authority; 2. JUR court

Instinkt [ɪn'stɪŋkt] m instinct

instinktiv [ɪnstɪŋk'tiːf] adj instinctive

Institut [ɪnsti'tuːt] n institute, establishment, institution

Institution [ɪnstitu'tsjoːn] f institution, established custom

institutionell [ɪnstitutsjoˈnɛl] *adj* POL institutional

instruieren [ɪnstruˈiːrən] *v* 1. *(Anweisungen geben)* instruct; 2. *(informieren)* inform

Instruktion [ɪnstrukˈtsjoːn] *f* instruction

instruktiv [ɪnstrukˈtiːf] *adj* instructive

Instrument [ɪnstruˈmɛnt] *n* instrument, tool, implement

instrumental [ɪnstrumɛnˈtaːl] *adj* MUS instrumental

Instrumentalmusik [ɪnstrumɛnˈtaːlmuziːk] *f* MUS instrumental music

Insulin [ɪnzuˈliːn] *n* MED insulin

inszenieren [ɪnstseˈniːrən] *v* THEAT produce, stage, put on

Inszenierung [ɪnstseˈniːruŋ] *f* production, staging

intakt [ɪnˈtakt] *adj* intact

Intarsie [ɪnˈtarzjə] *f* ART intarsia

integer [ɪnˈteːgər] *adj ein integrer Mann* a man of integrity

Integration [ɪntegraˈtsjoːn] *f* integration

integrieren [ɪnteˈgriːrən] *v* integrate

Integrität [ɪntegriˈtɛːt] *f* integrity

Intellekt [ɪnteˈlɛkt] *m* intellect

intellektuell [ɪntelɛktuˈɛl] *adj* intellectual

Intellektuelle(r) [ɪntelɛktuˈɛlə(r)] *m/f* intellectual

intelligent [ɪnteliˈgɛnt] *adj* intelligent

Intelligenz [ɪnteliˈgɛnts] *f* intelligence; *Es wird seiner ~ zugeschrieben.* It is attributed to his intelligence.

Intelligenzquotient [ɪnteliˈgɛntskvotsjənt] *m* intelligence quotient (I.Q.)

Intelligenztest [ɪnteliˈgɛntstɛst] *m* mental test

Intendant [ɪntɛnˈdant] *m* THEAT director

Intensität [ɪntɛnziˈtɛːt] *f* intensity

intensiv [ɪntɛnˈziːf] *adj* intensive, intense

intensivieren [ɪntɛnziˈviːrən] *v* intensify

Intensivierung [ɪntɛnziˈviːruŋ] *f* intensifying, intensification

Intensivstation [ɪntɛnˈziːfʃtatsjoːn] *f* MED intensive care unit

Interaktion [ɪntərakˈtsjoːn] *f* interaction

interaktiv [ɪntərakˈtiːf] *adj* interactive

interessant [ɪntərɛˈsant] *adj* interesting

Interesse [ɪntəˈrɛsə] *n* interest; *im ~ von* on behalf of

interesselos [ɪntəˈrɛsəloːs] *adj* uninterested, indifferent, listless

Interessenausgleich [ɪntəˈrɛsənausglaɪç] *m* balancing of interests, conciliation of interests

Interessenkonflikt [ɪntəˈrɛsənkɔnflɪkt] *m* conflict of interest

Interessent [ɪntərɛˈsɛnt] *m* person interested, interested party

interessieren [ɪntərɛˈsiːrən] *v* interest

interkontinental [ɪntərkɔntinɛnˈtaːl] *adj* intercontinental

intern [ɪnˈtɛrn] *adj* internal

Internat [ɪntɛrˈnaːt] *n* boarding-school

international [ɪntɛrnatsjoˈnaːl] *adj* international

Internationaler Währungsfonds [ˈɪntɛrnatsjonaːlər ˈvɛːruŋsfɔ] *m* FIN International Monetary Fund

Internet [ˈɪntɛrnɛt] *n* INFORM Internet

Internist [ɪntɛrˈnɪst] *m* MED internal specialist, internist (US)

Interpret [ɪntɛrˈpreːt] *m* interpreter (of music)

Interpretation [ɪntɛrpretaˈtsjoːn] *f* interpretation

interpretieren [ɪntɛrpreˈtiːrən] *v* interpret

Interpunktion [ɪntɛrpuŋkˈtsjoːn] *f* punctuation

Intervall [ɪntɛrˈval] *m* interval

intervenieren [ɪntɛrveˈniːrən] *v* intervene

Intervention [ɪntɛrvɛnˈtsjoːn] *f* intervention

Interview [ˈɪntɛrvjuː] *n* interview

interviewen [ˈɪntɛrvjuːən] *v* interview

intim [ɪnˈtiːm] *adj* intimate

Intimität [ɪntimiˈtɛːt] *f* intimacy

Intimsphäre [ɪnˈtiːmsfɛːrə] *f* privacy, private life

intolerant [ɪntɔləˈrant] *adj* intolerant

Intoleranz [ɪntɔləˈrants] *f* intolerance

intransitiv [ˈɪntranzitiːf] *adj* intransitive

intravenös [ɪntraveˈnøːs] *adj* MED intravenous

intrigant [ɪntriˈgant] *adj* scheming

Intrigant(in) [ɪntriˈgant(ɪn)] *m/f* intriguer

Intrige [ɪnˈtriːgə] *f* intrigue, scheme

intrigieren [ɪntriˈgiːrən] *v* intrigue, plot, scheme

Intubation [ɪntubaˈtsjoːn] *f* MED intubation

Invalide [ɪnvaˈliːdə] *m* invalid, disabled person

Invasion [ɪnvasˈjoːn] *f* POL invasion

Inventar [ɪnvɛnˈtaːr] *n* inventory

Inventur [ɪnvɛnˈtuːr] *f* stock-taking, inventory

investieren [ɪnvɛsˈtiːrən] *v* invest

Investition [ɪnvɛstiˈtsjoːn] *f* investment

Investitionshilfe [ɪnvɛsti'tsjoːnshɪlfə] *f* ECO investment aid

Investmentfonds [ɪn'vɛstmɛntfɔ] *m* ECO investment fund, unit trust (UK), mutual trust (US)

Investor [ɪn'vɛstor] *m* ECO investor

inwiefern [ɪnviˈfɛrn] *adv* in what way

inwieweit [ɪnviˈvaɪt] *adv* to what extent, in what way

Inzest ['ɪntsɛst] *m* incest

Inzucht ['ɪntsuxt] *f* inbreeding

inzwischen [ɪn'tsvɪʃən] *adv* in the meantime, meanwhile, by then

Irak [i'raːk] *m der ~* Iraq

Iraker [i'raːkər] *m* Iraqi

irakisch [i'raːkɪʃ] *adj* Iraqi

Iran [i'raːn] *m der ~* Iran

Iraner [i'raːnər] *m* Iranian

iranisch [i'raːnɪʃ] *adj* Iranian

irden ['ɪrdən] *adj* 1. earthen; 2. (Geschirr) earthenware

irdisch ['ɪrdɪʃ] *adj* 1. terrestrial, earthly; 2. (weltlich) worldly

Ire/Irin [ˈiːrə/ˈiːrɪn] *m/f* Irishman/Irishwoman; Sie ist Irin. She's Irish. die Iren the Irish

irgend ['ɪrgənt] *adv* if possible, whatever, whenever; ~ etwas something, anything; ~ jemand somebody, someone, anyone

irgendein ['ɪrgəntaɪn] *adj* some, any

irgendwann ['ɪrgəntvan] *adv* sometime

irgendwelche(r,s) ['ɪrgəntvɛlçə(r,s)] *pron* some; Ich glaube nicht, dass es ~ Probleme geben wird. I don't think there will be any problems.

irgendwie ['ɪrgəntviː] *adv* somehow, in some way, one way or another

irgendwo ['ɪrgəntvoː] *adv* somewhere, anywhere

Iris ['iːrɪs] *f* ANAT iris

irisch ['iːrɪʃ] *adj* Irish

Irland ['ɪrlant] *n* GEO Ireland, (Republik ~) Eire

Irokese [iroˈkeːzə] *m* Iroquois

Ironie [iroˈniː] *f* irony

ironisch [i'roːnɪʃ] *adj* ironic

irrational ['ɪratsjonaːl] *adj* irrational

Irrationalität [ɪratsjonaliˈtɛːt] *f* irrationality

irre ['ɪrə] *adj* 1. mad, deranged, confused; 2. (fam: merkwürdig) crazy, far-out; adv 3. (fam: außerordentlich) incredibly

Irre(r) ['ɪrə(r)] *m/f* lunatic, madman/madwoman, insane person

irreführen ['ɪrəfyːrən] *v* mislead

irregehen ['ɪrəgeːən] *v irr* 1. (sich verlaufen) lose one's way; 2. (sich irren) get on the wrong track

irregulär ['ɪreguleːr] *adj* irregular

irrelevant ['ɪrelevant] *adj* irrelevant

irren ['ɪrən] *v* 1. (sich ~) to be wrong, to be mistaken; 2. (ratlos hin und her gehen) wander

Irrenanstalt ['ɪrənanʃtalt] *f* lunatic asylum

Irrenarzt ['ɪrənartst] *m (fam)* shrink, headshrinker

Irrenhaus ['ɪrənhaus] *n (fam)* madhouse, lunatic asylum

Irrfahrt ['ɪrfaːrt] *f* odyssey

Irrgarten ['ɪrgartən] *m* 1. maze; 2. (fig) labyrinth

irrgläubig ['ɪrglɔybɪç] *adj* heretical

Irritation [ɪritaˈtsjoːn] *f* irritation

irritieren [ɪriˈtiːrən] *v* 1. irritate; 2. (verwirren) confuse, muddle

Irrlehre ['ɪrleːrə] *f* REL false doctrine

Irrlicht ['ɪrlɪçt] *n* will-o'-the-wisp

Irrsinn ['ɪrzɪn] *m* madness

irrsinnig ['ɪrzɪnɪç] *adj* 1. MED insane; 2. (fig) insane, crazy, mad

Irrtum ['ɪrtum] *m* error, mistake, misconception; sich im ~ befinden to be mistaken, to be on the wrong track

irrtümlich ['ɪrtyːmlɪç] *adj* erroneous

Irrweg ['ɪrveːk] *m (fig)* wrong way; auf ~e geraten go astray

Islam [ɪs'laːm] *m* REL Islam

islamisch [ɪsˈlaːmɪʃ] *adj* REL Islamic

islamistisch [ɪslaˈmɪstɪʃ] *adj* Islamic

Islamit [ɪslaˈmɪt] *m* Muslim

Island ['iːslant] *n* GEO Iceland

Isländer ['iːslɛndər] *m* Icelander

Isolation [izolaˈtsjoːn] *f* 1. TECH insulation; 2. (Absondern) isolation

isolieren [izoˈliːrən] *v* 1. TECH insulate; 2. (absondern) isolate

Isolierung [izoˈliːruŋ] *f* 1. TECH insulation; 2. (fig) isolation

Isotop [izoˈtoːp] *n* CHEM isotope

Israel ['ɪsraeːl] *n* Israel

Israeli [ɪsraˈeːli] *m* Israeli

israelisch [ɪsraˈeːlɪʃ] *adj* Israeli

israelitisch [ɪsraeˈliːtɪʃ] *adj* Israelite

Italien [iˈtaːljən] *n* GEO Italy

Italiener(in) [italˈjeːnər(ɪn)] *m/f* Italian

italienisch [italˈjeːnɪʃ] *adj* Italian

Italienisch [italˈjeːnɪʃ] *n* Italian

I-Tüpfelchen ['iːtupfəlçən] *n* dot on the i; bis aufs ~ down to the last detail

J

ja [ja:] *adv* 1. yes; 2. *(einräumend) Es ist ~ nicht so schlimm.* It really isn't so bad.

Jacht [jaxt] *f* yacht

Jacke [jakə] *f* 1. *(Stoffjacke)* jacket; *~ wie Hose sein* to be six of one and half a dozen of the other; *die ~ vollkriegen* get a thrashing; 2. *(Strickjacke)* cardigan

Jackett [ʒa'ket] *n* jacket

Jackpot [ˈdʒækpɔt] *m* jackpot

Jagd [ja:kt] *f* 1. hunt; 2. *(Verfolgung)* chase, pursuit

Jagdgründe [ˈja:ktgryndə] *pl in die ewigen ~ eingehen* go to the happy hunting grounds

jagen [ˈja:gən] *v* hunt, stalk, shoot; *Damit kannst du mich ~.* I wouldn't take it if you paid me.

Jäger [ˈjɛːgər] *m* hunter

Jaguar [ˈja:gua:r] *m* jaguar

jäh [jɛː] *adj* 1. *(plötzlich)* sudden, abrupt; 2. *(steil)* steep, precipitous

Jahr [ja:r] *n* year; *in die ~e kommen* to be getting on in years; *in den besten ~en* in the prime of life

jahrelang [ˈja:rəlaŋ] *adj* 1. lasting for years; *~e Erfahrung* years of experience; *adv* 2. for years

jähren [ˈjɛːrən] *v heute jährt sich der Tag an dem ...* it's a year ago today that ...; *heute jährt es sich zum vierten Mal, dass ...* today makes it four years since ...

Jahrestag [ˈja:rəsta:k] *m* anniversary

Jahresurlaub [ˈja:rəsu:rlaup] *m* holidays per year, vacation per year *(US)*

Jahreswagen [ˈja:rəsva:gən] *m* one-year-old car

Jahreswechsel [ˈja:rəsvɛksəl] *m* turn of the year

Jahreszahl [ˈja:rəstsa:l] *f* year; *~en lernen* learn dates; *Ich kann mir ~en schlecht merken.* I'm not good at memorizing dates.

Jahreszeit [ˈja:rəstsaɪt] *f* season, time of year

jahreszeitlich [ˈja:rəstsaɪtlɪç] *adj* seasonal

Jahrgang [ˈja:rgaŋ] *m* 1. year; 2. *(Menschen)* all persons born in a certain year; *Birgit Schmidt, ~ 1967* Birgit Schmidt, born 1967; *Du und ich sind der gleiche ~.* You and I were born the same year.

Jahrhundert [ja:r'hundərt] *n* century

Jahrhundertereignis [ja:r'hundərtɛr-aɪknɪs] *n (fig)* monumental event

Jahrhundertwende [ja:r'hundərtvɛndə] *f* turn of the century

jährlich [ˈjɛːrlɪç] *adj* 1. annual, yearly; *adv* 2. annually, every year

Jahrmarkt [ˈja:rmarkt] *m* fair, annual fair

Jahrtausend [ja:r'tauzənt] *n* millenium

Jahrzehnt [ja:r'tse:nt] *n* decade

Jähzorn [ˈjɛːtsɔrn] *m* quick temper, hotheadedness, *(plötzlicher Ausbruch)* sudden anger

jähzornig [ˈjɛːtsɔrnɪç] *adj* hot-tempered, quick-tempered, choleric

Jalousie [ʒalu'zi:] *f* (Venetian) blind

Jamaika [ja'maɪka] *n* GEO Jamaica

Jammer [ˈjamər] *m* 1. *(Klagen)* lamentation, distress, woe; 2. *(Elend)* misery, distress, calamity; *ein ~ sein* to be a crying shame

jämmerlich [ˈjɛmərlɪç] *adj* 1. miserable, lamentable, sorry; *adv* 2. miserably, wretchedly, woefully

jammern [ˈjamərn] *v* lament, complain, wail

jammervoll [ˈjamərfɔl] *adj* wretched, miserable

Januar [ˈjanua:r] *m* January

Japan [ˈja:pan] *n* GEO Japan

Japaner [ja'pa:nər] *m* Japanese

japanisch [ja'pa:nɪʃ] *adj* Japanese

japsen [ˈjapsən] *v (fam)* gasp for breath, pant

Jargon [ʒar'gɔ] *m* jargon

Jasager [ˈja:za:gər] *m* yes-man, stooge

Jasmin [jas'mi:n] *m* BOT jasmine

Jaspis [ˈjaspɪs] *m* MIN jasper

Jastimme [ˈja:ʃtɪmə] *f* vote in favour

jäten [ˈjɛːtən] *v* weed

Jauche [ˈjauxə] *f* liquid manure

Jauchegrube [ˈjauxəgru:bə] *f* cesspool, cesspit

jauchzen [ˈjauxtsən] *v* shout with joy, cheer, rejoice

Jauchzer [ˈjauxtsər] *m* shout of joy

jaulen [ˈjaulən] *v* whine

Jawort [ˈja:vɔrt] *n* 1. *jdm das ~ geben* say yes to s.o. (who has proposed marriage); 2. *jdm das ~ geben (bei der Trauung)* say "I do"

je [je:] *adv* 1. ever; *denn ~ than ever; prep* 2. per, each; *Sie zahlten ~ zehn Mark.* Each one paid ten marks. ~ Person drei Stück three per person; konj 3. ~ ... desto ... the ... the ...; ~ mehr, desto besser the more the better; 4. ~ nachdem, ... depending on ... "Je nachdem." "That depends."

jede(r,s) ['je:də(r,s)] adj 1. each, every; pron 2. everyone, everybody

jedenfalls ['je:dənfals] adv in any case, at any rate, anyway

jedermann ['je:dərman] pron 1. everyone, everybody; Es ist nicht ~s Sache. It's not for everyone. 2. (jeder Beliebige) anyone, anybody

jederzeit ['je:dərtsaɪt] adv at all times, always, at any time

jedes Mal ['je:dəsma:l] adv every time, each time, (immer) always; ~ wenn whenever

jedoch [je'dɔx] konj yet, still, however

jedweder pron (siehe "jeder")

jeglicher ['je:klɪçər] pron every, any

jeher ['je:'her] adv seit ~ always, all along

jemals ['je:mals] adv ever

jemand ['je:mant] pron somebody, someone, anybody

jene(r,s) ['je:nə(r,s)] pron that one; in ~n Tagen in those days

jenseitig ['je:nzaɪtɪç] adj 1. on the other side of, opposite; 2. REL otherworldly

jenseits ['je:nzaɪts] prep beyond

Jenseits ['je:nzaɪts] n the hereafter, the beyond, the life to come; jdn ins ~ befördern send s.o. to meet his maker

Jesuit [jezu'i:t] m REL Jesuit

jetten ['dʒɛtən] v jet

jetzig ['jɛtsɪç] adj current, present

jetzt [jɛtst] adv now, at present, at the moment; bis ~ as yet; ~ gleich right away; Was ist ~ los? What's going on now?

jeweilig ['je:vaɪlɪç] adj 1. respective; 2. (vorherrschend) prevailing

jeweils ['je:vaɪls] adv respectively, at a time, in each case; ~ zwei zusammen two at a time

jobben ['dʒɔbən] v do temporary jobs

Joch [jɔx] n yoke

Jod [jo:t] n CHEM iodine

jodeln ['jo:dəln] v yodel

Joga ['jo:ga] m/n Yoga

joggen ['dʒɔgən] v SPORT jog

Jogurt ['dʒo:gurt] n GAST yogurt

Johannisbeere [jo'hanɪsbe:rə] f (rote ~) BOT redcurrant

Johannistag [jo'hanɪsta:k] m Midsummer Day (June 24th)

johlen ['jo:lən] v howl, yell

Jolle ['jɔlə] f NAUT dinghy

Jongleur [ʒɔŋ'glø:r] m juggler

jonglieren [ʒɔŋ'gli:rən] v juggle

Jordanien [jɔr'da:njən] n Jordan

Jordanier [jɔr'da:njər] m Jordanian

jordanisch [jɔr'da:nɪʃ] adj Jordanian

Journal [ʒur'na:l] n journal

Journalismus [ʒurna'lɪsmus] m journalism

Journalist [ʒurna'lɪst] m journalist

jovial [jo'vja:l] adj jovial, merry, cheerful

Jovialität [jovjali'tɛ:t] f joviality

Jubel ['ju:bəl] m jubilation, exultation, merry-making

jubeln ['ju:bəln] v rejoice, shout with joy

Jubilar [ju:bi'la:r] m person celebrating an anniversary

Jubiläum [ju:bi'lɛ:um] n anniversary, jubilee

jucken ['jukən] v 1. itch; 2. (sich kratzen) scratch o.s.

Juckreiz ['jukraɪts] m MED itching

Jude ['ju:də] m Jew

Judenstern ['ju:dənʃtern] m REL Star of David

Judentum ['ju:dəntu:m] n REL Judaism

Judenverfolgung ['ju:dənferfɔlguŋ] f pogrom, persecution of the Jews

Judikative [judika'ti:və] f POL judicative

Jüdin ['jy:dɪn] f Jewish woman; Sie ist ~. She's Jewish.

jüdisch ['jy:dɪʃ] adj Jewish

Judo ['ju:do] n SPORT judo

Jugend ['ju:gənt] f youth

Jugendamt ['ju:gəntamt] n youth welfare department

jugendfrei ['ju:gəntfraɪ] adj suitable for young people, carrying a U certificate (UK), rated PG (US)

Jugendgruppe ['ju:gəntgrupə] f youth group

Jugendherberge ['ju:gəntherbergə] f youth hostel

Jugendkriminalität ['ju:gəntkrɪminalitɛ:t] f juvenile delinquency

jugendlich ['ju:gəntlɪç] adj juvenile, adolescent, youthful

Jugendliche(r) ['ju:gəntlɪçə(r)] m/f adolescent, young person, youth

Jugendlichkeit ['ju:gəntlɪçkaɪt] f youthfulness

Jugendorganisation ['ju:gəntɔrganizatsjo:n] f youth organization

Jugendrichter ['ju:gəntrɪçtər] *m JUR* judge of the juvenile court

Jugendschutzgesetz ['ju:gəntʃutsgəzɛts] *n JUR* Protection of Young Persons Act

Jugendstil ['ju:gəntʃti:l] *m ART* Art Nouveau

Jugendstrafanstalt ['ju:gəntʃtra:fanʃtalt] *f JUR* juvenile prison, reform school

Jugendstreich ['ju:gəntʃtraɪç] *m* youthful escapade

Jugendsünde ['ju:gəntzyndə] *f* sin of one's youth

Jugendwerk ['ju:gəntvɛrk] *n* 1. early work; 2. *LIT* juvenilia

Jugendzeit ['ju:gənttsaɪt] *f* youth, early life

Jugendzentrum ['ju:gənttsɛntrum] *n* youth centre

Jugoslawe [ju:go'sla:və] *m HIST* Yugoslav

Jugoslawien [ju:go'sla:vjən] *n HIST* Yugoslavia

jugoslawisch [ju:go'sla:vɪʃ] *adj HIST* Yugoslav

Juli ['ju:li] *m* July

jung [juŋ] *adj* young; *der Jüngste Tag* Doomsday

Junge ['juŋə] *m* 1. boy; *n* 2. *ZOOL* young animal, young

jungenhaft ['juŋənhaft] *adj* boyish

Jünger ['jyŋər] *m REL* disciple

Jungfer ['juŋfər] *f alte ~* old maid, old spinster

Jungfernfahrt ['juŋfərnfa:rt] *f* maiden journey

Jungfernhäutchen ['juŋfərnhɔytçən] *n ANAT* hymen

Jungfrau ['juŋfrau] *f* virgin

jungfräulich ['juŋfrɔylɪç] *adj* 1. virginal; 2. *(fig)* virgin

Junggeselle ['juŋgəzɛlə] *m* bachelor

Junggesellendasein ['juŋgəzɛləndazaɪn] *n* bachelor's life, life as a bachelor

Jüngling ['jyŋlɪŋ] *m* lad, youngster, young fellow

jüngst [jyŋst] *adv (neulich)* recently, lately, of late

jüngste(r,s) ['jyŋstə(r,s)] *adj* 1. youngest; 2. *(Sachen)* latest, most recent; 3. *der Jüngste Tag* Doomsday

Jungsteinzeit ['juŋʃtaɪntsaɪt] *f HIST* New Stone Age, Neolithic period

jungsteinzeitlich ['juŋʃtaɪntsaɪtlɪç] *adj HIST* of the New Stone Age, Neolithic

Jungtier ['juŋti:r] *n ZOOL* young animal

Jungunternehmer ['juŋuntɛrne:mər] *m ECO* young entrepreneur

Jungwähler ['juŋvɛ:lər] *m* young voter

Juni ['ju:ni] *m* June

Junior ['ju:njɔr] *m* junior

Juniorchef ['ju:njɔrʃɛf] *m* junior director, junior partner

Juniorpartner ['ju:njɔrpartnər] *m ECO* junior partner

Junker ['juŋkər] *m HIST* Junker

Junta ['xunta] *f POL* junta

Jura ['ju:ra] *n* law

Jurisdiktion [jurɪsdɪk'tsjo:n] *f JUR* jurisdiction

Jurist/Juristin [ju'rɪst/ju'rɪstɪn] *m/f* lawyer, legal expert

juristisch [ju'rɪstɪʃ] *adj* legal

Juror/Jurorin ['ju:rɔr/ju'ro:rɪn] *m/f JUR* juror

Jury [ʒy'ri:] *f* jury, panel of judges

just [jʊst] *adj* just

justieren [jʊs'ti:rən] *v* 1. adjust; 2. *(Typografie)* justify

Justiz [jʊs'ti:ts] *f* administration of justice, judiciary, judicature

Justizbeamte(r)/Justizbeamtin [jʊs'ti:tsbaamtə(r)/jʊs'ti:tsbaamtɪn] *m/f* judicial officer, officer of the court, court clerk

Justizbehörde [jʊs'ti:tsbəhø:rdə] *f* judicial authority

Justizirrtum [jʊs'ti:tsɪrtum] *m* miscarriage of justice

Justizminister [jʊs'ti:tsmɪnɪstər] *m POL* Minister of Justice, Lord Chancellor *(UK)*, Attorney General *(US)*

Justizministerium [jʊs'ti:tsmɪnɪsterjum] *n* Ministry of Justice

Justizmord [jʊs'ti:tsmɔrt] *m JUR* judicial murder

Jute ['ju:tə] *f BOT* jute

Jutesack ['ju:təzak] *m* jute sack

Jutetasche ['ju:tətaʃə] *f* jute bag

Juwel [ju've:l] *n* jewel, gem; *mit ~en behängt* laden with jewels

Juwelendiebstahl [ju've:ləndi:pʃta:l] *m* jewel theft

Juwelier [juvə'li:r] *m* jeweller, *(Geschäft)* jeweller's

Juweliergeschäft [juvə'li:rgəʃɛft] *n* jeweller, jewelry store *(US)*

Jux [jʊks] *m* joke, lark, fun; *aus lauter ~ und Tollerei* just for kicks; *sich einen ~ mit jdm erlauben* play a joke on s.o.

juxen ['jʊksən] *v* make fun

K

Kabarett [kabaˈrɛt] n THEAT cabaret

Kabel [ˈkaːbəl] n cable

Kabeljau [ˈkaːbəljau] m ZOOL codfish, cod

Kabine [kaˈbiːnə] f 1. (kleiner Raum) cubicle; 2. NAUT cabin

Kabinett [kabiˈnɛt] n POL cabinet

Kachel [ˈkaxəl] f tile

Kachelofen [ˈkaxəloːfən] m tile stove

Kadaver [kaˈdaːvər] m carcass

Kadenz [kaˈdɛnts] f MUS cadence

Kader [ˈkaːdər] m 1. cadre; 2. SPORT squad

Kadett [kaˈdɛt] m MIL cadet

Käfer [ˈkɛːfər] m ZOOL bug, beetle

Kaffee [ˈkafeː] m coffee; *Das ist alles kalter ~!* (fig) That's old news! That's all old hat!

Kaffeelöffel [ˈkafeːlœfəl] m teaspoon

Kaffeemaschine [ˈkafeːmaʃiːnə] f coffee machine

Kaffeesatz [ˈkafezats] m coffee grounds

Käfig [ˈkɛːfɪç] m cage; *im goldenen ~ sitzen* (fig) to be a bird in a gilded cage

kahl [kaːl] adj 1. (unbewachsen) bare; 2. (glatzköpfig) bald; 3. (ohne Blätter) bare, leafless; 4. (leer) bleak, barren; 5. (Wand) bare; *~ fressen* strip

kahlköpfig [ˈkaːlkœpfɪç] adj bald, bald-headed

Kahlschlag [ˈkaːlʃlaːk] m 1. clearing; 2. (fig: radikale Verringerung) clean sweep

Kahn [kaːn] m boat, skiff, barge; *einen im ~ haben* to be tipsy

Kai [kai] m quay, wharf

Kaiser [ˈkaizər] m emperor

Kaiserreich [ˈkaizərraiç] n empire

Kaiserschnitt [ˈkaizərʃnɪt] m MED Caesarian section

Kajak [ˈkaːjak] n SPORT kayak

Kajüte [kaˈjyːtə] f cabin

Kakadu [ˈkakadu] m ZOOL cockatoo

Kakao [kaˈkau] m 1. BOT cocoa; *jdn durch den ~ ziehen* (fig: jdn schlecht machen) run s.o. down, bad-mouth s.o. (US); (veralbern) make fun of s.o.; 2. GAST hot chocolate

Kaktus [ˈkaktus] m BOT cactus

Kalb [kalp] n ZOOL calf

Kalbfleisch [ˈkalpflaiʃ] n GAST veal

Kalender [kaˈlɛndər] m calendar; *etw rot im ~ anstreichen* make sth a red-letter day

Kalium [ˈkaːljum] n CHEM potassium

Kalk [kalk] m CHEM lime

Kalkstein [ˈkalkʃtain] m limestone

Kalkulation [kalkulaˈtsjoːn] f calculation

kalkulieren [kalkuˈliːrən] v calculate

Kalorie [kaloˈriː] f PHYS calorie

kalorienarm [kaloˈriːənarm] adj low-calorie

kalt [kalt] adj cold; *Kalter Krieg* cold war; *~ stellen* (fig) neutralize; *~ bleiben* (besonnen bleiben) keep cool; *~e Füße kriegen* (fig) get cold feet; *jdm die ~e Schulter zeigen* (fig) give s.o. the cold shoulder

kaltblütig [ˈkaltblyːtɪç] adj cold-blooded

Kälte [ˈkɛltə] f 1. cold; 2. (fig) coolness, coldness, callousness

Kalzium [ˈkaltsjum] n CHEM calcium

Kamel [kaˈmeːl] n ZOOL camel

Kamera [ˈkaməra] f camera

Kamerad [kaməˈraːt] m comrade, companion, mate (fam)

kameradschaftlich [kaməˈraːtʃaftlıç] adj comradely, companionable

Kamille [kaˈmɪlə] f BOT camomile

Kamin [kaˈmiːn] m 1. (Feuerstelle) fireplace; 2. (Schornstein) chimney

Kaminkehrer [kaˈmiːnkeːrər] m chimney-sweep

Kamm [kam] m 1. (Haarkamm) comb; *alles über einen ~ scheren* treat everything alike; 2. (Bergkamm) crest, ridge; 3. BIO comb; *Ihm schwillt der ~!* He's getting cocky!

kämmen [ˈkɛmən] v comb

Kammer [ˈkamər] f 1. chamber, small room; 2. POL chamber (of parliament); 3. (Herzkammer) ANAT ventricle, chamber of the heart

Kammerdiener [ˈkamərdiːnər] m valet

Kammerjäger [ˈkamərjɛːgər] m exterminator

Kampagne [kamˈpanjə] f campaign

Kampf [kampf] m 1. fight, struggle; 2. (Wettkampf) competition, contest; 3. (Schlacht) battle

kämpfen [ˈkɛmpfən] v fight, battle, struggle; *etw um ~* fight for sth

Kampfgeist [ˈkampfgaist] m fighting spirit

Kanada [ˈkanada] n GEO Canada

Kanal [kaˈnaːl] m 1. channel, waterway, canal; *den ~ voll haben* to be fed up to one's teeth; *sich den ~ voll laufen lassen* to get drunk as a lord

Kanalisation [kanaliza'tsjo:n] *f* canalization, drainage, sewerage

Kanarienvogel [ka'na:rjənfo:gəl] *m* ZOOL canary

Kanarische Inseln [ka'na:rıʃə 'ınzəln] *pl* GEO Canary Islands *pl*

Kandidat [kandi'da:t] *m* candidate

Kandidatur [kandida'tu:r] *f* candidacy, candidature

kandidieren [kandi'di:rən] *v* stand as a candidate, run *(US)*

kandiert [kan'di:rt] *adj* candied

Kandiszucker ['kandıstsukər] *m* sugar candy

Känguru ['kɛŋguru:] *n* ZOOL kangaroo

Kaninchen [ka'ni:nçən] *n* ZOOL rabbit

Kanister [ka'nıstər] *m* canister

Kanne ['kanə] *f* jug, pot

Kannibale [kani'ba:lə] *m* cannibal

Kanon ['ka:nɔn] *m* MUS canon, round

Kanone [ka'no:nə] *f* 1. gun; 2. *(Geschütz)* HIST cannon

Kante ['kantə] *f* 1. edge; *etw auf die hohe ~ legen* save sth for a rainy day; *etw auf der hohen ~ haben* have sth saved up for a rainy day; 2. *(Rand)* border

kantig ['kantıç] *adj* angular, edged

Kantine [kan'ti:nə] *f* canteen

Kanu [ka:nu] *n* canoe

Kanüle [ka'ny:lə] *f* MED cannula

Kanzel ['kantsəl] *f* REL pulpit

Kanzlei [kants'laı] *f* 1. office, chambers; 2. POL chancellery

Kanzler ['kantslər] *m* POL chancellor

Kapazität [kapatsi'tɛ:t] *f* 1. capacity; 2. *(Person)* authority, eminent specialist

Kapelle [ka'pelə] *f* 1. REL chapel; 2. MUS band, orchestra

kapern ['ka:pərn] *v (fam)* capture, seize, catch

Kapital [kapi'ta:l] *n* capital; *~ aus etw schlagen* capitalize on sth

Kapitalismus [kapita'lısmus] *m* capitalism

Kapitalist [kapita'lıst] *m* capitalist

Kapitän [kapi'tɛ:n] *m* captain

Kapitel [ka'pıtəl] *n* chapter

kapitulieren [kapitu'li:rən] *v* capitulate, surrender

Kaplan [kap'la:n] *m* REL chaplain

Kappe ['kapə] *f* cap; *etw auf seine ~ nehmen* take the rap for sth *(fam)*

Kapsel ['kapsəl] *f* capsule

kaputt [ka'put] *adj* 1. broken; 2. *(fam: müde)* tired, exhausted, whacked

kaputtmachen [ka'putmaxən] *v* 1. *etw ~* break; 2. *sich ~* wear o.s. out

Kapuze [ka'pu:tsə] *f* hood, cowl, cap

Karaffe [ka'rafə] *f* decanter, carafe

Karambolage [karambo'la:ʒə] *f* 1. collision, crash; 2. *(Massenkarambolage)* pile-up

Karamell [kara'mɛl] *m* caramel

Karat [ka'ra:t] *n* carat

Karate [ka'ratə] *n* SPORT karate

Karawane [kara'va:nə] *f* caravan

Kardinal [kardi'na:l] *m* REL cardinal

Karenz [ka'rɛnts] *f* 1. waiting period; 2. MED period of rest

Karfreitag [ka:r'fraıta:k] *m* REL Good Friday

karg [kark] *adj* scanty, paltry, meagre

Karibik [ka'ri:bık] *f die ~* GEO the Caribbean

kariert [ka'ri:rt] *adj* checked, chequered

Karies ['ka:rıes] *f* MED caries

Karikatur [karika'tu:r] *f* caricature, cartoon

Karikaturist [karikatu'rıst] *m* caricaturist, cartoonist

karitativ [karita'ti:f] *adj* charitable

Karneval ['karnəval] *m* carnival

Karo ['ka:ro] *n* 1. diamond; 2. *(Muster)* check; 3. *(Kartenspiel)* diamonds *pl*

Karosserie [karɔsə'ri:] *f* TECH bodywork, body (of a car)

Karotte [ka'rɔtə] *f* BOT carrot

Karpfen ['karpfən] *m* ZOOL carp

Karree [ka're:] *n im ~ springen* get really mad

Karren [karən] *m* cart; *den ~ aus dem Dreck ziehen* get things sorted out; *jdm an den ~ fahren* take s.o. to task

Karriere [ka'rjɛ:rə] *f* career; *~ machen* get ahead

Karte ['kartə] *f* 1. *(Eintrittskarte)* ticket; 2. *(Ansichtskarte)* postcard; 3. *(Speisekarte)* menu; 4. *(Spielkarte)* card, playing card; *alle ~n in der Hand haben* hold all the cards; *schlechte ~n haben* have a bad hand, *(fig)* not be in good shape; *seine ~n offen auf den Tisch legen* put one's cards on the table; *alles auf eine ~ setzen* put all one's eggs in one basket; *jdm in die ~n schauen (fig)* see what s.o. has up his sleeve; *mit offenen ~n spielen* put one's cards on the table; *mit gezinkten ~n spielen* not play fair; 5. *(Landkarte)* map

Kartei [kar'taı] *f* catalogue, card-register, card-index

Karteikarte [kar'taıkartə] *f* index card, file card

Karteikasten [kar'taɪkastən] *m* card-index box, box of index cards

Kartell [kar'tɛl] *n ECO* cartel

Kartellamt [kar'tɛlamt] *n ECO* monopolies commission, antitrust commission

Kartenhaus ['kartənhaus] *n 1.* house of cards; *2. NAUT* chart room

Kartenleger ['kartənle:gər] *m* fortune-teller (who uses cards)

Kartenspiel ['kartənʃpi:l] *n* card game

Kartentelefon ['kartəntelefo:n] *n* card-phone

Kartenvorverkauf [kartən'fo:rfɛrkauf] *m* advance ticket sales

Kartoffel [kar'tɔfəl] *f BOT* potato; *jdn fallen lassen wie eine heiße ~* drop s.o. like a hot potato

Kartografie [kartɔgra'fi:] *f* cartography

Karton [kar'tɔŋ] *m 1. (Material)* cardboard; *2. (Schachtel)* cardboard box

Kartonage [karto'na:ʒə] *f* cardboard container

Karussell [karu'sɛl] *n* merry-go-round

kaschieren [ka'ʃi:rən] *v (Papier)* laminate

Kaschmir ['kaʃmi:r] *m* cashmere

Käse ['kɛ:zə] *m 1. GAST* cheese; *2. (fam: Unsinn)* nonsense, rubbish, rot

Kaserne [ka'zɛrnə] *f MIL* barracks

Kasino [ka'zi:no:] *n (Spielkasino)* casino

Kasper ['kaspər] *m* clown

Kasperletheater ['kaspərltea:tər] *n THEAT* Punch and Judy show

Kasse ['kasə] *f 1. (Registrierkasse)* cash register; *2. (~nschalter)* cashier's desk; *3. (Geldkasse)* cash-box; *bei ~ sein* to be flush; *nicht bei ~ sein* to be out of cash; *jdn zur ~ bitten* ask s.o. to pay up; *4. (Ladenkasse)* till; *tief in die ~ greifen müssen* have to dip into the till; *5. (Krankenkasse)* health insurance (fund); *6. (Sparkasse)* savings bank

Kassenbon ['kasənbõ] *m* receipt

Kassenzettel ['kasəntsɛtəl] *m* receipt

Kassette [ka'sɛtə] *f* cassette

Kassettenrekorder [ka'sɛtənrekɔrdər] *m* cassette recorder

kassieren [ka'si:rən] *v* collect, take the money

Kassierer [ka'si:rər] *m* cashier

Kastanie [kas'ta:njə] *f BOT* chestnut; *für jdn die ~n aus dem Feuer holen* do s.o.'s dirty work

Kästchen ['kɛstçən] *n 1. (kleine Kiste)* little box; *2. (auf Schreibpapier)* box, square

Kaste ['kastə] *f* caste

Kastell [kas'tɛl] *n HIST* castellum, fort

Kasten ['kastən] *m* box, case; *etw auf dem ~ haben* have one's head screwed on the right way; *etw im ~ haben CINE* have sth in the can

kastrieren [kas'tri:rən] *v MED* castrate

Kasus ['ka:zus] *m GRAMM* case

Katakombe [kata'kɔmbə] *f* catacomb

Katalog [kata'lo:k] *m* catalogue

Katalysator [kataly'za:tor] *m 1. TECH* catalytic converter; *2. CHEM* catalyst

katastrophal [katastro'fa:l] *adj* disastrous, catastrophic

Katastrophe [kata'stro:fə] *f* disaster, catastrophe

Katechismus [katɛ'çismus] *m REL* catechism

Kategorie [katego'ri:] *f* category

kategorisch [kate'go:rɪʃ] *adj* categorical

Kater ['ka:tər] *m 1. (fam)* hangover; *2. ZOOL* tom-cat

Kathedrale [kate'dra:lə] *f REL* cathedral

Katode [ka'to:də] *f PHYS* cathode

Katholik [kato'li:k] *m REL* Catholic

katholisch [ka'to:lɪʃ] *adj REL* Catholic

Katze ['katsə] *f* cat; *die ~ im Sack kaufen* buy a pig in a poke; *die ~ aus dem Sack lassen* let the cat out of the bag; *mit jdm Katz und Maus spielen* play cat and mouse with s.o.; *für die Katz sein* to be for the birds

Kauderwelsch ['kaudərvɛlʃ] *n 1.* jargon, lingo; *2. (unverständliche Sprache)* gibberish

kauen ['kauən] *v* chew

kauern ['kauərn] *v* cower, squat, huddle

Kauf [kauf] *m* purchase, buy (fam); *etw in ~ nehmen* put up with sth

kaufen ['kaufən] *v 1.* purchase, buy; *2. sich jdn ~* call s.o. on the carpet (fig)

Käufer ['kɔyfər] *m* buyer, purchaser

Kaufhaus ['kaufhaus] *n* department store

käuflich ['kɔyflɪç] *adj 1.* for sale, purchasable; *2. (fig: bestechlich)* bribable, venal, corrupt

Kaugummi ['kaugumi] *m* chewing-gum

Kaulquappe ['kaulkvapə] *f ZOOL* tadpole

kaum [kaum] *adv 1.* hardly, scarcely, barely; *konj 2.* hardly, scarcely

kausal [kau'za:l] *adj* causal

Kaution [kau'tsjo:n] *f* deposit, guarantee, security

Kautschuk ['kautʃuk] *m* caoutchouc, India rubber

Kauz [kauts] *m 1. (fig)* strange fellow, oddball, misfit; *2. ZOOL* screech-owl

Kavalier [kava'li:r] *m* gentleman

Kavallerie [kavaləˈriː] f MIL cavalry

Kaviar [ˈkaːviaːr] m GAST caviar

keck [kɛk] adj cheeky, daring, forward

Kegel [ˈkeːgəl] m 1. cone; 2. (zum Spiel) skittle, (beim Bowling) pin

kegeln [ˈkeːgəln] v 1. play at skittles; 2. (beim Bowling) bowl (US)

Kehle [ˈkeːlə] f ANAT throat; Das schnürte mir die ~ zu. I was speechless. sich die ~ aus dem Hals schreien shout at the top of one's lungs; eine trockene ~ haben need a drink; etw in die falsche ~ bekommen take sth the wrong way; Jetzt geht es ihm an die ~. He's had it.

Kehlkopf [ˈkeːlkɔpf] m ANAT larynx

kehren [ˈkeːrən] v 1. (drehen) turn; in sich gekehrt (versunken) lost in thought, (verschlossen) introverted; 2. (fegen) sweep, brush

Kehrseite [ˈkeːrzaɪtə] f 1. (Rückseite) reverse, back; 2. (fig) reverse side, other side; die ~ der Medaille the other side of the coin

Keil [kaɪl] m wedge

Keilerei [kaɪləˈraɪ] f (fam) fight, scuffle, brawl

Keim [kaɪm] m germ, seed; etw im ~ ersticken nip sth in the bud

keimen [ˈkaɪmən] v germinate, sprout, bud

keimfrei [ˈkaɪmfraɪ] adj sterile, germ-proof

Keimzelle [ˈkaɪmtsɛlə] f 1. BIO germ-cell, bud-cell; 2. (fig) basic unit

kein(e) [ˈkaɪn(ə)] adj no, not any, not one; Ich habe kein Geld. I have no money. I do not have any money.

keiner [ˈkaɪnər] pron 1. none, not any; 2. (niemand) nobody, no one; Es war ~ da. There was nobody there.

keinesfalls [ˈkaɪnəsfals] adv under no circumstances, on no account, by no means

Keks [keːks] m biscuit (UK), cookie (US); jdm auf den ~ gehen get on s.o.'s nerves

Kelch [kɛlç] m cup, goblet

Kelle [ˈkɛlə] f 1. (Schöpfkelle) ladle, scoop; 2. (Maurerkelle) trowel

Keller [ˈkɛlər] m basement, cellar

Kellerei [kɛləˈraɪ] f (Lagerraum) wine-cellars

Kellergeschoss [ˈkɛlərɡəʃɔs] n basement

Kellner [ˈkɛlnər] m waiter, barman

keltisch [ˈkɛltɪʃ] adj HIST Celtic

Kenia [ˈkeːnja] m GEO Kenya

kennen [ˈkɛnən] v irr 1. know; 2. (vertraut sein mit) to be familiar with, know, to be acquainted with; Da kennt er gar nichts! Nothing

will stop him!; ~ lernen get to know, become acquainted with; meet (for the first time); nur oberflächlich ~ know but slightly

Kenner [ˈkɛnər] m 1. expert, authority; 2. (bei Geschmackssachen) connoisseur

Kennkarte [ˈkɛnkartə] f identity card

kenntlich [ˈkɛntlɪç] adj recognizable, distinguishable, discernible; etw ~ machen mark sth

Kenntnis [ˈkɛntnɪs] f knowledge, acquaintance with sth; etw zur ~ nehmen take note of sth; Das entzieht sich meiner ~. I don't know anything about it. jdn von etw in ~ setzen inform s.o. of sth

Kennwort [ˈkɛnvɔrt] n password

Kennzeichen [ˈkɛntsaɪçən] n 1. (Merkmal) distinguishing attribute, characteristic mark, sign; 2. (Auto) registration plate, licence number, registration number

kennzeichnen [ˈkɛntsaɪçnən] v 1. mark; 2. (charakterisieren) characterize, distinguish

Kennziffer [ˈkɛntsɪfər] f code number, identification number

kentern [ˈkɛntərn] v NAUT capsize, overturn

Keramik [keˈraːmɪk] f ceramics

Kerbe [ˈkɛrbə] f jag, notch, nick; in die gleiche ~ hauen take the same line

Kerker [ˈkɛrkər] m 1. prison, jail; 2. (Verlies) dungeon

Kerl [kɛrl] m (fam) chap, guy, fellow

Kern [kɛrn] m 1. (Obstkern) seed, kernel, pit; 2. (fig: Mittelpunkt) core, heart, central point; der harte ~ the hard core; 3. (fig: Wesentliche) essence, kernel, main substance

Kernkraftwerk [ˈkɛrnkraftvɛrk] n nuclear power station

Kerosin [keroˈziːn] n TECH kerosene

Kerze [ˈkɛrtsə] f 1. candle; 2. (Zündkerze) spark plug

Kerzenständer [ˈkɛrtsənʃtɛndər] m candlestick

kess [ˈkɛs] adj jaunty, saucy

Kessel [ˈkɛsəl] m 1. (Kochgefäß) kettle; 2. (Heizkessel) boiler, heater

Kette [ˈkɛtə] f 1. chain; jdn an die ~ legen tie s.o. down; an der ~ liegen to be in chains; 2. (Halskette) necklace; 3. (Serie) series, string

Ketzer [ˈkɛtsər] m REL heretic

ketzerisch [ˈkɛtsərɪʃ] adj REL heretical

keuchen [ˈkɔyçən] v pant, puff, gasp

Keule [ˈkɔylə] f 1. club, bludgeon; 2. GAST leg, joint, shoulder

Keuschheit [ˈkɔyʃhaɪt] f chastity

kichern ['kıçǝrn] v giggle, snigger
kidnappen ['kıtnɛpǝn] v kidnap
Kiebitz ['ki:bıts] m 1. (Vogel) lapwing, peewit; 2. (Zuschauer beim Kartenspiel) kibitzer (fam)
Kiefer¹ ['ki:fǝr] m ANAT jaw
Kiefer² ['ki:fǝr] f BOT pine-tree
Kiel [ki:l] m NAUT keel
Kieme ['ki:mǝ] f ZOOL gill; etw zwischen die ~n bekommen get a bite to eat
Kies [ki:s] m 1. gravel; 2. (fam: Geld) dough
Kieselstein ['ki:zǝlʃtain] m pebble
Kiesweg ['ki:sve:k] m gravel path
Kind [kınt] n child; ~er und Narren sagen die Wahrheit children and fools speak the truth; kein ~ von Traurigkeit sein to enjoy life; bei jdm lieb ~ spielen ingratiate o.s. with s.o., bow and scrape to s.o.; das ~ beim Namen nennen call a spade a spade; mit ~ und Kegel with bag and baggage; Wir werden das ~ schon schaukeln! We'll manage somehow!
Kindergarten ['kındǝrgartǝn] m kindergarten, nursery-school
Kindergeld ['kındǝrgɛlt] n family allowance, child benefit
Kinderheim ['kındǝrhaim] n children's home
Kinderhort ['kındǝrhɔrt] m day-nursery
Kindermädchen ['kındǝrmɛːtçǝn] n nanny
Kinderwagen ['kındǝrva:gǝn] m pram (UK), baby carriage (US)
Kindesmisshandlung ['kındǝsmıshandluŋ] f child abuse
Kindheit ['kınthait] f childhood, infancy
kindisch ['kındıʃ] adj childish
kindlich ['kındlıç] adj 1. childlike, simple, innocent; adv 2. like a child
kinetisch [ki'ne:tıʃ] adj PHYS kinetic
Kinn [kın] n chin
Kino ['ki:no] n cinema
Kiosk ['kiɔsk] m kiosk
Kippe ['kıpǝ] f 1.(fig) auf der ~ stehen to be up in the air; 2. (fam: Zigarettenrest) dog-end (UK), stub, butt (US)
Kirche ['kırçǝ] f church; die ~ im Dorf lassen not get carried away; die ~ ums Dorf tragen take the long way
kirchlich ['kırçlıç] adj (of the) church, ecclesiastical
Kirchturm ['kırçturm] m steeple
Kirsche ['kırʃǝ] f BOT cherry; Mit ihm ist nicht gut ~ essen! It's best not to tangle with him!

Kissen ['kısǝn] n 1. cushion; 2. (Kopfkissen) pillow
Kissenbezug ['kısǝnbǝtsu:k] m pillowcase, pillow-slip
Kiste ['kıstǝ] f box, chest, case
kitschig ['kıtʃıç] adj gaudy, bad-taste, tawdry
Kittel ['kıtǝl] m 1. smock, tunic; 2. (Überwurf) overall
kitzelig ['kıtsǝlıç] adj ticklish
kitzeln ['kıtsǝln] v tickle
Kiwi ['ki:vi] f BOT kiwi
Klage ['kla:gǝ] f 1. complaint, lament; 2. JUR grievance, charge, suit
klagen ['kla:gǝn] v 1. complain, lament, moan; über Schmerzen ~ complain of pains; 2. JUR take legal action, sue
kläglich ['klɛ:klıç] adj miserable, woeful, lamentable
Klammer ['klamǝr] f 1. (Büroklammer) paper clip; 2. (Wäscheklammer) clothes-peg, clothespin (US); 3. (Zeichen) bracket, parenthesis
Klammeraffe ['klamǝrafǝ] m INFORM "at" symbol
klammern ['klamǝrn] v 1. clip, peg, clamp; 2. sich ~ an cling to
Klang [klaŋ] m 1. sound, ring; 2. (Klangfarbe) tone, timbre
klanglos ['klaŋlo:s] adj sang- und ~ without any ado
Klappe ['klapǝ] f 1. flap; 2. (fam) mouth; Halt die ~! Shut up! eine große ~ haben have a big mouth
klapperig ['klapǝrıç] adj 1. (Sache) shaky, rickety, wobbly; 2. (Person) decrepit, shaky, frail
klappern ['klapǝrn] v 1. rattle; 2. (Zähne) chatter
Klapperschlange ['klapǝrʃlaŋǝ] f ZOOL rattlesnake
klar [kla:r] adj clear; sich über etw im Klaren sein fully understand sth; „Klar." "Right."
klären ['klɛ:rǝn] v 1. (reinigen) purify; 2. (Situation) clear up, clarify
Klarheit ['kla:rhait] f 1. clarity; sich über etw ~ verschaffen to find out about sth, to get clear about sth, (Sachlage) to clarify sth; jdm etw in aller ~ sagen; tell s.o. sth in plain language 2. (des Wassers, der Luft) clearness
Klarinette [klari'nɛtǝ] f MUS clarinet
Klarsichtfolie ['kla:rzıçtfo:ljǝ] f transparent foil

klarstellen ['klaːrʃtɛlən] *v* make clear, clarify

Klasse ['klasə] *f* class

Klassenkamerad ['klasənkaməraːt] *m* classmate

Klassenzimmer ['klasəntsımər] *n* classroom

Klassifizierung [klasifi'tsiːruŋ] *f* classification

Klassik ['klasık] *f* 1. *(Zeitabschnitt)* HIST classicism, classical period; 2. *(Stil)* classicism; 3. MUS classical music

Klassiker ['klasıkər] *m* 1. *(Person)* classic, classicist; 2. *(Werk)* classic work

klassisch ['klasıʃ] *adj* classical, classic; *das hast du mal wieder ~ gesagt!* another classic comment

Klassizismus [klasi'tsısmus] *m* classicism

Klatsch [klatʃ] *m (fam)* gossip

klatschen ['klatʃən] *v* 1. *(Geräusch)* smack, flap; *jdm eine ~* hit s.o.; 2. *(Regen)* splash; 3. *(Beifall ~)* clap, applaud; 4. *(negativ reden)* gossip

Klausel ['klauzəl] *f* JUR clause, proviso, stipulation

Klausur [klau'zuːr] *f* 1. *(Prüfung)* examination paper; 2. *(Abgeschiedenheit)* seclusion

Klavier [kla'viːr] *n* MUS piano

Klebeband ['kleːbəbant] *n* adhesive tape

kleben ['kleːbən] *v* 1. *(haften)* stick to, adhere to, cling to; *Bilder in ein Album ~* paste pictures into an album 2. *(ankleben)* stick; *jdm eine ~* paste s.o. one *(fam)*

klebrig ['kleːbrıç] *adj* sticky, adhesive

Klebstoff ['kleːpʃtɔf] *m* adhesive, glue

Klecks ['klɛks] *m* splash, spot, blotch

Klee [kleː] *m* BOT clover; *etw über den grünen ~ loben* praise sth to the skies, sing hosannas about sth *(fig)*

Kleeblatt ['kleːblat] *n* BOT clover

Kleid [klaıt] *n* dress, gown

kleiden ['klaıdən] *v* 1. *sich ~* dress; 2. *(gut aussehen)* suit, to be becoming

Kleiderschrank ['klaıdərʃraŋk] *m* wardrobe

Kleiderständer ['klaıdərʃtɛndər] *m* rack, hat stand, clothes-tree

Kleidung ['klaıduŋ] *f* clothing, clothes *pl*

Kleie [klaıə] *f* BOT bran

klein [klaın] *adj* small, little; *von ~ an* since childhood; *~ kariert* petty, narrow-minded; *bis ins Kleinste* right down to the smallest detail, in minute detail

Kleinasien [klaın'aːzjən] *n* GEO Asia Minor

Kleinbuchstabe ['klaınbuːxʃtaːbə] *m* lower-case letter, small letter

kleinbürgerlich ['klaınbyrgərlıç] *adj* petit-bourgeois, lower middle-class

Kleinfamilie ['klaınfamiːljə] *f* nuclear family

Kleingedruckte ['klaıngədruktə] *n (fig) das ~* the small print

Kleingeld ['klaıngɛlt] *n* change (coins)

Kleinigkeit ['klaınıçkaıt] *f* little thing, trifle

Kleinkind ['klaınkınt] *n* infant

kleinlaut ['klaınlaut] *adj* abashed, sheepish, subdued

kleinlich ['klaınlıç] *adj* 1. *(engstirnig)* narrow-minded, petty, pedantic; 2. *(geizig)* mean, petty

Klempner ['klɛmpnər] *m* plumber

klerikal [kleri'kaːl] *adj* REL clerical

Klerus ['kleːrus] *m* REL clergy

Klette ['klɛtə] *f* 1. BOT bur; 2. *(fam)* leech

klettern ['klɛtərn] *v* climb

Klient [kli'ɛnt] *m* client

Klima ['kliːma] *n* climate; *sich dem ~ anpassen* adapt o.s. to the climate

Klimaanlage ['kliːmaanlaːgə] *f* air-conditioning

Klinge ['klıŋə] *f* blade; *eine scharfe ~ führen* to be a dangerous opponent; *jdn über die ~ springen lassen* bump s.o. off *(fam)*

Klingel ['klıŋəl] *f* bell

klingeln ['klıŋəln] *v* 1. ring; 2. *Jetzt klingelt's bei mir!* Now I've got it!

klingen ['klıŋən] *v irr* sound, ring

Klinik ['kliːnık] *f* clinic

Klinikum ['kliːnıkum] *n* clinic

klinisch ['kliːnıʃ] *adj* clinical

Klinke ['klıŋkə] *f* door-handle, door-latch; *sich bei jdm die ~ in die Hand geben* queue up to see s.o.; *~n putzen* go from door to door

Klippe ['klıpə] *f* 1. cliff, rock; 2. *(fig)* obstacle, dangerous situation

Klischee [klı'ʃeː] *n* 1. printing block, cut (for printing), plate; 2. *(fig)* cliché

Klitoris ['kliːtorıs] *f* ANAT clitoris

Klo [kloː] *n (fam)* loo (UK), john (US)

Kloake [klo'aːkə] *f* 1. sewer; 2. BIO cloaca

klobig ['kloːbıç] *adj* chunky, massive, bulky

Klobrille ['kloːbrılə] *f (fam)* toilet seat

klonen ['kloːnən] *v* BIO clone

klopfen ['klɔpfən] *v* 1. *(Herz)* beat, throb; 2. *(Motor)* knock; 3. *(etw ~)* knock; 4. *(Teppich)* beat

Kloß [klo:s] *m* GAST dumpling; *einen ~ im Hals haben* (fig) have a lump in one's throat

Kloster ['klo:stər] *n* 1. *(Nonnenkloster)* REL convent; 2. *(Mönchskloster)* REL monastery

Klotz [klɔts] *m* 1. block, chunk; *sich einen ~ ans Bein binden* tie a millstone round one's neck; *einen ~ am Bein haben* have a millstone round one's neck; 2. *(Spielklotz)* block; 3. *(Mensch)* clod, hulk, lout

Klub [klup] *m* club

Kluft [kluft] *f* 1. *(Abgrund)* gap, rift, chasm; 2. *(fig: Gegensatz) Zwischen ihnen besteht eine große ~.* There is a deep rift between them. 3. *(fam: Kleidung)* outfit, gear, garb

klug [klu:k] *adj* clever, shrewd; *aus jdm nicht ~ werden* to be unable to make head or tail of s.o.

Knabe ['kna:bə] *m* boy, lad

Knäckebrot ['knɛkəbro:t] *n* crispbread

knacken ['knakən] *v* 1. *(knarren)* creak; 2. *(Nüsse)* crack; 3. *(fam: aufbrechen)* break into

Knall [knal] *m* bang, crack, slam; *Der hat einen ~.* He must be nuts. He must be crazy. ~ *auf Fall* all of a sudden

knallen ['knalən] *v* 1. bang, pop, slam; *jdm eine ~* clout s.o.; 2. *(Peitsche)* crack

knapp [knap] *adv* 1. barely, just; *adj* 2. *(gering)* scarce, insufficient, scanty; 3. *(eng)* tight, a close fit; 4. *(fig: kurz gefasst)* succinct, concise, brief; *jdn ~ halten* keep s.o. short; *mit ~er Not* only just, by the skin of one's teeth

Knäuel ['knɔyəl] *n* 1. *(Wollknäuel)* ball of wool; 2. *(fig: Menschenknäuel)* crowd, throng

knauserig ['knauzəriç] *adj* (fam) stingy, tight-fisted, mean

knausern ['knauzərn] *v* (fam) *mit etw ~ to* be sparing with sth, to be tight-fisted with sth

Knebel ['kne:bəl] *m* 1. *(Stab)* short stick; 2. *(Mundknebel)* gag

knebeln ['kne:bəln] *v* gag

Knecht [knɛçt] *m* servant, farm-hand

Knechtschaft ['knɛçtʃaft] *f* 1. servitude; 2. HIST serfdom

kneifen ['knaɪfən] *v irr* 1. *(zwicken)* pinch; 2. *(fam: sich drücken)* back out, shirk, chicken out

Kneifzange ['knaɪftsaŋə] *f* cutting pliers

Kneipe ['knaɪpə] *f* pub, bar

kneten ['kne:tən] *v* knead, mould

Knetmasse ['kne:tmasə] *f* modelling clay

Knick [knɪk] *m* 1. *(Straßenknick)* sharp bend; 2. *(Papierknick)* fold, crease; *Du hast wohl einen ~ in der Optik!* Can't you see straight?

knicken ['knɪkən] *v* 1. *(falten)* fold; 2. *(abknicken)* break off, snap off

Knie [kni:] *n* ANAT knee; *auf die ~ fallen* fall to one's knees; *weiche ~ bekommen* go weak at the knees

knien ['kni:ən] *v* kneel

Kniestrumpf ['kni:ʃtrumpf] *m* 1. knee-length sock; 2. *(für Damen)* stocking

kniffelig ['knɪfəlɪç] *adj* (fam) tricky, difficult

knirschen ['knɪrʃən] *v* 1. *(Schnee)* crunch; 2. *(mit den Zähnen)* grind

knistern ['knɪstərn] *v* 1. crackle; 2. *(fig) Es knistert vor Spannung.* The atmosphere is electric.

knittern ['knɪtərn] *v* 1. crease, wrinkle; 2. *(Papier)* crumple

knobeln ['kno:bəln] *v* 1. *(nachdenken)* puzzle over sth; 2. *(würfeln)* throw dice; 3. *(Stein, Schere, Papier)* play rock-paper-scissors

Knoblauch ['kno:blaux] *m* garlic

Knöchel ['knœçəl] *m* 1. *(Fußknöchel)* ANAT ankle; 2. *(Fingerknöchel)* ANAT knuckle

Knochen ['knɔxən] *m* bone

knochig ['knɔxɪç] *adj* bony

Knödel ['knø:dəl] *m* GAST dumpling

Knolle ['knɔlə] *f* BOT bulb

Knopf [knɔpf] *m* button

Knospe ['knɔspə] *f* BOT bud

Knoten ['kno:tən] *m* 1. knot; 2. *(Haarknoten)* knot; 3. PHYS node

knüpfen ['knypfən] *v* 1. *(binden)* tie, knot; 2. *(Teppich)* weave; 3. *(fig: Beziehung)* form

Knüppel ['knypəl] *m* 1. *(Stock)* stick, club; 2. *(Schalthebel)* control stick, gear stick, gearshift

knurren ['knurən] *v* 1. *(Hund)* growl, snarl; 2. *(fig: meckern)* grumble, growl; 3. *(fig: Magen)* rumble, growl

knusprig ['knusprɪç] *adj* crispy

Koalabär [ko'a:labɛːr] *m* ZOOL koala, koala bear

Koalition [koali'tsjo:n] *f* POL coalition

Kobalt ['ko:balt] *n* CHEM cobalt

Kobold ['ko:bɔlt] *m* goblin, imp, hobgoblin

Kobra ['ko:bra] *f* ZOOL cobra

Koch [kɔx] *m* cook

Kochbuch ['kɔxbu:x] *n* cookery-book, cookbook (US)

kochen ['kɔxən] *v* 1. *(zubereiten)* cook; 2. *(sieden)* boil, simmer; *vor Wut ~* (fig) to be boiling with rage, to be seething

Kocher ['kɔxər] *m* cooker

Köchin ['kœçɪn] *f* cook

Kochrezept ['kɔxretsɛpt] *n* recipe
Kochtopf ['kɔxtɔpf] *m* 1. pot; 2. *(mit Stiel)* saucepan
Köder ['køːdər] *m* bait
ködern ['køːdərn] *v* bait
Kodex ['koːdɛks] *m* 1. code; 2. *(Handschrift)* manuscript
kodieren [ko'diːrən] *v* INFORM code
Kodierung [ko'diːrʊŋ] *f* coding
Koffein [kɔfe'iːn] *n* caffeine
koffeinfrei [kɔfe'iːnfraɪ] *adj* 1. *(Kaffee)* decaffeinated; 2. *(Limonade)* caffeine-free
koffeinhaltig [kɔfe'iːnhaltɪç] *adj* caffeinated
Koffer ['kɔfər] *m* suitcase, trunk
Kofferraum ['kɔfərraum] *m* boot *(UK)*, trunk *(US)*
Kognak ['kɔnjak] *m* 1. GAST brandy; 2. *(in ~ hergestellt)* cognac
Kohl [koːl] *m* BOT cabbage
Kohle ['koːlə] *f* 1. coal; 2. *(fam: Geld)* dough
Kohlehydrat ['koːləhydraːt] *n* CHEM carbohydrate
Kohlekraftwerk ['koːləkraftverk] *n* TECH coal-burning power plant
Kohlendioxid [koːlən'djɔksyːt] *n* CHEM carbon dioxide
Kohlensäure ['koːlənsɔyrə] *f* 1. *(in Getränken)* carbonation; 2. CHEM carbonic acid
Kohlenstoff ['koːlənʃtɔf] *m* CHEM carbon
Koje ['koːjə] *f* bunk
Kojote [ko'joːtə] *m* ZOOL coyote
Kokain [koka'iːn] *n* cocaine
kokett [ko'kɛt] *adj* coquettish, flirtatious
Kokon [ko'kõː] *m* ZOOL cocoon
Kokosnuss ['koːkɔsnus] *f* BOT coconut
Kolben ['kɔlbən] *m* 1. *(Motor)* piston; 2. *(Gewehr)* butt; 3. *(Mais)* cob
kollabieren [kɔla'biːrən] *v* MED collapse
Kollaps [kɔ'laps] *m* MED collapse
Kollege [kɔ'leːgə] *m* colleague
kollegial [kɔle'gjal] *adj* cooperative
Kollegium [kɔ'leːgjum] *n* 1. staff; 2. *(Ausschuss)* committee
kollektiv [kɔlɛk'tiːf] *adj* collective
Kollektor [kɔ'lɛktoːr] *m* TECH collector
kollidieren [kɔli'diːrən] *v* collide
Kollision [kɔlizi'oːn] *f* 1. collision; 2. *(fig)* conflict, clash
Kolonialismus [kolonja'lɪsmus] *m* POL colonialism
Kolonie [kolo'niː] *f* POL colony
Kolonne [ko'lɔnə] *f* 1. column; 2. *(Arbeitstruppkolonne)* gang; 3. MIL convoy

kolossal [kolo'saːl] *adj* colossal, immense, huge
Kolumbien [ko'lumbjən] *n* GEO Colombia
Kolumne [ko'lumnə] *f* *(in einer Zeitung)* column
Koma ['koːma] *n* MED coma
Kombination [kɔmbina'tsjoːn] *f* 1. *(Verknüpfung)* combination; 2. *(Vermutung)* conjecture; 3. *(Kleidung)* outfit
kombinieren [kɔmbi'niːrən] *v* 1. combine; 2. *(vermuten)* infer, deduce, conclude
Komet [ko'meːt] *m* ASTR comet
Komfort [kɔm'foːr] *m* comfort, ease
komfortabel [kɔmfɔr'taːbəl] *adj* 1. comfortable; *adv* 2. comfortably
Komik ['koːmɪk] *f* humour, comedy
Komiker ['koːmɪkər] *m* comedian
komisch ['koːmɪʃ] *adj* 1. *(spaßig)* funny, humorous, amusing; 2. *(eigenartig)* strange, odd, peculiar
Komitee [komi'teː] *n* committee
Komma ['kɔma] *n* comma
Kommandant [kɔman'dant] *m* MIL commander, commanding officer
kommandieren [kɔman'diːrən] *v* command, order
Kommando [kɔ'mando] *n* 1. *(Befehl)* command, order; 2. *über etw das ~ führen* command sth, to be in command of sth
kommen ['kɔmən] *v irr* come; *aus der Kälte* ~ come in from the cold; *ums Leben* ~ lose one's life; *zu nichts* ~ come to nothing; *zu sich* ~ regain consciousness; *Wie kommst du darauf?* What made you think of that? *etw ~ lassen* send for sth
Kommentar [kɔmen'taːr] *m* commentary, comment, remark
kommentarlos [kɔmen'taːrloːs] *adv* without comment
Kommentator [kɔmen'taːtɔr] *m* commentator
kommentieren [kɔmen'tiːrən] *v* comment on, commentate
Kommerz [kɔ'merts] *m* commerce
kommerziell [kɔmerts'jɛl] *adj* commercial
Kommilitone [kɔmili'toːnə] *m* fellow student
Kommissar [kɔmi'saːr] *m* 1. *(in der Regierung)* commissioner; 2. *(Polizeikommissar)* inspector, *(leitender ~)* superintendent
Kommission [kɔmɪs'joːn] *f* commission
Kommode [kɔ'moːdə] *f* chest of drawers
kommunal [kɔmu'naːl] *adj* municipal, local

Kommune [kɔ'muːnə] f 1. (Wohngemeinschaft) commune; 2. (Gemeinde) POL community, municipality

Kommunikation [kɔmunika'tsjoːn] f communication

kommunikativ [kɔmunika'tiːf] adj communicative

Kommunion [kɔmun'joːn] f REL Communion

Kommunismus [kɔmu'nɪsmus] m POL communism

kommunizieren [kɔmuni'tsiːrən] v 1. communicate; 2. REL receive the sacrament

Komödiant [kɔmød'jant] m player, actor

Komödie [kɔ'møːdjə] f comedy

kompakt [kɔm'pakt] adj compact, firm, solid

Kompanie [kɔmpa'niː] f MIL company

Kompass ['kɔmpas] m compass

kompatibel [kɔmpa'tiːbəl] adj INFORM compatible

kompensieren [kɔmpen'ziːrən] v compensate, offset

kompetent [kɔmpə'tɛnt] adj competent, qualified

Kompetenz [kɔmpə'tɛnts] f competence

komplett [kɔm'plɛt] adj complete, entire

komplex [kɔm'plɛks] adj complex

Komplikation [kɔmplika'tsjoːn] f complication

Kompliment [kɔmpli'mɛnt] n compliment

Komplize [kɔm'pliːtsə] m accomplice

komplizieren [kɔmpli'tsiːrən] v complicate

Komplott [kɔm'plɔt] n POL plot, conspiracy, intrigue

Komponente [kɔmpo'nɛntə] f component

komponieren [kɔmpo'niːrən] v MUS compose, write

Komponist [kɔmpo'nɪst] m MUS composer

Komposition [kɔmpozɪ'tsjoːn] f composition

Kompost [kɔm'pɔst] m AGR compost

Kompott [kɔm'pɔt] n GAST stewed fruit, compote, sauce

komprimieren [kɔmpri'miːrən] v 1. compress; 2. (fig) condense

Kompromiss [kɔmpro'mɪs] m compromise; in einer Sache einen ~ schließen compromise over sth

kompromittieren [kɔmpromɪ'tiːrən] v compromise

Kondensation [kɔndɛnza'tsjoːn] f condensation

Kondensator [kɔndɛn'zaːtor] m TECH capacitor, condenser

Kondition [kɔndi'tsjoːn] f condition

Konditor [kɔn'diːtor] m confectioner

Konditorei [kɔndito'raɪ] f pastry shop

Kondom [kɔn'doːm] n condom

Konfekt [kɔn'fɛkt] n GAST confectionery

Konfektion [kɔnfɛk'tsjoːn] f 1. manufacture of ready-made clothes, ready-to-wear production; 2. (Industrie) clothing industry; 3. (Bekleidung) ready-to-wear clothes pl

Konferenz [kɔnfe'rɛnts] f conference, meeting

Konferenzschaltung [kɔnfe'rɛntsʃaltuŋ] f conference call

Konferenzzimmer [kɔnfe'rɛntstsɪmər] n conference room

Konfession [kɔnfɛs'joːn] f REL creed, confession of faith, denomination

konfessionslos [kɔnfɛs'joːnsloːs] adj non-denominational

Konfetti [kɔn'fɛti] n confetti

Konfiguration [kɔnfigura'tsjoːn] f INFORM configuration

Konfirmation [kɔnfɪrma'tsjoːn] f REL confirmation

konfiszieren [kɔnfɪs'tsiːrən] v confiscate

Konfitüre [kɔnfi'tyːrə] f GAST jam

Konflikt [kɔn'flɪkt] m conflict

Konföderation [kɔnfødəra'tsjoːn] f POL confederation

konform [kɔn'fɔrm] adj concurring

Konfrontation [kɔnfrɔnta'tsjoːn] f confrontation

konfrontieren [kɔnfrɔn'tiːrən] v confront

konfus [kɔn'fuːs] adj confused, muddled

Konfusion [kɔnfu'zjoːn] f confusion

Kongress [kɔn'grɛs] m congress

König ['køːnɪç] m king

Königin ['køːnɪgɪn] f queen

königlich ['køːnɪklɪç] adj royal

Königreich ['køːnɪkraɪç] n kingdom

Königtum ['køːnɪktuːm] n POL monarchy

Konjugation [kɔnjuga'tsjoːn] f GRAMM conjugation

Konjunktur [kɔnjuŋk'tuːr] f economy, economic situation

konkret [kɔn'kreːt] adj concrete

Konkurrenz [kɔnku'rɛnts] f competition; jdm ~ machen compete with s.o.

konkurrenzfähig [kɔnku'rɛntsfɛːɪç] adj competitive, able to compete

konkurrieren [kɔnku'riːrən] v compete

Konkurs [kɔn'kurs] m JUR bankruptcy

können ['kœnən] *v irr* 1. *(in der Lage sein)* to be able to, can; 2. *(beherrschen, wissen)* know, master, understand; 3. *(dürfen)* to be allowed to, to be permitted to, may

Konsens [kɔn'zɛns] *m* 1. *(Einwilligung)* consent; 2. *(Übereinstimmung)* consensus

konsequent [kɔnze'kvɛnt] *adj* 1. *(grundsatzgetreu)* consistent; 2. *(folgerichtig)* logical

konservativ [kɔnzɛrva'tiːf] *adj* conservative

Konservendose [kɔn'zɛrvəndoːzə] *f* tin, can *(US)*

konservieren [kɔnzɛr'viːrən] *v* 1. preserve, conserve; 2. *(in Büchsen)* tin, can *(US)*

Konsistenz [kɔnzɪs'tɛnts] *f* consistency

Konsole [kɔn'zoːlə] *f* console, bracket

konsolidieren [kɔnzoli'diːrən] *v* consolidate

Konsonant [kɔnzo'nant] *m* LING consonant

Konspiration [kɔnspira'tsjoːn] *f* POL conspiracy

konstant [kɔns'tant] *adj* constant, steady, permanent

Konstante [kɔns'tantə] *f* MATH constant

Konstellation [kɔnstɛla'tsjoːn] *f* constellation

konstituieren [kɔnstitu'iːrən] *v* constitute

konstitutionell [kɔnstitutsjo'nɛl] *adj* POL constitutional

konstruieren [kɔnstru'iːrən] *v* 1. construct, design, plan; 2. *(fig)* construe

Konstruktion [kɔnstruk'tsjoːn] *f* construction, design

konstruktiv [kɔnstruk'tiːf] *adj* constructive

Konsul ['kɔnzuːl] *m* POL consul

Konsulat [kɔnzu'laːt] *n* POL consulate

konsultieren [kɔnzul'tiːrən] *v* consult

Konsum [kɔn'zuːm] *m* consumption

Konsument [kɔnzu'mɛnt] *m* consumer

Konsumgesellschaft [kɔn'zuːmɡəzɛlʃaft] *f* consumer society

konsumieren [kɔnzu'miːrən] *v* consume

Kontakt [kɔn'takt] *m* contact

kontaktfreudig [kɔn'taktfrɔydɪç] *adj* sociable, outgoing

kontaktieren [kɔntak'tiːrən] *v* contact

Kontaktlinsen [kɔn'taktlɪnzən] *pl* contact lenses

Kontaktperson [kɔn'taktpɛrzoːn] *f* contact

Kontamination [kɔntamina'tsjoːn] *f* contamination, pollution

Kontext ['kɔntɛkst] *m* context

Kontinent [kɔnti'nɛnt] *m* continent

kontinental [kɔntinɛn'taːl] *adj* continental

Kontingent [kɔntɪŋ'ɡɛnt] *n* 1. MIL contingent; 2. *(Zuteilung)* quota, share

kontinuierlich [kɔntinui'iːrlɪç] *adj* continuous

Kontinuität [kɔntinui'tɛːt] *f* continuity

Konto ['kɔnto] *n* account

Kontra ['kɔntra] *n* (sharp) retort

Kontrahent [kɔntra'hɛnt] *m* 1. *(Gegner)* opponent; 2. *(Vertragspartner)* JUR contracting party

konträr [kɔn'trɛːr] *adj* contrary, opposite

Kontrast [kɔn'trast] *m* contrast

Kontrolle [kɔn'trɔlə] *f* control, inspection, check

Kontrolleur [kɔntrɔ'løːr] *m* controller

kontrollieren [kɔntrɔ'liːrən] *v* 1. check; 2. *(beherrschen)* control

kontrovers [kɔntro'vɛrs] *adj* controversial

Kontroverse [kɔntro'vɛrzə] *f* controversy, dispute

Konvention [kɔnvɛn'tsjoːn] *f* 1. *(Brauch)* convention, custom; 2. POL convention, agreement

konventionell [kɔnvɛntsjo'nɛl] *adj* conventional

Konversation [kɔnvɛrza'tsjoːn] *f* conversation

konvertieren [kɔnvɛr'tiːrən] *v* convert

Konvoi ['kɔnvɔy] *m* MIL convoy

Konzentrat [kɔntsɛn'traːt] *n* concentrate

konzentrieren [kɔntsɛn'triːrən] *v* 1. concentrate; 2. *sich ~* concentrate, focus; *sich auf etw ~* concentrate on sth

Konzept [kɔn'tsɛpt] *n* 1. *(Vorstellung)* idea, concept; 2. *(Entwurf)* rough copy, draft, notes

Konzeption [kɔntsɛp'tsjoːn] *f* conception

Konzern [kɔn'tsɛrn] *m* ECO group, conglomerate *(US)*

Konzert [kɔn'tsɛrt] *n* MUS concert

Konzession [kɔntsɛ'sjoːn] *f* 1. *(Erlaubnis)* licence, concession; 2. *(Zugeständnis)* concession

Konzil [kɔn'tsiːl] *n* REL council

konzipieren [kɔntsi'piːrən] *v* draw up, draft, conceive

Kooperation [koːopəra'tsjoːn] *f* cooperation

kooperativ [koːopəra'tiːf] *adj* cooperative

kooperieren [koːopə'riːrən] *v* cooperate

Koordinaten [koːɔrdi'naːtən] *pl* MATH coordinates

Koordination [koːrdinaˈtsjoːn] f coordination

koordinieren [koːrdiˈniːrən] v coordinate

Kopf [kɔpf] m head; *sich den ~ zerbrechen über ...* rack one's brains over ...; *Er ist nicht auf den ~ gefallen.* He's no fool.

Kopfhörer [ˈkɔpfhøːrər] m headphones pl, earphones pl, headset

Kopfkissen [ˈkɔpfkɪsən] n pillow

Kopfsalat [ˈkɔpfzalaːt] m BOT lettuce

Kopfschmerzen [ˈkɔpfʃmɛrtsən] pl MED headache

Kopfstütze [ˈkɔpfʃtytsə] f headrest

Kopftuch [ˈkɔpftuːx] n scarf

kopfüber [kɔpfˈyːbər] adv headlong, head first

Kopie [koˈpiː] f copy, duplicate

kopieren [koˈpiːrən] v copy

Kopierer [koˈpiːrər] m copier, copying machine

Koppel [ˈkɔpəl] f 1. (Weide) field, meadow, paddock; 2. (Gürtel) belt

koppeln [ˈkɔpəln] v 1. couple, join, link; 2. (Ziele) combine; 3. (Hunde) leash together; 4. (Pferde) string together; 5. (Wörter) hyphenate

Koralle [koˈralə] f BOT coral

Korb [kɔrp] m basket

Korea [koˈreːa] n GEO Korea

Korken [ˈkɔrkən] m cork

Korkenzieher [ˈkɔrkəntsiːər] m corkscrew

Korn [kɔrn] n 1. (Getreide) corn; 2. (Sandkorn) grain

körnig [ˈkœrnɪç] adj grainy, gritty, granular

Körper [ˈkœrpər] m body

körperbehindert [ˈkœrpərbəhɪndərt] adj handicapped, physically disabled

korpulent [kɔrpuˈlɛnt] adj corpulent

korrekt [kɔˈrɛkt] adj correct

Korrektur [kɔrɛkˈtuːr] f 1. correction; 2. (~lesen) proofreading

Korrelation [kɔrelaˈtsjoːn] f correlation

Korrespondent [kɔrɛspɔnˈdɛnt] m correspondent

Korrespondenz [kɔrɛspɔnˈdɛnts] f correspondence

korrespondieren [kɔrɛspɔnˈdiːrən] v correspond

Korridor [ˈkɔridoːr] m corridor, passage

korrigieren [kɔriˈgiːrən] v correct

Korrosion [kɔroˈzjoːn] f CHEM corrosion

korrupt [kɔˈrupt] adj corrupt

Korsett [kɔrˈzɛt] n corset

Korsika [ˈkɔrzika] n GEO Corsica

Kortison [kɔrtiˈzoːn] n MED cortisone

Kosmetik [kɔsˈmeːtɪk] f cosmetics

kosmisch [ˈkɔzmɪʃ] adj cosmic

Kosmos [ˈkɔsmɔs] m cosmos, universe

Kost [kɔst] f food

kostbar [ˈkɔstbaːr] adj precious, valuable, expensive

Kostbarkeit [ˈkɔstbaːrkaɪt] f 1. value, preciousness; 2. (Gegenstand) valuable item

kosten [ˈkɔstən] v 1. (Preis) cost; 2. (versuchen) taste

Kosten [ˈkɔstən] pl costs, expenses, charges; *mit großen ~ verbunden* at great expense

kostenlos [ˈkɔstənloːs] adj free of charge, at no cost

köstlich [ˈkœstlɪç] adj 1. (hervorragend) delicious, savoury, exquisite; 2. (amüsant) delightful, charming

Kostüm [kɔˈstyːm] n 1. (Kleidungsstück) suit; 2. (Maskenkostüm) costume

Kot [koːt] m excrement

Krabbe [ˈkrabə] f 1. crab; 2. (Garnele) shrimp

krabbeln [ˈkrabəln] v crawl

Krach [krax] m 1. (Lärm) noise, row (UK), racket; 2. (Streit) fight, quarrel, row (UK); 3. *mit Ach und ~* by the skin of one's teeth, barely

krächzen [ˈkrɛçtsən] v 1. croak; 2. (Vogel) caw

kraft [kraft] prep by virtue of; *~ meines Amtes* by virtue of my office

Kraft [kraft] f power, strength, force

Kraftausdruck [ˈkraftausdruk] m swearword, four-letter word

Kraftfahrer [ˈkraftfaːrər] m driver, motorist

Kraftfahrzeug [ˈkraftfaːrtsɔyk] n motor vehicle

kräftig [ˈkrɛftɪç] adj 1. strong, powerful; adv 2. (zur Verstärkung) really

kräftigen [ˈkrɛftɪgən] v strengthen

Kräftigung [ˈkrɛftɪgʊn] f strengthening

kraftlos [ˈkraftloːs] adj 1. without strength, feeble, weak; 2. JUR invalid

Kraftstoff [ˈkraftʃtɔf] m fuel

Kragen [ˈkraːgən] m collar

Krähe [ˈkrɛːə] f ZOOL crow

krähen [ˈkrɛːən] v ZOOL crow

Krake [ˈkraːkə] f ZOOL octopus

Kralle [ˈkralə] f ZOOL claw, talon

Krampf [krampf] m MED cramp, spasm, convulsion

krampfhaft ['krampfhaft] adj 1. spasmodic; 2. (fig) feverish, desperate; 3. (Lachen) forced

Kran [kra:n] m 1. crane; 2. (Zapfhahn) tap

Kranich ['kra:nɪç] m ZOOL crane

krank [kraŋk] adj ill, sick (US), unwell; ~ werden fall ill

Kranke(r) [kraŋkə(r)] m/f sick person

kränkeln ['krɛŋkəln] v to be ailing, to be in poor health

kränken ['krɛŋkən] v hurt (s.o.'s feelings), wound, offend; Es kränkt mich, dass ... It grieves me that ...

Krankenhaus ['kraŋkənhaus] n hospital

Krankenkasse ['kraŋkənkasə] f health insurance; (Gesellschaft) health insurance company

Krankenwagen ['kraŋkənva:gən] m ambulance

krankhaft ['kraŋkhaft] adj 1. MED diseased, sick; 2. (fig) pathological

Krankheit ['kraŋkhaɪt] f sickness, illness, disease

Krankheitserreger ['kraŋkhaɪtsɛrre:gər] m MED germ

kränklich ['krɛŋklɪç] adj sickly

krankschreiben ['kraŋkʃraɪbən] v irr certify as ill

Kränkung ['krɛŋkuŋ] f slight, insult; etw als ~ empfinden take offence at sth

Kranz [krants] m wreath, garland

Krater ['kra:tər] m GEOL crater

kratzen ['kratsən] v scratch

kraulen ['kraulən] v 1. (schwimmen) crawl; 2. (streicheln) stroke, pet, tickle; jdn am Kinn ~ to chuck s.o. under the chin

kräuseln ['krɔyzəln] v 1. (Haar) curl, frizz; 2. (Wasser) ripple

Kraut [kraut] n 1. herb; 2. (Kohl) cabbage

Krawall [kra'val] m racket, row, noise

Krawatte [kra'vatə] f tie

Kreation [krea'tsjo:n] f creation

kreativ [krea'ti:f] adj creative

Kreativität [kreativi'tɛ:t] f creativity

Kreatur [krea'tu:r] f creature

Krebs [kre:ps] m 1. ZOOL crab; 2. (Flusskrebs) ZOOL crayfish; 3. MED cancer; ~ erregend carcinogenic

Kredit [kre'di:t] m ECO loan, credit

Kreide ['kraɪdə] f chalk

kreieren [kra'i:rən] v create

Kreis [kraɪs] m 1. circle; 2. (Verwaltung) county, administrative district; 3. (Freundeskreis) circle of friends

Kreisel ['kraɪzəl] m top

kreisförmig ['kraɪsfœrmɪç] adj circular

Kreislauf ['kraɪslauf] m 1. circulation; 2. (fig) cycle

Kreisverkehr ['kraɪsfɛrke:r] m roundabout (traffic), rotary traffic (US)

Krematorium [krema'to:rjum] n crematorium

Krempe ['krɛmpə] f (Hutkrempe) brim

krempeln ['krɛmpəln] v (hoch~) roll up

Kresse ['krɛsə] f BOT cress

Kreuz [krɔyts] n 1. cross; 2. ANAT small of the back

kreuzen ['krɔytsən] v 1. cross; 2. NAUT cruise; 3. (zickzack fahren) NAUT tack

Kreuzer ['krɔytsər] m cruiser

Kreuzfahrt ['krɔytsfa:rt] f cruise

Kreuzgang ['krɔytsgaŋ] m cloister

Kreuzigung ['krɔytsɪguŋ] f REL crucifixion

Kreuzritter ['krɔytsrɪtər] m 1. crusader; 2. (Mitglied des Deutschen Ordens) Teutonic Knight

Kreuzspinne ['krɔytsʃpɪnə] f garden spider, cross spider

Kreuzung ['krɔytsuŋ] f 1. (Straßenkreuzung) crossing, cross-roads, junction; 2. BIO crossing, interbreeding

Kreuzverhör ['krɔytsfɛrhø:r] n JUR cross-examination

Kreuzworträtsel ['krɔytsvɔrtrɛ:tsəl] n crossword puzzle

Kreuzzug ['krɔytstsu:k] m crusade

kriechen ['kri:çən] v irr crawl, creep

Krieg [kri:k] m war; einem Land den ~ erklären declare war on a country; ~ führend belligerent; in den ~ ziehen to go to war; in ~ und Frieden in war and peace

kriegerisch ['kri:gərɪʃ] adj militant, belligerent

Kriegsausbruch ['kri:ksausbrux] m outbreak of war

Kriegserklärung ['kri:ksɛrklɛ:ruŋ] f declaration of war

Kriegsgefangenschaft ['kri:ksgəfaŋənʃaft] f (war) captivity

Kriegsschauplatz ['kri:ksʃauplats] m theatre of war

Krimi ['krɪmi] m 1. crime thriller; 2. (rätselhaft) murder mystery, whodunit (fam)

Kriminalität [krɪminali'tɛ:t] f crime

kriminell [krɪmi'nɛl] adj criminal

Kriminelle(r) [krɪmi'nɛlə(r)] m/f criminal

Krippe ['krɪpə] f 1. (Kinderkrippe) crib, cot (UK); 2. (Futterkrippe) crib; 3. REL manger

Krise ['kri:zə] f crisis
kriseln ['kri:zəln] v come to a crisis
Kristall [kris'tal] m/n crystal
Kriterium [kri'te:rjum] n criterion
Kritik [kri'ti:k] f 1. (Tadel) criticism; 2. (Beurteilung) review
Kritiker ['kri:tikər] m critic
kritisch ['kri:tiʃ] adj critical
kritisieren [kriti'zi:rən] v criticize, review
kritzeln ['krıtsəln] v scribble, scrawl
Kroatien [kro'a:tsjən] n GEO Croatia
Krokodil [kroko'di:l] n ZOOL crocodile
Krokus ['kro:kus] m BOT crocus
Krone ['kro:nə] f crown
krönen ['krø:nən] v crown
Kronleuchter ['kro:nlɔyçtər] m chandelier
Krönung ['krø:nuŋ] f 1. crowning, coronation; 2. (fig) consummation, icing on the cake (fam)
Kronzeuge ['kro:ntsɔygə] m JUR chief witness, person who turns Queen's evidence (UK), person who turns State's evidence (US)
Kropf [krɔpf] m 1. (eines Vogels) crop, maw; 2. MED goitre, goiter (US)
Kröte ['krø:tə] f ZOOL toad
Krücke ['krykə] f crutch
Krug [kru:k] m 1. jug; 2. (Bierkrug) mug, stein (US)
Krume ['kru:mə] f 1. crumb; 2. (Schicht des Erdbodens) topsoil
Krümel ['kry:məl] m crumb
krumm [krum] adj 1. crooked, bent; 2. (verdreht) twisted; etw ~ nehmen take offence at sth; keinen Finger ~ machen not to lift a finger; ~ gehen walk with a stoop
krümmen ['krymən] v bend, twist, curve
Krümmung ['krymuŋ] f 1. (Wölbung) curvature, curve; 2. (Biegung) bend, twist, winding
Krüppel ['krypəl] m cripple
Kruste ['krustə] f GAST crust
Kruzifix [krutsi'fıks] n crucifix
Kuba ['ku:ba] n GEO Cuba
Kübel ['ky:bəl] m bucket, pail; wie aus ~n regnen (fig) to be raining cats and dogs
Küche ['kyçə] f 1. (Raum) kitchen; 2. (Kochkunst) cuisine, cooking
Kuchen ['ku:xən] m GAST cake
Kuchenblech ['ku:xənbleç] n baking sheet
Kuchengabel ['ku:xənga:bəl] f cake-fork, dessert-fork
Kuchenteig ['ku:xəntaik] m GAST cake dough
Kuckuck ['kukuk] m ZOOL cuckoo

Kuckucksuhr ['kukuksu:r] f cuckoo clock
Kufe ['ku:fə] f 1. (Gleitschiene) runner; 2. (eines Flugzeuges) skid
Kugel ['ku:gəl] f 1. MIL bullet, shell; 2. (Ball) ball; die ~ ins Rollen bringen start the ball rolling; 3. MATH sphere; 4. (Kanonenkugel) cannonball
Kugelschreiber ['ku:gəlʃraibər] m ballpoint pen, biro (UK)
kugelsicher ['ku:gəlzıçər] adj bulletproof
Kugelstoßen ['ku:gəlsto:sən] n SPORT shot-put
Kuh [ku:] f cow
kühl [ky:l] adj 1. cool; 2. (fig: abweisend) cold
kühlen ['ky:lən] v 1. cool; 2. (Lebensmittel) refrigerate
Kühler ['ky:lər] m (eines Autos) radiator
Kühlschrank ['ky:lʃraŋk] m refrigerator
Kühltasche ['ky:ltaʃə] f cooler
kühn [ky:n] adj 1. bold, daring; 2. (keck) audacious
Küken ['ky:kən] n ZOOL chick
Kulanz [ku'lants] f fair dealing, fairness in trade, accommodating behaviour
kulinarisch [kuli'na:rıʃ] adj culinary
Kulisse [ku'lısə] f 1. (fig) background, setting; hinter den ~n behind the scenes; 2. THEAT wings, side-scene
kulminieren [kulmi'ni:rən] v culminate
Kult [kult] m cult
kultivieren [kulti'vi:rən] v cultivate
Kultur [kul'tu:r] f 1. (Kunst und Wissenschaft) culture; 2. (Lebensform) civilization; 3. BIO culture
kulturell [kultu'rel] adj cultural
Kümmel ['kyməl] m BOT caraway (seed)
Kummer ['kumər] m 1. (Betrübtheit) sorrow, grief; 2. (Unruhe) worry, trouble
kümmerlich ['kymərlıç] adj miserable, wretched, meagre
kümmern ['kymərn] v 1. worry, trouble, bother; 2. sich ~ um care for, look after, attend to; Kümmere dich um deine Sachen! Mind your own business!
kummervoll ['kumərfɔl] adj griefstricken, troubled, sorrowful
Kumpel ['kumpəl] m 1. (Bergmann) miner; 2. (fam) pal, chum, mate (UK)
Kunde ['kundə] m client, customer
Kundendienst ['kundəndi:nst] m customer service, after-sales service
Kundgebung ['kuntge:buŋ] f declaration, statement, notice

kündigen ['kyndɪgən] v 1. *(Arbeitnehmer)* quit, give notice; 2. *(Arbeitgeber)* dismiss, fire, sack; 3. *(Vertrag)* terminate, cancel

Kündigung ['kyndɪguŋ] f 1. *(Vertrag)* termination, cancellation; 2. *(Stellung)* notice, resignation

Kündigungsfrist ['kyndɪguŋsfrɪst] f term of notice

Kundschaft ['kʊntʃaft] f customers, clientele

künftig ['kynftɪç] adj 1. future, coming, prospective; adv 2. in future, from now on, henceforth

Kunst [kʊnst] f art

Künstler ['kʊnstlər] m artist

künstlerisch ['kʊnstlərɪʃ] adj 1. artistic; adv 2. artistically

künstlich ['kʊnstlɪç] adj artificial, synthetic, man-made

künstliche Intelligenz ['kʊnstlɪçə ɪnteli'gɛnts] f INFORM artificial intelligence

Künstlichkeit ['kʊnstlɪçkaɪt] f artificiality

Kunststoff ['kʊnstʃtɔf] m plastic, synthetic material, artificial material

Kunststück ['kʊnstʃtyk] n achievement, clever feat, trick

kunstvoll ['kʊnstfɔl] adj artistic, elaborate

Kunstwerk ['kʊnstvɛrk] n work of art

kunterbunt ['kʊntərbʊnt] adj 1. *(vielfarbig)* many-coloured; 2. *(Gruppe)* motley; 3. *ein ~es Durcheinander* wild confusion

Kupfer ['kʊpfər] n CHEM copper

kupfern ['kʊpfərn] adj copper

Kupon [ku'põ] m coupon

Kuppe ['kʊpə] f 1. *(Bergkuppe)* rounded hilltop; 2. *(Fingerkuppe)* fingertip

Kuppel ['kʊpəl] f dome

Kupplung ['kʊpluŋ] f *(eines Autos)* clutch

Kur [kuːr] f MED cure, treatment

Kuratorium [kura'toːrjum] n board of trustees

Kurbel ['kʊrbəl] f crank, winch

Kürbis ['kʏrbɪs] m BOT pumpkin

küren ['kyːrən] v irr choose; *Sie wurde zur Miss Germany gekürt.* She was crowned Miss Germany.

Kurier [ku'riːr] m courier

kurieren [ku'riːrən] v cure

kurios [kur'joːs] adj curious, odd, queer

Kurort ['kuːrɔrt] m spa, health resort

Kurs [kʊrs] m 1. *(Kursus)* course; *bei jdm hoch im ~ stehen* to be popular with s.o.; 2. *(Richtung)* course; 3. *(Aktienkurs)* FIN price

kursiv [kur'ziːf] adj italic, in italics

Kursivschrift [kur'ziːfʃrɪft] f italics pl

Kurswert ['kʊrsveːrt] m market value

Kurtaxe ['kuːrtaksə] f visitor's tax (at a spa)

Kurve ['kʊrfə] f curve, bend, turn

kurvenreich ['kʊrfənraɪç] adj 1. winding, twisting; 2. *(Figur)* curvaceous

kurz [kʊrts] adj 1. short; adv 2. briefly; 3. *(bald)* shortly

Kurzarbeit ['kʊrtsarbaɪt] f short time, short-time work

kurzärmelig ['kʊrtsɛrməlɪç] adj short-sleeved

kurzatmig ['kʊrtsaːtmɪç] adj MED short-winded

Kürze ['kyrtsə] f *(zeitlich)* shortness, brevity; *in ~* shortly

Kürzel ['kʏrtsəl] n abbreviation

kürzen ['kʏrtsən] v 1. shorten; 2. *(herabsetzen)* cut down, reduce, curtail

kurzerhand ['kʊrtsərhant] adv without hesitation, on the spot, at once; *etw ~ ablehnen* reject sth out of hand

Kurzfassung ['kʊrtsfasuŋ] f abridged version

kurzfristig ['kʊrtsfrɪstɪç] adj 1. shortterm; adv 2. at short notice; *etw ~ erledigen* do sth without delay; *~ seine Pläne ändern* change one's plans at short notice; *~ gesehen* looked at it in the short term

kurzlebig ['kʊrtsleːbɪç] adj short-lived

kürzlich ['kʏrtslɪç] adv recently, a short time ago

Kurzschluss ['kʊrtsʃlus] m 1. TECH short circuit; 2. *(fig)* moment of madness

kurzsichtig ['kʊrtszɪçtɪç] adj 1. MED myopic, short-sighted, nearsighted (US); 2. *(fig)* short-sighted

kurzum [kʊrts'um] adv in short

Kürzung ['kʏrtsuŋ] f 1. cut, reduction; 2. *(eines Buches)* abridgement

kurzzeitig ['kʊrtssaɪtɪç] adj 1. short, short-term, brief; adv 2. briefly

kuscheln ['kuʃəln] v cuddle

Kuscheltier ['kuʃaltiːr] n stuffed animal

Kusine [ku'ziːnə] f (female) cousin

Kuss [kʊs] m kiss

küssen ['kʏsən] v kiss

Küste ['kʏstə] f coast, shore

Kutsche ['kʊtʃə] f coach, carriage

Kutscher ['kʊtʃər] m coachman

Kutte ['kʊtə] f REL habit, frock

Kuvert [ku'veːr] n envelope, cover

kyrillisch [ky'rɪlɪʃ] adj Cyrillic

L

labil [la'bi:l] *adj* weak, unstable
Labor [la'bo:r] *n* laboratory, lab (fam)
Labyrinth [laby'rɪnt] *n* labyrinth
lächeln ['lɛçərln] *f* smile
lachen ['laxən] *v* laugh; *nichts zu ~ haben* have a hard time of it; *zum Lachen sein* to be ridiculous, to be absurd; *sich vor Lachen biegen* split one's sides laughing
lächerlich ['lɛçərlɪç] *adj* ridiculous
Lachs [laks] *m* ZOOL salmon
Lack [lak] *m* varnish, lacquer
lackieren [la'ki:rən] *v* paint, varnish
laden ['la:dən] *v irr* 1. load; *einen ge~ haben* to be pretty tanked up (fam); 2. *(Batterie)* charge; 3. JUR summon, cite
Laden ['la:dən] *m* 1. shop; 2. *(Fensterladen)* shutter
Ladendieb ['la:dəndi:p] *m* shoplifter
Ladenschluss ['la:dənʃlus] *m* closing time
Ladung ['la:duŋ] *f* 1. load, cargo, freight; 2. *(elektrische ~)* charge, amount of electricity; 3. JUR summons
Lage ['la:gə] *f* 1. *(Position)* position, state, condition; *Dazu bin ich nicht in der ~.* I am not in a position to do that. 2. *(Situation)* situation, location; *an der ~ verzweifeln* despair of the situation; *Herr der ~ sein* have the situation under control; *die ~ peilen* survey the situation, find out how the land lies; *nach ~ der Dinge* as it stands; 3. *(Schicht)* layer, coat
Lager ['la:gər] *n* 1. camp; 2. *(Bett)* bed, couch; 3. *(Warenlager)* ECO store, stock, inventory; *auf ~ haben (fig)* have in store; 4. TECH bearing
Lagerfeuer ['la:gərfɔyər] *n* campfire
Lagerhalle ['la:gərhalə] *f* warehouse
lagern ['la:gərn] *v* ECO store, stock
Lagerung ['la:gəruŋ] *f* ECO storage, storing
Lagune [la'gu:nə] *f* lagoon
lahm [la:m] *adj* 1. *(fam: langweilig)* dull, boring, dreary; 2. *(gelähmt)* MED paralyzed; 3. *(hinkend)* MED lame
lähmen ['lɛ:mən] *v* paralyze, cripple
Lähmung ['lɛ:muŋ] *f* MED paralysis
Laib [laɪp] *m* 1. *(Brotlaib)* loaf; 2. *(Käselaib)* whole
Laie [laɪə] *m* 1. amateur, layman, novice; 2. REL lay priest
Laken ['la:kən] *n (Bettlaken)* sheet
Lama ['la:ma] *n* ZOOL llama
Lamm [lam] *n* ZOOL lamb

Lampe ['lampə] *f* lamp
Land [lant] *n* 1. land; *wieder ~ sehen* see a way out; *jdn an ~ ziehen* win s.o. over; *~ gewinnen* gain ground; 2. *(Staat)* country, state; 3. *(Grundstück)* property, land; 4. *(ländliche Gegend)* country, countryside
Landebahn ['landəba:n] *f* landing strip, runway
landen ['landən] *v* 1. *(Flugzeug)* land; 2. *(Schiff)* dock; 3. *(fam)* land
Landeplatz ['landəplats] *m* 1. NAUT landing place; 2. *(eines Flugzeuges)* place to land
Landkarte ['lantkartə] *f* map
Landkreis ['lantkraɪs] *m* POL rural district, county
Landleben ['lantle:bən] *n* rural life
ländlich ['lɛntlɪç] *adj* rural, rustic
Landschaft ['lantʃaft] *f* countryside, landscape, scenery
landschaftlich ['lantʃaftlɪç] *adj* of the countryside
Landstreicher ['lantʃtraɪçər] *m (fam)* vagabond, tramp
Landtag ['lantta:k] *m* POL parliament of a state
Landung ['landuŋ] *f* 1. landing; 2. *(in den Hafen)* NAUT docking
Landwirt ['lantvɪrt] *m* farmer
Landwirtschaft ['lantvɪrtʃaft] *f* agriculture, farming
lang [laŋ] *adj* 1. *(örtlich)* long; 2. *(zeitlich)* long, protracted, prolonged
lange ['laŋə] *adv* 1. long; *es nicht mehr ~ machen* be not able to go on for long; 2. *(fig: bei weitem)* schon ~ nicht not by a long shot
Länge ['lɛŋə] *f* 1. length; *in voller ~* at full length; *der ~ nach* lengthwise; *sich in die ~ ziehen* drag on; *auf die ~ in the long run; etw in die ~ ziehen* make sth go on and on, drag sth out; 2. *(langweilige Stelle)* slow spot; 3. *(Größe)* height; 4. *(Abstand vom Meridian)* longitude
langen ['laŋən] *v* 1. *(genügen)* suffice; *Jetzt langt es!* I've had enough! 2. *(greifen)* reach for, grasp, seize; *jdm eine ~* wallop s.o.
Längengrad ['lɛŋəngra:t] *m* GEO degree of longitude
Längenmaß ['lɛŋənma:s] *n* linear measure
Langeweile ['laŋəvaɪlə] *f* boredom
langfristig ['laŋfrɪstɪç] *adj* long-term
langjährig ['laŋjɛ:rɪç] *adj* of many years

Langlauf ['laŋlauf] *m* SPORT cross-country skiing

langlebig ['laŋleːbɪç] *adj* long-lived

längs [lɛŋs] *prep 1.* along, alongside of; *adv 2.* lengthwise

langsam ['laŋzaːm] *adj* slow

Langsamkeit ['laŋzaːmkaɪt] *f* slowness

längstens ['lɛŋstəns] *adv 1. (höchstens)* at the most; *2. (spätestens)* at the latest

langweilen ['laŋvaɪlən] *v sich* ~ to be bored; *jdn tödlich* ~ to bore s.o. to death

langweilig ['laŋvaɪlɪç] *adj* boring, dull

Lanze ['lantsə] *f* spear, lance

Lappen ['lapən] *m* rag, cloth; *jdm durch die* ~ *gehen* give s.o. the slip

Lärche ['lɛrçə] *f* BOT larch

Lärm [lɛrm] *m* noise, racket, din; *viel* ~ *um nichts* much ado about nothing

lärmen ['lɛrmən] *v* make noise, to be noisy, make a racket (fam)

Larve ['larvə] *f 1.* ZOOL larva; *2. (Maske)* mask

Laserstrahl ['leɪzərʃtraːl] *m* laser beam

lassen ['lasən] *v irr 1. (zulassen)* allow, let, permit; *2. (veranlassen)* make, cause, order to be done; *etw tun* ~ have sth done; *3. (aufhören)* stop, give up; *Lass das!* Drop it! *es nicht* ~ *können* not be able to stop doing sth; *4. (zurück~)* leave; *5. Das lässt sich machen.* That can be done. *6. Das muss man ihr* ~*.* You've got to hand it to her.

lässig ['lɛsɪç] *adj 1. (nachlässig)* careless, negligent; *2. (ungezwungen)* casual; *3. (fam: gekonnt)* cool

Lässigkeit ['lɛsɪçkaɪt] *f 1.* casualness, nonchalance; *2. (Vernachlässigung)* carelessness

Last [last] *f 1.* burden, load; *jdm zur* ~ *fallen* to be a burden to s.o.; *jdm etw zur* ~ *legen* accuse s.o. of sth; *mit jdm seine liebe* ~ *haben* have no end of trouble with s.o.; *2.* ~*en pl* expense, costs

Laster ['lastər] *n 1.* vice; *m 2. (fam: Lastkraftwagen)* lorry (UK), truck (US)

lasterhaft ['lastərhaft] *adj* depraved, lascivious, dissolute

lästern ['lɛstərn] *v 1.* malign, defame, slander; *2.* REL blaspheme

lästig ['lɛstɪç] *adj* annoying, troublesome

Lastkraftwagen ['lastkraftvaːgən] *m* lorry (UK), truck (US)

Lastschrift ['lastʃrɪft] *f* ECO debit entry

Latein [la'taɪn] *n* Latin; *mit seinem* ~ *am Ende sein* to be at one's wits' end

Lateinamerika [la'taɪnameːrɪka] *n* GEO Latin America

lateinamerikanisch [la'taɪnamerika:nɪʃ] *adj* Latin American

Laterne [la'tɛrnə] *f 1.* lantern; *2. (Straßenlaterne)* streetlight

latschen ['laːtʃən] *f 1.* shuffle along

Latte ['latə] *f 1.* slat; *2.* SPORT bar

lau [lau] *adj 1. (lauwarm)* lukewarm, tepid; *2. (mild)* mild

Laub [laup] *n* leaves, foliage, leafage

Laubbaum ['laupbaum] *m* BOT deciduous tree

Laubfrosch ['laupfrɔʃ] *m* ZOOL tree frog

Lauch [laux] *m* BOT leek

lauern ['lauərn] *v* lurk, lie in wait

Lauf [lauf] *m 1. (Laufen)* run; *2. (Gewehrlauf)* barrel; *3. (fig: Verlauf)* course; *seinen* ~ *nehmen* take its course

Laufbahn ['laufbaːn] *f 1. (fig)* career; *2.* SPORT track

laufen ['laufən] *v irr 1. (rennen)* run; *2. (gehen)* walk; *3. (fließen)* run, flow, leak

laufend ['laufənt] *adj 1.* running, current; *jdn auf dem Laufenden halten* keep s.o. informed; *mit etw auf dem Laufenden sein* to be up-to-date on sth; *2. (Nummern)* consecutive

Läufer ['lɔʏfər] *m 1.* SPORT runner; *2. (Teppich)* carpet-runner, strip of carpeting

Laufwerk ['laufvɛrk] *n* INFORM drive

Laufzeit ['lauftsaɪt] *f* ECO term, duration

Laune ['launə] *f* mood, temper; ~ *machen* to be good fun; *jdn bei* ~ *halten* keep s.o. happy

launisch ['launɪʃ] *adj 1.* moody; *2. (veränderlich)* fickle

Laus [laus] *f* ZOOL louse; *Dem ist wohl eine* ~ *über die Leber gelaufen!* (fig) What's bitten him?

lauschen ['lauʃən] *v 1. (zuhören)* listen; *2. (horchen)* eavesdrop

lausig ['lauzɪç] *adj 1. (armselig)* lousy, rotten, mean; *2. (Kälte)* beastly

laut [laut] *adj 1.* loud; *2. (geräuschvoll)* noisy, clamorous; *prep 3.* according to, as per

Laut [laut] *m 1. (Ton)* sound, tone; *2. (Geräusch)* noise

läuten ['lɔʏtən] *v* ring; *von etw* ~ *hören* hear a rumour about sth

Lautschrift ['lautʃrɪft] *f* phonetic transcription

Lautsprecher ['lautʃprɛçər] *m* loudspeaker

Lautstärke ['lautʃtɛrkə] *f* volume, loudness

lauwarm ['lauvarm] *adj* lukewarm, tepid

Lawine [la'viːnə] *f* avalanche

Lazarett [latsa'rɛt] *n* MIL military hospital

leasen ['li:zən] v lease
leben ['le:bən] v live
Leben ['le:bən] n life; etw für sein ~ gern tun love doing sth; etw ins ~ rufen bring sth into being; mit dem ~ davonkommen escape with one's life; jdm nach dem ~ trachten to be out to kill s.o.; nie im ~ not on your life; sich das ~ nehmen commit suicide; mit seinem ~ spielen dice with death; jdm das ~ schenken (gebären) give birth to s.o.; sein ~ lassen lose one's life
lebendig [le'bɛndıç] adj 1. (lebend) alive, living; 2. (lebhaft) lively, active
Lebensalter ['le:bənsaltər] n age
Lebensende ['le:bənsɛndə] n end of one's life, end of one's days
Lebensgefahr ['le:bənsgəfa:r] f mortal danger
lebensgefährlich ['le:bənsgəfɛːrlıç] adj life-threatening, perilous
Lebensgefährte ['le:bənsgəfɛːrtə] m partner (for life)
lebenslänglich ['le:bənslɛŋlıç] adj lifelong, lifetime
Lebenslauf ['le:bənslauf] m curriculum vitae, résumé (US)
lebenslustig ['le:bənslustıç] adj cheerful, enjoying life
Lebensmittel ['le:bənsmıtəl] n 1. food; 2. (als Kaufware) groceries
Lebensretter ['le:bənsrɛtər] m life-saver
Leber ['le:bər] f ANAT liver; frei von der ~ weg quite frankly
Lebewesen ['le:bəve:zən] n living thing
Lebewohl [le:bə'vo:l] n farewell; jdm ~ sagen say goodbye to s.o.
lebhaft ['le:phaft] adj 1. (munter) lively, vivacious, cheerful; 2. (rege) active, brisk, keen; 3. (begeistert) eager, lively, keen; 4. (Farben) bright
Lebhaftigkeit ['le:phaftıçkaıt] f 1. (Munterkeit) liveliness, vivaciousness; 2. (Aktivität) activity, briskness; 3. (Begeisterung) eagerness, liveliness; 4. (von Farben) brightness
Lebkuchen ['le:pku:xən] m gingerbread
leblos ['le:plo:s] adj lifeless, inanimate, inert
Leck [lɛk] n leak
lecken ['lɛkən] v 1. (schlecken) lick, lap up; 2. (auslaufen) leak, spring a leak, ooze out
lecker ['lɛkər] adj tasty, delicious, savoury
Leder ['le:dər] n leather
ledig ['le:dıç] adj 1. single, unmarried; 2. einer Sache ~ sein to be rid of sth, to be free of sth
Ledige(r) ['le:dıgə(r)] m/f single, single person, unmarried person

leer [le:r] adj 1. (nichts enthaltend) empty, hollow; 2. (frei) vacant, unoccupied, free; 3. (unbeschrieben) blank, empty
Leere ['le:rə] f emptiness, vacuum, void
leeren ['le:rən] v empty
Leergewicht ['le:rgəvıçt] n unloaded weight, tare weight
Leerlauf ['le:rlauf] m (eines Autos) neutral
Leerstelle ['le:rʃtɛlə] f INFORM space
legal [le'ga:l] adj legal, legitimate
legalisieren [legali'zi:rən] v legalize
Legalisierung [legali'zi:ruŋ] f legalization
Legalität [legali'tɛ:t] f legality
legen ['le:gən] v 1. lay, put, place; 2. sich ~ (Mensch) lie down
legendär [legɛn'dɛ:r] adj legendary, fabled
Legende [le'gɛndə] f legend
legislativ [legisla'ti:f] adj POL legislative
Legislative [legisla'ti:və] f POL legislative power, legislature
legitim [legi'ti:m] adj legitimate, lawful
legitimieren [legiti'mi:rən] v sich ~ prove one's identity; (Beziehung) legitimize; (berechtigen) entitle; (Erlaubnis geben) authorize
Legitimität [legitimi'tɛ:t] f legitimacy
Lehm [le:m] m clay
lehmig ['le:mıç] adj 1. (lehmhaltig) clayey, loamy; 2. (mit Lehm beschmiert) muddy
Lehne ['le:nə] f 1. (Armlehne) armrest; 2. (Rückenlehne) back, back-rest
lehnen ['le:nən] v 1. ~ an lean against, rest against; etw gegen etw ~ prop sth up against sth; 2. sich ~ an lean against, rest on
Lehrberuf ['le:rbəru:f] m 1. (Beruf des Lehrers) teaching profession; 2. (lehrzeitabhängiger Beruf) occupation requiring vocational training
Lehrbuch ['le:rbu:x] n textbook
Lehre ['le:rə] f 1. (Lehrsatz) doctrine, theory; (Richtschnur) rule; 2. (Ausbildung) apprenticeship; Bei dem kannst du noch in die ~ gehen he could teach you a thing or two. 3. (Maßlehre) TECH gauge; 4. (fig: Ermahnung) lesson; Lass dir das eine ~ sein! Let that be a lesson to you!
lehren ['le:rən] v teach, instruct
Lehrer(in) ['le:rər(ın)] m/f 1. (Grundschule) teacher, instructor; 2. (höhere Schule) lecturer, professor
Lehrjahr ['le:rja:r] n year as an apprentice
Lehrling ['le:rlıŋ] m apprentice
lehrreich ['le:rraıç] adj instructive
Lehrstelle ['le:rʃtɛlə] f apprenticeship
Lehrstoff ['le:rʃtɔf] m 1. subject matter; 2. (eines Jahres) syllabus
Lehrstuhl ['le:rʃtu:l] m professorship, chair

Leib [laɪp] m body; sich jdn vom ~e halten keep s.o. at a distance; etw zu ~e rücken tackle sth (fig); jdm wie auf den ~ zugeschnitten sein to be tailor-made for s.o.; etw am eigenen ~ erfahren get first-hand experience of sth; mit ~ und Seele with one's whole heart

Leibwache ['laɪpvaxə] f bodyguards

Leiche ['laɪçə] f corpse, dead body; ~n im Keller haben have a skeleton in one's cupboard, have a skeleton in one's closet (US); über ~n gehen stop at nothing; Nur über meine ~! Over my dead body!

Leichenbestatter ['laɪçənbəʃtatər] m undertaker

Leichenhalle ['laɪçənhalə] f mortuary

Leichnam ['laɪçnam] m corpse, dead body

leicht [laɪçt] adj 1. (nicht schwer) light; 2. (nicht schwierig) easy; Du hast ~ reden! It's all very well for you to talk! Das ist ~ gesagt. It's easy enough to say that. ein ~es sein to be a simple matter; 3. (geringfügig) slight

Leichtathlet(in) ['laɪçtatleːt(ɪn)] m/f SPORT athlete (UK), track-and-field athlete (US)

Leichtathletik ['laɪçtatleːtɪk] f SPORT athletics (UK), track and field (US)

leichtfertig ['laɪçtfɛrtɪç] adj 1. thoughtless, rash; 2. (frivol) frivolous

leichtgläubig ['laɪçtɡlɔybɪç] adj gullible, credulous

Leichtgläubigkeit ['laɪçtɡlɔybɪçkaɪt] f gullibility, credulity

Leichtigkeit ['laɪçtɪçkaɪt] f (Ungezwungenheit) ease, easiness; mit ~ easily

Leichtsinn ['laɪçtzɪn] m carelessness, recklessness, foolishness;

leichtsinnig ['laɪçtzɪnɪç] adj careless, feckless, frivolous

leid [laɪt] adv Es tut mir ~. I'm sorry. Das wird dir noch ~ tun. You'll regret this. Er tut mir ~. I feel sorry for him.

Leid [laɪt] n 1. (Schaden) harm, injury; 2. (Betrübnis) sorrow, grief; jdm sein ~ klagen tell s.o. one's troubles

leiden ['laɪdən] v irr 1. (ertragen müssen) suffer; 2. (ertragen) endure, bear; Ich kann ihn nicht ~. I can't stand him. 3. (dulden) tolerate, suffer; 4. Sie kann dich ~. She likes you.

Leiden ['laɪdən] n 1. (Kummer) suffering; 2. MED affection, complaint; condition

Leidenschaft ['laɪdənʃaft] f passion; etw mit ~ tun do sth with passionate enthusiasm; frei von jeder ~ dispassionate

leidenschaftlich ['laɪdənʃaftlɪç] adj passionate, ardent, vehement

Leidensweg ['laɪdənsveːk] m 1. (Zeit des Leidens) trials and tribulations, period of suffering, life of suffering; 2. (~ Christi) REL passion, way of the cross

leider ['laɪdər] adv unfortunately

Leierkasten ['laɪərkastən] m barrel-organ

leihen ['laɪən] v irr 1. (verleihen) lend; 2. sich etw ~ borrow sth

Leim [laɪm] m glue; jdm auf den ~ gehen fall for s.o.'s tricks; aus dem ~ gehen fall apart

Leine ['laɪnə] f 1. line, cord; Zieh ~! Beat it! Push off! (UK); 2. (Hundeleine) lead, leash; an der langen ~ sein have free rein

Leinen ['laɪnən] n linen

Leinwand ['laɪnvant] f 1. ART canvas; 2. CINE screen

leise ['laɪzə] adj 1. (nicht laut) quiet, soft, faint; 2. (Stimme) low; 3. (ruhig) soft, gentle

Leiste ['laɪstə] f 1. ledge, border, rail; 2. ANAT groin

leisten ['laɪstən] v 1. perform, accomplish, achieve; 2. sich etw ~ allow o.s. sth; sich etw ~ können to be able to afford sth

Leistung ['laɪstʊŋ] f 1. performance, achievement; eine große ~ vollbringen achieve a great success; 2. TECH power, capacity, output

leistungsfähig ['laɪstʊŋsfeːɪç] adj efficient, capable, productive

Leistungsfähigkeit ['laɪstʊŋsfeːɪçkaɪt] f efficiency, capacity, capability

Leistungssport ['laɪstʊŋsʃpɔrt] m competitive sports

Leitartikel ['laɪtartɪkəl] m leading article (UK), editorial (US)

leiten ['laɪtən] v 1. (führen) lead; 2. (lenken) guide, direct, conduct; 3. TECH conduct, transmit

Leiter ['laɪtər] f 1. ladder; m 2. (Vorgesetzter) leader, director, manager; 3. TECH conductor

Leitung ['laɪtʊŋ] f 1. (Geschäftsleitung) management; 2. (Rohrleitung) pipeline; 3. (Kabel) wire, line

Leitungswasser ['laɪtʊŋsvasər] n tap water

Leitzins ['laɪttsɪns] m FIN base rate

Lektion [lɛk'tsjoːn] f lesson; jdm eine ~ erteilen (fig) teach s.o. a lesson

Lektor ['lɛktor] m 1. lecturer; 2. (Verlagslektor) reader

Lektorat [lɛkto'raːt] n 1. (Verlagsabteilung) editorial department; 2. (Gutachten) evaluation (of a manuscript)

Lektüre [lɛk'tyːrə] f reading

Lende ['lɛndə] f loin

lenken ['lɛŋkən] v 1. (steuern) steer; 2. (Aufmerksamkeit, Blick) turn, catch, attract; 3. (leiten) direct, guide, channel

Lenker ['lɛŋkər] m 1. (am Auto) steering wheel; 2. (am Fahrrad, am Motorrad) handlebars; 3. (Maschinenteil zur Führung eines Punktes) TECH steering gear, guide; 4. (Fahrer) driver; 5. (fig: koordinierende Person) leader, head

Lenkrad ['lɛŋkraːt] n steering wheel

Leopard [leo'part] m ZOOL leopard

Lerche ['lɛrçə] f ZOOL lark

lernen ['lɛrnən] v learn, study

Lesbierin ['lɛsbiərɪn] f lesbian

lesbisch ['lɛsbɪʃ] adj lesbian

Lesebuch ['leːzəbuːx] n reader

lesen ['leːzən] v irr 1. read; 2. (sammeln) gather, pick

Leser ['leːzər] m 1. reader; 2. (Sammler) gatherer, picker

leserlich ['leːzərlɪç] adj legible

Lesung ['leːzuŋ] f reading

letzte(r,s) ['lɛtstə(r,s)] adj 1. last, ultimate, final; zu guter Letzt at long last; das Letzte sein to be the worst there is; bis aufs letzte utterly; 2. (vorig) last, most recent, latest

letztlich ['lɛtslɪç] adv ultimately

Leuchte ['lɔʏçtə] f 1. light, lamp; 2. (fig) star, shining light

leuchten ['lɔʏçtən] v shine

Leuchter ['lɔʏçtər] m 1. candlestick; 2. (mehrarmiger) chandelier

Leuchtturm ['lɔʏçtturm] m lighthouse

leugnen ['lɔʏgnən] v deny

Leute ['lɔʏtə] pl people; unter die ~ kommen get out and meet people

Leutnant ['lɔʏtnant] m MIL lieutenant

Lexikon ['lɛksikɔn] n 1. (Enzyklopädie) encyclopedia; 2. (Wörterbuch) dictionary

liberal [libə'raːl] adj liberal

liberalisieren [liberali'ziːrən] v 1. (freier gestalten) POL liberalize; 2. (beseitigen) ECO abolish

Liberalismus [libəra'lɪsmus] m POL liberalism

Licht [lɪçt] n light; ans ~ kommen come to light; kein großes ~ sein to be a dim bulb; sich ins rechte ~ setzen blow one's own horn; jdn hinters ~ führen hoodwink s.o.; kein gutes ~ auf jdn werfen show s.o. in an unfavourable light; Da ging mir ein ~ auf. Suddenly it dawned on me.

lichten ['lɪçtən] v 1. (Wald) clear; 2. sich ~ thin out, dwindle; 3. sich ~ (Nebel) lift; 4. den Anker ~ NAUT weigh anchor

Lichtgeschwindigkeit ['lɪçtgəʃvɪndɪçkaɪt] f PHYS speed of light

Lichtjahr ['lɪçtjaːr] n ASTR light year

Lichtschalter ['lɪçtʃaltər] m light switch

Lichtung ['lɪçtuŋ] f (Waldlichtung) clearing

Lid [liːt] n ANAT eyelid

lieb [liːp] adj 1. kind, good, dear; jdm ~ und teuer sein to be dear to s.o.; 2. ... mein Lieber! ... my friend! 3. am ~sten würde ich ... I would prefer to ...; ~ haben love like, to be fond of, come to like

Liebe ['liːbə] f love; bei aller ~ with all due respect; ~ auf den ersten Blick love at first sight

lieben ['liːbən] v love

liebenswürdig ['liːbənsvyrdɪç] adj amiable, kind

Liebenswürdigkeit ['liːbənsvyrdɪçkaɪt] f kindness, amiability

lieber ['liːbər] adv rather, more willingly

Liebesbrief ['liːbəsbriːf] m love letter

Liebeskummer ['liːbəskumər] m lovesickness; ~ haben to be lovesick

Liebespaar ['liːbəspaːr] n lovers pl, couple

liebevoll ['liːbəfɔl] adj loving, fond

Liebhaber ['liːphaːbər] m 1. (Geliebter) lover; 2. (Kenner) lover, connoisseur, fan; 3. (Sammler) collector

liebkosen ['liːbəpoːzən] v caress

lieblich ['liːplɪç] adj 1. (anmutig) lovely; 2. (Wein) mellow; 3. (wohlklingend) MUS sweet; 4. (Duft) sweet, pleasing

Liebling ['liːplɪŋ] m 1. darling, sweetheart; 2. (Günstling) favourite

lieblos ['liːploːs] adj unkind, unloving

Lieblosigkeit ['liːploːzɪçkaɪt] f unkindness

liebreizend ['liːpraɪtsənd] adj 1. (Person) charming, enchanting, attractive, winsome; 2. (Bewegung) graceful; 3. (Aussehen) delightful

Liebste(r) ['liːpstə(r)] m/f sweetheart, love, darling

Lied [liːt] n song; immer wieder das alte ~ anstimmen to tell the same old story over and over again; das Ende vom ~ (fig) the upshot of it

liederlich ['liːdərlɪç] adj 1. (unordentlich) slovenly, scruffy; 2. (nachlässig) negligent, careless; 3. (unmoralisch) immoral

Lieferant [liːfə'rant] m supplier

lieferbar ['liːfərbaːr] adj deliverable

liefern ['liːfərn] v supply, deliver, provide

Lieferschein ['liːfərʃaɪn] m ECO delivery note

Lieferung ['liːfəruŋ] f delivery, supply; bei ~ zu bezahlen payable on delivery

Lieferwagen ['li:fɐva:gən] *m* van
Liege ['li:gə] *f* couch; *(Camping~)* camp bed; *(für Garten)* lounger
liegen ['li:gən] *v irr* 1. lie; 2. *(sich befinden)* to be, to be situated, to be located; 3. *an etw ~ (seine Ursache haben)* to be because of sth; 4. *Es liegt mir viel daran.* It matters a lot to me. 5. *richtig ~* to be absolutely right, *~ bleiben (Mensch)* keep lying down, *(im Bett bleiben)* stay in bed, *(Schnee)* stay on the ground, *(vergessen werden)* to be left, *(Auto)* conk out (fam); *alles stehen und ~ lassen* leave everything behind
Liegestuhl ['li:gəʃtu:l] *m* deck-chair
Lift [lɪft] *m* lift (UK), elevator (US)
Liga ['li:ga] *f* league
Likör ['li:kø:r] *m* liqueur
lila ['li:la] *adj* lilac
Lilie ['li:liə] *f* BOT lily
Limonade [limo'na:də] *f* 1. fruit juice; 2. *(Brause)* soft drink; 3. *(Zitronenlimonade)* lemonade
Limousine [limu'zi:nə] *f (Auto)* limousine
Linde ['lɪndə] *f* BOT lime-tree
Lineal [line'a:l] *n* ruler
Linguistik [lɪŋ'gvɪstɪk] *f* linguistics *pl*
Linienflug ['li:niənflu:k] *m* scheduled flight
Linke(r) ['lɪŋkə(r)] *m/f* POL leftist
linkisch ['lɪŋkɪʃ] *adj* clumsy, awkward
links [lɪŋks] *adv* on the left, left; *jdn ~ liegen lassen* give s.o. the cold shoulder; *Das mache ich mit ~.* I could do that with my eyes shut.
linkshändig ['lɪŋkshɛndɪç] *adj* left-handed
Linse ['lɪnzə] *f* 1. BOT lentil; 2. *(in der Optik)* lens
Lippe ['lɪpə] *f* lip; *eine dicke ~ riskieren* talk big; *Ich konnte es nicht über die ~n bringen.* I couldn't bring myself to say that.
Lippenstift ['lɪpənʃtɪft] *m* lipstick
liquid [lɪ'kvi:t] *adj* 1. *(Mittel)* liquid; 2. *(Person)* solvent
Liquidation [lɪkvɪda'tsjo:n] *f* ECO liquidation, winding-up (UK)
liquidieren [lɪkvi'di:rən] *v* ECO liquidate, wind up (UK)
Liquidität [lɪkvɪdi'tɛ:t] *f* 1. *(Zahlungsfähigkeit)* ECO liquidity, solvency; 2. *(Zahlungsmittel)* ECO liquid assets
lispeln ['lɪspəln] *v* lisp
List [lɪst] *f* cunning, craftiness, trickery
Liste ['lɪstə] *f* list
listig ['lɪstɪç] *adj* cunning, sly, crafty
Liter ['li:tɐr] *m* litre, liter (US)
literarisch [litə'ra:rɪʃ] *adj* literary
Literatur [litəra'tu:r] *f* literature

Liturgie [litur'gi:] *f* REL liturgy
liturgisch [li'turgɪʃ] *adj* REL liturgic, liturgical
Lizenz [li'tsɛnts] *f* licence, license (US)
Lob [lo:p] *n* praise, commendation; *ein ~ verdienen* deserve praise
Lobby ['lɔbi] *f* POL lobby, pressure group
loben ['lo:bən] *v* praise, commend
lobenswert ['lo:bənsvɛrt] *adj* praiseworthy
Loch [lɔx] *n* hole; *aus dem letzten ~ pfeifen* to be on one's last legs; *jdm ein ~ in den Bauch reden* bend s.o.'s ear
Locke ['lɔkə] *f* curl, lock of hair
locken ['lɔkən] *v* 1. *(Haare)* curl; 2. *(fig)* tempt, bait, allure
locker ['lɔkɐr] *adj* 1. *(lose)* loose, slack; 2. *(entspannt)* at ease, relaxed; 3. *(fig: ungezwungen)* informal, easy-going
Lockerheit ['lɔkɐrhait] *f* 1. *(eines Gewebes)* looseness; 2. *(der Erde)* looseness, fluffiness; 3. *(eines Seiles)* slackness; 4. *(eines Kuchens)* lightness, fluffiness; 5. *(eines Wesens)* looseness, laxity
Lockerung ['lɔkərʊŋ] *f* 1. *(Seil)* loosening, slackening; 2. *(Vorschrift)* relaxation
lockig ['lɔkɪç] *adj* curly, curled
Löffel ['lœfəl] *m* spoon
löffeln ['lœfəln] *v* eat with a spoon
Logik ['lo:gɪk] *f* logic
logisch ['lo:gɪʃ] *adj* 1. logical; *adv* 2. *Logisch!* Naturally! Of course!
Logistik [lo'gɪstɪk] *f* logistics *pl*
Lohn [lo:n] *m* 1. *(Bezahlung)* wage(s), pay, earnings; 2. *(Belohnung)* reward, recompense
lohnen ['lo:nən] *v sich ~* to be worth it, pay, to be worthwhile
Lohnsteuer ['lo:nʃtɔyɐr] *f* wage tax
lokal [lo'ka:l] *adj* local
Lokal [lo'ka:l] *n (Gaststätte)* restaurant, bar, pub
Lokalität [lokali'tɛ:t] *f* 1. *(örtliche Beschaffenheit)* locality; 2. *(Raum)* premises; 3. *(Toilette)* toilet, bathroom (US)
Lokomotive [lokomo'ti:və] *f* locomotive engine
Lorbeer ['lɔrbe:r] *m* BOT laurel; *~en ernten* cover o.s. in glory; *sich auf seinen ~en ausruhen* rest on one's laurels
los [lo:s] *adj* 1. loose; 2. *etw ~ sein* to be rid of sth; 3. *es ist etw ~* something is going on; *Dort ist nichts ~.* There's nothing happening there. *Was ist denn hier ~?* What's going on here? *Was ist mit ihr ~?* What's with her? (fam) *Was ist ~?* What's up? *Mit ihm ist nicht viel ~.*

He's nothing to write home about. *interj 4.*
Go! *adv 5. Wir müssen ~!* We've got to go!

Los [lo:s] *n 1. (Lotterielos)* lottery-ticket; *mit jdm das große ~ gezogen haben* have hit the jackpot with s.o.; *2. (Schicksal)* lot, fate, destiny

losbinden ['lo:sbɪndən] *v irr* untie, unbind

löschen ['lœʃən] *v 1. (Feuer)* extinguish, put out; *2. (Licht)* turn off, switch off; *3. (Fracht)* unload; *4. (Durst)* quench; *5. INFORM* delete, erase

Löschtaste ['lœʃtastə] *f INFORM* delete key

lose ['lo:zə] *adj* loose

Lösegeld ['lø:zəgelt] *n* ransom

losen ['lo:zən] *v 1.* draw lots, raffle; *2. (mit der Münze ~)* toss a coin

lösen ['lø:zən] *v 1. (losbinden)* untie, undo; *2. (klären)* solve, clear up, deal with; *3. (beenden)* break, sever; *4. (zergehen lassen)* dissolve, melt; *5. (kaufen)* buy, get

losfahren ['lo:sfa:rən] *v irr* drive off

losgehen ['lo:sge:ən] *v irr 1. (weggehen)* set off; *2. (Schuss)* go off; *3. auf jdn ~ go* at s.o.; *4. (anfangen)* start; *Gleich geht's los.* It's about to start.

loskaufen ['lo:skaufən] *v 1. sich ~* buy one's freedom; *2. (eine entführte Person)* ransom

loskommen ['lo:skɔmən] *v irr* get free, get away

loslassen ['lo:slasən] *v irr* let go

löslich ['lø:slɪç] *adj 1.* soluble, dissolvable; *2. (Kaffee)* instant

loslösen ['lo:slø:zən] *v* remove; *sich ~* come off; *sich von der Familie ~* split away from one's family

losreißen ['lo:sraɪsən] *v irr 1.* break loose, pull off; *2. (fig)* tear away

lossprechen ['lo:sʃprɛçən] *v irr 1.* acquit, free; *2. REL* absolve

Lösung ['lø:zuŋ] *f 1. (Losmachen)* loosening; *2. (Klärung)* solution, answer; *3. (Beendigung)* separation, severing; *4. CHEM* solution

Lot [lo:t] *n MATH* perpendicular (line); *etw wieder ins rechte ~ bringen* put sth right

löten ['lø:tən] *v* solder

lotsen ['lo:tsən] *v 1.* pilot; *2. (fig)* drag along

Lotterie [lɔtə'ri:] *f* lottery

Löwe ['lø:və] *m ZOOL* lion

Löwin ['lø:vɪn] *f* lioness

loyal [lo'ja:l] *adj* loyal, staunch

Loyalität [loja:li'tɛ:t] *f* loyalty

Luchs [luks] *m ZOOL* lynx

Lücke ['lykə] *f* gap

Luft [luft] *f* air; *Die ~ ist rein (fig).* The coast is clear. *etw in die ~ sprengen* blow sth up; *dicke ~* tense atmosphere; *jdn wie ~ behandeln* give

s.o. the cold shoulder; *jdm die ~ abdrehen* ruin s.o.; *die ~ anhalten* hold one's breath; *jdn an die frische ~ befördern* throw s.o. out; *aus der ~ gegriffen sein* to be pure invention; *in der ~ hängen* to be in limbo; *in die ~ gehen (fig)* blow up; *seinem Ärger ~ machen* give vent to one's anger

Luftballon ['luftbalɔ̃] *m* balloon

Luftblase ['luftbla:zə] *f* air bubble

Luftdruck ['luftdruk] *m* air pressure

lüften ['lyftən] *v 1. (Raum, Kleider)* air out; *2. (fig: enthüllen)* disclose, reveal, unveil

Luftfahrt ['luftfa:rt] *f* aeronautics *pl*

Luftfeuchtigkeit ['luftfɔyçtɪçkaɪt] *f* humidity

luftig ['luftɪç] *adj 1.* airy; *2. in ~er Höhe* at a great height

Luftmatratze ['luftmatratsə] *f* air mattress

Lüftung ['lyftuŋ] *f* ventilation

Luftverschmutzung ['luftfɛrʃmutsuŋ] *f* air pollution

Lüge ['ly:gə] *f* lie

lügen ['ly:gən] *v irr* lie, tell lies; *wie gedruckt ~* to be a bold-faced liar

Lügner ['ly:gnər] *m* liar

Luke ['lu:kə] *f 1.* hatch; *2. (Dachluke)* dormer-window

Lump [lump] *m 1. (gewissenloser Mensch)* rat *(fam)*; *2. (Schlingel)* rascal

Lumpen ['lumpən] *m* rag

Lunge ['luŋə] *f ANAT* lung

Lupe ['lu:pə] *f* magnifying-glass; *Solche Leute kannst du mit der ~ suchen.* Such people are few and far between. *jdn unter die ~ nehmen* take a close look at s.o.

Lust [lust] *f 1. (Freude)* joy, pleasure, delight; *nach ~ und Laune* as the mood takes you; *2. (Verlangen)* lust, desire

lustig ['lustɪç] *adj 1. (komisch)* funny, amusing, comical; *2. (fröhlich)* jolly, merry

lustlos ['lustlo:s] *adj* listless, dull, lifeless

Lustlosigkeit ['lustlo:zɪçkaɪt] *f 1.* listlessness, apathy, lack of interest, lack of enthusiasm; *2. FIN* dullness, slackness, flatness

Lustspiel ['lustʃpi:l] *n THEAT* comedy

lutschen ['lutʃən] *v* suck

Lutscher ['lutʃər] *m* lollipop

luxuriös [luksur'jø:s] *adv 1.* luxuriously; *adj 2.* luxurious

Luxus ['luksus] *m* luxury

Lymphdrüse ['lymfdry:zə] *f ANAT* lymphatic node, lymph node

Lynchjustiz ['lynçjusti:ts] *f* lynch law, frontier justice *(US)*

Lyrik ['ly:rɪk] *f LIT* lyric poetry

M

machbar ['maxbar] *adj* feasible, possible

Machbarkeit ['maxbarkaɪt] *f* feasibility

machen ['maxən] *v* 1. make; *Mach's gut!* Good luck! Take care of yourself! (US); *sich etw ~ lassen* have sth made; *Mit dem kann man's ja ~.* He'll put up with it. 2. *(verursachen)* cause; *jdm Kopfschmerzen ~* give s.o. a headache; 3. *(tun)* do; *Was ~ Sie da?* What are you doing? *Mach schon!* Hurry up! 4. *(ausmachen)* matter; *Macht nichts!* It doesn't matter! *sich wenig aus etw ~* not be very keen on sth; *Mach dir nichts daraus!* Don't let it bother you!

Machenschaften ['maxənʃaftən] *pl* intrigues, machinations

Macht [maxt] *f* 1. *(Stärke)* power, strength, force; *~ ausüben auf* exercise power over; 2. *(Herrschaft)* command, control, dominion; 3. *(Einfluss)* power, influence

mächtig ['mɛçtɪç] *adj* 1. *(stark)* powerful, strong, mighty; 2. *(gewaltig)* mighty, formidable, considerable; 3. *(einflussreich)* powerful, strong; *seiner selbst nicht mehr ~ sein* lose one's self-control; 4. *(fig: sehr groß)* huge, immense, massive; *adv* 5. *(fig)* very, considerably, mighty

machtlos ['maxtloːs] *adj* powerless

Machtwort ['maxtvɔrt] *n* command; *ein ~ sprechen* put one's foot down *(fam)*

Mädchen ['mɛːtçən] *n* girl; *~ für alles* dogsbody (UK), gofer (US)

Mädchenname ['mɛːtçənnaːmə] *m* maiden name

Magazin [maga'tsiːn] *n* 1. *(Lager)* warehouse, storehouse; 2. *(Waffe)* magazine; 3. *(Zeitschrift)* magazine

Magen ['maːgən] *m* ANAT stomach; *jdm auf den ~ schlagen* turn s.o.'s stomach; *da dreht sich mir der ~ um* That turns my stomach!

mager ['maːgər] *adj* 1. *(dünn)* thin, skinny; 2. *(abgemagert)* emaciated; 3. *(dürftig)* meagre, paltry, poor

Magie [ma'giː] *f* magic

magisch ['maːgɪʃ] *adj* magic, magical

Magnet [mag'neːt] *m* magnet

mähen ['mɛːən] *v* 1. cut; 2. *(Rasen)* mow; 3. *(Getreide)* reap

Mahl [maːl] *n* meal

mahlen ['maːlən] *v irr* grind, mill

Mähne ['mɛːnə] *f* mane

mahnen ['maːnən] *v* 1. *(warnen)* admonish, warn; 2. *(auffordern)* urge

Mahnmal ['maːnmaːl] *n* monument, memorial

Mahnung ['maːnuŋ] *f* 1. *(Warnung)* warning, admonition; 2. *(Aufforderung)* reminder, request for payment, demand for payment

Mai [maɪ] *m* May

Maikäfer ['maɪkɛːfər] *m* ZOOL May-bug

Mais [maɪs] *m* BOT sweet corn, maize, corn (US)

Majestät [majɛs'tɛːt] *f* 1. majesty; 2. *(Titel)* Majesty

majestätisch [majɛs'tɛːtɪʃ] *adj* 1. majestic; *adv* 2. majestically

makaber [ma'kaːbər] *adj* macabre

Makel ['maːkəl] *m* 1. spot, stain, blemish; 2. *(Fehler)* flaw

makellos ['maːkəlloːs] *adj* flawless, spotless, stainless

Makler ['maːklər] *m* agent

mal [maːl] *adv* 1. *(fam: einmal) Komm ~ her!* Come here! *Guck ~!* Look! *Das ist nun ~ so.* That's just the way it is. *Schauen wir ~.* Let's see. *nicht ~* not even; 2. *(früher)* once; *Warst du schon ~ in Paris?* Have you ever been to Paris? 3. *(in Zukunft)* some day; 4. *(multipliziert mit)* times

Mal [maːl] *n* 1. *(Zeichen)* mark, *(Kennzeichen)* sign; 2. *(Muttermal)* mole; 3. *(fig)* stigma; 4. *(Zeitpunkt)* time; *mit einem ~* all at once; *von ~ zu ~* all the time; *ein für alle ~* once and for all

Malaria [ma'laːria] *f* MED malaria

malen ['maːlən] *v* 1. paint; 2. *(zeichnen)* draw

Maler ['maːlər] *m* painter

malerisch ['maːlərɪʃ] *adj* picturesque, scenic

Malz [malts] *n* malt

Mammon ['mamɔn] *m* Mammon; *der schnöde ~* filthy lucre

man [man] *pron* one, people, you *(fam)*; *~ kann nie wissen* you never can tell, one never knows; *~ hat mir gesagt* I was told, s.o. told me; *~ sagt* they say, it is said, people say

manch [manç] *pron* 1. some, several; 2. *~ ein* many a

manchmal ['mançmaːl] *adv* sometimes

Mandant [man'dant] *m* JUR client

Mandat [man'da:t] *n 1. JUR* authorization, brief, retainer; *2. POL* mandate

Mandel ['mandəl] *f 1. BOT* almond; *2. ANAT* tonsil

Manege [ma'ne:ʒə] *f* circus ring

Mangel¹ ['maŋəl] *m 1. (Fehlen)* lack, deficiency, want; *2. (Fehler)* defect, shortcoming, fault

Mangel² ['maŋəl] *f (Heißmangel)* mangle; *jdn in die ~ nehmen* give s.o. a grilling

mangelhaft ['maŋəlhaft] *adj 1. (unvollständig)* lacking, deficient, imperfect; *2. (fehlerhaft)* defective, faulty; *3. (Schulnote)* unsatisfactory

mangeln ['maŋəln] *v 1. (fehlen)* to be lacking, to be wanting; *2. (Wäsche)* mangle

mangels ['maŋəls] *prep* for want of

Mango ['maŋgo] *f BOT* mango

Manie [ma'ni:] *f* mania, madness

Manieren [ma'ni:rən] *pl* manners

Manifest [mani'fɛst] *n POL* manifesto

Manifestation [manifɛsta'tsjo:n] *f* manifestation

manifestieren [manifɛs'ti:rən] *v 1.* demonstrate; *2. sich ~* manifest itself

Manipulation [manipula'tsjo:n] *f* manipulation

manipulieren [manipu'li:rən] *v* manipulate

manisch ['ma:nɪʃ] *adj* manic

Manko ['maŋko] *n 1. (Mangel)* flaw; *2. (Fehlbetrag) ECO* deficit

Mann [man] *m 1.* man; *der kleine ~* the common people, the common man; *der ~ auf der Straße* the man in the street; *ein ~ von Welt* a man of the world; *ein toter ~ sein* to be done for, to be a goner; *den starken ~ markieren* come the strong man; *seinen ~ stehen* hold one's own; *mit ~ und Maus untergehen* go down with all hands; *etw an den ~ bringen* get rid of sth; *etw an den ~ bringen (verkaufen)* find a buyer for sth; *2. (Ehemann)* husband

Mannequin [manə'kɛ̃] *n* (fashion) model

mannigfaltig ['manɪçfaltɪç] *adj* diverse, multifarious, manifold

männlich ['mɛnlɪç] *adj* masculine, male

Mannschaft ['manʃaft] *f 1. SPORT* team; *2. (Besatzung)* crew

Manöver [ma'nø:vər] *n* manoeuvre, maneuver *(US)*

Mantel ['mantəl] *m 1. (Kleidungsstück)* coat; *2. TECH* case, casing, shell

manuell [manu'ɛl] *adj 1.* manual; *adv 2.* manually

Manuskript [manus'krɪpt] *n* manuscript

Mappe ['mapə] *f 1. (Tasche)* case, briefcase; *2. (Sammelmappe)* folder, portfolio

Marathon ['ma:raton] *m SPORT* marathon

Märchen ['mɛ:rçən] *n 1.* fairy-tale; *2. (fig)* tall tale

märchenhaft ['mɛ:rçənhaft] *adj* fabulous, legendary, fantastic

Margarine [marga'ri:nə] *f GAST* margarine

Margerite [margə'ri:tə] *f BOT* marguerite

marginal [margi'na:l] *adj* marginal

Marienkäfer [ma'ri:ənkɛ:fər] *m ZOOL* lady-bird *(UK)*, ladybug *(US)*

Marine [ma'ri:nə] *f* navy

Marionette [mario'nɛtə] *f* puppet, marionette

maritim [mari'ti:m] *adj* maritime

Mark¹ [mark] *f HIST 1. (Deutsche ~)* Deutsche Mark, German mark; *keine müde ~* not a single penny; *mit jeder ~ rechnen müssen* have to count every penny; *jede ~ dreimal umdrehen müssen* think twice before spending anything

Mark² [mark] *n 1. (von Früchten)* pulp; *2. ANAT* marrow; *jdm durch ~ und Bein dringen* set one's teeth on edge; *bis ins ~* to the quick

Mark³ [mark] *f (Grenzland)* borderland

markant [mar'kant] *adj* marked, striking, prominent

Marke ['markə] *f ECO* brand

Markenartikel ['markənartɪkəl] *m ECO* name brand

Marketing ['markətɪŋ] *n ECO* marketing

markieren [mar'ki:rən] *v 1.* mark; *2. (fam: vortäuschen)* pretend

Markise [mar'ki:zə] *f* blind, awning

Markt [markt] *m* market

Marmelade [marmə'la:də] *f* jam, preserves *pl*; *(von Zitrusfrüchten)* marmalade

Marmor ['marmor] *m* marble

Marokko [ma'roko] *n GEO* Morocco

Mars [mars] *m der ~ ASTR* Mars

Marsch¹ [marʃ] *m* march; *jdm den ~ blasen* give s.o. a piece of one's mind

Marsch² [marʃ] *f* marsh

marschieren [mar'ʃi:rən] *v* march

Marsmensch ['marsmɛnʃ] *m* Martian

Marter ['martər] *f* torture, torment

martern ['martərn] *v* torture, torment

Märtyrer ['mɛrtyrər] *m REL* martyr

Marxismus [mark'sɪsmus] *m POL* Marxism

März [mɛrts] *m* March

Marzipan ['martsipa:n] *n GAST* marzipan

Masche ['maʃə] f 1. (Handarbeit) stitch; 2. (fig: Trick) trick, act, ploy; 3. (Mode) craze

Maschine [ma'ʃiːnə] f 1. machine; 2. (Motor) engine

maschinell [maʃi'nɛl] adj 1. mechanical; adv 2. mechanically

Masern ['maːzərn] pl MED measles

Maske ['maskə] f mask; die ~ fallen lassen show one's true face; jdm die ~ vom Gesicht reißen unmask s.o.

maskieren [mas'kiːrən] v sich ~ disguise o.s., put on a mask, masquerade

Maskottchen [mas'kɔtçən] n mascot

maskulin ['maskuliːn] adj masculine

Masochismus [mazo'xɪsmus] m masochism

Maß [maːs] n 1. measurement; mit zweierlei ~ messen apply a double standard; über alle ~en beyond measure; nach ~ made-to-measure; Das ~ ist voll! That's the last straw! ~halten be moderate, keep within bounds, observe moderation 2. (Ausmaß) extent; 3. (~krug) one-litre mug

Massage [ma'saːʒə] f massage

Massaker [ma'saːkər] n massacre, slaughter, blood-bath

Masse ['masə] f 1. (Stoff) mass, substance, matter; 2. (große Menge) large quantity, mass, bulk; 3. (Volksmenge) crowd, mass of people

Masseur [ma'søːr] m masseur

maßgebend ['maːsgeːbənt] adj 1. authoritative, decisive; 2. (einflussreich) influential

maßgeblich ['maːsgeːplɪç] adj decisive

massieren [ma'siːrən] v massage

mäßig ['mɛːsɪç] adj moderate, mediocre, temperate

mäßigen ['mɛːsigən] v 1. moderate; 2. (Ungeduld usw) restrain, keep within bounds; 3. (mildern) mitigate; 4. sich ~ control o.s., restrain o.s.

massiv [ma'siːf] adj 1. solid, massive; 2. (heftig) heavy, severe

Massiv [ma'siːf] n GEO massif

maßlos ['maːsloːs] adj 1. boundless, extreme; 2. (übermäßig) excessive

Maßnahme ['maːsnaːmə] f measure, step, action

maßregeln ['maːsreːgəln] v reprimand, discipline

Maßstab ['maːsʃtaːp] m 1. measuring rod, yardstick; 2. (fig) measure

maßvoll ['maːsfɔl] adj moderate

Mast¹ [mast] m 1. (Schiffsmast) mast; 2. (Telefonmast) telephone mast, telegraph-pole, telephone pole (US); 3. (Fahnenmast) flagpole

Mast² [mast] f 1. (Mästen) fattening; 2. (Futter) fattening feed

mästen ['mɛstən] v fatten, feed

Material [mate'rjaːl] n material

Materialismus [materja'lɪsmus] m materialism

Materie [ma'teːrjə] f matter

Mathematik [matema'tiːk] f mathematics

Matratze [ma'tratsə] f mattress

Mätresse [mɛ'trɛsə] f mistress

Matrize [ma'triːtsə] f matrix, stencil

Matrone [ma'troːnə] f matron

Matsch [matʃ] m slush

matschig ['matʃɪç] adj 1. mushy; 2. (Schnee) slushy

matt [mat] adj 1. (schwach) tired, exhausted, worn; jdn ~ setzen checkmate s.o.; 2. (trübe) dim, dull

Matte ['matə] f mat; jdn auf die ~ legen take s.o. for a ride; auf der ~ stehen to be there and ready for action

Mauer ['mauər] f wall; Es ist, als ob man gegen eine ~ redet. It's like talking to a brick wall.

Maulwurf ['maulvurf] m ZOOL mole

Maurer ['maurər] m mason, bricklayer

maurisch ['maurɪʃ] adj HIST Moorish

Maus [maus] f ZOOL mouse; weiße Mäuse sehen (fig) see pink elephants

Mausefalle ['mauzəfalə] f mousetrap

mausern ['mauzərn] v 1. sich ~ moult; 2. sich zu etw ~ (fig) develop into sth

Mautgebühr ['mautgəbyːr] f toll

maximal [maksi'maːl] adv 1. at most, a maximum of; adj 2. maximum

Maxime [mak'siːmə] f maxim

Maximum ['maksimum] n maximum

Majonäse [majo'nɛːzə] f mayonnaise

Mäzen [mɛ'tseːn] m ART patron

Mechanik [me'çaːnɪk] f 1. mechanics; 2. (Triebwerk) mechanism

Mechaniker [me'çaːnɪkər] m mechanic

mechanisch [me'çaːnɪʃ] adj mechanical

Medaille [me'daljə] f medal

Medien ['meːdjən] pl media pl

Medikament [medika'mɛnt] n MED drug, medicine, remedy

Meditation [medita'tsjoːn] f meditation

mediterran [medite'raːn] adj GEO Mediterranean

meditieren [medi'tiːrən] v meditate

Medium ['meːdjum] n medium

Medizin [medi'tsi:n] f 1. (Heilkunde) medicine; 2. (Medikament) medicine, drug, remedy

Mediziner [medi'tsi:nər] m 1. MED physician, doctor; 2. (Medizinstudent) MED student of medicine

medizinisch [medi'tsi:nɪʃ] adj 1. (arzneilich) medicinal; 2. (ärztlich) medical

Meer [me:r] n ocean, sea

Meerrettich ['me:rretɪç] m horseradish

Meerschweinchen ['me:rʃvaɪnçən] n ZOOL guinea pig

Mehl [me:l] n flour

mehr [me:r] adv more; nicht ~ no longer, not anymore; ~ oder weniger more or less; immer ~ more and more; Ich habe keinen Hunger ~. I'm no longer hungry. ~ und ~ more and more; ~ oder minder more or less; nicht ~ und nicht weniger no more no less

mehrdeutig ['me:rdɔytɪç] adj ambiguous

Mehrdeutigkeit ['me:rdɔytɪçkaɪt] f ambiguity

mehren ['me:rən] v increase

mehrere ['me:rərə] adj 1. several; 2. (einige) a few; 3. (verschiedene) various

mehrfach ['me:rfax] adj 1. multiple, manifold; 2. (wiederholt) repeated

mehrfarbig ['me:rfarbɪç] adj multicoloured

Mehrheit ['me:rhaɪt] f majority

mehrmals ['me:rma:ls] adv repeatedly, several times, more than once

mehrsprachig ['me:rʃpra:xɪç] adj multilingual, polyglot

mehrstellig ['me:rʃtelɪç] adj multidigit

Mehrwegflasche ['me:rveːkflaʃə] f returnable bottle

Mehrwertsteuer ['me:rvertʃtɔyər] f FIN value-added tax

Mehrzahl ['me:rtsa:l] f 1. GRAMM plural; 2. (Mehrheit) majority

meiden ['maɪdən] v irr avoid

Meile ['maɪlə] f mile

Meilenstein ['maɪlənʃtaɪn] m (fig) milestone, landmark

mein(e) ['maɪn(ə)] pron 1. my; 2. (das Meinige) mine

Meineid ['maɪnaɪt] m JUR perjury

meinen ['maɪnən] v 1. (glauben, denken) think, believe; Meinst du? Do you think so? Das will ich ~! I should think so! 2. (vermuten) suppose; 3. (sagen wollen) mean; 4. (mit einer bestimmten Absicht tun) mean, intend

Meinung ['maɪnuŋ] f opinion, view; Ich bin anderer ~. I disagree. Ganz meine ~! I

couldn't agree more! jdm gehörig die ~ sagen give s.o. a piece of one's mind

Meinungsfreiheit ['maɪnuŋsfraɪhaɪt] f freedom of opinion

Meinungsumfrage ['maɪnuŋsumfra:gə] f opinion poll

Meißel ['maɪsəl] m chisel

meißeln ['maɪsəln] v chisel

meist [maɪst] adj 1. most; adv 2. (~ens) usually, generally, most of the time, mostly

meistens ['maɪstəns] adv usually, generally, most of the time, mostly

Meister ['maɪstər] m 1. master; 2. (Handwerker) master craftsman; 3. SPORT champion

meisterhaft ['maɪstərhaft] adj 1. masterly; adv 2. brilliantly, to perfection

meistern ['maɪstərn] v master

Meisterschaft ['maɪstərʃaft] f SPORT championship

Mekka ['mɛka] n Mecca

Melancholie [melaŋko'li:] f melancholy

melden ['mɛldən] v 1. (mitteilen) report; 2. (ankündigen) announce; nichts zu ~ haben (fig) have no say; 3. (anmelden) register; 4. sich ~ report, announce one's presence; 5. sich ~ (mit jdm in Verbindung setzen) get in touch (with s.o.); 6. sich ~ (am Telefon) answer

Meldung ['mɛlduŋ] f 1. (Anmeldung) registration; 2. (Ankündigung) notification; 3. (Mitteilung) information; 4. (Presse, Radio, Fernsehen) news bulletin

melken ['mɛlkən] v irr milk

Melodie [melo'di:] f melody

Melone [me'lo:nə] f 1. (Honigmelone) melon; 2. (Wassermelone) watermelon

Memoiren [me'mwa:rən] pl memoirs

Memorandum [memo'randum] n POL memorandum

Menge ['mɛŋə] f 1. (bestimmte Anzahl) amount, quantity; 2. (große Anzahl) mass, lot, load; eine ganze ~ von a great deal of; jede ~ a whole bunch of; 3. (Volksmenge) crowd of people, throng

Mengenrabatt ['mɛŋənrabat] m ECO quantity discount, bulk discount

Mensa ['mɛnza] f university canteen

Mensch [mɛnʃ] m 1. human being, man; Ich bin auch nur ein ~. I'm only human. wie der erste ~ as though one hasn't a clue; nur noch ein halber ~ sein to be run down; ein neuer ~ werden turn over a new leaf; von ~ zu ~ man to man; 2. (Person) person; kein ~ nobody, no one; interj 3. Man!

Menschenfresser ['mɛnʃənfrɛsər] *m* cannibal

Menschenfreund ['mɛnʃənfrɔynt] *m* philanthropist

Menschenrechte ['mɛnʃənrɛçtə] *pl* human rights

Menschenwürde ['mɛnʃənvyrdə] *f* human dignity

Menschheit ['mɛnʃhaɪt] *f* humanity, mankind

menschlich ['mɛnʃlɪç] *adj 1.* human; *adv 2. (human)* humane

Menschlichkeit ['mɛnʃlɪçkaɪt] *f* humanity, human nature, humaneness

Menstruation [mɛnstrua'tsjoːn] *f* menstruation

mental [mɛn'taːl] *adj* mental, psychological

Mentalität [mɛntali'tɛːt] *f* mentality

Menü [me'nyː] *n 1.* GAST special of the day, set meal, table d'hôte, set menu; *2.* INFORM menu

Meridian [meri'djaːn] *m* GEO meridian

merken ['mɛrkən] *v 1. (wahrnehmen)* notice, perceive, *(fühlen)* feel; *2.* sich etw ~ retain, note, remember

merklich ['mɛrklɪç] *adj 1.* noticeable, perceptible; *adv 2.* noticeably, perceptibly

Merkmal ['mɛrkmaːl] *n* mark, token, characteristic

merkwürdig ['mɛrkvyrdɪç] *adj* strange, curious, odd

Messe ['mɛsə] *f 1. (Ausstellung)* fair, trade show; *2.* REL mass

messen ['mɛsən] *v irr 1.* measure; *2. (fig)* sich ~ mit measure o.s. against

Messer ['mɛsər] *n* knife; *auf des ~s Schneide stehen* hang in the balance; *jdm ins offene ~ laufen* walk straight into the trap; *jdm das ~ an die Kehle setzen (fig)* put a gun to s.o.'s head; *bis aufs ~ to* the finish

Messing ['mɛsɪŋ] *n* MET brass

Messung ['mɛsuŋ] *f* measurement

Metall [me'tal] *n* metal

Metapher [me'tafər] *f* LIT metaphor

Meteorit [meteo'riːt] *m* meteorite

Meter ['meːtər] *n* metre, meter (US)

Methode [me'toːdə] *f* method

methodisch [me'toːdɪʃ] *adj 1.* methodical; *adv 2.* methodically

Metropole [metro'poːlə] *f* metropolis

Metzger ['mɛtsgər] *m* butcher

Metzgerei [mɛtsgə'raɪ] *f* butcher's shop, butcher shop (US)

Meuterei [mɔytə'raɪ] *f* MIL mutiny

meutern ['mɔytərn] *v 1. (Gehorsam verweigern)* mutiny, mutineer; *2. (fig: murren)* grumble, moan

Mexikaner(in) [mɛksi'kaːnər(ɪn)] *m/f* Mexican

mexikanisch [mɛksi'kaːnɪʃ] *adj* Mexican

Mexiko ['mɛksiko:] *n* GEO Mexico

Miene ['miːnə] *f* (facial) expression; *keine ~ verziehen* not bat an eyelid

Miete ['miːtə] *f 1. (Mieten)* lease, tenancy; *die halbe ~ sein (fig)* to be half the battle; *2. (Mietzins)* rent

mieten ['miːtən] *v* rent, hire

Migräne [mi'grɛːnə] *f* MED migraine

Mikrofon [mikro'foːn] *n* microphone

Mikrokosmos [mikro'kɔsmɔs] *m* microcosm

Mikroskop [mikros'koːp] *n* microscope

Milchstraße ['mɪlçʃtraːsə] *f* ASTR Milky Way

mild [mɪlt] *adj 1. (Wesen)* soft, gentle, kind; *2. (Wetter)* mild, temperate

Milde ['mɪldə] *f 1. (Wetter)* mildness; *2. (Wesen)* gentleness, tenderness

mildern ['mɪldərn] *v 1. (abschwächen)* soften, reduce, mitigate; *2. (lindern)* soothe

mildtätig ['mɪltɛːtɪç] *adj* charitable

Milieu [mɪ'ljøː] *n* environment, milieu

militant [mili'tant] *adj* militant

Militär [mili'tɛːr] *n* military, army

Millimeter [mili'meːtər] *m* millimetre

Million [mɪl'joːn] *f* million

Millionär(in) [mɪljoˈnɛːr(ɪn)] *m/f* millionaire

Milz [mɪlts] *f* ANAT spleen

Mimik ['miːmɪk] *f* mimicry, mimic art

minderbemittelt ['mɪndərbəmɪtəlt] *adj 1. (finanziell ~)* less well-off; *2. (geistig schwach)* educationally substandard, retarded, slow, mentally less gifted

Minderheit ['mɪndərhaɪt] *f* minority

minderjährig ['mɪndərjɛːrɪç] *adj* underage

Minderjährige(r) ['mɪndərjɛːrɪgə(r)] *m/f* minor

mindern ['mɪndərn] *v 1. (verringern)* diminish, lessen, reduce; *2. (mildern)* alleviate

Minderung ['mɪndəruŋ] *f* reduction, diminishing

minderwertig ['mɪndərvɛːrtɪç] *adj* inferior, substandard

mindeste(r,s) ['mɪndəstə(r,s)] *adj* least, smallest, lowest

mindestens ['mɪndəstəns] *adv* at least

Mine ['mi:nə] *f 1. (Sprengkörper)* mine; *2. (Bergwerk)* mine; *3. (Kugelschreiber)* cartridge

Mineral [minə'ra:l] *n* mineral

minimal [mini'ma:l] *adj* minimal, very small

Minimum ['mi:nimʊm] *n* minimum

Minister(in) [mi'nistər(in)] *m/f POL* minister

Ministerium [mini'ste:rjʊm] *n POL* ministry

minus ['mi:nʊs] *adv* minus

Minus ['mi:nʊs] *n ECO* deficit

Minuspol ['mi:nʊspo:l] *m* negative pole

Minute [mi'nu:tə] *f* minute; *in letzter ~* at the last minute; *auf die ~ genau* on the dot

minuziös [minu'tsjø:s] *adj* minute

Mirabelle [mira'belə] *f BOT* mirabelle

mischen ['miʃən] *v* mix

Mischung ['miʃʊŋ] *f 1. (Mischen)* mixture, blend; *2. (Gemenge)* mingling

miserabel [mizə'ra:bəl] *adj* miserable

Misere [mi'ze:rə] *f* misery, wretchedness

missachten [mis'axtən] *v (ignorieren)* disregard, neglect

Missachtung [mis'axtʊŋ] *f (Geringschätzung)* disrespect, contempt, disdain

Missbildung ['misbildʊŋ] *f* deformity, malformation

missbilligen [mis'biligən] *v* disapprove of, frown upon, object to

Missbilligung ['misbiligʊŋ] *f* disapproval, disapprobation

Missbrauch ['misbraux] *m* abuse, misuse

missbrauchen [mis'brauxən] *v 1. abuse; 2. (falsch gebrauchen)* misuse

missdeuten [mis'dɔytən] *v* misinterpret

Misserfolg ['misɛrfɔlk] *m* failure

Missernte ['misɛrntə] *f AGR* crop failure

Missetat ['misəta:t] *f* misdeed

Missetäter ['misətɛtər] *m* wrongdoer

missfallen [mis'falən] *v irr* displease

Missfallen ['misfalən] *n* disapproval

Missgeschick ['misgəʃik] *n* mishap, misfortune, bad luck

missglücken [mis'glykən] *v* fail

missgönnen [mis'gœnən] *v* begrudge

Missgriff ['misgrif] *m* mistake, blunder

Missgunst ['misgʊnst] *f* envy, grudge, ill-will

misshandeln [mis'handəln] *v* abuse, maltreat, ill-treat

Misshandlung [mis'handlʊŋ] *f* abuse, ill-treatment

Mission [mis'jo:n] *f* mission

missionieren [misjo'ni:rən] *v REL* missionize, proselytize

Missklang ['misklaŋ] *m* dissonance, disharmony

misslingen [mis'liŋən] *v irr* fail, go wrong

Missmut ['mismu:t] *m* discontent, displeasure

missmutig ['mismu:tiç] *adj* ill-humoured, grouchy

missraten [mis'ra:tən] *v irr* go wrong, turn out badly

Missstand ['misʃtant] *m* disgrace, deplorable state of affairs

Missstimmung ['misʃtimʊŋ] *f* discord, dissension, ill-humour

misstrauen [mis'trauən] *v* mistrust, distrust, to be suspicious of

Misstrauen [mis'trauən] *n* distrust, mistrust, suspicion

missvergnügt ['misfergny:gt] *adj* disgruntled, displeased

Missverhältnis ['misfɛrhɛltnis] *n* imbalance, disproportion, incongruity

missverständlich ['misfɛrʃtɛntliç] *adj* ambiguous, unclear

Missverständnis ['misfɛrʃtɛntnis] *n* misunderstanding

missverstehen ['misfɛrʃteːən] *v irr* misunderstand, mistake, misconstrue

Mist [mist] *m 1. (Pferdemist)* dung, droppings, manure; *Das ist nicht auf meinem ~ gewachsen.* I didn't think of that myself. *2. (fig: Unsinn)* nonsense, rubbish, rot; *~! Crap! (fam)*; *~ bauen* mess up, screw up

mit [mit] *prep* with; *~ fünf Jahren* at age five; *Montag ~ Freitag* Monday through Friday; *eine Dose ~ Keksen* a tin of biscuits; *~ der Post* by post, by mail; *~ achtzehn Jahren* at age eighteen; *Ich habe das ~ berücksichtigt.* I thought of that as well. I took that into account.

mitarbeiten ['mitarbaitən] *v* collaborate, cooperate

Mitarbeiter(in) ['mitarbaitər(in)] *m/f 1.* coworker; *freier ~* freelancer; *2. (Angestellter)* employee; *3. (an Projekt)* collaborator

mitbekommen [mitbə'kɔmən] *v irr 1. etw ~* get sth to take with one; *2. (fam: verstehen)* get *(fam)*

Mitbenutzung ['mitbənʊtsʊŋ] *f* sharing

Mitbestimmung ['mitbəʃtimʊŋ] *f* codetermination, workers' participation

Mitbewerber(in) ['mitbəverbər(in)] *m/f* other applicant, competitor; *Leider entschieden sie sich für einen ~.* Unfortunately they chose another applicant.

Mitbewohner(in) ['mɪtbəvoːnər(ɪn)] *m/f* fellow resident

mitbringen ['mɪtbrɪŋən] *v irr* bring along, bring

Mitbringsel ['mɪtbrɪŋzəl] *n* little present

Mitbürger(in) ['mɪtbyrgər(ɪn)] *m/f* fellow citizen

mitdenken ['mɪtdɛŋkən] *v irr* 1. *(gedanklich folgen)* follow; 2. *(überlegen)* figure sth out for o.s.

miteinander [mɪtaɪn'andər] *adv* 1. together, jointly; 2. *(gleichzeitig)* at the same time

Mitesser ['mɪtɛsər] *m* blackhead

Mitfahrgelegenheit ['mɪtfaːrgəleːgənhaɪt] *f eine* ~ a lift, a ride

mitführen ['mɪtfyːrən] *v (dabeihaben)* carry

Mitgefühl ['mɪtgəfyːl] *n* sympathy, compassion

Mitgift ['mɪtgɪft] *f* dowry

Mitglied ['mɪtgliːt] *n* member

Mitgliedschaft ['mɪtgliːtʃaft] *f* membership

Mithilfe ['mɪthɪlfə] *f* assistance, aid

mitkommen ['mɪtkɔmən] *v* 1. come along; 2. *(fam: begreifen)* understand, follow

Mitläufer ['mɪtlɔyfər] *m* 1. follower; 2. *POL* nominal member

Mitleid ['mɪtlaɪt] *n* pity, compassion

mitmachen ['mɪtmaxən] *v* 1. *(sich beteiligen)* participate, take part; 2. *(fig: leiden)* live through, go through

mitmenschlich ['mɪtmɛnʃlɪç] *adj* interpersonal

mitreden ['mɪtreːdən] *v* 1. join in the conversation; 2. *ein Wörtchen* ~ have a say in sth

mitreißen ['mɪtraɪsən] *v irr* enthral, enthrall *(US)*

Mitschuld ['mɪtʃʊlt] *f* share of the blame, partial guilt, complicity

mitschuldig ['mɪtʃʊldɪç] *adj* jointly guilty, an accessory to sth

Mitschüler(in) ['mɪtʃyːlər(ɪn)] *m/f* 1. fellow student, schoolmate; 2. *(in derselben Klasse)* classmate

mitspielen ['mɪtʃpiːlən] *v* 1. play, play too; 2. *(in einem Theaterstück)* act; 3. *(wichtig sein)* play a part, to be involved; 4. *jdm übel* ~ treat s.o. badly, *(körperlich)* rough s.o. up

Mitspracherecht ['mɪtʃpraxərɛçt] *n* share in decision-making

Mittag ['mɪtaːk] *m* midday, *(zwölf Uhr mittags)* noon

Mittagessen ['mɪtaːkɛsən] *n* lunch

mittags ['mɪtaːks] *adv* at lunchtime, *(zwölf Uhr ~)* at noon

Mitte ['mɪtə] *f* middle; *die goldene* ~ *wählen* choose the happy medium

mitteilen ['mɪttaɪlən] *v* inform, notify, let know

mitteilsam ['mɪttaɪlzaːm] *adj* communicative, forthcoming, talkative

Mitteilung ['mɪttaɪluŋ] *f* notification, communication, information

Mittel ['mɪtəl] *n* 1. *(Hilfsmittel)* means, resources *pl*; ~ *zum Zweck sein* to be a means to an end; ~ *und Wege suchen* look for ways and means; 2. *(Heilmittel)* remedy, medicine; 3. *im* ~ on average; *pl* 4. *(Geld)* means, funds, money

Mittelalter ['mɪtəlaltar] *n* Middle Ages *pl*

mittelalterlich ['mɪtəlaltərlɪç] *adj* medieval

mittelbar ['mɪtəlbaːr] *adj* 1. indirect; *adv* 2. indirectly

Mittelfinger ['mɪtəlfɪŋər] *m* ANAT middle finger

mittellos ['mɪtəlloːs] *adj* penniless, destitute, without means of support

mittelmäßig ['mɪtəlmɛːsɪç] *adj* 1. *(durchschnittlich)* average; 2. *(pejorativ)* mediocre

Mittelmeer ['mɪtəlmeːr] *n* GEO Mediterranean

Mittelpunkt ['mɪtəlpuŋkt] *m* 1. centre, focus, heart; 2. *(fig)* centre of attention

mittels ['mɪtəls] *prep* by means of, through, with the assistance of

Mittelsmann ['mɪtəlsman] *m* intermediary, go-between, mediator

Mittelstand ['mɪtəlʃtant] *m* middle class

Mittelweg ['mɪtəlveːk] *m (fig)* middle course, compromise

mitten ['mɪtən] *adv* ~ *in/bei/an/auf* in the middle of; ~ *aus* from amid; ~ *darin* right in the middle of it; ~ *ins Gesicht* right in the face; ~ *unter uns* in our midst; ~ *durch* right through the middle

mittendrin [mɪtən'drɪn] *adv* in the middle, right in the middle; *in etw* ~ *sein* to be right in the middle of sth

Mitternacht ['mɪtərnaxt] *f* midnight

mittlere(r,s) ['mɪtlərə(r,s)] *adj* middle, central, *(durchschnittlich)* average

mittlerweile ['mɪtlərvaɪlə] *adv* in the meantime, meanwhile

Mittwoch ['mɪtvɔx] *m* Wednesday

mitwirken ['mɪtvɪrkən] *v* contribute, to be involved, take part

Mitwisser ['mɪtvɪsər] m JUR accessory, party to sth

mixen ['mɪksən] v mix

Mixer ['mɪksər] m 1. (Gerät) mixer, blender; 2. (Barmixer) bartender; 3. (Tonmeister) mixer

Mob [mɔp] m mob

Möbel ['møːbəl] n 1. (~stück) piece of furniture; pl 2. furniture

mobil [moˈbiːl] adj 1. mobile; ~ machen mobilize; 2. (flink) active; 3. FIN movable

Mobiliar [mobiliˈaːr] n furniture

Mobilität [mobiliˈtɛːt] f mobility

Mobiltelefon [moˈbiːltelefoːn] n TEL mobile phone

möblieren [møˈbliːrən] v furnish

Mode ['moːdə] f fashion; in ~ kommen come into fashion

Modell [moˈdɛl] n model; ~ stehen pose

modellieren [modɛˈliːrən] v model, mould, fashion

Modem ['moːdəm] m/n INFORM modem

Modemacher ['moːdəmaxər] m fashion designer

Modenschau ['moːdənʃau] f fashion show

moderieren [modeˈriːrən] v moderate

modern [moˈdɛrn] adj 1. modern; 2. (modisch) fashionable

Moderne [moˈdɛrnə] f modern age, modern times

modernisieren [modɛrniˈziːrən] v modernize

Modeschmuck ['moːdəʃmuk] m costume jewellery

modifizieren [modifiˈtsiːrən] v modify

modisch ['moːdɪʃ] adj 1. fashionable, stylish; adv 2. fashionably, according to the latest fashion

Modul [moˈduːl] n module

Modus ['moːdus] m mode

Mofa ['moːfa] n moped, motorized bicycle

mogeln ['moːgəln] v cheat

mögen ['møːgən] v irr 1. (gern haben) like; 2. (wollen) want to, wish to, desire to; 3. (können) Er mag Recht haben. He may be right.

möglich ['møːklɪç] adj 1. possible; 2. (ausführbar) feasible

Möglichkeit ['møːklɪçkaɪt] f 1. possibility; 2. (Gelegenheit) opportunity; 3. (Ausführbarkeit) feasibility

Mohn [moːn] m BOT poppy

Möhre ['møːrə] f BOT carrot

Mohrrübe ['moːrryːbə] f carrot

mokieren [moˈkiːrən] v sich ~ über mock

Mokka ['mɔka] m GAST mocha, mocha coffee

Molch [mɔlç] m ZOOL salamander

Mole ['moːlə] f NAUT mole, pier, jetty

Molekül [moleˈkyːl] n CHEM molecule

molekular [molekuˈlaːr] adj CHEM molecular

Molke ['mɔlkə] f GAST whey

Molkerei [mɔlkəˈraɪ] f dairy, creamery

Moll [mɔl] n MUS minor

mollig ['mɔlɪç] adj 1. (behaglich) comfortable, snug; 2. (dick) plump, roly-poly

Moment [moˈmɛnt] m 1. moment, instant; Das ist im ~ alles. That's all for the time being. Einen ~, bitte. One moment, please. n 2. PHYS moment, momentum; 3. (fig: Umstand) fact, factor

momentan [momɛnˈtaːn] adj 1. momentary; adv 2. momentarily; 3. (im Augenblick) at the moment

Monarchie [monarˈçiː] f monarchy

Monat ['moːnat] m month

monatlich ['moːnatlɪç] adj/adv monthly

Mönch [mœnç] m REL monk

Mond [moːnt] m moon; jdn auf den ~ schießen send s.o. to Coventry; hinter dem ~ leben live in a fool's paradise

mondän [mɔnˈdɛːn] adj elegant, fashionable

Mondfinsternis ['moːntfɪnstɛrnɪs] f lunar eclipse, eclipse of the moon

Mondlandschaft ['moːntlantʃaft] f (fig) lunar landscape

Mondschein ['moːntʃaɪn] m moonlight

mondsüchtig ['moːntzyçtɪç] adj moonstruck, somnambulous

Monitor ['moːnitoːr] m monitor

Monogamie [monogaˈmiː] f monogamy

Monogramm [monoˈgram] n monogram

Monokultur ['moːnokultuːr] f AGR monoculture

Monolog [monoˈloːk] m monologue

Monopol [monoˈpoːl] n monopoly

monoton [monoˈtoːn] adj 1. monotonous; adv 2. monotonously

Monotonie [monotoˈniː] f monotony

Monstrum ['mɔnstrum] n monster

Monsun [mɔnˈzuːn] m monsoon

Montag ['moːntaːk] m Monday

Montage [mɔnˈtaːʒə] f 1. (Einrichten) installation; 2. CINE montage

Monteur [mɔnˈtøːr] m fitter, assembler

montieren [mɔnˈtiːrən] v 1. mount, fit; 2. (zusammenbauen) assemble

Monument [monu'mɛnt] n monument
monumental [monumɛn'taːl] adj monumental
Moor [moːr] n moor, bog, swamp
Moos [moːs] n moss
Moped ['moːpɛt] n moped
Moral [mo'raːl] f morality, morals, ethics
moralisch [mo'raːlɪʃ] adj 1. moral; adv 2. morally
Moralpredigt [mo'raːlpreːdɪçt] f sermon, lecture, homily; jdm eine ~ halten give s.o. a sermon
Morast [mo'rast] m morass, swamp, marsh
morbid [mor'biːt] adj degenerate, decaying, moribund, doomed
Mord [mort] m murder; Das gibt ~ und Totschlag! All hell will be let loose!
Mordanschlag ['mortanʃlaːk] m murder attempt, attempt on a person's life, assassination attempt
Mörder ['mœrdər] m murderer
morgen ['morgən] adv tomorrow; ~ in einer Woche a week from tomorrow
Morgen ['morgən] m morning; Guten ~! Good morning!
Morgendämmerung ['morgəndɛməruŋ] f dawn, daybreak
Morgengrauen ['morgəngrauən] n dawn, break of day
Morgenland ['morgənlant] n the Orient, the East
Morgenmantel ['morgənmantəl] m dressing gown, robe
Morgenrot ['morgənroːt] n dawn, rosy dawn
morgens ['morgəns] adv in the morning, every morning; ~ um vier Uhr at four o'clock in the morning
Morphium ['morfjum] n MED morphine
Morsezeichen ['morzətsaiçən] n NAUT Morse symbol
Mosaik [moza'iːk] n mosaic
Moschee [mo'ʃeː] f mosque
Moskito [mos'kiːto] m ZOOL mosquito
Moslem ['moslɛm] m Moslem, Muslim
Most [most] m 1. (unvergorener Fruchtsaft) fruit juice; 2. (vergorener Fruchtsaft) fruit wine; (Apfelmost) cider
Motiv [mo'tiːf] n motive
Motivation [motiva'tsjoːn] f motivation
motivieren [moti'viːrən] v 1. (anregen) motivate; 2. (begründen) give reasons for sth
Motor ['moːtor] m engine, motor
Motorboot ['moːtorboːt] n motorboat

Motorrad ['moːtorraːt] n motorcycle, motor bike (fam)
Motte ['motə] f moth
Mottenpulver ['motənpulvər] n moth-repellent
Motto ['moto] n motto, device
Möwe ['møːvə] f ZOOL seagull
Mücke ['mykə] f gnat, mosquito, midge; eine ~ machen beat it, buzz off; aus einer ~ einen Elefanten machen make a mountain out of a molehill
müde ['myːdə] adj tired, weary, drowsy
Müdigkeit ['myːdɪçkait] f tiredness, fatigue, weariness
Mühe ['myːə] f effort, trouble, pains pl; sich ~ geben make an effort; die ~ wert sein to be worth it; mit Müh und Not by the skin of one's teeth
mühelos ['myːəloːs] adj 1. effortless, easy, without trouble; adv 2. effortlessly, easily
mühevoll ['myːəfɔl] adj 1. troublesome, hard, difficult; adv 2. with great effort, with difficulty
Mühle ['myːlə] f 1. mill; 2. (Kaffeemühle) coffee grinder
Mühsal ['myːzaːl] f hardship, toil, trouble
mühsam ['myːzaːm] adj 1. laborious, arduous; adv 2. with difficulty, with great effort, laboriously
mühselig ['myːzeːlɪç] adj arduous, exhausting
Mulde ['muldə] f tray, trough, hollow
Müll [myl] m waste, rubbish, refuse
Mullbinde ['mulbɪndə] f gauze bandage
Mülleimer ['mylaimər] m dustbin (UK), rubbish bin (UK), garbage can (US)
Müller ['mylər] m miller
multikulturell [multikultu'rɛl] adj multicultural
multilateral [multilatə'raːl] adj multilateral
Multimedia [multi'meːdja] pl INFORM multimedia
Mumie ['muːmjə] f mummy
Mumps [mumps] m MED mumps
München ['mynçən] n Munich
Mund [munt] m mouth; sich den ~ verbrennen put one's foot in it; den ~ nicht aufbekommen not open one's mouth; den ~ vollnehmen shoot off one's mouth; einen großen ~ haben (fig) have a big mouth; den ~ halten keep one's mouth shut; sich den ~ fusselig reden talk until one is blue in the face; jdm den ~ verbieten order s.o. to be quiet; jdm den ~ wässrig machen make s.o.'s mouth water;

nicht auf den ~ gefallen sein never be at a loss for words; *in aller ~e sein* to be on everyone's lips; *jdm nach dem ~ reden* say what s.o. wants to hear; *jdm über den ~ fahren* cut s.o. short; *von ~ zu ~ gehen* to be passed on from person to person

Mundart ['mʊntaːrt] *f* dialect, vernacular

münden ['myndən] *v* flow into, run into, end in

Mundharmonika ['mʊnthармоːnɪka] *f* harmonica, mouth-organ

mündig ['myndɪç] *adj* of age

mündlich ['myndlɪç] *adj* 1. oral, vocal; *adv* 2. orally, verbally

Mündung ['myndʊŋ] *f* 1. *(Gewehrmündung)* muzzle; 2. *(Flussmündung)* mouth

Munition [muni'tsjoːn] *f* ammunition

munkeln ['mʊŋkəln] *v* whisper, rumour

Münster ['mynstər] *n* cathedral, minster

munter ['mʊntər] *adj* 1. *(vergnügt)* merry; 2. *(lebhaft)* lively; *gesund und ~* hale and hearty; 3. *(wach)* awake

Münze ['myntsə] *f* 1. coin; *für bare ~ nehmen* take at face value; *jdm etw mit gleicher ~ heimzahlen* pay s.o. back in his own coin; 2. *(Münzanstalt)* mint

Münzfernsprecher ['myntsfɛrnʃprɛçər] *m* call-box *(UK)*, pay phone

mürbe ['myrbə] *adj* 1. *(brüchig)* crumbly; 2. *(zart)* tender; 3. *(Obst)* soft; 4. *(morsch)* rotten; 5. *(fig)* worn

Murmel ['mʊrməl] *f* marble

murmeln ['mʊrməln] *v* murmur, mutter, speak below one's breath

Murmeltier ['mʊrməltiːr] *n* ZOOL marmot

murren ['mʊrən] *v* growl, grumble, murmur

mürrisch ['myrɪʃ] *adj* peevish, grumpy, surly

Mus [muːs] *n* 1. mash, stewed fruit; 2. *(Apfelmus)* applesauce

Muschel ['mʊʃəl] *f* 1. ZOOL mussel; 2. *(Venusmuschel)* ZOOL clam

Muse ['muːzə] *f* Muse

Museum [mu'zeːʊm] *n* museum

Musik [mu'ziːk] *f* music

musikalisch [muzi'kaːlɪʃ] *adj* musical

Musikbox [mu'ziːkbɔks] *f* juke-box

Musiker ['muːzikər] *m* musician

musisch ['muːzɪʃ] *adj* art-loving, artistic

Muskel ['mʊskəl] *m* muscle; *seine ~n spielen lassen* flex one's muscles

Muskelkater ['mʊskəlkaːtər] *m* sore muscles, stiff muscles

Muskulatur [mʊskula'tuːr] *f* musculature

muskulös [mʊsku'løːs] *adj* muscular

Müsli ['myːsli] *n* muesli

Muße ['muːsə] *f* leisure, ease

müssen ['mʏsən] *v irr* have to, must *(nur in der Gegenwart)*; *ich muss* I have to, I must; *Das hat sie nicht tun ~.* She didn't have to do it. *Ich muss zum Arzt.* I need to see a doctor.

müßig ['myːsɪç] *adj (untätig)* idle, lazy

Müßiggang ['myːsɪçɡaŋ] *m* idleness, laziness

Muster ['mʊstər] *n* 1. *(Vorlage)* pattern; 2. *(Probe)* sample, specimen; 3. *(Design)* pattern, design; 4. *(Vorbild)* model

musterhaft ['mʊstərhaft] *adj* exemplary

mustern ['mʊstərn] *v* 1. eye, look over; 2. *(Truppen)* inspect; 3. *jdn ~ (für Wehrdienst)* give s.o. a physical

Musterung ['mʊstərʊŋ] *f* MIL inspection, examination

Mut [muːt] *m* 1. courage, bravery; *allen ~ zusammennehmen* summon all one's courage; *frohen ~es sein* to be in good spirits; *mit frohem ~* in good spirits; 2. *(Schneid)* pluck; *Nur ~!* Cheer up!

Mutant [mu'tant] *m* 1. BIO mutant; 2. *(Jugendlicher im Stimmbruch)* boy whose voice is changing

mutig ['muːtɪç] *adj* 1. courageous, brave; *adv* 2. courageously, bravely

mutlos ['muːtloːs] *adj* 1. discouraged, despondent, dejected; *adv* 2. despondently, dejectedly

mutmaßen ['muːtmaːsən] *v* surmise, presume, guess

mutmaßlich ['muːtmaːslɪç] *adj* 1. probable, presumable; *adv* 2. presumably

Mutmaßung ['muːtmaːsʊŋ] *f* conjecture, speculation

Mutprobe ['muːtproːbə] *f* test of courage

Mutter ['mʊtər] *f* 1. mother; *Ich fühle mich hier wie bei ~n.* I feel quite at home here. 2. *(Schraubenmutter)* TECH nut

Muttergesellschaft ['mʊtərɡəzɛlʃaft] *f* ECO parent company

mütterlich ['mʏtərlɪç] *adj* 1. motherly, maternal; *adv* 2. maternally

Muttermal ['mʊtərmaːl] *n* birthmark, mole

Mutterschaft ['mʊtərʃaft] *f* motherhood

Muttertag ['mʊtərtaːk] *m* Mother's Day

mutwillig ['muːtvɪlɪç] *adj* wanton, wilful, deliberate

Mütze ['mʏtsə] *f* cap, hat; *eine ~ voll Schlaf bekommen* have forty winks

mysteriös [mʏster'jøːs] *adj* mysterious

N

Nabel ['na:bəl] *m* navel; *der ~ der Welt* the top of the world

nach [na:x] *prep 1. (zeitlich)* after; *~ wie vor* still; *Mir ~!* Follow me! *2. (gemäß)* according to, in accordance with; *~ etw benannt sein* to be named after sth; *3. (örtlich)* to, toward(s); *~ oben* upward(s); *~ unten* downward(s); *~ hinten* backward(s); *4. ~ und ~* gradually

nachahmen ['na:xa:mən] *v* imitate, copy

Nachbar ['naxba:r] *m* neighbour

Nachbarschaft ['naxba:rʃaft] *f* neighbourhood

nachdem [na:x'de:m] *konj* after

nachdenken ['na:xdeŋkən] *v irr* think, reflect, ponder; *Ich muss darüber ~.* I will have to think it over. I will have to think about it.

nachdenklich ['na:xdeŋklɪç] *adj* thoughtful, pensive

Nachdruck ['na:xdruk] *m 1. (Betonung)* stress, emphasis; *einer Sache ~ verleihen* lay stress on sth; *2. (Kopie)* reprint, reproduction

nachdrücklich ['na:xdryklɪç] *adj* emphatic, firm, expressive

nacheifern ['na:xaɪfərn] *v* emulate

nacheinander [na:xaɪ'nandər] *adv* one after another, one after the other, in succession

Nacherzählung ['na:xertsɛːluŋ] *f* retelling

Nachfahre ['na:xfa:rə] *m* descendant

nachfolgen ['na:xfɔlgən] *v* follow, succeed

Nachfolger ['na:xfɔlgər] *m* successor

nachforschen ['na:xfɔrʃən] *v* investigate

Nachforschung ['na:xfɔrʃuŋ] *f* inquiry, investigation

Nachfrage ['na:xfra:gə] *f 1. (Erkundigung)* inquiry, enquiry; *2. (Bedarf)* ECO demand

nachgeben ['na:xge:bən] *v irr 1. (erschlaffen)* give way, sag, sink; *2. (fig)* surrender, give in, yield

nachhaltig ['na:xhaltɪç] *adj 1.* lasting, enduring, persistent; *adv 2.* persistently

nachher [na:x'he:r] *adv* afterwards, later, subsequently

Nachhilfe ['na:xhɪlfə] *f 1.* help, assistance; *2. (~unterricht)* tutoring

nachholen ['na:xho:lən] *v* catch up on

Nachkomme ['na:xkɔmə] *m* descendant

nachkommen ['na:xkɔmən] *v irr 1.* follow on, come after, join; *2. (fig: einem Wunsch)* comply with; *3. (einem Versprechen)* keep; *4.*

(Verbindlichkeiten) meet; *5. (einer Pflicht)* fulfil, fulfill (US)

Nachkriegszeit ['na:xkri:kstsaɪt] *f* postwar period

Nachlass ['na:xlas] *m 1. (Erbe)* estate; *2. (Preisnachlass)* reduction, discount

nachlassen ['na:xlasən] *v irr 1. (Preis)* decline, ease off, slacken; *2. (lockern)* loosen, slacken, relax; *3. (aufhören)* discontinue

nachlässig ['na:xlɛsɪç] *adj 1.* negligent, careless, remiss; *adv 2.* negligently, carelessly

Nachlässigkeit ['na:xlɛsɪçkaɪt] *f* negligence, carelessness, remissness

nachmachen ['na:xmaxən] *v 1.* imitate, copy; *2. (fälschen)* forge, *(Geld)* counterfeit

Nachmittag ['na:xmɪta:k] *m* afternoon

Nachname ['na:xna:mə] *m* last name, surname, family name

nachprüfen ['na:xpry:fən] *v* check

Nachricht ['na:xrɪçt] *f* message, piece of news

Nachrichten ['na:xrɪçtən] *pl* news

Nachrichtensprecher ['na:xrɪçtənʃprɛçər] *m* newscaster

nachrücken ['na:xrykən] *v 1.* move up; *2. (an jds Stelle)* succeed to; *3. (Truppen)* advance

Nachruf ['na:xru:f] *m* obituary

nachschlagen ['na:xʃla:gən] *v irr (im Wörterbuch)* look up

Nachschlagewerk ['na:xʃla:gəverk] *n* reference book

Nachschub ['na:xʃu:p] *m* supply

nachsehen ['na:xze:ən] *v irr 1. (kontrollieren)* look, check; *2. (nachblicken)* gaze after; *3. (fig: verzeihen)* forgive; *jdm seine Fehler ~* excuse s.o.'s mistakes

Nachsehen ['na:xze:ən] *n 1. (Verzeihung)* forgiveness, leniency; *2. (Nachteil) das ~ haben* to be the loser, lose out

Nachsicht ['na:xzɪçt] *f* forbearance, indulgence, leniency

nachsichtig ['na:xzɪçtɪç] *adj 1.* indulgent, lenient; *adv 2.* indulgently, leniently

Nachspann ['na:xʃpan] *m* CINE closing credits

Nachspiel ['na:xʃpi:l] *n 1.* epilogue; *2. (fig)* aftermath

nachsprechen ['na:xʃprɛçən] *v irr* repeat

nächste(r,s) ['nɛːçstə(r,s)] *adj 1. (Zeit, Reihenfolge)* next; *2. (nächstgelegen)* nearest

Nächstenliebe ['nɛːçstənliːbə] f compassion, charity

Nacht [naxt] f night; *die ~ zum Tage machen* turn night into day, pull an all-nighter *(US)*; *sich die ~ um die Ohren schlagen* push through until dawn; *jdm schlaflose Nächte bereiten* keep s.o. awake all night; *bei ~ und Nebel* under cover of darkness; *über ~* overnight

Nachteil ['naxtaɪl] m disadvantage

Nachthemd ['naxthɛmt] n 1. *(für Männer)* nightshirt; 2. *(für Frauen)* nightgown

Nachtigall ['naxtɪgal] f ZOOL nightingale

Nachtisch ['naxtɪʃ] m GAST dessert, sweet *(UK)*

Nachtklub ['naxtklup] m night-club

nächtlich ['nɛːçtlɪç] adj nightly, nocturnal, night

Nachtrag ['naxtraːk] m supplement

nachtragen ['naxtraːgən] v irr 1. *(hinterhertragen)* carry after; 2. *(ergänzen)* add, supplement; 3. *(fig) jdm etw ~* hold sth against s.o., resent s.o. for sth

nachträglich ['naxtrɛːklɪç] adj 1. additional, supplementary, subsequent; adv 2. further, subsequently, later; *Ich möchte dir noch ~ zum Geburtstag gratulieren.* I'd like to wish you a belated happy birthday.

nachts [naxts] adv at night

Nachtschicht ['naxtʃɪçt] f night-shift

Nachttisch ['naxttɪʃ] m night-table, bedside table, nightstand *(US)*

nachvollziehen ['naːxfɔltsiːən] v irr understand (s.o.'s thoughts or behaviour)

Nachweis ['naːxvaɪs] m proof, evidence

nachweisen ['naːxvaɪzən] v irr prove, demonstrate, show

nachweislich ['naːxvaɪslɪç] adj 1. proven; adv 2. *Es ist ~ ...* It can be proven to be ...

Nachwelt ['naːxvɛlt] f posterity

Nachwirkung ['naːxvɪrkuŋ] f after-effect

Nachwort ['naːxvɔrt] n epilogue

Nachwuchs ['naːxvuːks] m coming generation, young talent, new blood

nachzählen ['naːxtsɛːlən] v check, recount

Nachzahlung ['naːxtsaːluŋ] f supplementary payment

Nachzügler ['naːxtsyːglər] m straggler, latecomer, late arrival

Nacken ['nakən] m ANAT nape of the neck; *den Kopf in den ~ werfen* throw one's head back; *jdm im ~ sitzen* breathe down s.o.'s neck; *Er hatte die Polizei im ~.* The police were hard on his heels. *jdm den ~ stärken* back s.o. up; *Ihm sitzt der Schalk im ~.* He's in a devilish mood.

nackt [nakt] adj naked, nude, bare

Nadel ['naːdəl] f needle, pin; *an der ~ hängen* to be on drugs

Nagel ['naːgəl] m 1. nail; *den ~ auf den Kopf treffen* (fig) hit the nail on the head; *etw an den ~ hängen* chuck in sth, give up sth; *Nägel mit Köpfen machen* do the job properly; 2. *(Fingernagel)* finger-nail; *jdm unter den Nägeln brennen* to be desperately urgent for s.o.; *sich etw unter den ~ reißen* pinch sth

nageln ['naːgəln] v nail

nagen ['naːgən] v gnaw

nah(e) [naː(ə)] adj 1. near, close, nearby; *jdm zu ~ treten* offend s.o.; *jdm ~ sein* to be close to s.o.; adv 2. close, near; *jdm etw ~ bringen* impress sth on s.o., bring sth home to s.o.; *~ gehen* affect; *jdm ~ kommen* get to know s.o.; *~ legen* recommend, urge, advise; *~ liegen* to be obvious; *der Schluss liegt ~* the conclusion suggests itself; *~ liegend (fig)* obvious; 3. *(zeitlich)* Weihnachten steht ~ bevor christmas is just around the corner; *~ bevorstehend* approaching; prep 3. near, close to; *der Ohnmacht ~ sein* to be on the verge of passing out

Nähe ['nɛːə] f 1. *(Nahesein)* nearness, proximity, closeness; 2. *(Umgebung)* vicinity, neighbourhood; *in der ~* nearby; *in meiner ~* near me; *aus der ~* from close to, at close quarters; 3. *(zeitlich)* closeness

nahen ['naːən] v approach, draw near

nähen ['nɛːən] v sew

nähern ['nɛːərn] v sich ~ approach, draw near, come nearer; *der Abend nähert sich seinem Ende* the evening was drawing to a close

Näherungswert ['nɛːəruŋsveːrt] m approximate value

nahezu ['naːətsuː] adv almost, nearly, next to

Nährboden ['nɛːrboːdən] m 1. fertile soil; 2. *(fig: für Gedanken)* hotbed, breeding ground

nähren ['nɛːrən] v 1. nourish, feed; 2. *(Verdacht)* nurture

nahrhaft ['naːrhaft] adj nutritious

Nahrung ['naːruŋ] f nutrition, food

Naht [naːt] f seam; *aus allen Nähten platzen* to be bursting at the seams

nahtlos ['naːtloːs] adj seamless

naiv [naˈiːf] adj naive

Name ['naːmə] m name; *die Dinge beim ~n nennen* call a spade a spade; *in seinem ~n* on his behalf; *einen guten ~n haben* have a good reputation

namentlich ['na:məntlɪç] *adj 1.* by name; *adv 2.* by name; *3. (besonders)* particularly

namhaft ['na:mhaft] *adj* distinguished, renowned, noted

nämlich ['nɛ:mlɪç] *konj* that is to say, because; *Am Freitag kann ich nicht dabei sein, meine Freundin hat ~ Geburtstag.* I can't be there on Friday, it's my girlfriend's birthday you see.

Napf [napf] *m* bowl, dish

Narbe ['narbə] *f* scar

Narkose [nar'ko:zə] *f* MED anaesthesia

Narr [nar] *m* fool, idiot, imbecile; *sich zum ~en machen* make a fool of o.s.; *jdn zum ~en halten* make a fool of s.o.; *an jdm einen ~en gefressen haben* have taken a great fancy to s.o.

närrisch ['nɛrɪʃ] *adj 1.* foolish; *2. (verrückt)* mad

narzisstisch [nar'tsɪstɪʃ] *adj* narcissistic

nasal [na'za:l] *adj* nasal

naschen ['naʃən] *v* nibble

Nase ['na:zə] *f* nose; *auf die ~ fallen* fall flat on one's face; *die ~ voll haben* to be fed up; *jdm etw unter die ~ reiben* rub s.o.'s nose in sth; *jdn an der ~ herumführen (fam)* pull the wool over s.o.'s eyes; *die ~ rümpfen* turn up one's nose; *Du kannst dir mal an die eigene ~ fassen!* You're one to talk! *jdm etw unter die ~ reiben* rub s.o.'s nose in sth; *überall seine ~ hineinstecken* to be a nosey parker; *jdm etw vor der ~ wegschnappen* beat s.o. to sth; *eine feine ~ für etw haben* have a good nose for sth; *die ~ hoch tragen* to be a bit uppity; *die ~ vorn haben* have a head start; *sich eine goldene ~ verdienen* earn loads of cash (fam); *eins auf die ~ bekommen* get a punch on the nose; *direkt vor deiner ~* right under your nose; *sich die ~ putzen (sich schnäuzen)* blow one's nose

näseln ['nɛ:zəln] *v* talk through one's nose

Nashorn ['na:shɔrn] *n* ZOOL rhinoceros

nass [nas] *adj* wet

Nässe ['nɛsə] *f* dampness, wetness, moisture

Nation [na'tsjo:n] *f* nation

national [natsjo'na:l] *adj* national

Nationalfeiertag [natsjo'na:lfaɪərta:k] *m* national holiday

Nationalismus [natsjona'lɪsmus] *m* nationalism

nationalistisch [natsjona'lɪstɪʃ] *adj* POL nationalistic

Nationalität [natsjonali'tɛ:t] *f* nationality

Natter ['natər] *f 1.* adder, viper; *2. (fig)* snake

Natur [na'tu:r] *f* nature; *Das liegt in der ~ der Sache.* It's in the nature of things.

Naturell [natu'rɛl] *n* disposition, nature

Naturkatastrophe [na'tu:rkatastro:fə] *f* natural disaster

natürlich [na'ty:rlɪç] *adj 1.* natural; *adv 2. Natürlich!* Of course!

Natürlichkeit [na'ty:rlɪçkaɪt] *f* naturalness, unaffectedness, simplicity

Naturschutz [na'tu:rʃuts] *m* preservation of nature, conservation of nature

Naturwissenschaft [na'tu:rvɪsənʃaft] *f* natural science

Nautik ['nautɪk] *f* nautical science

Navigation [naviga'tsjo:n] *f* navigation

Neandertaler [ne'andərta:lər] *m* Neanderthal, Neanderthal man

Nebel ['ne:bəl] *m* fog, mist, haze

nebelig ['ne:bəlɪç] *adj* foggy, misty, hazy

neben ['ne:bən] *prep* next to, beside, by; *~ anderen Dingen* among other things

nebenan [ne:bən'an] *adv* next door

Nebenanschluss ['ne:bənanʃlus] *m* TEL extension

nebenbei [ne:bən'baɪ] *adv 1.* on the side; *2. (beiläufig)* incidentally; *3. (außerdem)* in addition

Nebenbuhler ['ne:bənbu:lər] *m* rival

nebeneinander [ne:bənaɪnandər] *adv* next to each other, side by side; *~ stellen* juxtapose, place adjacently; *~ sitzen* sit side by side, sit next to each other

Nebeneinkünfte ['ne:bənaɪnkynftə] *pl* additional income, side income

Nebenfluss ['ne:bənflus] *m* tributary

nebenher [ne:bən'he:r] *adv* in addition, on the side, as well

Nebenkosten ['ne:bənkɔstən] *pl* incidental expenses, ancillary costs

Nebenrolle ['ne:bənrɔlə] *f* supporting role

nebensächlich ['ne:bənzɛçlɪç] *adj* secondary, incidental, unimportant

Nebenwirkung ['ne:bənvɪrkuŋ] *f* side effect, secondary effect

necken ['nɛkən] *v* tease

neckisch ['nɛkɪʃ] *adj 1.* teasing, playful, mischievous; *2. (Kleidungsstück)* coquettish, saucy

Neffe ['nɛfə] *m* nephew

Negation [nega'tsjo:n] *f* negation

negativ ['ne:gati:f] *adj* negative

Negativ ['ne:gati:f] *n* FOTO negative

negieren [ne'gi:rən] *v* negate, deny

nehmen ['ne:mən] *v irr* take; *sich etw nicht ~ lassen* insist on sth; *etw auf sich ~* accept sth, take on sth; *einen zur Brust ~* have a drink

Neid [naɪt] *m* envy; *vor ~ platzen* go green with envy

neidisch ['naɪdɪʃ] *adj* envious, jealous

neigen ['naɪgən] *v* 1. incline, bow, bend; 2. *(fig)* to be inclined, tend

Neigung ['naɪgʊŋ] *f* 1. inclination; 2. *(geneigte Fläche)* incline, slope, gradient; 3. *(fig)* inclination, tendency, proneness

nein [naɪn] *adv* no

Nektar ['nɛktar] *m* nectar

Nelke ['nɛlkə] *f* BOT carnation, pink

nennen ['nɛnən] *v irr* 1. name; 2. *(heißen)* name, call; 3. *(erwähnen)* mention; 4. *sich ~* be called

Nenner ['nɛnər] *m* MATH denominator; *gemeinsamer ~* common denominator; *einen gemeinsamen ~ finden (fig)* find a common denominator

Neonlicht ['ne:ɔnlɪçt] *n* neon light

Neonreklame ['ne:ɔnreklaːmə] *f* neon sign

Nerv [nɛrf] *m* 1. ANAT nerve; 2. *(fig)* nerve; *den ~ haben* have the nerve; *jdm auf die ~en gehen* get on s.o.'s nerves; *~en wie Drahtseile haben* have nerves of steel; *die ~en verlieren* lose control; *mit den ~en herunter sein* to be cracking up

nerven ['nɛrfən] *v (fam)* make nervous; *jdn ~* get on s.o.'s nerves

Nervenzusammenbruch ['nɛrfəntsuzaməmbrux] *m* MED nervous breakdown, crack-up

nervös [nɛr'vøːs] *adj* 1. nervous; 2. *(reizbar)* irritable; 3. *(überdreht)* on edge

Nervosität [nɛrvozi'tɛːt] *f* nervousness

Nerz [nɛrts] *m* ZOOL mink

Nessel ['nɛsəl] *f* nettle; *sich in die ~n setzen* get into hot water

Nest [nɛst] *n* nest; *(fig) sich ins gemachte ~ setzen* marry into money

nett [nɛt] *adj* 1. nice; *adv* 2. nicely

netto ['nɛto] *adv* ECO net

Nettoeinkommen ['nɛtoaɪnkɔmən] *n* ECO net income

Nettogewicht ['nɛtogəvɪçt] *n* net weight

Nettopreis ['nɛtoprais] *m* ECO net price

Netz [nɛts] *n* net, network; *jdm ins ~ gehen* fall into s.o.'s trap

Netzgerät ['nɛtsgəreːt] *n* TECH power pack

Netzhaut ['nɛtshaut] *f* ANAT retina

neu [nɔy] *adj* new; *aufs Neue* from scratch; *Auf ein Neues!* Here's the next time!

neuartig ['nɔyaːrtɪç] *adj* novel, original

Neubau ['nɔybau] *m* new construction

neuerdings ['nɔyərdɪŋs] *adv* lately, of late

Neueröffnung ['nɔyɛrœfnuŋ] *f* 1. opening; 2. *(Wiedereröffnung)* reopening

Neuerscheinung ['nɔyɛrʃaɪnuŋ] *f* 1. new release; 2. *(Neuheit)* new phenomenon

Neuerung ['nɔyəruŋ] *f* innovation, change

Neugeborene ['nɔygəboːrənə] *n* newborn child

Neugier ['nɔygiːr] *f* curiosity

neugierig ['nɔygiːrɪç] *adj* 1. curious, inquisitive; 2. *(eindrängend)* nosey

Neuheit ['nɔyhaɪt] *f* novelty

Neuigkeit ['nɔyɪçkaɪt] *f* item of news; *~en* news

Neujahr ['nɔyjaːr] *n* new year

Neujahrstag ['nɔyjaːrstaːk] *m* New Year's Day

Neuland ['nɔylant] *n* 1. new territory, new ground, virgin soil; 2. *(fig)* untouched ground, new ground

neulich ['nɔylɪç] *adv* recently, the other day

Neuling ['nɔylɪŋ] *m* beginner, novice, newcomer

Neumond ['nɔymoːnt] *m* new moon

neureich ['nɔyraɪç] *adj* nouveau riche

Neureiche(r) ['nɔyraɪçə(r)] *m/f* nouveaux riche

Neurologie [nɔyrolo'giː] *f* MED neurology

Neurose [nɔy'roːzə] *f* MED neurosis

Neurotiker [nɔy'roːtikər] *m* MED neurotic

neurotisch [nɔy'roːtɪʃ] *adj* MED neurotic

neutral [nɔy'traːl] *adj* 1. neutral; *adv* 2. neutral, neutrally

Neutralität [nɔytrali'tɛːt] *f* neutrality

Neutron ['nɔytrɔn] *n* PHYS neutron

Neutrum ['nɔytrum] *n* GRAMM neuter

Neuzeit ['nɔytsaɪt] *f* modern times *pl*

nicht [nɪçt] *adv* not; *Ich ~!* Not me! *Bitte ~!* Please don't! *etw ~ tun* not do something; *„Hast du Hunger?" „Nein." „Nicht?"* "Are you hungry?" "No." "You're not?" *Nicht? (Nicht wahr?)* Right?; *~ amtlich* unofficial

Nichtachtung ['nɪçtaxtuŋ] *f* disrespect, disregard, lack of respect

Nichtbeachtung ['nɪçtbəaxtuŋ] *f* disregard, non-observance, neglect

Nichte ['nɪçtə] *f* niece

nichtig ['nɪçtɪç] *adj* null and void, void

Nichtraucher ['nɪçtrauxər] *m* non-smoker; *Raucher oder ~?* Smoking or non-smoking?; *ich bin ~* I don't smoke, I'm a non-smoker

nichts [nɪçts] *pron* nothing, not anything; *~ ahnend* unsuspecting; *~ sagend* meaningless, insignificant, futile; *~ von Bedeutung* nothing of any importance; ~ *Neues* nothing new; ~ *Besseres* nothing better; *Nichts da!* No you don't! *Nichts für ungut.* No hard feelings. *Von* ~ *kommt* ~. Nothing ventured, nothing gained.

Nichts [nɪçts] *n 1.* nothingness; *aus dem* ~ out of nowhere; *vor dem* ~ *stehen* to be left with nothing; *2. (Mensch)* nonentity

nichtsdestotrotz [nɪçtsdesto'trɔts] *adv* nevertheless, nonetheless

nichtsnutzig ['nɪçtsnutsɪç] *adj* good-for-nothing, no-good, no-account

nicken ['nɪkən] *v* nod

Nickerchen ['nɪkərçən] *n (fam)* nap, snooze

nie [niː] *adv* never; ~ *und nimmer* never ever

nieder ['niːdər] *adj 1.* low, minor; *2. (gemein)* common; *adv 3.* down, low

Niedergang ['niːdərɡaŋ] *m (fig)* fall, decline

niedergeschlagen ['niːdərɡəʃlaːɡən] *adj* dejected, despondent

niederknien ['niːdərkniːən] *v* kneel, kneel down

Niederlage ['niːdərlaːɡə] *f 1.* defeat; *2. SPORT* loss, defeat

niederlassen ['niːdərlasən] *v irr 1. (herunterlassen)* let down; *2. sich* ~ *(hinsetzen)* sit down; *3. sich* ~ *(Wohnsitz nehmen)* settle down; *4. sich* ~ *(Geschäft eröffnen)* set up shop

Niederlassung ['niːdərlasuŋ] *f ECO* site, location, place of business

Niederlegung ['niːdərleːɡuŋ] *f 1. (eines Kranzes)* laying; *2. (eines Amtes) POL* resignation; *3. (der Arbeit) ECO* stoppage; *4. (schriftliche Darlegung)* putting down

Niederschlag ['niːdərʃlaːk] *m METEO* precipitation, rain

Niedertracht ['niːdərtraxt] *f* meanness, baseness

niederträchtig ['niːdərtrɛçtɪç] *adj* base, vile, low

niedrig ['niːdrɪç] *adj 1.* low; *2. (fig)* low, base, vile

niemals ['niːmaːls] *adv* never

niemand ['niːmant] *pron* nobody, no one

Niemandsland ['niːmantslant] *n* no man's land

Niere ['niːrə] *f 1. GAST* kidney; *2. ANAT* kidney; *jdm an die* ~n *gehen* shake s.o. (fig)

Nierenentzündung ['niːrənɛntsynduŋ] *f MED* kidney infection, nephritis

nieseln ['niːzəln] *v* drizzle

niesen ['niːzən] *v* sneeze

Niete ['niːtə] *f 1. (Niet) TECH* rivet; *2. (Los) eine* ~ *ziehen* draw a blank; *3. (fig: Mensch)* dud

Nihilismus [nihi'lɪsmus] *m PHIL* nihilism

Nikolaus ['nɪkolaus] *m (der Weihnachtsmann)* Santa Claus

Nikotin [niko'tiːn] *n* nicotine

Nil [niːl] *m GEO* Nile

Nilpferd ['niːlpfeːrt] *n ZOOL* hippopotamus

Nimbus ['nɪmbus] *m 1.* nimbus, halo; *2. (fig)* aura

nippen ['nɪpən] *v* sip

Nippes ['nɪpəs] *pl* trinkets, bits and pieces

nirgends ['nɪrɡənts] *adv* nowhere, not anywhere

nirgendwo ['nɪrɡəntvoː] *adv* nowhere

Nische ['niːʃə] *f* niche, recess

nisten ['nɪstən] *v* nest

Nitrat [ni'traːt] *n CHEM* nitrate

Niveau [ni'voː] *n* level; ~ *haben (fig)* to be of a high standard

niveaulos [ni'voːloːs] *adj* mediocre, of little merit

nivellieren [nive'liːrən] *v* level, grade

Nixe ['nɪksə] *f* water-nymph, mermaid

Nizza ['nɪtsa] *n GEO* Nice

nobel ['noːbəl] *adj 1.* noble, distinguished; *2. (fein)* posh; *3. (kostspielig)* extravagant

Nobelpreis [no'belpraɪs] *m* Nobel prize

noch [nɔx] *adv 1.* still, yet, even; ~ *nicht* not yet; *2. (außerdem)* ~ *eine* another; *auch* ~ too, also; ~ *etwas* something else, another thing; ~ *mal,* ~ *einmal* again; *3. gerade* ~ only just; *Das hat gerade* ~ *gefehlt!* That's all we needed. *4. (mit dem Komparativ)* even ...; ~ *langsamer* even slower; *konj 5. weder ... ~ ...* neither ... nor ...

nochmalig ['nɔxmaːlɪç] *adj* renewed, repeated, second

nochmals ['nɔxmaːls] *adv* once more, once again

Nomade [no'maːdə] *m* nomad

Nomen ['noːmən] *n GRAMM* declinable word

nominieren [nomi'niːrən] *v* nominate

Nominierung [nomi'niːruŋ] *f* nomination

Nonne ['nɔnə] *f REL* nun

Norden ['nɔrdən] *m* north

nördlich ['nœrtlɪç] *adj 1.* northern; *adv 2.* ~ *von München* north of Munich

Nordlicht ['nɔrtlɪçt] *n 1.* northern lights *pl;* *2. (Norddeutscher)* Northerner

Nordpol ['nɔrtpoːl] *m* North Pole

Nordsee ['nɔrtzeː] *f* North Sea

Nörgelei [nœrɡə'laɪ] *f* nagging, grumbling

nörgeln ['nœrɡəln] *v* nag, grumble, carp

Norm [nɔrm] *f 1.* norm, standard; *2. (Regel)* rule

normal [nɔr'maːl] *adj* normal, regular

normalerweise [nɔr'ma:lərvaizə] *adv* normally, usually

normalisieren [nɔrmali'zi:rən] *v* normalize

Normalität [nɔrmali'tε:t] *f* normality, normalcy

normieren [nɔr'mi:rən] *v* standardize

Nostalgie [nɔstal'gi:] *f* nostalgia

nostalgisch [nɔs'talgɪʃ] *adj* nostalgic

Not [no:t] *f* 1. *(Armut)* indigence, poverty; *seine liebe ~ mit jdm haben* have no end of trouble with s.o.; 2. *(Mangel)* need; *wo ~ am Mann ist* in an emergency; 3. *(Gefahr)* danger, distress, peril; *mit knapper ~* by the skin of one's teeth

Notar [no'ta:r] *m* JUR notary

notariell [notar'jεl] *adj* 1. JUR notarial; *adv* 2. *~ beglaubigt* JUR notarized

Notarzt ['no:tartst] *m* emergency doctor

Notausgang ['no:tausgaŋ] *m* emergency exit

Note ['no:tə] *f* 1. *(Schule)* mark, grade (US); 2. *(Banknote)* bank-note, bill; 3. MUS note; *mit einer amerikanischen ~* (fig) with an American touch

Notfall ['no:tfal] *m* emergency; *im ~* in case of emergency

notfalls ['no:tfals] *adv* in an emergency, in case of need, if need be

notgedrungen ['no:tgədruŋən] *adj* compulsory, necessary, forced

notieren [no'ti:rən] *v* 1. note, make a note of; 2. FIN quote, list

nötig ['nø:tɪç] *adj* 1. required, necessary, urgent; *Du hast es gerade ~!* You're one to talk! *adv* 2. *(unbedingt)* urgently

nötigen ['nø:tɪgən] *v* 1. *(dringend bitten)* urge; 2. *(durch Drohung zwingen)* coerce; 3. *(zwingen)* force, compel

Nötigung ['nø:tɪguŋ] *f* compulsion

Notiz [no'ti:ts] *f* 1. *(Angabe)* note; 2. *(Zeitungsnotiz)* announcement; *~ von jdm nehmen* take notice of s.o.

Notizbuch [no'ti:tsbu:x] *n* notebook

Notlage ['no:tla:gə] *f* crisis, plight, predicament

Notlüge ['no:tly:gə] *f* white lie

notorisch [no'to:rɪʃ] *adj* notorious

Notruf ['no:tru:f] *m* 1. emergency call; 2. *(Nummer)* emergency number; 3. NAUT distress signal

Notwehr ['no:tve:r] *f* self-defence

notwendig ['no:tvεndɪç] *adj* 1. necessary; *ein ~es Übel sein* to be a necessary evil; 2. *(wesentlich)* essential

Novelle [no'vεlə] *f* novella, novellette

November [no'vεmbər] *m* November

Nuance [ny'ɑ̃:sə] *f* nuance

nüchtern ['nyçtərn] *adj* 1. *(ohne Alkohol)* sober; 2. *(ohne Essen)* with an empty stomach; *auf ~en Magen* on an empty stomach; 3. *(sachlich)* level-headed, sensible, matter-of-fact

Nudeln ['nu:dəln] *pl* noodles

nuklear [nukle'a:r] *adj* PHYS nuclear

Null [nul] *f* zero, nought; *gleich null sein* to be next to nothing; *in ~ Komma nichts* in the twinkling of an eye

nullachtfünfzehn [nulaxt'fynftse:n] *adj* (fam) run-of-the-mill

Nullpunkt ['nulpuŋkt] *m* 1. zero; *den ~ erreichen* (fig) hit rock bottom; 2. *(Gefrierpunkt)* freezing-point

Nullrunde ['nulrundə] *f* ECO wage freeze

nummerieren [numə'ri:rən] *v* number, ticket, label

Nummerierung [numə'ri:ruŋ] *f* numbering

Nummer ['numər] *f* 1. *(Zahl)* number, figure; *auf ~ sicher gehen* play it safe; 2. *(Größe)* size; *Das ist wohl eine ~ zu groß für dich.* (fam) You're out of your league there. 3. *(Exemplar)* issue; 4. *eine ~ abziehen* put on an act

Nummernschild ['numərnʃɪlt] *n* number plate (UK), license plate (US)

nun [nu:n] *adv* 1. now, at present; 2. *Das ist ~ mal so.* That's just how it is. 3. *(zur Fortsetzung der Rede)* well

nur [nu:r] *adv* only, just, merely; *nicht ~ ... sondern auch ...* not only ... but also ...

nuscheln ['nuʃəln] *v* mumble, mutter

Nuss [nus] *f* nut; *eine harte ~ zu knacken haben* to have a tough nut to crack; *jdm eine harte ~ zu knacken geben* to give s.o. a tough nut to crack

nutzen ['nutsən] *v* 1. to be of use, to be useful; 2. *(etw ~)* use, utilize

Nutzen ['nutsən] *m* 1. use; *von ~ sein* to be of use; 2. *(Vorteil)* advantage, benefit

nützen ['nytsən] *v (siehe „nutzen")*

nützlich ['nytslɪç] *adj* useful, helpful, beneficial; *sich als ~ erweisen* prove one's usefulness

Nützlichkeit ['nytslɪçkait] *f* use, usefulness

nutzlos ['nutslo:s] *adj* useless, futile, pointless

Nutznießer ['nutsni:sər] *m* beneficiary

Nylon ['nailɔn] *n* nylon

Nylonstrumpf ['nailɔnʃtrumpf] *m* nylon, nylon stocking, nylon hose

Nymphe ['nymfə] *f* nymph

nymphoman [nymfo'ma:n] *adj* nymphomaniac, nymphomaniacal

O

Oase [o'a:zə] *f* oasis

ob [ɔp] *konj* whether, if; *„Hast du schon gefrühstückt?" - „Was?" - „Ob du schon gefrühstückt hast?"* "Have you had breakfast?" - "What?" - "Have you had breakfast?"

obdachlos ['ɔpdaxloːs] *adj* homeless

Obdachlose(r) ['ɔpdaxloːzə(r)] *m/f* homeless person

Obduktion [ɔpduk'tsjoːn] *f* MED autopsy, post-mortem (examination)

obduzieren [ɔpdu'tsiːrən] *v* MED perform an autopsy

O-Beine ['oːbaɪnə] *pl* bow legs

O-beinig ['oːbaɪnɪç] *adj* bow-legged

Obelisk [obe'lɪsk] *m* obelisk

oben ['oːbən] *adv* 1. *(am oberen Ende)* at the top; *von ~* from above; *von ~ bis unten* from top to bottom; *„~-ohne"* topless; *siehe ~* see above; 2. *(in der Höhe)* up; 3. *(im Hause)* upstairs; *~ stehend* above, above-mentioned

obenan [oːbən'an] *adv* at the top; *~ stehen* be at the top

obenauf [oːbən'auf] *adv* 1. on top; 2. *(munter)* cheerful

obendrein [oːbən'draɪn] *adv* besides, on top of everything else, over and above

obenhin [oːbən'hɪn] *adv* superficially; *etw ~ sagen* say sth casually

Ober ['oːbər] *m (Kellner)* waiter; *Herr ~!* Waiter!

Oberarm ['oːbərarm] *m* upper arm

Oberbegriff ['oːbərbəɡrɪf] *m* generic term, collective term

Oberbekleidung ['oːbərbəklaɪduŋ] *f* outer clothing, outerwear

Oberbürgermeister [oːbər'byrɡərmaɪstər] *m* mayor; *(von einer englischen Großstadt)* Lord Mayor

Oberdeck ['oːbərdɛk] *n* upper deck

obere(r,s) ['oːbərə(r,s)] *adj* higher, upper, superior

Oberfläche ['oːbərflɛçə] *f* surface

oberflächlich ['oːbərflɛçlɪç] *adj* 1. superficial; 2. *(seicht)* shallow; *adv* 3. superficially

Obergeschoss ['oːbərɡəʃɔs] *n* upper storey, upper level, upper floor; *zweites ~* second floor *(UK)*, second storey *(UK)*, third floor *(US)*, third story *(US)*

oberhalb ['oːbərhalp] *prep* 1. above; *adv* 2. above

Oberhaupt ['oːbərhaupt] *n* head, chief, leader

Oberhaus ['oːbərhaus] *n* POL upper house

Oberin ['oːbərɪn] *f* REL Mother Superior

oberirdisch ['oːbərɪrdɪʃ] *adj* above ground

Oberkellner ['oːbərkɛlnər] *m* head-waiter

Oberkiefer ['oːbərkiːfər] *m* ANAT upper jaw

Oberkommando ['oːbərkomando] *n* MIL high command, supreme command

Oberkörper ['oːbərkœrpər] *m* ANAT upper part of the body; *(Brust)* chest

Oberleitung ['oːbərlaɪtuŋ] *f* TECH overhead wires *pl*, overhead cable

Oberleutnant ['oːbərlɔytnant] *m* 1. *(der Armee)* MIL lieutenant, first lieutenant *(US)*; 2. *(der Luftwaffe)* MIL flying officer, first lieutenant *(US)*; 3. MIL sublieutenant, lieutenant *(US)*

Oberlippe ['oːbərlɪpə] *f* ANAT upper lip

Oberschenkel ['oːbərʃɛŋkəl] *m* ANAT thigh

Oberschicht ['oːbərʃɪçt] *f (Gesellschaftsschicht)* upper class

Oberschule ['oːbərʃuːlə] *f* secondary school

Oberst ['oːbərst] *m* MIL colonel

oberste(r,s) ['oːbərstə(r,s)] *adj* uppermost, topmost, highest

Oberstübchen ['oːbərʃtyːpçən] *n nicht ganz richtig im ~ sein* have bats in the belfry

Oberstufe ['oːbərʃtuːfə] *f* 1. *(elfte bis dreizehnte Klasse)* stage II secondary education, upper secondary education, senior high school *(US)*, grades eleven to thirteen; 2. *(Schüler der ~)* stage II secondary education students *(UK)*, upperclassmen *(US)*

Oberteil ['oːbərtaɪl] *n* 1. upper part; 2. *(Kleidungsstück)* top

obgleich [ɔp'ɡlaɪç] *konj* although

Obhut ['ɔphuːt] *f* keeping, protection, safekeeping

obige(r,s) ['oːbɪɡə(r,s)] *adv* above, above-mentioned

Objekt [ɔp'jɛkt] *n* object

objektiv [ɔpjɛk'tiːf] *adj* objective, impartial

Objektiv [ɔpjɛk'tiːf] *n* FOTO lens, objective

Objektivität [ɔpjɛktiviˈtɛːt] *f* objectivity, impartiality, objectiveness

Oblate [oˈblaːtə] *f* 1. GAST wafer; 2. REL host

obliegen [ɔpˈliːɡən] *v irr* to be incumbent upon; *Es obliegt ihm.* He is responsible for it.

Obligation [ɔbliga'tsjoːn] *f ECO* bond, debenture, debenture bond

obligatorisch [ɔbliga'toːrɪʃ] *adj* obligatory, compulsory, mandatory

Obmann [ˈɔbman] *m 1. (Vorsitzender)* chairman; *2. (Vertreter)* representative

Oboe [o'boːə] *f MUS* oboe

Obrigkeit [ˈoːbrɪçkaɪt] *f* authorities *pl*

obrigkeitlich [ˈoːbrɪçkaɪtlɪç] *adj* government

Obrigkeitsstaat [ˈoːbrɪçkaɪtsʃtaːt] *m POL* authoritarian state

obschon [ɔp'ʃoːn] *konj* though, although

Observation [ɔpzɛrva'tsjoːn] *f* observation

Observatorium [ɔpzɛrva'toːrjum] *n ASTRO* observatory

observieren [ɔpzɛr'viːrən] *v* observe

obskur [ɔps'kuːr] *adj* obscure, mysterious

Obskurität [ɔpskuri'tɛːt] *f* obscurity

Obst [oːpst] *n* fruit

Obstbaum [ˈoːpstbaum] *m BOT* fruit-tree

Obsternte [ˈoːpstɛrntə] *f AGR* fruit harvest

Obstkuchen [ˈoːpstkuːxən] *m GAST* fruit tart

Obstsaft [ˈoːpstzaft] *m GAST* fruit juice

obszön [ɔps'tsøːn] *adj* obscene

obwohl [ɔp'voːl] *konj* although

Ochse [ˈɔksə] *m ZOOL* bullock, ox; *dastehen wie ein ~ vorm Berg* stand there like a dying duck in a thunderstorm

öde [ˈøːdə] *adj 1.* deserted, desolate; *2. (fig)* dreary, dull, boring

Ödem [ø'deːm] *n MED* oedema, edema *(US)*

oder [ˈoːdər] *konj 1.* or; *2. (fragend) ..., ~? ...,* right?

Ofen [ˈoːfən] *m 1. (Backofen)* oven; *2. (Heizofen)* furnace; *hinter dem ~ hocken* to be a stay-at-home; *ein Schuss in den ~* a complete waste of time; *Der ~ ist aus.* That does it.

offen [ˈɔfən] *adj 1. (geöffnet)* open; *2. (fig: aufrichtig)* frank, open; *3. (fig: unentschieden)* open; *4. (fig: nicht besetzt)* vacant; *5. ~ bleiben* stay open; *(Ende)* remain to be seen, remain open, remain unsolved; *6. ~ halten* leave open; *(unbesetzt lassen)* hold open; *sich etw ~ halten* reserve decision on sth, keep sth open; *7. ~ legen (fig)* disclose; *8. ~ stehen* to be open; *(fig: Rechnung)* to be outstanding, to be owing

offenbar [ˈɔfənbaːr] *adj 1.* obvious, apparent, evident; *adv 2.* obviously, evidently, apparently

offenbaren [ɔfən'baːrən] *v* reveal, disclose, make known

Offenbarung [ɔfən'baːruŋ] *f 1. (Enthüllung)* revelation; *2. REL* Revelation

Offenheit [ˈɔfənhaɪt] *f* openness, frankness, directness

offenherzig [ˈɔfənhɛrtsɪç] *adj 1.* open-hearted, open, frank, candid; *2. (fam: Dekolletee)* revealing

offenkundig [ˈɔfənkundɪç] *adj* public, obvious, blatant

offensichtlich [ˈɔfənzɪçtlɪç] *adj 1.* obvious, evident; *adv 2.* obviously, evidently

offensiv [ɔfən'ziːf] *adj 1.* offensive; *adv 2.* offensively

Offensive [ɔfən'ziːvə] *f* offensive

öffentlich [ˈœfəntlɪç] *adj 1.* public; *adv 2.* publicly

Öffentlichkeit [ˈœfəntlɪçkaɪt] *f* public; *die breite ~* the public at large; *in aller ~* in public; *an die ~ bringen* bring into the open, *an die ~ treten* appear before the public

Öffentlichkeitsarbeit [ˈœfəntlɪçkaɪtsarbaɪt] *f* public relations work, PR activities

offerieren [ɔfə'riːrən] *v* offer

offiziell [ɔfit'sjɛl] *adj 1.* official; *adv 2.* officially

Offizielle(r) [ɔfit'sjɛlə(r)] *m/f* official

Offizier [ɔfi'tsiːr] *m MIL* officer

öffnen [ˈœfnən] *v 1.* open; *2. sich ~* open up, to be opened

Öffner [ˈœfnər] *m* opener

Öffnung [ˈœfnuŋ] *f* opening, gap

Öffnungszeiten [ˈœfnuŋstsaɪtən] *pl* opening hours, hours of business

oft [ɔft] *adv* often

öfter [ˈœftər] *adv* often, frequently; *immer ~* more and more

öfters [ˈœftərs] *adv* several times

oftmalig [ˈɔftmaːlɪç] *adj* repeated, frequent

oftmals [ˈɔftmaːls] *adv* many a time, often, frequently

ohne [ˈoːnə] *prep* without; *Ohne mich!* Count me out!

ohnedies [oːnə'diːs] *adv* anyway, anyhow

ohnegleichen [oːnə'glaɪçən] *adv* unparalleled, without peer

ohnehin [ˈoːnəhɪn] *adv* anyway

Ohnmacht [ˈoːnmaxt] *f 1. (bewusstlos)* unconsciousness, faint; *2. (Machtlosigkeit)* powerlessness

ohnmächtig [ˈoːnmɛçtɪç] *adj 1. (bewusstlos)* unconscious; *~ werden* faint; *2. (fig: machtlos)* powerless, weak, helpless

Ohr [oːr] *n* ear; *ganz ~ sein* to be all ears; *bis über beide ~en in Arbeit stecken* to be up to one's ears in work; *auf taube ~en stoßen* fall on deaf ears; *jdm in den ~en liegen* keep on at s.o.; *mit halbem ~ zuhören* listen with half an ear; *ein offenes ~ haben* lend a willing ear; *~en wie ein Luchs haben* have good ears; *jdn übers ~ hauen* take s.o. for a ride; *die ~en hängen lassen* to be down in the mouth; *es faustdick hinter den ~en haben* to be a sly old dog; *noch nicht trocken hinter den ~en sein* to be wet behind the ears; *jdm das Fell über die ~en ziehen* pull the wool over s.o.'s eyes; *sich aufs ~ hauen* hit the hay, hit the sack; *viel um die ~en haben* have a lot on one's plate; *es ist mir zu ~en gekommen* it has come to my attention; *Das ist nichts für fremde ~en.* That's just between ourselves. *Auf diesem ~ ist er taub!* He won't hear of it! *Schreib dir das hinter die ~en!* Put that in your pipe and smoke it!

Ohrensessel ['oːrənzɛsəl] *m* wing chair, winged chair, draft chair, lug chair
Ohrfeige ['oːrfaɪɡə] *f* box on the ear, slap in the face
ohrfeigen ['oːrfaɪɡən] *v jdn ~* slap s.o. in the face
Ohrklipp ['oːrklɪp] *m* earclip
Ohrläppchen ['oːrlɛpçən] *n* ANAT earlobe
Ohrmuschel ['oːrmuʃəl] *f* ANAT auricle, external ear
Ohrring ['oːrrɪŋ] *m* earring
Ohrwurm ['oːrvurm] *m (fam)* catchy tune
okkult [ɔ'kult] *adj* occult
Okkultismus [ɔkul'tɪsmus] *m* occultism
Okkultist [ɔkul'tɪst] *m* occultist
Okkupation [ɔkupa'tsjoːn] *f* MIL occupation
okkupieren [ɔku'piːrən] *v* MIL occupy
Ökoladen ['øːkola:dən] *m (fam)* wholefood shop, organic food shop
Ökologe/Ökologin [øko'loːɡə/øko'loːɡɪn] *m/f* ecologist
Ökologie [økolo'ɡiː] *f* ecology
ökologisch [øko'loːɡɪʃ] *adj* ecological
Ökonomie [økono'miː] *f* economy
ökonomisch [øko'noːmɪʃ] *adj* economic
Ökosystem ['øːkozyste:m] *n* BIO ecological system
Oktave [ɔk'ta:və] *f* MUS octave
Oktober [ɔk'to:bər] *m* October
Ökumene [øku'me:nə] *f* REL *(Bewegung)* ecumenic movement
ökumenisch [øku'me:nɪʃ] *adj* REL ecumenical

Öl [øːl] *n* oil
Oldtimer ['ɔʊldtaɪmər] *m* oldtimer
ölen ['øːlən] *v* oil, grease, lubricate
Ölfarbe ['øːlfarbə] *f* oil-paint
Ölförderung ['øːlfœrdəruŋ] *f* oil extraction, oil production
Ölgemälde ['øːlɡəmɛːldə] *n* ART oil painting
ölig ['øːlɪç] *adj* oily
Oligarchie [oliɡar'çiː] *f* POL oligarchy
Olive [o'liːvə] *f* BOT olive
Olivenöl [o'liːvənøːl] *n* GAST olive oil
Ölkrise ['øːlkriːzə] *f* ECO oil crisis
Öllampe ['øːllampə] *f* 1. *(Lampe mit Ölbrennstoff)* oil lamp; 2. *(Ölstandanzeige)* oil level indicator
Ölpest ['øːlpɛst] *f* black tide, oil pollution
Ölpreis ['øːlpraɪs] *m* price of oil
Ölraffinerie ['øːlrafinəriː] *f* ECO oil refinery
Ölsardine ['øːlzardiːnə] *f* GAST sardine (in oil)
Ölteppich ['øːltɛpɪç] *m* oil slick
Ölung ['øːluŋ] *f* *Letzte ~* REL Extreme Unction
olympisch [o'lympɪʃ] *adj* Olympic
Olympische Spiele [o'lympɪʃə 'ʃpiːlə] *pl* Olympic Games *pl*
Oma ['oːma] *f* grandma, granny
Omelett [ɔm'lɛt] *n* GAST omelet
Omen ['oːmən] *n* omen
ominös [omi'nøːs] *adj* ominous
Omnibus ['ɔmnibus] *m* bus
onanieren [ona'niːrən] *v* masturbate
Onkel ['ɔŋkəl] *m* uncle
Opa ['oːpa] *m* grand-dad, grandpa
Opal [o'paːl] *m* MIN opal
Oper ['oːpər] *f* 1. *(Werk)* opera; 2. *(Gebäude)* opera house
Operation [opera'tsjoːn] *f* MED operation, surgery
Operationssaal [opera'tsjoːnsza:l] *m* MED operating theatre *(UK)*, operating room *(US)*
operativ [opera'tiːf] *adj* 1. MED surgical, operative; 2. MIL operational, strategic
Operator [opə'ra:tɔr] *m* INFORM operator, computer operator
Operette [ope'rɛtə] *f* operetta
operieren [ope'riːrən] *v* operate
Opernglas ['oːpərnɡla:s] *n* opera glass
Opernhaus ['oːpərnhaus] *n* opera house
Opernsänger(in) ['oːpərnzɛŋər(ɪn)] *m/f* opera singer
Opfer ['ɔpfər] *n* 1. *(Person)* victim; 2. *(Verzicht)* sacrifice

opferbereit ['ɔpfərbərait] adj self-sacrificing

Opferbereitschaft ['ɔpfərbəraitʃaft] f spirit of sacrifice, willingness to make sacrifices

Opfergabe ['ɔpfərga:bə] f offering

opfern ['ɔpfərn] v 1. (verzichten) sacrifice; 2. (spenden) make an offering; 3. sich ~ (fig) sacrifice o.s.

Opium ['o:pjum] n opium

Opossum [o'pɔsʊm] n ZOOL opossum, possum

opponieren [ɔpo'ni:rən] v oppose

opportun [ɔpɔr'tu:n] adj opportune, expedient

Opportunismus [ɔpɔrtu'nɪsmʊs] m opportunism

Opportunist [ɔpɔrtu'nɪst] m opportunist

opportunistisch [ɔpɔrtu'nɪstɪʃ] adj opportunistic

Opposition [ɔpozi'tsjoːn] f opposition

oppositionell [ɔpozitsjo'nɛl] adj POL opposition

Oppositionsführer [ɔpozi'tsjoːnsfyːrər] m POL opposition leader

Oppositionspartei [ɔpozi'tsjoːnspartai] f opposition party

Optik ['ɔptɪk] f optics

Optiker ['ɔptɪkər] m optician

optimal [ɔpti'maːl] adj 1. ideal, optimal; adv 2. to an optimum, optimally

optimieren [ɔpti'miːrən] v optimize, optimalize

Optimierung [ɔpti'miːrʊŋ] f optimization

Optimismus [ɔpti'mɪsmʊs] m optimism

Optimist(in) [ɔpti'mɪst(ɪn)] m/f optimist

optimistisch [ɔpti'mɪstɪʃ] adj optimistic; adv 2. optimistically

Optimum ['ɔptimʊm] n optimum

Option [ɔp'tsjoːn] f option, choice

optisch ['ɔptɪʃ] adj 1. optical; adv 2. optically

Orakel [o'raːkəl] n HIST oracle

oral [o'raːl] adj 1. oral; adv 2. orally

orange [o'rãːʒ] adj orange

Orange [o'rãːʒə] f BOT orange

Orangensaft [o'rãːʒənzaft] m GAST orange juice

Oratorium [ora'toːrjum] n MUS oratorio

Orbit ['ɔrbɪt] m ASTR orbit

Orchester [ɔr'kɛstər] n orchestra

Orchidee [ɔrçi'deː] f BOT orchid

Orden ['ɔrdən] m 1. (Auszeichnung) order, distinction; 2. REL order

Ordensbruder ['ɔrdənsbruːdər] m REL friar, member of an order

Ordensschwester ['ɔrdənsʃvɛstər] f REL nun, sister

ordentlich ['ɔrdəntlɪç] adj 1. (ordnungsliebend) tidy, neat, orderly; 2. (aufgeräumt) tidy, neat; 3. (sorgfältig) methodical, careful, sound; adv 4. (richtig) properly, well

ordinär [ɔrdi'nɛːr] adj common, vulgar, ordinary, low

ordnen ['ɔrdnən] v order, arrange, organize

Ordner ['ɔrdnər] m 1. (Hefter) folder, file; 2. (Person) steward

Ordnung ['ɔrdnʊŋ] f 1. order, tidiness; in ~ all right; etwas in ~ bringen put sth in order; 2. (das Ordnen) arrangement, arranging

ordnungsgemäß ['ɔrdnʊŋsgəmɛːs] adj 1. correct, proper; adv 2. correctly, according to the regulations, properly

Ordnungshüter ['ɔrdnʊŋshyːtər] m guardian of the peace

ordnungswidrig ['ɔrdnʊŋsviːdrɪç] adj 1. irregular, illegal; adv 2. contrary to regulations, illegally

Oregano [o're:gano] m GAST oregano, origanum

Organ [ɔr'gaːn] n ANAT organ

Organisation [ɔrganiza'tsjoːn] f organization

Organisator [ɔrgani'zaːtɔr] m organizer

organisatorisch [ɔrganiza'toːrɪʃ] adj organizational

organisch [ɔr'gaːnɪʃ] adj organic, structural

organisieren [ɔrgani'ziːrən] v organize

Organisierung [ɔrgani'ziːrʊŋ] f organization

Organismus [ɔrga'nɪsmʊs] m organism

Organist [ɔrga'nɪst] m MUS organist

Organspender [ɔr'gaːnʃpɛndər] m MED organ donor

Orgasmus [ɔr'gasmʊs] m orgasm

Orgel ['ɔrgəl] f MUS organ

orgiastisch [ɔr'gjastɪʃ] adj orgiastic

Orgie ['ɔrgjə] f orgy

Orient ['oːrjɛnt] m GEO Orient, East

orientalisch [ɔrjɛn'taːlɪʃ] adj oriental

orientieren [ɔrjɛn'tiːrən] v orient, orientate, set right

Orientierung [ɔrjɛn'tiːrʊŋ] f 1. orientation; 2. (Unterrichtung) information

Orientierungssinn [ɔrjɛn'tiːrʊŋszɪn] m sense of direction, instinct for direction, ability to find one's way

original [origi'naːl] adj original

Original [origi'na:l] n original
Originalität [originali'tɛ:t] f 1. (Echtheit) originality, authenticity; 2. (Besonderheit) oddity, peculiarity, individuality
Originaltext [origi'na:ltɛkst] m original text
originell [ori'ginɛl] adj original
Orkan [ɔr'ka:n] m hurricane
Ornament [ɔrna'mɛnt] n ornament
ornamental [ɔrnamɛn'ta:l] adj ART ornamental
Ort [ɔrt] m 1. (Stelle) place, spot; an ~ und Stelle on the spot; 2. (Ortschaft) place, town
orten ['ɔrtən] v locate, fix the position of
orthodox [ɔrto'dɔks] adj orthodox
Orthodoxie [ɔrtodɔ'ksi:] f REL orthodoxy
Orthografie [ɔrtogra'fi:] f spelling, orthography
orthografisch [ɔrto'gra:fɪʃ] adj spelling, orthographical
Orthopäde [ɔrto'pɛ:də] m orthopaedist, orthopaedic specialist
Orthopädie [ɔrtopɛ'di:] f MED orthopaedics
orthopädisch [ɔrto'pɛ:dɪʃ] adj MED orthopaedic, orthopedic
örtlich ['œrtlɪç] adj 1. local; adv 2. locally
Örtlichkeiten ['œ:rtlɪçkaɪtən] pl localities
Ortsangabe ['ɔrtsanga:bə] f 1. indication of place; 2. (auf einem Brief) address
ortsansässig ['ɔrtsanzɛsɪç] adj resident, local
Ortschaft ['ɔrtʃaft] f town, place, village
ortsfremd ['ɔrtsfrɛmt] adj visiting, not from the area
Ortsgespräch ['ɔrtsgəʃprɛ:ç] n TEL local call
Ortskern ['ɔrtskɛrn] m middle of town, town centre
ortskundig ['ɔrtskundɪç] adj ~ sein know the area, know one's way around
Ortsnetz ['ɔrtsnɛts] n TEL local telephone exchange network
Ortsteil ['ɔrtstaɪl] m part of town, section of town
Ortsumgehung ['ɔrtsumge:uŋ] f bypass
Ortsverkehr ['ɔrtsfɛrke:r] m 1. local traffic; 2. TEL local calls pl
Ortszeit ['ɔrtstsaɪt] f local time
Ortung ['ɔrtuŋ] f localization, locating
Öse [ø:zə] f eye, loop, eyelet
Osmose [ɔs'mo:zə] f BIO osmosis
Ossi ['ɔsi] m (fam) Easterner, East German
Ost [ɔst] m East; der Wind kommt aus ~ the wind is coming from the East

Osten ['ɔstən] m east; Naher ~ GEO Middle East, Near East; Mittlerer ~ GEO area stretching from Iran and Iraq to India; Ferner ~ GEO Far East
Osterei ['o:stəraɪ] n Easter egg
Osterglocke ['o:stərglɔkə] f BOT daffodil
Osterhase ['o:stərha:zə] m Easter bunny
Ostermontag [o:stər'mo:nta:k] m REL Easter Monday
Ostern ['o:stərn] n Easter
Österreich ['ø:stəraɪç] n GEO Austria
Österreicher(in) ['ø:stərraɪçər(ɪn)] m/f Austrian
österreichisch ['ø:stərraɪçɪʃ] adj Austrian
Ostersonntag [o:stər'zɔnta:k] m REL Easter Sunday
östlich ['œstlɪç] adj eastern, easterly
Östrogen [œstro'ge:n] n BIO oestrogen (UK), estrogen (US)
Ostsee ['ɔstze:] f GEO Baltic Sea
O-Ton ['o:to:n] m (Originalton) original soundtrack
Otter ['ɔtər] m 1. ZOOL otter; f 2. (Schlange) ZOOL adder, viper
out [aut] adj (fam: nicht mehr aktuell) out
outen ['autən] v disclose the homosexuality of; sich ~ come out (fam)
Outfit ['autfɪt] n outfit
Output ['autput] m INFORM output
Ouvertüre [uvɛr'ty:rə] f MUS overture
oval [o'va:l] adj oval
Oval [o'va:l] n oval
Ovation [ova'tsjo:n] f ovation
Overall ['o:vərɔ:l] m overall
Overheadprojektor ['o:vərhɛdprojɛktɔr] m overhead projector
Oxid [ɔk'sy:t] n CHEM oxide
Oxidation [ɔksyda'tsjo:n] f CHEM oxidation
oxidieren [ɔksy'di:rən] v CHEM oxidize
Ozean ['o:tsea:n] m GEO ocean
Ozeanien [otse'a:njən] n GEO Oceania
ozeanisch [otse'a:nɪʃ] adj 1. GEO oceanic; 2. (von Ozeanien) Oceanian
Ozelot ['o:tselɔt] m ZOOL ocelot
Ozon [o'tso:n] n CHEM ozone
Ozongehalt [o'tso:ngəhalt] m CHEM ozone level
ozonhaltig [o'tso:nhaltɪç] adj CHEM ozonic, containing ozone
Ozonloch [o'tso:nlɔx] n hole in the ozone layer, ozone hole (fam)
Ozonschicht [o'tso:nʃɪçt] f ozone layer

P

paar [pa:r] *adj* ein ~ a few, some
Paar [pa:r] *n* 1. pair; 2. (Mann und Frau) couple
Pacht [paxt] *f* 1. (Überlassung) lease; 2. (Entgelt) rent
pachten ['paxtən] *v* lease, take on lease, rent
Pächter ['pɛçtər] *m* leaseholder, lessee
Päckchen ['pɛkçən] *n* small package, small parcel
packen ['pakən] *v* 1. (einpacken) pack; 2. (greifen) seize, grab, clutch; 3. (fig: mitreißen) grip, thrill, enthrall
Pädagogik [pedaˈgoːgɪk] *f* pedagogy
Paddel ['padəl] *n* paddle
paddeln ['padəln] *v* paddle
Page ['paːʒə] *m* page
Paket [paˈkeːt] *n* package, packet, parcel
Pakt [pakt] *m* pact, covenant
Palast [paˈlast] *m* palace
Palästina [palɛˈstiːna] *n* GEO Palestine
Palette [paˈletə] *f* 1. (Auswahl) selection, choice, range; 2. TECH pallet; 3. ART palette
Palme ['palmə] *f* BOT palm; palm-tree; jdn auf die ~ bringen drive s.o. up the wall (fam)
Panflöte ['paːnfløːtə] *f* MUS Pan-pipes *pl*
panieren [paˈniːrən] *v* GAST bread
Panik ['paːnɪk] *f* panic
Panne ['panə] *f* 1. (Schaden) breakdown, failure; 2. (Missgeschick) mishap
Panorama [panoˈraːma] *n* panorama
Panter ['pantər] *m* ZOOL panther
Pantoffel [panˈtɔfəl] *m* slipper
Pantomime [pantoˈmiːmə] *f* pantomime
Panzer ['pantsər] *m* 1. ZOOL shell; 2. (Schutzpanzer) ZOOL (biological) armour; 3. (Kampfwagen) MIL tank; 4. (deutscher Kampfwagen) HIST panzer
Panzerglas ['pantsərglaːs] *n* bullet-proof glass
Papa ['papa] *m* papa, pa, daddy
Papagei [papaˈgaɪ] *m* ZOOL parrot
Papier [paˈpiːr] *n* 1. paper; 2. (Dokument) document, paper
Papierkorb [paˈpiːrkɔrp] *m* waste-paper basket, waste-basket
Pappe ['papə] *f* cardboard
Pappel ['papəl] *f* BOT poplar
Paprika ['paprɪka] *f* 1. (Gewürz) GAST paprika; *m* 2. BOT red pepper, paprika

Papst [paːpst] *m* REL Pope
Papyrus [paˈpyːrus] *m* 1. BOT papyrus; 2. (historische Schrift) HIST papyrus
Parade [paˈraːdə] *f* 1. parade, display; 2. (eines Torhüters) SPORT save
Paradies [paraˈdiːs] *n* paradise; das ~ auf Erden heaven on earth
Paragraf [paraˈgraːf] *m* paragraph
parallel [paraˈleːl] *adj* parallel
Parallele [paraˈleːlə] *f* parallel
paranoid [paranoˈiːt] *adj* paranoid
Parasit [paraˈziːt] *m* parasite
Parfüm [parˈfyːm] *n* perfume, scent
Parität [pariˈtɛːt] *f* parity, equality
Park [park] *m* park
parken ['parkən] *v* park
Parkett [parˈkɛt] *n* 1. (Fußboden) parquet; 2. THEAT stalls
Parkhaus ['parkhaus] *n* parking garage, car park
Parkplatz ['parkplats] *m* 1. car park, parking lot (US); 2. (Parklücke) parking space
Parkuhr ['parkuːr] *f* parking meter
Parlament [parlaˈmɛnt] *n* POL parliament
Parodie [paroˈdiː] *f* parody
parodieren [paroˈdiːrən] *v* parody
Parole [paˈroːlə] *f* 1. (Schlagwort) slogan, catch phrase, motto; 2. MIL password, watchword
Partei [parˈtaɪ] *f* POL party
Parteinahme [parˈtaɪnaːmə] *f* taking of sides, partisanship, siding with s.o.
Partie [parˈtiː] *f* 1. (Spiel) game, match; (Fechten) round; 2. (Teil) part; mit von der ~ sein to be in on sth; 3. (Heirat) eine gute ~ sein to be a good catch; eine gute ~ machen marry money (fam)
partiell [parˈtsjɛl] *adj* partial
Partikularismus [partikulaˈrɪsmus] *m* POL particularism
Partisan [partiˈzaːn] *m* POL partisan
Partizip [partiˈtsiːp] *n* GRAMM participle
Partner(in) ['partnər(ɪn)] *m/f* 1. (Ehepartner) spouse, partner; 2. (Geschäftspartner) business partner, associate; 3. (Vertragspartner) party (to a contract)
Partnerschaft ['partnərʃaft] *f* partnership
Partnerstadt ['partnərʃtat] *f* twin town (UK), sister city (US)
Party ['parti] *f* party

Parzelle [par'tsɛlə] *f* parcel (of land)
Pass [pas] *m* 1. *(Ausweis)* passport; 2. *(Bergpass)* GEO pass
Passage [pa'sa:ʒə] *f* 1. *(Durchgang)* passage, passageway; 2. *(Überfahrt)* NAUT crossing, passage
Passagier [pasa'ʒi:r] *m* passenger; *blinder ~* stowaway
Passah ['pasa] *n* REL Passover
Passant [pa'sant] *m* passer-by, pedestrian
Passbild ['pasbɪlt] *n* passport photo
passen ['pasən] *v* 1. *(die richtige Größe haben)* fit; 2. *(Kleidung: geeignet sein)* to be becoming; 3. *(angemessen sein)* to be suitable, to be appropriate; 4. *(recht sein)* suit s.o., to be convenient; 5. *(fig) ~ müssen* have to pass on sth
passend ['pasənt] *adj* 1. fitting, suitable, appropriate; *adv* 2. suitably, appropriately
passieren [pa'si:rən] *v* 1. *(geschehen)* happen, occur, take place; 2. *(durchgehen)* go through; *jdn ~ lassen* let s.o. pass
Passion [pasj'o:n] *f* 1. passion; 2. REL Passion
passiv ['pasi:f] *adj* 1. passive; *adv* 2. passively
Paste ['pastə] *f* paste
Pastellfarbe [pa'stɛlfarbə] *f* 1. *(Farbton)* pastel colour; 2. *(Pastellstift)* pastel
Pastete [pa'ste:tə] *f* 1. *(Schüsselpastete)* GAST pie; 2. *(Leberpastete)* GAST pâté; 3. *(Pastetchen)* patty shell
Pastor ['pastor] *m* REL vicar, minister, pastor
Pate ['pa:tə] *m* godfather; *bei etw ~ stehen* leave one's mark on sth
Patenkind ['pa:tənkɪnt] *n* godchild
patent [pa'tɛnt] *adj* ingenious, clever, neat
Patent [pa'tɛnt] *n* JUR patent
patentieren [patɛn'ti:rən] *v* JUR patent
Pater ['pa:tər] *m* REL father
pathetisch [pa'te:tɪʃ] *adj* emotional, histrionic
Pathologie [patolo'gi:] *f* MED pathology
Pathos ['pa:tɔs] *n* pathos
Patient(in) [pa'tsjɛnt(ɪn)] *m/f* patient
Patin ['pa:tɪn] *f* godmother
Patriarch [patri'arç] *m* patriarch
patriarchalisch [patriar'ça:lɪʃ] *adj* patriarchal
Patriot [patri'o:t] *m* patriot
patriotisch [patri'o:tɪʃ] *adj* patriotic
Patriotismus [patrio'tɪsmus] *m* patriotism

Patron(in) [pa'tro:n(ɪn)] *m/f* patron
Patronat [patro'na:t] *n* patronage
Patrone [pa'tro:nə] *f* 1. *(für eine Waffe)* cartridge, bullet; 2. *(Tintenpatrone)* cartridge
Patrouille [pa'truljə] *f* MIL patrol
Pauke ['paukə] *f* MUS kettle-drum; *auf die ~ hauen (fig)* paint the town red
pausbäckig ['pausbɛkɪç] *adj* chubbycheeked
pauschal [pau'ʃa:l] *adj* 1. lump-sum, overall; *adv* 2. on a flat-rate basis; 3. *(fig)* lumped together, lock, stock and barrel
Pauschale [pau'ʃa:lə] *f* lump sum payment, flat charge
Pauschalreise [pau'ʃa:lraɪzə] *f* package tour
Pause ['pauzə] *f* 1. break, interval, interruption; 2. *(Ruhe)* rest
pausen ['pauzən] *v* trace
pausenlos ['pauzənlo:s] *adj* 1. non-stop, continuous, incessant; *adv* 2. non-stop, continuously, incessantly
pausieren [pau'zi:rən] *v* pause, stop
Pavillon ['paviljõ] *m* pavilion
Pazifismus [patsi'fɪsmus] *m* pacifism
Pazifist(in) [patsi'fɪst(ɪn)] *m/f* pacifist
pazifistisch [patsi'fɪstɪʃ] *adj* pacifist, pacifistic
Pech [pɛç] *n* 1. *(fig: Missgeschick)* misfortune, bad luck; *~ haben* have tough luck; *to be out of luck*; 2. *(Klebemittel)* pitch; *wie ~ und Schwefel zusammenhalten* to stick together through thick and thin
Pechsträhne ['pɛçʃtrɛːnə] *f* stroke of bad luck, run of bad luck
Pedal [pe'da:l] *n* pedal
Pedant [pe'dant] *m* pedant
Pedanterie [pedantə'ri:] *f* pedantry
pedantisch [pe'dantɪʃ] *adj* pedantic
Pein [paɪn] *f* agony, suffering
peinigen ['paɪnɪgən] *v* torment, torture
peinlich ['paɪnlɪç] *adj (unangenehm)* awkward, embarrassing
Peitsche ['paɪtʃə] *f* whip
peitschen ['paɪtʃən] *v* 1. *(schlagen)* whip, flog, lash; 2. *(fig)* beat, lash, whip
Pelikan [pe'lika:n] *m* ZOOL pelican
Pelz [pɛlts] *m* 1. *(Fell)* fur; *jdm auf den ~ rücken* get too close to s.o. for comfort; *jdm einen auf den ~ brennen* singe s.o.'s hide; 2. *(~mantel)* fur coat, fur
Pelzmantel ['pɛltsmantəl] *m* fur coat
Pendant [pã'dã:] *n* counterpart
Pendel ['pɛndəl] *n* pendulum

pendeln ['pɛndəln] v 1. (baumeln) swing, sway; 2. (fig) commute, go back and forth

Pendler ['pɛndlər] m commuter

penetrant [penə'trant] adj penetrating, (Gestank) pungent

penibel [pe'niːbəl] adj 1. fussy, pernickety (fam); 2. (peinlich) painful

Penis ['peːnɪs] m ANAT penis

Pension [pɛn'zjoːn] f 1. (Ruhestand) retirement; 2. (Rente) retirement pension; 3. (Fremdenheim) boarding-house, guest-house

pensionieren [pɛnzjo'niːrən] v pension off, retire; sich ~ lassen retire

Pensum ['pɛnzum] n 1. workload; 2. (in der Schule) curriculum

per [pɛr] prep by, per; ~ Adresse care of; ~ Fax by fax

perfekt [pɛr'fɛkt] adj 1. perfect; adv 2. perfectly

Perfektionismus [pɛrfɛktsjo'nɪsmus] m perfectionism

Perfektionist(in) [pɛrfɛktsjo'nɪst(ɪn)] m/f perfectionist

Pergament [pɛrga'mɛnt] n parchment

Pergola ['pɛrgola] f pergola (UK), arbor (US)

Periode [per'joːdə] f 1. period; 2. (Menstruation) period

periodisch [per'joːdɪʃ] adj 1. periodical; adv 2. periodically

peripher [peri'feːr] adj 1. peripheral; adv 2. peripherally

Peripherie [perife'riː] f periphery

Perle ['pɛrlə] f pearl

permanent [pɛrma'nɛnt] adj 1. permanent; adv 2. permanently

perplex [pɛr'plɛks] adj dumbfounded, perplexed, bewildered

Perser ['pɛrzər] m 1. (Person) Persian; 2. (Teppich) Persian rug

Persien ['pɛrziən] n GEO Persia

Person [pɛr'zoːn] f person; etw in ~ sein to be sth personified

Personal [pɛrzo'naːl] n staff, personnel, employees

Personalabteilung [pɛrzo'naːlaptaɪluŋ] f personnel department

Personalausweis [pɛrzo'naːlausvaɪs] m identity card

Personalien [pɛrzo'naːljən] pl personal data

persönlich [pɛr'zøːnlɪç] adj 1. personal, private; adv 2. personally; etw ~ nehmen take sth personally

Persönlichkeit [pɛr'zøːnlɪçkaɪt] f personality

Perspektive [pɛrspɛk'tiːvə] f 1. perspective; 2. (fig: Zukunftsausblick) prospects pl

perspektivisch [pɛrspɛk'tiːvɪʃ] adj 1. perspective; adv 2. in perspective

Perücke [pe'rykə] f wig

pervers [pɛr'vɛrs] adj perverted

Perversion [pɛrver'zjoːn] f perversion

pervertieren [pɛrver'tiːrən] v pervert

Pessimismus [pɛsi'mɪsmus] m pessimism

Pessimist(in) [pɛsi'mɪst(ɪn)] m/f pessimist

pessimistisch [pɛsi'mɪstɪʃ] adj pessimistic

Pest [pɛst] f MED plague; jdn hassen wie die ~ hate s.o.'s guts

Pestizid [pɛsti'tsiːt] n CHEM pesticide

Petersilie [petər'ziːljə] f BOT parsley

Petition [peti'tsjoːn] f POL petition

Pfad [pfaːt] m path, track; auf dem ~ der Tugend wandeln follow the path of virtue; auf krummen ~en wandeln leave the straight and narrow

Pfahl [pfaːl] m post, stake

Pfand [pfant] n 1. pledge, pawn, security; 2. (Flaschenpfand) deposit

pfänden ['pfɛndən] v JUR impound, seize

Pfandflasche ['pfantflaʃə] f two-way bottle, bottle with deposit on it

Pfändung ['pfɛnduŋ] f JUR attachment of property, levy of attachment, seizure

Pfanne ['pfanə] f frying-pan, pan; jdn in die ~ hauen hammer s.o., clobber s.o.

Pfarramt ['pfaramt] n REL rectory, parsonage

Pfarrer ['pfarər] m 1. REL vicar; 2. (katholisch) parish priest

Pfau [pfau] m ZOOL peacock

Pfeffer ['pfɛfər] m pepper; Geh doch hin wo der ~ wächst! (fig) Get lost! ~ im Hintern haben have lots of get-up-and-go

Pfefferminz ['pfɛfərmɪnts] f BOT peppermint

Pfeife ['pfaɪfə] f 1. (Trillerpfeife) whistle; nach jds ~ tanzen to be at s.o.'s beck and call; 2. (Tabakpfeife) pipe; Den kann ich in der ~ rauchen. He's no match for me. 3. (fam: unfähiger Mensch) dud

pfeifen ['pfaɪfən] v irr whistle; sich eins ~ pretend not to care; jdm etw ~ give s.o. a piece of one's mind; auf etw ~ not give a damn about sth

Pfeil [pfaɪl] m arrow

Pfeiler ['pfaɪlər] *m* pillar, column, post

Pfennig ['pfenɪç] *m HIST* 1. penny; *keinen ~ wert sein* not be worth a penny; *mit jedem ~ rechnen müssen* have to count every penny; 2. *(deutsche Währung)* pfennig

Pferd [pfe:rt] *n* horse; *das ~ am Schwanz aufzäumen* put the cart before the horse; *sich aufs hohe ~ setzen* get on one's high horse; *aufs richtige ~ setzen* back the right horse; *Mit dem kann man ~e stehlen.* He's a good sport. *Mach die ~e nicht scheu!* Keep your shirt on! *Keine zehn ~e bringen mich dort hin.* I wouldn't go there for all the tea in China. *Ich denk' mich tritt ein ~.* I don't believe it! *Er ist mein bestes ~ im Stall.* He's our best man.

Pfiff [pfɪf] *m* 1. *(Pfeifen)* whistle; 2. *(fig: Schick)* flair, style

Pfifferling ['pfɪfərlɪŋ] *m BOT* chanterelle; *keinen ~ wert sein* not be worth a bean

Pfingsten ['pfɪŋstən] *n REL* Pentecost, Whitsun

Pfingstmontag [pfɪŋst'mo:nta:k] *m REL* Whitmonday

Pfingstsonntag [pfɪŋst'zɔnta:k] *m REL* Whitsunday, the Day of Pentecost

Pfirsich ['pfɪrzɪʃ] *m BOT* peach

Pflanze ['pflantsə] *f* plant

pflanzen ['pflantsən] *v* plant

Pflanzenfresser ['pflantsənfresər] *m ZOOL* herbivore

Pflaster ['pflastər] *n* 1. *(Straßenpflaster)* pavement; *ein teures ~ sein* to be pricey; *ein heißes ~ sein* to be a dangerous spot; 2. *(Wundpflaster)* (adhesive) plaster

pflastern ['pflastərn] *v* pave

Pflaume ['pflaumə] *f BOT* plum

Pflege ['pfle:gə] *f* 1. care, *(des Kranken)* nursing; 2. *(von Maschinen)* maintenance; 3. *(von Beziehungen)* cultivation

Pflegeeltern ['pfle:gəɛltərn] *pl* foster-parents

Pflegeheim ['pfle:gəhaɪm] *n* nursing-home

pflegeleicht ['pfle:gəlaɪçt] *adj* wash-and-wear, easy-care

pflegen ['pfle:gən] *v* 1. care for, attend to, look after; 2. *(Kranke)* nurse

Pfleger ['pfle:gər] *m* 1. (male) nurse; 2. *JUR* curator, trustee

Pflegerin ['pfle:gərɪn] *f* nurse

Pflicht [pflɪçt] *f* duty, obligation

pflichtbewusst ['pflɪçtbəvʊst] *adj* 1. responsible, conscious of one's duties, dutiful; *adv* 2. responsibly, dutifully, conscientiously

Pflichtbewusstsein ['pflɪçtbəvʊstzaɪn] *n* sense of duty

Pflichterfüllung ['pflɪçtɛrfylʊŋ] *f* performance of one's duty

Pflichtgefühl ['pflɪçtgəfy:l] *n* sense of duty

Pflichtteil ['pflɪçttaɪl] *m JUR* compulsory portion, obligatory share

Pflichtverletzung ['pflɪçtfɛrlɛtsʊŋ] *f* dereliction of duty

pflücken ['pflykən] *v* 1. pick, gather; 2. *(rupfen)* pluck

Pflug [pflu:k] *m AGR* plough

pflügen ['pfly:gən] *v AGR* plough

Pforte ['pfɔrtə] *f* door, gate

Pförtner ['pfœrtnər] *m* porter, doorman, gate-keeper

Pfosten ['pfɔstən] *m* post

Pfote ['pfo:tə] *f* paw; *sich die ~n verbrennen* burn one's fingers; *jdm eins auf die ~n geben* give s.o. a rap on the knuckles

Pfund [pfʊnt] *n* 1. *(Maßeinheit)* pound; 2. *(Währungseinheit)* pound sterling

Pfütze ['pfytsə] *f* puddle, pool

Phänomen [feno'me:n] *n* phenomenon

phänomenal [feno'mena:l] *adj* phenomenal

Phantom [fan'to:m] *n* phantom, vision, figment of the imagination

Phantombild [fan'to:mbɪlt] *n* (eines Täters) composite picture

Pharao ['fa:rao] *m HIST* pharaoh

Pharisäer [fari'zɛ:ər] *m* Pharisee

Pharmazie [farma'tsi:] *f* pharmaceutics

Phase ['fa:zə] *f* phase; stage; *in dieser ~* at this stage, during this phase; *in die entscheidende ~ treten* enter the critical stage

Philantropie [filan'tro:pi:] *f* philanthropy

Philharmonie [filharmo'ni:] *f MUS* philharmonic hall

Philister [fi'lɪstər] *m* 1. *HIST* Philistine; 2. *(fig)* philistine

philisterhaft [fi'lɪstərhat] *adj* philistine

Philologie [filolo'gi:] *f* philology, literature

Philosoph(in) [filo'zo:f(ɪn)] *m/f* philosopher

Philosophie [filozo'fi:] *f* philosophy

philosophieren [filozo'fi:rən] *v* philosophize

philosophisch [filo'zo:fɪʃ] *adj* philosophical

phlegmatisch [fleg'ma:tɪʃ] *adj* phlegmatic

Phobie [fo'bi:] f PSYCH phobia

Phonetik [fo'ne:tɪk] f phonetics

Phönix [ˈføːnɪks] m phoenix; *wie ~ aus der Asche steigen* rise like a phoenix from the ashes

Phosphat [fɔsˈfaːt] n CHEM phosphate

pH-Wert [peˈhaveːrt] m CHEM pH value

Physik [fyˈziːk] f physics

physikalisch [fyːziˈkaːlɪʃ] adj physical, physics …

Physiker(in) [ˈfyːzɪkər(ɪn)] m/f physicist

Physiotherapeut(in) [ˈfyːzjoterapɔyt(ɪn)] m/f MED physiotherapist

physisch [ˈfyːzɪʃ] adj 1. physical; adv 2. physically

Pi [piː] n MATH pi; *~ mal Daumen (fam)* roughly

Pianist(in) [piaˈnɪst(ɪn)] m/f MUS pianist

Pickel [ˈpɪkəl] m 1. (Pustel) pimple; 2. (Werkzeug) pick-axe; 3. (Eispickel) ice-pick

pickelig [ˈpɪkəlɪç] adj pimply

picken [ˈpɪkən] v pick, peck

Picknick [ˈpɪknɪk] n picnic

Pieps [piːps] m 1. peep, squeak

piepsen [ˈpiːpsən] v 1. peep, squeak; 2. (Funkgerät) beep; 3. (Vogel) chirp

Pier [piːr] m NAUT pier

Pietät [pieˈtɛːt] f piety

pietätlos [pieˈtɛːtloːs] adj irreverent, impious

Pigment [pɪgˈmɛnt] n pigment

pikant [piˈkant] adj 1. piquant; 2. (Witz) risqué

Pilger [ˈpɪlgər] m pilgrim

pilgern [ˈpɪlgərn] v 1. make a pilgrimage; 2. *durch die Stadt ~* wander through the city

Pille [ˈpɪlə] f pill; *eine bittere ~ für jdn sein* to be a bitter pill for s.o.

Pilot(in) [piˈloːt(ɪn)] m/f pilot

Pilz [pɪlts] m 1. BOT fungus; 2. (Speisepilz) mushroom; *wie ~e aus dem Boden schießen (fig)* mushroom

pingelig [ˈpɪŋəlɪç] adj (fam) finicky, choosy

Pinguin [ˈpɪŋguiːn] m ZOOL penguin

Pinie [ˈpiːnjə] f BOT pine

pink [pɪŋk] adj shocking pink

Pinsel [ˈpɪnzəl] m brush

pinseln [ˈpɪnzəln] v 1. paint; 2. (sorgfältig schreiben) pen (fam), write

Pinzette [pɪnˈtsetə] f tweezers, pincers

Pionier [pioˈniːr] m pioneer

Pipeline [ˈpaɪplaɪn] f pipeline

Pirat [piˈraːt] m pirate

Pistazie [pɪsˈtaːtsjə] f BOT pistachio

Piste [ˈpɪstə] f 1. track, course; 2. (Rollfeld) runway

Pistole [pɪsˈtoːlə] f pistol; *jdm die ~ auf die Brust setzen (fig)* hold a gun to s.o.'s head; *wie aus der ~ geschossen* like a shot

Pizza [ˈpɪtsa] f GAST pizza

Pizzeria [pɪtseˈriːa] f GAST pizzeria

Placebo [plaˈtseːbo] n MED placebo

plädieren [plɛˈdiːrən] v plead (in court)

Plädoyer [pledoaˈjeː] n JUR address to the jury, closing argument, summation (US)

Plage [ˈplaːgə] f 1. plague; 2. (fig) nuisance

plagen [ˈplaːgən] v 1. *sich ~* torment o.s.; 2. *sich ~ (arbeiten)* toil

Plakat [plaˈkaːt] n poster, placard

plakatieren [plakaˈtiːrən] v 1. announce with posters; 2. (fig) broadcast

plakativ [plakaˈtiːf] adj striking, emblazoned

Plakette [plaˈkɛtə] f 1. plaque; 2. (Abzeichen) badge; 3. (Gedenkmünze) commemorative coin

plan [plaːn] adj plain, level

Plan [plaːn] m 1. plan; *nach ~ verlaufen* go according to plan; 2. (Stadtplan) map

Plane [ˈplaːnə] f 1. cover, tarpaulin, canvas; 2. (Schutzdach) awning

planen [ˈplaːnən] v plan

Planet [plaˈneːt] m planet

Planetarium [planeˈtaːrjum] n planetarium

Planetensystem [plaˈneːtənzysteːm] n ASTR solar system

planieren [plaˈniːrən] v plane, level

Planierraupe [plaˈniːrraupə] f bulldozer

Plankton [ˈplaŋktɔn] n plankton

planlos [ˈplaːnloːs] adj 1. aimless, planless, purposeless; adv 2. aimlessly, planlessly, unsystematically

planmäßig [ˈplaːnmɛːsɪç] adj 1. according to plan, planned, scheduled; adv 2. according to plan, on schedule

Plantage [planˈtaːʒə] f plantation

Planwirtschaft [ˈplaːnvɪrtʃaft] f ECO planned economy

plappern [ˈplapərn] v chatter, babble, prattle

Plastik [ˈplastɪk] n 1. (Kunststoff) plastics; f 2. ART sculpture

plastisch [ˈplastɪʃ] adj 1. (knetbar) plastic, kneadable, malleable; 2. (fig) three-dimensional, graphic

Platane [plaˈtaːnə] f BOT plane-tree

Plateau [plaˈtoː] n plateau

platschen ['platʃən] v splash; *gegen das Ufer* ~ lap at the shore

platt [plat] adj 1. flat, level; 2. *(fig: geistlos)* flat, dull, plain

Platte ['platə] f 1. *(Holzplatte/Metallplatte)* plate; 2. *(Schallplatte)* record; *eine andere ~ auflegen (fig)* change the subject; 3. *(Steinplatte)* flagstone; 4. *(Tortenplatte)* dish, plate; 5. *(Fliese)* tile

Plattenspieler ['platənʃpiːlər] m recordplayer, turntable

Plattheit ['plathait] f 1. flatness; 2. *(Redensart)* platitude

Platz [plats] m 1. *(Stelle)* place; ~ *tauschen mit* change places with; *Nehmen Sie* ~. Take a seat. Have a seat *(US)*. *ein* ~ *an der Sonne* a place in the sun; *fehl am* ~ *sein* to be out of place; ~ *behalten* remain seated; *jdn auf die Plätze verweisen* beat s.o.; ~ *sparend* economical space-saving; 2. *(freier Raum)* room, space; 3. *(Marktplatz)* marketplace; 4. *(umbaute Fläche)* square; 5. *(Spielfeld)* (playing) field, pitch; *(Tennis, Basketball, Handball)* court; 6. *(Golf)* course

Platzangst ['platsaŋst] f PSYCH 1. agoraphobia; 2. *(Beklemmung)* claustrophobia

Platzanweiser(in) ['platsanvaizər(ɪn)] m/f usher(ette)

platzen ['platsən] v burst, explode, split, crack

Platzpatrone ['platspatroːnə] f blank cartridge; *mit ~n schießen* fire blanks

Platzwunde ['platsvundə] f MED laceration

Plauderei [plaudəˈrai] f chat

plaudern ['plaudərn] v chat, talk

Plaudertasche ['plaudərtaʃə] f chatterbox

plausibel [plauˈziːbəl] adj plausible

Play-back ['pleːbɛk] n 1. *(Begleitmusik)* MUS double-track; 2. *(Stimme)* MUS mime of a recording of a song, lip-synching *(US)*

platzieren [plaˈtsiːrən] v place, locate, position

Platzierung [plaˈtsiːruŋ] f 1. location, placing; 2. *(bei Wettkämpfen)* placing

pleite ['plaitə] adj broke, bankrupt; ~ *sein* not have a bean; ~ *gehen* go bust, go broke

Pleite ['plaitə] f bankruptcy; ~ *machen* go bankrupt

Plenum ['pleːnum] n plenary session, full session

Plombe ['plɔmbə] f 1. lead seal; 2. *(Zahnplombe)* MED filling, inlay

plombieren [plɔmˈbiːrən] v 1. seal; 2. *(Zahn)* fill, stop, plug

plötzlich ['plœtslɪç] adj 1. sudden, abrupt; adv 2. suddenly, abruptly

plump [plump] adj 1. *(unförmig)* plump, lumpy; 2. *(ungeschickt)* clumsy, lumbering, ungainly; 3. *(fig: Bemerkung)* crude

Plunder ['plundər] m 1. junk, rubbish, trash; 2. GAST Danish pastry

plündern ['plyndərn] v plunder, ravage, raid

Plünderung ['plyndəruŋ] f pillage, plundering, ransacking

Plural ['pluːraːl] m GRAMM plural

Pluralismus [pluraˈlɪsmus] m POL pluralism

plus [plus] adv 1. *(Grad)* plus; *bei ~ zehn Grad* at ten degrees above (zero); 2. MATH plus

Plüsch [plyːʃ] m plush

Plüschtier ['plyːʃtiːr] n fluffy stuffed animal

Pluspol ['pluspoːl] m TECH positive pole

Pluspunkt ['pluspuŋkt] m 1. point; 2. *(fig)* advantage

Plutonium [pluˈtoːnjum] n CHEM plutonium

Po [poː] m *(fam)* bottom, behind, bum *(UK)*

Pöbel ['pøːbəl] m mob, rabble

pöbeln ['pøːbəln] v *(fam)* curse

Pocken ['pɔkən] pl MED smallpox, variola

Podest [poˈdest] n podium, platform

Podium ['poːdium] n podium

Podiumsdiskussion ['poːdjumdɪskusjoːn] f panel discussion

Poesie [poeˈziː] f poetry

Poet(in) [poˈeːt(ɪn)] m/f poet

poetisch [poˈeːtɪʃ] adj poetic

Pointe [poˈɛ̃ːtə] f 1. *(eines Witzes)* punchline; 2. *(einer Geschichte)* point

pointiert [poɛ̃ˈtiːrt] adj highlighted, emphasized

Pokal [poˈkaːl] m cup

pökeln ['pøːkəln] v pickle

pokern ['poːkərn] v 1. play poker; 2. *(fig)* gamble

Pol [poːl] m pole; *der ruhende ~ sein* to be a calming influence

Polarität [polariˈtɛːt] f polarity

Polarkreis [poˈlaːrkrais] m GEO polar circle; *nördlicher ~* Arctic Circle; *südlicher ~* Antarctic Circle

Polarstern [poˈlaːrʃtern] m ASTR North Star, Polaris, Pole Star

Polemik [po'le:mɪk] f polemics
polemisch [po'le:mɪʃ] adj polemic
polemisieren [polemi'zi:rən] v polemicize
Polen ['po:lən] n GEO Poland
Police [po'li:sə] f policy
polieren [po'li:rən] v polish
Politik [poli'ti:k] f 1. politics; 2. (eine bestimmte ~) policy
Politiker(in) [po'li:tikər(ɪn)] m/f politician
politisch [po'li:tɪʃ] adj political
politisieren [politi'zi:rən] v politicize, talk politics
Politologe/Politologin [polito'lo:gə/polito'lo:gɪn] m/f political scientist
Politur [poli'tu:r] f polish, gloss, burnish
Polizei [poli'tsaɪ] f police
Polizeipräsidium [poli'tsaɪprezi:djum] n police headquarters
Polizeirevier [poli'tsaɪreviːr] n 1. (Bezirk) police precinct; 2. (Büro) police station
Polizist/Polizistin [poli'tsɪst/poli'tsɪstɪn] m/f policeman, policewoman, police officer
Polka ['polka] f polka
Pollen ['polən] m BOT pollen
polnisch ['polnɪʃ] adj Polish
Polster ['polstər] n 1. pad; 2. (Kissen) cushion
Polterabend ['poltəra:bənt] m party on the eve of a wedding
Poltergeist ['poltərgaɪst] m poltergeist
poltern ['poltərn] v 1. make a racket, crash; an die Tür ~ bang on the door; 2. (schimpfen) carry on (fam); 3. (sich fortbewegen) rumble, clatter; Kartoffeln polterten vom Wagen. Potatoes tumbled noisily from the cart.
Polyester [poly'ɛstər] m 1. CHEM polyester; 2. (Textilstoff) polyester, polyester fabric
Polygamie [poliga'mi:] f polygamy
polyglott ['polyglot] adj polyglot
pompös [pom'pø:s] adj pompous, spectacular, grand
Pony ['poni] m 1. (Frisur) fringe, bangs pl (US); n 2. ZOOL pony
Popmusik ['popmuzi:k] f MUS pop music
populär [popu'lɛ:r] adj popular
Popularität [populari'tɛ:t] f popularity
Pore ['po:rə] f ANAT pore
Pornografie [pornogra'fi:] f pornography
porös [po'rø:s] adj porous, spongy
Porree ['pore:] m BOT leek
Portal [por'ta:l] n portal

Portmonee [portmo'ne:] n wallet, purse; tief ins ~ greifen müssen have to fork out a lot
Portier [por'tje:] m porter, door-keeper, doorman
Portion [por'tsjo:n] f 1. portion; 2. (beim Essen) helping, serving, portion; eine ~ Kaffee a pot of coffee
Porto ['porto] n postage
portofrei ['portofraɪ] adj 1. post-paid, prepaid, postage-free; adv 2. post-paid
portopflichtig ['portopflɪçtɪç] adj subject to postage
Porträt [por'trɛ:] n portrait
porträtieren [portrɛ'ti:rən] v paint a portrait of
Portugal ['portugal] n GEO Portugal
Portugiese/Portugiesin [portu'gi:zə/portu'gi:zɪn] m/f Portuguese
portugiesisch [portu'gi:zɪʃ] adj Portuguese
Portwein ['portvaɪn] m port
Porzellan [portsə'la:n] n porcelain, china
Porzellanladen [portsə'la:nla:dən] m china shop; wie der Elefant im ~ like a bull in a china shop
Posaune [po'zaunə] f MUS trombone
Pose ['po:zə] f pose, attitude
posieren [po'zi:rən] v pose
Position [pozi'tsjo:n] f position
positiv [pozi'ti:f] adj 1. positive; 2. (bejahend) affirmative
Positiv ['pozi:ti:f] n FOTO positive
Posse ['posə] f farce
possenhaft ['posənhaft] adj farcical, clownish
Post [post] f 1. post, mail; 2. (~amt) post office; 3. (~dienst) postal service
Postamt ['postamt] n post office
Postbote ['postbo:tə] m postman, mailman (US)
Posten ['postən] m 1. (Anstellung) position, post, job; (fam) auf dem ~ sein to be on the job; 2. (Warenmenge) quantity, lot; 3. (Einzelziffer) item, entry; 4. (Wache) sentry, guard, sentinel; 5. (fig) auf verlorenem ~ stehen to be fighting a losing battle
Postfach ['postfax] n post office box, P.O. box
posthum [pos'tu:m] adj posthumous
postieren [pos'ti:rən] v post, station, position
Postkarte ['postkartə] f postcard

Postleitzahl ['pɔstlaɪttsaːl] f postal code, postcode, ZIP code (US)

Postskriptum [pɔst'skrɪptum] n postscript

potent [po'tɛnt] adj potent

Potenzial [poten'tsjaːl] n potential

potenziell [poten'tsjɛl] adj potential

Potenz [po'tɛnts] f 1. (Macht) potency, power; 2. MATH power

PR-Abteilung [peː'ɛraptaɪlʊŋ] f PR department

Pracht [praxt] f splendour, magnificence, grandeur; eine wahre ~ sein to be absolutely marvellous

prächtig ['prɛçtɪç] adj 1. splendid, grand, magnificent; adv 2. splendidly

prachtvoll ['praxtfɔl] adj splendid, grand

prädestiniert [predɛsti'niːrt] adj predestined

Prädikat [predi'kaːt] n 1. (Bewertung) rating, grade, mark; 2. (Grammatik) predicate

Präferenz [prefe'rɛnts] f preference

Prag [praːk] n GEO Prague

prägen ['preːgən] v 1. (Münzen) mint, coin, stamp; 2. (fig) determine, identify, characterize; 3. (Wort) coin

pragmatisch [prak'maːtɪʃ] adj 1. pragmatic; adv 2. pragmatically

Pragmatismus [pragma'tɪsmus] m pragmatism

prägnant [prɛg'nant] adj 1. concise, succinct; adv 2. concisely, succinctly

Prägung ['preːgʊŋ] f 1. (Münzen) stamping, minting, coinage; 2. (fig) stamp, character

prahlen ['praːlən] v boast, brag

Praktikant(in) [praktɪ'kant(ɪn)] m/f trainee, intern

Praktikum ['praktɪkum] n practical course, internship

praktisch ['praktɪʃ] adj 1. practical, useful; adv 2. practically, to all practical purposes (UK), for all practical purposes (US)

praktizieren [praktɪ'tsiːrən] v practise, practice (US)

Praline [pra'liːnə] f GAST chocolate

Prämie ['preːmjə] f 1. premium; 2. (Preis) prize; 3. ECO bonus

prämieren [prɛ'miːrən] v award a prize

Prämisse [prɛ'mɪsə] f premise

prangen ['praŋən] v 1. (an auffallender Stelle stehen) to be prominently displayed; 2. (sich zeigen) to be resplendent

Pranger ['praŋər] m (fig) an den ~ stellen pillory; Er steht am ~. He is being pilloried.

Pranke ['praŋkə] f ZOOL paw

Präparat [prepa'raːt] n preparation

präparieren [prepa'riːrən] v prepare

Prärie ['preːriː] f prairie, savannah

präsent [prɛ'zɛnt] adj present

Präsentation [prɛzɛntats'joːn] f presentation

präsentieren [prɛzɛn'tiːrən] v present

Präsentierteller [prɛzɛnti'rtɛlə] m auf dem ~ sitzen to be on display, to be on show; jdm etw auf dem ~ servieren to serve sth to s.o. on a silver platter

Präsenz [prɛ'zɛns] f (Anwesenheit) presence

Präservativ [prɛzɔrva'tiːf] n contraceptive

Präsident(in) [prɛzi'dɛnt(ɪn)] m/f president

Präsidentschaft [prɛzi'dɛntʃaft] f POL presidency

Präsidium [prɛ'ziːdjum] n 1. (Vorsitz) presidency, chairmanship; 2. (Polizeipräsidium) police headquarters

Prävention [prevɛn'tsjoːn] f prevention

Praxis ['praksɪs] f 1. (tatsächliche Anwendung) practice; in der ~ in practice; 2. (Erfahrung) experience; 3. (Arztpraxis) practice

praxisnah ['praksɪsnaː] adj practical, practice-related

Präzedenzfall [prɛtsə'dɛntsfal] m precedent, judicial precedent, test case

präzise [prɛ'tsiːzə] adj 1. precise, exact; adv 2. precisely

präzisieren [prɛtsi'ziːrən] v define narrowly, specify

Präzision [prɛtsiz'joːn] f precision

predigen ['preːdɪgən] v 1. REL preach; 2. (fig) lecture, preach

Predigt ['preːdɪçt] f 1. REL sermon; 2. (fig) lecture, harangue

Preis [praɪs] m 1. (Wertangabe) price; um jeden ~ at all costs; um keinen ~ not at any price; 2. (Auszeichnung) prize, award, reward

Preisausschreiben ['praɪsausʃraɪbən] n competition

preisen ['praɪzən] v irr praise, extol

Preisgabe ['praɪsgaːbə] f 1. surrender, abandonment; 2. (eines Geheimnisses) divulgence

preisgeben ['praɪsgeːbən] v irr 1. (aufgeben) give up, surrender, abandon; 2. (enthüllen) reveal, betray; 3. (aussetzen) expose

preisgekrönt ['praɪsgəkrøːnt] adj prize-winning

Preisgericht ['praɪsgərɪçt] n jury

preisgünstig ['praɪsgynstɪç] adj reasonably priced, worth the money

Preisrichter ['praɪsrɪçtər] m judge

Preisschild ['praɪsʃɪlt] n price tag, price label

Preisträger ['praɪstrɛːgər] m prizewinner

prekär [pre'kɛːr] adj 1. precarious; 2. (peinlich) embarrassing, awkward

Prellung ['prɛluŋ] f MED contusion, bruise

Premiere [prəm'jeːrə] f THEAT premiere

Premierminister(in) [prəm'jeːminis-tər(ɪn)] m/f POL prime minister

Presse ['prɛsə] f 1. (Druckerpresse) press; 2. TECH stamping machine, stamping press

Pressefreiheit ['prɛsəfraɪhaɪt] f POL freedom of the press

Pressemeldung ['prɛsəmɛlduŋ] f news item

pressen ['prɛsən] v press, squeeze

Pressesprecher ['prɛsəʃprɛçər] m spokesman

Prestige [prɛs'tiːʒ] n prestige

prickeln ['prɪkəln] v tingle, tickle

Priester ['priːstər] m REL priest

prima ['priːma] adj 1. great, splendid, first-rate; adv 2. splendidly, very well

primär [pri'mɛːr] adj primary

Primat [pri'maːt] m 1. (Menschenaffe) primate; n 2. (Vorrang) primacy, priority

Primel ['priːməl] f BOT primula, primrose

primitiv [primi'tiːf] adj 1. primitive; adv 2. primitively

Primzahl ['priːmtsaːl] f MATH prime number

Printmedien ['prɪntmeːdjən] pl print media

Prinz [prɪnts] m prince

Prinzessin [prɪn'tsɛsɪn] f princess

Prinzip [prɪn'tsiːp] n principle; im ~ in principle, basically, actually

prinzipiell [prɪntsi'pjel] adj 1. general; adv 2. on principle, generally

Priorität [priɔri'tɛːt] f priority

Prise ['priːzə] f (kleine Menge) pinch

Prisma ['prɪsmaː] n prism

privat [pri'vaːt] adj 1. private; adv 2. privately

Privatadresse [pri'vaːtadrɛsə] f home address

Privatdetektiv [pri'vaːtdetɛktiːf] m private detective

Privatfernsehen [pri'vaːtfɛrnseːhən] n commercial television

privatisieren [privati'ziːrən] v ECO privatize, transfer to private ownership, denationalize (UK)

Privatisierung [privati'ziːruŋ] f ECO privatization

Privatsphäre [pri'vaːtsfɛːrə] f private life, privacy

Privileg [privi'leːk] n privilege

privilegiert [privilə'giːrt] adj privileged

pro [proː] prep per

Pro [proː] n das ~ und Kontra the arguments for and against

Probe ['proːbə] f 1. (Versuch) experiment, test, trial; jdn auf die ~ stellen put s.o. on the test; 2. (Muster) sample, specimen, pattern; 3. THEAT rehearsal

Probeexemplar ['proːbæksəmplaːr] n sample copy

proben ['proːbən] v rehearse

probeweise ['proːbəvaɪzə] adv on a trial basis, as a test

Probezeit ['proːbətsaɪt] f probationary period, trial period

probieren [pro'biːrən] v 1. (versuchen) try, have a go at, test, sample; 2. (kosten) taste, sample

Problem [pro'bleːm] n problem; ein ~ lösen solve a problem

Problematik [proble'maːtɪk] f problematic nature, problematics pl

problematisch [proble'maːtɪʃ] adj problematic

Produkt [pro'dukt] n 1. product; 2. (landwirtschaftliche ~e) produce

Produktion [produk'tsjoːn] f production

produktiv [produk'tiːf] adj 1. productive; adv 2. productively

Produktivität [produktivi'tɛːt] f ECO productivity, productiveness

Produzent(in) [produ'tsɛnt(ɪn)] m/f producer, manufacturer

produzieren [produ'tsiːrən] v produce, manufacture

profan [pro'faːn] adj 1. profane; secular; 2. ordinary

professionell [profɛsjo'nɛl] adj 1. professional; adv 2. professionally

Professor(in) [pro'fɛsɔr(ɪn)] m/f professor

Professur [profɛ'suːr] f professorship

Profi ['proːfi] m pro (fam)

Profil [pro'fiːl] n 1. profile; 2. TECH profile, profile section

profilieren [profi'liːrən] v sich ~ distinguish oneself

profillos [proˈfiːlloːs] *adj (Persönlichkeit)* lacking a defined image, low-key, low-profile

Profit [proˈfiːt] *m* profit

profitieren [profiˈtiːrən] *v* profit, benefit, take advantage of

Profitstreben [proˈfiːtʃtreːbən] *n ECO* profit-seeking

Prognose [progˈnoːzə] *f* prognosis, prediction, forecast

prognostizieren [prognostiˈtsiːrən] *v* prognosticate, predict

Programm [proˈgram] *n* programme; *ein ~ in Angriff nehmen* embark on a project

programmatisch [programaˈtiːʃ] *adj* policy, programmatic

programmieren [programiˈrən] *v* programme

Programmierer [programiˈrər] *m INFORM* programmer

progressiv [progreˈsiːf] *adj* progressive

Projekt [proˈjɛkt] *n* project, plan, scheme

Projektion [projɛkˈtsjoːn] *f* projection

Projektleiter(in) [proˈjɛktlaɪtər(ɪn)] *m/f* project manager

Projektor [proˈjɛktor] *m* projector

projizieren [projiˈtsiːrən] *v* project

proklamieren [proklaˈmiːrən] *v* proclaim

Prokurist [prokuˈrɪst] *m ECO* holder of special statutory, company secretary

Proletarier [proleˈtaːrjər] *m* proletarian

proletarisch [proleˈtaːrɪʃ] *adj* proletarian

Prolog [proˈloːk] *m* prologue

Promenade [proməˈnaːdə] *f* promenade

promenieren [proməˈniːrən] *v* stroll

Promille [proˈmɪlə] *n* thousandth, blood-alcohol concentration, per mille

prominent [promiˈnɛnt] *adj* prominent

Prominenz [promiˈnɛnts] *f* celebrities *pl*, notables *pl*, VIPs *pl*

Promiskuität [promɪskuiˈtɛːt] *f* promiscuity

Promotion [promoˈtsjoːn] *f* 1. *(Doktorwürde)* conferral of a doctorate; 2. *(Erhalt)* taking of a doctor's degree; 3. *(Verkaufsförderung)* promotion

promovieren [promoˈviːrən] *v* 1. confer a doctor's degree, graduate; 2. *(erhalten)* take a doctor's degree

Propaganda [propaˈganda] *f* propaganda

Propeller [proˈpɛlər] *m* propeller

Prophet [proˈfeːt] *m REL* prophet

prophezeien [profeˈtsaɪən] *v* prophesy, predict

Prophezeiung [profeˈtsaɪuŋ] *f* prophecy, prediction

prophylaktisch [profyˈlaktɪʃ] *adj MED* prophylactic

Proportion [proporˈtsjoːn] *f* proportion

proportional [proportsjoˈnaːl] *adj* 1. proportional, proportionate; *adv* 2. proportionally, proportionately

Prosa [ˈproːza] *f LIT* prose

prosaisch [proˈzaːɪʃ] *adj (nüchtern)* prosaic, matter-of-fact, down-to-earth

Prospekt [proˈspɛkt] *m (Reklameschrift)* brochure, prospectus

prost [proːst] *interj* cheers

Prostata [ˈprostata] *f ANAT* prostate, prostate gland

Prostitution [prostituˈtsjoːn] *f* prostitution

Protein [proteˈiːn] *n BIO* protein

Protest [proˈtɛst] *m* protest

Protestant(in) [protɛsˈtant(ɪn)] *m/f REL* Protestant

protestieren [protɛsˈtiːrən] *v* protest

Prothese [proˈteːzə] *f MED* prosthesis, artificial limb, *(Gebiss)* denture

Protokoll [protoˈkɔl] *n* 1. protocol, record; 2. JUR record, minutes *pl*

Protokollführer [protoˈkɔlfyːrər] *m* 1. secretary; 2. JUR clerk of the court

protokollieren [protokoˈliːrən] *v* 1. record, keep a record of; 2. *(bei einer Sitzung)* take the minutes, *(bei der Polizei)* take a statement

Prototyp [protoˈtyːp] *m TECH* prototype

protzig [ˈprotsɪç] *adj* pretentious, pompous, ostentatious

Proviant [proˈvjant] *m* provisions, supplies

Provinz [proˈvɪnts] *f* province

provinziell [provɪnˈtsjɛl] *adj* provincial

Provision [proviˈzjoːn] *f ECO* commission

provisorisch [proviˈzoːrɪʃ] *adj* 1. provisional, temporary; *adv* 2. provisionally

Provisorium [proviˈzoːrjum] *n* 1. *(Zwischenlösung)* interim solution, stopgap measure, provisional arrangement; 2. *(vorübergehender Zahnersatz)* MED temporary dentures *pl*, temporary plate

provokant [provoˈkant] *adj* provocative

Provokation [provokaˈtsjoːn] *f* provocation

provozieren [provoˈtsiːrən] *v* provoke

Prozedur [protseˈduːr] *f* difficult procedure, lengthy procedure

Prozent [proˈtsɛnt] n per cent, percentage
prozentual [protsɛntuˈaːl] adj 1. on a percentage basis; adv 2. expressed as percentage, on a percentage basis
Prozess [proˈtsɛs] m 1. (Vorgang) process; jdm den ~ machen bring an action against s.o.; kurzen ~ mit jdm machen make short work of s.o.; 2. JUR legal action, proceedings; 3. (Strafverfahren) JUR trial
prozessieren [protseˈsiːrən] v JUR go to court, carry on a lawsuit, litigate
Prozession [protseˈsjoːn] f procession
prüde [ˈpryːdə] adj prudish, strait-laced, stuffy
prüfen [ˈpryːfən] v examine, check, test
Prüfer [ˈpryːfər] m 1. examiner; 2. ECO inspector; 3. (Rechnungsprüfer) ECO auditor
Prüfling [ˈpryːflɪŋ] m candidate, examinee
Prüfung [ˈpryːfuŋ] f 1. examination, test; 2. ECO inspection
Prunk [pruŋk] m splendour, pomp, ostentation
prunkvoll [ˈpruŋkfɔl] adj 1. ostentatious, pretentious, splendid; adv 2. pompously, ostentatiously
prusten [ˈpruːstən] v 1. snort; 2. (spritzend blasen) spew
Psalm [psalm] m REL psalm
Pseudonym [psɔydoˈnyːm] n pseudonym
Psyche [ˈpsyːçə] f psyche, mind
Psychiater [psyçiˈaːtər] m psychiatrist
Psychiatrie [psyçjaˈtriː] f MED psychiatry
psychisch [ˈpsyːçɪʃ] adj emotional, psychological, (Phänomen) psychic
Psychologe/Psychologin [psyçoˈloː-gə/psyçoˈloːgɪn] m/f psychologist
Psychologie [psyçoloˈgiː] f psychology
Psychose [psyˈçoːzə] f psychosis
psychosomatisch [psyçozoˈmaːtɪʃ] adj psychosomatic
Psychoterror [ˈpsyːçotɛrɔr] m psychological terror
Psychotherapeut [psyçoteraˈpɔyt] m psychotherapist
Psychothriller [ˈpsyːçoθrɪlər] m CINE psychological thriller
Pubertät [pubɛrˈtɛːt] f puberty
Publikation [publikaˈtsjoːn] f publication
Publikum [ˈpublikum] n 1. (Zuschauer, Zuhörer) audience; 2. SPORT spectators pl; 3. (Öffentlichkeit) public; 4. (Menge) crowd
publizieren [publiˈtsiːrən] v publish
Puder [ˈpuːdər] m powder
pudern [ˈpuːdərn] v powder

Pufferzone [ˈpufɛrtsoːnə] f buffer zone
Pullover [puˈloːvər] m jumper (UK), sweater, pullover
Puls [puls] m pulse; jdm auf den ~ fühlen (fig) try to find out what makes s.o. tick
Pulsader [ˈpulsaːdər] f ANAT artery
pulsieren [pulˈziːrən] v pulsate, throb
Pult [pult] n desk
Pulver [ˈpulvər] n powder; sein ~ verschossen haben have shot s.o.'s bolt
pummelig [ˈpumɛlɪç] adj plump, round, chubby
Pumpe [ˈpumpə] f pump
pumpen [ˈpumpən] v 1. pump; 2. (fig: sich leihen) borrow; 3. (fig: verleihen) lend
Punkt [puŋkt] m 1. point, spot; an einem toten ~ angekommen sein to be at a dead end; einen wunden ~ berühren touch a sore point; etw auf den ~ bringen get to the heart of the matter; Das ist der springende ~. That's just the point.; 2. (Tupfen) dot; 3. (Bewertungseinheit) mark, score
pünktlich [ˈpyŋktlɪç] adv 1. punctually, on time; ~ wie der Maurer on the dot; adj 2. punctual
Pupille [puˈpɪlə] f ANAT pupil
Puppe [ˈpupə] f 1. (Spielzeug) doll; die ~n tanzen lassen live it up; 2. ZOOL pupa, chrysalis; 3. bis in die ~n until the cows come home
Puppenspieler [ˈpupənʃpiːlər] m puppeteer
Puppentheater [ˈpupənteaːtər] n 1. (Puppenspiel) puppet show; 2. (Theater für Puppenspiele) puppet theatre (UK)
pur [puːr] adj 1. pure; 2. (Whisky) straight
puristisch [puˈrɪstɪʃ] adj purist
puritanisch [puriˈtaːnɪʃ] adj Puritan
Purpur [ˈpurpur] m purple
pusten [ˈpuːstən] v 1. blow; 2. (atmen) puff, pant
Pute [ˈpuːtə] f ZOOL turkey (hen)
Putsch [putʃ] m POL putsch, coup
Putz [puts] m 1. (Zier) finery, attire, ornaments; 2. (Mörtel) plaster; auf den ~ hauen (ausgelassen sein) paint the town red, (angeben) show off, brag
putzen [ˈputsən] v 1. clean; 2. (scheuern) scrub; 3. (polieren) polish
Pyjama [pyˈdʒaːma] m pyjamas pl (UK), pajamas pl (US)
Pyramide [pyraˈmiːdə] f pyramid
Pyrrhussieg [ˈpyrusziːk] m Pyrrhic victory

Q

Quacksalber ['kvakzalbər] *m (fam)* quack

Quader ['kva:dər] *m 1. MATH* cube; *2. (Quaderstein)* ashlar, square stone block, free-stone

Quaderstein ['kva:dərʃtaɪn] *m* ashlar, square stone block, freestone

Quadrat [kva'dra:t] *n* square; *im ~ springen* get really hopping mad

quadratisch [kva'dra:tɪʃ] *adj* square

Quadratkilometer [kva'dra:tki:lome:tər] *m* square kilometre

Quadratmeter [kva'dra:tme:tər] *m* square metre

Quadratwurzel [kva'dra:tvurtsəl] *f MATH* square root

Quadratzahl [kva'dra:ttsa:l] *f MATH* square (number)

Quadratzentimeter [kva'dra:ttsɛntime:tər] *m* square centimetre

quaken ['kva:kən] *v 1.* croak, quack; *2. (Mensch)* squawk

Quaken ['kva:kən] *n 1.* quacking; *2. (eines Menschen)* squawking

quäken ['kvɛ:kən] *v 1.* whine; *2. (Radio)* squawk

Quäker ['kvɛ:kər] *m* Quaker

Qual [kva:l] *f* torment, pain, agony

quälen ['kvɛ:lən] *v* torture, torment

Quälerei [kvɛ:lə'raɪ] *f 1.* tormenting, torture; *2. (fig: mühsame Arbeit)* toil, pain

quälerisch ['kvɛ:lərɪʃ] *adj* torturous

Quälgeist ['kvɛ:lgaɪst] *m* nuisance, pest

Qualifikation [kvalifika'tsjo:n] *f* qualification, capacity, ability

qualifizieren [kvalifi'tsi:rən] *v sich ~* qualify

qualifiziert [kvalifi'tsi:rt] *adj* qualified

Qualität [kvali'tɛ:t] *f* quality

qualitativ [kvalita'ti:f] *adj 1.* qualitative; *adv 2.* qualitatively

Qualitätsarbeit [kvali'tɛ:tsarbaɪt] *f* quality work

Qualitätsbezeichnung [kvali'tɛ:tsbətsaɪçnuŋ] *f* designation of quality, grade

Qualitätswein [kvali'tɛ:tsvaɪn] *m* wine of certified quality

Qualle ['kvalə] *f ZOOL* jellyfish

Qualm [kvalm] *m* smoke

qualmen ['kvalmən] *v (fam)* smoke, puff

qualmig ['kvalmɪç] *adj* smoky

qualvoll ['kva:lfɔl] *adj* painful, excruciating, agonizing

Quantentheorie ['kvantənteori:] *f PHYS* quantum theory

Quantität [kvanti'tɛ:t] *f* quantity, amount

quantitativ [kvanti'ti:f] *adj* quantitative

Quantum ['kvantum] *n* quantum, quantity, ration

Quarantäne [karan'tɛ:nə] *f MED* quarantine

Quark [kvark] *m 1. GAST* curd cheese; *2. (fig: Quatsch)* nonsense

Quarkspeise ['kvarkʃpaɪzə] *f GAST* pudding made with curd cheese

Quarktasche ['kvarktaʃə] *f GAST* curd cheese turnover

Quartal [kvar'ta:l] *n* quarter

Quartalsende [kvar'ta:lsɛndə] *n* end of the quarter

Quartett [kvar'tɛt] *n* quartet

Quartier [kvar'ti:r] *n* district, quarters, lodging

Quarz [kvarts] *m MIN* quartz

Quarzglas ['kvartsgla:s] *n* quartz glass

Quarzuhr ['kvartsu:r] *f* quartz clock

Quasar [kva'zar] *m ASTR* quasar

quasi ['kva:zi] *adv* sort of, in a way

quasseln ['kvasəln] *v (fam)* prattle, drivel, talk nonsense

Quasselstrippe ['kvasəlʃtrɪpə] *f (Person)* chatterbox, blabbermouth

Quaste ['kvastə] *f 1. (Troddel)* tassel; *2. (Schwanz~)* tuft; *3. (für Cheerleader)* pompon

Quatsch [kvatʃ] *m (fam)* nonsense, rubbish *(UK)*, drivel

quatschen ['kvatʃən] *v 1. (fam: töricht reden)* talk nonsense, blather, prattle; *2. (fam: sich unterhalten)* chat

Quatschkopf ['kvatʃkɔpf] *m 1. (fam)* windbag; *2. (Dummkopf)* idiot, twit, fool

Quecksilber ['kvɛkzɪlbər] *n CHEM* mercury

quecksilberhaltig ['kvɛkzɪlbərhaltɪç] *adj* mercurial

Quecksilbersäule ['kvɛkzɪlbərzɔylə] *f* mercury column

Quellbewölkung ['kvɛlbəvœlkuŋ] *f METEO* cumulus clouds

Quelle ['kvɛlə] *f 1.* fountain, well, spring; *2. (fig)* source, origin; *an der ~ sitzen* to be well-placed

quellen ['kvɛlən] *v irr 1. (anschwellen)* swell; *2. (hervor~)* gush forth, spurt out; *3. (Tränen)* well up; *4. (Augen, Bauch)* bulge out

Quellenangabe ['kvɛlənanɡaːbə] *f* bibliography, list of references, list of works consulted

Quellenforschung ['kvɛlənfɔrʃuŋ] *f* study of sources

Quellenmaterial ['kvɛlənmateːrjaːl] *n* source materials

Quellensteuer ['kvɛlənʃtɔyər] *f FIN* tax collected at the source, withholding tax

Quellenstudium ['kvɛlənʃtuːdjum] *n* study of sources

Quellwasser ['kvɛlvasər] *n* spring water

Quengelei [kvɛŋə'laɪ] *f (fam)* whining, moaning

quengelig ['kvɛŋəlɪç] *adj* whining, niggly

quengeln ['kvɛŋəln] *v (fam)* whine, moan, niggle

Quäntchen ['kvɛntçən] *n* little bit of

quer [kveːr] *adv* crosswise; ~ *durch* straight through; ~ *gestreift* horizontally striped; ~ *legen* lay crosswise; *sich ~ legen* to be obstructive; ~ *schließen (fam)* spoil things, make trouble, throw a spanner in the works *(UK)*

Querdenker ['kveːrdɛŋkər] *m* original thinker, open-minded thinker, individual *(fam)*

Quere ['kveːrə] *f* width, diagonal, cross direction; *Er kommt mir in die ~.* He gets in my way.

querfeldein ['kveːrfɛltaɪn] *adv* cross-country

Querflöte ['kveːrfløːtə] *f MUS* German flute

Querformat ['kveːrfɔrmaːt] *n* oblong format, landscape

Querkopf ['kveːrkɔpf] *m (fam)* crank, wrong-headed person, awkward customer

Querlatte ['kveːrlatə] *f (des Tores) SPORT* crossbar

Querpass ['kveːrpas] *m SPORT* cross

Querschläger ['kveːrʃlɛːɡər] *m* ricochet

Querschnitt ['kveːrʃnɪt] *m* cross section, cross-cut

querschnittsgelähmt ['kveːrʃnɪtsɡəlɛːmt] *adj MED* paraplegic

Querschnittslähmung ['kveːrʃnɪtsleː-muŋ] *f MED* paraplegia

Querstraße ['kveːrʃtraːsə] *f* cross-street, cross-road; *drei ~n von hier entfernt* three blocks from here

Querstrich ['kveːrʃtrɪç] *m 1.* horizontal line; *2. (Gedankenstrich)* dash; *3. einen ~ durch etw machen* cross sth out, *(fig)* thwart sth

quertreiben ['kveːrtraɪbən] *v irr (fig)* to get in the way, to be obstinate

Quertreiber ['kveːrtraɪbər] *m* obstructionist

Querulant [kveru'lant] *m* querulous person, grumbler, grouch *(US)*, troublemaker

querulieren [kveru'liːrən] *v* gripe, grumble, grouse

Querverbindung ['kveːrfɛrbɪnduŋ] *f* cross-connection, lateral line, grid connection

Querverweis ['kveːrfɛrvaɪs] *m* cross-reference

quetschen ['kvɛtʃən] *v 1.* squeeze; *2. (zer~)* crush; *3. (kneifen)* pinch

Quetschung ['kvɛtʃuŋ] *f MED* contusion

Quetschwunde ['kvɛtʃvundə] *f MED* contusion

Queue [køː] *m (Menschenschlange)* queue

Quiche [kiːʃ] *f GAST* quiche

quicklebendig ['kvɪklebɛndɪç] *adj (fam)* spirited, spry, alive and kicking

quieken ['kviːkən] *v* squeak

quieksen ['kviːksən] *v (siehe „quieken")*

quietschen ['kviːtʃən] *v 1.* squeak, creak; *2. (Kind)* squeal

quietschvergnügt [kviːtʃfɛr'ɡnyːkt] *adj* pleased as Punch, happy as a clam

Quinte ['kvɪntə] *f MUS* fifth

Quintessenz ['kvɪntɛsɛnts] *f* quintessence

Quintett [kvɪn'tɛt] *n MUS* quintet

Quirl [kvɪrl] *m (Gerät)* whisk, beater

quirlen ['kvɪrlən] *v* whisk

quirlig ['kvɪrlɪç] *adj* lively, mercurial, fidgety

quitt [kvɪt] *adj* quits *(UK)*, square, even; *mit jdm ~ werden* get quits with s.o. *(UK)*

Quitte ['kvɪtə] *f BOT* quince

Quittenmarmelade ['kvɪtənmarmɛlaːdə] *f GAST* quince marmalade

quittieren [kvɪ'tiːrən] *v (bestätigen)* receipt, give a receipt, acknowledge receipt

Quittung ['kvɪtuŋ] *f* receipt, voucher

Quittungsblock ['kvɪtuŋsblɔk] *m* receipt pad

Quiz [kvɪs] *n* quiz

Quizfrage ['kvɪsfraːɡə] *f* quiz question

Quote ['kvoːtə] *f 1.* quota; *2. (Verhältnisziffer)* rate; *3. (Anteil)* proportional share

Quotenregelung ['kvoːtənreːɡəluŋ] *f POL* quota system

Quotient [kvotsi'ɛnt] *m MATH* quotient

R

Rabatt [ra'bat] *m ECO* discount, rebate
Rabbiner [ra'bi:nər] *m REL* rabbi
Rabe ['ra:bə] *m ZOOL* raven
Rache ['raxə] *f* revenge, vengeance; *an jdm ~ nehmen* take revenge on s.o. *~ ist süß.* Revenge is sweet.
Rachen ['raxən] *m ANAT* throat, pharynx; *jdm den ~ stopfen* shut s.o. up; *den ~ nicht vollkriegen* to be absolutely insatiable; *jdm etw in den ~ werfen* shove sth down s.o.'s throat
rächen ['rɛːçən] *v* take revenge for, avenge; *sich ~* take one's revenge
Rad [ra:t] *n* 1. wheel; *das fünfte ~ am Wagen sein* to be the odd man out; 2. *(Fahrrad)* bike; *~ fahren* cycle, ride a bicycle
Radar [ra'da:r] *m TECH* radar
Radfahrer ['ra:tfa:rər] *m* cyclist
radieren [ra'di:rən] *v* 1. erase; 2. *ART* etch
Radiergummi [ra'di:rgumi] *m* eraser, rubber *(UK)*
Radierung [ra'di:ruŋ] *f ART* etching
radikal [radi'ka:l] *adj* 1. radical, extreme; *adv* 2. radically
Radio ['ra:djo] *n* radio
radioaktiv [ra:djoak'ti:f] *adj PHYS* radioactive
Radioaktivität [ra:djoaktivi'tɛːt] *f PHYS* radioactivity
Radius ['ra:djus] *m MATH* radius
Radsport ['ra:tʃpɔrt] *m SPORT* cycling
Raffinerie [rafinə'ri:] *f CHEM* refinery
Raffinesse [rafi'nɛsə] *f (Schlauheit)* finesse, cunning, craftiness
raffiniert [rafi'ni:rt] *adj* 1. *(verfeinert)* refined; 2. *(schlau)* shrewd, cunning, crafty
Rage ['ra:ʒə] *f* rage, fury
Rahm [ra:m] *m GAST* cream
Rahmen ['ra:mən] *m* 1. *(Fensterrahmen)* frame; 2. *(Bilderrahmen)* frame; 3. *(fig)* frame, setting; *aus dem ~ fallen* to be out of the ordinary; *im ~ einer Sache* as part of sth
Rakete [ra'ke:tə] *f* missile, rocket
rammen ['ramən] *v* ram
Rampe ['rampə] *f* 1. *(Laderampe)* platform, ramp; 2. *(Bühnenrampe) THEAT* apron
Ramsch [ramʃ] *m* junk, rubbish, jumble
Rand [rant] *m* edge, border, brink; *außer ~ und Band* out of hand; *etw am ~e erwähnen* mention sth in passing

randalieren [randa'li:rən] *v* riot, rampage
Rang [raŋ] *m* 1. rank; *alles, was ~ und Namen hat* everybody who's anybody; 2. *(Qualität)* quality, grade, rate; 3. *THEAT* tier (of boxes), row of seats, circle; *erster/zweiter ~* dress/upper circle; 4. *SPORT* place
rangieren [raŋ'ʒiːrən] *v* 1. *(Eisenbahn)* shunt, switch *(US)*; 2. *(Rang einnehmen)* rank
Ranzen ['rantsən] *m* 1. *(Schulranzen)* satchel; 2. *(fam: Bauch) sich den ~ voll schlagen* stuff one's face
rar [ra:r] *adj* rare, scarce
Rarität [rari'tɛːt] *f* rarity, curiosity
rasch [raʃ] *adj* 1. quick, swift, brisk; 2. *(übereilt)* rash, hasty
rasen ['ra:zən] *v* 1. *(sich schnell bewegen)* race, rush; 2. *(vor Zorn)* rage, storm
Rasen ['ra:zən] *m BOT* lawn, turf; *jdn unter den ~ bringen (fig)* to be the death of s.o. *(fig)*
Rasenmäher ['ra:zənmɛːər] *m* lawnmower
Rasierapparat [ra'zi:rapara:t] *m* 1. razor; 2. *(elektrischer ~)* shaver, electric razor
rasieren [ra'zi:rən] *v* shave
Rasse ['rasə] *f* race
Rassendiskriminierung ['rasəndıskrimini:ruŋ] *f POL* racial discrimination
Rassismus [ra'sısmus] *m* racism
Rassist [ra'sıst] *m* racist
rassistisch [ra'sıstıʃ] *adj* racist
Rast [rast] *f* 1. rest; 2. *MIL* halt
rasten ['rastən] *v* 1. take a rest; 2. *MIL* halt
Raster ['rastər] *n* 1. *(Schema)* framework; 2. *(im Druckwesen)* screen
rastlos ['rastlo:s] *adj* 1. *(pausenlos)* endless; 2. *(ruhelos)* restless, fidgety; 3. *(unermüdlich)* indefatigable
Rasur [ra'zu:r] *f* 1. shave; 2. *(radierte Stelle)* erasure
Rat [ra:t] *m* 1. *(Ratschlag)* advice, counsel; *mit sich zu ~e gehen* think things over; *jdn zu ~e ziehen* consult s.o. *jdm mit ~ und Tat zur Seite stehen* to support s.o. in word and deed; *~ suchend* seeking advice, seeking counsel; 2. *(Kollegium)* council; 3. *(Titel)* councillor
Rate ['ra:tə] *f* 1. *FIN* instalment; 2. *(Verhältnisziffer)* rate
raten ['ra:tən] *v irr* 1. *(erraten)* guess; 2. *(empfehlen)* recommend; *jdm zu etw ~* advise s.o. to do sth; 3. *(Rat geben)* advise, counsel

Ratgeber ['raːtgeːbər] m 1. advisor, counselor; 2. (Buch) how-to book

Rathaus ['raːthaus] n town hall, city hall (US)

Ration [ra'tsjoːn] f ration

rational [ratsjo'naːl] adj 1. rational; adv 2. rationally

rationalisieren [ratsjonali'ziːrən] v ECO rationalize

Rationalisierung [ratsjonali'ziːruŋ] f rationalization, efficiency measure

rationell [ratsjo'nɛl] adj 1. ECO efficient; 2. (wirtschaftlich) ECO economical

rationieren [ratsjo'niːrən] v ration

Rationierung [ratsjo'niːruŋ] f (von Lebensmitteln) rationing

Ratlosigkeit ['raːtloːzɪçkaɪt] f helplessness

Ratschlag ['raːtʃlaːk] m piece of advice; Ratschläge geben give some advise

Rätsel ['rɛːtsəl] n 1. puzzle; jdm ein ~ sein to be a mystery to s.o. jdm ein ~ aufgeben (fig) to ask s.o. a riddle, (fig) to be a riddle to s.o. in ~n sprechen (fig) talk in riddles (fig); vor einem ~ stehen to be completely baffled; 2. (Worträtsel) riddle; 3. (Geheimnis) enigma, mystery

rätselhaft ['rɛːtsəlhaft] adj puzzling, mysterious, enigmatic

rätseln ['rɛːtsəln] v puzzle over sth, rack one's brain

Ratte ['ratə] f ZOOL rat

rau [rau] adj 1. (nicht glatt) rough; 2. (grob) coarse, rude, rugged; 3. (Hals) sore; 4. (Stimme) hoarse; 5. (fig: barsch) harsh, gruff

Raub [raup] m 1. (Diebstahl) robbery; 2. (Entführung) kidnapping

rauben ['raubən] v 1. (stehlen) rob; 2. (entführen) kidnap

Räuber ['rɔybər] m thief, robber

Raubkopie ['raupkopiː] f INFORM pirate copy

Raubtier ['rauptiːr] n ZOOL beast of prey

Rauch [raux] m smoke

rauchen ['rauxən] v smoke; mir raucht der Kopf (fig) my head's spinning

Raucher(in) ['rauxər(ɪn)] m/f smoker

raufen ['raufən] v 1. (sich ~) scuffle, tussle, fight; 2. sich die Haare ~ tear one's hair

Rauferei [raufə'raɪ] f scuffle, roughhouse

Raum [raum] m 1. (Zimmer) room; eine Frage in den ~ stellen to pose a question; im ~ stehen (fig) to be unsolved; 2. (Platz) space, room; 3. (Gebiet) area

räumen ['rɔymən] v 1. (verlassen) leave, move from, vacate; 2. (evakuieren) evacuate; 3. (entfernen) remove, clear

Raumfähre ['raumfɛːrə] f spacecraft

Raumfahrt ['raumfaːrt] f 1. space travel; 2. (Wissenschaft) astronautics

Rauminhalt ['rauminhalt] m volume

räumlich ['rɔymlɪç] adj 1. spatial; adv 2. spatially

Raumschiff ['raumʃɪf] n spaceship

Raumstation ['raumʃtatsjoːn] f ASTR space station

Räumung ['rɔymuŋ] f 1. (Verlassen) clearing, removing, removal; 2. (Evakuierung) evacuation; 3. (Entfernung) removal

Raupe ['raupə] f ZOOL caterpillar

raus [raus] adv (siehe "heraus", "hinaus")

Rausch [rauʃ] m 1. (Alkoholrausch) intoxication; 2. (Begeisterungsrausch) ecstasy

rauschen ['rauʃən] v 1. (Bach) murmur, gurgle; 2. (Blätter) rustle

Rauschgift ['rauʃgɪft] n narcotic, drug

räuspern ['rɔyspərn] v sich ~ clear one's throat

Reagenzglas [rea'gɛntsglaːs] n test tube

reagieren [rea'giːrən] v react

Reaktion [reak'tsjoːn] f reaction

reaktionär [reaktsjo'nɛːr] adj POL reactionary

Reaktor [re'aktor] m reactor

real [re'aːl] adj 1. real, substantial, actual; adv 2. really, actually

realisieren [reali'ziːrən] v 1. (Pläne) carry out; 2. FIN realize; 3. THEAT perform

Realisierung [reali'ziːruŋ] f realization

Realismus [rea'lɪsmus] m realism

Realist [rea'lɪst] m realist

realistisch [rea'lɪstɪʃ] adj 1. realistic; adv 2. realistically

Realität [reali'tɛːt] f reality

Realschule [re'aːlʃuːlə] f six-year secondary school

Rebe ['reːbə] f BOT vine, shoot

Rebell [re'bɛl] m rebel, insurgent

rebellieren [rebe'liːrən] v rebel, revolt

Rebellion [rebe'ljoːn] f rebellion

rebellisch [re'bɛlɪʃ] adj rebellious

Rechen ['rɛçən] m rake

Rechenschaft ['rɛçənʃaft] f account; jdn zur ~ ziehen hold s.o. responsible; über etw ~ ablegen account for sth

Recherche [re'ʃɛrʃə] f investigation, enquiry

recherchieren [reʃɛr'ʃiːrən] v investigate

rechnen ['rɛçnən] *v* calculate, compute; *auf etw ~* count on sth; *mit etw ~* expect sth; *(zählen)* count

Rechner ['rɛçnər] *m* 1. *(Elektronenrechner)* computer; 2. *(Taschenrechner)* calculator

Rechnung ['rɛçnʊŋ] *f* 1. invoice, bill; *auf eigene ~* on one's own account; *Die ~ stimmt.* The bill comes out right. *jdm etw in ~ stellen* bill s.o. for sth; *mit jdm eine ~ begleichen (fig)* settle a score with s.o.; *einer Sache ~ tragen* take sth into account; *Das kommt auf meine ~.* It's on me. *Diese ~ geht nicht auf.* That won't work out. 2. MATH calculation, arithmetic

recht [rɛçt] *adj* 1. right; *jdm etw ~ machen* please s.o. *Alles, was ~ ist!* There is a limit! *Das geschieht ihm ~!* That serves him right! 2. *(passend) wenn es dir ~ ist* if it's all right with you; *Das kommt mir gerade ~!* That's just what I needed! 3. *(wirklich)* real; *adv* 4. *(sehr)* quite

Recht [rɛçt] *n* 1. law; 2. *(Anspruch)* right; *jds gutes ~ sein* to be s.o.'s right; *~ sprechen* administer justice; *sein ~ fordern* demand sth as a right; *zu ~* rightly; *~ haben* to be right; *jdm ~ geben* agree with s.o.

rechte(r,s) ['rɛçtə(r,s)] *adj* right

Rechteck ['rɛçtɛk] *n* rectangle

rechteckig ['rɛçtɛkɪç] *adj* rectangular

rechtfertigen ['rɛçtfɛrtɪgən] *v* justify

Rechtfertigung ['rɛçtfɛrtɪgʊŋ] *f* justification

rechtlich ['rɛçtlɪç] *adj* 1. JUR legal, lawful; *adv* 2. JUR lawfully

rechtlos ['rɛçtloːs] *adj* 1. without rights; 2. *(gesetzlos)* lawless

rechtmäßig ['rɛçtmɛːsɪç] *adj* 1. lawful; *adv* 2. in a lawful manner

rechts [rɛçts] *adv* to the right, on the right, right

Rechtsanwalt ['rɛçtsanvalt] *m* lawyer, solicitor *(UK)*, attorney *(US)*

Rechtschreibung ['rɛçtʃraɪbʊŋ] *f* spelling

Rechtsextremismus ['rɛçtsɛkstremɪsmʊs] *m* right-wing extremism

rechtsextremistisch ['rɛçtsɛkstremɪstɪʃ] *adj* POL right-wing

rechtsgültig ['rɛçtsgʏltɪç] *adj* JUR legal

Rechtsprechung ['rɛçtʃprɛçʊŋ] *f* 1. JUR administration of justice, judicial decision, court rulings; 2. *(Gerichtsbarkeit)* jurisdiction

Rechtsradikalismus ['rɛçtsradikalɪsmʊs] *m* POL right-wing radicalism

Rechtsspruch ['rɛçtsʃprʊx] *m* 1. verdict; 2. *(in Zivilsachen)* judgement, judgment *(US)*

Rechtsstaat ['rɛçtsʃtaːt] *m* POL constitutional state, state governed by the rule of law

rechtswidrig ['rɛçtsviːdrɪç] *adj* 1. JUR unlawful, illegal; *adv* 2. JUR unlawfully, illegally

rechtwinklig ['rɛçtvɪŋklɪç] *adj* rectangular

rechtzeitig ['rɛçttsaɪtɪç] *adj* 1. punctual, timely, opportune; *adv* 2. in good time, duly

recyceln [ri'saɪkəln] *v* recycle

Recycling [ri'saɪklɪŋ] *n* recycling

Redakteur(in) [redak'tøːr(ɪn)] *m/f* editor

Redaktion [redak'tsjoːn] *f* 1. *(Tätigkeit)* editing; 2. *(Büro)* editorial offices *pl*; 3. *(Nachrichtenredaktion)* newsroom

Rede ['reːdə] *f* speech, talk, conversation; *Es ist nicht der ~ wert.* It's not worth talking about. *jdm ~ und Antwort stehen* explain o.s. to s.o. *jdn zur ~ stellen* demand an explanation from s.o. *Davon kann nicht die ~ sein.* That's out of the question!

reden ['reːdən] *v* speak, talk

Redewendung ['reːdəvɛndʊŋ] *f* figure of speech, expression, phrase

Redner ['reːdnər] *m* speaker

reduzieren [redu'tsiːrən] *v* reduce, cut

Reeder ['reːdər] *m* shipowner

Reederei [reːdə'raɪ] *f* shipping company

Referat [refe'raːt] *n* report, paper

Referendar [referɛn'daːr] *m* *(Studienreferendar)* student teacher

Referendum [refe'rɛndʊm] *n* POL referendum

Referent [refe'rɛnt] *m* 1. *(Redner)* speaker, orator, reader of a paper; 2. *(Sachbearbeiter)* consultant, expert

Referenz [refe'rɛnts] *f* reference

referieren [refe'riːrən] *v* report

reflektieren [reflɛk'tiːrən] *v* 1. *(zurückstrahlen)* reflect; 2. *(nachdenken)* reflect

Reflektor [re'flɛktor] *m* TECH reflector

Reflex [re'flɛks] *m* 1. reflex; 2. PHYS reflection

Reflexion [reflɛ'ksjoːn] *f* 1. *(von Licht)* reflection; 2. *(fig: Überlegung)* reflection, consideration

reflexiv [reflɛ'ksiːf] *adj* GRAMM reflexive

Reform [re'fɔrm] *f* reform

Reformation [refɔrma'tsjoːn] *f* REL Reformation

reformieren [refɔr'miːrən] *v* reform

Refrain [rə'frɛː] *m* MUS refrain

Regal [re'gaːl] *n* shelf

Regel ['reːgəl] *f* 1. rule, principle, code; *in der ~* usually; 2. *(Menstruation)* period

regelmäßig ['re:gəlmɛ:sɪç] *adj 1.* regular; *adv 2.* regularly
Regelmäßigkeit ['re:gəlmɛ:sɪçkaɪt] *f* regularity
regeln ['re:gəln] *v* regulate, control, arrange, *(Probleme)* sort out
Regelung ['re:gəluŋ] *f* regulation, settlement
Regen ['re:gən] *m* rain; *jdn im ~ stehen lassen* leave s.o. out in the cold, leave s.o. in the lurch; *vom ~ in die Traufe kommen* fall out of the frying pan into the fire
Regenbogen ['re:gənbo:gən] *m* METEO rainbow
regenerieren [regene'ri:rən] *v* regenerate
Regenmantel ['re:gənmantəl] *m* raincoat, mackintosh
Regenschirm ['re:gənʃɪrm] *m* umbrella
Regenwald ['re:gənvalt] *m* rain forest
Regenwurm ['re:gənvurm] *m* earthworm
Regie [re'ʒi:] *f* CINE direction
regieren [re'gi:rən] *v 1. (Politiker)* POL govern; *2. (Fürst)* POL reign, rule
Regierung [re'gi:ruŋ] *f* POL government
Regierungssitz [re'gi:ruŋszɪts] *m* POL seat of government
Regime [re'ʒi:m] *n* POL regime
Regiment [regi'mɛnt] *n* MIL regiment
Region [re'gjo:n] *f* region, district
regional [regjo'na:l] *adj* regional
Regisseur(in) [reʒi'sø:r(ɪn)] *m/f* CINE director
Register [re'gɪstər] *n* register, index
registrieren [regɪs'tri:rən] *v* register, record
Regler ['re:glər] *m* TECH controller
regnen ['re:gnən] *v* rain
regulär [regu'lɛ:r] *adj 1.* regular; *adv 2.* regularly
regulieren [regu'li:rən] *v* regulate, adjust
Regulierung [regu'li:ruŋ] *f* regulation
Regung ['re:guŋ] *f 1. (Bewegung)* movement, motion, stirring; *2. (Gefühlsregung)* emotion, impulse
regungslos ['re:guŋslo:s] *adj* motionless
Reh [re:] *n* ZOOL deer, roe
Rehabilitation [rehabilita'tsjo:n] *f* rehabilitation
rehabilitieren [rehabili'ti:rən] *v* rehabilitate
Rehbock ['re:bɔk] *m* ZOOL roebuck
Reibe ['raɪbə] *f* grater
reiben ['raɪbən] *v irr 1.* rub; *2. (zerkleinern)* grate, grind
Reibung ['raɪbuŋ] *f* friction

reich [raɪç] *adj 1.* rich, wealthy; *2. (reichlich)* abundant
Reich [raɪç] *n* empire
reichen ['raɪçən] *v 1. (geben)* hand, pass, give; *2. (ausreichen)* suffice; *Mir reicht es!* That's just about the limit! *3. (sich erstrecken)* extend, reach
reichlich ['raɪçlɪç] *adj* ample, abundant
Reichtum ['raɪçtu:m] *m 1.* wealth; *2. (Fülle)* abundance, profusion, richness
reif [raɪf] *adj 1.* ripe; *2. (fig)* mature
Reife ['raɪfə] *f 1. (Obst)* ripeness; *2. (fig)* maturity; *3. mittlere ~* intermediate secondary school certificate
reifen ['raɪfən] *v* ripen, mature
Reifen ['raɪfən] *m 1.* ring; *2. (Radreifen)* tyre, tire *(US)*; *3. (Spielreifen, Fassring)* hoop
Reihe ['raɪə] *f 1. (von Dingen)* row, series; *etw auf die ~ bringen* get sth together; *der ~ nach* in turn; *2. (von Menschen)* row, queue; *an die ~ kommen* to have one's turn; *3. (Serie)* series
Reihenfolge ['raɪənfɔlgə] *f* order, sequence
Reim [raɪm] *m* rhyme; *sich einen ~ auf etw machen (fig)* get an inkling of sth
reimen ['raɪmən] *v* rhyme, make a rhyme
rein¹ [raɪn] *adj 1.* pure; *2. (nichts als)* sheer, utter; *3. (sauber)* clean, clear, pure; *mit jdm ins Reine kommen* clear the air with s.o., sort things out with s.o.
rein² [raɪn] *adv (fam) (siehe „herein", „hinein")*
Reinerlös ['raɪnərlø:s] *m* net proceeds
Reinfall ['raɪnfal] *m* fiasco, failure, letdown
reinigen ['raɪnɪgən] *v* clean, purge
Reiniger ['raɪnɪgər] *m* cleaner
Reinigung ['raɪnɪguŋ] *f 1. (Reinigen)* cleaning, washing; *2. (Geschäft)* dry-cleaners *pl*
Reis [raɪs] *m* rice
Reise ['raɪzə] *f* trip, journey; *sich auf eine ~ machen* to set out on a trip
Reisebüro ['raɪzəbyro:] *n* travel agency
Reiseführer ['raɪzəfy:rər] *m 1. (Person)* guide; *2. (Buch)* travel guide
reisen ['raɪzən] *v* travel
Reisende(r) ['raɪzəndə(r)] *m/f 1.* traveller; *2. (Urlauber(in))* tourist
Reisepass ['raɪzəpas] *m* passport
Reisescheck ['raɪzəʃɛk] *m* traveller's cheque
reißen ['raɪsən] *v irr 1. (zerreißen)* tear, rip; *2. (ziehen)* drag, pull, tug
Reißnagel ['raɪsna:gəl] *m* drawing pin *(UK)*, thumbtack *(US)*

Reißverschluss ['raɪsfɛrʃlus] *m* zipper
reiten ['raɪtən] *v irr* ride
Reiter ['raɪtər] *m* rider, horseman
Reiz [raɪts] *m 1. (Reizung)* irritation; *2. (Aufreizung)* provocation; *3. (Anreiz)* stimulation, incitement; *4. (Anmut)* grace, attractiveness
reizbar ['raɪtsbaːr] *adj* irritable, sensitive
reizen ['raɪtsən] *v 1. (irritieren)* irritate, provoke; *2. (anregen)* stimulate
reizend ['raɪtsənt] *adj 1.* charming, delightful; *adv 2.* delightfully, charmingly
reizlos ['raɪtsloːs] *adj* unattractive
Reizung ['raɪtsuŋ] *f 1.* irritation, provocation; *2. (Anregung)* stimulation
reizvoll ['raɪtsfɔl] *adj* attractive, charming
Reklamation [reklama'tsjoːn] *f* complaint
Reklame [re'klaːmə] *f 1.* advertising, publicity; *2. (Einzelwerbung)* advertisement
reklamieren [rekla'miːrən] *v (beanstanden)* complain about, object to
Rekord [re'kɔrt] *m* record
Rekrut [re'kruːt] *m* MIL recruit, conscript
Rektor ['rɛktɔr] *m (einer Schule)* headmaster, principal *(US)*
relativ [rela'tiːf] *adj 1.* relative; *adv 2.* relatively
Relativität [relativi'tɛːt] *f* relativity
Relativpronomen [rela'tiːfpronoːmən] *n* GRAMM relative pronoun
relevant [rele'vant] *adj* relevant
Relief [rɛl'jɛf] *n* ART relief
Religion [reli'gjoːn] *f* religion
religiös [reli'gjøːs] *adj* religious
Relikt [re'lɪkt] *n* relic
Remoulade [remu'laːdə] *f* GAST tartar sauce
Renaissance [rənɛ'sãːs] *f* HIST Renaissance
Rennbahn ['rɛnbaːn] *f* race-course, race track *(US)*
rennen ['rɛnən] *v irr 1.* run; *2. (rasen)* rush; *3.* SPORT race
Rennen ['rɛnən] *n* race, running
Rennfahrer ['rɛnfaːrər] *m* racing driver
Rennwagen ['rɛnvaːgən] *m* racing-car *(UK)*, race car *(US)*
renovieren [reno'viːrən] *v* renovate
Renovierung [reno'viːruŋ] *f* renovation
rentabel [rɛn'taːbəl] *adj* profitable
Rente ['rɛntə] *f 1. (Altersrente)* pension; *2. (aus Versicherung)* annuity
Rentier ['rɛːntiːr] *n* ZOOL reindeer
Rentner ['rɛntnər] *m* pensioner
Reparatur [repara'tuːr] *f* repair

reparieren [repa'riːrən] *v* repair, mend, fix
Reportage [repɔr'taːʒə] *f* report, coverage
Reporter(in) [re'pɔrtər(ɪn)] *m/f* reporter
Repräsentant(in) [reprɛzɛn'tant(ɪn)] *m/f* representative
repräsentativ [reprɛzɛnta'tiːf] *adj* representative
repräsentieren [reprɛzɛn'tiːrən] *v* represent, act as representative for
Reptil [rɛp'tiːl] *n* ZOOL reptile
Republik [repu'bliːk] *f* republic
Republikaner [republi'kaːnər] *m 1. (Anhänger der Republik)* POL republican; *2. (Parteimitglied)* POL Republican; *3. (deutsche Rechtspartei)* POL member of the German Republican Party
Reservat [rezɛr'vaːt] *n* reservation
Reserve [re'zɛrvə] *f* reserve; *stille ~n* secret reserves
reservieren [rezɛr'viːrən] *v* reserve, book
Reservierung [rezɛr'viːruŋ] *f* reservation
Resignation [rezɪgna'tsjoːn] *f* resignation
resignieren [rezɪg'niːrən] *v* resign
Resolution [rezolu'tsjoːn] *f* POL resolution
Respekt [re'spɛkt] *m* respect, regard
respektieren [rɛspɛk'tiːrən] *v* respect
respektlos [rɛs'pɛktloːs] *adj 1.* disrespectful, irreverent; *adv 2.* disrespectfully
respektvoll [rɛs'pɛktfɔl] *adj 1.* respectful; *adv 2.* respectfully
Ressort [re'soːr] *n 1.* department; *2. (Verantwortlichkeit)* responsibility
Rest [rɛst] *m 1.* rest, remains *pl; der ~ der Welt* everyone else; *sich den ~ geben (fig)* make o.s. really ill; *2.* MATH remainder; *3.* CHEM residue
Restaurant [rɛsto'rãː] *n* restaurant
restaurieren [rɛstau'riːrən] *v* restore, renovate
restlich ['rɛstlɪç] *adj* remaining
restlos ['rɛstloːs] *adj 1.* complete, final; *adv 2.* thoroughly, completely, in full
Resultat [rezul'taːt] *n* result
resultieren [rezul'tiːrən] *v* result
Resümee [rezy'meː] *n* summary
resümieren [rezy'miːrən] *v* summarize
Retorte [re'tɔrtə] *f* CHEM retort
retten [re'tɛn] *v 1.* save, rescue; *sich vor etw kaum ~ können* to be swamped with sth; *Bist du noch zu ~?* Have you lost it? *(fam),* Are you out of your; *mind? 2. (Güter)* recover
Rettung ['rɛtuŋ] *f 1.* rescue; *2. (von Gütern)* recovery; *3. (Befreiung)* deliverance

Rettungsboot ['rɛtuŋsboːt] n lifeboat
Rettungswagen ['rɛtuŋsvaːgən] m ambulance
Reue ['rɔyə] f 1. remorse, repentance; 2. (Bedauern) regret
Revanche [re'vãːʃ] f revenge
revanchieren [revã'ʃiːrən] v 1. sich ~ (rächen) take revenge, get one's own back (UK); 2. sich ~ (erwidern) reciprocate, make up for, repay
Revier [re'viːr] n 1. (Gebiet) district, quarter, section; 2. (Polizeirevier) precinct, district; 3. (Dienststelle) station
Revision [revi'zjoːn] f 1. revision, review; 2. JUR appeal
Revolte [re'vɔltə] f revolt
revoltieren [revɔl'tiːrən] v revolt
Revolution [revɔlu'tsjoːn] f revolution
revolutionär [revɔlutsjoˈnɛːr] adj revolutionary
Revolver [re'vɔlvər] m revolver
Revue [re'vyː] f 1. review; etw ~ passieren lassen pass sth in review; 2. THEAT revue
rezensieren [retsɛn'ziːrən] v review
Rezension [retsɛn'zjoːn] f review, critique
Rezept [re'tsɛpt] n 1. MED prescription; 2. GAST recipe
Rezeption [retsɛp'tsjoːn] f 1. (im Hotel) reception; 2. (eines Rechts) adoption
Rezession [retse'sjoːn] f ECO recession
rezitieren [retsi'tiːrən] v recite
R-Gespräch ['ɛrgəʃprɛːç] n TEL reversed-charge call, collect call (US)
Rhein [raɪn] m GEO Rhine
rhetorisch [re'toːrɪʃ] adj rhetorical
Rheuma ['rɔyma] n MED rheumatism
rheumatisch [rɔy'maːtɪʃ] adj rheumatic
rhythmisch ['rytmɪʃ] adj rhythmic, rhythmical
Rhythmus ['rytmus] m rhythm
richten ['rɪçtən] v 1. (herrichten) arrange; 2. (urteilen) judge, try, sentence; 3. sich nach etw ~ proceed according to sth; 4. (in Ordnung bringen) mend, repair, set right
Richter(in) ['rɪçtər(ɪn)] m/f JUR judge; jdn vor den ~ bringen to take s.o. to court
richtig ['rɪçtɪç] adj 1. right, correct; nicht ganz ~ sein (fam: Mensch) to be not quite right in the head; ~ stellen set right, rectify; ~ stellen (fig) correct; 2. (sehr) really
Richtung ['rɪçtuŋ] f 1. direction; 2. (Kurs) course; 3. (Weg) route; 4. (Einstellung) orientation
riechen ['riːçən] v irr smell

Riegel ['riːgəl] m 1. bolt; etw einen ~ vorschieben put a stop to sth; 2. (Schokolade) bar
Riemen ['riːmən] m 1. strap, belt; sich am ~ reißen pull o.s. together; den ~ enger schnallen tighten one's belt; 2. SPORT oar
Riese ['riːzə] m giant
rieseln ['riːzəln] v 1. trickle; 2. (Regen) drizzle; 3. (Schnee) fall lightly
riesig ['riːzɪç] adj huge, immense
Riff [rɪf] n reef
Rille ['rɪlə] f 1. groove; 2. TECH flute
Rind [rɪnt] n ZOOL 1. (Kuh) cow; 2. (Stier) bull, bullock
Rinde ['rɪndə] f 1. (Käserinde) rind; 2. (Brotrinde) crust; 3. BOT bark, cortex
Rinderwahnsinn ['rɪndərvaːnzɪn] m mad cow disease
Rindfleisch ['rɪntflaɪʃ] n GAST beef
Ring [rɪŋ] m 1. (Schmuck) ring; 2. (Kreis) ring, circle; 3. (Straße) ring-road
ringeln ['rɪŋəln] v 1. curl; 2. (Pflanze) entwine; 3. sich ~ (Schlange) coil
ringen ['rɪŋən] v irr wrestle
Ringen ['rɪŋən] n 1. SPORT wrestling; 2. (fig) struggle
Ringfinger ['rɪŋfɪŋər] m ring-finger
ringsherum ['rɪŋsherum] adv 1. all round, all the way around; 2. (überall) on all sides
rinnen ['rɪnən] v irr run, flow, leak
Rinnsal ['rɪnzaːl] n (kleiner Bach) streamlet, rivulet
Rippe ['rɪpə] f 1. ANAT rib; sich etw aus den ~ schneiden squeeze blood out of a stone; 2. GAST rib
Risiko ['riːziko] n risk
riskant [rɪs'kant] adj risky
riskieren [rɪs'kiːrən] v risk
Riss [rɪs] m rip, tear, split
rissig ['rɪsɪç] adj cracked, flawed, split
Ritt [rɪt] m ride
Ritter ['rɪtər] m knight
ritterlich ['rɪtərlɪç] adj 1. HIST knightly; 2. (fig) chivalrous
Ritual [ritu'aːl] n ritual
rituell [ritu'ɛl] adj ritual
ritzen ['rɪtsən] v 1. etw ~ scratch sth; Die Sache ist geritzt. (fig) It's in the bag. 2. sich ~ scratch o.s.
Rivale [ri'vaːlə] m rival
rivalisieren [rivali'ziːrən] v compete, vie
Rivalität [rivali'tɛːt] f rivalry
Robbe ['rɔbə] f ZOOL seal
Robe ['roːbə] f 1. (Abendrobe) gown, dress, robe; 2. (Amtsrobe) robe, gown

Roboter ['rɔbɔtər] *m TECH* robot
robust [ro'bust] *adj* robust, sturdy
Rock [rɔk] *m* skirt
rodeln ['roːdəln] *v SPORT* luge
roden ['roːdən] *v* 1. *(Land)* clear; 2. *(Baum)* root out
Roggen ['rɔgən] *m BOT* rye
roh [roː] *adj* 1. *(nicht gekocht)* raw; 2. *(nicht bearbeitet)* crude, rough, *(Eisen)* unwrought; 3. *(fig)* coarse, crude, rude
Rohheit ['roːhaɪt] *f* 1. rawness; 2. *(Gefühllosigkeit)* roughness, brutality; 3. *(rohe Handlung)* act of brutality
Rohr [roːr] *n* 1. *(Leitung)* pipe, tube; 2. *BOT* reed, cane
Röhre ['røːrə] *f* 1. *(Rohr)* tube, pipe; 2. *(Backrohr)* oven
Rohstoff ['roːʃtɔf] *m* raw material
Rolle ['rɔlə] *f* 1. roll, coil; *von der ~ sein (fam)* to be mixed up; 2. *THEAT* role, part; *aus der ~ fallen* forget o.s. *Das spielt keine ~.* That's of no consequence.
rollen ['rɔlən] *v* roll
Roller ['rɔlər] *m* 1. *(Motorroller)* scooter; 2. *(Tretroller)* scooter
Rollschuh ['rɔlʃuː] *m SPORT* roller skate
Rollstuhl ['rɔlʃtuːl] *m* wheelchair
Rolltreppe ['rɔltrɛpə] *f* escalator
Roman [ro'maːn] *m* novel
Romantik [ro'mantɪk] *f* romanticism
romantisch [ro'mantɪʃ] *adj* 1. romantic; *adv* 2. romantically
Romanze [ro'mantsə] *f* romance
Römer(in) ['røːmər(ɪn)] *m/f* Roman
römisch ['røːmɪʃ] *adj* Roman
röntgen ['rœntɡən] *v* X-ray, take an X-ray of
Röntgenstrahlen ['rœntɡənʃtraːlən] *pl PHYS* X-rays
rosa ['roːza] *adj* pink
Rose ['roːza] *f BOT* rose
Rosenkranz ['roːzənkrants] *m REL* rosary
rosig ['roːzɪç] *adj* rosy
Rosine [ro'ziːnə] *f GAST* raisin; *~n im Kopf haben* have big ideas
Rosmarin ['roːsmariːn] *m BOT* rosemary
Ross [rɔs] *n* horse, steed; *auf dem hohen ~ sitzen* to be on one's high horse; *von seinem hohen ~ herunterkommen* come down off one's high horse
Rost [rɔst] *m* 1. *(Bratrost)* grill, grid; 2. *(Eisenoxid)* CHEM rust
rosten ['rɔstən] *v* rust
rösten ['rœstən] *v* 1. roast; 2. *(Brot)* toast
rostig ['rɔstɪç] *adj* rusty

rot [roːt] *adj* red
Rotwein ['roːtvaɪn] *m GAST* red wine
Rotwild ['roːtvɪlt] *n ZOOL* red deer
Route ['ruːtə] *f* route
Routine [ru'tiːnə] *f* routine, experience
Rübe ['ryːbə] *f BOT* turnip
Rubel ['ruːbəl] *m FIN* rouble, rubel *(US)*; *Der ~ rollt. (fig)* The money's rolling in.
Rubrik [ru'briːk] *f* 1. rubric; 2. *(Titel)* heading; 3. *(Kategorie)* category
Rückblick ['rykblɪk] *m* look back
Rücken ['rykən] *m ANAT* back; *etw hinter jds ~ tun (fig)* do sth behind s.o.'s back *(fig)*; *jdm den ~ zukehren* turn one's back on s.o. *sich den ~ frei halten* cover o.s.
Rückfall ['rykfal] *m* relapse
Rückfrage ['rykfraːgə] *f* question, further inquiry
Rückgabe ['rykɡaːbə] *f* return, restitution
Rückgang ['rykɡaŋ] *m* decline, drop, decrease
Rückgrat ['rykɡraːt] *n ANAT* spine, vertebral column, spinal column; *kein ~ haben (fig)* have no backbone
Rückhalt ['rykhalt] *m* support, backing
rückhaltlos ['rykhaltloːs] *adj* 1. unreserved, frank; *adv* 2. unreservedly, totally
Rückkehr ['rykkeːr] *f* return
Rücklage ['ryklaːgə] *f* 1. reserve; 2. *(Ersparnisse)* savings *pl*
rückläufig ['ryklɔyfɪç] *adj* declining
Rücklicht ['ryklɪçt] *n* back light
Rücknahme ['ryknaːmə] *f* taking back
Rückreise ['rykraɪzə] *f* return trip
Rucksack ['rukzak] *m* backpack, rucksack
Rückschlag ['rykʃlaːk] *m* 1. *(der Schusswaffe)* recoil; 2. *SPORT* back-pass; 3. *(fig)* setback
Rückschritt ['rykʃrɪt] *m* regression, step back
Rückseite ['rykzaɪtə] *f* reverse, back
Rücksicht ['rykzɪçt] *f* consideration, regard, respect; *auf jdn ~ nehmen* show consideration for s.o.
rücksichtslos ['rykzɪçtsloːs] *adj* 1. inconsiderate, reckless, thoughtless; *adv* 2. inconsiderately, thoughtlessly, recklessly
Rücksichtslosigkeit ['rykzɪçtsloːzɪçkaɪt] *f* 1. thoughtlessness; 2. *(Härte)* ruthlessness
rücksichtsvoll ['rykzɪçtsfɔl] *adj* thoughtful, considerate
Rücksitz ['rykzɪts] *m* back seat
Rückstand ['rykʃtant] *m* 1. *(Außenstände)* arrears *pl*; 2. *(Lieferrückstand, Arbeitsrück-*

stand) backlog; 3. *(Abfallprodukt)* residue; 4. *(Rest)* remains *pl;* 5. SPORT deficit; *im ~ sein* to be behind, to be trailing

rückständig ['rʏkʃtɛndɪç] *adj* 1. backward; 2. *(Zahlung)* overdue, outstanding; 3. *(fig: überholt)* outdated

Rückstrahler ['rʏkʃtraːlər] *m* reflector

Rücktritt ['rʏktrɪt] *m* 1. *(Amtsniederlegung)* resignation, retirement; 2. *(am Fahrrad)* backpedal brake

rückwärts ['rʏkvɛrts] *adv* backwards

Rückzahlung ['rʏktsaːluŋ] *f* repayment, refund, reimbursement

Rüde ['ryːdə] *m* ZOOL dog, male

Rudel ['ruːdəl] *n* 1. *(von Wölfen/Hunden, von U-Booten)* pack; 2. *(von Hirschen, von Wildschweinen)* herd

Ruder ['ruːdər] *n* 1. *(Steuerruder)* helm, tiller, rudder; 2. *(Riemen)* oar

Ruderboot ['ruːdərboːt] *n* rowing-boat, rowboat *(US)*

rudern ['ruːdərn] *v* row, paddle

Ruf [ruːf] *m* 1. call, cry, shout; 2. *(Ansehen)* reputation, repute, renown; 3. *(Aufforderung)* call, summons

rufen ['ruːfən] *v irr* call, shout, cry out; *ins Gedächtnis ~* call to mind; *zur Ordnung ~* call to order

Rufname ['ruːfnaːmə] *m* Christian name by which a person is known

Rufnummer ['ruːfnumər] *f* telephone number

Rüge ['ryːgə] *f* reprimand, reproof, rebuke

rügen ['ryːgən] *v* 1. reprimand, rebuke; 2. *(kritisieren)* find fault with

Ruhe ['ruːə] *f* 1. *(Stille)* silence, stillness, tranquillity; *etw in ~ lassen* let sth alone; *die ~ vor dem Sturm* the calm before the storm; *die ~ selbst sein* to be as cool as a cucumber; *jdn aus der ~ bringen* unnerve s.o. *~ geben* to be quiet; *seine ~ haben wollen* want to be left in peace; *in aller ~* calmly, at one's leisure; 2. *(Ausruhen)* rest; *zur ~ kommen* get some peace, get a chance to rest; *sich zur ~ setzen* retire; 3. *(Bewegungslosigkeit)* stillness; 4. *(Frieden)* peace, calmness, tranquillity

ruhen ['ruːən] *v* 1. *(ausruhen)* rest, take a rest; *~ lassen* let lie, leave alone; 2. *(stillstehen)* come to a standstill, to be interrupted, cease; 3. *~ auf (lasten)* lean on, rest on

Ruhestand ['ruːəʃtant] *m* retirement

ruhig ['ruːɪç] *adj* 1. *(still)* quiet, tranquil, calm; 2. *(bewegungslos)* motionless, still; 3. *(friedvoll)* peaceful, calm, tranquil

Ruhm [ruːm] *m* glory, fame, renown

rühmen ['ryːmən] *v* praise, speak highly of

rühren ['ryːrən] *v* 1. *(bewegen)* stir, move; *sich kaum noch ~ können* to be hardly able to move; 2. *(umrühren)* stir; 3. *(fig)* move, touch

Rührung ['ryːruŋ] *f* emotion, feeling

Ruin [ruˈiːn] *m* ruin

Ruine [ruˈiːnə] *f* ruin

ruinieren [ruiˈniːrən] *v* ruin

rülpsen ['rʏlpsən] *v* burp, belch

Rummel ['ruməl] *m* 1. *(Lärm)* racket, din, row *(UK)*; 2. *(Jahrmarkt)* fair

rumpeln ['rumpəln] *v* rumble

Rumpf [rumpf] *m* 1. *(Schiffsrumpf)* hull; 2. *(Flugzeugrumpf)* body, fuselage; 3. ANAT trunk

rümpfen ['rʏmpfən] *v die Nase ~ über etw* turn up one's nose at sth

rund [runt] *adj* 1. round, circular; *adv* 2. *(zirka)* approximately, roughly

Runde ['rundə] *f* 1. round; *eine ~ schmeißen* stand a round; *etw über die ~n bringen* pull sth off; *über die ~n kommen* make ends meet; 2. *(Personenkreis)* company; 3. *(Rundgang)* round; *die ~ machen* ciculate; 4. *(des Polizisten)* beat; 5. *(um die Rennbahn)* lap

Rundfahrt ['runtfaːrt] *f* tour

Rundfunk ['runtfuŋk] *m* 1. *(Übertragung)* broadcasting, radio; 2. *(Anstalt)* broadcasting corporation, broadcasting organisation

Rundgang ['runtgaŋ] *m* tour, round, walk

rundherum ['runthɛrum] *adv* all round

Rundschreiben ['runtʃraibən] *n* circular

runter ['runtər] *adv (fam) (siehe „herunter", „hinunter")*

runzelig ['runtsɛlɪç] *adj* wrinkled

runzeln ['runtsəln] *v* wrinkle, crease; *die Stirn ~* knit one's brows

rupfen ['rupfən] *v* 1. pull; 2. *(Geflügel)* pluck; 3. *jdn ~ (fig)* fleece s.o.

Ruß [ruːs] *m* soot

Russe/Russin ['rusə/'rusɪn] *m/f* Russian

Rüssel ['rysəl] *m* ZOOL trunk

russisch ['rusɪʃ] *adj* Russian

Russland ['ruslant] *n* GEO Russia

rüsten ['rʏstən] *v* 1. arm; 2. *(etw ~)* prepare

rüstig ['rʏstɪç] *adj* stout, robust, vigorous

Rüstung ['rʏstuŋ] *f* 1. *(Ritterrüstung)* armour; 2. *(Bewaffnung)* MIL armament

Rute ['ruːtə] *f* 1. *(Zweig)* twig, branch; 2. *(Angelrute)* fishing-rod

rutschen ['rutʃən] *v* 1. slide, slither; 2. *(herunter~)* slip

rutschig ['rutʃɪç] *adj* slippery, slithery

rütteln ['rʏtəln] *v* shake

S

Saal [zaːl] *m* hall
Saat [zaːt] *f 1.* seed; *2. (junges Getreide)* green corn; *3. (Säen)* sowing
Sabbat ['zabat] *m* Sabbath
Säbel ['zɛːbəl] *m* sabre, sword
Sabotage [zabo'taːʒə] *f* sabotage
Sachbuch ['zaxbuːx] *n* non-fiction book
sachdienlich ['zaxdiːnlɪç] *adj 1.* helpful, relevant; *2. (nützlich)* useful
Sache ['zaxə] *f 1. (Gegenstand)* object, thing; *2. (Angelegenheit)* matter, affair, business; *gemeinsame ~ machen mit* join forces with; *zur ~ kommen* get down to business, get to the point; *nicht jedermanns ~ sein* not be everyone's cup of tea; *sich seiner ~ sicher sein* know what one is doing; *bei der ~ sein* have one's mind on what one is doing; *nichts zur ~ tun* to be beside the point; *3. JUR* case, lawsuit, action
Sachgebiet ['zaxɡəbiːt] *n* field, subject
Sachkenntnis ['zaxkentnɪs] *f* expertise
sachkundig ['zaxkundɪç] *adj* informed, knowledgeable
Sachlage ['zaxlaːɡə] *f* situation, state of affairs
sachlich ['zaxlɪç] *adj 1.* factual, material, practical; *2. (objektiv)* objective; *3. (nüchtern)* matter-of-fact
Sachlichkeit ['zaxlɪçkaɪt] *f* objectivity, impartiality
Sachschaden ['zaxʃaːdən] *m* damage to property
Sachse ['zaksə] *m* Saxon
Sachsen ['zaksən] *n GEO* Saxony
sächsisch ['zɛksɪʃ] *adj* Saxon
sacht [zaxt] *adj 1.* soft, gentle; *2. (behutsam)* cautious, careful; *3. Sachte, ~e!* Easy! Gently! *adv 4. sich jdm ~ nähern* cautiously approach s.o.
Sachverhalt ['zaxfɛrhalt] *m* facts *pl,* situation, circumstances *pl*
Sachverständige(r) ['zaxfɛrʃtɛndɪɡə(r)] *m/f 1.* expert, authority, specialist; *2. JUR* expert witness
Sack [zak] *m* sack, bag; *jdn in den ~ stecken* walk all over s.o.; *etw im ~ haben* have sth in the bag; *mit ~ und Pack* with bag and baggage
Sackgasse ['zakɡasə] *f 1.* blind alley, cul-de-sac; *2. (fig)* dead-end street
Sackkarre ['zakkarə] *f* handcart

Sadismus [za'dɪsmus] *m* sadism
sadistisch [za'dɪstɪʃ] *adj* sadistic
säen ['zɛːən] *v* sow
Safari [za'faːri] *f* safari
Saft [zaft] *m 1. (Obstsaft)* juice; *2. (Bratensaft)* gravy; *3. ohne ~ und Kraft* lifeless
saftig ['zaftɪç] *adj 1.* juicy; *2. (fig: Brief)* potent; *3. (Witz)* spicy; *4. (Rechnung)* steep, hefty
Sage ['zaːɡə] *f* legend, myth
Säge ['zɛːɡə] *f* saw
sagen ['zaːɡən] *v 1.* say; *jdm etw ~* tell s.o. sth; *wie gesagt* as I said, like I said (fam); *Sag mal ...* Say ...; *die Wahrheit ~* tell the truth; *sage und schreibe* believe it or not, no less than; *sich nichts mehr zu ~ haben* have nothing left to say to each other; *sich etw nicht zweimal ~ lassen* jump at sth; *etw zu ~ haben* have a say; *Von dem lasse ich mir nichts ~.* I won't take it from him. *Das ist nicht gesagt.* That isn't necessarily so. *Das ist zu viel gesagt.* That would be exaggerating things. *Wem sagst du das!* You're telling me! (fam); *2. (bedeuten)* mean; *Sagt dir das was?* Do you know what that means? Does that ring a bell? (fam)
sägen ['zɛːɡən] *v* saw
sagenhaft ['zaːɡənhaft] *adj 1.* mythical, legendary; *2. (fig)* fabulous, terrific
Sägespäne ['zɛːɡəʃpɛːnə] *pl* sawdust
Sahne ['zaːnə] *f GAST* cream
sahnig ['zaːnɪç] *adj* creamy
Saison [zɛ'zɔ̃] *f* season
Saite ['zaɪtə] *f* string; *andere ~n aufziehen* (fig) get tough; *in jdm eine ~ zum Klingen bringen* strike a chord with s.o.
Sakko ['zako] *m* sports jacket, sportcoat (US)
sakral [za'kraːl] *adj REL* sacral, sacred
Sakrament [zakra'mɛnt] *n REL* sacrament
säkular [zɛːku'laːr] *adj (weltlich)* secular
Salat [za'laːt] *m* salad; *Da haben wir den ~.(fig)* Now we're in a fine mess.
Salbe ['zalbə] *f* ointment, salve
Salbei ['zalbaɪ] *m BOT* sage
salben ['zalbən] *v 1.* rub salve into; *2. jdn ~ (weihen)* anoint s.o.
Saldo ['zaldo] *m ECO* balance
Salmonellen [zalmo'nɛlən] *pl BIO* salmonella
salomonisch [zalo'moːnɪʃ] *adj* Solomonic

Salon [za'lõː] *m* 1. drawing room, parlor
(US), reception room; 2. *(Frisörsalon, Kosme-tiksalon)* salon

salonfähig [za'lõːfɛːɪç] *adj* presentable, so-cially acceptable

salopp [za'lɔp] *adj* 1. *(ungezwungen)* casual,
nonchalant; 2. *(nachlässig)* sloppy, slovenly

Salto ['zalto] *m* somersault; ~ *mortale* death-defying leap

Salut [za'luːt] *m* MIL salute (of guns)

salutieren [zalu'tiːrən] *v* MIL salute

Salve ['zalvə] *f* 1. salvo; 2. *(Ehrensalve)* salute;
3. *(von Applaus)* burst

Salz [zalts] *n* salt; ~ *auf jds Wunden streuen*
rub salt in s.o.'s wounds; *Sie gönnt einem nicht
einmal das ~ in der Suppe.* She even begrudges
you the air you breathe.

salzen ['zaltsən] *v* salt

salzig ['zaltsɪç] *adj* salty

Salzsäure ['zaltsɔyrə] *f* CHEM hydrochlor-ic acid

Salzwüste ['zaltsvyːstə] *f* GEO salt flat

Samen ['zaːmən] *m* 1. *(Saat)* BOT seed; 2.
BIO sperm, semen

Samenbank ['zaːmənbaŋk] *f* sperm bank

sämig ['zɛːmɪç] *adj* thick, creamy

Sammelband ['zaməlbant] *m* anthology,
omnibus volume

Sammelbecken ['zaməlbɛkən] *n* 1. reser-voir, catchment area; 2. *(fig)* reservoir

sammeln ['zaməln] *v* 1. collect, *(anhäufen)*
accumulate; 2. *(auf~)* gather, pick; 3. *sich ~ (sich
an~)* gather, assemble; 4. *sich ~ (fig)* collect
o.s., gather o.s.

Sammler ['zamlər] *m* collector, hoarder

Sammlung ['zamluŋ] *f* 1. collection; 2.
(Blütenlese) selection; 3. *(Zusammenstellung)*
compilation; 4. *(fig: Konzentration)* concentra-tion, composure, collectedness

Samstag ['zamstaːk] *m* Saturday

samt [zamt] *prep* v. including, together with;
adv 2. ~ *und sonders* all of them, the lot (fam)

Samt [zamt] *m* velvet

Samthandschuh ['zamthandʃuː] *m jdn mit
~en anfassen* handle s.o. with kid gloves

sämtlich ['zɛmtlɪç] *adj* every, all, entire; ~e
Werke the complete works

Sanatorium [zana'toːrjum] *n* sanatorium

Sand [zant] *m* sand; *im ~e verlaufen* come to
nothing; *jdm in den ~ setzen* blow sth (fam);
etw auf ~ gebaut haben have built sth upon
shaky ground; *jdm ~ in die Augen streuen* pull
the wool over s.o.'s eyes; *Das gibt's doch wie
~ am Meer.* There are loads of them.

Sandale [zan'daːlə] *f* sandal

Sandbank ['zantbaŋk] *f* sandbar

sandig ['zandɪç] *adj* sandy

Sandkasten ['zantkastən] *m* sandbox

Sandmännchen ['zantmɛnçən] *n* sand-man

Sandpapier ['zantpapiːr] *n* sandpaper

Sanduhr ['zantuːr] *f* 1. sandglass, hourglass;
2. *(Eieruhr)* egg-timer

Sandwich ['zɛntvɪtʃ] *n* sandwich

sanft [zanft] *adj* soft, gentle, smooth

Sanftmut ['zanftmuːt] *f* softness, gentle-ness, sweetness of character

sanftmütig ['zanftmyːtɪç] *adj* soft, gentle,
sweet

Sänger ['zɛŋər] *m* singer

sanieren [za'niːrən] *v* 1. *(Stadtteil)* redevel-op; 2. *(räumen)* clear; 3. *(heilen)* cure

Sanierung [za'niːruŋ] *f* 1. restoration; 2.
(Elendsviertel) clearance

sanitär [zani'tɛːr] *adj* sanitary

Sanitäter [zani'tɛːtər] *m* 1. first-aid man; 2.
(in Krankenwagen) ambulance man

Sankt [zaŋkt] *adj* saint

Sanktion [zaŋk'tsjoːn] *f* sanction, penalty

sanktionieren [zaŋktsjo'niːrən] *v* sanction

Sanskrit ['zanskrit] *n* LING Sanskrit

Saphir ['zaːfir] *m* MIN sapphire

Sarg [zark] *m* coffin

Sarkasmus [zar'kasmus] *m* sarcasm

sarkastisch [zar'kastɪʃ] *adj* sarcastic

Sarkophag [zarko'faːk] *m* sarcophagus

Satan ['zaːtan] *m* Satan

Satellit [zatə'liːt] *m* satellite

Satin [za'tɛ̃ː] *m* satin

Satire [za'tiːrə] *f* LIT satire

satirisch [za'tiːrɪʃ] *adj* satirical, satiric

satt [zat] *adj* 1. satisfied, having had enough
to eat; 2. *(voll)* full; 3. *jdn ~ haben* (fig) to be fed
up with s.o.; 4. *(Farben)* rich, deep

Sattel ['zatəl] *m* saddle; *jdn aus dem ~ heben*
unseat s.o.; *fest im ~ sitzen* to be secure in
one's position

satteln ['zatəln] *v* saddle

sättigen ['zɛtɪgən] *v* 1. satisfy one's hunger,
satiate; 2. CHEM saturate

Satz [zats] *m* 1. GRAMM sentence; 2. *(im
Druckwesen: das Setzen)* typesetting; 3. *(Men-ge)* set, batch; 4. SPORT set; 5. *(fester Betrag)*
rate

Satzung ['zatsuŋ] *f* constitution, statutes *pl*,
bylaws *pl*

Satzzeichen ['zatstsaɪçən] *n* punctuation
mark

Sau [zau] f 1. ZOOL sow; *die ~ rauslassen* let it all hang out (fam); *jdn zur ~ machen* take s.o. to pieces; *unter aller ~ sein* to be bloody awful; 2. (fam: Person) dirty pig, swine

sauber ['zaubər] adj clean, tidy, neat; *~ machen* clean

Sauberkeit ['zaubərkaɪt] f cleanliness, tidiness, neatness

säubern ['zɔybərn] v 1. clean; 2. POL purge

Sauce ['zoːsə] f GAST sauce, gravy

sauer ['zauər] adj 1. sour; *Gib ihm Saures!* Let him have it! 2. CHEM acid; 3. (fig: Person) cross, annoyed

Sauerei [zauə'raɪ] f (fam) filth, mess; *Das ist eine ~.* That is the pits.

säuerlich ['zɔyərlɪç] adj 1. GAST tart, slightly sour, sourish, acidulous; 2. (fig: verärgert) peeved, miffed

Sauerstoff ['zauərʃtɔf] m CHEM oxygen

Sauerstoffmaske ['zauərʃtɔfmaskə] f oxygen mask

saufen ['zaufən] v irr 1. (Tier) drink; 2. (fam) booze, hit the bottle, drink hard; *wie ein Loch ~* drink like a fish

Säufer ['zɔyfər] m boozer, drinker, drunkard

saugen ['zaugən] v irr 1. suck; 2. (staub~) vacuum

säugen ['zɔygən] v nurse, suckle

Säugetier ['zɔygətiːr] n ZOOL mammal

Säugling ['zɔyklɪŋ] m infant

Säule ['zɔylə] f pillar, column

Säulengang ['zɔyləngaŋ] m ARCH colonnade

Saum [zaum] m 1. (beim Nähen) hem; 2. (Naht) seam; 3. (Rand) edge, border

Sauna ['zauna] f sauna

Säure ['zɔyrə] f 1. CHEM acid; 2. (Geschmack) sourness, acidity

säurehaltig ['zɔyrəhaltɪç] adj CHEM acidic

säuseln ['zɔyzəln] v 1. (Blätter) rustle; 2. (Wind) murmur; 3. (fig: sagen) purr

sausen ['zauzən] v 1. (Mensch) dash, zip, rush; 2. (Wind) whistle; 3. (Ohren) buzz; *es saust mir in den Ohren* my ears are buzzing

Saxofon [zakso'foːn] n MUS saxophone

Schabe ['ʃaːbə] f (Insekt) cockroach

schaben ['ʃaːbən] v 1. grate, rasp; 2. (zerschneiden) mince

Schabernack ['ʃaːbərnak] m practical joke, trick, prank; *jdm einen ~ spielen* play a joke on s.o.

schäbig ['ʃɛːbɪç] adj 1. (armselig) shabby, scruffy; 2. (abgetragen) worn, shabby; 3. (fig: mies) mean, nasty, low

Schablone [ʃa'bloːnə] f 1. (Malschablone) stencil; 2. (Muster) template; 3. (fam: herkömmliche Form) routine

schablonenhaft [ʃa'bloːnənhaft] adj stereotyped, clichéd

Schach [ʃax] n 1. chess; 2. *jdn in ~ halten* hold s.o. in check

Schachbrett ['ʃaxbret] n chessboard

schachern ['ʃaxərn] v haggle

Schachfigur ['ʃaxfiguːr] f 1. chess piece; 2. (fig) pawn

schachmatt [ʃax'mat] adj 1. checkmated, mated; *jdn ~ setzen* checkmate s.o.; *Schachmatt!* Checkmate! 2. (fam: erschöpft) beat

Schacht [ʃaxt] m shaft, pit, ravine

Schachtel ['ʃaxtəl] f 1. box; 2. *alte ~* (fam) old bag

Schachzug ['ʃaxtsuːk] m move

schade ['ʃaːdə] adj a pity, a shame; *sich für nichts zu ~ sein* consider nothing beneath one

Schädel ['ʃɛːdəl] m 1. skull; *sich den ~ einrennen* bang one's head against the wall; *Ihm brummt der ~.* His head is throbbing. 2. (fam: Kopf) head

schaden ['ʃaːdən] v harm, damage, hurt; *zu Schaden kommen* come to harm

Schaden ['ʃaːdən] m 1. damage, loss, harm; 2. (Personenschaden) injury

Schadenersatz ['ʃaːdənerzats] m 1. compensation, indemnity, reimbursement; 2. (festgesetzte Geldsumme) damages pl

Schadenfreude ['ʃaːdənfrɔydə] f malicious joy, joy over the misfortunes of others, Schadenfreude

schadenfroh ['ʃaːdənfroː] adj gloating

schadhaft ['ʃaːthaft] adj 1. damaged; 2. (mangelhaft) defective, faulty

schädigen ['ʃɛːdɪgən] v 1. damage; 2. (jdn ~) harm

Schädigung ['ʃɛːdɪguŋ] f damage, harm

schädlich ['ʃɛːtlɪç] adj harmful, damaging, detrimental

Schädling ['ʃɛːtlɪŋ] m insect, vermin, pest

Schädlingsbekämpfung ['ʃɛːtlɪŋsbəkɛmpfuŋ] f pest control

Schadstoff ['ʃaːtʃtɔf] m harmful substance, harmful chemical

Schaf [ʃaːf] n ZOOL sheep; *das schwarze ~* be the black sheep

Schäfer ['ʃɛːfər] m shepherd

schaffen ['ʃafən] v irr 1. (zu Stande bringen) manage, accomplish, succeed; *Wir haben's geschafft.* We've done it. We did it. (US) 2. (herstellen) make; *sich an etw zu ~ machen* busy o.s.

with sth; *für etw wie geschaffen sein* to be cut out for sth; 3. *(fig: bewirken)* bring about, cause; *Damit hat er nichts zu ~.* That has nothing to do with him.

Schaffner [ˈʃafnər] *m* 1. *(im Zug)* guard *(UK)*, conductor *(US)*; 2. *(Verwalter)* steward

Schafherde [ˈʃaːfheːrdə] *f* flock of sheep

Schaft [ʃaft] *m* 1. shaft; 2. *(eines Gewehrs)* stock; 3. *(einer Blume)* stalk

Schakal [ʃaˈkaːl] *m* ZOOL jackal

schäkern [ˈʃɛːkərn] *v* 1. joke; 2. *(flirten)* flirt

schal [ʃaːl] *adj* flat, stale

Schal [ʃaːl] *m* scarf, shawl, wrap

Schale [ˈʃaːlə] *f* 1. peel, skin, shell; *sich in ~ werfen (fig)* dress up to the nines; 2. *(Schüssel)* bowl, dish

schälen [ˈʃɛːlən] *v* 1. *(Tomate, Mandel)* skin; 2. *(Erbsen, Eier, Nüsse)* shell; 3. *(Obst, Kartoffeln)* peel; 4. *(Getreide)* husk

Schalk [ʃalk] *m* rogue, rascal, joker; *Ihr schaut der ~ aus den Augen.* She has a mischievous twinkle in her eye.

schalkhaft [ˈʃalkhaft] *adj* roguish

Schall [ʃal] *m* sound; *~ und Rauch sein* to be hollow words

schalldicht [ˈʃaldɪçt] *adj* soundproof

schallen [ˈʃalən] *v irr* resound, echo, ring

Schallgeschwindigkeit [ˈʃalɡəʃvɪndɪçkaɪt] *f* speed of sound

Schallmauer [ˈʃalmauər] *f* sound barrier

Schallplatte [ˈʃalplatə] *f* record

Schallplattenspieler [ˈʃalplatənʃpiːlər] *m* record-player, turntable

schalten [ˈʃaltən] *v* 1. *(einschalten/ausschalten)* switch on/off, turn on/off; 2. *(Auto)* change gears, shift gears; 3. *(fig: begreifen)* get it, catch on

Schalter [ˈʃaltər] *m* 1. *(Vorrichtung)* switch; 2. *(Bankschalter)* window, counter

Schalterhalle [ˈʃaltərhalə] *f* hall, booking hall

Schaltjahr [ˈʃaltjaːr] *n* leap-year

Scham [ʃaːm] *f* shame

schämen [ˈʃɛːmən] *v sich ~* feel ashamed, to be embarrassed

Schamgefühl [ˈʃaːmɡəfyːl] *n* sense of shame

schamhaft [ˈʃaːmhaft] *adj* 1. modest, *(verschämt)* bashful; *adv* 2. modestly, bashfully

schamlos [ˈʃaːmloːs] *adj* shameless, indecent

Schande [ˈʃandə] *f* disgrace

schänden [ˈʃɛndən] *v* 1. dishonour, disgrace; 2. *(entweihen)* desecrate, defile; 3.

(vergewaltigen) rape, violate; 4. *(ein Kind ~)* abuse

Schandfleck [ˈʃantflɛk] *m* 1. blemish, taint; 2. *(Schande)* disgrace

schändlich [ˈʃɛndlɪç] *adj* 1. shameful, disgraceful; *adv* 2. shamefully, disgracefully

Schandtat [ˈʃanttaːt] *f* scandalous deed; *zu jeder ~ bereit sein* to be game for anything

Schändung [ˈʃɛnduŋ] *f* 1. *(Entweihung)* desecration, sacrilege; 2. *(Vergewaltigung)* violation, rape

Schar [ʃaːr] *f* 1. troop, band; 2. *(Menge)* crowd; 3. *(von Gänsen)* flock

scharenweise [ˈʃaːrənvaɪzə] *adv* in crowds, in flocks

scharf [ʃarf] *adj* 1. sharp; 2. *(Gewürz)* hot, spicy; 3. *(Munition)* live; 4. *~ auf etw sein* to be keen on sth; 5. *(fam: geil)* randy, horny *(US)*

Schärfe [ˈʃɛrfə] *f* sharpness, acuity

schärfen [ˈʃɛrfən] *v* sharpen

scharfsinnig [ˈʃarfzɪnɪç] *adj* astute, perceptive, discerning

Scharlach [ˈʃarlax] *m* MED scarlet fever

Scharlatan [ˈʃarlataːn] *m* charlatan

Scharnier [ʃarˈniːr] *n* TECH hinge

Schärpe [ˈʃɛrpə] *f* sash

Schatten [ˈʃatən] *m* shadow, shade; *nur noch der ~ seiner selbst sein* to be only a shadow of one's former self; *einen ~ auf etw werfen* cast a shadow on sth; *sich vor seinem eigenen ~ fürchten* to be afraid of one's own shadow; *nicht über seinen eigenen ~ springen können* not be able to overcome one's own nature

Schattierung [ʃaˈtiːruŋ] *f* shade, nuance

schattig [ˈʃatɪç] *adj* shady

Schatulle [ʃaˈtulə] *f* box, chest

Schatz [ʃats] *m* 1. *(Kostbarkeit)* treasure; 2. *(als Kosewort)* darling, sweetheart, sweetie

Schatzamt [ˈʃatsamt] *n* Treasury

schätzen [ˈʃɛtsən] *v* 1. *(ungefähr berechnen)* estimate; 2. *(annehmen)* suppose, reckon; 3. *(hochachten)* esteem, appreciate

Schätzung [ˈʃɛtsuŋ] *f* 1. *(ungefähre Berechnung)* estimate, valuation; 2. *(Annahme)* estimation; 3. *(Hochachtung)* esteem

schätzungsweise [ˈʃɛtsuŋsvaɪzə] *adv* approximately

Schau [ʃau] *f* show, spectacle, view; *jdm die ~ stehlen* steal the show from s.o.; *eine ~ abziehen* put on an act; *etw zur ~ stellen* sport sth

Schaubild [ˈʃaubɪlt] *n* figure, chart, diagram

Schauder [ˈʃaudər] *m* shudder, shiver

schaudern [ˈʃaudərn] *v* shudder; *mich schaudert* I shudder

schauen ['ʃauən] v look

Schauer ['ʃauər] m 1. (Regen) shower; 2. (Frösteln) shudder, shiver; 3. (Schreck) horror

Schauergeschichte ['ʃauərgəʃɪçtə] f horror story

Schaufel ['ʃaufəl] f shovel

schaufeln ['ʃaufəln] v shovel

Schaufenster ['ʃaufɛnstər] n shop window

Schaukel ['ʃaukəl] f swing

schaukeln ['ʃaukəln] v swing, rock, (schwanken) sway

Schaukelpferd ['ʃaukəlpfɛːrt] n rocking-horse

Schaukelstuhl ['ʃaukəlʃtuːl] m rocking chair

Schaulustige(r) ['ʃaulustɪgə(r)] m/f (auf der Straße) onlooker, curious bystander

Schaum [ʃaum] m foam

schäumen ['ʃɔymən] v 1. foam, froth; 2. (Sekt) bubble, sparkle

Schaumgummi ['ʃaumgumi] m foam rubber

schaumig ['ʃaumɪç] adj foamy

Schaumstoff ['ʃaumʃtɔf] m foamed plastic

Schauplatz ['ʃauplats] m scene, setting

schaurig ['ʃaurɪç] adj scary, awful, horrid

Schauspiel ['ʃauʃpiːl] n 1. THEAT play, drama; 2. (fig) spectacle

Schauspieler(in) ['ʃauʃpiːlər(ɪn)] m/f actor/actress

Schausteller ['ʃauʃtɛlər] m exhibitor

Scheck [ʃɛk] m cheque, check (US); einen ~ einlösen cash a cheque

Scheckkarte ['ʃɛkkartə] f cheque card

Scheibe ['ʃaibə] f 1. disc; 2. (Wurstscheibe) slice; sich von jdm eine ~ abschneiden können to be able to take a leaf out of s.o.'s book; 3. (Fensterscheibe) window pane; 4. (Windschutzscheibe) windscreen, windshield (US)

Scheich [ʃaiç] m sheik

Scheide ['ʃaidə] f 1. (Messerscheide) sheath, scabbard; 2. ANAT vagina

scheiden ['ʃaidən] v irr 1. divide, separate, part; 2. (Ehe) divorce; sich ~ lassen to be divorced

Scheidung ['ʃaiduŋ] f divorce

Schein [ʃain] m 1. (Banknote) banknote, bill (US); 2. (Licht) light, glare; 3. (Bescheinigung) certificate; 4. (fig: Anschein) appearance, semblance; den ~ wahren keep up appearances; etw nur zum ~ tun do sth for appearances' sake

Scheinargument ['ʃainargumɛnt] n spurious argument, specious argument

scheinbar ['ʃainbaːr] adj 1. seeming, apparent; 2. (vorgegeben) ostensible; adv 3. seemingly, ostensibly

Scheinehe ['ʃainexə] f pro forma marriage, marriage in name only

scheinen ['ʃainən] v irr 1. (leuchten) shine, gleam, glitter; 2. (fig: Anschein haben) seem, appear

Scheinfirma ['ʃainfirma] f ECO shell company

scheinheilig ['ʃainhailɪç] adj hypocritical

Scheinheiligkeit ['ʃainhailɪçkait] f hypocrisy

Scheintod ['ʃaintoːt] m apparent death, suspended animation

Scheinwerfer ['ʃainvɛrfər] m 1. (eines Autos) headlight; 2. THEAT spotlight; 3. (Suchscheinwerfer) searchlight

Scheiße ['ʃaisə] f (fam) shit

Scheitel ['ʃaitəl] m 1. ANAT crown of the head; vom ~ bis zur Sohle from top to toe; 2. (Haarscheitel) parting (UK), part (US)

Scheitelpunkt ['ʃaitəlpuŋkt] m summit, zenith, vertex

Scheiterhaufen ['ʃaitərhaufən] m 1. funeral pyre; 2. (zum Verbrennen von Ketzern) stake

scheitern ['ʃaitərn] v (fig) fail

Schelm [ʃɛlm] m scoundrel, rascal, knave

schelmisch ['ʃɛlmɪʃ] adj 1. roguish, sly, teasing; adv 2. impishly, mischievously

schelten ['ʃɛltən] v irr scold, reprimand, chide

Schema ['ʃeːma] n 1. scheme, plan; nach ~ F according to a fixed routine; 2. (Darstellung) diagram

schematisch [ʃeˈmaːtɪʃ] adj schematic, diagrammatic

Schemel ['ʃeːməl] m stool

Schenkel ['ʃɛŋkəl] m ANAT thigh

schenken ['ʃɛŋkən] v 1. make a present of, give, donate; halb geschenkt sein to be dead cheap (fam), to be dirt cheap (fam); 2. (eingießen) pour

Schenkung ['ʃɛŋkuŋ] f JUR gift, donation

Scherbe ['ʃɛrbə] f fragment, broken piece

Schere ['ʃeːrə] f 1. scissors pl; 2. (große ~) shears pl; 3. (Krebsschere) claw

Schererei [ʃeːrəˈrai] f trouble, bother, row

Scherz [ʃɛrts] m joke, jest, fun

scherzen ['ʃɛrtsən] v joke, jest, make fun

scherzhaft ['ʃɛrtshaft] adj 1. playful, facetious, joking; adv 2. jokingly

scheu [ʃɔy] adj shy, timid, coy

Scheu [ʃɔy] f shyness, timidity
scheuchen [ˈʃɔyçən] v shoo, scare off, frighten off
scheuen [ˈʃɔyən] v 1. (meiden) avoid, shun, to be afraid of; 2. (Pferd) shy
scheuern [ˈʃɔyərn] v 1. scrub, scour; 2. jdm eine ~ slug s.o.
Scheuklappen [ˈʃɔyklapən] pl blinkers (UK), blinders (US)
Scheune [ˈʃɔynə] f barn, shed
Scheusal [ˈʃɔyza:l] n (fam) monster, beast
scheußlich [ˈʃɔyslıç] adj 1. dreadful; adv 2. dreadfully
Schicht [ʃıçt] f 1. layer; 2. (Klasse) class; 3. (Arbeitsschicht) shift
Schichtarbeit [ˈʃıçtarbaıt] f shift work
schick [ʃık] adj 1. chic, smart, stylish; adv 2. elegantly, smartly, stylishly
schicken [ˈʃıkən] v 1. send; 2. sich ~ (sich gehören) to be proper
schicklich [ˈʃıklıç] adj proper, becoming, fitting
Schicksal [ˈʃıkza:l] n fate, destiny, fortune; jdn seinem ~ überlassen abandon s.o. to his fate; ~ spielen play at fate
schicksalhaft [ˈʃıkza:lhaft] adj fateful
Schicksalsschlag [ˈʃıkza:lsʃla:k] m stroke of fate
schieben [ˈʃi:bən] v irr push, shove, slide
Schiedsrichter [ˈʃi:tsrıçtər] m SPORT referee, umpire, judge
schief [ʃi:f] adj 1. slanting, skew, crooked; jdn ~ ansehen look askance at s.o.; 2. (nach einer Seite geneigt) leaning, lopsided; 3. ~ gehen (fig) go wrong; 4. ~ laufen (fig) go awry, go wrong
schielen [ˈʃi:lən] v squint
Schienbein [ˈʃi:nbaın] n ANAT shin-bone
Schiene [ˈʃi:nə] f 1. (Bahnschiene) rail; 2. MED splint
schießen [ˈʃi:sən] v irr 1. (Waffe) shoot; 2. (Ball) shoot; Das ist ja zum Schießen! That's a scream!
Schiff [ʃıf] n ship, vessel; klar ~ machen clear things up
Schiffbruch [ˈʃıfbrux] m shipwreck; ~ mit etw erleiden fail at sth, come a cropper with sth
schiffbrüchig [ˈʃıfbryçıç] adj shipwrecked
Schikane [ʃiˈka:nə] f harassment, bullying; mit allen ~n with all the trimmings
schikanieren [ʃika'ni:rən] v bully, harass
Schild [ʃılt] m 1. (Schutzschild) shield; etw im ~e führen to be up to sth; n 2. (Türschild) nameplate; 3. (Straßenschild) road sign

schildern [ˈʃıldərn] v depict, describe, delineate
Schilderung [ˈʃıldəruŋ] f description, portrait, representation
Schildkröte [ˈʃıltkrø:tə] f 1. (Landschildkröte) ZOOL tortoise; 2. (Wasserkröte) turtle
Schilf [ʃılf] n reed
schillern [ˈʃılərn] v change colours, shimmer
schillernd [ˈʃılərnt] adj shimmering, iridescent, sparkling
Schimmel [ˈʃıməl] m 1. BOT mould, mildew; 2. (Pferd) ZOOL grey
schimmeln [ˈʃıməln] v go mouldy, mould
Schimmer [ˈʃımər] m glitter, glimmer, faint light; keinen ~ von etw haben not have a clue about sth
schimmern [ˈʃımərn] v gleam, glimmer, glisten
Schimpanse [ʃımˈpanzə] m ZOOL chimpanzee
schimpfen [ˈʃımpfən] v carry on, grumble, swear; mit jdm ~ scold s.o.
Schimpfwort [ˈʃımpfvort] n swear-word
Schinken [ˈʃıŋkən] m GAST ham
schippen [ˈʃıpən] v shovel
Schirm [ʃırm] m 1. (Regenschirm) umbrella; 2. (Sonnenschirm) parasol, sunshade
Schirmherr [ˈʃırmhɛr] m patron
Schirmherrschaft [ˈʃırmhɛrʃaft] f patronage
Schirmmütze [ˈʃırmmytsə] f visored cap
schizophren [ʃitso'fre:n] adj 1. MED schizophrenic; 2. (fig: widersinnig) contradictory
Schlacht [ʃlaxt] f battle
schlachten [ˈʃlaxtən] v kill, slaughter, butcher
Schlachtfeld [ˈʃlaxtfɛlt] n battlefield
Schlacke [ˈʃlakə] f 1. (von Metall) slag; 2. (Asche) cinders pl; 3. MED waste products pl
Schlaf [ʃla:f] m sleep; den ~ des Gerechten schlafen sleep like a log; etw im ~ können to be able to do sth with one's eyes shut; jdn um den ~ bringen keep s.o. awake
Schlafanzug [ˈʃla:fantsu:k] m pyjamas pl
Schläfchen [ˈʃlɛ:fçən] n nap, snooze
Schläfe [ˈʃlɛ:fə] f ANAT temple
schlafen [ˈʃla:fən] v irr sleep
schlaff [ʃlaf] adj weak, loose, slack, limp
Schlaflosigkeit [ˈʃla:flo:zıçkaıt] f insomnia, sleeplessness
Schlafmütze [ˈʃla:fmytsə] f (fig) sleepyhead
schläfrig [ˈʃlɛ:frıç] adj sleepy, drowsy
Schlafrock [ˈʃla:frɔk] m dressing-gown
Schlafsack [ˈʃla:fzak] m sleeping bag

Schlafstörung ['ʃlaːfʃtøːruŋ] f MED insomnia

Schlaftablette ['ʃlaːftablɛtə] f sleeping pill

schlaftrunken ['ʃlaːftruŋkən] adj 1. drowsy; adv 2. drowsily

Schlafwagen ['ʃlaːfvaːgən] m sleeper, sleeping-car

schlafwandeln ['ʃlaːfvandəln] v sleepwalk, walk in one's sleep

Schlafzimmer ['ʃlaːftsɪmər] n bedroom

Schlag [ʃlaːk] m 1. (Treffer) hit; 2. (Hieb) blow; jdm einen ~ versetzen to deliver a blow to s.o.; wie vom ~ getroffen thunderstruck; 3. (Pochen) knock; 4. (elektrischer ~) shock; 5. (fig: schwerer ~) heavy blow; 6. ~ auf ~ one after the other; auf einen ~ all at once; 7. keinen ~ tun not do a stroke of work

Schlagader ['ʃlaːkaːdər] f ANAT artery

Schlaganfall ['ʃlaːkanfal] m MED stroke

schlagartig ['ʃlaːkartɪç] adj 1. sudden, abrupt; adv 2. suddenly, abruptly, all of a sudden

schlagen ['ʃlaːgən] v irr 1. (hauen) hit, strike, beat; 2. (Uhr) strike; 3. (fig: besiegen) beat

Schlager ['ʃlaːgər] m hit

Schläger ['ʃlɛːgər] m 1. (~typ) thug; SPORT 2. (beim Hockey) stick; (beim Golf) club; (beim Tennis) racquet, racket (US); (beim Kricket, beim Baseball) bat; (beim Tischtennis) paddle, bat

Schlägerei [ʃlɛːgə'raɪ] f fight, brawl

schlagfertig ['ʃlaːkfɛrtɪç] adj quick-witted, quick at repartee

Schlagfertigkeit ['ʃlaːkfɛrtɪçkaɪt] f wittiness, ready wit

Schlagloch ['ʃlaːklɔx] n pothole

Schlagsahne ['ʃlaːkzaːnə] f whipped cream

Schlagwort ['ʃlaːkvɔrt] n (Parole) slogan, catchphrase

Schlagzeile ['ʃlaːktsaɪlə] f headline; ~n machen make headlines

Schlagzeug ['ʃlaːktsɔyk] n 1. MUS drums pl; 2. (in einem Orchester) MUS percussion

Schlamassel [ʃla'masəl] m (fam) mess; im ~ sitzen to be in a fine mess

Schlamm [ʃlam] m mud, sludge

Schlamperei [ʃlampə'raɪ] f sloppiness

schlampig ['ʃlampɪç] adj 1. slovenly, sloppy; 2. (liederlich) slatternly

Schlange ['ʃlaŋə] f 1. ZOOL snake; 2. (Menschenschlange) queue, line (US); ~ stehen queue up (UK), line up (US)

schlängeln ['ʃlɛŋəln] v 1. sich ~ wind, twist; 2. sich ~ wriggle

schlank [ʃlaŋk] adj slim, slender

schlapp [ʃlap] adj 1. weak, languid; 2. ~e zehn Mark (fam) ten lousy marks

Schlaraffenland ['ʃlarafənlant] n land of milk and honey

schlau [ʃlau] adj clever, sly, cunning; aus jdm nicht ~ werden not be able to make head or tail of s.o.; sich ~ machen get information

Schlauch [ʃlaux] m hose, tube; auf dem ~ stehen to be clueless (fam)

Schlauchboot ['ʃlauxboːt] n 1. rubber boat; 2. (Rettungsfloß) life raft

Schlaufe ['ʃlaufə] f loop

Schlauheit ['ʃlauhaɪt] f cleverness, shrewdness

Schlawiner [ʃla'viːnər] m (fam) rascal

schlecht [ʃlɛçt] adj 1. bad; adv 2. badly; 3. ~ bezahlt low-paying, low-paid, poorly paid; 4. ~ gehen to be unwell; 5. ~ gelaunt ill-humoured; 6. jdn ~ machen backbite

schlechthin ['ʃlɛçthɪn] adv 1. absolutely, pure and simple; 2. (überhaupt) in general; 3. Er ist der ... ~ He is the epitome of the ...

Schlechtigkeit ['ʃlɛçtɪgkaɪt] f wickedness, baseness, depravity

schlecken ['ʃlɛkən] v lick

schleichen ['ʃlaɪçən] v irr sneak, creep, slink

Schleichweg ['ʃlaɪçveːk] m secret path, concealed route

Schleichwerbung ['ʃlaɪçvɛrbuŋ] f free publicity, plug

Schleier ['ʃlaɪər] m veil, film, haze; den ~ lüften lift the veil

schleierhaft ['ʃlaɪərhaft] adj mysterious, obscure, incomprehensible

Schleife ['ʃlaɪfə] f 1. loop; 2. (Bandschleife) bow; 3. (Schlinge) noose

schleifen ['ʃlaɪfən] v irr 1. (schleppen) drag; 2. (schärfen) whet, grind; 3. TECH grind, polish; 4. (Glas, Edelsteine) TECH cut

Schleim [ʃlaɪm] m 1. slime; 2. MED mucus

schleimig ['ʃlaɪmɪç] adj slimy

schlemmen ['ʃlɛmən] v revel, indulge in delicacies, feast

schlendern ['ʃlɛndərn] v meander, saunter

schlenkern ['ʃlɛŋkərn] v swing, dangle

Schleppe ['ʃlɛpə] f 1. (eines Kleides) train; 2. (beim Jagen) drag

schleppen ['ʃlɛpən] v 1. (schwer tragen) lug; 2. (ab~) tow, tug, drag

schleppend ['ʃlɛpənt] adj slow, languid, sluggish

Schlepper ['ʃlɛpər] *m* 1. *(Wasserfahrzeug)* tug, tugboat; 2. *(in der Landwirtschaft)* tractor; 3. *(Helfer bei illegaler Einwanderung)* smuggler of persons

Schlepplift ['ʃlɛplɪft] *m* T-bar lift

Schlepptau ['ʃlɛptau] *m* tow-rope; *jdn ins ~ nehmen* take s.o. in tow

Schleuder ['ʃlɔydər] *f* 1. catapult, sling shot; 2. *(Wäscheschleuder)* spin-drier

schleudern ['ʃlɔydərn] *v* 1. *(Wäsche)* spin; 2. *(Auto)* skid, swerve; 3. *(werfen)* sling, fling

Schleudersitz ['ʃlɔydərzɪts] *m* 1. ejector seat; 2. *(fig)* hot seat

Schleuse ['ʃlɔyzə] *f* 1. lock; 2. *(zur Wasserregulierung)* sluice, floodgate

schleusen ['ʃlɔyzən] *v* 1. NAUT pass through a lock; 2. *(Wasser)* channel; 3. *(fig)* steer; 4. *(heimlich)* smuggle, sneak

schlicht [ʃlɪçt] *adj* 1. simple, plain, unpretentious; *adv* 2. simply

schlichten ['ʃlɪçtən] *v* 1. *(Holz)* plane; 2. *(Streit)* arbitrate, adjust, settle

Schlichtheit ['ʃlɪçthaɪt] *f* simplicity

Schlichtung ['ʃlɪçtuŋ] *f* 1. *(eines Streits)* mediation, arbitration; 2. *(von Holz)* planing

schließen ['ʃliːsən] *v irr* 1. *(zumachen)* close, shut; *eine Fabrik ~* close down a factory; 2. *(Vertrag)* conclude, sign; 3. *(beenden)* finish, end, wind up; 4. *(folgern)* conclude, infer

Schließfach ['ʃliːsfax] *n* 1. locker; 2. *(Bankschließfach)* safe deposit box; 3. *(Postschließfach)* post-office box

schließlich ['ʃliːslɪç] *adv* 1. finally, in the end; 2. *(fig)* after all

schlimm [ʃlɪm] *adj* bad; *halb so ~ sein* not be so bad

Schlinge ['ʃlɪŋə] *f* 1. loop; 2. *(am Galgen)* noose; *jdm die ~ um den Hals legen* hold a gun to s.o.'s head (fig); 3. *(Falle)* snare

Schlingel ['ʃlɪŋəl] *m* rascal

schlingen ['ʃlɪŋən] *v irr* 1. sling, wrap; 2. *(binden)* tie; 3. *(flechten)* plait; 4. *sich um etw ~* coil o.s. around sth

Schlingpflanze ['ʃlɪŋpflantsə] *f* BOT creeper

Schlips [ʃlɪps] *m* tie, necktie; *jdm auf den ~ treten* step on s.o.'s toes; *sich auf den ~ getreten fühlen* feel put out

Schlitten ['ʃlɪtən] *m* 1. sledge *(UK)*, sled *(US)*; *mit jdm ~ fahren* (fig) give s.o. a hard time; 2. *(Rodelschlitten)* toboggan; 3. *(Pferdeschlitten)* sleigh

schlittern ['ʃlɪtərn] *v* 1. *(zum Vergnügen)* slide; 2. *(ausrutschen)* slip; 3. *(Fahrzeug)* skid

Schlitz [ʃlɪts] *m* 1. slit, slot; 2. *(Hosenschlitz)* fly

Schlitzohr ['ʃlɪtsoːr] *n (fam)* sly fox, sly dog

Schloss [ʃlɔs] *n* 1. *(Verschluss)* lock; *hinter ~ und Riegel* behind bars; 2. *(Gebäude)* castle, palace

Schlosser ['ʃlɔsər] *m* 1. locksmith; 2. *(Maschinenschlosser)* mechanic

Schlosserei [ʃlɔsə'raɪ] *f* locksmith's workshop

Schlot [ʃloːt] *m* chimney

schlottern ['ʃlɔtərn] *v* 1. *(zittern)* shake, tremble; 2. *(zu große Kleidung)* hang loosely, to be baggy

Schlucht [ʃluxt] *f* ravine, gully, gorge

schluchzen ['ʃluxtsən] *v* weep, sob

Schluchzer ['ʃluxtsər] *m* sob

Schluck [ʃluk] *m* swig, swallow, gulp

Schluckauf ['ʃlukauf] *m* hiccup, hiccough

schlucken ['ʃlukən] *v* swallow, gulp

schlummern ['ʃlumərn] *v* slumber, doze, snooze

Schlund [ʃlunt] *m* 1. ANAT pharynx, gullet; 2. *(fig: Abgrund)* chasm, gulf

schlüpfen ['ʃlypfən] *v* 1. slip; 2. ZOOL hatch

schlüpfrig ['ʃlypfrɪç] *adj* 1. slippery; 2. *(fig: obszön)* risqué, slippery *(UK)*, off-color *(US)*

schlurfen ['ʃlurfən] *v* shuffle

schlürfen ['ʃlyrfən] *v* 1. slurp; 2. *(genießerisch trinken)* sip

Schluss [ʃlus] *m* end; *~ für heute.* Let's call it a day. *~ damit!* Stop it! *~! Finished!* *mit jdm ~ machen* break up with s.o.

Schlüssel ['ʃlysəl] *m* key

Schlüsselbund ['ʃlysəlbunt] *m* bunch of keys

Schlüsselkind ['ʃlysəlkɪnt] *n* latchkey kid

Schlüsselloch ['ʃlysəlɔx] *n* keyhole

schlussfolgern ['ʃlusfɔlgərn] *v* conclude, infer, deduce

Schlussfolgerung ['ʃlusfɔlgəruŋ] *f* conclusion, inference

schlüssig ['ʃlysɪç] *adj* conclusive

Schlusslicht ['ʃluslɪçt] *n* 1. *(eines Autos)* taillight, tail lamp; 2. *(fig)* last; *das ~ bilden* bring up the rear

Schlussstrich ['ʃlusʃtrɪç] *m* final stroke; *einen ~ ziehen* put an end to sth

Schlussverkauf ['ʃlusfɛrkauf] *m* ECO seasonal clearance sale

Schmach [ʃmaːx] *f* 1. disgrace, shame; 2. *(Demütigung)* humiliation

schmachten ['ʃmaxtən] *v* 1. *(leiden)* languish; 2. *~ nach etw* pine for sth, yearn for sth

schmächtig [ˈʃmɛçtɪç] *adj* slight, thin

schmähen [ˈʃmɛːən] *v* abuse, revile, disdain, disparage

schmal [ʃmaːl] *adj* narrow, slim, thin

schmälern [ˈʃmɛːlərn] *v* diminish, lessen, reduce

Schmalz [ʃmalts] *n GAST* grease, lard, fat

schmalzig [ˈʃmaltsɪç] *adj 1.* greasy; *2. (fig)* schmaltzy (fam), maudlin

schmarotzen [ˈʃmarɔtsən] *v (fam)* scrounge, sponge

Schmarotzer [ʃmaˈrɔtsər] *m (fam)* sponger, freeloader *(US)*

schmatzen [ˈʃmatsən] *v* eat with one's mouth open, eat noisily

schmecken [ˈʃmɛkən] *v 1. ~ nach* taste of; *2. gut ~* taste good; *Hat's geschmeckt?* Did you like it?

Schmeichelei [ʃmaɪçaˈlaɪ] *f* flattery

schmeichelhaft [ˈʃmaɪçəlhaft] *adj* flattering

schmeicheln [ˈʃmaɪçəln] *v* flatter

Schmeichler [ˈʃmaɪçlər] *m* flatterer

schmeißen [ˈʃmaɪsən] *v irr 1.* throw; *2. (mit etw fertig werden)* handle; *3. eine Vorstellung ~* muff a performance

schmelzen [ˈʃmɛltsən] *v irr* melt

Schmerz [ʃmɛrts] *m 1.* pain, ache; *2. (Kummer)* grief, sorrow

schmerzen [ˈʃmɛrtsən] *v* hurt, ache, pain

Schmerzensgeld [ˈʃmɛrtsənsgɛlt] *n* compensation for pain and suffering

schmerzhaft [ˈʃmɛrtshaft] *adj* painful

schmerzlindernd [ˈʃmɛrtslɪndərnt] *adj* pain-relieving, soothing

Schmerzmittel [ˈʃmɛrtsmɪtəl] *n* pain-reliever, pain-killer

Schmerztablette [ˈʃmɛrtstablɛtə] *f MED* pain-reliever, pain-killer

Schmetterling [ˈʃmɛtərlɪŋ] *m* butterfly

schmettern [ˈʃmɛtərn] *v 1.* smash, dash; *die Tür ins Schloss ~* slam the door; *2. (etw laut spielen)* blast; *3. (singen)* belt out

Schmied [ʃmiːt] *m* blacksmith

Schmiede [ˈʃmiːdə] *f* forge

schmiedeeisern [ˈʃmiːdəaɪzərn] *adj* wrought-iron

schmieden [ˈʃmiːdən] *v 1.* forge; *2. (fig: Pläne ~)* hatch, forge, concoct

schmiegsam [ˈʃmiːkzaːm] *adj* pliant, supple

schmieren [ˈʃmiːrən] *v 1. (bestreichen)* smear, spread; *2. (einfetten)* grease, oil, lubricate; *Es lief wie geschmiert.* It went like clock-

work. *3. (fam: bestechen)* bribe; *4. (kritzeln)* scribble, scrawl

Schminke [ˈʃmɪŋkə] *f* make-up

schminken [ˈʃmɪŋkən] *v* put make-up on; *sich ~* put on make-up

schmirgeln [ˈʃmɪrgəln] *v* emery

schmökern [ˈʃmøːkərn] *v* browse, read

schmollen [ˈʃmɔlən] *v* sulk, pout

schmoren [ˈʃmoːrən] *v* roast

Schmuck [ʃmuk] *m* jewellery

schmücken [ˈʃmykən] *v* decorate, trim, dress

schmuggeln [ˈʃmugəln] *v* smuggle, bootleg

Schmuggler [ˈʃmuglər] *m* smuggler

schmunzeln [ˈʃmuntsəln] *v* grin, smile

schmusen [ˈʃmuːzən] *v* cuddle

Schmutz [ʃmuts] *m 1.* dirt, filth; *jdn mit ~ bewerfen* throw dirt at s.o.; *jdn wie ~ behandeln* treat s.o. like dirt; *2. (Schlamm)* mud; *3. (Obszönes)* smut

Schmutzfink [ˈʃmutsfɪŋk] *m (fam)* slob, messy person, dirty person

Schmutzfleck [ˈʃmutsflɛk] *m* stain

schmutzig [ˈʃmutsɪç] *adj* dirty, messy, grubby

Schnabel [ˈʃnaːbəl] *m* beak, bill; *den ~ halten* keep quiet; *reden, wie einem der ~ gewachsen ist* say just what one thinks; *sich den ~ verbrennen* say too much

Schnalle [ˈʃnalə] *f* buckle

schnallen [ˈʃnalən] *v 1.* buckle, fasten; *2. (mit Riemen)* snap; *3. (enger ~/weiter ~)* tighten/loosen; *4. (begreifen)* catch on

schnalzen [ˈʃnaltsən] *v* crack, click; *mit der Zunge ~* make a clicking noise with one's tongue; *mit den Fingern ~* snap one's fingers

schnappen [ˈʃnapən] *v 1. (zu~/auf~)* snap closed/open; *2. (erwischen)* catch, snatch; *3. (beißen)* snap; *4. (packen)* grab; *5. nach Luft ~* gasp

Schnaps [ʃnaps] *m (klarer ~)* schnapps

Schnapsidee [ˈʃnapsideː] *f (fam)* mad idea, crackpot idea, crazy idea

schnarchen [ˈʃnarçən] *v* snore

schnattern [ˈʃnatərn] *v 1. (Ente)* quack; *2. (Gans)* gobble; *3. (fig)* chatter

schnauben [ˈʃnaubən] *v irr 1.* snort; *2. (keuchen)* pant; *3. sich die Nase ~* blow one's nose

schnaufen [ˈʃnaufən] *v* pant

Schnauze [ˈʃnautsə] *f* snout, muzzle; *die ~ voll haben* to be fed up; *Halt die ~!* Shut up! *eine große ~ haben* to be a loudmouth

schnäuzen [ˈʃnɔytsən] *v sich ~* blow one's nose

Schnauzer ['ʃnautsər] m 1. (Bart) walrus moustache; 2. ZOOL schnauzer

Schnecke ['ʃnɛkə] f ZOOL snail, slug; *jdn zur ~ machen* make s.o. feel small

Schneckenhaus ['ʃnɛkənhaus] n ZOOL snail-shell

Schnee [ʃneː] m snow; *~ von gestern sein to* be old hat

Schneeball ['ʃneːbal] m snowball

schneeblind ['ʃneːblɪnt] adj snow-blind

Schneeflocke ['ʃneːflɔkə] f snowflake

Schneegestöber ['ʃneːgəstøːbər] n snow flurry

Schneeglöckchen ['ʃneːglœkçən] n BOT snow-drop

Schneemann ['ʃneːman] m snowman

Schneide ['ʃnaɪdə] f blade, cutting edge

schneiden ['ʃnaɪdən] v irr 1. cut; *sich die Nägel ~* clip one's nails; *eine Kurve ~* cut a corner; 2. (fig) *jdn ~* cut s.o. dead (UK), snub s.o.

Schneider(in) ['ʃnaɪdər(ɪn)] m/f 1. (Beruf) tailor; 2. *aus dem ~ sein* to be out of the woods; 3. (Gerät) cutter

Schneiderei [ʃnaɪdəˈraɪ] f 1. tailoring; 2. (für Damen) dressmaking; 3. (Werkstatt) tailor's shop

Schneidezahn ['ʃnaɪdətsaːn] m ANAT incisor

schneien ['ʃnaɪən] v snow

schnell [ʃnɛl] adj 1. quick, fast, rapid; adv 2. promptly, quickly, fast

Schnellhefter ['ʃnɛlhɛftər] m binder

Schnelligkeit ['ʃnɛlɪçkaɪt] f speed, quickness, rapidity

Schnellimbiss ['ʃnɛlɪmbɪs] m snack bar

Schnellkochtopf ['ʃnɛlkɔxtɔpf] m pressure cooker

Schnellstraße ['ʃnɛlʃtraːsə] f motorway, expressway (US)

Schnellzug ['ʃnɛltsuːk] m express train

schnippen ['ʃnɪpən] v *mit den Fingern ~* snap one's fingers

schnippisch ['ʃnɪpɪʃ] adj 1. sharp, pert, snooty; adv 2. sharply, snappishly

Schnipsel ['ʃnɪpsəl] m/n shred, scrap, bit, piece

Schnitt [ʃnɪt] m 1. cut; 2. MED incision; 3. (Muster) pattern; 4. (fam: Durchschnitt) *im ~ on* average; 5. CINE editing

schnittig ['ʃnɪtɪç] adj 1. smart, racy, stylish; adv 2. smartly

Schnittlauch ['ʃnɪtlaux] m chives pl

Schnittstelle ['ʃnɪtʃtɛlə] f 1. INFORM interface; 2. (Film) cut

Schnittwunde ['ʃnɪtvundə] f MED cut, gash

schnitzen ['ʃnɪtsən] v cut, carve

Schnitzer ['ʃnɪtsər] m blunder; *einen ~ machen* drop a brick, goof

Schnorchel ['ʃnɔrçəl] m snorkel

Schnörkel ['ʃnœrkəl] m 1. scroll; 2. (beim Schreiben) flourish

schnörkellos ['ʃnœrkəlloːs] adj unfrilled, succinct, unembellished

schnüffeln ['ʃnyfəln] v 1. sniff, sniffle; 2. (fam: spionieren) spy

Schnüffler ['ʃnyflər] m 1. snoop; 2. (Detektiv) sleuth

Schnuller ['ʃnulər] m comforter, dummy, pacifier (US)

Schnupfen ['ʃnupfən] m cold

Schnupftabak ['ʃnupftabak] m snuff

schnuppern ['ʃnupərn] v sniff

Schnur [ʃnuːr] f 1. string; 2. (Kordel) cord; 3. (Litze) braid

schnüren ['ʃnyːrən] v tie, lace, fasten

Schnurrbart ['ʃnurbart] m moustache

schnurren ['ʃnurən] v 1. hum, whir, buzz; 2. (Katze) purr

Schnürsenkel ['ʃnyːrzɛŋkəl] m shoelace

Schober ['ʃoːbər] m 1. haystack, hayrick; 2. (überdachter Platz) field barn

Schock [ʃɔk] m shock

schockieren [ʃɔkˈiːrən] v shock, outrage

Schöffe ['ʃœfə] m JUR lay judge, juror

Schokolade [ʃokoˈlaːdə] f 1. (Tafel ~) chocolate; 2. (Heiße ~) hot chocolate

Schokoriegel ['ʃokoːrigəl] m chocolate bar

Scholle ['ʃɔlə] f 1. (Erdscholle) lump, clod; 2. (Eisscholle) floe; 3. ZOOL plaice

schon [ʃoːn] adv 1. (bereits) already; *Hast du ~ gefrühstückt?* Have you had breakfast yet? Have you already had breakfast? *Komm ~!* Come on! *~ immer* always; 2. (zuvor) before; 3. (bestimmt) all right; *Das ist ~ möglich.* That's not impossible. *Er wird es ~ schaffen.* He'll manage, all right. 4. (nur) *~ der Gedanke daran ...* the mere thought of it ...

schön [ʃøːn] adj 1. beautiful; 2. (hübsch) pretty; 3. (angenehm) pleasant; 4. (beträchtlich) good; *eine ganz ~e Arbeit* quite a bit of work; adv 5. *Sei ~ brav!* Be a good boy!/Be a good girl! *~ warm* nice and warm

schonen ['ʃoːnən] v 1. go easy on, be easy on, spare, save; 2. *sich ~* take care of o.s., look after o.s.

Schönfärberei ['ʃøːnfɛrbəraɪ] f (fig) glossing things over

Schonfrist ['ʃoːnfrɪst] f period of grace
schöngeistig ['ʃøːngaɪstɪç] adj aesthetic
Schönheit ['ʃøːnhaɪt] f beauty
Schönheitsfehler ['ʃøːnhaɪtsfeːlər] m 1. blemish; 2. (eines Gegenstandes) flaw
Schonkost ['ʃoːnkɔst] f light diet
schöntun ['ʃøːntuːn] v irr jdm ~ flatter s.o.
Schonung ['ʃoːnuŋ] f sparing, exemption, favouring
schonungslos ['ʃoːnuŋsloːs] adj unsparing, relentless, merciless
Schonungslosigkeit ['ʃoːnuŋsloːzɪçkaɪt] f 1. ruthlessness, mercilessness; 2. (Offenheit) bluntness
Schopf [ʃɔpf] m 1. (Haarbüschel) tuft of hair, shock of hair; 2. (eines Vogels) tuft, crest
schöpfen ['ʃœpfən] v 1. scoop; 2. (Brühe) ladle; 3. (für sich entnehmen) derive; Mut aus etw ~ draw courage from sth; Atem ~ take a breath; 4. (schaffen) create
Schöpfer ['ʃœpfər] m creator
schöpferisch ['ʃœpfərɪʃ] adj creative
Schöpflöffel ['ʃœpflœfəl] m ladle
Schöpfung ['ʃœpfuŋ] f creation
Schorle ['ʃɔrlə] f spritzer
Schornstein ['ʃɔrnʃtaɪn] m chimney
Schornsteinfeger ['ʃɔrnʃtaɪnfeːgər] m chimney-sweep
Schoß [ʃoːs] m 1. lap; jdm in den ~ fallen to be handed to s.o. on a plate; 2. BOT shoot, sprout
Schössling ['ʃøːslɪŋ] m BOT shoot
Schote ['ʃoːtə] f BOT pod, legume
Schotte ['ʃɔtə] m Scot, Scotsman
schottisch ['ʃɔtɪʃ] adj Scottish; ~er Whisky Scotch
Schottland ['ʃɔtlant] n GEO Scotland
schraffieren [ʃraˈfiːrən] v cross-hatch
schräg [ʃrɛːk] adj 1. slanting, oblique; 2. (~ verlaufend) diagonal; 3. (~ abfallend) sloping; adv 4. at an angle; 5. (~ verlaufend) diagonally
Schräge ['ʃrɛːgə] f slope, obliquity
Schrägstrich ['ʃrɛːkʃtrɪç] m slash
Schramme ['ʃramə] f scrape, scratch, abrasion
Schrank [ʃraŋk] m 1. cupboard, closet (US); 2. (Kleiderschrank) wardrobe; 3. (fam: großer Mann) hulk
Schranke ['ʃraŋkə] f barrier; jdn in seine ~n verweisen put s.o. in his place; Dem sind ~n gesetzt. There are limits.
Schraube ['ʃraʊbə] f 1. screw; (mit einem eckigen Kopf) bolt; die ~ überdrehen go too far; eine ~ ohne Ende a vicious circle; Bei dir ist

doch eine ~ locker! You must have a screw loose! 2. (Schiffsschraube) propeller
schrauben ['ʃraʊbən] v screw
Schraubenzieher ['ʃraʊbəntsiːər] m screwdriver
Schrebergarten ['ʃreːbərgartən] m garden plot, allotment (UK)
Schreck [ʃrɛk] m fright, scare, shock; Ach du ~! Oh my God!
schreckhaft ['ʃrɛkhaft] adj nervous, fearful, shy
schrecklich ['ʃrɛklɪç] adj terrible
Schreckschuss ['ʃrɛkʃus] m warning shot
Schrei [ʃraɪ] m cry, scream, shriek; der letzte ~ all the rage
schreiben ['ʃraɪbən] v irr write
Schreibkraft ['ʃraɪpkraft] f 1. clerical staff; 2. (Stenotypist) typist
Schreibmaschine ['ʃraɪpmaʃiːnə] f typewriter
Schreibtisch ['ʃraɪptɪʃ] m desk
Schreibunterlage ['ʃraɪpuntərlaːgə] f (Schreibtischunterlage) desk pad
Schreibwaren ['ʃraɪpvaːrən] pl stationery, writing materials
Schreibweise ['ʃraɪpvaɪzə] f spelling
schreien ['ʃraɪən] v scream, cry, shriek
Schreiner ['ʃraɪnər] m 1. carpenter, joiner; 2. (Kunstschreiner) cabinet-maker
Schreinerwerkstatt ['ʃraɪnərverkʃtat] f joiner's workshop
schreiten ['ʃraɪtən] v irr 1. stride; 2. zur Tat ~ act; 3. (stolzieren) strut
Schrift [ʃrɪft] f 1. writing; 2. die Heilige ~ Scripture
Schriftführer ['ʃrɪftfyːrər] m secretary (of a club)
schriftlich ['ʃrɪftlɪç] adj 1. written; adv 2. in writing
Schriftsteller(in) ['ʃrɪftʃtɛlər(ɪn)] m/f author, writer
Schriftstück ['ʃrɪftʃtyk] n document
Schriftverkehr ['ʃrɪftferkeːr] m correspondence
schrill [ʃrɪl] adj shrill, strident, acute
Schritt [ʃrɪt] m 1. step, stride, pace; auf ~ und Tritt wherever one goes; mit jdm ~ halten keep up with s.o.; einen ~ zu weit gehen go a bit too far; ~ für ~ step by step; den ersten ~ tun make the first step; 2. (fig) step, measure, move
Schrittgeschwindigkeit ['ʃrɪtgəʃvɪndɪçkaɪt] f walking pace
schrittweise ['ʃrɪtvaɪzə] adv step by step, progressively

schroff [ʃrɔf] *adj* 1. *(Felsen)* steep, precipitous; 2. *(fig: kurz angebunden)* curt, brusque, abrupt

Schrot [ʃroːt] *m/n* 1. *(gemahlenes Getreide)* wholemeal flour *(UK)*, whole wheat flour *(US)*; 2. *(Munition aus Bleistückchen)* shot

Schrotflinte ['ʃroːtflɪntə] *f* shotgun

Schrott [ʃrɔt] *m* scrap metal

Schrotthändler ['ʃrɔthɛndlər] *m* scrap dealer, junk dealer

schrubben ['ʃrubən] *v* scrub

Schrubber ['ʃrubər] *m* long-handled scrub brush

schrumpfen ['ʃrʊmpfən] *v* 1. *(eingehen)* shrink; 2. *(fig: vermindern)* decline, shrink, dwindle

Schub [ʃuːp] *m* 1. shove, push; 2. *(Schubkraft)* PHYS thrust

Schubfach ['ʃuːpfax] *n* drawer

Schubkarre ['ʃuːpkarə] *f* wheelbarrow

Schublade ['ʃuːplaːdə] *f* drawer

Schubs [ʃups] *m* push, shove

schubsen ['ʃupsən] *v* push, shove

schüchtern ['ʃʏçtərn] *adj* shy, timid

Schüchternheit ['ʃʏçtərnhaɪt] *f* shyness, timidity

Schuft [ʃuft] *m* scoundrel, rascal, rogue

Schuh [ʃuː] *m* shoe; *jdm etw in die ~e schieben* blame s.o. for sth; *sich die ~e nach etw ablaufen* look for sth high and low; *Umgekehrt wird ein ~ draus!* It's exactly the other way round! *Da zieht es einem ja die ~e aus!* That's unbearable!

Schuhcreme ['ʃuːkreːm] *f* shoe polish

Schuhgeschäft ['ʃuːgəʃɛft] *n* shoe-shop

Schuhlöffel ['ʃuːlœfəl] *m* shoehorn

Schuhmacher ['ʃuːmaxər] *m* shoemaker, cobbler

Schuhsohle ['ʃuːzoːlə] *f* sole

Schulaufgaben ['ʃuːlaufgaːbən] *pl* homework

Schulbank ['ʃuːlbaŋk] *f* school desk; *die ~ drücken* to be in school

Schulbildung ['ʃuːlbɪldʊŋ] *f* schooling, education

Schulbus ['ʃuːlbus] *m* school bus

schuld [ʃult] *adj ~ sein* to be to blame; *Du bist daran ~.* You are to blame for that.

Schuld [ʃult] *f* 1. guilt; *jdm die ~ geben* put the blame on s.o.; *die ~ an etw tragen* to blame for sth; 2. *(Geldschuld)* debt; 3. *tief in jds ~ stehen* to be greatly indebted to s.o.; *an etw ~ haben* to be to blame for sth

schulden ['ʃuldən] *v* owe

Schulden ['ʃuldən] *pl ECO* debts, liabilities

Schuldgefühl ['ʃultgəfyːl] *n* feeling of guilt

schuldig ['ʃuldɪç] *adj* 1. *(Geld)* ECO due, owing; 2. JUR guilty

schuldlos ['ʃultloːs] *adj* 1. innocent, guiltless; *adv* 2. innocently, guiltlessly

Schuldner ['ʃultnər] *m* ECO debtor, party liable

Schuldspruch ['ʃultʃprux] *m* JUR conviction

Schule ['ʃuːlə] *f* school; *die ~ schwänzen* play truant; *aus der ~ plaudern* give away information; *~ machen* become the accepted thing

Schüler(in) ['ʃyːlər(ɪn)] *m/f* 1. pupil, schoolboy/schoolgirl; 2. *(einer Oberschule)* student; 3. *(Jünger)* disciple

Schulferien ['ʃuːlfeːrjən] *pl* school holidays *(UK)*, vacation (from school) *(US)*

Schulhof ['ʃuːlhoːf] *m* school playground, schoolyard *(US)*

Schulkamerad ['ʃuːlkaməraːt] *m* schoolmate

Schulklasse ['ʃuːlklasə] *f* class, form *(UK)*, grade *(US)*

Schulmedizin ['ʃuːlmeditsiːn] *f* MED orthodox medicine

schulpflichtig ['ʃuːlpflɪçtɪç] *adj* of school age

Schulranzen ['ʃuːlrantsən] *m* satchel

Schulstunde ['ʃuːlʃtundə] *f* lesson

Schultasche ['ʃuːltaʃə] *f* schoolbag

Schulter ['ʃultər] *f* shoulder; *jdm die kalte ~ zeigen* give s.o. the cold shoulder; *etw auf die leichte ~ nehmen* not take sth seriously; *etw auf seine ~n nehmen* take responsibility for sth

Schulung ['ʃuːluŋ] *f* schooling, training

Schulwesen ['ʃuːlveːzən] *n* education, educational system

Schulzeit ['ʃuːltsaɪt] *f* school days

Schulzeugnis ['ʃuːltsɔʏknɪs] *n* schoolreport *(UK)*, report card *(US)*

schummeln ['ʃuməln] *v* cheat

Schund [ʃunt] *m* trash, junk, rubbish

Schundroman ['ʃuntromaːn] *m* trashy novel, pulp novel

schunkeln ['ʃuŋkəln] *v* link arms and sway

Schuppe ['ʃupə] *f* 1. *(Haarschuppe)* dandruff; 2. *(Fischschuppe)* ZOOL scale; 3. *Es fiel ihm wie ~n von den Augen. (fig)* Suddenly he saw the light.

Schuppen ['ʃupən] *m (Gebäude)* shed

Schüreisen ['ʃyːraɪzən] *n* poker

schüren ['ʃyːrən] *v* 1. *(das Feuer ~)* poke; 2. *(fig: einen Streit ~)* fan, instigate

schürfen ['ʃyrfən] v 1. MIN prospect; 2. (fig) dig; 3. (etw ~) MIN mine; 4. sich ~ graze o.s.; sich am Knie ~ skin one's knee

Schurke ['ʃurkə] m scoundrel, rogue

Schürze ['ʃyrtsə] f apron

Schürzenjäger ['ʃyrtsənjɛːgər] m (fam) skirt-chaser, womanizer, philanderer

Schuss [ʃus] m shot; weitab vom ~ at the back of beyond, in the middle of nowhere; ein ~ in den Ofen sein to be a complete waste of time; ein ~ ins Schwarze a bullseye; etw in ~ bringen knock sth into shape; einen ~ haben to be crackers

Schüssel ['ʃysəl] f bowl, dish

schusselig ['ʃusəlɪç] adj (zerstreut) scatter-brained

Schusslinie ['ʃusliːnjə] f (fig) line of fire, firing line

Schusswaffe ['ʃusvafə] f firearm

Schuster ['ʃuːstər] m shoemaker, cobbler; auf ~s Rappen on foot, on shank's pony

Schutt [ʃut] m 1. rubbish, refuse, trash; 2. (Trümmer) rubble, debris; in ~ und Asche liegen to be in ruins

Schüttelfrost ['ʃytəlfrɔst] m MED chills pl, shivering attack

schütteln ['ʃytəln] v shake

schütten ['ʃytən] v pour

Schutz [ʃuts] m protection, defence; jdn in ~ nehmen stand up for s.o.

Schütze ['ʃytsə] m 1. gunman, shooter; 2. (Tierkreiszeichen) Sagittarius

schützen ['ʃytsən] v protect, defend

Schutzengel ['ʃutsɛŋəl] m guardian angel

Schutzhaft ['ʃutshaft] f JUR protective custody

Schutzimpfung ['ʃutsɪmpfuŋ] f MED vaccination, preventive inoculation

Schützling ['ʃytslɪŋ] m protégé, charge

schutzlos ['ʃutsloːs] adj defenceless, unprotected, helpless

Schutzpatron ['ʃutspatroːn] m REL patron saint

Schutzschicht ['ʃutsʃɪçt] f protective layer, protective coating

Schwabe ['ʃvaːbə] m Swabian

schwäbisch ['ʃvɛːbɪʃ] adj Swabian

schwach [ʃvax] adj weak, feeble, frail, (Gesundheit, Gedächtnis) poor

Schwäche ['ʃvɛçə] f weakness, feebleness, faintness

schwächlich ['ʃvɛçlɪç] adj frail, feeble, sickly

Schwächling ['ʃvɛçlɪŋ] m weakling

Schwachsinn ['ʃvaxzɪn] m 1. (fig) rubbish (UK), nonsense, idiocy; 2. MED feeble-mindedness

schwachsinnig ['ʃvaxzɪnɪç] adj 1. MED feeble-minded; 2. (fig) idiotic

Schwachstelle ['ʃvaxʃtɛlə] f weak spot, weak point

Schwager/Schwägerin ['ʃvaːgər/ʃvɛːgərɪn] m/f brother-in-law/sister-in-law

Schwalbe ['ʃvalbə] f ZOOL swallow

Schwall [ʃval] m flood, surge

Schwamm [ʃvam] m sponge; ~ drüber! Forget it!

schwammig ['ʃvamɪç] adj 1. (schwammartig) spongy; 2. (vom Schwamm befallen) mildewed; 3. (aufgedunsen) puffy, bloated; 4. (vage) fuzzy, woolly

Schwan [ʃvaːn] m ZOOL swan; Mein lieber ~! My goodness!

schwanger ['ʃvaŋər] adj pregnant

schwängern ['ʃvɛŋərn] v (fam) jdn ~ get s.o. pregnant

Schwangerschaft ['ʃvaŋərʃaft] f pregnancy

Schwangerschaftsabbruch ['ʃvaŋərʃaftsapbrux] m MED abortion, termination of pregnancy

schwanken ['ʃvaŋkən] v 1. (taumeln) sway, waver, stagger; 2. (abweichen) fluctuate; 3. (fig: zaudern) hesitate, waver, falter

Schwankung ['ʃvaŋkuŋ] f (Abweichung) fluctuation, variation

Schwanz [ʃvants] m 1. tail; kein ~ (fam) not a soul; jdn auf den ~ treten step on s.o.'s toes; den ~ einziehen put one's tail between one's legs; 2. (fam: Penis) penis

schwänzen ['ʃvɛntsən] v (fam) cut school, play truant, (fam) play hooky (US)

Schwarm [ʃvarm] m 1. (Menschenschwarm) crowd; 2. (Vogelschwarm) flock; 3. (Bienenschwarm) swarm; 4. (Fischschwarm) shoal, school; 5. (fig: Angebeteter) idol, hero

schwärmen ['ʃvɛrmən] v (fig) für jdn ~ adore s.o., worship s.o., to be smitten with s.o.

Schwarte ['ʃvartə] f 1. (Haut) skin; 2. (Buch) old tome; 3. (Speckschwarte) rind of bacon

schwarz [ʃvarts] adj black; ~ auf weiß in black and white; sich ~ ärgern to be fuming mad; ~ sehen (fig) to be pessimistic; Du kannst warten, bis du ~ wirst! You can wait until the cows come home!

Schwarz [ʃvarts] n ins ~e treffen hit the mark

Schwarzarbeit ['ʃvartsarbait] f illicit work, (fam) moonlighting

Schwarzbrot ['ʃvartsbroːt] n GAST brown bread
Schwarze(r) ['ʃvartsə(r)] m/f black person
Schwarzfahrer ['ʃvartsfaːrər] m fare dodger, s.o. who rides without paying
Schwarzmarkt ['ʃvartsmarkt] m black market
Schwarzweißfilm ['ʃvarts'vaɪsfɪlm] m CINE black and white film
schwatzen ['ʃvatsən] v 1. (klatschen) gossip; 2. (plaudern) chat; 3. (plappern) prattle
schweben ['ʃveːbən] v 1. to be suspended, hang, hover; 2. (fig) glide, sail, to be floating
Schwefel ['ʃveːfəl] m CHEM sulphur
schwefelhaltig ['ʃveːfəlhaltɪç] adj CHEM sulphurous
Schweif [ʃvaɪf] m tail
Schweigeminute ['ʃvaɪɡəminuːtə] f moment of silence; eine ~ einlegen observe a moment of silence
schweigen ['ʃvaɪɡən] v irr to be silent, keep silent; ganz zu ~ von ... to say nothing of ...; ~ wie ein Grab keep really quiet
Schweigen ['ʃvaɪɡən] n silence; jdn zum ~ bringen shut s.o.'s mouth; sich in ~ hüllen to be silent
Schweigepflicht ['ʃvaɪɡəpflɪçt] f confidentiality
schweigsam ['ʃvaɪkzaːm] adj 1. silent; 2. (wortkarg) taciturn
Schwein [ʃvaɪn] n 1. ZOOL pig, swine; kein ~ (fig) not a soul; 2. (Fleisch) GAST pork
Schweinerei [ʃvaɪnəˈraɪ] f 1. mess, filth; 2. (Zote) obscenity; 3. (Gemeinheit) vile deed
Schweinestall ['ʃvaɪnəʃtal] m pigsty
Schweiß [ʃvaɪs] m sweat, perspiration; im ~e meines Angesichts by the sweat of my brow
schweißen ['ʃvaɪsən] v TECH weld
Schweißer ['ʃvaɪsər] m TECH welder
Schweiz [ʃvaɪts] f die ~ GEO Switzerland
Schweizer(in) ['ʃvaɪtsər(ɪn)] m/f Swiss
schwelgen ['ʃvɛlɡən] v ~ in revel in, wallow in
Schwelle ['ʃvɛlə] f 1. (Eisenbahnschwelle) sleeper; 2. (Übergang) threshold
schwellen ['ʃvɛlən] v irr swell
Schwellung ['ʃvɛlʊŋ] f MED swelling
schwenken ['ʃvɛŋkən] v 1. swing, (Hut) wave; 2. CINE pan
Schwenkung ['ʃvɛŋkʊŋ] f 1. turn, swing; 2. (Meinungsänderung) change of heart
schwer [ʃveːr] adj 1. heavy; 2. (schwierig) difficult, hard, tough; ~ verständlich hard to

understand; 3. (ernst) grave, serious, severe; ~e Verluste heavy losses; ~ wiegend serious, grave; adv 4. (schwierig) with difficulty; ~ erziehbar difficult; es jdm ~ machen make sth difficult for s.o.; ~ verdaulich indigestible, difficult to digest, hard to digest; 5. (mühsam) with great effort; 6. (ernst) seriously, severely; ~ behindert severely handicapped, disabled; ~ beschädigt badly damaged, severely disabled; ~ krank seriously ill; ~ verletzt severely wounded, severely injured
Schwerarbeit ['ʃveːrarbaɪt] f heavy work
Schwerbehinderte(r) ['ʃveːrbəhɪndərtə(r)] m/f handicapped person
Schwere ['ʃveːrə] f (fig) seriousness
schwerelos ['ʃveːrəloːs] adj weightless
Schwerelosigkeit ['ʃveːrəloːzɪçkaɪt] f weightlessness
schwerfällig ['ʃveːrfɛlɪç] adj ponderous, cumbersome
Schwerfälligkeit ['ʃveːrfɛlɪçkaɪt] f ponderousness, cumbersomeness, clumsiness, heaviness, dullness
schwerhörig ['ʃveːrhøːrɪç] adj MED hard of hearing
Schwerhörigkeit ['ʃveːrhøːrɪçkaɪt] f impaired hearing
Schwerindustrie ['ʃveːrɪndustriː] f heavy industry
Schwerkraft ['ʃveːrkraft] f PHYS gravity, gravitational force
Schwermetall ['ʃveːrmetal] n MET heavy metal
Schwermut ['ʃveːrmuːt] f melancholy
schwermütig ['ʃveːrmyːtɪç] adj melancholy
Schwerpunkt ['ʃveːrpʊŋkt] m 1. (Nachdruck) emphasis, focus; 2. centre of gravity; 3. (fig: Zentrum) focal point
Schwert ['ʃveːrt] n sword
Schwertfisch ['ʃveːrtfɪʃ] m ZOOL swordfish
Schwerverbrecher ['ʃveːrfɛrbrɛçər] m felon, s.o. who commits a serious crime, dangerous criminal
Schwerverletzte(r) ['ʃveːrfɛrlɛtstə(r)] m/f severely wounded person, severely injured person
Schwester ['ʃvɛstər] f 1. sister; 2. (Krankenschwester) nurse
schwesterlich ['ʃvɛstərlɪç] adj sisterly
Schwiegereltern ['ʃviːɡərɛltərn] pl in-laws (fam), parents-in-law

Schwiegermutter ['ʃviːɡərmutər] f mother-in-law

Schwiegersohn ['ʃviːɡərzoːn] m son-in-law

Schwiegertochter ['ʃviːɡərtɔxtər] f daughter-in-law

Schwiegervater ['ʃviːɡərfaːtər] m father-in-law

schwierig ['ʃviːrɪç] adj difficult, hard, tough, complicated

Schwierigkeit ['ʃviːrɪçkaɪt] f difficulty; in ~en geraten get into trouble

Schwierigkeitsgrad ['ʃviːrɪçkaɪtsɡraːt] m degree of difficulty, level of difficulty

Schwimmbad ['ʃvɪmbaːt] n swimming pool

schwimmen ['ʃvɪmən] v irr 1. swim; 2. (Sachen) float, drift

Schwimmen ['ʃvɪmən] n SPORT swimming; ins ~ kommen get out of one's depth

Schwimmweste ['ʃvɪmvɛstə] f life jacket, life vest

Schwindel ['ʃvɪndəl] m 1. (Betrug) swindle, fraud, cheat; 2. MED dizziness, vertigo; 3. ~ erregend causing dizziness

Schwindelanfall ['ʃvɪndəlanfal] m dizzy spell

schwindelfrei ['ʃvɪndəlfraɪ] adj not liable to dizziness, not afraid of heights

Schwindelgefühl ['ʃvɪndəlɡəfyːl] n dizziness, giddiness

schwindeln ['ʃvɪndəln] v 1. (lügen) lie, fib; 2. (betrügen) cheat, swindle

schwinden ['ʃvɪndən] v irr 1. dwindle; 2. (schrumpfen) shrink; 3. (ganz vergehen) disappear, fade away

Schwindler ['ʃvɪndlər] m swindler, con man; liar

schwindlig ['ʃvɪndlɪç] adj dizzy, giddy; Mir wird ~. I feel giddy.

schwingen ['ʃvɪŋən] v irr 1. swing; 2. (vibrieren) vibrate

Schwingung ['ʃvɪŋuŋ] f PHYS vibration, oscillation, pulsation

Schwips ['ʃvɪps] m tipsiness; einen ~ haben feel tipsy

schwirren ['ʃvɪrən] v 1. whir, hum; 2. (Mücken) buzz

schwitzen ['ʃvɪtsən] v sweat, perspire

schwören ['ʃvøːrən] v irr 1. swear; 2. JUR take the bath

schwul ['ʃvuːl] adj (fam) gay

schwül [ʃvyːl] adj 1. sultry, close, stifling; 2. (heiß) sweltering

schwülstig ['ʃvylstɪç] adj bombastic, pompous

Schwund [ʃvunt] m 1. dwindling, fading, decrease; 2. (Schrumpfen) shrinkage

Schwung [ʃvuŋ] m 1. sweep, swing; etw in ~ bringen get sth going; in ~ kommen get going; in ~ sein to be in full swing; 2. (fig: Tatkraft) impetus, verve, élan

schwungvoll ['ʃvuŋfɔl] adj 1. energetic, spirited, full of enthusiasm; adv 2. energetically, enthusiastically

Schwur ['ʃvuːr] m oath

Schwurgericht ['ʃvuːrɡərɪçt] n JUR jury

sechs [zɛks] num six

sechseckig ['zɛksɛkɪç] adj hexagonal

See [zeː] m 1. lake; f 2. sea, ocean; in ~ stechen put to sea; zur ~ fahren to be a sailor

Seehund ['zeːhunt] m ZOOL seal

Seeigel ['zeːiːɡəl] m ZOOL sea-urchin

seekrank ['zeːkraŋk] adj seasick

Seelachs ['zeːlaks] m ZOOL pollack

Seele ['zeːlə] f soul; sich etwas von der ~ reden get sth off one's chest; sich die ~ aus dem Leib reden talk one's head off; jdm auf der ~ brennen weigh heavily on one's mind; jdm aus der ~ sprechen take the words out of s.o's mouth; eine ~ von einem Menschen a good soul; aus tiefster ~, mit ganzer ~ wholeheartedly

Seelenruhe ['zeːlənruːə] f peace of mind, composure; eine ~ haben to be as calm as can be

seelenruhig ['zeːlənruːɪç] adv calmly

seelisch ['zeːlɪʃ] adj psychic, spiritual, mental

Seelsorger ['zeːlzɔrɡər] m REL pastor

Seemann ['zeːman] m seaman, sailor

Seemannsgarn ['zeːmansɡarn] n sailor's yarn

Seemeile ['zeːmaɪlə] f NAUT nautical mile

Seenot ['zeːnoːt] f distress

Seepferdchen ['zeːpfɛrtçən] n ZOOL seahorse

Seeräuber ['zeːrɔybər] m pirate

Seereise ['zeːraɪzə] f sea voyage, ocean voyage, sea cruise

Seerose ['zeːroːzə] f BOT water lily

Seestern ['zeːʃtɛrn] m ZOOL starfish

seetüchtig ['zeːtyçtɪç] adj seaworthy

Seezunge ['zeːtsuŋə] f GAST sole

Segel ['zeːɡəl] n sail; mit vollen ~n full speed ahead

Segelboot ['zeːɡəlboːt] n sailing-boat, sailboat (US)

Segelflug ['ze:gəlflu:k] m glider flight, gliding

Segelflugzeug ['ze:gəlflu:ktsɔyk] n glider

segeln ['ze:gəln] v sail

Segelschiff ['ze:gəlʃɪf] n NAUT sailing ship

Segen ['ze:gən] m blessing; jds ~ haben have s.o.'s blessing; seinen ~ zu etw geben give sth one's blessing

Segment [zɛk'mɛnt] n segment

segnen ['ze:gnən] v bless; das Zeitliche ~ (fig) breathe one's last

sehen ['ze:ən] v irr 1. see; Wir ~ uns nächste Woche. I'll see you next week. sich ~ lassen können (fig) to be respectable; etw nicht mehr ~ können to be sick of sth; 2. (hin~) look

sehenswert ['ze:ənsve:rt] adj worth seeing, remarkable

Sehenswürdigkeit ['ze:ənsvyrdıçkaıt] f thing worth seeing, place of interest, sight

Seher ['ze:ər] m seer

Sehhilfe ['ze:hɪlfə] f aid to vision

Sehne ['ze:nə] f ANAT tendon, sinew

sehnen ['ze:nən] v sich ~ nach long for, yearn for, hunger for

Sehnsucht ['ze:nzuçt] f yearning, intense longing, desire

sehnsüchtig ['ze:nzyçtıç] adj longing, yearning

sehr [ze:r] adv very, very much, a lot; Es macht ~ viel Spaß. It's a lot of fun. zu ~ too much

Sehschwäche ['ze:ʃvɛçə] f vision impairment, reduced vision

seicht [zaıçt] adj shallow

Seide ['zaıdə] f silk

seidig ['zaıdıç] adj silky

Seife ['zaıfə] f soap

Seifenoper ['zaıfəno:pər] f soap opera

Seil [zaıl] n rope, cable; auf dem ~ tanzen to be walking a tightrope

Seilbahn ['zaılba:n] f cable railway

Seiltänzer ['zaıltɛntsər] m tightrope walker, high-wire performer

sein [zaın] v irr to be, (bestehen) exist; wenn das nicht wäre were it not for that; etw ~ lassen leave sth alone; Wie dem auch sei ...Be that as it may ...; es sei denn, dass ... unless ...; Mir ist, als ob ... I have a feeling that ...; Mir ist nicht danach. I don't feel like it. Sei doch nicht so! Don't be difficult!

Sein [zaın] n existence, being

seinesgleichen [zaınəs'glaıçən] pron his kind, his like; Er sucht ~. He has no equal.

seinetwegen [zaınət've:gən] adv because of him, for his sake, on his account

seit [zaıt] prep 1. (Zeitpunkt) since; ~ 1996 since 1996; 2. (während) for; Ich bin ~ elf Monaten hier. I have been here for eleven months. konj 3. since

seitdem [zaıt'de:m] konj 1. since; adv 2. since then, since that time, ever since

Seite ['zaıtə] f 1. side; etw auf die ~ gelegt haben have sth saved up for a rainy day; jdm nicht von der ~ weichen not move from s.o.'s side; auf jds ~ stehen to be on s.o.'s side; sich von seiner besten ~ zeigen put one's best foot forward; jdm zur ~ stehen stand by s.o.; etw von der leichten ~ nehmen not take sth seriously; 2. (Buchseite) page; 3. (fig: Aspekt) side, aspect, facet

seitens ['zaıtəns] prep on the part of

Seitensprung ['zaıtənʃprʊŋ] m (fig) extramarital affair

seitenverkehrt ['zaıtənfɛrke:rt] adj the wrong way around

seither ['zaıthe:r] adv since, since then

seitlich ['zaıtlıç] adj 1. side, lateral; adv 2. sideways, laterally

seitwärts ['zaıtvɛrts] adv side

Sekretär [zekre'tɛ:r] m 1. (Person) secretary; 2. (Schreibtisch) desk, writing table

Sekretärin [zekre'tɛ:rın] f secretary

Sekretariat [zekreta'rja:t] n secretary's office, secretariat (UK)

Sekt [zɛkt] m sparkling wine, champagne

Sekte ['zɛktə] f REL sect

Sektor ['zɛktor] m sector, branch

sekundär [zekun'dɛ:r] adj secondary

Sekunde [ze'kundə] f second; auf die ~ genau to the second

Sekundenzeiger [ze'kundəntsaıgər] m second hand

selbst [zɛlpst] pron 1. sie ~ she herself; ich ~ I myself; Sie ~ (pl) you yourselves; 2. (ohne fremde Hilfe) by o.s.; Das mache ich lieber ~. I'd rather do it myself. von ~ by itself, (Mensch) by o.s.; adv 3. even; ~ wenn even if

Selbstachtung ['zɛlpstaxtuŋ] f self-respect, self-esteem

selbstständig ['zɛlpstʃtɛndıç] adj 1. independent; 2. sich ~ machen go into business for o.s.

Selbstständigkeit ['zɛlpstʃtɛndıçkaıt] f independence

Selbstauslöser ['zɛlpstauslø:zər] m FOTO delayed action, automatic shutter, self-timer

Selbstbedienung ['zɛlpstbədi:nuŋ] f self-service

Selbstbefriedigung ['zɛlpstbəfri:dɪguŋ] f masturbation

Selbstbeherrschung ['zɛlpstbəhɛrʃuŋ] f self-control, self-restraint

Selbstbestimmung ['zɛlpstbəʃtɪmuŋ] f self-determination, autonomy

selbstbewusst ['zɛlpstbəvust] adj self-confident, self-assured

Selbstbewusstsein ['zɛlpstbəvustzaɪn] n self-confidence

Selbsterniedrigung ['zɛlpstɛrni:drɪguŋ] f self-abasement

selbstgefällig ['zɛlpstgəfɛlɪç] adj self-satisfied, complacent, smug

selbstgenügsam ['zɛlpstgəny:kza:m] adj self-sufficient

selbstgerecht ['zɛlpstgəreçt] adj self-righteous

Selbstgespräch ['zɛlpstgəʃprɛ:ç] n monologue; ~ führen talk to o.s.

selbstherrlich ['zɛlpsthɛrlɪç] adj autocratic

Selbstjustiz ['zɛlpstjusti:ts] f vigilantism, taking the law into one's own hands

selbstklebend ['zɛlpstkle:bənt] adj self-adhesive

Selbstkostenpreis ['zɛlpstkɔstənpraɪs] m ECO cost price

Selbstkritik ['zɛlpstkriti:k] f self-criticism

Selbstlaut ['zɛlpstlaut] m LING vowel

selbstlos ['zɛlpstlo:s] adj 1. selfless, unselfish, altruistic; adv 2. selflessly, unselfishly, altruistically

Selbstmitleid ['zɛlpstmɪtlaɪt] n self-pity

Selbstmord ['zɛlpstmɔrt] m suicide; ~ begehen commit suicide

Selbstporträt ['zɛlpstpɔrtrɛ:] n self-portrait

Selbstschutz ['zɛlpstʃuts] m self-defence

selbstsicher ['zɛlpstzɪçər] adj self-confident, self-assured

Selbstsicherheit ['zɛlpstzɪçərhaɪt] f self-confidence, self-reliance

Selbstsucht ['zɛlpstzuxt] f egoism, selfishness

selbstsüchtig ['zɛlpstzyçtɪç] adj egoistic, selfish

Selbsttäuschung ['zɛlpsttɔyʃuŋ] f self-delusion

Selbstüberschätzung ['zɛlpsty:bərʃɛtsuŋ] f delusions of grandeur, exaggerated opinion of o.s.

selbstverständlich ['zɛlpstfɛrʃtɛntlɪç] adj 1. self-evident, obvious; adv 2. of course, naturally

Selbstverständlichkeit ['zɛlpsfɛrʃtɛntlɪçkaɪt] f eine ~ sein go without saying

Selbstverteidigung ['zɛlpstfɛrtaɪdɪguŋ] f self-defence

Selbstvertrauen ['zɛlpstfɛrtrauən] n self-confidence, self-assuredness

Selbstverwirklichung ['zɛlpstfɛrvɪrklɪçuŋ] f self-realization, self-fulfilment

selbstzufrieden ['zɛlpsttsufri:dən] adj self-satisfied

Selbstzweck ['zɛlpsttsvɛk] m end in itself; als ~ for its own sake

Selektion [zelɛktsjoːn] f selection

selektiv [zelɛkˈtiːf] adj selective

selig ['ze:lɪç] adj 1. blissful, happy; 2. REL blessed; ~ sprechen beatify; Gott hab ihn ~ God rest his soul

Seligkeit ['ze:lɪçkaɪt] f 1. bliss, blissfulness, happiness; 2. REL salvation, eternal bliss, beatitude

selten ['zɛltən] adj 1. rare; adv 2. rarely, seldom

Seltenheit ['zɛltənhaɪt] f rarity, rareness; Das ist keine ~. That's not uncommon.

seltsam ['zɛltza:m] adj strange, odd, peculiar

Semester [ze'mɛstər] n semester, term

Semesterferien [ze'mɛstərfe:rjən] pl holidays, vacation

Seminar [zemi'na:r] n seminar

Semmel ['zɛməl] f roll

Semmelbrösel ['zɛməlbrø:zəl] pl GAST breadcrumbs

Senat [ze'na:t] m POL senate

Senator [ze'na:tɔr] m POL senator

Sendebereich ['zɛndəbəraɪç] m (Radio/TV) transmitter range, listening area/viewing area

senden ['zɛndən] v irr 1. (Brief) send; 2. (Radio/TV) transmit, broadcast

Sender ['zɛndər] m 1. (Radio/TV) station, channel, programme; 2. (Gerät zum Senden) transmitter

Sendereihe ['zɛndəraɪə] f (Radio/TV) series

Sendeschluss ['zɛndəʃlus] m sign-off time

Sendezeit ['zɛndətsaɪt] f broadcasting time, programme time, time slot

Sendung ['zɛnduŋ] f 1. (Versand) shipment, consignment; 2. (eines Programms) broadcasting; 3. (Programm) programme

Senf [zɛnf] m mustard; seinen ~ dazugeben stick an oar in, put in one's two cents' worth (US)

senil [ze'ni:l] adj senile

Senior ['ze:njər] *m* senior
Seniorenheim [zen'jo:rənhaım] *n* senior citizens' home
senken ['zɛŋkən] *v* 1. lower, let down; 2. *(den Kopf)* bow
senkrecht ['zɛŋkrɛçt] *adj* 1. vertical; 2. MATH perpendicular
Sensation [zɛnza'tsjo:n] *f* sensation
sensationell [zɛnzatsjo'nɛl] *adj* sensational
Sensationsmeldung [zɛnza'tsjo:nsmɛlduŋ] *f* sensational account
Sensationspresse [zɛnza'tsjo:nsprɛsə] *f* yellow press, tabloid press
sensibel [zɛn'zi:bəl] *adj* sensitive
Sensibilität [zɛnzibili'tɛ:t] *f* sensitivity
Sensor ['zɛnzor] *m* TECH sensor, detector
sentimental [zɛntimɛn'ta:l] *adj* sentimental
Sentimentalität [zɛntimɛntali'tɛ:t] *f* sentimentality
separat [zepa'ra:t] *adj* 1. separate; *adv* 2. separately
Separatismus [zepara'tısmus] *m* POL separatism
Separee [zepa're:] *n* 1. *(Nische)* private booth; 2. *(Zimmer)* private room
September [zɛp'tɛmbər] *m* September
Sequenz [ze'kvɛnts] *f* sequence
Serie ['ze:rjə] *f* series
seriell [ze:'rjɛl] *adj* INFORM serial
Serienanfertigung ['ze:rjənanfɛrtıguŋ] *f* ECO serial production
serienmäßig ['ze:rjənmɛ:sıç] *adj* 1. serial; *adv* 2. in series
seriös [ze:'rjø:s] *adj* 1. serious; 2. *(anständig)* respectable; 3. *(Firma)* reliable
Serum ['ze:rum] *n* BIO serum
Service ['zœrvıs] *m* 1. *(Kundendienst)* service; [zɛr'vi:s] *n* 2. *(Geschirr)* service, set
servieren [zɛr'vi:rən] *v* 1. serve; 2. *(aufwarten)* wait on
Servierwagen [zɛr'vi:rva:gən] *m* cart
Serviette [zɛr'vjɛtə] *f* napkin
Sesam ['ze:zam] *m* BOT sesame
Sessel ['zɛsəl] *m* armchair
Sessellift ['zɛsəllıft] *m* chair-lift
sesshaft ['zɛshaft] *adj* settled, established, sedentary
setzen ['zɛtsən] *v* 1. put, place; *sich eine Mütze auf den Kopf ~* put on a hat; *seine Hoffnung auf etw ~* place one's hopes on sth; *Gleich setzt es was!* You'll get a good hiding in a minute! 2. *(festlegen)* set; 3. *(wetten) auf etw ~*

bet on sth; 4. *(Text)* typeset, compose; 5. *sich ~* sit down, take a seat, to be seated; *Setzen Sie sich!* Take a seat!
Setzer ['zɛtsər] *m* typesetter, compositor
Setzling ['zɛtslıŋ] *m* BOT seedling, sapling
Seuche ['zɔyçə] *f* MED epidemic
seufzen ['zɔyftsən] *v* 1. sigh; 2. *(stöhnen)* groan
Seufzer ['zɔyftsər] *m* sigh, moan, groan
Sex [zɛks] *m* sex
sexistisch [zɛ'ksıstıʃ] *adj* sexist
Sexualdelikt [zɛksu'a:ldelıkt] *n* JUR sexual offence (UK), sexual offense (US)
Sexualität [zɛksuali'tɛ:t] *f* sexuality
sexuell [zɛksu'ɛl] *adj* 1. sexual; *adv* 2. sexually
sexy ['zɛksi] *adj (fam)* sexy
Seychellen [ze'ʃɛlən] *pl* GEO Seychelles
sezieren [ze'tsi:rən] *v* MED dissect
Shorts [ʃɔ:rts] *pl* shorts *pl*
Show [ʃəu] *f* show
Sibirien [zi'bi:rjən] *n* GEO Siberia
sibirisch [zi'bi:rıʃ] *adj* Siberian
sich [zıç] *pron* 1. oneself/himself/herself/itself/yourself/yourselves/themselves; *zu ~ kommen* regain consciousness; *Das ist eine Sache für ~.* That's another story. 2. *(einander)* each other; *Sie kennen ~ seit Jahren.* They've known each other for years.
Sichel ['zıçəl] *f* 1. sickle; 2. *(Mondsichel)* crescent
sicher ['zıçər] *adj* 1. certain, sure; *Das ist ~.* That's for certain. 2. *(gefahrlos)* safe, secure; *adv* 3. *(zweifellos)* certainly; 4. *(gefahrlos)* safely, securely
sichergehen ['zıçərge:ən] *v irr* make sure, to be on the safe side
Sicherheit ['zıçərhaıt] *f* 1. *(Gewissheit)* certainty; *mit ~* certainly; 2. *(Schutz)* safety, security; *sich in ~ wiegen* have a (false) sense of security; 3. *(Gewähr)* ECO collateral, security
Sicherheitsgurt ['zıçərhaıtsgurt] *m* safety belt, seat belt
Sicherheitskopie ['zıçərhaıtskopi:] *f* INFORM backup copy
Sicherheitsnadel ['zıçərhaıtsna:dəl] *f* safety pin
Sicherheitsschloss ['zıçərhaıtsʃlɔs] *n* safety-lock
sicherlich ['zıçərlıç] *adv* surely, certainly
sichern ['zıçərn] *v* secure, guarantee
sicherstellen ['zıçərʃtɛlən] *v* 1. *(sichern)* secure, safeguard; 2. *(garantieren)* ensure; 3. *(beschlagnahmen)* confiscate, seize

Sicherung ['zɪçərʊŋ] f 1. (Sichern) securing, safeguarding; 2. (Schmelzsicherung) TECH fuse, cut-out; Bei ihm ist die ~ durchgebrannt. He blew a fuse. 3. (Vorrichtung) TECH safety device; 4. (an einer Schusswaffe) safety catch

Sicherungskasten ['zɪçərʊŋskastən] m fuse box

Sicht [zɪçt] f sight, (Schweite) range of vision; auf lange ~ in the long run

sichtbar ['zɪçtbaːr] adj 1. visible; 2. (offenbar) evident

sichten ['zɪçtən] v 1. (erblicken) see; 2. (prüfen) inspect, review

Sichtung ['zɪçtʊŋ] f 1. (Erblicken) sighting; 2. (Überprüfung) inspection, review

Sichtverhältnisse ['zɪçtfɛrhɛltnɪsə] pl visibility

sickern ['zɪkərn] v seep, ooze, leak

sie [ziː] pron 1. (feminin) she; (Akkusativ) her; 2. (Sache) it; 3. (Plural) they; (Akkusativ Plural) them

Sie [ziː] pron 1. (Singular) you; 2. (Plural) you

Sieb ['ziːp] n sieve, strainer; ein Gedächtnis wie ein ~ (fig) a memory like a sieve

sieben[1] ['ziːbən] v sift, strain, screen

sieben[2] ['ziːbən] num seven

siechen ['ziːçən] v waste away, languish, vegetate

siedeln ['ziːdəln] v settle

sieden ['ziːdən] v irr boil, simmer

Siedepunkt ['ziːdəpʊŋkt] m boiling point

Siedler ['ziːdlər] m settler, colonist

Siedlung ['ziːdlʊŋ] f settlement, colony

Sieg [ziːk] m victory, win

Siegel ['ziːgəl] n seal

siegen ['ziːgən] v win

Sieger ['ziːgər] m winner

Siegerehrung ['ziːgəreːrʊŋ] f victory ceremony

siegreich ['ziːkraɪç] adj victorious, triumphant

siezen ['ziːtsən] v jdn ~ call a person "Sie", use the formal form of address to s.o.

Signal [zɪgˈnaːl] n signal

signalisieren [zɪgnaliˈziːrən] v signal

Silbe ['zɪlbə] f syllable

Silbentrennung ['zɪlbəntrɛnʊŋ] f hyphenation

Silber ['zɪlbər] n silver

Silberblick ['zɪlbərblɪk] m (fam) squint

Silberhochzeit ['zɪlbərhɔçtsaɪt] f silver wedding anniversary

Silbermedaille ['zɪlbərmedaljə] f SPORT silver medal

silbern ['zɪlbərn] adj silver

Silhouette [ziluˈɛtə] f silhouette

Silikon [ziliˈkoːn] n CHEM silicone

Silizium [ziˈliːtsjum] n CHEM silicon

Silo ['ziːlo] m n silo

Silvester [zɪlˈvɛstər] n New Year's Eve

simpel ['zɪmpəl] adj simple, plain

simplifizieren [zɪmplifiˈtsiːrən] v simplify

Sims [zɪms] n ledge, shelf

Simulant [zimuˈlant] m malingerer

Simulation [zimulaˈtsjoːn] f simulation

simulieren [zimuˈliːrən] v simulate, feign

simultan [zimulˈtaːn] adj simultaneous

Sinfonie [zɪnfoˈniː] f MUS symphony

Singapur ['zɪŋgapuːr] n GEO Singapore

singen ['zɪŋən] v irr sing

Single ['sɪŋgl] f 1. (Tonträger) single; m 2. (alleinlebende Person) single

Singular ['zɪŋgulaːr] m GRAMM singular

singulär [zɪŋguˈlɛːr] adj singular

sinken ['zɪŋkən] v irr 1. sink, drop; 2. (Preise) fall, drop, go down; 3. (Schiff) NAUT sink; 4. (fig) come down

Sinn [zɪn] m 1. (Bedeutung) sense, meaning, significance; im übertragenen ~ in the figurative sense; Das ergibt keinen ~. That makes no sense. 2. (Zweck) point, purpose; 3. (Empfinden) sense; der sechste ~ the sixth sense; Er hat seine fünf ~e nicht mehr beisammen. He's not all there. nicht mehr Herr seiner ~e sein have lost one's self-control; Das geht mir nicht mehr aus dem ~. I can't stop thinking about it. Es kam mir in den ~. It occurred to me. Das ist nicht im ~e des Erfinders. That's not quite what was intended. Er benahm sich wie von ~en. He behaved as if he were out of his mind. Danach steht mir nicht der ~. That's not what I'm after. sich etw aus dem ~ schlagen get sth out of one's mind; etw im ~ haben have sth in mind; 4. (Empfänglichkeit) feeling, sense

Sinnbild ['zɪnbɪlt] n symbol, emblem

sinnbildlich ['zɪnbɪltlɪç] adj 1. symbolic; adv 2. symbolically

Sinnesänderung ['zɪnəsɛndərʊŋ] f change of mind, change of heart (fam)

Sinneseindruck ['zɪnəsaɪndruk] m sensation

Sinnesorgan ['zɪnəsɔrgaːn] n BIO sensory organ

Sinnestäuschung ['zɪnəstɔyʃʊŋ] f hallucination

sinngemäß ['zɪŋgəmɛːs] adv etw ~ wiedergeben give the gist of sth

sinnieren [zɪˈniːrən] v brood, ruminate

sinnig ['zɪnɪç] *adj* smart, clever, brilliant
sinnlich ['zɪnlɪç] *adj* 1. sensuous; 2. *(erotisch)* sensual
Sinnlichkeit ['zɪnlɪçkaɪt] *f* 1. sensuousness; 2. *(Erotik)* sensuality
sinnlos ['zɪnlo:s] *adj* senseless, pointless, futile
Sinnlosigkeit ['zɪnlo:zɪçkaɪt] *f* senselessness, pointlessness
sinnvoll ['zɪnfɔl] *adj* 1. *(vernünftig)* sensible; 2. *(Satz)* meaningful; 3. *(nützlich)* useful
Sintflut ['zɪntflu:t] *f* REL deluge
Sinus ['zi:nʊs] *m* MATH sine
Sippe ['zɪpə] *f* clan, tribe
Sippschaft ['zɪpʃaft] *f* 1. *(Verwandtschaft)* relations *pl*; 2. *(Bande)* gang
Sirene [zi're:nə] *f* siren
Sirup ['zi:rʊp] *m* syrup
Sitte ['zɪtə] *f* 1. *(Brauch)* custom, habit; 2. *(Sittlichkeit)* morals *pl*, morality
Sittenverfall ['zɪtənfɛrfal] *m* moral decay, degeneracy
sittenwidrig ['zɪtənvi:drɪç] *adj* unethical, immoral
Sittich ['zɪtɪç] *m* ZOOL parakeet
sittlich ['zɪtlɪç] *adj* moral, ethical
Sittlichkeit ['zɪtlɪçkaɪt] *f* morality
sittsam ['zɪtza:m] *adj* 1. modest, demure, well-behaved; *adv* 2. modestly, demurely
Situation [zɪtua'tsjo:n] *f* situation, position
Situationskomik [zɪtua'tsjo:nsko:mɪk] *f* funniness of a specific situation, comedy of a situation
situiert [zɪtu'i:rt] *adj* situated, located
Sitz [zɪts] *m* 1. *(Platz)* seat, chair, place to sit; 2. *(Wohnsitz)* residence; 3. *(Firmensitz)* ECO headquarters; *mit ~ in Schweinfurt* headquartered in Schweinfurt, based in Schweinfurt
sitzen ['zɪtsən] *v irr* 1. sit, to be seated; *einen ~ haben* have had one drink too many; 2. *(fam: im Gefängnis ~)* serve time, do time; 3. *(Hieb)* to be on the mark, to be on target; *Das hat gesessen!* That hit home! 4. *~ bleiben (in der Schule)* fail a year at school, have to repeat a year, to be held back a year; 5. *jdn ~ lassen* stand s.o. up; *(fig)* leave s.o. in the lurch; *eine Beleidigung nicht auf sich ~ lassen* not stand for an insult
Sitzplatz ['zɪtsplats] *m* seat
Sitzstreik ['zɪtsʃtraɪk] *m* sit-down strike
Sitzung ['zɪtsʊŋ] *f* session, meeting, sitting, conference
Sizilianer [zitsi'lja:nər] *m* Sicilian

sizilianisch [zitsi'lja:nɪʃ] *adj* Sicilian
Sizilien [zi'tsi:ljən] *n* GEO Sicily
Skala ['ska:la] *f* scale
Skalpell [skal'pɛl] *n* MED scalpel
skalpieren [skal'pi:rən] *v* scalp
Skandal [skan'da:l] *m* scandal
skandalös [skanda'lø:s] *adj* scandalous, shocking
Skandinavien [skandi'na:vjən] *n* GEO Scandinavia
Skat [ska:t] *m* skat
Skelett [ske'lɛt] *n* ANAT skeleton
Skepsis ['skɛpsɪs] *f* scepticism, skepticism *(US)*
Skeptiker ['skɛptɪkər] *m* sceptic, skeptic *(US)*
skeptisch ['skɛptɪʃ] *adj* sceptical, skeptical *(US)*
Ski [ʃi:] *m* ski; *~ fahren* ski
Skilaufen ['ʃi:laufən] *n* SPORT skiing
Skilift ['ʃi:lɪft] *m* ski lift
Skizze ['skɪtsə] *f* 1. *(Zeichnung)* sketch; 2. *(Entwurf)* outline
skizzieren [skɪ'tsi:rən] *v* 1. sketch; 2. *(Plan)* sketch out
Sklave ['skla:və] *m* slave
Sklavenhandel ['skla:vənhandəl] *m* slave trade
Sklavin ['skla:vɪn] *f* slave
Sklaverei [skla:və'raɪ] *f* slavery
Skonto ['skɔnto] *n/m* ECO discount
Skorbut [skɔr'bu:t] *m* MED scurvy
Skorpion [skɔr'pjo:n] *m* ZOOL scorpion *n;* 2. *(Tierkreiszeichen)* Scorpio
Skrupel ['skru:pəl] *m* scruple
skrupellos ['skru:pəllo:s] *adj* 1. unscrupulous; *adv* 2. unscrupulously
Skrupellosigkeit ['skru:pəllo:zɪçkaɪt] *f* unscrupulousness
Skulptur [skʊlp'tu:r] *f* ART sculpture
skurril [skʊ'ri:l] *adj* 1. farcical, ludicrous, weird; *adv* 2. ludicrously, weirdly
Slalom ['sla:lɔm] *m* slalom
Slip [slɪp] *m* 1. *(Herrenslip)* briefs *pl*; 2. *(Damenslip)* panties *pl*
Smaragd [sma'rakt] *m* MIN emerald
Smog [smɔk] *m* smog
Smoking ['smo:kɪŋ] *m* 1. dinner-jacket, tuxedo *(US)*; 2. *(auf Einladungen)* black tie
snobistisch [sno'bɪstɪʃ] *adj* snobbish
snowboarden ['snəʊbɔ:dən] *v* SPORT snowboard
so [zo:] *adv* 1. *(in dieser Weise)* so, like this, in this way; *und ~ weiter* etcetera; *~ oder ~* one

way or another; ~ *viel* so much, as much; *doppelt* ~ *viel* twice as much; ~ *wie* as much as; ~ *viel ich weiß* as far as I know; ~ *weit* as far as; *Wir sind* ~ *weit.* We're ready. *Es ist wahrscheinlich besser* ~. It's probably better that way. *Sei doch nicht* ~! Don't be that way! *Weiter* ~! Keep it up! *Mir ist es* ~, *als ob ...* I feel as if ...; *Na* ~ *was!* Well, well! What do you know! Gosh! *nicht* ~ *ganz* not quite; 2. *(dermaßen)* such, so, to such a degree; *So ein Quatsch!* What nonsense! *So ein Pech!* Rotten luck! *um* ~ *besser* so much the better; *~ ... wie* as ... as; *Es tut mir* ~ *leid!* I'm so sorry! *ein* ~ *großes Haus* such a large house; *Es hat ihm* ~ *gefallen, dass ...* He liked it so much that ...; 3. *(ohnehin)* as it is; 4. *(schätzungsweise)* about, around; *oder* ~ or so; ~ *in zwei Stunden* in about two hours; 5. *(wie er sagt)* ~ *Schmidt* according to Schmidt; *konj* 6. *(folglich)* so, therefore, consequently; ~ *dass* so that, such that; 7. *(wenn)* if, provided that; *interj* 8. *(wirklich)* oh, really, is that so; 9. *(abschließend)* well, right, now then; 10. ~ *genannt* as it is called; so-called

sobald [zoˈbalt] *konj* as soon as, when; ~ *du irgend kannst* as soon as you possibly can
Socke [ˈzɔkə] *f* sock; *sich auf die* ~*n machen* get a move on; *von den* ~*n sein* to be dumbfounded; *Mir qualmen schon die* ~*n!* My feet are all blisters!
Sockel [ˈzɔkəl] *m* base, pedestal, mount
Soda [ˈzoːda] *n* GAST soda
Sodawasser [ˈzoːdavasər] *n* soda water
Sodbrennen [ˈzoːtbrɛnən] *n* heartburn
Sofa [ˈzoːfa] *n* sofa
sofern [zoˈfɛrn] *konj* if, provided that, in case
sofort [zoˈfɔrt] *adv* immediately, at once, straight away
Sofortbildkamera [zoˈfɔrtbɪltkaməra] *f* instant camera
Software [ˈsɔftvɛːr] *f* INFORM software
Sog [zoːk] *m* suction, undertow, wake
sogar [zoˈɡaːr] *adv* even
sogleich [zoˈɡlaɪç] *adv* immediately, at once, straight away
Sohle [ˈzoːlə] *f* 1. *(Schuhsohle)* sole; *auf leisen* ~*n* stealthily; *eine kesse* ~ *aufs Parkett legen* tear up the dance floor (fam); *sich an jds* ~*n heften* dog s.o.'s footsteps; 2. *(Fußsohle)* ANAT sole (of the foot); 3. MIN level, bottom
Sohn [zoːn] *m* son
Soja [ˈzoːja] *f* BOT soybean, soya bean, soya
Sojasoße [ˈzoːjazoːsə] *f* GAST soy sauce

solange [zoˈlaŋə] *konj* as long as, so long as
Solarenergie [zoˈlaːrenɛrɡiː] *f* TECH solar energy
Solarium [zoˈlaːrjʊm] *n* solarium
Solarzelle [zoˈlaːrtsɛlə] *f* TECH solar cell
solche(r,s) [ˈzɔlçə(r,s)] *pron* 1. such; *adj* 2. such; ~ *Menschen* such people, people like that
Sold [zɔlt] *m* MIL pay
Soldat [zɔlˈdaːt] *m* soldier, ~ *werden* join the army
Söldner [ˈzœldnər] *m* mercenary
Sole [ˈzoːlə] *f* brine, salt water
solidarisch [zoliˈdaːrɪʃ] *adj* solidly united; *sich mit jdm* ~ *fühlen* feel solidarity with s.o.
solidarisieren [zolidariˈziːrən] *v sich* ~ express solidarity, demonstrate solidarity; *sich* ~ *mit* endorse, back, support
Solidarität [zolidariˈtɛːt] *f* solidarity
solide [zoˈliːdə] *adj* 1. solid, sturdy; 2. *(Firma)* sound; 3. *(anständig)* respectable; *adv* 4. solidly
Solist [zoˈlɪst] *m* MUS soloist
Soll [zɔl] *n* FIN debit
sollen [ˈzɔlən] *v irr* 1. should, to be to; *Sie sagte ihm, er solle nach Hause gehen.* She told him he was to go home. She told him he should go home. *Er hätte aufpassen* ~. He should have paid attention. 2. *(bei Erwartung)* to be supposed to; *Was soll das?* What's the idea? *Was soll das heißen?* What's that supposed to mean? 3. *(eigentlich* ~*)* ought to
Solo [ˈzoːlo] *n* solo
Sommer [ˈzɔmər] *m* summer
Sommersprossen [ˈzɔmərʃprɔsən] *pl* freckles
Sommerzeit [ˈzɔmərtsaɪt] *f* 1. summertime; 2. *(Zeitverschiebung während der Sommermonate)* daylight saving time
Sonate [zoˈnaːtə] *f* MUS sonata
Sonde [ˈzɔndə] *f* TECH probe
Sonderangebot [ˈzɔndəranɡəboːt] *n* special offer, special bargain
sonderbar [ˈzɔndərbaːr] *adj* 1. strange, peculiar, odd; *adv* 2. strangely, oddly, peculiarly
Sonderling [ˈzɔndərlɪŋ] *m* eccentric, freak, outsider
Sondermüll [ˈzɔndərmyl] *m* special (toxic) waste
sondern [ˈzɔndərn] *konj* but, but rather; *nicht nur ...,* ~ *auch ...* not only ... but also ...
Sonderwünsche [ˈzɔndərvynʃə] *pl* special wishes

Sonderzeichen ['zɔndərtsaiçən] *n IN-FORM* special character, additional character

sondieren [zɔn'di:rən] *v* 1. study, probe; 2. *NAUT* sound

Sondierung [zɔn'di:ruŋ] *f* sounding

Sonnabend ['zɔna:bənt] *m* Saturday

Sonne ['zɔnə] *f* sun

sonnen ['zɔnən] *v sich ~* sun o.s., sunbathe, bask in the sun

Sonnenaufgang ['zɔnənaufgaŋ] *m* sunrise

Sonnenblume ['zɔnənblu:mə] *f BOT* sunflower

Sonnenbrand ['zɔnənbrant] *m* sunburn

Sonnenbräune ['zɔnənbrɔynə] *f* suntan

Sonnenbrille ['zɔnənbrilə] *f* sunglasses *pl*

Sonnenenergie ['zɔnənenergi:] *f TECH* solar energy

Sonnenfinsternis ['zɔnənfɪnstərnɪs] *f ASTR* eclipse of the sun, solar eclipse

Sonnenfleck ['zɔnənflɛk] *m ASTR* sunspot

Sonnenkollektor ['zɔnənkɔlɛktɔr] *m TECH* solar collector

Sonnenschein ['zɔnənʃain] *m* sunshine

Sonnenschirm ['zɔnənʃɪrm] *m* 1. sunshade; 2. *(für Damen)* parasol

Sonnenstich ['zɔnənʃtiç] *m MED* sunstroke

Sonnenstrahl ['zɔnənʃtra:l] *m* ray of sunshine, sunbeam

Sonnensystem ['zɔnənzyste:m] *n ASTR* solar system

Sonnenuhr ['zɔnənu:r] *f* sundial

Sonnenuntergang ['zɔnənuntərgaŋ] *m* sunset

Sonnenwende ['zɔnənvɛndə] *f* solstice

sonnig ['zɔniç] *adj* 1. sunny; 2. *(fig)* bright, sunny

Sonntag ['zɔnta:k] *m* Sunday

sonntags ['zɔnta:ks] *adv* every Sunday, on Sundays

sonor [zɔ'no:r] *adj* sonorous

sonst [zɔnst] *adv* 1. *(andernfalls)* otherwise; 2. *(gewöhnlich)* generally, usually, normally; 3. *(außerdem)* besides, moreover; *Sonst noch was?* Anything else? *konj* 4. otherwise, or else

sonstig ['zɔnstiç] *adj* other

sooft [zo'ɔft] *konj* whenever, as often as, no matter how often

Sopran [zo'pra:n] *m MUS* soprano

Sopranistin [zopra'nɪstin] *f MUS* soprano

Sorge ['zɔrgə] *f* 1. *(Kummer)* sorrow, anguish, worry; 2. *(Pflege)* care

sorgen ['zɔrgən] *v* 1. *~ um* worry about; 2. *~ für jdn* look after, care for, take care of; 3. *~ für etw* attend to sth, see to sth

Sorgenkind ['zɔrgənkɪnt] *n (fig)* problem, (biggest) headache

sorgenvoll ['zɔrgənfɔl] *adj* 1. anxious, uneasy, troubled; *adv* 2. anxiously, uneasily

Sorgerecht ['zɔrgəreçt] *n JUR* custody

Sorgfalt ['zɔrkfalt] *f* 1. care; 2. *(Aufmerksamkeit)* attention; 3. *(Genauigkeit)* precision; 4. *(Gewissenhaftigkeit)* conscientiousness

sorgfältig ['zɔrkfɛltiç] *adj* 1. careful, painstaking, precise; *adv* 2. carefully

sorglos ['zɔrklo:s] *adj* 1. carefree; 2. *(nachlässig)* negligent

Sorglosigkeit ['zɔrklo:ziçkait] *f* light-heartedness

Sorte ['zɔrtə] *f* 1. sort, kind, species; 2. *(Marke)* brand

sortieren [zɔr'ti:rən] *v* 1. sort; 2. *(nach Qualität)* grade

Sortiment [zɔrti'mɛnt] *n* assortment, range, variety

Soße ['zo:sə] *f* 1. sauce; 2. *(Bratensoße)* gravy

Souffleur [su'flø:r] *m THEAT* prompter

soufflieren [su'fli:rən] *v THEAT* prompt

Souvenir [zuvə'ni:r] *n* souvenir

souverän [suvə're:n] *adj* 1. sovereign; 2. *(überlegen)* superior

Souveränität [su:vərɛ:ni'tɛ:t] *f POL* sovereignty

sowie [zo'vi:] *konj* 1. *(und auch)* as well as; 2. *(sobald)* as soon as, the moment

sowieso [zovi'zo:] *adv* anyway, anyhow, in any case

sowohl [zo'vo:l] *konj ~ ... als (auch) ...* both ... and ...

sozial [zo'tsja:l] *adj* 1. social; *adv* 2. socially

Sozialamt [zo'tsja:lamt] *n* social welfare office

Sozialarbeiter(in) [zo'tsja:larbaitər(in)] *m/f* social worker

Sozialfall [zo'tsja:lfal] *m* welfare case

Sozialhilfe [zo'tsja:lhilfə] *f* social welfare assistance

Sozialisation [zotsjaliza'tsjo:n] *f* socialization

Sozialismus [zo'tsjalismus] *m POL* socialism

Sozialist [zo'tsjalist] *m POL* socialist

sozialkritisch [zo'tsja:lkri:tiʃ] *adj* critical of society, sociocritical

Sozialleistungen [zo'tsja:llaistuŋən] *pl* employers' social security contributions, social security benefits

Sozialversicherung [zo'tsja:lfɛrzɪçərʊŋ] f social insurance, Social Security (US)

Sozialwohnung [zo'tsja:lvo:nʊŋ] f subsidized dwelling, public housing unit

Soziologie [zotsjolo'gi:] f sociology

Sozius ['zotsjus] m ECO partner

sozusagen ['zo:tsuza:gən] adv so to speak, as it were

Spachtel ['ʃpaxtəl] m 1. (Werkzeug) spatula; 2. (Füllstoff) filler

Spagat [ʃpa'ga:t] m splits pl; einen ~ machen do the splits

Spagetti [ʃpa'gɛti] pl spaghetti

spähen ['ʃpɛ:ən] v 1. peer, peek; 2. MIL scout

Späher ['ʃpɛ:ər] m 1. scout; 2. (Posten) MIL lookout

Spalier [ʃpa'li:r] n 1. trellis, espalier; 2. (fig: Ehrengasse) lane

Spalt [ʃpalt] m split, rift, crack; die Tür einen ~ öffnen open the door a crack

Spalte ['ʃpaltə] f 1. crack; 2. (Zeitungsspalte) column

spalten ['ʃpaltən] v irr split

Spaltung ['ʃpaltʊŋ] f 1. (Auseinanderbrechen) splitting; 2. (fig: Teilung) split; 3. PHYS fission

Span [ʃpa:n] m chip

Spanferkel ['ʃpa:nfɛrkəl] n GAST sucking pig

Spange ['ʃpaŋə] f 1. (Haarspange) hair slide, barrette (US); 2. (Schließe) buckle, clasp

Spanien ['ʃpa:njən] n GEO Spain

Spanier(in) ['ʃpa:njər(ɪn)] m/f Spaniard

spanisch ['ʃpa:nɪʃ] adj Spanish; Das kommt mir ~ vor. That seems fishy to me.

Spanne ['ʃpanə] f 1. (Zeitraum) span, space; 2. (Unterschied) gap; 3. (Preisspanne) ECO range

spannen ['ʃpanən] v 1. stretch; 2. (Seil) tighten; 3. (Gewehr) cock

spannend ['ʃpanənt] adj exciting, thrilling, gripping, suspenseful

Spannung ['ʃpanʊŋ] f 1. TECH voltage, tension; 2. (fig) tension, suspense, excitement

Spannweite ['ʃpanvaɪtə] f 1. range, span; 2. (von Vogelflügeln, von Flugzeugen) wingspan

Sparbuch ['ʃpa:rbu:x] n savings book

Sparbüchse ['ʃpa:rbyksə] f money box

sparen ['ʃpa:rən] v save, economize

Spargel ['ʃpargəl] m BOT asparagus

Sparkasse ['ʃpa:rkasə] f savings bank

spärlich ['ʃpɛ:rlɪç] adj 1. scant, frugal, sparse; 2. (Haupthaar) thin; adv 3. sparsely, thinly

Sparmaßnahme ['ʃpa:rma:sna:mə] f economy measure

Sparpolitik ['ʃpa:rpoliti:k] f austerity policy, budgetary restraint

sparsam ['ʃpa:rza:m] adv 1. economically, frugally; adj 2. economical, thrifty, frugal

Sparsamkeit ['ʃpa:rza:mkaɪt] f economy, thrift, frugality

spartanisch [ʃpar'ta:nɪʃ] adj 1. Spartan; adv 2. like a Spartan

Sparte ['ʃpartə] f 1. sector, section, branch; 2. (einer Versicherung) class; 3. (einer Zeitung) section

Spaß [ʃpa:s] m 1. (Witz) joke; sich einen ~ aus etw machen take pleasure in sth; seinen ~ mit jdm treiben pull s.o.'s leg; 2. (Vergnügen) fun, amusement; ~ beiseite all joking aside; kein ~ mehr sein to be beyond a joke; ein teurer ~ sein to be an expensive affair, cost a pretty penny; Da hört der ~ aber auf! That's enough now!

spaßen ['ʃpa:sən] v make fun, joke, jest; Mit ihm ist nicht zu ~! He's not to be trifled with! He doesn't stand for any nonsense.

spaßig ['ʃpa:sɪç] adj funny, amusing

Spaßvogel ['ʃpa:sfo:gəl] m joker, comedian

spastisch ['ʃpastɪʃ] adj MED spastic

spät [ʃpɛ:t] adj 1. late; Wie ~ ist es? What time is it? adv 2. late

Spätdienst ['ʃpɛ:tdi:nst] m late shift

Spaten ['ʃpa:tən] m spade

später ['ʃpɛ:tər] adv 1. later, later on; 2. (anschließend) subsequently, afterwards

spätestens ['ʃpɛ:təstəns] adv at the latest, not later than

Spätsommer ['ʃpɛ:tsɔmər] m late summer

Spätvorstellung ['ʃpɛ:tfo:rʃtɛlʊŋ] f THEAT late show

Spatz [ʃpats] m 1. ZOOL sparrow; essen wie ein ~ peck at one's food; 2. (fam: Kind) bird

spazieren [ʃpa'tsi:rən] v stroll; ~ fahren go for a ride; ~ gehen go for a walk, take a stroll

Spaziergang [ʃpa'tsi:rgaŋ] m walk, stroll

Specht [ʃpɛçt] m ZOOL woodpecker

Speck [ʃpɛk] m GAST bacon; sich wie die Made im ~ fühlen to be living in luxury, to be in clover

speckig ['ʃpɛkɪç] adj 1. (Papier) greasy, soiled; 2. (dick) lardy, porky

Spediteur [ʃpedi'tø:r] m forwarding agent, shipper

Spedition [ʃpedi'tsjo:n] f 1. ECO forwarding, shipping; 2. (Firma) forwarding agency, shipping agency

Speer [ʃpeːr] m spear, lance

Speiche [ˈʃpaɪçə] f (Radspeiche) spoke

Speichel [ˈʃpaɪçəl] m saliva, spittle

Speicher [ˈʃpaɪçər] m 1. (Lager) store, storage space; 2. (Dachboden) attic; 3. INFORM memory

Speicherkapazität [ˈʃpaɪçərkapatsiːtɛːt] f INFORM memory, storage capacity

speichern [ˈʃpaɪçərn] v 1. (einlagern) store; 2. INFORM store

Speicherplatz [ˈʃpaɪçərplats] m INFORM memory location

speien [ˈʃpaɪən] v irr 1. (spucken) spit; 2. (erbrechen) vomit

Speise [ˈʃpaɪzə] f 1. food; 2. (Gericht) dish

Speiseeis [ˈʃpaɪzəaɪs] n GAST ice-cream

Speisekammer [ˈʃpaɪzəkamər] f larder, pantry

Speisekarte [ˈʃpaɪzəkartə] f menu

speisen [ˈʃpaɪzən] v 1. (essen) eat; 2. (zuführen) feed, supply with, provide

Speiseröhre [ˈʃpaɪzərøːrə] f ANAT gullet

Speisewagen [ˈʃpaɪzəvaːgən] m dining car, restaurant car

Spektakel [ʃpɛkˈtaːkəl] n 1. (Lärm) noise, racket; 2. (Aufregung) fuss

spektakulär [ʃpɛktakuˈlɛːr] adj spectacular

Spektrum [ˈʃpɛktrum] n (fig) spectrum

Spekulant [ʃpekuˈlant] m FIN speculator, speculative dealer

Spekulation [ʃpekulaˈtsjoːn] f speculation

spekulieren [ʃpekuˈliːrən] v FIN speculate

spendabel [ʃpɛnˈdaːbəl] adj generous

Spende [ˈʃpɛndə] f donation, contribution, gift

spenden [ˈʃpɛndən] v donate, contribute; Blut ~ donate blood

Spender [ˈʃpɛndər] m 1. contributor, giver; 2. (Blutspender) donor; 3. (Maschine) dispenser

spendieren [ʃpɛnˈdiːrən] v 1. give liberally; 2. jdm etw ~ treat s.o. to sth

Sperber [ˈʃpɛrbər] m ZOOL sparrow hawk

Sperling [ˈʃpɛrlɪŋ] m ZOOL sparrow

Sperma [ˈʃpɛrma] n BIO sperm

Sperrbezirk [ˈʃpɛrbətsɪrk] m prohibited area, restricted area

Sperre [ˈʃpɛrə] f 1. (Verbot) ban; 2. (Vorrichtung) locking device; 3. (Hindernis) barrier; 4. (Embargo) POL embargo

sperren [ˈʃpɛrən] v 1. (abriegeln) barricade, block off, lock; 2. (verbieten) forbid, prohibit; 3. (Konto) FIN block; 4. (Sportler) suspend

Sperrgebiet [ˈʃpɛrgəbiːt] n prohibited area

Sperrholz [ˈʃpɛrhɔlts] n plywood

sperrig [ˈʃpɛrɪç] adj bulky

Sperrmüll [ˈʃpɛrmyl] m bulky refuse

Sperrsitz [ˈʃpɛrzɪts] m 1. (im Kino) back seats pl; 2. (im Zirkus) front seats pl

Sperrstunde [ˈʃpɛrʃtundə] f closing time

Spesen [ˈʃpeːzən] pl expenses

Spesenrechnung [ˈʃpeːzənrɛçnuŋ] f expense report

spezial [ʃpeˈtsjaːl] adj special, particular

Spezialgebiet [ʃpeˈtsjaːlgəbiːt] n (fig) speciality, specialty (US)

spezialisieren [ʃpetsjaliˈziːrən] v sich auf etw ~ specialize in sth

Spezialisierung [ʃpetsjaliˈziːruŋ] f specialization

Spezialist [ʃpetsjaˈlɪst] m specialist

Spezialität [ʃpetsjaliˈtɛːt] f speciality, specialty (US)

speziell [ʃpeˈtsjɛl] adj 1. special, particular, specific; adv 2. especially, particularly, specifically

Spezies [ˈʃpeːtsjɛs] f BIO species

spezifisch [ʃpeˈtsiːfɪʃ] adj specific

spezifizieren [ʃpetsifiˈtsiːrən] v specify

Spezifizierung [ʃpetsifiˈtsiːruŋ] f specification

Sphäre [ˈsfɛːrə] f 1. (fig) sphere, domain; 2. ASTR sphere

spicken [ˈʃpɪkən] v 1. (abschreiben) copy, crib; 2. GAST lard

Spickzettel [ˈʃpɪktsetəl] m crib note

Spiegel [ˈʃpiːgəl] m mirror; in den ~ sehen look in the mirror; jdm den ~ vorhalten hold up a mirror to s.o.

Spiegelbild [ˈʃpiːgəlbɪlt] n reflection, (fig) mirror image

Spiegelei [ˈʃpiːgəlaɪ] n GAST fried egg

spiegeln [ˈʃpiːgəln] v sich ~ to be reflected

Spiegelung [ˈʃpiːgəluŋ] f reflection

spiegelverkehrt [ˈʃpiːgəlferkeːrt] adj mirrorwise

Spiel [ʃpiːl] n 1. game; ein ~ mit dem Feuer playing with fire; mit jdm leichtes ~ haben have one's way with s.o.; das ~ zu weit treiben go too far; etw aufs ~ setzen risk sth; auf dem ~ stehen be at stake; jdn aus dem ~ lassen leave s.o. out of it; etw ins ~ bringen bring sth into play; mit im ~ sein to be in on it, to be involved; 2. (das Spielen) playing; 3. (Stück) THEAT play; 4. SPORT match, game

Spielart [ˈʃpiːlart] f variety

Spielautomat [ˈʃpiːlautomaːt] m gambling machine

Spieldose ['ʃpiːldoːzə] f musical box, music box (US)

spielen ['ʃpiːlən] v 1. play; 2. THEAT act

spielerisch ['ʃpiːlərɪʃ] adv (fig: problemlos) effortlessly, with ease

Spielfeld ['ʃpiːlfɛlt] n 1. SPORT field, ground, pitch (UK); 2. (Basketball, Tennis) court

Spielfilm ['ʃpiːlfɪlm] m CINE feature film, motion picture

Spielkamerad ['ʃpiːlkaməraːt] m playmate

Spielkasino ['ʃpiːlkaziːno] n casino

Spielmarke ['ʃpiːlmarkə] f chip, counter, token

Spielplan ['ʃpiːlplaːn] m programme

Spielplatz ['ʃpiːlplats] m playground

Spielraum ['ʃpiːlraum] m 1. room; 2. TECH clearance; 3. (fig) leeway, room

Spielregeln ['ʃpiːlreːgəln] pl rules of the game

Spielsucht ['ʃpiːlsuxt] f compulsive gambling

Spielverderber ['ʃpiːlfɛrdɛrbər] m spoilsport

Spielwarengeschäft ['ʃpiːlvaːrəngəʃɛːft] n toy shop, toy store (US)

Spielzeit ['ʃpiːltsait] f 1. season; 2. (eines Theaterstücks) run; 3. (Dauer eines Spiels) SPORT length of the match, length of the game; die normale ~ normal time

Spielzeug ['ʃpiːltsɔyk] n toy, toys pl

Spieß [ʃpiːs] m 1. (Speer) spear, lance, pike; den ~ umdrehen (fig) turn the tables; 2. (Bratspieß) skewer

Spießbürger ['ʃpiːsbyrgər] m (fig) prig, narrow-minded person

Spießer ['ʃpiːsər] m (fam) prig, Philistine

spießig ['ʃpiːsɪç] adj philistine, narrow-minded, square (fam)

Spießrute ['ʃpiːsruːtə] f ~n laufen run the gauntlet

Spikes ['ʃpaiks] pl spikes

Spinat [ʃpiˈnaːt] m BOT spinach

Spind [ʃpɪnt] m locker

Spinne ['ʃpɪnə] f ZOOL spider

spinnen ['ʃpɪnən] v irr 1. spin; 2. (fig) to be crazy, to be mad, to be nuts; Du spinnst wohl! You must be nuts! Spinnst du? Are you crazy?

Spinnennetz ['ʃpɪnənnɛts] n spider's web, spider web (US)

Spinnrad ['ʃpɪnraːt] n spinning-wheel

Spion [ʃpiˈoːn] m spy

Spionage [ʃpioˈnaːʒə] f spying, espionage

spionieren [ʃpioˈniːrən] v spy

Spirale [ʃpiˈraːlə] f 1. spiral; 2. MED coil

spirituell [ʃpirituˈɛl] adj spiritual

Spirituosen [ʃpirituˈoːzən] pl spirits, alcoholic drinks

Spiritus ['ʃpiːritus] m CHEM alcohol, spirit

spitz [ʃpɪts] adj 1. pointed, sharp; 2. (fig) sarcastic, biting

Spitzbube ['ʃpɪtsbuːbə] m rascal, rogue, scoundrel

Spitze ['ʃpɪtsə] f 1. peak, point, top; etw auf die ~ treiben take sth to extremes; 2. (Bergspitze) peak, summit, top; 3. (Stoff) lace; 4. (fig) head, vanguard, spearhead; 5. (fam: prima) ~ sein to be great

Spitzel ['ʃpɪtsəl] m 1. informer, (fam) stool pigeon; 2. (Spion) spy

spitzen ['ʃpɪtsən] v 1. point; 2. (Bleistift) sharpen

Spitzenkandidat ['ʃpɪtsənkandidaːt] m POL top candidate, head of the ticket (US)

Spitzenreiter ['ʃpɪtsənraitər] m front-runner, leader

Spitzer ['ʃpɪtsər] m sharpener

spitzfindig ['ʃpɪtsfɪndɪç] adj hair-splitting, nit-picking, pedantic

Spitzname ['ʃpɪtsnaːmə] m nickname

Splitter ['ʃplɪtər] m splinter

splittern ['ʃplɪtərn] v splinter

sponsern ['ʃpɔnzərn] v sponsor

Sponsor ['ʃpɔnzoːr] m sponsor

spontan [ʃpɔnˈtaːn] adj spontaneous

Spontaneität [ʃpɔntaneiˈtɛːt] f spontaneity

sporadisch [ʃpoˈraːdɪʃ] adj sporadic

Sporn ['ʃpɔrn] m 1. spur; 2. NAUT ram; 3. (eines Flugzeuges) tail skid

Sport [ʃpɔrt] m sports pl, sport

Sportgerät ['ʃpɔrtgəreːt] n athletic equipment

Sportgeschäft ['ʃpɔrtgəʃɛft] n sports shop, sporting goods store (US)

Sporthalle ['ʃpɔrthalə] f gymnasium

Sportler ['ʃpɔrtlər] m athlete, sportsman

sportlich ['ʃpɔrtlɪç] adj sporting, athletic

Sportplatz ['ʃpɔrtplats] m playing field, sports ground (UK)

Sportsgeist ['ʃpɔrtsgaist] m sporting spirit

Sportveranstaltung ['ʃpɔrtfɛranʃtaltuŋ] f sporting event

Sportverein ['ʃpɔrtfɛrain] m sports club

Sportverletzung ['ʃpɔrtfɛrletsuŋ] f athletic injury

Sportzeug ['ʃpɔrttsɔyk] n sports gear, sports equipment

Spott [ʃpɔt] *m* mockery, scorn, ridicule

spotten [ˈʃpɔtən] *v* mock, jeer, ridicule

spöttisch [ˈʃpœtɪʃ] *adj* jeering, mocking

Sprache [ˈʃpraːxə] *f* language, speech; *die ~ auf etw bringen* broach sth; *nicht mit der ~ herausrücken* beat about the bush; *zur ~ kommen* to be discussed, to be brought up; *die gleiche ~ sprechen* speak the same language; *eine deutliche ~ sprechen* not mince words; *Raus mit der ~!* Out with it! *Da verschlug es ihm die ~.* It took his breath away.

Sprachfehler [ˈʃpraːxfeːlər] *m* speech defect, speech impediment

sprachgewandt [ˈʃpraːxɡəvant] *adj* eloquent, clever with words

Sprachkenntnisse [ˈʃpraːxkɛntnɪsə] *pl* knowledge of languages, proficiency in a foreign language

sprachkundig [ˈʃpraːxkʊndɪç] *adj* 1. proficient in a foreign language; 2. *(in einer bestimmten Sprache) ~ sein* know the language

Sprachkurs [ˈʃpraːxkʊrs] *m* language course

sprachlos [ˈʃpraːxloːs] *adj (fig)* speechless

Sprachlosigkeit [ˈʃpraːxloːzɪçkaɪt] *f* speechlessness

Sprachrohr [ˈʃpraːxroːr] *n* 1. megaphone; 2. *jds ~ sein (fig)* to be s.o.'s mouthpiece

Sprachwissenschaft [ˈʃpraːxvɪsənʃaft] *f* linguistics

Spray [ʃpreɪ] *n* spray

Sprechanlage [ˈʃprɛçanlaːɡə] *f* intercom

Sprechblase [ˈʃprɛçblaːzə] *f* balloon

sprechen [ˈʃprɛçən] *v irr* 1. speak, talk; *an jds Stelle ~* answer for s.o.; *Das spricht für ihn.* That's a point in his favour. *für sich selbst ~* speak for itself; *auf jdn gut zu ~ sein* to be on good terms with s.o.; *Wir ~ uns noch!* You haven't heard the end of this! „*Sprich ...*" *(das heißt ...)* in other words, that is to say; 2. *(sagen)* say

Sprechstunde [ˈʃprɛçʃtʊndə] *f* consultation hours *pl*, office hours *pl*

Sprechstundenhilfe [ˈʃprɛçʃtʊndənhɪlfə] *f* receptionist

Sprechzimmer [ˈʃprɛçtsɪmər] *n* consulting room

spreizen [ˈʃpraɪtsən] *v* 1. spread; 2. *sich ~* put on airs; 3. *sich ~ (sich sträuben)* struggle, balk

sprengen [ˈʃprɛŋən] *v* blow up, *(auf~)* burst open, *(bespritzen)* sprinkle

Sprengstoff [ˈʃprɛŋʃtɔf] *m* explosive

Sprengung [ˈʃprɛŋʊŋ] *f* blasting, demolition

Sprenkel [ˈʃprɛŋkəl] *m* spot, speck

Spreu [ʃprɔy] *f* chaff; *die ~ vom Weizen trennen* separate the wheat from the chaff

Sprichwort [ˈʃprɪçvɔrt] *n* proverb, saying

sprichwörtlich [ˈʃprɪçvœrtlɪç] *adj* proverbial

sprießen [ˈʃpriːsən] *v irr* sprout, come up, spring up

Springbrunnen [ˈʃprɪŋbrunən] *m* fountain

springen [ˈʃprɪŋən] *v irr* 1. *(hüpfen)* jump, leap; 2. *(fig: bersten)* burst

sprinten [ˈʃprɪntən] *v* sprint

Spritze [ˈʃprɪtsə] *f* 1. *(Injektion)* shot, injection; 2. *(Gerät)* syringe

spritzen [ˈʃprɪtsən] *v* 1. spray; 2. *(in einem Strahl)* squirt; 3. *(verspritzen)* splash; 4. *(bespritzen)* sprinkle; 5. MED inject

Spritzer [ˈʃprɪtsər] *m* 1. *(Fixer)* shooter; 2. *(Wasserstrahl)* splash, dab

spritzig [ˈʃprɪtsɪç] *adj* 1. *(Wein)* tangy; 2. *(Auto)* peppy; 3. *(Schauspiel)* lively, sprightly; 4. *(ideenreich)* inventive, unconventional, creative

Spritzpistole [ˈʃprɪtspɪstoːlə] *f* spray gun

spröde [ˈʃprøːdə] *adj* 1. *(Material)* brittle; 2. *(fig: abweisend)* reserved, standoffish

Spross [ʃprɔs] *m* 1. sprout, shoot; 2. *(Nachkomme)* scion, offspring

Sprossenwand [ˈʃprɔsənvant] *f* SPORT wall bars *pl*

Sprössling [ˈʃprœslɪŋ] *m (fig)* offspring, descendant

Spruch [ʃprux] *m* 1. saying; 2. *Sprüche pl* (empty) talk; *große Sprüche klopfen* talk big *(fam)*; 3. *(Wahlspruch)* slogan; 4. *die Sprüche Salomons pl* REL the Proverbs; 5. JUR sentence, judgement, verdict

Spruchband [ˈʃpruxbant] *n* banner

Sprudel [ˈʃpruːdəl] *m* 1. *(Wasser)* mineral water, club soda *(US)*; 2. *(Limonade)* soda pop

sprudeln [ˈʃpruːdəln] *v* bubble, fizz, effervesce

Sprühdose [ˈʃpryːdoːzə] *f* spray can

sprühen [ˈʃpryːən] *v* 1. spray, shower; 2. *(fig)* flash, sparkle

Sprung [ʃprʊŋ] *m* 1. *(Springen)* jump, leap; *den ~ ins kalte Wasser wagen* take the plunge; *auf dem ~ sein, etw zu tun* to be just about to do sth; *nur auf einen ~* just for a little chat; *keine großen Sprünge machen können* not be able to afford much; *jdm auf die Sprünge helfen* get s.o. going; 2. *(fig: Riss)* crack, fissure; *einen ~ in der Schüssel haben* to be soft in the head

Sprungbrett ['ʃpruŋbrɛt] *n 1.* diving board, springboard; *2. (fig)* springboard

Sprungfeder ['ʃpruŋfeːdər] *f* spring

Sprunggelenk ['ʃpruŋɡəlɛŋk] *n* ANAT ankle joint

sprunghaft ['ʃpruŋhaft] *adj* jumpy, volatile, jerky

Spucke ['ʃpukə] *f* spit, spittle; *Da bleibt einem ja die ~ weg!* I'm at a loss for words!

spucken ['ʃpukən] *v* spit

Spuk [ʃpuːk] *m 1. (Lärm)* uproar, racket; *2. (Geistererscheinung)* ghost

spuken ['ʃpuːkən] *v* haunt; *Hier spukt es.* This place is haunted.

Spule ['ʃpuːlə] *f 1.* reel, spool; *2.* TECH coil, spool, bobbin

Spüle ['ʃpyːlə] *f* sink

spulen ['ʃpuːlən] *v* wind, reel, spool

spülen ['ʃpyːlən] *v* wash, rinse

Spülmaschine ['ʃpyːlmaʃiːnə] *f* dishwasher

Spülung ['ʃpyːluŋ] *f 1. (Toilettenspülung)* flush; *die ~ betätigen* flush; *2.* MED *(Ohrspülung, ~ einer Wunde)* irrigation, *(Magenspülung)* wash

Spur [ʃpuːr] *f 1. (Abdruck)* trace; *eine heiße ~ a* firm lead; *jdm auf die ~ kommen* get wind of s.o.; *jdm auf der ~ bleiben* stay hot on s.o.'s trail; *2. (Fußspur)* footprint; *in jds ~en treten* follow in s.o.'s footsteps; *3. (Fahrspur)* track; *4. (-fig: kleine Menge)* trace; *nicht die ~* not at all

spürbar ['ʃpyːrbaːr] *adj 1.* noticeable; *adv 2.* noticeably

spüren ['ʃpyːrən] *v* feel, notice, sense

spurlos ['ʃpuːrloːs] *adv* without a trace

Spurrille ['ʃpuːrrɪlə] *f* rut

Spürsinn ['ʃpyːrzɪn] *m (fig)* nose, feel

spurten ['ʃpurtən] *v* SPORT spurt, sprint, dash

sputen ['ʃpuːtən] *v sich ~* hurry

Staat [ʃtaːt] *m 1.* state; *2. (Prunk) Damit kann man keinen ~ machen.* That's nothing to write home about.

staatenlos ['ʃtaːtənloːs] *adj* stateless

staatlich ['ʃtaːtlɪç] *adj 1.* state, public, governmental; *adv 2.* by the state

Staatsangehörige(r) ['ʃtaːtsaŋɡəhøːrɪɡə(r)] *m/f* citizen, subject, national

Staatsanwalt ['ʃtaːtsanvalt] *m* JUR public prosecutor, Crown Prosecutor *(UK)*, district attorney *(US)*

Staatsbürgerschaft ['ʃtaːtsbyrɡərʃaft] *f* nationality, citizenship *(US)*

Staatsdienst ['ʃtaːtsdiːnst] *m* civil service, public service *(US)*

Staatsoberhaupt ['ʃtaːtsoːbərhaupt] *n* head of state

Stab [ʃtaːp] *m 1. (Stock)* staff, stick, rod; *über jdn den ~ brechen* condemn s.o.; *2. (fig: Führungsstab, Mitarbeiterstab)* staff

stabil [ʃtaˈbiːl] *adj 1. (robust)* stable; *2. (konstant)* steady

stabilisieren [ʃtabiliˈziːrən] *v* stabilize

Stabilisierung [ʃtabiliˈziːruŋ] *f* stabilization

Stabilität [ʃtabiliˈtɛːt] *f* stability

Stachel ['ʃtaxəl] *m 1.* BOT thorn; *2.* ZOOL quill

Stachelbeere ['ʃtaxəlbeːrə] *f* BOT gooseberry

Stacheldraht ['ʃtaxəldraːt] *m* barbed wire

stachelig ['ʃtaxəlɪç] *adj 1. (kratzig)* bristly, scratchy; *2. (dornig)* thorny, prickly

Stadion ['ʃtaːdjɔn] *n* stadium

Stadium ['ʃtaːdjʊm] *n* stage, phase

Stadt [ʃtat] *f* town, city

städtisch ['ʃtɛtɪʃ] *adj* municipal

Stadtmauer ['ʃtatmauər] *f* city wall

Stadtplan ['ʃtatplaːn] *m* map (of the town)

Stadtrand ['ʃtatrant] *m* outskirts of town

Stadtrat ['ʃtatraːt] *m 1.* POL town council, city council; *2. (Mitglied des ~es)* POL town councilman/town councilwoman, city councilman/city councilwoman

Stadtstreicher ['ʃtatʃtraiçər] *m* tramp, bum

Stadtteil ['ʃtattail] *m* part of town, district

Staffel ['ʃtafəl] *f 1.* MIL squadron; *2. (Mannschaft)* SPORT relay team; *3. (Rennen)* SPORT relay; *4. (Stufe)* step; *5. (einer Leiter)* rung

Staffelei [ʃtafəˈlai] *f* easel

Staffelung ['ʃtafəluŋ] *f* graduation, gradation, grading

Stagnation [ʃtagnaˈtsjoːn] *f* ECO stagnation

stagnieren [ʃtagˈniːrən] *v* ECO stagnate

Stahl [ʃtaːl] *m* steel

stählen ['ʃtɛːlən] *v* steel

stählern ['ʃtɛːlərn] *adj* steel

Stall [ʃtal] *m* stable, barn

Stamm [ʃtam] *m 1. (Baumstamm)* stem, trunk; *2. (Volksstamm)* tribe

Stammbaum ['ʃtambaum] *m* family tree

Stammbuch ['ʃtambuːx] *n* (family) album

stammeln ['ʃtaməln] *v* stammer

stammen ['ʃtamən] *v ~ aus, ~ von* come from, to be descended from, spring from, stem from

Stammgast ['ʃtamgast] *m* regular guest, regular customer, regular *(fam)*

Stammhalter ['ʃtamhaltər] *m* son and heir

stämmig ['ʃtɛmɪç] *adj* stocky, burly, sturdy

Stammlokal ['ʃtamloka:l] *n* local (UK), regular hangout (US)

Stammplatz ['ʃtamplats] *m* regular seat

Stammtisch ['ʃtamtɪʃ] *m* 1. table reserved for regulars; 2. *(Gruppe)* group of regulars

Stammvater ['ʃtamfa:tər] *m* progenitor

Stammwähler ['ʃtamvɛ:lər] *m* POL staunch supporter, party faithful

stampfen ['ʃtampfən] *v* 1. stamp, stomp; 2. *(Maschinenteil)* pound; 3. *(Schiff: sich auf und nieder bewegen)* pitch

Stand [ʃtant] *m* 1. *(Stehen)* standing, stand; 2. *(Messestand)* booth, stand; 3. *(Situation)* position, situation; *auf dem neuesten ~ sein* to be up to date; *der ~ der Dinge* the situation; *bei jdm einen guten ~ haben* to be in s.o.'s good books, to be in s.o.'s good graces; 4. *(Rang)* rank, class, status; 5. *(Höhe)* level

Standard ['ʃtandart] *m* standard

Standbild ['ʃtantbɪlt] *n* statue

Ständchen ['ʃtɛntçən] *n* serenade

Ständer ['ʃtɛndər] *m* 1. *(Hutständer)* stand; 2. *(Schallplattenständer)* rack

Standesamt ['ʃtandəsamt] *n* registry office

Standesbeamte(r)/Standesbeamtin ['ʃtandəsbəamtə(r)/'ʃtandəsbəamtɪn] *m/f* registrar

Standesdünkel ['ʃtandəsdyŋkəl] *m* snobbery

Standesperson ['ʃtandəsperzo:n] *f* person of distinction

standhaft ['ʃtanthaft] *adj* 1. firm, steadfast, resolute; *adv* 2. resolutely, firmly

Standhaftigkeit ['ʃtanthaftɪçkaɪt] *f* firmness, constancy, perseverance

standhalten ['ʃtanthaltən] *v irr* 1. stand firm; 2. *etw ~* withstand sth

ständig ['ʃtɛndɪç] *adj* 1. permanent, regular; *adv* 2. always, constantly

Standlicht ['ʃtantlɪçt] *n* parking light

Standort ['ʃtantɔrt] *m* location, station, stand

Standpunkt ['ʃtantpuŋkt] *m* standpoint, point of view, angle; *von seinem ~ aus* from his point of view

Standspur ['ʃtantʃpu:r] *f* hard shoulder (UK), shoulder (US)

Standuhr ['ʃtantu:r] *f* grandfather clock, hall clock

Stange ['ʃtaŋə] *f* pole, bar, rod; *jdn bei der ~ halten* keep s.o. up to scratch; *bei der ~ bleiben* stick it out; *von der ~* off the peg, off the rack; *eine ~ Geld* a pretty penny

Stängel ['ʃtɛŋəl] *m* BOT stalk, stem; *fast vom ~ fallen (fam)* to be flabbergasted

stanzen ['ʃtantsən] *v* stamp, punch

Stapel ['ʃta:pəl] *m* pile, heap, stack; *vom ~ laufen* to be launched; *etw vom ~ lassen* launch sth

stapeln ['ʃta:pəln] *v* pile up, stockpile

stapfen ['ʃtapfən] *v* tread, trudge, plod

Star¹ [sta:r] *m* star

Star² [ʃta:r] *m* MED cataract

Star³ [ʃta:r] *m* ZOOL starling

stark [ʃtark] *adj* 1. strong; 2. *(heftig)* severe; 3. *(beleibt)* large; 4. *(Erkältung)* bad; 5. *(dick)* thick; 6. *(fam: hervorragend)* great

Stärke ['ʃtɛrkə] *f* 1. strength, force, power; 2. *(Wäschestärke)* starch; 3. GAST starch

stärken ['ʃtɛrkən] *v* 1. strengthen, fortify; 2. *(Wäsche)* starch

Stärkung ['ʃtɛrkuŋ] *f* 1. *(Festigung)* strengthening, fortifying, fortification; 2. *(Erfrischung)* refreshment

starr [ʃtar] *adj* 1. stiff, rigid, fixed; 2. *(fig) ~ vor Staunen* dumbfounded

Starre ['ʃtarə] *f* stiffness, rigidity

starren ['ʃtarən] *v* stare

Starrsinn ['ʃtarzɪn] *m* stubbornness, obstinacy

starrsinnig ['ʃtarzɪnɪç] *adj* stubborn, obstinate, rigid, rigorous

Start [ʃtart] *m* 1. *(Flugzeug)* take-off; 2. SPORT start; 3. *(fig)* beginning, start

Startbahn ['ʃtartba:n] *f* runway

starten ['ʃtartən] *v* 1. *(abreisen)* start; 2. *(Auto)* start; 3. *(aktivieren)* begin, initiate

Station [ʃta'tsjo:n] *f* 1. *(Haltestelle)* station, stop; ~ *machen* stop off; 2. *(Krankenstation)* ward

stationär [ʃtatsjo'nɛ:r] *adj* MED inpatient, stationary

Stationierung [ʃtatsjo'ni:ruŋ] *f* MIL stationing, basing, deployment

statisch ['ʃta:tɪʃ] *adj* 1. *(unbeweglich)* static; 2. *(im Bauwesen)* structural

Statist [ʃta'tɪst] *m* 1. CINE extra; 2. THEAT super

Statistik [ʃta'tɪstɪk] *f* statistics

Statistiker [ʃta'tɪstɪkər] *m* statistician

Stativ [ʃta'ti:f] *n* 1. stand, support; 2. FOTO tripod

statt [ʃtat] *prep* instead of

Stätte ['ʃtɛtə] *f* place

stattfinden ['ʃtatfɪndən] *v irr* take place, happen

statthaft ['ʃtathaft] *adj* permitted, allowed

Statthalter ['ʃtathaltər] m HIST governor
stattlich ['ʃtatlıç] adj 1. (ansehnlich) stately, handsome, splendid; 2. (zahlreich) considerable
Statue ['ʃtaːtuə] f statue
Statur [ʃtaˈtuːr] f stature, figure, build
Status ['ʃtaːtus] m status, state
Statussymbol ['ʃtaːtuszymboːl] n status symbol
Stau [ʃtau] m 1. traffic jam; 2. (von Wasser) damming-up
Staub [ʃtaup] m dust; ~ aufwirbeln cause a stir; sich aus dem ~ machen make o.s. scarce
Staubecken ['ʃtaubɛkən] n reservoir
staubig ['ʃtaubıç] adj dusty
Staubsauger ['ʃtaupzaugər] m vacuum cleaner
stauchen ['ʃtauxən] v 1. compress; 2. (heftig stoßen) ram
Staudamm ['ʃtaudam] m high dam
Staude ['ʃtaudə] f 1. BOT perennial; 2. (Busch) shrub; 3. (Bananenstaude, Tabakstaude) plant
staunen ['ʃtaunən] v to be amazed, to be astonished
Staunen ['ʃtaunən] n amazement, astonishment
Stausee ['ʃtauzeː] m reservoir, artificial lake
Stauung ['ʃtauuŋ] f 1. (Verkehrsstau) traffic jam; 2. (Stockung) pile-up, accumulation; 3. (von Wasser) build-up; 4. MED congestion
stechen ['ʃtɛçən] v irr 1. prick; 2. (Insekt) sting; 3. (Mücken, Moskitos) bite; 4. (mit einem Messer) stab
Steckdose ['ʃtɛkdoːzə] f socket
stecken ['ʃtɛkən] v irr 1. (hinein-, schieben) stick in; 2. (mit Nadeln) pin; 3. (fam: sich befinden) to be; 4. jdm etw ~ give s.o. a piece of one's mind; 5. ~ bleiben to be stuck; 6. ~ lassen leave in
Stecker ['ʃtɛkər] m plug
Stecknadel ['ʃtɛknaːdəl] f pin; eine ~ im Heuhaufen suchen look for a needle in a haystack
Stegreif ['ʃteːkraif] m aus dem ~ improvised, impromptu
stehen ['ʃteːən] v irr 1. (aufrecht ~) stand; 2. (sich befinden) to be; Wie steht's? How are things? unter der Dusche ~ to be in the shower; unter Druck ~ to be under pressure; 3. (in einer Zeitung) say; 4 ~ bleiben remain standing; stop; (Zeit) stand still; 5. ~ lassen leave, leave to; jdn ~ lassen (fig) leave s.o. standing there
stehlen ['ʃteːlən] v irr steal

Stehvermögen ['ʃteːfɛrmøːgən] n staying power, stamina
steif [ʃtaif] adj 1. stiff; 2. (fig: förmlich) stiff, formal
Steigbügel ['ʃtaikbyːgəl] m stirrup
steigen ['ʃtaigən] v irr climb, mount, ascend
steigern ['ʃtaigərn] v 1. (erhöhen) increase, raise; 2. LING compare, form the comparative and superlative of
Steigerung ['ʃtaigəruŋ] f (Erhöhung) increase, raising
Steigung ['ʃtaiguŋ] f gradient, slope, ascent
steil [ʃtail] adj 1. steep; eine ~e Karriere (fig) a rapid rise; adv 2. steeply
Steilküste ['ʃtailkystə] f GEO bluff
Stein [ʃtain] m 1. stone, rock; der ~ des Anstoßes sein to be the cause of sth; den ~ ins Rollen bringen set the ball rolling; bei jdm einen ~ im Brett haben to be in s.o.'s good books; keinen ~ auf dem anderen lassen smash everything to pieces; den ersten ~ werfen cast the first stone at s.o.; jdm ~e in den Weg legen put obstructions in s.o.'s way; Da fällt mir ein ~ vom Herzen! That's a great load off my mind! 2. (Edelstein) gem
Steinbock ['ʃtainbɔk] m 1. ibex; 2. (Tierkreiszeichen) Capricorn
Steinbruch ['ʃtainbrux] m quarry
steinigen ['ʃtainigən] v stone
Steinzeit ['ʃtaintsait] f HIST Stone Age
Steißbein ['ʃtaisbain] n ANAT coccyx
Stelldichein ['ʃtɛldıçain] n appointment, rendezvous
Stelle ['ʃtɛlə] f 1. (Ort) place, spot; auf der ~ on the spot; auf der ~ treten get nowhere; 2. (Anstellung) position, job; 3. (Dienst~) authority, office, agency
stellen ['ʃtɛlən] v 1. put, place; 2. (Wecker) set; 3. eine Frage ~ ask a question; 4. sich ~ (begeben) stand; 5. sich einem Herausforderer ~ take on a challenger; 6. sich gut mit jdm ~ put o.s. on good terms with s.o.; 7. auf sich gestellt sein have to fend for o.s.
Stellenangebot ['ʃtɛlənangəboːt] n position offered, vacancy
Stellengesuch ['ʃtɛləngəzuːx] n situation wanted
Stellenmarkt ['ʃtɛlənmarkt] m ECO job market
Stellenvermittlung ['ʃtɛlənfɛrmıtluŋ] f ECO job placement
stellenweise ['ʃtɛlənvaizə] adv in places, here and there

Stellenwert ['ʃtɛlənvɛrt] m (fig) status, rating, importance

Stellplatz ['ʃtɛlplats] m (Parkplatz) parking space

Stellungnahme ['ʃtɛluŋnaːmə] f comment, opinion, point of view

Stellvertreter(in) ['ʃtɛlfɛrtreːtər(ɪn)] m/f representative, agent, deputy

Stenogramm ['ʃtɛnogram] n shorthand notes pl

Stemmeisen ['ʃtɛmaɪzən] n TECH crowbar

stemmen ['ʃtɛmən] v 1. (heben) lift; einen ~ (fam) knock one back; 2. (fest drücken) press; 3. (stützen) prop; 4. (anheben) lever up; 5. (meißeln) chisel; 6. sich gegen etw ~ brace o.s. against sth, (fig) resist sth; 7. (beim Ski laufen) SPORT stem

Stempel ['ʃtɛmpəl] m stamp, postmark; jdm seinen ~ aufdrücken (fig) leave one's mark on s.o.; den ~ von jdm tragen (fig) bear the stamp of s.o.

Stempelkissen ['ʃtɛmpəlkɪsən] n ink-pad

stempeln ['ʃtɛmpəln] v stamp, mark; ~ gehen to be on the dole

Stenografie [ʃtɛnograˈfiː] f shorthand, stenography

stenografieren [ʃtɛnograˈfiːrən] v stenograph, write shorthand, write in shorthand

Steppe ['ʃtɛpə] f GEO steppe

Stepptanz ['ʃtɛptants] m tap dance

Sterbehilfe ['ʃtɛrbəhɪlfə] f euthanasia

sterben ['ʃtɛrbən] v irr die; Der ist für mich gestorben. I don't want to have anything more to do with him.

sterblich ['ʃtɛrblɪç] adj mortal

stereo ['steːreo] adj TECH stereo

Stereoanlage ['ʃtɛreoanlaːgə] f stereo, stereo unit

stereotyp [ʃtereoˈtyːp] adj 1. stereotype; adv 2. in a stereotyped manner

steril [ʃteˈriːl] adj sterile, barren, unfruitful

sterilisieren [ʃteriliˈziːrən] v sterilize

Sterilität [ʃteriliˈtɛːt] f sterility

Stern [ʃtɛrn] m star; ~e sehen (fig) see stars; für jdn die ~e vom Himmel holen go to the ends of the earth and back for s.o.; nach den ~en greifen reach for the stars; in den ~en (geschrieben) stehen to be (written) in the stars; unter einem denkbar gutem ~ under a lucky star

Sternschnuppe ['ʃtɛrnʃnupə] f shooting star, falling star

Sternwarte ['ʃtɛrnvartə] f observatory

stetig ['ʃteːtɪç] adj 1. constant; 2. (gleichmäßig) steady

Stetigkeit ['ʃteːtɪçkaɪt] f constancy, steadiness, continuity

stets [ʃteːts] adv always

Steuer ['ʃtɔyər] f 1. FIN tax; n 2. (eines Autos) steering wheel; 3. NAUT rudder

steuerbord ['ʃtɔyərbɔrt] adv NAUT starboard

steuerfrei ['ʃtɔyərfraɪ] adj ECO tax-free, exempt from taxation

Steuerhinterziehung ['ʃtɔyərhɪntərtsiːuŋ] f ECO tax evasion

Steuerklasse ['ʃtɔyərklasə] f ECO tax bracket

steuerlich ['ʃtɔyərlɪç] adj 1. tax; adv 2. for tax purposes, for tax reasons

Steuermann ['ʃtɔyərman] m 1. NAUT helmsman; 2. (als Rang) mate

steuern ['ʃtɔyərn] v 1. (lenken) steer; 2. (regulieren) control; 3. INFORM control

steuerpflichtig ['ʃtɔyərpflɪçtɪç] adj ECO taxable, subject to tax

Steuerung ['ʃtɔyəruŋ] f 1. (das Steuern) steering; 2. (fig) control, regulation, management

Steuerzahler ['ʃtɔyərtsaːlər] m ECO tax-payer

Steward/Stewardess ['ʃtjuːərt/ˈʃtjuːaːrdɛs] m/f steward/stewardess

Stich [ʃtɪç] m 1. (Wespen~) sting; 2. (Näh~) stitch; 3. (Messer~) stab; 4. ART engraving, cut; 5. jdn im ~ lassen leave s.o. in the lurch; 6. Du hast wohl einen ~? You must be mad!

Stichelei [ʃtɪçəˈlaɪ] f taunt, jibe, snide remark

sticheln ['ʃtɪçəln] v (fig) taunt, needle, tease

stichhaltig ['ʃtɪçhaltɪç] adj valid, solid, sound

Stichprobe ['ʃtɪçproːbə] f spot check, random test

stichprobenartig ['ʃtɪçproːbənartɪç] adj 1. random; adv 2. on a random basis

Stichtag ['ʃtɪçtaːk] m effective date, key date

Stichwort ['ʃtɪçvɔrt] n 1. (in einem Wörterbuch) headword; 2. THEAT cue; 3. (fig) key word

sticken ['ʃtɪkən] v embroider

Sticker ['ʃtɪkər] m sticker

stickig ['ʃtɪkɪç] adj stuffy, close, suffocating

Stickstoff ['ʃtɪkʃtɔf] m CHEM nitrogen

Stiefel ['ʃtiːfəl] m boot; jdm die ~ lecken lick s.o.'s boots; Das sind zwei Paar ~. That's something completely different. That's apples and oranges. (fam)

Stiefeltern ['ʃtiːfɛltərn] pl step-parents

Stiefmutter ['ʃtiːfmutər] f stepmother

Stiefmütterchen ['ʃtiːfmytərçən] *n BOT* pansy

Stiefvater ['ʃtiːffaːtər] *m* stepfather

Stiel [ʃtiːl] *m* handle, stem, stalk

Stier [ʃtiːr] *m ZOOL* bull; *den ~ bei den Hörnern packen* take the bull by the horns

Stift¹ [ʃtɪft] *m* 1. *(Nagel ohne Kopf)* pin; 2. *(Bleistift)* pencil; 3. *(Filzstift)* pen, felt-tipped pen

Stift² [ʃtɪft] 1. charitable foundation; 2. *(Seminar)* seminary; 3. *(Kloster)* convent

stiften ['ʃtɪftən] *v* 1. *(schenken)* give, make a present of, endow; 2. *(gründen)* establish, found; 3. *(fig: verursachen)* cause, provoke, create

Stiftung ['ʃtɪftʊŋ] *f* 1. *(Schenkung)* donation, bequest; 2. *(Gründung)* establishment, foundation

Stil [ʃtiːl] *m* style

stilisieren [ʃtiliˈziːrən] *v* stylize

stilistisch [ʃtiˈlɪstɪʃ] *adj* stylistic

still [ʃtɪl] *adj* 1. *(geräuschlos)* silent, quiet, calm; 2. *(friedlich)* peaceful, calm; 3. *(ruhig)* quiet, tranquil

Stille ['ʃtɪlə] *f* 1. silence; 2. *(Frieden)* peace, calm; 3. *(Ruhe)* tranquility

Stillleben ['ʃtɪlleːbən] *n ART* still-life

stilllegen ['ʃtɪlleːgən] *v* shut down, close down

Stilllegung ['ʃtɪlleːgʊŋ] *f* shutdown, closure

stillen ['ʃtɪlən] *v* 1. *(säugen)* breast-feed; 2. *(Bedürfnis)* satisfy, gratify

stillos ['ʃtiːlloːs] *adj* tasteless, inappropriate

Stillschweigen ['ʃtɪlʃvaɪgən] *n* silence

stillschweigend ['ʃtɪlʃvaɪgənt] *adj* silent, tacit

Stillstand ['ʃtɪlʃtant] *m* standstill, stop, stagnation

stillstehen ['ʃtɪlʃteːən] *v irr* 1. *MIL* stand at attention; 2. *(Person)* stand still; 3. *(Maschine)* to be idle

Stilrichtung ['ʃtiːlrɪçtʊŋ] *f ART* style, trend

stilvoll ['ʃtiːlfɔl] *adj* 1. in good style, stylish, in good taste; *adv* 2. stylishly, tastefully

Stimmabgabe ['ʃtɪmapgaːbə] *f POL* voting, vote

Stimmband ['ʃtɪmbant] *n ANAT* vocal cord

Stimmbruch ['ʃtɪmbrux] *m* breaking of the voice

Stimme ['ʃtɪmə] *f* 1. voice; *seine ~ wieder finden* regain one's voice; 2. *(Wahlstimme) POL* vote

stimmen ['ʃtɪmən] *v* 1. *(wahr sein)* to be right, to be true, to be correct; *das stimmt* that's right; 2. *(Instrument) MUS* tune

Stimmgabel ['ʃtɪmgaːbəl] *f MUS* tuning fork

stimmhaft ['ʃtɪmhaft] *adj* voiced

Stimmrecht ['ʃtɪmrɛçt] *n ECO* right to vote, suffrage

Stimmung ['ʃtɪmʊŋ] *f* 1. mood, disposition, spirit; 2. *(bei der Truppe)* morale; 3. *(Atmosphäre)* atmosphere

Stimmzettel ['ʃtɪmtsɛtəl] *m POL* ballot, voting paper

Stinkbombe ['ʃtɪŋkbɔmbə] *f* stink bomb

stinken ['ʃtɪŋkən] *v irr* stink, smell bad

Stipendium [ʃtiˈpɛndjʊm] *n* scholarship

Stirn [ʃtɪrn] *f* forehead; *die ~ runzeln* furrow one's brow; *die ~ haben, etw zu tun* have the gall to do sth; *jdm die ~ bieten* stand up to s.o.; *sich an die ~ fassen* shake one's head in disbelief; *jdm auf der ~ geschrieben stehen* to be written on s.o.'s face

stöbern ['ʃtøːbərn] *v* 1. *(herumsuchen)* rummage about; 2. *(sauber machen)* clean; 3. *Es stöbert.* There is a flurry of snow.

stochern ['ʃtɔxərn] *v* poke about; *im Essen ~* pick at one's food; *in den Zähnen ~* pick one's teeth

Stock [ʃtɔk] *m* 1. *(Stab)* stick; *am ~ gehen* to be in a bad way; *über ~ und Stein* uphill and down dale; 2. *(Etage)* floor, storey, story *(US)*

stocken ['ʃtɔkən] *v* 1. *(zum Stillstand kommen)* come to a standstill, stop; 2. *(Blut)* coagulate; 3. *(Milch)* curdle; 4. *(Herz)* skip a beat; 5. *(Geschäfte)* drop off; 6. *(Stockflecke bekommen)* turn mouldy

stockend ['ʃtɔkənt] *adj* 1. hesitating; *adv* 2. hesitatingly; *~ sprechen* speak haltingly

Stockwerk ['ʃtɔkvɛrk] *n* storey, floor

Stoff [ʃtɔf] *m* 1. *(Textil)* material, cloth; 2. *(Materie)* matter, substance; 3. *(fam: Rauschgift)* dope, stuff

stofflich ['ʃtɔflɪç] *adj* material

Stofftier ['ʃtɔftiːr] *n* stuffed animal

Stoffwechsel ['ʃtɔfvɛksəl] *m BIO* metabolism

stöhnen ['ʃtøːnən] *v* groan, moan

stoisch ['ʃtoːɪʃ] *adj* stoic, stoical

Stollen ['ʃtɔlən] *m (Gebäck) GAST* loaf-shaped pastry containing pieces of fruit

stolpern ['ʃtɔlpərn] *v* stumble, trip

stolz [ʃtɔlts] *adj* 1. proud; *Ich bin ~ auf dich.* I'm proud of you. 2. *(hochmütig)* haughty; 3. *(anmaßend)* arrogant

Stolz [ʃtɔlts] *m* 1. pride; 2. *(Anmaßung)* arrogance

stolzieren [ʃtɔlˈtsiːrən] *v* strut, swagger

stopfen ['ʃtɔpfən] v 1. (füllen) stuff, cram, fill; 2. (flicken) patch up, mend; 3. (Strümpfe) darn

Stoppel ['ʃtɔpəl] f stubble

stoppelig ['ʃtɔpəlɪç] adj stubbly

stoppen ['ʃtɔpən] v 1. (anhalten) stop; 2. (messen) time, clock

Stöpsel ['ʃtœpzəl] m stopper, cork

stören ['ʃtøːrən] v disturb, trouble, bother

Störfaktor ['ʃtøːrfaktɔr] m interference factor

Störfall ['ʃtøːrfal] m TECH breakdown, accident, malfunction

stornieren [ʃtɔrˈniːrən] v ECO cancel

Storno ['ʃtɔrno] m 1. ECO contra entry, reversal; 2. (Auftragsstorno) ECO cancellation

störrisch ['ʃtœrɪʃ] adj 1. stubborn, obstinate, headstrong; adv 2. obstinately, pigheadedly, wilfully

Störung ['ʃtøːruŋ] f disturbance, inconvenience, annoyance

Stoß [ʃtoːs] m 1. push; 2. (Hieb) knock, blow; 3. (Anprall) impact; 4. (mit einer Waffe) thrust; 5. (Stapel) pile

stoßen ['ʃtoːsən] v irr 1. push, shove, knock; 2. auf etw ~ come across sth

Stoßzahn ['ʃtoːstsaːn] m ZOOL tusk

stottern ['ʃtɔtərn] v stutter, stammer

Strafanstalt ['ʃtraːfanʃtalt] f JUR penal institution

Strafanzeige ['ʃtraːfantsaɪɡə] f JUR criminal charge; ~ erstatten gegen bring a criminal charge against

Strafarbeit ['ʃtraːfarbaɪt] f extra work (as punishment)

Strafe ['ʃtraːfə] f 1. penalty, punishment; 2. JUR sentence, penalty

strafen ['ʃtraːfən] v punish

Straferlass ['ʃtraːfɛrlas] m JUR remission of a sentence

straff [ʃtraf] adj 1. (gespannt) tight, tense, taut; 2. (streng) severe, strict; 3. (kurz) concise

straffen ['ʃtrafən] v 1. tighten; 2. (fig: einen Text kürzen) compress, condense

Straffreiheit ['ʃtraːffraɪhaɪt] f JUR impunity

Strafgefangene(r) ['ʃtraːfɡəfaŋənə(r)] m/f prisoner, convict

Strafgesetzbuch ['ʃtraːfɡəzɛtsbuːx] n JUR Penal Code, Criminal Code

Straflager ['ʃtraːflaːɡər] n detention camp, penal camp, prison camp

sträflich ['ʃtrɛːflɪç] adj 1. criminal, punishable, 2. (unverzeihlich) unpardonable

Sträfling ['ʃtrɛːflɪŋ] m prisoner, convict

Strafporto ['ʃtraːfpɔrto] n surcharge, postage due

Strafpredigt ['ʃtraːfpreːdɪçt] f reprimand, lecture

Strafprozess ['ʃtraːfprotsɛs] m JUR criminal proceedings

Strafrecht ['ʃtraːfrɛçt] n JUR criminal law

strafrechtlich ['ʃtraːfrɛçtlɪç] adj JUR criminal

Straftat ['ʃtraːftaːt] f JUR criminal offence, punishable act

Straftäter ['ʃtraːftɛːtər] m JUR criminal offender

Strafvollzug ['ʃtraːffɔltsuːk] m 1. (System) JUR penal system, prison system; 2. (Bestrafung) JUR imprisonment, incarceration

Strafzettel ['ʃtraːftsɛtəl] m 1. traffic ticket, speeding ticket; 2. (für Falschparken) parking ticket

Strahl [ʃtraːl] m 1. (Sonnenstrahl) ray; 2. (Wasserstrahl) jet, spout

strahlen ['ʃtraːlən] v radiate, beam, shine

Strahler ['ʃtraːlər] m spotlight

Strahlung ['ʃtraːluŋ] f PHYS radiation

Strähne ['ʃtrɛːnə] f 1. strand; 2. (Kette von Ereignissen) string, streak

strähnig ['ʃtrɛːnɪç] adj straggly

stramm [ʃtram] adj 1. (fest sitzend) tight; 2. (kräftig) strapping, robust; 3. (Haltung) erect, upright; 4. (Beine) sturdy; adv 5. ~ arbeiten (fam) work hard

strampeln ['ʃtrampəln] v 1. kick; 2. (beim Radfahren) pedal

Strand [ʃtrant] m beach, shore

Strang [ʃtraŋ] m rope, cord; am gleichen Strang ziehen to be after the same thing; wenn alle Stränge reißen if worst comes to worst

strangulieren [ʃtraŋɡuˈliːrən] v strangle

Strapaze [ʃtraˈpaːtsə] f strain, overexertion, fatigue

strapazieren [ʃtrapaˈtsiːrən] v strain, fatigue, tax

strapazierfähig [ʃtrapaˈtsiːrfɛːɪç] adj sturdy, resilient, heavy-duty

strapaziös [ʃtrapaˈtsjøːs] adj exhausting, trying

Straße ['ʃtraːsə] f 1. road; 2. (einer Stadt) street; über die ~ gehen cross the street; jdn auf die ~ werfen turn s.o. out; jdn auf die ~ werfen (jdn entlassen) sack s.o.; auf der ~ liegen to be on the street; auf die ~ gehen (der Prostitution nachgehen) walk the streets; 3. (Meerenge) GEO strait

Straßenbahn ['ʃtraːsənbaːn] f tram (UK), streetcar (US)

Strategie [ʃtrateˈgiː] f strategy

strategisch [ʃtraˈteːgɪʃ] adj strategic

sträuben ['ʃtrɔybən] v sich ~ resist, oppose, fight against

Strauch [ʃtraux] m BOT bush, shrub

Strauß[1] [ʃtraus] m (Blumenstrauß) bunch, bouquet

Strauß[2] [ʃtraus] m ZOOL ostrich

Strebe ['ʃtreːbə] f brace, strut

Streber ['ʃtreːbər] m (fam) swotter (UK), curve killer (US)

strebsam ['ʃtreːpzaːm] adj assiduous, industrious

Strecke ['ʃtrɛkə] f 1. stretch; auf der ~ bleiben fall by the wayside; jdn zur ~ bringen hunt down and capture s.o.; 2. (Entfernung) distance

strecken ['ʃtrɛkən] v stretch

Streich [ʃtraiç] m 1. (Schlag) blow; auf einen ~ at a stroke; 2. (Schabernack) prank; jdm einen ~ spielen play a joke on s.o.

streicheln ['ʃtraiçəln] v caress, pet

streichen ['ʃtraiçən] v irr 1. (berühren) stroke, rub gently; 2. (auf~) spread; 3. (an~) paint; 4. (durch~) cross out, delete, strike out; 5. (Plan) cancel; 6. (annullieren) cancel

Streichholz ['ʃtraiçhɔlts] n match

Streichholzschachtel ['ʃtraiçhɔltsʃaxtəl] f matchbox

Streife ['ʃtraifə] f (Polizei) patrol

Streifen ['ʃtraifən] m 1. (Band) strip; 2. (Linie) stripe, streak; 3. (fam: Film) picture

Streifzug ['ʃtraiftsuːk] m 1. reconnaissance; 2. (Überblick) brief survey; 3. (Bummel) wanderings

Streik [ʃtraik] m strike

streiken ['ʃtraikən] v strike

Streikposten ['ʃtraikpɔstən] m ECO picketer

Streit [ʃtrait] m 1. (Unstimmigkeit) disagreement, difference; 2. (Wort~) argument, dispute, quarrel

streiten ['ʃtraitən] v irr 1. (mit Worten) argue, have a dispute, quarrel; sich ~ über argue about; 2. (kämpfen) fight, struggle

Streitfrage ['ʃtraitfraːgə] f dispute, point of controversy, issue

Streitgespräch ['ʃtraitgəʃpreːç] n debate, discussion

Streitkräfte ['ʃtraitkrɛftə] pl MIL armed forces, armed services, troops

streitsüchtig ['ʃtraitzyçtiç] adj belligerent, quarrelsome

Streitwert ['ʃtraitvɛrt] m JUR amount in dispute

streng [ʃtrɛŋ] adj 1. strict, severe, exacting; adv 2. strictly, severely; ~ vertraulich strictly confidential; ~ genommen strictly speaking

Strenge ['ʃtrɛŋə] f 1. strictness, severity; 2. (der Form) austerity, economy; 3. (des Wetters) harshness; 4. (des Geschmacks) acridity, pungency

strengstens ['ʃtrɛŋstəns] adv absolutely

Stress [ʃtrɛs] m stress

Streu [ʃtrɔy] f straw or sawdust spread on the ground

streuen ['ʃtrɔyən] v 1. strew, scatter; 2. (Mist) spread

Strich [ʃtriç] m 1. stroke, line; jdm einen ~ durch die Rechnung machen (fig) thwart s.o.'s plan; gegen den ~ gehen go against the grain; nach ~ und Faden really, with a vengeance; Ziehen wir doch einen ~ darunter. Let's let bygones be bygones. 2. (Pinsel~) stroke; 3. (Prostitution) prostitution; auf den ~ gehen walk the streets

Strichkode ['ʃtriçkoːd] m INFORM bar code, UPC code (US)

Strichmännchen ['ʃtriçmɛnçən] n matchstick man

Strichpunkt ['ʃtriçpuŋkt] m semicolon

Strick [ʃtrik] m rope, cord; wenn alle ~e reißen if worst comes to worst; jdm aus etw einen ~ drehen slant sth against s.o.

stricken ['ʃtrikən] v knit

Strickjacke ['ʃtrikjakə] f cardigan

Strickleiter ['ʃtriklaitər] f rope ladder

Stricknadel ['ʃtriknaːdəl] f knitting needle

Striemen ['ʃtriːmən] m welt

strikt [ʃtrikt] adj 1. strict; adv 2. strictly, literally

strittig ['ʃtritiç] adj controversial, debatable, contentious

Stroh [ʃtroː] n straw; ~ im Kopf haben to have rocks in one's head, to be as thick as they come

Strohhalm ['ʃtroːhalm] m straw; sich an einen ~ klammern clutch at straws

Strohmann ['ʃtroːman] m (fig) scarecrow

Strohwitwe ['ʃtroːvitvə] f grass-widow

Strom [ʃtroːm] m 1. (Fluss) river, stream; 2. (elektrischer ~) TECH current; 3. (Strömung) current, stream; mit dem ~ schwimmen swim with the tide

Stromausfall ['ʃtroːmausfal] m power failure, power outage

strömen ['ʃtrøːmən] *v 1.* stream, flow; *2. (heraus~)* pour

stromlinienförmig ['ʃtroːmliːnjənfœrmɪç] *adj* streamlined

Strömung ['ʃtrøːmuŋ] *f* current, stream, drift

Strophe ['ʃtroːfə] *f* verse, stanza

strotzen ['ʃtrɔtsən] *v ~ von* abound with

Strudel ['ʃtruːdəl] *m 1.* whirlpool; *2. GAST* strudel

Struktur [ʃtrukˈtuːr] *f* structure

Strumpf [ʃtrumpf] *m 1.* sock; *2. (Damenstrumpf)* stocking

Strumpfhose ['ʃtrumpfhoːzə] *f* tights *pl*

struppig ['ʃtrupɪç] *adj* unkempt

Struwwelpeter ['ʃtruvəlpeːtər] *m LIT* shockheaded Peter

Stube ['ʃtuːbə] *f* room, chamber

Stubenhocker ['ʃtuːbənhɔkər] *m* stay-at-home

Stück [ʃtyk] *n 1.* piece, bit; *ein ~ Brot* a piece of bread; *große ~e auf jdn halten* think the world of s.o.; *2. (Abschnitt)* part, portion, fragment; *3. THEAT* play

Stuckdecke ['ʃtukdɛkə] *f* decorative stucco ceiling

stückweise ['ʃtykvaɪzə] *adv 1.* bit by bit, little by little, piecemeal; *2. ~ verkaufen ECO* sell individually

Student [ʃtuˈdɛnt] *m* student

Studentenausweis [ʃtuˈdɛntənausvaɪs] *m* student ID card

Studentenheim [ʃtuˈdɛntənhaɪm] *n* residence hall, dormitory *(US)*

Studie ['ʃtuːdjə] *f* study

Studienrat ['ʃtuːdjənraːt] *m* teacher at a secondary school

studieren [ʃtuˈdiːrən] *v* study, attend university

Studio ['ʃtuːdjo] *n* studio

Studium ['ʃtuːdjum] *n* studies *pl*

Stufe ['ʃtuːfə] *f 1. (Treppenstufe)* step; *2. (Phase)* phase, stage

stufenlos ['ʃtuːfənloːs] *adj* continuous

stufenweise ['ʃtuːfənvaɪzə] *adv* by steps, gradually, progressively

stufig ['ʃtuːfɪç] *adj* stepped, terraced

Stuhl [ʃtuːl] *m* chair, seat; *zwischen zwei Stühlen sitzen (fig)* sit on the fence; *Ich bin fast vom ~ gefallen.* You could have knocked me over with a feather. *Das reißt einen nicht gerade vom ~.* It's nothing to write home about.

Stuhlgang ['ʃtuːlgaŋ] *m MED* bowel movement

stülpen ['ʃtylpən] *v 1. etw über etw ~* put sth over sth; *den Hut auf den Kopf ~* clap on one's hat; *2. nach außen ~* turn inside out

stumm [ʃtum] *adj 1.* dumb, mute; *2. (schweigend)* silent

Stummel ['ʃtuməl] *m 1.* stump; *2. (einer Zigarette)* fag *(UK)*, butt *(US)*

Stummfilm ['ʃtumfɪlm] *m* silent film

Stümper ['ʃtympər] *m (fam: Versager)* bungler, amateur

stümperhaft ['ʃtympərhaft] *adj 1.* botched, clumsy, bungling; *adv 2.* clumsily, incompetently

stumpf [ʃtumpf] *adj 1. (nicht scharf)* blunt; *2. (fig: glanzlos)* dull, subdued; *3. (fig: teilnahmslos)* apathetic

Stumpf [ʃtumpf] *m 1. (eines Baumes)* stump; *2. (einer Extremität)* stump

stumpfsinnig ['ʃtumpfzɪnɪç] *adj 1. (Person)* dull, dim-witted; *2. (Arbeit)* tedious, monotonous, stupefying

Stunde ['ʃtundə] *f 1.* hour; *2. (Unterricht)* lesson; *3. (fig)* hour, moment; *die ~ der Warheit* the moment of truth; *Seine letzte ~ hat geschlagen.* His time is up.

Stundenplan ['ʃtundənplaːn] *m* timetable, schedule

Stundenzeiger ['ʃtundəntsaɪgər] *m* hour hand

stündlich ['ʃtyntlɪç] *adj 1.* hourly; *adv 2.* hourly, by the hour, on the hour

stupid [ʃtuˈpiːt] *adj 1. (Person)* stupid; *2. (Arbeit)* tedious, monotonous

stur [ʃtuːr] *adj* pig-headed, stubborn, obstinate

Sturheit ['ʃtuːrhaɪt] *f* stubbornness, obstinacy, pigheadedness

Sturm [ʃturm] *m 1.* storm; *2. ~ und Drang LIT* Sturm und Drang (Storm and Stress)

stürmen ['ʃtyrmən] *v 1.* storm; *2. (Wind)* rage; *3. (Stürmer spielen) SPORT* play forward

stürmisch ['ʃtyrmɪʃ] *adj 1. (Wetter)* stormy; *2. (fig)* turbulent, tempestuous, frantic; *3. (leidenschaftlich)* passionate

Sturz [ʃturts] *m* fall, tumble

stürzen ['ʃtyrtsən] *v 1.* fall, tumble; *2. (rennen)* rush, dash; *Er kam ins Zimmer gestürzt.* He burst into the room. *3. (durch Coup)* overthrow

Stute ['ʃtuːtə] *f ZOOL* mare

Stütze ['ʃtytsə] *f 1.* support, prop; *die ~n der Gesellschaft* the pillars of society; *2. (fig: Unterstützung)* support

stutzen ['ʃtutsən] *v 1. (erstaunt sein)* stop short; *2. (kürzen)* trim

stützen [ˈʃtytsən] v 1. (halten) prop, support; 2. (fig: unter~) back up, support

stutzig [ˈʃtutsɪç] adj ~ werden become suspicious

Stützpunkt [ˈʃtytspʊŋkt] m MIL base

stylen [ˈstaɪlən] v (fam) design, style

Subjekt [zupˈjɛkt] n subject

subjektiv [zupjɛkˈtiːf] adj 1. subjective; adv 2. subjectively

Substantiv [ˈzupstantiːf] n GRAMM noun

Substanz [zupˈstants] f CHEM substance, material

substanziell [zupstanˈtsjɛl] adj substantial

Substrat [zupˈstraːt] n 1. substratum; 2. TECH substrate

subtil [supˈtiːl] adj subtle

Subtraktion [zuptrakˈtsjoːn] f MATH subtraction

Subvention [zupvɛnˈtsjoːn] f ECO subsidy

subventionieren [zupvɛntsjoˈniːrən] v subsidize

Suche [ˈzuːxə] f search, quest

suchen [ˈzuːxən] v 1. etw ~, nach etw ~ look for sth, seek sth, search for sth; 2. Du hast hier nichts zu ~. (fig) You have no business being here. seinesgleichen ~ to be unparalleled

Sucht [zuxt] f MED addiction

süchtig [zyçtɪç] adj MED addicted

Südafrika [zyːtˈafrika] n GEO South Africa

Südamerika [zyːtaˈmeːrika] n GEO South America

Süden [ˈzyːdən] m south

südlich [ˈzyːdlɪç] adj 1. southern, southerly, south; adv 2. south; ~ von south of

Südpol [ˈzyːtpoːl] m GEO South Pole

Sühne [ˈzyːnə] f atonement, expiation

Sülze [ˈzyltsə] f aspic, head cheese (US)

Summe [ˈzumə] f sum, amount

summen [ˈzumən] v hum, buzz

Summer [ˈzumər] m buzzer

summieren [zuˈmiːrən] v sum up, add up

Sumpf [zumpf] m swamp, marsh, bog

Sünde [ˈzyndə] f sin

Sündenbock [ˈzyndənbɔk] m scapegoat

Sünder [ˈzyndər] m sinner

sündhaft [ˈzynthaft] adj 1. sinful; adv 2. ~ teuer ridiculously expensive

sündig [ˈzyndɪç] adj sinful

sündigen [ˈzyndɪgən] v REL sin, commit a sin

super [ˈzuːpər] adj great, fantastic

Superlativ [zupərlaˈtiːf] m GRAMM superlative

Supermarkt [ˈzuːpərmarkt] m supermarket

Suppe [ˈzupə] f GAST soup, broth; jdm die ~ versalzen (fig) spoil s.o.'s fun; sich eine schöne ~ einbrocken get o.s. into a pretty pickle; Du musst die ~ auslöffeln, die du dir eingebrockt hast. (fig) You've made your bed, now you've got to lie in it.

surfen [ˈzɔːrfən] v SPORT surf

Surrealismus [zyrealˈlɪsmus] m ART surrealism

surren [ˈzurən] v 1. whir, hum; 2. (Insekt) buzz

suspendieren [zuspɛnˈdiːrən] v suspend

süß [zyːs] adj 1. (Geschmack) sweet; 2. (niedlich) sweet, cute

Süßigkeiten [ˈzyːsɪçkaɪtən] pl sweets

Süßstoff [ˈzyːsʃtɔf] m sweetener

Süßwasser [ˈzyːsvasər] n freshwater

Symbol [zymˈboːl] n symbol

symbolisch [zymˈboːlɪʃ] adj symbolic

Symmetrie [zymeˈtriː] f MATH symmetry

symmetrisch [zyˈmeːtrɪʃ] adj 1. symmetric; adv 2. symmetrically

Sympathie [zympaˈtiː] f sympathy

Sympathisant [zympatiˈzant] m POL sympathizer

sympathisch [zymˈpaːtɪʃ] adj likable, nice, appealing; Er ist mir ~. I like him.

sympatisieren [zympatiˈziːrən] v ~ mit sympathize with

Symptom [zympˈtoːm] n symptom

symptomatisch [zymptoˈmaːtɪʃ] adj symptomatic

Synagoge [zynaˈgoːgə] f REL synagogue

synchron [zynˈkroːn] adj synchronous

Synchronisation [zynkronizaˈtsjoːn] f CINE dubbing

synchronisieren [zynkroniˈziːrən] v 1. CINE dub; 2. (Getriebe) TECH synchronise

Syndrom [zynˈdroːm] n MED syndrome

Synonym [zynoˈnyːm] n LING synonym

synthetisch [zynˈteːtɪʃ] adj synthetic

System [zysˈteːm] n system

systematisch [zysteˈmaːtɪʃ] adj systematic

Szenario [stseˈnaːrjo] n scenario

Szene [ˈstseːnə] f 1. scene; 2. CINE scene, sequence, (~naufnahme) shot

Szenenapplaus [ˈstseːnənaplaus] m applause (during a performance)

Szenenwechsel [ˈstseːnənvɛksəl] m scene change

Szenerie [stseːnəˈriː] f scenery

T

Tabak ['tabak] *m* tobacco

Tabelle [ta'bɛlə] *f* 1. table, chart; 2. SPORT table (UK), standings *pl*

Tablett [ta'blɛt] *n* tray

Tablette [ta'blɛtə] *f* MED tablet, pill

tabu [ta'buː] *adj* taboo

tabuisieren [tabui'ziːrən] *v* taboo

Tachometer [taxo'meːtər] *m* speedometer

Tadel ['taːdəl] *m* reproach, reproof, criticism

tadellos ['taːdəloːs] *adj* 1. faultless, blameless, irreproachable; *adv* 2. perfectly, flawlessly, faultlessly

tadeln ['taːdəln] *v* 1. rebuke; 2. *(bekritteln)* find fault with

Tafel ['taːfəl] *f* 1. *(Schultafel)* blackboard, chalkboard; 2. *(Schalttafel)* TECH switchboard; 3. *(gedeckter Tisch)* dinner table; 4. *(Schokoladentafel)* bar

täfeln ['tɛːfəln] *v* panel

Täfelung ['tɛːfəlʊŋ] *f* panelling

Tag [taːk] *m* day; *Guten ~!* Hello! *jeden zweiten ~* every other day; *einen freien ~ haben* have a day off; *Das ist nicht mein ~.* This isn't my day. *den ganzen ~* all day long; *~ für ~, ~ um ~* day after day; *vor acht ~en* a week ago; *bis auf den heutigen ~* to this day; *etw an den ~ bringen* bring sth to light; *etw an den ~ legen* display sth; *an den ~ kommen* come to light; *unter ~e* below ground; *in den ~ hineinleben* live from day to day

Tagebuch ['taːgəbuːx] *n* diary, journal

Tagelöhner ['taːgəløːnər] *m* day labourer

tagen ['taːgən] *v* 1. *(Tag werden)* dawn; 2. *(eine Tagung abhalten)* meet, sit

Tagesanbruch ['taːgəsanbrux] *m* daybreak, dawn

Tagesordnung ['taːgəsɔrdnʊŋ] *f* agenda; *an der ~ sein* (fig) to be the order of the day; *zur ~ übergehen* carry on as usual

täglich ['tɛːklɪç] *adj* daily, every day

Tagung ['taːgʊŋ] *f* meeting, conference

Taille ['taljə] *f* waist

Takt [takt] *m* 1. *(Feingefühl)* tact; 2. MUS time, bar; *den ~ angeben* call the tune; *aus dem ~ kommen* lose the beat, to be put off one's stroke (fig); *jdn aus dem ~ bringen* put s.o. off his stroke

Taktik ['taktɪk] *f* tactics

taktlos ['taktloːs] *adj* 1. tactless; *adv* 2. tactlessly

Tal [taːl] *n* valley

Talent [ta'lɛnt] *n* talent

talentiert [talɛn'tiːrt] *adj* talented, gifted

Talisman ['taːlɪsman] *m* talisman

talwärts ['taːlvɛrts] *adv* down into the valley

Tampon ['tampõ] *m* tampon

Tandem ['tandɛm] *n* tandem

Tangente [taŋ'gɛntə] *f* 1. MATH tangent; 2. *(Umgehungsstraße)* ring road, bypass

tangieren [taŋ'giːrən] *v* (fig) affect, concern

Tank [taŋk] *m* tank

tanken ['taŋkən] *v* refuel, fill up, get petrol (UK), get gas (US); *voll ~* fill up

Tankstelle ['taŋkʃtɛlə] *f* petrol station (UK), gas station (US)

Tanne ['tanə] *f* BOT firtree

Tante ['tantə] *f* 1. aunt; 2. *(fam: Frau)* female (fam)

Tanz [tants] *m* dance

tanzen ['tantsən] *v* dance; *nach jds Pfeife ~* (fig) dance to s.o.'s tune (fig)

Tänzer(in) ['tɛntsər(ɪn)] *m/f* dancer

Tapete [ta'peːtə] *f* wallpaper; *die ~n wechseln* (fig) have a change of scenery

tapfer ['tapfər] *adj* 1. brave, courageous, plucky; 2. *(heldenhaft)* valiant

Tapferkeit ['tapfərkait] *f* bravery, valour

Tarif [ta'riːf] *m* tariff, rate, scale of charges

Tarifgruppe [ta'riːfgrupə] *f* ECO pay grade

Tarifkonflikt [ta'riːfkɔnflɪkt] *m* ECO conflict over wages

tarnen ['tarnən] *v* mask, camouflage, screen

Tarnung ['tarnʊŋ] *f* masking, screening, camouflage

Tasche ['taʃə] *f* 1. *(Handtasche)* handbag, purse (US); 2. *(Aktentasche)* briefcase; 3. *(Hosentasche)* pocket; *jdn in die ~ stecken* (fam) to be more than a match for s.o. *jdm auf der ~ liegen* (fig) live off s.o. *tief in die ~ greifen müssen* (fig) have to fork out a lot of cash (fam); *etw aus eigener ~ bezahlen* pay for sth out of one's own pocket; *jdm Geld aus der ~ ziehen* (fig) get s.o. to part with his money; *etw in die eigene ~ stecken* (fig) line one's pockets

Taschendieb(in) ['taʃəndiːp(ɪn)] *m/f* pickpocket

Taschengeld ['taʃəngɛlt] *n* pocket-money

Taschenlampe ['taʃənlampə] *f* torch (UK), flashlight (US)

Taschentuch ['taʃəntuːx] *n* handkerchief
Tasse ['tasə] *f* cup, mug; *nicht alle ~n im Schrank haben (fig)* to be not all there (fam), to be round the bend; *eine trübe ~ (fam)* a killjoy
Tastatur [tasta'tuːr] *f* keyboard
Taste ['tastə] *f* key, button
tasten ['tastən] *v* feel, touch; *nach etw ~* grope for sth
Tastenzwang ['tastəntsvaŋ] *m* INFORM keyboard compulsion
Tat [taːt] *f* 1. *(Handlung)* act, deed, action; *jdn auf frischer ~ ertappen* catch s.o. in the act (of doing sth); 2. *(Straftat)* criminal act, criminal offence; 3. *in der ~* indeed; 4. *in der ~ (wider Erwarten)* actually, in point of fact
Täter ['tɛːtər] *m* perpetrator, culprit
tätigen ['tɛːtɪgən] *v* transact
Tätigkeit ['tɛːtɪçkaɪt] *f* 1. activity; 2. *(Beruf)* occupation, job
tatkräftig ['taːtkrɛftɪç] *adj* 1. active, energetic; *adv* 2. actively, energetically
Tätowierung [tɛːto'viːruŋ] *f* tattoo
Tatsache ['taːtzaxə] *f* fact, matter of fact; *jdn vor vollendete ~n stellen* confront s.o. with a fait accompli; *vollendete ~n schaffen* create a fait accompli; *~!* Really!
tatsächlich ['taːtzɛçlɪç] *adj* 1. actual, real; *adv* 2. actually, in fact, as a matter of fact
Tau[1] [tau] *m* dew
Tau[2] [tau] *n (Seil)* rope, cable
taub [taup] *adj* 1. deaf; 2. *(ohne Gefühl)* numb
Taube ['taubə] *f* ZOOL pigeon
taubstumm ['taupʃtum] *adj* deaf and dumb
tauchen ['tauxən] *v* dive, plunge, dip
Taucher ['tauxər] *m* diver
tauen ['tauən] *v* 1. *(Schnee, Eis)* thaw; 2. NAUT tow
Taufe ['taufə] *f* REL christening, baptism; *etw aus der ~ heben* launch sth
taufen ['taufən] *v* REL christen, baptize
Taufpate ['taufpaːtə] *m* REL godfather
taugen ['taugən] *v* to be suitable, to be fit
Tauglichkeit ['tauklɪçkaɪt] *f* fitness, suitability
taumeln ['tauməln] *v* reel, lurch, stagger
Tausch [tauʃ] *m* trade, exchange, swap
tauschen ['tauʃən] *v* trade, exchange, swap
täuschen ['tɔyʃən] *v* 1. *(jdn ~)* deceive, delude, trick; 2. *sich ~* delude o.s., to be mistaken
Täuschung ['tɔyʃuŋ] *f* 1. deception; 2. *(Selbsttäuschung)* delusion
Tausendfüßler ['tauzəntfyːslər] *m* ZOOL millipede

Taxi ['taksi] *n* taxi
Team [tiːm] *n* team
Teamarbeit ['tiːmarbaɪt] *f* teamwork
Technik ['tɛçnɪk] *f* 1. technology; 2. *(Aufbau)* mechanics *pl*; 3. *(Verfahren)* technique
Technologie [tɛçnolo'giː] *f* technology
Tee [teː] *m* tea
Teer [teːr] *m* tar
Teich [taɪç] *m* pond, pool
Teig [taɪk] *m* dough, batter
Teil [taɪl] *m* 1. part; *sich seinen ~ denken* have one's own thoughts on the matter; *für meinen ~* I for my part; 2. *(Anteil)* portion; *seinen ~ kriegen* get one's share; *seinen ~ weghaben* have had one's share; 3. *(Abschnitt)* section; 4. *(Bestandteil)* element
Teilchen ['taɪlçən] *n* particle
teilen ['taɪlən] *v* 1. *(trennen)* separate, divide, split; 2. *(fig: gemeinsam haben)* share
teilhaben ['taɪlhaːbən] *v irr ~ an* participate in, share in, have a part in
Teilhaber ['taɪlhaːbər] *m* ECO partner, associate
Teilnahme ['taɪlnaːmə] *f* participation, attendance
teilnahmslos ['taɪlnaːmsloːs] *adj* 1. unconcerned, indifferent; *adv* 2. indifferently
teilnehmen ['taɪlneːmən] *v irr* participate, take part
Teilnehmer(in) ['taɪlneːmər(ɪn)] *m/f* 1. participant; 2. TEL subscriber, party
Teilung ['taɪluŋ] *f* division
teilweise ['taɪlvaɪzə] *adv* 1. partly, partially, in part; 2. *(manchmal)* sometimes
Teint [tɛ̃] *m* complexion
Telefax ['teːlefaks] *n* fax, facsimile transmission
Telefon [tele'foːn] *n* telephone, phone
telefonieren [telefo'niːrən] *v* telephone, phone, make a telephone call
Telefonzelle [tele'foːntsɛlə] *f* call-box *(UK)*, pay phone *(US)*
telegrafieren [telegra'fiːrən] *v* telegraph, wire, send a telegram
Telegramm [tele'gram] *n* telegram
Teleskop [teles'koːp] *n* TECH telescope
Teller ['tɛlər] *m* 1. *(flach)* plate, dinner-plate; 2. *(tief)* soup-plate
Tempel ['tɛmpəl] *m* temple
Temperament [tempera'mɛnt] *n* 1. temperament, disposition; 2. *(Lebhaftigkeit)* vivacity
temperamentvoll [tempera'mɛntfɔl] *adj* spirited

Temperatur [tempera'tu:r] f temperature

Tempo ['tɛmpo] n speed, pace; ~ machen get a move on

temporär [tempo're:r] adj temporary

Tendenz [tɛn'dɛnts] f tendency

tendieren [tɛn'di:rən] v tend, to be inclined, show a tendency

Tenor [te'no:r] m MUS tenor

Teppich ['tɛpɪç] m carpet; etw unter den ~ kehren (fig) push sth under the rug; auf dem ~ bleiben (fig) keep one's feet on the ground, stay down-to-earth

Termin [tɛr'mi:n] m 1. (Datum) date; 2. (Frist) term, deadline; 3. (Verabredung) appointment; 4. (Verhandlung) JUR hearing

Terminal ['tœrminəl] n 1. (im Flughafen) terminal; 2. INFORM terminal

Terminologie [tɛrmɪnolo'gi:] f terminology

Terrasse [tɛ'rasə] f terrace

Terrine [tɛ'rinə] f tureen

Territorium [tɛri'to:rjum] n territory

Terror ['tɛror] m terror

terrorisieren [tɛrori'zi:rən] v terrorize

Terrorismus [tɛro'rɪsmus] m terrorism

Test [tɛst] m test

Testament [tɛsta'mɛnt] n testament, will

testen ['tɛstən] v test

teuer ['tɔyər] adj 1. expensive, costly; 2. dear, cherished; Das wird dich ~ zu stehen kommen! You'll pay dearly for that!

Teufel ['tɔyfəl] m devil; den ~ an die Wand malen tempt fate; den ~ im Leib haben to be wild and uncontrollable; sich den ~ um etw scheren not give a damn about sth; in ~s Küche kommen get into a hell of a mess; auf ~ komm raus arbeiten work like the devil; jdn zum ~ schicken tell s.o. to go to hell, tell s.o. to get lost; Da war der ~ los. All hell was let loose. Scher dich zum ~! Get lost!

Teufelskreis ['tɔyfəlskrais] m (fig) vicious circle

teuflisch ['tɔyflɪʃ] adj devilish, diabolical

Text [tɛkst] m text

texten ['tɛkstən] v 1. (Werbetext) write copy; 2. (Schlagertext) write lyrics

textil [tɛks'ti:l] adj textile

Theater [te'a:tər] n 1. (Schauspielhaus) theatre; Sie spielt nur ~. She's just putting it on. 2. (fig: Aufregung) fuss, din, scene

Theaterkasse [te'a:tərkasə] f box-office

theatralisch [tea'tra:lɪʃ] adj 1. (fig) melodramatic, theatrical; adv 2. (fig) melodramatically

Theke ['te:kə] f counter, bar

Thema ['te:ma] n 1. subject, topic; 2. MUS theme

Thematik [te'ma:tɪk] f subject matter

Theologie [teolo'gi:] f theology

theoretisch [teo're:tɪʃ] adj 1. theoretic, theoretical; adv 2. theoretically, in theory

Theorie [teo'ri:] f theory

Therapeut [tera'pɔyt] m therapist

Therapie [tera'pi:] f therapy

Thermometer [tɛrmo'me:tər] n thermometer

Thermoskanne ['tɛrmoskanə] f thermos, vacuum flask

These ['te:zə] f thesis, hypothesis

Thron [tro:n] m throne; von seinem ~ herabsteigen (fig) come down off one's high horse (fig); jdn vom ~ stoßen dethrone s.o.

tief [ti:f] adj 1. deep; ~ gehend deep; ~ gehend (Schmerz) intense; ~ gehend (gründlich) thorough; im ~sten Niederbayern (fam) in the heart of Lower Bavaria; 2. (Temperatur) low; 3. (fig: tief schürfend) profound, deep; adv 4. (stark) heavily, deeply; 5. (schlafen) soundly

Tiefe ['ti:fə] f depth

Tiefgarage ['ti:fgara:ʒə] f underground parking

tiefgreifend ['ti:fgraifənt] adj profound, penetrating, far-reaching

tiefsinnig ['ti:fzɪnɪç] adj deep, profound

tiefstapeln ['ti:fʃta:pəln] v (fig) sell o.s. short

Tier [ti:r] n animal; ein hohes ~ (fam) a big shot

Tierarzt ['ti:rartst] m veterinarian, veterinary surgeon

Tiger ['ti:gər] m ZOOL tiger

tilgen ['tɪlgən] v ECO redeem, repay, pay off

Tilgung ['tɪlguŋ] f ECO repayment, redemption, amortization

Tinte ['tɪntə] f ink; in der ~ sitzen (fam) to be in the soup

tippen ['tɪpən] v 1. (berühren) tap, touch gently; 2. (Maschine schreiben) type; 3. (vermuten) make a guess; 4. (wetten) put money on, lay a bet on

Tisch [tɪʃ] m table; reinen ~ machen make a clean sweep; am grünen ~ (fig) at the conference table; eine Konferenz am runden ~ a round-table conference; jdn über den ~ ziehen take s.o. to the cleaners

Titel ['ti:təl] m title

titulieren [titu'li:rən] v 1. call, address; 2. (Buch) title, entitle

Toast [to:st] *m* toast; *einen ~ auf jdn ausbringen* propose a toast to s.o.

toben ['to:bən] *v 1. (tollen)* romp; *2. (stürmen)* rage, roar; *3. (wütend sein)* rage

Tochter ['tɔxtər] *f* daughter

Tod [to:t] *m* death; *den ~ vor Augen* at death's door; *tausend ~e sterben* die a thousand deaths, to be worried stiff; *jdn auf den ~ nicht leiden können* hate s.o. like poison, hate s.o.'s guts

Todesurteil ['to:dəsʊrtaɪl] *n* death sentence

tödlich ['tø:tlɪç] *adj 1.* fatal, deadly, lethal; *adv 2.* fatally, mortally, lethally

Toilette [toa'lɛtə] *f (WC)* lavatory, toilet, men's room/ladies' room

tolerant [tɔlə'rant] *adj* tolerant

Toleranz [tɔlə'rants] *f* tolerance

tolerieren [tɔlə'ri:rən] *v* tolerate

tollkühn ['tɔlky:n] *adj 1.* foolhardy, rash, reckless; *adv 2.* rashly, recklessly

tollpatschig ['tɔlpatʃɪç] *adj (fam)* clumsy, awkward, ham-handed

Tollwut ['tɔlvu:t] *f MED* rabies

Tölpel ['tœlpəl] *m* blockhead

Tomate [to'ma:tə] *f BOT* tomato; *eine treulose ~ sein* to be unreliable; *~n auf den Augen haben* fail to see sth

Tombola ['tɔmbola] *f* tombola *(UK)*, lottery

Ton[1] [to:n] *m 1. (Laut)* sound, tone; *jdn in den höchsten Tönen loben (fam)* praise s.o. to the skies; *große Töne spucken (fam)* talk big; *2. MUS* tone, note; *den ~ angeben* call the tune; *einen anderen ~ anschlagen* change one's tune; *3. (Umgangston)* tone, fashion; *sich im ~ vergreifen* speak out of turn

Ton[2] [to:n] *m (Lehm)* clay

Tonband ['to:nbant] *n* tape

tönen ['tø:nən] *v 1. (klingen)* sound, ring; *2. (färben)* tint, tone; *3. (fig: prahlen)* boast

Tonlage ['to:nla:gə] *f MUS* pitch

Tonne ['tɔnə] *f 1. (Gefäß)* barrel, cask, tub; *2. (Maßeinheit)* ton

Tönung ['tø:nʊŋ] *f* tint, tone

Topf [tɔpf] *m* pot, *(Kochtopf)* saucepan; *alles in einen ~ werfen* lump everything together; *wie ~ und Deckel zusammenpassen* suit each other down to the ground

töpfern ['tœpfərn] *v* make pottery

Tor[1] [to:r] *n 1. (Tür)* gate, door, gateway; *2. SPORT* goal; *3. (Treffer)* goal

Tor[2] [to:r] *m (Dummkopf)* fool

Torheit ['to:rhaɪt] *f* foolishness, silliness

töricht ['tø:rɪçt] *adj 1.* foolish, silly; *adv 2.* foolishly

Torte ['tɔrtə] *f GAST* cake, tart

Tortur [tɔr'tu:r] *f* torture

tot [to:t] *adj 1.* dead; *mehr ~ als lebendig* more dead than alive; *sich ~ stellen* play dead

total [to'ta:l] *adj 1.* total, complete; *adv 2.* totally, completely, utterly

totalitär [totali'tɛ:r] *adj 1.* totalitarian; *adv 2.* in a totalitarian manner

Tote(r) ['to:tə(r)] *m/f* dead person

töten ['tø:tən] *v* kill

Toupet [tu'pe:] *n* toupée, hairpiece

Tour [tu:r] *f 1.* tour; *auf vollen ~en laufen* to be in full swing; *jdn auf ~en bringen* spur s.o. into action; *2. (Umdrehung)* turn; *in einer ~ (fig)* without stopping; *3. (Fahrt)* trip; *4. (fig)* way, manner; *krumme ~en* shady dealings

Tourismus [tu'rɪsmʊs] *m* tourism

Tourist(in) [tu'rɪst(ɪn)] *m/f* tourist

Tournee [tʊr'ne:] *f* tour

Trab [tra:p] *m* trot; *jdn auf ~ bringen* make s.o. get a move on; *auf ~ sein* to be on the go

Trabant [tra'bant] *m* satellite

traben ['tra:bən] *v* trot

Tracht [traxt] *f 1. (Traglast)* load; *2. (Kleidung)* folkloric costume

trachten ['traxtən] *v 1. nach etw ~* aim at sth, strive for sth, aspire to sth; *2. (~ etw zu tun)* endeavour, try

Tradition [tradits'jo:n] *f* tradition

traditionell [tradɪtsjo:'nɛl] *adj* traditional; *adv* traditionally

Trafo ['tra:fo] *m (fam) TECH* transformer

Trage ['tra:gə] *f* stretcher, litter

träge ['trɛ:gə] *adj 1.* lazy, idle; *2. PHYS* inert

tragen ['tra:gən] *v irr 1.* carry; *für etw Sorge ~* see to sth; *2. (am Körper ~)* wear

Trägheit ['trɛ:khaɪt] *f 1.* laziness, indolence, lethargy; *2. PHYS* inertia

Tragik ['tra:gɪk] *f* tragedy

tragisch ['tra:gɪʃ] *adj* tragic

Tragödie [tra'gø:djə] *f* tragedy

Tragweite ['tra:kvaɪtə] *f 1.* range; *2. (fig)* magnitude, scope, implications *pl*

Trainer(in) ['trɛ:nər(ɪn)] *m/f SPORT* coach

trainieren [trɛ:'ni:rən] *v* train

Traktor ['traktɔr] *m AGR* tractor

trällern ['trɛlərn] *v* hum, warble, trill

trampeln ['trampəln] *v* trample

trampen ['trɛmpən] *v* hitch-hike

Tramper(in) ['trɛmpər(ɪn)] *m/f* hitch-hiker

Trance [trɑ̃s] *f* trance

Träne ['trɛ:nə] *f* tear; *in ~n ausbrechen* burst into tears

tränen ['trɛːnən] v water
Tränke ['trɛŋkə] f watering hole
Transaktion [tranzakts'joːn] f transaction
transferieren [transfe'riːrən] v transfer
Transformator [transfɔr'maːtɔr] m TECH transformer
transparent [transpa'rɛnt] adj transparent
Transparent [transpa'rɛnt] n 1. transparency; 2. (Spruchband) banner
transpirieren [transpi'riːrən] v perspire
Transport [trans'pɔrt] m transport
transportieren [transpɔr'tiːrən] v transport
Trapez [tra'peːts] n 1. (Turnen) trapeze; 2. MATH trapezium, trapezoid (US)
Trasse ['trasə] f route
Tratsch [traːtʃ] m (fam) gossip
tratschen ['traːtʃn] v (fam) gossip
Traube ['traubə] f BOT grape
trauen ['trauən] v 1. (verheiraten) marry; 2. (vertrauen) trust; 3. sich ~ dare
Trauer ['trauər] f mourning, sadness, grief
trauern ['trauərn] v grieve, mourn
Traum [traum] m dream; Das würde mir nicht im ~ einfallen! I wouldn't dream of it! Aus der ~! It's all over! Back to reality!
Trauma ['trauma] n MED trauma
träumen ['trɔymən] v dream; Das hätte sie sich nicht ~ lassen. She would never have imagined that; possible.
traumhaft ['traumhaft] adj 1. (wie im Traum) dreamlike; 2. (fig) wonderful, fantastic
traurig ['trauriç] adj sad
Trauung ['trauuŋ] f 1. (kirchlich) church wedding; 2. (standesamtlich) marriage ceremony
Trauzeuge ['trautsɔygə] m witness to a marriage
treffen ['trɛfən] v irr 1. hit, strike; 2. (begegnen) meet, encounter, run into
treffend ['trɛfənt] adj pertinent, apt, appropriate
Treffer ['trɛfər] m 1. hit; 2. (fig: Glückstreffer) lucky hit; 3. (Tor) SPORT goal
treiben ['traibən] v irr 1. (antreiben) drive, incite, urge; sich zum Äußersten getrieben sehen to be driven to extremes; 2. (Unsinn, Unfug) to be up to; 3. (fig: betreiben) do, carry on; es zu weit ~ go too far; 4. (Beruf) pursue; 5. (im Wasser ~) float
Treiben ['traibən] n activity, stir, bustle
Trend [trɛnt] m trend
trennen ['trɛnən] v separate, divide, split
Trennung ['trɛnuŋ] f separation, division, partition

Treppe ['trɛpə] f staircase, flight of steps; die ~ hinauffallen to be kicked upstairs (fam)
Treppenhaus ['trɛpənhaus] n staircase
Tresen ['treːzən] m GAST bar, counter
Tresor [tre'zoːr] m 1. strongroom, vault; 2. (Panzerschrank) safe
treten ['treːtən] v irr 1. (gehen) tread, walk, step; in jds Fußstapfen ~ follow in s.o.'s footsteps; kürzer ~ (fig) ease up; 2. (Fußtritt geben) kick
treu [trɔy] adj faithful, true, loyal
Treue ['trɔyə] f faithfulness, fidelity
Treuhänder ['trɔyhɛndər] m JUR fiduciary, trustee
treuherzig ['trɔyhɛrtsiç] adj 1. (offen) candid; 2. (ohne Falsch) guileless; 3. (naiv) naive
treulos ['trɔyloːs] adj faithless, disloyal
Tribüne [tri'byːnə] f 1. platform; 2. (Zuschauertribüne) stands pl, terraces pl (UK)
Tribut [tri'buːt] m tribute; jdm ~ zollen (fig) pay tribute to s.o.
Trichter ['triçtər] m funnel; auf den richtigen ~ kommen catch on; jdn auf den richtigen ~ bringen give s.o. a clue
Trick [trik] m trick; ~ siebzehn a special trick
Trieb [triːp] m 1. BOT shoot; 2. (Drang) drive, instinct, inclination
Triebtäter ['triːptɛtər] m sex offender
triefen ['triːfən] v irr 1. drip; 2. (Nase) run
trimmen ['trimən] v 1. sich ~ (Sport treiben) keep fit; 2. (fam: herrichten) do up
trinken ['triŋkən] v irr drink; auf jds Gesundheit ~ drink to s.o.'s health
Trinkgeld ['triŋkgɛlt] n tip
Trinkwasser ['triŋkvasər] n drinking water
Trio ['triːo] n trio
Tritt [trit] m 1. step, pace, footstep; 2. (Fußtritt) kick
Triumph [tri'umpf] m triumph
triumphieren [trium'fiːrən] v triumph, exult, to be jubilant
trivial [tri'vjaːl] adj trivial
trocken ['trɔkən] adj 1. dry; auf dem Trockenen sitzen to be left high and dry; 2. (dürr) arid
Trockenheit ['trɔkənhait] f 1. dryness; 2. (Trockenperiode) drought
trocknen ['trɔknən] v dry
Trödler ['trøːdlər] m 1. dawdler, slow-coach (UK), slowpoke (US); 2. (Händler) second-hand dealer, junk dealer
Trog [troːk] m trough
Trommel ['trɔməl] f MUS drum
Trommelfell ['trɔməlfɛl] n ANAT ear-drum
trommeln ['trɔməln] v drum

Trompete [trɔm'pe:tə] *f* MUS trumpet
Tropen ['tro:pən] *pl* GEO tropics
tropfen ['trɔpfən] *v* drip
Tropfen ['trɔpfən] *m* drop; *ein ~ auf den heißen Stein sein* to be a drop in the ocean
Trophäe [tro'fɛ:ə] *f* trophy
tropisch ['tro:pɪʃ] *adj* tropical
Trost [tro:st] *m* consolation, comfort; *nicht ganz bei ~ sein (fam)* to be off one's rocker
trösten ['trø:stən] *v* console, comfort
trostlos ['tro:stlo:s] *adj* 1. *(Mensch)* inconsolable; 2. *(Lage)* hopeless; 3. *(Gegend)* dismal, bleak, dreary
Trostlosigkeit ['tro:stlo:zɪçkaɪt] *f* desolation, hopelessness, dreariness
Trott [trɔt] *m (fig)* routine
Trottel ['trɔtəl] *m (fam)* fool, idiot
trotz [trɔts] *prep* despite, in spite of, notwithstanding; *~ allem* despite the heat
trotzdem ['trɔtsde:m] *konj* 1. nevertheless, nonetheless, all the same; *adv* 2. still, nevertheless, all the same
trotzen ['trɔtsən] *v* 1. *(widerstehen)* defy; 2. *(schmollen)* sulk, mope
trotzig ['trɔtsɪç] *adj* 1. *(schmollend)* sulky, sullen; 2. *(eigensinnig)* defiant, obstinate
trüb [try:p] *adj* 1. *(undurchsichtig)* murky, dull, clouded; 2. *(matt)* dim, dull; 3. *(regnerisch)* murky
Trubel ['tru:bəl] *m* racket, turmoil
trüben ['try:bən] *v* 1. *(Flüssigkeit)* make thick, make muddy, cloud up; 2. *(fig: Stimmung)* spoil, darken, cast a cloud on
Trübsinn ['try:pzɪn] *m* sadness, gloom, melancholy
trübsinnig ['try:pzɪnɪç] *adj* sad, dismal, gloomy
Trug [tru:k] *m* 1. deception; *Lug und ~* lies and deception; 2. *(der Sinne)* delusion
Trugbild ['tru:kbɪlt] *n* hallucination
trügerisch ['try:gərɪʃ] *adj* deceitful, deceptive, delusive
Trugschluss ['tru:kʃlus] *m* fallacy
Truhe ['tru:ə] *f* chest, trunk
Truppe ['trupə] *f* 1. MIL troops *pl; von der schnellen ~ sein (fam)* to be a speedy Gonzalez; 2. THEAT company
Truthahn ['tru:tha:n] *m* turkey
tschüss [tʃy:s] *interj* bye, so long, see you
Tube ['tu:bə] *f* tube; *auf die ~ drücken (fig)* get a move on
Tuch [tu:x] *n* 1. *(Lappen)* cloth; 2. *(Stoff)* woollen fabric; 3. *(Halstuch)* scarf; 4. *ein rotes ~ für jdn sein* make s.o. see red

tüchtig ['tyçtɪç] *adj* 1. capable, efficient; 2. *(fam: ziemlich groß)* pretty big; *adv* 3. *(fam)* thoroughly
Tücke ['tykə] *f* 1. malice, spite; 2. *(Hinterlist)* insidiousness, treachery
tückisch ['tykɪʃ] *adj* 1. malicious, spiteful
Tugend ['tu:gənt] *f* virtue; *aus der Not eine ~ machen* make a virtue of necessity
tugendhaft ['tu:gənthaft] *adj* virtuous
Tulpe ['tulpə] *f* BOT tulip
Tumor ['tu:mor] *m* MED tumour, growth
Tümpel ['tympəl] *m* puddle, pool, pond
Tumult [tu'mult] *m* tumult, commotion, turmoil
tun [tu:n] *v irr* do; *so ~ als ob ...* pretend that *... es tut nichts* it doesn't matter; *viel zu ~ haben* to be very busy; *Ich habe zu ~.* I have things to do. *mit etw nichts zu ~ haben* have nothing to do with sth; *mit jdm zu ~ bekommen* have to deal with s.o. *mit jdm nichts mehr zu ~ haben wollen* want to have nothing more to do with s.o.; *Tu, was du nicht lassen kannst!* Do what you have to do!
tunken ['tuŋkən] *v* dip, dunk
Tunnel ['tunəl] *m* tunnel
Tüpfelchen ['typfəlçən] *n* *das ~ auf dem „i" sein* to be the finishing touch
Tür [ty:r] *f* door; *jdm die ~ weisen (fig)* show s.o. the door; *vor der ~ stehen (fig)* to be near at hand; *jdm eine ~ öffnen (fig)* pave the way for s.o. *jdm die ~ vor der Nase zuschlagen* shut the door in s.o.'s face; *jdn vor die ~ setzen* kick s.o. out
Turban ['turba:n] *m* turban
Turbine [tur'bi:nə] *f* turbine
turbulent [turbu'lent] *adj* turbulent
türkis [tyr'ki:s] *adj* turquoise
Turm [turm] *m* 1. tower; 2. *(Kirchturm)* steeple
türmen ['tyrmən] *v* 1. *(schichten)* pile up; 2. *(fig: ausreißen)* clear out, skedaddle
Turnier [tur'ni:r] *n* tournament
Türschwelle ['ty:rʃvɛlə] *f* threshold
Türsteher ['ty:rʃte:ər] *m* bouncer
Tusche ['tuʃə] *f* India ink
tuscheln ['tuʃəln] *v* whisper
Tüte ['ty:tə] *f* 1. bag; 2. *(Eistüte)* cone, cornet *(UK)*
Typ [ty:p] *m* 1. *(Kerl)* guy, chap, fellow, bloke *(UK)*; 2. type
typisch ['ty:pɪʃ] *adj* typical
Tyrann [ty'ran] *m* tyrant, despot
tyrannisieren [tyrani'zi:rən] *v* tyrannize, domineer, oppress

U

U-Bahn ['uːbaːn] *f* underground *(UK)*, subway *(US)*, *(in London)* tube

übel ['yːbəl] *adj* 1. bad, evil, nasty; ~ *gelaunt* bad-tempered, cross; ~ *gesinnt* ill-disposed; ~ *nehmen* resent, to be offended by, take amiss; ~ *riechend* evil-smelling, bad-smelling; *jdm ~ wollen* bear s.o. ill will, wish s.o. ill; *nicht ~* not bad; 2. *(krank)* sick, ill; *Mir ist ~.* I feel sick.

Übel ['yːbəl] *n* 1. evil, trouble; *das kleinere von zwei ~n wählen* choose the lesser of two evils; *ein notwendiges ~ sein* to be a necessary evil; *zu allem ~* to make matters worse; 2. *(Missstand)* grievance

Übelkeit ['yːbəlkaɪt] *f* nausea, sickness

üben ['yːbən] *v* 1. practise; 2. *(zum Ausdruck bringen)* exercise

über ['yːbər] *prep* 1. over, above; 2. *(zeitlich)* during; 3. *(quer ~)* across; 4. *(mehr als)* over; ~ *und ~* all over; 5. *(fig: von)* about, concerning; *sich ~ etw ärgern* to be annoyed about sth, to be angry about sth; *sich ~ sich bringen* to bring o.s. to do sth; 7. ~ *jdn etw bekommen* get sth from s.o.; 8. *(jdm übergeordnet sein)* ~ *jdm stehen* to be superior to s.o.; 9. ~ *Hamburg fahren* to go via Hamburg

überall ['yːbəral] *adv* everywhere, all over; ~ *in der Welt* everywhere in the world

überanstrengen [yːbər'anʃtrɛŋən] *v* overstrain, overexert

Überanstrengung [yːbər'anʃtrɛŋuŋ] *f* overexertion

überarbeiten [yːbər'arbaɪtən] *v* 1. *(etw ~)* revise; 2. *sich ~* overwork o.s.

Überarbeitung [yːbər'arbaɪtuŋ] *f* 1. revision; 2. *(Überanstrengung)* overwork

überaus ['yːbəraus] *adv* exceedingly

überbewerten [yːbərbəvɛrtən] *v* 1. overvalue; 2. *(fig)* overrate

Überbewertung ['yːbərbəvɛrtuŋ] *f* overvaluation, *(fig)* overrating

überbieten [yːbər'biːtən] *v irr* 1. *(Preis)* overbid, outbid; 2. *(Leistung)* outdo, beat, surpass

Überblick ['yːbərblɪk] *m* 1. *(Aussicht)* general view; 2. *(Zusammenfassung)* summary, outline, sketch; 3. *(fig)* control

überblicken [yːbər'blɪkən] *v* 1. survey, overlook; 2. *(fig)* control, to be in control of

überbringen [yːbər'brɪŋən] *v irr* bring, deliver

überdenken [yːbər'dɛŋkən] *v irr* think over, reflect on, ponder

Überdosis ['yːbərdoːzɪs] *f* overdose

überdrüssig ['yːbərdrysɪç] *adj einer Sache* ~ sick of sth, tired of sth, weary of sth

überdurchschnittlich ['yːbərdurçʃnɪtlɪç] *adj* above average

übereinander ['yːbəraɪnandər] *adv* one above the other, one on top of the other

übereinkommen [yːbər'aɪnkɔmən] *v irr* agree, come to an agreement

Übereinkunft [yːbər'aɪnkunft] *f* agreement, understanding

übereinstimmen [yːbər'aɪnʃtɪmən] *v* 1. *(einig sein)* agree; 2. *(gleich sein)* tally, coincide, match

Übereinstimmung [yːbər'aɪnʃtɪmuŋ] *f* 1. *(Einigkeit)* agreement, consensus; *in ~ mit* in agreement with; 2. *(Gleichheit)* concurrence, conformity

überfahren [yːbər'faːrən] *v irr (jdn, Tier)* run over

Überfall ['yːbərfal] *m* assault, sudden attack

überfallen [yːbər'falən] *v irr* 1. attack; 2. *(fig: unerwartet besuchen)* burst in on; 3. *(überkommen)* come over

Überfluss ['yːbərflus] *m* 1. abundance, profusion; *zu allem ~* to top it all; 2. *(Exzess)* excess

überflüssig ['yːbərflysɪç] *adj* superfluous, unnecessary

überfordern [yːbər'fɔrdərn] *v* overtax, demand too much of

Überforderung [yːbər'fɔrdəruŋ] *f* excessive demand

überführen [yːbər'fyːrən] *v* 1. *(transportieren)* transport, transfer; 2. *(Schuld nachweisen)* convict, find guilty

Überführung [yːbər'fyːruŋ] *f* 1. *(Transport)* transport, transportation; 2. *(Schuldnachweis)* conviction; 3. *(Brücke)* bridge, overpass

Übergabe [yːbər'gaːbə] *f* 1. handing over; 2. MIL surrender

Übergang ['yːbərgaŋ] *m* 1. crossing, passage; 2. *(fig)* transition, change

übergeben [yːbər'geːbən] *v irr* 1. *(etw ~)* deliver, hand over; *jdm etw ~* deliver sth over to s.o.; 2. *sich ~* vomit

übergehen ['yːbərgeːən] *v irr* 1. *(ausbreiten)* spread; 2. *(auf Thema, System)* switch; 3. *auf jdn* ~ *(vererbt werden)* pass to s.o.; 4. *in etw* ~ *(ver-*

wandeln) turn into sth; 5. *zu jdm* ~ go over to s.o.; [y:bər'ge:ən] 6. *(auslassen)* pass over, skip; 7. *(nicht beachten)* ignore

Übergewicht ['y:bərgəvɪçt] *n* 1. overweight; *an* ~ *leiden,* ~ *haben* to be overweight; 2. *(fig)* preponderance, superiority

überhängen ['y:bərhɛŋən] *v irr* 1. hang over; 2. *(über die Schulter hängen)* sling over one's shoulder

überhäufen [y:bər'hɔyfən] *v* swamp, deluge, overwhelm, inundate

überhaupt [y:bər'haupt] *adv* 1. *(Verneinungen, in Fragen)* at all; ~ *nicht* not at all; 2. *(im Allgemeinen)* in general, on the whole; 3. *(eigentlich)* actually

überheblich [y:bər'he:plɪç] *adj* arrogant

Überheblichkeit [y:bər'he:plɪçkaɪt] *f* arrogance

überholen [y:bər'ho:lən] *v* 1. *(vorbeifahren)* overtake; 2. *(überprüfen)* overhaul

überhören [y:bər'hø:rən] *v* 1. *(nicht hören)* not hear; 2. *(hören aber nicht beachten)* ignore

überladen [y:bər'la:dən] *v irr* overload

Überlagerung [y:bər'la:gərʊŋ] *f* superimposition, overlapping

überlassen [y:bər'lasən] *v irr jdm etw* ~ leave sth to s.o.

Überlassung [y:bər'lasʊŋ] *f* leaving

Überlastung [y:bər'lastʊŋ] *f* overload, overstrain

überlaufen ['y:bərlaufən] *v irr* 1. *(Gefäß)* flow over, run over; 2. *(fig: zum Gegner)* change sides, desert to the enemy; [y:bər'laufən] *adj* 3. *(überfüllt)* overflowing

Überläufer ['y:bərlɔyfər] *m* 1. deserter; 2. *POL* defector

überleben [y:bər'le:bən] *v* 1. survive; 2. *(länger leben als)* outlive

überlegen [y:bər'le:gən] *v* 1. think over, consider, reflect upon; *es sich anders* ~ change one's mind; *Das werde ich mir* ~. I'll think about it. *adj* 2. superior

Überlegenheit [y:bər'le:gənhaɪt] *f* superiority

Überlegung [y:bər'le:gʊŋ] *f* consideration, deliberation, reflection

überliefern [y:bər'li:fərn] *v* deliver, hand down

Überlieferung [y:bər'li:fərʊŋ] *f* delivery, transmission, tradition

überlisten [y:bər'lɪstən] *v* outwit, outsmart

Überlistung [y:bər'lɪstʊŋ] *f* outwitting, outsmarting

Übermaß ['y:bərma:s] *n* excess

übermäßig ['y:bərmɛ:sɪç] *adj* excessive

übermitteln [y:bər'mɪtəln] *v* transmit, convey, deliver

Übermittlung [y:bər'mɪtlʊŋ] *f* conveyance, transmission

übermorgen ['y:bərmɔrgən] *adv* the day after tomorrow

Übermut ['y:bərmu:t] *m* high spirits

übermütig ['y:bərmy:tɪç] *adj* 1. in high spirits, playful; 2. *(überheblich)* haughty

übernächste(r,s) ['y:bərnɛ:çstə(r,s)] *adj* ~ ... ... after next, next ... but one; *die* ~ *Woche* the week after next

übernachten [y:bər'naxtən] *v* spend the night, stay the night

Übernachtung [y:bər'naxtʊŋ] *f* overnight stay

Übernahme ['y:bərna:mə] *f* 1. *(Entgegennehmen)* taking-over, taking possession; 2. *(Amtsübernahme)* entering

übernehmen [y:bər'ne:mən] *v irr* 1. *(entgegennehmen)* accept; 2. *(Amt)* take over; 3. *sich* ~ overstrain, overextend, undertake too much

überprüfen [y:bər'pry:fən] *v* check, examine, inspect

Überprüfung [y:bər'pry:fʊŋ] *f* inspection, overhaul, examination

überqueren [y:bər'kve:rən] *v* cross

überragen [y:bər'ra:gən] *v* 1. project, jut out; 2. *(fig)* surpass, excel, outstrip

überragend [y:bər'ra:gənt] *adj* *(ausgezeichnet)* outstanding, brilliant, superior

überraschen [y:bər'raʃən] *v* surprise

überraschend [y:bər'raʃənt] *adj* surprising, astonishing

Überraschung [y:bər'raʃʊŋ] *f* surprise

überreden [y:bər're:dən] *v* persuade, talk round

Überredung [y:bər're:dʊŋ] *f* persuasion

überreichen [y:bər'raɪçən] *v* deliver, present, hand over

überschätzen [y:bər'ʃɛtsən] *v* overestimate, overrate; *sich* ~ think too highly of o.s.

überschlagen [y:bər'ʃla:gən] *v irr* 1. *sich* ~ turn over, roll over; 2. *(fig: vor Freude) sich* ~ get carried away; 3. *(ausrechnen)* estimate, approximate; 4. *(Auto)* overturn; 5. *(Buchseite)* skip, miss

überschreiben [y:bər'ʃraɪbən] *v irr* 1. *(betiteln)* head, entitle, superscribe; 2. *JUR* transfer by deed, convey; 3. *INFORM* write over

Überschreibung [y:bər'ʃraɪbʊŋ] *f* *JUR* conveyance, transfer in a register

überschreiten [y:bər'ʃraɪtən] *v irr 1. (überqueren)* cross, pass over, go across; *2. (fig: übertreten)* exceed, *(Gesetz)* infringe

Überschreitung [y:bər'ʃraɪtuŋ] *f 1. (Überquerung)* crossing; *2. (fig: Übertretung)* exceeding, infringement

Überschrift ['y:bərʃrɪft] *f* heading, headline, title

überschwemmen [y:bər'ʃvɛmən] *v* flood, overflow, submerge

Überschwemmung [y:bər'ʃvɛmuŋ] *f* flooding, inundation

übersehen [y:bər'ze:ən] *v irr 1. (nicht sehen)* overlook, fail to notice; *2. (überschauen)* look over

übersenden [y:bər'zɛndən] *v irr* send, forward, transmit

übersetzen [y:bər'zɛtsən] *v 1. (Sprache)* translate; ['y:bərzɛtsən] *2. (Gewässer)* cross

Übersetzer [y:bər'zɛtsər] *m* translator

Übersetzung [y:bər'zɛtsuŋ] *f 1. (Sprache)* translation; *2. TECH* transmission, gear

Übersicht ['y:bərzɪçt] *f 1. (Überblick)* general picture, overall view; *2. (Zusammenfassung)* outline, summary, review

übersichtlich [y:bərzɪçtlɪç] *adj* understandable at a glance, clear

übersinnlich [y:bərzɪnlɪç] *adj* supernatural, transcendental, metaphysical

überspielen [y:bər'ʃpi:lən] *v 1. (Musik, Dateien)* copy; *2. (fig: verbergen)* hide, conceal

überstehen [y:bər'ʃte:ən] *v irr (fig)* surmount, survive, get over

überstimmen [y:bər'ʃtɪmən] *v* outvote, vote down

Überstunde ['y:bərʃtundə] *f* overtime

überstürzen [y:bər'ʃtyrtsən] *v 1.* hurry, rush; *2. sich ~ (Person)* act rashly; *3. sich ~ (Ereignisse)* follow in rapid succession

Übertrag ['y:bərtra:k] *m* sum carried over

übertragen [y:bər'tra:gən] *v 1. (Auftrag)* transfer, transmit; *2. (Rundfunk)* transmit, broadcast; *3. (anstecken) MED* to be transmitted; *4. (Papiere)* assign, transfer

Übertragung [y:bər'tra:guŋ] *f 1. MED* transmission, spreading; *2. ECO* transfer, assignment; *3. (Rundfunk)* transmission, broadcast; *4. (Auftrag)* assignment

übertreffen [y:bər'trɛfən] *v irr* surpass, excel, exceed

übertreiben [y:bər'traɪbən] *v irr* exaggerate, overdo, carry too far

Übertreibung [y:bər'traɪbuŋ] *f* exaggeration

übertrieben [y:bər'tri:bən] *adj 1.* exaggerated, excessive, extreme; *adv 2.* excessively

Übertritt ['y:bərtrɪt] *m 1. (fig)* crossing; *2. POL* defection; *3. REL* conversion

überwachen [y:bər'vaxən] *v* guard, supervise, monitor

Überwachung [y:bər'vaxuŋ] *f* supervision, surveillance, observation

überwältigen [y:bər'vɛltɪgən] *v* overwhelm, overpower, overcome

überwältigend [y:bər'vɛltɪgənt] *adj* overwhelming, overpowering

überweisen [y:bər'vaɪzən] *v irr 1. (Patient)* refer; *2. FIN* transfer

Überweisung [y:bər'vaɪzuŋ] *f 1. (eines Patienten)* referral; *2. (von Geld)* transfer

überwerfen ['y:bərvɛrfən] *v irr 1.* put on, slip on; [y:bər'vɛrfən] *2. sich ~* quarrel

überwiegen [y:bər'vi:gən] *v irr* outweigh, predominate

überwiegend [y:bər'vi:gənt] *adj 1.* predominant; *die ~e Mehrheit* the vast majority; ['y:bərvi:gənt] *adv 2.* predominantly

überwinden [y:bər'vɪndən] *v irr 1.* overcome, conquer; *2. sich ~, etw zu tun* bring o.s. to do sth, prevail upon o.s. to do sth

Überwindung [y:bər'vɪnduŋ] *f 1.* surmounting; *2. (Selbstüberwindung)* willpower

überzeugen [y:bər'tsɔygən] *v 1.* convince; *2. (überreden)* persuade; *3. JUR* satisfy

überzeugend [y:bər'tsɔygənt] *adj 1.* convincing; *2. (zwingend)* compelling

Überzeugung [y:bər'tsɔyguŋ] *f* conviction

überziehen ['y:bərtsi:ən] *v irr 1. (anziehen)* slip on, put on, pull over; *jdm ein paar ~* clout s.o.; *2. (verkleiden)* cover, line; [y:bər'tsi:ən] *3. (Konto) ECO* overdraw

üblich ['y:plɪç] *adj* usual, normal, customary; *wie ~* as usual

U-Boot ['u:bo:t] *n MIL* submarine

übrig ['y:brɪç] *adj* left over, remaining, other; *keine Zeit ~ haben* have no time to spare; *etwas ~ haben für* have a soft spot for; *für jdn etw ~ haben* to take s.o.; *im Übrigen* otherwise; *~ bleiben* remain, to be left over; *~ lassen* leave

übrigens ['y:brɪgəns] *adv 1. (beiläufig)* by the way, incidentally; *2. (schließlich)* after all

Übung ['y:buŋ] *f 1.* practice; *~ macht den Meister* practice makes perfect; *2. (Einzelübung)* exercise; *3. MIL* exercise

Ufer ['u:fər] *n 1. (Seeufer)* shore; *2. (Flussufer)* bank

Ufo ['u:fo] *n* UFO

Uhr [u:r] *f* 1. clock; *Wie viel ~ ist es?* What time is it? *Das Flugzeug kommt um fünf ~ an.* The plane is due at five o'clock. *rund um die ~* round the clock; 2. *(Armbanduhr, Taschenuhr)* watch

Uhrzeiger ['u:rtsaɪgər] *m* hand (of a clock)

Uhrzeit ['u:rtsaɪt] *f* time (of day)

Uhu ['u:hu:] *m ZOOL* eagle-owl

ultimativ [ultima'ti:f] *adj* threatening, or-else

Ultraschall ['ultraʃal] *m* ultrasound

um [um] *prep* 1. *(örtlich)* around, about; *~ ... herum* round ..., around ...; *~ sich greifen* spread; *~ ... Willen* for the sake of ...; *~ und ~* all around; *Es steht schlecht ~ ihn.* Things look bad for him. *Es geht ~s Geld.* It's a money matter. *Das ist ~ zehn Mark teurer.* That costs ten marks more. 2. *(Ziel bezeichnend)* for; *der Kampf ~ den Pokal* the battle for the cup; 3. *(genau)* at; *Um drei Uhr fängt's an.* It starts at three o'clock. 4. *(zur ungefähren Zeitangabe)* around, near; *adv* 5. *(Maß bezeichnend)* by; *~ die Hälfte* by half; *adv* 6. *(vorüber)* up, over; 7. *(ungefähr)* about, around; *~ die 100 Kilogramm* around 100 kilogrammes; *konj* 8. *~ zu* to, in order to; 9. *(desto)* *~ so besser* so much the better

umändern ['umɛndərn] *v* change, alter

umarmen [um'armən] *v* embrace, hug

Umarmung [um'armuŋ] *f* embrace, hug

Umbau ['umbau] *m* 1. *(Änderungen)* alterations *pl*; 2. *(eines Gebäudes)* remodelling; 3. *(zu einem neuen Zweck)* conversion; 4. *(verbessernd)* modification

umbauen ['umbauən] *v* remodel

umbinden ['umbɪndən] *v irr* 1. *sich etw ~* tie sth on, put sth on; [um'bɪndən] 2. wrap round

umblättern ['umblɛtərn] *v* turn the page

umbringen ['umbrɪŋən] *v irr* kill, murder

Umbruch ['umbrux] *m (fig)* upheaval, revolution

umdenken ['umdɛŋkən] *v irr* change one's views, change one's way of thinking

umdrehen ['umdre:ən] *v* 1. turn round *(UK)*, turn around; *jdm den Hals ~* wring s.o.'s neck; 2. *(von innen nach außen)* turn inside out; 3. *(fig)* twist

Umdrehung [um'dre:uŋ] *f* revolution, rotation

umeinander [umaɪ'nandər] *adv* *sich ~ kümmern* take care of each other

umfahren ['umfa:rən] *v irr* 1. *(einen Umweg fahren)* go out of one's way; 2. *jdn ~* run over s.o.; [um'fa:rən] 3. *(Stadt)* drive around; 4. *NAUT (Kap)* round, *(Welt)* sail round

umfallen ['umfalən] *v irr* fall over, fall down, topple over; *tot ~* drop dead

Umfang ['umfaŋ] *m* 1. *(Flächeninhalt)* capacity; 2. *(fig: Ausmaß)* scope, scale

umfangreich ['umfaŋraɪç] *adj* extensive, wide, voluminous

umfassen [um'fasən] *v (enthalten)* contain, include

umfassend [um'fasənt] *adj* comprehensive, extensive

Umfeld ['umfɛlt] *n* surrounding area

umformen ['umfɔrmən] *v* 1. remodel, re-shape; 2. *TECH* convert, transform

Umfrage ['umfra:gə] *f* survey, poll

Umgang ['umgaŋ] *m* 1. contact, association, dealings; 2. *(Bekanntenkreis)* acquaintances

umgänglich ['umgɛŋlɪç] *adj* sociable, affable, pleasant

Umgangssprache ['umgaŋsʃpra:xə] *f* colloquial language

umgeben [um'ge:bən] *v irr* surround

Umgebung [um'ge:buŋ] *f* 1. *(einer Stadt)* surroundings, outskirts, environs; 2. *(Bekannte)* circle, people close to one; 3. *(einer Person)* environment

umgehen ['umge:ən] *v irr* 1. *(im Umlauf sein)* go round, circulate; 2. *(behandeln)* deal with, treat, handle; *Kannst du mit diesem Werkzeug ~?* Do you know how to use this tool? [um'ge:ən] 3. *(vermeiden)* avoid, elude, evade; 4. *(Gesetz)* circumvent

umgekehrt [um'ge:ke:rt] *adj* 1. reverse, reversed; *adv* 2. vice versa, the other way around, inversely; 3. *(dagegen)* conversely; *adj* 4. *(entgegengesetzt)* opposite, contrary

umgießen ['umgi:sən] *v irr* 1. *(vergießen)* spill; 2. *(umfüllen)* pour

Umhang ['umhaŋ] *m* shawl, cape, wrap

umhängen ['umhɛŋən] *v irr* *sich etw ~* put sth on, drape sth around one

umher [um'he:r] *adv* all round, round about

umherblicken [um'he:rblɪkən] *v* look around

umhergehen [um'he:rge:ən] *v irr* roam

Umkehr ['umke:r] *f* turning back, return, *(Änderung)* change

umkehren ['umke:rən] *v* 1. turn round, *(umstoßen)* overturn; 2. *(von innen nach außen)* turn inside out

umkippen ['umkɪpən] *v* 1. tip over, upset, knock over; 2. *(fig: ohnmächtig werden)* faint; 3. *(fig: Meinung ändern)* come round, give in; 4. *(Gewässer)* become devoid of life because of overpollution

umklammern [um'klamern] v cling to, embrace, wrap one's arms around

Umklammerung [um'klamərʊŋ] f 1. clutch, clinch; 2. (fig) clutches pl, bear hug

umklappen ['umklapən] v fold down

Umkleidekabine ['umklaidəkabi:nə] f changing-room, fitting-room

umknicken ['umknɪkən] v 1. (Papier) fold; 2. mit dem Fuß ~ sprain one's ankle

umkommen ['umkɔmən] v irr die, to be killed, perish

Umkreis ['umkrais] m circumference, vicinity, area; im ~ von drei Kilometern within a radius of three kilometres

umkreisen [um'kraizən] v 1. circle round, revolve round; 2. (Raumfahrt) orbit

umkrempeln ['umkrɛmpəln] v 1. (Ärmel) turn up; 2. (fig: ändern) change round, shake up

umlagern [um'la:gərn] v surround, besiege, crowd around

Umlauf ['umlauf] m in ~ in circulation; etw in ~ bringen circulate sth

Umlaufbahn ['umlaufba:n] f ASTR orbit

Umlaut ['umlaut] m GRAMM umlaut

umlegen [umle:gən] v 1. (verlegen) move; 2. (zur Seite legen) set aside; 3. (verteilen) die Kosten auf alle Beteiligten ~ make everyone who is involved share in the costs; 4. (fam: töten) bump off, kill; 5. sich etw ~ put on sth; 6. (Verband) apply; 7. (niederstrecken) lay out (fam); 8. (Hebel) throw; 9. (Kragen) turn down

umleiten ['umlaitən] v divert, reroute, detour

Umleitung ['umlaitʊŋ] f diversion, detour, rerouting

umpflanzen ['umpflantsən] v 1. transplant; [um'pflantsən] 2. etw mit Bäumen ~ plant trees around sth

umrechnen ['umrɛçnən] v convert

Umrechnung ['umrɛçnʊŋ] f conversion

umreißen ['umraisən] v irr 1. (niederreißen) pull down; 2. (fig: kurz schildern) outline, summarize

umringen [um'rɪŋən] v irr gather around, surround

Umriss ['umrɪs] m outline, contour, shape

umrühren ['umry:rən] v stir

Umsatz ['umzats] m ECO turnover, sales

umschalten ['umʃaltən] v 1. (Fahrzeug) TECH change gears, shift gears; 2. (fig) switch over, change over

umschauen ['umʃauən] v 1. look around; 2. (zurückblicken) look back

Umschlag ['umʃla:k] m 1. (Kuvert) envelope; 2. (Umladung) transshipment, reloading;

3. MED compress; 4. (fig: Wechsel) change, turn; 5. (Schutzhülle) cover, wrapping

umschlagen ['umʃla:gən] v irr 1. (umblättern) turn over; 2. (umladen) transfer, transship; 3. (fig: wechseln) change (abruptly)

umschließen [um'ʃli:sən] v irr 1. surround, enclose; 2. (mit den Armen) embrace; 3. (fig) include

umschreiben ['umʃraibən] v irr 1. (nochmals schreiben) rewrite; 2. (abschreiben, übertragen) transcribe; 3. JUR transfer; [um-'ʃraibən] 4. (anders ausdrücken) paraphrase

umschulen ['umʃu:lən] v 1. retrain; 2. (auf andere Schule) change schools

Umschulung ['umʃu:lʊŋ] f change of schools, (für einen anderen Beruf) retraining

umschütten ['umʃytən] v 1. (in ein anderes Gefäß) pour; 2. (umstoßen) spill

umsehen ['umze:ən] v irr sich ~ look round

umsetzen ['umzɛtsən] v 1. sich ~ (auf einen anderen Platz) change places; 2. etw in etw ~ (verwandeln) turn sth into sth; 3. (verkaufen) turn over, sell

Umsicht ['umzɪçt] f prudence, circumspection

umsichtig ['umzɪçtɪç] adj prudent, circumspect

umsonst [um'zɔnst] adv 1. (unentgeltlich) free, for nothing, gratis; 2. (vergeblich) in vain, to no avail, uselessly; 3. (erfolglos) without success

umspannen [um'ʃpanən] v 1. encompass; 2. (Zeitraum) span; ['umʃpanən] 3. (Strom) TECH transform

Umstand ['umʃtant] m 1. circumstance, condition; unter Umständen possibly; keine Umstände machen not go to any trouble; unter keinen Umständen on no account; 2. in anderen Umständen (fam) in the family way, expecting

umständlich ['umʃtɛndlɪç] adj involved, complicated, troublesome

Umstandswort ['umʃtantsvɔrt] n adverb

umsteigen ['umʃtaigən] v irr change, transfer

umstellen ['umʃtɛlən] v 1. (Möbel) rearrange; 2. (umorganisieren) reorganize; 3. sich ~ (anpassen) accommodate o.s., adapt, adjust

Umstellung ['umʃtɛlʊŋ] f 1. (Umorganisierung) reorganization; 2. (Anpassung) adaptation

umstimmen ['umʃtɪmən] v (fig) jdn ~ change s.o.'s mind, bring s.o. round

umstoßen ['umʃtɔsən] v irr 1. knock down, knock over, overturn; 2. (fig) annul, revoke

umstritten [um'ʃtrɪtən] *adj* disputed, controversial

Umsturz ['umʃturts] *m* overthrow, coup, putsch

Umtausch ['umtauʃ] *m* 1. exchange; 2. *(in eine andere Währung)* conversion

umtauschen ['umtauʃən] *v* exchange, convert

umwälzen ['umvɛltsən] *v* 1. roll over; 2. *(ändern)* revolutionize

umwandeln ['umvandəln] *v* convert, change, transform

Umwandlung ['umvandluŋ] *f* conversion, transformation

umwechseln ['umvɛksəln] *v* change, exchange

Umweg ['umveːk] *m* detour, roundabout way

Umwelt ['umvɛlt] *f* environment

umweltfreundlich ['umvɛltfrɔyndlɪç] *adj* non-polluting, harmless to the environment

Umweltschutz ['umvɛltʃuts] *m* protection of the environment, pollution control, conservation

Umweltverschmutzung ['umvɛltfɛrʃmutsuŋ] *f* pollution (of the environment)

umwerfen ['umvɛrfən] *v irr* 1. knock over; 2. *(zunichte machen)* upset; 3. *sich etw ~* slip sth on

umziehen ['umtsiːən] *v irr* 1. *(umkleiden)* change (clothes); 2. *(Wohnung wechseln)* move

umzingeln [um'tsɪŋəln] *v* surround, encircle

Umzug ['umtsuːk] *m* 1. *(Wohnungswechsel)* move; 2. *(Festzug)* procession

unabänderlich [unap'ɛndɐlɪç] *adj* unalterable, unchangeable, irrevocable

unabhängig ['unaphɛŋɪç] *adj* independent

Unabhängigkeit ['unaphɛŋɪçkaɪt] *f* independence, self-sufficiency

unabsichtlich ['unapzɪçtlɪç] *adj* unintentional

unachtsam ['unaxtzaːm] *adj* 1. inattentive; 2. *(nachlässig)* careless, thoughtless

unangenehm ['unaŋɡəneːm] *adj* unpleasant, disagreeable, distasteful

unannehmbar ['unanneːmbaːr] *adj* unacceptable

Unannehmlichkeit ['unanneːmlɪçkaɪt] *f* inconvenience, unpleasantness

unanständig ['unanʃtɛndɪç] *adj* 1. *(ungezogen)* ill-mannered; 2. *(vulgär)* indecent; 3. *(obszön)* dirty

unappetitlich ['unapetiːtlɪç] *adj* unappetizing

Unart ['unaːrt] *f* 1. bad habit; 2. *(Grobheit)* rudeness

unartig ['unaːrtɪç] *adj* naughty, ill-mannered, ill-behaved

unauffällig ['unauffɛlɪç] *adj* inconspicuous, unobtrusive

unaufmerksam ['unaufmɛrkzam] *adj* inattentive

Unaufmerksamkeit ['unaufmɛrkzamkaɪt] *f* inattentiveness

unaufrichtig ['unaufrɪçtɪç] *adj* insincere, dishonest

Unaufrichtigkeit ['unaufrɪçtɪçkaɪt] *f* insincerity, dishonesty

unausgeglichen ['unausɡəɡlɪçən] *adj* 1. unbalanced; 2. *(Mensch)* unstable

unbarmherzig ['unbarmhɛrtsɪç] *adj* merciless, unrelenting, relentless

unbeabsichtigt ['unbəapzɪçtɪçt] *adj* 1. unintentional, inadvertent, unwitting; *adv* 2. unintentionally, inadvertently, unwittingly

unbedeutend ['unbədɔytənt] *adj* insignificant, unimportant, inconsequential

unbedingt ['unbədɪŋt] *adv* 1. absolutely, definitely, certainly; *nicht ~* not necessarily; *adj* 2. unconditional, absolute, unqualified

unbefangen ['unbəfaŋən] *adj* 1. unbiased, impartial, objective; 2. *(ohne Hemmungen)* uninhibited

Unbefangenheit ['unbəfaŋənhaɪt] *f* ease, impartiality, objectivity

unbefugt ['unbəfuːkt] *adj* unauthorized

Unbefugte(r) ['unbəfuːktə(r)] *m/f* unauthorized person, trespasser

unbegreiflich ['unbəɡraɪflɪç] *adj* incomprehensible, inconceivable

unbegrenzt ['unbəɡrɛntst] *adj* unlimited, boundless

Unbehagen ['unbəhaːɡən] *n* uneasiness

unbehaglich ['unbəhaːklɪç] *adj* uncomfortable, uneasy

unbeholfen ['unbəhɔlfən] *adj* 1. clumsy, awkward; *adv* 2. clumsily, awkwardly

unbekannt ['unbəkant] *adj* unknown, unfamiliar

unbeliebt ['unbəliːpt] *adj* unpopular

Unbeliebtheit ['unbəliːpthaɪt] *f* unpopularity

unbemerkt ['unbəmɛrkt] *adj* 1. unnoticed, unseen; *adv* 2. without being noticed

unbequem ['unbəkveːm] *adj* uncomfortable, inconvenient, troublesome

unberechenbar ['unbəreçənbaːr] *adj* incalculable, unpredictable

unbeschränkt ['unbəʃrɛŋkt] *adj 1.* unlimited, unrestricted, absolute; *adv 2.* unrestrictedly, fully

unbeschwert ['unbəʃveːrt] *adj 1.* unburdened, unencumbered; *2. (Melodien)* light

unbesiegbar [unbə'ziːkbaːr] *adj* invincible

unbesorgt ['unbəzɔrgt] *adj 1.* carefree, easy, unconcerned; *adv 2.* without concern

unbeständig ['unbəʃtɛndɪç] *adj 1. (veränderlich)* unsteady, unstable; *2. (wankelmütig)* fickle, inconstant

unbestechlich ['unbəʃtɛçlɪç] *adj* incorruptible, unbribable

unbestimmt ['unbəʃtɪmt] *adj 1.* uncertain, indefinite, undecided; *2. (undeutlich)* vague

unbeteiligt ['unbətaɪlɪçt] *adj 1. (nicht teilnehmend)* not involved; *2. (gleichgültig)* indifferent

unbeweglich ['unbəveːklɪç] *adj* motionless, immovable

unbewusst ['unbəvust] *adj 1.* unaware, unconscious, instinctive; *adv 2.* unconsciously, instinctively

unbezahlbar [unbə'tsaːlbaːr] *adj 1. (nicht zu bezahlen)* unaffordable, prohibitively expensive; *2. (fig: unentbehrlich)* invaluable

unbrauchbar ['unbrauxbaːr] *adj* useless

und [unt] *konj* and; *Na* ~? So what? ~ *so weiter* etcetera

Undank ['undaŋk] *m* ingratitude

undankbar ['undaŋkbaːr] *adj 1.* ungrateful, unappreciative; *2. (Aufgabe)* thankless

undemokratisch ['undemokraːtɪʃ] *adj* POL undemocratic

undeutlich ['undɔytlɪç] *adj* unclear

Unding ['undɪŋ] *n* absurdity

undiszipliniert ['undɪstsiplɪniːrt] *adj* undisciplined

uneben ['uneːbən] *adj* uneven, bumpy

unehelich ['uneːəlɪç] *adj (Kind)* illegitimate

unehrlich ['uneːrlɪç] *adj* dishonest

Unehrlichkeit ['uneːrlɪçkaɪt] *f* dishonesty

uneigennützig ['unaɪgənnytsɪç] *adj 1.* unselfish; *adv 2.* unselfishly

uneingeschränkt ['unaɪngəʃrɛŋkt] *adj* unrestricted, unlimited

uneinig ['unaɪnɪç] *adj* divided, disunited, disagreeing

Uneinigkeit ['unaɪnɪçkaɪt] *f* discord, disunion, division

unempfindlich ['unɛmpfɪndlɪç] *adj* insensitive, immune

unendlich ['unɛntlɪç] *adj* endless, infinite

Unendlichkeit ['unɛntlɪçkaɪt] *f* infinity

unentbehrlich ['unɛntbeːrlɪç] *adj* indispensable, necessary, essential

unentgeltlich ['unɛntgɛltlɪç] *adj 1.* free of charge; *adv 2.* free of charge, gratis

unentschieden ['unɛntʃiːdən] *adj 1.* undecided; *2. SPORT* tied, drawn

unentschlossen ['unɛntʃlɔsən] *adj* irresolute, wavering, undecided

Unentschlossenheit ['unɛntʃlɔsənhaɪt] *f* indecision

unerfahren ['unɛrfaːrən] *adj* inexperienced

Unerfahrenheit ['unɛrfaːrənhaɪt] *f* inexperience

unerfreulich ['unɛrfrɔylɪç] *adj* unpleasant, disagreeable, shameful

unerheblich ['unɛrheːplɪç] *adj* insignificant, irrelevant, unimportant

unerlässlich ['unɛrlɛslɪç] *adj* indispensable, essential, absolutely necessary

unerschrocken ['unɛrʃrɔkən] *adj 1.* dauntless, intrepid, unflinching; *adv 2.* dauntlessly, unflinchingly

unersetzbar ['unɛrzɛtsbaːr] *adj* irreplaceable

unerträglich ['unɛrtrɛːklɪç] *adj 1.* unbearable, intolerable; *adv 2.* intolerably, unbearably

unerwartet ['unɛrvartət] *adj 1.* unexpected, unforeseen; *adv 2.* unexpectedly

unfähig ['unfɛːɪç] *adj* incapable, unable

Unfähigkeit ['unfɛːɪçkaɪt] *f* incompetence, inability

unfair ['unfɛːr] *adj 1.* unfair; *adv 2.* unfairly

Unfall ['unfal] *m* accident

Unfallstation ['unfalʃtatsjoːn] *f* first aid post, casualty ward

Unfallversicherung ['unfalfɛrzɪçəruŋ] *f* accident insurance

unfassbar [un'fasbaːr] *adj* incomprehensible, inconceivable

unfehlbar [un'feːlbaːr] *adj 1.* infallible; *2. (Instinkt)* unfailing; *adv 3. (ganz sicher)* without fail

unfreiwillig ['unfraɪvɪlɪç] *adj 1.* involuntary, compulsory; *adv 2.* involuntarily

unfreundlich ['unfrɔyndlɪç] *adj 1.* unfriendly, unkind, ungracious; *adv 2.* unkindly

Unfug ['unfuːk] *m 1.* mischief; *2. (Unsinn)* nonsense

ungeachtet ['ungəaxtət] *prep* notwithstanding, regardless of, despite

ungebildet ['ungəbɪldət] *adj* uneducated

ungebunden ['ungəbundən] *adj 1. (partnerlos)* unattached; *2. (Buch)* unbound; *3. (Wähler) POL* independent

Ungeduld ['ungədʊlt] f impatience
ungeduldig ['ungəduldıç] adj 1. impatient; adv 2. impatiently
ungeeignet ['ungəaıgnət] adj unsuitable, unfit, unsuited
ungefähr ['ungəfɛːr] adj 1. approximate, rough; adv 2. approximately, roughly, about
ungefährlich ['ungəfɛːrlıç] adj safe, not dangerous, harmless
ungeheuer ['ungəhɔyər] adj 1. enormous; adv 2. (fam) tremendously
Ungeheuer ['ungəhɔyər] n monster
ungeheuerlich [ungə'hɔyərlıç] adj 1. monstrous; 2. (empörend) outrageous
ungehorsam ['ungəhoːrzaːm] adj disobedient
ungemein ['ungəmaın] adj 1. uncommon, extraordinary; adv 2. extremely, immensely
ungenau ['ungənau] adj inexact, inaccurate
Ungenauigkeit ['ungənauıçkaıt] f inexactness, inaccuracy
ungeniert ['unʒeniːrt] adj 1. free and easy, uninhibited; adv 2. freely, openly
ungenießbar ['ungəniːsbaːr] adj 1. (nicht essbar) inedible; 2. (unerträglich) unbearable
ungenügend ['ungənyːgənt] adj insufficient, inadequate
ungepflegt ['ungəpfleːkt] adj scruffy, slovenly, untidy
ungerade ['ungəraːdə] adj odd, uneven
ungerecht ['ungərɛçt] adj unjust, unfair
Ungerechtigkeit ['ungərɛçtıçkaıt] f injustice
ungern ['ungern] adv reluctantly
ungeschickt ['ungəʃıkt] adj 1. clumsy, awkward; adv 2. awkwardly
ungesund ['ungəzunt] adj 1. (nicht gesund) unhealthy, unwholesome, harmful to one's health; 2. (schädlich) unhealthy, unwholesome
ungewiss ['ungəvıs] adj uncertain, doubtful
Ungewissheit ['ungəvıshaıt] f uncertainty
ungewöhnlich ['ungəvøːnlıç] adj 1. unusual, uncommon, extraordinary; adv 2. unusually; 3. (äußerst) exceptionally
ungewohnt ['ungəvoːnt] adj 1. unfamiliar, strange; 2. (unüblich) unusual
Ungeziefer ['ungətsiːfər] n vermin
ungezwungen ['ungətsvuŋən] adj 1. (fig) natural, casual, unaffected; adv 2. (fig) naturally, casually, spontaneously
ungiftig ['ungıftıç] adj non-toxic
unglaublich ['unglauplıç] adj 1. unbelievable, incredible; adv 2. unbelievably, incredibly, beyond belief

unglaubwürdig ['unglaupvyrdıç] adj 1. implausible; 2. (Mensch) unreliable
Unglaubwürdigkeit ['unglaupvyrdıçkaıt] f unreliability, implausibility
ungleich ['unglaıç] adj uneven
Ungleichheit ['unglaıçhaıt] f inequality, disparity
ungleichmäßig ['unglaıçmeːsıç] adj uneven, unequal, irregular
Unglück ['unglyk] n 1. (Missgeschick) mishap; jdn ins ~ stürzen to be s.o.'s undoing; ins ~ rennen rush headlong into disaster; zu allem ~ to crown it all; 2. (Pech) misfortune, bad luck; 3. (Unfall) accident, disaster
unglücklich ['unglyklıç] adj 1. unhappy; 2. (vom Pech verfolgt) unlucky
Ungnade ['ungnaːdə] f disgrace, disfavour; in ~ fallen fall into disgrace
ungültig ['ungyltıç] adj invalid, void
Ungültigkeit ['ungyltıçkaıt] f invalidity, nullity
ungünstig ['ungynstıç] adj 1. unfavourable, inopportune; adv 2. unfavourably
Unheil ['unhaıl] n evil, mischief, harm
unheilbar ['unhaılbaːr] adj 1. incurable, irreparable; adv 2. incurably
unheilvoll ['unhaılfɔl] adj disastrous
unheimlich ['unhaımlıç] adj 1. eerie, uncanny, haunted; adv 2. (sehr) terribly, awfully, incredibly
unhöflich ['unhøːflıç] adj 1. impolite, rude, uncivil; adv 2. impolitely, rudely
Unhöflichkeit ['unhøːflıçkaıt] f impoliteness, rudeness
Uni ['uni] f (fam) university, varsity (UK), college (US)
Uniform ['unifɔrm] f uniform
uninteressant ['unıntərəsant] adj uninteresting, not of interest
Union [un'joːn] f union
universal [univerʹzaːl] adj universal
universitär [univerzi'tɛːr] adj university
Universität [univerzi'tɛːt] f university
Universum [uni'verzum] n universe
Unkenntnis ['unkentnıs] f ignorance
unklar ['unklaːr] adj 1. unclear; adv 2. unclearly
Unklarheit ['unklaːrhaıt] f vagueness, uncertainty, obscurity
unkompliziert ['unklɔmplitsiːrt] adj uncomplicated, simple
Unkosten ['unkɔstən] pl expenses, costs; sich in ~ stürzen go to a great deal of expense
Unkraut ['unkraut] n weeds

unlängst ['unlɛŋst] *adv* lately, of late

unlogisch ['unlo:gɪʃ] *adj* illogical

unmäßig ['unmɛ:sɪç] *adj 1.* immoderate, excessive, inordinate; *adv 2.* excessively, immoderately

unmenschlich ['unmɛnʃlɪç] *adj* inhuman

Unmenschlichkeit ['unmɛnʃlɪçkaɪt] *f* inhumanity

unmerklich ['unmɛrklɪç] *adj 1.* imperceptible; *adv 2.* imperceptibly

unmissverständlich ['unmɪsfɛrʃtɛndlɪç] *adj 1.* unmistakeable, clear; *adv 2.* unmistakeably, clearly

unmittelbar ['unmɪtəlba:r] *adj 1.* immediate, direct; *adv 2.* immediately, directly

unmodern ['unmɔdɛrn] *adj* old-fashioned, unfashionable

unmöglich [un'mø:klɪç] *adj 1.* impossible; *2. jdn ~ machen* ruin s.o.'s reputation

unmoralisch ['unmora:lɪʃ] *adj* immoral

unnahbar [un'na:ba:r] *adj* unapproachable

unnötig ['unnø:tɪç] *adj* unnecessary, needless

unordentlich ['unɔrdəntlɪç] *adj* untidy, disorderly

Unordnung ['unɔrdnuŋ] *f* disorder, untidiness, disarray

unpassend ['unpasənt] *adj* unsuitable, inappropriate, unseemly

unpersönlich ['unpɛrzø:nlɪç] *adj* impersonal

unpopulär ['unpopulɛ:r] *adj* unpopular

unpünktlich ['unpyŋktlɪç] *adj* not punctual, not on time

Unpünktlichkeit ['unpyŋktlɪçkaɪt] *f* unpunctuality

unrealistisch ['unrealɪstɪʃ] *adj* unrealistic

unrecht ['unrɛçt] *adj* wrong, unjust, unfair; *jdm ~ tun* do s.o. an injustice

Unrecht ['unrɛçt] *n* wrong, injustice

unregelmäßig ['unre:gəlmɛ:sɪç] *adj 1.* irregular; *adv 2.* irregularly

Unregelmäßigkeit ['unre:gəlmɛ:sɪçkaɪt] *f* irregularity

unreif ['unraɪf] *adj 1.* unripe; *2. (fig)* immature

Unreife ['unraɪfə] *f 1.* unripeness; *2. (fig)* immaturity

Unruhe ['unru:ə] *f 1. (Störung)* disturbance; *2. (Besorgnis)* uneasiness, anxiety, trouble

unruhig ['unru:ɪç] *adj 1. (ruhelos)* restless; *2. (besorgt)* uneasy, alarmed, unsettled

uns [uns] *pron 1.* us, to us; *bei ~* at our place; *unter ~* between you and me; *2. (einander)* each other; *Wir kennen ~ seit drei Jahren.* We've

known each other for three years. *3. (Reflexivpronomen)* ourselves, each other

unsachlich ['unzaxlɪç] *adj 1. (nicht objektiv)* subjective; *2. (nicht zur Sache gehörend)* irrelevant

unschädlich ['unʃɛ:tlɪç] *adj* harmless, innocuous; *jdn ~ machen (fig)* render s.o. harmless, eliminate s.o.

unscheinbar ['unʃaɪnba:r] *adj* insignificant, inconspicuous, nondescript

Unschuld ['unʃult] *f 1.* innocence; *2. (Keuschheit)* purity, chastity

unschuldig ['unʃuldɪç] *adj 1.* innocent; *2. (keusch)* chaste

unsere(r,s) ['unzərə(r,s)] *pron* our, ours

unsicher ['unzɪçər] *adj 1.* unsure; *2. (gefährlich)* unsafe

Unsicherheit ['unzɪçərhaɪt] *f 1.* insecurity; *2. (Zweifelhaftigkeit)* uncertainty, dubiousness

unsichtbar ['unzɪçtba:r] *adj* invisible

Unsinn ['unzɪn] *m* nonsense, absurdity

unsinnig ['unzɪnɪç] *adj* foolish, absurd, nonsensical

unsterblich ['unʃtɛrplɪç] *adj 1.* immortal; *adv 2. (sehr)* utterly; *~ verliebt* madly in love

Unsterblichkeit ['unʃtɛrplɪçkaɪt] *f* immortality

Unstimmigkeit ['unʃtɪmɪçkaɪt] *f 1.* inconsistency, discrepancy; *2. (Meinungsverschiedenheit)* difference of opinion

unsympathisch ['unzympa:tɪʃ] *adj* unpleasant, unappealing, disagreeable

untalentiert ['untalɛnti:rt] *adj* untalented

untätig ['untɛ:tɪç] *adj* inactive, idle, indolent

Untätigkeit ['untɛ:tɪçkaɪt] *f* inactivity

unten ['untən] *adv 1.* below; *nach ~* down, downwards; *da ~* down there; *2. (im Hause)* downstairs; *3. (am unteren Ende)* at the bottom

unter ['untər] *prep 1.* under; *~ der Telefonnummer ...* on phone number ...; *~ einem Thema stehen* deal with a subject; *~ großer Anstrengung* with great effort; *2. (zwischen, inmitten)* among; *~ uns* between you and me; *Das bleibt ~ uns.* That's just between you and me. *~ anderem* among other things, among others; *3. (weniger als)* less than, under; *4. (zeitlich) ~ der Woche* during the week

unterbewusst ['untərbəvust] *adj* subconscious

Unterbewusstsein ['untərbəvustzaɪn] *n* subconscious

unterbrechen [untər'brɛçən] *v irr* interrupt

Unterbrechung [ʊntər'brɛçʊŋ] f interruption

unterbreiten [ʊntər'braɪtən] v submit

unterdessen [ʊntər'dɛsən] adv meanwhile

unterdrücken [ʊntər'drykən] v 1. (etw ~) suppress, stifle; 2. (jdn ~) oppress, suppress

Unterdrücker [ʊntər'drykər] m POL oppressor

untere(r,s) [ʊntərə(r,s)] adj lower

untereinander ['ʊntəraɪnandər] adv each other, among one another, mutually

unterernährt ['ʊntərɛrnɛːrt] adj undernourished

Unterernährung ['ʊntərɛrnɛːrʊŋ] f malnutrition

unterfordern [ʊntər'fɔrdərn] v demand too little of, ask too little of, expect too little of

Untergang ['ʊntərɡaŋ] m 1. (Zusammenbruch) fall, downfall, collapse; 2. (Sinken) sinking; 3. (Niedergang) fall, decline; 4. (der Sonne) sunset

untergehen ['ʊntərɡeːən] v irr 1. (zusammenbrechen) fall; 2. (sinken) sink; 3. (niedergehen) decline; 4. (Sonne, Mond) set

Untergrund ['ʊntərɡrʊnt] m 1. subsoil; 2. (Farbschicht) undercoat; 3. POL underground

Untergrundbahn ['ʊntərɡrʊntbaːn] f underground (railway) (UK), subway (US)

unterhalb ['ʊntərhalp] prep below, under, underneath

Unterhalt ['ʊntərhalt] m 1. (Lebensunterhalt) subsistence, livelihood; seinen ~ verdienen earn one's living; 2. (~sbeitrag) maintenance, (für geschiedene Ehefrau) alimony; 3. (Instandhaltung) upkeep

unterhalten [ʊntər'haltən] v irr 1. (versorgen) maintain, support; 2. (vergnügen) entertain, amuse; 3. sich ~ (vergnügen) enjoy o.s., amuse o.s; 4. sich ~ (plaudern) talk, converse, make conversation

unterhaltsam [ʊntər'haltzam] adj entertaining

Unterhaltung [ʊntər'haltʊŋ] f 1. (Versorgung) maintenance, upkeep; 2. (Vergnügen) entertainment; 3. (Plaudern) conversation, talk

Unterhaus ['ʊntərhaʊs] n POL Lower House, House of Commons (UK)

Unterhemd ['ʊntərhɛmt] n vest, undershirt (US)

Unterhose ['ʊntərhoːzə] f underpants

unterirdisch ['ʊntərɪrdɪʃ] adj subterranean, underground

Unterkiefer ['ʊntərkiːfər] m ANAT lower jaw

Unterkunft ['ʊntərkʊnft] f lodgings, accommodation, shelter

Unterlage ['ʊntərlaːɡə] f 1. foundation, base; 2. ~n pl (Dokumente) documents pl, materials pl, papers pl

unterlassen [ʊntər'lasən] v irr omit, fail to do, stop

unterlegen ['ʊntərleːɡən] v 1. put underneath; 2. (mit einer Unterlage versehen) line, pad [ʊntər'leːɡən] 3. (fig) attribute; einer Sache einen anderen Sinn ~ read another meaning into sth; adj 4. jdm ~ sein to be inferior to s.o.

unterliegen [ʊntər'liːɡən] v irr 1. (besiegt werden) to be defeated by, lose to; 2. (betroffen sein) to be subject to

Untermiete ['ʊntərmiːtə] f subletting, sublease, subtenancy

Untermieter ['ʊntərmiːtər] m tenant

untermischen ['ʊntərmɪʃən] v mix in

Unternehmen [ʊntər'neːmən] n 1. (Firma) business, enterprise; 2. (Vorhaben) undertaking, venture

unternehmen [ʊntər'neːmən] v irr undertake, attempt

Unternehmer [ʊntər'neːmər] m entrepreneur, industrialist, contractor

Unteroffizier ['ʊntərɔfitsiːr] m 1. MIL noncommissioned officer; 2. (Dienstgrad)(bei der Luftwaffe) MIL corporal, airman first class (US); (bei der Armee) MIL sergeant

unterordnen ['ʊntərɔrdnən] v 1. subordinate; 2. jdn jdm ~ place s.o. under s.o.

Unterordnung ['ʊntərɔrdnʊŋ] f subordination

Unterredung [ʊntər'reːdʊŋ] f conference, interview, business talk

Unterricht ['ʊntərrɪçt] m instruction, lessons pl

unterrichten [ʊntər'rɪçtən] v 1. (lehren) teach, instruct; 2. (informieren) inform, warn

Unterrichtsfach ['ʊntərrɪçtsfax] n subject

untersagen [ʊntər'zaːɡən] v forbid, prohibit

Untersatz ['ʊntərzats] m 1. mat; 2. (für Gläser) coaster; 3. (Gestell) stand; 4. fahrbarer ~ (fam) wheels pl (fig); 5. (Logik) minor premise

unterschätzen [ʊntər'ʃɛtsən] v underestimate, undervalue, underrate

unterscheiden [ʊntər'ʃaɪdən] v irr distinguish, differentiate

Unterscheidung [ʊntər'ʃaɪdʊŋ] f differentiation, distinction

Unterschenkel ['ʊntərʃɛŋkəl] m ANAT shank, lower leg

Unterschied ['untərʃiːt] *m* 1. difference; 2. *(Unterscheidung)* distinction
unterschiedlich ['untərʃiːtlɪç] *adj* different, diverse
unterschreiben [untər'ʃraɪbən] *v irr* sign
Unterschrift ['untərʃrɪft] *f* signature
Unterseite ['untərzaɪtə] *f* bottom
unterste(r,s) ['untərstə(r,s)] *adj* lowest, last; *das ~ zu oberst kehren* turn everything upside down
unterstehen [untər'ʃteːən] *v irr* 1. *jdm ~ (fig)* be subordinated to; 2. *sich ~ etw zu tun* dare to do sth
unterstellen [untər'ʃtɛlən] *v* 1. *sich ~* take shelter; [untər'ʃtɛlən] 2. *(voraussetzen)* assume; 3. *jdm etw ~ (unterordnen)* put s.o. in charge of sth; 4. *jdm etw ~ (unterschieben)* insinuate that s.o. has done sth
Unterstellung [untər'ʃtɛluŋ] *f* insinuation
unterstreichen [untər'ʃtraɪçən] *v irr* 1. underline, underscore; 2. *(fig)* emphasize, stress
unterstützen [untər'ʃtʏtsən] *v* 1. support, prop; 2. *(fig)* support, assist, back up
Unterstützung [untər'ʃtʏtsuŋ] *f* support, assistance, backing
untersuchen [untər'zuːxən] *v* 1. examine, investigate, check; 2. *MED* examine, test, check
Untersuchung [untər'zuːxuŋ] *f* 1. examination, investigation, inquiry; 2. *MED* examination
Untertan ['untərtaːn] *m* subject
Untertasse ['untərtasə] *f* saucer
untertauchen ['untərtauxən] *v* 1. *(eintauchen)* dip, duck; 2. *(fig: verschwinden)* disappear, go underground; 3. *TECH* immerse
Unterteil ['untərtaɪl] *m* lower part, base
unterteilen [untər'taɪlən] *v* subdivide
Unterteilung [untər'taɪluŋ] *f* subdivision
untertreiben [untər'traɪbən] *v irr* understate
Untertreibung [untər'traɪbuŋ] *f* understatement
Unterwäsche ['untərvɛʃə] *f* underwear, underclothes, *(Damenunterwäsche)* lingerie
unterwegs [untər'veːks] *adv* on the way, en route, in transit; *~ nach* bound for
Unterwelt ['untərvɛlt] *f* underworld
unterwerfen [untər'vɛrfən] *v irr* 1. subdue; 2. *(unterziehen)* subject to; 3. *sich einer Sache ~* submit to sth
Unterwerfung [untər'vɛrfuŋ] *f* 1. *(Untertanmachen)* POL subjection, subjugation; 2. *(Unterordnung)* submission, surrender
unterwürfig ['untərvʏrfɪç] *adj* submissive

unterzeichnen [untər'tsaɪçnən] *v* sign
unterziehen [untər'tsiːən] *v irr* 1. *sich einer Sache ~* undergo sth; *sich einer Prüfung ~* take a test; 2. *jdn einer Sache ~* subject s.o. to sth; ['untərtsiːən] 3. *(Kleidungsstück)* put on underneath
untragbar ['untraːkbaːr] *adj* intolerable, unbearable, *(Preise)* prohibitive
untreu ['untrɔy] *adj* unfaithful, disloyal
Untreue ['untrɔyə] *f* unfaithfulness, disloyalty
untröstlich ['untrøːstlɪç] *adj* inconsolable
untrüglich [un'tryːklɪç] *adj* 1. *(Merkmal)* unmistakable; 2. *(Instinkt)* unfailing
unübersichtlich ['unyːbərzɪçtlɪç] *adj* 1. *(Kurve)* blind; 2. *(verworren)* confused, unclear
unüblich ['unyːplɪç] *adj* uncommon
unumgänglich ['unumgɛŋlɪç] *adj* unavoidable, essential, indispensable
unumstößlich [unum'ʃtøːslɪç] *adj* uncontestable, irrefutable
unumstritten [unum'ʃtrɪtən] *v* undisputed
ununterbrochen ['ununtərbrɔxən] *adj* 1. continuous, uninterrupted; *adv* 2. continuously, without interruption
unverantwortlich [unfɛr'antvɔrtlɪç] *adj* irresponsible
unverbindlich ['unfɛrbɪntlɪç] *adj* 1. not binding; *~e Preisempfehlung* suggested retail price; *adv* 2. without obligation, without guarantee
unverfälscht ['unfɛrfɛlʃt] *adj* 1. pure; 2. *(Bericht)* unfalsified; 3. *(Lebensmittel)* unadulterated
Unverfrorenheit ['unfɛrfroːrənhaɪt] *f* impudence
unvergesslich [unfɛr'gɛslɪç] *adj* unforgettable
unverheiratet ['unfɛrhaɪraːtət] *adj* unmarried
unvermeidlich ['unfɛrmaɪdlɪç] *adj* inevitable, unavoidable
Unvernunft ['unfɛrnunft] *f* irrationality, unreasonableness
unvernünftig ['unfɛrnʏnftɪç] *adj* unreasonable, irrational
unverschämt ['unfɛrʃɛmt] *adj* outrageous, impudent, shameless
Unverschämtheit ['unfɛrʃɛmthaɪt] *f* outrageousness, impudence, shamelessness
unverständlich ['unfɛrʃtɛntlɪç] *adj* unintelligible, incomprehensible
unverwechselbar [unfɛr'vɛksəlbaːr] *adj* unmistakable

unverzeihlich ['ʊnfɛrtsaɪlɪç] *adj* inexcusable, unpardonable

unverzüglich ['ʊnfɛrtsy:klɪç] *adj* immediate, prompt, instantaneous

unvollkommen ['ʊnfɔlkɔmən] *adj 1.* imperfect; *2. (unvollständig)* incomplete

Unvollkommenheit ['ʊnfɔlkɔmənhaɪt] *f* imperfection

unvollständig ['ʊnfɔlʃtɛndɪç] *adj* incomplete

unvorteilhaft ['ʊnfo:rtaɪlhaft] *adj 1.* unfavourable, disadvantageous; *2. (Kleid, Frisur)* unflattering, unbecoming

unwahrscheinlich ['ʊnva:rʃaɪnlɪç] *adj* improbable, unlikely

Unwesen ['ʊnwe:sən] *n sein ~ treiben* to be up to mischief

unwesentlich ['ʊnve:zəntlɪç] *adj* unimportant, insignificant

Unwetter ['ʊnvɛtər] *n* bad weather, stormy weather, thunderstorm

unwichtig ['ʊnvɪçtɪç] *adj* unimportant, irrelevant, inconsequential

unwiderstehlich [ʊnvi:dər'ʃte:lɪç] *adj* irresistible

unwillig ['ʊnvɪlɪç] *adj 1.* unwilling, reluctant; *2. (ungehalten)* indignant

unwirksam ['ʊnvɪrkza:m] *adj 1.* ineffective, inoperative; *2. JUR* null and void

unwirtschaftlich ['ʊnvɪrtʃaftlɪç] *adj ECO* uneconomical, inefficient

unwissend ['ʊnvɪsənt] *adj* ignorant

Unwissenheit ['ʊnvɪsənhaɪt] *f* ignorance

Unwohlsein ['ʊnvo:lzaɪn] *n* indisposition

unwürdig ['ʊnvYrdɪç] *adj 1.* unworthy; *2. (ohne Würde)* undignified, unseemly

unzählig ['ʊntsɛ:lɪç] *adj* innumerable

unzeitgemäß ['ʊntsaɪtgəmɛ:s] *adj* anachronistic, old-fashioned, obsolete

unzertrennlich [ʊntsɛr'trɛnlɪç] *adj* inseparable

unzufrieden ['ʊntsufri:dən] *adj* dissatisfied, discontented

Unzufriedenheit ['ʊntsufri:dənhaɪt] *f* dissatisfaction, discontent

unzulänglich ['ʊntsulɛŋlɪç] *adj* insufficient, inadequate

Unzulänglichkeit ['ʊntsulɛŋlɪçkaɪt] *f* inadequacy, deficiency, insufficiency

unzulässig ['ʊntsulɛsɪç] *adj* inadmissible

unzumutbar ['ʊntsumu:tba:r] *adj* unfair, unjust, unreasonable

unzureichend ['ʊntsuraɪçənt] *adj* insufficient, inadequate

unzutreffend ['ʊntsutrɛfənt] *adj 1.* inappropriate; *2. (unwahr)* incorrect; *~es bitte streichen* please cross out anything not applicable

unzuverlässig ['ʊntsufɛrlɛsɪç] *adj* unreliable, untrustworthy

Unzuverlässigkeit ['ʊntsufɛrlɛsɪçkaɪt] *f* unreliability

üppig ['Ypɪç] *adj 1.* sumptuous, abundant; *2. (Figur)* voluptuous; *3. (Vegetation)* lush

Urahnen ['ʊra:nən] *pl* forebears *pl*

Uraufführung ['ʊ:rauffy:rʊŋ] *f THEAT* world premiere

Ureinwohner ['ʊ:raɪnvo:nər] *m* original inhabitant, native; *(in Australien)* aborigine, *(in Neuseeland)* maori

Urenkel ['ʊ:rɛŋkəl] *m* great-grandson

Urenkelin ['ʊ:rɛŋkəlɪn] *f* great-granddaughter

Urgroßeltern ['ʊ:rgro:sɛltərn] *pl* great-grandparents *pl*

Urheber ['ʊ:rhe:bər] *m* author, originator

Urheberrecht ['ʊ:rhe:bərɛçt] *n JUR* copyright

Urin [u'ri:n] *m* urine

Urknall ['ʊ:rknal] *m ASTR* big bang

Urkunde ['ʊ:rkundə] *f* certificate, document

Urlaub ['ʊ:rlaup] *m* holidays *pl,* vacation *(US)*

Urlauber ['ʊ:rlaubər] *m* holidaymaker *(UK),* vacationer *(US)*

Ursache ['ʊ:rzaxə] *f* cause; *Keine ~!* Don't mention it!

Ursprung ['ʊ:rʃprʊŋ] *m* origin, source

ursprünglich ['ʊrʃprYŋlɪç] *adj 1.* original; *adv 2.* originally

Urteil ['ʊrtaɪl] *n 1.* judgement, opinion, view; *2. JUR* judgement, sentence, verdict

urteilen ['ʊrtaɪlən] *v 1.* judge, give an opinion; *2. JUR* pass a sentence, judge

Urwald ['ʊ:rvalt] *m BOT* virgin forest; *(in den Tropen)* jungle

Urzeit ['ʊ:rtsaɪt] *f* the dawn of time, prehistoric times *pl; seit ~en (fig)* for ages

Usbeke/Usbekin [us'be:kə/us'be:kɪn] *m/f* Uzbek

usbekisch [us'be:kɪʃ] *adj* Uzbek

Usbekistan [us'be:kɪsta:n] *n GEO* Uzbekistan

Utensilien [utɛn'zi:ljən] *pl* utensils *pl*

Utopie [uto'pi:] *f* Utopia

utopisch [u'to:pɪʃ] *adj* Utopian

UV-Strahlung [u:'vauʃtra:luŋ] *f PHYS* ultraviolet radiation

V

Vagabund [vaga'bunt] *m* vagabond

vage ['va:gə] *adj* vague

Vagina [va'gi:na] *f ANAT* vagina

vakant [va'kant] *adj* vacant

Vakuum ['va:kuum] *n* vacuum

Vampir [vam'pi:r] *m* vampire

Vandalismus [vanda'lɪsmus] *m* vandalism

Vanille [va'nɪlə] *f BOT* vanilla

variabel [vari'a:bəl] *adj* variable

Variable [vari'a:blə] *f MATH* variable

Variante [vari'antə] *f* variant

Variation [varia'tsjo:n] *f* variation

variieren [vari'i:rən] *v* vary

Vase ['va:zə] *f* vase

Vater ['fa:tər] *m* father; ~ *Staat* the State; *der himmlische ~* our heavenly Father; *zu seinen Vätern heimgehen* pass away

Vaterland ['fa:tərlant] *n 1.* native country, fatherland; *2. (Deutschland)* fatherland

väterlich ['fɛ:tərlɪç] *adj 1.* paternal, fatherly; *adv 2.* paternally

Vaterschaft ['fa:tərʃaft] *f* fatherhood, paternity

Vaterunser [fa:tər'unzər] *n das ~ REL* the Lord's Prayer

Vatikan [vati'ka:n] *m* Vatican

Vegetarier [vege'ta:ri:ər] *m* vegetarian

vegetarisch [vege'ta:rɪʃ] *adj* vegetarian

Vegetation [vegeta'tsjo:n] *f* vegetation

vehement [veha'mɛnt] *adj* vehement

Veilchen ['failçən] *n BOT* violet

Vene ['ve:nə] *f ANAT* vein

Venedig [ve'ne:dɪç] *n GEO* Venice

Ventil [vɛn'ti:l] *n 1. TECH* valve; *2. (fig)* vent, outlet

Ventilator [vɛnti'la:tər] *m* ventilator

verabreden [fɛr'apre:dən] *v 1.* agree upon, arrange; *2. sich ~* make an appointment, arrange to meet; *sich ~ mit* make a date with

Verabredung [fɛr'apre:duŋ] *f 1. (Abmachung)* agreement, arrangement; *2. (Treffen)* appointment

verabscheuen [fɛr'apʃɔyən] *v* abhor, detest, loathe

verabschieden [fɛr'apʃi:dən] *v 1.* dismiss, discharge, discard; *2. sich ~* say goodbye, take one's leave; *3. (Gesetz)* pass

verachten [fɛr'axtən] *v* despise, disdain, hold in contempt; *Das ist nicht zu ~.* That's not to be sneezed at.

verächtlich [fɛr'ɛçtlɪç] *adj 1.* contemptuous, scornful; *2. (verachtenswert)* despicable, contemptible, base

Verachtung [fɛr'axtuŋ] *f* contempt, scorn, disdain; *jdn mit ~ strafen* treat s.o. with contempt

verallgemeinern [fɛralgə'mainərn] *v* generalize

veraltet [fɛr'altət] *adj* obsolete, antiquated, out of date

Veranda [ve'randa] *f* veranda, porch *(US)*

verändern [vɛr'ɛndərn] *v* change, alter, vary

Veranlagung [fɛr'anla:guŋ] *f* disposition, tendency, predisposition

veranlassen [fɛr'anlasən] *v* cause, bring about, arrange for

veranschaulichen [fɛr'anʃauliçən] *v* illustrate

veranstalten [fɛr'anʃtaltən] *v* organize, arrange, stage

Veranstalter [fɛr'anʃtaltər] *m* organizer, host; *(von Konzerten, von Boxkämpfen)* promoter

Veranstaltung [fɛr'anʃtaltuŋ] *f 1.* event; *2. (das Veranstalten)* organization, arrangement

verantwortlich [fɛr'antvɔrtlɪç] *adj 1.* responsible, answerable; *2. JUR* liable

Verantwortung [fɛr'antvɔrtuŋ] *f* responsibility; *jdn für etw zur ~ ziehen* call s.o. to account for sth

verantwortungsbewusst [fɛr'antvɔrtuŋsbəvust] *adj* responsible

verantwortungslos [fɛr'antvɔrtuŋslo:s] *adj* irresponsible

veräppeln [fɛr'ɛpəln] *v jdn* ~ pull s.o.'s leg

verarbeiten [fɛr'arbaitən] *v 1. (bearbeiten)* manufacture, process; *2. (fig)* ponder over, assimilate; *3. (Daten) INFORM* process

verärgern [fɛr'ɛrgərn] *v* annoy, vex

verarmen [fɛr'armən] *v* become poor, to be reduced to poverty

Verarmung [fɛr'armuŋ] *f* impoverishment

verarzten [fɛr'artstən] *v* attend to, sort out, *(mit Verband)* patch up

verausgaben [fɛr'ausga:bən] *v 1. sich ~ (finanziell)* overspend; *2. sich ~ (körperlich)* overexert o.s., spend all one's energy, burn o.s. out

veräußern [fɛr'ɔysərn] *v 1. (verkaufen)* sell, dispose of; *2. (übereignen)* transfer

Verb [vɛrp] *n GRAMM* verb
Verband [fɛr'bant] *m 1. (Vereinigung)* association, federation, union; *2. MED* bandage, dressing
verbannen [fɛr'banən] *v* banish, exile
verbarrikadieren [fɛrbarıka'di:rən] *v* barricade, block
verbergen [fɛr'bɛrgən] *v irr* hide, conceal
verbessern [fɛr'bɛsərn] *v 1.* improve, change for the better; *2. (korrigieren)* correct, revise
verbeugen [fɛr'bɔygən] *v sich ~* bow
verbieten [fɛr'bi:tən] *v irr* prohibit, forbid
verbinden [fɛr'bındən] *v irr 1. (zusammenfügen)* connect, join, link; *2. TEL* connect; *3. MED* bandage, dress
verbindlich [fɛr'bıntlıç] *adj 1. (gefällig)* obliging; *2. (höflich)* polite; *3. (verpflichtend)* binding, obligatory, compulsory
Verbindung [fɛr'bınduŋ] *f 1.* connection; *2. (Beziehung)* contact, connection; *in ~ stehen mit* to be in contact with; *sich mit jdm in ~ setzen* get in touch with s.o. *3. CHEM* compound, composition; *4. TEL* connection, line; *5. (Zusammenarbeit)* liaison; *6. (Zugverbindung)* connection
Verbissenheit [fɛr'bısənhaıt] *f* grimness
verbittern [fɛr'bıtərn] *v* embitter
Verbitterung [fɛr'bıtəruŋ] *f* bitterness
verblassen [fɛr'blasən] *v 1.* turn pale; *2. (Stoff)* fade
verbleiben [fɛr'blaıbən] *v irr 1. (bleiben)* remain; *2. (vereinbaren)* tentatively agree
Verblendung [fɛr'blɛnduŋ] *f (fig)* blinding, bedazzlement
verblichen [fɛr'blıçən] *adj* faded
verblüffen [fɛr'blyfən] *v* astonish, flabbergast
verblüffend [fɛr'blyfənt] *adj* bewildering, baffling
Verblüffung [fɛr'blyfuŋ] *f* bafflement, amazement, perplexity
verblühen [fɛr'bly:ən] *v* fade
Verbot [fɛr'bo:t] *n* prohibition, ban
Verbrauch [fɛr'braux] *m* consumption
verbrauchen [fɛr'brauxən] *v 1.* consume, use up; *2. (ausgeben)* spend
Verbraucher [fɛr'brauxər] *m* consumer
Verbrechen [fɛr'brɛçən] *n 1.* crime, offence; *2. (schweres ~) JUR* felony
Verbrecher(in) [fɛr'brɛçər(ın)] *m/f 1.* criminal; *2. (Schwerverbrecher(in))* felon
verbreiten [fɛr'braıtən] *v 1.* spread; *2. (Lehre)* propagate; *3. (Licht)* diffuse

verbreitern [fɛr'braıtərn] *v* broaden, widen
Verbreitung [fɛr'braıtuŋ] *f* spreading, circulation, distribution; *~ finden* reach a wide public
verbrennen [fɛr'brɛnən] *v irr 1.* burn, incinerate; *2. (Leiche)* cremate
verbringen [fɛr'brıŋən] *v irr* spend, pass
verbünden [fɛr'byndən] *v sich ~* ally o.s.
Verbundenheit [fɛr'bundənhaıt] *f* solidarity
Verbündete(r) [fɛr'byndətə(r)] *m/f* ally
verbürgen [fɛr'byrgən] *v sich für etw ~* vouch for sth
Verdacht [fɛr'daxt] *m* suspicion; *über jeden ~ erhaben sein* to be above suspicion; *~ schöpfen* become suspicious; *etw auf ~ tun* try sth and hope it works
verdächtig [fɛr'dɛçtıç] *adj* suspicious, suspect, questionable
Verdächtige(r) [fɛr'dɛçtıgə(r)] *m/f* suspect
verdächtigen [fɛr'dɛçtıgən] *v* suspect, throw suspicion on
verdammen [fɛr'damən] *v* condemn, damn, doom
verdammt [fɛr'damt] *adj 1. REL* damned; *interj 2. (fam) Verdammt!* Damn it!
verdampfen [fɛr'dampfən] *v* evaporate
verdanken [fɛr'daŋkən] *v jdm etw ~* to be indebted to s.o. for sth, *(fig)* have s.o. to thank for sth
verdauen [fɛr'dauən] *v* digest
Verdauung [fɛr'dauuŋ] *f* digestion
verdecken [fɛr'dɛkən] *v 1. (verbergen)* hide, screen; *2. (zudecken)* cover
verderben [fɛr'dɛrbən] *v irr 1. (zerstören)* ruin, destroy, wreck; *es sich mit jdm ~* fall out of favour with s.o. *2. (schlecht werden)* decay, spoil; *3. (fig: negativ beeinflussen)* corrupt, pervert, deprave
verderblich [fɛr'dɛrplıç] *adj 1.* pernicious, corrupting; *2. (Lebensmittel)* perishable
verdienen [fɛr'di:nən] *v 1. (Geld)* earn; *2. (Lob)* merit, deserve; *Er verdient es nicht anders.* It serves him right.
Verdienst [fɛr'di:nst] *m 1.* earnings, income; *2. (Gehalt)* salary; *n 3. (Anspruch auf Anerkennung)* merit
verdoppeln [fɛr'dɔpəln] *v* double
Verdorbenheit [fɛr'dɔrbənhaıt] *f (fig)* corruption, corruptness, depravity
verdrängen [fɛr'drɛŋən] *v 1.* push away, drive away; *Gedanken ~* dismiss thoughts from one's mind; *2. PSYCH* repress; *3. PHYS* displace; *4. MIL* dislodge

Verdrossenheit [fɛrˈdrɔsənhaɪt] f listlessness, reluctance

verdunkeln [fɛrˈdʊŋkəln] v 1. (abdunkeln) darken; 2. (fig: verschleiern) obscure, blur

verdunsten [fɛrˈdʊnstən] v evaporate

verdursten [fɛˈdʊrstən] v die of thirst

verebben [fɛrˈʔɛbən] v (fig) wane, ebb

veredeln [fɛrˈeːdəln] v refine, improve

Veredelung [fɛrˈeːdəlʊŋ] f ennoblement, exaltation, refinement

verehren [fɛrˈeːrən] v honour, admire

Verehrer(in) [fɛrˈeːrər(ɪn)] m/f admirer

Verehrung [fɛrˈeːrʊŋ] f admiration, respect, reverence

vereidigen [fɛrˈʔaɪdɪgən] v jdn ~ put a person under oath, swear s.o. in

Verein [fɛrˈʔaɪn] m 1. association, society; 2. (geselliger ~) club

vereinbar [fɛrˈʔaɪnbaːr] adj compatible

vereinbaren [fɛrˈʔaɪnbaːrən] v agree; etw ~ agree upon sth

Vereinbarkeit [fɛrˈʔaɪnbaːrkaɪt] f compatibility

Vereinbarung [fɛrˈʔaɪnbaːrʊŋ] f agreement, arrangement

vereinen [fɛrˈʔaɪnən] v unite, join, combine

vereinfachen [fɛrˈʔaɪnfaxən] v simplify

vereinheitlichen [fɛrˈʔaɪnhaɪtlɪçən] v standardize

vereinigen [fɛrˈʔaɪnɪgən] v unite, join, fuse

Vereinigte Staaten [fɛrˈʔaɪnɪktə ˈʃtaːtən] pl GEO United States pl

Vereinigung [fɛrˈʔaɪnɪgʊŋ] f 1. union, merger, consolidation; 2. POL coalition, alliance

vereinnahmen [fɛrˈʔaɪnnaːmən] v take in

vereinsamen [fɛrˈʔaɪnzaːmən] v become lonely, become isolated

vereint [fɛrˈʔaɪnt] adj united, joint, combined

vereinzelt [fɛrˈʔaɪntsəlt] adj 1. isolated, sporadic, odd; adv 2. here and there, now and then, sporadically

vereiteln [fɛrˈʔaɪtəln] v thwart, defeat

verelenden [fɛrˈeːlɛndən] v to be pauperized, to be reduced to poverty

vererben [fɛrˈʔɛrbən] v 1. (Güter) leave by will, bequeath; 2. BIO transmit, hand down

Vererbung [fɛrˈeːvɪgʊŋ] f perpetuation

Verfahren [fɛrˈfaːrən] n 1. (Vorgehen) procedure, process; 2. (Methode) method, practice; 3. JUR proceedings, procedure, suit

Verfall [fɛrˈfal] m 1. (Gebäude) dilapidation, disrepair, decay; 2. (Fristablauf) FIN maturity, expiry, expiration; 3. (Untergang) decline, downfall

verfallen [fɛrˈfalən] v irr 1. (Gebäude) decay, become dilapidated; 2. (ungültig werden) expire, lapse; 3. (hörig werden) fall under s.o.'s spell

verfälschen [fɛrˈfɛlʃən] v falsify

verfänglich [fɛrˈfɛŋlɪç] adj 1. (Frage) tricky; 2. (Situation) awkward

verfassen [fɛrˈfasən] v 1. compose, write; 2. (Urkunde) draw up

Verfasser(in) [fɛrˈfasər(ɪn)] m/f 1. author, writer; 2. MUS composer

Verfassung [fɛrˈfasʊŋ] f 1. (Zustand) state, condition; in schlechter ~ in bad shape; 2. (seelische ~) frame of mind; 3. (Grundgesetz) POL constitution

verfaulen [fɛrˈfaulən] v rot

verfechten [fɛrˈfɛçtən] v irr stand up for, defend, advocate

Verfechter [fɛrˈfɛçtər] m proponent, advocate, defender

verfehlen [fɛrˈfeːlən] v miss

verfeindet [fɛrˈfaɪndət] adj hostile

verfeinern [fɛrˈfaɪnərn] v refine, improve, purify

verfestigen [fɛrˈfɛstɪgən] v sich ~ rigidify

verfilmen [fɛrˈfɪlmən] v 1. CINE film; 2. (zum Film umgestalten) adapt for the screen

verfolgen [fɛrˈfɔlgən] v 1. pursue, follow; 2. (ungerecht) persecute; vom Pech verfolgt sein have a string of bad luck

Verfolgung [fɛrˈfɔlgʊŋ] f 1. pursuit; 2. (ungerechte) prosecution

verformen [fɛrˈfɔrmən] v deform, disfigure

verfügbar [fɛrˈfyːkbaːr] adj available; ~ haben have at one's disposal

verfügen [fɛrˈfyːgən] v 1. (anordnen) order, decree; 2. ~ über have at one's disposal, have use of

Verfügung [fɛrˈfyːgʊŋ] f 1. zur ~ stehen to be available; jdm zur ~ stehen to be at s.o.'s disposal; jdm etw zur ~ stellen place sth at s.o.'s disposal; sich zur ~ halten keep ready; sich zur ~ stellen offer one's services; etw zur ~ haben have sth at one's disposal; 2. (Erlass) decree, order

verführen [fɛrˈfyːrən] v seduce, entice, tempt

verführerisch [fɛrˈfyːrərɪʃ] adj 1. tempting, enticing, seductive; adv 2. seductively, enticingly

Verführung [fɛrˈfyːrʊŋ] f seduction, enticement, temptation

vergangene(r,s) [fɛrˈganənə(r,s)] adj past, former

Vergangenheit [fɛrˈgaŋənhaɪt] f past

vergänglich [fɛrˈgɛŋglɪç] adj transitory, fleeting

vergeben [fɛrˈgeːbən] v irr 1. give away; 2. (Auftrag, Preis) award; 3. (verzeihen) forgive, pardon

vergeblich [fɛrˈgeːblɪç] adj 1. futile, unavailing, useless; adv 2. in vain, to no avail

Vergebung [fɛrˈgeːbʊŋ] f (Verzeihung) forgiveness, pardoning

vergehen [fɛrˈgeːən] v irr 1. (Zeit) pass, go by; 2. (Schmerz) subside, pass; 3. sich ~ an assault, violate

vergelten [fɛrˈgɛltən] v irr 1. repay, reward; 2. (heimzahlen) retaliate for

vergessen [fɛrˈgɛsən] v irr forget; Vergiss das! Forget about that! Das vergesse ich dir nie! I shall never forget what you did!

Vergessenheit [fɛrˈgɛsənhaɪt] f oblivion; in ~ geraten fade into oblivion;

vergesslich [fɛrˈgɛslɪç] adj forgetful

vergeuden [fɛrˈgɔydən] v waste, squander

Vergewaltigung [fɛrgəˈvaltɪgʊŋ] f rape

vergewissern [fɛrgəˈvɪsərn] v sich ~ make sure, reassure o.s.

vergießen [fɛrˈgiːsən] v irr 1. (Tränen, Blut) shed; 2. (verschütten) spill

vergiften [fɛrˈgɪftən] v 1. poison; 2. (verseuchen) contaminate

vergilben [fɛrˈgɪlbən] v turn yellow

Vergleich [fɛrˈglaɪç] m 1. comparison; im ~ zu in comparison with, compared to; 2. JUR settlement

vergleichen [fɛrˈglaɪçən] v irr compare, (sich ~) settle

vergnügen [fɛrˈgnyːgən] v sich ~ enjoy o.s., amuse o.s.

Vergnügen [fɛrˈgnyːgən] n pleasure, enjoyment, fun; sich aus etw ein ~ machen take delight in sth; Es ist mir ein ~. It's a pleasure. Das ist ein teures ~! That's an expensive business!

vergolden [fɛrˈgɔldən] v gild

vergönnen [fɛrˈgœnən] v permit; Es war ihm nicht vergönnt. He was not lucky enough.

vergöttern [fɛrˈgœtərn] v worship, idolize

vergraben [fɛrˈgraːbən] v irr bury; sich in die Arbeit ~ bury o.s. in work

vergreifen [fɛrˈgraɪfən] v irr 1. (am Instrument) sich ~ MUS play the wrong note; 2. sich ~ (auf der Schreibmaschine) hit the wrong key; 3. (beim Turnen) sich ~ miss one's grip; 4. (an fremdem Eigentum) sich ~ misappropriate; 5. (an einem Kind) sich ~ assault

vergriffen [fɛrˈgrɪfən] adj 1. unavailable; 2. (Buch) out of print

vergrößern [fɛrˈgrøːsərn] v enlarge

Vergrößerung [fɛrˈgrøːsərʊŋ] f enlargement

vergüten [fɛrˈgyːtən] v reimburse, compensate

verhaften [fɛrˈhaftən] v arrest, take into custody; Sie sind verhaftet! You are under arrest!

Verhaftung [fɛrˈhaftʊŋ] f arrest

Verhalten [fɛrˈhaltən] n 1. behaviour, conduct, deportment; 2. (Haltung) attitude

Verhältnis [fɛrˈhɛltnɪs] n 1. (Proportion) proportion, ratio; 2. (Beziehung) relationship; 3. (Umstand) circumstance, condition; über seine ~se leben live beyond one's means

verhandeln [fɛrˈhandəln] v negotiate

Verhandlung [fɛrˈhandlʊŋ] f 1. negotiation; 2. (Beratung) discussion; 3. JUR court hearing, trial

Verhängnis [fɛrˈhɛŋnɪs] n 1. fate; 2. (Katastrophe) disaster

verhängnisvoll [fɛrˈhɛŋnɪsfɔl] adj ominous, ill-fated, doomed

verharmlosen [fɛrˈharmloːzən] v play down

verhasst [fɛrˈhast] adj hated, hateful

verhätscheln [fɛrˈhɛtʃəln] v spoil, pamper, cosset

Verhau [fɛrˈhau] m (fam) mess

verheerend [fɛrˈheːrənt] adj devastating, disastrous

verheimlichen [fɛrˈhaɪmlɪçən] v keep secret, conceal; etw vor jdm ~ conceal sth from s.o.

verheiratet [fɛrˈhaɪraːtət] adj married

Verheißung [fɛrˈhaɪsʊŋ] f promise

verheißungsvoll [fɛrˈhaɪsʊŋsfɔl] adj promising, auspicious

verherrlichen [fɛrˈhɛrlɪçən] v glorify

Verherrlichung [fɛrˈhɛrlɪçʊŋ] f glorification

verhindern [fɛrˈhɪndərn] v prevent, hinder, obstruct

verhöhnen [fɛrˈhøːnən] v scoff at, jeer at, ridicule

Verhöhnung [fɛrˈhøːnʊŋ] f mocking, ridicule

Verhör [fɛrˈhøːr] n JUR examination, interrogation, questioning; jdn ins ~ nehmen interrogate s.o.

verhören [fɛrˈhøːrən] v 1. JUR interrogate, examine, question; 2. sich ~ misunderstand

verhüllen [fɛrˈhylən] v cover

verhungern [fɛr'huŋərn] *v* starve, die of hunger

verhüten [fɛr'hy:tən] *v* prevent, avert

verirren [fɛr'ɪrən] *v sich ~* get lost, lose one's way, go astray

verjähren [fɛr'jɛːrən] *v* JUR come under the statute of limitations, become barred by the statute of limitations

Verjährung [fɛr'jɛːruŋ] *f* JUR statutory limitation

verkalken [fɛr'kalkən] *v* 1. TECH calcify, convert into lime; 2. MED sclerose, calcify

Verkauf [fɛr'kauf] *m* sale, selling

verkaufen [fɛr'kaufən] *v* sell

Verkäufer(in) [fɛr'kɔyfər(ɪn)] *m/f* 1. seller, vendor; 2.(*in einem Geschäft*) salesman/saleswoman

verkäuflich [fɛr'kɔyflɪç] *adj* saleable

Verkehr [fɛr'keːr] *m* 1. traffic, transport; *jdn aus dem ~ ziehen* eliminate s.o. 2. (*Kontakt*) contact; 3. (*Geschlechtsverkehr*) intercourse

Verkehrsampel [fɛr'keːrsampəl] *f* traffic light

verkehrsberuhigt [fɛr'keːrsbəruːɪçt] *adj ~e Zone* limited traffic zone

verkehrt [fɛr'keːrt] *adj* 1. (*~herum*) reversed, backwards; 2. (*falsch*) wrong, incorrect; *Das wäre nicht ~.* (*fig*) That would be good. 3. (*auf dem Kopf*) upside down; 4. (*nach außen gestülpt*) inside out

verkennen [fɛr'kɛnən] *v irr* mistake, fail to recognize, misjudge

verklagen [fɛr'klaːgən] *v* JUR sue, bring action against

verklären [fɛr'klɛːrən] *v* transfigure

verkleiden [fɛr'klaɪdən] *v* 1. (*maskieren*) dress up, disguise o.s. 2. (*täfeln*) panel

Verkleidung [fɛr'klaɪduŋ] *f* 1. (*Maskierung*) disguise, costume; 2. (*Überzug*) TECH covering, lining, panelling

verkleinern [fɛr'klaɪnərn] *v* 1. diminish, reduce, lessen; 2. (*fig: schlecht machen*) belittle

Verkleinerung [fɛr'klaɪnəruŋ] *f* 1. diminution, reduction; 2. (*fig*) belittlement

verknittern [fɛr'knɪtərn] *v* wrinkle, crease

verknoten [fɛr'knoːtən] *v* knot, tie, entangle

verknüpfen [fɛr'knypfən] *v* 1. (*verknoten*) tie, knot; 2. (*fig*) connect, combine

Verknüpfung [fɛr'knypfuŋ] *f (fig)* connection, combination

verkommen [fɛr'kɔmən] *v irr* decay, rot, go to ruin

verkörpern [fɛr'kœrpərn] *v* embody, personify

Verkörperung [fɛr'kœrpəruŋ] *f* personification, embodiment

verköstigen [fɛr'kœstɪgən] *v* feed, provide with food

verkrampfen [fɛr'krampfən] *v sich ~* tense up

Verkrüppelung [fɛr'krypəluŋ] *f* 1. MED deformity; 2. (*das Verkrüppeln*) MED crippling

verkümmern [fɛr'kymərn] *v* wither away, waste away, atrophy

verkünden [fɛr'kyndən] *v* announce, make known, proclaim

Verkündigung [fɛr'kyndɪguŋ] *f* announcement, proclamation

verkürzen [fɛr'kyrtsən] *v* shorten, reduce

Verkürzung [fɛr'kyrtsuŋ] *f* reduction, shortening

verladen [fɛr'laːdən] *v irr* load, ship, freight

Verlag [fɛr'laːk] *m* publishing house, publishers *pl*, publishing firm

verlagern [fɛr'laːgərn] *v* shift, displace

verlangen [fɛr'laŋən] *v* 1. demand; *viel von jdm ~* ask a lot of s.o. 2. (*erfordern*) require; 3. (*wünschen*) want; 4. *~ nach* ask for; 5. *~ nach* (*sich sehnen nach*) crave

Verlangen [fɛr'laŋən] *n* 1. desire; 2. (*Sehnen*) longing; 3. (*Forderung*) demand, request

verlängern [fɛr'lɛŋərn] *v* 1. lengthen; 2. (*zeitlich*) extend, prolong; 3. (*verdünnen*) extend, dilute

Verlass [fɛr'las] *m* reliance; *Auf ihn ist kein ~.* There is no relying on him.

verlassen [fɛr'lasən] *adj* 1. abandoned, forsaken; 2. (*Gegend*) deserted; *v irr* 3. leave, relinquish, abandon; 4. *sich auf etw ~* rely on sth; *Darauf kannst du dich ~.* You can be sure of that.

verlässlich [fɛr'lɛslɪç] *adj* reliable, dependable, trustworthy

Verlauf [fɛr'lauf] *m* 1. (*Ablauf*) lapse, expiration; *im ~ von ... in the course of ...* 2. (*Entwicklung*) course, progress; *einen guten ~ nehmen* go well

verlaufen [fɛr'laufən] *v irr* 1. (*ablaufen*) expire, elapse, pass; 2. (*sich entwickeln*) turn out, develop; 3. *sich ~ (sich verirren*) lose one's way, go astray, get lost

verlautbaren [fɛr'lautbaːrən] *v* announce

Verlautbarung [fɛr'lautbaːruŋ] *f* statement

verlauten [fɛr'lautən] *v* 1. become known, to be reported; 2. (*andeuten*) hint, intimate

verlebt [fɛr'leːpt] *adj (fig)* worn out, used up, spent

verlegen [fɛr'leːgən] *v* 1. (*Wohnsitz*) move, transfer; 2. (*Termin*) postpone, put off; 3. (*ver-*

lieren) misplace; *4. (Buch)* publish; *5. (Kabel)*
TECH lay, install; *adj 6.* embarrassed, self-
conscious, awkward; *v 7. um etw nie ~ sein*
never be at a loss for sth
Verlegenheit [fɛr'le:gənhaɪt] *f 1.* embarrassment; *2. (unangenehme Lage)* awkward
situation
Verleger(in) [fɛr'le:gər(ɪn)] *m* publisher
Verleih [fɛr'laɪ] *m 1.* hire business, rental
shop; *2. (Gesellschaft) CINE* distributor; *3.*
(das Verleihen) CINE distribution
verleihen [fɛr'laɪən] *v irr 1. (borgen)* lend;
2. (vermieten) hire out, rent out; *3. (Preis)*
award
Verleihung [fɛr'laɪʊŋ] *f (Preisverleihung)*
award
verlernen [fɛr'lɛrnən] *v* forget
verletzbar [fɛr'lɛtsba:r] *adj* vulnerable
Verletzbarkeit [fɛr'lɛtsba:rkaɪt] *f* vulnerability
verletzen [fɛr'lɛtsən] *v 1. (verwunden)* hurt,
injure, wound; *2. (fig: kränken)* hurt, offend; *3.*
(fig: übertreten) infringe upon, breach
verletzend [fɛr'lɛtsənt] *adj (fig)* cutting,
offending
Verletzung [fɛr'lɛtsʊŋ] *f 1. (Wunde)* injury,
wound; *2. (fig: Kränkung)* hurt feelings; *3. (fig:*
Übertretung) infringement, violation
verleugnen [fɛr'lɔygnən] *v 1.* deny; *Er ließ*
sich ~. He said to say he wasn't home. *2.*
(Freund, Kind) disown
Verleugnung [fɛr'lɔygnʊŋ] *f* denial, dis-
avowal
verleumden [fɛr'lɔymdən] *v* slander, defame, malign
verleumderisch [fɛr'lɔymdərɪʃ] *adj* slan-
derous, libellous
Verleumdung [fɛr'lɔymdʊŋ] *f* defamation
verlieben [fɛr'li:bən] *v sich ~* fall in love;
sich in jdn ~ fall in love with s.o.
verliebt [fɛr'li:pt] *adj* in love
verlieren [fɛr'li:rən] *v irr* lose; *nichts zu ~*
haben have nothing to lose
Verlierer(in) [fɛr'li:rər(ɪn)] *m/f* loser
Verlies [fɛr'li:s] *n* dungeon
verloben [fɛr'lo:bən] *v sich ~* become
engaged, get engaged *(fam)*
Verlobte(r) [fɛr'lo:ptə(r)] *m/f* fiancé/
fiancée
Verlobung [fɛr'lo:bʊŋ] *f* engagement
verlocken [fɛr'lɔkən] *v* tempt, entice
verlockend [fɛr'lɔkənt] *adj* tempting
verlogen [fɛr'lo:gən] *adj 1. (Mensch)* lying,
mendacious; *2. (Versprechung)* false

verlosen [fɛr'lo:zən] *v* raffle
Verlosung [fɛr'lo:zʊŋ] *f* raffle, lottery
Verlust [fɛr'lʊst] *m 1.* loss, damage; *2.*
(Todesfall) bereavement
vermachen [fɛr'maxən] *v* bequeath, will,
leave
Vermächtnis [fɛr'mɛçtnɪs] *n* bequest,
legacy
vermählen [fɛr'mɛ:lən] *v sich ~* marry, to
be wed
Vermählung [fɛr'mɛ:lʊŋ] *f* marriage
vermarkten [fɛr'marktən] *v 1.* market,
place on the market; *2. (fig)* commercialize
Vermarktung [fɛr'marktʊŋ] *f* marketing
vermehren [fɛr'me:rən] *v 1.* increase; *2.*
sich ~ (sich fortpflanzen) reproduce, multiply,
propagate
vermeiden [fɛr'maɪdən] *v irr* avoid, evade,
escape from
vermeintlich [fɛr'maɪntlɪç] *adj* supposed,
alleged, reputed
Vermerk [fɛr'mɛrk] *m* note, entry, remark
vermerken [fɛr'mɛrkən] *v* note
vermessen [fɛr'mɛsən] *v irr 1.* measure,
survey; *adj 2.* impudent, presumptuous, bold
Vermessenheit [fɛr'mɛsənhaɪt] *f* impudence, presumption, boldness
vermieten [fɛr'mi:tən] *v* let, rent *(US)*
Vermieter(in) [fɛr'mi:tər(ɪn)] *m/f (einer*
Wohnung) landlord/landlady
vermischen [fɛr'mɪʃən] *v* mix (up), blend
vermissen [fɛr'mɪsən] *v* miss
vermitteln [fɛr'mɪtəln] *v 1.* mediate, act as
intermediary, negotiate; *2. (beschaffen)* obtain
Vermittler(in) [fɛr'mɪtlər(ɪn)] *m/f* mediator, intermediary, agent
Vermittlung [fɛr'mɪtlʊŋ] *f 1. (Vermitteln)*
arrangement, negotiation; *2. (Telefonvermitt-*
lung) exchange; *3. (Telefonvermittlung)*
(Mensch) operator; *4. (Telefonvermittlung in*
einer Firma) switchboard; *5. (Stellenvermitt-*
lung) agency
Vermögen [fɛr'mø:gən] *n 1. (Können)*
ability, faculty, power; *2. (Besitz)* assets,
wealth, fortune; *ein ~ machen* make a fortune.
vermögend [fɛr'mø:gənt] *adj* wealthy, rich
vermuten [fɛr'mu:tən] *v* suppose, surmise,
presume
vermutlich [fɛr'mu:tlɪç] *adj 1.* presumable,
probable, likely; *adv 2.* probably, presumably
Vermutung [fɛr'mu:tʊŋ] *f* presumption,
supposition
vernachlässigbar [fɛr'na:xlɛsɪçba:r] *adj*
negligible

vernachlässigen [fɛr'naːxlɛsɪgən] *v* neglect

Vernachlässigung [fɛr'naxlɛsɪguŋ] *f* neglect, careless treatment

vernehmen [fɛr'neːmən] *v irr* 1. *(hören)* hear; 2. *(verhören)* JUR examine, interrogate, question

verneigen [fɛr'naɪgən] *v sich ~* bow

Verneigung [fɛr'naɪguŋ] *f* bow

verneinen [fɛr'naɪnən] *v* 1. *(nein sagen)* answer in the negative, say no; 2. *(ablehnen)* decline; 3. *(leugnen)* deny

Verneinung [fɛr'naɪnuŋ] *f* negation, denial

vernetzen [fɛr'nɛtsən] *v* 1. integrate; 2. INFORM network

vernichten [fɛr'nɪçtən] *v* 1. destroy, annihilate, obliterate; 2. *(ausrotten)* exterminate

Vernichtung [fɛr'nɪçtuŋ] *f* 1. annihilation, destruction; 2. *(Ausrottung)* extermination

Vernunft [fɛr'nunft] *f* reason, good sense; *jdn zur ~ bringen* bring s.o. to his senses; *~ annehmen* see reason; *zur ~ kommen* come to one's senses

vernünftig [fɛr'nynftɪç] *adj* rational, sensible

veröden [fɛr'øːdən] *v* 1. *(Landschaft)* become desolate; 2. MED sclerose

veröffentlichen [fɛr'œfəntlɪçən] *v* publish, make public

Veröffentlichung [fɛr'œfəntlɪçuŋ] *f* publication

verordnen [fɛr'ɔrdnən] *v* 1. *(bestimmen)* decree, order; 2. MED prescribe

verpachten [fɛr'paxtən] *v* let, lease

verpacken [fɛr'pakən] *v* package, pack

Verpackung [fɛr'pakuŋ] *f* packaging, packing, wrapping

verpfänden [fɛr'pfɛndən] *v* 1. *(in der Pfandleihe)* pawn; *sein Wort ~* pledge one's word; 2. *(hypothekarisch)* mortgage

Verpfändung [fɛr'pfɛnduŋ] *f* pawning

verpfeifen [fɛr'pfaɪfən] *v irr jdn ~ (fam)* squeal on s.o.

Verpflegung [fɛr'pfleːguŋ] *f* food, board, rations *pl*

verpflichten [fɛr'pflɪçtən] *v* 1. oblige, engage; 2. *(unterschriftlich)* sign on

Verpflichtung [fɛr'pflɪçtuŋ] *f* 1. commitment, obligation, undertaking; 2. FIN liability

verpönt [fɛr'pøːnt] *adj* taboo, prohibited, looked down upon

verprügeln [fɛr'pryːgəln] *v* beat up, thrash

verputzen [fɛr'putsən] *v* 1. *(Mauer)* plaster; 2. *(fam: essen)* polish off

Verrat [fɛr'raːt] *m* 1. betrayal; 2. POL treason

verraten [fɛr'raːtən] *v irr* divulge, give away, betray; *~ und verkauft* sold down the river

Verräter(in) [fɛr'rɛːtər(ɪn)] *m/f* traitor

verräterisch [fɛr'rɛːtərɪʃ] *adj* treacherous, disloyal, traitorous

verrechnen [fɛr'rɛçnən] *v* 1. *sich ~* miscalculate; 2. set off against, charge against

verreisen [fɛr'raɪzən] *v* go on a trip, go away

verrenken [fɛr'rɛŋkən] *v* dislocate, put out of joint

verriegeln [fɛr'riːgəln] *v* bolt, lock, bar

verringern [fɛr'rɪŋərn] *v* diminish, decrease, lessen

verrotten [fɛr'rɔtən] *v* decay, rot, decompose

verrucht [fɛr'ruːxt] *adj* 1. despicable; 2. *(Verbrechen)* heinous

verrückt [fɛr'rykt] *adj* 1. crazy, mad, insane; *wie ~* like mad; *auf etw ~ sein* to be mad about sth; *~ spielen* go crazy; *adv* 2. madly, insanely

Verruf [fɛr'ruːf] *m* discredit; *in ~ kommen* fall into disrepute; *jdn in ~ bringen* ruin s.o.'s reputation

Vers [fɛrs] *m* verse; *sich auf etw keinen ~ machen können* see no rhyme or reason in sth; *~e schmieden* write poems

versagen [fɛr'zaːgən] *v* 1. *(scheitern)* fail; 2. *(verweigern)* deny, refuse; 3. *sich etw ~* abstain from sth, refrain from doing sth

Versager [fɛr'zaːgər] *m* failure

versammeln [fɛr'zaməln] *v* assemble, gather, come together

Versammlung [fɛr'zamluŋ] *f* meeting, gathering, assembly

Versand [fɛr'zant] *m* shipment, delivery, dispatch

Versandhaus [fɛr'zanthaus] *n* mail-order house

versäumen [fɛr'zɔymən] *v* fail to (do sth), miss, neglect; *nichts zu ~ haben* have no time to lose

Versäumnis [fɛr'zɔymnɪs] *n* 1. *(Unterlassung)* default, failure, negligence; 2. *(Verspätung)* loss of time

verschärfen [fɛr'ʃɛrfən] *v* 1. intensify, sharpen; 2. *(verschlimmern)* exacerbate

verscharren [fɛr'ʃaːrən] *v (fam)* bury

verschätzen [fɛr'ʃɛtsən] *v sich ~* miscalculate

verschenken [fɛr'ʃɛŋkən] *v* give away

verscheuchen [fɛr'ʃɔyçən] *v* chase away, scare away, frighten away

verschicken [fɛr'ʃɪkən] v send off, consign, dispatch

verschieben [fɛr'ʃiːbən] v irr 1. (verrkcken) shift, displace, move; 2. (aufschieben) postpone

verschieden [fɛr'ʃiːdən] adj different, unlike, distinct; ~e various

Verschiedenartigkeit [fɛr'ʃiːdənartɪçkaɪt] f diversity, variety

verschlafen [fɛr'ʃlaːfən] adj 1. sleepy; v irr 2. oversleep

verschlagen [fɛr'ʃlaːgən] adj 1. (schlau) artful, sly; 2. (lauwarm) tepid, lukewarm

verschlechtern [fɛr'ʃlɛçtərn] v 1. make worse; 2. sich ~ deteriorate, worsen

verschleiern [fɛr'ʃlaɪərn] v veil

Verschleiß [fɛr'ʃlaɪs] m wear (and tear)

verschließen [fɛr'ʃliːsən] v irr shut, close, seal; die Augen vor etw ~ close one's eyes to sth

verschlimmern [fɛr'ʃlɪmərn] v 1. (etw ~) make worse, add to, aggravate; 2. sich ~ get worse, deteriorate

verschlossen [fɛr'ʃlosən] adj (fig) reserved, cagey, secretive

Verschlossenheit [fɛr'ʃlosənhaɪt] f reserve, reticence

verschlucken [fɛr'ʃlukən] v 1. swallow; 2. sich ~ swallow the wrong way

Verschluss [fɛr'ʃlus] m 1. fastener, catch, seal; 2. (Schloss) lock

verschlüsseln [fɛr'ʃlysəln] v encode

verschmähen [fɛr'ʃmɛːən] v scorn, disdain, despise

verschmelzen [fɛr'ʃmɛltsən] v irr 1. fuse, blend; 2. (Firmen) merge

verschmitzt [fɛr'ʃmɪtst] adj sly, roguish

verschmutzen [fɛr'ʃmutsən] v dirty, soil, get dirty

Verschmutzung [fɛr'ʃmutsuŋ] f 1. dirtying, soiling; 2. (von Wasser, Luft, Umwelt) pollution, contamination

verschnaufen [fɛr'ʃnaufən] v take a breather, take a rest, pause for breath

verschollen [fɛr'ʃolən] adj missing, presumed dead

verschonen [fɛr'ʃoːnən] v spare

verschönern [fɛr'ʃøːnərn] v embellish, beautify

verschränken [fɛr'ʃrɛŋkən] v cross, fold; die Arme (vor der Brust) ~ fold one's arms

verschreiben [fɛr'ʃraɪbən] v irr 1. (verordnen) MED prescribe; 2. sich ~ make a mistake in writing; 3. sich einer Sache ~ devote o.s. to sth

verschreibungspflichtig [fɛr'ʃraɪbuŋspflɪçtɪç] adj MED available only on prescription

verschrotten [fɛr'ʃrotən] v scrap

verschütten [fɛr'ʃytən] v 1. spill; 2. verschüttet werden to be buried (by an avalanche)

verschwägert [fɛr'ʃvɛːgərt] adj related by marriage

verschweigen [fɛr'ʃvaɪgən] v irr keep secret, conceal

verschwenden [fɛr'ʃvɛndən] v waste

verschwenderisch [fɛr'ʃvɛndərɪʃ] adj 1. wasteful; 2. (üppig) extravagant, lavish

Verschwendung [fɛr'ʃvɛnduŋ] f waste

verschwiegen [fɛr'ʃviːgən] adj secretive, reserved, discreet

Verschwiegenheit [fɛr'ʃviːgənhaɪt] f 1. discretion, secrecy; 2. (eines Ortes) seclusion

verschwinden [fɛr'ʃvɪndən] v irr disappear, vanish, fade

verschwommen [fɛr'ʃvomən] adj blurred, indistinct

verschwören [fɛr'ʃvøːrən] v irr sich ~ form a conspiracy, conspire; sich gegen jdn ~ conspire against s.b.

Verschwörer(in) [fɛr'ʃvøːrər(ɪn)] m/f conspirator

Verschwörung [fɛr'ʃvøːruŋ] f conspiracy

Versehen [fɛr'zeːən] n 1. (Irrtum) mistake, error; 2. aus ~ inadvertently, by mistake

versehentlich [fɛr'zeːəntlɪç] adv inadvertently, by mistake

versenken [fɛr'zɛŋkən] v 1. (Schiff) sink, submerge; 2. (fig) sich in etw ~ become immersed in sth, become engrossed in sth

versetzen [fɛr'zɛtsən] v 1. (Beamter) transfer; 2. (Schüler) promote; 3. sich in jds Lage ~ put o.s. in s.o's place; 4. (verpfänden) pawn, pledge; 5. jdn ~ (fig: nicht erscheinen) stand s.o. up; 6. jdn in Angst ~ strike fear into s.b.

verseuchen [fɛr'zɔyçən] v contaminate, pollute, infect

Verseuchung [fɛr'zɔyçuŋ] f contamination

versichern [fɛr'zɪçərn] v 1. (bestätigen) assure; 2. (beteuern) affirm; 3. (Versicherung abschließen) assure (UK), insure

Versicherung [fɛr'zɪçəruŋ] f 1. (Bestätigung) assurance; 2. (Eigentumsversicherung) insurance; 3. (Lebensversicherung) assurance, life insurance (US)

versickern [fɛr'zɪkərn] v 1. ooze away, seep away; 2. (Interesse) peter out

versiegeln [fɛr'ziːgəln] v seal

versiert [vɛr'ziːrt] adj versed

versilbern [fɛrˈzɪlbərn] v 1. paint silver; 2. *(mit Silber überziehen)* silver-plate; 3. *(fam: verkaufen)* convert to cash

versinken [fɛrˈzɪŋkən] v irr sink, become submerged

versinnbildlichen [fɛrˈzɪnbɪltlɪçən] v symbolize, illustrate, allegorize, typify

Version [vɛrˈzjoːn] f version

versklaven [fɛrˈsklaːvən] v enslave

versöhnen [fɛrˈzøːnən] v reconcile

versöhnlich [fɛrˈzøːnlɪç] adj 1. forgiving, conciliatory, placable; adv 2. forgivingly, in a conciliatory way

Versöhnung [fɛrˈzøːnuŋ] f reconciliation

versorgen [fɛrˈzɔrgən] v 1. *(unterhalten)* maintain, take care of, provide for; 2. *(beschaffen)* provide, supply; 3. *(pflegen)* care for

Versorgung [fɛrˈzɔrguŋ] f 1. *(Unterhalt)* maintenance, support; 2. *(Beschaffung)* provision, supply; 3. *(Pflege)* care

verspäten [fɛrˈʃpɛːtən] v 1. sich ~ to be late; 2. sich ~ *(aufgehalten werden)* to be delayed

verspotten [fɛrˈʃpɔtən] v mock, scoff at, deride

versprechen [fɛrˈʃprɛçən] v irr 1. promise; 2. sich ~ *(beim Reden)* stumble over a word; 3. sich ~ *(etwas Nicht-Gemeintes sagen)* make a slip of the tongue

Versprechen [fɛrˈʃprɛçən] n promise

Versprecher [fɛrˈʃprɛçər] m slip of the tongue

verspüren [fɛrˈʃpyːrən] v feel, experience

Verstand [fɛrˈʃtant] m 1. *(Vernunft)* reason; den ~ verlieren lose one's mind, go mad; jdm den ~ rauben drive s.o. crazy; Da fehlt einem doch der ~. That's beyond me. 2. *(Geist)* mind, intellect; 3. *(Urteilskraft)* judgement, judgment (US)

verständigen [fɛrˈʃtɛndɪgən] v inform, notify, advise; Ich habe ihn verständigt. I let him know.

Verständigung [fɛrˈʃtɛndɪguŋ] f 1. notification; 2. *(Einigung)* agreement

verständlich [fɛrˈʃtɛntlɪç] adj understandable, intelligible, clear; sich ~ machen make o.s. understood

Verständnis [fɛrˈʃtɛntnɪs] n 1. understanding; 2. *(Mitgefühl)* sympathy; 3. *(Würdigung)* appreciation

verständnislos [fɛrˈʃtɛntnɪsloːs] adj 1. uncomprehending; 2. *(nicht würdigend)* unappreciative; 3. *(nicht mitfühlend)* unsympathetic

verständnisvoll [fɛrˈʃtɛntnɪsfɔl] adj understanding, sympathetic, appreciative

verstärken [fɛrˈʃtɛrkən] v 1. strengthen, fortify; 2. *(fig)* augment, amplify, intensify

Verstärker [fɛrˈʃtɛrkər] m TECH amplifier

Verstärkung [fɛrˈʃtɛrkuŋ] f 1. strengthening; pl 2. ~en reinforcements

verstauchen [fɛrˈʃtauxən] v sprain

verstauen [fɛrˈʃtauən] v stow away, tuck away, pack away

Versteck [fɛrˈʃtɛk] n hiding place, hideout; ~ spielen play hide-and-seek

verstecken [fɛrˈʃtɛkən] v irr hide, conceal; sich neben jdm ~ müssen to be no match for s.o. sich vor jdm nicht zu ~ brauchen to be a match for s.o.

verstehen [fɛrˈʃteːən] v irr understand

versteifen [fɛrˈʃtaifən] v 1. sich ~ harden, stiffen; 2. sich ~ auf insist on

Versteigerung [fɛrˈʃtaigəruŋ] f auction, public sale

verstellen [fɛrˈʃtɛlən] v 1. move, shift, adjust; 2. *(regulieren)* regulate, adjust; 3. *(fig)* sich ~ pretend, feign

versteuern [fɛrˈʃtɔyərn] v pay tax on

verstimmt [fɛrˈʃtɪmt] adj 1. *(fig)* annoyed, cross, disgruntled; 2. MUS out of tune

Verstimmung [fɛrˈʃtɪmuŋ] f ill-will, resentment, disgruntlement

Verstorbene(r) [fɛrˈʃtɔrbənə(r)] m/f deceased

verstört [fɛrˈʃtøːrt] adj disturbed, distracted, distraught

Verstoß [fɛrˈʃtoːs] m offence, breach, infringement

verstoßen [fɛrˈʃtoːsən] v irr 1. *(verjagen)* cast off, disown; 2. gegen etw ~ infringe upon sth, violate sth

verstreuen [fɛrˈʃtrɔyən] v 1. scatter, spread; 2. *(fig)* scatter, disperse

Versuch [fɛrˈzuːx] m 1. attempt, try, effort; 2. *(Experiment)* experiment

versuchen [fɛrˈzuːxən] v 1. try, attempt; 2. *(kosten)* taste

Versuchskaninchen [fɛrˈzuːxskaniːnçən] n *(fig)* guinea pig

versüßen [fɛrˈzyːsən] v sweeten (fig)

Vertäfelung [fɛrˈtɛːfəluŋ] f wainscoting, panelling

vertagen [fɛrˈtaːgən] v adjourn

vertauschen [fɛrˈtauʃən] v 1. exchange, swap; 2. *(verwechseln)* mistake for

verteidigen [fɛrˈtaidɪgən] v defend

Verteidigung [fɛr'taɪdɪɡʊŋ] f defence, defense *(US)*
Verteidigungsminister(in) [fɛr'taɪdiːɡʊŋsmɪnɪstər(ɪn)] m/f POL Minister of Defence, Secretary of Defense *(US)*
verteilen [fɛr'taɪlən] v 1. *(austeilen)* distribute, hand out, pass out; 2. *(aufteilen)* allot, allocate
Verteiler [fɛr'taɪlər] m distributor
vertiefen [fɛr'tiːfən] v deepen
vertikal [vɛrti'kaːl] adj 1. vertical; adv 2. vertically
Vertrag [fɛr'traːk] m 1. ECO contract; 2. POL treaty
Verträglichkeit [fɛr'trɛːklɪçkaɪt] f 1. *(Umgänglichkeit)* goodnaturedness, compatibility; 2. *(Bekömmlichkeit)* digestibility
vertrauen [fɛr'trauən] v trust, rely on, have confidence in
Vertrauen [fɛr'trauən] n trust, confidence; jdn ins ~ ziehen confide in s.o. ~ erweckend inspiring confidence
vertrauenswürdig [fɛr'trauənsvyrdɪç] adj trustworthy
vertraulich [fɛr'traulɪç] adj 1. confidential; adv 2. in confidence, confidentially
Vertraulichkeit [fɛr'traulɪçkaɪt] f 1. confidentiality; 2. ~en *(Zudringlichkeit)* familiarity
vertraut [fɛr'traut] adj 1. familiar, intimate; sich mit etw ~ machen familiarize o.s. with sth; 2. *(Freund)* close
Vertrautheit [fɛr'trauthaɪt] f intimacy, familiarity
vertreiben [fɛr'traɪbən] v irr 1. *(verjagen)* drive away, chase away; 2. *(Zeit)* pass; 3. *(verkaufen)* ECO sell, market
Vertreibung [fɛr'traɪbʊŋ] f expulsion
vertreten [fɛr'treːtən] v irr 1. represent, act on behalf of; 2. *(ersetzen)* substitute for, replace, act for; 3. sich die Füße ~ stretch one's legs
Vertreter(in) [fɛr'treːtər(ɪn)] m/f 1. *(Repräsentant(in))* representative, delegate; 2. *(Stellvertreter(in))* deputy, proxy
Vertretung [fɛr'treːtʊŋ] f 1. *(Repräsentanz)* agency, representation; 2. *(Stellvertretung)* replacement; 3. *(Vertreten)* representation
Vertrieb [fɛr'triːp] m ECO marketing, sale, distribution
verunglücken [fɛr'ʊnɡlykən] v have an accident, meet with an accident
verunreinigen [fɛr'ʊnraɪnɪɡən] v 1. soil; 2. *(Luft, Wasser)* contaminate, pollute
verunsichern [fɛr'ʊnzɪçərn] v jdn ~ make s.o. unsure, rattle s.o. (fam), disconcert s.o.

verunstalten [fɛr'ʊnʃtaltən] v disfigure, deface, deform
veruntreuen [fɛr'ʊntrɔyən] v embezzle, misappropriate
Veruntreuung [fɛr'ʊntrɔyʊŋ] f embezzlement, misappropriation
verursachen [fɛr'uːrzaxən] v cause
Verursacher [fɛr'uːrzaxər] m causer
verurteilen [fɛr'ʊrtaɪlən] v condemn, *(für schuldig befinden)* convict, *(zu Strafe)* sentence
Verurteilung [fɛr'ʊrtaɪlʊŋ] f condemnation, conviction, sentencing
vervielfältigen [fɛr'fiːlfɛltɪɡən] v 1. multiply; 2. *(nachbilden)* reproduce, duplicate
vervollkommnen [fɛr'fɔlkɔmnən] v perfect, carry to perfection, improve upon
vervollständigen [fɛr'fɔlʃtɛndɪɡən] v complete
verwählen [fɛr'vɛːlən] v sich ~ dial the wrong number
verwahren [fɛr'vaːrən] v take care of, preserve
verwahrlost [fɛr'vaːrloːst] adj 1. neglected, uncared-for; 2. *(äußeres)* unkempt
Verwahrlosung [fɛr'vaːrloːzʊŋ] f neglect
Verwahrung [fɛr'vaːrʊŋ] f 1. keeping, guard; etw in ~ nehmen accept sth for safekeeping; 2. *(Obhut)* custody; 3. *(Erhaltung)* preservation
verwaist [fɛr'vaɪst] adj orphaned
verwalten [fɛr'valtən] v administer, manage
Verwalter(in) [fɛr'valtər(ɪn)] m/f administrator, manager
Verwaltung [fɛr'valtʊŋ] f administration, management
verwandt [fɛr'vant] adj related
Verwandte(r) [fɛr'vantə(r)] m/f relative
Verwandtschaft [fɛr'vantʃaft] f 1. relationship; 2. *(die Verwandten)* relatives pl, relations pl
verwarnen [fɛr'varnən] v warn, reprimand, caution
Verwarnung [fɛr'varnʊŋ] f warning, admonition, reprimand
verwechseln [fɛr'vɛksəln] v mistake, mix up, confuse; jdn mit jdm ~ confuse s.o. with s.o. jdm zum Verwechseln ähnlich sein to be the spitting image of s.o.
Verwechslung [fɛr'vɛkslʊŋ] f confusion, mistake
verwegen [fɛr'veːɡən] adj adventurous, risky, daring
verwehren [fɛr'veːrən] v jdm etw ~ prevent s.o. from doing sth

verweigern [fɛr'vaɪgərn] *v* refuse, deny, disobey

verweilen [fɛr'vaɪlən] *v* stay, linger

Verweis [fɛr'vaɪs] *m* 2. *(Hinweis)* reference; 1. *(Rüge)* reproof, reprimand, rebuke

verwelken [fɛr'vɛlkən] *v* wither, wilt

verwenden [fɛr'vɛndən] *v irr* use, utilize, employ; *wieder ~* reuse

verwerflich [fɛr'vɛrflɪç] *adj* reprehensible

verwerten [fɛr'vertən] *v* 1. *(benutzen)* make use of, utilize; 2. *(wieder ~)* reprocess, recycle; 3. *(auswerten)* exploit

Verwicklung [fɛr'vɪklʊŋ] *f (fig)* involvement

verwirklichen [fɛr'vɪrklɪçən] *v* realize, put into effect, make come true

Verwirklichung [fɛr'vɪrklɪçʊŋ] *f* realization

verwirren [fɛr'vɪrən] *v* 1. entangle; 2. *(fig)* confuse, bewilder, perplex

verwirrt [fɛr'vɪrt] *adj* confused, puzzled, disconcerted

Verwirrung [fɛr'vɪrʊŋ] *f* 1. *(fig)* confusion, bewilderment, disarray; 2. entanglement

verwitwet [fɛr'vɪtvət] *adj* widowed

verwöhnen [fɛr'vøːnən] *v* spoil, pamper

verwundbar [fɛr'vʊntbaːr] *adj* vulnerable

verwunden [fɛr'vʊndən] *v* wound, injure, hurt

verwundern [fɛr'vʊndərn] *v* amaze, astonish

verwüsten [fɛr'vyːstən] *v* devastate, wreck, ravage

verzagen [fɛr'tsaːgən] *v* lose heart, despair

Verzehr [fɛr'tseːr] *m* consumption

verzehren [fɛr'tseːrən] *v* 1. *(essen)* consume, eat; 2. *(aufbrauchen)* absorb, sap; 3. *(fig)* *sich ~* eat one's heart out, languish; *sich ~ nach* pine for

verzeichnen [fɛr'tsaɪçnən] *v* register, record, list

Verzeichnis [fɛr'tsaɪçnɪs] *n* list, register, catalogue

verzeihen [fɛr'tsaɪən] *v irr* pardon, forgive

Verzeihung [fɛr'tsaɪʊŋ] *f* 1. pardon, forgiveness; *interj* 2. sorry, excuse me

verzerren [fɛr'tsɛrən] *v* 1. distort; 2. *sich etw ~* pull sth, strain sth; 3. *sich ~* become distorted

Verzicht [fɛr'tsɪçt] *m* renunciation, relinquishment

verzichten [fɛr'tsɪçtən] *v* 1. *auf etw ~ (ohne etw auskommen)* do without sth, forego sth; 2. *auf etw ~ (etw aufgeben)* give up sth

verzieren [fɛr'tsiːrən] *v* 1. decorate, adorn; 2. *(durch Besatz)* trim

Verzierung [fɛr'tsiːrʊŋ] *f* decoration, adornment

verzinsen [fɛr'tsɪnzən] *v ECO* pay interest on

verzögern [fɛr'tsøːgərn] *v* delay, *(verlangsamen)* slow down

Verzögerung [fɛr'tsøːgərʊŋ] *f* 1. delay; 2. *PHYS* deceleration

verzollen [fɛr'tsɔlən] *v* pay duty on, declare

verzweifeln [fɛr'tsvaɪfəln] *v* despair

verzweifelt [fɛr'tsvaɪfəlt] *adj* 1. desperate, despairing; *adv* 2. in a desperate way, desperately

Verzweiflung [fɛr'tsvaɪflʊŋ] *f* despair, desperation; *zur ~ bringen* drive to despair

Veto ['veːto] *n POL* veto

Vetter ['fɛtər] *m* cousin

Vetternwirtschaft ['fɛtərnvɪrtʃaft] *f* nepotism

Vibration [vibra'tsjoːn] *f* vibration

vibrieren [vi'briːrən] *v* vibrate

Vieh [fiː] *n* cattle, livestock

viel(e) ['fiːl(ə)] *adj* 1. much, many, plenty of; *~ verspricht* very busy; *adv* 2. much, a lot, a great deal; *so ~* so much, as much; *doppelt so ~* twice as much; *so ~ wie* as much as; *pron* 3. many

vieldeutig [fiːldɔʏtɪç] *adj* ambiguous

Vieldeutigkeit ['fiːldɔʏtɪçkaɪt] *f* ambiguity

Vielfalt ['fiːlfalt] *f* variety, diversity

vielfältig ['fiːlfɛltɪç] *adj* manifold, varied, diverse

vielleicht [fiˈlaɪçt] *adv* 1. perhaps, maybe, possibly; 2. *(verstärkend)*

vielmals ['fiːlmaːls] *adv* many times, often; *Ich danke Ihnen ~.* Thank you very much.

vielmehr ['fiːlmeːr] *adv* rather

vielseitig ['fiːlzaɪtɪç] *adj* 1. many-sided, varied; 2. *(Mensch, Verwendung)* versatile

Vielseitigkeit ['fiːlzaɪtɪçkaɪt] *f* versatility

Vielzahl ['fiːltsaːl] *f* multitude

Viereck ['fiːrɛk] *n* 1. quadrilateral; 2. *(Rechteck)* rectangle

Viertel ['fɪrtəl] *n* 2. *(Stadtteil)* quarter, district, part of town; 1. *MATH* quarter

Vikar [vi'kaːr] *m* curate

Villa ['vɪla] *f* villa

violett [vio'lɛt] *adj* violet, purple

Violine [vio'liːnə] *f MUS* violin

virtuelle Realität [vɪrtu'ɛlə reali'tɛːt] *f INFORM* virtual reality

Virus ['vi:rus] *m/n 1. MED* virus; *m 2. INFORM* virus

Vision [vi'zjo:n] *f* vision

Visitenkarte [vi'zi:tənkartə] *f* visiting card *(UK)*, business card

visuell [vizu'ɛl] *adj* visual

Visum ['vi:zum] *n* visa

Vitalität [vitali'tɛ:t] *f* vitality, vigour

Vitamin [vita'mi:n] *n* vitamin

Vizepräsident ['fi:tsəprɛzɪdɛnt] *m* vice-president

Vogel ['fo:gəl] *m ZOOL* bird; *Das schießt den ~ ab.* That takes the biscuit! *einen ~ haben* to be not quite right in the head, to be round the bend; *jdm den ~ zeigen* tap one's forehead

Vogelscheuche ['fo:gəlʃɔyçə] *f* scarecrow

Vokabular [voka:bu'la:r] *n* vocabulary

Vokal [vo'ka:l] *m* vowel

Volk [fɔlk] *n 1.* people, nation; *2. (Rasse)* race; *fahrendes ~* gypsies *(fig)*

Völkerkunde ['fœlkərkundə] *f* ethnology

Völkermord ['fœlkərmɔrt] *m* genocide

volkstümlich ['fɔlksty:mlɪç] *adj 1.* national; *2. (beliebt)* popular

Volkswirtschaft ['fɔlksvɪrtʃaft] *f* national economy, political economy

voll [fɔl] *adj 1.* full; *jdn nicht für ~ nehmen* not take s.o. seriously; *aus dem Vollen schöpfen* draw on plenty of resources; *in die Vollen gehen* go all out; *~ schreiben* fill; *jede ~e Stunde* every hour on the hour; *2. (Erfolg)* complete; *3. jdn nicht für ~ nehmen* not take s.o. seriously; *adv 4.* fully, totally; *~ gestopft* packed, jammed

Vollblut ['fɔlblu:t] *n ZOOL* thoroughbred

vollbringen [fɔl'brɪŋən] *v irr* accomplish, achieve

vollenden [fɔl'ɛndən] *v* finish, complete, *(Leben)* bring to an end

Vollendung [fɔl'ɛnduŋ] *f 1.* completion; *2. (Vollkommenheit)* perfection

völlig ['fœlɪç] *adj 1.* complete, entire, full; *adv 2.* completely, absolutely, entirely

volljährig ['fɔljɛ:rɪç] *adj* of age, major

Volljährigkeit ['fɔljɛ:rɪçkaɪt] *f* full age, majority *(UK)*

vollkommen [fɔl'kɔmən] *adj 1.* perfect; *2. (vollständig)* complete, absolute; *adv 3.* completely

Vollkommenheit [fɔl'kɔmənhaɪt] *f* perfection, completeness

Vollmacht ['fɔlmaxt] *f 1.* authority; *2. JUR* power of attorney; *jdm eine ~ erteilen* give s.o. power of attorney

vollständig ['fɔlʃtɛndɪç] *adj 1.* complete; *2. (ganz)* entire, total; *adv 3.* entirely, quite, wholly

vollstrecken [fɔl'ʃtrɛkən] *v JUR* execute, enforce

Vollstrecker [fɔl'ʃtrɛkər] *m 1. JUR* executor; *2. (fam)* enforcer

Vollstreckung [fɔl'ʃtrɛkuŋ] *f JUR* execution, enforcement

Volltreffer ['fɔltrɛfər] *m* direct hit, bull's eye

Vollversammlung ['fɔlfɛrzamluŋ] *f* plenary meeting, general meeting

Vollwaise ['fɔlvaɪzə] *f* orphan

vollzählig ['fɔltsɛ:lɪç] *adj 1.* complete, full; *adv 2.* in full force, in full strength

vollziehen [fɔl'tsi:ən] *v irr* execute, carry out, enforce

Volontär(in) [volɔn'tɛ:r(ɪn)] *m/f* intern, trainee

Volontariat [volɔntari'a:t] *n* internship, post as a trainee

Volt [vɔlt] *n* volt

Volumen [vo'lu:mən] *n* volume, bulk

voluminös [volumi'nø:s] *adj* voluminous, copious

von [fɔn] *prep 1. (örtlich)* from; *nördlich ~ Berlin* north of Berlin; *2. (zeitlich)* from; *~ jeher* all along; *3. (Herkunft)* from; *4. (Thema)* about; *5. (Teil)* of; *ein Freund ~ mir* a friend of mine; *~ mir aus* for all I care; *6. (Urheberschaft ausgedrückt)* by

vor [fo:r] *prep 1. (örtlich)* in front of, before; *~ der Tür* outside the door; *2. (zeitlich)* before, prior to, previous to; *nach wie ~* still; *3. (kausal)* because of, through, on account of; *~ allen Dingen* above all; *~ Freude* with joy; *4. (gegenüber)* opposite; *etw ~ sich haben (fig)* face sth; *5. (Zeitpunkt in der Vergangenheit)* ago; *~ vier Jahren* four years ago

Vorahnung ['fo:ra:nuŋ] *f* premonition

vorankommen [fo:rankɔmən] *v* progress

Vorankündigung ['fo:rankyndɪguŋ] *f* initial announcement, preliminary announcement

voranmelden ['fo:ranmɛldən] *v 1.* give advance notice of; *2. sich ~* register in advance

voraus [for'aus] *adv 1. (örtlich)* in front, ahead; ['foraus] *2. im Voraus* in advance, beforehand

Voraussage [fo'rausza:gə] *f* prediction, forecast

voraussagen [for'ausza:gən] *v* predict, forecast, prophesy

voraussehen [for'ausze:ən] *v irr* foresee, anticipate, see coming; *etw* ~ see sth coming
voraussetzen [for'auszɛtsən] *v 1.* assume, presume, take for granted; *2. (erfordern)* require
voraussichtlich [for'auszɪçtlɪç] *adj 1.* probable; *adv 2.* probably, presumably; *Er wird ~ gewinnen.* It looks like he will win.
Vorauszahlung [for'austsa:luŋ] *f* prepayment, payment in advance, advance payment
Vorbehalt ['fo:rbəhalt] *m* reservation; *unter dem ~, dass* provided that
vorbei [for'bai] *adv 1. (örtlich)* past, by; *2. (zeitlich)* past, over, finished
vorbeischauen [for'baiʃauən] *v* drop by, drop in
vorbelastet ['fo:rbəlastət] *adj* handicapped, at a disadvantage
vorbereiten ['fo:rbəraitən] *v* prepare; *sich auf etw* ~ prepare for sth
vorbestimmt ['fo:rbəʃtɪmt] *adj* predetermined, predestined
vorbestraft ['fo:rbəʃtra:ft] *adj JUR* previously convicted
Vorbestrafte(r) ['fo:rbəʃtra:ftə(r)] *m/f* JUR previously convicted person
vorbeugen ['fo:rbɔygən] *v 1.* prevent, preclude; *2. sich* ~ bend forward, lean forward
vorbeugend ['fo:rbɔygənt] *adj* preventive
Vorbeugung ['fo:rbɔyguŋ] *f* prevention
Vorbild ['fo:rbɪlt] *n* model, example
vorbildlich ['fo:rbɪltlɪç] *adj 1.* exemplary; *adv 2.* in an exemplary manner
Vorbildlichkeit ['fo:rbɪltlɪçkait] *f* exemplariness
Vorbote ['fo:rbo:tə] *m 1.* herald; *2. (fig)* herald, forerunner
vordere(r,s) ['fordərə(r,s)] *adj* front, fore, forward
Vordergrund ['fordərgrunt] *m 1.* foreground; *etw in den* ~ *stellen* give sth prominence; *jdn in den* ~ *spielen* play up s.o. *2. (fig) in den* ~ *treten* come to the fore; *im* ~ *stehen* to be in the spotlight
vordergründig ['fordərgryndɪç] *adj 1.* obvious; *2. (oberflächlich)* superficial
Vordermann ['fordərman] *m 1.* person in front of one; *etw auf* ~ *bringen* get sth shipshape; *jdn auf* ~ *bringen* make s.o. toe the line
voreilig ['fo:railɪç] *adj* hasty, rash
voreingenommen ['fo:raingənɔmən] *adj 1.* prejudiced, biassed; *adv 2.* in a biassed way
Voreingenommenheit ['fo:raingənɔmənhait] *f* bias, prejudice

vorenthalten ['fo:rɛnthaltən] *v irr* withhold, hold back
Vorenthaltung ['fo:rɛnthaltuŋ] *f* withholding
Vorfahr ['fo:rfa:r] *m* ancestor
Vorfahrt ['fo:rfa:rt] *f* right-of-way
Vorfall ['fo:rfal] *m* event, occurrence, incident
vorfallen ['fo:rfalən] *v irr 1. (fallen)* fall forward; *2. (geschehen)* happen, occur
Vorfreude ['fo:rfrɔydə] *f* anticipation, anticipated joy
vorführen ['fo:rfy:rən] *v 1. (präsentieren)* perform, produce, present; *2. (Angeklagten)* produce, bring forward; *3. (Film)* show
Vorführung ['fo:rfy:ruŋ] *f 1. (Präsentation)* display, demonstration, presentation; *2. (eines Angeklagten)* production; *3. (Film)* showing
Vorgang ['fo:rgaŋ] *m 1. (Geschehen)* occurrence, event; *2. (technischer ~)* process, procedure; *3. (Akte)* file, record
Vorgänger(in) ['fo:rgɛŋər(ɪn)] *m/f* predecessor
vorgeben ['fo:rge:bən] *v 1. (anweisen)* instruct; *2. (fig: fälschlich behaupten)* pretend
vorgeblich ['fo:rge:plɪç] *adj* alleged, ostensible
vorgehen ['fo:rge:ən] *v irr 1. (handeln)* proceed; *2. (geschehen)* go on, happen; *Was geht hier vor?* What's going on here? *3. (vorausgehen)* precede; *4. (wichtiger sein)* have priority, take precedence; *5. (Uhr)* to be fast
Vorgehensweise ['fo:rge:ənsvaizə] *f 1.* way of acting; *2. (Verhalten)* conduct, behaviour; *3. (Methoden)* methods *pl*
Vorgesetzte(r) ['fo:rgəzɛtstə(r)] *m/f* superior
vorgreifen ['fo:rgraifən] *v irr einer Sache* ~ anticipate sth
vorhaben ['fo:rha:bən] *v irr* intend, have in mind, have planned
Vorhaben ['fo:rha:bən] *n* intention, design
Vorhalle ['fo:rhalə] *f* entrance hall, vestibule, foyer
Vorhang ['fo:rhaŋ] *m* curtain
vorher ['fo:rhe:r] *adv 1.* before, previously; *2. (voraus)* beforehand
vorherig ['fo:rhe:rɪç] *adj* previous
Vorherrschaft ['fo:rhɛrʃaft] *f* supremacy; *(Hegemonie)* hegemony
vorherrschen ['fo:rhɛrʃən] *v* prevail
vorherrschend ['fo:rhɛrʃənt] *adj* predominant, prevalent
Vorhersage [fo:r'he:rza:gə] *f* forecast, prediction

vorhersagen [foːrˈheːrzaːgən] v predict, forecast

vorhersehen [foːrˈheːrzeːən] v irr foresee

Vorhut ['foːrhuːt] f MIL advance party, advance force

vorig ['foːrɪç] adj 1. (vergangen) last; 2. (vorhergegangen) former, preceding, previous

Vorkämpfer ['foːrkɛmpfər] m champion, pioneer

Vorkehrung ['foːrkeːruŋ] f preventive measure, precaution, provision

vorkommen ['foːrkɔmən] v irr 1. (erscheinen) seem, appear; 2. (geschehen) happen, take place, occur; 3. (vorhanden sein) to be found, to be common

Vorkommen ['foːrkɔmən] n (Vorhandensein) presence

Vorkommnis ['foːrkɔmnɪs] n event, occurrence, incident

vorladen ['foːrlaːdən] v irr JUR summon, cite, serve a summons on

Vorladung ['foːrlaːduŋ] f JUR summons

vorläufig ['foːrlɔyfɪç] adj 1. temporary, provisional; adv 2. for the time being, temporarily

Vorläufigkeit ['foːrlɔyfɪçkaɪt] f temporariness, tentativeness, provisional nature

vorlesen ['foːrleːzən] v irr read aloud

Vorlesung ['foːrleːzuŋ] f lecture

Vorliebe ['foːrliːbə] f preference, partiality, liking

vorliegen ['foːrliːgən] v irr to be available, to be present; etw liegt jdm vor s.o. has sth

vorliegend ['foːrliːgənt] adj present, in question, in hand

vormachen ['foːrmaxən] v (fig) pretend

Vormachtstellung ['foːrmaxtʃtɛluŋ] f supremacy

vormerken ['foːrmɛrkən] v note, make a note of, mark down

Vormerkung ['foːrmɛrkuŋ] f order, advance order

Vormittag ['foːrmɪtaːk] m morning

Vormund ['foːrmunt] m guardian

Vormundschaft ['foːrmuntʃaft] f guardianship

vorn(e) [fɔrn(ə)] adv in front; von ~ bis hinten from start to finish; von ~ (von neuem) from the beginning

Vorname ['foːrnaːmə] m first name, Christian name

vornehm ['foːrneːm] adj high-class, posh, stylish, elegant; ~ tun put on airs

Vorort ['foːrɔrt] m suburb

Vorrang ['foːrraŋ] m priority, precedence

vorrangig ['foːrraŋɪç] adj 1. having priority; adv 2. etw ~ behandeln give priority to sth

Vorrat ['foːrraːt] m store, stock, supply

vorrätig ['foːrrɛːtɪç] adj in stock, on hand, available

Vorrecht ['foːrrɛçt] n privilege, preferential right, prerogative

vorsagen ['foːrzaːgən] v jdm etw ~ recite sth to s.o. jdm die Antwort ~ tell s.o. the answer

vorsätzlich ['foːrzɛtslɪç] adj 1. deliberate, intentional; adv 2. deliberately, intentionally

Vorsätzlichkeit ['foːrzɛtslɪçkaɪt] f deliberateness, premeditation, aforethought

Vorschau ['foːrʃau] f preview

Vorschein ['foːrʃaɪn] m zum ~ kommen come to light, turn up, appear

Vorschlag ['foːrʃlaːk] m suggestion, proposal

vorschlagen ['foːrʃlaːgən] v irr propose, suggest

vorschreiben ['foːrʃraɪbən] v irr (fig) prescribe, order, direct; jdm etw ~ dictate sth to s.o.

Vorschrift ['foːrʃrɪft] f 1. regulation, rule; 2. (Anweisung) instruction

vorschriftsmäßig ['foːrʃrɪftsmɛːsɪç] adj 1. regulation, correct, proper; adv 2. in due form, according to regulations, as prescribed

Vorschule ['foːrʃuːlə] f 1. preparatory school; 2. (kindergartenähnliche Schule) nursery school

vorsehen ['foːrzeːən] v irr 1. provide for, make provisions for; 2. sich ~ take care, to be careful, watch out

Vorsehung ['foːrzeːuŋ] f REL providence

Vorsicht ['foːrzɪçt] f care, caution; ~! Careful! „~ Stufe!" "Mind the step!"

vorsichtig ['foːrzɪçtɪç] adj 1. careful, cautious; 2. (wachsam) wary; 3. (überlegt) prudent, (Äußerung) guarded, wary

Vorsichtigkeit ['foːrzɪçtɪçkaɪt] f caution

vorsichtshalber ['foːrzɪçtshalbər] adv to be on the safe side, by way of precaution

Vorsilbe ['foːrzɪlbə] f GRAMM prefix

Vorsitz ['foːrzɪts] m chair, chairmanship, presidency

Vorsitzende(r) ['foːrzɪtsəndə(r)] m/f chairman/chairwoman, president

Vorsorge ['foːrzɔrgə] f provision for the future, precaution

vorsorgen ['foːrzɔrgən] v take precautions, provide for

vorsorglich ['foːrzɔrklɪç] adj 1. precautionary; adv 2. as a precaution

Vorspeise ['fo:rʃpaizə] *f GAST* appetizer, starter

Vorsprung ['fo:rʃpruŋ] *m* 1. *(Felsvorsprung)* ledge; 2. *(Hausvorsprung)* projection, overhang; 3. *(fig)* lead, advantage, start

Vorstand ['fo:rʃtant] *m* 1. board, board of directors, management board; 2. *(~smitglied)* member of the board, director; *(erster ~)* managing director

vorstehen ['fo:rʃte:ən] *v irr* 1. *(vorspringen)* jut out, project, stick out; 2. *(leiten)* to be in charge of, manage

vorstellen ['fo:rʃtelən] *v* 1. *(fig)* sich ~ introduce o.s., present o.s. 2. *(fig: sich etw ~)* imagine, conceive; *Stell dir mal vor!* Fancy that! Imagine that!

Vorstellung ['fo:rʃteluŋ] *f* 1. *(Bekanntmachen)* introduction, presentation; 2. *(Gedanke)* idea, fancy; 3. *(Darbietung)* performance

Vorstrafe ['fo:rʃtra:fə] *f JUR* previous conviction, criminal record

vortäuschen ['fo:rtɔyʃən] *v* pretend, feign, simulate

Vorteil ['fo:rtail] *m* 1. advantage; *jdm einen ~ geben* give s.o. an advantage; *sich zu jds ~ erweisen* prove to s.o.'s advantage; *einen ~ ziehen aus* take advantage of

vorteilhaft ['fo:rtailhaft] *adj* advantageous, profitable, lucrative

Vortrag ['fo:rtra:k] *m* 1. *(Vorlesung)* lecture; 2. *(Bericht)* talk; 3. *(Darbietung)* performance; 4. *(eines Gedichtes)* recitation

vortragen ['fo:rtra:gən] *v (fig)* perform, recite, deliver

Vortritt ['fo:rtrit] *m* precedence, priority; *jdm den ~ lassen* let s.o. go first

vorüber [fo:ry:bər] *adv* 1. *(örtlich)* by, past; 2. *(zeitlich)* over, gone by, finished

vorübergehen [fo:ry:bərge:ən] *v irr* pass, blow over

vorübergehend [fo:ry:bərge:ənt] *adj* 1. momentary, temporary; *adv* 2. momentarily, temporarily

Vorurteil ['fo:rurtail] *n* prejudice, bias

Vorwahl ['fo:rva:l] *f* 1. *TEL* dialling code, area code *(US)*; 2. *POL* preliminary election, primary election *(US)*

Vorwand ['fo:rvant] *m* pretext, pretence, excuse

vorwarnen ['fo:rvarnən] *v* warn

Vorwarnung ['fo:rvarnuŋ] *f* advance warning, early warning

vorwärts ['fɔrvɛrts] *adv* forward, onward, on; *~ bringen* advance; *~ gehen* go forward,

progress, make progress; *~ kommen* make headway, make progress; *im Leben/Beruf ~ kommen* get on in life/one's job

Vorwäsche ['fo:rvɛʃə] *f* prewash

Vorwegnahme [fo:r'vɛkna:mə] *f* anticipation

vorwegnehmen [for'vɛkne:mən] *v irr* anticipate

Vorwehen ['fo:rve:ən] *pl MED* false pains, premonitory pains

vorweihnachtlich ['fo:rvainaxtliç] *adj* pre-Christmas

vorweisen ['fo:rvaizən] *v irr* show, produce, exhibit

vorwerfen ['fo:rvɛrfən] *v irr* 1. *jdm etw ~ (beschuldigen)* accuse s.o. of sth; 2. *(tadeln)* reproach s.o. for sth

vorwiegend ['fo:rvi:gənt] *adv* for the most part, predominantly

Vorwort ['fo:rvɔrt] *n* preface

Vorwurf ['fo:rvurf] *m* reproach, accusation, allegation; *jdm einen ~ machen für etw* reproach s.o. for sth

vorwurfsvoll ['fo:rvurfsfɔl] *adj* reproachful, upbraiding

Vorzeichen ['fo:rtsaiçən] *n* 1. sign; *mit umgekehrten ~* the other way round; 2. *MED* symptom

vorzeigen ['fo:rtsaigən] *v* show, produce, present

vorzeitig ['fo:rtsaitiç] *adj* 1. premature, early; 2. *(Sterben)* untimely

vorziehen ['fo:rtsi:ən] *v* 1. pull forward, pull out; 2. *(fig)* prefer

Vorzimmer ['fo:rtsimər] *n* 1. antechamber, anteroom; 2. *(eines Büros)* outer office

Vorzug ['fo:rtsu:k] *m* 1. *(Vorteil)* advantage; 2. *(Vorrang)* preference; *jdm den ~ geben* give s.o. preference; 3. *(gute Eigenschaft)* asset, merit

vorzüglich [fo:r'tsy:kliç] *adj* excellent, superb, exquisite

Vorzüglichkeit [fo:r'tsy:kliçkait] *f* exquisiteness

vorzugsweise ['fo:rtsu:ksvaizə] *adv* as a matter of preference

votieren [vo'ti:rən] *v* vote

Votum ['vo:tum] *n POL* vote

Voyeur [voa'jø:r] *m* voyeur

vulgär [vul'gɛ:r] *adj* vulgar, common

Vulgarität [vulgari'tɛ:t] *f* vulgarity

Vulkan [vul'ka:n] *m GEO* volcano; *ein Tanz auf dem ~ (fig)* skating on thin ice

vulkanisch [vul'ka:niʃ] *adj GEO* volcanic

W

Waage ['va:gə] f 1. scales pl, balance; sich gegenseitig die ~ halten offset each other; 2. (Sternzeichen) Libra

waagerecht ['va:gərɛçt] adj horizontal

wach [vax] adj 1. awake; 2. (rege) alert; v 3. ~ halten keep awake; (fig) keep alive

Wache ['vaxə] f guard, watch, sentry; ~ stehen to be on guard

wachen ['vaxən] v 1. to be awake; 2. (Acht geben auf) watch over

Wachs [vaks] n wax

wachsam ['vaxza:m] adj watchful, vigilant, alert

Wachsamkeit ['vaxza:mkaɪt] f alertness, vigilance, watchfulness

wachsen ['vaksən] v irr 1. grow; 2. (zunehmen) increase, mount; 3. (polieren) wax

Wachstum ['vakstu:m] n 1. growth; m 2. (Zunahme) increase

Wächter ['vɛçtər] m watchman, keeper, guard

Wachtturm ['vaxtturm] m watchtower

Wade ['va:də] f ANAT calf

Waffe ['vafə] f weapon; die ~n strecken surrender; jdn zu den ~n rufen call s.o. to arms

Wagemut ['va:gəmu:t] m daring, boldness, spirit of adventure

wagemutig ['va:gəmu:tɪç] adj bold, daring, adventurous

wagen ['va:gən] v 1. (sich getrauen) dare; 2. (riskieren) risk

Wagen ['va:gən] m 1. (Auto) car; 2. (Pferdewagen) cart, waggon; sich nicht vor jds ~ spannen lassen (fig) not allow o.s. to be used; 3. (Kinderwagen) pram, baby carriage (US)

Wagon [va'gõ] m goods wagon, freight car (US), carriage

Wagnis ['va:knɪs] n venture, risky undertaking, hazard

Wahl [va:l] f 1. (Auswahl) choice; erste ~ top quality; 2. POL election

Wahlbeteiligung ['va:lbətaɪlɪgʊŋ] f POL turnout

wählen ['vɛ:lən] v 1. (auswählen) choose, select; 2. (Nummer ~) dial; 3. (stimmen für) vote for; 4. (durch Wahl ermitteln) elect

Wähler ['vɛ:lər] m voter

wählerisch ['vɛ:lərɪʃ] adj choosy, particular

wahllos ['va:llo:s] adj 1. indiscriminate; adv 2. indiscriminately

wahlweise ['va:lvaɪzə] adv alternatively, optionally

Wahnsinn ['va:nzɪn] m insanity, madness, lunacy; heller ~ sheer madness; Das ist doch ~! That's crazy! That's insane!

wahnsinnig ['va:nzɪnɪç] adj 1. mad, insane, crazy; 2. (fam: furchtbar) extreme, immense, terrible; adv 3. madly; 4. (fam: sehr) terribly, extremely, awfully

Wahnvorstellung ['va:nfo:rʃtɛlʊŋ] f delusion, hallucination

wahr [va:r] adj true; (echt) genuine; Das darf doch nicht ~ sein! I don't believe it!

wahren ['va:rən] v 1. (schützen) guard, watch over, safeguard; 2. (bewahren) maintain

währen ['vɛ:rən] v last

während ['vɛ:rənt] prep 1. during; konj 2. while, whereas

wahrhaftig [va:r'haftɪç] adj 1. truthful; adv 2. truly

Wahrheit ['va:rhaɪt] f truth; mit der ~ herausrücken come out with the truth; in ~ in reality

wahrnehmen ['va:rne:mən] v irr 1. (bemerken) notice, perceive; 2. (nutzen) make use of

Wahrnehmung ['va:rne:mʊŋ] f perception, observation

wahrscheinlich [va:r'ʃaɪnlɪç] adv 1. probably; adj 2. probable, likely

Wahrscheinlichkeit [va:r'ʃaɪnlɪçkaɪt] f probability, likelihood

Währung ['vɛ:rʊŋ] f FIN currency

Waise ['vaɪzə] f orphan

Waisenhaus ['vaɪzənhaus] n orphanage

Wal [va:l] m ZOOL whale

Wald [valt] m wood, forest; den ~ vor lauter Bäumen nicht sehen not be able to see the forest for the trees

Wall [val] m 1. embankment; 2. MIL rampart

Walze ['valtsə] f 1. (Dampfwalze) TECH steamroller; 2. (Blechwalze) TECH plate roll

walzen ['valtsən] v 1. (rollen) roll; 2. (fam: Walzer tanzen) waltz

Walzer ['valtsər] m MUS waltz

Wand [vant] f wall; jdn an die ~ drücken push s.o. into the background; Es ist, als ob man gegen die ~ redet. It's like talking to a brick wall. jdn an die ~ spielen upstage s.o.; in den eigenen vier Wänden in one's own four walls; Da *kann man die Wände hochgehen!* It's enough to drive you up the wall!

Wandel ['vandəl] *m* 1. change; 2. *(Lebenswandel)* way of life; 3. *(Betragenswandel)* behaviour

wandeln ['vandəln] *v* 1. *(ändern)* change; 2. *(gehen)* walk, wander

Wanderer ['vandərər] *m* wanderer, traveller

wandern ['vandərn] *v* wander, stroll, hike

Wanderung ['vandəruŋ] *f* 1. walk, hike; 2. *(von Völkern, von Tieren)* migration

Wandlung ['vandluŋ] *f* 1. change, transformation; 2. REL consecration (mass); 3. JUR cancellation (of a sale)

Wange ['vaŋə] *f* ANAT cheek

Wankelmut ['vaŋkəlmuːt] *m* vacillation, inconsistency, fickleness, volatility

wankelmütig ['vaŋkəlmyːtɪç] *adj* fickle, irresolute

wann [van] *adv* when; *dann und ~* now and then

Wanne ['vanə] *f* tub

Wanze ['vantsə] *f* 1. ZOOL bug; 2. *(Abhörgerät)* bug

wappnen ['vapnən] *v sich ~* arm o.s., prepare o.s.; *sich gegen etw ~* prepare o.s. for sth

Ware ['vaːrə] *f* merchandise, product

Warenhaus ['vaːrənhaus] *n* department store

warm [varm] *adj* warm; *mit jdm ~ werden* break the ice with s.o.; *~ halten* keep warm; *~ laufen* warm up

Wärme ['vermə] *f* warmth, heat

wärmen ['vermən] *v* warm, heat

Warndreieck ['varndraiɛk] *n (eines Autos)* warning triangle

warnen ['varnən] *v* warn, caution

Warnung ['varnuŋ] *f* warning, caution, admonition

warten ['vartən] *v* 1. wait; *~ auf* wait for; 2. *(instandhalten)* TECH maintain, service

Wärter ['vertər] *m* 1. keeper, attendant, watchman; 2. *(Gefängniswärter)* warder (UK), guard

Wartung ['vartuŋ] *f* TECH service, maintenance, servicing

warum [va'rum] *adv* why; *Warum nicht?* Why not?

was [vas] *pron* 1. *(interrogativ)* what; *~ für …?* what sort of …? 2. *(relativ)* which, what; *das, ~* that which; *ich weiß nicht, ~ ich sagen soll* I don't know what to say; 3. *(fam: etwas)* something; *Na so ~!* What do you know! I'll be darned!

Waschbecken ['vaʃbɛkən] *n* sink, wash basin, hand-basin

Wäsche ['vɛʃə] *f* 1. *(Waschen)* wash, washing; 2. *(Gewaschenes)* washing, laundry; *dumm aus der ~ schauen (fam)* look stupid; 3. *(Unterwäsche)* underclothes, underwear

waschen ['vaʃən] *v irr* 1. *(etw ~)* wash; 2. *sich ~* wash o.s., have a wash; *sich gewaschen haben (fam)* make itself felt

Wasser ['vasər] *n* water; *ein Schlag ins ~* a flop; *jdm das ~ abgraben* take the bread from s.o.'s mouth; *ins ~ fallen* fall through; *nahe am ~ gebaut haben* to be a cry-baby; *Sie kann ihm nicht das ~ reichen.* She can't hold a candle to him. *mit allen ~n gewaschen sein* know every trick in the book; *~ abweisend* water-repellent

Wasserfall ['vasərfal] *m* waterfall

Wasserfarbe ['vasərfarbə] *f* ART watercolour

wasserfest ['vasərfɛst] *adj* waterproof

Wasserhahn ['vasərhaːn] *m* tap, water-tap, faucet (US)

Wassermann ['vasərman] *m (Tierkreiszeichen)* Aquarius

Watt [vat] *n* 1. *(Maßeinheit)* PHYS watt; 2. *(Wattenmeer)* GEOL tidal mud-flats

Watte ['vatə] *f* cotton wool

weben ['veːbən] *v irr* weave

Wechsel ['vɛksəl] *m* 1. *(Änderung)* change; 2. *(abwechselnd)* alternation; 3. *(Geldwechsel)* FIN exchange; 4. *(Zahlungsmittel)* FIN promissory note, bill

Wechselgeld ['vɛksəlgɛlt] *n* change

wechselhaft ['vɛksəlhaft] *adj* variable, fickle

Wechseljahre ['vɛksəljaːrə] *pl* MED menopause

wechseln ['vɛksəln] *v* change, exchange, vary

wechselseitig ['vɛksəlzaitɪç] *adj* reciprocal

wecken ['vɛkən] *v* 1. *(aufwecken)* wake (up); 2. *(hervorrufen)* rouse, inspire, stir

Wecker ['vɛkər] *m* alarm clock; *jdm auf den ~ fallen* get on s.o.'s wick, get on s.o.'s nerves

weder ['veːdər] *konj ~ … noch …* neither … nor …

Weg [veːk] *m* 1. path, way, lane; *den ~ des geringsten Widerstandes gehen* take the path of least resistance; *eigene ~e gehen* have it one's own way; *einer Sache den ~ ebnen* pave the way for sth; *jdn aus dem ~ räumen* get rid of s.o.; *jdn auf den rechten ~ führen* put s.o. back on the right track; *jdm etw mit auf den ~ geben* give s.o. sth for the journey; *etw in die ~e leiten* get sth going; 2. *(Strecke)* way; *Geh mir aus dem ~!* Get out of my way! *sich auf den ~ machen* set off; 3. *(fig: Art und Weise)* way, manner, method

Wegbereiter ['veːkbəraɪtɐ] *m* pioneer, precursor, forerunner

wegen ['veːgən] *prep 1.* because of, on account of, owing to; 2. *(fam) Von ~!* My foot! *Von ~! (um etwas zu verbieten)* No chance!

weglaufen ['vɛklaufən] *v irr* run away, run off

weglegen ['vɛkleːgən] *v* put aside

wegnehmen ['vɛkneːmən] *v irr 1.* take away; 2. *(entfernen)* remove

Wegweiser ['veːkvaɪzɐ] *m* road sign

wegwerfen ['vɛkvɛrfən] *v irr* throw away, discard

Wehen ['veːən] *pl MED* labour pains *pl*

wehleidig ['veːlaɪdɪç] *adj (voller Selbstmitleid)* sorry for o.s., self-pitying

Wehmut ['veːmuːt] *f* melancholy, wistfulness; *(über Vergangenes)* nostalgia

wehmütig ['veːmyːtɪç] *adj* melancholy, wistful

Wehr[1] [veːr] *f sich zur ~ setzen* defend o.s.

Wehr[2] [veːr] *n (Staudamm)* dam

Wehrdienst ['veːrdiːnst] *m MIL* military service

wehrlos ['veːrloːs] *adj* defenceless

weibisch ['vaɪbɪʃ] *adj* effeminate

weiblich ['vaɪplɪç] *adj* female, feminine

Weiblichkeit ['vaɪplɪçkaɪt] *f* femininity

weich [vaɪç] *adj 1.* soft; 2. *(fig)* soft, tender, gentle

Weiche ['vaɪçə] *f 1. (Weichheit)* softness; 2. *(Körperteil)* flank, side; 3. *(Eisenbahn) TECH* points, switch *(US); die ~n für etw stellen* set the course for sth

weichen ['vaɪçən] *v irr* give way, make way

Weide ['vaɪdə] *f 1. (Baum) BOT* willow; 2. *(Wiese)* meadow, pasture

weiden ['vaɪdən] *v 1. (Tiere)* graze; 2. *sich an etw ~* revel in sth, relish sth

weigern ['vaɪgɐn] *v sich ~* refuse

Weigerung ['vaɪgərʊŋ] *f* refusal

weihen ['vaɪən] *v 1.* consecrate; 2. *(widmen)* dedicate; 3. *(zum Priester)* ordain

Weiher ['vaɪɐ] *m* pond

Weihnachten ['vaɪnaxtən] *n* Christmas

Weihnachtsabend ['vaɪnaxtsaːbənt] *m* Christmas Eve

weil [vaɪl] *konj* because, since

Weile ['vaɪlə] *f* while, period of time

Wein [vaɪn] *m 1.* wine; *jdm reinen ~ einschenken (fig)* tell s.o. the unvarnished truth; 2. *BOT* vine

weinen ['vaɪnən] *v* cry, weep, shed tears; *sich in den Schlaf ~* cry o.s. to sleep

Weintraube ['vaɪntraubə] *f* grape

weise ['vaɪzə] *adj 1.* wise, prudent; *adv 2.* wisely, prudently

Weise ['vaɪzə] *f 1. (Art und ~)* manner, way, mode; *in keinster ~* by no means, in no way; 2. *(Lied)* tune, melody

Weise(r) ['vaɪzə(r)] *m/f* wise man/woman

Weisheit ['vaɪshaɪt] *f 1.* wisdom; *mit seiner ~ am Ende sein* to be at one's wits' end; 2. *(weiser Spruch)* wise saying

weiß [vaɪs] *adj* white

Weisung ['vaɪzʊŋ] *f* order, direction, instruction

weit [vaɪt] *adj 1. (breit)* broad, wide, large; 2. *(lang)* long; 3. *(fern)* distant, remote; *~ und breit* far and wide; *zu ~ gehen* to go too far; *adv 4.* far; 5. *~ entfernt* far off, far away; 6. *(um vieles)* far; *bei ~em nicht* not at all, not by a long shot; 7. *~ blickend* far-sighted; 8. *~ gereist* travelled, widely travelled; 9. *~ reichend* far-reaching; 10. *~ verbreitet* wide-spread, prevalent

Weitblick ['vaɪtblɪk] *m* farsightedness, vision

Weite ['vaɪtə] *f 1. (Breite)* width, breadth, wideness; 2. *(Länge)* length; 3. *(Entfernung)* distance; *das ~ suchen (fig)* take to one's heels

weiten ['vaɪtən] *v 1.* widen, broaden; 2. *sich ~* widen, broaden; 3. *sich ~ (fig: Herz)* swell

weiter ['vaɪtɐ] *adj 1. (Komparativ von „weit")* wider; 2. *(fig)* further; 3. *(zusätzlich)* more, additional, further; *ohne ~es* just like that, without any problems; *bis auf ~es* until further notice; *adv 4. (~ weg)* further away, further off; 5. *(außerdem)* furthermore, in addition; *Weiter!* Go on!

weitergeben ['vaɪtɐgeːbən] *v irr* hand on, pass down, pass on

weiterhin ['vaɪtɐhɪn] *adv 1.* (immer noch) still; 2. *(künftig)* in future; 3. *(außerdem)* furthermore

weiterleiten ['vaɪtɐlaɪtən] *v* pass on

weitermachen ['vaɪtɐmaxən] *v* continue, go on, carry on

weitersagen ['vaɪtɐzaːgən] *v* repeat, pass on, pass the word

weitgehend ['vaɪtgeːənt] *adj 1.* far-reaching, vast; *adv 2.* to a large extent, largely

weitläufig ['vaɪtlɔyfɪç] *adj 1.* wide, large; 2. *(fig: ausführlich)* extensive, detailed, elaborate; 3. *(fig: entfernt)* distant

weitschweifig ['vaɪtʃvaɪfɪç] *adj* long-winded, verbose

weitsichtig ['vaɪtzɪçtɪç] *adj* 1. *MED* long-sighted, far-sighted *(US)*, hypermetropic; 2. *(fig)* far-sighted

Weitsichtigkeit ['vaɪtzɪçtɪçkaɪt] *f* long-sightedness, farsightedness

Weizen ['vaɪtsən] *m BOT* wheat

welche(r,s) ['vɛlçə(r,s)] *pron* 1. *(relativ)* which, who, whom; 2. *(interrogativ)* which, what, which one

Welle ['vɛlə] *f* 1. wave; 2. *(Antriebswelle)* *TECH* shaft

Welpe ['vɛlpə] *m* 1. *ZOOL* puppy, whelp; 2. *(von einem Wolf, von einem Fuchs) ZOOL* cub

Welt [vɛlt] *f* world; *zur ~ bringen* give birth to; *Das kostet nicht die ~.* It doesn't cost an arm and a leg. *Das ist nicht die ~.* It's not all that important. *etw in die ~ setzen* give birth to sth; *mit sich und der ~ zufrieden sein* to be at one with the world; *Für sie brach die ~ zusammen.* The bottom fell out of her world.

Weltall ['vɛltal] *n* universe, cosmos

Weltanschauung ['vɛltanʃauuŋ] *f* world view, philosophy of life

weltfremd ['vɛltfrɛmt] *adj* unworldly

weltlich ['vɛltlɪç] *adj* 1. worldly, mundane; 2. *(nicht kirchlich)* secular

weltoffen ['vɛltɔfən] *adj* cosmopolitan

Weltoffenheit ['vɛltɔfənhaɪt] *f* cosmopolitanism

Weltraum ['vɛltraum] *m* space

Weltreich ['vɛltraɪç] *n* empire

Weltrekord ['vɛltrekɔrt] *m* world record

weltweit ['vɛltvaɪt] *adj* 1. world-wide; *adv* 2. world-wide

Wende ['vɛndə] *f* 1. turn; 2. *(Veränderung)* change

wenden ['vɛndən] *v irr* 1. turn; *Bitte ~!* *(Seite)* please turn over; 2. *sich ~ an* consult, see, turn to

wenig ['ve:nɪç] *adj* 1. little, few; *adv* 2. a little; *(selten)* not often

wenigstens ['ve:nɪçstəns] *adv* at least

wenn [vɛn] *konj* 1. *(konditional)* if, in case; 2. *(zeitlich)* when

wer [ve:r] *pron* who; *~ von euch* which of you

werben ['vɛrbən] *v irr* 1. advertise, promote; 2. *POL* canvass

Werbespot ['vɛrbəspɔt] *m* commercial, advertising spot

Werbung ['vɛrbuŋ] *f* 1. advertising, publicity, promotion; 2. *(Fernsehwerbung)* commercial; 3. *(eines Verehrers)* courtship

werden ['ve:rdən] *v irr* 1. become, get; *aus jdm ~* become of s.o., happen to s.o.; 2. *(ausfallen)* turn out; 3. *(Passiv)* to be; *geliebt ~* to be loved; *es wurde gesungen* there was singing; 4. *(Futur)* will; *Ich werde es tun.* I will do it.

werfen ['vɛrfən] *v* throw, toss; *eine Münze ~* toss a coin; *von sich ~* cast off, throw away; *mit etw um sich ~* to be lavish with sth

Werft [vɛrft] *f* dockyard, shipyard

Werk [vɛrk] *n* 1. *(Fabrik)* plant, works, factory; 2. *(Kunstwerk)* work

Werkstatt ['vɛrkʃtat] *f* workshop

Werktag ['vɛrkta:k] *m* 1. workday, working day; 2. *(Wochentag)* weekday

werktags ['vɛrkta:ks] *adv* on weekdays

Werkzeug ['vɛrktsɔyk] *n* tool

Wermut ['ve:rmu:t] *m* vermouth

wert [ve:rt] *adj* 1. worth; *nicht der Mühe ~ sein* not be worth the trouble; *nicht der Rede ~* not worth talking about; 2. *(würdig)* worthy; 3. *(lieb)* dear, precious

Wert [ve:rt] *m* value, worth

werten ['ve:rtən] *v* value, appraise

wertlos ['ve:rtlo:s] *adj* worthless, valueless

Wertschätzung ['ve:rtʃɛtsuŋ] *f* regard, appreciation, esteem

Wertung ['ve:rtuŋ] *f* valuation

wertvoll ['ve:rtfɔl] *adj* valuable, precious

Wertvorstellung ['ve:rtfo:rʃtɛluŋ] *f* moral concept

Wesen ['ve:zən] *n* 1. *(Lebewesen)* creature, being, living thing; 2. *(Charakter)* nature, character, disposition

wesentlich ['ve:zəntlɪç] *adj* 1. essential, fundamental, material; *adv* 2. by far, considerably, fundamentally

weshalb [vɛs'halp] *adv* 1. why, for what reason; *konj* 2. and that's why, which is why

Weste ['vɛstə] *f* waistcoat, vest *(US)*; *eine weiße ~ haben (fig)* have a clean record

Westen ['vɛstən] *m* 1. west; 2. *der ~ POL* the West

westlich ['vɛstlɪç] *adj* 1. westerly, western; *adv* 2. *~ von Wien* west of Vienna

Wettbewerb ['vɛtbəvɛrp] *m* 1. competition, contest; 2. *unlauterer ~ ECO* unfair competition

wettbewerbsfähig ['vɛtbəvɛrpsfɛ:ɪç] *adj* competitive

Wette ['vɛtə] *f* bet, wager

wetteifern ['vɛtaɪfərn] *v* compete; *mit jdm ~* compete with s.o.; *um etw ~* compete for sth, contend for sth

wetten ['vɛtən] *v* bet, wager

Wetter ['vɛtər] n weather

Wettervorhersage ['vɛtərfoːrhɛːrzaːɡə] f weather forecast

Wettkampf ['vɛtkampf] m 1. SPORT contest, match, competition; 2. (Einzelkampf) event

Wettrüsten ['vɛtryːstən] n POL arms race

Wettstreit ['vɛtʃtraɪt] m contest, match

wichtig ['vɪçtɪç] adj important; Wichtigeres zu tun haben have more important things to do; sich ~ machen to be self-important

Wichtigkeit ['vɪçtɪçkaɪt] f importance

wickeln ['vɪkəln] v 1. roll, wind, coil; 2. (Baby) change

Widder ['vɪdər] m 1. ZOOL ram; 2. (Sternzeichen) Capricorn

wider ['vɪdər] prep against, contrary to; das Für und Wider the pros and cons

widerfahren [viːdər'faːrən] v irr happen to, befall

Widerhall ['viːdərhal] m echo, reverberation

widerhallen ['viːdərhalən] v ring, resound, echo

widerlegen [viːdər'leːɡən] v refute, disprove

Widerlegung [viːdər'leːɡʊŋ] f refutation

widerlich ['viːdərlɪç] adj disgusting, revolting, repulsive

widernatürlich ['viːdərnatyːrlɪç] adj unnatural

Widerrede ['viːdərreːdə] f 1. contradiction, objection; 2. (freche ~) backtalk; Keine ~! No arguments!

widersetzen [viːdər'zɛtsən] v sich ~ resist, oppose, defy

widerspenstig ['viːdərʃpɛnstɪç] adj unruly, unmanageable

widerspiegeln ['viːdərʃpiːɡəln] v reflect

widersprechen [viːdər'ʃprɛçən] v irr contradict, oppose

Widerspruch ['viːdərʃprʊx] m contradiction, discrepancy

widersprüchlich ['viːdərʃpryçlɪç] adj contradictory, conflicting, inconsistent

widerspruchslos ['viːdərʃprʊxsloːs] adv without objection, without opposition

Widerstand ['viːdərʃtant] m resistance, opposition; jdm ~ leisten resist s.o.

widerstandsfähig ['viːdərʃtantsfɛːɪç] adj resistant, heavy-duty, resisting

widerstandslos ['viːdərʃtantsloːs] adv without resistance

widerstehen [viːdər'ʃteːən] v irr resist, withstand

widerstreben [viːdər'ʃtreːbən] v 1. jdm ~ oppose s.o.; 2. Das widerstrebt mir. It's not my nature to do that. I am reluctant to do that.

widerstrebend [viːdər'ʃtreːbənt] adj 1. reluctant; adv 2. with reluctance

Widerstreit ['viːdərʃtraɪt] m conflict

widerwärtig ['viːdərvɛrtɪç] adj 1. objectionable, unpleasant, disagreeable; 2. (scheußlich) repulsive

Widerwärtigkeit ['viːdərvɛrtɪçkaɪt] f 1. unpleasantness; 2. (Scheußlichkeit) repulsiveness

Widerwille ['viːdərvɪlə] m reluctance, aversion, distaste

widerwillig ['viːdərvɪlɪç] adj reluctant, unwilling, grudging

widmen ['vɪtmən] v 1. dedicate, devote; 2. sich einer Sache ~ dedicate o.s. to sth, devote o.s. to sth

Widmung ['vɪtmʊŋ] f dedication

Widrigkeit ['viːdrɪçkaɪt] f adversity

wie [viː] adv 1. how; Wie wär's mit ...? How about ...? Wie bitte? Excuse me? Wie heißen Sie? What's your name? konj 2. (vergleichend) as, like (fam); ~ gesagt as has been said, as I said; 3. ~ zum Beispiel such as; 4. ~ viel how much; ~ viele how much

wieder ['viːdər] adv 1. again, once more; immer ~ again and again; hin und ~ now and again; Das ist ~ was anderes. That's something else entirely. 2. ~ aufbereiten TECH reprocess; 3. ~ beleben revice, reanimate, resuscitate; 4. ~ erkennen recognize; 5. ~ finden find again, recover; 6. ~ gutmachen make good, make amends; 7. ~ sehen see again; 8. ~ verwenden reuse; 9. ~ verwerten reuse, recycle

Wiederbelebung ['viːdərbəleːbʊŋ] f MED resuscitation

Wiedereröffnung ['viːdərerœfnʊŋ] f reopening

Wiedergabe ['viːdərɡaːbə] f 1. (Rückgabe) return; 2. (Darstellung) rendering

Wiedergutmachung ['viːdərɡuːtmaxʊŋ] f 1. compensation, amends pl; 2. POL reparations pl

wiederherstellen [viːdər'herʃtɛlən] v reestablish, restore

Wiederherstellung [viːdər'herʃtɛlʊŋ] f restoration

wiederholen [viːdər'hoːlən] v repeat

Wiederholung [viːdər'hoːlʊŋ] f 1. repetition; 2. (eines Ereignisses) recurrence

wiederkäuen ['viːdərkɔyən] v 1. chew the cud, ruminate; 2. (fig) rehash

Wiederkehr ['viːdərkeːr] f return

wiederkehren ['viːdərkeːrən] v 1. (zurückkommen) return; 2. (sich wiederholen) recur

wiederkommen ['viːdərkɔmən] v irr come back, return

Wiedersehen ['viːdərzeːən] n reunion; Auf ~! Goodbye!

wiederum ['viːdərum] adv 1. (nochmals) again; 2. (andererseits) on the other hand; 3. ich ~ ... (meinerseits) for my part

Wiedervereinigung ['viːdərfɛraɪnɪɡuŋ] f POL reunification

Wiege ['viːɡə] f cradle; von der ~ bis zur Bahre from the womb to the tomb; Das ist ihm schon in die ~ gelegt worden. He was born with it.

wiegen ['viːɡən] v irr 1. (Gewicht) weigh; 2. (schaukeln) rock; 3. (zerkleinern) GAST chop

wiehern ['viːərn] v 1. neigh, whinny; 2. (lachen) guffaw

Wien [viːn] n GEO Vienna

Wiese ['viːzə] f meadow

wild [vɪlt] adj 1. wild; Das ist halb so ~. It's not that bad. 2. (Tiere) wild, fierce, ferocious; ~ lebend living in the wild; 3. (fig: wütend) angry, furious, rabid

Wild [vɪlt] n ZOOL 1. game 2. (Hochwild) venison

Wilderer ['vɪldərər] m poacher

wildern ['vɪldərn] v poach

Wildheit ['vɪlthaɪt] f savagery, wildness

Wildnis ['vɪltnɪs] f wilderness, wild

Wille ['vɪlə] m will

willensschwach ['vɪlənsʃvax] adj weak-willed

willensstark ['vɪlənsʃtark] adj strong-willed

Willensstärke ['vɪlənsʃtɛrkə] f willpower

willentlich ['vɪləntlɪç] adj willful, wilful, intentional

willig ['vɪlɪç] adj willing

willkommen ['vɪlkɔmən] adj welcome

Willkür ['vɪlkyːr] f arbitrariness

willkürlich ['vɪlkyːrlɪç] adj 1. arbitrary, high-handed; 2. (Herrscher) POL autocratic

Wimper ['vɪmpər] f eyelash; ohne mit der ~ zu zucken without batting an eyelid

Wind [vɪnt] m wind, breeze; der ~ legt sich the wind is dying away; gegen den ~ against the wind, into the wind; ~ von etw bekommen get wind of sth; in den ~ reden waste one's breath; etw in den ~ schlagen turn a deaf ear to sth; jdm den ~ aus den Segeln nehmen take the wind out of s.o.'s sails; etw in den ~ schreiben kiss sth

goodbye; ~ machen make a fuss; mit dem ~ segeln go with the flow (fam), bend with the wind; Er weiß, woher der ~ weht. He knows which way the wind blows.

Windel ['vɪndəl] f nappy (UK), diaper (US)

winden ['vɪndən] v irr 1. Es windet. The wind is blowing. 2. (mit einer Winde befördern) winch; 3. (wegnehmen) wrench away, wrest away; 4. (wickeln) wind; 5. sich ~ (Sache) wind itself; 6. (Mensch: vor Schmerzen) writhe; 7. (Wurm) wriggle; 8. (Bach) wind

Windmühle ['vɪntmyːlə] f windmill

Wink [vɪŋk] m 1. sign; 2. (mit dem Kopf) nod; 3. (mit der Hand) wave; 4. (fig) hint

Winkel ['vɪŋkəl] m 1. MATH angle; 2. (fig: Plätzchen) nook, corner

winken ['vɪŋkən] v irr 1. wave; jdm ~, etw zu tun signal s.o. to do sth; 2. (fig) beckon

Winter ['vɪntər] m winter

winterlich ['vɪntərlɪç] adj wintery

winzig ['vɪntsɪç] adj tiny, minute, wee

Wirbel ['vɪrbəl] m ANAT vertebra

wirbeln ['vɪrbəln] v whirl

Wirbelsäule ['vɪrbəlsɔylə] f ANAT spine, vertebral column

wirken ['vɪrkən] v 1. (tätig sein) work, to be at work; 2. (wirksam sein) to be effective, have an effect, operate; 3. (Eindruck erwecken) have an effect, have an influence

wirklich ['vɪrklɪç] adj 1. real, actual, true; adv 2. really, actually

Wirklichkeit ['vɪrklɪçkaɪt] f reality, real life, truth; jdn in die ~ zurückholen bring s.o. down to earth

wirksam ['vɪrkzaːm] adj effective

Wirksamkeit ['vɪrkzaːmkaɪt] f effectiveness, efficacy

Wirkung ['vɪrkuŋ] f 1. effect; Ursache und ~ cause and effect; 2. (Folge) consequence; 3. (Eindruck) impression

wirkungslos ['vɪrkuŋsloːs] adj ineffectual, ineffective

wirkungsvoll ['vɪrkuŋsfɔl] adj 1. effective; adv 2. effectively

wirr [vɪr] adj confused

Wirren ['vɪrən] pl POL confusion, turmoil

Wirt [vɪrt] m host, landlord, innkeeper

Wirtschaft ['vɪrtʃaft] f 1. (Gasthaus) inn, public house (UK), pub; 2. ECO (Volkswirtschaft) economy; (Handel) industry

wirtschaften ['vɪrtʃaftən] v 1. (den Haushalt führen) keep house; 2. (sparsam sein) economize; 3. (gut ~) manage well; 4. (sich zu schaffen machen) busy o.s.

wirtschaftlich ['vɪrtʃaftlɪç] *adj 1.* economic; *2. (sparsam)* economical

wischen ['vɪʃən] *v 1.* wipe; *2. (auf~)* mop

wispern ['vɪspərn] *v* whisper

wissen ['vɪsən] *v irr* know; *so viel ich weiß* as far as I know; *nicht dass ich wüsste* not as far as I know; *etw genau ~* know sth for a fact; *von jdm nichts ~ wollen* not want to have anything to do with s.o.; *es ~ wollen* fancy one's chances

Wissen ['vɪsən] *n* knowledge

Wissenschaft ['vɪsənʃaft] *f* science

Wissenschaftler(in) ['vɪsənʃaftlər(ɪn)] *m/f* scientist

wissenschaftlich ['vɪsənʃaftlɪç] *adj 1.* scientific; *adv 2.* scientifically

wissentlich ['vɪsəntlɪç] *adj* knowing, conscious

wittern ['vɪtərn] *v 1.* scent, smell; *2. (fig)* suspect, get wind of

Witterung ['vɪtəruŋ] *f 1. (Wetter)* weather; *2. (Wittern)* scent

Witwe ['vɪtvə] *f* widow

Witwer ['vɪtvər] *m* widower

Witz [vɪts] *m* joke; *~e reißen* crack jokes; *Mach keine ~e!* Don't be funny!

witzig ['vɪtsɪç] *adj* funny, witty, amusing

wo [vo:] *adv* where

woanders [vo'andərs] *adv* elsewhere, somewhere else

wobei [vo'baɪ] *adv 1. (interrogativ)* at what; *Wobei bist du gerade?* What are you doing at the moment? *Wobei ist das passiert?* How did that happen? *2. (relativ)* at which, in which; *~ ich noch hinzufügen möchte* to which I would like to add

Woche ['vɔxə] *f* week

Wochenende ['vɔxənɛndə] *n* weekend

Wochentag ['vɔxənta:k] *m 1.* weekday; *2. (bestimmter)* day of the week

wochentags ['vɔxənta:ks] *adv* on weekdays

wöchentlich ['vœçəntlɪç] *adj 1.* weekly; *adv 2.* weekly, every week; *3. (wochenweise)* by the week

Woge ['vo:gə] *f 1. (Welle)* wave; *2. (fig)* surge

wohl [vo:l] *adv 1. (wahrscheinlich)* presumably, probably, no doubt; *2. (gut)* well; *~ bekannt* well-known, familiar; *3. (etwa)* about; *4. (sicher)* indeed; *Das ist ~ möglich.* That is indeed possible. *5. ~ tun* do good; *6. ~ wollend* benevolent, kind

Wohl [vo:l] *n* welfare, well-being, prosperity; *Zum ~!* Cheers!

Wohlbehagen ['vo:lbəha:gən] *n* comfort, pleasure

wohlbehalten ['vo:lbəhaltən] *adj* safe and sound, unscathed

Wohlfahrt ['vo:lfa:rt] *f* welfare

wohlhabend ['vo:lha:bənt] *adj* wealthy, well-to-do

Wohlhabenheit ['vo:lha:bənhaɪt] *f* prosperity, affluence

Wohlstand ['vo:lʃtant] *m* prosperity, wealth, affluence

Wohlstandsgesellschaft ['vo:lʃtantsgəzɛlʃaft] *f* affluent society

Wohltat ['vo:lta:t] *f* kindness, good deed, charity; *jdm eine ~ erweisen* do sb a favour, do sb a good turn

Wohltäter ['vo:ltɛ:tər] *m* benefactor

wohltätig ['vo:ltɛ:tɪç] *adj* charitable

Wohltätigkeit ['vo:ltɛ:tɪçkaɪt] *f* charity, charitableness

Wohlwollen ['vo:lvɔlən] *n* goodwill, benevolence

wohnen ['vo:nən] *v 1.* live, reside; *2. (vorübergehend)* stay

wohnhaft ['vo:nhaft] *adv* resident

wohnlich ['vo:nlɪç] *adj 1.* comfortable, cosy; *adv 2.* comfortably, cosily

Wohnmobil ['vo:nmobi:l] *n* mobile home, camper *(US)*

Wohnort ['vo:nɔrt] *m* place of residence

Wohnsitz ['vo:nzɪts] *m* place of residence

Wohnung ['vo:nuŋ] *f* flat, apartment *(US)*

Wohnwagen ['vo:nva:gən] *m* caravan *(UK)*, trailer *(US)*

Wohnzimmer ['vo:ntsɪmər] *n* sitting room, drawing room, living room *(US)*

wölben ['vœlbən] *v sich ~* curve, arch

Wölbung ['vœlbuŋ] *f* curvature, arch

Wolf [vɔlf] *m 1.* ZOOL wolf; *unter die Wölfe kommen* to be thrown to the wolves; *ein ~ im Schafspelz* a wolf in sheep's clothing; *2. (Fleischwolf)* mincer, meat grinder *(US)*; *jdn durch den ~ drehen (fig)* put sth through the wringer

Wolke ['vɔlkə] *f* cloud; *aus allen ~n fallen* to be thunderstruck; *über allen ~n schweben* have one's head in the clouds; *auf ~ sieben schweben* to be in seventh heaven

Wolkenkratzer ['vɔlkənkratsər] *m* skyscraper

Wolle ['vɔlə] *f* wool; *sich in die ~ kriegen* have a row

wollen ['vɔlən] *v irr 1. (wünschen)* want, wish, desire; *Was willst du sonst noch?* What more do you want? *wie du willst* suit yourself; *2. (beabsichtigen)* intend, mean

Wollust ['vɔlʊst] f 1. lust; 2. (Sinnlichkeit) sensuality

wollüstig ['vɔlʏstɪç] adj sensual, lustful

Wonne ['vɔnə] f delight, bliss, pleasure

woraufhin [vorauf'hɪn] adv whereupon

Workaholic [wɜːrkə'hɔlɪk] m workaholic

Wort [vɔrt] n 1. (Äußerung) word; mit jdm ~e wechseln exchange words with s.o.; in ~ und Schrift written and spoken; Man versteht kein ~. One can't understand a word. schöne ~e mere words; das ~ haben speak; das letzte ~ haben have the last word; im wahrsten Sinne des ~es in the truest sense of the word; das ~ ergreifen start to speak; jdm das ~ entziehen cut s.o. off (fam); ask s.o. to finish speaking; jdm das ~ verbieten forbid s.o. to speak; für jdn ein gutes ~ einlegen put in a good word for s.o.; jdm das ~ aus dem Munde nehmen take the words right out of s.o.'s mouth; jdm das ~ im Munde verdrehen twist s.o.'s words; kein ~ über etw verlieren not say a thing about sth; jdm ins ~ fallen interrupt s.o.; sich zu ~ melden, ums ~ bitten ask for leave to speak; 2. (Vokabel) word

wortbrüchig ['vɔrtbryçɪç] adj ~ werden break one's word

Wörterbuch ['vœrtərbuːx] n dictionary

Wortführer ['vɔrtfyːrər] m speaker, spokesman

wortgewandt ['vɔrtɡəvant] adj eloquent, glib

Wortgewandtheit ['vɔrtɡəvanthaɪt] f eloquence, articulateness

wortkarg ['vɔrtkark] adj taciturn

wörtlich ['vœrtlɪç] adj 1. literal, verbal; adv 2. literally, word for word

Wortschatz ['vɔrtʃats] m vocabulary

Wortspiel ['vɔrtʃpiːl] n play on words, pun

Wrack [vrak] n wreck

Wucher ['vuːxər] m profiteering, usury

wuchern ['vuːxərn] v 1. grow rampant, proliferate; 2. (Kaufmann) profiteer

Wuchs [vuːks] m 1. (Wachsen) growth, development; 2. (Körperbau) figure, physique, build

Wucht [vʊxt] f force, brunt, impact

wuchtig ['vʊxtɪç] adj massive

wühlen ['vyːlən] v 1. (graben) burrow; 2. (suchen) rummage

wund [vʊnt] adj 1. sore; sich die Füße nach etw ~ laufen look for sth high and low; 2. (fig: Herz) wounded

Wunde ['vʊndə] f wound

Wunder ['vʊndər] n 1. miracle; sein blaues ~ erleben get the shock of one's life; 2. (fig) marvel

wunderbar ['vʊndərbaːr] adj 1. wonderful, marvellous, fantastic; adv 2. marvellously, wonderfully

wundern ['vʊndərn] v sich ~ to be surprised, to be amazed

wundervoll ['vʊndərfɔl] adj wonderful, marvellous

Wunsch [vʊnʃ] m 1. wish, desire; 2. (Glückwunsch) felicitation, best wishes pl

wünschen ['vʏnʃən] v 1. wish, desire; 2. (wollen) want

Würde ['vʏrdə] f 1. dignity, honour; 2. (Titel) title, degree, honour; 3. (Doktorwürde) doctorate

würdelos ['vʏrdəloːs] adj undignified

Würdelosigkeit ['vʏrdəloːzɪçkaɪt] f lack of dignity

Würdenträger ['vʏrdəntrɛːɡər] m dignitary

würdevoll ['vʏrdəfɔl] adj dignified

würdig ['vʏrdɪç] adj 1. worthy, deserving; 2. (würdevoll) dignified

würdigen ['vʏrdɪɡən] v 1. appreciate, value; 2. (loben) honour, pay tribute to

Würdigung ['vʏrdɪɡʊŋ] f 1. (Achtung) appreciation; 2. (Bewertung) appraisal, consideration

Wurf [vʊrf] m 1. throw; 2. ZOOL litter

Würfel ['vʏrfəl] m 1. (Spielwürfel) die; ~ pl Die ~ sind gefallen. The die is cast. 2. MATH cube

würfeln ['vʏrfəln] v throw dice, toss dice

Wurm [vʊrm] m ZOOL worm; Da ist der ~ drin. (fam) There's something wrong with it.

Wurst [vʊrst] f sausage; Das ist mir ~. (fam) It's all the same to me. I don't care.

Würze ['vʏrtsə] f spice, seasoning

Wurzel ['vʊrtsəl] f root

wurzeln ['vʊrtsəln] v 1. take root; 2. (fig) to be rooted in

würzen ['vʏrtsən] v spice, season, flavour

würzig ['vʏrtsɪç] adj spicy

wüst [vyːst] adj 1. (öde) waste, desert, desolate; 2. (ausschweifend) wild, dissolute; 3. (widerwärtig) vile, ugly

Wüste ['vyːstə] f desert

Wüstling ['vyːstlɪŋ] m lecher

Wut [vuːt] f rage, fury; seine ~ herunterschlucken choke back one's rage; vor ~ in die Luft gehen explode with fury; in ~ geraten fly into a rage

wüten ['vyːtən] v rage

wütend ['vyːtənt] adj furious, enraged, angry

X/Y/Z

x-Achse ['ɪksaksə] f MATH x-axis
X-Beine ['ɪksbaɪnə] pl knock-knees pl
x-beliebig ['ɪksbəliːbɪç] adj any, any old, any whatever
x-fach ['ɪksfax] adj 1. umpteen (fam); adv 2. again and again
x-mal ['ɪksmaːl] adv over and over again
Xylophon [ksylo'foːn] n MUS xylophone
y-Achse ['ypsilɔnaksə] f MATH Y-axis
Yoga ['joːga] m/n yoga
Ypsilon ['ypsilɔn] n 1. (the letter) Y; 2. (griechischer Buchstabe) upsilon
Yuppie ['jupi] m yuppie
Zacke ['tsakə] f 1. point; 2. (von Kamm) tooth; 3. (von Gabel) prong
zackig ['tsakɪç] adj 1. (gezackt) jagged; 2. (Stern) pointed; 3. (fig: schneidig) smart
zaghaft ['tsaːkhaft] adj timid
zäh [tseː] adj tough
Zahl [tsaːl] f 1. number; rote ~en schreiben to be in the red; schwarze ~en schreiben to be in the black; 2. (Ziffer) figure; 3. (Stelle) digit
zählbar ['tseːlbaːr] adj countable
zahlen ['tsaːlən] v pay
zählen ['tseːlən] v count
Zähler ['tseːlər] m 1. MATH numerator; 2. (Messgerät) TECH meter, counter
zahlreich ['tsaːlraɪç] adj 1. numerous; adv 2. in great quantities, in large numbers
Zahlung ['tsaːluŋ] f payment
Zahlwort ['tsaːlvɔrt] n numeral
zahm [tsaːm] adj 1. tame; adv 2. tamely
zähmen ['tseːmən] v 1. tame; 2. (fig) curb
Zahn [tsaːn] m tooth; jdm auf den ~ fühlen sound s.o. out; die Zähne zusammenbeißen clench one's teeth
Zahnarzt ['tsaːnartst] m dentist
Zahnbürste ['tsaːnbyrstə] f toothbrush
zahnen ['tsaːnən] v teethe
Zahnpasta ['tsaːnpasta] f toothpaste
Zange ['tsaŋə] f tongs pl, pliers pl
zanken ['tsaŋkən] v quarrel, have a row
Zapfen ['tsapfən] n 1. BOT cone; 2. (Eiszapfen) icicle; 3. (Verbindungsstück) tenon; 4. ANAT cone; 5. (Fasszapfen) spigot, bung
zappelig ['tsapəlɪç] adj fidgety, restless
zappeln ['tsapəln] v 1. wriggle; jdn ~ lassen keep s.o. on tenterhooks; 2. (vor Unruhe) fidget
Zar(in) [tsaːr(ɪn)] m/f HIST czar/czarina, tsar/tsarina

zart [tsart] adj 1. tender; 2. (Ton, Haut) soft; 3. (Fleisch) tender; 4. (zerbrechlich) delicate
Zartheit ['tsaːrthaɪt] f 1. tenderness, softness; 2. (Zerbrechlichkeit) delicateness
zärtlich ['tsɛrtlɪç] adj 1. tender; 2. (liebevoll) affectionate
Zärtlichkeit ['tsɛrtlɪçkaɪt] f 1. tenderness, affection; 2. (Liebkosung) caress; 3. jdm ~en ins Ohr flüstern whisper sweet nothings in s.o.'s ear
Zauber ['tsaubər] m 1. (Magie) magic; (Zauberbann) spell; fauler ~ humbug; 2. (fig) enchantment, charm
Zauberer ['tsaubərər] m magician
zauberhaft ['tsaubərhaft] adj (fig) enchanting, magical
zaubern ['tsaubərn] v 1. practise magic; 2. (etw ~) conjure up, produce by magic
Zaum [tsaum] m bridle; sich im ~ halten restrain o.s.
Zaun [tsaun] m fence, (Hecke) hedge; einen Streit vom ~ brechen start a quarrel
Zebra ['tseːbra] n ZOOL zebra
Zebrastreifen ['tseːbraʃtraɪfən] m zebra crossing, crosswalk (US)
Zeche ['tsɛçə] f 1. (Rechnung) bill, check (US), tab (US); die ~ bezahlen müssen have to foot the bill; die ~ prellen leave without paying the bill; 2. (Bergwerk) mine, pit
Zecke ['tsɛkə] f ZOOL tick
Zehe ['tseːə] f toe
zehn [tseːn] num ten
Zehntel ['tseːntəl] n MATH tenth
zehren ['tseːrən] v 1. von etw ~ live off sth, feed on sth; 2. an etw ~ wear sth out, sap sth
Zeichen ['tsaɪçən] n 1. sign, mark, symbol; ein ~ setzen make one's mark; ein ~ der Zeit a sign of the times; 2. INFORM character, symbol
Zeichentrickfilm ['tsaɪçəntrɪkfɪlm] m animated cartoon
zeichnen ['tsaɪçnən] v 1. draw, (entwerfen) design; 2. (markieren) mark; 3. (unterschreiben) sign; 4. (entwerfen) design; 5. (fig: Plan entwerfen) sketch, plot; 6. (fig) FIN subscribe
Zeichnung ['tsaɪçnuŋ] f 1. drawing; 2. ZOOL markings pl; 3. FIN subscription
Zeigefinger ['tsaɪgəfɪŋər] m ANAT index finger, forefinger
zeigen ['tsaɪgən] v show, indicate
Zeiger ['tsaɪgər] m (Uhrzeiger) hand
Zeile ['tsaɪlə] f line

Zeit [tsaɪt] *f 1.* time; *zu seiner ~* in due course; *aller ~en* of all time; *das hat ~* there is plenty of time for that; *in letzter ~* lately; *zurzeit* at present; *zur gleichen ~* at the same time; *die ganze ~ über* the whole time; *es wird langsam ~, dass ...* it's about time that ...; *sich mit etw die ~ vertreiben* pass the time doing sth; *sich für etw ~ nehmen* take time for sth; *Lass dir ~.* Take your time. *Das hat ~.* That can wait. *Es ist allerhöchste ~.* It's high time. *2. (Epoche)* age, epoch

Zeitalter ['tsaɪtaltər] *n* age, millenium

Zeitgeist ['tsaɪtgaɪst] *m* spirit of the times, Zeitgeist

zeitgemäß ['tsaɪtgəmɛːs] *adj* timely, up to date, modern

zeitig ['tsaɪtɪç] *adj* early

zeitlich ['tsaɪtlɪç] *adj 1.* temporal, chronological; *adv 2.* as to time

zeitlos ['tsaɪtloːs] *adj 1. (ewig)* eternal, ageless; *2. (klassisch)* dateless, classical

Zeitpunkt ['tsaɪtpuŋkt] *m* moment, time

Zeitraum ['tsaɪtraum] *m* space of time, period

Zeitschrift ['tsaɪtʃrɪft] *f* magazine, journal, periodical

Zeitung ['tsaɪtuŋ] *f* newspaper

zeitweilig ['tsaɪtvaɪlɪç] *adj 1.* temporary; *adv 2.* temporarily

Zeitwort ['tsaɪtvɔrt] *n* verb

Zelle ['tsɛlə] *f* cell

Zellkern ['tsɛlkɛrn] *m* BIO cell nucleus

Zelt [tsɛlt] *n* tent; *seine ~e abbrechen* move on

zelten ['tsɛltən] *v* camp

Zeltplatz ['tsɛltplats] *m* camping site, camping ground

Zement [tseˈmɛnt] *m* cement

zensieren [tsɛnˈziːrən] *v 1. (Schule)* mark, grade *(US)*; *2.* POL censor

Zensur [tsɛnˈzuːr] *f 1. (Schule)* mark, grade; *2.* POL censorship

Zentiliter ['tsɛntiliːtər] *m* centilitre

Zentimeter ['tsɛntimeːtər] *m* centimetre

Zentner ['tsɛntnər] *m* metric hundredweight

zentral [tsɛnˈtraːl] *adj 1.* central; *adv 2.* centrally

Zentrale [tsɛnˈtraːlə] *f* central office, head office, headquarters

Zentrum ['tsɛntrum] *n* centre, center *(US)*

zerbeißen [tsɛrˈbaɪsən] *v irr* chew, chew up

zerbrechen [tsɛrˈbrɛçən] *v irr 1.* break, smash, shatter; *2. (fig)* go to pieces

zerbrechlich [tsɛrˈbrɛçlɪç] *adj* fragile

Zeremonie [tseremoˈniː] *f* ceremony

Zeremoniell [tseremonˈjɛl] *n* ceremonial, protocol

Zerfall [tsɛrˈfal] *m* decay, ruin, disintegration

zerfallen [tsɛrˈfalən] *v irr* decay, disintegrate, go to pieces

zerfließen [tsɛrˈfliːsən] *v irr* melt

zerkleinern [tsɛrˈklaɪnərn] *v 1. (Steine)* crush; *2. (Gemüse)* mince; *3. (Holz)* chop up; *4. (zerbrechen)* break up

zerknittern [tsɛrˈknɪtərn] *v* crease

zerlegen [tsɛrˈleːgən] *v 1.* dismantle, take apart; *2.* BIO dissect

zermürbend [tsɛrˈmyrbənt] *adj* wearing

zerreißen [tsɛrˈraɪsən] *v irr 1.* tear; *2. (absichtlich)* tear up; *3. (Herz)* break

zerren ['tsɛrən] *v* pull, tug

Zerrung ['tsɛruŋ] *f* MED strain, pull

zerschlagen [tsɛrˈʃlaːgən] *v irr 1.* smash to pieces, knock to pieces; *2. (auseinander schlagen)* break up; *3. sich ~ (Pläne)* come to nothing; *adj 4. (erschöpft)* worn out, whacked *(UK)*

Zerschlagung [tsɛrˈʃlaːguŋ] *f* suppression

zerschneiden [tsɛrˈʃnaɪdən] *v irr* cut up

zersetzen [tsɛrˈzɛtsən] *v 1.* undermine, subvert; *2.* CHEM decompose

zersplittern [tsɛrˈʃplɪtərn] *v* shatter

zerspringen [tsɛrˈʃprɪŋən] *v irr* burst

zerstören [tsɛrˈʃtøːrən] *v* destroy, ruin

Zerstörung [tsɛrˈʃtøːruŋ] *f* destruction

zerstreuen [tsɛrˈʃtrɔyən] *v 1.* scatter, disperse; *2. (fig)* dispel, drive away, dissipate

zerstreut [tsɛrˈʃtrɔyt] *adj 1.* scattered, dispersed; *2. (fig)* absent-minded, distracted

Zerstreuung [tsɛrˈʃtrɔyuŋ] *f 1.* dispersion; *2. (fig: Ablenkung)* diversion

Zertifikat [tsɛrtifiˈkaːt] *n* certificate

zertrümmern [tsɛrˈtrymərn] *v 1.* smash, wreck; *2. (Atom)* PHYS split

Zettel ['tsɛtəl] *m 1.* scrap of paper, slip of paper; *2. (Notizzettel)* note

Zeug [tsɔyk] *n* stuff, *(Sachen)* things; *Du hast das ~ dazu.* You're cut out for that. *dummes ~* rubbish, stuff and nonsense; *sich ins ~ legen* pull out all the stops

Zeuge ['tsɔygə] *m* witness

Zeugin ['tsɔygɪn] *f* witness

zeugen ['tsɔygən] *v 1. (aussagen)* give evidence, testify; *2. (Kind)* father, beget

Zeugnis ['tsɔyknɪs] *n 1. (Schulzeugnis)* report, report card *(US)*; *2. (Bescheinigung)* certificate, testimonial; *3. ~ ablegen* give evidence, attest, give proof; *~ ablegen von* give evidence of

Zeugung ['tsɔyguŋ] f procreation

Ziege ['tsi:gə] f ZOOL goat

Ziegel ['tsi:gəl] m 1. (Backstein) brick; 2. (Dachziegel) tile

ziehen ['tsi:ən] v irr 1. pull; 2. (Karte abheben) draw; 3. nach sich ~ involve, entail; 4. (Waffe) draw; 5. einen Strich ~ draw a line

Ziel [tsi:l] n 1. (örtlich) destination; über das ~ hinausschießen overstep the mark; 2. SPORT finish; 3. (fig: Absicht) aim, purpose, objective; 4. MIL target, objective

zielen ['tsi:lən] v ~ auf aim at, point at

Zielgruppe ['tsi:lgrupə] f target group

ziellos ['tsi:llo:s] adj aimless, purposeless

Zielscheibe ['tsi:lʃaibə] f target

Zielsetzung ['tsi:lzɛtsuŋ] f objective, target

ziemlich ['tsi:mlıç] adv 1. pretty, fairly, reasonably; adj 2. considerable, fair; 3. (geziemend) becoming

Zierde ['tsi:rdə] f ornament, decoration

zieren ['tsi:rən] v 1. sich ~ (sich gekünstelt benehmen) give o.s. airs; 2. sich ~ (sich bitten lassen) need a lot of pressing

zierlich ['tsi:rlıç] adj 1. (zart) dainty; 2. (dünn) slight; 3. (anmutig) graceful

Ziffer ['tsıfər] f figure, numeral

Zigarette [tsiga'rɛtə] f cigarette

Zigarettenstummel [tsiga'rɛtənʃtuməl] m fag-end (UK), cigarette butt (US)

Zigarre [tsi'garə] f cigar

Zimmer ['tsımər] n room

Zimmermädchen ['tsımərmɛ:tçən] n maid, chambermaid

Zimmermann ['tsımərman] m carpenter

zimperlich ['tsımpərlıç] adj 1. (prüde) prissy; 2. (heikel) squeamish; 3. (empfindlich) hypersensitive

Zimt [tsımt] m GAST cinnamon

Zinsen ['tsınzən] pl FIN interest

Zipfel ['tsıpfəl] m 1. tip, end; 2. (einer Mütze) point; 3. (von einem Tuch) corner

Zirkel ['tsırkəl] m circle

Zirkulation [tsırkula'tsjo:n] f circulation

zirkulieren [tsırku'li:rən] v circulate

Zirkus ['tsırkus] m circus

Zitat [tsi'ta:t] n quotation, quote (fam)

zitieren [tsi'ti:rən] v 1. (anführend) quote, cite; 2. JUR summon

Zitrone [tsi'tro:nə] f lemon

zittern ['tsıtərn] v tremble, shake, quiver

zivil [tsi'vi:l] adj civil

Zivilcourage [tsi'vi:lkura:ʒə] f courage of one's convictions

Zivildienst [tsi'vi:ldi:nst] m civil alternative service

Zivilisation [tsiviliza'tsjo:n] f civilization

zivilisiert [tsivili'zi:rt] adj civilized

zögern ['tsø:gərn] v hesitate, hold back

Zölibat [tsø:li'ba:t] n REL celibacy

Zoll [tsɔl] m 1. (Behörde) customs; 2. (Gebühr) customs duty, duty; 2. (Maßeinheit) inch

zollfrei ['tsɔlfrai] adj duty-free

Zollkontrolle ['tsɔlkontrɔlə] f customs control, customs inspection

zollpflichtig ['tsɔlpflıçtıç] adj dutiable, subject to customs

Zone ['tso:nə] f zone

Zoo [tso:] m zoo

Zoohandlung ['tso:handluŋ] f pet shop

Zopf [tsɔpf] m 1. plait, tress; 2. (von kleinen Mädchen) pigtail

Zorn [tsɔrn] m anger, wrath

zornig ['tsɔrnıç] adj 1. angry, irate, mad; adv 2. irately, angrily

zu [tsu:] prep 1. to; ~ dieser Zeit at this time; ~m Geburtstag for one's birthday; ~ Fuß on foot; ~m Beispiel for example; der Dom ~ Köln Cologne Cathedral; ~ beiden Seiten on both sides; ~m Monatsende kündigen give notice effective at the end of the month; ~m Glück luckily; jdm ~ Hilfe kommen come to s.o.'s aid; ~r Belohnung as a reward; ~ etw werden (~ Mensch) make sth of o.s.; ~ Grunde gehen to be ruined, perish; etw einer Sache ~ Grunde legen base sth on sth; einer Sache ~ Grunde liegen to be at the bottom of sth, form the basis of sth; ~ Gunsten in favour of, for the benefit of; ~ konj 2. to; adv 3. (allzu) too; 4. (fam: geschlossen) closed

Zubehör ['tsu:bəhø:r] n accessories pl

zubereiten ['tsu:bəraitən] v prepare

Zubereitung ['tsu:bəraituŋ] f preparation

zubilligen ['tsu:bılıgən] v allow, grant

zubinden ['tsu:bındən] v irr tie up, lace up

Zucht [tsuxt] f 1. (Tierzucht) breed; 2. (Fischzucht) farm; 3. (Pflanzenzucht) cultivation, growing; 4. (Disziplin) discipline

züchten ['tsyçtən] v 1. (Tiere) breed, raise; 2. (Pflanzen) cultivate, grow

Züchter ['tsyçtər] m 1. (Tierzüchter) breeder; 2. (Pflanzenzüchter) grower, cultivator

Zucker ['tsukər] m sugar

zudecken ['tsu:dɛkən] v cover, cover up

zudem ['tsude:m] adv besides, moreover, furthermore

zudrehen ['tsu:dre:ən] v turn off

zudrücken ['tsu:drykən] v push shut

zueinander [tsuaɪn'andər] *adv* to each other, to one another

zuerst [tsu'erst] *adv* 1. *(zu Anfang)* at first; ~ *einmal* first of all; 2. *(zum ersten Mal)* first, for the first time; 3. *(als Erster)* first

Zufahrt ['tsu:fa:rt] *f* driveway

Zufall ['tsu:fal] *m* 1. chance, accident; 2. *(Zusammentreffen)* coincidence

zufällig ['tsu:fɛlɪç] *adj* 1. coincidental, chance, accidental; *adv* 2. coincidentally, by chance; 3. *(in Fragen)* by any chance

Zuflucht ['tsu:fluxt] *f* refuge, shelter

Zufluss ['tsu:flus] *m* 1. influx; 2. *(Zufuhr)* supply; 3. *(Nebenfluss)* tributary

zufolge [tsu'fɔlgə] *prep* 1. *etw ~ (gemäß)* according to sth; 2. *etw ~ (auf Grund)* as a result of sth

zufrieden [tsu'fri:dən] *adj* satisfied, content; *sich mit etw ~ geben* to be content with sth, to be satisfied with sth; *jdn ~ lassen* leave s.o. alone; ~ *stellen* satisfy, content

Zufriedenheit [tsu'fri:dənhaɪt] *f* contentedness, contentment, satisfaction *zu meiner ~* to my satisfaction

zufrieren ['tsu:fri:rən] *v irr* freeze up

Zug [tsu:k] *m* 1. *(Eisenbahn)* train; *mit dem ~ fahren* go by train; *im falschen ~ sitzen* to be on the wrong track; *Dieser ~ ist abgefahren.* *(fig)* It's too late now. 2. *(Umzug)* move; 3. *(Luftzug)* draught (UK), draft (US); 4. *(Wesenszug)* trait; 5. *(fig) zum ~e kommen* get a chance; *etw in vollen Zügen genießen* enjoy sth to the fullest

Zugabe ['tsu:ga:bə] *f* 1. extra, bonus; 2. *(Konzertzugabe)* encore

Zugang ['tsu:gaŋ] *m* 1. *(Eingang)* entrance, entry; 2. *(Zutritt)* admittance access; 3. *(Warenzugang)* ECO supply, receipt

zugänglich ['tsu:gɛŋlɪç] *adj* 1. *(erreichbar)* accessible; 2. *(verfügbar)* available

zugeben ['tsu:ge:bən] *v irr (einräumen)* concede, confess, admit

zugehen ['tsu:ge:ən] *v irr* 1. *(fam: rasch gehen)* get a move on; 2. *(weitergehen)* move on; *Geh zu!* Move it! Go! 3. *(sich schließen lassen)* close, shut; 4. *auf etw ~* head for sth; 5. *(sich einem Zeitpunkt nähern)* approach; *Es geht auf den Sommer zu.* Summer is approaching. *Er geht auf die Sechzig zu.* He's approaching sixty. 6. *(geschehen, ablaufen)* happen; *Hier geht es ja zu!* This place is really hopping! 7. *jdm ~ (Brief)* to be sent to s.o.

Zugehörigkeit ['tsu:gəhø:rɪçkaɪt] *f* affiliation, membership

Zügel ['tsy:gəl] *m* rein; *die ~ fest in der Hand haben* have things firmly under control; *die ~ schleifen lassen* let things take their course

zügellos ['tsy:gəllo:s] *adj (fig)* unbridled

zügeln ['tsy:gəln] *v (fig)* rein in, curb

Zugeständnis ['tsu:gəʃtɛntnɪs] *n* concession

zugestehen ['tsu:gəʃte:ən] *v* admit, confess, grant, acknowledge

Zugführer ['tsu:kfy:rər] *m* conductor

zügig ['tsy:gɪç] *adj* swift, brisk, smart

zugleich [tsu'glaɪç] *adv* at once

Zugluft ['tsu:kluft] *f* draught, draft (US)

zugreifen ['tsu:graɪfən] *v* 1. grab it; 2. *(bei Tisch) Greif zu!* Help yourself! 3. *(helfen)* lend a hand; 4. *(stramm arbeiten)* get down to work

Zugriff ['tsu:grɪf] *m* 1. INFORM access; 2. *durch raschen ~* by stepping in quickly, by acting fast

zugute [tsu'gu:tə] *adv* 1. *jdm etw ~ halten* make allowances for sth, grant s.o. sth; 2. *sich etw auf etw ~ halten* pride o.s. on sth; 3. *einer Sache ~ kommen* come in useful for sth

zuhalten ['tsu:haltən] *v irr* keep closed, hold closed, hold shut

Zuhälter ['tsu:hɛltər] *m* procurer

zuhause [tsu'hauzə] *adv* home, at home

Zuhause [tsu'hauzə] *n* home

zuhören ['tsu:hø:rən] *v* listen

Zuhörer ['tsu:hø:rər] *m* listener

zuklappen ['tsu:klapən] *v* clap shut

Zukunft ['tsu:kunft] *f* future

zukünftig ['tsu:kynftɪç] *adj* 1. future; *adv* 2. from now on, in future

Zulage ['tsu:la:gə] *f* 1. additional pay, bonus; 2. *(Gehaltserhöhung)* rise (UK), raise (US)

zulassen ['tsu:lasən] *v irr* 1. *(geschlossen lassen)* leave shut, leave closed; 2. *(gestatten)* allow, permit, consent to; 3. *(Auto)* register

zulässig ['tsu:lɛsɪç] *adj* permissible, allowed, admissible

Zulassung ['tsu:lasuŋ] *f* 1. *(eines Autos)* registration; 2. *(Erlaubnis)* permission

zulegen ['tsu:le:gən] *v* 1. *sich etw ~* acquire sth; 2. *(fam: an Gewicht zunehmen)* gain weight, put on weight; 3. *(fam: Anstrengungen verstärken)* redouble efforts, step it up a notch

zuletzt [tsu'lɛtst] *adv* 1. lastly, finally; 2. *(als Letzter, zum letzten Mal)* last

zumal [tsu'ma:l] *adv* 1. especially, particularly, above all; *konj* 2. all the more since

zumeist [tsu'maɪst] *adv* mostly, for the most part

zumindest [tsu'mɪndəst] *adv* at least

zumuten ['tsu:mu:tən] *v jdm etw* ~ expect sth of s.o., demand sth of s.o.; *sich zu viel* ~ bite off more than one can chew

Zumutung ['tsu:mu:tʊŋ] *f* unreasonable demand, unreasonable expectation

zunächst [tsu'nɛːçst] *adv* 1. initially, first of all; 2. *(vorläufig)* for the moment

Zunahme ['tsu:na:mə] *f* increase, growth, rise

Zuname ['tsu:na:mə] *m* family name, surname

zünden ['tsyndən] *v* ignite, light, spark

Zündholz ['tsynthɔlts] *n* match

zunehmen ['tsu:ne:mən] *v irr* 1. increase, grow, rise; 2. *(an Gewicht)* gain weight

Zuneigung ['tsu:naɪɡʊŋ] *f* affection; ~ *zu jdm fassen* take a liking to s.o., grow fond of s.o.; *eine starke* ~ *zu jdm empfinden* feel strong affection towards s.o.

Zunge ['tsʊŋə] *f* tongue; *die* ~ *im Zaum halten* hold one's tongue; *jdm die* ~ *lösen* get s.o. to talk; *sich auf die* ~ *beißen* bite one's tongue; *es brennt jdm auf der* ~ s.o. is itching to say sth

Zungenbrecher ['tsʊŋənbrɛçər] *m* tongue twister

zunichte [tsu'nɪçtə] *v* ~ *machen* annihilate, ruin, destroy

zuordnen ['tsu:ɔrdnən] *v* classify, assign to

Zuordnung ['tsu:ɔrdnʊŋ] *f* classification, assignment

zupacken ['tsu:pakən] *v* pitch in

zurechtkommen [tsu'rɛçtkɔmən] *v irr* 1. *mit etw* ~ *(fertig werden)* cope with sth, manage sth; 2. *(rechtzeitig kommen)* arrive in time

zurechtweisen [tsu'rɛçtvaɪzən] *v irr* reprimand, rebuke

Zurechtweisung [tsu'rɛçtvaɪzʊŋ] *f* reprimand, rebuke

zürnen ['tsyrnən] *v* to be angry

zurück [tsu'ryk] *adv* back, backwards, behind

zurückbehalten [tsu'rykbəhaltən] *v irr* retain, detain, keep back

zurückblicken [tsu'rykblɪkən] *v* look back

zurückbringen [tsu'rykbrɪŋən] *v irr* return, bring back, replace

zurückdrängen [tsu'rykdrɛŋən] *v* drive back, push back

zurückerstatten [tsu'rykɛrʃtatən] *v* refund, pay back, reimburse

zurückfordern [tsu'rykfɔrdərn] *v etw* ~ ask for sth back, demand sth back

zurückgeben [tsu'rykge:bən] *v irr* give back, return

zurückgehen [tsu'rykge:ən] *v irr* 1. go back, turn back, return; 2. *(sinken)* fall, drop, decline; 3. *(fig)* ~ *auf* go back to

zurückhalten [tsu'rykhaltən] *v irr* 1. *etw* ~ hold sth back, suppress sth; 2. *sich* ~ hold back, keep back

zurückhaltend [tsu'rykhaltənt] *adj* 1. reserved, restrained; *adv* 2. with restraint

zurückkehren [tsu'rykke:rən] *v* come back, return, go back

zurücklegen [tsu'rykle:gən] *v* 1. replace, put back; 2. *(Strecke)* cover; 3. *(sparen)* save, put aside; 4. *(reservieren)* put aside

zurücksetzen [tsu'rykzɛtsən] *v* 1. *(mit dem Auto)* move back, back up; 2. *(zurückstellen)* move back; 3. *(fig: benachteiligen)* neglect s.o.

zurückstellen [tsu'rykʃtɛlən] *v* 1. set back, put back; 2. *(Heizung)* turn down; 3. *(Interessen)* put aside; 4. *jdn vom Wehrdienst* ~ MIL defer s.o.'s military service; 5. *(Waren)* put aside

zurücktreten [tsu'ryktre:tən] *v irr* 1. step back, stand back; 2. *(Rücktritt erklären)* resign

zurückweisen [tsu'rykvaɪzən] *v irr* reject, refuse

Zurückweisung [tsu'rykvaɪzʊŋ] *f* rejection, refusal

Zuruf ['tsu:ru:f] *m* call, shout

zurufen ['tsu:ru:fən] *v irr* 1. *jdm etw* ~ call sth out to s.o., shout sth at s.o.; 2. *jdm anfeuernd* ~ cheer for s.o.

Zusage [tsu'za:gə] *f* 1. *(Verpflichtung)* commitment; 2. *(Versprechen)* promise; 3. *(Zustimmung)* assent

zusagen ['tsu:za:gən] *v* 1. confirm, *(versprechen)* promise; 2. *(fig: gefallen)* appeal to, please, suit

zusammen [tsu'zamən] *adv* 1. *(gemeinsam)* together, jointly, in common; 2. *(insgesamt)* all in all, altogether

Zusammenarbeit [tsu'zamənarbaɪt] *f* cooperation, collaboration

zusammenarbeiten [tsu'zamənarbaɪtən] *v* work together, cooperate, collaborate

zusammenbinden [tsu'zamənbɪndən] *v irr* tie together

zusammenbrechen [tsu'zamənbrɛçən] *v irr* collapse, break down

Zusammenbruch [tsu'zamənbrux] *m* collapse, breakdown

zusammenfassen [tsu'zamənfasən] *v* 1. *(das Fazit ziehen)* summarize; 2. *(vereinigen)* unite

zusammenfassend [tsu'zamənfasənt] *adv* in summary

Zusammenfassung [tsu'zamənfasuŋ] *f* summary, synopsis

zusammenfügen [tsu'zamənfy:gən] *v* join, unite, put together

zusammenhalten [tsu'zamənhaltən] *v irr* hold together, keep together, stick

Zusammenhang [tsu'zamənhaŋ] *m* 1. connection; 2. *(im Text)* context

zusammenhängen [tsu'zamənhɛŋən] *v irr* to be connected

zusammenhängend [tsu'zamənhɛŋənt] *adj* coherent

zusammenkehren [tsu'zamənke:rən] *v* sweep together

Zusammenkunft [tsu'zamənkunft] *f* meeting, gathering, assembly

zusammenleben [tsu'zamənle:bən] *v* live together

zusammenlegen [tsu'zamənle:gən] *v* 1. *(vereinigen)* merge, unite, consolidate; 2. *(falten)* fold up, put together

zusammenschließen [tsu'zamənʃli:sən] *v irr sich* ~ get together, team up

Zusammenschluss [tsu'zamənʃlus] *m* union, alliance, merger, joining together

zusammensetzen [tsu'zamənzɛtsən] *v* 1. *sich* ~ *aus* consist of, to be comprised of; 2. *sich* ~ *(fig: sich besprechen)* get together; *sich gemütlich* ~ have a cosy get-together

Zusammensetzung [tsu'zamənzɛtsuŋ] *f* 1. composition, make-up, construction; 2. *(Wort)* compound

zusammenstellen [tsu'zamənʃtɛlən] *v* 1. *(fig)* make up, put together, combine; 2. *(Daten)* compile

Zusammenstellung [tsu'zamənʃtɛluŋ] *f* *(fig)* combination, compilation, assembly

Zusammenstoß [tsu'zamənʃto:s] *m* 1. collision, crash; 2. *(Streit)* clash

zusammenstoßen [tsu'zamənʃto:sən] *v irr* 1. collide, crash; 2. *(sich streiten)* clash

zusammentreffen [tsu'zaməntrɛfən] *v irr* meet, coincide

Zusatz [tsu'zats] *m* 1. addition, supplement; 2. CHEM additive

zusätzlich ['tsu:zɛtslɪç] *adj* 1. additional, supplementary; *adv* 2. additionally

zuschauen ['tsu:ʃauən] *v* look on, watch

Zuschauer ['tsu:ʃauər] *m* 1. spectator, member of the audience; 2. *(Beistehender)* onlooker

zuschicken ['tsu:ʃɪkən] *v* send, *(mit der Post)* mail; *sich etwas* ~ *lassen* send for sth

Zuschlag ['tsu:ʃla:k] *m* 1. extra charge, surcharge; 2. TECH addition

zuschlagen ['tsu:ʃla:gən] *v irr* 1. *(eine Tür)* slam, bang shut; *die Tür hinter sich* ~ slam the door behind one 2. *(mit der Faust)* punch; 3. *(fam: eine Gelegenheit ergreifen)* jump at the opportunity, seize the opportunity

zuschließen ['tsu:ʃli:sən] *v irr* lock up, close

Zuschuss ['tsu:ʃus] *m* allowance, contribution, subsidy

zusehen ['tsu:ze:ən] *v irr* look on, watch

zusetzen ['tsu:zɛtsən] *v* 1. *(auf den Herd setzen)* put on; 2. *Geld* ~ lose money; 3. *(hinzufügen)* add; 4. *jdm* ~ *(drängen)* pester s.o., badger s.o.; 5. *jdm* ~ *(Feind)* harass s.o.

zusichern ['tsu:zɪçərn] *v jdm etw* ~ assure s.o. of sth

Zusicherung ['tsu:zɪçəruŋ] *f* assurance

Zuspruch ['tsu:ʃprux] *m* 1. *(Trost)* words of comfort; 2. *(Aufmunterung)* encouragement; 3. *(Beliebtheit)* popularity

Zustand ['tsu:ʃtant] *m* 1. condition, state; *Zustände kriegen* have a fit; 2. *(Lage)* situation

zuständig ['tsu:ʃtɛndɪç] *adj* 1. *(verantwortlich)* responsible; 2. *(entsprechend)* appropriate

Zuständigkeit ['tsu:ʃtɛndɪçkait] *f* competence, jurisdiction, responsibility

zustellen ['tsu:ʃtɛlən] *v* 1. block, obstruct; 2. *(liefern)* deliver, hand over

Zustellung ['tsu:ʃtɛluŋ] *f* delivery

zustimmen ['tsu:ʃtɪmən] *v* agree, consent, approve

Zustimmung ['tsu:ʃtɪmuŋ] *f* agreement, consent, approval

Zustrom ['tsu:ʃtro:m] *m* 1. flow, flux; 2. *(hineinströmend)* influx; 3. *(Andrang)* crowd, throng

Zutaten ['tsu:ta:tən] *pl* ingredients *pl*

Zuteilung ['tsu:tailuŋ] *f* assignment, allotment, allocation

zutragen ['tsu:tra:gən] *v irr* 1. *sich* ~ happen; 2. *(weitererzählen)* report, pass on

zutrauen ['tsu:trauən] *v jdm etw* ~ think s.o. capable of sth

zutraulich ['tsu:trauliç] *adj* confiding

zutreffen ['tsu:trɛfən] *v irr* 1. prove right, to be accurate; 2. *(gelten)* apply

Zutritt ['tsu:trɪt] *m* access, admission; admittance, entry; *kein* ~/~ *verboten* no admittance, no entry; *sich* ~ *verschaffen* gain admission, gain admittance; *jdm* ~ *gewähren* admit sb; *jdm den* ~ *verwehren* refuse s.o. admission/admittance

zuverlässig ['tsu:fɛrlɛsɪç] *adj* reliable, dependable, trustworthy

Zuverlässigkeit ['tsu:fɛrlɛsɪçkaɪt] *f* reliability, dependability, trustworthiness

Zuversicht ['tsu:fɛrzɪçt] *f* confidence, trust

zuversichtlich ['tsu:fɛrzɪçtlɪç] *adj 1.* confident, optimistic; *adv 2.* confidently, optimistically

zuvor [tsu'fo:r] *adv* before, formerly, previously

Zuwachs ['tsu:vaks] *m 1. ECO* growth; *2. (fam: Baby)* addition to the family

Zuwanderung ['tsu:vandəruŋ] *f* immigration

zuweisen ['tsu:vaɪzən] *v irr* assign, allocate

Zuweisung ['tsu:vaɪzuŋ] *f* assignment

zuwenden ['tsu:vɛndən] *v irr 1.* turn toward; *jdm das Gesicht ~* turn to face sb, turn one's face towards s.o.; *die der Straße zugewandten Fenster* the windows facing the street *2. (völlig widmen)* devote

zuwerfen ['tsu:vɛrfən] *v irr 1. die Tür ~* slam the door; *2. jdm etw ~* throw sth to s.o.; *jdm einen Blick ~* glance at s.o.

zuziehen ['tsu:tsi:ən] *v irr 1. (hierher ziehen)* move here, move to the area; *2. etw ~* pull sth shut; *3. (Knoten)* pull tight; *4. jdn ~* consult s.o.; *5. sich etw ~* incur sth; *sich eine Verletzung ~* sustain an injury

zuzüglich ['tsutsy:klɪç] *prep* plus

Zwang [tsvaŋ] *m 1.* compulsion; *2. (Verpflichtung)* obligation; *3. (Gewalt)* force

zwanglos ['tsvaŋlo:s] *adj 1.* informal, casual, relaxed; *adv 2.* informally, at ease

zwangsläufig ['tsvaŋsləʏfɪç] *adj 1.* necessary, obligatory; *adv 2.* of necessity

zwanzig ['tsvantsɪç] *num* twenty

zwar [tsva:r] *konj 1. und ~* that is to say, namely; *Kommen Sie her, und ~ sofort!* Come here, and I mean right away! *2.* indeed, admittedly, certainly

Zweck [tsvɛk] *m 1.* purpose, aim, end; *Der ~ heiligt die Mittel.* The end justifies the means. *2. (Sinn)* point

zwecklos ['tsvɛklo:s] *adj 1.* pointless, useless, futile; *adv 2.* pointlessly, aimlessly

zweckmäßig ['tsvɛkmɛ:sɪç] *adj* expedient, practical, proper

Zweckmäßigkeit ['tsvɛkmɛ:sɪçkaɪt] *f* appropriateness, functionality

zwei [tsvaɪ] *num* two

zweideutig ['tsvaɪdɔʏtɪç] *adj 1.* ambiguous, equivocal; *2. (schlüpfrig)* suggestive

Zweideutigkeit ['tsvaɪdɔʏtɪçkaɪt] *f 1. (Mehrdeutigkeit)* ambiguity; *2. (Anzüglichkeit)* suggestiveness

zweifach ['tsvaɪfax] *adj* double, twofold

Zweifel ['tsvaɪfəl] *m* doubt

zweifelhaft ['tsvaɪfəlhaft] *adj* doubtful, dubious

zweifellos ['tsvaɪfəllo:s] *adv* no doubt, without a doubt

zweifeln ['tsvaɪfəln] *v* doubt

Zweig [tsvaɪk] *m 1. BOT* branch, twig, sprig; *auf keinen grünen ~ kommen* get nowhere; *2. (fig)* branch, department, section

Zweikampf ['tsvaɪkampf] *m SPORT* duel

zweimal ['tsvaɪma:l] *adv* twice

zweiseitig ['tsvaɪzaɪtɪç] *adj 1.* two-sided, bilateral; *adv 2.* bilaterally

zweisprachig ['tsvaɪʃpra:xɪç] *adj* bilingual

zweistufig ['tsvaɪʃtu:fɪç] *adj* two-stage

zweite(r,s) ['tsvaɪtə(r,s)] *adj* second

zweitens ['tsvaɪtəns] *adv* secondly

Zwerg [tsvɛrk] *m* dwarf

zwicken ['tsvɪkən] *v 1.* pinch; *2. (beißen)* nip

Zwickmühle ['tsvɪkmy:lə] *f (fig)* dilemma

Zwiebel ['tsvi:bəl] *f* onion

Zwiespalt ['tsvi:ʃpalt] *m* conflict, discord

zwiespältig ['tsvi:ʃpɛltɪç] *adj* conflicting

Zwilling ['tsvɪlɪŋ] *m* twin

zwingen ['tsvɪŋən] *v irr* force, compel

zwingend ['tsvɪŋənt] *adj 1. (Grund)* compelling; *2. (Maßnahme)* coercive; *3. (Notwendigkeit)* urgent, imperative

zwinkern ['tsvɪŋkərn] *v* blink

zwischen ['tsvɪʃən] *prep 1.* between; *2. (darunter sein)* among

zwischendurch ['tsvɪʃəndurç] *adv 1. (zeitlich)* in between, *(gelegentlich)* at intervals, *(inzwischen)* in the meantime; *2. (örtlich)* through

Zwischenraum ['tsvɪʃənraum] *m* space, gap

Zwischenzeit ['tsvɪʃəntsaɪt] *f* interval

Zwischenzeugnis ['tsvɪʃəntsɔʏknɪs] *n 1. (in der Schule)* mid-year report, card (US); *2. (im Personalwesen)* performance appraisal

Zwist [tsvɪst] *m* disagreement, discord

zwitschern ['tsvɪtʃərn] *v* twitter, chirp

zwölf [tsvœlf] *num* twelve

zwölfte(r,s) ['tsvœlftə(r,s)] *adj* twelfth

Zyklus ['tsy:klus] *m* cycle

Zylinder [tsy'lɪndər] *m 1. (Hut)* top hat; *2. TECH* cylinder

Zyniker ['tsy:nɪkər] *m* cynic

zynisch ['tsy:nɪʃ] *adj 1.* cynical; *adv 2.* cynically

Zynismus [tsy'nɪsmus] *m* cynicism

Zyste ['tsystə] *f MED* cyst

Englische Grammatik

Das Adjektiv

Das Adjektiv (Eigenschaftswort) wird gebraucht, um ein Substantiv näher zu bestimmen; im Englischen verändert das Adjektiv seine Form nicht.

This car is expensive.	Dieses Auto ist teuer.
This is an expensive car.	Dies ist ein teures Auto.

Die Steigerung des Adjektivs

Grundform	1. Steigerungsstufe	2. Steigerungsstufe
tall	*taller*	*tallest*
cheap	*cheaper*	*cheapest*
happy	*happier*	*happiest*

Alle einsilbigen Adjektive und alle zweisilbigen Adjektive, die auf *-y* enden, werden durch das Anhängen von *-er* und *-est* gesteigert. Alle anderen Adjektive, d.h. alle zweisilbigen, die nicht auf *-y* enden und alle drei- und mehrsilbigen Adjektive werden mit *more* und *most* gesteigert:

stupid	*more stupid*	*most stupid*
dangerous	*more dangerous*	*most dangerous*

Bei der Steigerung mit *-er* und *-est* treten folgende Veränderungen der Schreibweise auf: Folgt am Wortende einem Konsonanten ein *y*, so wird dieses in der Steigerung zu *i*. Folgt einem kurzen Vokal ein Konsonant am Wortende, so wird dieser verdoppelt. Endet das Adjektiv auf ein *e*, das nicht gesprochen wird, so entfällt dieses:

easy	*easier*	*easiest*
big	*bigger*	*biggest*
pure	*purer*	*purest*

Folgende Adjektive werden unregelmäßig gesteigert:

good	*better*	*best*
bad	*worse*	*worst*
much	*more*	*most*
many	*more*	*most*
little	*less*	*least*

Das Adverb

Die abgeleiteten Adverbien

Die abgeleiteten Adverbien werden durch das Anhängen von *-ly* an das Adjektiv gebildet:

slow	*slowly*	langsam
nice	*nicely*	nett

Endet das Adjektiv auf -*y*, so wird -*y* zu -*i*:

easy   *easily*   leicht

Endet das Adjektiv auf -*le* und steht davor ein Konsonant, so entfällt das -*e*:

simple   *simply*   einfach

Endet das Adjektiv auf -*ic*, wird -*ally* angehängt:

basic   *basically*   grundsätzlich

Endet das Adjektiv auf -*ll*, wird nur ein -*y* angehängt:

full   *fully*   voll

Die ursprünglichen Adverbien

Neben den abgeleiteten Adverbien gibt es die so genannten ursprünglichen Adverbien, die nicht von einem Adjektiv abgeleitet werden (z. B. *yesterday* – gestern, *here* – hier).
Von den ursprünglichen Adverbien können einige auch als Adjektiv verwendet werden. Eine einzige Form dient hier also als Adjektiv und als Adverb:

It is a daily newspaper.   Es ist eine Tageszeitung.
It appears daily.   Sie erscheint täglich.

Die wichtigsten davon sind:

fast	schnell	*straight*	gerade
long	lang	*daily*	täglich
low	niedrig	*weekly*	wöchentlich
monthly	monatlich		

Unregelmäßig gebildete Adverbien und Sonderformen

Eine wichtige Besonderheit stellen Adverbien dar, die die gleiche Form wie das entsprechende Adjektiv haben, zusätzlich jedoch noch eine mit -*ly* gebildete Form besitzen. Diese Gruppe ist besonders wichtig, weil die mit -*ly* abgeleiteten Adverbien eine andere Bedeutung haben. Zu dieser Gruppe zählen:

Adjektiv und Adverb		Adverb	
hard	schwer/hart	*hardly*	kaum
late	spät	*lately*	kürzlich
fair	fair	*fairly*	ziemlich

Die Steigerung der Adverbien

Alle einsilbigen Adverbien werden mit *-er* und *-est* gesteigert:

Grundform	Komparativ	Superlativ
early	*earlier*	*earliest*
früh	früher	am frühesten

Alle anderen Adverbien werden mit *more* und *most* gesteigert:

carefully	*more carefully*	*most carefully*
vorsichtig	vorsichtiger	am vorsichtigsten

Folgende Adverbien werden unregelmäßig gesteigert:

well	*better*	*best*
gut	besser	am besten
much	*more*	*most*
viel	mehr	am meisten
badly	*worse*	*worst*
schlecht	schlechter	am schlechtesten
a little	*less*	*least*
ein wenig	weniger	am wenigsten

Die amerikanische Rechtschreibung

Bei vielen Wörtern, deren *ae* oder *oe* mit dem Laut [i:] ausgesprochen wird, entfällt im amerikanischen Englisch das *a* bzw. das *o*:

diarrhoea (UK)　　　　　　　　　　　　　*diarrhea (US)*

In nichtbetonten Silben mit einem ursprünglich doppelten *l* steht im amerikanischen Englisch nur ein *l*:

travelled (UK)　　　　　　　　　　　　　*traveled (US)*

Bei betonten Silben, die auf *-l* enden, hat amerikanisches Englisch ein doppeltes *l*:

fulfil (UK)　　　　　　　　　　　　　　　*fulfill (US)*

Wörter, die im britischen Englisch auf *-our* enden, werden im amerikanischen Englisch mit *-or* geschrieben, wenn dieser Laut [ə] ausgesprochen wird:

colour (UK)　　　　　　　　　　　　　　*color (US)*

Die Endung *-re* wird im amerikanischen Englisch zu *-er*, wenn vor dem *-re* ein Konsonant steht:

centre (UK)　　　　　　　　　　　　　　*center (US)*

Der Artikel

Der bestimmte Artikel

Für den bestimmten Artikel gibt es im Englischen nur eine einzige Form, die für Feminina und Maskulina, sowie im Singular und im Plural gleich ist.

Singular   Plural
the tree der Baum   *the trees* die Bäume

Abstrakta (z. B. *life, love, peace*), Stoffnamen (z. B. *ice, milk*) und Gattungsnamen (z. B. *children, women*) stehen ohne den bestimmten Artikel, wenn sie im allgemeinen Sinn gebraucht werden, und mit bestimmtem Artikel, wenn sie näher bestimmt sind:

Life is hard.   Das Leben ist schwer.
The life of a politician   Das Leben eines Politikers
can be very dangerous.   kann sehr gefährlich sein.

Besonderheiten beim Gebrauch des bestimmten Artikels

Wie im Deutschen haben manche geografische Bezeichnungen keinen bestimmten Artikel.

Bei *all, both, half, twice, double* wird der bestimmte Artikel nachgestellt.

Der unbestimmte Artikel

Der unbestimmte Artikel lautet *a* und wird nur bei der Einzahl von zählbaren Begriffen gebraucht (z. B. *a house*).

Vor Vokalen lautet der unbestimmte Artikel *an*. Ausschlaggebend ist dabei nicht der Buchstabe, mit dem das folgende Wort beginnt, sondern dessen Aussprache (z. B. *an old house*).

Besonderheiten beim Gebrauch des unbestimmten Artikels

Abweichend vom Deutschen steht im Englischen der unbestimmte Artikel bei Berufsbezeichnungen und bei Konfessionen:

He is a teacher.   Er ist Lehrer.

Nach *half, quite, rather, such* steht der unbestimmte Artikel:

half a bottle of milk   eine halbe Flasche Milch

Bei Ausrufen steht nach *what* und bei zählbaren Substantiven der unbestimmte Artikel:

What a lovely day!   Was für ein schöner Tag!

Das Substantiv

Pluralbildung

Gewöhnlich wird der Plural eines Substantivs gebildet, indem man *-s* an die Singularform anhängt:

ship – ships   table – tables

Dennoch gibt es einige Ausnahmen. Endet das Substantiv auf einen Zischlaut (*-s, -x, -ch, -sh, -z*), hängt man *-es* an das Wort an:

bus – buses   tax – taxes

Wenn das Substantiv auf einen Konsonanten und *-y* endet, so wird *-y* im Plural zu *-ies*. Endet das Substantiv auf einen Vokal und *-y*, so wird im Plural *-s* angehängt:

hobby – hobbies   Aber: *boy – boys*

Die Pluralform der Substantive, die auf *-f* oder *-fe* enden, wird normalerweise gebildet, indem man das *-f* oder *-fe* durch *-ves* ersetzt:

half – halves   Aber: *belief – beliefs*
wife – wives   Aber: *chief – chiefs*

Substantive, die auf *-o* enden, bilden den Plural entweder mit *-os* oder mit *-oes*:

radio – radios   Aber: *potato – potatoes*
piano – pianos   Aber: *tomato – tomatos*

Unregelmäßige Pluralformen

Neben den verschiedenen Formen der Pluralbildung mit *-s* gibt es im Englischen eine ganze Reihe von unregelmäßigen Pluralformen wie z. B.:

Singular	Plural	Singular	Plural
man	*men*	*mouse*	*mice*
woman	*women*	*goose*	*geese*
foot	*feet*	*ox*	*oxen*
tooth	*teeth*	*child*	*children*
louse	*lice*		

Substantive, die im Plural die gleiche Form besitzen

Es gibt im Englischen Substantive, die im Singular und im Plural die gleiche Form besitzen. Das ist beispielsweise bei einigen Tiernamen der Fall:

sheep   das Schaf/die Schafe
deer   der Hirsch/die Hirsche

Das Verb

Verbarten und Verbformen

Die Verben *to have*, *to be* und *to do*

Die Hilfsverben *do*, *be* und *have* haben eine besonders wichtige Funktion, weil mit ihnen die Fragen, die Verneinung, alle zusammengesetzten Zeiten und das Passiv gebildet werden können. Darüber hinaus sind diese drei Verben auch Vollverben.

to have

Infinitiv		Imperfekt		Partizip Perfekt	
have	haben	*had*	hatte	*had*	gehabt

Gegenwart		Kurzform	Verneinung	Kurzform
I have	ich habe	*I've*	*I have not*	*I haven't*
you have	du hast			
he has	er hat	*he's*		*he hasn't*
she has	sie hat			
it has	es hat			
we have	wir haben			
you have	ihr habt			
they have	sie haben			

Imperfekt		Kurzform	Verneinung	Kurzform
I had	ich hatte	*I'd*	*I had not*	*I hadn't*
you had	du hattest			
he had	er hatte			
she had	sie hatte			
it had	es hatte			
we had	wir hatten			
you had	ihr hattet			
they had	sie hatten			

Die Verwendung von *to have* als Hilfsverb

Die Formen der Gegenwart von *have* werden für die Bildung des Perfekts verwendet: *I have learnt*.
Mit der Imperfektform *had* wird das Plusquamperfekt gebildet: *I had learnt*.

to be

Infinitiv	Imperfekt	Partizip Perfekt
to be	*was/were*	*been*
sein	war/waren	gewesen

Gegenwart		Kurzform	Verneinung	Kurzform
I am	ich bin	*I'm*	*I am not*	*I'm not*
you are	du bist	*you're*	*you are not*	*you aren't*
he is	er ist	*he's*	*he is not*	*he isn't*
she is	sie ist	*she's*	*she is not*	*she isn't*
it is	es ist	*it's*	*it is not*	*it isn't*
we are	wir sind	*we're*	*we are not*	*we aren't*
you are	ihr seid	*you're*	*you are not*	*you aren't*
they are	sie sind	*they're*	*they are not*	*they aren't*

Imperfekt			Verneinung	Kurzform
I was	ich war		*I was not*	*I wasn't*
you were	du warst		*you were not*	*you weren't*
he was	er war		*he was not*	*he wasn't*
she was	sie war		*she was not*	*she wasn't*
it was	es war		*it was not*	*it wasn't*
we were	wir waren		*we were not*	*we weren't*
you were	ihr wart		*you were not*	*you weren't*
they were	sie waren		*they were not*	*they weren't*

Die Verwendung von *to be* als Hilfsverb

Mit *to be* werden die Verlaufsform *(progressive form)* und das Passiv gebildet: *He is working. It is made of wood.*

to do

Infinitiv		Imperfekt		Partizip Perfekt	
do	tun	*did*	tat	*done*	getan

Imperfekt		Verneinung	Kurzform
I did	ich tat	*I did not*	*I didn't*
you did	du tatest	etc.	etc.

Die Verwendung von *to do* als Hilfsverb

do und die Vergangenheitsform *did* werden für die Bildung der Fragen und der Verneinung bei Vollverben verwendet.

Die Vollverben

Jedes Vollverb besitzt drei Formen, mit denen sich alle Zeiten und Aussageweisen bilden lassen. Diese Formen sind Infinitiv, Imperfekt und Partizip Perfekt. Durch die unterschiedliche Bildung des Imperfekts und des Partizips Perfekt lassen sich die Vollverben in zwei Gruppen einteilen:

Die regelmäßigen Vollverben bilden das Imperfekt und das Partizip Perfekt mit der Endung -*ed*:

Infinitiv	Imperfekt	Partizip Perfekt
wait	*waited*	*waited*

Die unregelmäßigen Vollverben bilden das Imperfekt und das Partizip Perfekt mit eigenen Formen (siehe Tabelle S. 580–583).

Das Präsens

Bejahte Form	Verneinte Form	Frage
I take	*I don't take*	*Do I take?*
you take	*you don't take*	
he/she/it takes	*he/she/it doesn't take*	*Does he take?*
we take	*we don't take*	*Do we take?*
you take	*you don't take*	
they take	*they don't take*	

Das Imperfekt

Das Imperfekt wird bei den regelmäßigen Verben durch Anhängen von -*ed* an das Verb gebildet. Bei den unregelmäßigen Verben werden besondere Formen für das Imperfekt verwendet. Die Formen des Imperfekts bleiben in allen Personen unverändert.

Das Perfekt

Das Perfekt wird gebildet aus dem Präsens des Hilfsverbs *have* und dem Partizip Perfekt des Vollverbs.

Das Plusquamperfekt

Das Plusquamperfekt wird gebildet mit der Past Tense-Form *had* des Hilfsverbs *have* und dem Partizip Perfekt des Vollverbs.

Das Futur I *(Will-Future)*

Das *Will-Future* wird in allen Zeiten mit *will* und dem Infinitiv des Verbs gebildet.

Das Futur II *(Future Perfect)*

Das Futur II wird gebildet mit *will* und dem Infinitiv des Perfekts.

Der Konditional I

Der Konditional I wird gebildet mit *would* und dem Infinitiv des Verbs.

Der Konditional II

Der Konditional II wird gebildet mit *would, have* und dem Partizip Perfekt des Vollverbs.

Die Verlaufsform *(Progressive Form)*

Die Verlaufsform wird mit den jeweiligen Formen von *to be* und dem Partizip Präsens gebildet.

Präsens	Imperfekt	Perfekt
I am writing. Ich schreibe gerade.	*I was writing.* Ich schrieb gerade.	*I have been writing.* Ich habe geschrieben.

Plusquamperfekt	Futur I	Futur II
I had been writing. Ich hatte geschrieben.	*I will be writing.* Ich werde schreiben.	*I will have been writing.* Ich werde geschrieben haben.

Konditional I	Konditional II
I would be writing. Ich würde schreiben.	*I would have been writing.* Ich hätte geschrieben.

Die Zahlen

Die Grundzahlen

0	*nought, zero*	13	*thirteen*	50	*fifty*
1	*one*	14	*fourteen*	60	*sixty*
2	*two*	15	*fifteen*	70	*seventy*
3	*three*	16	*sixteen*	80	*eighty*
4	*four*	17	*seventeen*	90	*ninety*
5	*five*	18	*eighteen*	100	*one hundred*
6	*six*	19	*nineteen*	101	*one hundred and one*
7	*seven*	20	*twenty*	200	*two hundred*
8	*eight*	21	*twenty-one*	1,000	*one thousand*
9	*nine*	22	*twenty-two*	1,001	*one thousand and one*
10	*ten*	etc.		1,000,000	*one million*
11	*eleven*	30	*thirty*		
12	*twelve*	40	*forty*		

Unregelmäßige Verben im Englischen

	Präteritum	Partizip
arise	arose	arisen
awake	awoke	awoken
be	was/were	been
bear	bore	borne/born
beat	beat	beaten
become	became	become
beget	begot	begotten
begin	began	begun
bend	bent	bent
beseech	besought	besought
bet	bet/betted	bet/betted
bid	bade	bidden
bind	bound	bound
bite	bit	bitten
bleed	bled	bled
blow	blew	blown
break	broke	broken
breed	bred	bred
bring	brought	brought
build	built	built
burn	burnt/burned	burnt/burned
burst	burst	burst
buy	bought	bought
can	could	-
cast	cast	cast
catch	caught	caught
chide	chid	chidden/chid
choose	chose	chosen
cleave	clove/cleft	cloven/cleft
cleave (adhere)	cleaved/clave	cleaved
cling	clung	clung
come	came	come
cost	cost	cost
creep	crept	crept
cut	cut	cut
deal	dealt	dealt
dig	dug	dug
do	did	done
draw	drew	drawn
dream	dreamt/dreamed	dreamt/dreamed
drink	drank	drunk
drive	drove	driven
dwell	dwelt	dwelt
eat	ate	eaten
fall	fell	fallen
feed	fed	fed
feel	felt	felt
fight	fought	fought

find	found	found
flee	fled	fled
fling	flung	flung
fly	flew	flown
forbid	forbade	forbidden
forget	forgot	forgotten
forsake	forsook	forsaken
freeze	froze	frozen
get	got	got (*US* gotten)
give	gave	given
go	went	gone
grind	ground	ground
grow	grew	grown
hang	hung	hung
have	had	had
hear	heard	heard
heave	heaved/hove	heaved/hove
hide	hid	hid
hit	hit	hit
hold	held	held
hurt	hurt	hurt
keep	kept	kept
knit	knit/knitted	knit/knitted
know	knew	known
lay	laid	laid
lead	led	led
lean	leant/leaned	leant/leaned
leap	leapt	leapt
learn	learnt/learned	learnt/learned
leave	left	left
lend	lent	lent
let	let	let
lie	lay	lain
light	lit	lit
lose	lost	lost
make	made	made
may	might	-
mean	meant	meant
meet	met	met
mow	mowed	mowed/mown
pay	paid	paid
put	put	put
quit	quit	quit
read	read	read
rend	rent	rent
rid	rid	rid
ride	rode	ridden
ring	rang	rung
rise	rose	risen
run	ran	run
say	said	said
see	saw	seen

seek	sought	sought
sell	sold	sold
send	sent	sent
set	set	set
sew	sewed	sewn
shake	shook	shaken
shave	shaved	shaved/shaven
shed	shed	shed
shine	shone	shone
shoe	shod	shod
shoot	shot	shot
show	showed	shown
shrink	shrank	shrunk
shut	shut	shut
sing	sang	sung
sink	sank	sunk
sit	sat	sat
slay	slayed	slain
sleep	slept	slept
slide	slid	slid
sling	slung	slung
slink	slunk	slunk
slit	slit	slit
smell	smelt/smelled	smelt/smelled
smite	smote	smitten
speak	spoke	spoken
speed	sped	sped
spell	spelt/spelled	spelt/spelled
spend	spent	spent
spin	span	spun
spit	spat	spat
split	split	split
spoil	spoilt/spoiled	spoilt/spoiled
spread	spread	spread
spring	sprang	sprung
stand	stood	stood
steal	stole	stolen
stick	stuck	stuck
sting	stang	stung
stink	stank	stunk
strew	strewed	strewed/strewn
stride	strode	stridden
strike	struck	struck
string	strung	strung
strive	strove	striven
swear	swore	sworn
sweep	swept	swept
swell	swelled	swollen/swelled
swim	swam	swum
swing	swang	swung
take	took	taken
teach	taught	taught

tear	tore	torn
tell	told	told
think	thought	thought
throw	threw	thrown
thrust	thrust	thrust
tread	trod	trodden
understand	understood	understood
wake	woke	woken
wear	wore	worn
weave	wove	woven
weep	wept	wept
win	won	won
wind	wound	wound
wring	wrung	wrung
write	wrote	written

German Grammar

Adjectives

If an adjective is used as an attribute, that is, if it immediately precedes the noun it describes, the adjective must agree with the noun in gender, number and case. If an adjective is used as a predicate adjective or as an adverb it is not declined.

The Declension of Adjectives

There are three types of adjective declension: strong, weak and mixed. An adjective takes a strong declension if it stands alone in front of a noun, if it follows a number that is used as an adjective, or if it follows the words *etwas* or *mehr*, or the words *solch, manch, welch, wenig, viel* when these are used without endings.

singular	nominative	genitive	dative	accusative
masculine	*neuer Hut*	*neuen Hutes*	*neuem Hut(e)*	*neuen Hut*
feminine	*neue Frau*	*neuer Frau*	*neuer Frau*	*neue Frau*
neuter	*neues Auto*	*neuen Autos*	*neuem Auto*	*neues Auto*
plural	*neue*	*neuer*	*neuen*	*neue*

An adjective takes a weak declension if it follows a definite article or a declined pronoun. *(der kleine Mann; dieser kleine Mann; welcher große Junge)*

singular	nominative	genitive	dative	accusative
masculine	*neue Hut*	*neuen Hutes*	*neuen Hut(e)*	*neuen Hut*
feminine	*neue Frau*	*neuen Frau*	*neuen Frau*	*neue Frau*
neuter	*neue Auto*	*neuen Autos*	*neuen Auto*	*neue Auto*
plural	*neuen*	*neuen*	*neuen*	*neuen*

An adjective takes a mixed declension if it follows an indefinite article or a pronoun which has no case ending.

singular	nominative	genitive	dative	accusative
masculine	*neuer Hut*	*neuen Hutes*	*neuen Hut*	*neuen Hut*
feminine	*neue Frau*	*neuen Frau*	*neuen Frau*	*neue Frau*
neuter	*neues Auto*	*neuen Auto*	*neuen Auto*	*neues Auto*
plural	*neuen*	*neuen*	*neuen*	*neuen*

The Comparative Adjective

The comparative form of the adjective is formed by adding *-er* (or umlaut and *-er*) to the stem of the adjective. The superlative is formed by adding *-est* or *-st* to the stem of the adjective. If the superlative is not followed by a noun, it is preceded by *am*. *(weit, alt; weiter, länger, älter; weiteste(-r,-s), längste(-r,-s), älteste(-r,-s). Er lief am weitesten.)*

Irregular comparative forms: *gut, besser, am besten; viel, mehr, am meisten; wenig, weniger* or *minder, am wenigsten; hoch, höher, am höchsten; nah, näher, am nächsten.*

Adverbs

Unlike in English, adverbs derived from adjectives are used without added endings. For example, *langsam* in German can mean "slow" or "slowly".

Comparative Form of Adverbs

The comparative form of the adverb corresponds to the comparative form of the the adjective and is also used without an ending. In addition to the adverbs derived from adjectives, the following adverbs have comparative forms:

oft – öfter – am öftesten
bald – eher – am ehesten/ehestens
gern – lieber – am liebsten
wohl – wohler/besser – am wohlsten/am besten
sehr – mehr – am meisten/meist/meistens

Articles

The Definite Article

number	case	masculine	feminine	neuter
singular	nominative	*der*	*die*	*das*
	genitive	*des*	*der*	*des*
	dative	*dem*	*der*	*dem*
	accusative	*den*	*die*	*das*
plural	nominative	*die*	*die*	*die*
	genitive	*der*	*der*	*der*
	dative	*den*	*den*	*den*
	accusative	*die*	*die*	*die*

The Indefinite Article

number	case	masculine	feminine	neuter
singular	nominative	*ein*	*eine*	*ein*
	genitive	*eines*	*einer*	*eines*
	dative	*einem*	*einer*	*einem*
	accusative	*einen*	*eine*	*ein*

There is no plural form of the indefinite article.

Cases

There are four cases in German.

- The nominative case is used for the subject of a sentence or following the verb *sein* (to be). The nominative case is never used following a preposition.
- The accusative case is used for direct objects.
- The dative case is used for indirect objects.
- The genitive case is the equivalent of the possessive in English.

Prepositions determining cases

Prepositions assign a certain case (accusative, dative or genitive) to the word or the group of words which they precede.

Prepositions with the accusative case

durch	*ohne*
für	*um*
gegen	

Prepositions with the dative case

aus	*nach*
außer	*nebst*
bei	*samt*
entgegen	*seit*
gegenüber	*von*
gemäß	*zu*
mit	

Prepositions with accusative or dative case

Several frequently used prepositions of place are used with the dative case when referring to the location of something, and with the accusative case when motion is referred to:

preposition	accusative case	dative case
an	*Lehne die Leiter an die Wand.* Lean the ladder against the wall.	*Die Leiter lehnt an der Wand.* The ladder is leaning against the wall.
auf	*Du kannst dich auf den Stuhl dort setzen.* You can sit in that chair there.	*Auf diesem Stuhl sitzt Frau Weber.* Mrs. Weber is sitting in this chair.
hinter	*Schau hinter das Bild.* Look behind the picture.	*Der Safe ist hinter dem Bild.* The safe is behind the picture.
in	*Tritt nicht in die Pfütze.* Don't step in the puddle.	*Der Brief ist in diesem Ordner abgelegt.* The letter is filed in this folder.
neben	*Stell den Koffer neben das andere Gepäck.* Put the suitcase next to the other luggage.	*Sein Lieblingsplatz war immer neben dem Ofen.* His favourite place was always next to the oven.
über	*Die Wolken ziehen über die Berge.* The clouds are drifting over the mountains.	*Wir flogen über den Wolken dahin.* We flew along over the clouds.

unter	*Kriech unter den Tisch.*	*Such unter dem Tisch.*
	Crawl under the table.	Look under the table.
vor	*Stell die Schuhe vor die Tür.*	*Der Sommer steht vor der Tür.*
	Put the shoes in front of the door.	Summer is just around the corner.
zwischen	*Stell den Tisch zwischen die Stühle!*	*Zwischen den Bäumen wuchsen Pilze.*
	Put the table between the chairs!	Mushrooms were growing among the trees.

Prepositions with the genitive case

außerhalb	*laut*	*um ... willen*
dank	*mangels*	*ungeachtet*
diesseits	*mittels*	*unterhalb*
...halber	*oberhalb*	*unweit*
innerhalb	*statt*	*während*
jenseits	*trotz*	*wegen*

With most of these prepositions the genetive case is only used, if there is an inflected pronoun, an adjective or an article between the preposition and the noun. Otherwise it is followed by the dative case, or the preposition *von* (from) is added, which is then also followed by the dative case.

trotz starker Schneefälle (genitive)	*trotz Schneefällen* (dative)
infolge des Unwetters (genitive)	*infolge von Unwetter* (dative)

Pronouns

singular	personal pronoun nominative case		possessive pronoun nominative case	
1st person	*ich*	I	*mein*	my
2nd person	*du*	you	*dein*	your
3rd person	*er, sie, es*	he, she, it	*sein, ihr, sein*	his, her, its
plural				
1st person	*wir*	we	*unser*	our
2nd person	*ihr*	you	*euer*	your
3rd person	*sie*	they	*ihr*	their

singular	personal pronoun dative case		personal pronoun accusative case	
1st person	*mir*	to me	*mich*	me
2nd person	*dir*	to you	*dich*	you
3rd person	*ihm, ihr, ihm*	to him, to her, to it	*sich*	him, her, it

plural				
1st person	*uns*	to us	*uns*	us
2nd person	*euch*	to you	*euch*	you
3rd person	*ihnen*	to them	*sie*	them

Forms of Address

If speaking to one or more people, one differentiates between the familiar and the formal forms of address.

The familiar form of address – the personal pronouns of the 2nd person *(du, ihr)* – is only used for people with whom one is on a first-name basis.

When addressing strangers or anyone with whom one is not on a first-name basis, the formal forms of address are used:

	personal pron. (sing. + pl.)
nominative	*Sie*
dative	*Ihnen*
accusative	*Sie*

The formal mode of address is used with the verb forms of the 3rd person plural.

Nouns

The Gender of Nouns

German has three genders which are indicated by the article the noun receives: *der Mann* (masculine), *die Frau* (feminine), *das Haus* (neuter).

The Number of Nouns

The plural form of a noun is formed either by adding an ending to the singular form *(-e, -en, -n, -s)* and an umlaut to the stem vowel or by adding the ending *-e* or *-er*: *das Heft, die Hefte; die Küche, die Küchen; das Brett, die Bretter; die Kur, die Kuren; das Auto, die Autos; die Tochter, die Töchter; die Mutter, die Mütter; die Not, die Nöte; das Buch, die Bücher.*

Numbers

cardinal numbers		ordinal numbers	
0	*null*	1.	*erste*
1	*eins*	2.	*zweite*
2	*zwei*	3.	*dritte*
3	*drei*	4.	*vierte*
4	*vier*	5.	*fünfte*
5	*fünf*	6.	*sechste*
6	*sechs*	7.	*sieb(en)te*
7	*sieben*	8.	*achte*
8	*acht*	9.	*neunte*
9	*neun*	10.	*zehnte*
10	*zehn*	11.	*elfte*
11	*elf*	12.	*zwölfte*

12	*zwölf*	13.	*dreizehnte*
13	*dreizehn*	14.	*vierzehnte*
14	*vierzehn*	15.	*fünfzehnte*
15	*fünfzehn*	16.	*sechzehnte*
16	*sechzehn*	17.	*siebzehnte*
17	*siebzehn*	18.	*achtzehnte*
18	*achtzehn*	19.	*neunzehnte*
19	*neunzehn*	20.	*zwanzigste*
20	*zwanzig*	21.	*einundzwanzigste*
21	*einundzwanzig*	22.	*zweiundzwanzigste*
22	*zweiundzwanzig*	23.	*dreiundzwanzigste*
23	*dreiundzwanzig*	24.	*vierundzwanzigste*
30	*dreißig*	25.	*fünfundzwanzigste*
40	*vierzig*	26.	*sechsundzwanzigste*
50	*fünfzig*	27.	*siebenundzwanzigste*
60	*sechzig*	28.	*achtundzwanzigste*
70	*siebzig*	29.	*neunundzwanzigste*
80	*achtzig*	30.	*dreißigste*
90	*neunzig*	40.	*vierzigste*
100	*(ein)hundert*	50.	*fünfzigste*
101	*hundert(und)eins*	60.	*sechzigste*
230	*zweihundert(und)dreißig*	70.	*siebzigste*
538	*fünfhundert(und)achtundreißig*	80.	*achtzigste*
1 000	*(ein)tausend*	90.	*neunzigste*
10 000	*zehntausend*	100.	*(ein)hundertste*
100 000	*(ein)hunderttausend*	230.	*zweihundert(und)dreißigste*
1 000 000	*eine Million*	1 000.	*(ein)tausendste*

0 is always read as *null*.
Numbers less than one million are written as one word.

Verbs

The Conjugation of Regular Verbs

To form the present tense, drop the *-en* or *-n* from the infinitive and add *-e*, *-st*, *-t*, *-en*, *-t*, *-en*:

stellen	to put
ich stelle	I put
du stellst	you put
er/sie/es stellt	he/she/it puts
wir stellen	we put
ihr stellt	you put
sie stellen	they put

If the stem (the part of the infinitive before *-en*) ends in *-chn*, *-d*, *-dn*, *-fn*, *-gn*, *-t*, *-tm*, drop the *-en* from the infinitive and add *-e*, *-est*, *-et*, *-en*, *-et*, *-en*:

rechnen	to calculate
ich rechne	I calculate
du rechnest	you calculate
er/sie/es rechnet	he/she/it calculates
wir rechnen	we calculate
ihr rechnet	you calculate
sie rechnen	they calculate

Verbs with stems that end in *-s*, *-x* or *-z* simply add a *-t* to the stem in the 2nd person.

Conjugation of Irregular Verbs

The forms of irregular verbs are featured in the table on pages 592–595. The forms of the frequently used irregular verbs listed below should be memorized:

sein	be	*haben*	have
ich bin	I am	*ich habe*	I have
du bist	you are	*du hast*	you have
er/sie/es ist	he/she/it is	*er/sie/es hat*	he/she/it has
wir sind	we are	*wir haben*	we have
ihr seid	you are	*ihr habt*	you have
sie sind	they are	*sie haben*	they have
werden	become	*wissen*	know
ich werde	I become	*ich weiß*	I know
du wirst	you become	*du weißt*	you know
er/sie/es wird	he/she/it becomes	*er/sie/es weiß*	he/she/it knows
wir werden	we become	*wir wissen*	we know
ihr werdet	you become	*ihr wisst*	you know
sie werden	they become	*sie wissen*	they know
tun	do		
ich tue	I do		
du tust	you do		
er/sie/es tut	he/she/it does		
wir tun	we do		
ihr tut	you do		
sie tun	they do		

The Future Tense of Regular Verbs

The future tense is formed using the stem of the verbs and the appropriate present tense form of *werden*:

ich werde stellen
du wirst stellen
er/sie/es wird stellen
wir werden stellen
ihr werdet stellen
sie werden stellen

The Imperfect of Regular Verbs

The imperfect is formed by adding the following endings to the stem of the verb:

-te	*ich stellte*
-test	*du stelltest*
-te	*er/sie/es stellte*
-ten	*wir stellten*
-tet	*ihr stelltet*
-ten	*sie stellten*

The Present Perfect

The present perfect is formed with the present tense of *haben* or *sein* and the participle:

ich habe gestellt
du hast gestellt
er/sie/es hat gestellt
wir haben gestellt
ihr habt gestellt
sie haben gestellt

Many verbs involving a change of location or condition form the present perfect with *sein* rather than *haben:*

ich bin gereist
du bist gereist
er/sie/es ist gereist
wir sind gereist
ihr seid gereist
sie sind gereist

The Participle of Regular Verbs

The participle of regular verbs is formed by adding the prefix *ge-* to the 3rd person singular form of the verb. *stellen* becomes *gestellt,* *suchen* becomes *gesucht.* Verbs that end in *-ieren* form the participle with the 3rd person singular form of the verb (without adding *ge-*): *informieren* becomes *informiert.*

Verbs with Separable Prefixes

In the case of verbs with separable prefixes, the prefix always is placed at the end of the sentence. If the verb itself is not at the end of the sentence, the prefix is separated from the rest of the verb and placed there. The most common of these prefixes are:

ab-, an-, auf-, aus-, ein-, fort-, heim-, her-, heraus-, hinaus-, hin-, mit-, nach-, nieder-, vor-, weg-, zu-, zurück-, zusammen-.

zumachen	close
Ich machte es zu.	I closed it.
Ich habe es zugemacht.	I closed it.

German Irregular Verbs

Infinitive	*Past Tense*	*Past Participle*	*Prs. Sing. 1st + 2nd pers.*
backen	backte	gebacken	ich backe, du bäckst
befehlen	befahl	befohlen	ich befehle, du befiehlst
befleißen	befliss	beflissen	ich befleiße, du befleißt
beginnen	begann	begonnen	ich beginne, du beginnst
beißen	biss	gebissen	ich beiße, du beißt
bergen	barg	geborgen	ich berge, du birgst
bersten	barst	geborsten	ich berste, du birst
bewegen (veranlassen)	bewog	bewogen	ich bewege, du bewegst
biegen	bog	gebogen	ich biege, du biegst
bieten	bot	geboten	ich biete, du bietest
binden	band	gebunden	ich binde, du bindest
bitten	bat	gebeten	ich bitte, du bittest
blasen	blies	geblasen	ich blase, du bläst
bleiben	blieb	geblieben	ich bleibe, du bleibst
bleichen (hell werden)	blich	geblichen	ich bleiche, du bleichst
braten	briet	gebraten	ich brate, du brätst
brechen	brach	gebrochen	ich breche, du brichst
brennen	brannte	gebrannt	ich brenne, du brennst
bringen	brachte	gebracht	ich bringe, du bringst
denken	dachte	gedacht	ich denke, du denkst
dreschen	drosch	gedroschen	ich dresche, du drischst
dringen	drang	gedrungen	ich dringe, du dringst
dünken	dünkte	gedünkt	mich dünkt, dich dünkt
dürfen	durfte	gedurft	ich darf, du darfst
empfangen	empfing	empfangen	ich empfange, du empfängst
empfehlen	empfahl	empfohlen	ich empfehle, du empfiehlst
empfinden	empfand	empfunden	ich empfinde, du empfindest
erbleichen	erblich	erblichen	ich erbleiche, du erbleichst
erlöschen	erlosch	erloschen	ich erlösche, du erlöschst
erschrecken	erschrak	erschrocken	ich erschrecke, du erschrickst
essen	aß	gegessen	ich esse, du isst
fahren	fuhr	gefahren	ich fahre, du fährst
fallen	fiel	gefallen	ich falle, du fällst
fangen	fing	gefangen	ich fange, du fängst
fechten	focht	gefochten	ich fechte, du fich(t)st
finden	fand	gefunden	ich finde, du findest
flechten	flocht	geflochten	ich flechte, du flich(t)st
fliegen	flog	geflogen	ich fliege, du fliegst
fliehen	floh	geflohen	ich fliehe, du fliehst
fließen	floss	geflossen	ich fließe, du fließt
fressen	fraß	gefressen	ich fresse, du frisst
frieren	fror	gefroren	ich friere, du frierst
gären	gor	gegoren	es gärt
gebären	gebar	geboren	ich gebäre, du gebärst/gebierst
geben	gab	gegeben	ich gebe, du gibst
gedeihen	gedieh	gediehen	ich gedeihe, du gedeihst
gehen	ging	gegangen	ich gehe, du gehst
gelingen	gelang	gelungen	es gelingt

gelten	galt	gegolten	ich gelte, du giltst
genesen	genas	genesen	ich genese, du genest
genießen	genoss	genossen	ich genieße, du genießt
geschehen	es geschah	geschehen	es geschieht
gewinnen	gewann	gewonnen	ich gewinne, du gewinnst
gießen	goss	gegossen	ich gieße, du gießt
gleichen	glich	geglichen	ich gleiche, du gleichst
gleiten	glitt	geglitten	ich gleite, du gleitest
glimmen	glomm	geglommen	es glimmt
graben	grub	gegraben	ich grabe, du gräbst
haben	hatte	gehabt	ich habe, du hast
halten	hielt	gehalten	ich halte, du hältst
hängen	hing	gehangen	ich hänge, du hängst
hauen	hieb/haute	gehauen	ich haue, du haust
heben	hob	gehoben	ich hebe, du hebst
heißen	hieß	geheißen	ich heiße, du heißt
helfen	half	geholfen	ich helfe, du hilfst
kennen	kannte	gekannt	ich kenne, du kennst
klimmen	klomm	geklommen	ich klimme, du klimmst
klingen	klang	geklungen	ich klinge, du klingst
kneifen	kniff	gekniffen	ich kneife, du kneifst
kommen	kam	gekommen	ich komme, du kommst
können	konnte	gekonnt	ich kann, du kannst
kriechen	kroch	gekrochen	ich krieche, du kriechst
laden	lud	geladen	ich lade, du lädst
lassen	ließ	gelassen	ich lasse, du lässt
laufen	lief	gelaufen	ich laufe, du läufst
leiden	litt	gelitten	ich leide, du leidest
leihen	lieh	geliehen	ich leihe, du leihst
lesen	las	gelesen	ich lese, du liest
liegen	lag	gelegen	ich liege, du liegst
löschen	losch	geloschen	ich lösche, du lischt
lügen	log	gelogen	ich lüge, du lügst
mahlen	mahlte	gemahlen	ich mahle, du mahlst
meiden	mied	gemieden	ich meide, du meidest
melken	molk	gemolken/ gemelkt	ich melke, du melkst
messen	maß	gemessen	ich messe, du misst
misslingen	es misslang	misslungen	es misslingt
mögen	mochte	gemocht	ich mag, du magst
müssen	musste	gemusst	ich muss, du musst
nehmen	nahm	genommen	ich nehme, du nimmst
nennen	nannte	genannt	ich nenne, du nennst
pfeifen	pfiff	gepfiffen	ich pfeife, du pfeifst
preisen	pries	gepriesen	ich preise, du preist
quellen	quoll	gequollen	ich quelle, du quillst
raten	riet	geraten	ich rate, du rätst
reiben	rieb	gerieben	ich reibe, du reibst
reißen	riss	gerissen	ich reiße, du reißt
reiten	ritt	geritten	ich reite, du reitest
rennen	rannte	gerannt	ich renne, du rennst
riechen	roch	gerochen	ich rieche, du riechst

ringen	rang	gerungen	ich ringe, du ringst
rinnen	rann	geronnen	es rinnt
rufen	rief	gerufen	ich rufe, du rufst
saufen	soff	gesoffen	ich saufe, du säufst
saugen	sog	gesogen	ich sauge, du saugst
schaffen	schuf	geschaffen	ich schaffe, du schaffst
scheiden	schied	geschieden	ich scheide, du scheidest
scheinen	schien	geschienen	ich scheine, du scheinst
schelten	scholt	gescholten	ich schelte, du schiltst
scheren	schor	geschoren	ich schere, du scherst
schieben	schob	geschoben	ich schiebe, du schiebst
schießen	schoss	geschossen	ich schieße, du schießt
schinden	schund/ schindete	geschunden	ich schinde, du schindest
schlafen	schlief	geschlafen	ich schlafe, du schläfst
schlagen	schlug	geschlagen	ich schlage, du schlägst
schleichen	schlich	geschlichen	ich schleiche, du schleichst
schleifen	schliff	geschliffen	ich schleife, du schleifst
schließen	schloss	geschlossen	ich schließe, du schließt
schlingen	schlang	geschlungen	ich schlinge, du schlingst
schmeißen	schmiss	geschmissen	ich schmeiße, du schmeißt
schmelzen	schmolz	geschmolzen	ich schmelze, du schmilzt
schneiden	schnitt	geschnitten	ich schneide, du schneidest
schreiben	schrieb	geschrieben	ich schreibe, du schreibst
schreien	schrie	geschrien	ich schreie, du schreist
schreiten	schritt	geschritten	ich schreite, du schreitest
schweigen	schwieg	geschwiegen	ich schweige, du schweigst
schwellen	schwoll	geschwollen	ich schwelle, du schwillst
schwimmen	schwamm	geschwommen	ich schwimme, du schwimmst
schwinden	schwand	geschwunden	ich schwinde, du schwindest
schwingen	schwang	geschwungen	ich schwinge, du schwingst
schwören	schwor	geschworen	ich schwöre, du schwörst
sehen	sah	gesehen	ich sehe, du siehst
sein	war	gewesen	ich bin, du bist
senden	sandte	gesandt	ich sende, du sendest
singen	sang	gesungen	ich singe, du singst
sinken	sank	gesunken	ich sinke, du sinkst
sinnen	sann	gesonnen	ich sinne, du sinnst
sitzen	saß	gesessen	ich sitze, du sitzt
speien	spie	gespien	ich speie, du speist
spinnen	spann	gesponnen	ich spinne, du spinnst
sprechen	sprach	gesprochen	ich spreche, du sprichst
sprießen	spross	gesprossen	ich sprieße, du sprieß(es)t
springen	sprang	gesprungen	ich springe, du springst
stechen	stach	gestochen	ich steche, du stichst
stehen	stand	gestanden	ich stehe, du stehst
stehlen	stahl	gestohlen	ich stehle, du stiehlst
steigen	stieg	gestiegen	ich steige, du steigst
sterben	starb	gestorben	ich sterbe, du stirbst
stieben	stob	gestoben	ich stiebe, du stiebst
stinken	stank	gestunken	ich stinke, du stinkst
stoßen	stieß	gestoßen	ich stoße, du stößt

streichen	strich	gestrichen	ich streiche, du streichst
streiten	stritt	gestritten	ich streite, du streitest
tragen	trug	getragen	ich trage, du trägst
treffen	traf	getroffen	ich treffe, du triffst
treiben	trieb	getrieben	ich treibe, du treibst
treten	trat	getreten	ich trete, du trittst
trinken	trank	getrunken	ich trinke, du trinkst
trügen	trog	getrogen	ich trüge, du trügst
tun	tat	getan	ich tu(e), du tust
verderben	verdarb	verdorben	ich verderbe, du verdirbst
verdrießen	verdross	verdrossen	ich verdrieße, du verdrießt
vergessen	vergaß	vergessen	ich vergesse, du vergißt
verlieren	verlor	verloren	ich verliere, du verlierst
wachsen	wuchs	gewachsen	ich wachse, du wächst
wägen	wog	gewogen	ich wäge, du wägst
waschen	wusch	gewaschen	ich wasche, du wäschst
weichen	wich	gewichen	ich weiche, du weichst
weisen	wies	gewiesen	ich weise, du weist
wenden	wandte/	gewandt/	ich wende, du wendest
	wendete	gewendet	
werben	warb	geworben	ich werbe, du wirbst
werden	wurde	geworden	ich werde, du wirst
werfen	warf	geworfen	ich werfe, du wirfst
wiegen	wog	gewogen	ich wiege, du wiegst
winden	wand	gewunden	ich winde, du windest
wissen	wusste	gewusst	ich weiß, du weißt
wollen	wollte	gewollt	ich will, du willst
ziehen	zog	gezogen	ich ziehe, du ziehst
zwingen	zwang	gezwungen	ich zwinge, du zwingst

Wichtige Abkürzungen im Englischen

abbrev.	*abbreviation*	Abkürzung
A.C.	*alternating current*	Wechselstrom
A.D.	*anno Domini*	A.D.
a.m.	*ante meridiem*	vormittags
amt.	*amount*	Menge
approx.	*approximately*	ca.
attn.	*to the attention of*	z.Hd.
Ave.	*Avenue*	Allee
b.	*born*	geboren
B.A.	*Bachelor of Arts*	akademischer Grad vor dem M.A.
BBC	*British Broadcasting Corporation*	BBC
B.C.	*before Christ*	v. Chr.
BR	*British Rail*	Britische Eisenbahngesellschaft
Bros.	*brothers*	Gebrüder
Capt.	*Captain*	Kapitän
cd	*cash discount*	Rabatt für Barzahlung
CD	*compact disc*	CD
CEO	*Chief Executive Officer*	Generaldirektor
CET	*Central European Time*	MEZ
cf.	*confer*	vgl.
CIA	*Central Intelligence Agency*	CIA (der amerikanische Geheimdienst)
c/o	*care of*	bei, c/o
Co.	*company*	Fa.
C.O.D.	*cash on delivery*	per Nachnahme
CV	*Curriculum vitae*	Lebenslauf
D.A.	*district attorney*	Staatsanwalt
dir.	*director*	Direktor
dbl.	*double*	doppel
D.C.	*direct current*	Gleichstrom
Dept.	*department*	Abteilung
E.C.	*European Community*	Europäische Gemeinschaft
EDP	*Electronic Data Processing*	EDV
EEMU	*European Economics and Monetary Union*	EWWU, Europäische Wirtschafts- und Währungsunion
e.g.	*exempli gratia*	z. B.
encl.	*1. enclosed*	anbei
	2. enclosure	Anlage
esp.	*especially*	besonders
etc.	*et cetera*	usw.
EU	*European Union*	Europäische Union
FBI	*Federal Bureau of Investigation*	FBI (Bundespolizei in den USA)
ft.	*foot*	Fuß
GNP	*gross national product*	Bruttosozialprodukt
HP	*Hire Purchase*	Ratenkauf
H.R.H.	*His/Her Royal Highness*	Seine/Ihre Königliche Hoheit

ID	*identification*	Ausweis
i.e.	*id est*	das heißt
inc.	*incorporated*	eingetragen
incl.	*including*	einschließlich, inklusive
IOU	*I owe you*	Schuldschein
IQ	*intelligence quotient*	Intelligenzquotient
Jr.	*junior*	Junior
lb.	*pound*	Pfund
Ld	*Lord*	Herr (Teil eines Titels)
Ltd.	*limited*	GmbH
MD	*Medicinae Doctor*	Dr. med.
m.p.h.	*miles per hour*	Meilen pro Stunde
Mr	*Mister*	Herr
Mrs	*(nur als Abkürzung)*	Frau
Ms	*(nur als Abkürzung)*	Frau (auch für Unverheiratete)
Mt	*mount*	Teil des Namens vor einem Berg
n/a	*not applicable*	nicht zutreffend
NATO	*North Atlantic Treaty Organization*	NATO
NB	*nota bene*	bitte beachten
no.	*number*	Nr.
oz.	*ounce*	Unze
p.	*1. page*	S.
	2. pence	Penny
p.a.	*per annum*	jährlich
PC	*personal computer*	Personalcomputer
pd	*paid*	bezahlt
p.m.	*post meridiem*	nachmittags, abends
p.o.	*post office*	Post
pp	*pages*	Seiten
PTO	*please turn over*	bitte wenden
Rd.	*road*	Str.
Ref.	*reference*	Bezug
ret.	*retired*	in Ruhestand
ROM	*read-only memory*	ROM
rpm	*revolutions per minute*	Umdrehungen pro Minute
RSVP	*répondez s'il vous plaît*	u.A.w.g.
RV	*recreational vehicle*	Wohnmobil
sq.	*square*	Quadrat
Sr.	*Senior*	Senior (nach einem Namen)
St.	*1. Saint*	St.
	2. Street	Str.
TV	*television*	Fernsehen
U.K.	*United Kingdom*	Vereinigtes Königreich (England, Schottland, Wales, Nordirland)
USA	*United States of America*	USA
VAT	*value-added tax*	Mwst.
VCR	*video cassette recorder*	Videorekorder
vol	*volume*	Band
VP	*vice president*	Vizepräsident
vs.	*versus*	gegen
yd.	*yard*	Yard
ZIP code	*Zone Improvement Plan*	Postleitzahl

Important German Abbreviations

Abb.	*Abbildung*	illustration
Abk.	*Abkürzung*	abbreviation
Abs.	*Absender*	sender
Abschn.	*Abschnitt*	paragraph
Abt.	*Abteilung*	department
Adr.	*Adresse*	address
AG	*Aktiengesellschaft*	joint stock company
allg.	*allgemein*	general
Anl.	*Anlage*	enclosure
Anm.	*Anmerkung*	note
AZUBI	*Auszubildende(r)*	trainee, apprentice
Betr.	*Betreff*	reference
bezgl.	*bezüglich*	with regard to
Bj.	*Baujahr*	year of construction
BLZ	*Bankleitzahl*	sort code, (US) bank identification number
BRD	*Bundesrepublik Deutschland*	Federal Republic of Germany
b. w.	*bitte wenden*	please turn over
bzw.	*beziehungsweise*	or, or rather, respectively
ca.	*circa*	approx.
DB	*Deutsche Bahn*	German Railways
d.h.	*das heißt*	i.e.
d. i.	*das ist*	that is
DIN	*Deutsche Industrienorm*	German Industrial Standard
Dipl. Ing.	*Diplomingenieur*	academically trained engineer
Dipl. Kfm.	*Diplomkaufmann*	person with a degree in commerce
Dr.	*Doktor*	Dr.
Dr. med.	*Doktor medicinae*	MD
dt.	*deutsche(r,s)*	German
Dtzd.	*Dutzend*	dozen
ebf.	*ebenfalls*	as well
EDV	*Elektronische Datenver- arbeitung*	EDP
einschl.	*einschließlich*	including
engl.	*englisch*	English
EU	*Europäische Union*	European Union
EUR	*Euro*	euro
ev.	*evangelisch*	Protestant
e.V.	*eingetragener Verein*	registered society
evtl.	*eventuell*	possibly, perhaps
EWWU	*Europäische Wirtschafts- und Währungsunion*	EEMU European Economic and Monetary Union
Fa.	*Firma*	firm
FCKW	*Fluorchlorkohlenwasserstoff*	fluorocarbon
ff.	*folgende Seiten*	in the following
Fr.	*Frau*	Mrs/Ms/Miss
geb.	*geboren*	born
Gebr.	*Gebrüder*	Bros.
ggf.	*gegebenenfalls*	if necessary
Ges.	*Gesellschaft*	Co.

GmbH	*Gesellschaft mit beschränkter Haftung*	Ltd.
Hbf	*Hauptbahnhof*	central railway station
Hbj.	*Halbjahr*	half year
hlg.	*heilig*	holy
HP	*Halbpension*	half board
Hr.	*Herr*	Mr
i. A.	*im Auftrag*	on behalf of
inkl.	*inklusive*	incl.
i. R.	*im Ruhestand*	retired
i. V.	*in Vertretung*	on behalf of
Jh.	*Jahrhundert*	century
kath.	*katholisch*	Catholic
Kfz	*Kraftfahrzeug*	motor vehicle
KG	*Kommanditgesellschaft*	limited partnership
Kto.	*Konto*	account
Lkw	*Lastkraftwagen*	lorry, truck (US)
MEZ	*Mitteleuropäische Zeit*	CET
mtl.	*monatlich*	monthly
Mrd.	*Milliarde*	thousand million (UK)/billion (US)
Mwst.	*Mehrwertsteuer*	value-added tax
n. Chr.	*nach Christus*	A.D.
Nr.	*Nummer*	no.
n. V.	*nach Vereinbarung*	by arrangement
Pkt.	*Punkt*	point
Pkw	*Personenkraftwagen*	motor car, automobile
PLZ	*Postleitzahl*	postal code, ZIP code (US)
PS	*Pferdestärke*	horsepower
P.S.	*post scriptum*	P.S.
rd.	*rund*	approx.
s.	*siehe*	see
S.	*Seite*	page
s.o.	*siehe oben*	see above
SSV	*Sommerschlussverkauf*	summer sale
Std.	*Stunde*	hour
Str.	*Straße*	St.
s.u.	*siehe unten*	see below
TÜV	*Technischer Über-wachungsverein*	Association for Technical Inspection
u.	*und*	and
u. a.	*unter anderem*	among other things
usw.	*und so weiter*	etc.
u. U.	*unter Umständen*	circumstances permitting
u. v. a.	*und viele(s) andere*	and much/many more
v. Chr.	*vor Christus*	B.C.
vgl.	*vergleiche*	cf.
Wh.	*Wiederholung*	repetition
WSV	*Winterschlussverkauf*	winter sale
z. B.	*zum Beispiel*	e.g.
z. Hd.	*zu Händen*	attn.
z. T.	*zum Teil*	partly
z. Zt.	*zurzeit*	at present

Maße und Gewichte

Seit 1996 gilt in Großbritannien parallel das Système International d'Unités (SI) bis zur Neuregelung durch die EU. Danach gilt einheitlich das SI-System.

Längenmaße

1 mm		*0.03937 inches*
1 cm	10 mm	*0.3937 inches*
1 m	100 cm	*3.2808 feet*
1 km	1000 m	*0.62138 miles*
1 inch		2,54 cm
1 foot	*12 inches*	30,48 cm
1 yard	*3 feet*	91,44 cm
1 mile	*5280 feet*	1,609 km
1 acre		4046,9 qm

Handelsgewichte

1 Tonne	1.000 kg	*0,984 ton* (UK)
		1.1023 tons (US)
1 dt. Pfund	0,5 kg	
1 ounce		28,35 g
1 pound	*16 ounces*	453,59 g
1 ton	*2,240 s.* (UK)	1016,05 kg (UK)
	2,000 lbs. (US)	907,185 kg (US)
1 stone	*14 pounds*	6,35 kg

Flüssigkeitsmaße

1 l	*1.7598 pints* (UK)	*2.1134 pints* (US)
	0.8799 quarts (UK)	*1.0567 quarts* (US)
	0.2199 gallons (UK)	*0.2642 gallons* (US)
1 gill	0,142 l (UK)	0,1183 l (US)
1 pint	0,568 l (UK)	0,4732 l (US)
1 quart *2 pints*	1,136 l (UK)	0,9464 l (US)
1 gallon *4 quarts*	4,546 l (UK)	3,785 l (US)

Temperaturumrechnung

Grad Celsius in Grad Fahrenheit: Grad Celsius mal 9 geteilt durch 5 plus 32
Grad Fahrenheit in Grad Celsius: Grad Fahrenheit minus 32 mal 5 geteilt durch 9

Celsius °C	Fahrenheit °F	Celsius °C	Fahrenheit °F	Celsius °C	Fahrenheit °F
-20	-4	0	32	25	77
-17,8	0	5	41	30	86
-15	5	10	50	35	95
-10	14	15	59	37,8	100
-5	23	20	68		